István Mészáros

Para além do capital
Rumo a uma teoria da transição

Tradução
Paulo Cezar Castanheira
Sérgio Lessa

COLEÇÃO
Mundo do Trabalho
Coordenação **Ricardo Antunes**
Conselho editorial **Graça Druck, Luci Praun, Marco Aurélio Santana,
Murillo van der Laan, Ricardo Festi, Ruy Braga**

ALÉM DA FÁBRICA
Marco Aurélio Santana e
José Ricardo Ramalho (orgs.)

O ARDIL DA FLEXIBILIDADE
Sadi Dal Rosso

ATUALIDADE HISTÓRICA DA
OFENSIVA SOCIALISTA
István Mészáros

A CÂMARA ESCURA
Jesus Ranieri

O CARACOL E SUA CONCHA
Ricardo Antunes

A CLASSE TRABALHADORA
Marcelo Badaró Mattos

O CONCEITO DE DIALÉTICA
EM LUKÁCS
István Mészáros

O CONTINENTE DO LABOR
Ricardo Antunes

A CRISE ESTRUTURAL DO CAPITAL
István Mészáros

CRÍTICA À RAZÃO INFORMAL
Manoel Luiz Malaguti

DA GRANDE NOITE À
ALTERNATIVA
Alain Bihr

DA MISÉRIA IDEOLÓGICA À CRISE
DO CAPITAL
Maria Orlanda Pinassi

A DÉCADA NEOLIBERAL E A CRISE
DOS SINDICATOS NO BRASIL
Adalberto Moreira Cardoso

A DESMEDIDA DO CAPITAL
Danièle Linhart

O DESAFIO E O FARDO DO
TEMPO HISTÓRICO
István Mészáros

DO CORPORATIVISMO AO
NEOLIBERALISMO
Angela Araújo (org.)

A EDUCAÇÃO PARA ALÉM
DO CAPITAL
István Mészáros

O EMPREGO NA GLOBALIZAÇÃO
Marcio Pochmann

O EMPREGO NO
DESENVOLVIMENTO DA NAÇÃO
Marcio Pochmann

ESTRUTURA SOCIAL E FORMAS DE
CONSCIÊNCIA, 2v
István Mészáros

FILOSOFIA, IDEOLOGIA E
CIÊNCIA SOCIAL
István Mészáros

FORÇAS DO TRABALHO
Beverly J. Silver

FORDISMO E TOYOTISMO
Thomas Gounet

GÊNERO E TRABALHO
NO BRASIL E NA FRANÇA
Alice Rangel de Paiva Abreu, Helena
Hirata e Maria Rosa Lombardi (orgs.)

HOMENS PARTIDOS
Marco Aurélio Santana

INFOPROLETÁRIOS
Ricardo Antunes e Ruy Braga (orgs.)

LINHAS DE MONTAGEM
Antonio Luigi Negro

A MÁQUINA AUTOMOTIVA
EM SUAS PARTES
Geraldo Augusto Pinto

MAIS TRABALHO!
Sadi Dal Rosso

O MISTER DE FAZER DINHEIRO
Nise Jinkings

O MITO DA GRANDE CLASSE
MÉDIA
Marcio Pochmann

A MONTANHA QUE DEVEMOS
CONQUISTAR
István Mészáros

NEOLIBERALISMO, TRABALHO
E SINDICATOS
Huw Beynon, José Ricardo Ramalho,
John McIlroy e Ricardo Antunes (orgs.)

NOVA DIVISÃO SEXUAL
DO TRABALHO?
Helena Hirata

NOVA CLASSE MÉDIA
Marcio Pochmann

O NOVO (E PRECÁRIO) MUNDO
DO TRABALHO
Giovanni Alves

A OBRA DE SARTRE
István Mészáros

PARA ALÉM DO CAPITAL
István Mészáros

A PERDA DA RAZÃO SOCIAL
DO TRABALHO
Maria da Graça Druck e Tânia Franco
(orgs.)

POBREZA E EXPLORAÇÃO DO
TRABALHO NA AMÉRICA LATINA
Pierre Salama

O PODER DA IDEOLOGIA
István Mészáros

A POLÍTICA DO PRECARIADO
Ruy Braga

O PRIVILÉGIO DA SERVIDÃO
Ricardo Antunes

A REBELDIA DO PRECARIADO
Ruy Braga

RETORNO À CONDIÇÃO OPERÁRIA
Stéphane Beaud e Michel Pialoux

RIQUEZA E MISÉRIA DO TRABALHO
NO BRASIL, 4v
Ricardo Antunes (org.)

O ROUBO DA FALA
Adalberto Paranhos

O SÉCULO XXI
István Mészáros

SEM MAQUIAGEM
Ludmila Costhek Abílio

OS SENTIDOS DO TRABALHO
Ricardo Antunes

SHOPPING CENTER
Valquíria Padilha

A SITUAÇÃO DA CLASSE
TRABALHADORA NA INGLATERRA
Friedrich Engels

A TEORIA DA ALIENAÇÃO EM MARX
István Mészáros

TERCEIRIZAÇÃO: (DES)
FORDIZANDO A FÁBRICA
Maria da Graça Druck

TRABALHO E DIALÉTICA
Jesus Ranieri

TRABALHO E SUBJETIVIDADE
Giovanni Alves

TRANSNACIONALIZAÇÃO DO
CAPITAL E FRAGMENTAÇÃO DOS
TRABALHADORES
João Bernardo

UBERIZAÇÃO, TRABALHO
DIGITAL E INDÚSTRIA 4.0
Ricardo Antunes (org.)

Para Donatella

Copyright da tradução © Boitempo Editorial, 2002
Copyright © István Mészáros, 2002

Coordenação editorial
Ivana Jinkings

Tradução
Paulo Cezar Castanheira e Sérgio Lessa

Preparação
Maria Orlanda Pinassi

Revisão
Maria Fernanda Alvares, Maurício Balthazar Leal,
Sandra Regina de Souza e Túlio Kawata

Capa
Grafikz / Andrei Polessi
sobre foto dos escombros do World Trade Center, NY, 11/9/2001. Foto AP.

Diagramação
Set-up Time Artes Gráficas

Coordenação de produção
Livia Campos

Assistência de produção
Camila Nakazone

CIP-BRASIL.CATALOGAÇÃO-NA-FONTE
SINDICATO NACIONAL DOS EDITORES DE LIVROS, RJ.

M55p

Mészáros, István, 1930-
   Para além do capital : rumo a uma teoria da transição / István Mészarós ; tradução Paulo Cezar Castanheira, Sérgio Lessa. - 1.ed. revista. - São Paulo : Boitempo, 2011.
   (Mundo do trabalho)

Tradução de: Beyond capital : towards a theory of transition
Contém dados biográficos
Inclui índice
ISBN 978-85-7559-145-1

1. Economia marxista. 2. Materialismo dialético. 3. Pós-modernismo. I. Título. II. Série.

11-0335.   CDD: 335.412
           CDU: 330.85

É vedada a reprodução de qualquer parte deste livro sem a expressa autorização da editora.

1ª edição: maio de 2002; 1ª reimpressão: outubro de 2002;
2ª reimpressão: maio de 2006; 3ª reimpressão: julho de 2009;
1ª edição revista: maio de 2011; 1ª reimpressão: janeiro de 2012;
2ª reimpressão: janeiro de 2013; 3ª reimpressão: dezembro de 2014;
4ª reimpressão: setembro de 2016; 5ª reimpressão: outubro de 2021

BOITEMPO
Jinkings Editores Associados Ltda.
Rua Pereira Leite, 373
05442-000 São Paulo SP
Tel.: (11) 3875-7250 / 3875-7285
editor@boitempoeditorial.com.br
boitempoeditorial.com.br | blogdaboitempo.com.br
facebook.com/boitempo | twitter.com/editoraboitempo
youtube.com/tvboitempo | instagram.com/boitempo

SUMÁRIO

Nota do Editor 13
Apresentação 15
Prefácio à Edição Brasileira 21
Introdução 37

PARTE I
A SOMBRA DA INCONTROLABILIDADE

1. A QUEBRA DO ENCANTO DO "CAPITAL PERMANENTE UNIVERSAL" 53
   1.1 Além do legado hegeliano 53
   1.2 A primeira concepção global – sobre a premissa do "fim da história" 59
   1.3 O "capital permanente universal" de Hegel: a falsa mediação entre a individualidade personalista e a universalidade abstrata 63
   1.4 A revolução sitiada no "elo mais fraco da corrente" e sua teorização representativa em *História e consciência de classe* 72
   1.5 A perspectiva da alternativa inexplorada de Marx: do "cantinho do mundo" à consumação da "ascendência global" do capital 84

2. A ORDEM DA REPRODUÇÃO SOCIOMETABÓLICA DO CAPITAL 94
   2.1 Defeitos estruturais de controle no sistema do capital 94
   2.2 Os imperativos corretivos do capital e o Estado 106
   2.3 A dissonância entre as estruturas reprodutivas materiais do capital e sua formação de Estado 125

3. SOLUÇÕES PARA A INCONTROLABILIDADE DO CAPITAL, DO PONTO DE VISTA DO CAPITAL 133
   3.1 As respostas da economia política clássica 133
   3.2 A "utilidade marginal" e a economia neoclássica 141

3.3   Da "revolução gerencial" à postulada
      "convergência da tecnoestrutura"   156

4. CAUSALIDADE, TEMPO E FORMAS DE MEDIAÇÃO   175
   4.1   Causalidade e tempo sob a *causa sui* do capital   175
   4.2   O círculo vicioso da segunda ordem de mediações do capital   179
   4.3   A eternização do historicamente contingente: a arrogância fatal
         da apologia do capital de Hayek   189
   4.4   Os limites produtivos da relação-capital   199
   4.5   A articulação alienada da mediação da reprodução social básica
         e a alternativa positiva   205

5. A ATIVAÇÃO DOS LIMITES ABSOLUTOS DO CAPITAL   216
   5.1   O capital transnacional e os Estados nacionais   227
   5.2   A eliminação das condições de reprodução sociometabólica   249
   5.3   A liberação das mulheres: a questão da igualdade substantiva   267
   5.4   O desemprego crônico: o significado real de "explosão
         populacional"   310

PARTE II
LEGADO HISTÓRICO DA CRÍTICA SOCIALISTA 1: O DESAFIO DAS MEDIAÇÕES MATERIAIS E INSTITUCIONAIS NA ESFERA DE INFLUÊNCIA DA REVOLUÇÃO RUSSA

6. A TRAGÉDIA DE LUKÁCS E A QUESTÃO DAS ALTERNATIVAS   347
   6.1   Tempo acelerado e profecia atrasada   347
   6.2   A busca pela "individualidade autônoma"   352
   6.3   Dos dilemas de *A alma e as formas* à visão ativista de
         História e consciência de classe   359
   6.4   A contínua postulação de alternativas   366

7. DO FECHADO HORIZONTE DO "ESPÍRITO DO MUNDO" DE HEGEL À
   PREGAÇÃO DO IMPERATIVO DA EMANCIPAÇÃO SOCIALISTA   373
   7.1   Concepções individualistas do conhecimento e da interação social   373
   7.2   O problema da "totalização" em *História e consciência de classe* 379
   7.3   "Crise ideológica" e sua resolução voluntarista   384
   7.4   A função do postulado metodológico de Lukács   394
   7.5   A hipostatização da "consciência de classe atribuída"   399

8. OS LIMITES DE "SER MAIS HEGELIANO" QUE HEGEL   405
   8.1   Uma crítica da racionalidade weberiana   405
   8.2   O paraíso perdido do "marxismo ocidental"   419
   8.3   O "sujeito-objeto idêntico" de Lukács   426

9. A TEORIA E SEU CENÁRIO INSTITUCIONAL 445
    9.1   A promessa da concretização histórica 445
    9.2   Mudança na avaliação dos Conselhos de Trabalhadores 453
    9.3   A categoria da mediação de Lukács 462

10. POLÍTICA E MORALIDADE: DE *HISTÓRIA E CONSCIÊNCIA DE CLASSE* A *O PRESENTE E O FUTURO DA DEMOCRATIZAÇÃO* E DE VOLTA À *ÉTICA* NÃO ESCRITA 469
    10.1   Apelo à intervenção direta da consciência emancipatória 469
    10.2   A "luta de guerrilha da arte e da ciência" e a ideia da liderança intelectual "de cima" 476
    10.3   Elogio da opinião pública subterrânea 484
    10.4   A segunda ordem de mediação do capital e a proposta da ética como mediação 486
    10.5   A fronteira política das concepções éticas 494
    10.6   Os limites do último testamento político de Lukács 501

LEGADO HISTÓRICO DA CRÍTICA SOCIALISTA 2: RUPTURA RADICAL E TRANSIÇÃO NA HERANÇA MARXIANA

11. O PROJETO INACABADO DE MARX 517
    11.1   Do mundo das mercadorias à nova forma histórica 518
    11.2   O cenário histórico da teoria de Marx 520
    11.3   A crítica marxiana da teoria liberal 523
    11.4   Dependência do sujeito negado 525
    11.5   A inserção social da tecnologia e a dialética do histórico/trans-histórico 527
    11.6   Teoria socialista e prática político-partidária 529
    11.7   Novos desenvolvimentos do capital e suas formações estatais 532
    11.8   Uma crise em perspectiva? 535

12. A "ASTÚCIA DA HISTÓRIA" EM MARCHA À RÉ 540
    12.1   *List der Vernunft* e a "astúcia da história" 540
    12.2   A reconstituição das perspectivas socialistas 544
    12.3   A emergência da nova racionalidade do capital 549
    12.4   Contradições de uma era de transição 556

13. COMO PODERIA O ESTADO FENECER? 561
    13.1   Os limites da ação política 563
    13.2   Os principais traços da teoria política de Marx 566
    13.3   Revolução social e o voluntarismo político 571
    13.4   Crítica da filosofia política de Hegel 577
    13.5   O deslocamento das contradições do capital 584
    13.6   Ambiguidades temporais e mediações que faltam 592

PARTE III
CRISE ESTRUTURAL DO SISTEMA DO CAPITAL

14. A PRODUÇÃO DE RIQUEZA E A RIQUEZA DA PRODUÇÃO — 605
    14.1 A disjunção de necessidade e produção de riqueza — 606
    14.2 O significado verdadeiro e o fetichizado da propriedade — 610
    14.3 Produtividade e uso — 614
    14.4 Contradição entre trabalho produtivo e não produtivo — 617
    14.5 A estrutura de comando do capital: determinação vertical do processo de trabalho — 621
    14.6 A homogeneização de todas as relações produtivas e distributivas — 624
    14.7 A maldição da interdependência: o círculo vicioso do "macrocosmo" e as células constitutivas do sistema do capital — 629

15. A TAXA DE UTILIZAÇÃO DECRESCENTE NO CAPITALISMO — 634
    15.1 Da maximização da "vida útil das mercadorias" ao triunfo da produção generalizada do desperdício — 634
    15.2 A relativização do luxo e da necessidade — 642
    15.3 Tendências e contratendências do sistema do capital — 653
    15.4 Os limites da extração do excedente economicamente regulada — 656
    15.5 A taxa de utilização decrescente e o significado de "tempo disponível" — 659

16. A TAXA DE UTILIZAÇÃO DECRESCENTE E O ESTADO CAPITALISTA: ADMINISTRAÇÃO DA CRISE E AUTORREPRODUÇÃO DESTRUTIVA DO CAPITAL — 675
    16.1 A linha de menor resistência do capital — 675
    16.2 O significado do complexo militar-industrial — 685
    16.3 Das "grandes tempestades" a um *continuum* de depressão: administração da crise e autorreprodução destrutiva do capital — 695

17. FORMAS MUTANTES DO CONTROLE DO CAPITAL — 701
    17.1 O significado de capital na concepção marxiana — 701
    17.2 "Socialismo em um só país" — 726
    17.3 O fracasso da desestalinização e o colapso do "socialismo realmente existente" — 747
    17.4 A tentativa de passar da extração política à econômica do trabalho excedente: *glasnost* e *perestroika* sem o povo — 764

18. ATUALIDADE HISTÓRICA DA OFENSIVA SOCIALISTA — 787
    18.1 A ofensiva necessária das instituições defensivas — 788
    18.2 Das crises cíclicas à crise estrutural — 795
    18.3 A pluralidade de capitais e o significado do pluralismo socialista — 811
    18.4 A necessidade de se contrapor à força extraparlamentar do capital — 821

19. O SISTEMA COMUNAL E A LEI DO VALOR — 861
    19.1 A pretendida permanência da divisão do trabalho — 861
    19.2 A lei do valor sob diferentes sistemas sociais — 866

19.3	Mediação antagônica e comunal dos indivíduos	875
19.4	A natureza da troca nas relações sociais comunais	881
19.5	Novo significado da economia de tempo: a regulamentação do processo de trabalho comunal orientada pela qualidade	887

20. A LINHA DE MENOR RESISTÊNCIA E A ALTERNATIVA SOCIALISTA — 896

20.1	Mito e realidade do mercado	899
20.2	Para além do capital: o objetivo real da transformação socialista	916
20.3	Para além da economia dirigida: o significado de contabilidade socialista	934
20.4	Para além das ilusões da mercadização: o papel dos incentivos em um sistema genuinamente planejado	955
20.5	Para além do impasse conflitante: da irresponsabilidade institucionalizada à democrática tomada de decisão por baixo	970

PARTE IV
ENSAIOS SOBRE TEMAS RELACIONADOS

21. A NECESSIDADE DO CONTROLE SOCIAL — 983

21.1	Os condicionais contrafactuais da ideologia apologética	984
21.2	Capitalismo e destruição ecológica	987
21.3	A crise de dominação	989
21.4	Da "tolerância repressiva" à defesa liberal da repressão	997
21.5	"Guerra, se falham os métodos 'normais' de expansão"	1000
21.6	A emergência do desemprego crônico	1004
21.7	A intensificação da taxa de exploração	1006
21.8	"Corretivos" do capital e controle socialista	1008

22. PODER POLÍTICO E DISSIDÊNCIA NAS SOCIEDADES PÓS-REVOLUCIONÁRIAS — 1012

22.1	Não haverá mais poder político propriamente dito	1012
22.2	O ideal e a "força da circunstância"	1014
22.3	Poder político na sociedade de transição	1016
22.4	A solução de Lukács	1021
22.5	Indivíduo e classe	1023
22.6	Rompendo o domínio do capital	1028

23. DIVISÃO DO TRABALHO E ESTADO PÓS-CAPITALISTA — 1032

23.1	A base estrutural das determinações de classe	1034
23.2	A importância da contingência histórica	1041
23.3	As lacunas em Marx	1044
23.4	O futuro do trabalho	1056
23.5	A divisão do trabalho	1058
23.6	O Estado pós-revolucionário	1059
23.7	Consciência socialista	1061

24. Política radical e transição para o socialismo 1063
    24.1 O significado de *Para além do capital* 1064
    24.2 Condições históricas da ofensiva socialista 1066
    24.3 A necessidade de uma teoria da transição 1068
    24.4 A "reestruturação da economia" e suas precondições políticas 1071

25. A crise atual 1079
    25.1 Surpreendentes admissões 1079
    25.2 Declaração da hegemonia dos Estados Unidos 1081
    25.3 Falsas ilusões acerca do "declínio dos Estados Unidos como potência hegemônica" 1087
    25.4 A visão oficial da "expansão sã" 1089
    Postscript 1995: que significam as segundas-feiras (e as quartas-feiras) negras 1090

Índice onomástico 1095

Nota biográfica 1103

NOTA DO EDITOR

O mais importante estudo sobre o pensamento político e econômico de Marx – especialmente de *O capital* e dos *Grundrisse* –, *Para além do capital*, a monumental obra do filósofo húngaro István Mészáros, chega finalmente ao Brasil. Este livro, com o qual a Boitempo comemora o seu centésimo título, leva-nos a revisitar a obra marxiana de explicação do capital e de sua dinâmica, reconhecendo sua grandiosidade e também suas lacunas. *Para além do capital* passa em revista velhos conceitos, como o de que não há alternativa ao capital e ao capitalismo, e lança luz nova sobre questões atuais, permitindo-nos redescobrir Marx como um pensador do presente e do futuro.

A tradução que aqui se apresenta foi feita a partir da edição original inglesa, de 1995 (*Beyond Capital – Towards a Theory of Transition*, Merlin Press). Os capítulos de um a cinco foram traduzidos por Beatriz Sidou, com texto final de Paulo Cezar Castanheira. Sérgio Lessa, professor de Filosofia na Universidade Federal de Alagoas, traduziu os capítulos seis ao vinte. Paulo Cezar Castanheira incumbiu-se também da tradução do Prefácio, da Introdução e da revisão de tradução de toda a obra, incluindo os ensaios que estão publicados na parte IV: "A necessidade do controle social", traduzido originalmente por Mário Duayer; "Poder político e dissidência nas sociedades pós-revolucionárias", tradução de Pedro Wilson Leitão e José Paulo Netto, revisão de Ester Vaisman; "Divisão do trabalho e Estado pós-capitalista", por Magda Lopes; "Política radical e transição para o socialismo", por J. Chasin e Ester Vaisman; e, finalmente, "A crise atual", traduzido por João Roberto Martins Filho.

As notas de rodapé numeradas são todas da edição original. Nas citações bibliográficas, quando foi possível, acrescentamos as referências de edições brasileiras ou em português (o que, infelizmente, não pôde ser feito em todo o livro, dada a grande quantidade de obras citadas pelo autor).

Queremos registrar nosso reconhecimento às pessoas sem as quais não teria sido possível publicar uma obra dessa envergadura: em primeiro lugar, a Ricardo Antunes, coordenador da coleção Mundo do Trabalho e professor de Sociologia da

Unicamp, que se dedicou pessoalmente e com atenção incomum à revisão de vários capítulos; a Paulo César Castanheira e a Sérgio Lessa, tradutores cujo empenho foi decisivo para a realização deste livro; a Maria Orlanda Pinassi, professora de Sociologia da Unesp, responsável por uma cuidadosa e eficiente preparação dos originais; a Túlio Kawata, Maurício Leal e Sandra Regina de Souza, revisores em diferentes fases da preparação deste livro, que demonstraram excepcional dedicação e profissionalismo; ao professor Ronaldo Gaspar, a quem coube a difícil tarefa de cotejar parte de nossa tradução com a edição em inglês; e, finalmente, ao professor Francisco Teixeira e ao prefeito da cidade de Belém, Edmilson Rodrigues, que nos ajudaram a viabilizar a tradução. Todos foram, em diferentes etapas do trabalho, responsáveis pela publicação de uma obra que representa, provavelmente, a análise mais substancial sobre o capital e o capitalismo desde Marx.

Ivana Jinkings

APRESENTAÇÃO

Lukács disse certa vez, enquanto elaborava sua última obra, a *Ontologia do ser social*, que gostaria de retomar o projeto de Marx e escrever *O capital* dos nossos dias. Investigar o mundo contemporâneo, a lógica que o presidia, os elementos novos de sua processualidade, objetivando com isso fazer, no último quartel do século XX, uma *atualização* dos nexos categoriais presentes em *O capital*. Lukács pôde indicar, mas não pôde sequer iniciar tal empreitada. Coube a Istvan Mészáros, um dos mais destacados e importantes colaboradores de Lukács, essa significativa contribuição para a realização, em parte, desta monumental (e por certo coletiva) empreitada.

Radicado na Universidade de Sussex, na Inglaterra, onde é professor emérito, István Mészáros já era responsável por uma vasta produção intelectual, da qual se destacam *Marx's Theory of Alienation* (1970) [ed. bras.: *A teoria da alienação em Marx*, 2006], *Philosophy, Ideology and Social Science* (1986) [ed. bras.: *Filosofia, ideologia e ciência social*, 2008] e *The Power of Ideology* (1989) [ed. bras.: *O poder da ideologia*, 2004], entre vários outros livros, publicados em diversos países do mundo.

Para além do capital é, entretanto, seu livro de maior envergadura e se configura como uma das mais agudas reflexões críticas sobre o capital em suas formas, engrenagens e mecanismos de funcionamento sociometabólico, condensando mais de duas décadas de intenso trabalho intelectual. Mészáros empreende uma demolidora crítica do capital e realiza uma das mais instigantes, provocativas e densas reflexões sobre a sociabilidade contemporânea e a lógica que a preside. Na impossibilidade de desenvolver, no âmbito desta apresentação, sequer minimamente o vasto campo de complexidades desenvolvido pelo autor, vamos procurar indicar algumas de suas teses centrais, pontuando elementos analíticos presentes em *Para além do capital*.

Podemos começar afirmando que, para o autor, *capital* e *capitalismo* são fenômenos distintos e a identificação conceitual entre ambos fez com que todas as experiências revolucionárias vivenciadas no século passado, desde a Revolução Russa até as tentativas mais recentes de constituição societal socialista, se mostrassem incapacitadas para superar o "sistema de sociometabolismo do capital", isto é, o complexo caracterizado pela divisão hierárquica do trabalho, que subordina suas funções vitais ao capital. Este, o capital, antecede ao capitalismo e é a ele também posterior. O capitalismo é uma das formas possíveis da realização do capital, uma de suas variantes históricas, como ocorre na fase caracterizada pela subsunção real do trabalho ao capital. Assim como existia capital antes da generalização do sistema produtor de mercadorias (de que é exemplo o capital mercantil), do mesmo modo pode-se presenciar a continuidade do capital após o capitalismo, pela constituição daquilo que ele, por exemplo, denomina como "sistema de capital pós-capitalista", que teve vigência na URSS e demais países do Leste Europeu, durante várias décadas do século XX. Estes países, embora tivessem uma configuração pós-capitalista, foram incapazes de romper com o sistema de sociometabolismo do capital.

Portanto, para Mészáros, o sistema de sociometabolismo do capital é mais poderoso e abrangente, tendo seu núcleo constitutivo formado pelo tripé capital, trabalho e Estado. Essas três dimensões fundamentais do sistema são materialmente constituídas e inter-relacionadas, e é impossível superar o capital sem a eliminação do conjunto dos elementos que compreende esse sistema. Não basta eliminar um ou mesmo dois de seus polos. Os países pós-capitalistas, com a URSS à frente, mantiveram intactos os elementos básicos constitutivos da *divisão social hierárquica do trabalho* que configura o domínio do capital. A "expropriação dos expropriadores", a eliminação "jurídico--política" da propriedade, realizada pelo sistema soviético, "deixou intacto o edifício do sistema de capital". O desafio, portanto, é superar o tripé *em sua totalidade,* nele incluído o seu pilar fundamental, dado pelo sistema hierarquizado de trabalho, com sua alienante divisão social, que subordina o *trabalho* ao *capital,* tendo como elo de complementação o *Estado político.*

Na síntese de István Mészáros:

> dada a inseparabilidade das três dimensões do sistema do capital, que são completamente articulados – capital, trabalho e Estado –, é inconcebível emancipar o trabalho sem simultaneamente superar o capital e também o Estado. Isso porque, paradoxalmente, o material fundamental que sustenta o pilar do capital não é o Estado, mas o trabalho, em sua contínua dependência estrutural do capital (...). Enquanto as funções controladoras vitais do sociometabolismo não forem efetivamente tomadas e autonomamente exercidas pelos produtores associados, mas permanecerem sob a autoridade de um controle pessoal separado (isto é, o novo tipo de personificação do capital), o trabalho enquanto tal continuará reproduzindo o poder do capital sobre si próprio, mantendo e ampliando materialmente a regência da riqueza alienada sobre a sociedade.

Sendo um sistema que não tem limites para a sua expansão (ao contrário dos modos de organização societal anteriores, que buscavam em alguma medida o atendimento das necessidades sociais), o sistema de sociometabolismo do capital constitui-se como um sistema incontrolável. Fracassaram, na busca de controlá-lo, tanto as inúmeras tentativas efetivadas pela social-democracia, quanto a alternativa de tipo soviético, uma vez que ambas acabaram seguindo o que o autor denomina de *linha de menos resistência do capital.* A sua conversão num modo de sociometabolismo incontrolável é decorrência das próprias fraturas e dos *defeit*os estruturais que estão presentes desde o início no sistema do capital. Isso porque:

Primeiro, a produção e seu controle estão separados e se encontram diametralmente opostos um ao outro.

Segundo, no mesmo espírito, em decorrência das mesmas determinações, a produção e o consumo adquirem uma independência extremamente problemática e uma existência separada, de tal modo que o mais absurdo e manipulado "consumismo", em algumas partes do mundo, pode encontrar seu horrível corolário na mais desumana negação das necessidades elementares de incontáveis milhões de seres.

Terceiro, os novos microcosmos do sistema de capital se combinam em sua totalidade de maneira tal que o capital social total deveria ser capaz de integrar-se (...) ao domínio global da circulação (...) visando superar a contradição entre produção e circulação. Desta maneira, a necessária dominação e subordinação prevalecem não só dentro dos microcosmos particulares (...), senão também através de seus limites, transcendendo não só as barreiras regionais, mas também as fronteiras nacionais. É assim que a força de trabalho total da humanidade se encontra submetida (...) aos alienantes imperativos de um sistema global de capital.

A principal razão pela qual esse sistema escapa a um grau significativo de controle manifesta-se, precisamente, porque este

emergiu, no curso da história, como uma estrutura de controle "totalizante" das mais poderosas, (...) dentro do qual tudo, incluindo os seres humanos, deve ajustar-se, provando em consequência sua "viabilidade produtiva" ou, ao contrário, perecendo. Não se pode pensar em outro sistema de controle maior e inexorável – e nesse sentido "totalitário" – que o sistema de capital globalmente dominante, que impõe "seu critério de viabilidade em tudo, desde as menores unidades de seu 'microcosmo' até as maiores empresas transnacionais, desde as mais íntimas relações pessoais até os mais complexos processos de tomada de decisões nos consórcios monopólicos industriais, favorecendo sempre o mais forte contra o mais fraco". E, neste "processo de alienação, o capital degrada o sujeito real da produção, o trabalho, à condição de uma objetividade reificada – um mero 'fator material de produção' – transformando, desse modo, não só na teoria, mas também na prática social mais palpável, a relação real do sujeito/ objeto (...)". O trabalho deve ser feito para reconhecer outro sujeito sobre si mesmo, ainda que em realidade este último seja só um pseudo-sujeito.

Constituindo-se como um modo de sociometabolismo em última instância incontrolável, o sistema do capital é essencialmente destrutivo em sua lógica. Essa é uma tendência que se acentuou no capitalismo contemporâneo, o que levou Mészáros a desenvolver a tese, central em sua análise, da taxa de utilização decrescente do valor de uso das coisas. O capital não trata valor de uso (o qual corresponde diretamente à necessidade) e valor de troca como estando separados, mas de um modo que subordina radicalmente o primeiro ao último. O que significa que uma mercadoria pode variar de um extremo a outro, isto é, desde ter seu valor de uso realizado, num extremo da escala, até jamais ser usada, no outro extremo, sem por isso deixar de ter, para o capital, a sua utilidade expansionista e reprodutiva. E, sempre segundo Mészáros, esta tendência decrescente do valor de uso das mercadorias, ao reduzir a sua vida útil e desse modo agilizar o ciclo reprodutivo, tem se constituído num dos principais mecanismos pelo qual o capital vem atingindo seu incomensurável crescimento ao longo da história.

O capitalismo contemporâneo operou, portanto, o aprofundamento da separação entre, de um lado, a produção voltada genuinamente para o atendimento das necessidades e, de outro, as necessidades de sua autorreprodução. E, quanto mais aumentam a competitividade e a concorrência intercapitais, mais nefastas são suas consequências, das quais duas são particularmente graves: a destruição e/ou precarização, sem paralelos em toda a era moderna, da força humana que trabalha e a degradação crescente do meio ambiente, na relação metabólica entre homem, tecnologia e natureza, conduzida pela lógica societal subordinada aos parâmetros do capital e do sistema produtor de mercadorias. O que leva à conclusão categórica:

> Sob as condições de uma crise estrutural do capital, seus conteúdos destrutivos aparecem em cena trazendo uma vingança, ativando o espectro de uma incontrolabilidade total, em uma forma que prefigura a autodestruição tanto do sistema reprodutivo social como da humanidade em geral. Como exemplo desta tendência, acrescenta o autor: é suficiente pensar sobre a selvagem discrepância entre o tamanho da população dos EUA – menos de 5% da população mundial – e seu consumo de 25% do total dos recursos energéticos disponíveis. Não é preciso grande imaginação para calcular o que ocorreria se os 95% restantes adotassem o mesmo padrão de consumo.

Expansionista, destrutivo e, no limite, incontrolável, o capital assume cada vez mais a forma de uma crise endêmica, como um *depressed continuum*, como uma crise cumulativa, crônica e permanente, com a perspectiva de uma "crise estrutural cada vez mais profunda", ao contrário da sua conformação anterior, cíclica, que alternava fases de desenvolvimento produtivo com momentos de "tempestade". Com a irresolubilidade da sua crise estrutural fazendo emergir, na sua linha de tendência já visível, o espectro da destruição global da humanidade, a única forma de evitá--la é colocando em pauta a *atualidade histórica* da alternativa societal *socialista,* da *ofensiva socialista.*

Aqui emerge outro conjunto central de teses, na obra de Mészáros, carregado de forte significado político. Na impossibilidade de desenvolvê-las, nos limites desta apresentação, vamos indicar seu significado mais direto: a ruptura radical com o sistema de sociometabolismo do capital (e não somente com o capitalismo) é, por sua própria natureza, global e universal, sendo impossível sua efetivação no âmbito (da tese staliniana) do *socialismo num só país.* Entretanto, para o autor, o fato de as revoluções socialistas terem ocorrido nos países considerados como os *elos débeis da cadeia,* como países economicamente atrasados, não altera a complexidade do problema nem a dificuldade da transição. A necessidade de alterar radicalmente o sistema de sociometabolismo do capital seria, para Mészáros, do mesmo modo aguda e intensa também nos países capitalistas avançados.

Como a lógica do capital estrutura seu sociometabolismo e seu sistema de controle no âmbito *extraparlamentar,* qualquer tentativa de superar este sistema de sociometabolismo que se restrinja à esfera *institucional e parlamentar* está impossibilitada de derrotá-lo. Só um vasto movimento de massas radical e extraparlamentar pode ser capaz de destruir o sistema de domínio social do capital. Consequentemente, o processo de autoemancipação do trabalho não pode restringir-se ao âmbito da política. Isso porque o Estado moderno é entendido pelo autor como uma estrutura política compreensiva de mando do capital, um pré-requisito para a conversão do capital num sistema dotado de viabilidade para a sua reprodução, expressando um momento constitutivo da própria materialidade do capital. Solda-se, então, um nexo fundamental: o Estado moderno é inconcebível sem o capital, que é o seu real fundamento, e o capital, por sua vez, precisa do Estado como seu complemento necessário. A crítica radical ao Estado ganha sentido, portanto, somente se a ação tiver como centro a destruição do sistema de sociometabolismo do capital.

Como desdobramento da tese anterior, a crítica de Mészáros aos instrumentos políticos de mediação existentes é também enfática: os sindicatos e partidos, tanto nas suas experiências de tipo social-democrático, quanto na variante dos partidos comunistas tradicionais, de feição stalinista ou neostalinista, fracassaram no intento de controlar e de superar o capital. O desafio maior do mundo do trabalho e dos movimentos sociais que têm como núcleo fundante a classe trabalhadora é criar e inventar novas formas de atuação, autônomas, capazes de articular intimamente as lutas sociais, eliminando a separação, introduzida pelo capital, entre ação econômica, num lado (realizada pelos sindicatos), e ação político-parlamentar, no outro polo (realizada pelos partidos). Esta divisão favorece o capital, fraturando e fragmentando ainda mais o movimento político dos trabalhadores.

Os indivíduos sociais, como produtores associados, somente poderão superar o capital e seu sistema de sociometabolismo desafiando radicalmente a divisão estrutural e hierárquica do trabalho e sua dependência ao capital em todas as suas determinações. Um novo sistema metabólico de controle social deve instaurar uma forma de sociabilidade humana autodeterminada, o que implica um rompimento integral com o sistema do capital, da produção de valores de troca e do mercado. O desafio central, portanto, está em encontrar, segundo Mészáros, um equivalente racionalmente controlável e humanamente compensador das funções vitais da reprodução da sociedade e do indivíduo que devem ser realizadas, de uma forma ou de outra, por todo o sistema de intercâmbio produtivo, no qual é preciso assegurar finalidades conscientemente escolhidas pelos indivíduos sociais que lhes permitam realizar-se a si mesmos como indivíduos – e não como personificações particulares do capital ou do trabalho. Nessa nova forma de sociabilidade ou novo sistema de sociometabolismo reprodutivo, a atividade humana deverá se estruturar sob o princípio do *tempo disponível,* num modo de controle social autônomo, autodeterminado e autorregulado.

O livro denso, sólido, rigoroso e polêmico que o leitor está desafiado a ler ainda apresenta um outro conjunto de teses centrais, de que são exemplos as indicações analíticas feitas em relação tanto à questão feminina, ou seja, a efetiva emancipação da mulher das diversas formas de opressão, bem como a temática ambiental (literalmente vital), caracterizada pelo combate à destruição sem precedentes da natureza. Ambas não podem ser integradas e incorporadas de maneira resolutiva pelo capital e seu sistema de sociometabolismo, encontrando, por isso, suas efetivas possibilidades de realização ao articularem-se ao potencial emancipatório do trabalho, convertendo-se, deste modo, em movimentos emancipatórios dotados de uma questão específica (*single issue*), que se integram ao processo de autoemancipação da humanidade.

Creio que o que foi indicado evidencia a complexidade, radicalidade e densidade desta obra. Ficam estas indicações como uma pequena amostra da vitalidade intelectual de István Mészáros, nesta devastadora crítica à lógica contemporânea do capital. Pode-se discordar de muitas de suas teses, quer pelo seu caráter contundente, quer pela sua enorme amplitude, abrangência e mesmo ambição, que por certo gerará muita controvérsia e polêmica. Mas ela é, neste início de século, o desenho crítico e analítico mais ousado contra o capital e suas formas de controle social, num momento em que aparecem vários sintomas da retomada de um pensamento vigoroso e radical.

Concluo lembrando que István Mészáros realiza uma síntese decisivamente inspirada em Marx (particularmente nas magistrais indicações dos *Grundrisse*), mas que é também tributário, por um lado, da matriz ontológica de Lukács (com quem dialoga e polemiza fortemente em vários momentos do livro) e, por outro, da radicalidade da crítica da economia política de Rosa Luxemburgo, que o inspira também fortemente. O que resultou num trabalho original, que devassa o passado recente e o nosso presente, oferecendo um manancial de ferramentas para aqueles que estão olhando para o futuro. Para além do capital.

Ricardo Antunes

PREFÁCIO À EDIÇÃO BRASILEIRA

Desafios históricos diante do movimento socialista

Vivemos numa época de crise histórica sem precedentes que afeta todas as formas do sistema do capital, e não apenas o capitalismo. Portanto, é compreensível que somente uma alternativa socialista radical ao modo de controle metabólico social tenha condições de oferecer uma solução viável para as contradições que surgem à nossa frente. Uma alternativa hegemônica que, por não depender do objeto que nega, não se deixe restringir pela ordem existente, como sempre sucedeu no passado. Apesar de termos de estar alertas para os imensos perigos que surgem no horizonte, *não basta negá-los* para enfrentá-los com todos os meios ao nosso alcance. É também necessário definir uma alternativa *positiva*, corporificada num movimento socialista radicalmente reconstituído. Pois a *meta escolhida* da ação transformadora tem importância fundamental para o sucesso de qualquer alternativa que vá além do capital, que não se satisfaça com a simples superação dele. Isto já deve ter ficado claro das penosas lições do colapso do assim chamado "socialismo realmente existente": o prisioneiro, ao longo de toda a sua história, das *determinações negativas*.

1.

A criação da alternativa radical ao modo de reprodução metabólica do capital é uma necessidade urgente, mas não há de acontecer sem uma reavaliação crítica do passado. É necessário examinar o malogro histórico da esquerda em se colocar à altura das expectativas que Marx enunciou otimisticamente, já em 1847, da "associação" sindical e do consequente desenvolvimento da classe trabalhadora, paralelo ao desenvolvimento industrial dos diversos países capitalistas. Segundo ele: "o grau de desenvolvimento desta associação em qualquer país indica a posição ocupada por esse país na hierarquia do mercado mundial. A Inglaterra, que atingiu o desenvolvimento industrial máximo, tem as maiores associações e as mais bem organizadas. Os operários na Inglaterra não se satisfizeram com *associações parciais* (...) continuaram simultaneamente suas lutas políticas, e agora constituem um partido político importante, sob o nome de *Chartists*"[1]. E Marx esperava que este processo continuasse de forma que

No seu processo de desenvolvimento, a classe operária deverá substituir a velha sociedade civil por uma associação que há de excluir as classes e seus antagonismos, e o *poder político propriamente dito* deixará de existir, pois o poder político é exatamente a expressão oficial do antagonismo na sociedade civil.[2]

Entretanto, ao longo do desenvolvimento da classe operária, parcialidade e setorialidade não se limitaram às "associações parciais" e aos vários sindicatos que evoluíram a partir delas. Inevitavelmente, a parcialidade afetou todos os aspectos do movimento socialista, inclusive a sua dimensão política. Tanto mais que, passado um século e meio, ela ainda representa um enorme problema que, espera-se, será resolvido em futuro não muito distante.

Nos seus primórdios, o movimento operário não conseguiu evitar ser setorial nem parcial. Não se trata simplesmente de ele ter adotado subjetivamente uma estratégia errada, como já se afirmou insistentemente, mas uma questão de determinações objetivas. Pois a "pluralidade dos capitais" não podia, e ainda não pode, ser superada no âmbito da estrutura da ordem metabólica do capital, apesar da tendência avassaladora para a concentração e centralização monopolísticas – e também para o desenvolvimento transnacional, mas precisamente por seu caráter *trans*nacional (e não genuinamente *multi*nacional), necessariamente parcial – do capital globalizante. Ao mesmo tempo, a "pluralidade do trabalho" não pode também ser superada no espaço da reprodução sociometabólica do capital, apesar de todo o esforço despendido nas tentativas de transformar o trabalho, de adversário estruturalmente irreconciliável, no cúmplice dócil do capital; tentativas que vão desde a propaganda mentirosa do mercado de ações como o "capitalismo do povo", até a extração política direta do trabalho excedente exercida pelas personificações do capital pós-capitalistas que tentaram se legitimar como a corporificação dos "verdadeiros interesses" da classe operária.

O caráter setorial e parcial do movimento operário se combinou com sua articulação defensiva. O sindicalismo inicial – do qual surgiram mais tarde os partidos políticos – representou a *centralização da setorialidade* de tendência autoritária, e a consequente transferência do poder de decisão das "associações" locais para as centrais sindicais e, mais tarde, destas para os partidos políticos. Desta forma, o movimento sindical global foi, desde o início, inevitavelmente *setorial e defensivo*. Na verdade, dada a lógica interna do desenvolvimento desse movimento, a *centralização da setorialidade* se fez acompanhar do aprofundamento das atitudes defensivas, quando comparadas com os ataques esporádicos com os quais as associações locais impunham sérios reveses aos adversários capitalistas locais. (Os luditas, um movimento semelhante mas mais afastado, tentaram fazer o mesmo de uma forma mais generalizada e destrutiva que, portanto, tornou-se em pouco tempo absolutamente inviável.) O aprofundamento da postura defensiva representou, portanto, um avanço histórico paradoxal. Pois o movimento operário, por meio de seus primeiros sindicatos, passou a ser o interlocutor do capital, sem deixar de ser

---

[1] Marx, *The Poverty of Philosophy*, em Marx e Engels, *Collected Works*, vol. 6, p. 210.
[2] Ibid., p. 212.

objetivamente seu adversário estrutural. Desta nova posição defensiva, foi possível ao movimento operário, *em condições favoráveis*, obter algumas vantagens para certos setores do movimento. Isto se tornava possível desde que os elementos correspondentes do capital pudessem se ajustar, em escala nacional – de acordo com a dinâmica do potencial de expansão e acumulação do capital – às demandas propostas pelo movimento operário defensivamente articulado. Um movimento que operava no âmbito das premissas estruturais do sistema do capital, como um interlocutor legalmente constituído e regulado pelo Estado. O desenvolvimento do "Estado de Bem-Estar" foi a manifestação mais recente desta lógica, possível apenas num número muito reduzido de países. Foi limitado, tanto no que se refere às *condições favoráveis* de expansão tranquila do capital nos países onde tal ocorreu como precondição para o surgimento do Estado de bem-estar, quanto no que se refere à escala de tempo, marcada no final pela pressão da direita radical, ao longo das três últimas décadas, pela liquidação completa do Estado de bem-estar, em virtude da crise estrutural do sistema do capital.

Com a constituição dos partidos políticos trabalhistas – que assumiu a forma da separação do "braço industrial" do movimento operário (os sindicatos) de seu braço político (os partidos social-democratas e de vanguarda) – aprofundaram-se as atitudes defensivas. Pois esses dois tipos de braços se apropriaram do direito exclusivo de tomada de decisão, o que já podia ser antevisto na setorialidade centralizada dos próprios movimentos sindicais. Esta atitude defensiva tornou-se ainda pior em razão do modo de operação adotado pelos partidos políticos, que obtinham algumas vantagens ao custo do afastamento do movimento socialista de seus objetivos originais. Pois, na estrutura parlamentar do capitalismo, a aceitação pelo capital da legitimidade dos partidos políticos operários foi conquistada em troca da declaração da completa ilegalidade do uso do "braço industrial" para fins políticos, o que representou uma severa restrição aceita pelos partidos trabalhistas, e que condenou à total impotência o imenso potencial combativo do trabalho produtivo materialmente enraizado e potencial e politicamente mais eficaz. Agir dessa forma era muito mais problemático, já que o capital, por meio da supremacia estruturalmente conquistada, continuou a ser a *força extraparlamentar par excellence*, em condições de dominar de fora, e a seu bel-prazer, o parlamento. Da mesma forma, não se podia considerar melhor a situação nas sociedades pós-capitalistas. Pois Stalin reduziu os sindicatos a serem o que ele chamava de "correias de transmissão" da propaganda oficial, ao mesmo tempo em que isentava de qualquer possibilidade de controle pela base da classe operária a forma política pós-capitalista de tomada de decisão autoritária. Portanto, é compreensível que, em face de nossa infeliz experiência histórica com os dois tipos principais de partido político, não exista mais esperança de rearticulação real do movimento socialista sem uma *combinação completa do braço industrial com o braço político do movimento trabalhista*: mediante, de um lado, a atribuição aos sindicatos de tomada de decisão significativa (incentivando-os a serem diretamente políticos) e, de outro, e pela transformação dos próprios partidos políticos em participantes desafiadoramente ativos nos conflitos industriais, como antagonistas incansáveis do capital, assumindo a responsabilidade pela luta *dentro e fora* do parlamento.

Ao longo de toda a sua história, o movimento operário sempre foi setorial e defensivo. Na verdade, essas duas características definidoras constituíram um círculo vicioso. Por se ter articulado defensivamente como movimento geral, o movimento operário, dada a sua pluralidade e divisão interna, não conseguiu romper as restrições setoriais paralisantes advindas da dependência da pluralidade dos capitais. E vice-versa, ele não conseguiu superar as graves limitações de suas atitudes necessariamente defensivas em relação ao capital porque até nossos dias continuou sendo setorial em sua articulação política e industrial organizada. Ao mesmo tempo, o que fechou ainda mais o círculo vicioso, o papel defensivo adotado pelo movimento operário conferiu uma estranha forma de legitimidade ao modo de controle sociometabólico do capital, pois, por omissão, a postura defensiva representou, ostensiva ou tacitamente, a aceitação da ordem política e econômica estabelecida como a estrutura necessária e pré-requisito das reivindicações que poderiam ser consideradas "realisticamente viáveis" entre as apresentadas, demarcando, ao mesmo tempo, a única forma legítima de solução de conflitos resultantes das reivindicações opostas dos interlocutores. Para satisfação das personificações do capital, isto representou uma espécie de *autocensura*. Representou uma autocensura entorpecente, que resultou numa inatividade estratégica que continua até hoje a paralisar até mesmo os remanescentes mais radicais da esquerda histórica organizada, para não falar dos seguidores que um dia foram realmente reformistas e que agora estão completamente domados e integrados.

Enquanto a postura defensiva do "interlocutor racional" do capital – cuja racionalidade foi definida *a priori* pelo que poderia se ajustar às premissas e restrições práticas da ordem dominante – continuasse a obter vantagens relativas para o movimento operário, a autoproclamada *legitimidade* da estrutura regulatória do capital não seria desafiada. Entretanto, sob a pressão da crise estrutural, o capital não teve mais condições de oferecer qualquer ganho significativo ao interlocutor racional, mas ao contrário, foi obrigado a retomar as concessões passadas, atacando sem piedade as próprias bases do Estado de bem-estar, bem como as salvaguardas legais de proteção e defesa do operariado por meio de um conjunto de leis autoritárias contrárias ao movimento sindical, todas aprovadas democraticamente, e a ordem política estabelecida teve de abrir mão de sua legitimidade, expondo, ao mesmo tempo, a inviabilidade da postura defensiva do movimento operário.

A *crise da política*, que hoje não pode mais ser negada nem pelos piores apologistas do sistema – embora eles tentem confiná-la à esfera da manipulação política e seu consenso criminoso, dentro do espírito da "terceira via" do Novo Trabalhismo –, representa uma profunda *crise de legitimidade* do modo estabelecido de reprodução sociometabólica e de sua estrutura geral de controle político. Foi este o resultado da *atualidade histórica da ofensiva socialista*,[3] mesmo que o movimento operário, obedecendo à sua "linha de resistência mínima", continue a dar preferência à manutenção da ordem existente, apesar da crescente evidência

---

[3] Ler capítulo 18, pp. 787-860 desta edição. Uma versão anterior deste capítulo estava incluída no estudo intitulado: "Il rinnovamento del marxismo e l'attualità storica dell'offensiva socialista", publicada em *Problemi del socialismo* (publicação fundada por Lelio Basso), Anno XXIII, janeiro-abril 1982, pp. 5-141).

da incapacidade desta ordem de apresentar os resultados – até mesmo nos países capitalistas mais avançados – que em tempos passados foi o fundamento de sua legitimidade. O Novo Trabalhismo é hoje em dia, em todas as suas variedades europeias, o grande facilitador de resultados apenas para os interesses arraigados do capital, seja no domínio do capital financeiro – defendido cinicamente pelo governo Blair até nos conflitos com os sócios europeus – ou em algumas de suas seções comerciais e industriais quase completamente monopolistas. Ao mesmo tempo, para defender o sistema diante das margens cada vez mais estreitas de viabilidade reprodutiva do capital, ignoram-se totalmente os interesses da classe operária, atendem-se os interesses vitais do capital pela manutenção da legislação autoritária antissindical dos últimos anos[4], e se apoia o poder do capital estatal na sua campanha pela *informalização* da força de trabalho, como "solução" cínica e enganosa para o problema do desemprego. É por isso que não se pode permitir que se retire da agenda histórica, por qualquer variedade conhecida ou concebível de acomodação do movimento operário, a necessidade da ofensiva socialista.

Não é de surpreender que, nas atuais condições de crise, o canto de sereia do keynesianismo seja ouvido novamente como um remédio milagroso, como um apelo ao antigo espírito do "consenso expansionista" a serviço do "desenvolvimento". Entretanto, hoje mal se ouve a canção que sai do fundo do túmulo do keynesianismo, pois o tipo de consenso mantido pelas variedades existentes de movimento operário acomodado visa tornar aceitável a *inviabilidade estrutural* da expansão e acumulação do capital, em nítido contraste com as condições que tornaram possível a implantação das políticas keynesianas durante um período muito limitado de tempo. Luigi Vinci, um dos principais teóricos do movimento italiano da *Rifondazione,* notou com muita razão que a autodefinição adequada e a viabilidade organizacional autônoma das forças socialistas radicais "com frequência são fortemente prejudicadas por um keynesianismo de esquerda, vago e otimista, em que a posição principal é ocupada pela palavra mágica 'desenvolvimento'"[5]. Uma noção de desenvolvimento que, mesmo no ponto máximo da expansão keynesiana, não conseguiu tornar mais próxima a alternativa socialista, pois sempre aceitou as premissas práticas necessárias do capital como a estrutura orientadora de sua própria estratégia, internalizada firmemente nas restrições da "linha de resistência mínima".

Deve-se também acentuar que o keynesianismo é, por sua própria natureza, *conjuntural.* Como opera no âmbito dos parâmetros institucionais do capital, não pode evitar ser conjuntural, independentemente de as circunstâncias vigentes favorecerem uma conjuntura de curto ou de longo prazo. O keynesianismo, mesmo na sua variedade "keynesiana de esquerda", está necessariamente contido na lógica de *parada e avanço* do capital, e dela sofre restrições. Mesmo em seu apogeu, o keynesianismo

---

[4] Não devemos esquecer que a legislação antissindical na Grã-Bretanha teve início no governo trabalhista de Harold Wilson com a proposta legislativa chamada "em lugar do conflito", bem no início da crise estrutural do capital. Continuou durante o curto governo Heath, e novamente durante os governos trabalhistas de Wilson e Callaghan, dez anos antes de receber abertamente o selo "neoliberal" no governo Margaret Thatcher.

[5] Luigi Vinci, *La socialdemocrazia e la sinistra antagonista in Europa,* Milano, Edizioni Punto Rosso, 1999, p. 69.

representa apenas a fase de avanço de um ciclo de expansão que, mais cedo ou mais tarde, sempre pode ser interrompida por uma fase de parada. Originalmente, o keynesianismo foi uma tentativa de oferecer uma alternativa à lógica de parada e avanço, pela qual as duas fases seriam administradas de forma equilibrada. Entretanto, isto não aconteceu, e ele ficou preso à fase de expansão, em razão da própria natureza de sua estrutura regulatória de capitalismo orientado pelo Estado. A duração excepcional da expansão do pós-guerra – ela mesma confinada a um punhado de Estados capitalistas avançados – deveu-se em grande parte às condições favoráveis da reconstrução do pós-guerra e pela posição dominante assumida pelo complexo industrial-militar financiado pelo Estado. Alternativamente, o fato de que a fase de recessão corretiva teve de assumir a forma do neoliberalismo insensível (e do monetarismo como sua racionalização ideológica pseudo-objetiva) – já sob o governo trabalhista de Harold Wilson, presidido financeira e monetariamente por Dennis Healey, seu Chanceler do Tesouro – deveu-se ao advento da *crise institucional* do capital (que já não era a manifestação cíclica tradicional) que cobriu toda uma fase histórica. É o que explica a duração excepcional da fase de recessão, até agora muito mais duradoura do que a fase de expansão keynesiana do pós-guerra e ainda sem dar sinais de exaustão, perpetuada igualmente por governos conservadores e trabalhistas. Em outras palavras, a excepcional duração e dureza da fase recessiva neoliberal, sem esquecer o fato de que o neoliberalismo é praticado por governos situados nos dois lados opostos do espectro político parlamentar, na realidade só é inteligível como manifestação da crise estrutural do capital. A circunstância de a brutal longevidade da fase neoliberal ser racionalizada ideologicamente, por alguns teóricos do trabalhismo, como o "ciclo longo de recessão" do desenvolvimento normal do capitalismo, ao qual há de se seguir um "ciclo longo de expansão", acentua apenas o completo malogro do "pensamento estratégico" em entender a natureza das atuais tendências de desenvolvimento. Tanto mais que, como a selvageria do neoliberalismo continua imperturbada no seu caminho, sem o desafio de um movimento operário acomodado, já estão chegando ao fim os anos anunciados pela noção da próxima "longa fase de recuperação", como teorizam os apologistas trabalhistas do capital.

Assim, dada a crise estrutural do sistema do capital, mesmo que uma alteração conjuntural pudesse trazer de volta, pelo menos por algum tempo, uma tentativa de instituição de alguma forma keynesiana de administração financeira do Estado só poderia existir por um período muito curto, dada a falta de condições materiais para facilitar sua extensão por um período maior, mesmo nos países capitalistas dominantes. Ainda mais importante, um renascimento conjuntural como este nada teria a oferecer para a realização de uma alternativa socialista radical. Pois seria absolutamente impossível construir uma alternativa viável ao modo de controle sociometabólico do capital com base numa forma interna conjuntural de administração do sistema; uma forma que dependa da expansão e acumulação saudáveis do capital como precondição necessária de seu próprio modo de operação.

2.
As limitações setoriais e defensivas do movimento operário, tal como as conhecemos, não podem ser superadas por meio da centralização política e sindical deste movimento.

Esta falha histórica é hoje fortemente acentuada pela globalização transnacional do capital para a qual o movimento operário não tem resposta.

É preciso lembrar aqui que durante os últimos 150 anos, nada menos que *quatro Internacionais* foram fundadas numa tentativa de criar a necessária unidade internacional do movimento operário. Entretanto, nenhuma delas conseguiu nem mesmo se aproximar dos seus objetivos declarados, muito menos realizá-los. Este fato não pode ser entendido simplesmente em termos de traições pessoais que, mesmo que corretas em termos pessoais, ainda não o explicam por ignorarem as ponderáveis determinações objetivas que não podem ser esquecidas se esperamos resolver esta situação no futuro. Pois ainda falta explicar *por que* as circunstâncias conduziram a tais desvios e traições por um período histórico tão longo.

O problema fundamental é que a pluralidade setorial do movimento operário está intimamente ligada à pluralidade contraditória hierarquicamente estruturada dos capitais, seja em cada país, seja em escala mundial. Não fosse por ela, seria muito mais fácil imaginar a constituição da unidade internacional do movimento operário contra um capital unificado ou em condições de se unificar. Entretanto, dada a articulação necessariamente hierárquica e contraditória do sistema do capital, com sua iníqua ordenação de poder, seja no interior de cada país, seja em escala internacional, a unidade internacional do capital – à qual, em princípio, se poderia contrapor sem problemas a correspondente unidade internacional do movimento operário – não é viável. O fato histórico geralmente deplorado de que, nos grandes conflitos internacionais, as classes operárias de todos os países se tenham colocado ao lado daqueles que as exploravam em seu próprio país, ao invés de voltarem suas armas contra suas próprias classes dominantes, o que foram convidadas a fazer pelos socialistas, é explicado pelas relações contraditórias de poder a que acabamos de nos referir, e não pode ser reduzido a uma questão de "clareza ideológica". Pela mesma razão, os que esperam uma mudança radical nesta direção resultante da unificação do *capital globalizante* e de seu *"governo global"* – que seriam combativamente enfrentados por um movimento operário unido internacionalmente e dotado de completa consciência de classe – também estão condenados ao desapontamento. O capital não vai prestar este "favor" ao movimento operário pela simples razão de não poder fazê-lo.

A articulação hierárquica e contraditória do capital é o princípio geral de estruturação do sistema, não importa o tamanho de suas unidades constituintes. Isto se deve à natureza interna do processo de tomada de decisões do sistema. Dado o antagonismo estrutural inconciliável entre capital e trabalho, este último está categoricamente excluído de todas as decisões significativas. Isto não se dá apenas no nível mais geral, mas até mesmo nos "microcosmos" constituintes deste sistema, em cada unidade de produção. Pois o capital, como poder alienado de tomada de decisão, não pode funcionar sem tornar suas decisões absolutamente inquestionáveis (pela força de trabalho) em cada unidade produtiva, pelos complexos produtivos rivais do país, em nível intermediário ou, na escala mais abrangente, pelo pessoal de comando de outras estruturas internacionais concorrentes. É por isto que o modo de tomada de decisão do capital – em todas as variedades conhecidas ou viáveis do sistema do capital – há forçosamente de ser alguma forma *autoritária* de administrar empresas *do topo para a base*. Entende-se, portanto, que toda conversa de dividir o poder com a força de trabalho, ou de permitir a sua participação nos processos de tomada de decisão do capital, só existe como ficção, ou como camuflagem cínica e deliberada da realidade.

Esta incapacidade estruturalmente determinada explica por que a gama extremamente variada de desenvolvimentos monopolistas ao longo do século XX teve de assumir a forma de fusões – "hostis" ou "não hostis" (que acontecem por toda parte numa escala inimaginável), mas sempre fusões em que uma das partes se torna dominante, mesmo nos casos em que a racionalização ideológica do processo é falsamente representada como a "feliz união de iguais". A mesma incapacidade explica, o que é da maior importância para a época atual, o fato significativo de que a globalização do capital atualmente em andamento produziu, e continua produzindo, gigantescas empresas *trans*nacionais, que não são realmente *multi*nacionais, apesar da conveniência ideológica destas últimas. Haverá no futuro muitas tentativas de correção desta situação mediante a criação e operação de empresas multinacionais propriamente ditas. No entanto, este problema há de continuar conosco mesmo nesta nova situação. Pois os futuros "acordos de alto nível" acertados pelas diretorias de multinacionais genuínas só são viáveis *na ausência de conflitos significativos de interesse* entre os vários países representados na multinacional em questão. Uma vez que surjam esses conflitos, os "acordos cooperativos harmoniosos" se tornam insustentáveis e o processo geral de tomada de decisão terá de reverter à conhecida variedade autoritária de cima para baixo, sob o peso avassalador do membro mais forte. Pois este problema é inseparável do das relações entre os capitais nacionais e *suas próprias forças de trabalho*, que sempre serão estruturalmente antagonísticas e conflituosas. Consequentemente, numa situação de conflito importante, nenhum capital nacional em particular pode se permitir, nem tem condições de sustentar, uma posição de desvantagem em consequência de decisões que pudessem favorecer uma força de trabalho antagônica no país e, por implicação, seu próprio concorrente capitalista no país. O "governo mundial" sob o comando do capital, com que tantos sonham, só se tornaria viável se fosse possível encontrar uma solução realizável para este problema. Mas nenhum governo, e ainda menos um "governo mundial", será viável sem uma base material significativa, bem estabelecida e operacionalmente eficiente. A ideia de um governo mundial viável implicaria, como sua base material necessária, a eliminação de todos os antagonismos significativos da constituição global do sistema do capital e, portanto, a administração harmoniosa da reprodução sociometabólica por um único monopólio global incontestado, que inclua *todas as facetas* da reprodução social, com a feliz colaboração da força de trabalho global – verdadeiramente uma contradição em termos; ou um governo permanente, totalmente autoritário, e sempre que necessário extremamente violento, de todo o mundo por um país imperialista hegemônico: uma forma igualmente absurda e insustentável de administrar a ordem mundial existente. Somente um modo genuinamente socialista de reprodução sociometabólica tem condições de oferecer uma alternativa genuína para o pesadelo representado por estas soluções.

Outra determinação objetiva vital a ser enfrentada, por mais desconfortável que possa parecer, refere-se à natureza da esfera política e dos partidos em seu interior. Pois a centralização da setorialidade do movimento operário – uma setorialidade que deveria ser corrigida por seus partidos políticos – deve-se, em grande parte, ao modo necessário de operação dos próprios partidos políticos, em sua oposição inevitável a seu adversário político no Estado capitalista, representante da estrutura geral de comando político do capital. Assim, todos os partidos políticos do movimento operário, inclusive o leninista, tiveram de se apropriar de uma dimensão política abrangente, para espelhar em seu próprio modo de articulação a estrutura política subjacente (o Estado capitalista burocratizado) à qual estavam submetidos. O que era problemático em tudo isto foi o fato de este espelhamento necessário e bem-sucedido do princípio estruturador do adversário não ter trazido consigo a visão realizável de uma forma *alternativa* de controle do sistema. Os partidos políticos do movimento operário não puderam elaborar uma alternativa viável porque se concentraram, em sua função de negação, exclusivamente na *dimensão política* do adversário, tornando-se, desta forma, completamente *dependentes do objeto que negavam*.

A dimensão vital inexistente, que os partidos políticos não podem suprir, era o capital, não como *comando político* (este aspecto foi efetivamente enfrentado), mas como o *regulador sociometabólico do processo de reprodução material* que, em última análise, determina *não somente* a dimensão política, mas muito mais além dela. Esta correlação única no sistema do capital, entre as dimensões política e reprodutiva material, é o que explica por que observamos movimentos periódicos, em tempos de graves crises socioeconômicas, em que se passa da articulação parlamentar democrática da política para as variedades autoritárias extremas, quando a desorganização dos processos sociometabólicos exige e permite tais movimentos, e que são seguidos da volta à estrutura política regulada pelas *regras democráticas formais de disputa*, no terreno metabólico do capital, recém-reconstituído e consolidado.

Como detém o controle efetivo de todos os aspectos vitais do sociometabolismo, o capital tem condições de definir a esfera de legitimação política separadamente constituída como um assunto estritamente *formal*, excluindo assim, *a priori*, a possibilidade de ser legitimamente contestado em sua esfera *substantiva* de operação reprodutiva socioeconômica. Ao se ajustar a tais determinações, o movimento operário, como antagonista do capital realmente existente, só pode se condenar à impotência permanente. Neste aspecto, a experiência histórica pós-capitalista é um triste alerta no que se refere à forma como atacou os problemas fundamentais da ordem negada a partir de diagnósticos errados.

O sistema do capital é formado por elementos inevitavelmente *centrífugos* (em conflito ou em oposição), complementados não somente pelo poder controlador da "mão invisível", mas também pelas funções legais e políticas do Estado moderno. O grande erro das sociedades pós-capitalistas foi o fato de elas terem tentado compensar a determinação estrutural do sistema que herdaram pela *imposição* aos elementos adversários da *estrutura de comando extremamente centralizada* de um Estado político autoritário. E fizeram isto em vez de enfrentar o problema crucial de como *corrigir* – por meio da reestruturação interna e da instituição de um *controle democrático substantivo* – o caráter conflitante e o modo centrífugo de funcionamento das unidades reprodutivas e distributivas dadas. A remoção das personificações capitalistas privadas do capital não foi então suficiente para exercer o seu papel como o primeiro passo no caminho da prometida transformação socialista. Pois, na verdade, foi mantida a natureza conflitante e centrífuga do sistema negado, por meio da superposição do controle político centralizado em prejuízo do trabalho. O sistema sociometabólico tornou-se ainda mais incontrolável do que em qualquer outra época no passado em razão do fracasso em substituir produtivamente a "mão invisível" da antiga ordem reprodutiva pelo autoritarismo voluntarista das novas personificações "visíveis" do capital pós-capitalista.

Contrariamente ao desenvolvimento do "socialismo realmente existente", a transição para uma sociedade verdadeiramente socialista exige, como condição vital de sucesso, a progressiva devolução às pessoas dos poderes alienados de decisão política – e não apenas política. Sem que se readquiram esses poderes, não será concebível o novo modo de controle político do conjunto da sociedade pelas pessoas, nem a operação diária não conflitante, e portanto *agregadora e planejável*, das unidades produtivas e distributivas particulares pelos produtores associados autônomos.

A reconstituição da unidade da esfera política e reprodutiva material é a característica essencial definidora do modo socialista de controle sociometabólico. Não se pode deixar para um futuro distante a criação das mediações necessárias para realização deste objetivo. É aqui que a articulação defensiva e a centralização setorial do movimento socialista durante o século XX demonstram seu verdadeiro anacronismo e inviabilidade. Não se podem esperar bons resultados do confinamento da dimensão abrangente da alternativa radical hegemônica ao modo de controle sociometabólico do capital à esfera política. Entretanto, tal como se colocam hoje as coisas, a incapacidade de enfrentar a dimensão sociometabólica vital do sistema continua sendo a característica das corporações políticas organizadas do movimento operário. É este o grande desafio histórico do futuro.

3.
A possibilidade de enfrentar este desafio por meio de um movimento socialista radicalmente rearticulado é indicada por quatro importantes considerações.

A primeira é negativa. Resulta das contradições constantemente agravadas da ordem existente que acentuam o vazio das projeções apologéticas de sua permanência absoluta. Pois é possível levar muito longe a destrutividade, como o demonstram nossas condições de vida cada vez mais deterioradas, mas não é possível estendê-la indefinidamente. A globalização em andamento é saudada pelos defensores do sistema como a solução de todos os problemas. Na verdade, entretanto, ela coloca em ação forças que põem em relevo não apenas a incontrolabilidade do sistema por qualquer método racional, mas também, simultaneamente, a própria incapacidade de ele cumprir suas funções de controle como condição de sua existência e legitimação.

A segunda consideração indica a possibilidade – mas apenas a possibilidade – de uma alteração positiva dos acontecimentos. Isto porque a relação entre capital e trabalho não é *simétrica*. Isto significa que, enquanto o capital depende *absolutamente* do trabalho – no sentido de que o capital inexiste sem o trabalho, que ele tem de explorar permanentemente –, a dependência do trabalho em relação ao capital é *relativa, historicamente criada e historicamente superável*. Em outras palavras, o trabalho não está condenado a ser permanentemente contido no círculo vicioso do capital.

A terceira consideração é igualmente importante. Trata-se de uma alteração histórica na confrontação entre capital e trabalho, acompanhada da necessidade de procurar um meio diferente de afirmar os interesses vitais dos "produtores associados". Esta consideração está em nítido contraste com o passado reformista que trouxe o movimento a um beco sem saída, liquidando simultaneamente até mesmo as limitadas concessões extraídas do capital no passado. Dessa forma, pela primeira vez na história, tornou-se absolutamente inviável a manutenção da lacuna mistificadora entre *metas imediatas* e *objetivos estratégicos globais,* que tornou o impasse reformista tão dominante no movimento operário. O resultado é que a questão do *controle real de uma ordem sociometabólica alternativa* já surgiu na agenda histórica, apesar das condições desfavoráveis para sua realização no curto prazo.

E, finalmente, como corolário necessário da última consideração, também surgiu a questão da *igualdade substantiva* em oposição à igualdade *formal* e à pronunciada *desigualdade hierárquica substantiva* dos processos de tomada de decisão do capital, assim como à forma como foram espelhados e reproduzidos na experiência pós-capitalista fracassada. Pois o modo socialista alternativo de controle de uma ordem sociometabólica não antagônica e realmente planejável – uma necessidade absoluta para o futuro – é inimaginável sem a igualdade substantiva como princípio estrutural e regulador.

4.
Numa entrevista dada a *Radical Philosophy* em abril de 1992, expressei minha convicção de que

O futuro do socialismo será decidido nos Estados Unidos, por mais pessimista que isto possa parecer. Tento indicar esta esperança na última seção de *The Power of Ideology*, onde discuto a questão da universalidade[6]. Ou o socialismo se afirma universalmente, e de tal forma que inclua todas as áreas, inclusive as áreas capitalistas mais desenvolvidas do mundo, ou não terá sucesso.[7]

Na mesma entrevista, enfatizei o fato de que o fermento social e intelectual na América Latina promete para o futuro mais do que podemos encontrar atualmente nos países capitalistas avançados. Isto é compreensível, já que a necessidade de mudança radical é muito mais urgente na América Latina do que na Europa e nos Estados Unidos, e as soluções prometidas da "modernização" e "desenvolvimento" demonstraram não passar de uma luz que se afasta num túnel cada vez mais longo. Assim, apesar de ainda ser verdade que o socialismo tem de se qualificar como uma abordagem universalmente viável, que inclua também as áreas capitalistas mais desenvolvidas do mundo, não podemos pensar neste problema em termos de uma sequência temporal em que uma futura revolução social nos Estados Unidos tem de preceder

---

[6] *The Power of Ideology*, Harvester Wheatsheaf, London, e New York University Press, 1989, pp. 462-70. Edição brasileira: *O poder da ideologia*, São Paulo, Editora Ensaio, 1996, pp. 606-16.

[7] "Marxism Today", publicado em *Radical Philosophy*, nº 62, outono de 1992.

tudo o mais. Longe disto. Pois, dada a enorme inércia gerada pelos interesses ocultos do capital nos países capitalistas avançados, junto com a cumplicidade consensual do trabalhismo reformista nesses países, é muito mais provável que uma convulsão social venha a ocorrer na América Latina do que nos Estados Unidos, com implicações de longo alcance para o resto do mundo.

A tragédia de Cuba – um país que iniciou a transformação potencialmente mais importante no continente – foi o fato de sua revolução ter sido isolada, devido, em grande parte, à maciça intervenção dos Estados Unidos em toda a América Latina, desde a América Central e Bolívia até o Peru e Argentina, além de tramar a derrubada do governo legitimamente eleito no Brasil para implantar uma ditadura militar, e instalar no Chile um ditador genocida, Augusto Pinochet. Naturalmente isto não ofereceu solução para os graves problemas subjacentes, foi apenas um adiamento do tempo em que se tornará inevitável enfrentá-los. Hoje, pressões potencialmente explosivas já são visíveis por toda a América Latina, desde o México até a Argentina, e do Brasil à Venezuela.

O Brasil, como o país econômica e politicamente mais importante, ocupa uma posição proeminente nesse quadro. Pudemos acompanhar o impacto da crise econômica brasileira de 1998-1999 nos Estados Unidos e na Europa, seguidas de frenéticas manchetes nos jornais capitalistas mais importantes. Manchetes que iam desde "£2.100 bilhões perdidos em ações"[8] até "crise brasileira sacode uma Europa assustada"[9]. Até Henry Kissinger, que, como estrategista da política externa do presidente Nixon, teve papel importante na imposição de Augusto Pinochet ao povo chileno, fez soar o alarme, ao dizer que "se o Brasil for levado a uma recessão profunda, países como a Argentina e México, que se comprometeram com as instituições de livre mercado, podem ser atingidos", acrescentando, com muita hipocrisia, que "o desafio imediato é vencer a crise no Brasil e preservar a economia de mercado e a democracia na América Latina. Um compromisso firme e claro das democracias industriais, lideradas pelos Estados Unidos, é essencial para garantir o apoio necessário para o programa brasileiro de reformas"[10]. Naturalmente, as preocupações de Kissinger não estavam relacionadas com o destino da democracia na América Latina, pela qual, em seus anos de poder, ele tinha demonstrado enorme desprezo agressivo, mas sim com as repercussões potenciais da crise brasileira sobre a potência imperialista hegemônica, um perigo que surgia numa área definida arrogantemente como o "quintal geopolítico" dos Estados Unidos.

---

[8] Reportagem de John Waples, David Smith e Dominic Rushe, *The Sunday Times*, 4 de outubro de 1998, Seção 3 (Business), p. 1.

[9] Artigo de Vincent Boland, *Financial Times*, 14 de janeiro de 1999, p. 41.

[10] Henry Kissinger, "Global capitalism is stoking flames of financial disaster", *The Daily Telegraph*, 7 de outubro de 1998, p. 20. É claro que os apologistas do sistema sempre procuram tirar proveito de qualquer circunstância, e tentaram criar uma vitória de propaganda até mesmo da crise mais óbvia. Dessa forma, *The Daily Telegraph*, no mesmo dia em que publicou o artigo de Kissinger, trouxe um editorial intitulado "Como opera o capitalismo", em que ofereceu uma racionalização ideológica transparente da crise, declarando que "*o capitalismo funciona exatamente por ser instável, assim como um caça é muito mais ágil por causa de sua instabilidade*".

No Brasil, a ala radical do movimento operário, tanto nos sindicatos quanto nos partidos políticos, teve um papel importante na derrubada da ditadura militar patrocinada pelos Estados Unidos. Dessa forma, ela também inspirou os movimentos radicais em outros locais da América Latina, mesmo que seus militantes continuem a argumentar que há ainda um longo caminho a percorrer até que se possam considerar erradicadas as contradições herdadas da esquerda histórica organizada. É também importante enfatizar que, apesar dos incríveis sucessos do capital em diferentes partes do mundo durante a última década, especialmente nas sociedades do "socialismo realmente existente", as forças que trabalham pela instituição de uma ordem social diferente encontraram manifestações encorajadoras em várias partes do "quintal geopolítico" dos Estados Unidos, desde os Zapatistas no México, até os militantes que desafiam todas as dificuldades que favorecem a ordem estabelecida na Colômbia e em outros países da América Latina.

Além disto, é também muito significativo que os movimentos sociais radicais em questão queiram se livrar das limitações organizacionais da esquerda histórica a fim de conseguirem articular na ação não apenas a necessária negação do que aí está, mas também a dimensão positiva de uma *alternativa hegemônica*. É claro que ainda estamos num estágio muito inicial desses processos. Entretanto, para considerar apenas dois exemplos, já é possível mostrar alguns sucessos significativos. O primeiro exemplo é o Movimento dos Sem-Terra no Brasil, que continua a afirmar seus objetivos com grande rigor e coragem, gerando ecos em diferentes partes do mundo. O segundo exemplo, apesar de datar já de vários anos[11], acaba de ter sua importância reconhecida pela vitória eleitoral esmagadora do Presidente Chavez na Venezuela, e pelo sucesso ainda mais avassalador do Referendum Constitucional que se seguiu. As pessoas envolvidas nos dois exemplos tentam agora enfrentar a tarefa extremamente difícil de unir a esfera reprodutiva material à política, fazendo-o de formas diferentes mas complementares. O primeiro está abrindo caminhos no campo da produção material, desafiando o modo de controle sociometabólico do capital por meio da empresa cooperativa dos sem-terra, e já começando indiretamente a exercer influência no processo político brasileiro. O segundo, na Venezuela, evolui para o mesmo fim a partir da direção oposta: pelo uso da força política da Presidência e da Assembleia Constitucional, ele tenta introduzir alterações importantes e necessárias no terreno da reprodução material, como parte fundamental da alternativa visada.

O antagonismo e a resistência da ordem estabelecida, apoiados pelas forças mais reacionárias do imperialismo hegemônico mundial, às mudanças tentadas por esses movimentos e seus aliados em outras partes da América Latina deverão ser ferozes. Ao mesmo tempo, não há dúvidas de que o sucesso dos movimentos radicais alternativos vai depender em grande parte da solidariedade internacional socialista e de sua capacidade de inspirar também a esquerda organizada tradicional de seus países a se unir à luta. Pois somente um *movimento socialista de massas* tem condições de enfrentar o grande desafio histórico que nos espera no século decisivo à nossa frente.

Rochester, Inglaterra, janeiro de 2000

---

[11] Quatro anos antes da eleição presidencial na Venezuela, já se tinha antecipado, em *Beyond Capital*, o grande potencial positivo do movimento bolivarista radical de Hugo Chávez Frias, mesmo no terreno eleitoral, num contraste marcante com a noção amplamente aceita de que somente as "amplas alianças eleitorais" totalmente diluídas são viáveis hoje em dia. Ver capítulo 18, seção 18.4.3, desta edição.

Por um avanço dialético, a *busca de si próprio subjetiva* transforma-se em *mediação* do particular ao universal, resultando em que cada homem, ao ganhar, produzir e aproveitar por sua própria conta está *eo ipso* produzindo e ganhando para proveito de todos os outros. A *compulsão* que provoca isto está enraizada na *interdependência complexa* de cada um em relação a todos; agora isto se apresenta para cada um como o *capital permanente universal*.

Hegel

A tarefa histórica da sociedade burguesa é o estabelecimento do mercado mundial, pelo menos em suas linhas básicas, e um modo de produção que repouse sobre esta base. Como o mundo é redondo, parece que isso já foi realizado, com a colonização da Califórnia e da Austrália e a anexação da China e do Japão. Para nós, a difícil questão é esta: a revolução no continente é iminente, e terá um caráter imediatamente socialista; não será *necessariamente esmagada* neste *cantinho do mundo*, já que num terreno bem mais vasto a sociedade burguesa ainda está em *ascensão*.

Marx

INTRODUÇÃO

O "cantinho do mundo" de que Marx falou em 1858 já não é mais um *cantinho*: os sérios problemas da crescente saturação do sistema do capital lançaram suas sombras por toda parte. A histórica ascendência do capital está hoje consumada naquele "terreno bem mais vasto" cuja desconcertante existência Marx teve de reconhecer em sua carta de 8 de outubro de 1858 para Engels. Vivemos hoje em um mundo firmemente mantido sob as rédeas do capital, numa era de promessas não cumpridas e esperanças amargamente frustradas, que até o momento só se sustentam por uma teimosa esperança.

Para muita gente, a presente situação parece fundamentalmente inalterável, conforme a caracterização de Hegel de que o pensamento e a ação são corretos e adequados – ou, para ele, "racionais" – apenas se submetidos às exigências do *"capital permanente universal"*. Além do mais, esta impressão de fatal inalterabilidade parece ser reforçada por um dos *slogans* políticos mais frequentemente repetidos pelos que tomam as decisões por nós como justificativa de suas ações: *não há outra alternativa*. Essa opinião continua sendo enunciada sem qualquer preocupação pela desesperança que resultaria do fato de esta proposição ser verdadeira. É bem mais fácil resignar-se à irreversibilidade do dilema afirmada no determinismo cego deste *slogan* político de nosso tempo – sem sequer tentar uma avaliação, muito menos um questionamento, de suas seriíssimas implicações – do que imaginar a forma de enfrentá-lo.

Entretanto, curiosamente, os políticos que jamais se cansam de repetir que não há alternativa para a situação hoje existente não hesitam em descrever, ao mesmo tempo, sua própria ocupação como "a arte do possível". Recusam-se a notar a gritante contradição entre a autojustificativa tradicional da política como a socialmente benéfica "arte do possível" e a resignação defendida sem crítica à regra do capital para a qual, em sua visão – proclamada como a única racionalmente sustentável "no mundo real" –, não pode haver alternativa. Afinal, como entender a política como "a busca do *possível* socialmente confiável", se a viabilidade de qualquer alternativa aos imperativos da ordem vigente está *a priori* excluída por ser *impossível*?

Evidentemente, o fato de tantos responsáveis pelas decisões – no Oriente e no Ocidente – adotarem a ideia de que não há alternativa alguma para as determinações prevalecentes não pode ser considerado simples aberração pessoal, passível de correção, de parte daqueles que a defendem. Ao contrário, essa ideia funesta emana do presente estágio do desenvolvimento do próprio sistema do capital global, com todas as suas interdependências paralisantes e margens de ação objetivamente cada vez mais estreitas. Na fase ascendente do desenvolvimento da sociedade de mercado toda uma série de alternativas significativas foi contemplada (e implementada com sucesso) no interesse da acumulação e da expansão rentáveis do capital pelos países capitalistas dominantes (como regra, também construtores de impérios).

As coisas mudaram bastante neste aspecto. A era do *capital monopolista* globalmente saturado não pode tolerar, no que diz respeito aos fundamentos e não aos acessórios decorativos, a prática do pluralismo político parlamentar, que outrora já serviu como a autojustificativa de estratégias reformistas social-democratas.

Portanto, não é de surpreender que a recente morte dos partidos de esquerda não esteja confinada à ignominiosa desintegração dos antigos partidos comunistas (stalinistas) tanto no Oriente como no Ocidente. A este respeito, é bem mais significativo (e, paradoxalmente, também mais estimulante) que a centenária promessa social-democrata de instituir o socialismo "aos pouquinhos" tenha demonstrado conclusivamente seu caráter ilusório com o abandono – agora, desavergonhadamente explícito – das primeiras aspirações sociais e políticas do movimento. É significativo e estimulante, apesar de tudo, porque a precária condição da política democrática de hoje – óbvia demais no medonho consenso relativo à ideia de que "não há alternativa" e suas consequências práticas diretas, como exemplificado, entre outras, pelas medidas legislativas autoritárias sentidas pelos sindicatos – só pode ser resolvida por um movimento extraparlamentar radical de massa. Movimento que não pode surgir sem que a classe trabalhadora seja sacudida da antiga ilusão firmemente institucionalizada de estabelecer o "socialismo aos pouquinhos", dentro dos limites do capitalismo autorreformador.

O *slogan* interessado de que "não há alternativa" é muitas vezes associado à frase igualmente tendenciosa de autojustificação que proclama que "*no mundo real*" não pode haver alternativa ao curso da ação (ou inação) defendido. Supõe-se que esta proposição seja uma verdade óbvia, isentando automaticamente do ônus da prova todos os que continuam a afirmá-la.

No entanto, quando se pergunta de que espécie de "mundo real" estão falando, torna-se claro que é de um mundo totalmente fictício. Os defeitos estruturais e os *antagonismos* explosivos do mundo em que vivemos são negados, ou cegamente desconsiderados, com grandes justificações explicativas pelos que esperam que acreditemos que "no mundo real" não há alternativa alguma para a dócil aceitação das condições necessárias ao funcionamento sem problemas do sistema global do capital.

Em nome da razão, do bom senso e da "política real" somos convidados a nos resignar com o atual estado das coisas, não importa quão destrutivos sejam seus antagonismos, pois dentro dos parâmetros da ordem estabelecida – eternizada como a estrutura racional do essencialmente inalterável "mundo real", com a "natureza humana" e sua correspondente instrumentalidade reprodutiva ideal: o "mecanismo de mercado" etc. – não é possível enxergar-se solução alguma para as contradições onipresentes.

Assim, espera-se que finjamos para nós mesmos que as classes e contradições de classe já não existem ou não mais importam. Da mesma forma, pressupõe-se que o único rumo viável da ação no assim postulado "mundo real" seria ignorar ou "oferecer explicações que neguem" as evidências da instabilidade estrutural proporcionada por nossos próprios olhos, varrendo pressurosamente para baixo de um tapete imaginário os problemas crônicos e os sintomas da crise (ambos de gravidade cada vez maior) que diariamente a ordem social vigente coloca diante de nós.

Da maneira como andam as coisas hoje, os ideólogos da ordem estabelecida já não acreditam mais sequer na velha noção popularizada de mudá-las "aos pouquinhos". Com o fim da fase ascendente do capitalismo, nenhuma mudança real pode ser considerada legítima – nem por uma grande intervenção estrutural, nem "aos pouquinhos".

Se é verdade, como dizem eles, que *"não há alternativa"* para as determinações do sistema do capital no *"mundo real"*, então a própria ideia de *intervenções causais* – não importa se grandes ou pequenas – deve ser condenada como absurda. A única mudança admissível em tal visão de mundo pertence ao tipo que se preocupa com certos *efeitos* negativos estritamente limitados, mas sem qualquer efeito sobre sua *base causal* – o sistema dado de controle metabólico.

Contudo, se há uma interpretação que realmente merece ser chamada de absurdo total no reino da reforma social, esta não é a defesa de uma grande mudança estrutural, mas precisamente aquele tipo de exagerado otimismo cheio de explicações que *separa os efeitos de suas causas*. É por isto que a "guerra à pobreza", tantas vezes anunciada com zelo reformista, especialmente no século XX, é sempre uma guerra perdida, dada a estrutura causal do sistema do capital – os imperativos estruturais de exploração que produzem a pobreza.

A tentativa de separar os efeitos de suas causas anda de mãos dadas com a igualmente falaciosa prática de atribuir o *status* de *regra* a uma *exceção*. É assim que se pode fazer de conta que não têm a menor importância a miséria e o subdesenvolvimento crônico que necessariamente surgem da dominação e da exploração neocolonial da esmagadora maioria da humanidade por um punhado de países capitalista desenvolvidos – poucos mais do que os componentes do G7. Como diz a lenda oportunista, graças à *"modernização"* (jamais realizada) do resto do mundo, a população de todos os países um dia gozará os grandes benefícios do "sistema da livre empresa".

O fato de que a exploração predatória dos recursos humanos e materiais de nosso planeta em benefício de uns poucos países capitalistas seja uma condição *não generalizável* é maldosamente desconsiderado. Em vez disso, reafirma-se implicitamente a viabilidade universal da emulação do desenvolvimento dos países "capitalistas avançados", sem levar em conta que nem as vantagens do passado imperialista, nem os imensos lucros obtidos da manutenção continuada do "Terceiro Mundo" na situação de dependência estrutural podem ser "universalmente difundidos" de modo a produzir os felizes resultados que se esperam da "modernização" e do "livre-mercado". Sem mencionar o fato de que mesmo que a história do imperialismo pudesse ser reescrita num sentido diametralmente oposto à maneira como realmente se desdobrou, junto com a fictícia inversão das relações de poder de dominação e dependência existentes em favor dos países subdesenvolvidos, a adoção generalizada da utilização predatória dos limitados recursos de nosso planeta – já enormemente prejudicial, embora hoje praticada apenas por uma minúscula minoria privilegiada – faria todo o sistema desmoronar instantaneamente. A esse respeito, basta pensar na tremenda discrepância entre o tamanho da população dos Estados Unidos – menos de *5 por cento* da população mundial – e seu consumo de *25 por cento* do total de recursos energéticos disponíveis. Não é preciso grande imaginação para se ter uma ideia do que aconteceria se os outros 95 por cento adotassem o mesmo padrão de consumo e tentassem retirar *dezenove vezes* 25 por cento dos restantes 75 por cento.

Esconder o vazio das prometidas soluções corretivas é a conveniente função ideológica da transformação em *regra universal* das condições rigorosamente *excepcionais* dos poucos privilegiados. Somente num mundo inteiramente fictício, em que os efeitos podem ser separados de suas causas, ou mesmo postos em oposição diametral a elas, é que essa interpretação pode ser considerada viável e correta. Por esta razão, tais falácias – a primeira, que estipula a possibilidade de manipulação de efeitos em si e por si, isolados das causas, e a segunda, a universalização de exceções impossíveis de serem generalizadas – estão tão estreitamente atadas na ideologia "pragmática" dominante. Ideologia que encontra justificação definitiva em sua descrição da ordem do "mundo real" para a qual "não pode haver nenhuma alternativa".

Margaret Thatcher ganhou o apelido de TINA – a sigla de *There Is No Alternative* ("não há alternativa") – por negar com monótona regularidade a possibilidade de alternativas. Seguindo em seus calcanhares, Mikhail Gorbachev continuou a repetir a mesma opinião em incontáveis ocasiões. Ironicamente, a sra. Thatcher teve de descobrir que *tinha de* haver alguma alternativa para ela, quando o Partido Tory lhe tomou o poder. Àquela altura, ela suspirou: *It's a funny old world!* – que em português dá mais ou menos: "Este mundo é engraçado!" –, mas recusou-se a nos informar se, em sua opinião, o "mundo engraçado" ainda mantinha o *status* de "mundo real" que a tudo absolve.

O secretário do Partido e presidente Gorbachev também não se deu muito melhor que a sra. Thatcher, pois perdeu não apenas o cargo, mas todo o sistema estatal que havia governado e tentado transformar em sociedade capitalista de mercado, em nome do "não há alternativa". Todavia, seu caso era bem mais complicado que o da ministra britânica. É perfeitamente compreensível que alguém como Margaret Thatcher adotasse de coração e "internalizasse" como correto e adequado – ou seja, não apenas *de facto*, mas também *de jure* – a margem de ação cada vez mais estreita permitida pelos imperativos da ordem capitalista. Gente como a baronesa Thatcher dança ao som do dinheiro.

No entanto, tudo foi muito diferente na outra vertente do divisor social. Ao adotar a ideia de que "não há alternativa" como justificativa para suas políticas, os que se dizem socialistas deixam de ter qualquer coisa a ver com o socialismo, pois o projeto socialista foi desde o início definido como alternativa à ordem social estabelecida. Portanto, não é surpresa que durante os anos de seu governo, na esteira de sua conversão à filosofia de que "não há alternativa", Mikhail Gorbachev tivesse abandonado até mesmo as mais vagas referências ao socialismo. Ele terminou – em seu discurso de renúncia – desejando para o futuro, num vácuo social completo, "democracia e prosperidade". Dado o desastroso legado que deixou, seus votos auspiciosos devem ter soado especialmente ocos para seus compatriotas famintos.

Em todo caso, a dedicação de nossos líderes políticos ao avanço dos imperativos do sistema do capital não elimina suas deficiências estruturais e seus antagonismos potencialmente explosivos. Ao contrário da laboriosamente cultivada mitologia da ordem vigente, as perigosas contradições são *intrínsecas* e não *exteriores* a ela. É por isso que o mundo é hoje – depois da capitulação do antigo "inimigo externo" e da curta celebração triunfalista do "fim da guerra fria" – um lugar muito mais instável do que já foi.

À luz dos fatos recentes, que trouxeram consigo não apenas o fragoroso desmoronamento do sistema soviético stalinista irreformável (e seus territórios anteriormente dependentes da Europa Oriental), mas também o enfraquecimento das instituições otimistas erigidas no Ocidente capitalista com a queda da União Soviética, somente um idiota pode acreditar que agora podemos marchar tranquilamente na direção do milênio liberal-capitalista. Na verdade, a ordem existente demonstra-se insustentável, não apenas devido às crescentes "disfunções" socioeconômicas resultantes da imposição diária de suas desumanidades sobre milhões de "infelizes", mas também em razão do esvaziamento espetacular das mais caras ilusões relativas ao irreversível poder estabilizador socioeconômico da vitória do mundo capitalista avançado sobre o inimigo de ontem.

A consciência desta insustentabilidade ajuda a manter a esperança de uma mudança estrutural básica, apesar de todos os empecilhos e desilusões amargas do passado recente. Encher buracos cavando buracos cada vez maiores – o que tem sido a maneira predileta de solucionar os problemas na presente fase do desenvolvimento – é algo que não pode continuar indefinidamente. Descobrir uma saída do labirinto das contradições do sistema do capital global por meio de uma transição sustentável para uma ordem social muito diferente é, portanto, mais imperativo hoje do que jamais o foi, diante da instabilidade cada vez mais ameaçadora.

Inevitavelmente, o desafio histórico de instituir-se uma alternativa viável à ordem dada também exige uma grande reavaliação do quadro estratégico do socialismo e das condições de sua realização, diante dos fatos e decepções do século XX. Necessitamos urgentemente de uma teoria socialista da transição, não simplesmente como antídoto para as absurdas teorizações do "fim da história" e o concomitante enterro prematuro do socialismo. Em seus próprios termos positivos, uma teoria da transição é necessária para que se reexamine o quadro conceitual da teoria socialista, elaborada originalmente em relação ao "cantinho do mundo" europeu.

Ao contrário das potencialidades objetivas do desenvolvimento capitalista confinado ao limitado cenário europeu, os sérios problemas que surgem da consolidação global de um sistema imensamente poderoso – que se desenvolveu com sucesso ao longo da ascendência histórica do capital durante os últimos cento e cinquenta anos, assumindo uma forma "híbrida", em oposição à sua variedade "clássica", com relação ao funcionamento da lei do valor – têm implicações de longo alcance para a necessária reformulação das estratégias originais de emancipação socialista. As desconcertantes transformações e reversões que testemunhamos em nosso século só podem se tornar inteligíveis se reavaliadas dentro deste quadro mais geral do sistema do capital global, no momento em que ele veio a dominar o mundo em sua realidade histórica dinâmica e contraditória. O mesmo se pode dizer com relação à possibilidade de implementar uma mudança estrutural fundamental numa direção verdadeiramente socialista: ela deve se tornar viável e convincente em termos da dinâmica histórica exatamente do mesmo sistema do capital global "realmente existente" a que o modo socialista de controle tenciona proporcionar a necessária alternativa, por meio da autogestão dos produtores associados.

Além da falsa estabilidade da "Aldeia de Potemkin" global, erigida a partir das imagens sonhadas da "Nova Ordem Mundial", não é muito difícil apontar sintomas de crise que fazem prever a queda da ordem política e socioeconômica estabelecida. No entanto, a profunda crise estrutural do sistema do capital está muito longe de, em si e por si, ser suficiente para inspirar confiança num bom resultado. As peças devem ser recolhidas e reunidas de forma positiva no devido tempo. E, nesse caso, nem mesmo as mais graves crises ou as mais sérias falhas serão, por si sós, de muita ajuda.

Sempre é incomparavelmente mais fácil dizer "não" do que esboçar uma alternativa concreta para o objeto negado. Uma negação parcial do existente só pode ser considerada plausível e legítima se baseada numa visão estratégica coerente de todo o complexo social. A alternativa proposta – explícita ou implicitamente – por qualquer negação séria das condições dadas deve ser sustentável em seu próprio quadro de um conjunto social, caso se espere que tenha êxito contra o poder "incorporador" do mundo estabelecido, potencialmente sempre "híbrido", em que as forças de uma crítica desejam penetrar.

A proposta do projeto socialista, como foi originalmente concebido, era precisamente contrapor esta alternativa estratégica global à existente, e não remediar, de forma integrável, alguns de seus defeitos mais gritantes. Esta última opção só poderia facilitar – como realmente o fizeram certas variedades do reformismo – a continuação do funcionamento do modo de controle metabólico do capital dentro do novo sistema "híbrido", apesar de sua crise.

Com o passar do tempo, os adversários políticos socialistas da sociedade da mercadoria fragmentaram-se irremediavelmente pelas recompensas que a ordem vigente podia oferecer; o sistema do capital como tal adaptou-se muito bem a toda crítica parcial vinda de partidos social-democratas, ao mesmo tempo em que enfraquecia a proposta socialista original como alternativa estratégica. A ideologia vigente – compreensivelmente, de seu próprio ponto de vista – declarou que o "holismo" era o inimigo ideológico, confiante em que mesmo a mais feroz crítica parcial torna-se bastante impotente se o seu referencial totalizador de inteligibilidade (e potencial legitimidade) foi categoricamente declarado fora de questão com a ajuda do palavrão pseudofilosófico exorcizante que é o "holismo" (ou seus inúmeros equivalentes).

Assim, a aprovação positiva do quadro geral e da estrutura de comando do capital tornou-se a premissa absoluta de todo discurso político legitimado nos países capitalistas e foi muito bem aceita como referencial comum pelos interlocutores social-democratas e trabalhistas. Ao mesmo tempo, e apesar de seu radicalismo verbal, o sistema stalinista refletia em detalhes, à sua própria maneira, a estrutura de comando do capital, liquidando, junto com incontáveis militantes que tentavam permanecer fiéis à busca originalmente pretendida de emancipação, até a memória dos legítimos objetivos socialistas.

Portanto, é compreensível que essas duas principais perversões práticas do movimento internacional da classe trabalhadora, emanando de circunstâncias sócio-históricas muito diferentes, tenham abalado fatalmente toda crença na viabilidade da alternativa socialista com que por muito tempo se haviam falsamente identificado. Na realidade, longe de serem negações socialistas coerentes e abrangentes da ordem estabelecida, ambas representavam *a linha de menor resistência* sob suas específicas condições históricas, acomodando-se, como modos de controle social, às exigências interiores do sistema do capital incorrigivelmente hierárquico.

Assim, por um lado, a falha da estratégia social-democrata (dada sua aceitação espontânea das restrições impostas pelos parâmetros do "capitalismo autorreformador") teve no final de assumir a forma do abandono total das metas socialistas outrora sustentadas. Por outro lado, todos os esforços de "reestruturação" do sistema stalinista, desde a "desestalinização" de Kruschev até a "perestróika" de Gorbachev (produzida quando o governo da sociedade, por meio de estados de emergência artificiais e seus campos de trabalho correspondentes, tornou-se econômica e politicamente insustentável), tiveram de naufragar, porque os supostos reformadores sempre detiveram o controle da estrutura hierárquica de comando da ordem social pós-revolucionária, com sua extração política autoritária do trabalho excedente (que, ao contrário, deveria ter sido objeto de ataque permanente). Eles não poderiam pretender que a estrutura estabelecida fosse reestruturada a menos que preservassem sua característica global de estrutura hierárquica, já que eles mesmos ocupavam, como se por direito de nascença, os mais altos escalões. E, por meio de seu empreendimento, em si contraditório, de "*reestruturar" sem mudar a própria estrutura* como encarnação da divisão hierárquica do trabalho social (exatamente como a social-democracia desejava *reformar o capitalismo sem alterar sua essência capitalista*), eles condenaram o sistema soviético a tropeçar de uma crise a outra.

A "crise do marxismo", sobre a qual nas últimas décadas muito se escreveu, na verdade denotava a crise e a quase completa desintegração dos movimentos políticos que outrora professavam sua lealdade à concepção marxiana de socialismo. O clamoroso fracasso histórico dos dois movimentos principais – a social-democracia e a tradição bolchevique metamorfoseada em stalinismo – permitiu uma avalanche de todos os gêneros de propaganda triunfalista para celebrar a morte da ideia socialista como tal. Os efeitos negativos desta propaganda não podem ser enfrentados simplesmente com a identificação dos interesses materiais que escoram as celebrações antissocialistas, pois o que aconteceu não aconteceu sem causas históricas de peso. Hoje o mundo do capital é de fato muito diferente do que era no momento em que o moderno movimento socialista iniciou sua viagem na primeira metade do século XIX. Sem um exame rigoroso das décadas intermediárias do desenvolvimento – orientado para o referencial teórico estratégico da alternativa socialista tanto quanto para suas exigências organizacionais radicalmente alteradas – o projeto socialista não pode renovar-se. Este é o problema que todos os socialistas devem enfrentar no futuro previsível.

O presente volume tenciona ser uma contribuição para a tarefa de reavaliação e esclarecimento teórico. Como já foi mencionado no Prefácio da terceira edição de *Marx's Theory of Alienation* de 1971, todo o projeto surgiu a partir da análise da crítica da alienação de Marx, em relação à afirmação feita tanto no Oriente como no Ocidente (e no Ocidente, especialmente nos Estados Unidos, por pessoas como Daniel Bell) de que a preocupação de Marx com a emancipação da regra do capital pertencia ao século XIX, pois não apenas as classes e os antagonismos de classe, mas todos os aspectos da alienação haviam sido irreversivelmente superados com sucesso. Tendo sentido diretamente o regime stalinista e a sangrenta repressão do levante de 1956 na Hungria pelo Exército Vermelho (aplaudida, para sua vergonha indelével, pelos partidos comunistas do Ocidente), para mim ficou muito claro que não apenas o proclamado fim da alienação no Leste era um conto de fadas, mas também que o sistema soviético existente absolutamente nada tinha em comum com o socialismo.

Igualmente, a experiência direta da vida no Ocidente depois de 1956 deixou muito claro que a alienação capitalista continuava a impor desumanidades e sofrimento absolutos à esmagadora maioria dos povos do "Mundo Livre", especialmente naquela parte que os apologistas da sociedade de mercado preferiam chamar de "Terceiro Mundo", de modo a poder atribuir a culpa aos países preocupados com os graves problemas de seu chamado "subdesenvolvimento", e não a determinada espécie de *desenvolvimento capitalista*: o desenvolvimento de total subordinação e dependência estrutural em relação ao "Primeiro Mundo".

Além do mais, um exame mais detalhado da estrutura interna de poder até mesmo dos países capitalistas mais avançados revelou que – apesar dos relativos privilégios de seus trabalhadores em relação às condições de incontáveis milhões nos antigos territórios coloniais – eles preservaram essencialmente inalteradas as relações exploradoras de classe características do sistema do capital alienador. Apesar também de todo atordoamento teórico, a questão decisiva, que se aplica a todos os graus e categorias de trabalhadores em toda parte, era e continua a ser a *subordinação estrutural do trabalho ao capital*, e não o padrão de vida relativamente mais elevado dos trabalhadores nos países capitalistas privilegiados. Tais privilégios relativos podem facilmente desaparecer em meio a uma grande crise e ao desemprego crescente, como o que hoje experimentamos. A posição de classe de quaisquer grupos diferentes de pessoas é definida por sua *localização no comando da estrutura de capital* e não por características sociológicas secundárias, como o "estilo de vida". No que diz respeito à sua localização necessariamente subordinada na estrutura de comando do capital, não há nenhuma diferença entre os trabalhadores dos países mais "subdesenvolvidos" e seus semelhantes nas sociedades capitalistas mais privilegiadas. Um trabalhador nos Estados Unidos ou na Inglaterra pode ser dono de um punhado de *ações sem direito a voto* numa empresa privada, mas os Robert Maxwell deste mundo, protegidos pelas brechas legais do Estado capitalista, podem roubá-lo com a maior facilidade até em seus *fundos de pensão** duramente conquistados, como se descobriu depois da estranha morte de Maxwell, sujeitando-o às condições de grave insegurança existencial, totalmente à mercê do poder alheio – o capital – para o qual, como diz a história do bicho-papão criada para assustar as crianças, "não há alternativa".

Tudo isto aponta para a conclusão de que, em sua origem, o projeto socialista, se complementado pelas evidências das circunstâncias históricas alteradas, mantém sua validade para o presente e para o futuro. Não obstante, à luz da desanimadora experiência pessoal e histórica, era necessário admitir que só se poderia permanecer socialista *apesar* e não *por causa* da União Soviética, ao contrário da maneira como muita gente no Ocidente tentou preservar suas convicções esquerdistas por delegação, abstraindo as condições de seus próprios países e ao mesmo tempo ficcionalizando a realidade de seu proclamado modelo.

Dada essa diferença na perspectiva, o recente desmoronamento do sistema soviético não poderia vir como grande surpresa; seria, no mínimo, esperável depois do choque de 1956 e do fracasso da desestalinização posterior. (O leitor poderá encontrar comentários sobre a permanência da alienação e sobre os insuperáveis antagonismos característicos do instável sistema do tipo soviético não apenas em *Marx's Theory of Alienation* – escrito entre 1959-1969 e publicado em 1970 –, mas também na Parte IV deste *Para além do capital*, escrito entre 1970 e 1990.) Contudo, a importância do projeto socialista é infinitamente maior do que a da antiga União Soviética. Ele foi concebido como um meio de superar o poder do capital muito tempo antes da existência da União Soviética e permanecerá conosco, numa forma adequada às circunstâncias históricas alteradas, muito tempo depois que o pesadelo stalinista estiver completamente esquecido. O desafio de ir "para além do capital" por meio do estabelecimento de uma legítima ordem socialista diz respeito a toda a humanidade.

O título deste volume – *Para além do capital* – deve ser entendido em três sentidos:

1) O significado central da expressão "além do capital" pretendido pelo próprio Marx quando empreendeu a monumental tarefa de escrever seu *O capital*. Neste sentido, significa ir além do *capital em si* e não meramente *além do capitalismo*. (Para um resumo sucinto dessa questão, ver Parte IV, capítulos 2 e 4 do presente volume; para uma discussão mais detalhada, ver os capítulos 2, 4, 5, 17 e 20.)

2) Além da versão *publicada* de *O capital* de Marx, inclusive seu segundo e terceiro volumes impressos postumamente, bem como o *Grundrisse* e as *Teorias*

---

* A verdadeira extensão desse gênero de práticas talvez um dia faça com que o roubo de Maxwell (míseros 350 milhões de libras) empalideça e se torne insignificante. Têm surgido reportagens dizendo que "para cobrir alguma escassez de dinheiro, a General Motors gastou seu fundo de pensão de 15 bilhões de dólares, como permite a lei norte-americana. Contudo, hoje *8,9 bilhões de dólares do dinheiro poupado para os pensionistas estão a descoberto*" (Andrew Lorenz e John Durie, "GM faz uma última tentativa de evitar a quebra financeira" – *The Sunday Times*, 1º de novembro de 1992, Seção 3, p. 9). Assim, a fraudulência não é mínima nem excepcional, mas pertence à normalidade do sistema do capital.

da mais-valia. Todo o projeto a que Marx dedicou sua vida não permaneceu apenas *inacabado*, mas – segundo o plano rapidamente esboçado pelo autor em suas cartas e seus prefácios – só foi completado em seus estágios iniciais; portanto, não poderia refletir adequadamente suas intenções registradas.

3) Além do projeto marxiano em si, como ele poderia ser articulado sob as circunstâncias da ascendência global da sociedade de mercado no século XIX, quando as possibilidades de adaptação do capital como sistema de controle "híbrido" – que só se tornou plenamente visível no século XX – ainda estavam ocultas do exame teórico.

O conteúdo de *Para além do capital* pode ser resumido como se segue.

As partes I e II, que constituem a primeira metade do livro, tratam da *incontrolabilidade do capital e sua crítica*; a segunda metade faz um levantamento dos problemas do *enfrentamento da crise estrutural do capital*.

A Parte I – *A sombra da incontrolabilidade* – enfoca as razões vitais para se ir *além do capital* e a necessidade realmente inevitável de fazê-lo no interesse da sobrevivência da humanidade. Como ponto de partida, a idealização hegeliana do "capital permanente universal" – a notável concepção filosófica e monumental racionalização da ordem burguesa – é contraposta à conclusão real da ascendência histórica do capital na forma de um sistema global não apenas incontrolável, mas em última análise destrutivo e autodestrutivo. Os aspectos salientes da *ordem da reprodução sociometabólica do capital*, que fazem prever desde o início sua incontrolabilidade, são discutidos no capítulo 2. Depois disso, no capítulo 3 há uma análise das grandes teorias destinadas a encontrar *soluções para a incontrolabilidade do capital, do ponto de vista do capital*. Os capítulos 4 e 5 levam em conta a importantíssima questão dos limites, a começar da forma como se devem tratar a causalidade e o tempo neste sistema, seguido por uma detalhada avaliação do *círculo vicioso das mediações de segunda ordem do capital* (além de uma crítica de seus apologistas, como Hayek), e conclui com uma análise dos *limites relativos e absolutos do sistema do capital* como um modo singular – na história humana, bastante excepcional – de reprodução sociometabólica. Aqui, no capítulo 5, isolam-se quatro questões especialmente importantes, cada uma constituindo o ponto central de alguma das grandes contradições: (1) o antagonismo entre o capital transnacional que se afirma globalmente e os Estados nacionais, que continua irreconciliável apesar dos esforços mais do que ansiosos das personificações do capital no domínio político para tornar palatável o impulso para a "globalização" sob a hegemonia de um punhado de "jogadores globais"; (2) o impacto catastrófico das práticas produtivas do capital "avançado" sobre o ambiente natural, tendendo à destruição completa das condições mais básicas da reprodução sociometabólica; (3) a incapacidade total do sistema do capital – inclusive de suas variedades pós-capitalistas – de corresponder ao desafio irreprimível da liberação das mulheres, da igualdade real, expondo assim a vacuidade da forma tradicional de tratar o problema da desigualdade por meio de concessões formais/legais vazias e sob a hipócrita retórica de "oportunidades iguais"; e (4) o câncer do desemprego crônico que devasta o corpo social mesmo nos países de capitalismo mais avançado, ridicularizando o artigo de fé do consenso liberal-conservador-trabalhista posterior à Segunda Guerra Mundial que proclamou – e cuja realização reivindicou – o "pleno emprego numa sociedade livre".

A Parte II trata do *Legado histórico da crítica socialista*. Aqui, o procedimento não pode ser uma narrativa histórica direta do legado teórico socialista, mesmo porque os graves problemas que os socialistas hoje enfrentam não resultaram de preocupações teóricas e políticas gerais. Eles irromperam da dolorosa experiência histórica – o aparecimento prático de uma tentativa de obter um ponto de apoio para uma ordem pós-capitalista no século XX e sua posterior queda desastrosa – em relação à qual todos aqueles que defendiam a instituição de uma alternativa socialista viável para a regra do capital sempre tiveram de definir suas próprias posições, amplamente diferentes entre si e até opostas em sério conflito. Neste sentido, contra o pano de fundo dos desenvolvimentos sociais e econômicos marcados pela impressionante implosão do sistema soviético, hoje – mais do que nunca – é impossível pensar nas perspectivas futuras do socialismo sem uma reavaliação crítica radical da experiência histórica relevante. Esta é a razão por que nosso ponto de partida deve ser a forma como o movimento socialista fundado por Marx e Engels produziu um novo marco histórico, com a irrupção e sobrevivência temporária da Revolução Russa. Esta redefiniu, inevitavelmente e em termos práticos bastante tangíveis, a perspectiva da transformação socialista contemplada inicialmente. Em consequência, a negação teórica e política do capitalismo inicialmente prevista tinha de ser complementada pela demonstração da viabilidade da ordem pós-revolucionária em termos socioeconômicos positivos. No entanto, mesmo antes que fossem dados os primeiros passos naquela direção, a Revolução Russa ascendeu – por meio da defesa bem-sucedida do poder do Estado, recém-conquistado, contra a intervenção capitalista ocidental – ao *status* de modelo, apesar das enormes restrições sócio-históricas da situação real.

A ala radical do movimento socialista tentou se ajustar a esta circunstância, assim como devemos, de forma muito diferente, fazer agora com relação às graves implicações desse colapso. Para reavaliar esses problemas em sua devida perspectiva histórica, os capítulos 6-10 – que tratam dos *desafios das mediações institucionais e materiais na órbita da Revolução Russa* – analisam *História e consciência de classe*, de Lukács, como obra teórica representativa, concebida em resposta à Revolução de Outubro: essa obra ofereceu, em seus termos intensos de referência, perspectivas bastante idealizadas de desenvolvimento para o conjunto do movimento socialista. O volume de ensaios de Lukács, baseado no envolvimento pessoal do autor nos eventos revolucionários da Hungria em 1918-19, na qualidade de ministro da Educação e Cultura, e mais tarde no movimento socialista internacional, ofereceu uma teorização direta do problema representado pela Revolução Russa. *História e consciência de classe* (publicado em 1923) ofereceu uma formidável generalização filosófica das conquistas históricas de outubro de 1917 e transformou em patrimônio positivo as monumentais dificuldades com que teve de lutar a "revolução no elo mais fraco da corrente".

Foi assim que a obra de Lukács adquiriu seu caráter representativo e sua lendária influência. Em meio à profunda crise intelectual causada pela conflagração da Primeira Guerra Mundial e suas consequências socialmente explosivas, *História e consciência de classe* também procurava construir uma ponte entre a conceituação hegeliana do sistema do capital global e a visão socialista de Marx, para convencer a todos os intelectuais que desejavam admitir a própria crise mas não conseguiam responder em termos positivos ao diagnóstico e às soluções marxistas. Nos capítulos 6-10, *História e consciência de classe* é situado no quadro da subsequente evolução teórica de seu autor. Por esta última, percebe-se que sob as crescentes restrições impostas pela fria realidade do "socialismo realmente existente", que recebeu uma crítica devastadora de Trotsky, as necessárias – mas inviáveis, sob as condições do stalinismo (incluindo sua fase de desestalinização frustrada) – mediações materiais e institucionais do ideal socialista tiveram de desaparecer completamente dos horizontes do grande filósofo húngaro, que eliminou até a dimensão limitada em que estavam presentes ao tempo em que *História e consciência de classe* foi escrito. As raízes intelectuais da posição final de Lukács já podem ser encontradas em sua notável *História e consciência de classe*, obra na qual tentava encontrar alternativa urgentemente necessária à ordem dada num apelo direto, nobre mas totalmente abstrato, à consciência moral dos indivíduos, ainda que mais tarde estivessem grandemente acentuadas em consequência da interrupção do desenvolvimento do sistema pós-revolucionário soviético e de seus transplantes no Leste europeu. A forma como, nos últimos anos, inúmeros intelectuais decepcionados que haviam compartilhado a posição de Lukács – os que foram educados na tradição da "teoria crítica" de Frankfurt ou nos partidos comunistas do Ocidente – voltaram-se inteiramente contra a ideia do socialismo acentua a necessidade de fundamentar as expectativas socialistas em base material muito mais segura.

A segunda metade da Parte II trata dos problemas da *ruptura radical e transição na herança marxiana*. Ao retomar o desafio implícito na trajetória intelectual representativa de Lukács, levam-se em conta as grandes dificuldades a enfrentar em qualquer tentativa de elaborar uma teoria socialista da transição. Para tanto, vai-se até as origens do movimento socialista, examinando com algum detalhe, à luz dos fatos históricos subsequentes, a visão do próprio Marx. Depois de discutir a forma como a teoria marxiana foi concebida e, direta ou indiretamente, afetada pelos objetos de sua negação (especialmente a teoria liberal e a visão hegeliana do desenvolvimento histórico do mundo), os capítulos 11-13 exploram a resposta real da burguesia ao movimento internacional emergente da classe trabalhadora, analisando a capacidade do capital de ajustar seu modo de controle às condições sócio-históricas alteradas. A este respeito agigantam-se os problemas do Estado, pois o *deslocamento* temporariamente viável (muitas vezes entendido equivocadamente como a *superação* permanente) das contradições internas do sistema do capital anda de mãos dadas com uma mudança fundamental do capitalismo, do *laissez-faire* para uma confiança cada vez maior na intervenção direta do Estado nas questões econômicas, ao mesmo tempo em que a mistificação ideológica continua a glorificar o "livre-mercado", praticamente inexistente, o faz de conta da "ausência da intervenção do Estado" e as virtudes do individualismo sem restrições. As inevitáveis dificuldades teóricas de Marx – manifestas nas ambiguidades temporais dos desdobramentos por ele previstos e na ausência das necessárias mediações institucionais entre o sistema do capital rejeitado e a alternativa defendida – são explicadas no contexto dessas transformações históricas, preocupadas com a direção tomada pelo movimento da classe trabalhadora como movimento de massa (criticada por Marx em relação ao "Programa de Gotha", da social-democracia alemã) e também com as possibilidades dinâmicas de expansão abertas para o capital pela nova fase de desenvolvimento, sintonizada com a "ascendência global" do sistema, na época longe de exaurida.

A Parte III – *A crise estrutural do sistema do capital* – parte do fato sombrio de que todas as três grandes formas de desenvolvimento do século XX descumpriram totalmente suas promessas: a acumulação e expansão monopolista do capital privado, a "modernização do Terceiro Mundo" e a "economia planejada" do tipo soviético. Cinquenta anos de "modernização" deixaram o "Terceiro Mundo" numa condição pior do que nunca; o sistema soviético teve um colapso dramático, sem qualquer perspectiva de estabilização pela entrada no clube do "capitalismo avançado", pois até a restauração bem-sucedida de uma forma "subdesenvolvida" de *capitalismo dependente* impôs dificuldades proibitivas ao sistema que se estilhaçava; e os poucos países privilegiados de "capitalismo avançado" estão passando por repiques de recessão em intervalos cada vez mais curtos. Além do mais, para muitos destes (inclusive a Inglaterra e, o que é mais grave para a sobrevivência de todo o sistema do capital, os Estados Unidos), tais recessões estão associadas a um verdadeiro *buraco negro* de dívidas insolúveis, eufemisticamente descritos pelos defensores da ordem estabelecida como "dívidas pendentes". Como o domínio do "capitalismo avançado" ocidental hoje é esmagador, os limites inerentes da extração da mais-valia economicamente regulada dentro deste sistema têm importância decisiva no que diz respeito aos desenvolvimentos futuros da ordem global. Para fugir das contradições cada vez mais intensas, o índice decrescente de utilização sob o "capitalismo avançado" demonstra sua limitada viabilidade e insustentabilidade irreversível, mesmo quando se mobilizam recursos maciços do Estado a serviço do complexo militar/industrial, pois isto tende a ativar um dos limites estruturais impossíveis de serem transcendidos pelo sistema do capital: a destruição, em nome do lucro, dos recursos não renováveis do planeta. Mais do que isto, esta maneira de administrar a taxa de utilização decrescente, mesmo hoje (apesar de toda a conversa sobre a "Nova Ordem Mundial") ainda em associação com um imenso complexo militar/industrial diretamente sustentado pelo Estado, continua a desperdiçar recursos humanos e materiais numa escala proibitiva, em nome do "preparo militar" contra um inimigo que já não mais se identifica, e no qual muito menos se acredita; desse modo, realça-se repetidamente o fato de que as verdadeiras razões por trás de tais práticas são primordialmente *econômicas* e não *militares*. Sob as novas circunstâncias históricas, as crises também se desdobram de forma muito diferente. No período da ascendência global do capital, as crises irrompiam na forma de "grandes tempestades" (Marx), seguidas por fases relativamente longas *de expansão*. O novo padrão, com o fim da era da ascendência histórica do capital, é a crescente frequência das fases *de recessão* tendendo a um *continuum em depressão*. Dada a característica globalmente entrelaçada do sistema do capital autocontido – que faz todas as conversas sobre a "sociedade aberta" soarem totalmente ridículas, se não completamente obscenas –, o grande desafio, sem cuja solução não se poderá superar a crise do desenvolvimento, é o seguinte: como romper o círculo vicioso entre "macrocosmo" e células mutuamente paralisantes que constituem o sistema.

Os capítulos 17-20 examinam os parâmetros estruturais do capital à luz das transformações históricas do século XX, comparando-os com as características definidoras da alternativa socialista. Neles também são investigadas as razões para a catastrófica quebra do sistema soviético, junto com todas as tentativas de reformá-lo, inclusive a chamada "perestróika" de Gorbachev, empreendidas sem (na verdade, contra) o povo. O prosseguimento do domínio do capital no sistema de tipo soviético, sob uma forma politicamente muito diferente, é identificado como principal responsável por tais falhas. Os acontecimentos pós-revolucionários, consolidados sob Stalin, seguiram a *linha da menor resistência* em relação às estruturas socioeconômicas herdadas, permanecendo assim presas dentro dos limites do sistema do capital. Continuaram a explorar e a oprimir os trabalhadores debaixo de uma grande *divisão hierárquica do trabalho* que operava uma extração politicamente reforçada do trabalho excedente à maior taxa possível. Em contraste com essa trágica experiência histórica, e com as ilusões da solução dos graves problemas estruturais das sociedades pós-revolucionárias por meio da "mercadização" capitalista, a alternativa concreta é proporcionada pelos princípios orientadores de um sistema de produção e consumo *comunal* (e de nenhuma maneira coletivista em abstrato) socialista. Os principais princípios de funcionamento da alternativa socialista são: a regulação, pelos produtores associados, do processo de trabalho orientada para a qualidade em lugar da superposição política ou econômica de metas de produção e consumo predeterminadas e mecanicamente quantificadas; a instituição da contabilidade socialista e do legítimo planejamento *de baixo para cima*, em vez de pseudoplanos fictícios impostos à sociedade *de cima para baixo*, condenados a permanecer irrealizáveis por causa do caráter insuperavelmente *conflitante* deste tipo de sistema; a mediação dos membros da sociedade por meio da *troca planejada de atividades*, em vez da direção e distribuição políticas arbitrárias tanto da força de trabalho como de bens no sistema do capital pós-capitalista do tipo soviético ou da fetichista *troca de mercadorias* do capitalismo; a motivação de cada produtor por intermédio de um sistema autodeterminado de incentivos morais e materiais, em vez de sua regulação pela cruel imposição de normas stakhanovistas ou pela tirania do mercado; tornar significativa e realmente possível a responsabilidade voluntariamente assumida pelos membros da sociedade por meio do exercício de seus poderes de tomada de decisão, em vez da *irresponsabilidade institucionalizada* que marca e vicia *todas* as variedades do sistema do capital. A necessidade de sua implementação não resulta de ponderações teóricas abstratas, mas da crise estrutural cada vez mais profunda do sistema do capital global.

Parte IV – *Ensaios sobre questões afins*. Esta parte contém cinco ensaios, escritos no mesmo período das outras partes deste *Para além do capital*, e todos antes da clamorosa queda do sistema soviético. São duas as razões para sua inclusão no presente estudo. Em primeiro lugar, incorporar uma boa quantidade de material pertinente e evitar repetições desnecessárias. Em segundo, mostrar que o enfrentamento das contradições e da inevitável queda do "socialismo realmente existente" – que não foram percebidas depois dos fatos consumados, pois, como testemunham esses ensaios, elas estiveram visíveis por muitas décadas – não quer dizer o abandono da perspectiva socialista.

PARTE I

A SOMBRA DA INCONTROLABILIDADE

Rato primitivo espalha praga entre nós:
pensamento impensado.
Rói adentro todo o nosso alimento
e corre de um homem ao outro.
Por isso o beberrão ignora
que ao afogar as mágoas em champanhe
engole em seco o insípido caldo
do pobre apavorado.

E já que a razão falha em exigir
direitos fecundos das nações
nova infâmia se levanta a incitar
as raças umas contra as outras.
A opressão grasna em esquadrões,
aterra no coração vivo, como em carniça –
e a miséria escorre pelo mundo todo,
tal qual a baba no rosto de idiotas.*

Attila József

---

* Tradução de Lucienne Scalzo.

Capítulo 1

A QUEBRA DO ENCANTO DO "CAPITAL PERMANENTE UNIVERSAL"

1.1 Além do legado hegeliano

1.1.1

O legado hegeliano representou um problema difícil para o movimento socialista, tanto no sentido positivo quanto no negativo. Foi preciso aprender com ele, apropriando-se de suas grandes realizações por um lado e, por outro, sujeitando suas mistificações eternizadoras do capital a uma crítica radical. Há três razões para se concentrar a atenção na obra de Hegel, ao longo do processo de articulação da concepção marxiana.

Em primeiro lugar, as grandes discussões políticas e filosóficas do período da formação intelectual de Marx, a década de 40 do século XIX, tornavam isto praticamente inevitável, porque presenciaram o governo prussiano tentar a exumação (de inspiração conservadora) do velho e reacionário Schelling como baluarte contra a perigosa influência radicalizante de Hegel sobre a geração mais jovem de intelectuais. É muito significativo o fato de que Marx e Kierkegaard tenham assistido às palestras do velho Schelling contra Hegel na Universidade de Berlim, em 1841: foi a abertura de uma década de enfrentamentos pré-revolucionários e revolucionários. É igualmente significativo que os dois jovens filósofos tenham chegado a conclusões diametralmente opostas, com relação ao caminho que cada um haveria de trilhar. O discurso filosófico dominante – e politicamente mais relevante – da época tornava necessário alinhar-se com Hegel ou posicionar-se contra ele. Entretanto, desde o instante em que entrou nessas discussões, Marx introduziu algumas importantes restrições. Ao expressar suas reservas fundamentais em relação a Hegel e seus seguidores, ele também tentou preservar e aperfeiçoar a predisposição radicalizadora dos "jovens hegelianos"; assim, Marx definiu a meta emancipadora da filosofia como algo que não apenas explorava plenamente o potencial crítico da abordagem do próprio Hegel, mas como necessidade historicamente emergente de ir além do que se poderia conter dentro dos limites do sistema hegeliano (por mais esticados que fossem).

Igualmente aplicável aos teóricos socialistas posteriores que, inspirando-se nas obras mais importantes de Marx, *O capital* e *Grundrisse*, eram (ao contrário de alegações mal informadas) consideravelmente mais e não menos positivos em relação a Hegel do que a *Crítica da filosofia do direito de Hegel* do jovem Marx – foi a necessidade posterior de resgatar as realizações de Hegel das tentativas de representantes intelectuais de sua própria classe de enterrá-las para sempre e tratar seu autor como um "cachorro morto", como reclamaram Marx e Engels mais de uma vez. Empreender essa defesa não era simplesmente uma questão intelectual. Depois das revoluções de 1848/1849, o potencial radicalizante da filosofia de Hegel se tornara um grande problema até mesmo para os membros da burguesia liberal que anteriormente pensaram poder apoiar seu próprio zelo reformista em argumentos derivados da obra do grande filósofo alemão. Por esta razão, tanto a *metodologia dialética* como a *concepção histórica* do "idealismo objetivo" foram abandonadas em prol de uma orientação neokantiana grotescamente esvaziada, totalmente subjetivista e muitas vezes até explicitamente anti-histórica.

Além do mais, esta última orientação não foi adotada somente pelos principais representantes intelectuais da burguesia, mas também pela ala reformista do movimento socialista. As variedades neokantianas de positivismo e neopositivismo foram tão divulgadas nos círculos do partido por Edward Bernstein e seus seguidores que chegaram a constituir a ortodoxia domesticada da Segunda Internacional social-democrata a partir da segunda década deste nosso século, até sua extinção. A filosofia de Hegel foi originalmente concebida em circunstâncias históricas de grandes conflitos sociais e – apesar dos ajustes conservadores de seu autor em seus últimos anos – jamais perderia as marcas de uma era dinâmica de transição. A permanência de tais marcas permitiu à filosofia hegeliana abrir-se a uma série de interpretações radicais, inclusive a mais impressionante e abrangente de todas, corporificada no socialismo marxista. Entretanto, ao adotar a integração à ordem socioeconômica estabelecida (com o sistema correspondente de Estado) como horizonte da crítica social-democrata, a liderança do partido não lhe deixou espaço para uma concepção legitimamente histórica. Sabe-se lá que surpresas guardaria a dinâmica do verdadeiro desenrolar da história – por sua própria natureza totalizadora e não fragmentária – ao pôr em movimento a "astúcia da razão" teorizada por Hegel. Naturalmente, ela também não oferecia espaço para o método dialético, que teria de visualizar não apenas a *possibilidade*, mas também a *necessidade* de *mudanças qualitativas* em termos das quais as transformações revolucionárias poderiam ser racionalmente previstas e preparadas, ao contrário do "determinismo econômico" gradualista e mecânico-quantitativo da Segunda Internacional.

Pode parecer surpreendente ou até incompreensível que, em meados dos anos 20, os burocratas stalinistas da Terceira Internacional tivessem adotado a mesma linha de abordagem negativa do legado de Hegel, tornando-se assim companheiros da social-democracia reformista bernsteiniana, apesar de suas diferenças retóricas. Eles usavam o rótulo "hegeliano" apenas como expressão insultuosa, com a qual podiam excomungar os pensadores que tentassem enfatizar a importância vital da dialética objetiva também numa sociedade socialista, ousando assim afastar-se da ortodoxia recentemente instituída do Comintern. Contudo, na verdade nada havia de realmente surpreendente nessa profana convergência ideológica. O denominador comum entre as duas partes era o fato de que, assim como na visão da social-democracia, também para Stalin e seus seguidores a história já cumprira sua missão no que dizia respeito ao sistema em que funcionavam. O exame de mudanças qualitativas e transformações radicais estava absolutamente fora de questão. A tarefa de cada indivíduo era definida como sua integração "positiva" na ordem política e socioeconômica vigente (daí o culto ao "herói positivo"), permitindo-lhes apresentar melhorias parciais ao seguir com devoção a hierarquia do partido que já detinha a Verdade. Esse discurso condescendente para as massas era muito parecido com o tratamento complacente das classes trabalhadoras por Bernstein, que lhes atribuía o dever, de inspiração neokantiana, do "aperfeiçoamento pessoal" sob a "avançada" liderança social-democrata –, para ele, a corporificação e medida última do que deveria ser emulado.

A terceira razão era a mais importante, tanto para Marx, pessoalmente, como para o projeto socialista revolucionário, em geral. Ela dizia respeito à base real de onde emergiram as afinidades entre as teorias de Hegel e Marx sob circunstâncias históricas determinadas. Isto naturalmente significava que a relação teria de ser caracterizada em termos históricos tangíveis. No entanto, essa caracterização não deveria obliterar, nem mesmo enfraquecer, o significado das afinidades de fundamentação objetiva. A circunstância reveladora de que, após a revolução burguesa de 1848/1849, Hegel se tenha tornado um grande embaraço para sua própria classe só serviu para enfatizar a importância dessa ligação real. A tentativa de Hegel de encerrar arbitrariamente, em seus textos, a dinâmica histórica no ponto central do presente eternizado do capital sob a supremacia colonial europeia (como veremos nas seções 1.2 e 1.3) não podia alterar o fato de que, acima de tudo, ele compreendesse a história como um movimento objetivo inexorável, com uma lógica própria irresistível que não poderia ser atenuada por projetos subjetivos sonhados nem pela correspondente intervenção voluntarista.

Exatamente como Adam Smith, Hegel adotou o ponto de vista do capital, incorporando com grande sensibilidade os princípios fundamentais da economia política de Smith em sua própria magistral concepção filosófica. Todavia, precisamente nos anos mais importantes de sua formação intelectual, Hegel foi também um contemporâneo da Revolução Francesa de 1789 e de todos os levantes sem precedentes históricos que a seguiram – dotados, pela primeira vez na história, de um sentido significativamente global. Assim, ele não poderia deixar de atribuir à categoria dialeticamente definida da *contradição* um lugar de importância central em seu sistema, ainda que tratasse as relações sociais incorporadas nessa categoria de forma extremamente abstrata e idealista, atenuando assim suas implicações explosivas no modo de reprodução sociometabólica do capital. Em muitos dos capítulos adiante, veremos como Hegel enfraqueceu e até aboliu completamente os antagonismos percebidos da dinâmica histórica objetiva em suas sínteses conciliatórias idealistas. O que deve ser enfatizado aqui é a importância do simples fato de que uma filosofia concebida do ponto de vista do capital, em determinado estágio do desenvolvimento histórico, tenha reconhecido os antagonismos históricos objetivos.

A teoria de Hegel foi articulada num momento histórico em que, em consequência da Revolução Francesa, os notáveis representantes intelectuais da burguesia em ascensão tentavam chegar a um acordo com o fato desagradável de que o "Terceiro Estado", longe de ser homogêneo, estava profundamente dividido por interesses de classe conflitantes. Eles haviam admitido este fato num momento em que ainda realmente acreditavam, no mínimo *esperavam*, que os interesses divergentes de classe identificados viessem a ser solucionados sob alguma força ou "princípio" universalmente benéficos. Não obstante, depois das revoluções de 1848/1849 tiveram de ser banidos para sempre do discurso filosófico legítimo até mesmo a memória distante de tal esperança, e os termos em que sua realização fora teorizada – no caso de Hegel, com referência à postulada superação de interesses egoístas de classe, por meio da ação da "classe universal" de funcionários públicos altruístas, que supostamente compensariam, no Estado idealizado, as determinações inalteravelmente egocêntricas da "sociedade civil". Mesmo o injustificado postulado hegeliano da "classe universal" foi considerado um exagero, porque involuntariamente admitia a presença de alguns defeitos estruturais na ordem social estabelecida. Foi por isto que no final das contas Hegel teve de se tornar um "cachorro morto" para sua própria classe e sua visão histórica pioneira teve de ser inteiramente abandonada.

Assim, nas controvérsias que o rodeavam, a questão fundamental em jogo não era o significado intelectual do grande filósofo alemão, mas a natureza da dinâmica histórica objetiva que permitiu à burguesia trazer um dia à vida as monumentais realizações de Hegel e, noutro momento histórico, forçou esta mesma classe a destruir sua própria criação. Ainda que uma classe, em razão da mudança de sua situação na sociedade, volte as costas para a própria história, o processo histórico em si, de que a história de qualquer classe particular é parte – e só *parte* – orgânica, não deixa de existir. A defesa socialista do legado hegeliano num sentido historicamente qualificado significou, portanto, concentrar a atenção na dialética objetiva do próprio processo histórico: suas *continuidades na descontinuidade* e suas *descontinuidades na continuidade*. As ideias de Hegel poderiam e tinham de ser preservadas, porque haviam emergido daquela *continuidade* objetiva de relações antagônicas de classe que o projeto socialista tentava dominar à sua maneira. Ao mesmo tempo, o horizonte limitador da visão de Hegel – a "conclusão" a-histórica, marcada pela determinação de classe, de seu silogismo histórico: a ordem sociometabólica eternizada do capital – teria de submeter-se a uma crítica radical, como premissa prática objetiva inevitável, mas de modo algum permanentemente dominante. Isto teria de ser feito para expor o alvo real a ser visado – a necessária *descontinuidade* da mudança estrutural radical, a ser atingida pela superação das relações de hierarquia e dominação além da ascendência histórica objetiva do capital – sem o qual o projeto socialista não poderia dar certo.

1.1.2
Apesar das muitas proposições de Hegel, tomadas individualmente, seria bastante equivocado chamar de *otimista* o conjunto do sistema hegeliano. Em *Cândido*, sua novela filosófica, Voltaire já tratava com enorme sarcasmo os proponentes de um otimismo ilimitado, embora seus próprios horizontes tenham sido limitados pelas

ilusões do Iluminismo, que pressupunha a eliminação de problemas pelo poder irresistível da Razão. Quando Hegel começou a escrever já não era possível manter a mesma fé na Razão como faculdade dos indivíduos. Na verdade, Hegel criticava severamente seu grande predecessor, Kant, pela tendência a eliminar importantes dificuldades filosóficas retirando suas soluções do "saco das faculdades". Assim, em sua própria filosofia, Hegel deu um significado radicalmente novo – supraindividual – à categoria da Razão.

Como já foi mencionado, o que fez uma diferença fundamental neste aspecto, excluindo-se a possibilidade de uma visão otimista sincera das questões humanas na concepção de um grande pensador, foi o fato de Hegel ter sido contemporâneo da Revolução Francesa e suas turbulentas consequências. Ele acompanhou com vivo interesse as primeiras sublevações na França e por toda a Europa em meio às guerras napoleônicas. No momento em que encerrou *A fenomenologia do espírito*, residia em Iena e testemunhou a vitória de Napoleão nos morros vizinhos, comentando que vira o "Espírito do Mundo" realizando seu projeto montado num cavalo. E, mais importante ainda, ele também testemunhou, com razoável capacidade de previsão, a emergência da classe trabalhadora como força política e social independente que, mesmo de forma hesitante, começava a agir em seu próprio nome e não mais apenas como parte subordinada do "Terceiro Estado".

Entretanto, embora tenha evitado a armadilha do *otimismo acrítico*, Hegel apresentou um sistema de *positivismo acrítico* (Marx) em relação à ordem burguesa. Não importa como tudo aquilo pudesse parecer às pessoas – todas elas, mesmo as que tinham uma posição de "individualidades históricas mundiais" (como Napoleão, seu grande contemporâneo), eram descritas por ele como *instrumentos* nas mãos da Razão/ Espírito do Mundo e, por isto, destinadas meramente a levar adiante, de maneira inconsciente, os *desígnios do Espírito do Mundo*, simultaneamente à persecução de suas próprias metas limitadas. Daí sua mensagem de que *tínhamos chegado* ao estágio histórico final, além do qual seria inconcebível sequer tentar prosseguir sem autocontradição, pois o que até então fora realizado não resultava de um empreendimento humano limitado, mas era a jornada – prevista desde o início – da autorrealização do Espírito do Mundo, culminando, no plano do esforço humano, na ordem última do *capital permanente universal*.

O contraste com a interpretação de Marx acerca do desenvolvimento histórico em curso não poderia ser maior. A adoção por Hegel do capital como horizonte absoluto insuperável e como a culminação da história do homem e suas instituições concebíveis, coroado pelo Estado "germânico" capitalista (a encarnação do "princípio do Norte" de Hegel), orientou o "positivismo acrítico" do grande dialético para a ordem estabelecida. Um ponto de vista apologético que terminou por prevalecer no sistema de Hegel, apesar da resignação[1] com que ele descrevia o papel da filosofia em

---

[1] Como expõe o próprio Hegel no Prefácio de *A filosofia do direito*: "Uma palavrinha mais a respeito de dar instruções sobre o que deveria ser o mundo. Em qualquer caso, a filosofia sempre entra em cena tarde demais para isto. Como pensamento do mundo, ela só aparece quando a realidade já foi cortada e secada depois que seu processo de formação se completou. O ensinamento do conceito, e também inevitável lição da história, é que apenas quando a *realidade* está *madura* aparece o ideal

relação aos desenvolvimentos inalteráveis decididos pelo Espírito do Mundo. A adoção desse ponto de vista inevitavelmente também significou uma atitude cega de Hegel em relação à dimensão *destrutiva* do capital como sistema de controle.

Aqui Marx teve de separar-se de Hegel, pois não via o capital como uma *terminação* inalterável do processo histórico, mas como um *movimento dinâmico* que, mesmo com sua aparentemente irresistível *lógica global expansionista*, deveria ser considerado transitório. Portanto, é irônico, para não dizer absurdo, que Marx tenha sido acusado de "otimista com estrelas nos olhos," um "crente ingênuo" numa "natureza humana" benevolente e (segundo Hayek e outros) iludido pela visão do "nobre selvagem". Pois, ao contrário de todos os tipos de positivismo acrítico, inclusive aqueles que, tal como a filosofia de Hegel, o projetavam com resignação contemplativa, Marx foi precisamente o primeiro a avaliar as devastadoras implicações do impulso irrefreável do capital para a autoexpansão. Longe de prometer um resultado necessariamente positivo, ele assim expressava, num de seus primeiros escritos, o *perigo mortal* inseparável dos fatos correntes:

> No desenvolvimento das forças produtivas surge uma etapa em que se criam estas forças e os meios de inter-relacionamento, sob os quais as relações existentes apenas prejudicam e já não são forças produtivas, mas *destrutivas*. ... No sistema da propriedade privada, essas forças produtivas se desenvolvem de forma apenas unilateral e, em sua maioria, tornam-se forças destrutivas. Deste modo, as coisas chegam a tal situação que as pessoas são obrigadas a apropriar-se da totalidade das forças produtivas existentes, não somente para realizar sua própria atividade mas também *para simplesmente salvaguardar a própria existência*.[2]

Quando Marx escreveu estas linhas em 1845, as forças destrutivas por ele identificadas ainda estavam muito longe do pleno desenvolvimento. Suas diversas obras, que levam o subtítulo de "Crítica da economia política", representaram a busca de uma força equilibradora com a qual se pudesse deter a destrutiva lógica autoexpansionista do capital e libertar os indivíduos sociais, por sua própria *autoatividade*, daquela *força alienante* que não apenas os controlava, mas, em última análise, ameaçava a própria existência da humanidade.

As forças destrutivas da ordem da produção do capital já não são, em nossos dias, apenas potencialidades ameaçadoras mas realidades onipresentes. Hoje, o

---

acima e contra o real e que o ideal apreende este mesmo mundo real em sua substância e o acumula para si na forma de reino do intelectual. Quando a filosofia pinta seu cinza em cinza, é porque uma forma de vida *envelheceu*. Pelo cinza em cinza da filosofia, ele *não pode ser rejuvenescido*, mas apenas compreendido. A coruja de Minerva só abre suas asas na hora do crepúsculo. Hegel, *Philosophy of Right*, Oxford, Clarendon Press, 1942, pp. 12-3.

Esta resignação, que limita o papel da filosofia à *contemplação*, era inseparável de uma concepção de história totalmente acrítica em relação ao controle sociometabólico e seu estado político. Vemos isto claramente num trecho da *Filosofia da História* de Hegel:

A filosofia se preocupa apenas com a glória da Ideia que se reflete na História do Mundo. A filosofia *escapa* da desgastante luta de paixões que agita a *superfície da sociedade*, indo para a tranquila região da *contemplação*; o que interessa é a admissão do processo de desenvolvimento pelo qual passou a Ideia em sua realização – ou seja, a *Ideia* de Liberdade, cuja realidade é a *consciência* da liberdade e nada menos do que isso."
Hegel, *Philosophy of History*, Nova York, Dover Publications, 1956, p. 457.

2   Marx e Engels, *Collected Works*, Londres, Lawrence & Wishart, 1975ss, vol. 5, pp. 52, 73, 87.

funcionamento "normal" e a contínua expansão do sistema do capital são inseparáveis do exercício irrestrito das "forças produtivas-destrutivas unilateralmente desenvolvidas" que dominam a nossa vida, não importa quão catastróficos sejam seu já visível impacto e os riscos para o futuro – até bem maiores do que reconheciam os ambientalistas socialistas.

Apesar de todas as recaídas e reveses históricos que tendem a reforçar o "positivismo acrítico", a tarefa de quebrar o encanto do "capital permanente universal" de Hegel permanece dentro da agenda histórica. O que realmente torna a situação de hoje particularmente grave em relação à época de Marx é que a presente articulação do capital como um sistema global, na forma da acumulação de suas forças repressivas e interdependências paralisantes, nos coloca diante do *espectro da incontrolabilidade total*.

1.2 A primeira concepção global – sobre a premissa do "fim da história"

1.2.1

O desenvolvimento da consciência histórica está centrado em torno de três grupos fundamentais de problemas:
1) a determinação da *ação* histórica;
2) a percepção da mudança não como simples lapso de tempo, mas como um movimento de caráter intrinsecamente *cumulativo*, implicando alguma espécie de avanço e desenvolvimento;
3) a oposição implícita ou consciente entre a universalidade e a particularidade, visando obter uma *síntese* de ambas, de modo a explicar historicamente eventos relevantes em termos de seu significado mais amplo que, necessariamente, transcende sua especificidade histórica imediata.

Naturalmente, os três são essenciais para uma legítima concepção histórica. É por isto que não basta, de forma alguma, afirmar em termos genéricos que "o homem é o ator da história", se a natureza da própria mudança histórica não for devidamente apreendida ou se o complexo relacionamento entre particularidade e universalidade for violado em relação ao sujeito da ação histórica. Da mesma forma, o conceito de progresso humano como tal, tomado em separado das outras duas dimensões da teoria histórica, é facilmente conciliável com uma explicação inteiramente a-histórica quando se considera a atuação supra-humana da "Divina Providência" como a força motora das mudanças ocorridas.

Neste sentido, a queixa de Aristóteles contra o texto histórico – quando classificou a historiografia por ele conhecida bem abaixo da poesia e da tragédia, diante de seu caráter "menos filosófico"[3] – está plenamente justificada. Não porque o significado original do termo grego história – derivado de *istor*, "testemunha ocular" – indique o risco de confiança exagerada no ponto de vista limitado de indivíduos particulares que, por participarem dos fatos em questão, têm também um interesse especial em relatá-los de maneira inevitavelmente distorcida. A questão era ainda

---

[3] Ver Aristóteles, *Poesia*, capítulos 8 e 9.

mais problemática. Dizia respeito à própria natureza do empreendimento do historiador, como algo manifesto na aparentemente insolúvel contradição entre o ponto de partida e a evidência particularistas, da forma como mostrada nas ações registradas, e o "ensinamento" ou conclusão genérica supostamente deles derivado. Em outras palavras, a incapacidade dos historiadores da Antiguidade de dominar as complexidades dialéticas da particularidade e universalidade que implicava a necessidade de permanecer preso no nível do particularismo anedótico. E como, naturalmente, era inadmissível deixar as coisas nesse pé, o *particularismo* anedótico e não filosófico da historiografia antiga tinha de ser diretamente transformado em *universalidade moralizadora*, de modo a chamar a atenção do leitor para o significado geral afirmado.

Por outro lado, a historiografia da Idade Média violava de outra forma a dialética entre particularidade e universalidade, partindo de premissas e determinações bastante diferentes, em relação às quais a "testemunha ocular" da história antiga perdia completamente sua importância. Os sistemas representativos na Idade Média caracterizavam-se pela *obliteração* radical da vitalidade da verdadeira particularidade histórica. Em vez disso, eles sobrepunham tanto às personalidades como aos eventos registrados a *universalidade abstrata* de uma "filosofia da história" religiosamente preconcebida em que tudo teria de estar diretamente subordinado à postulada obra da Divina Providência, como instâncias positivas ou negativas – ou seja, *exemplificações ilustrativas* – dessa Providência. Assim, segundo santo Agostinho, autor da maior filosofia da história de inspiração religiosa, "na torrente da história humana, duas correntes se encontram e misturam-se: a corrente do mal, que flui de Adão, e a do bem, que vem de Deus"[4].

A tendência universalizadora do capital permitiu que os filósofos modernos interpretassem os problemas da mudança histórica de maneira bastante diferente. Contudo, a primeira concepção global da história, tentando sintetizar a dinâmica histórica em sua integridade como processo de "autodesenvolvimento", só apareceu na filosofia de Hegel. Muito além até mesmo de seus maiores predecessores neste terreno, como Vico e Kant, Hegel ofereceu uma narrativa de eventos e transformações reais da história em termos das necessidades subjacentes de uma *história do mundo* que se desenrolava e da concretização da liberdade.

Até onde era compatível com seu ponto de vista social – e somente até aí –, a filosofia de Hegel fez a tentativa mais coerente de satisfazer todos os três critérios da legítima concepção histórica acima mencionada. Ele tentou tornar a história inteligível em relação a uma atuação que *tinha de* empenhar-se para se manter na estrada da "história do mundo" que se desenrolava e que levou ao moderno "Estado germânico". Dentro do mesmo espírito, para Hegel o tempo histórico não era a sucessão de narrativas detalhadas que falavam apenas por si, nem a concatenação de ciclos repetitivos, mas o tempo de um inesgotável movimento de avanço na realização da ideia de liberdade. Em terceiro lugar, ele ofereceu uma explicação em termos da dialética entre particular e universal, no sentido de que seu conceito de ação histórica não era uma particularidade limitada nem a "Divina Providência" em

---

[4] Santo Agostinho, *City of God*, Nova York, Image Books, Doubleday & Co., 1958, p. 253.

seu sentido diretamente religioso (o que obscurecia até mesmo as visões históricas progressistas de Vico e Kant), mas sujeitos identificáveis, de nações e povos registrados nas crônicas até "indivíduos históricos do mundo", como Alexandre Magno, Júlio César, Lutero e Napoleão.

Entretanto, assim como os grandes economistas políticos ingleses e escoceses, Hegel se identificava com o ponto de vista do capital, com todas as suas inevitáveis limitações. Com isso, ele não poderia conceituar a história como algo *irreprimivelmente aberta*. Os determinantes ideológicos de sua posição estipulavam a necessidade de conciliação com o presente e daí o arbitrário *encerramento* da dinâmica histórica no quadro da "sociedade civil" capitalista e de sua formação do Estado. A história poderia ser tratada como aberta, desdobrando-se objetivamente até o presente, mas cujas portas voltadas para a direção de um futuro radicalmente diferente teriam de continuar fechadas.

A necessidade ideológica de justificar tal encerramento da história levou Hegel à identificação de *racionalidade* com *realidade*, de onde poderia derivar a equação de realidade e *positividade*, harmonizada com inevitável resignação. Assim, apesar de suas primeiras intenções, a teleologia semiteológica característica da "sociedade civil" capitalista, em sua reciprocidade circular com o Estado burguês, afirmava-se como último referencial conciliatório – e "ponto final" – do sistema hegeliano. Portanto, não é de espantar que Hegel nos tenha dito que

> Na história do mundo, só podemos observar os povos que formam um Estado. Devemos entender que este último é a realização da Liberdade, ou seja, da *meta final absoluta*, que existe *para si mesmo*. Deve-se ainda entender que todo o mérito que possua o ser humano – toda a realidade espiritual –, ele só o possui por meio do Estado. ... Pois a Verdade é a Unidade da Vontade subjetiva universal; e o *Universal* será encontrado no Estado, em suas leis, em seus arranjos universais e racionais. *O Estado é a presença da Ideia Divina na Terra.*[5]

E, como esse Estado idealizado, apesar de suas contradições, subordinou a si mesmo o mundo da "sociedade civil," todo o constructo poderia ser eternizado sem crítica em nome da "Ideia Divina", de modo a racionalizar e legitimar a ordem sociometabólica vigente do capital como absolutamente insuperável.

1.2.2

Quando Kant aceitou sem reservas tanto a categoria como os horizontes sociais do "espírito comercial" de Adam Smith, a ordem socioeconômica que os clássicos da economia política expressavam – do ponto de vista do capital – ainda não estava plenamente articulada. Entretanto, na época em que Hegel escreveu a *Filosofia da história* e a *Filosofia do direito*, bem depois da conclusão das guerras napoleônicas e da consolidação da nova ordem social, os antagonismos da "sociedade civil" e seu Estado político estavam por demais em evidência para reafirmar as ilusões e os postulados morais iluministas de Kant, como o "reino da paz eterna" – que, na verdade, foi saudado com risada sardônica pelo próprio Hegel. Assim, a determinação do comportamento do Estado pelos interesses materiais da "sociedade civil" devia ser aceita como o que parecia ser, do ponto de vista da própria economia política. Disse Hegel:

---

[5] Hegel, *The Philosophy of History*, p. 39.

Em seus súditos, um Estado tem *conexões disseminadas e interesses variados*, e estes poderão ser pronta e consideravelmente prejudicados; no entanto, permanece *inerentemente indeterminável* saber-se quais desses prejuízos devem ser encarados como quebra específica do trato ou insulto à honra e à autonomia do Estado.[6]

Portanto, era o princípio da "indeterminação inerente", e não qualquer imperativo moral abstrato, que dominava na descrição de Hegel das mudanças e dos conflitos que se desdobravam. Mas nem mesmo o senso mais agudo de realismo com relação à situação existente poderia afastar Hegel do beco sem saída de suas premissas sociais e políticas apologéticas. Tanto em Kant como em Hegel, a principal razão para que a lei determinadora do curso dos acontecimentos históricos de então tivesse de ser conceituada como o mistério de uma teleologia quase teológica foi o fato de que ambos postularam, como premissa indispensável para todas as demais explicações, a permanência da "sociedade civil" e todas as suas contradições.

A difícil fusão dos inúmeros componentes diferentes do processo histórico foi descrita por Hegel com imagens gráficas:

Os Estados estabelecem relações entre si como entidades particulares. Por isso, numa escala mais geral, suas relações são um turbilhão de contingências externas e da particularidade íntima de paixões, interesses privados e metas egoístas, capacidades e virtudes, vícios, força e erros. Tudo isso rodopia em conjunto e, em seu vórtice, o próprio conjunto da ética, a autonomia do Estado, está exposto à contingência. Os princípios dos espíritos nacionais estão inteiramente restritos por sua particularidade, pois é nesta particularidade que, como indivíduos existentes, eles têm sua realidade objetiva e sua autoconsciência.[7]

Ao mesmo tempo, o "espírito do mundo" foi postulado por Hegel como solução para as diversas contradições reais, sem que, no entanto, ele questionasse, mesmo que de leve, o mundo social da "sociedade civil". Estados, nações e indivíduos particulares eram descritos como "os órgãos e *instrumentos inconscientes* do espírito do mundo que funcionava dentro deles"[8], e os "indivíduos como sujeitos" eram caracterizados como os "*instrumentos vivos* do que, em substância, é a realização do espírito do mundo e, portanto, estão em acordo direto com aquela realização, embora esteja *oculta* deles e não *seja sua meta nem seu objeto*"[9].

Desta maneira, havia novamente uma percepção profunda indissoluvelmente combinada a uma mistificação apologética. Por um lado, Hegel admitia que no processo histórico há uma legalidade inerente que necessariamente transcende as limitadas aspirações egocêntricas dos indivíduos particulares. Da mesma forma, o caráter objetivo das determinações históricas foi apreendido da única maneira viável do ponto de vista do capital e sua "sociedade civil": o conjunto paradoxalmente consciente/inconsciente de interações individuais, efetivamente derrotado pela "astúcia da Razão" totalizadora. Por outro lado, a lei histórica estipulada, descrita não apenas por Hegel mas em toda a tradição filosófica burguesa, tinha de ser atribuída a uma força – fosse a "providência" de Vico, a "mão oculta" de Adam Smith, o

---

[6] Hegel, *The Philosophy of Right*, p. 214.
[7] Id., ibid., p. 215.
[8] Id., ibid., p. 217.
[9] Id., ibid., p. 218.

"plano da natureza" providencial de Kant ou a "astúcia da Razão" de Hegel – que se afirmava e impunha suas próprias metas *acima e contra* as intenções, desejos, ideias e planos conscientes dos seres humanos. Encarar a possibilidade de um *sujeito coletivo* real como ator histórico – materialmente identificável e socialmente eficaz – era algo totalmente incompatível com o ponto de vista eternizado da "sociedade civil". Por isto não poderia haver qualquer atuação histórica *trans*individual em tais concepções. Somente uma ação *supra*individual (consequentemente, também *supra-humana*) seria compatível com o ponto de vista do capital – e com o correspondente "ponto de vista da economia política" –, postulando assim a misteriosa solução das incontáveis contradições da "sociedade civil" fragmentada, sem alterar sua base material. Em outras palavras, a projetada solução hegeliana não visava nenhuma mudança significativa na própria "sociedade civil" existente e inerentemente dilacerada por conflitos.

Assim, apesar dos grandes avanços em detalhamento de Hegel sobre seus predecessores, em sua filosofia da história ele nos ofereceu a condição de destino último atribuída ao "reino germânico", que representaria o "ponto crítico absoluto". Pois ele declarou que, naquele reino, o espírito do mundo "apreende o princípio da unidade da natureza divina e da humana, a reconciliação da verdade e da liberdade objetiva com verdade e liberdade que aparecem na consciência e na subjetividade, uma reconciliação cujo cumprimento fora confiado ao princípio do norte, o princípio dos povos germânicos"[10].

Hegel saudou o progresso sob o "princípio dos povos germânicos" – inclusive os ingleses, que construíam um império, a seu ver, animados pelo "espírito comercial" – como a "solução e reconciliação de todas as contradições"; ele assim resumiu suas afirmações relativas ao que estava em processo de realização:

> O *reino do fato* se desfez de sua barbárie e de seu capricho amoral, ao passo que o *reino da verdade* abandonou o mundo do além e sua força arbitrária, de modo que a *verdadeira reconciliação,* que expõe o *Estado como a imagem e realidade da razão,* tornou-se objetiva. No Estado, a consciência encontra a realidade de sua vontade e de seu conhecimento substantivos em um desenvolvimento orgânico.[11]

Hegel muitas vezes protestou contra a intrusão do "deveria" na filosofia. Mas, na verdade, o que seria mais claramente o "deveria" da racionalização do desejo senão sua própria maneira de fazer o desenvolvimento histórico culminar no Estado moderno definido como imagem e realidade da razão?

1.3 O "capital permanente universal" de Hegel: a falsa mediação entre a individualidade personalista e a universalidade abstrata

1.3.1

O termo "globalização" entrou na moda nos últimos tempos – mas evita-se cuidadosamente falar sobre o tipo de "globalização" viável sob o domínio do capital. Em vez disso, é muito mais fácil pressupor que, por sua própria natureza,

---

[10]   Id., ibid., p. 222.

[11]   Id., ibid., pp. 222-3.

a globalização não é de modo algum problemática e é realmente uma mudança necessariamente positiva que traz resultados elogiáveis para todos os interessados. É melhor que se deixe fora de qualquer questionamento legítimo o fato de que o processo de globalização, como de fato o conhecemos, se afirme reforçando os centros mais dinâmicos de dominação (e exploração) do capital, trazendo em sua esteira uma desigualdade crescente e uma dureza extrema para a avassaladora maioria do povo, pois as respostas de um escrutínio crítico poderiam entrar em conflito com as políticas seguidas pelas forças capitalistas dominantes e seus colaboradores espontâneos no "Terceiro Mundo". No entanto, com essa globalização em andamento, que se apresenta como muito benéfica, nada se oferece aos "países subdesenvolvidos" além da perpetuação da taxa diferenciada de exploração. Isto está muito bem ilustrado pelos números reconhecidos até mesmo pela revista *The Economist* de Londres, segundo a qual, nas fábricas norte-americanas recentemente estabelecidas na região da fronteira norte do México, os trabalhadores não ganham mais do que *7 por cento* do que recebe a força de trabalho norte-americana para fazer o mesmo trabalho na Califórnia[12].

Ainda assim, a questão do desenvolvimento global tem, sem a menor dúvida, grande importância e tem estado presente nas discussões teóricas há bem mais de um século e meio. Foi o próprio Hegel quem chamou enfaticamente a atenção para ela, ainda que de forma idealista, em suas duas obras estreitamente interligadas: *A filosofia da história* e *A filosofia do direito*.

Em *A filosofia da história*, depois de examinar o rumo do desenvolvimento histórico do mundo e após definir sua essência como "a necessidade Ideal de *transição*"[13], curiosamente Hegel concluiu que "A História do Mundo viaja do Oriente para o Ocidente, pois *a Europa é absolutamente o fim da história*"[14]. Assim, não há mais transição, pois atingimos "absolutamente o fim da história", após o que só se pode pensar em ajustes mínimos na ordem do Espírito do Mundo, a que finalmente se chegou. Para Hegel, dizer isto não era uma questão de contingência histórica contestável, mas o próprio *"destino da Razão"* em si. Ele assim definiu a matéria em discussão:

A investigação sobre o destino essencial da Razão – quando considerada em relação ao Mundo – é idêntica à pergunta: qual é a *finalidade* do Mundo? E a expressão implica que esta finalidade *destina-se a ser realizada*.[15]

Assim, tinha-se de declarar que o "absolutamente inalterável" domínio colonial europeu do mundo seria forçosamente nada menos que o próprio "destino da Razão". Assim, tanto pior para os trabalhadores mexicanos que este sublime desígnio do "Espírito do Mundo" lhes tivesse atribuído uma posição eternamente subordinada e pauperizada no grande esquema das coisas. Nada se poderia fazer para remediar isso sem violar as exigências da própria Razão. E nada seria considerado mais censurável do que tentar fazê-lo.

---

[12] "O México acena, os protecionistas tremem", *The Economist*, 20 de abril de 1991, pp. 35-6.

[13] Hegel, *The Philosophy of History*, p. 78.

[14] Id., ibid., p. 103.

[15] Id., ibid., p. 16.

Naturalmente, esta era a maneira de Hegel dizer: *"Não há alternativa!"*. No entanto, a questão é: estaremos realmente destinados a viver para sempre sob o encantamento do sistema global do capital, glorificado em sua conceituação hegeliana, resignados – como nos aconselhou ele em sua referência poética à "coruja de Minerva que só abre suas asas com o cair do crepúsculo"[16] – à tirânica ordem exploradora de seu Espírito do Mundo?

Paradoxalmente, a resposta de Hegel teve sombrias implicações para todos os membros das classes inferiores. Se os trabalhadores em condições relativamente vantajosas, situados no estágio histórico "absolutamente final" da Europa colonialista, pensassem que seu destino, a ser tolerado nos termos hegelianos da *"compreensão da racionalidade do real, adaptando-se e resignando-se a ele*"[17], não era extremamente problemático, eles deveriam sentir-se grandemente decepcionados com o filósofo alemão. Pois foi assim que este descreveu a ordem *interna* – em suas relações externas altamente privilegiadas – da Europa em *A filosofia do direito*:

> Por um avanço dialético, *a busca subjetiva do próprio interesse* transforma-se na *mediação* do particular através do universal, com o resultado de que, ao ganhar e produzir para seu próprio gozo, cada homem está *eo ipso* produzindo e ganhando para deleite de todos os demais. A *compulsão* que produz este resultado está enraizada na *complexa interdependência* de *cada um* em relação a *todos*, e agora ela se apresenta a *cada um* como o *capital permanente universal*.[18]

Deste modo, o "destino essencial da Razão" e o "desígnio final do Mundo", no sistema hegeliano, terminavam sendo o mundo prosaico do "capital permanente universal" (ou seja, certa maneira de produzir e distribuir a riqueza), que funciona por

---

[16] Hegel, *The Philosophy of Right*, p. 13.
[17] Id., ibid., p. 12.
[18] Id., ibid., p. 129-30. Tradução para o inglês de T. M. Knox.
  Ainda que nem sempre, neste particular parágrafo (§ 199), é realmente preferível a versão para o inglês de Knox à mais recente de H. B. Nisbet da mesma obra. (Ver Hegel, *Elements of the Philosophy of Right*, Cambridge, Cambridge University Press, 1991, p. 233.) Knox traduz a palavra alemã *Vermögen* – que literalmente significa "riqueza" – por "capital", ao passo que Nisbet, adotando uma palavra usada por Knox para o mesmo termo alemão em outro contexto, a traduz por "recursos", no plural. No entanto, o contexto deixa claro que, no § 199, Knox está mais próximo do espírito de Hegel. As reflexões de Hegel sobre o assunto foram grandemente influenciadas pela *Riqueza das nações* de Adam Smith, bem como pelos escritos de Ricardo e outros economistas políticos. No § 200 (onde a tradução de Knox é bastante imprecisa), Hegel se refere explicitamente ao capital como *Kapital*, indicando ao mesmo tempo que a possibilidade de "participar da riqueza geral por meio da própria habilidade" – ou seja, *trabalho* – é determinada pelo *capital* em sua "sociedade civil". Além do mais, também no § 199 Hegel chama a atenção do leitor para um parágrafo anterior (§ 170), em que está preocupado com o *Vermögen* como "permanente e seguro", ou seja, com o estabelecimento da propriedade privada sobre uma base "ética", quando exercida pela família – em oposição às posses sem base ética do "simples indivíduo"(*der bloss Einzelner*) –, procurando assim fundamentar o caráter de classe da propriedade privada em algo "comunal" (*ein Gemeinsames*), ou seja, na *família como tal*, quando naturalmente ele não poderia fazer esse truque de prestidigitação com a ajuda da família *burguesa*. No entanto, em nota acrescentada ao mesmo parágrafo, ele tem de admitir que, embora as formas antigas de propriedade já consideradas permanentes apareçam "com a introdução do casamento", a família "ética" como base da "propriedade permanente e segura" é bem mais recente, alcançando o nível de sua devida determinação e os meios para sua consolidação apenas na esfera da sociedade civil (*in der Sphäre der bürgerlichen Gesellschaft*).

meio da cruel *compulsão* imposta a cada um dos indivíduos, pela "complexa interdependência de cada um em relação a todos", em nome da "racionalidade do real" e da "realização da liberdade".

1.3.2
Naturalmente, o pilar central desta concepção – a afirmação da "complexa interdependência de *cada um em relação a todos*" – era uma mistificação ideológica: um meio de fechar o círculo da sociedade de mercado, da qual não se poderia fugir. Pois, se fosse realmente verdade que a *compulsão* inseparável da natureza do capital – longe de *universal* e de modo algum necessariamente *permanente* – resultava da complexa interdependência dos *indivíduos como indivíduos*, nada se poderia fazer. Para alterar esta condição, seria preciso inventar um mundo radicalmente diferente deste em que vivemos.

Entretanto, o "avanço dialético" que racionaliza e legitima a conclusão apologética hegeliana é, na verdade, pseudodialético. O *particular* personalista não pode ser mediado pelo *universal* de Hegel, porque este só existe como ficção conceitual, útil apenas para si mesmo. A verdadeira universalidade em nosso mundo realmente existente não pode emergir sem a superação das contradições antagônicas da relação entre *capital e trabalho* em que os indivíduos particulares estão inseridos e pela qual são dominados.

Em Hegel, este problema é resolvido – ou melhor, contornado – com a ajuda de uma dupla ficção. Primeiro, com a ajuda do postulado lógico abstrato que liga diretamente o particular ao universal (inexistente) e convenciona idealisticamente que, "ao ganhar e produzir para seu próprio gozo, cada homem está *eo ipso* produzindo e ganhando para deleite de *todos os demais*". E, segundo, com a ajuda de uma mudança mistificadora, pela qual ele inverte o significado da compulsão. Depois de inventar completamente seus dois termos de referência – isto é, de um lado, a particularidade *eo ipso* de gozo-produção-harmoniosamente-recíprocos e, de outro, a universalidade com a misteriosa capacidade de eliminar conflitos – e após equiparar o "capital permanente universal" à determinação axiomática da interdependência dos indivíduos entre si, ele tira a *compulsão* de onde ela realmente está: ou seja, dos *imperativos produtivos e dis-*

Neste contexto, também é muitíssimo pertinente que, no § 200, além do relacionamento capital/trabalho, como base determinante da participação/parte de uma pessoa no capital permanente universal (ou riqueza capitalista), Hegel só fala sobre o "acidente" ou a "contingência" como fundamentos determinantes, mencionando-os nada menos do que seis vezes em umas poucas linhas. Esta é uma maneira muito conveniente de evitar a questão da *gênese* do sistema do capital descrito. Seja lá o que não estiver explicitamente pressuposto por Hegel como já dado na forma de determinação de "principal não ganho" do trabalho (Knox, p. 130) ou "bens básicos" (Nisbet, p. 233) ou, em alemão, "*eine eigene unmittelbare Grundlage, Kapital*" ("sua devida base direta, o capital"): o importante é que tudo isso não passa de "bens de capital", que ele procura "descartar" como acidentais e contingentes e portanto, a seu ver, sem nenhuma necessidade de maiores explicações. Essencial, aqui, é que a evidente preocupação de Hegel nestes parágrafos é a modalidade de *produção e distribuição da riqueza*, ou seja, do sistema do capital como um controle metabólico "eticamente fundamentado" da "sociedade civil" e, consequentemente, com plena justificativa eternizável como ordem existente *de jure* e não apenas *de facto*. (Mais sobre este problema na seção 1.3.4. p. 69 deste livro.)

tributivos que emanam do próprio capital, na qualidade de modo de controle sociometabólico historicamente específico. Desta maneira oculta-se o fato de que o capital é uma *relação de propriedade* – o *meio de produção alienado incorporado na propriedade privada ou estatal* – historicamente criada (e historicamente transcendível) que é contraposta a cada produtor e governa a todos. Em função da mudança hegeliana, a compulsão é convenientemente convertida de opressiva realidade histórica em *virtude* atemporal, com base na condição indiscutível e ontologicamente inalterável de que a raça humana é feita de indivíduos particulares. O que desaparece nesta espécie de "avanço dialético" é a realidade objetiva das classes sociais antagonistas e a subordinação sem cerimônia de todos os indivíduos a uma ou a outra delas. Subordinação que impõe um tipo de compulsão a que todos devem obedecer no mundo real não apenas como indivíduos *particulares*, mas como *indivíduos de uma classe* particular.

Certamente a relação produtiva entre sujeitos trabalhadores particulares (como indivíduos sociais realmente existentes) deve ser mediada em todas as formas concebíveis de sociedade. Sem o que a "totalidade agregativa" dos indivíduos ativos em qualquer tempo determinado na história jamais poderia coalescer em um todo social sustentável. Na verdade, a especificidade histórica de uma forma de mediação dada, através da qual os indivíduos se reúnem em um todo social mais ou menos entrelaçado, por meio de agrupamentos historicamente dados e respectivos corolários institucionais, tem importância seminal. É precisamente esta especificidade mediadora das inter-relações reprodutivas dos indivíduos – praticamente inevitável – que define, em última análise, o caráter fundamental dos diversos modos de intercâmbio social historicamente contrastantes.

O caso é que – não devido às inalteráveis determinações ontológicas, mas como resultado da divisão do trabalho historicamente gerada e mutável, que continua prevalecendo sob todas as formas concebíveis do domínio do capital – os indivíduos são mediados entre si e combinados em um todo social *antagonicamente estruturado* por meio do sistema estabelecido de produção e troca. Este sistema é regido pelo imperativo do valor de troca em permanente expansão a que tudo o mais – desde as necessidades mais básicas e mais íntimas dos indivíduos até as variadas atividades produtivas materiais e culturais em que eles se envolvem – deve estar rigorosamente subordinado: é o imencionável tabu ideológico das formas e estruturas realmente assumidas pela perversa mediação institucional e material sob o sistema do capital que faz Hegel ir atrás do postulado da mediação direta da individualidade particular graças a uma fictícia universalidade abstrata, de modo a extrair dela com miraculosa destreza o "capital permanente universal" como entidade inteiramente des-historicizada.

1.3.3

A grande mistificação ideológica consiste na distorção da *compulsão* como o *necessário "dá e toma"* de indivíduos envolvidos na "produção, ganho e gozo" *mutuamente benéfica eo ipso* com base na *plena reciprocidade*. No entanto, numa inspeção mais apurada, encontramos a ausência total de reciprocidade. Para dar um exemplo característico, um "bruxo financeiro" de Wall Street chamado Michael Milken, inventor das "ações sem valor" (os *junk bonds*), ganhava em um ano a importância equivalente aos salários de 78.000 trabalhadores norte-americanos[19] – e quando se calcula o correspondente número mexicano, as importâncias envolvidas devem ser expressas em rendimentos de bem acima de um milhão dos relativamente privilegiados trabalhadores das novas empresas norte-americanas industriais do norte do México, para não mencionar o resto deste país. Milken "ganhava" importâncias tão astronômicas por atividades inteiramente parasitárias e, como se viu, completamente ilegais, sem produzir absolutamente nada. Deste modo, em vez de reciprocidade ou simetria, na realidade encontramos uma *hierarquia de exploração estruturalmente protegida*. Sob o sistema do capital estruturado de maneira antagonista, a verdadeira questão é a seguinte: qual é a classe dos indivíduos que realmente produzem a "riqueza da nação" e qual a que se apropria dos benefícios dessa produção; ou, em termos mais precisos, que classe de indivíduos deve ser confinada à função subordinada da *execução* e que indivíduos particulares exercem a função do *controle* – como "personificações do capital", na expressão de Marx.

O constructo hegeliano oferece um modelo insuperável de concepções filosóficas liberais. A necessidade ideológica subjacente consiste na idealização das relações existentes de dominação estrutural de tal modo que se eliminassem seus antagonismos explosivos. Para que se tornem sustentáveis e realmente inquestionáveis, as condições históricas transitórias da particularidade personalista devem ser transformadas em *permanência absoluta*, o que se realiza *por definição* mediante a postulação tanto da inalterável ubiquidade da particularidade personalista – em outras palavras, a obliteração de sua base e sua especificidade históricas, subordinando a ela a totalidade dos indivíduos, sob todas as condições concebíveis, inclusive no futuro – como, com teor ideológico ainda mais óbvio, do caráter universalmente benéfico das interações das particularidades rigorosamente personalistas dentro do referencial do "capital permanente universal". Ao contrário de alguns de seus predecessores e descendentes intelectuais do século XX, Hegel não amontoa tudo isso sob a categoria da "natureza humana". Sua solução é bem mais criativa. Da maneira como define seus termos de referência, ele não apenas preserva a substância burguesa – a particularidade personalista – da ordem social do capital, mas também estipula a harmoniosa conciliação de todos os seus constituintes antagonistas para benefício de todos. E assim eleva a imagem eternizada de sua ordem sociometabólica ao plano do direito racionalmente incontestável.

Em uma de suas primeiras obras, Hegel castiga seus predecessores filosóficos por contrabandear para as premissas de seus argumentos as conclusões desejadas. Corretamente, ele critica o procedimento deles pelo qual...

> ... depois que a ficção do estado de natureza serviu a seu propósito, esse estado é abandonado devido a suas más consequências; isto simplesmente quer dizer que o *resultado desejado é pressuposto*, ou seja, o resultado de uma *harmonização* do que, como o caos, está em conflito com o bem ou com qualquer meta que deva ser atingida.[20]

---

[19] Devo este cálculo a Daniel Singer.
[20] Hegel, *Natural Law: The Scientific Ways of Treating Natural Law, Its Place in Moral Philosophy, and Its Relation to the Positive Sciences of Law*, University of Pennsylvania Press, 1975, p. 65.

Não obstante, ainda que Hegel não seja culpado de cair nos mesmos pressupostos *específicos*, seu procedimento geral é o mesmo, em relação tanto ao método como à substância ideológica. Também ele pressupõe o *"caos"* necessário da individualidade personalista com suas "más consequências", como condição inevitável da interação humana, de modo a extrair dele a desejada *"harmonização"* de todo o complexo por meio do "avanço dialético" estipulado, que supostamente deveria emergir da – muito misteriosa – "mediação do personalismo subjetivo" com o "universal" apenas pressuposto.

1.3.4

Ao incorporar a economia política clássica em seu sistema como a ciência que extrai os "princípios" fundamentais da massa infinita de detalhes, Hegel apresenta um relato da divisão do trabalho e também da desigualdade. Ele funde meios de *produção* com meios de *subsistência*, bem como *trabalho* com *força de trabalho hierarquicamente controlada* e socialmente dividida. Ao mesmo tempo, e significativamente, a concepção hegeliana também confunde *utilidade* (ou valor de uso como algo manifesto na inerente "finalidade" das mercadorias produzidas para satisfação das necessidades) e *valor de troca* ("a demanda por igualdade de satisfação com os outros"[21]). No mesmo espírito, as características da divisão do trabalho capitalista são deduzidas da ideia do "processo de abstração que efetua a subdivisão das necessidades e dos meios"[22], em completa harmonia com a universalidade autorrealizadora do Espírito do Mundo, eliminando assim as dimensões e implicações perniciosas do processo de trabalho capitalista. Consequentemente, Hegel diz que "esta separação da habilidade e dos meios de produção de um homem dos de outro completa e torna necessária, por toda parte, a dependência dos homens uns dos outros e seu relacionamento *recíproco* na satisfação de suas outras necessidades"[23]. Daí, convenientemente, Hegel pode deduzir no parágrafo seguinte o mencionado "avanço dialético" que mede a particularidade personalista com o universal pressuposto e transforma a compulsão que emana do capital em virtude eternamente válida. Portanto, não é absolutamente surpreendente que a perversa relação de troca capitalista seja explicada com base no mesmo raciocínio, segundo o qual

> Os movimentos *infinitamente complexos* e entrecruzados de *produção e troca recíprocas* e a multiplicidade igualmente *infinita* de meios neles empregados cristalizam-se, devido ao *universal* inerente a seu conteúdo, e separam-se em grupos gerais. Como resultado, o complexo inteiro é organizado em sistemas particulares de necessidades, de meios e tipos de trabalho relativos a essas necessidades, modos de satisfação e de educação prática e teórica, ou seja, sistemas, para um ou outro dos quais os indivíduos são encaminhados – em outras palavras, em *divisões de classes*.[24]

Assim, a dedução hegeliana, com sua mediação imaginária e sua "infinita complexidade" arbitrária e tendenciosamente estipulada (entusiasticamente adotada

---

[21] Hegel, *The Philosophy of Right*, p. 128-29.
[22] Id., ibid., p. 129.
[23] Id., ibid.
[24] Id., ibid., p. 129-30.

no século XX por todos os apologistas do sistema do capital e de sua alegada insuperável "modernidade") termina sendo a racionalização de uma relação estrutural antagônica. Sabendo que pisa em solo não muito firme ao defender a qualquer custo a ordem de coisas estabelecida, Hegel tenta conferir a ela o *status* da mais elevada racionalidade. Descarta, em termos claros, todos os que questionam ou que poderiam questionar a postulada racionalidade absoluta da situação que descreve e diz-lhes que seus argumentos críticos ficam tolamente presos no nível inferior do Entendimento (*Verstand*), incapazes de atingir o sublime domínio da própria Razão (*Vernunft*). Para ele...

> ... os homens são *desiguais por natureza*, onde a desigualdade está em seu elemento, e na sociedade civil o direito de particularidade está tão longe de anular esta desigualdade natural que ela a produz *sem pensar* e a eleva a uma desigualdade de habilidade e riqueza e até mesmo a uma de realização *moral e intelectual*. Opor a este direito uma exigência de igualdade é uma *tolice do Entendimento*, que toma por real e racional sua igualdade abstrata e seu "dever-ser".[25]

O que nos poderia levar além das limitações filosoficamente inadmissíveis do mero Entendimento é revelado na sentença que encerra o último parágrafo citado. Este diz que "é a *razão*, imanente ao inesgotável sistema das necessidades humanas, que articula a esfera da particularidade em um *todo orgânico* com diferentes membros"[26]. Naturalmente, esse "todo orgânico" corresponde ao ideal hegeliano de sociedade de classes capitalista. Assim, em nome do próprio *Vernunft* recebemos uma peculiaríssima concepção de "mediação" e de "universalidade". Os conceitos de Hegel de "mediação" e "universalidade" não poderiam ser realmente mais peculiares e problemáticos do que são, pelo fato de juntos produzirem a proclamada idealidade das *divisões permanentes de classe*, solidificadas e eternizadas como o *todo orgânico* (mais uma premissa sem fundamento, mas bastante conveniente, no venerável espírito de Menenius Agripa). Ao mesmo tempo, a ideia de antagonismo de classe continua a ser um conceito rigorosamente proibido (aparentemente justificado pela premissa que projeta a característica "orgânica" da ordem estrutural dada), pois o conflito como tal deve ser mantido no nível da individualidade personalista na "sociedade civil" burguesa, de modo a que todo o edifício que incorpora o "princípio do Norte" seja erguido sobre ele.

1.3.5
Entretanto, o edifício assim erguido está construído de cabeça para baixo, pois, como vimos acima, Hegel usou o mesmo procedimento que ele próprio condenava em outros. Foi construído sobre a *premissa* falaciosa de que a divisão do trabalho, num sentido neutro e técnico, seja a base determinante suficiente de uma especificidade sócio-histórica – a conclusão desejada e eternizada, obtida por meio do procedimento filosófico adotado por Hegel – em vez de demonstrar a característica determinada de um *certo tipo* de divisão social hierárquica do trabalho (que deve ser oculta ao exame, no interesse da absoluta permanência do sistema do capital vigente). Outro dos

---

[25] Id., ibid., p. 130.
[26] Id., ibid.

principais pilares que apoiam o edifício idealizado de Hegel é construído *pressupondo*, da mesmíssima maneira falaciosa, a instituição *genérica* da troca – ou seja, o simples fato de que uma ou outra espécie de troca mediada deve ocorrer durante a produção e distribuição social – como base explicativa óbvia e suficiente da relação de troca *historicamente singular*.

Assim, uma vez que, não somente Hegel, mas todos os defensores da "sociedade civil" evitam circularmente a questão da *origem* do capital (em outras palavras, sai de foco a dimensão explorativa da *gênese* do capital, gerado pela "apropriação do trabalho alienado", em permanente *antítese ao trabalho*), o caráter inerentemente *contraditório*, e em última análise explosivo, do conjunto do sistema de capital permanece convenientemente oculto. As concepções burguesas do processo de trabalho, que afirmam a absoluta viabilidade das condições dadas da produção de riqueza, não podem ser perturbadas pela noção da dinâmica histórica e do antagonismo objetivo do relacionamento entre capital e trabalho.

Não é absolutamente por acaso que nenhum sistema filosófico concebido a partir do ponto de vista incorrigivelmente deformador do capital – nem sequer o maior de todos – pode oferecer uma concepção coerente da mediação. A idealização da ordem estabelecida como "racionalidade do real" e a adoção de seus componentes contraditórios como premissas e conclusões necessárias de todo discurso racional resultam, nesse aspecto, em obstáculo insuperável.

As *mediações de segunda ordem do capital* – ou seja, os meios alienados de produção e suas "personificações"; o dinheiro; a produção para troca; as variedades da formação do Estado pelo capital em seu contexto global; o mercado mundial – sobrepõem-se, na própria realidade, à atividade produtiva essencial dos indivíduos sociais e na mediação primária entre eles. Apenas um exame crítico radical desse sistema de mediações de segunda ordem historicamente específico poderia mostrar uma saída de seu labirinto conceitual fetichista. No entanto, ao contrário, a aceitação sem crítica deste sistema historicamente contingente, mas efetivamente poderoso, como horizonte reprodutivo absoluto da vida humana em geral torna impossível a compreensão da natureza real da mediação, pois as mediações prevalentes de segunda ordem anulam a devida consciência das relações primárias de mediação e se apresentam, em sua "eterna presença" (Hegel), como o ponto de partida necessário que é também, simultaneamente, o ponto final insuperável. Elas produzem realmente uma *inversão* completa da verdadeira relação, resultando em que a ordem primária é degradada e as mediações alienadas de segunda ordem usurpam seu lugar, trazendo consequências potencialmente mais perigosas para a sobrevivência da humanidade, como veremos nos capítulos 4 e 5.

É por isto que, em última análise, o "círculo dialético" hegeliano e o "círculo dos círculos" (para usar as palavras dele) – que pressupõem e idealizam a inalterabilidade da ordem sociometabólica do capital – não podem produzir uma concepção dialética da mediação, apesar de ser esta a meta explícita do grande filósofo alemão. Muito pelo contrário, o "avanço dialético" afirmado por Hegel deve continuar a ser uma ficção conceitual. O *particularismo estruturalmente prejulgado* do sistema do capital, apesar das afirmações universalistas de Hegel, é inimigo absoluto da verdadeira universalidade que poderia emergir a partir da automediação realmente produtiva dos indivíduos sociais em seu intercâmbio metabólico com a natureza, numa espécie de sociedade radicalmente diferente: uma sociedade regulada pela contabilidade socialista e por um modo correspondente de controle sociometabólico.

O fato de Hegel, como gênio filosófico, perceber e criticar as falácias cometidas por seus predecessores e depois – como se nada houvesse acontecido – continuar a cometê-las repetidamente ele próprio mostra que o que está em jogo não é a intrusão de "falácias lógicas" mais ou menos evitáveis. A persistência teimosa de premissas injustificáveis, que antecipam circularmente as conclusões desejadas, demonstra que as *necessidades sociais* estão funcionando em todas essas concepções de "sociedade civil" burguesa. Mesmo o maior gênio filosófico fica irremediavelmente limitado pela estreita via imposta a ele pelo ponto de vista do capital; terá de pagar um preço alto por sua tentativa inútil de conciliar e harmonizar os antagonismos internos do sistema estabelecido dentro dos confins do que ele visualiza como "absolutamente o fim da história".

1.4 A revolução sitiada no "elo mais fraco da corrente" e sua teorização representativa em *História e consciência de classe*

1.4.1

Os grandes levantes históricos – como as revoluções inglesa e francesa – estão sempre cheios de tragédias. A Revolução Russa de outubro de 1917 não é exceção à regra. Inevitavelmente, o fato de tal revolução – que visava iniciar a necessária transição do reino do capital para uma nova ordem histórica – ter irrompido, nos estágios finais de uma desastrosa conflagração global, "no elo mais fraco da corrente", só poderia agravar as coisas, além até mesmo das piores expectativas.

Hoje está na moda tentar reescrever a história, espremendo-a no molde dos fatos mais recentes, como se a Revolução Russa jamais houvesse acontecido. Esse tipo de "historiografia" autocentrada, dentro ou fora da antiga União Soviética, hoje é muitas vezes tentada precisamente por aqueles que, no passado, foram os maiores apologistas da Rússia de Stalin. Eles e seus novos patrocinadores recusam-se a admitir que eventos históricos desta magnitude não podem ser desfeitos pela vontade de se adaptar às contingências políticas do momento. Os ecos de tais levantes históricos fundamentais continuam a reverberar pelos séculos afora; na verdade, mais reverberam quanto mais tempo se evitar o exame de suas contradições intrínsecas no decorrer da prática social e política subsequente. Neste sentido, a Revolução Francesa de 1789 deixou um legado contraditório, pois, se derrubou a velha ordem feudal, ela também pôs em movimento uma série de fatos históricos multifacetados, com suas concatenações positivas e negativas e desafios que persistem até hoje. Foram estes últimos que, passados duzentos anos, nas celebrações oficiais do bicentenário, induziram a classe dominante da França, sob a presidência "socialista" de Mitterrand, a tentar remodelar a memória ainda forte de 1789, de maneira a enterrá-la completamente em nome da eternização de seu domínio. Exercício fútil! Duzentos anos é um prazo muito curto para aplainar a cadeia de montanhas erguida por um grande terremoto histórico e varrer seus vestígios da memória viva.

Da mesma forma, a inegável falha não apenas do "socialismo" de tipo soviético sob Stalin, mas também de todos os débeis esforços posteriores de "desestalinização" – que visavam eliminar alguns efeitos das contradições do sistema preservando ao mesmo tempo seu conteúdo – não poderiam desfazer o desafio histórico da própria revolução de 1917. Apenas os apologistas mais subservientes e tolos da ordem estabelecida podem sustentar que essa revolução ocorreu sem causas socioeconômicas e políticas profundamente enraizadas. Na verdade, ela aconteceu no meio de uma imensa crise do sistema de capital global e afetou – para melhor e para pior – o resto do mundo por um longo período, que ainda não terminou. A estabilização subsequente do capitalismo ocidental, de que a histórica falência do próprio sistema soviético já era parte constituinte bem antes da queda da "perestróika", não pode alterar essas interligações. Ela também não poderia acabar com a existência das profundas contradições estruturais dos sistemas de capital soviético e ocidental, não importa quanto esforço for investido pelas partes interessadas na remodelação retrospectiva da história com ajuda de "condicionantes contrafactuais".

Hoje, é maior do que nunca a necessidade de chegar a bons termos com a experiência histórica e o legado da Revolução Russa, examinando suas contradições em perspectiva e à luz dos fatos desenrolados no século XX, precisamente por causa do impressionante desmoronamento das chamadas "sociedades de socialismo realmente existente". A influente obra de Lukács – *História e consciência de classe*, que será explorada em detalhe na Parte II do presente estudo – oferece importante ponto de referência para um exame crítico das questões pertinentes, tanto em termos do contexto histórico de sua origem como em relação aos fatos políticos e intelectuais subsequentes no movimento socialista internacional.

A influência dessa obra, publicada em 1923, tornou-se lendária desde o momento da publicação até 1968, e mesmo depois disso, enquanto durou o "movimento" de 1968. Em parte, isto se deveu à sua condenação pelo Comintern imediatamente depois de seu aparecimento, mas há muito mais além desta explicação, pois, embora *História e consciência de classe* não tenha sido de modo algum a maior realização intelectual de seu autor, certamente foi a mais representativa. A condenação apressada da obra pelo Comintern apenas serviu para dar uma sinistra ênfase ao significado representativo da obra.

História e consciência de classe foi concebido em consequência da derrota da República dos Conselhos na Hungria. Lukács participou ativamente dela em 1919, primeiro como ministro da Educação e Cultura e, nas semanas finais dessa revolução de curto fôlego, na qualidade de comissário político de uma divisão do exército. Depois da derrota militar, ele se mudou para o Ocidente, onde a maré vazante da onda revolucionária trouxe, especialmente na Alemanha, derrotas semelhantes (ainda que não tão extensas e radicais) para os socialistas. Todos os grandes problemas teóricos discutidos por Lukács em *História e consciência de classe* foram estudados por ele desta perspectiva, encontrando assim um eco bastante favorável nos círculos revolucionários do Ocidente, cujas aspirações foram igualmente esmagadas pela "força das circunstâncias".

Os socialistas ocidentais demonstraram grande afinidade com o espírito de *História e consciência de classe*, pois esta obra recusou categoricamente submeter-se às tentações do pessimismo, não importando quão trágicas fossem as circunstâncias prevalecentes. Como veremos na Parte II, a forte ênfase no *método* como fator decisivo do que deveria constituir o legítimo marxismo tinha muito a ver com o apelo do livro, já que ele poderia ser utilizado como recurso para superar a penosa evidência da avassaladora relação negativa de forças na época. Em outros aspectos, as mais importantes categorias filosóficas examinadas em *História e consciência de classe* – especialmente a problemática hegeliana do "Sujeito/Objeto idêntico" – visavam proporcionar esperança histórica sob condições em que tudo parecia apontar na direção oposta. Mesmo as más notícias vindas da Rússia em grande quantidade podiam ser avaliadas de forma tranquilizadora e esperançosa no discurso de *História e consciência de classe*. A representatividade de Lukács como autor dessa obra foi inseparavelmente associada a esse dilema e a essas aspirações compartilhados. Ele proporcionou a teorização corajosa de uma perspectiva que tanto reconheceu o caráter trágico das recentes derrotas históricas como, ao contrário de muitos intelectuais da época, recusou-se apaixonadamente a aceitar o veredicto do presente como julgamento final sobre o assunto.

1.4.2
Em relação ao caráter representativo de *História e consciência de classe*, deve-se enfatizar que os determinantes da concepção nela articulada tinham muitos aspectos. As correlações pelas quais essa obra adquiriu seu significado poderiam ser resumidas da maneira seguinte, reiterando também as conexões históricas pertinentes, mencionadas acima:

    1) a materialização teórica dos problemas que resultaram do fato de que a primeira revolução socialista em grande escala começou de repente no "elo mais fraco da corrente" e teve de enfrentar a perspectiva de "se erguer sem ajuda" por causa do extremo atraso de seu quadro socioeconômico; na literatura, o "elo mais fraco" foi canonizado e recebeu conotações compulsórias positivas; *História e consciência de classe* ofereceu uma visão bem mais diferenciada (daí sua rápida condenação pelas autoridades do partido em Moscou), procurando sugerir uma saída para as restrições e contradições de qualquer ordem pós-revolucionária pela implementação prática das categorias filosóficas ali elaboradas;

    2) a participação atuante de Lukács como líder numa experiência revolucionária fracassada e a ressonância desta última com outras tentativas também fracassadas no Ocidente; a meta implícita e parcialmente explícita de *História e consciência de classe* era um exame rigoroso do que poderia garantir o êxito contra as relações de forças extremamente desfavoráveis;

    3) os termos em que, à luz da experiência húngara frustrada, a avaliação das causas do fracasso poderia localizar algumas tendências num estágio muito inicial – por exemplo, com relação à "burocratização" do partido, ainda que Lukács os identificasse apenas numa "linguagem esópica", atribuindo as contradições e traços negativos criticados ao "antigo tipo de partido" –, que se tornaram cada vez mais proeminentes no decorrer da "stalinização" bem-sucedida do movimento internacional da classe trabalhadora; a grande influência dessa obra estava claramente visível nos textos dos intelectuais revolucionários que sofreram as tendências ne-

gativas que avançavam inexoravelmente dentro do próprio movimento, inclusive Karl Korsch e Antonio Gramsci;

4) a classe dos intelectuais burgueses que mudaram de lado sob a influência da Revolução Russa, como o próprio Lukács, trouxe consigo seu próprio programa e seus objetivos para obter uma linha específica de mediação teórica com que pudessem responder a todos os que em princípio tentassem a mesma mudança; esta dimensão da obra gerou mais tarde respostas no diapasão de um "marxismo ocidental" mítico (empurrado para o centro das discussões filosóficas, em 1955, pelas *Aventuras da dialética* de Merleau-Ponty), mas, como veremos no capítulo 8, o louvor assim acumulado sobre *História e consciência de classe* era apenas uma "prece fúnebre" para Marx e o marxismo em geral, sem qualquer ligação real com as preocupações originais de Lukács ou com os graves problemas que estavam diante daqueles que buscavam respostas nos horizontes marxistas – prece que era ao mesmo tempo uma tentativa do grupo social representado por Merleau-Ponty de livrar-se de responsabilidades anteriormente assumidas;

5) uma dimensão mais fundamental dos problemas mencionados no ponto (4) dizia respeito a todo o conjunto da burguesia, como Lukács via a classe de onde ele próprio saíra pelo final de 1917; o ano final e o período imediatamente seguinte à guerra foram a encruzilhada onde as estradas dividiram e separaram Lukács não somente de Max Weber (até então sua alma gêmea intelectual e amigo íntimo) e de Thomas Mann – ambos entusiásticos defensores do chauvinismo alemão e de suas metas de guerra durante a Primeira Guerra Mundial, ao contrário de Lukács, que condenou sem reservas toda a aventura imperialista –, mas também mais tarde de algumas das grandes personalidades da Escola de Frankfurt, como Adorno e Horkheimer, caracterizados pelo velho Lukács como os que se comprazem em habitar o "Grande Hotel Abismo" e gozar de suas fortes emoções contemplativas; o velho Lukács falava sobre o problema da mudança de posição e atitude de toda a classe no período intermediário: a passagem da burguesia de uma posição que refletia uma "*crise de conscience*" – ou seja, uma crise de conscientização (orientação teórica) e de consciência, inclusive com a admissão de alguma espécie de culpa, que trazia consigo uma "consciência culpada" ou pelo menos um mínimo de consciência de seu próprio papel na perpetuação da injustiça social – para outra inteiramente *desprovida de consciência*: uma "má-fé" generalizada (não apenas no sentido de Sartre, mas até mesmo em seu sentido de "beirando o cinismo"), em vez da "falsa consciência", mais ambígua e ainda potencialmente aberta (no sentido de Lukács), de uma era anterior, especialmente visível logo depois da desastrosa guerra mundial e das revoluções que a seguiram; esta mudança na atitude da classe para com a injustiça social trouxe mais tarde um evidente recuo para a presunçosa auto-complacência da chamada "direita radical", plenamente sintonizada com a margem cada vez mais estreita das alternativas viáveis no âmbito das premissas socioeconômicas do sistema do capital global.

Um corolário de tudo isso foi o caráter *trágico* do empreendimento do filósofo húngaro, tanto num sentido histórico mais amplo como em termos pessoais. Historicamente, no sentido de que:

a) certas *possibilidades objetivas* deixaram de se materializar e a revolução "no elo mais fraco da corrente" não apenas permaneceu isolada, mas

subsequentemente também conseguiu consolidar suas piores contradições e suas maiores fraquezas como um ideal compulsório monstruoso, impondo assim uma pesada carga sobre as tentativas revolucionárias socialistas por toda parte;
b) uma mudança igualmente negativa afetou os socialistas nos países capitalistas avançados porque os adversários ajustaram suas estratégias às circunstâncias alteradas e maximizaram os benefícios que poderiam tirar das contradições do sistema soviético, autoritário e economicamente atrasado. Eles conseguiram desarmar provisoriamente suas próprias classes trabalhadoras, usando em parte o exemplo dissuasivo das "sociedades de socialismo realmente existente" e, em parte, (embora involuntariamente) por meio da cumplicidade do movimento trabalhista ocidental na imposição do peso colossal da *taxa diferencial de exploração* sobre o resto do mundo.

Em termos pessoais, a tragédia de Lukács foi o fato de que seu *apelo* à "responsabilidade dos intelectuais" (tema importante, constantemente recorrente nos textos de Lukács por toda sua vida e, durante muito tempo, também a grande razão de seu sucesso) perdeu o *sujeito*, a que poderia ser dirigido, como entidade *coletiva*. Ao contrário, como veremos no capítulo 10, em suas últimas obras Lukács terminou com o único discurso que permaneceu aberto ao autor derrotado pelas trágicas mudanças que ocorreram no campo da economia e da política: um apelo moral direto à *consciência moral do indivíduo*, que para Lukács representava a última parada depois de ser forçado a abandonar o caminho da busca de toda sua vida, por um não mais "falsamente consciente", mas por um sujeito *transindividual* moralmente consciente e responsável.

1.4.3

Uma citação de um dos maiores trabalhos de Lukács – *O jovem Hegel* – nos proporciona a compreensão de suas motivações interiores, não apenas as da época em que escreveu *História e consciência de classe*, mas também as de muito mais tarde. Ela também ajuda a explicar alguns dos aspectos proeminentes no desenvolvimento do Lukács maduro, acima de tudo seu "conservadorismo estético". Foi muitas vezes condenado por seus críticos por se alinhar com Goethe e Balzac – e também com Thomas Mann, elogiado pelo filósofo como o mais notável representante no século XX da *alternativa positiva* à perspectiva do desespero, analisado por Lukács em suas reflexões sobre Hegel – e por comparar favoravelmente esses autores com a desconcertante visão de mundo da "vanguarda" e seus defensores. Como deixa bem claro a citação abaixo de *O jovem Hegel*, a opinião a favor de Goethe, Hegel, Balzac e Thomas Mann não era de modo algum para Lukács uma questão de gosto estético, conservador ou não. Ela dizia respeito à trágica visão que teve dos fatos históricos e sociais em andamento, que tentou transmitir em todos os seus textos mais importantes, inclusive em *História e consciência de classe*. Foi assim que ele formulou a crua alternativa que estava diante da humanidade numa obra escrita na emigração da União Soviética, opondo-se à linha oficial Stalin/Zhdanov sobre Hegel como "representante da extremada reação conservadora contra a Revolução Francesa":

Ricardo e Balzac não eram socialistas; eram na verdade oponentes declarados do socialismo. Mas tanto a análise econômica objetiva de Ricardo como a mimese literária de Balzac do mundo do capitalismo apontam para a necessidade de um novo mundo não menos vividamente do que na crítica satírica de Fourier sobre o capitalismo. Goethe e Hegel permanecem no limiar da última grande e trágica florescência da ideologia burguesa. *Wilhelm Meister* e *Fausto*, *A fenomenologia do espírito* e a *Enciclopédia* formam parte da monumental realização em que as últimas energias criativas da burguesia estão reunidas para dar expressão intelectual ou literária a sua própria situação *tragicamente contraditória*. Nas obras de Goethe e Hegel, o reflexo do período heroico da era burguesa é ainda mais claramente visível do que em Balzac, para quem a era parece nada mais que um glorioso prelúdio para a terrível vitória final da prosa do período capitalista.[27]

Algumas páginas adiante, Lukács decifrou as trágicas implicações do dilema de Hegel, compartilhado por outras grandes personalidades de sua classe:

O âmago da concepção de Hegel da "tragédia no reino do ético" é que ele concorda inteiramente com a visão de Adam Smith de que o desenvolvimento das forças materiais de produção é progressivo e necessário, mesmo com respeito à cultura... Ele tem a mesma força de Smith e Ricardo em suas críticas severas às queixas dos românticos sobre o mundo moderno e desdenha sua sentimentalidade, que se fixa em particulares e não vê a situação inteira. No entanto, ao mesmo tempo ele também vê – e isto o aproxima dos interesses e preocupações de Balzac e Fourier – que o tipo de homem produzido por esse avanço material no capitalismo, e por meio deste, é a negação prática de tudo o que é grande, significativo e sublime que a humanidade tenha criado no decorrer da história até então. A contradição de dois fenômenos necessariamente conectados, o elo indissolúvel entre o progresso e a degradação da espécie humana, a aquisição do progresso à custa de tal degradação – este é o centro da "tragédia no reino do ético". Assim Hegel articula uma das maiores contradições da sociedade capitalista e, com certas ressalvas, de todas as sociedades de classe.[28]

Foi assim que Lukács no final ligou a visão hegeliana da "tragédia no reino do ético" ao imperativo socialista e, nisso, ao próprio dilema e ao necessário apelo à "responsabilidade dos intelectuais" que surgia da conceituação das alternativas que, a seu ver, devem ser enfrentadas no mundo contemporâneo:

... seria superficial insistir em que Hegel teria sido bem maior se jamais houvesse adotado o conceito da "reconciliação". A análise dialética real do progresso humano e suas contradições só poderia ser empreendida de um ponto de vista dominado por uma crença na vitória final do progresso, apesar de todas as contradições. Somente a perspectiva de uma sociedade sem classes proporciona uma visão das *tragédias a enfrentar no caminho* sem sucumbir-se às tentações de um *romantismo pessimista*. Por esta razão, devemos colocar a crítica social de Fourier mais alto do que a de Hegel. Se esta perspectiva não estiver disponível para um pensador – e já vimos que ela não estaria disponível para Hegel – só existem então duas possibilidades abertas a qualquer um que tenha uma visão clara das contradições. Ou ele há de se agarrar às contradições, caso em que terminará como um pessimista romântico – ou *manterá sua fé, apesar de tudo*, de

---

[27] Lukács, *The Young Hegel: Studies in the Relation Between Dialetics and Economics*, Londres, The Merlin Press, 1975, pp. 400-1.

[28] Id., ibid., p. 408.

que o progresso é inevitável, *não importa quantas tragédias estiverem espalhadas pela estrada*. ... Apenas devido ao amor à realidade e ao profundo compromisso de Hegel para com ela, foi possível a existência da riqueza concreta da dialética hegeliana. Se o seu sistema culmina em "reconciliação," isto mostra apenas que, enquanto estiver fechado o horizonte da sociedade de classes, o progresso humano, mesmo no reino do espírito e da filosofia, é levado a dar voltas pelo labirinto do que Engels chamou de "falsa consciência".[29]

Assim, a atitude moral e intelectual defendida por Lukács não foi de modo algum escolhida e recomendada com base em qualquer critério estético. Na Hungria, onde Lukács teve sua formação intelectual, o papel da literatura consistiu, durante séculos, em intervenção direta nas questões sociais e políticas mais fundamentais, e a revolução de 1848-49 contra o domínio dos Habsburgos foi iniciada, como se podia esperar, no dia 15 de março (ainda hoje o dia mais importante no calendário nacional) pelo grande poeta Sándor Petöfi, que recitou seu poema "Levantai, húngaros" nos degraus do Museu Nacional. Dentro da mesma tradição, o ídolo do jovem Lukács (que jamais deixou de ser objeto de sua veneração), o poeta Endre Ady, disse-o em alto e bom som, em seu credo artístico:

Não vim para ser um artista,
mas para ser tudo!
Mestre era eu, o poema
apenas um criado enfeitado.

Lukács escolheu uma via moral e política intensamente pública, uma cruzada em defesa de seus ideais. Ele foi *obrigado* a entrar no campo da teoria estética e da crítica literária depois de ter sido derrotado pelos esbirros de Stalin como político. Mesmo então, ele preferiu continuar a afirmar a mensagem moral e política inicialmente escolhida, utilizando o meio da análise literária e da estética – como Ady usou a poesia como seu "criado enfeitado"– a serviço da emancipação humana, aceitando uma condição que calhava bem com a "tragédia no reino do ético". Ele continuou a apelar para o exemplo de Goethe e Hegel, Balzac e Thomas Mann, porque desejava fazer com que as pessoas evitassem as armadilhas do "pessimismo romântico".

A abordagem de Lukács (inclusive a chamada maneira "olímpica" de distanciar--se, como Goethe e Hegel, dos conflitos da época depois de ser forçado a retirar-se do campo da política) era representativa de muitos intelectuais burgueses que, como ele, adotaram a causa socialista. A Revolução Russa, com a qual se recusaram a romper, desencadeou a mudança de sua perspectiva, muitas vezes apesar dos custos de suas próprias tragédias pessoais. O próprio Lukács foi encarcerado por algum tempo na Rússia de Stalin e, mais de uma vez na vida, teve de enfrentar o risco de ser preso na Hungria, passando meses na prisão depois do levante de 1956. Ele sabia enfrentar essas adversidades com força de espírito, pois compartilhava plenamente o que afirmou sobre Hegel: "uma crença na vitória final do progresso, apesar de todas as contradições", ainda que isto significasse para o futuro próximo a "tragédia no reino do ético".

Entretanto, fica a pergunta: até que ponto as determinações da "falsa consciência", identificada pelo autor de *História e consciência de classe* e de *O jovem Hegel,* afetaram

---

[29] Id., ibid., pp. 418-9.

sua própria condição, quando a tentativa histórica de romper com o "horizonte fechado da sociedade de classes", que ele previu e avalizou, tomou um *caminho sem saída* – o fatídico *desenvolvimento sem saída* do sistema soviético? Pois, sob tais condições, na ausência de uma clara admissão de que todas aquelas décadas de sacrifício e "tragédia no reino do ético" só poderiam produzir um desenvolvimento descarrilado, "manter a fé, apesar das muitas tragédias encontradas pelo caminho", representou, apesar de inadvertidamente, uma atitude acrítica em relação às grandes contradições do sistema que mantinha o domínio do capital sob outra forma: o controle estatal alienado dos meios de produção e da concomitante e politicamente compulsiva extração do trabalho excedente. Inevitavelmente, "apesar de todas as contradições," permanecer fiel à perspectiva de *História e consciência de classe* e de *O jovem Hegel* não evitou a acusação de "falsa consciência", no sentido atribuído pelo próprio Lukács a Hegel, nem a de "má-fé", de que seus detratores tentaram acusá-lo.

Outra questão difícil diz respeito ao desaparecimento histórico dos destinatários originais das exortações morais de Lukács: intelectuais burgueses que desejavam adotar a causa socialista. Neste sentido, a profunda crise estrutural do sistema do capital global poderia produzir uma alteração significativa no futuro? Seja como for, a "volta ao lar" da *intelligentsia* burguesa trouxe consigo um grande problema para o movimento da classe trabalhadora por toda parte. Um fato muito desanimador a ser enfrentado é que a tese de Lenin da "importação externa da consciência de classe para a classe trabalhadora" através da atuação dos intelectuais burgueses – tese que Lukács, como se esperava, abraçou até o fim – provou ser historicamente inviável no decorrer dos acontecimentos do século XX. As formulações originais de Marx – sobre a necessidade de desenvolver a "consciência *de massa* comunista" – visavam uma solução muito diferente. Desta maneira, ao indicar, como medida de sua viabilidade ou fracasso, a necessidade estratégica da orientação e da ação de massa, em termos das quais o projeto socialista foi desde o início concebido, a definição marxista do caminho à frente oferece um indicador esperançoso para a necessária reorientação do movimento. Mas apenas um indicador, pois à luz da experiência histórica ocorrida nesse meio tempo é necessário reafirmar as dificuldades de uma rearticulação radical do movimento socialista como um *movimento de massa* viável.

1.4.4
Apesar de todas as suas mistificações, no sistema hegeliano o "capital" era às vezes considerado não simplesmente como alguma espécie de entidade material (como os "bens de capital"), mas como uma *relação*. No entanto, Hegel descreveu esta relação como sendo:
1) *absolutamente inevitável*;
2) uma *compulsão benevolente*; e
3) necessariamente regida por um *sujeito supraindividual*, em vista dos constituintes individualistas isolados – os indivíduos personalistas – de que o complexo totalizador da "sociedade civil" supostamente se constituiria.

A concepção de Hegel de "Sujeito-Objeto idêntico" era um corolário necessário de tudo isto, pois a única determinação coesiva que ele poderia oferecer para manter sob controle as forças centrífugas da sociedade civil (em suas próprias palavras, *infinita*) – nos limites de um sistema concebido do ponto de vista do capital – era a pseudomediação realizada pela "astúcia da Razão" subordinando a si todos os indivíduos. O Sujeito-Objeto idêntico, como verdadeira força motriz histórica, tinha de realizar seu próprio projeto, produzindo e perpetuando, por meio da instrumentalidade escolhida de indivíduos particulares, sua própria ordem – já estabelecida –, além da qual não poderia haver nada racionalmente concebível.

Lukács adotou a concepção hegeliana como ponto de partida filosófico. Este foi o ponto de contato pelo qual ele desejava mediar sua recém-descoberta mensagem socialista para todos os que ainda viam o mundo através das lentes da filosofia burguesa clássica. Compreensivelmente, diante das circunstâncias dadas pelo turbilhão revolucionário e pós-revolucionário, a questão da força histórica era proeminente entre as preocupações de Lukács em *História e consciência de classe*. Para transmitir esta mensagem, ele teve de rejeitar não apenas o conto de fadas da compulsão benevolente de Hegel, mas também sua visão da absoluta impossibilidade de fugir das determinações da "sociedade civil". Ao mesmo tempo, Lukács também teve de transformar o sujeito *supra*individual num sujeito coletivo *trans*individual em pleno controle de seu próprio destino, sem o que a superação esperada da "tragédia no reino do ético" não seria convincente. Não obstante, é estranho que Lukács tenha pensado que poderia encontrar uma solução satisfatória para as questões teóricas e práticas pertinentes em termos de sua própria versão do "Sujeito-Objeto idêntico da história".

No prefácio de 1967 para *História e consciência de classe*, Lukács admitiu que seus esforços resultavam apenas em "*ser mais hegeliano do que Hegel*"[30]. Foi um diagnóstico generosamente correto. Como resultado do "incorrigível substitucionismo" típico de *História e consciência de classe*, o Sujeito-Objeto idêntico de Lukács terminou sendo uma entidade *supraindividual* totalmente abstrata e *sollen* (ou seja, "carregada de dever ser") – ainda que secular: o Partido, escrito com maiúscula, sacralizado e hipostasiado como portador de um *imperativo moral*.

Na verdade, a problemática hegeliana do Sujeito-Objeto idêntico – como concepção reprodutora da hierarquia – não poderia ser mais estranha ao modo de controle sociometabólico socialista. Como veremos no capítulo 19, a contraimagem marxiana e os critérios de viabilidade para a regra do capital diziam respeito ao estabelecimento de mediações materiais e institucionais adequadas entre os indivíduos no quadro de um sistema comunal altamente produtivo, e não à invenção de um novo sujeito supraindividual. O projeto socialista tinha de visar a *restituição* dos poderes alienados do controle sociometabólico aos produtores associados, no contraste mais rigoroso possível em relação ao *substitucionismo* cada vez maior e, no final, totalmente petrificado e ainda violentamente superposto que tiveram de enfrentar no sistema stalinista.

A verdadeira tragédia (e não apenas "no reino do ético") foi que, sob as circunstâncias de revoluções derrotadas por toda parte, exceto na Rússia – o que inevitavelmente também significou o isolamento da única revolução sobrevivente –, se negaram cruelmente as condições históricas para o desenvolvimento bem-sucedido dos termos

---

[30] Lukács, *History and Class Consciousness*, Londres, The Merlin Press, p. xxiii.

materiais e institucionais exigidos pelo modo socialista da alternativa metabólica ao domínio do capital como empreendimento *global*. Abriram-se totalmente as portas, não somente para a estabilização do sistema do capital seriamente abalado no Ocidente, mas também para a emergência, na Rússia pós-revolucionária, de uma nova forma de "personificação do capital", que poderia operar um ritmo forçado de extração do trabalho excedente em nome da revolução e para o propósito declarado da necessária "acumulação socialista", justificada pela promessa de ultrapassar em pouco tempo os principais países capitalistas na produção *per capita* de ferro gusa, aço e carvão como medida do sucesso socialista. Como estrutura de comando desse novo gênero de controle sociometabólico, o Partido teria de pairar acima de todos como regulador da extração politicamente compulsória do trabalho excedente, com todos os seus corolários culturais/ideológicos. Com isso, o Estado foi reforçado e, mais do que nunca, centralizado na forma de Partido-Estado, em vez de dar início ao próprio "encolhimento", conforme previsto no projeto socialista original.

A teorização representativa da situação pós-revolucionária, que Lukács introduziu em *História e consciência de classe*, surgira das novas restrições e circunstâncias históricas. Sua obra de modo algum previa e muito menos se identificava favoravelmente com as soluções stalinistas que vieram a prevalecer mais tarde. Muito pelo contrário, *História e consciência de classe* apresentou um quadro idealizado das possibilidades inerentes aos fatos que ocorriam. Lukács na verdade procurou criar soluções que deveriam prevalecer não apenas sobre a inércia material sufocante mas, o que para ele era bem mais importante, também sobre os riscos do descarrilamento e da burocratização – os métodos firmemente rejeitados do "partido da espécie antiga" –, definindo a *raison d'être* do Partido em termos de um rigoroso preceito moral.

Entretanto, o Sujeito-Objeto idêntico de Lukács – o proletariado, com seu "ponto de vista da totalidade" – no final terminou sendo não a classe dos trabalhadores, mas o Partido. Dizia-se que a classe como tal era prisioneira de sua "consciência psicológica", algo que se opunha a sua "consciência imputada" ou "atribuída", sem a qual, na sua opinião, a revolução não poderia ter sucesso. O substitucionismo de *História e consciência de classe* resultou necessariamente deste diagnóstico. O dilema de Lukács – compartilhado por muitos intelectuais na época solidários à revolução – tornou-se então: como demonstrar a inevitável vitória do socialismo, apesar das fragilidades do "elo mais fraco" e apesar da inércia ideológica dominante entre os trabalhadores. As dificuldades que emergiam desta última foram enfatizadas pelo autor de *História e consciência de classe*, que repetidamente explicava a importância das consequências negativas do sucesso dos partidos reformistas da Segunda Internacional na manipulação da "consciência psicológica" do proletariado[31].

Como veremos na Parte II, Lukács apresentou uma garantia de vitória socialista em termos filosófico-metodológicos e ideológicos. A categoria do "Sujeito-Objeto idêntico" era uma parte essencial de sua solução. Pela própria definição de sua natureza, o "Sujeito-Objeto idêntico da história" poderia oferecer uma *garantia axiomática* de êxito, assim como na filosofia hegeliana era absolutamente inconcebível imaginar

---

[31] Segundo Lukács: "Com a ideologia da social-democracia, o proletariado cai vitimado por todas as antinomias da reificação" (Id., ibid., p. 297).

outra coisa que não o sucesso total para o empreendimento do Sujeito-Objeto idêntico, o Espírito do Mundo autorrealizador. Lukács estipulou que a condição *moral* seria a única necessária para o sucesso, insistindo em que o Partido teria de *merecer* o papel historicamente atribuído a ele, lutando pela confiança da classe trabalhadora e conquistando-a honestamente, o que poderia deter muito do que via a seu redor em seus esforços contra algumas figuras do alto escalão do partido húngaro e do Comintern.

No entanto, muito além do caráter axiomático do Sujeito-Objeto idêntico, colocado por Lukács a serviço da transformação em força das fragilidades do "elo mais fraco", ele também precisava de Hegel por outras razões. Em Hegel ele via as possibilidades últimas e também os limites insuperáveis da tradição filosófica clássica burguesa. Contra esta, Lukács propôs a adoção intelectualmente viável do "ponto de vista da totalidade" pelos pensadores socialistas – possibilidade que, para ele, a lógica objetiva da própria história negava até mesmo a Hegel, para não mencionar seus predecessores e sucessores – como a prova da vitória socialista não apenas no domínio da filosofia, mas no enfrentamento social fundamental entre o capital e o trabalho em geral. Ao mesmo tempo, o dilema relativo à "consciência psicológica" da classe trabalhadora foi também resolvido por Lukács em termos intelectuais e ideológicos: ao projetar o sucesso ideológico do "trabalho da consciência sobre a consciência". Este trabalho teria de ser concebido pela ação do Partido, definido por Lukács como a "encarnação visível e organizada da consciência de classe"[32] e como a "ética do proletariado"[33]. Esse tipo de caracterização do Partido não foi oferecido como um fim em si, mas como a forma possível de enfrentar o desafio histórico. Na visão de Lukács, expressa em *História e consciência de classe*, a alternativa que havia à frente era grave, mas simples. Desde que o Partido, em plena consciência de sua missão histórica, pudesse realizar as exigências de seu preceito moral, seria possível encontrar uma maneira de superar "a crise ideológica do proletariado". De outro modo, a humanidade tendia a precipitar-se no barbarismo.

Assim, a preocupação marxiana com as condições objetivas da alternativa sociometabólica necessária foi abandonada em favor de um discurso teórico-ideológico elevado. Ao mesmo tempo, a atuação supraindividual da história foi trazida de volta por Lukács pela porta dos fundos na forma do Partido, caracterizado por ele como "*a mediação concreta entre os homens e a história*"[34]. Desse modo, o autor de *História e consciência de classe* oferecia uma garantia axiomática de sucesso, e também contornava a necessidade de indicar, mesmo que em termos incompletos, as imprescindíveis mediações materiais e institucionais que em seu devido tempo deveriam superar, no mínimo em princípio, as restrições e contradições do sistema soviético pós-revolucionário.

1.4.5

A solução de Lukács para o grande peso do *presente* só poderia ser teórica e abstrata, no mesmo molde em que ele postulava a "vitória teórica" sobre a filosofia burguesa

---

[32] Id., ibid., p. 42.
[33] Id., ibid.
[34] Id., ibid., p. 318.

clássica como garantia da vitória socialista sobre a ordem burguesa. Ele discutiu assim a questão da forma correta de ver o presente, dando paradoxalmente a última palavra a ninguém menos do que o próprio Hegel:

> Enquanto o homem concentrar seu interesse contemplativamente no passado ou no futuro, ambos se fossilizam numa existência alienada. Entre o sujeito e o objeto está o "pernicioso abismo" insuperável do presente. O homem deve ser capaz de *compreender o presente* como um vir-a-ser. ... Apenas aquele que deseja, e cuja missão é criar o futuro, pode *ver o presente* em sua verdade concreta. Como diz Hegel: "Verdade é não tratar os objetos como estranhos".[35]

"Compreender o presente como o vir-a-ser" e "vê-lo" à luz de um entendimento correto de seu caráter processual – graças ao trabalho da consciência sobre a consciência – tornaram-se assim a solução idealizada para as crescentes contradições do presente. Entretanto, desta forma não se quebraria o encanto do "capital permanente universal" de Hegel. Ao contrário, todo o empreendimento de *História e consciência de classe* teve de se conter dentro dos limites de algumas das categorias mais importantes do sistema hegeliano.

No entanto, a iniciativa magistral de Lukács adquiriu significado representativo não *apesar*, mas precisamente *por* e *com* suas limitações. A problemática concepção do filósofo húngaro do desenvolvimento histórico materialmente sustentável e, neste, do papel da intervenção política consciente, não era somente dele. A natureza da revolução "no elo mais fraco da corrente" tinha muito a ver com isto. À sua frente, ele tinha as evidências de uma revolução bem-sucedida – a única a sobreviver – e procurava formas de *generalizar* o que identificava como as condições que asseguravam o sucesso em relação ao mundo materialmente mais avançado do Ocidente capitalista, onde ele e seus companheiros socialistas foram derrotados. Assim, não era bastante afirmar, repetida e apaixonadamente, que a derrota era o "prelúdio necessário para a vitória"[36]. A própria fraqueza material teria de ser transformada em vantagem revolucionária. Consequentemente, Lukács declarou que "o caráter *não desenvolvido* da Rússia ... dava ao proletariado russo a oportunidade de resolver a crise ideológica com maior eficiência"[37], prometendo um percurso mais fácil também no futuro, com base na alegada vantagem histórica: "a menor influência exercida na Rússia pelos modos de pensar e sentir capitalistas sobre o proletariado"[38]. Lukács assim conseguiu – em pleno acordo com sua meta consciente – evitar as armadilhas do "pessimismo romântico". Mas, irônica e tragicamente, sob as circunstâncias que prevaleciam, ele só poderia fazer isto lançando algumas de suas mais caras esperanças no molde de um "otimismo romântico".

Contudo, para ser justo, dada a vazante da onda revolucionária na Europa e o atraso material da Rússia, o programa marxista de superação do domínio do capital em termos socioeconômicos, na qualidade de modo de controle metabólico globalmente dominante, não poderia estar na agenda histórica do momento em que *História e consciência de classe* foi escrito, nem na Rússia nem em qualquer outro lugar. Além do

---

[35] Id., ibid., p. 204.
[36] Id., ibid., p. 43.
[37] Id., ibid., p. 312.
[38] Id., ibid., p. 340.

mais, os longos anos de guerra civil e suas penosas consequências atraíram ainda mais a atenção para o terreno político. "Fazer da miséria uma virtude" – sob o impacto da "força das circunstâncias" – significava que o alvo real das transformações socialistas, a necessidade de ir *além do capital*, praticamente desaparecia do horizonte. Seu lugar foi tomado por uma orientação centrada na *política*, deixando de lado ou desconsiderando a insistência de Marx em que a revolução tinha de ser *econômica e social*, em oposição à necessariamente limitada e restrita margem de ação oferecida por qualquer revolução *política*. Com isto, as estruturas e realizações produtivas tiveram de ser adotadas sem maiores questionamentos e consideradas diretamente utilizáveis, definindo assim a principal tarefa da estratégia socialista: a superação mais rápida possível dos países capitalistas mais importantes, e a descoberta de palavras convincentes até mesmo para as práticas mais intensas do *taylorismo* explorador. Foi desta maneira que as fatídicas fraquezas do elo mais fraco vieram a dominar não apenas na Rússia pós-revolucionária, mas em todo o movimento socialista internacional.

Naturalmente, Lukács não se identificou conscientemente com todos os aspectos deste desenrolar dos fatos. Contudo, ele adotou de coração suas principais características. A solução filosófica e ideológica que ofereceu para os problemas observados em *História e consciência de classe* foi complementada por uma orientação exclusivamente *política* em termos práticos, restringindo irremediavelmente o conceito marxista da prática social transformadora. Mais uma vez, isto foi feito a fim de demonstrar a força do elo mais fraco. Os detalhes desses problemas devem ser deixados para a Parte II, especialmente nos capítulos 8 e 9. Para concluir esta seção, é preciso mencionar rapidamente o significado conferido por Lukács à revolução política que "expropriava os expropriadores", os capitalistas. Nela, Lukács celebrou não simplesmente o primeiro passo na estrada para uma potencial transformação socialista, mas a abolição de toda oposição "entre passado e presente". E continuou, postulando que, por meio do ato político de "tirar-se o domínio do trabalho das mãos do capitalista"[39], a emancipação do trabalho estaria efetivamente realizada, restando apenas para o futuro a tarefa da "socialização" – definida como o que faz o proletariado "tornar-se consciente da relação interna alterada do trabalho relativamente às suas formas objetificadas (a relação do presente com o passado)"[40]. Assim a "revolução situada no elo mais fraco da corrente" encontrou sua teorização representativa em *História e consciência de classe*.

1.5 A perspectiva da alternativa inexplorada de Marx: do "cantinho do mundo" à consumação da "ascendência global" do capital

1.5.1
Marx não tinha nenhuma necessidade de "supra-hegelizar Hegel". Seu enfoque primordial não era um país subdesenvolvido e devastado, lutando com a tarefa da "acumulação primitiva", mas a forma clássica do desenvolvimento capitalista, que

---

[39] Id., ibid., p. 248.
[40] Id., ibid.

produziu a confiante teorização de seus próprios caminhos "naturais" e uma absoluta legitimidade nos escritos da economia política clássica: o principal alvo teórico de Marx. Igualmente, com relação à ação revolucionária, o que Marx tinha em mente não era uma classe trabalhadora pequena e até dizimada numa guerra civil, mas o energicamente ascendente proletariado industrial dos países capitalistas dominantes. Dado seu enfoque essencial – a "Crítica da economia política", explicitada nos subtítulos de *todas* as suas principais obras –, as complicações a serem enfrentadas na ausência de um proletariado industrial forte só poderiam estar à margem de suas preocupações. E, mesmo quando entraram no horizonte de Marx, nos últimos anos de sua vida, não trouxeram consigo grandes reavaliações teóricas. A ideia de uma atuação substitutiva, seja lá sob que forma, era algo abominado por ele. Quando sua probabilidade assumiu uma forma organizacional tangível na Europa, no momento da adoção do *Programa de Gotha* alemão, ele protestou veementemente. Marx percebeu claramente que o "substitucionismo" só poderia ser desastroso para o movimento socialista.

Por todas essas razões, a relação de Marx com Hegel não seria muito problemática. Ele dava ao grande filósofo alemão o merecimento de alguém que abriu o caminho ao pensamento dialético, mas não hesitou em descartar ao mesmo tempo o seu "Sujeito--Objeto idêntico" na qualidade de mitologia conceitual. Para Marx, o que viciava a filosofia de Hegel não era apenas seu idealismo, mas o fato de este compartilhar o "ponto de vista da economia política", o que significava uma postura totalmente acrítica em relação ao capital como controle metabólico da sociedade. E, já que Marx adotou o "ponto de vista do trabalho" em sua tentativa de explicar claramente uma alternativa radical para a ordem estrutural dada, sua concepção de história tinha de ser diametralmente oposta à de Hegel.

Por todas estas razões, o conceito de Marx do capital como uma ordem histórica que se desenvolvia dinamicamente e a tudo abrangia estava, em sua origem, ligado à concepção de "história do mundo" hegeliana: o domínio da irresistível atividade própria do Espírito do Mundo. Entretanto, à grande visão idealista de Hegel da história do mundo se desdobrando idealmente, a interpretação marxista contrapôs um conjunto de acontecimentos e fatos tangíveis, empiricamente identificáveis, que diziam respeito a indivíduos reais em seu ambiente institucional realmente existente. Marx assim formulou sua contraimagem materialista explicitamente oposta à concepção hegeliana:

> Quanto mais se estendem, no curso desse desenvolvimento, as esferas separadas, que atuam umas sobre as outras, e quanto mais o isolamento original das nacionalidades separadas é destruído pelo modo avançado de produção, pelo intercâmbio e pela divisão natural do trabalho entre as diversas nações emergentes que daí resulta, mais *a história se torna história do mundo*. Assim, por exemplo, se na Inglaterra é inventada uma máquina que priva de pão milhares de trabalhadores na Índia e na China, e derruba toda a forma de existência desses impérios, esta invenção se torna um *fato histórico mundial*. ... Disto resulta que a transformação da história em história do mundo não é absolutamente mero ato abstrato de parte da "autoconsciência", do espírito do mundo, ou de qualquer outro espectro metafísico, mas um ato bastante material e empiricamente verificável, ato cuja prova cada indivíduo fornece enquanto vai e vem, come, bebe e se veste. Na história decorrida até o presente certamente também é da mesma forma um fato

empírico que, com a amplificação de sua atividade em *atividade histórica mundial*, os indivíduos isolados se tornam cada vez mais escravizados sob uma *força alheia a si* (uma pressão por eles concebida como uma brincadeira suja de parte do chamado espírito do mundo etc.), força que se torna cada vez mais enorme e, no final, termina sendo o *mercado mundial*.[41]

Naturalmente, esta visão da história do mundo, concebida como a difusão universal do modo de produção mais avançado no quadro de um mercado mundial plenamente desenvolvido – ou seja, como um processo de real "vir-a-ser", caracterizado por atividades claramente identificáveis de produção e consumo, dentro de seus parâmetros estruturais e institucionais muito bem definidos –, trouxe com ela a visão correspondente da saída dos antagonismos destrutivos da ordem social prevalecente, pois, de um lado, ela visava, como pré-requisitos de sua realização, o nível mais elevado possível de produtividade – o que, por sua vez, implicava a necessária transcendência de determinadas barreiras e contradições locais e nacionais, bem como uma total integração benéfica e racionalização cooperativa da produção material e intelectual numa escala global. Por outro lado, como inevitável corolário do caráter global da tarefa especificada, antecipava a ação conjunta das nações industrialmente mais poderosas, de modo a produzir a nova ordem social – em seu modo de funcionamento "universal" objetivo e em seu espírito conscientemente internacionalista. Para citar Marx novamente:

> ... esse desenvolvimento das forças produtivas (que ao mesmo tempo implica a real existência empírica dos homens em seu ser *histórico-mundial*, e não local) é uma premissa prática absolutamente necessária, porque sem ela a privação e a carência se generalizam, e com a carência recomeçariam as lutas pelo básico e toda a velha sujeira seria necessariamente restaurada; além do mais, porque somente com esse *desenvolvimento universal* das forças produtivas é que se estabeleceria um *intercâmbio universal* entre os homens, o que de um lado produz *em todas as nações* simultaneamente o fenômeno da massa "sem propriedade" (a competição universal), tornando *cada nação dependente das revoluções das outras* e, finalmente, coloca *indivíduos histórico-mundiais e empiricamente universais* no lugar dos locais. ... Empiricamente, o comunismo só é possível como *ato dos povos dominantes "todos de uma vez" e simultaneamente*, o que pressupõe o desenvolvimento *universal* das forças produtivas e do *intercâmbio mundial* ligado a elas.[42]

Esta maneira de abordar as questões demonstrou não apenas a superioridade da concepção materialista da história em relação a seus equivalentes idealistas, inclusive a visão hegeliana, mas também as grandes dificuldades que acompanhavam a adoção do método marxiano. No que diz respeito às filosofias idealistas, o peso da prova material em relação à realização prática das tendências históricas – apreendidas nas circunstâncias objetivas de indivíduos realmente vivos que se dedicassem a suas metas dentro da rede das complexas determinações sociais – não existia e não poderia existir. A atuação dentro do quadro conceitual e idealista permitiu a Hegel substituir as provas materiais exigidas pelas abstrações convenientemente maleáveis, em última análise circulares, do Espírito do Mundo "autoalienante",

---

[41] MECW, vol. 5, pp. 50-1.
[42] Id., ibid., p. 49.

que alcançou sua realização final na intranscendível ordem mundial da "sociedade civil" capitalista e seu "Estado ético".

Em compensação, as dificuldades de Marx eram inseparáveis da adoção dos princípios orientadores materialistas e do método histórico e dialético correspondente. O aspecto problemático da visão apresentada nas duas últimas citações não era sua pertinência em relação ao conjunto da nova época histórica, mas sua relação com o estado real das coisas na maior parte do mundo no momento de sua concepção.

1.5.2
Aqui estão em jogo duas questões fundamentais. A primeira diz respeito à necessidade da *transição* e a segunda, ao quadro histórico e global em que se poderia realizar com sucesso a transição para a ordem socialista defendida.

Hegel descrevia o capital como a *permanência congelada*, associada a sua definição de universalidade como o "moderno". Da mesma forma, a liberdade com que Hegel estava preocupado, na postulada "realização da liberdade" através da história do mundo, era apenas a "ideia da liberdade". Segundo Hegel, todas as coisas eram regidas por seus princípios, e o "princípio do mundo moderno" era considerado o "pensamento e o universal"[43]. Os problemas da história do mundo foram assim resolvidos pela definição de um conjunto de conceitos entrelaçados, dentro do domínio do Espírito do Mundo que se autoantecipava e necessariamente se autorrealizava. Desta maneira, o prejulgado e historicamente congelado particularismo do capital poderia ser elevado à posição ideal de universalidade atemporal e permanência racionalmente incontestável. Como, na visão de Hegel, já havíamos atingido a fase histórica da plena adequação do Espírito do Mundo a si mesmo, não era concebível surgir a questão da transição para uma diferente ordem do mundo.

Ao contrário de Hegel, Marx tratou o sistema do capital como *necessariamente transitório*. A despeito do avanço histórico incorporado ao modo de funcionamento do capital no que se refere à produtividade quando comparada ao passado (o que Marx admitia mais do que generosamente), ele considerava sua viabilidade sociometabólica confinada a uma fase histórica rigorosamente limitada que devia ser superada pela intervenção radical do projeto socialista, pois as determinações estruturais mais centrais do sistema do capital – baseadas num conjunto de relações de mediação articuladas para a dominação do trabalho, a serviço da necessária extração do trabalho excedente – eram irremediavelmente *antagônicas* e, em última análise, não apenas destrutivas, mas também *autodestrutivas*.

O projeto socialista concebido por Marx visava o redimensionamento qualitativo dessa *estrutura antagonista* de mediações reais que Hegel, sintonizado com seu ponto de vista social e apesar de sua grandeza como pensador, teve de envolver num nevoeiro místico. Uma vez que os termos de referência das formas e instituições de mediação social historicamente dadas estavam identificadas no método marxista, desnudando suas determinações internas incuravelmente anta-

---

[43] Hegel, *The Philosophy of Right*, p. 212.

gônicas, tornou-se claro também que *remédios parciais* não poderiam retificar os antagonismos materiais fundamentais, políticos e culturais e as desigualdades estruturais do sistema do capital.

Deste modo, o empreendimento socialista tinha de ser definido como *alternativa* radical para o modo de controle sociometabólico de todo o sistema do capital. Este último não poderia funcionar de nenhuma outra maneira, a não ser sob a forma da própria imposição como *alienação radical do controle* dos indivíduos. Consequentemente, nenhuma intervenção sobre alguns defeitos parciais por meio de reformas de acomodação – a via seguida em vão por mais de um século e totalmente abandonada havia pouco tempo pelo movimento social-democrata – poderia enfrentar essa dificuldade.

Desejando realizar alguma coisa, o projeto socialista tinha de se redefinir como a *restituição* da função de controle historicamente alienada para o corpo social – os "produtores associados" – sob *todos* os seus aspectos. Em outras palavras, o projeto socialista teria de ser realizado como um *modo de controle sociometabólico qualitativamente diferente*: um controle constituído pelos indivíduos de tal maneira que não fosse deles *alienável*. Neste aspecto, para ser bem-sucedido, teria de ser um modo de controle capaz de regular as funções produtivas materiais e intelectuais dos intercâmbios de mediação dos indivíduos entre si mesmos e, por natureza, não *vindo de cima* – a única maneira em que a "mão invisível" *supraindividual* poderia afirmar seu poder nada benevolente, usurpando os poderes *interindividuais* de tomada de decisão –, mas sim emergindo da *base social mais ampla possível*.

Enquanto o capital permanece *globalmente dominante*, sua "transitoriedade" (enfatizada por Marx) está sujeita a permanecer apenas latente, pois, não importa o quanto seja problemática sua condição mais profunda, sob as condições de sua dominação global, a falsa aparência da inalterável permanência do sistema do capital marca nitidamente o horizonte da vida cotidiana relativamente calma na sociedade da mercadoria.

Aqui a concepção marxiana deve ser cotejada com sua própria perspectiva alternativa inexplorada. Os fatos históricos reais desde a época da morte de Marx produziram algumas limitações dolorosas neste aspecto.

No segundo trecho citado de *A ideologia alemã*, na seção 1.5.1, Marx referiu-se duas vezes à categoria de *simultaneidade*, tentando explicar a natureza dos fatos em andamento. Em primeiro lugar, ele indicou que o desenvolvimento universal das forças produtivas sob a regra do capital traz consigo não apenas o "intercâmbio universal" dentro do quadro do mercado mundial, mas também "*em todas as nações simultaneamente*, o fenômeno da massa 'sem propriedade' (a competição universal)". E, em segundo lugar, como corolário do primeiro, enfatizou que "o comunismo só é possível como ato dos *povos dominantes* 'todos de uma vez' e *simultaneamente*". Quanto ao terreno em que se esperava que os "povos dominantes" atuassem simultaneamente, Marx tinha em mente a Europa.

Enquanto o objeto de análise é o tipo clássico de desenvolvimento capitalista, sem as complicações nele introduzidas pelo "desenvolvimento desigual", os critérios enumerados por Marx permanecem válidos. Se estendida universalmente, a competição produz sem a menor dúvida a "massa sem propriedade" – e, simultaneamente, num índice bastante uniforme, em todas as nações. Desta situação difícil também resultaria que, quando amadurecessem as contradições do sistema e a situação se tornasse insustentável para a "massa sem propriedade", seria provável que ocorresse uma ação simultânea em defesa dos interesses dos trabalhadores contra o estrangulamento ubíquo e mais ou menos uniforme do capital. Além do mais, devido à incansável competição no quadro de um mercado mundial que funciona adequadamente, não pode haver meio significativo de minorar as contradições do sistema em seu impulso para a saturação e uma possível quebra. A pressuposta ação simultânea dos "povos dominantes" é mais plausível sob tais circunstâncias.

Entretanto, uma vez somadas a este quadro as condições diferenciais de crescentes vantagens ou desvantagens entre as nações em desenvolvimento capitalista, a situação muda, tornando-se irreconhecível. Isto não ocorre apenas do lado do capital, mas – ainda que temporariamente – também em relação ao trabalho. No que diz respeito ao capital, a expansão *imperialista* por um lado e os desdobramentos *monopolistas* pelo outro proporcionam novo alento ao sistema do capital, retardando acentuadamente o momento de sua saturação. Estes conferem enorme vantagem às forças socioeconômicas dominantes sustentadas de todas as formas possíveis, internamente e no exterior, pelo Estado capitalista. Assim, a competição, embora quase impossível de eliminar, torna-se uma ideia um tanto problemática no quadro de um complexo imperialista. Muitas das contradições do sistema competitivo industrial são transferidas para o plano da rivalidade entre os Estados, e as consequências são potencialmente ruinosas, como atestam duas guerras mundiais. Ao mesmo tempo, devido aos desdobramentos monopolistas, as regras da competição podem ser torcidas e voltadas para a vantagem das forças econômicas dominantes. As consequências têm dois aspectos. Em primeiro lugar, os monopólios poderosos adquirem grandes privilégios em todo o mercado mundial. Em segundo, a concentração e a centralização do capital são grandemente facilitadas, em conformidade com os interesses dos monopólios, oligopólios e cartéis dominantes.

Com relação ao trabalho, as mudanças são muito significativas. Agora, a partir da margem de vantagem diferencial – que rende *taxas diferenciais de lucro* e superlucro –, certa porção pode ser deslocada para a força de trabalho "metropolitana". É deste modo que a *taxa diferencial de exploração* – sem a qual as necessárias taxas diferenciais de lucro altamente favoráveis não seriam viáveis – torna-se parte integrante do sistema do capital global, tornando problemática, também nesse aspecto, a ideia da ação simultânea pelas classes trabalhadoras dos "povos dominantes" em toda a duração – ainda que temporária – das condições acima descritas.

1.5.3

Marx, naturalmente, não foi contemporâneo desses fatos. O pleno impacto dos impérios capitalistas emergentes, em sua terra e nas relações entre os Estados, estava longe de ser visível durante sua vida. As transformações monopolistas na economia também mal despontavam no horizonte, e menos ainda poderiam tornar evidente todo o seu potencial de reestruturação do conjunto do sistema do capital. Portanto, seria absurdo censurar Marx por não oferecer soluções para problemas que somente bem mais tarde se transformaram em desafios históricos tangíveis para o movimento socialista.

Mas houve um momento em que Marx tocou na possibilidade de uma perspectiva sócio-histórica alternativa em relação à que normalmente defendia. Esta alternativa foi mencionada num trecho de uma carta não muito conhecida de Marx para Engels, para a qual tentei chamar atenção durante muitos anos. O trecho é o seguinte:

> A tarefa histórica da sociedade burguesa é o estabelecimento do mercado mundial, pelo menos em suas linhas básicas, e um modo de produção que repouse sobre esta base. Como o mundo é redondo, parece que isso já foi realizado, com a colonização da Califórnia e da Austrália e a anexação da China e do Japão. Para nós, a difícil questão é esta: a revolução no continente é iminente, e terá um caráter imediatamente socialista; não será *necessariamente esmagada* neste *cantinho do mundo*, já que num terreno bem mais vasto a sociedade burguesa ainda está em *ascensão*.[44]

É óbvio que não era indiferente saber se os antagonismos internos do capital classicamente desenvolvido explodiriam no limitado domínio europeu – despedaçando com isso o próprio quadro operacional do sistema – ou se seria possível encontrar um meio de deslocar as contradições acumuladas por meio da ascensão continuada da ordem burguesa numa parte muito maior do mundo. É verdade que num planeta redondo, depois da colonização da Califórnia e da Austrália, além da anexação da China e do Japão, não restava mais nenhum continente a ser descoberto pelo capital para colonização e anexação. No entanto, isto era verdade apenas no sentido da "totalidade extensiva" do planeta. Até onde dizia respeito à "totalidade intensiva" dos vastos territórios já descobertos e anexados, o sistema do capital estava muito longe de alcançar os limites de sua expansão e acumulação produtiva. Realmente, não apenas nas áreas recentemente colonizadas e anexadas, nem mesmo só nos países conquistados pelos poderes imperialistas dominantes em toda a fase histórica de expansão colonial-imperialista, mas *em toda parte*, inclusive nos mais privilegiados países "metropolitanos", os continentes invisíveis de exploração cada vez mais intensa do trabalho ainda estavam para ser plenamente descobertos e colocados a serviço da ordem sociometabólica do capital. Para usar uma analogia, a grande diferença neste aspecto era igual à completa oposição entre valor *absoluto* e *valor relativo* da mais-valia. Se, como veículo de expansão, o capital pudesse basear-se apenas no valor absoluto da mais-valia, ou no tamanho geograficamente limitado do planeta, seu período de vida seria, com toda certeza, fortemente reduzido. Um dia tem apenas vinte e quatro horas, assim como o planeta redondo tem um tamanho incomparavelmente mais limitado do que a "totalidade intensiva" da exploração e a correspondente magnitude da acumulação do capital, espremida ou "bombeada" do trabalho por meio dos bons serviços prestados pela mais-valia relativa.

Marx só podia esperar que os fatos concretos para as perspectivas do socialismo viessem por intermédio de uma grande revolução social – não isolada – na Europa, realizada pelas classes trabalhadoras dos "povos dominantes", de maneira a assim bloquear a via para a indefinida ascendência histórica do capital sobre o "terreno bem

---

[44] Marx, *Cartas a Engels*, 8 de outubro de 1858.

mais vasto" existente, prontamente reconhecido por ele. De fato, na mesma carta para Engels, ele acrescentava: "... não se pode negar que a sociedade burguesa vive seu segundo século XVI, que, espero, a levará para o túmulo, assim como o primeiro a trouxe à vida".

Como todos sabemos, a esperança expressa na última sentença foi amargamente negada. Não obstante, Marx permaneceu fiel à sua perspectiva inicial. E isto apesar do fato de a revolução social prevista por ele – a Comuna de Paris de 1871 – ter sido realmente esmagada no "cantinho do mundo" europeu e, em considerável grau, também do fato de ter permanecido um evento isolado; a ascensão da sociedade burguesa continuou daí por diante sem grandes obstáculos. Muita coisa prendia Marx à perspectiva em que sua obra fora originalmente articulada e muito pouco já era visível das novas tendências de desenvolvimento – imperialista e monopolista – para permitir-lhe fazer a grande mudança para uma outra perspectiva, no espírito sugerido em sua carta a Engels.

Hoje, ao contrário, é preciso enfrentar os problemas pertinentes por duas razões principais. Em primeiro lugar, porque nenhum socialista pode levar a sério a ideia de que o sistema do capital possa ser historicamente suplantado enquanto a ascendência da ordem burguesa conseguir afirmar-se sobre o terreno global. Isto significa que a necessária reavaliação de todas as estratégias socialistas, em diferentes partes de nosso planeta, deve compreender a dimensão perturbadora e negativa desta ascensão, tanto na interpretação do passado histórico como na avaliação do futuro, pois a não atribuição do devido peso às forças que sustentam o sistema do capital em seu conjunto leva às ingênuas expectativas do "catastrofismo" ou ao desencantamento derrotista e total abandono da perspectiva socialista, como se viu no passado recente.

A segunda razão é igualmente importante. O aspecto positivo do dilema histórico inexplorado de Marx é que a ascendência em si está limitada pelo terreno final que pode ser – e tem sido até agora – incorporado ao quadro da expansão e acumulação do capital. Em outras palavras, a ascendência histórica até mesmo no terreno global – e mesmo quando considerada em sua totalidade intensiva – é *apenas histórica*. Ela está necessariamente confinada às limitações das reais potencialidades produtivas do capital e permanece sujeita aos inextirpáveis antagonismos deste sistema de reprodução sociometabólica em sua totalidade.

Dada a evidente natureza global das transformações históricas ocorridas desde os dias de Marx, já não se poderia mais confinar as probabilidades de levantes sociais fundamentais a um "cantinho do mundo". Não existe mais, e absolutamente não pode mais existir, "cantinho" algum, muito menos "socialismo em um país", não importa qual fosse a vastidão desse país ou a imensidão de seu povo. Nada poderia sublinhar esta verdade simples com força maior do que a impressionante implosão do sistema soviético.

Como já foi mencionado, a ascendência histórica do capital em suas linhas gerais está chegando ao fim. É significativo que esse processo só pudesse ocorrer sob uma forma muito contraditória, acumulando problemas enormes para o tempo à nossa frente. Em consequência do desenvolvimento global enviesado ocorrido nesses últimos cem anos, sob a dominação de meia dúzia de países capitalistas avançados, os termos da equação original de Marx mudaram fundamentalmente. A forma como este processo chega à sua conclusão pronuncia um julgamento muito severo sobre ele. A consumação da ascendência global do sistema do capital, apesar de cinco séculos de expansão e acúmulo, traz consigo a condenação da esmagadora maioria da humanidade a uma existência miserável.

Naturalmente, existem os que não veem nada de errado na situação atual. Chefes de governo – como John Major na Inglaterra – declaram com uma presunçosa autocomplacência que "o capitalismo funciona". Eles se recusam a fazer as perguntas: para quem? (certamente não para 90 por cento da população mundial) e por quanto tempo?

Não obstante, é estranho que, no momento em que têm de se defender pelo fracasso miserável de suas políticas e pelas promessas constantemente quebradas, eles só conseguem repetir como um disco quebrado que os problemas que os obrigaram a "descarrilar" não foram criados por eles, mas por toda a "economia industrial" (eufemismo para países capitalistas), do Japão à Alemanha e dos Estados Unidos à França, para não mencionar a Itália e todos os outros membros da Comunidade Econômica Europeia. E, assim, recusam-se a enxergar a gritante contradição entre a confiante declaração de que "o capitalismo funciona" e a admissão forçada de que, no final das contas, não funciona (conclusão que eles jamais apresentam explicitamente, embora esteja diante do nariz).

Ao longo do último século, é certo que o capital invadiu e subjugou todos os cantos de nosso planeta, tanto os pequenos como os grandes. No entanto, ele se mostrou absolutamente incapaz de resolver os graves problemas que as pessoas têm de enfrentar na vida cotidiana pelo mundo afora. No mínimo, a penetração do capital em cada um dos cantos do mundo "subdesenvolvido" só agravou esses problemas. Ele prometia "modernização", mas, depois de muitas décadas de intervenção trombeteada em alto e bom som, só ofereceu a intensificação da pobreza, a dívida crônica, a inflação insolúvel e uma incapacitante dependência estrutural. Tanto mais que hoje é de fato muito embaraçoso lembrar aos ideólogos do sistema do capital que há não muito tempo eles espetaram suas bandeiras no mastro da "modernização".

As coisas mudaram bastante nessas últimas décadas, em relação ao passado expansionista. O deslocamento das contradições internas do capital podia funcionar com facilidade relativa na fase da ascendência histórica do sistema. Sob tais condições, era possível tratar de muitos problemas varrendo-os para baixo do tapete das promessas não cumpridas, como a modernização no "Terceiro Mundo" e uma prosperidade bem maior nos países "metropolitanos", afirmada com base na expectativa da produção de um bolo que cresceria infinitamente. Todavia, a consumação da ascendência histórica do capital altera radicalmente a situação. A esta altura, já não é mais plausível fazer novas séries de promessas vazias, mas as velhas promessas devem ser varridas da memória, e determinadas conquistas reais das classes trabalhadoras nos países capitalistas avançados devem ser "roladas", no interesse da sobrevivência da ordem socioeconômica e política vigente.

Estamos neste ponto. As celebrações triunfalistas de poucos anos atrás hoje soam bastante ocas. O desenvolvimento envesado do último século, que simplesmente multiplicou os privilégios de poucos e a miséria de muitos, não trouxe solução no modelo da "vitória civilizada da propriedade móvel" (Marx). Mas surgiu uma condição radicalmente nova no decorrer das últimas décadas, afetando seriamente as perspectivas futuras de desenvolvimento. Do ponto de vista do sistema do capital, é hoje particularmente grave o fato de que até mesmo os privilégios dos poucos já não podem mais ser sustentados nas costas dos muitos, em nítido contraste com o passado. Em consequência, todo o sistema está se tornando bastante instável, ainda que leve algum tempo antes que transpirem todas as implicações dessa instabilidade sistêmica, exigindo remédios estruturais em lugar do adiamento manipulativo.

Assim, a perspectiva alternativa de Marx só agora, neste nosso tempo, volta a prevalecer. Não há muito, os problemas acumulados podiam ser deixados de lado ou minimizados em conversas autocomplacentes sobre "disfunções" mais ou menos facilmente manipuláveis. Entretanto, quando até os privilégios da pequena minoria são insustentáveis apesar da cada vez mais intensa exploração da esmagadora maioria, essa conversa deve soar problemática mesmo para aqueles que antigamente a utilizavam sem a menor crítica. Na verdade, essa mesma gente, que ainda ontem queria que ficássemos satisfeitos com seu discurso explicativo sobre simples "dificuldades técnicas" e "disfunções temporárias", já começou, há pouco tempo, a falar de "problemas compartilhados por todos" e da necessidade de "esforços comuns" para solucioná-los, dentro dos limites da ordem estabelecida, confessando às vezes sua perplexidade em relação ao que parece estar acontecendo por toda parte. Mais do que qualquer outra coisa, essa gente se confunde porque a queda do sistema soviético não apenas eliminou seu *álibi* justificador preferido, mas, para piorar, também não trouxe para seu próprio lado os resultados benéficos esperados. Teimosamente, a esperada revitalização do sistema do capital ocidental graças à "vitória" sobre o Leste e à concomitante "natural" e feliz mercantilização da parte pós-revolucionária do mundo deixou de se materializar. Os ideólogos do "capitalismo avançado" gostavam de pensar que o sistema soviético era diametralmente oposto ao seu. Tiveram de ser despertados pela desconcertante verdade: era apenas o outro lado da mesma moeda.

É sensato o fato de que está cada vez mais difícil caminhar sobre o tapete sob o qual se podiam esconder sem dificuldades e por longo tempo até mesmo os problemas mais sérios. É realmente muito importante que os problemas injustificadamente desconsiderados, e que afetam a própria sobrevivência da humanidade, tenham de ser encarados sob circunstâncias em que todo o sistema do capital entrou em sua *crise estrutural*.

Capítulo 2

A ORDEM DA REPRODUÇÃO SOCIOMETABÓLICA DO CAPITAL

2.1 Defeitos estruturais de controle no sistema do capital

2.1.1
Em fases anteriores do desenvolvimento histórico, muitas tendências e aspectos negativos do sistema do capital podiam ser ignorados, e realmente o eram, com relativa segurança, a não ser por alguns socialistas dotados de uma perspectiva de longo prazo, como o próprio Marx, conforme vimos no trecho citado na página 58, escrito por ele já em 1845. Em compensação, nas últimas décadas, os movimentos de protesto – de modo notável, as diversas nuances do ambientalismo – emergiram de um cenário social bastante diferente, e até com uma orientação de valor distante da socialista. Esses movimentos procuravam estabelecer uma base de apoio político em muitos países capitalistas por meio da atuação dos partidos verdes de tendência reformista, que apelavam aos indivíduos preocupados com a destruição ambiental em andamento, deixando indefinidas as causas socioeconômicas subjacentes e suas conotações de classe. E fizeram isto precisamente para ampliar seu próprio apelo eleitoral, na esperança de intervir no processo de reforma, com o objetivo de inverter as tendências perigosas identificadas. O fato de que, em prazo relativamente curto, todos esses partidos tenham se marginalizado, apesar do espetacular sucesso inicial em quase todos os países, acentua o fato de serem as causas da destruição ambiental muito mais profundamente enraizadas do que admitiam os líderes desses movimentos reformistas que ignoravam programaticamente a questão das classes, inclusive aqueles que imaginaram poder instituir uma alternativa viável ao projeto socialista, convidando seus adeptos a mudar "do vermelho para o verde"[1].

Por mais importante que seja – mais que importante, literalmente vital – como "questão única" em torno da qual variedades do movimento verde tentavam articular seus programas de reforma como um meio de penetrar na estrutura de poder e nos pro-

---

[1] Título de um livro de Rudolf Bahro, que outrora professou ideias socialistas. A esse respeito, ver seu livro anterior, pelo qual recebeu o prêmio do Memorial Isaac Deutscher: *The Alternative in Eastern Europe*, Londres, N.L.B., 1978.

cessos de tomada de decisão da ordem estabelecida, o incontestável imperativo da proteção ambiental se revelou inadministrável, em virtude das correspondentes restrições necessárias aos processos de produção em vigor exigidas para sua implementação. O sistema do capital se mostrou impermeável à reforma, até mesmo de seu aspecto obviamente mais destrutivo.

A dificuldade não está apenas no fato de os perigos inseparáveis do atual processo de desenvolvimento serem hoje muito maiores do que em qualquer outro momento, mas também no fato de o sistema do capital global ter atingido seu zênite contraditório de maturação e saturação. Os perigos agora se estendem por todo o planeta; consequentemente, a urgência de soluções para eles, antes que seja tarde demais, é especialmente severa. Para agravar a situação, tudo se torna mais complicado pela inviabilidade de soluções parciais para o problema a ser enfrentado. Assim, nenhuma "questão única" pode, realisticamente, ser considerada a "única questão". Mesmo sem considerar outros efeitos, esta circunstância obrigatoriamente chama atenção para a desconcertante marginalização do movimento verde, em cujo sucesso se depositaram tantas esperanças nos últimos tempos, mesmo entre antigos socialistas.

No passado, até algumas décadas atrás, foi possível extrair do capital concessões aparentemente significativas – tais como os relativos ganhos para o movimento socialista (tanto sob a forma de medidas legislativas para a ação da classe trabalhadora como sob a de melhoria gradual do padrão de vida, que mais tarde se demonstraram *reversíveis*), obtidos por meio de *organizações de defesa* do trabalho: sindicatos e grupos parlamentares. O capital teve condições de conceder esses ganhos, que puderam ser *assimilados* pelo conjunto do sistema, e *integrados* a ele, e resultaram em vantagem produtiva para o capital durante o seu processo de autoexpansão. Hoje, ao contrário, enfrentar até mesmo questões parciais com alguma esperança de êxito implica a necessidade de desafiar o *sistema do capital como tal,* pois em nossa própria época histórica, quando a autoexpansão produtiva já não é mais o meio prontamente disponível de fugir das dificuldades e contradições que se acumulam (daí o sonho impossível de se livrar do buraco negro da dívida "crescendo para fora dele"), o sistema de capital global *é obrigado a* frustrar todas as tentativas de interferência, até mesmo as mais reduzidas, em seus parâmetros estruturais.

Neste sentido, os obstáculos a serem superados são na verdade *comuns* ao trabalho – ou seja, o trabalho como alternativa radical à ordem sociometabólica do capital – e aos movimentos de "questão única". O fracasso histórico da social-democracia destacou claramente o fato de que, sob o domínio do capital, somente se podem legitimar as demandas integradas. O ambientalismo, por sua própria natureza (assim como a grande causa histórica da liberação das mulheres), é *não integrável*. Consequentemente, e apesar de sua inconveniência para o capital, nenhuma causa desse gênero desaparecerá, não importa quantos tropeços e derrotas as formas politicamente organizadas dos movimentos de "questão única" tenham de sofrer no futuro previsível.

Entretanto, a não integrabilidade definida em termos históricos e de época, apesar da sua importância para o futuro, não pode, por si só, ser garantia de sucesso. Portanto, a transferência da lealdade dos socialistas desiludidos da classe trabalhadora para os chamados "novos movimentos sociais" (hoje valorizados *em oposição* ao trabalho e desprezando todo o seu potencial emancipador) deve ser considerada prematura e ingênua. Os movimentos de questão única, mesmo quando lutam por causas não integráveis, podem ser derrotados e marginalizados um a um, porque não podem alegar estar representando uma alternativa coerente e abrangente à ordem dada como modo de controle sociometabólico e sistema de reprodução social. Isto é o que faz o enfoque no potencial emancipador socialista do trabalho mais importante hoje do que nunca. O trabalho não é apenas não integrável (ao contrário de certas manifestações políticas do trabalho historicamente específicas, como a social-democracia reformista, que poderia ser corretamente caracterizada como integrável e na verdade completamente integrada nas últimas décadas), mas – precisamente como a única *alternativa estrutural* viável para o capital – pode proporcionar o quadro de referências estratégico abrangente no qual todos os movimentos emancipadores de "questão única" podem conseguir transformar em sucesso sua causa comum para a sobrevivência da humanidade.

2.1.2
Para entender a natureza e a força das restrições estruturais prevalecentes, é necessário comparar a ordem estabelecida do controle sociometabólico com seus antecedentes históricos. Ao contrário da mitologia apologética de seus ideólogos, o modo de operação do sistema do capital é a *exceção* e não a *regra*, no que diz respeito ao intercâmbio produtivo dos seres humanos com a natureza e entre si.

Antes de mais nada, é necessário insistir que o capital não é simplesmente uma "entidade material" – também não é, como veremos na Parte III, um "mecanismo" racionalmente controlável, como querem fazer crer os apologistas do supostamente neutro "mecanismo de mercado" (a ser alegremente abraçado pelo "socialismo de mercado") – mas é, *em última análise, uma forma incontrolável de controle sociometabólico*. A razão principal por que este sistema forçosamente escapa a um significativo grau de controle humano é precisamente o fato de ter, ele próprio, surgido no curso da história como uma poderosa – na verdade, até o presente, de longe *a mais* poderosa – estrutura "*totalizadora*" de controle à qual tudo o mais, inclusive seres humanos, deve se ajustar, e assim provar sua "viabilidade produtiva", ou perecer, caso não consiga se adaptar. Não se pode imaginar um sistema de controle mais inexoravelmente absorvente – e, neste importante sentido, "totalitário" – do que o sistema do capital globalmente dominante, que sujeita cegamente aos mesmos imperativos a questão da saúde e a do comércio, a educação e a agricultura, a arte e a indústria manufatureira, que implacavelmente sobrepõe a tudo seus próprios critérios de viabilidade, desde as menores unidades de seu "microcosmo" até as mais gigantescas empresas transnacionais, desde as mais íntimas relações pessoais aos mais complexos processos de tomada de decisão dos vastos monopólios industriais, sempre a favor dos fortes e contra os fracos. No entanto, é irônico (e bastante absurdo) que os propagandistas de tal sistema acreditem que ele seja inerentemente *democrático* e suponham que ele realmente seja a base paradigmática de qualquer democracia concebível. Por esta razão, os editores e principais autores de *The Economist* de Londres conseguem registrar por escrito com toda seriedade uma proposta segundo a qual

Não há alternativa para o mercado livre como forma de organização da vida econômica. A disseminação da *economia de livre mercado* gradualmente levará à *democracia multipartidária*, porque as pessoas que têm a *livre opção econômica* tendem a insistir também na *livre opção política*.[2]

O desemprego para incontáveis milhões, entre inúmeras outras bênçãos da "economia de livre mercado", pertence então à categoria da "livre opção econômica", da qual, no devido tempo, surgirão os frutos da "livre opção política" – nada menos (e, certamente, nada mais) do que a "democracia multipartidária". Depois disso, naturalmente, viveremos todos felizes para sempre...

Ao contrário, o sistema do capital é, na realidade, o primeiro na história que se constitui como totalizador irrecusável e irresistível, não importa quão repressiva tenha de ser a imposição de sua função totalizadora em qualquer momento e em qualquer lugar em que encontre resistência.

É verdade que esta característica torna este sistema mais dinâmico do que todos os modos anteriores de controle sociometabólico juntos. Contudo, o preço a ser pago por esse incomensurável dinamismo totalizador é, paradoxalmente, a *perda de controle* sobre os processos de tomada de decisão. Isto não se aplica apenas aos trabalhadores, em cujo caso a perda de controle – seja no emprego remunerado ou fora dele – é bastante óbvia (ainda que *The Economist*, que vê o mundo como se fosse um conto de fadas, possa caracterizar esta desagradável situação como "livre opção econômica"[3]), mas até aos capitalistas mais ricos, pois, não importa quantas ações controladoras eles possuam na companhia ou nas companhias de que legalmente são donos como indivíduos particulares, seu poder de controle no conjunto do sistema do capital é

---

[2] *The Economist*, 31 de dezembro de 1991, p. 12.

[3] Evidentemente, o discurso apologético não conhece nenhum limite em sua defesa do indefensável. Como agora é impossível fingir (sem enrubescer), com base nos indicadores habitualmente recomendados, que os frutos da "economia de mercado" capitalista se tenham materializado para as massas do povo na Rússia (cujo padrão de vida na verdade se deteriorou imensamente no passado recente), agora se tem de inventar novos critérios para explicar de modo satisfatório as calamidades. *The Economist* – baseado numa publicação de "um trio de consultores do governo russo" ("As condições de vida", de Andrei Ilarionov, Richard Layard e Peter Ország, Londres, Pinter Publications, 1993) – oferece a seus leitores uma pérola, num artigo intitulado "A pobreza dos números" (10-16 de julho de 1993, p. 34). Nele, embora forçados a admitir que os aclamados "benefícios que melhoraram o padrão de vida" do povão russo são praticamente "impossíveis de quantificar" (minimizando logo essa admissão, desqualificando no contexto presente – com o título do artigo: "A pobreza dos números" – as virtudes da quantificação entusiasticamente apoiadas em outras circunstâncias), os editores de *The Economist* afirmam que coisas "*como* o tempo liberado por não ter mais de passar a média de 15 horas semanais em filas", graças à falta de dinheiro para comprar comida, representa uma expressiva melhoria no padrão de vida. Não ficamos sabendo quais seriam as outras coisas que entrariam na categoria do "como", mas não deve ser lá muito difícil de imaginar. É óbvio que não se deve ignorar a quantidade de tempo bem maior do que as 15 horas poupadas semana após semana por não ter de cozinhar a comida que não poderia ser comprada nos novos mercados agora bem supridos. Ademais, se também somamos a todos esses benefícios o tempo poupado por não ter de comer a comida que não pode ser comprada e cozida, para não mencionar os benefícios ainda maiores ganhos por evitar os riscos médicos e os inconvenientes estéticos da obesidade, o padrão de vida do aposentado russo deve estar no mínimo na altura do padrão dos Rockefeller. Especialmente quando, no mesmo espírito em que os benefícios da renda dos russos são hoje calculados pelo "trio de consultores do governo russo" e editores de *the Economist*, permitimos que os pobres Rockefeller deduzam uma quantia apropriada de seu rendimento declarável por conta de toda aquela ansiedade de que certamente eles devem sofrer em relação às perspectivas de suas companhias nesses tempos incertos.

absolutamente insignificante. Eles têm de obedecer aos imperativos objetivos de todo o sistema, exatamente como todos os outros, ou sofrer as consequências e perder o negócio. Adam Smith não tinha qualquer ilusão a este respeito quando escolheu descrever a força controladora real do sistema como "*a mão invisível*". À medida que as determinações objetivas da ordem metabólica global do capital se afirmavam no curso da história, mais evidentemente a noção do "capitalista solícito" encarregado dos processos econômicos mostrava ser uma simples fantasia dos líderes social-democratas.

Na qualidade de modo específico de controle sociometabólico, o sistema do capital inevitavelmente também se articula e consolida como *estrutura de comando* singular. As oportunidades de vida dos indivíduos sob tal sistema são determinadas segundo o lugar em que os grupos sociais a que pertençam estejam realmente *situados na estrutura hierárquica de comando do capital*. Além do mais, dada a modalidade única de seu metabolismo socioeconômico, associada a seu caráter totalizador – sem paralelo em toda a história, até nossos dias –, estabelece-se uma correlação anteriormente inimaginável entre *economia* e *política*. Vamos analisar a natureza desse relacionamento na seção 2.2 e discutir um pouco mais suas implicações em capítulos subsequentes. Mencionemos aqui de passagem apenas que o Estado moderno imensamente poderoso – e igualmente totalizador – se ergue sobre a base deste metabolismo socioeconômico que a tudo engole, e o *complementa* de forma indispensável (e não apenas servindo-o) em alguns aspectos essenciais. Portanto, não foi por acaso que o sistema do capital pós-capitalista de tipo soviético não tenha sido capaz de dar sequer um passo infinitesimal na direção do "encolhimento do Estado" (muito pelo contrário), embora isto fosse, desde o início e na verdade por excelentes razões, um dos mais importantes princípios orientadores e uma das preocupações práticas essenciais do movimento socialista marxiano.

2.1.3

O capital é um modo de controle que se sobrepõe a tudo o mais, *antes* mesmo de ser controlado – num sentido apenas superficial – pelos capitalistas privados (ou, mais tarde, por funcionários públicos do Estado de tipo soviético). As perigosas ilusões de que se pode superar ou subjugar o poder do capital pela expropriação legal/política dos capitalistas privados surgem quando se deixa de levar em conta a natureza real do relacionamento entre controlador e controlado. Como um modo de controle sociometabólico, o capital, por necessidade, sempre retém seu *primado* sobre o *pessoal* por meio do qual seu *corpo jurídico* pode se manifestar de formas diferentes nos diferentes momentos da história. Da mesma forma, se os críticos do sistema soviético reclamam apenas da "burocratização", eles erram o alvo por uma distância astronômica, pois até mesmo a substituição completa do "pessoal burocrático" deixaria de pé o edifício do sistema do capital pós-capitalista, exatamente como a invenção do "capitalista solícito", se fosse viável de alguma forma milagrosa, não iria alterar minimamente o caráter absolutamente desumanizante do sistema do capital "capitalista avançado".

Como já foi mencionado no último parágrafo da seção 2.1.2, para poder funcionar como um modo totalizador de controle sociometabólico, o sistema do capital deve ter sua estrutura de comando historicamente singular e adequada para suas importantes funções. Consequentemente, no interesse da realização dos objetivos metabólicos fundamentais adotados, a sociedade toda deve se sujeitar – em todas as suas funções produtivas e distributivas – às exigências mais íntimas do modo de controle do capital estruturalmente limitado (mesmo se dentro de limites significativamente ajustáveis).

Sob um de seus principais aspectos, esse processo de sujeição assume a forma da divisão da sociedade em *classes sociais* abrangentes mas irreconciliavelmente opostas entre si em bases objetivas e, sob o outro dos aspectos principais, a forma da instituição do *controle político* total. E, como a sociedade desmoronaria se esta dualidade não pudesse ser firmemente consolidada sob algum *denominador comum*, um complicado sistema de *divisão social hierárquica do trabalho* deve ser *superposto* à divisão do trabalho *funcional/técnica* (e, mais tarde, tecnológica altamente integrada) como força cimentadora pouco segura – já que representa, no fundo, uma tendência centrífuga destruidora – de todo o complexo.

Esta imposição da divisão social hierárquica do trabalho como a força cimentadora mais problemática – em última análise, realmente explosiva – da sociedade é uma necessidade inevitável. Ela vem da condição insuperável, sob o domínio do capital, de que a sociedade deva se *estruturar de maneira antagônica* e específica, já que as funções de *produção* e de *controle* do processo de trabalho devem estar radicalmente separadas uma da outra e atribuídas a diferentes classes de indivíduos. Colocado de forma simples, o sistema do capital – cuja *raison d'être* é a extração máxima do trabalho excedente dos produtores de qualquer forma compatível com seus limites estruturais – possivelmente seria incapaz de preencher suas funções sociometabólicas de qualquer outra maneira. Por outro lado, nem mesmo a ordem feudal institui esse tipo de separação radical entre o controle e a produção material. Apesar da completa sujeição política do servo, que o priva da liberdade pessoal de escolher a terra em que trabalha, no mínimo ele continua dono de seus instrumentos de trabalho e mantém um controle não formal, mas substantivo, sobre boa parte do processo de produção em si.

Como necessidade igualmente inevitável sob o sistema do capital, não basta que se imponha a divisão social hierárquica do trabalho, como relacionamento determinado de poder, sobre os aspectos funcionais/técnicos do processo de trabalho. É também forçoso que ela seja apresentada como justificativa ideológica absolutamente inquestionável e pilar de reforço da ordem estabelecida. Para esta finalidade, as duas categorias claramente diferentes da "divisão do trabalho" devem ser *fundidas*, de modo que possam caracterizar a condição, historicamente contingente e imposta pela força, de hierarquia e subordinação como inalterável ditame da "*própria natureza*", pelo qual a desigualdade estruturalmente reforçada seja conciliada com a mitologia de "igualdade e liberdade" – "livre opção econômica" e "livre escolha política" segundo a terminologia de *The Economist* – e ainda santificada como nada menos que ditame da própria Razão. Significativamente, até mesmo no sistema idealista de Hegel, no qual se atribui (em perfeita sintonia com a orientação de valor de todos os sistemas filosóficos idealistas) uma posição inferior à categoria da natureza, lançam-se apelos diretos à autoridade da mesma natureza, sem a mais leve hesitação ou medo de incoerência nos contextos ideológicos mais reveladores, para justificar a desigualdade socialmente criada e reforçada em nome da "desigualdade natural", como vimos anteriormente[4].

Com relação à sua determinação mais profunda, o sistema do capital é *orientado para a expansão* e *movido pela acumulação*. Essa determinação constitui, ao mesmo tempo, um dinamismo antes inimaginável e uma deficiência fatídica. Neste sentido, como sistema de controle sociometabólico, o capital é absolutamente irresistível enquanto conseguir extrair e acumular trabalho excedente – seja na forma econômica direta seja forma basicamente política – no decurso da *reprodução expandida* da sociedade considerada. Entretanto, uma vez emperrado (por qualquer motivo) este processo dinâmico de expansão e acumulação, as consequências serão devastadoras. Mesmo sob a "normalidade" de perturbações e bloqueios cíclicos relativamente limitados, a destruição que acompanha as consequentes crises socioeconômicas e políticas pode ser enorme, como o revelam os anais do século XX, que incluem duas guerras mundiais (para não mencionar incontáveis conflagrações menores). Portanto, não é muito difícil imaginar as implicações de uma crise *sistêmica*, verdadeiramente *estrutural*; ou seja, uma crise que afete o sistema do capital global não apenas em um de seus aspectos – o financeiro/monetário, por exemplo – mas em todas as suas dimensões fundamentais, ao colocar em questão a sua viabilidade como sistema reprodutivo social.

Sob as condições de crise estrutural do capital, seus constituintes destrutivos avançam com força extrema, ativando o espectro da incontrolabilidade total numa forma que faz prever a autodestruição, tanto para este sistema reprodutivo social excepcional, em si, como para a humanidade em geral. Como veremos no capítulo 3, o capital *jamais* se submeteu a *controle* adequado duradouro ou a uma autorrestrição racional. Ele só era compatível com ajustes limitados e, mesmo esses, apenas enquanto pudesse prosseguir, sob uma ou outra forma, a dinâmica de autoexpansão e o processo de acumulação. Tais ajustes consistiam em contornar os obstáculos e resistências encontrados, sempre que ele fosse incapaz de demoli-los.

Essa característica da incontrolabilidade era de fato um dos fatores mais importantes a garantir o avanço irresistível do capital e sua vitória final, que ele conseguiu realizar, apesar do fato já mencionado de que o modo de controle metabólico do capital constituiu a *exceção*, e não a regra, na história. Afinal de contas, o capital surgiu como força estritamente *subordinada* durante o desenvolvimento histórico. Pior ainda, em razão da subordinação necessária do "*valor de uso*" – ou seja, a produção para as necessidades humanas – às exigências de autoexpansão e acumulação, o capital em todas as suas formas tinha de superar também a abominação de ser considerado, por muito tempo, a forma mais "antinatural" de controlar a produção de riquezas. De acordo com as discussões ideológicas dos tempos medievais, o capital estava fatalmente implicado em mais de um "pecado mortal" e, assim, teria de ser banido como "herege" pelas mais altas autoridades religiosas: o papado e seus sínodos. Ele não poderia tornar-se a força dominante do processo sociometabólico sem antes eliminar a proibição absoluta – e religiosamente santificada – da "usura"

---

[4] Ver especialmente as seções 1.2.4 e 1.2.5.

(contestada sob a categoria de "lucro sobre a alienação", cujo significado real era: reter o controle sobre o capital financeiro/monetário da época no interesse do processo de acumulação e, ao mesmo tempo, assegurar o lucro por meio do empréstimo de dinheiro) e vencer a batalha em torno da "alienabilidade da terra" (mais uma vez, tema de proibição absoluta e religiosamente santificada no sistema feudal), sem a qual a emergência da agricultura capitalista – condição essencial para o triunfo do sistema do capital de modo geral – seria praticamente inconcebível[5].

Em grande parte graças a sua incontrolabilidade, o capital conseguiu superar todas as desvantagens que se opuseram a ele – independentemente do poder material delas e do quanto eram absolutizadas em termos do sistema de valor prevalecente na sociedade – elevando seu modo de controle metabólico ao poder de dominância absoluta como sistema global plenamente estendido. No entanto, uma coisa é superar e subjugar restrições e obstáculos problemáticos (e até obscurantistas), e outra muito diferente é instituir princípios positivos de desenvolvimento social sustentável, orientados por critérios de objetivos plenamente humanos, opostos à cega busca da autoexpansão do capital. Dessa maneira, as implicações dessa mesma força da incontrolabilidade, que em dado momento assegurou a vitória do sistema do capital, estão longe de ser tranquilizadoras hoje, quando a necessidade de restrições já é aceita – pelo menos na forma do ilusório desiderato da "autorregulação" – até pelos defensores mais acríticos do sistema.

2.1.4

As unidades básicas das formas antigas de controle sociometabólico eram caracterizadas por um grau elevado de *autossuficiência* no relacionamento entre a produção material e seu controle. Isto se aplica não apenas às comunidades tribais primitivas, mas também à economia doméstica das antigas sociedades escravistas e ao sistema feudal da Idade Média. Quando esta autossuficiência se quebra e progressivamente dá lugar a conexões metabólicas/reprodutivas mais amplas, já estamos testemunhando o vitorioso avanço do modo de controle do capital, trazendo consigo, no devido tempo, também a difusão universal da alienação e da reificação.

Particularmente importante no presente contexto é o fato de que a mudança das condições expressas no provérbio medieval *"nulle terre sans maître"* (nenhuma terra sem senhor) para *"l'argent n'a pas de maître"* (o dinheiro não tem dono) representou um verdadeiro maremoto. Ela indica uma *reviravolta radical*, que encontra sua consumação final no sistema do capital plenamente desenvolvido.

Alguns elementos deste último podem ser identificados – pelo menos em forma embrionária – muitos séculos antes. Já então o dinheiro, diferentemente da terra em seu relacionamento fixo com o senhor feudal, não tem um senhor permanente, mas a princípio também não pode ser confinado em limites artificiais no que diz respeito a sua circulação potencial. Da mesma forma, o confinamento do capital mercantil a territórios limitados só pode ser temporária e artificialmente imposto, devendo portanto ser eliminado mais cedo ou mais tarde.

---

[5] Remeto os leitores interessados nessas questões a meu livro *Marx's Theory of Alienation*, Londres, The Merlin Press, 1970, e Nova York, Harper Torchbooks, 1972.

É assim que emerge, desse gênero de constituintes fundamentalmente incontroláveis e geradores de fetichismo, um modo específico de controle sociometabólico. É um modo que não pode reconhecer fronteiras (nem sequer em seus próprios limites estruturais insuperáveis), apesar das consequências devastadoras quando forem atingidos os limites mais externos das potencialidades produtivas do sistema. Isto acontece porque – na maior oposição possível a formas anteriores de "microcosmos" reprodutivos socioeconômicos altamente autossuficientes – as unidades econômicas do sistema do capital *não necessitam nem são capazes* de autossuficiência. É por isso que, pela primeira vez na história, os seres humanos têm de enfrentar, na forma do capital, um modo de controle sociometabólico que *pode* e *deve* se constituir – para atingir sua forma plenamente desenvolvida – num sistema *global*, demolindo todos os obstáculos que estiverem no caminho.

O capital como produtor potencial de valor historicamente específico só pode ser consumido e "realizado" (e, por meio de sua "realização", simultaneamente também reproduzido numa forma estendida) se penetrar no domínio da *circulação*. O relacionamento entre *produção* e *consumo* é assim radicalmente redefinido em sua estrutura de maneira tal que a necessária unidade de ambos se torna insuperavelmente problemática, trazendo, com o passar do tempo, também a necessidade de alguma espécie de crise. Esta vulnerabilidade às vicissitudes da circulação é uma determinação decisiva, à qual nenhuma "economia doméstica" da Antiguidade ou da Idade Média feudal – muito menos as unidades socioeconômicas reprodutivas do comunismo primitivo e das antigas cidadezinhas comunais a que Marx se refere em algumas de suas obras mais importantes[6] – deve se submeter, pois estão primordialmente voltadas para a produção e o consumo direto do valor de uso.

As consequências dessa liberação das amarras da autossuficiência naturalmente são muito favoráveis, pelo menos no que diz respeito à dinâmica da expansão do capital. Sem ela o sistema do capital realmente não poderia, de forma alguma, ser descrito como voltado para a expansão e movido pela acumulação (ou vice-versa, quando pensado a partir do ponto de vista de suas "personificações" individuais). Em qualquer ponto determinado da história as condições prevalecentes de autossuficiência (ou sua ausência) evidentemente também circunscrevem o impulso reprodutivo do sistema dado e sua capacidade para a expansão.

Ao se livrar das restrições subjetivas e objetivas da autossuficiência, o capital se transforma no mais dinâmico e mais competente *extrator do trabalho excedente* em toda a história. Além do mais, as restrições subjetivas e objetivas da autossuficiência são eliminadas de uma forma inteiramente reificada, com todas as mistificações inerentes à noção de "trabalho livre contratual". Ao contrário da escravidão e da servidão, esta noção aparentemente absolve o capital do peso da dominação forçada, já que a "escravidão assalariada" é *internalizada* pelos sujeitos trabalhadores e não tem de ser imposta e constantemente reimposta *externamente* a eles sob a forma de dominação política, a não ser em situações de grave crise. Assim, como sistema de controle metabólico, o capital se torna o mais eficiente e flexível meca-

---

[6] Veja, por exemplo, Marx, *Capital*, Moscou, Foreign Languages Publishing House, 1958, vol. 3, p. 810. [Trad. bras. *O capital*, São Paulo, Nova Cultural, 1988.]

nismo de extração do trabalho excedente, e não apenas até o presente. Pode-se convincentemente argumentar que a "força bombeadora"[7] do capital, que extrai o trabalho excedente, não conhece *fronteiras* (embora tenha *limites estruturais*, que as personificações do capital recusam, e devem recusar, reconhecer), e assim pode-se corretamente considerar que tudo o que se puder imaginar como extensão quantitativa da força extratora de trabalho excedente corresponde à própria natureza do capital, ou seja, está em perfeita sintonia com suas determinações internas. Em outras palavras, o capital ultrapassa infatigavelmente todos os obstáculos e limites com que historicamente se depara, adotando até as formas de controle mais surpreendentes e intrigantes – aparentemente em discordância com seu caráter e funcionalmente "híbridas" – se as condições o exigirem. De fato, é assim que o sistema do capital constantemente redefine e estende seus próprios *limites relativos*, prosseguindo no seu caminho sob as circunstâncias que mudam, precisamente para manter o mais alto grau possível de extração do trabalho excedente, que constitui sua *raison d'être* histórica e seu modo real de funcionamento. Sobretudo, o modo de extração do trabalho excedente adotado pelo capital – historicamente o mais bem-sucedido, exatamente porque é eficiente e enquanto for eficiente – também pode se definir como a *medida absoluta* de "eficiência econômica" (que muita gente que se considerava socialista não ousaria questionar, prometendo, assim, *mais* do que o adversário poderia oferecer como base legitimadora de sua própria posição; por esse tipo de dependência do objeto de sua negação e também por ser incapaz de sujeitar a uma investigação crítica o relacionamento altamente problemático entre "escassez e abundância", essa gente contribuiu para a séria distorção do significado original de socialismo)[8]. Colocando-se como medida absoluta de todas as realizações atingíveis e admissíveis, o capital realmente também pode, com sucesso, esconder a verdade de que somente um *certo tipo* de benefício pode ser derivado de seu modo "eficiente" de extração do trabalho excedente[9] – benefício que, mesmo assim, sempre é obtido à custa dos produtores. Somente quando os *limites absolutos* das determinações estruturais mais internas do capital vêm à tona é que se pode falar de uma crise que emana da *baixa eficiência* e da assustadora *insuficiência* da extração do trabalho excedente, com imensas implicações para as perspectivas de sobrevivência do próprio sistema do capital.

Neste sentido, podemos identificar em nossos dias uma tendência que será desconcertante até para os defensores mais entusiastas do sistema do capital, pois ela implica a completa reviravolta dos termos em que, no passado recente, eles definiram como representativas do "interesse de todos" as suas próprias reivindicações

---

[7] Muitas vezes Marx se refere ao capital como uma bomba de extração do trabalho excedente. Por exemplo, quando ele diz que "a forma econômica específica em que o excedente não pago do trabalho é bombeado dos produtores diretos determina o relacionamento de dominantes e dominados, conforme ela aumenta diretamente da própria produção e, por sua vez, reage como elemento determinante" (ibid., p. 772).

[8] A posição mais extremada nesse aspecto, realmente a mais absurda, foi assumida por Stalin e seus comparsas, que estabeleceram a "superação dos EUA na produção do ferro-gusa" como critério para alcançar o mais alto estágio do socialismo, isto é, do comunismo.

[9] Defensores do sistema do capital, inclusive os chamados "socialistas de mercado", gostam de juntar a ideia de "eficiência econômica" como tal e seu *tipo histórico limitado*, que caracteriza o modo específico de controle sociometabólico do capital. É precisamente este, com suas graves limitações e suma destrutividade, que deve ser sujeito a uma crítica radical, em vez de a uma idealização irracional.

de legitimidade. Esta é a tendência do "capitalismo avançado", a metamorfose de sua fase do pós-guerra caracterizada pelo "Estado do bem-estar" (com sua ideologia de "benefícios universais de previdência" e a concomitante rejeição da "avaliação da rentabilidade"), em sua nova realidade de "previdência social dirigida": a designação atual da avaliação da rentabilidade, com suas cínicas pretensões de "eficiência econômica" e "racionalidade", adotadas até pelo antigo adversário social-democrata sob o *slogan* de "novo realismo". Naturalmente, admite-se que nem mesmo este fato tenha o poder de levar alguém em seu juízo perfeito a levantar dúvidas sobre a viabilidade do próprio sistema do capital. Mesmo assim, apesar de sua força, a mistificação ideológica não consegue eliminar o fato desagradável de ser a transformação do capitalismo avançado, que abandona uma condição em que poderia se ufanar de ser o "Estado do bem-estar", para uma outra em que mesmo os países mais ricos têm de oferecer *sopões* e outros benefícios miseráveis "*para os pobres merecedores*", bastante revelador da eficiência decrescente e da insuficiência crônica do antes inquestionável método perfeito de extração do trabalho excedente na atual fase do desenvolvimento: fase que ameaça privar o sistema do capital em geral de sua *raison d'être* histórica.

2.1.5

A grande melhoria da produtividade do processo de liberação das restrições da autossuficiência ao longo da história é inegável. Contudo, há também um outro lado relativo a essa indiscutível vitória do capital. É a já mencionada perda inevitável de controle sobre o conjunto do sistema reprodutivo social, ainda que essa perda seja imperceptível durante um longo estágio histórico do desenvolvimento, graças ao deslocamento das contradições do capital durante sua fase de forte expansão.

Na história do sistema do capital, o próprio imperativo de intensificar cada vez mais a expansão é uma manifestação paradoxal dessa perda de controle, pois enquanto for possível sustentar este processo de expansão avassaladora poder-se-á adiar o "dia do julgamento". No entanto, precisamente por causa deste inter-relacionamento paradoxal, o bloqueio da via da expansão livre (como resultado da consumação da ascensão histórica do capital) e a impossibilidade do deslocamento simultâneo dos antagonismos internos do sistema tendem também a reativar e a multiplicar os efeitos nocivos da expansão já realizada, que ajudou a resolver problemas. Os novos problemas e contradições, que surgem na mesma escala do porte exagerado atingido pelo sistema do capital, definem *necessariamente* o tamanho correspondente da expansão deslocadora, apresentando-nos assim o espectro da *incontrolabilidade total*, na ausência do gigantesco deslocamento expansionista necessário. Desse modo, mesmo os problemas relativamente limitados do passado, como, por exemplo, a contratação e o rolamento das dívidas do Estado, assumem agora proporções cósmicas. É por isso que hoje somente alguém que acredite em milagres é capaz de sustentar a sério a ideia de que as importâncias literalmente astronômicas em dólares e libras esterlinas – e liras, pesos, pesetas, francos franceses, marcos alemães, rublos, escudos, bolívares, reais etc. – sugadas pelo buraco negro da dívida global um belo dia ressurgirão dele, com juros acumulados, na forma de quantias ilimitadas de crédito saudável disponível, de modo a permitir que o sistema satisfaça sua necessidade de autoexpansão sem fronteiras até o fim dos tempos.

Por mais que se tente, a perda de controle na raiz desses problemas não pode ser remediada de modo sustentável pela total separação entre produção e controle nem pela imposição de um agente separado – as "personificações do capital" sob formas variadas – sobre o agente social da produção: o trabalho. Precisamente porque o exercício bem-sucedido do controle das unidades particulares de produção – que assume a forma da "tirania das oficinas", exercida pelo "empresário" privado, pelo gerente, pelo secretário stalinista do Partido ou pelo diretor da fábrica estatal etc. – não é nem mesmo remotamente suficiente para assegurar a viabilidade global do sistema do capital, deve-se tentar outras maneiras de remediar os defeitos *estruturais* de controle.

No sistema do capital, esses defeitos estruturais são claramente visíveis no fato de serem os novos microcosmos que o compõem internamente fragmentados de muitas formas.

- Primeiro, a *produção* e seu *controle* estão radicalmente isolados entre si e diametralmente opostos.
- Segundo, no mesmo espírito e surgindo das mesmas determinações, a *produção* e o *consumo* adquirem uma independência e uma existência separada extremamente problemáticas, de modo que, no final, o "excesso de consumo" mais absurdamente manipulado e desperdiçador, concentrado em poucos locais[10], encontre seu corolário macabro na mais desumana negação das necessidades elementares de incontáveis milhões de pessoas.
- E, terceiro, os novos microcosmos do sistema do capital combinam-se em alguma espécie de conjunto administrável, de maneira que o capital social total seja *capaz* de penetrar – porque *tem de* penetrar – no domínio da *circulação global* (ou, para ser mais preciso, de modo que seja capaz de criar *a circulação como empreendimento global* de suas próprias unidades *internamente fragmentadas*), na tentativa de superar a contradição entre *produção* e *circulação*. Dessa forma, a necessidade de *dominação* e *subordinação* prevalece, não apenas *no interior* de microcosmos particulares – por meio da atuação de cada uma das "personificações do capital" – mas também *fora* de seus limites, transcendendo não somente todas as barreiras regionais, mas também todas as fronteiras nacionais. É assim que a força de trabalho total da humanidade se sujeita – com as maiores iniquidades imagináveis, em conformidade com as relações de poder historicamente dominantes em qualquer momento particular – aos imperativos alienantes do sistema do capital global.

Em todas as três situações mencionadas acima, o defeito estrutural do controle profundamente enraizado está localizado na *ausência de unidade*. Além do mais, qualquer tentativa de criar ou superpor algum tipo de unidade às estruturas sociais reprodutivas internamente fragmentadas em questão tende a ser problemática e a permanecer rigorosamente temporária. O caráter irremediável da carência de unidade

---

10   Ver capítulos 15 e 16 adiante, que se ocupam do assustador desperdício devido ao índice de utilização decrescente como tendência fundamental da evolução do capitalismo e do papel do Estado ao tentar lidar com suas consequências.

deve-se ao fato de que a própria fragmentação assume a forma de *antagonismos sociais*. Em outras palavras, ela se manifesta em conflitos fundamentais de interesse entre as forças sociais hegemônicas alternativas.

Assim, os antagonismos sociais em questão devem ser disputados com maior ou menor intensidade conforme o permitam as circunstâncias históricas específicas, e, sem a menor dúvida, favoreceram o capital em detrimento do trabalho durante o longo período de sua ascensão histórica. Entretanto, mesmo quando o capital sai vitorioso nessas lutas, os antagonismos não podem ser eliminados – apesar de todo o arsenal de racionalização acionado pela ideologia dominante no interesse de tal resultado – precisamente porque são *estruturais*. Em todas essas três situações, estamos preocupados com as *estruturas* vitais, e portanto insubstituíveis do capital, não com as limitadas contingências históricas (que o capital tem condições de transcender). Consequentemente, os antagonismos que emanam dessas estruturas são necessariamente reproduzidos sob *todas* as circunstâncias históricas que cobrem a era do capital, fossem quais fossem as relações de poder dominantes em qualquer ponto determinado do tempo.

2.2 Os imperativos corretivos do capital e o Estado

2.2.1
Realiza-se uma ação corretiva – em grau praticável na estrutura do sistema do capital – pela formação do Estado moderno imensamente inchado e, em termos rigorosamente econômicos, perdulariamente burocratizado.

Na verdade, tal estrutura corretiva pareceria bastante questionável do ponto de vista do próprio capital, *par excellence* a entidade econômica que prega a eficiência. (Este tipo de crítica inútil é um tema constantemente recorrente em algumas escolas de teoria econômica e política burguesa, que defendem – em vão – a "necessária disciplina da boa administração".) Portanto, é tanto mais revelador que o Estado moderno tenha emergido com a mesma inexorabilidade que caracteriza a triunfante difusão das estruturas econômicas do capital, complementando-as na forma da *estrutura totalizadora de comando político do capital*. Este implacável desdobramento das estruturas estreitamente entrelaçadas do capital em todas as esferas é essencial para o estabelecimento da viabilidade limitada desse modo de controle sociometabólico tão singular ao longo de toda a sua vida histórica.

A formação do Estado moderno é uma exigência absoluta para assegurar e proteger permanentemente a produtividade do sistema. O capital chegou à dominância no reino da produção material paralelamente ao desenvolvimento das práticas políticas totalizadoras que dão forma ao Estado moderno. Portanto, não é acidental que o encerramento da ascensão histórica do capital no século XX coincida com a crise do Estado moderno em todas as suas formas, desde os Estados de formação liberal-democrática até os Estados capitalistas de extremo autoritarismo (como a Alemanha de Hitler ou o Chile miltonfriedmannizado de Pinochet), desde os regimes pós-coloniais até os Estados pós-capitalistas de tipo soviético. Compreensivelmente, a atual crise estrutural do capital afeta em profundidade todas as instituições do Estado e os métodos organizacionais correspondentes. Junto com esta crise vem a crise política em geral, sob todos os seus aspectos, e não somente sob os diretamente preocupados com a legitimação ideológica de qualquer sistema particular de Estado.

Em sua modalidade histórica específica, o Estado moderno passa a existir, acima de tudo, para poder exercer o *controle abrangente* sobre as forças centrífugas insubmissas que emanam de unidades produtivas isoladas do capital, um sistema reprodutivo social antagonicamente estruturado. Como já foi mencionado, a máxima *"l'argent n'a pas de maître"* sinaliza a *reviravolta radical* em relação à situação anterior. Tomando o lugar do princípio que regia o sistema reprodutivo feudal, passa a existir um novo tipo de microcosmo socioeconômico, caracterizado por grande mobilidade e dinamismo. Contudo, a eficácia desse dinamismo depende de um "pacto faustiano com o diabo", sem nenhum garantia de que no momento devido apareça algum deus salvador para derrotar Mefistófeles, quando este vier a reclamar o preço acertado[11].

O Estado moderno constitui a única estrutura corretiva compatível com os parâmetros estruturais do capital como modo de controle sociometabólico. Sua função é retificar – deve-se enfatizar mais uma vez: apenas até onde a necessária ação corretiva puder se ajustar aos últimos limites sociometabólicos do capital – a falta de unidade em todos os três aspectos referidos na seção anterior.

2.2.2

Em relação ao primeiro, a unidade ausente é, por assim dizer, "contrabandeada" como cortesia do Estado, que protege legalmente a relação de forças estabelecida. Graças a esta salvaguarda, as diversas "personificações do capital" conseguem dominar (com eficácia implacável) a força de trabalho da sociedade, impondo-lhe ao mesmo tempo a ilusão de um relacionamento entre iguais "livremente iniciado" (e às vezes até constitucionalmente ficcionalizado).

Assim, no que se refere à possibilidade de administrar a separação e o antagonismo estruturais de *produção e controle*, a estrutura legal do Estado moderno é uma exigência absoluta para o exercício da tirania nos locais de trabalho. Isto se deve à capacidade do Estado de sancionar e proteger o material alienado e os meios de produção (ou seja, a propriedade radicalmente separada dos produtores) e suas personificações, os controladores individuais (rigidamente comandados pelo capital) do processo de reprodução econômica. Sem esta estrutura jurídica, até os me-

---

[11] Como única saída possível para a desagradável situação autoimposta por Fausto, o *Fausto* de Goethe – muito diferente do de Marlowe – termina com a salvação divina do herói. Entretanto, longe de ser exageradamente idealista ou de estar cego pela racionalidade explicativa, Goethe apresenta essa solução com uma cena de ironia suprema. Nesta cena, o Fausto às portas da morte imagina que o som que chega até ele de fora é o eco de uma grande atividade industrial – uma boa recuperação de terra do mar pela construção de monumentais canais para o avanço e felicidade futura da humanidade – e assim se convence de que pode agora morrer feliz, embora tenha perdido seu pacto com o demônio. No entanto, o som que ele escuta é o dos espectros cavando seu túmulo. Desnecessário dizer que hoje não há nenhum indício no horizonte de qualquer operação de salvamento divino.

nores "microcosmos" do sistema do capital – antagonicamente estruturado – seriam rompidos internamente pelos desacordos constantes, anulando dessa maneira sua potencial eficiência econômica.

Sob outro aspecto da mesma fragmentação entre produção e controle, o maquinário do Estado moderno é também uma exigência absoluta do sistema do capital. Ele é necessário para evitar as repetidas perturbações que surgiriam na ausência de uma transmissão da propriedade compulsoriamente regulamentada – isto é: legalmente prejulgada e santificada – de uma geração à próxima, perpetuando também a alienação do controle pelos produtores. Sob ainda mais um aspecto, é igualmente importante – diante das inter-relações longe de harmoniosas entre os microcosmos particulares – a necessidade de intervenções políticas e legais diretas ou indiretas nos conflitos constantemente renovados entre as unidades socioeconômicas particulares. Este tipo de intervenção corretiva ocorre de acordo com a dinâmica mutante de expansão e acumulação do capital, facilitando a prevalência dos elementos e tendências potencialmente mais fortes até a formação de corporações transnacionais gigantescas e monopólios industriais.

Naturalmente, os teóricos burgueses, inclusive alguns dos maiores (Max Weber, por exemplo), adoram idealizar e descrever todas essas relações ao reverso[12]. Entretanto, esta predileção não altera o fato de que o Estado moderno altamente burocratizado, com toda a complexidade do seu maquinário legal e político, surge da absoluta necessidade material da ordem sociometabólica do capital e depois, por sua vez – na forma de uma reciprocidade dialética – torna-se uma precondição essencial para a subsequente articulação de todo o conjunto. Isso significa que o Estado se afirma como

---

[12] Historicamente, a emergência e a consolidação das instituições legais e políticas da sociedade são paralelas à transformação da apropriação comunitária em propriedade exclusivista. Quanto mais extensa a influência prática desta última sobre a modalidade prevalecente de reprodução social (especialmente na forma de propriedade privada fragmentada), mais pronunciado e institucionalmente articulado deve ser o papel totalizador da superestrutura legal e política. Portanto, não é absolutamente acidental que o Estado *capitalista* centralizador e burocraticamente invasor – e não um Estado definido por vagos termos geográficos como "o Estado ocidental moderno" (Weber) – adquira sua preponderância durante a expansão da produção generalizada de mercadorias e a instituição prática das relações de propriedade em sintonia com ela. Uma vez omitida essa conexão, como devem realmente estar por razões ideológicas no caso de todos os que conceitualizam esses problemas do ponto de vista da ordem vigente, terminamos com um mistério: por que o Estado assume esse caráter que tem sob a regra do capital? É um mistério que se torna um embuste completo quando Max Weber tenta desvendá-lo dizendo que "os juristas têm trabalhado para parir o Estado moderno ocidental" (H. H. Gerth e C. Wright Mills, ed., *From Max Weber: Essays in Sociology*, Londres, Routledge and Kegan Paul, 1948, p. 299).
Como vemos, Weber vira tudo de cabeça para baixo. Seria bem mais correto dizer que as necessidades objetivas do Estado capitalista moderno deram à luz seu exército de juristas com espírito de classe e não o contrário, como Weber reivindica com unilateralidade mecânica. Na realidade, também encontramos aqui uma reciprocidade dialética e não uma determinação unilateral. Mas deve-se acrescentar também que não é possível dar mais do que o sentido tautológico a menos que admitamos – algo que Weber não pode fazer, por estar longe de lealdades ideológicas neutras – que o *übergreifendes Moment* (constituinte de importância básica) neste relacionamento entre o cada vez mais poderoso Estado capitalista, com todas as suas necessidades e determinações materiais, e os "juristas" por acaso é o primeiro.
Sobre essa questão e alguns pontos relacionados, ver meu ensaio: "Customs, Tradition, Legality: A Key Problem in the Dialetic of Base and Superstructure", em *Social Theory and Social Criticism: Essays for Tom Bottomore*, ed. por Michael Mulkay e William Outhwaite, Oxford, Basil Blackwell, 1987, pp. 53-82.

pré-requisito indispensável para o funcionamento permanente do sistema do capital, em seu microcosmo e nas interações das unidades particulares de produção entre si, afetando intensamente tudo, desde os intercâmbios locais mais imediatos até os de nível mais mediato e abrangente.

2.2.3
Em relação ao segundo grupo de problemas sob exame, a ruptura entre *produção e consumo* característica do sistema do capital realmente elimina algumas das principais restrições do passado de maneira tão completa que os controladores da nova ordem socioeconômica podem adotar a crença de que "o céu é o limite". A possibilidade da expansão antes inimaginável e, em seus próprios termos de referência, ilimitada – devido ao fato já mencionado de se abandonar historicamente a dominância do valor de uso característica de sistemas autossuficientes – está destinada, por sua própria natureza, a atingir seus limites mais cedo ou mais tarde. A expansão desenfreada do capital desses últimos séculos abriu-se não apenas em resposta a necessidades reais, mas também por gerar apetites imaginários ou artificiais – para os quais, em princípio, não há nenhum limite, a não ser a quebra do motor que continua a gerá-los em escala cada vez maior e cada vez mais destrutiva – pelo modo de existência independente e pelo poder de consumo autoafirmativo.

Na verdade, prevalece a necessidade ideológica da ordem estabelecida, produzindo racionalizações complicadas que visam esconder as profundas *iniquidades* das relações estruturais dadas também na esfera do consumo. Tudo deve ser desvirtuado para proporcionar a impressão de coesão e unidade, projetando a imagem de uma ordem saudável e racionalmente administrável. Para isso, as relações sociais descritas por Hobbes como "*bellum omnium contra omnes*" – com sua tendência objetiva a deixar os fracos serem devorados pelos fortes – é idealizada como "*competição saudável*" universalmente benéfica. A serviço dos mesmos objetivos, as condições reais pelas quais a esmagadora maioria da sociedade é excluída, de forma estruturalmente prejulgada e legalmente protegida, da possibilidade de controlar o processo socioeconômico de reprodução – inclusive, naturalmente, os critérios de regulação da distribuição e do consumo – são ficcionalizadas como "*soberania do consumidor*" individual. No entanto, como o antagonismo estrutural de produção e controle é inseparável dos microcosmos do sistema do capital, a combinação de unidades socioeconômicas particulares num quadro produtivo e distributivo abrangente deve apresentar as mesmas características de fragmentação encontradas nas unidades socioeconômicas menores: um problema de importância fundamental, que deve ser resolvido de alguma forma. Consequentemente, apesar da constante pressão pela racionalização ideológica, torna-se necessário chegar a bons termos com a situação realmente existente, de maneira compatível com os requisitos estruturais da ordem estabelecida, aceitando certas características das condições socioeconômicas dadas, sem admitir suas implicações potencialmente explosivas.

Embora a proclamada "supremacia do cliente" em nome da "soberania do consumidor" seja uma ficção útil, assim como a ideia da "competição saudável" no quadro de um mercado idealizado, é inegável que o papel do trabalhador não se limita apenas ao de *produtor*. Compreensivelmente, a ideologia burguesa gosta de descrever o capitalista como "o produtor" (ou "o produtor da riqueza") e falar do consumidor/

cliente como uma misteriosa entidade independente, de modo que o verdadeiro produtor da riqueza – o trabalhador – desapareça das equações sociais pertinentes e sua parcela no produto social total seja declarada "muito generosa" mesmo quando escandalosamente baixa. Entretanto, a eficácia desse tipo de justificativa espalhafatosa está confinada estritamente à esfera da ideologia. As grandes questões socioeconômicas subjacentes não podem ser resolvidas de modo satisfatório simplesmente fazendo o trabalho – num passe de mágica – desaparecer do domínio da política prática. Nesse domínio, deve-se reconhecer, mediante a aplicação de medidas práticas apropriadas, que o trabalhador como *consumidor* desempenha um papel de grande (ainda que muito variável ao longo da história) importância no funcionamento saudável do sistema do capital. Seu papel varia segundo o estágio mais ou menos avançado de desenvolvimento do capital, o que na verdade significa uma tendência a aumentar seu impacto no processo de reprodução. Assim, deve-se admitir *na prática*, em interesse da própria ordem estabelecida, que o papel do trabalhador-cliente-consumidor tem importância muito maior no século XX do que na era vitoriana, não importa a força com que se deseja, em certos lugares, recuar o relógio e voltar a impor ao trabalho alguns valores vitorianos e, naturalmente, as restrições materiais correspondentes.

Em todas essas questões, o papel totalizador do Estado moderno é essencial. Ele deve sempre ajustar suas funções reguladoras em sintonia com a dinâmica variável do processo de reprodução socioeconômico, complementando politicamente e reforçando a dominação do capital contra as forças que poderiam desafiar as imensas desigualdades na distribuição e no consumo. Além do mais, o Estado deve também assumir a importante função de comprador/consumidor direto em escala sempre crescente. Nessa função, cabe a ele prover algumas necessidades reais do conjunto social (da educação à saúde e da habitação e manutenção da chamada "infraestrutura" ao fornecimento de serviços de seguridade social) e também a satisfação de "apetites em sua maioria artificiais" (por exemplo, alimentar não apenas a vasta máquina burocrática de seu sistema administrativo e de imposição da lei, mas também o complexo militar-industrial, imensamente perdulário, ainda que diretamente benéfico para o capital) – atenuando assim, ainda que não para sempre, algumas das piores complicações e contradições que surgem da fragmentação da produção e do consumo.

Reconhecidamente, a intervenção totalizadora e a ação corretiva do Estado não podem produzir uma *unidade* genuína neste plano, porque a separação e a oposição de produção e consumo, com a radical alienação do controle dos produtores, pertencem às determinações estruturais mais internas do próprio sistema do capital, e constituem portanto requisito indispensável para sua reprodução constante. Não obstante, esta ação corretiva empreendida pelo Estado é de suma importância. Os processos reprodutivos materiais do sociometabolismo do capital e as estruturas política e de comando de seu modo de controle sustentam-se reciprocamente enquanto o desperdício inevitável que acompanha esse relacionamento simbiótico não se tornar proibitivo, do ponto de vista da produtividade social. Em outras palavras, os limites externos em que se pode reconstituir e administrar, dessa maneira singular, a correlação problemática entre produção e consumo na base fragmentada da ordem sociometabólica do capital são determinados pela extensão em que o Estado moderno pode eficazmente contribuir para a necessidade irresistível de expansão e acumulação do capital, em vez de tornar-se para ele um peso materialmente insustentável.

2.2.4

Com relação ao terceiro principal aspecto que nos preocupa – a necessidade de criar a circulação como empreendimento global das estruturas internamente fragmentadas do sistema do capital ou, em outras palavras, a procura de alguma espécie de unidade entre *produção e circulação* –, o papel ativo do Estado moderno é igualmente grande, se não maior. Ao concentrar a atenção neste papel e nas diversas funções que o Estado é chamado a preencher no domínio do consumo, em primeiro lugar dentro de suas próprias fronteiras nacionais, ocorre que todas essas relações são não apenas "infectadas pela contingência"[13], como Hegel uma vez sugeriu, mas simultaneamente também por insolúveis contradições.

Uma das contradições mais evidentes e, em última análise, mais inadministráveis, é que historicamente as estruturas corretiva global e de comando político do sistema do capital se articulam como *Estados nacionais*, embora como modo de reprodução e controle sociometabólico (com seu imperativo de circulação global) seja inconcebível que tal sistema se confine a esses limites. Teremos de voltar às implicações de longo alcance desse problema nas seções 2.3.2 e 5.1. No presente contexto, deve-se enfatizar que a única forma pela qual o Estado pode tentar resolver essa contradição é com a instituição de um sistema de "duplo padrão": em casa (ou seja, nos países "metropolitanos" ou "centrais" do sistema do capital global), um padrão de vida bem mais elevado para a classe trabalhadora – associado à democracia liberal – e, na "periferia subdesenvolvida", um governo maximizador da exploração, implacavelmente autoritário (e, sempre que preciso, abertamente ditatorial), exercido diretamente ou por procuração.

Assim, a "globalização" (tendência que emana da natureza do capital desde o seu início), muito idealizada em nossos dias, na realidade significa: o desenvolvimento necessário de um sistema internacional de dominação e subordinação. No plano da política totalizadora, corresponde ao estabelecimento de uma hierarquia de Estados nacionais mais, ou menos, poderosos que gozem – ou padeçam – da posição a eles atribuída pela relação de forças em vigor (mas de vez em quando, é inevitável, violentamente contestada) na ordem de poder do capital global. Também é importante enfatizar que a operação relativamente simples desse "duplo padrão" não se destina a permanecer como um aspecto permanente do ordenamento global do capital. Sua duração se limita às condições da ascendência histórica do sistema, enquanto a expansão e a acumulação tranquilas proporcionarem a margem de lucro necessária que permita um índice de exploração relativamente favorável da força de trabalho nos países "metropolitanos", em relação às condições de existência da força de trabalho no resto do mundo.

Duas tendências complementares do desenvolvimento são altamente significativas a esse respeito. Primeira, nessas últimas décadas testemunhamos, sob a forma de uma *espiral para baixo* que afeta o padrão de vida do trabalhador nos países capitalistas mais

---

[13] Ver *Filosofia do direito*, Hegel, § 333.

avançados, certa *equalização no índice diferencial de exploração*[14] que tende a se afirmar também como espiral para baixo do trabalho nos países "centrais" no futuro previsível. A segunda é que, paralelamente a essa tendência niveladora no índice diferencial da exploração, vimos também a emergência de seu necessário corolário político, sob a forma de um *crescente autoritarismo* nos Estados "metropolitanos" antes liberais, e um desencantamento geral, perfeitamente compreensível, com a "política democrática", que está profundamente implicada na virada autoritária do controle político nos países capitalistas avançados.

O Estado, como agente totalizador da criação da circulação global a partir das unidades socioeconômicas internamente fragmentadas do capital, deve comportar-se em suas ações internacionais de maneira bastante diferente da que utiliza no plano da política interna. Neste último domínio, é necessário o cuidado de evitar – até onde for compatível com a dinâmica variável da acumulação do capital – que a inexorável tendência à concentração e à centralização do capital leve à eliminação

---

[14] Há pouco tempo argumentei o seguinte:
A realidade objetiva de diferentes *índices de exploração* – tanto em dado país como no sistema mundial do capital monopolista – é tão inquestionável quanto as diferenças objetivas nos *índices de lucro* em qualquer momento particular, e a ignorância dessas diferenças só pode resultar em retórica sonora, em vez de em estratégias revolucionárias. Igualmente, a realidade dos diferentes índices de exploração e lucro não altera em nada a própria lei fundamental: ou seja, a crescente *equalização* dos índices diferenciais de exploração como *tendência global* do desenvolvimento do capital mundial.
Sem dúvida, essa lei da equalização é de *longo prazo* no que diz respeito ao sistema do capital global. Não obstante, as modificações de todo o sistema também aparecem, inevitavelmente, já a curto prazo, como "distúrbios" de uma determinada economia negativamente afetada pelas repercussões das mudanças que necessariamente ocorrem no quadro de referências global do capital social total. "Capital social total" não deve ser confundido com "capital nacional total". Quando este último é afetado por um enfraquecimento relativo de sua posição no sistema global, inevitavelmente ele tentará compensar suas perdas aumentando seu índice específico de exploração sobre a força de trabalho sob seu controle – ou sua competitividade estará mais enfraquecida no quadro de referências global do capital social total. Sob o sistema do controle social capitalista, não pode haver nenhuma saída desses "distúrbios e a disfunções a curto prazo" além da intensificação dos específicos índices de exploração que, tanto em termos locais como globais, só poderá levar a longo prazo a uma intensificação explosiva do antagonismo social fundamental. Quem andou falando sobre a "integração" da classe trabalhadora – apresentando o "capitalismo organizado" como um sistema que deu certo ao dominar radicalmente suas contradições sociais – interpretou irremediavelmente mal a manipulação muito bem-feita dos índices diferenciais de exploração (que prevaleceram na fase histórica da reconstrução e expansão do pós-guerra, relativamente livre de perturbações) como *paliativo estrutural* básico.
A necessidade do controle social, São Paulo, Ensaio, 1987, p. 65-6 – e capítulo 21 da Parte IV deste livro.
Nos últimos vinte e cinco anos o longo prazo se tornou um pouco mais curto e pudemos testemunhar uma significativa erosão do índice diferencial, o que obviamente tem seus prós e contras para a força de trabalho nos países capitalistas avançados. Ainda que as mudanças em andamento nos países da "periferia" pudessem trazer melhorias limitadas a alguns setores das classes trabalhadoras locais, a tendência geral é a de uma espiral para baixo. O padrão de vida das classes trabalhadoras até nos mais privilegiados países capitalistas – dos Estados Unidos ao Japão e do Canadá à Alemanha, passando pela Inglaterra – tem-se deteriorado de maneira muito clara, em sério contraste com a "melhoria firme" que no passado costumava ser considerada fato consumado. Paul Sweezy e Harry Magdoff há pouco tempo escreveram nas "Notas dos editores" (*Monthly Review*, vol. 45, nº 2, junho de 1993) sobre as condições que hoje prevalecem nos Estados Unidos:
O índice real de desemprego está em torno de 15 por cento da força de trabalho e acima de 20 por cento da capacidade de fabricação está ociosa. Ao mesmo tempo, os padrões de vida da maioria das pessoas estão sendo erodidos.

prematura de unidades de produção ainda viáveis (ainda que menos eficientes, se comparadas a seus irmãos e irmãs maiores), pois fazê-lo afetaria desfavoravelmente a força combinada do capital *nacional* total em tais circunstâncias. É por isso que se introduzem certas medidas legais autenticamente *antimonopolistas* se as condições internas exigirem e as condições gerais permitirem. Entretanto, essas mesmas medidas são postas de lado sem a menor cerimônia no instante em que a alteração dos interesses do capital nacional combinado assim o decretar, fazendo com que toda crença no Estado – a estrutura de comando político do sistema do capital – como guardião da "saudável competição" contra o monopólio em geral se torne não apenas ingênua, mas inteiramente autocontraditória.

Em compensação, no plano internacional, o Estado nacional do sistema do capital não tem nenhum interesse em restringir o impulso monopolista ilimitado de suas unidades econômicas dominantes. Muito pelo contrário. No domínio da competição internacional, quanto mais forte e menos sujeita a restrições for a empresa econômica que recebe o apoio político (e, se preciso, também militar), maior a probabilidade de vencer seus adversários reais ou potenciais. É por isso que o relacionamento entre o Estado e as empresas economicamente relevantes neste campo é basicamente caracterizado pelo fato de o Estado assumir descaradamente o papel de facilitador da expansão mais monopolista possível do capital no exterior. Naturalmente, as formas e os recursos deste papel facilitador se alteram de acordo com a modificação das relações de forças no país e no exterior devida à mudança nas circunstâncias históricas. No entanto, os princípios monopolistas orientadores de todos os Estados que ocupam uma posição dominante na ordem global de poder do capital permanecem os mesmos, apesar das ideias de "livre comércio", "competição justa" etc., em que no início honestamente se acreditava (gente como Adam Smith), mas que depois se transformaram apenas numa camuflagem cínica ou objeto de adulação ritual. No sistema do capital, o Estado deve afirmar, com todos os recursos à sua disposição, os interesses monopolistas de seu capital nacional – se preciso, com a imposição da "diplomacia das canhoneiras" – diante de todos os Estados rivais envolvidos na competição pelos mercados necessários à expansão e à acumulação do capital. Isto acontece em relação às mais variadas práticas políticas, desde o início do colonialismo moderno (com o papel por ele concedido às companhias comerciais monopolistas)[15] até o imperialismo plenamente desenvolvido, passando pelo "desmembramento do império" pós-colonial, que garante novas formas de dominação neocolonialistas, para não mencionar as aspirações e os métodos neoimperialistas agressivos dos Estados Unidos e seus aliados subservientes na recentemente decretada "Nova Ordem Mundial".

Entretanto, embora os interesses de determinados capitais nacionais possam se distinguir e, no caso dos Estados dominantes, ser também fortemente protegidos contra a invasão de outros capitais nacionais, esta proteção não tem como eliminar os antagonismos do *capital social total*, ou seja, a determinação estrutural interior do

---

[15] Neste contexto, vale a pena lembrar que o monopólio comercial da Companhia Inglesa da Índia Oriental foi encerrado apenas em 1813, sob a pressão dos interesses nacionais capitalistas ingleses que se desenvolviam a toda força – e tinham o péssimo obstáculo desse monopólio; o monopólio comercial chinês terminou mais tarde, em 1833.

capital como força controladora *global*. Isso ocorre porque no sistema do capital toda "harmonização" só pode assumir a forma de um *equilíbrio* estritamente temporário – e não a esperada *resolução* – do conflito. Portanto, não é acidental que na teoria social e política burguesa encontremos a glorificação do conceito de "equilíbrio de forças" como ideal insuperável, quando, de fato, a qualquer momento isto só poderá resultar na imposição/aceitação da relação vigente de forças, ao mesmo tempo em que busca a sua derrubada, assim que as circunstâncias o permitirem. O axioma do *bellum omnium contra omnes* é o também insuperável *modus operandi* do sistema do capital, pois, como sistema de controle sociometabólico, ele está *estruturado de maneira antagônica* das menores às mais abrangentes unidades socioeconômicas e políticas. Além do mais, o sistema do capital – como se dá com todas as formas concebíveis de controle sociometabólico global, inclusive a socialista – está sujeito à lei absoluta do *desenvolvimento desigual*, que, sob a regra do capital, vigora numa forma em última análise destrutiva, por causa de seu princípio estruturador interno antagônico[16]. Assim, para prever uma resolução global, legítima e sustentável dos antagonismos do sistema do capital, seria necessário primeiro acreditar no conto de fadas da eliminação para todo o sempre da lei do desenvolvimento desigual das questões humanas. É por isso que a "Nova Ordem Mundial" é uma fantasia absurda ou uma camuflagem cínica planejada para projetar os interesses hegemônicos dos poderes capitalistas preponderantes como aspiração universalmente benéfica e moralmente recomendável da espécie humana. Mesmo que fosse viável, um "Governo Mundial" – e o correspondente sistema estatal – não seria uma solução. Nenhum

---

[16] Com certeza, a lei do "desenvolvimento desigual" deve permanecer em vigor sob todos os modos de controle sociometabólico humanamente viáveis. Seria bastante injustificado postular seu desaparecimento até sob as condições da sociedade socialista mais desenvolvida. Além do mais, não há nada de errado com isso em si. O "desenvolvimento desigual" também pode colaborar para um verdadeiro avanço na produtividade. Naturalmente, a preocupação real dos socialistas é que a lei do desenvolvimento desigual não exerça seu poder de maneira *cega* e *destrutiva*, o que até o presente não se conseguiu evitar. O desenvolvimento desigual no sistema do capital está inextricavelmente atado tanto à cegueira como à destrutividade. Ele deve impor seu poder de maneira cega, devido à necessária exclusão dos produtores do controle. Ao mesmo tempo, há uma dimensão de destrutividade no processo do desenvolvimento normal do sistema do capital, mesmo quando historicamente o capital ainda está em ascensão. As unidades socioeconômicas mais fracas serão devoradas na operação do "jogo da soma zero" buscado durante a concentração e a centralização do capital, embora até as grandes figuras da economia política burguesa só consigam enxergar o lado positivo de tudo isso, descrevendo o processo subjacente como um "avanço pela competição" recomendável e nada problemático. Como parte da normalidade do sistema do capital, a destrutividade também se torna claramente evidente nos momentos de crises cíclicas, manifesta na forma de falência do excesso de capital acumulado. De mais a mais, encontramos isto sob outro aspecto no desperdício crescente como um câncer do sistema nos "países capitalistas avançados", atrelado à criação e à satisfação de apetites artificiais, muitas vezes celebrado pelos defensores do capital – não apenas no Ocidente, mas também entre os recém-convertidos "socialistas de mercado" – como a claríssima prova do "avanço pela competição". Entretanto, a destrutividade do sistema do capital absolutamente não se exaure com os "custos do progresso" aceitos sem questionamento. Ela assume formas de manifestação cada vez mais graves com o passar do tempo. Na verdade, a suprema destrutividade do sistema se torna evidente com especial intensidade – ameaçando a própria sobrevivência da humanidade – conforme a ascendência histórica do capital como ordem metabólica global se aproxima do fim. Ou seja, no momento em que, por conta das dificuldades e contradições que emergem do – necessariamente contestado – controle da *circulação global*, o "desenvolvimento desigual" só pode trazer o desastre implacável sob o sistema do capital.

sistema global deixa de ser explosivo e, em última análise, autodestrutivo se for antagonicamente estruturado até o seu núcleo central. Em outras palavras: ele não deixará de ser instável e essencialmente explosivo se, como sistema abrangente de controle sociometabólico, for constituído de microcosmos dilacerados pelo antagonismo interno devido a conflitos de interesse irreconciliáveis, determinados pela separação radical entre produção e controle, que é alienado dos produtores. A contradição absolutamente insolúvel entre produção e controle tende a se afirmar em todas as esferas e em todos os níveis do intercâmbio reprodutivo social, e inclui, naturalmente, sua metamorfose na contradição entre produção e consumo bem como entre produção e circulação.

As possibilidades de êxito da alternativa socialista são determinadas por sua capacidade (ou incapacidade) para enfrentar todas essas três contradições – entre produção e controle, produção e consumo, produção e circulação – por meio da instituição de um microcosmo social reprodutivo internamente harmonizável. É isto que até as maiores personalidades da filosofia burguesa – que viam o mundo da perspectiva do capital em ascensão (ou, nas palavras de Marx, "do ponto de vista da economia política") – não conseguiram perceber, pois tinham de aceitar sem questionamento o microcosmo internamente fragmentado do sistema do capital. Em vez do microcosmo harmonizável, eles ofereciam remédios que, ou contornavam os problemas em jogo, pressupondo a força da Razão como solução genérica e *a priori* para todas as dificuldades e contradições concebíveis, ou inventavam planos especiais, sem qualquer base na realidade, pelos quais se *deveriam* encontrar as respostas para as contingências históricas perturbadoras identificadas. Basta remeter aqui apenas a Adam Smith, Kant, Fichte e Hegel.

A noção da "*mão invisível*" de Smith continua a exercer sua influência em nossos dias, projetando um remédio racionalizado para os conflitos e contradições admitidos no plano de um "*dever-ser*" ideal. Kant tomou emprestada a ideia de "*espírito comercial*" de Adam Smith, e com base nela previu a solução permanente de todos os conflitos e conflagrações internacionais destrutivos por meio do estabelecimento de um sistema de Estado universalista, que deveria implantar – porque, além de qualquer dúvida, ele seria capaz de implementar, já que na filosofia de Kant "*dever implica poder*" – a "política moral" da "*paz perpétua*" que se aproxima. Fichte, ao contrário, defendia o igualmente utópico "*Estado comercial fechado*" (*der geschlossene Handelsstaat*, baseado em rigorosos princípios de autarquia) como solução ideal para as explosivas restrições e contradições da ordem vigente. Foi Hegel que ofereceu a descrição mais realista dessas questões, quando admitiu que a contingência reina sobre as relações internacionais dos Estados nacionais, ao mesmo tempo descartando sumariamente a solução ideal de Kant, dizendo que "a corrupção nas nações seria o produto da paz prolongada, pior ainda, 'perpétua'"[17]. Contudo, mesmo a descrição de Hegel está salpicada de muitos

---

[17] Hegel, ibid., § 324.

exemplos do "dever-ser", para não mencionar o fato de que o ápice ideal de todo o seu sistema é o "Estado germânico" (que, como já mencionado, na concepção de Hegel de modo algum significa nacionalisticamente alemão, como disseram seus críticos, mas inclui a incorporação do "espírito comercial" no Estado dos colonizadores ingleses), culminando com a afirmação da "*verdadeira reconciliação* que desvenda o Estado como a imagem e realidade da razão"[18].

Assim, em todas estas hipóstases do Estado como remédio para os defeitos e contradições admitidos – quer pensemos no ideal postulado de Kant do Estado como meio da "paz perpétua," quer no autoconfiante "Estado comercial fechado" de Fichte, quer mesmo na projetada "verdadeira reconciliação" de Hegel quando o Estado incorpora a "imagem e realidade da razão" –, as soluções que nos são oferecidas significam apenas a defesa de algum ideal irrealizável. Não poderia ser de outra forma, pois os microcosmos antagonicamente estruturados do sistema do capital – com seu inerradicável *bellum omnium contra omnes*, manifesto na tríplice contradição entre produção e controle, produção e consumo e produção e circulação – jamais são realmente questionados. São simplesmente incorporados à idealidade do Estado e com isso deixam de representar perigo de ruptura ou explosão, uma vez que se atingiu a idealidade de alguma forma de "verdadeira reconciliação".

Não obstante, persistem os antagonismos explosivos do conjunto do sistema enquanto não se alteram radicalmente seus microcosmos dilacerados. No sistema do capital antagonicamente fragmentado, os conflitos e contradições sempre regenerados devem ser disputados em todos os níveis, com uma tendência a passar dos níveis mais baixos de conflito para os mais altos, paralelamente à crescente integração da ordem sociometabólica do capital em um sistema global plenamente desenvolvido. A lógica final desta disputa de conflitos até sua conclusão em níveis cada vez mais altos e com intensidade sempre crescente é a seguinte: "guerra sem limites, se falham os métodos 'normais' de sujeição e dominação", como foi demonstrado com dolorosa clareza por duas guerras mundiais no século XX. Assim, a hipostasiada instituição da "paz perpétua" sobre a base material dos microcosmos internamente fragmentados do capital não passa de doce ilusão.

Contudo, em nossos dias, o sistema do capital global deve se ajustar a uma nova contradição estrutural, sobreposta a todas as suas partes constituintes pelos fatos históricos ocorridos depois da Segunda Guerra Mundial e por uma mudança fundamental na tecnologia da guerra, que trouxe consigo a imposição da paz que exclui, não as guerras parciais (das quais podem existir muitas, como realmente há, pois elas *são necessárias* nos campos dilacerados por conflitos do capital), mas apenas outra *guerra total*, diante da inevitável aniquilação da humanidade implícita em tal guerra. Em consequência, agravam-se os explosivos antagonismos do sistema global, em vez de se eliminarem totalmente, conforme o sonho kantiano. O fato que preocupa é que, por meio das restrições da paz impostas a ele, o sistema do capital foi *decapitado* no que diz respeito à *sanção final*, antes existente, representada pela sujeição violenta do adversário incontrolável por outros meios. Para enfrentar suas questões de maneira sustentável,

---

[18] Id., ibid., § 360.

sem a sanção final, o sistema do capital teria de ser qualitativamente diferente – em sua constituição estrutural mais interna – do que realmente é e pode ser. Por esse motivo, quando o capital atinge o mais alto nível de globalização pela consumação de sua ascensão histórica, os microcosmos socioeconômicos de que é feito revelam um segredo terrível: o de serem, *em última análise, os responsáveis* por toda a destrutividade, em absoluto contraste em relação a suas idealizações estabelecidas por Adam Smith e Kant, passando por todos os diversos Hayeks e "socialistas de mercado" do século XX. É assim inevitável enfrentar a perturbadora verdade de que os próprios microcosmos constitutivos devem ser objetos de um exame radical, se desejamos encontrar um meio de superar a destrutividade incorrigível da ordem sociometabólica do capital. Esta é a grande dificuldade que surge diretamente da contradição entre *produção e circulação*, trazida a sua maior intensidade pela empresa global plenamente realizada do capital.

2.2.5

Como podemos ver em relação a todos os três principais aspectos do defeito estrutural do controle do capital discutido nas últimas três seções, o Estado moderno como única estrutura corretiva viável não surge *depois* da articulação de formas socioeconômicas fundamentais, nem como mais ou menos diretamente *determinado* por elas. Não há dúvidas quanto à *determinação unidirecional* do Estado moderno por uma base material independente, pois a base socioeconômica do capital é totalmente inconcebível separada de suas formações de Estado. Assim, é certo e apropriado falar de "correspondência" e "homologia" apenas em relação às *estruturas* básicas do capital, historicamente constituídas (o que, em si, implica um limite de tempo), mas não de funções metabólicas particulares de uma estrutura que corresponda às determinações e exigências estruturais diretas da outra. Tais funções podem se contrapor vigorosamente umas às outras, pois suas estruturas internas vão se ampliando durante a expansão necessária e a transformação adaptativa do sistema do capital. Paradoxalmente, a "homologia das estruturas" surge primeiro de uma *diversidade estrutural de funções* cumpridas pelos diferentes órgãos metabólicos (inclusive o Estado) na forma absolutamente única da divisão social hierárquica do trabalho desenvolvida ao longo da história. Esta diversidade estrutural de funções produz uma separação extremamente problemática entre "sociedade civil" e Estado político sobre a base comum do conjunto do sistema do capital, de que são partes constitutivas as estruturas básicas (ou órgãos metabólicos). No entanto, apesar da base comum de sua constituição interdependente, o relacionamento estrutural dos órgãos metabólicos do capital está cheio de contradições. Se assim não fosse, a iniciativa emancipadora socialista estaria condenada à inutilidade, pois a homologia de todas as suas estruturas e funções básicas, que sempre prevalece, e que corresponde plenamente aos imperativos materiais da ordem do controle sociometabólico do capital, produziria uma verdadeira "gaiola de ferro" para todo o sempre – inclusive durante a fase global do desenvolvimento do capital, com seus graves antagonismos nacionais e internacionais –, da qual não haveria como escapar, como queriam as projeções de pessoas como Max Weber, Hayek e Talcott Parsons.

Retornaremos a alguns desses problemas no contexto da crítica socialista da própria formação do Estado – ou seja, não simplesmente do Estado capitalista – nas

Partes II e III. Aqui bastam algumas observações a respeito da base material e dos limites gerais em que se devem desempenhar as funções corretivas essenciais da formação do Estado historicamente desenvolvido sob o sistema do capital.

Como já mencionado, o capital é um modo singular de controle sociometabólico e, nessa qualidade – o que é muito compreensível –, é incapaz de funcionar sem uma estrutura de comando adequada. Consequentemente, neste importante sentido, o capital *é* uma articulação e um tipo histórico específico de estrutura de comando. Além do mais, o relacionamento entre as unidades socioeconômicas reprodutivas – ou seja, os microcosmos sociometabólicos do capital – e a dimensão política deste sistema não pode ter nenhuma das duas direções como unilateralmente dominante, ao contrário, por exemplo, do sistema feudal. Sob o feudalismo, o fator político podia assumir uma posição dominante – a ponto de conferir ao senhor feudal até mesmo o poder de executar seus servos, se assim o desejasse (e fosse bastante cego para fazê-lo, pois sua própria existência material dependia do tributo que deles poderia extrair para sempre) – precisamente porque (e enquanto) o princípio da "supremacia política" do senhor era sustentável em seus próprios termos. A *ausência formal de limites* do poder feudal arbitrário podia ser mantida porque o modo de controle político realmente vigente era *substantivamente limitado* pela forma como era realmente constituído, pois estava restrito – em duas direções – pela própria natureza do sistema feudal:

- era essencialmente *local* em seu exercício, segundo o grau relativamente alto de autossuficiência das unidades sociometabólicas dominantes, e
- tinha de deixar as funções de controle básico do próprio processo de reprodução econômica para os produtores.

Assim, o fator político se caracterizava por um poder *supervisor externo*, mais do que *interno reprodutivo*. Ele poderia persistir apenas enquanto as próprias unidades metabólicas básicas do sistema permanecessem *internamente coesas e restritas* sob os dois aspectos mencionados acima, que circunscreviam, num sentido muito real, o exercício do poder supervisor feudal em si. Portanto, foi paradoxalmente, por um lado, a expansão do poder político feudal – que era localmente limitado – na direção do *substantivamente absoluto* (por meio do desenvolvimento da monarquia absoluta na França, por exemplo) e, por outro, a intrusão dos constituintes capitalistas destrutivos nas estruturas reprodutivas amplamente autossuficientes anteriores que, juntas, ajudaram a destruir este sistema sociometabólico no *auge* de seu poder político[19].

Em compensação, o sistema do capital evoluiu historicamente a partir de constituintes *irrefreáveis*, mas longe de autossuficientes. As falhas estruturais de controle que vimos antes exigiam o estabelecimento de estruturas específicas

---

[19] Podemos identificar um fenômeno paralelo no relacionamento entre o Estado contemporâneo e as funções reprodutivas do capital: sua intrusão poderia ser denominada "*hibridização*" na ordem sociometabólica global, que não consegue deixar de ser muitíssimo problemática. (Daí as constantes e em geral totalmente quixotescas tentativas da "direita radical" de fazer o relógio voltar atrás para ressuscitar Adam Smith e outros, atrás da pureza do capital.) O futuro poderá confirmar muito bem que essa tendência intrusiva, em última análise dilacerante, de transformação híbrida foi um dos principais fatores do enfraquecimento do sistema do capital no auge de sua força.

de controle capazes de *complementar* – no nível apropriado de abrangência – os constituintes reprodutivos materiais, de acordo com a necessidade totalizadora e a cambiante dinâmica expansionista do sistema do capital. Foi assim que se criou o Estado moderno como estrutura de comando político de grande alcance do capital, tornando-se parte da "base material" do sistema tanto quanto as próprias unidades reprodutivas socioeconômicas.

Com relação à questão da *temporalidade*, o inter-relacionamento desenvolvido entre as estruturas reprodutivas materiais diretas e o Estado se caracteriza pela categoria da *simultaneidade* e não pelas do "antes" e do "depois". Estas só podem se tornar momentos subordinados da dialética da simultaneidade quando as partes constituintes do modo de controle sociometabólico do capital surgem durante o desenvolvimento do capital global, seguindo sua lógica interna de expansão e acumulação. Da mesma forma, em relação à questão das "determinações", só se pode falar adequadamente de *codeterminações*. Em outras palavras, a dinâmica do desenvolvimento não deve ser caracterizada sob a categoria do "*em consequência de*", mas em termos do "*em conjunção a*" sempre que se deseja tornar inteligíveis as mudanças no controle sociometabólico do capital que emergem da reciprocidade dialética entre sua estrutura de comando político e a socioeconômica.

Assim, seria completamente equivocado descrever o próprio Estado como uma superestrutura. Na qualidade de estrutura totalizadora de comando político do capital (o que é absolutamente indispensável para a sustentabilidade material de todo o sistema), o Estado não pode ser reduzido ao *status* de superestrutura. Ou melhor, o Estado em si, como estrutura de comando abrangente, tem sua própria *superestrutura* – a que Marx se referiu apropriadamente como "superestrutura legal e política" – exatamente como as estruturas reprodutivas materiais diretas têm suas próprias dimensões superestruturais. (Por exemplo, as teorias e práticas de "relações públicas", de "relações industriais" ou as da chamada "administração científica", se originaram na empresa capitalista de Frederic Winslow Taylor.) Da mesma forma, é perfeitamente inútil perder tempo tentando tornar inteligível a especificidade do Estado em termos da categoria da "*autonomia*" (especialmente quando se expande esta ideia para significar "independência") ou de sua negação. Como estrutura de comando político abrangente do sistema do capital, o Estado não pode ser autônomo, em nenhum sentido, em relação ao sistema do capital, pois ambos são um só e inseparáveis. Ao mesmo tempo, o Estado está muito longe de ser *redutível* às determinações que emanam diretamente das funções econômicas do capital. Um Estado historicamente dado contribui de maneira decisiva para a determinação – no sentido já mencionado de *codeterminação* – das funções econômicas diretas, limitando ou ampliando a viabilidade de algumas contra outras. Além do mais, a "superestrutura ideológica" – que não deve ser confundida ou simplesmente identificada com a "superestrutura legal e política", e muito menos com o próprio Estado – também não pode se tornar inteligível a menos que seja entendida como *irredutível* às determinações materiais/econômicas diretas, ainda que a esse respeito se deva resistir com firmeza à atribuição frequentemente tentada de uma autonomia fictícia (no sentido idealisticamente ampliado de independência). E mais, a questão da "autonomia", num sentido bem definido, não é pertinente apenas para a avaliação do relacionamento entre ideologia e economia, ideologia e Estado, "base e superestrutura" etc. Ela é também essencial para compreender o complexo relacionamento entre as diversas seções do capital diretamente envolvidas no processo de reprodução econômica, quando estas ganham proeminência – em momentos diferentes e com peso relativo variável – no curso do desenvolvimento histórico.

A questão da "superestrutura legal e política" de que Marx fala só se torna inteligível em termos da espessa materialidade e necessária articulação do Estado moderno como estrutura de comando fundamental e *sui generis*. A base comum de determinação de todas as práticas essenciais no interior da estrutura do sistema do capital, desde a reprodutiva econômica direta até as funções reguladoras mais mediadas do Estado, é o imperativo estrutural orientado para a expansão do sistema a que se devem adaptar os diversos órgãos sociais que atuam sob a regra do capital. De outra maneira, este singular sistema de controle metabólico não sobreviveria, muito menos garantiria a dominação global que obteve em seu desenvolvimento histórico.

A condição material necessária para afirmar com sucesso o imperativo estrutural expansionista do capital é a constante extração do trabalho excedente de uma forma ou de outra, de acordo com as mudanças das circunstâncias históricas. No entanto, devido à determinação *centrífuga* dos constituintes reprodutivos econômicos do capital, sem levar em conta seu maior ou menor tamanho (chegando até as gigantescas corporações transnacionais quase monopolistas), eles são incapazes de realizar por si sós o imperativo estrutural do capital, pelo fato de lhes faltar a determinação *coesiva* essencial para a constituição e o funcionamento sustentável de um sistema sociometabólico. É este inexistente princípio coesivo ordenador dos constituintes econômicos básicos que é conceituado, até mesmo pelos maiores pensadores que enxergam o mundo do ponto de vista do capital, como a misteriosa "mão invisível" de Adam Smith e a "astúcia da Razão" de Hegel. É assim que surge a mitologia do *mercado*, não apenas como *regulador suficiente,* mas até como regulador *global ideal* do processo sociometabólico. Mais tarde, essa visão é levada ao extremo, atingindo seu clímax nas teorias grotescamente explicativas do século XX, na forma da ideologia de "reduzir as fronteiras do Estado" quando as transformações que realmente ocorrem apontam na outra direção. No entanto, o papel diversificado do mercado nas diferentes fases de desenvolvimento do sistema do capital, desde os intercâmbios limitados até o *mercado mundial* completamente realizado, é totalmente incompreensível sem relacioná-lo ao outro lado da mesma equação: a dinâmica igualmente variável do Estado como estrutura de comando político totalizadora.

Portanto, considerar as unidades reprodutivas econômicas diretas do sistema do capital como "base material" sobre a qual se erige a "superestrutura do Estado" é uma simplificação autocontraditória, que leva à hipóstase de um grupo de poderosos "capitães de indústria" – expressões mecânicas grosseiramente determinadas da base material – como verdadeiros controladores da ordem estabelecida. Pior ainda, essa concepção não é apenas mecânica e reducionista, ela também não consegue explicar como uma "superestrutura" totalizadora e produtora de coesão poderia surgir de uma "base econômica" da qual está completamente ausente. Na verdade, em vez de uma explicação plausível do funcionamento do sistema do capital, ela oferece apenas o mistério de uma "superestrutura atuante" que surge de uma ausência material estruturalmente essencial, de modo que corrija os defeitos de todo o sistema, quando se admite que o próprio sistema seja diretamente determinado por sua base material. Se fosse apenas uma questão de discussões acadêmicas autodevoradoras, tudo isso poderia ser deixado de lado com toda segurança. Infelizmente não é. A interpretação mecânica do relacionamento entre a "base material" do capital e sua "superestrutura legal e política" pode ser – e realmente tem sido – traduzida, nas condições das sociedades pós-revolucionárias, como seu reverso autoilusório, segundo o qual o controle político voluntarista da ordem pós-capitalista, depois da transferência da propriedade para o "Estado socialista", representa a superação da base material do capital.

Na verdade, o Estado moderno pertence à materialidade do sistema do capital, e corporifica a necessária dimensão coesiva de seu imperativo estrutural orientado para a expansão e para a extração do trabalho excedente. É isto que caracteriza todas as formas conhecidas do Estado que se articulam na estrutura da ordem sociometabólica do capital. Precisamente porque as unidades econômicas reprodutivas do sistema têm um caráter incorrigivelmente centrífugo – caráter que, há longo tempo na história, tem sido parte integrante do incomparável dinamismo do capital, ainda que em certo estágio de desenvolvimento ele se torne extremamente problemático e potencialmente destrutivo –, a dimensão coesiva de todo o sociometabolismo deve ser constituída como uma estrutura *separada* de comando político totalizador. Como prova da substantiva materialidade do Estado moderno, realmente descobrimos que, em sua condição de estrutura de comando político totalizador do capital, ele não está menos preocupado em assegurar as condições da extração do trabalho excedente do que com as próprias unidades reprodutivas econômicas diretas, embora, naturalmente, ofereça à sua própria maneira sua contribuição para um bom resultado. Entretanto, o princípio estruturador do Estado moderno, em todas as suas formas – inclusive as variedades pós-capitalistas –, é o seu papel vital de garantir e proteger as condições gerais da extração da mais-valia do trabalho excedente.

Como parte constituinte da base material do sistema abrangente do capital, o Estado deve articular sua superestrutura legal e política segundo suas determinações estruturais inerentes e funções necessárias. Sua superestrutura legal e política pode assumir as formas parlamentarista, bonapartista ou até de tipo soviético pós-capitalista, além de muitas outras, conforme exijam as circunstâncias históricas específicas. Além disso, mesmo dentro da estrutura da mesma formação socioeconômica (por exemplo, capitalista), pode deixar de cumprir suas funções, digamos, em uma rede legal e política liberal-democrática e passar a adotar uma forma abertamente ditatorial de legislação e dominação política; e também neste aspecto pode avançar e recuar. Em relação a esses problemas, basta pensarmos na Alemanha antes, sob e depois de Hitler, ou nas mudanças do Chile de Allende para o estabelecimento do regime de Pinochet e a "restauração da democracia", deixando Pinochet e seus aliados no controle militar. Esse tipo de mudança seria inconcebível se o Estado como tal fosse apenas uma "superestrutura". Tanto na Alemanha como no Chile, a base material capitalista permaneceu estruturalmente a mesma durante todas as transformações históricas, de avanço ou recuo, por que passaram as respectivas superestruturas legais e políticas. A crise significativa no complexo social geral dos países envolvidos (dos quais os Estados em questão eram um constituinte material de peso), com suas ramificações internacionais (onde, mais uma vez, a materialidade dos respectivos Estados teve grande influência), tinha de levar a esses fatos.

2.2.6
A articulação da estrutura abrangente de comando político do capital na forma do Estado moderno representa ao mesmo tempo um *ajuste* adequado e um total *desajuste* em relação às estruturas metabólicas socioeconômicas básicas.

À sua própria maneira – totalizadora –, o Estado expõe a mesma divisão do trabalho hierárquico/estrutural das unidades reprodutivas econômicas. Assim, ele é literalmente vital para manter sob controle (ainda que incapaz de eliminar completamente) os antagonismos que estão sempre surgindo da dualidade disruptiva dos processos socioeconômicos e políticos de tomada de decisão sem os quais o sistema do capital não poderia funcionar adequadamente. Tornando sustentável (enquanto permanecer historicamente sustentável) a prática metabólica de atribuir ao "trabalho livre" o cumprimento de funções rigorosamente econômicas numa condição incontestavelmente subserviente, o Estado é o complemento perfeito das exigências internas desse sistema de controle sociometabólico antagonicamente estruturado. Como fiador geral do modo de reprodução insanavelmente autoritário do capital (sua "tirania nos locais de trabalho" não apenas sob o capitalismo, mas também sob o sistema do capital de tipo soviético), o Estado reforça a dualidade entre produção e controle e também a divisão hierárquico/estrutural do trabalho, de que ele próprio é uma clara manifestação.

A *irrestringibilidade* dos princípios constitutivos do capital determina os limites de seu sistema de controle metabólico historicamente singular, tanto em termos negativos como positivos. Positivamente, o sistema do capital pode continuar avançando enquanto suas estruturas produtivas internamente incontroláveis encontrarem recursos e saídas para a expansão e a acumulação. E, negativamente, instala-se uma crise quando a ordem estabelecida de reprodução socioeconômica colide com obstáculos criados por sua própria articulação dualista, de modo que a tríplice contradição entre produção e controle, produção e consumo e produção e circulação já não pode mais ser conciliada, muito menos usada como maquinário poderoso do processo vital de expansão e acumulação.

O principal papel reparador do Estado é definido em relação ao mesmo imperativo de irrestringibilidade. Aqui é importante enfatizar que as potencialidades positivas da dinâmica irrestringível do capital não podem ser realizadas se as unidades reprodutivas básicas forem tomadas isoladamente, separadas de seu cenário sociopolítico. Embora o impulso interno dos microcosmos produtivos seja irrefreável, seu caráter é totalmente indeterminado – ou seja, ele próprio poderia também ser inteiramente destrutivo e autodestrutivo. É por isso que Hobbes deseja impor o *Leviatã* como o corretivo necessário – na forma de um poder absolutamente controlador – no seu mundo de *bellum omnium contra omnes*. Para fazer prevalecer o impulso incontrolável da potencialidade produtiva do capital, as múltiplas unidades reprodutivas interatuantes devem ser transformadas em um *sistema coerente*, cujo princípio definidor geral e objetivo orientador é a mais alta extração possível e viável do trabalho excedente. (Em relação a isto, não importa se esta extração será regulada por via política ou econômica, ou mesmo por qualquer combinação e proporcionalidade praticável de ambas.) Sem uma estrutura de comando totalizadora adequada – firmemente orientada para a extração do trabalho excedente –, as unidades dadas do capital não constituem um *sistema*, mas apenas um agregado mais ou menos acidental e insustentável de entidades econômicas expostas aos riscos do desenvolvimento deformado ou da franca repressão política. (É por essa razão que alguns começos capitalistas promissores são interrompidos e até completamente invertidos em certos países no curso do desenvolvimento histórico da Europa; o Renascimento italiano oferece um impressionante exemplo disso.)

Sem a emergência do Estado moderno, o modo espontâneo de controle metabólico do capital não pode se transformar num sistema dotado de microcosmos socioeconômicos claramente identificáveis – produtores e extratores dinâmicos do trabalho excedente, devidamente integrados e sustentáveis. Tomadas em separado, as unidades reprodutivas socioeconômicas particulares do capital são não apenas *incapazes* de coordenação e totalização espontâneas, mas também *diametralmente opostas* a elas, se lhes for permitido continuar seu rumo disruptivo, conforme a determinação estrutural centrífuga de sua natureza. Paradoxalmente, é esta completa "ausência" ou "falta" de coesão básica dos microcosmos socioeconômicos constitutivos do capital – devida, acima de tudo, à separação entre o valor de uso e a necessidade humana espontaneamente manifesta – que faz existir a dimensão política do controle sociometabólico do capital na forma do Estado moderno.

A articulação do Estado, aliada aos imperativos metabólicos mais internos do capital, significa simultaneamente a transformação das forças centrífugas disruptivas num sistema irrestringível de unidades produtivas, sistema possuidor de uma estrutura de comando viável dentro dos tais microcosmos reprodutivos e também fora de suas fronteiras. Irrestringível (ao longo de sua ascensão histórica) porque a própria estrutura de comando está aparelhada para maximizar as potencialidades dinâmicas dos próprios microcosmos reprodutivos materiais, independentemente de suas implicações e possíveis consequências numa escala mais longa de tempo. Portanto, enquanto se puder manter tal dinâmica expansionista, não há necessidade do *Leviatã* hobbesiano. John Stuart Mill e outros sonham ingenuamente com a permanência de seu Estado liberal idealizado até mesmo quando aguardam a chegada do "Estado estacionário de riqueza"[20] e dos controles que devem ser "aceitos" pela sociedade devido às inevitáveis restrições da economia. Ingenuamente, porque não se tem necessidade de temer as devastadoras consequências que surgem das unidades sociometabólicas disruptivamente centrífugas, somente enquanto as saídas e os recursos disponíveis para a acumulação proporcionarem campo suficiente para "resolver" os conflitos das forças em luta pelo *contínuo aumento das apostas*, mas, assim como

---

[20] Ver Livro IV, capítulo VI, dos *Princípios de economia política, com algumas de suas aplicações na filosofia social*, de John Stuart Mill.

ao imaginário jogador de roleta, com seu "método imbatível" de dobrar a aposta depois de cada rodada perdida, isso exige uma bolsa inesgotável. Assim, tornando a escala das operações exigidas cada vez maior, ao mesmo tempo em que se permite ao conjunto do sistema "crescer a partir das dificuldades e disfunções sentidas" (como agora imagina-se que façamos, não apenas com relação à astronômica dívida global mas, autocontraditoriamente, também em relação ao próprio processo de acumulação, que já dá mostras de esgotamento), é possível adiar o momento de os jogadores dominantes colocarem as cartas na mesa. É assim que se redefine de maneira viável o significado do *bellum omnium contra omnes* hobbesiano no sistema do capital, *presumindo-se que não haja limites para a expansão global*. Redefinição que só permanece sustentável enquanto não se afirma com firmeza peremptória a verdade singela de que não existe uma bolsa inesgotável.

Todavia, poderia ser um completo equívoco considerar simplesmente ser o próprio Estado idêntico à estrutura de comando do sistema do capital. O capital é um modo de controle sociometabólico historicamente específico, cuja estrutura de comando deve ser adequada em todas as esferas e em todos os níveis, por não poder tolerar absolutamente nada acima de si. Uma das principais razões pelas quais o sistema soviético desmoronou foi o fato de a *estrutura de comando político de sua formação de Estado ter ultrapassado em muito seus limites*. Ela tentou em vão *substituir a si mesmo pela estrutura de comando socioeconômica* do sistema do capital pós-revolucionário em sua integridade, assumindo de modo voluntarista *a regulação política de todas as funções produtivas e distributivas*, para a qual estava absolutamente desaparelhada. Bem antes do fim da "perestróika" de Gorbachev e da catastrófica implosão do sistema soviético, argumentei o seguinte, em *O poder da ideologia*:

> O Estado capitalista é absolutamente incapaz de assumir as funções reprodutivas substantivas das estruturas materiais reguladoras, a não ser em extensão mínima e em situação extrema de emergência. E nem se espera que o faça em circunstâncias normais. Diante de sua constituição intrínseca, o Estado não poderia controlar o processo de trabalho ainda que seus recursos fossem centuplicados, dada a *ubiquidade* das estruturas produtivas particulares que teriam de estar sujeitas a seu poder de controle necessariamente limitado. Tragicamente em relação a isso, o fracasso das sociedades pós-capitalistas deve ser atribuído em boa parte à tentativa de atribuir essas funções de controle metabólico a um Estado político central, embora, na realidade, *o Estado em si* não seja adequado à realização da tarefa que envolve, de um ou outro modo, as atividades da vida cotidiana de cada indivíduo (p. 451).

O que está em questão aqui é o fato de que o capital é *seu próprio* sistema de comando, de que é *parte integrante* a dimensão política, ainda que de modo algum parte *subordinada*. Mais uma vez, vemos aqui a manifestação prática de uma reciprocidade dialética.

O Estado moderno – na qualidade de sistema de comando político abrangente do capital – é, ao mesmo tempo, o *pré-requisito* necessário da transformação das unidades inicialmente fragmentadas do capital em um *sistema viável*, e *o quadro geral* para a completa articulação e manutenção deste último como *sistema global*. Neste sentido fundamental, o Estado – em razão de seu papel constitutivo e permanentemente sustentador – deve ser entendido com parte integrante da própria base material do capital. Ele contribui de modo significativo não apenas para a formação e a consolidação de todas as grandes estruturas reprodutivas da sociedade, mas também para seu funcionamento ininterrupto.

No entanto, este inter-relacionamento íntimo também se mantém quando visto pelo outro lado, pois o Estado moderno em si é totalmente inconcebível sem o capital como função sociometabólica. Isto dá às estruturas materiais reprodutivas do sistema do capital a condição necessária, não apenas para a constituição original, mas também para a sobrevivência continuada (e para as transformações históricas adequadas) do Estado moderno em todas as suas dimensões. Essas estruturas reprodutivas estendem sua influência sobre todas as coisas, desde os instrumentos rigorosamente repressivos/materiais e as instituições jurídicas do Estado, até as teorizações ideológicas e políticas mais mediadas de sua *raison d'être* e de sua proclamada legitimidade.

Em razão dessa determinação recíproca, devemos falar de uma correspondência estreita entre, por um lado, a base sociometabólica do sistema do capital e, por outro, o Estado moderno como estrutura totalizadora de comando político da ordem produtiva e reprodutiva estabelecida. Para os socialistas, esta é uma reciprocidade desafiadora e desconfortável. Ela põe em relevo o fato acautelador de que qualquer intervenção no campo político – mesmo quando visa a derrubada radical do Estado capitalista – terá influência muito limitada na realização do projeto socialista. E, pelo lado oposto, o corolário desse mesmo fato acautelador é que, precisamente porque têm de enfrentar a força da *reciprocidade autossustentada do capital* sob suas dimensões fundamentais, os socialistas jamais deverão esquecer ou ignorar – embora o esquecimento proposital deste fato tenha sido a razão da tragédia de setenta anos da experiência soviética – que não existe a possibilidade de superar a força do capital sem permanecer fiel à preocupação marxista com o "encolhimento" do Estado.

2.3 A dissonância entre as estruturas reprodutivas materiais do capital e sua formação de Estado

2.3.1
Mesmo assim, não é necessário que o círculo vicioso dessa reciprocidade seja eternamente esmagador. Como já foi mencionado acima, podemos identificar também uma grande *dissonância estrutural* entre o Estado moderno e as estruturas reprodutivas socioeconômicas do capital: dissonância essa que é muito relevante para a avaliação das perspectivas futuras. Ela diz respeito inicialmente à ação humana de controle – o sujeito social – em relação à escala cada vez mais extensa da operação do sistema do capital.

Como um modo de controle sociometabólico, o sistema do capital é singular na história também no sentido em que é, na verdade, um sistema de controle *sem sujeito*. As determinações e os imperativos objetivos do capital sempre devem prevalecer contra os desejos subjetivos – para não mencionar as possíveis reservas críticas – do *pessoal* controlador que é chamado a traduzir esses imperativos em diretrizes práticas. É por isso que as pessoas que ocupam os altos escalões da estrutura de comando do capital – sejam eles capitalistas privados ou burocratas do partido – só podem ser consideradas "personificações do capital", independente do seu maior ou menor entusiasmo, como indivíduos particulares, ao pôr em execução os ditames do capital. Neste sentido, graças à estrita determinação de sua margem de ação pelo capital, os próprios atores humanos como "controladores" do sistema estão sendo de modo geral *controlados* e, portanto, em última análise, não se pode afirmar a existência de qualquer representante humano autodeterminante no controle do sistema.

Esse modo peculiar de *controle sem sujeito*, em que o controlador é na verdade controlado pelas exigências fetichistas do próprio sistema do capital, é inevitável, devido à separação radical entre *produção e controle* no âmago deste sistema. No entanto, uma vez que a função de controle assume uma existência à parte, devido ao imperativo de subjugar e manter permanentemente sob sujeição os produtores, apesar de seu *status* formal de "trabalho livre", os controladores *particulares* dos microcosmos reprodutivos do capital devem sujeitar-se ao controle do próprio *sistema*, pois, ao deixar de fazê-lo, estariam destruindo sua coesão como sistema reprodutivo viável. As apostas envolvidas no funcionamento do modo de controle sociometabólico do capital são grandes demais para deixar às "personificações do capital" o controle real da estrutura de comando e a avaliação de sua própria tarefa em termos das possíveis grandes alternativas. Além do mais, não somente é grande o que está em jogo, mas está também tornando-se cada vez maior, conforme o sistema passa das pequenas unidades produtivas fragmentadas do início do desenvolvimento capitalista para as gigantescas corporações transnacionais de sua plena articulação global. E, com o aumento da escala das operações pela integração das unidades de produção, aumentam também as dificuldades de assegurar o domínio do capital sobre o trabalho por meio de uma estrutura de comando sem sujeito.

O sistema do capital se baseia na alienação do controle dos produtores. Neste processo de alienação, o capital degrada o trabalho, sujeito real da reprodução social, à condição de objetividade reificada – mero "fator material de produção" – e com isso derruba, não somente na teoria, mas na prática social palpável, o verdadeiro relacionamento entre sujeito e objeto. Para o capital, entretanto, o problema é que o "fator material de produção" não pode deixar de ser o sujeito real da produção. Para desempenhar suas funções produtivas, com a consciência exigida pelo processo de produção como tal – sem o que deixaria de existir o próprio capital –, o trabalho é forçado a aceitar um outro sujeito acima de si, mesmo que na realidade este seja apenas um pseudo-sujeito. Para isto, o capital precisa de personificações que façam a mediação (e a imposição) de seus imperativos objetivos como ordens conscientemente exequíveis sobre o sujeito real, potencialmente o mais recalcitrante, do processo de produção. (As fantasias sobre a chegada do processo de produção totalmente automatizado e sem trabalhadores são geradas como a eliminação imaginária deste problema.)

O papel do Estado em relação a esta contradição é da maior importância, pois é ele quem oferece a garantia fundamental de que a recalcitrância e a rebelião potenciais não escapem ao controle. Enquanto esta garantia for eficaz (parte na forma de meios políticos e legais de dissuasão e parte como paliativo para as piores consequências do mecanismo socioeconômico produtor de pobreza, por meio dos recursos do sistema de seguridade social), o Estado moderno e a ordem reprodutiva sociometabólica do capital são mutuamente correspondentes. No entanto, a alienação do controle e os antagonismos por ela gerados são da própria natureza do capital. Assim, a recalcitrância é reproduzida diariamente através das operações normais do sistema; nem os esforços mistificadores de estabelecimento de "relações industriais" ideais – seja pela "engenharia humana" e pela "administração científica", seja pela indução dos trabalhadores à compra de meia dúzia de ações, tornando-se assim "coproprietários" ou "parceiros" na administração do "capitalismo do povo" etc. –, nem a garantia dissuasória do Estado contra a potencial rebelião política podem eliminar completamente as aspirações emancipatórias (autocontrole) da força de trabalho. No final, essa questão é decidida pela viabilidade (ou não) dessa ordem sociomentabólica de autocontrole, baseada na alternativa hegemônica da força de trabalho à ordem de controle autoritário, sem o sujeito, do capital. A ideia de "paz perpétua" entre capital e trabalho, não importa o esforço despendido em sua promoção a toda hora, termina não sendo mais realista do que o sonho de Kant da "paz perpétua" entre os Estados nacionais que supostamente emanaria exatamente do "espírito comercial" capitalista.

Há realmente uma dimensão muito importante dos desenvolvimentos socioeconômicos correntes relativa à questão do controle, que escapa à combinação da competência das personificações do capital, dentro das unidades de produção, com a intervenção potencial do Estado, em sua própria esfera, como estrutura de comando política totalizadora do sistema. Encontramos aí uma grande contradição, que objetivamente se intensifica entre os imperativos materiais do capital e sua capacidade de manter seu controle sobre o que mais importa: o próprio processo de produção.

A base desta contradição é a tendência a uma crescente *socialização da produção* no terreno global do capital. Este processo transfere objetivamente algumas potencialidades de controle aos produtores (ainda que, na estrutura da ordem sociometabólica estabelecida, apenas em sentido negativo), abrindo algumas possibilidades de aguçar ainda mais a incontrolabilidade do sistema do capital. Este problema será discutido com mais detalhe no capítulo 5. Aqui só queremos enfatizar a dissonância estrutural entre as estruturas reprodutivas materiais do capital e sua formação de Estado. Isto porque o Estado – apesar de sua grande força repressiva – é totalmente impotente para remediar a situação, não importando o grau de autoritarismo da intervenção pretendida. Neste aspecto, não existe ação política remediadora concebível em relação à base socioeconômica do capital. As complicações e contradições incontroláveis do capital, devidas à própria socialização crescente da produção, afetam o núcleo mais central do capital como sistema reprodutor. Paradoxalmente, elas resultam do maior trunfo do sistema do capital: um processo de avanço produtivo dinâmico ao qual é impossível o capital renunciar sem enfraquecer sua própria força produtiva e a concomitante legitimidade. É por isso que a dissonância estrutural aqui referida tende a permanecer conosco por tanto tempo quanto o próprio sistema do capital.

Vale realmente a pena lembrar – lembrete que serve também de indicador para o futuro – que uma das principais contradições que fez implodir o sistema do capital soviético é que, neste aspecto, ele se baseou muito em sua formação de Estado para impor a desejada, mas impossível, ação remediadora. O Estado soviético foi mobilizado pela força a *aumentar* a socialização da produção – para poder maximizar politicamente a extração do trabalho excedente – e, ao mesmo tempo, tentou reprimir com todos os meios a sua disposição, como se nada houvesse acontecido desde 1917, as consequências que necessariamente surgiriam da maior socialização para a potencial emancipação do trabalho. Assim, em vez de remediar os defeitos produtivos do sistema do capital soviético pós-capitalista por meio de uma taxa politicamente imposta de produção, ele terminou com uma *taxa de socialização da produção altamente forçada*, que não poderia ser sustentada devido ao fracasso estrutural no controle do trabalho recalcitrante e também ao baixo nível de produtividade que a acompanhou. A implosão do sistema soviético ocorreu sob o peso inadministrável dessas contradições.

2.3.2
Sob outro aspecto vital, a dissonância estrutural pode ser identificada no relacionamento contraditório entre o mandato totalizador do Estado e sua capacidade de realização. O Estado só conseguirá cumprir seu papel se puder melhorar o potencial produtivo inerente à *irrestringibilidade* das unidades reprodutivas particulares, dado que estas constituem um *sistema*. Em outras palavras, o que está em jogo aqui, em última análise, não é simplesmente a eficácia do apoio proporcionado pelo Estado a esta ou àquela fração particular do capital sob sua jurisdição. É antes a capacidade de assegurar o avanço do "todo" na dinâmica variável da acumulação e expansão. O apoio privilegiado que qualquer Estado pode proporcionar a suas seções dominantes do capital – a ponto de facilitar a expansão extremamente monopolista – é parte da lógica de sustentação do avanço do "conjunto" dado (o que, na prática, significa: o capital nacional total do Estado em questão), sujeito à necessidade de se ajustar aos limites estruturais do próprio sistema do capital.

E aqui vem à tona uma importante contradição. No sistema do capital – da maneira como ele se constituiu historicamente –, o "conjunto" forçosamente sustentado pelo Estado não pode abranger a totalidade das unidades socioeconômicas reprodutivas existentes do capital. Não é preciso dizer que a emergência e a consolidação dos *capitais nacionais* é um fato historicamente consumado. Da mesma forma, não pode haver dúvida quanto à realidade das – muitas vezes desastrosamente conflitantes – interações de Estados nacionais. No entanto, isso significa também que os capitais nacionais, em todas as suas formas conhecidas de articulação, estão inextricavelmente entrelaçados aos *Estados nacionais* e se baseiam no apoio destes, sejam eles dominantes e imperialistas, ou, ao contrário, estejam sujeitos à dominação de outros capitais nacionais e seus respectivos Estados.

Em compensação, o *"capital global" é desprovido de sua necessária formação de Estado*, apesar do fato de o sistema do capital afirmar o seu poder – em forma altamente contraditória – como *sistema global*. É assim que *"o Estado do sistema do capital"* demonstra sua incapacidade de fechar a lógica objetiva da irrestringibilidade do capital. Inúmeros Estados modernos foram constituídos sobre a base material do sistema do capital conforme ele historicamente se desenvolvia, desde

as primeiras formações capitalistas aos Estados coloniais, bonapartistas, burgueses-
-liberais, imperialistas, fascistas etc. Todas essas categorias do Estado moderno pertencem à categoria de "Estados capitalistas". Por outro lado, uma série de Estados
pós-capitalistas também se constituiu – de forma um tanto alterada – sobre a base
materialmente persistente do capital, nas sociedades pós-revolucionárias, desde o
Estado soviético até as chamadas "democracias populares". Além do mais, as novas
variações não são apenas teoricamente viáveis no futuro, mas já são identificáveis
em nossos dias, especialmente a partir da implosão do antigo sistema soviético.
Os Estados que surgem das ruínas deste sistema não poderiam ser caracterizados
simplesmente como "Estados capitalistas", pelo menos até o momento. Se no futuro
poderão ou não ser assim descritos, é algo que depende do sucesso dos esforços
atuais de restauração do capitalismo. Aqueles que, no passado, costumavam caracterizar a União Soviética como sociedade "capitalista de Estado" deveriam agora
repensar esta ideia, à luz do realmente ocorrido no passado recente. Mesmo hoje,
mais de dez anos depois de Gorbachev haver iniciado a obra de restauração capitalista como Secretário do Partido recém-promovido, os antigos líderes stalinistas
da União Soviética continuam a encontrar imensas dificuldades em seus esforços
para completar esse processo. Apesar de estar na moda falar em "conservadores" e
"reformistas", uma conversa totalmente vazia, com certeza suas dificuldades não
resultam da falta de tentativas. Os "conservadores" de hoje são os "reformistas" de
ontem e seus sucessores igualmente desacreditados – os diversos Yeltsin há pouco
celebrados com entusiasmo pela imprensa capitalista ocidental – são acusados (por
The Economist de Londres, nada menos) de "atos de flagrante irresponsabilidade"[21].
No entanto, a verdade que está sendo claramente demonstrada pelo fracasso até
o momento da completa restauração capitalista atualmente em andamento na
Rússia (bem como em outras das antigas repúblicas soviéticas) é que as tentativas
de derrubar um sistema reprodutivo social por meio da intervenção política, não
importa em que níveis, nem sequer conseguem arranhar a superfície do problema, quando é a própria base sociometabólica do sistema do capital (neste caso,
do sistema do capital soviético pós-capitalista) que impõe o verdadeiro obstáculo
para as transformações visadas.

Não é possível restaurar nem mesmo o *Estado capitalista* apenas pela mudança
política e menos ainda instituir a "economia de mercado" capitalista sem introduzir mudanças bastante fundamentais (com seus vastos pré-requisitos *materiais*)
na ordem sociometabólica das sociedades pós-revolucionárias em relação ao modo
profundamente alterado – essencialmente político e não econômico – de regular
a extração do trabalho excedente que vigorou durante os setenta anos de poder
soviético. A isca da "ajuda econômica" capitalista ocidental pode, no máximo,
ajudar na restauração política, como até agora o fez, mas é ridícula em termos
da monumental mudança sociometabólica requerida. Esta ajuda é distribuída segundo o modelo da velha "ajuda aos países subdesenvolvidos", atada a cordinhas
políticas com cinismo deslavado e completa desconsideração pela humilhação
imposta aos que "recebem a ajuda". *The Economist* não hesita em defender abertamente o uso do "porrete das sanções econômicas", estrondeando (no mesmo

---

[21] "Yeltsin devalued", *The Economist*, 31 de julho-6 de agosto de 1993, p. 16.

editorial em que censurava Yeltsin antes que dissolvesse o parlamento e ordenasse que um regimento de tanques atirasse no edifício e nas pessoas que ali estivessem, provando conclusivamente suas boas credenciais, em perfeito acordo com as "expectativas democráticas" ocidentais) que "*não se deverá oferecer mais ajuda*"[22] até que o presidente russo entre na linha, expie sua "flagrante irresponsabilidade", despeça "a direção do banco central" e "faça sentir sua autoridade por trás" do prato preferido do momento, "o ministro reformista Bóris Fiodorov" etc.

Não obstante, em todas essas abordagens à "ajuda" é sempre esquecido ou ignorado o fato de que os países do chamado "Terceiro Mundo" não eram apenas subordinados, mas partes integrantes dos impérios *capitalistas* antes de tentarem tomar (como se viu, com muito pouco êxito) a via da "modernização" pós-colonial. Portanto, ao contrário da Rússia, onde a questão em jogo é a grande mudança de uma extração política do trabalho excedente pós-capitalista para um retorno ao antigo modo econômico capitalista de extração da mais-valia, os países pós-coloniais não precisaram fazer esforço algum para se tornarem partes dependentes do sistema capitalista global, pois já eram completamente dependentes desde o início. Eles não tinham de lutar pela restauração do capitalismo, pois já o tinham – não importa em que forma "subdesenvolvida" – no momento em que o impacto do "vento da mudança", potencialmente prejudicial, foi admitido (no famoso discurso de MacMillan) por seus antigos senhores imperialistas, de modo que estes pudessem manipular as novas formas de dominação "neocapitalista" e "neocolonialista". Nos países da União Soviética prevaleciam (e, até um ponto relativamente significativo, ainda prevalecem) condições muito diferentes – precisamente porque estavam sob o domínio do capital em uma de suas variedades *pós-capitalistas*. É por isso que mesmo uma "ajuda econômica" do capitalismo ocidental (cuja magnitude, repetidamente prometida, mas jamais realmente entregue a Gorbachev e Yeltsin, é risível em comparação ao que seria necessário para, por exemplo, transformar a Albânia num próspero país capitalista) *cem vezes* maior continuaria absolutamente insignificante em relação à dimensão real do problema, medido na escala da necessária mudança sociometabólica.

Estados *particulares* do sistema do capital – em suas variedades capitalistas e pós-capitalistas – afirmam (alguns com maior e outros com menor sucesso) os interesses de seus capitais nacionais. Em perfeita oposição, "*o Estado do sistema do capital como tal*" permanece até hoje apenas uma "ideia reguladora" kantiana, sem que se perceba, sequer como discreta tendência histórica, qualquer indício de sua realização futura. O que não surpreende. A realização desta "ideia reguladora" deveria pressupor o sucesso na superação de todos os grandes antagonismos internos dos constituintes conflitantes do capital global.

Assim, a incapacidade do Estado de realizar plenamente o que em última análise é exigido pela determinação interior totalizadora do sistema do capital representa um grande problema para o futuro. A seriedade deste problema é ilustrada pelo fato de que mesmo o Estado capitalista dono do poder hegemônico mais privilegiado – hoje, os Estados Unidos – deverá fracassar em suas tentativas de levar a

---

[22] Ibid., p. 17.

cabo a missão de maximizar a *irrestringibilidade global* do capital e impor-se como incontestável Estado dominante do sistema do capital global. Inevitavelmente, ele permanece *nacionalmente limitado* em seu empreendimento, tanto política como economicamente – e sua posição de poder hegemônico está potencialmente ameaçada em função da mudança na relação de forças no nível dos confrontos e intercâmbios socioeconômicos internacionais –, independente de sua posição dominante como potência imperialista.

Esta incapacidade de levar o interesse do sistema do capital à sua conclusão lógica fundamental resulta da dissonância estrutural entre os imperativos que emanam do processo sociometabólico do capital e o Estado como estrutura abrangente de comando político do sistema. O Estado não pode ser verdadeiramente abrangente nem totalizador no grau em que "deveria ser", pois em nossos dias isto não está mais de acordo nem mesmo com o nível já atingido de integração sociometabólica, muito menos com o exigido para livrar a ordem global de suas crescentes dificuldades e contradições. Ainda hoje não há nenhum evidência de que esta profunda dissonância estrutural possa ser remediada pela formação de um *sistema global do capital*, capaz de eliminar com sucesso os antagonismos reais e potenciais da ordem metabólica global estabelecida. As soluções substitutivas propostas no passado – na forma das duas guerras mundiais iniciadas em nome de uma nova configuração das linhas então vigentes das relações hegemônicas de poder – só nos fazem lembrar de catástrofe.

O sistema do capital é um modo de controle sociometabólico incontrolavelmente voltado para a expansão. Dada a determinação mais interna de sua natureza, as funções políticas e reprodutivas materiais devem estar nele radicalmente separadas (gerando assim o Estado moderno como a *estrutura de alienação por excelência*), exatamente como a produção e o controle devem nele estar radicalmente isolados. No entanto, neste sistema, "expansão" só pode significar *expansão do capital*, a que deve se subordinar tudo o mais, e não o aperfeiçoamento das aspirações humanas e o fornecimento coordenado dos meios para sua realização. É por isso que, no sistema do capital, os critérios totalmente fetichistas da expansão têm de se impor à sociedade também na forma de separação e alienação radicais do poder de tomada de decisões de *todos* – inclusive as "personificações do capital", cuja "liberdade" consiste em impor a outros os imperativos do capital – e em todos os níveis de reprodução social, desde o campo da produção material até os níveis mais altos da política. Uma vez definidos à sua maneira pelo capital os objetivos da existência social, subordinando implacavelmente todas as aspirações e valores humanos à sua expansão, não pode sobrar espaço algum para a *tomada de decisão*, exceto para a que estiver rigorosamente preocupada em encontrar os *instrumentos* que melhor sirvam para atingir-se a *meta predeterminada*.

Mas, mesmo que se decida a desconsiderar a desolação da ação humana confinada à margem tão estreita da busca fetichista material, não são boas as perspectivas de evolução a longo prazo. Sendo um modo de controle sociometabólico incontrolavelmente voltado para a expansão, ou o sistema do capital sustenta o rumo de seu desenvolvimento impelido pela acumulação, ou, mais cedo ou mais tarde, *implode*, como aconteceu com o sistema do capital pós-capitalista soviético.

Não havia – nem poderia haver – meio de derrubar do exterior o sistema do capital soviético, sem arriscar a eliminação da humanidade com uma guerra nuclear. Dar uma mãozinha a Gorbachev e seus amigos (com quem até Margaret Thatcher & companhia podiam "negociar"), facilitando com isso a implosão do sistema em algum momento, era uma aposta bem melhor. Da mesma forma, hoje é impossível imaginar que se possa "derrubar do exterior" o sistema do capital, pois ele não tem "exterior". Além disso tudo, para imensa tristeza de todos os defensores do capital, o mítico "inimigo externo" – o "império do mal" de Ronald Reagan – agora também desapareceu. Contudo, mesmo em sua quase absoluta dominância atual, o sistema do capital ainda não está imune às ameaças de instabilidade. O perigo não vem do mítico "inimigo interno", tão caro ao coração de Reagan e ao de Thatcher quanto o "inimigo externo" na forma do "império do mal". Ele reside mais na perspectiva de, um belo dia, a acumulação e a expansão do capital se deterem por completo. O "Estado estacionário" de John Stuart Mill – politicamente liberal-democrático e baseado na meta da expansão impelida pela acumulação do capital, de cuja sustentabilidade material ele não tinha a menor dúvida – não passa de fantasia e autocontradição a que na realidade só pode corresponder o pesadelo absoluto do autoritarismo global, comparado ao qual a Alemanha nazista de Hitler brilharia como um modelo de democracia.

Capítulo 3

SOLUÇÕES PARA A INCONTROLABILIDADE DO CAPITAL, DO PONTO DE VISTA DO CAPITAL

3.1 As respostas da economia política clássica

3.1.1

Ao contrário da crença disseminada, popularizada pelos receios legítimos dos movimentos verdes, a sombra da incontrolabilidade não é um fenômeno novo. Apesar de, sem dúvida, ter-se tornado bem mais obscura no século XX, ela certamente não surgiu nas últimas décadas, com os riscos da era nuclear, por um lado, e, por outro, com o assustador impacto da poluição industrial e agrícola em grande escala. Ao contrário, é inseparável do capital como um modo de controle sociometabólico desde que este conseguiu se consolidar, tornando-se um sistema reprodutivo coerente, com o triunfo da produção generalizada de mercadorias.

    Um sistema de controle que aceita sem questionar a inalterabilidade de seus próprios parâmetros não pode escapar à fatídica contradição de tornar absoluto o relativo e, ao mesmo tempo, decretar a *permanência* do que na realidade só pode ser *transitório*. Para proceder de maneira diferente, seria necessário discutir as causas como causas – em vez de tratar os problemas com que se deparou como efeitos manipuláveis da sacrossanta ordem causal –, para intervir de modo desejável e convincente no plano das próprias causas básicas. Pois estas, mais cedo ou mais tarde, tendem a reproduzir, e com grande exagero, os efeitos negativos temporariamente ajustados e resolvidos.

    De fato, o significado do projeto socialista não pode ser diferente de sua intervenção corretiva nas – e, em seu devido tempo, uma reestruturação fundamental das – determinações causais da estabelecida ordem social reprodutiva. É por isso que os socialistas, para ter alguma esperança de sucesso, devem negar o próprio *capital* – na qualidade de inalterável *causa sui* – e não simplesmente algumas de suas variantes historicamente contingentes, como, por exemplo, o sistema hoje dominante do *capital* global. O projeto socialista representa a necessidade gritante da humanidade de discutir as causas como causas no modo de controle sociometabólico estabelecido, para erradicar, antes que seja tarde demais, todas as tendências destrutivas do capital, já bastante visíveis e cada vez mais preponderantes.

O único modo de controle reprodutivo social que se qualifica como socialista é o que se recusa a submeter as aspirações legítimas dos indivíduos aos imperativos fetichistas de uma ordem causal estruturalmente predeterminada. Em outras palavras, é um modo de reprodução sociometabólica verdadeiramente *aberto* com relação ao *futuro*, já que a determinação de sua *própria estrutura causal* permanece sempre sujeita à alteração pelos membros autônomos da sociedade. Um modo de controle sociometabólico que pode ser estruturalmente alterado pelos indivíduos diante dos fins conscientemente escolhidos, em lugar de um que lhes impõe, como hoje acontece, uma gama estreita e reificada de fins que emanam diretamente da rede causal preexistente do capital: uma causalidade supostamente inalterável que opera acima das cabeças dos indivíduos. Em contraste, até os maiores pensadores que perceberam e teorizaram o mundo do ponto de vista do capital, como fez o autor da *Riqueza das nações*, tiveram de defender a ilusão interesseira da permanência do sistema, não apenas *de facto* mas também *de jure*, ou seja: como alguém destinado por direito a continuar seu reinado até o final dos tempos. Eles justificavam essa postura argumentando que a ordem social com que se identificavam representava "*o sistema natural da liberdade e da justiça perfeita*"[1] e, portanto, não seria concebível que necessitasse de grandes mudanças estruturais e, muito menos, das fundamentais.

A fatal incontrolabilidade do sistema do capital jamais foi um problema para aqueles que, dado seu ponto de vista social, não poderiam considerá-lo um modo de controle *transitório*. Mesmo quando dispostos a admitir que a própria ideia do controle era um tanto problemática em seu sistema preferido (na medida em que eram obrigados a postular a viabilidade do "controle sem um controlador ou controladores identificáveis"), fugiram das dificuldades implícitas nessa admissão, apresentando um quadro idealizado – a princípio ingenuamente mas, com o passar do tempo, e tornando-se a crise de controle bastante óbvia para ser negada, cada vez menos ingenuamente.

Sem dúvida, os termos com que se "remediou" a reconhecida ausência de controle em todas essas teorizações do sistema do capital foram mudados para adaptar-se às circunstâncias, mas a *idealização* do remédio proposto – ilogicamente antecipado no diagnóstico tendencioso do próprio problema encontrado – continuou sendo seu método comum, de Adam Smith até o presente. Para mostrar essas correlações, bastaria discutir aqui três variedades representativas de avaliação da ausência de controle nesses dois últimos séculos, todas formuladas no espírito de retomar no final a admissão original e negar que o defeito admitido pudesse afinal ser considerado um defeito. Depois de examinada a solução de Adam Smith, a primeira na ordem histórica, a segunda abordagem típica que devemos observar rapidamente é a das diversas teorias da "utilidade marginal", apegadas à crença no poder de controle do "empresário" inovador, sob a condição de que ele traduza em boas estratégias de negócios as exigências do consumidor "maximizador de utilidade". E, por fim, a terceira tentativa típica de discutir, e ao mesmo tempo "resolver" apologeticamente os dilemas do controle inseparáveis do sistema do capital, está centrada no semimítico

---

[1] Adam Smith, *An Inquiry into The Nature and Causes of the Wealth of Nations*, ed. por J. R. McCulloch, Edimburgo, Adam and Charles Black, 1863, p. 273.

conceito do "administrador" da década de 1930 em diante, passando pela "revolução gerencial" de Burnham (1940) e pela réplica ansiosa de Talcott Parsons nos anos 50 até a "tecnostrutura" fictícia de Galbraith, que promete a todos os prováveis crentes nada menos do que a eliminação definitiva do problema socialista, graças à aclamada "convergência" de todas as formas viáveis da reprodução socioeconômica eficaz sob a ordem das corporações.

3.1.2

A primeira maneira de identificar e escamotear o problema data da época do pai fundador da economia política clássica, Adam Smith. O postulado de Smith, de que as ações personalistas e limitadas de capitalistas particulares necessariamente produzem um resultado geral muitíssimo benéfico, continua sendo até hoje o modelo de todos os que ainda glorificam as insuperáveis virtudes do sistema do capital. O grande representante do Iluminismo escocês formulou sua argumentação da seguinte forma:

> Assim como todo indivíduo *se esforça o quanto pode* para empregar seu capital em apoio à indústria nacional e assim orientar essa indústria de modo a dotar seu produto do maior valor possível, cada indivíduo necessariamente trabalha para tornar o rendimento anual da sociedade tão grande quanto possível. Em geral, ele não tenciona promover o interesse público nem sabe o quanto o está promovendo. Ao preferir apoiar a indústria nacional e não a estrangeira, ele visa apenas sua própria segurança; e, ao orientar essa indústria de modo a que seu produto tenha o maior valor, visa apenas seu próprio ganho, e neste caso, como em muitos outros, *é guiado por uma mão invisível para promover um objetivo que não fazia parte de suas intenções*. ... Ao buscar seu próprio interesse, é comum que *promova o da sociedade com eficácia maior do que quando tenciona realmente promovê-lo*. ... É evidente que o indivíduo, em sua situação local, poderá julgar, muito melhor do que qualquer estadista ou legislador, em que espécie de indústria nacional poderá empregar seu capital e qual o produto com a probabilidade de ter o maior valor. O estadista que tentasse dirigir as pessoas quanto à maneira de empregar seus capitais não apenas se sobrecarregaria de cuidados bastante desnecessários, mas assumiria uma autoridade que não se poderia confiar seguramente, não apenas a pessoa alguma, mas a nenhum conselho, senado ou qualquer outra instituição; em lugar algum essa autoridade seria tão perigosa quanto nas mãos de um homem que tivesse tolice e presunção suficientes para acreditar-se adequado para exercê-la.[2]

Como se pode ver, Adam Smith primeiro admite que o capitalista individual só pode "*esforçar-se* o quanto puder" para tornar a riqueza de sua sociedade "tão grande quanto possível". Contudo, quando chegamos ao final do trecho citado, ele declara ser uma "*perigosa tolice*" imaginar que a ordem das coisas por ele idealizada como "sistema natural de perfeita liberdade e justiça" fosse passível de melhoria por qualquer outro tipo de autoridade decisória, esteja esta investida num indivíduo ou em algum órgão coletivo. É compreensível que desde então os conservadores mais extremados, não os progressistas seguidores do Iluminismo, tenham permanecido gratos a Smith por mostrar a obviedade dessa conclusão. Assim, para tomar-se um exemplo especialmente reacionário, o guru e *Companion of Honour* (1984) de Margaret Thatcher,

---

[2] Id., ibid., p. 199-200.

ganhador do prêmio Nobel, Friedrich August Hayek, escreveu que "o entusiasta do século XIX que declarou que a *Riqueza das nações* tinha uma importância só inferior à da Bíblia tem sido ridicularizado muitas vezes; mas ele talvez não tenha exagerado tanto"³. Sem jamais se preocupar com a contradição, Hayek também afirmava que a ideia da "mão invisível" de Adam Smith foi "a primeira descrição *científica*"⁴ dos processos do mercado, depois de acusá-lo, em capítulo anterior – pela mesma ideia – de permanecer preso ao "*animismo*"⁵.

É claro, comparada à irracionalidade – para falar a verdade, puro misticismo – do gênero de "teoria da utilidade marginal" defendida por Hayek e seus companheiros ideológicos, o conceito da "mão invisível" de Adam Smith representa uma grande realização científica. O que, entretanto, não o torna científico ou plausível. Como Smith teve de admitir para si mesmo, a meio caminho no raciocínio acima citado, a intensidade do esforço do capitalista individual não é, de forma alguma, garantia de sucesso para si ou para a sociedade em geral e, portanto, o sistema não poderia funcionar sem a "mão invisível". Hoje, o grande pensador escocês estaria completamente perdido, pois também teria de admitir que um dos principais pilares de seu edifício explicativo – o favorecimento da indústria nacional contra a estrangeira, justificado em termos da evidente motivação racional do capitalista em relação a sua própria segurança – foi demolido por inteiro pela dominância das gigantescas corporações transnacionais no sistema global do capital. Ele também teria de renunciar à idealização das importantes qualificações do capitalista por sua "situação local" sob as circunstâncias da "globalização" – atualmente idealizada no sentido oposto – da economia, que torna extremamente ingênua, se não inteiramente desprovida de significado, a confiança de Adam Smith nas pretensamente bem entendidas estruturas da "situação local" como garantias de sucesso, pois na realidade graves problemas são gerados pelo imperativo vital do sistema de englobar todas as "situações locais" debaixo das imensas unidades monopolistas dos países capitalistas dominantes que se enfrentam, com seus interesses conflitantes, na economia mundial. Smith também não poderia dizer algo que sequer remotamente se aproximasse da aceitação geral de sua "*máxima perfeitamente óbvia*" segundo a qual "*o consumo é o único fim e objetivo de toda a produção*"⁶ num momento em

---

3   F. A. Hayek, *The Fatal Conceit: The Errors of Socialism*, Londres, Routledge, 1988, p. 146.
4   Id., ibid., p. 148.
5   "...até a 'revolução subjetiva' na teoria econômica da década de 1870 [ou seja, a formulação da 'teoria da utilidade marginal', I.M.], a compreensão da criação do ser humano era dominada pelo animismo – uma concepção de que mesmo a 'mão invisível' de Adam Smith proporcionava apenas uma fuga parcial." (Id., ibid., p. 108).
6   As duas citações são de Adam Smith, op. cit., p. 298. O trecho de onde foram tiradas é o seguinte:
     O consumo é o único propósito de toda a produção; o interesse do produtor deve ser atendido apenas até onde seja necessário para promover o do consumidor. A máxima é tão perfeitamente óbvia, que seria absurdo tentar comprová-la.
     Como se pode ver, as práticas de produção e distribuição do sistema do capital em nossos dias estão em total desacordo com a descrição do que Adam Smith supõe ser o caso, e com sua estipulação da razão por que tudo – da maneira resumida por sua máxima – deveria ocorrer. Absurdo hoje, afinal de contas, seria não a tentativa de submeter ao escrutínio da crítica a "máxima perfeitamente óbvia", mas deixar de fazê-lo.

que na verdade as personificações do capital devem inventar todos os tipos de subterfúgios – inclusive os instrumentos diretos da política do Estado – não apenas para enfiar goela abaixo dos consumidores mercadorias que não fazem falta alguma, mas também, o que é bem mais importante, para poder justificar, num mundo de carências gritantes, a distribuição de recursos mais desperdiçadora que se possa imaginar em benefício do complexo militar industrial.

A misteriosa e benfazeja "mão invisível" estaria hoje irremediavelmente falida em termos dos planos de Adam Smith, pois esse gênero de capitalista, se é que existe mesmo, está agora relegado a um papel de importância quase insignificante. Por conseguinte, ainda que aceitássemos a pertinência da metáfora de Smith como metáfora teórica para encher uma lacuna *em sua época*, hoje não se poderia dizer que a "mão invisível" guia as corporações dominantes, ordenando com isso a situação geral de maneira universalmente benéfica. Os primeiros proponentes da "teoria da utilidade marginal", na década de 1870, já tiveram de mudar a ênfase do capitalista individual para o *consumidor* individual como o mais importante "sujeito" de sua "revolução subjetiva". E hoje, afora as ideias fictícias da "soberania do consumidor", as explicações relativas à maneira como as unidades econômicas dominantes do sistema do capital estão sendo controladas estão em nítida oposição ao postulado explicativo de Adam Smith, como veremos adiante na seção 3.3, sobre a terceira teorização típica do problema do controle do ponto de vista do capital.

A projeção da "mão invisível" de Adam Smith como força orientadora para seus capitalistas individuais equivale à admissão de que o sistema reprodutivo por ele idealizado é *incontrolável*. Para rebater todas as possíveis desconfianças, o grande pensador teve também de presumir que a misteriosa "mão invisível" é generosamente *benevolente* para os capitalistas particulares e ao mesmo tempo para toda a sociedade. Sobretudo, a "mão invisível" também deve atuar – enquanto guia os atores capitalistas – como magnânima harmonizadora de todos os possíveis conflitos de interesse, inclusive o que existe entre *produção e consumo*. Assim, é inconcebível o surgimento da contradição entre *produção e controle* – defeito central do sistema do capital –, pois a mão sumamente benevolente é postulada como o verdadeiro controlador que, por definição, é infalível em seu onipotente controle benéfico. Contudo, suponhamos que a "mão invisível" nem sempre, e não em relação a tudo, seja assim tão benevolente. Por um instante, este pensamento aparece como ameaça para Adam Smith:

O avanço das *enormes dívidas* que atualmente oprimem, e a longo prazo *provavelmente arruinarão, todas as grandes nações europeias* tem sido bastante uniforme.[7]

No entanto, ele não consegue admitir que o risco corretamente identificado exige pelo menos alguma reconsideração de seu sistema geral. Não pode haver nenhuma correção para este, porque ele preenche a necessária função dual de concentrar a atenção nas dificuldades de controle – de modo a possibilitar o argumento a favor da ação remediadora em *determinados* contextos, no plano de efeitos e consequências – e, ao mesmo tempo, fazê-los desaparecer em termos

---

[7] Smith, ibid., p. 143.

da caracterização do sistema como um todo. Pois, tão logo as implicações passem a ser ponderadas do ponto de vista do capital, devem-se abandonar a percepção e o reconhecimento, por parte de um grande pensador, de que os "sujeitos" que controlam um capitalista individual de seu sistema idealizado só podem constituir um *pseudossujeito*, por precisarem de uma força orientadora misteriosamente invisível mas benevolente atrás de si para obter algum sucesso. Por causa da separação radical de produção e controle, sob a regra do capital, não pode haver alternativa à afirmação dos imperativos objetivos do sistema do capital por meio da intermediação de tal pseudossujeito, fazendo com que as determinações incorrigíveis e incontroláveis do capital – como *causa sui* – prevaleçam acima das cabeças de todos os indivíduos, inclusive as "personificações do capital". E, precisamente porque o sistema do capital não pode funcionar de nenhuma outra maneira que não a identificação da pessoa ao ponto de vista do capital, como o faz Adam Smith, exclui-se a possibilidade de buscar soluções que prescindam da aceitação incondicional do quadro de referências estrutural do sistema – com sua incontrolabilidade objetivamente imposta – como "natural" e "perfeito".

O ponto de vista do capital inevitavelmente derruba até um grande pensador como Adam Smith. Os princípios orientadores do sistema impostos a Smith fazem-no – e a muitos outros que seguem seus passos – procurar respostas onde elas não estão. O discurso deles está limitado a tentar compreender os parâmetros do funcionamento do sistema do capital em termos das *intenções* e *motivações* do pessoal controlador. (Esta ideia persiste de Adam Smith até hoje, abrangendo todas as variedades de "marginalistas" – desde os que iniciaram a "teoria da utilidade marginal" até seus recentes popularizadores intelectuais –, passando por Max Weber e Keynes, pelos que acreditam em alguma forma de "revolução gerencial", até chegar aos mais entusiastas apologistas do sistema do capital, como Hayek.) Entretanto, não é a "intenção" ou "motivação para acumular" dos capitalistas individuais que decide a questão, mas o *imperativo objetivo da expansão* do capital. Sem conseguir realizar seu processo de reprodução *expandida*, o sistema do capital desmoronaria – mais cedo ou mais tarde, mas com certeza absoluta. No que diz respeito às motivações e "intenções subjetivas", cada uma das personificações do capital "*deve pretender*", por assim dizer, os fins delineados pelas determinações expansionistas do próprio sistema e não seus próprios "fins egoístas", como indivíduos particulares. Sem impor a afirmação deste primado irracional do imperativo expansionista sobre todas as "motivações" e "intenções pessoais", o domínio do capital não se sustentaria nem no mais curto dos curtos prazos.

Em sua mais íntima determinação, o sistema do capital está totalmente *orientado para a expansão* – o que significa que está voltado nessa direção a partir de seu próprio ponto de vista objetivo – e é *impelido pela acumulação*, em termos da necessária instrumentalidade de seu objetivo projetado. É a mesmíssima correlação que aparece (e deve aparecer), do ponto de vista subjetivo das personificações particulares do capital, exatamente ao inverso – ou seja, eles devem apresentar seu sistema como *voltado para a acumulação* e *impelido pela expansão*. "Expansão" entra em seu campo de visão de maneira negativa, com força maior sob as circunstâncias de sua ausência nociva, em vez de entrar como a mais sólida e mais positiva determinação do sistema a que servem. Sob as condições de fracassos e distúrbios econômicos é que eles são obrigados a reconhecer a importância dos parâmetros sistêmicos e – esquecendo ou varrendo para baixo do tapete as críticas de Adam Smith sobre a política e os políticos "perigosos" e também os "tolos" – fazem meia-volta, implorando a intervenção do governo para assegurar a expansão econômica geral. Pois são obrigados a perceber que, sem a livre expansão ininterrupta da economia, eles próprios, como indivíduos no mais alto escalão de suas próprias empresas, não poderão acumular nem para si nem para suas firmas. Ao mesmo tempo, no entanto, descrevem a si mesmos e a seu próprio impulso para a acumulação como o *determinante* decisivo da ordem estabelecida de produção, embora na realidade cumpram uma função essencialmente *instrumental* para o bom funcionamento do sistema – em outras palavras: atuam nele como "*determinantes determinados*" –, por mais vital, ou realmente insubstituível, que seja sua função instrumental, diante do fato de que o modo de controle sociometabólico estabelecido é totalmente inconcebível sem a superposição hierárquica das personificações do capital à força de trabalho. Em qualquer caso, a própria ideia de "acumulação" precisa ser desmistificada. Pois os fundos acumulados não podem estar livremente disponíveis para as personificações do capital a seu bel-prazer. Longe disso. Em um sentido (em suas ligações diretas a certos capitalistas), eles são momentos subordinados da expansão do sistema; em outro (quando abstraídos desse elo e considerados um conjunto orgânico), a "acumulação do capital" é sinônimo de expansão. Na prática, as "intenções" e as "motivações" são determinadas de acordo com isso. Pois capital acumulado é capital morto – ou seja, absolutamente nenhum capital, apenas o entesouramento inútil do avarento –, a não ser que seja *realizado* como capital, constantemente reentrando em forma expandida no processo geral de produção e circulação. Se assim não fosse, o capitalista – nas palavras de Marx, o "avarento racional" – degeneraria em simples avarento: "um capitalista enlouquecido"[8]. Em todo caso, não há perigo de isto acontecer em escala significativa; ocorre esporadicamente, pelo que o "capitalista enlouquecido" inevitavelmente deixa de ser um "capitalista racional" eficaz. O esmagador volume da acumulação capitalista está "predestinado" por determinações sistêmicas ao reinvestimento, sem o qual o processo de expansão e realização estaria encerrado, levando consigo o capital – e, naturalmente, todas as suas personificações dadas e potenciais – para o túmulo histórico[9].

---

[8] Marx, *Capital*, Moscou, Foreign Languages Publishing House, 1958, v. 1, p. 153.

[9] A deturpação das determinações objetivas na qualidade de "motivos subjetivos" – e assim a fusão de objetivo e subjetivo de modo que o último estivesse imaginariamente subordinado ao outro – muitas vezes é associada à confusão de valor de uso e valor de troca, em nome de uma identificação igualmente semelhante de um com o outro. Esse gênero de mudança conceitual serve a uma finalidade explicativa. Com a ajuda dessas fusões arbitrariamente abrangentes, os autores em questão – de Adam Smith (que estipula o relacionamento harmonioso entre consumo e produção em sua "máxima perfeitamente óbvia" citada acima) a Hayek (que afirma que "o mercado termina produzindo um resultado sumamente moral", op. cit., p. 119) – podem decretar não somente a "naturalidade" do capitalismo, mas também sua completa harmonia com as devidas aspirações subjetivas dos indivíduos. A análise de Marx ajuda a desemaranhar essas relações, enfatizando que...
A simples circulação das mercadorias – vender para produzir – é um *meio* de levar a cabo um propósito dissociado da circulação, ou seja, *a apropriação dos valores de uso, a satisfação das necessidades*.

O importante aqui é que o sistema do capital permanece incontrolável precisamente porque o relacionamento estrutural objetivo entre a intenção consciente e a exigência expansionista objetiva não pode ser *revertido* dentro dos parâmetros deste sistema sociometabólico particular em favor de intenções verdadeiramente controladoras (isto é, intenções que deixariam a própria expansão sujeita ao teste das limitações positivamente justificadoras). Não pode haver espaço para intenções operacionais conscientemente executadas – ou seja, realmente autônomas – no quadro de referências estrutural do capital, porque os imperativos e as exigências rigorosamente *instrumentais* do sistema como um todo devem ser impostos e *internalizados pelas* personificações do capital como "suas intenções" e "suas motivações". Qualquer tentativa de afastamento da necessária instrumentalidade resulta em intenções frustradas e nulificadas, ou seja, inteiramente quixotescas. O sistema segue (e implacavelmente afirma sobre todos os indivíduos, inclusive suas personificações "controladoras") as próprias "determinações férreas", não importando a gravidade de suas implicações até para a sobrevivência humana e num prazo nem assim tão longo. Mas é claro que isto não pode ser admitido por aqueles que enxergam e teorizam o mundo do ponto de vista do capital. É este o motivo pelo qual o profundo diagnóstico de Adam Smith de um defeito fatídico no sistema do capital – sua incontrolabilidade por ação humana – teve de ser combinado a uma *renovada confiança mítica* na sua, apesar de tudo, continuada viabilidade (realmente "natural" e "permanente"). E também é por isso que Hegel – no rastro de Adam Smith – teve de caracterizar até mesmo os "indivíduos históricos do mundo" como simples *ferramentas* nas mãos do "Espírito do Mundo": o único ser com um relacionamento não ilusório entre consciência e ação.

Para examinar o controle do sociometabolismo, não pela misteriosa "mão invisível" ou por sua reformulação hegeliana "universalizada" para toda a história do mundo, mas por meio de uma ação humana consciente e independente (uma ação capaz de agir de tal modo, que suas intenções não sejam uma camuflagem perversa e ilusória para a instrumentalidade sumariamente imposta de uma ordem reprodutiva fetichista), é preciso dar um passo para fora do quadro de referências estrutural do capital e abandonar sua base material determinante, que só está sujeita à constituição de um modo de controle incontrolável. É precisamente isto que dá significado ao projeto socialista[10].

A circulação do dinheiro como capital, ao contrário, é um *fim em si*. O aumento do valor acontece apenas dentro deste movimento constantemente renovado. Portanto, a circulação não tem *nenhum limite*. Como representante consciente desse movimento, o possuidor do dinheiro se torna um capitalista. Sua pessoa, ou melhor, seu bolso, é o ponto de onde parte o dinheiro e para onde ele volta. A expansão do dinheiro, que é a *base objetiva ou mola-mestra* da circulação D-C-D, torna-se a sua *meta subjetiva* e é apenas na medida em que a apropriação de mais e mais *riqueza abstrata* torna-se o único motivo de suas operações que ele funciona como capitalista, ou seja, como *capital personificado e dotado de consciência e de uma vontade*. Portanto, os valores de uso jamais devem ser vistos como a meta real do capitalista; nem o lucro por qualquer *transação única*. O seu fim é o *interminável e incansável processo da formação do lucro*.
Marx, ibid., pp. 151-2.

[10] Naturalmente, tal projeto só pode ser concebido como *uma alteração muito importante*, com dificuldades quase proibitivas. Como projeto, seu objetivo a realizar está no *futuro*, mas para ser realizado deve superar a inércia amortecedora do *passado* e do *presente*. Antes da conquista do poder tudo parece relativamente simples em relação às condições pós-revolucionárias, pois as expectativas do futuro estão no centro da atenção e

3.2 A "utilidade marginal" e a economia neoclássica

3.2.1

Apesar das palavras tranquilizadoras de Adam Smith sobre o controle benevolente da ordem capitalista pela "mão invisível", esta não conseguiu manter-se à altura das expectativas. Crises de gravidade crescente tornaram-se um aspecto inegável do "sistema de perfeita liberdade e justiça natural", compelindo seus defensores a oferecer alguma espécie de explicação que também sugerisse um remédio.

Dadas as novas circunstâncias, uma simples declaração de fé na "mão invisível" que bem orientava as ações dos capitalistas individuais em suas "situações locais" não era suficiente. Era preciso encontrar uma forma diferente de avaliar a questão do controle; em parte, porque as unidades dominantes das empresas se tornavam cada vez maiores (e, claro, inextricavelmente entrelaçadas com conexões que não as

---

a temporalidade do projeto socialista não está dividida. Quando a divisão ocorre, ela tende a assumir uma forma em que o presente efetivamente se contrapõe ao futuro e o domina.

Não é preciso dizer que é impossível haver uma boa transformação socialista sem a *mediação* dinâmica entre a imediatez da ordem estabelecida e o futuro que se desdobra, porque necessariamente as estruturas herdadas do sistema do capital hierárquico continuam a dominar o processo de reprodução social depois da revolução. Elas devem ser radicalmente reestruturadas durante a inevitável mediação entre presente e futuro, se desejamos que o projeto socialista tenha alguma possibilidade de sucesso. Tragicamente, no entanto, quanto maiores as dificuldades de reestruturação e mediação dinâmica, mais a temporalidade do projeto socialista – *futuro* em processo de desdobramento – tende a ser subvertida pela inércia das determinações de passado e presente. Declaram-se *estados de emergência, adiando o futuro* para um período indefinido quando, com alguma sorte, tais estados de emergência já não forem mais necessários.

Um "futuro adiado" é, na verdade, um futuro negado e, mais cedo ou mais tarde, completamente perdido, até como promessa. A princípio, alguns estados de emergência são *impostos* às sociedades pós-revolucionárias por meio de intervenções contrarrevolucionárias reais ou ameaçadas, como ocorreu na Rússia depois de 1917 ou na China de Mao por vários anos, tornando-se assim um instrumento de subversão fatídica da temporalidade socialista. Mais tarde, no entanto, as "emergências" tornam-se rotineiras e funcionam como desculpa pré-fabricada muito conveniente para todos os fracassos evitáveis. Assim, as sociedades pós-revolucionárias que passam por uma transformação pela qual a arbitrária imposição de estados de emergência se torna sua característica "normal", um aspecto mais ou menos permanente de seus intercâmbios socioeconômicos e políticos, realmente não têm futuro *algum* (e nenhuma possibilidade de sobrevivência em seu estado de animação suspensa) – como por exemplo na Rússia stalinista – por se terem permitido ser mais uma vez dominadas pela temporalidade decapitada do sistema do capital. Não podem ser consideradas sequer "sociedades de socialismo viável" – muito menos "sociedades de socialismo realmente existente" – porque o único "futuro" compatível com sua temporalidade decapitada é a temporalidade *restauradora* do capital, tendente a construir um "futuro" como uma espécie de versão do *status quo ante* (ou seja, "comercialização" e "privatização" capitalista).

Quando os estados de emergência rotineiros (e, naturalmente, os correspondentes campos de trabalho forçado etc.) já não funcionam mais, a pressão pela restauração – sob a devastadora influência dos fracassos visíveis por toda parte, em comparação com as mentiras da "construção do socialismo" e até da "construção do estágio mais elevado do comunismo" – vem de dois lados. Em primeiro lugar, a partir do tipo soviético de personificação do capital, que deseja assegurar seu domínio permanente sobre o trabalho, reinstituindo o direito legal à posse hereditária da propriedade privada capitalista. Em segundo, ironicamente, vem também das massas do povo, que continuam a sofrer as consequências dos fracassos. Ironicamente, porque a última coisa que podem realmente esperar da restauração da "sociedade de mercado" capitalista é o fim de sua dominação estrutural pelo sistema do capital. Entretanto, pressionam pela mudança radical, por mais incertas que sejam as condições visadas, porque é impossível viver num *estado de emergência permanente* que não leva a lugar algum, sob circunstâncias em que já não é mais possível esconder, nem por cínicos exercícios de propaganda, que o "futuro adiado" na verdade é *futuro traído e abandonado*. Retornaremos a estes problemas na Parte III.

apenas locais); em parte porque se teria de admitir que os "ciclos do comércio", que estavam assumindo as proporções mais danosas, deveriam ser no mínimo explicados (em pleno acordo com os imperativos do sistema), sem o que a tranquilizadora mensagem não mereceria mais qualquer crédito. Foi assim que a segunda teorização típica dos dilemas de controle e incontrolabilidade, mencionados na seção 3.1.1, surgiu de uma consciência parcial dos sintomas da crise. Não obstante, os representantes da nova interpretação também se recusaram caracteristicamente a admitir as causas das dificuldades identificadas. Preferiram dar atenção apenas aos sintomas, reinterpretando as descrições anteriores do modo de reprodução sociometabólica estabelecido de uma forma que, no mínimo, não questionasse a crença, assumida sem crítica pelos clássicos da economia política burguesa, na naturalidade e absoluta permanência do sistema do capital.

W. Stanley Jevons, um dos pioneiros dessa nova abordagem – mais tarde celebrada como a "revolução marginalista" ou "revolução subjetiva" –, insistia em que se deveria utilizar um rigoroso método científico, com instrumental matemático apropriado, para enfrentar os problemas identificados. O fato de seu livro definidor da tendência – *Theory of Political Economy* – ter aparecido em 1871, em meio a uma grande crise internacional e no ano da Comuna de Paris, foi, naturalmente, uma coincidência. Também foi por mera coincidência que o mais influente economista inglês a oferecer os frutos dessa mesma "revolução", Alfred Marshall, estivesse em Berlim desenvolvendo seu projeto de pesquisa, na mesma época em que as tropas prussianas de Bismarck cercavam Paris, dando uma grande contribuição para a explosão da Comuna de Paris. No entanto, o que definitivamente não se tratou de coincidência foram a frequência e a intensidade cada vez maiores das crises por décadas e décadas, até que uma expansão imperialista aliviasse a tensão no "cantinho do mundo" europeu e desse vida nova ao capital nos países imperialistas dominantes. Afinal, o próprio Stanley Jevons teve de interromper seus estudos na universidade e procurar emprego na Austrália durante cinco anos, até conseguir economizar dinheiro suficiente para retomar seus estudos – porque seu pai, um rico comerciante de ferro, havia falido em consequência de uma séria crise econômica.

O fato é que o espectro da crise assombrou Jevons até o fim da vida. Ainda muito jovem, ele expressava esta preocupação a seu irmão Herbert, numa carta datada de abril de 1861 (dois anos antes de receber o diploma no University College, em Londres), em que dizia:

> Se as revoluções comerciais são ou não tão necessárias e inevitáveis, como a montante e a vazante das marés, é uma questão intrigante e problemática. O certo é que elas aparecem no curso normal dos negócios, quando não em períodos exatamente regulares, pelo menos em ciclos, cuja extensão média não é difícil calcular. Por mais difícil que seja estabelecer com precisão os princípios que as regulam, habitualmente elas são precedidas por sintomas e seguidas por resultados que têm alguma analogia, se não semelhança, entre si. Um exame atento de nossos *empresários* representaria muito para a disseminação dessa boa informação *relativa às leis do comércio, o que reduziria imensamente a gravidade das crises comerciais*.[11]

---

[11] W. Stanley Jevons, Carta a Herbert Jevons, 7 de abril de 1861, citada em *Types of Economic Theory: From Mercantilism to Institutionalism*, de Wesley C. Mitchell, editado por Joseph Dorfman, Nova York, Augustus M. Kelley, 1969, v. 2, p. 16.

Quinze anos depois, numa palestra de 1876 no Clube da Economia Política sobre "O futuro da economia política" – por ocasião das comemorações do centenário da *Riqueza das nações* de Adam Smith –, ele insistia em que...

... Precisamos de uma ciência do mercado do dinheiro e das flutuações comerciais, que deveria investigar por que o mundo está cheio de atividade durante alguns anos e depois tudo fica inativo; enfim, por que existem essas marés nos negócios dos homens?[12]

Ainda assim, a elaboração e a bem-sucedida aplicação da "ciência do dinheiro e das flutuações econômicas" de Jevons permaneceu desde então um sonho ilusório, apesar de todos os esforços nele aplicados e apesar de todas as honrarias (inclusive uma porção de prêmios Nobel) prodigalizadas a seus proponentes. Não obstante, desde então persistiu a ilusão, arraigada num otimismo exagerado, de que tal ciência – capaz de eliminar as deploradas "flutuações comerciais" e crises periódicas ou, na expressão de Jevons, "reviravoltas" – seria viável dentro dos parâmetros estruturais do capital, desde que fossem adotados "métodos quantitativos rigorosos" (encerrados em fórmulas matemáticas) por seus representantes; e na verdade rapidamente o foram, constituindo uma característica distintiva da nova ortodoxia. Mesmo Alfred Marshall, que estava muito ansioso por manter o acesso popular a seus escritos, de modo a poder influenciar os empresários, aceitou alegremente a caracterização de Edgeworth para sua obra: "sob as vestes da literatura, *a armadura da matemática*"[13].

Entretanto, em vez de o remédio proposto tocar a base causal do sistema, somente os efeitos foram atacados, muitas vezes com excessivo aparato matemático e estatístico, produzindo resultados bastante problemáticos, até na opinião dos que esperavam soluções da mesma ciência formalizada do dinheiro. Muitos anos depois, em 1936, Keynes teve de insistir nas advertências contra as expectativas otimistas, recorrendo ao intercâmbio normal de ideias e ao bom-senso como corretivos necessários ao zelo matemático. Ele dizia o seguinte:

... no discurso comum, onde não estamos cegamente manipulando, mas sabemos o tempo todo o que fazemos e o que significam as palavras, podemos guardar "na cabeça" as reservas e limitações necessárias e os ajustes que teremos de fazer mais adiante, de forma que não possamos esconder diferenciais parciais complicados "atrás" de muitas e muitas páginas de álgebra que pressupõem que todos eles desapareçam. Uma proporção muito grande da economia "matemática" é simples ficção, tão imprecisa quanto as premissas iniciais em que se baseia, o que permite que o autor perca de vista as complexidades e interdependências do mundo real, num labirinto de sintomas pretensiosos, que em nada ajudam.[14]

---

[12] Id., "The Future of Political Economy", em Jevons, *The Principles of Economics: A Fragment of a Treatise on the Industrial Mechanics of Society, and Other Essays*, com um prefácio de Henry Higgs, Reprints of Economic Classics, Nova York, Augustus M. Kelley, 1965, p. 206.

[13] F. Y. Edgeworth, "Reminiscences", em A. C. Pigou (ed.), *Memorials of Alfred Marshall*, Reprints of Economic Classics, Nova York, Augustus M. Kelley, 1966, p. 66. Quarenta e cinco anos antes, na formulação original da opinião de Edgeworth sobre Marshall, citada acima, o autor afirmava que os argumentos de Marshall, "mesmo sob as vestes da literatura, traziam as armas da matemática". (Ver "On the Present Crisis in Ireland", em *Mathematical Psychics: An Essay on the Application of Mathematics to the Moral Sciences*, 1881, Reprints of Economic Classics, Nova York, Augustus M. Kelley, 1967, p. 138.) Contudo, a última versão parece uma comparação mais adequada.

[14] John Maynard Keynes, *The General Theory of Employment, Interest and Money*, Londres, Macmillan, 1957, pp. 297-8.

No entanto, as raízes do problema, desde a sua forma matematizada das décadas de 1860-70, eram bem mais profundas para serem retificadas por qualquer apelo à orientação do bom-senso e do discurso normal. É verdade, conforme a afirmação de Keynes, que, no final dos anos 1860, "a noção da aplicação de métodos matemáticos estava no ar"[15]. Mas algo de importância muito maior – a preocupação profunda (ou alarme) das personificações do capital com o crescente movimento trabalhista socialista – também estava no ar. As diversas teorias da "utilidade marginal" – das versões inglesa e suíça às variações austríacas – foram em boa parte concebidas como antídoto contra isso. Wesley C. Mitchell enfatizou em suas palestras de 1918 na Universidade de Colúmbia:

> Não se pode ler os autores austríacos, cujo sistema de modo geral assemelhava-se ao de Jevons, sem sentir que eles estavam interessados em desenvolver o conceito da maximização da utilidade, em grande parte porque pensavam que isto respondia à crítica socialista de Marx à moderna organização econômica. Pelo menos a uma primeira leitura, este conceito parecia mostrar que, desde que a interferência com a competição seja reprimida, o resultado seria, teoricamente, a melhor organização possível da sociedade quando todos são deixados perfeitamente livres para tomar suas próprias decisões. ... Um dos desenvolvimentos interessantes e bastante irônicos da geração depois de Jevons foi o fato de que essa linha de teorização econômica usada pelos austríacos para responder a Marx tenha sido adotada pelos socialistas fabianos como sua doutrina econômica básica e que um novo sistema de socialismo, de caráter muito diferente do de Marx, tenha se erguido sobre esta fundamentação.[16]

Os economistas que adotaram os principais dogmas da teoria da utilidade marginal distribuíam-se, politicamente, desde a posição conservadora extrema de Francis Ysidro Edgeworth, levada ao ponto de uma insanidade obscurantista[17] – e,

---

[15] Idem, "Alfred Marshall, 1842-1924," em *Memorials of Alfred Marshall*, p. 19.

[16] Wesley C. Mitchell, op. cit., v. 2, p. 77.

[17] Edgeworth era obcecado pela ideia de que a condição de seu país natal, a Irlanda – "um país abalado pela conspiração política e a associação econômica" (ou seja, os sindicatos, p. 127 do *Mathematical Psychics*, citado na nota 13 deste capítulo) –, poderia espalhar-se por todos os cantos; assim, ele tentou criar um antídoto "científico" na forma de um "utilitarismo aristocrático" (p. 80), o que garantiria "votos plurais conferidos não apenas à sagacidade, como pensava Mill, mas também à capacidade de ser feliz" (p. 81). E – surpresa! surpresa! – o plano "científico" da "psicologia matemática" de Edgeworth estava perfeitamente sintonizado com seu "utilitarismo aristocrático," com a seguinte argumentação:
Se supusermos que a capacidade para o prazer é um atributo da habilidade e do talento (a); se considerarmos ser a produção uma função assimétrica do trabalho manual e científico (b); poderemos ver uma razão, mais profunda do que a oferecida pela economia, pela qual o trabalho da aristocracia da capacidade e do talento, apesar de mais agradável, tenha maior remuneração. A aristocracia do sexo baseia-se igualmente na presumida capacidade superior do homem para a felicidade, para a *energia* da ação e da contemplação; sobre o sentimento...
A mulher é o homem menor; sua paixão perto da minha é como o luar perto do sol e como água do vinho (p. 78).
Como bonificação, além de justificar a classe dominante e o chauvinismo masculino, Edgeworth lança também uma justificativa para o *racismo* na p. 131. Falando sobre a sociedade do futuro, ele insiste em que a dominação e a subordinação das classes devem permanecer para sempre, justificando-o com a afirmação de que "a existência de uma classe menos afortunada e subordinada não parece incriminar a generosidade da Providência" (p. 79). São estes os valores sustentados com indisfarçada consciência de classe pelas habilidades matemáticas e pelo "rigor científico" muito valorizados de Edgeworth.

para ser justo com Edgeworth, havia um toque de loucura nas concepções de todos eles, inclusive Jevons, que desejava explicar "cientificamente" o que chamava de "crises comerciais," associando-as estatisticamente às manchas solares (padrão pelo qual o sol estaria nessas últimas décadas exageradamente – não seria perversamente? – manchado; mas quem, em perfeita sanidade mental, desejaria brigar com o sol?) – às variedades de paternalismo em relação à mão de obra, algo proeminente nos fabianos. Por exemplo, o paternalista neoclássico Marshall, apesar de sua reputação de pensador cuidadoso e muito escrupuloso[18], não tinha escrúpulos em dispensar Marx da maneira mais sumária – com falsas interpretações caricaturais grotescas – para ao mesmo tempo dispensar igualmente as ideias de *trabalho excedente* e *exploração*[19]. Depois de uns tapinhas nas costas de Marx por sua "solidariedade com o sofrimento", não hesitou sequer em lisonjear a galeria acadêmica filistina, dizendo sarcasticamente que os argumentos de Marx estavam "encobertos por misteriosas frases hegelianas"[20], embora quando Marshall estava "morando em Berlim no inverno de 1870-71, durante a guerra franco-alemã, a *Filosofia da história* de Hegel o tenha influenciado enormemente"[21] (como sabemos pelo que diz Keynes, baseado no esboço biográfico da viúva de Marshall).

A grande diferença em relação às revoluções e "crises comerciais" foi que a ordem política e a produção estabelecidas estavam sendo cada vez mais contestadas pelo movimento socialista organizado, que ousava apresentar a proposta "extraeconômica" de que as crises econômicas não se deviam a distúrbios cíclicos extraterrenos, nem às determinações inalteráveis da "natureza humana", mas aos defeitos estruturais do sistema do capital.

Compreende-se que as personificações do capital tivessem de fazer algo a respeito dessa contestação, já que não poderiam esperar uma solução automática de seu *deus ex machina* anterior: a reverenciada "mão invisível". Fossem conservadores ou paternalistas, tinham de oferecer explicações e justificativas que no mínimo parecessem responder às reivindicações que emanavam do movimento da classe trabalhadora. Mesmo o extremado reacionário Edgeworth sugeria que "toda a criação geme e suspira, desejando um *princípio de arbitragem, um fim das lutas*"[22]. Edgeworth era sem dúvida um tanto especial, pelo fato de seu "princípio" mostrar-se a mais deslavada justificação para os privilégios das classes dominantes, apoiadas por um embuste pseudocientífico que justificava a posição social superior e a riqueza correspondente do empresário com verborreia darwiniana e camuflagem utilitarista, afirmando que "uma organização mais nervosa exigiria em média um

---

[18] Segundo Keynes...
Marshall foi o primeiro grande economista *pur sang* que jamais existiu, o primeiro a devotar a vida a erigir o tema como ciência separada, sustentada em sua própria base, com padrões de exatidão científica tão elevados quanto os das ciências físicas ou biológicas.
Keynes, "Alfred Marshall, 1842-1924," op. cit., pp. 56-7.

[19] Alfred Marshall, *Principles of Economics*, Londres, Macmillan, 1959, p. 487.

[20] Id., ibid., p. 11.

[21] Keynes, ibid., p. 11.

[22] Edgeworth, *Mathematical Psychics*, p. 51.

mínimo mais elevado de recursos para chegar à utilidade zero"[23]. No entanto, a essência dos ensinamentos de seus companheiros ideológicos em armas era a mesma no que diz respeito a seus "princípios" de distribuição indecentemente desigual e à sua alegada justificativa "científica". Eles queriam escamotear até a possibilidade de levar em conta a relação entre salários e lucros, trabalho excedente e mais-valia, o fato e o remédio potencial da exploração. E isto visando proclamar o "fim das lutas" – não mais na teórica e politicamente contestável economia política, mas cada vez mais na racionalmente incontestável "ciência da economia".

Ao mesmo propósito serviu a mudança da ênfase nas decisões dos capitalistas individuais de Adam Smith para os consumidores que maximizam a utilidade – cujas demandas são, naturalmente, muito bem interpretadas e realizadas pelos empreendedores capitalistas. Pois, como argumentava Jevons, se era verdade que "o valor depende inteiramente do último grau da utilidade"[24] – proposição compartilhada de alguma forma por todas as variantes da "teoria da utilidade marginal" –, a própria racionalidade recomendaria então que todas as reivindicações dos trabalhadores deveriam ser avaliadas em termos da demanda do comprador ou consumidor e em subordinação a ela, eliminando assim a possibilidade de contestar a determinação estrutural do sistema em termos de classes inclinadas à luta. Uma pena que a tal associação entre manchas solares e "crises comerciais" não pudesse realmente ser estabelecida, apesar de Jevons ter modificado duas vezes suas estatísticas econômicas "científicas" de modo a caberem nos dados astrofísicos (infelizmente para seu sistema) revisados das manchas solares e apesar de haver ainda introduzido a ideia de "ciclos normais" – procedimento metodológico de definições e pressupostos arbitrários amplamente adotado pelos apologistas posteriores, para poder provar o que não poderia ser sustentado de nenhuma outra maneira – para excluir os ciclos teimosos que se recusavam a encaixar-se em suas elegantes e convenientes ideias preconcebidas. Pois, se tivesse conseguido, teria demonstrado o imenso absurdo de todos aqueles socialistas que procuravam explicações e remédios, não no céu, mas na terra mesmo, concentrando sua atenção nas monstruosas injustiças e contradições da ordem socioeconômica estabelecida.

3.2.2
Entretanto, apesar das hipóteses e garantias de tranquilidade dos novos economistas que adotaram o credo da teoria da utilidade marginal, as deploradas "crises comerciais" (e os concomitantes antagonismos e lutas de classe) não somente não desapareceram, mas tendiam a tornar-se cada vez mais graves. Ao mesmo tempo, a persistente provocação do movimento organizado da classe trabalhadora – na França (apesar da sangrenta repressão à Comuna de Paris) e também na Alemanha, na Rússia, na Áustria/Hungria e na Inglaterra, para só mencionar o "cantinho do mundo" europeu –

---

[23] Id., ibid., p. 54. Edgeworth acrescenta ainda, na p. 57 – para reforçar a correção e a justificativa utilitarista de seu "princípio" –, que "alguns indivíduos podem gozar das vantagens não por qualquer quantidade de meios, mas apenas para valores acima de certo nível. Este pode ser o caso das ordens superiores da evolução".

[24] W. Stanley Jevons, *The Theory of Political Economy*, editado com uma introdução de R. D. Collison Black, Harmondsworth, Penguin Books, 1970, p. 187.

tornava bem mais vantajoso, do ponto de vista do capital, adotar a estratégia de *cooptação* e não a do enfrentamento. A preocupação com o conflito social era constantemente expressada por Alfred Marshall – provavelmente o mais iluminado dos solícitos paternalistas –, que, em um ensaio escrito pouco depois da Revolução Russa de 1905, escreveu:

> Na Alemanha, o domínio da burocracia combinou-se a outras causas para promover um amargo ódio de classes e, aqui e ali, fazer a ordem social depender da vontade de os soldados atirarem nos cidadãos; e a situação é muito pior na Rússia, bem mais burocrática. Mas, sob o coletivismo, não haveria como recorrer da onipresente disciplina burocrática. ... o coletivismo é uma séria ameaça até à manutenção de nossa atual taxa moderada de progresso.[25]

E Marshall uniu sua rejeição categórica ao coletivismo com um quadro idealizado do capitalista "rico" – que não apenas compreende, mas generosamente implementa os ensinamentos do compassivo credo marginalista – e da ordem socioeconômica, de que o rico marshalliano seria um representante exemplar. Segundo este quadro, na Utopia de Marshall, que se desdobrava lenta, mas inexoravelmente...

> ... O rico cooperaria mais com o Estado, bem mais tenazmente do que o faz agora, aliviando o sofrimento dos que, não por sua própria culpa, são fracos e doentes, e a quem um xelim poderia trazer mais benefício real do que ele obteria gastando muitas libras a mais. Sob tais condições, o povo em geral estaria tão bem nutrido e tão bem educado que seria agradável viver na terra. Nela os salários por hora seriam altos, mas a força de trabalho não seria cara. O capital portanto não estaria muito ansioso para emigrar, mesmo que se impusessem sobre ele impostos bastante pesados para fins públicos: os ricos adorariam viver nela; e assim o verdadeiro Socialismo, baseado no cavalheirismo, elevar-se-ia acima do receio de que algum país possa andar mais depressa do que os outros por medo de perder capital. Um Nacional Socialismo desse tipo estaria cheio de individualidade e elasticidade. Não haveria nenhuma necessidade daqueles laços de ferro de simetria mecânica que Marx postulava como necessários para seus projetos da "Internacional".[26]

Dessa forma, caracteristicamente, a pregação das virtudes de evitar-se o conflito com o apelo às condições de conto de fada do "cavalheirismo" capitalista vindouro poderia desposar feliz um antissocialismo militante e mais uma vez representando Marx falsamente como um rude pensador mecânico. Ao mesmo tempo, Marshall tinha também de sustentar que a ordem socioeconômica capitalista idealizada continha em si o verdadeiro sistema socialista, em sua variedade "nacional-socialista". Afinal de contas, ele não era apenas um "amigo do operariado" e do movimento cooperativista britânico (em certo momento, até seu presidente), mas também um bom imperialista inglês que – enquanto condenava energicamente a burocracia russa e alemã – acreditava e discutia com toda a seriedade nos seguintes termos: "A fidalguia que fez com que muitos administradores na Índia, no Egito e em tantos outros lugares se dedicassem aos interesses dos povos sob seu governo é um exemplo da maneira como os métodos

---

[25] Marshall, "Social Possibilities of Economic Chivalry", em *Memorials of Alfred Marshall*, pp. 341-2.
[26] Id., ibid., pp. 345-6.

britânicos de administração, elásticos e nada convencionais, deixem campo para o empreendimento livre e refinado a serviço do Estado"[27]. Com toda certeza, isto agradou aos nacional-imperialistas de todas as classes, inclusive aos "moderados" e "realistas" trabalhistas fabianos "nacional-socialistas". O único detalhe estranho é Marshall ter imaginado que poderia ser coerente combinando suas agressivas censuras contra a quimera de socialistas radicais – como: "... nesses últimos anos temos sofrido muito com planos que afirmam ser pragmáticos, mas baseados em estudos incompletos das realidades econômicas"[28] – com a completa fantasia de sua própria idealização tanto do capitalismo em geral como de sua variedade imperialista britânica, em particular.

Mas, naturalmente, ele não estava só nisso tudo. As "realidades econômicas", que proclamava serem as premissas necessárias do discurso econômico racional, eram os imperativos do sistema do capital, a que toda estratégia de reforma social deveria se adaptar. Marshall não estava sozinho ao definir a única forma legítima de "ação coletiva das classes trabalhadoras" como "o emprego de seus próprios recursos, não *revolucionar* de repente, mas *gradualmente* elevar sua própria condição moral e material"[29]. O reformismo veio à tona para o movimento socialista radical no final da década de 1860 e início dos anos 1870; em 1875, em sua *Crítica do Programa de Gotha*, Marx soava claramente o alarme para este surgimento. No entanto, sua intervenção crítica mostrou-se inútil, porque os partidos social-democráticos que emergiam nos países capitalistas dominantes movimentaram-se para a participação reformista em seus parlamentos nacionais.

Essa tendência refletia e era vigorosamente influenciada pela teoria econômica marginalista, não somente na Inglaterra – principalmente pela ação dos fabianos – mas por toda a Europa. A "cooptação" pairava "no ar", antes e – com maior intensidade – depois da Comuna de Paris. Ela era realmente tão mais preferível ao enfrentamento, na opinião das personificações do capital, que uma figura não menos proeminente do que o próprio "Chanceler de Ferro" Bismarck queria ("fazendo intrigas com Lassalle", como na época reclamaram Marx e Engels[30]) seduzir o "Doutor Vermelho" Karl Marx a voltar para a pátria, de modo a administrar adequadamente a classe trabalhadora germânica, em nome das aspirações nacional-imperialistas do capital alemão. (A revogação da lei antissocialista de Bismarck em seu devido

---

[27] Id., ibid., p. 343. Alguns dos socialistas fabianos não tinham qualquer espécie de dificuldade em adotar a ideia de um Império Britânico "generosamente iluminado" ("cavalheiresco", na expressão de Marshall). Assim, por exemplo, Sidney Oliver – um socialista fabiano nada atípico que recebeu o título de barão Oliver, pelos serviços prestados ao império mais tarde – poderia, sem qualquer problema, dedicar-se à causa do domínio colonial britânico por toda sua vida. Depois de servir na Jamaica como administrador colonial por oito anos, foi promovido a governador da ilha em 1907; em 1924, tornou-se secretário de Estado para a Índia no primeiro governo trabalhista. Gente como o fabiano barão Oliver jamais viu qualquer contradição entre a opressão e exploração colonial e a ideia do socialismo. Naturalmente, a rejeição marginalista da teoria marxista da exploração mais as alternativas utópicas de Marshall chegavam para essa gente como o maná dos céus.

[28] Id., ibid., p. 329.

[29] Marshall, "Co-operation," in *Memorials of Alfred Marshall*, p. 229.

[30] O leitor interessado encontrará uma discussão dessas questões no capítulo 8 de meu livro *The Power of Ideology*, Londres, Harvester Wheatsheaf, 1989, e New York University Press, 1989, pp. 288-380 (publicado no Brasil pela Editora Ensaio, com o título *O poder da ideologia*).

tempo mostrou-se plenamente coerente com o plano nacional-imperialista do Chanceler de Ferro e com o papel nele atribuído às classes trabalhadoras.) É compreensível que Marshall tratasse Lassalle com simpatia muito maior do que Marx, elogiando-o por sua rejeição da "lei férrea dos salários" e ao mesmo tempo imputando a este último adesão a ela. Grande parte da inspiração da formação teórica do farol do "socialismo evolucionista" alemão, Edward Bernstein (que mais tarde tornou-se também o socialista preferido de Max Weber), vinha não apenas da variedade suíça e austríaca da teoria da utilidade marginal, mas também de suas versões britânicas, que ele conheceu durante sua longa permanência na Inglaterra.

Foi assim que o movimento socialista organizado – na nova fase expansionista e imperialista do capital europeu dominante, sintonizado com a forma específica da divisão entre a economia e a política no sistema do capital – rachou-se de modo fatídico entre o "braço industrial" e o "braço político" do proletariado, do que mais tarde inevitavelmente resultaram a separação e o antagonismo entre o socialismo "evolucionista"/reformista e o revolucionário. Como seria de esperar, o capital, uma força extraparlamentar *par excellence*, podia exercer o poder político em todo o Estado capitalista – ou seja, em toda a sua estrutura de comando político, de que o Parlamento é apenas parte, e de modo algum a decisiva. Em compensação, o "braço econômico" do trabalho (sindicatos) estava estritamente confinado ao campo econômico e seu "braço político" (partidos social-democratas reformistas) às regras do jogo parlamentarista que atendiam aos interesses burgueses – estabelecidos muito tempo antes que a classe trabalhadora tivesse permissão de participar da legislação política, numa posição estruturalmente sem saída e, portanto, necessariamente subordinada. Desta maneira, o "socialismo evolucionista" se condenava a "evoluir" para absolutamente lugar nenhum, além do "viável" e das "realidades econômicas" predeterminadas pelo capital em seu próprio favor[31].

Mas, apesar de todas as vitórias do capital e dos ajustes autoparalisantes do trabalho, a incontrolabilidade do sistema em si não poderia ser remediada. Em vez de progredir gradualmente em direção à utopia do cavalheirismo capitalista de Alfred Marshall – segundo Alfred Marshall, a utopia do cavalheirismo capitalista estava, "a caminho da realização" (condição esta que supostamente asseguraria realizações cada vez maiores graças aos elevados impostos alegremente pagos pelos empresários que assumiam riscos e à apropriada educação das classes trabalhadoras para avaliação da "realidade econômica" e para aceitar suas obrigações morais e políticas nela implícitas). Mas, ainda durante a vida de Marshall, em vez de um progresso em direção a essa utopia, já irrompiam contradições antagônicas da sociedade capitalista, na forma de uma conflagração imperialista devastadora, que envolveu o mundo inteiro (pela primeira vez) na Grande Guerra que durou quatro longos anos. Quanto à postulada solução nacional-socialista, definida como uma harmoniosa fusão de empresários cavalheirescos com as seções "racionais" da classe trabalhadora (gente que tivesse a convicção de que era possível "elevar-se acima do receio de que nenhum país poderia andar mais depressa do que os outros", sem atropelar os outros para evitar ser "despojado do capital"), foi uma estratégia que, longe de levar a um Estado "cheio de individualidade e elasticidade", resultou nas monstruosas desumanidades da

---

[31] Voltaremos a esses problemas no capítulo 18.

aventura nacional e global de Hitler. Além do mais, esta grave situação, na Alemanha e noutros lugares, não surgiu sem a cumplicidade atuante, por muitos e muitos anos, de poderosas seções do capital estrangeiro, alimentando seu próprio "projeto Internacional" de eliminar para sempre, por meio da ação de Hitler e Mussolini, o projeto socialista "Internacional mecânico" de Marx.

3.2.3

Os economistas que enxergam o mundo do ponto de vista do capital não podem simplesmente ignorar a incontrolabilidade estrutural de seu sistema preferido, por mais que desejem eliminar as contradições implícitas. Dependendo do estágio dado do desenvolvimento histórico, as dificuldades de controle serão mais – ou menos – proeminentes em suas conceituações, mas ninguém pode evitá-las completamente.

Adam Smith, que escreveu na época da ascendência dinâmica histórica do capital e na aurora de sua expansão global – ou seja, um momento em que lutar contra o protecionismo mercantilista representava um progresso real –, podia muito bem contentar-se com ligeiras referências à "mão invisível", não apenas como evidência, mas também como a benevolente solução da incontrolabilidade do sistema pelos capitalistas individualmente. Nenhuma solução simples como essa estava disponível para seus sucessores do final do século XIX e início do século XX quando, em perfeito contraste com a era de Smith (segunda metade do século XVIII), toda a expansão territorial do sistema do capital havia terminado sob a forma da divisão imperialista rival de todo o planeta e a perspectiva de grandes crises sistêmicas surgia inevitavelmente no horizonte. O "Estado estacionário" de John Stuart Mill já prenunciava alguns dos perigos implícitos no iminente fechamento, não apenas territorial – que, em princípio, poderia ser reaberto graças ao "jogo da soma zero" das guerras imperialistas em benefício dos vitoriosos e à custa dos derrotados – mas em termos das restrições impostas no futuro à expansão produtiva do conjunto do sistema do capital. Portanto, é significativo que, na "nova economia" dos sucessores de Mill, todas as sombras escuras tivessem de ser eliminadas; o "Estado estacionário" teve de ser transformado num pilar dos critérios econômicos explicativos por meio de sua transformação num artifício técnico "conveniente", abertamente admitido, em cujos termos podia-se provar que todos os *pressupostos* da "economia científica" arbitrariamente adotados corresponderiam à situação "normal".

Na ordem das coisas de Adam Smith, a "mão invisível" resolvia plenamente o problema identificado e assim atribuía aos capitalistas individuais o controle operacional satisfatório de sua parte no sistema. Por isso, não havia razão alguma para Smith se propor a inventar uma desorientadora rede de pressupostos com a qual os valores do sistema dominante do capital, contestados apenas pelo trabalho, estariam facilmente justificados. Sob as novas circunstâncias, no entanto, a responsabilidade pelo modo real de funcionamento do sistema – e, naturalmente, por seus potenciais defeitos e crises – teria de ser o mais amplificada possível para desviar e neutralizar a crítica. Para citar Joan Robinson, segundo os sucessores de Mill...

> ... cada empregador dos fatores [de produção] procura minimizar o custo de seu produto e maximizar seu retorno, cada partícula de um fator procura um emprego que maximize seu rendimento e cada consumidor planeja seu consumo para maximizar a utilidade.

Há uma posição de equilíbrio em que cada indivíduo faz o melhor para si, de modo que ninguém tenha qualquer incentivo para se movimentar. (Pois a união dos grupos para melhoria coletiva é rigorosamente contra as regras.) Nesta posição, cada indivíduo recebe um rendimento regido pela produtividade marginal do tipo de fator que oferece; a produtividade marginal é regida pela escassez em relação à demanda. Aqui o "capital" é um fator como todos os outros, e a distinção entre trabalho e propriedade desapareceu de vista. Expor tudo em álgebra será de grande ajuda. As relações simétricas entre x e y parecem fáceis e amistosas, inteiramente livres das associações de acrimônia que as relações entre "capital" e "trabalho" podem sugerir; a aparente racionalidade do sistema de distribuição do produto entre os fatores de produção oculta a natureza arbitrária da distribuição dos fatores entre os amigos.[32]

Portanto, o conceito de "sujeito soberano", de quem se espera que vá "planejar" o funcionamento "normal" do metabolismo socioeconômico e ao qual se poderia legitimamente atribuir a responsabilidade pelas "disfunções" e problemas econômicos encontrados, abrangeria em igual medida a totalidade dos indivíduos na sociedade. Da mesma forma, a própria ideia de contestar o sistema como tal, em termos coletivos, poderia ser considerada improcedente, por ser inteiramente irracional. Nas descrições metodicamente concisas da "teoria da utilidade marginal" todas essas contestações devem ter-se baseado numa péssima interpretação dos "fatores de produção" e das partes ou "partículas" que os constituem, que estariam predestinadas a definir, no interesse de todos, a natureza da ordem estabelecida de produção e distribuição. Ao mesmo tempo, o uso da álgebra e de diagramas convenientes não apenas eliminou os atores reais – capital e trabalho – do palco da história, mas também criou um simulacro de grande rigor científico no tratamento do tema da "economia", fornecendo os melhores instrumentos possíveis para o saudável funcionamento do sistema.

Naturalmente, não se poderia absolutamente questionar a adaptação ideal do capitalista individual ao cumprimento das funções a ele atribuídas nesse plano. Como sustentava Marshall, "nenhum substituto bastante bom foi encontrado, nem tem probabilidade de ser encontrado, para o ar fresco revigorante que *um homem forte com um anseio cavalheiresco pela liderança* puxa para seus pulmões quando inicia *um experimento comercial por seu próprio risco*"[33]. Permanecendo atado à idealização do capitalista individual, Marshall insistia em que, "se ele [o empresário] trabalha por sua própria conta e risco, pode aplicar suas energias com perfeita liberdade. No entanto, se for um escravo da burocracia, não terá a certeza da liberdade". Por conseguinte, Marshall passou um julgamento inteiramente negativo sobre a estrutura de controle, não somente dos "empreendimentos industriais do governo", mas também de "*sociedades anônimas muito grandes*"[34]: atitude radicalmente revertida na próxima etapa da tentativa de controlar a incontrolabilidade inerente ao capital, como veremos na seção 3.3 do presente estudo. Para os sucessores de Mill, o empresário/empreendedor inovador, que corajosamente assume riscos, continuou a ser o personagem intermediário que facilitaria perfeitamente a maximização e a harmonização dos interesses da totalidade

---

[32] Joan Robinson, *Economic Philosophy*, Harmondsworth, Penguin Books, 1964, pp. 58-9.
[33] Marshall, "Social Possibilities of Economic Chivalry," op. cit., p. 333.
[34] Id., ibid.

dos consumidores individuais, atuando sem a interferência das forças burocráticas negadoras da liberdade.

Como já foi mencionado acima, Edgeworth descrevia Marshall como alguém que tinha, "sob as vestes da literatura, a armadura da matemática". Contudo, era uma afirmação absolutamente injustificada. A "armadura da matemática" não era armadura nenhuma, seria bem mais apropriado chamá-la de "vestes da matemática". A armadura real era outra coisa, que proporcionava um escudo defensivo criado conscientemente contra os críticos socialistas do sistema do capital. Dada a *estrutura conceitual* da nova economia (e não suas *vestes matemáticas*, que lhe davam a aparência de um rigor científico pragmático e frio), o escudo de defesa da chamada "revolução subjetiva" tinha de ser considerado, em seus próprios termos de referência, bastante impenetrável.

É importante lembrar aqui a ligação entre a teoria da utilidade marginal e um de seus ancestrais, o utilitarismo. Na nova economia, o princípio orientador do "*equilíbrio*" é indissociável da noção da "*maximização da utilidade*" dos indivíduos. Tudo o mais foi construído em torno desses dois princípios que nunca são *demonstrados*, mas sempre *pressupostos*. Recíproca e semiaxiomaticamente, eles se apoiam um no outro, constituindo assim a verdadeira armadura da teoria. Segundo os que acreditam na "revolução subjetiva", o impulso irresistível – assim determinado pela "natureza humana" – dos indivíduos para a maximização de suas utilidades produz a feliz condição econômica do equilíbrio; da mesma forma, o próprio equilíbrio econômico é a condição necessária para que se realize a maximização das utilidades de todos os indivíduos predestinados ao objetivo da maximização egoísta da utilidade – e que em boa medida esta agora se realizando.

Esse impenetrável raciocínio circular propicia o quadro de referências teórico em que os pressupostos se descontrolam, permitindo que os economistas interessados tirem as conclusões desejadas das "premissas" e "suposições" anteriormente enunciadas, sem necessidade de sujeitá-las ao teste da realidade. (É assim que nos oferecem explanações em termos de "equilíbrio geral", "concorrência perfeita", "equilíbrio competitivo", "perfeita liberdade de troca" etc. etc.) Se, por alguma razão, aparecerem discrepâncias e anomalias, elas também podem ser facilmente remediadas pela atribuição do "normal" como adjetivo e auxílio convenientes para devolver aos trilhos o vagão descarrilado ou, com melhor presciência apologética, para evitar que ele descarrile pela intrusão da realidade. "Normal" é qualquer coisa que tenha de ser assim definida para caber nas exigências da teoria. Usa-se e se abusa da categoria da "normalidade", desde Stanley Jevons (como já vimos, em relação a seu corretivo para sua própria teoria das manchas solares das crises periódicas) até todos os demais, inclusive Marshall, que a utiliza centenas de vezes como prestativa cláusula de fuga autorreferencial em seus *Princípios da economia* e em outros escritos[35].

---

[35] Num artigo curto intitulado "A fair rate of wages" (Um valor justo para os salários), Marshall usa o termo "normal" em todo tipo de combinações. Primeiro ele coloca "normal" entre aspas, como deveria, mas então, no espaço de três parágrafos, ele fala sem aspas de "rendimentos normais", "valor normal de pagamento", "condições normais de comércio", "ano normal" e "taxa normal de lucro".

Quando se trata do conceito da utilidade, os pressupostos individualistas onipresentes eliminam a questão potencialmente mais embaraçosa em relação ao mundo real (em oposição às tendenciosamente pressupostas "realidades econômicas"), ou seja: de "quem é a utilidade" de que estamos falando. Pois, ao se estipular, de saída, que a maximização das utilidades é uma questão estritamente individual – e daí a maximização em andamento cobre apropriadamente todos os indivíduos responsáveis por seguir as próprias estratégias da melhor maneira possível para si próprios e, ao fazê-lo, indiretamente também para todos –, esconde-se a realidade mais perturbadora e problemática das *relações de poder que realmente existem,* e na qual os indivíduos estão completamente inseridos. Evidentemente, não é surpresa que o conceito de "relações de poder" esteja ausente dos textos de todos os economistas marginalistas. Eles se contentam em descrever seu próprio mundo de "realidades econômicas" em termos rigorosamente individualistas, recusando-se a encarar, no mundo realmente observável, a tendência de transformações *monopolistas* mais intensas do que nunca – com toda a sua força bruta para anular o poder de decisão dos indivíduos, incluindo-se até o dos idealizados "empresários inovadores que assumem riscos".

Muito já se escreveu sobre a chamada "falácia naturalista" a respeito do "prazer" e do "desejável" no discurso utilitarista. Contudo, a verdadeira falácia da filosofia utilitarista – plenamente adotada de uma ou outra forma pelos representantes da teoria da utilidade marginal – é falar sobre "*a maior felicidade do maior número*" na sociedade *capitalista*. A ideia de que se pode realizar, sob a regra do capital, qualquer coisa que se aproxime ao menos remotamente da maior felicidade do maior número de seres humanos, sem sequer examinar e muito menos mudar

---

O caráter apologético desta dieta neoclássica de premissas com uma generosa cobertura de "normalidade" torna-se claro quando Marshall diz que "admite-se então, como ponto de partida, que o valor (de pagamento) neste momento é um *valor justo*, ou, em termos econômicos, que é o *valor normal*".
O objetivo de todo o exercício é argumentar que
É a desonestidade dos maus senhores que torna necessários os sindicatos e lhes dá a sua maior força; se não houvesse maus senhores, muitos dos melhores membros dos sindicatos ficariam felizes, não a ponto de abandonar completamente sua organização, mas sim em abandonar suas partes mais *combativas em espírito*.
Todas as citações são das p. 214-5 de *Memorials of Alfred Marshall.*
Naturalmente, uma vez removido o "espírito combativo" dos sindicatos, seu papel legítimo se limita ao controle de uma força de trabalho submissa e presa à noção do dever – que percebe a "justiça" de suas condições "normais" de produção e remuneração – em nome de um capital "normalmente justo". Ou, como diz Marshall:
A *justiça* exige moderação semelhante da parte do empregado. ... Os homens deveriam, por justiça, ceder um pouco sem forçar seus empregadores a lutarem por ele.
Id., ibid., p. 217.
É compreensível que Alfred Marshall raciocine nestes termos. Entretanto, é significativo que a ministra que tentou castrar o sindicalismo inglês durante o governo trabalhista de Harold Wilson, a supostamente socialista de esquerda Barbara Castle, tenha tratado deste assunto exatamente nestes termos. Ela publicou um artigo com o título de "O estatuto dos maus patrões" (em *The New Statesman,* 16 de outubro de 1970) quando o Partido Conservador assumiu o poder com Edward Heath e promulgou as leis propostas por ela própria e preparadas pelo mesmo grupo de funcionários nos governos Wilson e Heath. A única diferença foi que a ex-ministra chamou de "maus patrões" os "maus senhores" de Alfred Marshall.

radicalmente as relações de poder estabelecidas, constitui um monumental pressuposto vazio, sejam lá quais forem as intenções subjetivas dos grandes filósofos utilitaristas que estejam por trás dela. A teoria da utilidade marginal, em vez de funcionar como um corretivo para Bentham e Mill, piora tudo, afirmando não apenas que é possível maximizar a utilidade de todos os indivíduos no quadro de referências estabelecido da produção e distribuição, mas também que a desejada maximização está sendo realizada nos processos "normais" da economia capitalista autoequilibrada. Gente que nega a realidade desse feliz estado das coisas é descartada até mesmo por Alfred Marshall, o paternalista iluminado, que afirma: "eles quase sempre desviam as energias do trabalho realista pelo bem público e são nocivos a longo prazo"[36].

Assim, até mesmo o reconhecimento indireto da incontrolabilidade do capital não dura muito. A admissão de que a força controladora do empresário/empreendedor não explica o funcionamento do sistema, e muito menos garante a satisfação das carências geradas pelo capitalismo, não leva a um exame crítico imprescindível. Ao contrário, a extensão mais ampla possível da ideia de um sujeito controlador (feita de tal modo que abranja ficticiamente a totalidade dos indivíduos) – que é outra forma de se dizer que não há sujeito controlador identificável realmente no controle, além daquele que Hegel identificava com a noção da "infinidade ruim" – é usada com a finalidade mais apologética. Pois, com a ajuda dessa extensão e da harmonização individualista de todas as reivindicações "legítimas", os sujeitos das classe reais do sistema (capital e trabalho) são ficticiamente "transcendidos" na direção da "infinidade ruim", simplesmente *pressupondo, desta forma, a inexistência* dos problemas e contradições antagônicas da ordem socioeconômica estabelecida. As vestes matemáticas e "científicas" com que se apresenta este quadro conceitual da *premissa da inexistência dos dilemas do controle* servem muito bem ao objetivo de eliminar a tentação de contestar os diversos dogmas da "revolução subjetiva" e da "revolução marginalista" em termos outros que não os puramente "racionais" e autorreferenciais da teoria, bem distantes das reais questões substantivas sociais – para não dizer de classe.

Se, no final, o problema da incontrolabilidade ainda é contemplado por algum dos economistas marginalistas e "neoclássicos", ele é visto de maneira muito característica. Edgeworth, por exemplo, se refere ao que chama de "*essência descontrolada*" das questões humanas, em sua discussão da teoria utilitarista[37]. No entanto, seu propósito não é a investigação das relações sociais objetivas e determinações econômicas identificáveis do sistema dado de produção e distribuição, visando encontrar algum remédio para a incontrolabilidade, mas, ao contrário, uma tentativa de congelar e transformar o defeito identificado em um absoluto inalterável. Para ele, a essência do descontrole, totalmente impossível de erradicar, é a própria *natureza humana*. Para neutralizar suas consequências, "primeiro seria preciso mostrar que o interesse de todos é o interesse de cada um, uma *ilusão* a que a linguagem ambígua de Mill, e talvez a de Bentham, podem ter dado algum alento"[38].

---

[36] Id., ibid., p. 237.
[37] Edgeworth, *Mathematical Physics*, p. 50.
[38] Id., ibid.

Comparando Marshall a Jevons como originadores da nova "economia científica", Keynes escreveu em seu ensaio comemorativo, publicado em *Memorials of Alfred Marshall*:

> Jevons viu a chaleira ferver e saiu gritando com a voz deleitada de uma criança; Marshall também viu a chaleira ferver, mas sentou-se silenciosamente para construir uma máquina.[39]

Talvez tenha sido assim mesmo (ainda que seja uma opinião bastante dura em relação a Jevons), mas, e daí? Em seus últimos anos, o próprio Marshall parecia um tanto insatisfeito com sua máquina a vapor, escrevendo: "A Meca do economista é a *biologia econômica* e não a *dinâmica econômica*"[40]. Sem querer, nesse mesmo artigo, Marshall também revelou o segredo de por que os economistas, de quem ele próprio gostava, jamais conseguiriam chegar à sua Meca: "As principais dificuldades da ciência econômica agora surgem *das instâncias de boa sorte e não dos azares da humanidade*"[41]. E isto dito numa época em que a esmagadora maioria da humanidade vivia na mais abjeta pobreza – como hoje, quase cem anos depois do diagnóstico otimista de Marshall. Exatamente como o próprio Keynes[42], que dez anos depois criticou Marshall por razões muito diferentes, os representantes da nova "economia científica" não conseguiam ver nada de errado em separar totalmente, em suas considerações teóricas, as condições dos países imperialistas privilegiados em que viviam das dos "miseráveis da terra", na extremidade recebedora de seu sistema. Não seria a insuficiência de dados estatísticos, como afirmava Marshall, que os impediria, mesmo depois de mil anos, de chegar à Meca de suas proclamadas previsões científicas. Ao contrário, seu fracasso inevitável deveu-se antes ao fato de que eles sabiam formular seus diagnósticos e soluções em compartimentos convenientemente separados, contra a evidência penosamente óbvia de um mundo globalmente entrelaçado e hierarquicamente estruturado.

O sistema do capital realmente existente não tomou conhecimento das ideias esperançosas nem dos correspondentes remédios para o problema do controle, defendidos pelos fiéis marginalistas e neoclássicos, em seu avanço firme na direção de uma feliz "solução do problema econômico da humanidade", como Keynes continuou a prometer mesmo em 1930, menosprezando a evidência sombria de uma grave crise econômica mundial. O capital continuou inexoravelmente seu curso incontrolável de desenvolvimento, teorizado por seus fiéis defensores, no estágio seguinte, sob o rótulo promissor de mais uma "revolução".

---

[39] Keynes, "Alfred Marshall, 1842-1924", op. cit., p. 23.

[40] Marshall, "Mechanical and Biological Analogies in Economics", em *Memorials of Alfred Marshall*, p. 318.

[41] Id., ibid., p. 317.

[42] Keynes também criou uma fantasia, segundo a qual o "problema econômico da humanidade" estará resolvido dentro de cem anos – ou seja, pelo ano de 2030 – e a única questão sem solução será como administrar a grande abundância material e o tempo de lazer que virá com ela. E Keynes completou, de forma característica, que tudo isto vai ocorrer "nos países progressistas", o que para ele significava, assim como para seu mestre Alfred Marshall, os países imperialistas dominantes. Assim, Keynes também imaginou que "a solução permanente do problema econômico da humanidade" pode acontecer num mundo em que a dominação estrutural, historicamente dada, da absoluta maioria da humanidade por um punhado de países capitalistas privilegiados há de se perpetuar, e que o processo econômico construído sobre uma fundação tão frágil há de levar à feliz utopia da abundância sem limites. Ver seu artigo "Economic Possibilities for our Grandchildren" (1930) em *Essays in Persuasion*, Nova York, Norton & Co., 1963, pp. 358-73.

A resposta havia pouco encontrada para as deficiências estruturais de controle já não era chamada de "revolução marginalista" nem de "revolução subjetiva", mas de "revolução gerencial" – embora, naturalmente, nessa nova teoria as velhas pretensões de rigor científico e boa avaliação das "realidades econômicas" permanecessem tão fortes quanto nos escritos dos predecessores neoclássicos. Ao adotar tal orientação, a nova ideia de como obter o controle das "disfunções" encontradas (havia uma grande quantidade delas em clara evidência no período da grande crise mundial de 1929-33, quando as primeiras teorias da "revolução gerencial" foram articuladas com algum detalhamento) abandonou a idealizada noção anterior do inovador empresário/empreendedor que assumia riscos, na qualidade de eixo do sistema do capital. Os poderes remediadores atribuídos aos administradores na nova interpretação constituíram a terceira maneira típica de resolver e, com a mesma cajadada, dar uma solução feliz para o teimoso problema da incontrolabilidade. É sobre isto que agora devemos refletir.

3.3 Da "revolução gerencial" à postulada "convergência da tecnoestrutura"

3.3.1
Uma das principais características de muitas "revoluções" no campo da teoria econômica – a que também se deve somar a "revolução keynesiana" e a "revolução monetarista", para não mencionar o uso subsequente de "segunda revolução industrial", "revolução verde", "revolução da informática" etc., etc. para desviar a crítica do sistema do capital – é a estranha insistência na necessidade e na virtude absolutas do *gradualismo*. Já vimos como Marshall combinou sua "revolução científica" neoclássica com a mais firme recomendação de que as mudanças sociais e econômicas jamais deveriam ser encaradas como potenciais revolucionadoras da situação estabelecida. Em vez disso, elas teriam de ser concebidas como forma de, no espírito de sua visão utópica, melhorar, lenta e gradualmente, o padrão de vida para poder gerir a sociedade sobre a base material permanente do capital – ou seja, dentro dos parâmetros existentes do sistema – e com a iluminada generosidade de seus "cavalheirescos" empresários que assumem riscos. Outros também reivindicavam o *status* superior de "iniciadores da revolução na economia" e, mesmo não compartilhando as ilusões sobre a "fidalguia" capitalista e o "nacional-socialismo", alinhavam-se todos com a ideia do *absoluto imperativo do gradualismo*, sem entreter, sequer por um instante, dúvidas sobre a coerência lógica de sua postura. Evidentemente, sua sincera crença no antissocialismo militante – que fazia Keynes afirmar agressivamente que a "guerra de classes me encontrará ao lado da burguesia instruída"[43] – era mais do que suficiente para satisfazê-los inteiramente com relação a esta questão. Assim, poderiam proclamar com ilimitada confiança intelectual que o único significado racional de "revolução teórica" em seu campo seria levantar e defender as barreiras do gradualismo eternizador do capital contra todas as estratégias das revoluções sociais e políticas reais de inspiração socialista – e não apenas marxista. A expropriação da palavra "revolução" foi utilíssima e tornou-

---

[43] Keynes, "Am I a Liberal?" (1925), in *Essays in Persuasion*, p. 324.

-se intelectualmente respeitável, precisamente com relação ao que abertamente Keynes admitia ser sua "guerra de classes".

Naturalmente, muitos dos dogmas marginalistas e neoclássicos da economia permaneceram quase completamente inalterados nos celebrados manuais da economia da nova fase, incluindo, em lugar proeminente, o uso apologético da "maximização da utilidade" e a concomitante justificativa da ordem estabelecida de produção e distribuição relativa ao "consumidor" mítico colocado em oposição ao trabalhador. Entretanto, esse tipo de superposição teórica não diz respeito ao presente contexto, onde a questão é a teorização do controle capitalista alterada sob as novas circunstâncias.

Na literatura econômica e sociológica, um famoso livro publicado em 1932 por Berle e Means é considerado o primeiro marco do novo rumo[44]. Contudo, Paul Sweezy fez o necessário corretivo ao escrever:

> Se me pedissem para datar o início de uma teoria distintivamente burguesa do sistema do capital com a forma que este assumiu no século XX, penso que citaria o artigo de Schumpeter, "A instabilidade do capitalismo", publicado no *Economic Journal* em setembro de 1928. Ali não foram encontrados apenas a corporação ou *trust* gigantescos na qualidade de característica do sistema; ainda mais importante era o fato de sua unidade econômica, tão estranha a todo o conjunto da teoria clássica e neoclássica, proporcionar a base para novas proposições teóricas importantes. É preciso lembrar que na teoria schumpeteriana apresentada na *Teoria do desenvolvimento econômico*, a inovação é função do empresário individual e que é da atuação dos empresários inovadores que derivam direta ou indiretamente todos os aspectos dinâmicos do sistema. ... No entanto, em "A instabilidade do capitalismo", Schumpeter já não coloca a função inovadora no empresário individual, mas na grande empresa. Ao mesmo tempo, a inovação é reduzida a uma rotina executada por equipes de especialistas instruídos e preparados para seus misteres. No plano schumpeteriano das coisas, essas mudanças absolutamente básicas destinam-se a produzir mudanças igualmente básicas no *modus operandi* do capitalismo.[45]

É compreensível que, para os economistas que teorizavam o mundo social do ponto de vista do capital e no seu interesse, fosse muito difícil renunciar à ideia do empresário/empreendedor. Dizia-se que os incontáveis benefícios que surgiriam do exercício desse papel para toda a sociedade propiciariam a necessária justificativa para a expropriação capitalista da mais-valia (chamada de "remuneração" ou "juro" etc., ao mesmo tempo em que se negava sempre, é claro, o fato da exploração), ou seja: para a extração mais intensamente praticável do trabalho excedente e sua transformação em lucro, sobre o qual estava baseado o funcionamento normal do sistema. Isto poderia explicar por que se levou tanto tempo até mesmo para se tentar estudar a mudança na estrutura de controle do capital, apesar do inexorável desen-

---

[44] Ver A. A. Berle Jr. e Gardner Means, *The Modern Corporation and Private Property*, Nova York, Macmillan, 1932. Ver também A. A. Berle, *The twentieth Century Capitalist Revolution*, Nova York, Harcourt, Brace & World, 1954, bem como *Power without Property* (Harcourt, Nova York, Brace & World, 1959) do mesmo autor.

[45] Paul M. Sweezy, "On the Theory of Monopoly Capitalism", Marshall Lecture apresentada na Universidade de Cambridge nos dias 21 e 23 de abril de 1971, publicada em Sweezy, *Modern Capitalism and Other Essays*, Nova York e Londres, Monthly Review Press, 1972. pp. 31-2.

volvimento das "descomunais sociedades anônimas" – como Marshall as chamava – já estar em nítida evidência no último quartel do século XIX, e cuja significação crescente foi admitida pelo supostamente "obsoleto" Marx, na primeira vez em que apareceram. Era bem mais fácil, e ideologicamente mais conveniente, descartá-las quixotescamente, como fez Marshall, por causa de seu "burocratismo". Igualmente, era em geral muito mais fácil tratar as novas estruturas de produção e controle como "aberrações" e "exceções" pelo tempo mais longo possível. Admitir que estivessem prestes a se tornar a *regra* tendia a causar enorme devastação nas teorias, havia muito estabelecidas e longe de científicas, legitimadoras da ordem capitalista. Na verdade, na esteira da grave crise econômica mundial de 1929-33 e da depressão que prosseguiu por quase uma década, só aliviada quando a economia foi obrigada a operar em condição de emergência, bem depois da eclosão da Segunda Guerra Mundial – ou seja, quando se teve de reconhecer que as novas "realidades econômicas" não eram apenas dadas, mas também *dominantes*, em vez de exceções e aberrações reversíveis –, o velho tipo de legitimação muito bem estabelecido já não pôde mais ser sustentado e teve de dar lugar à justificativa despersonalizada e genérica segundo a qual a ordem dominante era preferível a todas as alternativas possíveis, por ser a "*mais eficiente*" e a única "*que realmente funciona*".

Esta linha de argumentação era bem mais fraca do que a anterior para justificar a permanência de um sistema profundamente perverso, expondo-se também ao risco de ser atacada no caso de falha na eficácia e de tropeço na promessa de "realmente funcionar". Em favor da expropriação da mais-valia de parte do empresário (ou de sua "parcela preferencial no produto excedente"), poder-se-ia dizer que este a merecia por "assumir o risco" e pelo objetivo que buscava, da "inovação", sem levar em conta o sucesso ou o insucesso de seus negócios. Os fracassos poderiam ser considerados parciais e "imediatamente punidos" (da mesma maneira como se dizia que os sucessos seriam "devidamente recompensados") e, portanto, não afetariam negativamente a legitimidade de todo o sistema mesmo em condições de grandes "crises comerciais", como Jevons chamava as crises periódicas. Tudo isso piorou quando o "funcionamento efetivo" transformou-se na base legitimadora da ordem capitalista. Assim, não é de espantar que, no devido tempo, as novas reivindicações legitimadoras do capitalismo privado tivessem de ser novamente reforçadas com a invenção de um elo fictício e considerado absolutamente inquebrável entre "liberdade e democracia" (ou "livre escolha política") por um lado e, por outro, a "livre escolha econômica numa sociedade de mercado", como já vimos na seção 2.1.2 com referência ao elegante sermão editorial da revista *The Economist*, de Londres. Sem essa intrusão de uma justificativa consideravelmente *política* no sistema (ou seja, sem a adoção de muleta muito peculiar como parte importante do novo arsenal ideológico do capitalismo privado), a pretensa legitimidade teria mesmo sido bem trôpega. O "planejamento" e o domínio científico-tecnológico empresariais deixaram de comprovar sua grande "eficácia" e (com alarmante tendência a piorar, em vez de resolver os problemas já inegáveis pela manutenção do padrão anterior de crescimento) não conseguiram demonstrar "funcionamento efetivo" a incontáveis milhões de pessoas desempregadas, até nos mais privilegiados países "capitalistas avançados". Assim, enquanto os entusiasmados apologistas da nova fase administrativa – Talcott Parsons, por exemplo, como veremos daqui a pouco – saudavam o desenvolvimento das corporações como a separação correta e adequada entre política e economia e, como o desabrochar da economia em sua pureza e "emancipação da política", anteriormente inimagináveis e finalmente atingidas, as próprias "realidades econômicas" se movimentaram na direção oposta. Não o fizeram apenas por meio do aparecimento de formações econômico-políticas simbióticas, como o complexo militar-industrial, mas também, e de forma muito mais evidente, com o fracasso inevitável de um sistema em que essas formações dependentes diretas dos subsídios do Estado teriam de assumir um papel vital, acumulando grandes problemas para o futuro.

Outra séria complicação dos novos fatos dizia respeito ao "sujeito desprovido de sujeito" do sistema do capital. No decorrer do século XX, as transformações do "empresário inovador" foram empurradas de seu âmago estratégico para a periferia do sistema e as "imensas sociedades anônimas burocráticas", de que se ressentia Alfred Marshall – na forma de poderosíssimas corporações monopolistas –, vieram a ocupar o centro do palco do domínio do capital sobre a sociedade. Desse modo, se fechava de modo irreversível o círculo que se estendia do capitalista individual (supostamente dotado da competência ideal para a "situação local") de Adam Smith ao "empresário aventureiro", ao "capitão de indústria" (que conquistaram e mantiveram firmemente sob supervisão pessoal um terreno bem mais vasto) até o administrador e "especialista" da corporação (incumbido de realizar tarefas rigorosamente definidas no interesse da companhia gigantesca a que serve). E, com essa mudança de forma do pessoal superintendente, tornou-se também palpavelmente óbvio (isto é, para todos os que não tivessem nenhum interesse especial em cegar-se até para o óbvio) que os capitalistas e administradores individuais eram apenas as "personificações do capital" que exercem, em seu nome, o controle sob qualquer forma particular, assumindo imediatamente uma forma muito diferente sempre que o decretasse a alteração das condições históricas de impossibilidade de controle sociometabólico do capital por ação humana consciente.

Com certeza jamais se poderia admitir que – apesar de todas as mistificações teóricas e práticas – o sujeito real do sociometabolismo reprodutivo sob a regra do capital continue sendo o trabalho e não as personificações do capital sob qualquer forma ou molde. Fosse sob o título de "revolução administrativa" (saudada com louvores pelo ex-comunista James Burnham[46], que pertenceu ao que Merleau-Ponty criticou severamente como "liga da esperança abandonada, fraternidade de renegados"[47]) ou mesmo em contraste mais nítido com as variedades mais antigas do controle, na conceituação de Galbraith da "*tecnoestrutura*" dita onisciente e onipotente, quando se afirmava que a ordem estabelecida de produção e distribuição era dirigida pelas *determinações estruturais* e não pela iniciativa pessoal, isto

---

[46] Ver James Burnham, *The Managerial Revolution*, Indiana University Press, 1940.
[47] Maurice Merleau-Ponty, "Paranoid Politics" (1948), em *Signs*, Chicago, Northwestern University Press, 1964, p. 260.

era feito com intenção apologética, sem fazer caso da enormidade e das perigosas implicações do que havia sido admitido.

A perniciosa marginalização da racionalidade humana e da responsabilidade pessoal no decurso do desdobramento histórico do capital enfatizava repetidamente a incontrolabilidade do sistema. Mesmo assim, depois de cada mudança tardiamente reconhecida na estrutura de controle do capital, o caráter problemático do processo subjacente, pelo qual enormes alterações ocorrem sem prévio planejamento humano, jamais foi questionado pelos defensores do sistema. Muito pelo contrário, os fatos consumados eram sempre apresentados como mudança para melhor e como realmente a melhor situação possível, destinada a resistir – e com legitimidade – eternamente pelo futuro afora, quem sabe até depois. Jamais se poderia admitir que a lógica final dessas transformações cegas e incontroláveis, que tinham de ser periodicamente admitidas (e, naturalmente, depois de cada reconhecimento forçado, imediatamente comemoradas) como a última "revolução" nas questões econômicas, poderiam ser, de fato, a destruição da humanidade e, portanto, que se deveria examinar ou pensar em alguma alternativa significativa para as tendências prevalecentes.

No entanto, não seria possível inventar uma alternativa viável para a ordem sociometabólica do capital a partir de meia dúzia de desejos ideais. Na base material existente da sociedade, ela só poderia constituir-se pelo sujeito real reprimido do sistema dado de reprodução socioeconômica, o trabalho, por meio das necessárias mediações que superassem o domínio do capital sobre os produtores. Precisamente porque a única alternativa realmente viável para o incontrolável modo de controle do capital devia centrar-se no trabalho – e não nos variados postulados utópicos da teoria econômica burguesa, como a benevolente "mão invisível" de Adam Smith, os "capitalistas cavalheirescos" instituidores do nacional-socialismo de Alfred Marshall ou a "tecnoestrutura" universalmente benéfica "produtora da convergência" de Galbraith etc., etc. –, a ideia de tal alternativa jamais poderia ser cogitada pelas pessoas que tentavam teorizar sobre (ou louvar) mais uma solução feliz para a incontrolabilidade estrutural do sistema estabelecido.

3.3.2

A rejeição *apriorística* da alternativa socialista – administrada pelo sujeito real da produção – trazia consigo a necessidade de explicar tudo em termos convenientes para uso contra o adversário socialista real ou potencial. Houve algumas nobres exceções, como o próprio Schumpeter, que, à luz da evidência que historicamente se desdobrava, tentou fazer uma reavaliação diferente das questões e expressou uma atitude mais concreta em relação à possibilidade de mudanças socialistas no futuro. Entretanto, permaneceu a regra do tipo de antissocialismo militante que já encontramos mais de uma vez acima, enfraquecendo não apenas a eficácia das soluções oferecidas aos problemas identificados, mas até mesmo o diagnóstico de situações históricas particulares. O feliz resultado dos novos acontecimentos deveria ser descrito de maneira a poder se transformar diretamente em mais uma refutação final da necessidade da alternativa socialista.

Dessa forma, Talcott Parsons avidamente adotou a tese de Berle & Means da "separação de propriedade e controle"[48], para poder proclamar que a crítica socialista das relações de propriedade da ordem estabelecida já não era válida (se é que o foi algum dia[49]) porque "muitas grandes corporações estavam sob o controle de 'administradores' de carreira, cuja propriedade pessoal de ações da companhia tinha valor apenas nominal, como instrumento de controle"[50]. Presume-se então que

---

[48] Ver Talcott Parsons e Neal J. Smelser, *Economy and Society: A Study in Integration of Economic and Social Theory*, Londres, Routledge & Kegan Paul, 1956, p. 253.

Ao contrário do evidente objetivo apologético da tese da "separação de propriedade e controle", Baran e Sweezy enfatizaram corretamente que um exame mais atento das mudanças que na verdade ocorreram revela que a verdade é exatamente o oposto do que vem sendo afirmado. Pois

Os diretores estão entre os maiores proprietários; e por causa da sua posição estratégica eles funcionam como os protetores e porta-vozes de todos os grandes proprietários. Longe de formarem uma classe separada, eles constituem, na realidade, o escalão de vanguarda da classe proprietária.

Paul A. Baran e Paul M. Sweezy, *Monopoly Capital: An Essay on the American Economic and Social Order*, Nova York, Monthly Review Press, 1966, p. 34-5.

[49] Os coautores deste livro (Talcott Parsons é o "autor sênior" e portanto, no interesse da brevidade, faremos as referências em seu nome) usam uma forma peculiar de raciocínio, pois, num dado ponto do livro, somos informados de que, graças às transformações recentes, "A nova posição se consolida por tornar-se rotineira, especialmente pelo grande volume de novos produtos destinados a um público consumidor de alta renda; a 'nova economia' tornou-se independente tanto da antiga 'exploração do trabalho' como do antigo 'controle capitalista'" (ibid., p. 272). Aqui, o mais peculiar não é apenas o relato da transformação milagrosa que resulta na postulada abundância permanente da "nova economia", mas também o fato de que a noção de "exploração do trabalho" é apresentada como "antiga" apenas no momento de seu feliz desaparecimento, presumivelmente eterno, do horizonte social. Em trecho anterior do livro, capital e trabalho aparecem como "fatores de produção" harmoniosamente complementares, exatamente como são vistos na teoria econômica neoclássica; o trabalho é citado como "a entrada de serviço humano na economia desde que contingente a sanções econômicas de curto prazo", e o capital como "a entrada de recursos líquidos na economia contingentes a decisões entre o uso na produção e no consumo" (p. 27). Discuti alguns traços característicos da metodologia parsoniana em "Ideology and Social Science", *The Socialist Register*, 1972, incluído no meu livro *Philosophy, Ideology and Social Science*, Londres, Harvester/Wheatsheaf, 1986, e Nova York, St. Martins Press, 1986, em particular pp. 21-6 e 41-53.

[50] Parsons e Smelser, ibid., p. 253.

Uma nota publicada no *Economist* de Londres nos dá uma boa ideia da alegada "*significância nominal*" da propriedade pessoal de ações de uma empresa". É a seguinte:

John Sculley, que deixou a Apple no mês passado, recebeu $72 milhões em opções de ações de seu novo empregador, Spectrum Information Tecnologies. Um sexto destas opções pode ser exercido durante este ano.

The Economist, 13-19 de novembro de 1993, p. 7.

Noutras palavras, em seis anos o Sr. Sculley vai se enriquecer, como diretor/proprietário, em $72 milhões de ações de sua nova companhia. E querem que se admita que isto não tem qualquer relação com a natureza da ordem econômica estabelecida; ele já não pode ser considerado um capitalista, dada a feliz "separação entre propriedade e controle" postulada para essa ordem.

Outro bom exemplo é oferecido pelo *Financial Times*. A seção de Companhias & Mercados daquele jornal informou que

O Sr. Peter Wood, o diretor de empresa mais bem remunerado da Inglaterra, vai receber £24 milhões em troca da desistência de um sistema de pagamento de bônus que lhe rendeu £18,6 milhões este ano e tem se mostrado embaraçoso para seu empregador, o Royal Bank of Scotland. O Sr. Wood recebeu pagamentos no total de £42,2 milhões como principal executivo da Direct Line, uma subsidiária de seguros fundada por ele... Em 1991 ele recebeu bônus de £1,6 milhão e £6 milhões no ano passado, atraindo com isso grande atenção pública.

John Gapper e Richard Lapper, "One Man's Direct Line to £42 m", *Financial Times*, 26 de novembro de 1993, p. 19.

os "administradores de carreira", já não mais capitalistas do conto de fadas parsoniano, comprassem pacotes gigantes de gelatina para bebês com suas ações "apenas nominalmente significativas" e cavalheirescamente as distribuíssem entre as crianças necessitadas dos "pobres merecedores". Seja lá como for, a crítica socialista nada tinha a ver com o maior ou menor número de ações pertencentes às personificações individuais do capital – fossem estas "empresários aventureiros" ou "humildes administradores de carreira" – mas com a subordinação estrutural do trabalho ao capital (e precisamente este era e continua a ser o significado não fetichista das relações de propriedade estabelecidas e o centro da crítica socialista), que não mudou coisa alguma em toda a celebrada "revolução administrativa". Em outras palavras, a questão é e continua a ser a permanência da dominação e da dependência das *classes* e não a relativa mudança formal em algumas das partes constituintes do pessoal que dirige o capital em sua estrutura hierárquica de comando essencialmente inalterada – mudança formal que se fez necessária pela atual centralização e concentração de capital, e que não poderia eliminar, mas apenas intensificar os antagonismos internos do sistema do capital.

Segundo Talcott Parsons, "Schumpeter perdeu as esperanças no futuro da livre empresa ou capitalismo e postulou a inevitabilidade do socialismo"[51]. Contudo, ele pensava que o temor de Schumpeter estivesse baseado na incapacidade de compreender as grandes mudanças que ocorriam no século XX. Para citar *Economia e sociedade*:

Schumpeter não foi capaz de avaliar a importância da terceira possibilidade. Contrariamente a boa parte da opinião anterior, sentimos que o "capitalismo clássico", caracterizado pela dominância do papel da propriedade no processo produtivo, *não é um caso de "emancipação total" da economia do controle "político"*, mas antes um modo particular deste controle. ... [No entanto, o tipo moderno de economia] não é capitalismo no sentido clássico (e, em nossa opinião, nem no marxista) nem socialismo... O desenvolvimento do "grande governo", esse fenômeno tão evidente da sociedade moderna, em princípio não é, portanto, totalmente incompatível com o crescimento de uma economia não socialista. ... Assim, achamos possível que a combinação de parentesco com propriedade, típica do capitalismo clássico, era, diante das circunstâncias, temporária e instável. A diferenciação econômica e a política estavam *destinadas*, a menos que as mudanças

---

Desta forma, o Sr. Wood ficou mais rico em £49,8 milhões – o equivalente a US$75 milhões – em apenas três anos. As pessoas que se preocupam com a possível falta de balas de goma, considerando o tamanho deste poder de compra, podem se tranquilizar. Em outro trecho, o mesmo artigo revela que "o Sr. Wood vai investir £10 milhões em ações do Royal Bank of Scotland, que ele vai manter por pelo menos cinco anos, o que fará dele o segundo maior acionista individual, depois da família Moffat, antigos proprietários da agência de viagens AT Mays, incorporada pelo banco". Além disso, "o Sr. Wood vai investir £1 milhão para comprar 40% do patrimônio líquido de uma nova companhia (fundada pelo Royal Bank of Scotland), em que o banco deve investir £1,5 milhão, mais £22,5 milhões em ações preferenciais. O Sr. Wood será o presidente não executivo e terá a maioria dos direitos de voto". Ainda não foi informado em que outros veículos financeiros o Sr. Wood poderia investir o saldo do que recebeu ao longo dos três últimos anos, ou seja, £38,8 milhões, neste nosso mundo em que a "separação entre propriedade e controle" se realizou de forma tão óbvia e completa.

[51] Parsons e Smelser, ibid., p. 285.

sociais parassem inteiramente, a se mover na direção da "burocratização", da diferenciação entre economia e governo e entre a propriedade e o controle.[52]

Temos, então, a garantia de que não há necessidade alguma de preocupar-se com as transformações em andamento, muito menos de considerar a ideia de uma possível crise que leve ao desmoronamento da ordem social capitalista. A "terceira possibilidade" aparentemente ignorada por Schumpeter – que teorizou o problema das inovações capitalistas bem antes de Berle e Means, ainda que não ao gosto de Talcott Parsons – propiciava a garantia de um curso futuro do desenvolvimento sem perturbações do "tipo moderno da economia", já não mais capitalista. Também nos assegura que esse gênero de ditoso progresso não resultou de transformação histórica contingente, mas estava destinado a realizar-se (só Deus sabe por que e como) se é que algum desenvolvimento social deveria ocorrer.

Tudo o que estava tão tranquilizadoramente descrito em *Economia e sociedade* se baseava na proposição *contraditória* de que o ocorrido representava a "total 'emancipação' da economia do controle 'político'" – quando na verdade a magnitude do envolvimento direto e indireto do Estado capitalista no "tipo moderno de economia" nunca fora tão grande e continuava a crescer, não apenas no domínio multifacetado do complexo militar-industrial (que tornou o diagnóstico parsoniano da situação fundamentalmente falso); da mesma forma, a "burocratização" (bastante censurada por Alfred Marshall: a espinha dorsal teórico-neoclássica de *Economia e sociedade*) era parte significativa do processo descrito de modo otimista, fato é que tudo era manuseado com um toque apologético. Contra todas as possíveis objeções críticas, sempre se poderiam encontrar definições e redefinições apropriadas – vício que Parsons adotou de seu ídolo, Max Weber – como no último trecho citado, no qual se veem estranhas aspas em volta das expressões "emancipação", "política" e "burocratização," aspas que também encontramos no trecho citado na nota 49 em volta de "nova economia," "exploração do trabalho" e "controle capitalista". Assim, a economia poderia se emancipar (e também poderia não se emancipar) do controle político, segundo o estipulasse a causa da apologia em um contexto particular; a "burocratização" poderia (ou talvez não pudesse) ocorrer no "novo tipo de economia", dependendo de como sua presença se refletisse, bem ou mal, na sociedade livre e democrática "inevitavelmente diferenciada" (e, por isso, muito bem burocratizada) ou na "garantia da soberania do consumidor" (e, por isso, não realmente burocrática, mas idealmente mercantilizada). Da mesma forma, não poderia haver absolutamente nenhuma questão relativa a recessões e crises econômicas graças à "grande saída dos novos produtos para um público consumidor de altos salários", nem mesmo de conflito social dirigido contra a *classe dominante*. A ideia de uma "classe dominante" censurável foi introduzida – mais uma vez, entre aspas que, até mesmo retrospectivamente, a transformaram em apenas uma "classe semidominante" e "não realmente censurável" – a ponto de desaparecer tranquilizadoramente, exatamente como os conceitos de "exploração do trabalho" e "controle capitalista" foram tratados acima. Citando Talcott Parsons:

---

[52] Id., ibid., pp. 285-9.

Por um rápido momento histórico, o capitalismo norte-americano pareceu estar criando uma nova "classe dominante" schumpeteriana de dinastias de família fundadas pelos "capitães de indústria". Mas este momento passou, logo no início do século atual e, desde então, a tendência está clara: a principal figura na estrutura econômica norte-americana é o administrador *profissional*, não o proprietário com base na linhagem de sangue.[53]

E tudo isso era apresentado como se o "administrador profissional" não pertencesse à classe dominante realmente existente (sem aspas enganosas), ocupando de fato uma posição decisiva no alto escalão da estrutura de comando do capital, mesmo que ele por acaso fosse um solteirão que jurou não dar início a uma nova linhagem. Foi assim que as mudanças socioeconômicas em andamento – que manifestavam claramente a incontrolabilidade do capital até por suas personificações mais dedicadas – foram aceitas pelos ideólogos do sistema apenas com a finalidade de obter delas munição contra os socialistas, a serviço da mais transparente apologia da ordem estabelecida.

3.3.3

Onze anos depois da publicação da fantasia parsoniana em *Economia e sociedade*, John Kenneth Galbraith, em um livro intitulado *O novo Estado industrial*, procurou aperfeiçoar as teorizações anteriores sobre o "tipo moderno da economia" atualizando seus leitores com relação às transformações que acabavam de se realizar ou estavam a ponto de se realizar, a seu ver, sob a pressão da tecnologia. Ele não se contentou com uma narrativa que abrangesse apenas os países capitalistas ocidentais avançados, mas ofereceu o que disse ser uma explicação teórica universal da "estrutura industrial convergente" do Oriente e do Ocidente, resultado das irresistíveis demandas da "tecnoestrutura" que passava a ser comum aos dois. Cito um trecho importante:

> Na empresa industrial, o poder está nas mãos dos que tomam as decisões. Na *empresa madura*, esse poder passou, de modo *inevitável e irrevogável*, do indivíduo para o grupo. Isto ocorre porque somente o grupo tem a informação que a decisão exige. Embora a constituição da corporação coloque o poder nas mãos dos donos, os *imperativos da tecnologia e do planejamento* transferem-no para a *tecnoestrutura*. Como *tecnologia e planejamento* são o que confere poder à tecnoestrutura, ela obterá poder onde quer que eles sejam um aspecto do processo de produção. Seu poder não será característico daquilo que, nas *cadenzas* da ideologia, é chamado de livre empresa ou sistema do capital. Se a intervenção da autoridade privada, na forma dos proprietários, deve ser evitada na companhia privada, assim deve ser a intervenção da autoridade pública na empresa pública. ... Outra consequência: a perplexidade gerada pelo capitalismo sem o controle do capitalista só terá correspondente na perplexidade diante do socialismo sem o controle da sociedade.[54]

Esta interpretação, com sua afirmação da "inevitabilidade e irrevogabilidade" da influência da tecnologia sobre o novo Estado industrial, representou mais uma versão do *determinismo tecnológico*, que Sweezy corretamente enfatizou[55]. A grande conveniên-

---

53 Id., ibid., p. 290. A palavra "ocupacional" foi escrita em itálico pelos autores.
54 John Kenneth Galbraith, *The New Industrial State* (1967), Harmondsworth, Pelican Books, 1969, p.106.
55 Paul M. Sweezy, op. cit., p. 35.

cia dessa abordagem centrada na ideia da "tecnoestrutura" foi que – analogamente às manchas solares de Jevons – tudo sob o sol poderia ser *a priori* rejeitado ou aprovado em seu nome. A rude teoria determinista erigida sobre a idealização de Galbraith da "tecnoestrutura" poderia ser utilizada não somente para tentar o golpe final no projeto socialista – descartado como "antigo e impraticável" na página 109 do livro –, mas também para adotar como positivas as práticas industriais "inevitáveis e irrevogáveis" tanto do Ocidente capitalista como do supostamente convergente sistema soviético. Dessa maneira, a ficção do "capitalismo sem o controle do capitalista" transformou-se numa singularíssima forma de legitimação do "socialismo sem o controle da sociedade" do tipo soviético.

Apesar das diferenças terminológicas calculadamente impressionantes, a teoria de Galbraith era uma versão da "revolução administrativa", contrapondo o que o autor chamava de "Corporação Madura" à "Corporação Empresarial"[56] – ambas com maiúsculas. Era estranho que Galbraith houvesse pensado que essa inovação terminológica representasse um avanço teórico. Enquanto "empresarial" e "administrativa" denotavam algo específico e identificável, "madura" (ou "Madura") soava bastante vazio. Seu único significado racional no contexto a que foi aplicado consistia no postulado da absoluta permanência do tipo maduro finalmente atingido pela empresa industrial. O autor de *O novo Estado industrial* seria o último a admitir que depois da "maturidade" viria a senilidade. Assim, a intenção apologética da, não fosse por isto, vazia expressão – exatamente como a encontramos nos escritos de Walt Rostow, com quem Galbraith costumava participar do *brainstorm* no seleto Brain Trust do presidente Kennedy – pretendia sublinhar que o problema do controle havia sido resolvido com muita felicidade e que não faria absolutamente nenhum sentido perguntar que outras formas poderiam emergir no futuro. Formas divergentes de empresas não apresentavam qualquer problema. Na velhíssima tradição das afirmações arbitrárias e definições tortuosas, elas seriam tratadas com a ajuda de uma *tautologia*, dizendo que as grandes empresas (as pequenas não contavam) que não se enquadrassem na nova categoria "ainda têm de atingir a *plena maturidade* da organização"[57].

Assim como na história parsoniana, no novo Estado industrial de Galbraith também se manteve a ficção de que "os homens que hoje dirigem as grandes corporações não possuem quantidades significativas de ações da empresa"[58]. Seus salários anuais de muitos milhões de dólares, bônus misteriosos e opções de ações

---

[56] Galbraith, op. cit., p. 100.
[57] Id., ibid., p. 80.
[58] Id., ibid., p. 14.
Um recente escândalo financeiro de grandes proporções acentuou mais uma vez o fato de que a trapaça e a fraude (pelas quais as personificações do capital devem ser recompensadas) fazem parte da normalidade do capitalismo. Como relatou a seção de negócios de *The Sunday Times*:
O escândalo em torno do grupo Queens Moat Houses aprofundou-se mais uma vez ontem, quando o relatório anual do grupo hoteleiro, publicado com atraso, revelou que um dos diretores recebeu um salário superior a £1 milhão em 1991 e 1992. O referido diretor, cujo nome não foi revelado, mas que se acredita seja Martin Marcus, o ex-vice-presidente, ou David Hersey, ex-diretor financeiro, teve seu salário de 1991 aumentado para pouco mais de £1 milhão. Este aumento decorreu de um bônus de £900.000 que tinha sido omitido das notas do balanço da companhia daquele ano. No ano seguinte ele recebeu um aumento

preferenciais evidentemente não representavam quantidades significativas de ações – novamente a síndrome da gelatina. O pior ainda estava guardado para esses pobres coitados. Segundo a afirmação bem-humorada de Galbraith, "os que têm altos postos formais em uma organização – o presidente da General Motors ou o da General Electric – exercem apenas modestos poderes nas grandes decisões"[59]. Só se poderia perguntar com certo espanto: por que diabos eles o fazem??! Além do mais, essa descrição da motivação e do comportamento de um altruísmo incompreensível de parte do pessoal do alto escalão – enquanto se supunha que todos os demais fossem incuravelmente "egoístas por natureza" – estava associada à insinuação de que o controle capitalista, por meio da "perda de poder dos acionistas" e do "magnetismo minguante do banqueiro", dera lugar à sua feliz alternativa, na forma da "busca cada vez mais enérgica do talento industrial, o novo prestígio da educação e dos educadores"[60].

Naturalmente, tudo isto no interesse de fazer desaparecer o fato da *dominação de classes* capitalista. E se, apesar de todas as afirmações idealizadoras de Galbraith, se tivesse de admitir que o alto escalão da estrutura de comando do capital estivesse confinado a um círculo estreitíssimo – para falar a verdade, a "sociedade mútua beneficente" do círculo vicioso que nomeia a si mesmo –, um fato tão desagradável não deveria perturbar o bucólico quadro tecnoestrutural. A reveladora circunstância

---

de salário de £170 mil, elevando o valor para aquele ano a £1,199 milhão. ... Após uma investigação, o grupo revelou números segundo os quais o lucro antes do imposto de renda de £90,4 milhões de 1991 se transformou num prejuízo antes do imposto no montante de £56,3 milhões [o que representa uma fraude e falsificação contábil de £146 milhões num único ano] e revelou-se um déficit de £1 bilhão para o ano de 1992. O relatório confirma que o grupo pagou dividendos ilegais em 1991, 1992 e 1993 e violou a Lei de Empresas e regulamentos da bolsa de valores. ... Marcus tem sido duramente criticado por assessores e investidores por ter vendido £1,1 milhão de suas ações [uma participação claramente pouco apreciável] do Queens Moat em fevereiro, pouco antes de a companhia entrar no período de exclusão, em que não se permite aos diretores comprar ou vender. No dia 31 de março a negociação dessas ações foi suspensa, "para esclarecimento de sua situação financeira", quando elas estavam cotadas a 47,5p. A suspensão foi determinada por um erro nos números da companhia para 1992, que deveriam mostrar um lucro superior a £80 milhões. [Ou seja, veio à luz uma discrepância de mais de £1,08 bilhão num único ano, resultado da transformação de um lucro de mais de £80 milhões num prejuízo de £1 bilhão. É evidente que uma remuneração anual de £1 milhão, ou mesmo de £1,199 milhão, é muito modesta para pessoas que conseguem produzir lucros milagrosos contra uma situação real de prejuízos enormes.]

Rufus Olins, "Queens Moat director was paid over £1 million, Profits were artificially boosted", *The Sunday Times*, 7 de novembro de 1993, Seção 3, p. 1.

Na mesma edição o colunista da cidade de *The Sunday Times* comentou acertadamente sobre a questão:

Em meio à carnificina financeira mostrada no relatório anual e balanço de 1992 do Queens Moat, aparece uma informação impressionante. Ela aparece na página 51, ao tratar dos emolumentos da diretoria num ano em que o grupo teve prejuízo de £1 bilhão. A palavra crucial é "bônus". Sim, mesmo num ano em que a companhia fracassou, os acionistas perderam tudo e os bancos começaram a se preocupar com a recuperação de mais de £1 bilhão em empréstimos, os diretores do Queens Moat receberam bônus de £1,1 milhão. O relatório não explica como se calcularam esses bônus, mas, independentemente do método, é necessário um esforço supremo de imaginação para se tentar apurar a razão desses pagamentos. Imagine-se o que eles teriam recebido se a companhia tivesse tido lucro.

Jeff Randall, "In the City", *The Sunday Times*, 7 de novembro de 1993, Seção 3, p. 20.

[59] Galbraith, ibid., p. 78.
[60] Id., ibid., p. 67.

do círculo vicioso prevalecente tinha de ser transfigurada em algo perfeitamente compreensível e aceitável – manifestação de uma fragilidade humana universal, mas bastante inócua. Isto se realizou com a ajuda de um gracejo frívolo, segundo o qual os homens que (sem participação acionária significativa na "Empresa plenamente Madura" e com poderes bastante modestos nas verdadeiras tomadas de decisão) dirigem as grandes corporações tecnoestruturais não são realmente "selecionados pelos acionistas, mas, o que é comum, por uma Diretoria que *narcisisticamente* selecionou-se a si própria"[61].

No momento em que foi publicado o livro de Galbraith, as ilusões parsonianas sobre a "completa emancipação da economia em relação à política" já não podiam mais ser enunciadas, muito menos seriamente aceitas. Assim, sob as novas circunstâncias, admitia-se que...

> ... é lugar-comum que a relação entre o Estado e a economia mudou. Os serviços dos governos locais, estaduais e federais agora representam entre um quinto e um quarto de toda a atividade econômica. Em 1929, representavam cerca de oito por cento.[62]

Mais uma vez, isto foi feito com uma atitude totalmente acrítica para com o existente. O fato de haver "uma *densa fusão do sistema industrial com o Estado*"[63] não preocupava Galbraith. Ao contrário, ele não apenas dava como certa sua natureza supostamente não problemática, mas ia ainda mais longe, profetizando com veemente aprovação que, "à medida que se desenvolve, a corporação madura torna-se parte do complexo administrativo mais vasto associado ao Estado. Com o tempo, a linha entre ambos desaparecerá"[64].

A caracterização esperançosamente apologética não se confinava ao Ocidente capitalista, mas abrangia também o sistema soviético de Brejnev. Pois o autor de *O novo Estado industrial* insistia em que "a convergência entre dois sistemas ostensivamente diferentes ocorre em todos os aspectos fundamentais"[65]. O argumento relativo a esta convergência fictícia estava centrado na proposição de que os dois sistemas funcionavam baseados no "*planejamento*". Todavia, a verdade é que nenhum dos dois sistemas tinha qualquer coisa que se parecesse, ao menos remotamente, com um planejamento autêntico e viável. No sistema soviético, a expressão foi usurpada por um sistema de *diretrizes centrais arbitrárias*, que se mostrou irrealizável e fatalmente imperfeito por uma série imensa de razões; entre elas, em posição proeminente, o inevitável fracasso da extração política forçada do trabalho excedente que naufragou na relutância de uma força de trabalho desmotivada e até hostil em muitos aspectos. O "planejamento" praticado no sistema do capital ocidental da Empresa Madura – em linguagem direta: a gigantesca corporação monopolista transnacional –, na melhor das hipóteses, seria *parcial* e, mesmo neste caso, estaria sujeito às consequências desastrosas de "reviravoltas comerciais" e crises periódicas.

---

[61] Id., ibid., p. 14.
[62] Id., ibid.
[63] Id., ibid., p. 393.
[64] Id., ibid., p. 394.
[65] Id., ibid., p. 392.

Na descrição do próprio Galbraith, esse "planejamento" não passava de pura esperança, por um lado, ou falácia completa, por outro. Na primeira categoria, encontramos repetidas afirmações semelhantes, dizendo que "o planejamento *deve* tomar o lugar do mercado"[66], sem a mais leve tentativa de demonstrar como tal aspiração poderia se realizar numa sociedade capitalista. Em vez disso, o trôpego postulado da "tecnoestrutura" servia para nos fazer crer que ela já estava realizada. A mesma afirmação de fato realizado com sucesso era feita equiparando-se falaciosamente "necessidade" ou "deve ser feito" com "situação atual" ou "foi feito". Assim, era-nos apresentada uma lista de fatores necessariamente interligados – "tecnologia avançada, uso associado do capital e a consequente *necessidade de planejamento*"[67] –, donde se esperava que concluíssemos que, assim como os outros dois membros (fatalmente existentes) da tríade, a "necessidade de planejamento" atingia o mesmo *status*. O parágrafo seguinte da mesma página abria com uma sentença que dava como certa a realidade do planejamento, dizendo que "a complexidade entra com o planejamento e daí em diante é endêmica", depois do que os conceitos de "complexidade" e "planejamento" passaram a ser utilizados circularmente para reforçar um ao outro. No final, o único significado não falacioso de "planejamento" em O novo Estado industrial era igualado ao controle monopolista da porção do mercado que assim pudesse ser controlada, ao falar sobre "aquela parte organizada da economia em que uma tecnoestrutura desenvolvida é capaz de *proteger os seus lucros por meio do planejamento*"[68]. Este uso estava realmente bem longe de merecer o nome de planejamento.

A combinação do determinismo tecnológico da "tecnoestrutura" com o postulado do "planejamento" de Galbraith ainda não era suficiente para montar um quadro sustentável. Por isso, o autor de *O novo Estado industrial* teve de introduzir mais um postulado – igualmente falacioso – para preencher imensas lacunas: o Estado, chamado a resolver, e capaz de fazê-lo, todos os problemas de controle remanescentes tanto no Ocidente como no Oriente. Seu argumento era o seguinte:

> A convergência se inicia com a moderna produção em grande escala, com imensas *exigências* de capital, tecnologia sofisticada e, como importante consequência, organização minuciosa. Tudo isto *exige o controle* dos preços e, até onde possível, do que é comprado a esses preços. Portanto, o planejamento *deve* substituir o mercado. Nas economias do tipo soviético, o controle dos preços é uma *função do Estado*. ... A organização em grande escala também *exige autonomia*. A intrusão de uma vontade externa e desinformada é nociva. No sistema não soviético isto significa *excluir o capitalista do controle* efetivo. No entanto, o *mesmo imperativo* opera na economia socialista. Ali, a empresa comercial procura minimizar ou *excluir o controle da burocracia*. ... O sistema industrial não tem capacidade intrínseca para regular a demanda total – de modo a assegurar uma oferta de poder de compra suficiente para adquirir o que produz. Assim, para isto ele *depende do Estado*. No pleno emprego não há mecanismo para manter a estabilidade de preços e salários. Essa estabilização

---

[66] Id., ibid., p. 390.
[67] Id., ibid., p. 71.
[68] Id., ibid., p. 91.

também é uma *função do Estado*. Os sistemas de tipo soviético também fazem um cuidadoso cálculo do rendimento que está sendo propiciado em relação ao valor das mercadorias disponíveis para a compra.[69]

Mais uma vez, "exigências" e "imperativos" eram equiparados a capacidades e realizações falaciosamente pressupostas. As proposições antes citadas sobre a inevitável "fusão densa do sistema industrial com o Estado" e sobre o subsequente desaparecimento total da linha entre a "empresa madura" e o sistema administrativo do Estado eram os corolários que garantiam gratuitamente um bom resultado. No entanto, a realidade se recusava a adaptar-se aos "tipos ideais" tecnoestruturais "convergentes". O sistema de tipo soviético não podia "excluir o controle da burocracia", assim como a "empresa madura" não podia "excluir o capitalista do poder efetivo". De qualquer modo, seria óbvio para o autor que o simples fato de alguém desejar ou "precisar", até mesmo como questão de dramático "imperativo", não significaria que o Estado seria capaz de *entregar* o que dele fosse cobrado. Também não haveria muito sentido em tentar louvar com um fôlego a inevitável autonomia do sistema tecnoestrutural – na era da igualmente idealizada "globalização" – e com outro estipular a intervenção ainda mais inevitável do Estado. Igualmente, era uma ingênua autocomplacência, para falar em termos moderados, fantasiar sobre uma situação ideal de *pleno emprego* quando os imperativos estruturais objetivos – e não os proclamados e esperançosos pseudoimperativos ou "exigências" – do "Estado industrial" (igualmente de Oriente e Ocidente) tornavam impossível a conciliação da "expansão capitalista produtiva"

---

[69] Id., ibid., p. 390-91.
Encontramos o mesmo tipo de "prestidigitação" quando Galbraith identifica *necessidade de informação*, no processo de tomada de decisão corporativa, com *poder efetivo* atribuído àqueles que fornecem a informação necessária. Ele apresenta assim a questão:
Na empresa industrial, o poder está com quem toma decisões. Na empresa madura esse poder passou, inevitável e irreversivelmente, do indivíduo para o grupo. Isto porque *somente o grupo possui toda a informação necessária para a tomada de decisão*. Embora a constituição da empresa coloque o poder nas mãos dos proprietários, os imperativos da tecnologia e do planejamento passam-no para a tecnoestrutura Ibid., p. 106.
Esta linha de raciocínio é duplamente falaciosa. Primeiro, porque ela postula uma correlação automática entre a produção da informação (e aqueles que realmente a produzem), de um lado, e o poder, do outro. Como se a informação (ou o conhecimento relevante para a tomada de decisões) não pudesse ser comprada por quem controla o poder real de tomada de decisão! Na verdade, a ordem capitalista não somente opera rotineiramente nessas bases, mas aperfeiçoa a divisão do trabalho por meio da qual os produtos do trabalho mental podem ser comprados ou vendidos conforme determine a circunstância. (Neste sentido, é absolutamente grotesco sugerir que a "empresa industrial" dos "empreendedores" não precisasse de informação, oferecida por outro que não o próprio empreendedor, antes de tomar decisões.)
E, segundo, porque ela minimiza o papel da tomada de decisões – geralmente arbitrárias – no nível mais alto da "empresa madura". Este tipo de idealização apologética do sistema capitalista contemporâneo – em nome de uma fictícia "tecnoestrutura", com seus imperativos imaginários e realizações automaticamente correspondentes – tornaria impossível para quem toma decisões *agir contra a informação disponível* e levar, no processo, suas empresas à beira da ou à falência propriamente dita. Portanto, não causa espanto que Galbraith tenha de afirmar, em sintonia com sua descrição imaginária da "empresa madura", que as "grandes empresas não perdem dinheiro" (p. 90). Na realidade um grande volume de informações tem de ser revertida cinicamente pelos que tomam decisões no mundo real – e não por alguns fornecedores ou produtores masoquistas de informação – antes que uma empresa como o grupo Queens Moat (mencionado na nota 58 deste capítulo) possa realizar o prejuízo de £1 bilhão no ano de 1992, ou a General Motors idealizada de Galbraith os prejuízos correspondentemente muito maiores.

com a ideia de proporcionar emprego para todos. Sempre foi *inconcebível* extrair o pleno emprego – *ex pumice aquam* – do sistema do capital global. Mesmo em sua parte "capitalista avançada" mais privilegiada, o pleno emprego só ocorreu por um rápido momento histórico, durante os anos de expansão do pós-guerra; quando o livro de Galbraith foi escrito, a inexorável ascensão do desemprego havia encerrado de modo irrevogável o "pleno emprego numa sociedade livre" proposto por Keynes (e divulgado por Beveridge) até nos países imperialistas dominantes, mas o autor de *O novo Estado industrial* nem reparou nisso. Ao mesmo tempo – e como sempre – as pessoas, na esmagadora maioria dos países que constituíam o mundo profundamente perverso do capitalismo, continuaram a sofrer as indignidades e desumanidades de um subemprego, não marginal, mas *maciço*. O rápido momento histórico de pleno emprego do sistema soviético abrangeu apenas o período de intensa industrialização e reconstrução do pós-guerra; depois, entrou em sérias dificuldades, procurando escondê--las com seu *subemprego estrutural*, em última análise absolutamente insustentável, com o consequente nível desastrosamente baixo de produtividade que contribuiu em muito para o desmoronamento e a implosão do sistema. Estas eram as lacunas óbvias entre as "exigências", às quais se esperava que o Estado respondesse de modo adequado, e a capacidade real dos respectivos Estados dos supostos sistemas tecnoestruturais convergentes de corresponder às expectativas de Galbraith.

3.3.4
O principal aspecto desse tipo de raciocínio era enfrentar o leitor e fazê-lo aceitar a brutal alternativa "entre o *sucesso sem controle social e o controle social sem sucesso*"[70]. Em outras palavras, a "alternativa" queria dizer que não poderia haver *nenhuma alternativa*, pois nenhuma pessoa normal renunciaria à possibilidade de sucesso. O raciocínio em que se baseava essa perniciosa conclusão consistia, mais uma vez, numa série de declarações sem fundamento. Era o seguinte:

O azar do socialismo democrático foi o azar do capitalista. Quando este já não podia controlar, o socialismo democrático já não era uma alternativa. A complexidade e o planejamento técnico, além da escala relativa das operações, que tomaram o poder do empresário capitalista e o alojaram na tecnoestrutura, também o tiraram do alcance do controle social.[71]

Esses "argumentos" perderam completamente o sentido, por causa da declaração totalmente vazia a respeito do "azar do capitalista" – o coitadinho em quem supostamente estaria ancorado o destino do socialismo democrático. A ideia igualmente vazia do "planejamento" de Galbraith que vimos acima – em seu relacionamento circular com a "complexidade" – também não poderia ajudar a sustentar a pseudoalternativa entre sucesso e controle social. Em relação às supostas virtudes inquestionáveis da enorme escala das operações na era da tecnoestrutura, todo economista burguês que se respeitasse pregava a "*economia de escala*" no momento em que *O novo Estado industrial* se tornou um *best-seller*, e não apenas o professor Galbraith. Eles o faziam com o mesmo fervor religioso com que agora

---

[70] Id., ibid., p. 112.
[71] Id., ibid., p. 111.

pontificam sobre a "*deseconomia de escala*". No entanto, a devoção a uma crença insustentável não a torna aceitável só porque a correlação hipostática nela é mantida um dia em um sentido e, quando a causa da explicação apologética o exige, no sentido diametralmente oposto.

Em qualquer caso, as afirmações ilimitadamente confiantes de Galbraith sobre o que constituía o *sucesso* não dariam certo de modo algum. Pois a mesma empáfia com que ele descartou a necessidade e a possibilidade da realização do projeto socialista também caracterizou sua dogmática aprovação das estruturas e práticas dominantes do sistema do capital, desde a "Empresa Madura" até o Estado como facilitador das transformações monopolistas em andamento. Ele observou que o número das corporações gigantes baseado em grandes fundos estatais para seu funcionamento "saudável" estava aumentando, mas não via nisso absolutamente nenhuma complicação, muito menos riscos de uma séria crise econômica surgindo dessa tendência. Com um assombroso senso de irrealidade, ele simplesmente presumiu que o Estado tinha uma bolsa sem fundo à disposição do complexo militar-industrial[72]. Foi por esta razão que ele pôde declarar com certeza dogmática que "*as grandes corporações não perdem dinheiro*"[73]. Os presidentes da IBM, da General Motors, da Ford *et al.* – completamente desprovidos de autoridade, não nas tomadas de decisão em suas "empresas Maduras", mas no controle da incontrolabilidade do sistema do capital, que terminaram com perdas anuais de muitos bilhões de dólares em anos recentes e nem tão recentes – devem ter sentido uma tremenda confiança renovada por saber que haviam realizado o impossível. E o professor Galbraith estava tão empolgado com seu próprio sonho das possibilidades ilimitadas do novo Estado industrial, que elogiou em linguagem poética as suas Corporações Maduras:

> Nenhuma concessão de privilégio feudal igualou, em retorno sem esforço, a do avô que comprou e legou a seus descendentes mil ações da General Motors ou da General Electric. Os beneficiários dessa previsão tornaram-se e permaneceram ricos sem exercer nenhum esforço ou inteligência além da decisão de nada fazer, que incluía a decisão de não vender.[74]

---

[72] Eis uma passagem característica de Galbraith que ilustra seu tratamento otimista do assunto:
Já se observou que o "mecanismo de mercado foi substituído pelo mecanismo administrativo". ... O que foi dito acima se refere a empresas que vendem a maior parte de sua produção para o governo – à Boeing, que, na época em que escrevo, vende 65% de sua produção para o governo; à General Dynamics, que vende percentagem semelhante; à Raytheon, que vende 70%; à Lockheed, que vende 81%; e à Republic Aviation, que vende 100%. Mas empresas que vendem um percentual menor para o governo dependem mais dele para a regulação da demanda agregada, e não menos para a estabilização de preços e salários, o financiamento de tecnologia especialmente cara e a oferta de mão de obra treinada e educada.
Ibid., pp. 393-4.

[73] Ibid., p. 90. E ele ainda afirmou que "Em 1957, um ano de recessão leve nos Estados Unidos, nenhuma das cem maiores empresas perdeu dinheiro. Apenas uma das duzentas maiores terminou o ano no vermelho. Sete anos depois, em 1964, um ano geralmente aceito como próspero, novamente as cem maiores tiveram lucro, só duas entre as duzentas maiores e só sete entre as primeiras quinhentas não tiveram. Nenhuma das quinhentas maiores empresas de varejo – Sears Roebuck, A&P, Safeway etc. – deixou de ter lucro. E entre as quinhentas maiores empresas de transporte somente três ferrovias e a Eastern Airlines, que atravessava um período infeliz, não tiveram lucro" (ibid., pp. 90-1).

[74] Id., ibid., p. 395.

Portanto, os trabalhadores demitidos em massa por todo o mundo – inclusive nos Estados Unidos e em outros países capitalistas avançados – pelas diretorias das quase falidas IBM, General Motors etc., etc., não precisam se preocupar. Os trabalhadores que ainda permanecem no emprego, cujos fundos de pensão são assaltados ou "tomados de empréstimo" pela administração de suas empresas quase falidas (como a General Motors), olham para o futuro sem qualquer ansiedade. Para não mencionar os netos, que herdaram as lendárias mil ações. É óbvio que todos esses problemas pertencem estritamente ao reino da impossibilidade.

Mas, oh dor! – eis que o histórico de previsões confiantes do professor Galbraith também não se deu muito melhor com relação ao primo tecnoestrutural convergente, o sistema de tipo soviético. Foi assim que o autor de *O novo Estado industrial* descreveu as tendências do desenvolvimento soviético e o futuro que delas emergia:

> A descentralização das economias do tipo soviético não envolve um retorno ao mercado, mas a mudança de algumas funções do planejamento, que passarão do Estado para a companhia. Esta mudança reflete a necessidade de que a tecnoestrutura da empresa soviética obtenha mais instrumentos para o funcionamento bem-sucedido sob sua própria autoridade, o que contribuirá para sua autonomia. Não há qualquer tendência à convergência dos sistemas ocidental e soviético por meio do retorno do segundo ao mercado. Ambos ultrapassaram essa etapa. Há uma convergência mensurável para a mesma forma de planejamento.[75]

Como diz um provérbio húngaro, o professor Galbraith apontou a arma para a cabeça do touro e acertou as tetas da vaca. E não por acidente. Seu sistema apriorístico do "planejamento tecnoestrutural" fez a bala voar na direção errada. O autor de *O novo Estado industrial* também não poderia dizer que absolutamente nada do que veio a acontecer depois poderia ter sido percebido sequer como leve tendência na época em que o livro foi publicado. No momento em que o escrevia, grassavam na URSS discussões em torno da melhor maneira de adotar o "mecanismo de mercado". Elas se intensificaram imensamente mais adiante (e não apenas na Rússia, mas na Hungria, na Tcheco-Eslováquia, na Polônia e por toda parte), culminando, afinal, na "perestróika" de Gorbachev. O último trecho citado mostrou que Galbraith não somente estava a par dessas discussões mas que, bem além disso, optou por avaliá-las de certa maneira, segundo suas próprias ideias de determinismo tecnológico e predestinação tecnoestrutural. O caminho que as coisas tomaram foi um retumbante vexame para sua teorização das recentemente descobertas tentativas de controle do capital também neste aspecto.

3.3.5

A desolada utopia tecnoestrutural de *O novo Estado industrial* postulava a permanência do "capitalismo sem o capitalista" junto com a impossibilidade do controle social em nome do "sucesso", descartando ao mesmo tempo com ilimitada confiança o "antigo" projeto socialista como empreendimento inteiramente quixotesco. O fato é que nem as previsões teóricas do autor, nem o desempenho real da Empresa Madura que elas tanto elogiaram, realmente se mostraram grandes triunfos.

---

[75] Id., ibid., p. 116.

A justificativa moral para a visão de Galbraith de como a fusão da tecnoestrutura com o Estado resolve o problema da incontrolabilidade do capital foi apresentada em duas etapas. A primeira recorria à absoluta inevitabilidade do determinismo tecnológico, fazendo que no quadro aparecesse até a natureza hipostática do "homem moderno". Dizia o seguinte:

> É parte da vaidade do homem moderno o poder de decidir o caráter de seu sistema econômico. Na verdade, sua área de decisão é incrivelmente pequena. É concebível que ele possa decidir se deseja ou não ter um alto nível de industrialização. Daí em diante, funcionam em pé de igualdade os imperativos da organização, da tecnologia e do planejamento, e já participamos de um resultado semelhante, em todas as sociedades. Dada a decisão de ter a indústria moderna, boa parte do que acontece é inevitável e semelhante.[76]

A resignação conivente às desumanidades do existente poderia ser até transformada em virtude, elevando-se os homens de visão superior (ou seja, percepção relativa à inevitabilidade do que se alega ser inalterável) acima da fútil "vaidade do homem moderno".

A segunda etapa oferecia a justificativa do tal sistema sobre bases diferentes. Afirmava que

> Há pouca dúvida em relação à capacidade de o sistema industrial atender às necessidades do homem. Como já vimos, o sistema consegue manobrá-las porque *as atende com fartura*. É necessário um mecanismo para fazer os homens desejarem o que ele fornece. No entanto, este mecanismo não funcionaria – as carências não seriam sujeitas a *manipulação* – se essas carências não fossem *embotadas pela abastança*.[77]

Desse modo, até o sistema de distribuição dissipador e flagrantemente perverso e a concomitante manipulação das "carências" dos reconhecidamente importantes se justificariam em nome da grande "abundância" e do "efeito embotador da abastança". No entanto, tudo nessa maneira de abordar o problema era avaliado de modo irremediavelmente fora de proporção. O fato de que a esmagadora maioria da população mundial não participava da "abundância" autojustificadora da ordem sociometabólica nada significava. O tamanho e a péssima situação da esmagadora maioria eram falsamente representados num pedaço de sentença ao pé da página, de onde foi tirada a última citação. Esta meia sentença afirmava que o sistema de abastança embotadora só exclui "de sua beneficência os *não qualificados* e os *desgraçados*". Devia-se manter silêncio sobre o fato de que o número desses "não qualificados" e "desgraçados" na época em que foi escrito *O novo Estado industrial* – para não falar do presente – se aproximava da cifra de cem milhões de pessoas até nos países capitalistas mais privilegiados. Talvez ainda mais importante, o fato de a condição de "não qualificado" e "desgraçado" não ter caído do céu, mas ter sido *produzida* pelo próprio sistema socioeconômico, que *des*qualificou[78] e transformou em "desgraçadas" as pessoas consideradas "supérfluas" para as

---

[76] Id., ibid., pp. 396-7.
[77] Id., ibid., p. 397.
[78] Sobre a parte ativa das práticas produtivas prevalecentes no sistema "capitalista avançado" para desqualificar e frustrar totalmente o potencial criativo da classe trabalhadora, ver o excelente livro de Harry Braverman, *Labor and Monopoly Capital: The Degradation of Work in the Twentieth Century*, Nova York, Monthy Review Press, 1974.

necessidades da expansão e acumulação do capital, também teria de ser varrido para os cantos pelos termos cuidadosamente selecionados pelo autor para caracterizá-los no interesse da apologia social.

Portanto, a maneira de Galbraith resolver a incontrolabilidade do capital reproduzia o mesmo velho padrão conhecido, apesar das diferenças terminológicas. Exatamente como no passado, os termos em que se admitia que o sistema se comportava de maneira muito diferente do que se esperava serviam apenas para afirmar o próprio momento de enunciar a admissão de que, no mínimo, tudo estava andando como deveria, ainda que a "vaidade do homem moderno" discordasse. A explicação dada afastou os antagonismos estruturais do sistema do capital, de forma a permitir a continuação segura até o fim dos tempos da mesmíssima forma que, sob as circunstâncias dadas, se observava ser a dominante.

A "mão invisível" de Adam Smith foi utilizada por seu criador e seus seguidores como o *deus ex machina* que proporcionaria os serviços necessários do totalizador ausente. John Kenneth Galbraith pensou que poderia livrar-se desse mistério benevolente oferecendo sua *machina sem deus* na forma da "tecnoestrutura". Contudo, no final esta última se mostrou totalmente imprópria para a enganosa tarefa da totalização. Com isso, o autor de *O novo Estado industrial* viu-se forçado a trazer o *deus ex machina* de volta, e pela porta dos fundos, à recém-proclamada estrutura saudável da Empresa Madura, para dar alguma plausibilidade às suas próprias soluções. E isto ele o fez por meio da esperançosa caracterização do *Estado*, postulando que este preencheria prontamente as inúmeras "exigências" e "imperativos" com que se deveria sobrecarregar o Estado benfazejo. E assim se encerrou a terceira maneira típica de resolver o problema da incontrolabilidade inerente ao capital, culminando na mesma espécie de postulados que caracterizavam todos os seus predecessores. Nada de assombroso. Para todos os pensadores que compartilhavam o ponto de vista do capital, os antagonismos sociais do sistema tinham de ser evitados, ou minimizados, ou mesmo transfigurados em felizes circunstâncias e virtudes, deixando ao mesmo tempo seu potencial explosivo profundamente oculto da vista.

Capítulo 4

CAUSALIDADE, TEMPO E FORMAS DE MEDIAÇÃO

4.1 Causalidade e tempo sob a *causa sui* do capital

4.1.1
O aspecto mais problemático do sistema do capital, apesar de sua força incomensurável como forma de controle sociometabólico, é a total incapacidade de tratar *as causas como causas*, não importando a gravidade de suas implicações a longo prazo. Esta não é uma dimensão passageira (historicamente superável), mas uma irremediável dimensão estrutural do sistema do capital voltado para a expansão que, em suas necessárias ações remediadoras, deve procurar soluções para todos os problemas e contradições gerados em sua estrutura por meio de ajustes feitos estritamente nos *efeitos* e nas *consequências*.

Os limites relativos do sistema são os que podem ser superados quando se expande progressivamente a margem e a eficiência produtiva – dentro da estrutura viável e do tipo buscado – da ação socioeconômica, minimizando por algum tempo os efeitos danosos que surgem e podem ser contidos pela estrutura causal fundamental do capital. Em contraste, a abordagem dos limites absolutos do capital inevitavelmente coloca em ação a própria estrutura causal. Consequentemente, ultrapassá-los exigiria a adoção de estratégias reprodutivas que, mais cedo ou mais tarde, enfraqueceriam inteiramente a viabilidade do sistema do capital em si. Portanto, não é surpresa que este sistema de reprodução social tenha de confinar a qualquer custo seus esforços remediadores à modificação parcial estruturalmente compatível dos efeitos e consequências de seu modo de funcionamento, aceitando sem qualquer questionamento sua base causal – até mesmo nas crises mais sérias.

O modo de controle sociometabólico – que não considera a possibilidade de um futuro, a menos que o futuro projetado seja visto como uma extensão direta de determinações presentes e passadas – não tem nada parecido com um "mais longo prazo". Os apologistas do capital gostam de citar o dito keynesiano: "a longo prazo, estaremos todos mortos" – como se esse tipo de frívola despreocupação com o futuro resolvesse a questão. No entanto, a verdade é que, devido à sua *necessária negação do futuro*, o sistema do capital está encerrado no círculo vicioso do curto prazo, embora seus ideólogos procurem apresentar esse defeito como virtude insuperável. Esta é a razão por que o capital é incompatível com qualquer tentativa significativa de um *planejamento* abrangente, mesmo quando este se mostre avassaladoramente necessário no problemático relacionamento de empresas capitalistas globais. Também é por isso que o sistema do capital de tipo soviético, desmentindo todas as suas reivindicações explícitas ao estabelecimento de uma economia socialista planejada, só poderia resultar numa horrenda caricatura do planejamento. A metamorfose das personificações do capital representadas pelo capitalista privado em suas variantes, como os burocratas soviéticos, introduziria mudanças apenas no plano dos *efeitos manipuláveis*, deixando inalteradas suas bases causais historicamente há muito estabelecidas.

A razão por que o capital é estruturalmente incapaz de tratar as causas como causas – em vez de tratar a todas as dificuldades e complicações emergentes como efeitos manipuláveis com maior ou menor sucesso – é que esta é a *sua própria fundamentação causal*: uma verdadeira *causa sui* perversa. Qualquer coisa que aspire à legitimidade e à viabilidade socioeconômicas deve ser adaptada ao seu quadro estrutural predeterminado. Na qualidade de modo de controle sociometabólico, o capital não pode tolerar a intrusão de qualquer princípio de regulação socioeconômica que venha restringir sua dinâmica voltada para a expansão. A expansão em si não é apenas uma *função* econômica *relativa* (mais ou menos louvável e livremente adotada sob esta luz em determinadas circunstâncias, e conscientemente rejeitada em outras), mas uma maneira *absolutamente necessária* de deslocar os problemas e contradições que emergem no sistema do capital, de acordo com o imperativo de evitar, como praga, as causas subjacentes. Os fundamentos causais que autoimpelem o sistema não podem ser questionados sob hipótese alguma. Quando aparecem, os problemas devem ser tratados como disfunções "temporárias", a serem remediadas com a reafirmação sempre mais rigorosa do imperativo da reprodução expandida. Por esta razão, não pode haver *alternativa alguma* para a busca de expansão – a todo o custo – em todas as variedades do sistema do capital.

Enquanto existir objetivamente espaço para a livre expansão, o processo de deslocamento das contradições do sistema pode avançar sem empecilhos. Quando as coisas não vão bem, ou seja, quando há uma falha no crescimento econômico e em seu correspondente avanço, as dificuldades são diagnosticadas em termos do raciocínio circular, que evita as causas subjacentes e apenas acentua suas consequências, segundo o qual "o crescimento atual não é suficiente". Tratar dos problemas com essa perversa maneira ilógica repetindo constantemente que "está tudo pronto" para a expansão saudável, mesmo nos momentos das grandes recessões, cria a ilusão de que o modo de controle sociometabólico do capital não precisa de nenhuma mudança fundamental. A mudança legítima deve ser sempre encarada como alteração e melhoria limitadas do que já está determinado. A mudança deve ser produzida pela inovação estritamente *instrumental*, que se pressupõe obviamente benéfica. Entretanto, como as necessárias condições e implicações históricas que restringem a expansão contínua são sistematicamente descartadas ou rejeitadas como desprovidas de importância, o pressuposto da permanência e da inquestionável viabilidade da *causa sui* do capital é totalmente falacioso.

Aqui, mais uma vez, a questão não é a intrusão de uma falácia lógica na teoria – ao contrário, é a derrubada inadmissível das relações realmente existentes. Pois o corolário perverso das condições *relativas absolutizadas* (ou seja, históricas limitadas) exigidas pelo processo da reprodução expandida do capital – a injustificada e supostamente eterna disponibilidade dos recursos e do espaço necessários para a desejável expansão do capital – é a *relativização* irresponsável das restrições *absolutas* (como, por exemplo, a deliberada ignorância dos riscos envolvidos no desperdício vigente dos recursos não renováveis do planeta). Em vez de perigosamente manipuladas, tais restrições deveriam ser reconhecidas como condições limitadoras necessárias em qualquer sistema finito, inclusive todas as variedades viáveis do sistema do capital, a menos que se queira brincar de roleta russa com a sobrevivência da humanidade. Contudo, como a aceitação desse tipo de restrições inevitavelmente exigiria uma grande mudança na estrutura causal fundamental do capital – pois o postulado da expansão imperativa teria de ser moderado e justificado, em vez de utilizado como a base supostamente óbvia de qualquer justificação concebível, tornando assim desnecessária qualquer justificativa –, não existe "nenhuma alternativa" para a relativização do absoluto, não importa quão irresponsável.

4.1.2

A inalterável *temporalidade* do capital é *a posteriori* e *retrospectiva*. Não pode haver futuro num sentido significativo da expressão, pois o único "futuro" admissível já chegou, na forma dos parâmetros existentes da ordem estabelecida bem antes de ser levantada a questão sobre "o que deve ser feito".

Dadas as suas determinações estruturais fundamentais, às quais deve se adaptar tudo o que existe sob o sol, o modo de funcionamento do capital só pode ser *reativo* e *retroativo*, mesmo quando os defensores do sistema falam – muito inadequadamente – de sua "reestruturação" benéfica. Na realidade, nada pode criar uma abertura real. O impacto de eventos históricos inesperados – que surjam, por exemplo, de uma grande crise – mais cedo ou mais tarde terá de ser comprimido de volta em seu molde estrutural preexistente, tornando a *restauração* uma parte constituinte da dinâmica normal do sistema do capital.

Tudo o que *pode ser* em certo sentido *já foi*. Assim, quando se exaltam as virtudes da "privatização", não se considera correto nem adequado perguntar: que problemas levaram inicialmente à recém-deplorada condição da nacionalização que agora deve ser invertida para estabelecer o futuro *status quo ante*? Pois admite-se que, durante as transformações socioeconômicas e políticas adotadas, nada seja mudado de maneira a colocar em jogo os parâmetros estruturais do capital. A "nacionalização" das empresas capitalistas privadas, sempre que introduzida, é tratada simplesmente como uma reação temporária à crise, a ser contida dentro das determinações gerais do capital como modo de controle, sem afetar de forma alguma a *estrutura de comando* fundamental do próprio sistema.

O resultado é que, diante disso, mudanças econômicas importantes, mas na realidade marginais, limitam-se apenas a alguma operação de salvamento de setores insolventes de capital, precisamente porque o quadro estrutural e a estrutura de comando do próprio sistema permanecem inalterados. É por isso que, com certos ajustes dos sintomas da crise original, o processo de nacionalização pode ser tão facilmente revertido, permitindo assim a continuação do que havia antes. Portanto, é inevitável que toda a conversa sobre "a conquista do comando da economia mista" como forma de estabelecer na plenitude dos tempos uma ordem socialista – pregada ao longo de quase um século pelos líderes do movimento trabalhista social-democrata – revele seu vazio total à luz dessas determinações estruturais e temporais que *a priori negam* as possibilidades futuras do tempo.

Da mesma forma (ainda que num cenário um tanto mais surpreendente), a ordem pós-revolucionária de tipo soviético, funcionando dentro dos parâmetros estruturais do sistema do capital, não faz qualquer tentativa de alterar fundamentalmente a estrutura hierárquica de comando de *dominação do trabalho* que herdou. Em vez de entrar na difícil estrada da instituição de um processo socialista de trabalho – dentro de uma estrutura de *temporalidade aberta* que liga o presente a um futuro de verdade que já se abre à frente – pela criação das condições de uma *autogestão* significativa, ela reage à grave crise da Primeira Guerra Mundial e suas dolorosas consequências apenas mudando o *pessoal no comando* – e até isso de maneira absolutamente incompatível. Modifica os direitos legais hereditários – direitos automáticos de propriedade – do pessoal dominante, mas deixa os novos tipos de personificação do capital no controle autoritário do processo herdado de trabalho hierárquico. No entanto, ao fazê-lo, permite que algumas determinações fundamentais do velho controle sociometabólico permaneçam em vigor, das quais, no devido tempo, também pode emergir a exigência de restauração do direito legal à propriedade, como realmente aconteceu na "perestróika" de Gorbachev (outro exemplo do uso inteiramente equivocado da ideia de "reestruturação"). Assim, não é por acaso nem surpreendente que a mais veemente defensora britânica da privatização, a primeira-ministra Margaret Thatcher, e o político soviético Mikhail Gorbachev, que proclamou a "plena igualdade de todos os tipos de propriedade" (em linguagem muito clara, a restauração da propriedade privada capitalista sancionada pelo Partido), tenham se adotado tão rápida e entusiasticamente como amigos do peito. Esses fatos são, não apenas possíveis, mas absolutamente inevitáveis, enquanto prevalecer a paralisante temporalidade restauradora do capital e enquanto o passado – com sua inércia amortecedora – continuar dominando o presente, eliminando as chances de uma ordem futura qualitativamente diferente.

Nos termos da temporalidade inevitavelmente reativa e retroativa do capital, a mudança só é admissível se absorvida ou assimilada à rede de determinações estruturalmente já dada. O que não se puder conduzir dessa maneira deve ser totalmente eliminado. É por isso que as verdadeiras mudanças *qualitativas* são inaceitáveis – correspondendo ao espírito do axioma francês: *plus ça change, plus c'est la même chose* –, pois colocariam em risco a coesão de ordem estrutural aceita. A *quantidade* reina absoluta no sistema do capital, de acordo com sua temporalidade retroativa.

Isto também está de acordo com a exigência de *expansão*, necessariamente concebida em termos estritamente quantitativos. Não existe uma maneira de definir a própria expansão dentro da estrutura do sistema de capital senão de modo puramente quantitativo, projetando-a como extensão direta do que existe. Tal expansão deve ser vista como *algo além do que existe* – mesmo quando as perspectivas de assegurar o acréscimo defendido pareçam mais problemáticas, para não dizer absurdas... O absurdo deste acréscimo inquestionável (inclusive a defesa de Stalin de uma produção de ferro-gusa maior do que a americana, como critério indicador de se ter atingido o estágio mais elevado do comunismo) é a única linguagem entendida pelo sistema e, sob nenhuma circunstância, há de ser a força orientadora de algo *qualitativamente diferente* que emerge da necessidade humana há muito ignorada.

O mesmo vale para as considerações sobre o *custo*, que sempre deve ser avaliado de maneira mecanicamente quantificável. Consequentemente, a ideia de que a defesa da expansão poderia trazer consigo *custos proibitivos*, não em termos financeiros prontamente quantificáveis, mas no plano das considerações *qualitativas* – isto é, que, sob determinadas condições, a busca da "eficiência econômica" e a "expansão lucrativa" poderiam realmente resultar em prejuízos para as condições elementares de um processo de reprodução social sustentável – é forçosamente inadmissível pelo modo de funcionamento do sistema do capital.

É assim que as mais profundas determinações causais do capital confinam as ações viáveis de correção do sistema aos efeitos e consequências estruturalmente assimiláveis, segundo a natureza do capital como inalterável *causa sui*. Com isso, elas também projetam a sombra da total incontrolabilidade quando a perversa derrubada do relacionamento entre relativo e absoluto já não pode mais ser mantida – tratar o *relativo* historicamente produzido e limitado (ou seja, a ordem estrutural do capital) como *absoluto intranscendível*, e as condições *absolutas* da reprodução sociometabólica e a sobrevivência do ser humano como *relativo prontamente manipulável*.

4.2 O círculo vicioso da segunda ordem de mediações do capital

4.2.1
As mediações de segunda ordem do capital constituem um círculo vicioso do qual aparentemente não há fuga. Pois elas se interpõem, como "mediações", em última análise destrutiva da "mediação primária", entre os seres humanos e as condições vitais para a sua reprodução, a natureza.

Graças à preponderância das mediações de segunda ordem do sistema do capital, esconde-se o fato de que, em qualquer circunstância, as condições da reprodução social só podem ser garantidas pela mediação necessária da atividade produtiva, que – não somente em nossa própria era, mas enquanto a humanidade sobreviver – é inseparável da atividade produtiva *industrial* altamente organizada. No entanto, é bastante revelador que os apologistas do modo estabelecido de reprodução sociometabólico continuem a fantasiar sobre a nossa alegada "sociedade *pós-industrial*", descartando perversamente as condições absolutas da sobrevivência humana como anacronismo histórico, para distorcer a segunda ordem das mediações do capital historicamente geradas e cada vez mais problemáticas como absolutas e historicamente insuperáveis.

A proclamada "evidência", apresentada em apoio a essas teorias, é a transferência em andamento das "indústrias de chaminé" das privilegiadas áreas "metropolitanas" do Ocidente capitalista para a "periferia subdesenvolvida". É como se a atmosfera – ainda tão poluída como antes (se não mais), apesar desse tratamento desdenhoso e discriminatório dado ao "Terceiro Mundo" – fosse para sempre seguramente isolada em porções convenientes por uma nova muralha chinesa que se estendesse até a lua... É também como se as atividades produtivas dessas "indústrias de chaminé", aqui e ali hipocritamente deploradas, não fossem o resultado – e como se não continuassem forçosamente a emergir da estrutura reprodutiva existente – das determinações de busca do lucro da economia globalmente entrelaçada da ordem sociometabólica em vigor (geralmente em benefício dos países "metropolitanos" dominantes).

A segunda ordem de mediações do sistema do capital pode ser assim resumida:

- a *família nuclear*, articulada como o "microcosmo" da sociedade que, além do papel de reproduzir a espécie, participa de todas as relações reprodutivas do "macrocosmo" social, inclusive da necessária mediação das leis do Estado para todos os indivíduos e, dessa forma, vital também para a reprodução do próprio Estado;
- os meios alienados de produção e suas "personificações", pelos quais o capital adquire rigorosa "vontade férrea" e consciência inflexível para impor rigidamente a todos submissão às desumanizadoras exigências objetivas da ordem sociometabólica existente;
- o dinheiro, com suas inúmeras formas enganadoras e cada vez mais dominantes ao longo do desenvolvimento histórico – desde a adoração ao bezerro de ouro na época de Moisés e das tendas dos cambistas no templo de Jerusalém na época de Jesus (práticas muito reais, apesar de figurativamente descritas, castigadas com fúria pelo código moral da tradição judeu-cristã – embora, considerando a evidência histórica, totalmente em vão), passando pelo baú do usurário e pelos empreendimentos necessariamente limitados do antigo capital mercantilista, até chegar à força opressora global do sistema monetário dos dias de hoje;
- os objetivos fetichistas da produção, submetendo de alguma forma a satisfação das necessidades humanas (e a atribuição conveniente dos valores de uso) aos cegos imperativos da expansão e acumulação do capital;
- o trabalho, estruturalmente separado da possibilidade de controle, tanto nas sociedades capitalistas, onde tem de funcionar como trabalho assalariado coagido e explorado pela compulsão econômica, como sob o capital pós-capitalista, onde assume a forma de força de trabalho politicamente dominada;
- as variedades de formação do Estado do capital no cenário global, onde se enfrentam (às vezes com os meios mais violentos, levando a humanidade à beira da autodestruição) como Estados nacionais autônomos...
e
- ... o incontrolável *mercado mundial*, em cuja estrutura, protegidos por seus respectivos Estados nacionais no grau permitido pelas relações de poder prevalecentes, os participantes devem se adaptar às precárias condições de coexistência econômica e ao mesmo tempo esforçar-se por obter para si as maiores vantagens possíveis, eliminando os rivais e propagando assim as sementes de conflitos cada vez mais destruidores.

Só se pode falar de círculo vicioso com relação à maneira como estão unidos todos esses componentes do modo estabelecido de controle sociometabólico. As mediações particulares de segunda ordem sustentam-se reciprocamente, impossibilitando contrabalançar a força alienadora e paralisante de qualquer uma isoladamente enquanto se mantiver intacto o poder de autorregeneração e autoimposição do sistema global. Baseada na dolorosa evidência histórica, surge a verdade desconcertante: através das interconexões estruturais das partes que o constituem, o sistema do capital consegue se impor sobre os esforços emancipadores parciais que visam alvos específicos limitados. Com isso, os adversários da ordem estabelecida da reprodução sociometabólica, incorrigivelmente discriminatória, têm de enfrentar e superar não apenas a força positiva autossustentada de extração do trabalho excedente pelo capital, mas também a força devastadoramente negativa (a inércia aparentemente ameaçadora) de suas ligações circulares.

É por esta razão que a verdadeira meta da transformação socialista radical deve ser o próprio sistema do capital *com todas as suas mediações de segunda ordem* e não apenas a expropriação legal das personificações capitalistas privadas do capital. Pois não somente o ato da expropriação legal pode ser anulado com relativa simplicidade pela mudança da forma capitalista privada tradicional das personificações do capital em alguma de suas variações pós-capitalistas historicamente viáveis, como acontece por exemplo nas sociedades de tipo soviético. Mais do que isso, permanece também o fato desconcertante de que qualquer coisa instituída numa determinada conjuntura histórica por meios legislativos pode ser revertida e totalmente desfeita através das devidas medidas legais sob circunstâncias históricas diferentes. Assim, a "expropriação dos expropriadores" legalmente decretada, na qual tanta esperança foi depositada, especialmente nas primeiras etapas da história do movimento socialista internacional, pode também "voltar atrás" nas sociedades pós-capitalistas pela reafirmação aberta, no devido tempo e quando as circunstâncias permitirem, da lógica restauradora do capitalismo privado mencionado na seção 4.1.2. Isto já foi tentado na Rússia de Gorbachev e foi mais ou menos realizado nos últimos sete anos – depois de uma breve tentativa totalmente fútil do fantasioso remédio chamado "socialismo de mercado" – nos países do Leste europeu pós-guerra dominados pelos soviéticos.

4.2.2
Os defensores do capital gostam de descrever a ordem existente como uma espécie de predestinação divina para a qual não houvesse alternativa civilizada. Muitos deles arbitrariamente projetam as relações capitalistas de troca até a aurora da história, eliminando assim sua contingência e capacidade histórica de transcendência, para poderem idealizar (ou pelo menos justificar) até seus aspectos mais destrutivos.

Na verdade, até o final do século XVIII, exploradores europeus nas partes recém-descobertas do mundo impressionavam-se com a total ausência do sistema de valor possessivo – considerado inquestionável em seus países. De fato, Diderot, o mais radical e clarividente pensador do Iluminismo francês – o mesmo filósofo que insistia que "se o trabalhador diarista é miserável, a nação é miserável"[1] –, fez uma séria crítica da alienação capitalista, ao comparar favoravelmente o estilo de vida das

---

[1] "*Si le journalier est misérable, la nation est misérable*" – verbete "Journalier", na *Enciclopédia* de Diderot.

até então desconhecidas tribos de algumas ilhas do Pacífico ao de seu país. Neste aspecto, ele foi mais intransigente do que até mesmo seus melhores contemporâneos, inclusive Rousseau. Ao comentar imaginativamente uma comunidade descoberta pelo famoso capitão Bougainville, explorador francês, Diderot indicou como contradições fundamentais do sistema socioeconômico dominante na Europa "a distinção entre o *teu* e o *meu*" (*la distinction du* tien *e du* mien), a oposição entre "a utilidade particular de alguém e o bem geral" (*ton utilité particulière et le bien général*) e a subordinação do "bem geral ao bem particular de alguém" (*le bien général au bien particulier*)[2]. E foi ainda mais longe, enfatizando que, sob as condições prevalecentes, essas contradições resultam na produção de "necessidades supérfluas" (*besoins superflus*), "bens imaginários" (*biens imaginaires*) e "necessidades artificiais" (*besoins factices*)[3]. Ele formulou sua crítica quase nos mesmos termos usados por Marx, cerca de um século depois, ao descrever as "necessidades artificiais e os apetites imaginários" produzidos sob o domínio alienante do capital.

A idealização das relações capitalistas de troca tornou-se regra pouco depois de Diderot e outras grandes personalidades do Iluminismo formularem suas teorias. Essa idealização surgiu no horizonte em consequência da disseminação e consolidação do sistema dos "moinhos satânicos", trazendo consigo a aceitação pelos economistas políticos burgueses de que a alienação e a desumanização eram o preço "que valia a pena ser pago" em troca do avanço capitalista, não importa o quanto fossem miseráveis as chances de vida do trabalhador diarista de Diderot. Ainda mais tarde, até mesmo a memória do outrora sincero dilema de se ter de optar pela produção da riqueza capitalista, com toda a sua miséria e sua desumanização, desapareceu inteiramente da consciência dos ideólogos do sistema do capital. Em nome de sua fictícia "sociedade pós-industrial", eles podiam descaradamente celebrar a transferência das "indústrias de chaminé" e outras "empresas satânicas" do capitalismo avançado para o "Terceiro Mundo". Empedernidos, não levaram em conta as inevitáveis consequências dessas "transferências de tecnologia" impostas rotineiramente aos países "subdesenvolvidos" – por exemplo, a tragédia em massa de Bhopal, na Índia "subdesenvolvida", causada pelas atividades produtivas, com medidas de segurança criminosamente minimizadas, da "avançada" U.S. Union Carbide – com base na perversa ideia de sua *dependência estrutural* dentro do quadro do sistema global do capital.

Independentemente da forma como esta questão fosse apresentada pela ideologia dominante, também neste caso o sistema afirmou (e continua a afirmar) seu poder como totalidade interdependente hierarquicamente estruturada, zombando perversamente de qualquer fé na descoberta de uma saída do beco da dependência estrutural por meio dos bons ofícios da "modernização do Terceiro Mundo" e

---

[2] Diderot, *Supplément au Voyage de Bougainville*, em *Oeuvres philosophiques*, editado por Paul Vernière, Paris, Garnier, 1956, p. 482. Os itálicos são de Diderot.

Ao contrário de Diderot, Rousseau ansiava por se defender contra as acusações de que seu trabalho podia ser lido como um ataque à santidade do *meum et tuum*, ao afirmar que "o direito à propriedade é o mais sagrado de todos os direitos da cidadania, em certos aspectos até mais importante do que a própria liberdade" (Rousseau, *A Discourse on Political Economy*, edição Everyman, p. 254).

[3] Diderot, ibid., p. 468.

de uma generosa "transferência de tecnologia". Na verdade, o círculo vicioso das mediações de segunda ordem do capital foi a garantia de que todas as expectativas dariam em nada, se não em algo pior, como aconteceu em Bhopal e em incontáveis outras partes dos antigos domínios coloniais afetadas de forma destrutiva. Da mesma forma, em cenário diferente, o mesmo círculo vicioso garantiu que o sonho de um "socialismo de mercado" – promovido em altos brados pelas personificações pós-revolucionárias do capital enquanto durou a muda, incrivelmente rápida, de sua pele política pós-capitalista, de maneira a assegurar para si as roupagens econômicas financeiramente bem mais lucrativas do capitalista privado – terminasse em lágrimas e na "escravidão salarial" imposta economicamente às massas da Europa oriental.

Naturalmente, o sistema do capital não surgiu a partir de alguma predestinação mítica nem das determinações decisivas e das exigências autorrealizáveis da chamada "natureza humana". Em geral, esta é sempre definida circularmente por filósofos e economistas políticos que adotam o ponto de vista do capital, e que descrevem o mundo em termos da característica de imposição de valores do sistema socioeconômico capitalista que, por sua vez, se supõe "naturalmente" resultante da própria "natureza humana egoísta". Todavia, apesar de toda a poderosa influência das ideologias que postulam nestes termos a origem do capital e sua dominação contínua, nem o início, nem a forçosa persistência desse modo de controle sociometabólico podem se tornar inteligíveis com base numa necessidade natural arbitrariamente postulada e historicamente insuperável, para não mencionar a mitologia da predestinação da humanidade a uma inevitável existência capitalista. Mesmo que se considere a natureza humana com suas características objetivas conhecidas, em oposição à determinação circular dos valores capitalistas por uma "natureza humana" tendenciosamente projetada e vice-versa, que acabamos de mencionar, nem mesmo isto ajudaria aos que procuram hipostasiar a origem não histórica e a absoluta permanência do sistema do capital em sua base. A natureza humana é em si inerentemente histórica e por isso totalmente imprópria para o congelamento arbitrário da dinâmica do desenvolvimento socioeconômico real visando atender à conveniência do modo de reprodução sociometabólico do capital.

A história, ainda que muitas vezes tendenciosamente ignorada, não merece o seu nome a não ser quando concebida como aberta tanto em direção ao passado como na direção do futuro. Significativamente, os que desejam fechar, na direção do futuro, a irrefreável dinâmica do desenvolvimento histórico são obrigados a fazer o mesmo na direção do passado – ou não conseguiriam fechar o círculo ideológico necessário. Isto é absolutamente verdadeiro, não apenas para as teorias menores concebidas do ponto de vista do capital, mas também para notáveis representantes dessa abordagem, como Hegel. O monumental plano do filósofo alemão – a tarefa consciente de obter a necessária compreensão do que ele chama sem qualquer ambiguidade de "verdadeira *Teodiceia*, a justificação de Deus na História"[4] – afirma apresentar ao leitor o grandioso plano da autorrealização atemporalmente anunciada do Espírito do Mundo. É notável que esse magnífico plano apriorista,

---

4   Hegel, *The Philosophy of History*, p. 457.

que deve ser fechado na direção do futuro, culmine, na filosofia hegeliana da história, em uma fase que não é outra senão a da dominância da Europa capitalista e imperialista, descrita como "absolutamente o fim da história". E como, na qualidade de movimento histórico, ele também deve ser fechado na direção do passado para se manter perversamente coerente com sua base ideológica de determinação negadora do futuro, toda a proclamada "*verdadeira Teodiceia*" tem de ser descrita por Hegel como processo supra-histórico de desvendamento (o que já vimos no primeiro capítulo) do "eternamente presente"... O presente do Espírito do Mundo, que "sempre existiu" e só pode ser devidamente compreendido se espelhado pela encarnação filosófica do "círculo dialético", nas palavras do próprio Hegel.

4.2.3
Nestas questões, o que realmente está em jogo é a *natureza do capital*, não as características fictícias da "natureza humana", muito menos "a justificação de Deus na História".

Esta é uma questão não só extremamente complicada, pois os aspectos históricos do modo de controle sociometabólico do capital estão inextricavelmente entrelaçados em sua dimensão trans-histórica, criando a ilusão de que o capital paira acima da história. É também da maior importância prática – e literalmente vital para a sobrevivência humana. Evidentemente, é impossível adquirir controle sobre as determinações alienantes, desumanizantes e destrutivas do capital (que demonstrou ser incontrolável ao longo de toda a história), sem a compreensão de sua natureza.

Segundo Marx, *a natureza do capital permanece a mesma tanto em sua forma desenvolvida como na subdesenvolvida*[5]. Isto não é absolutamente uma sugestão de que o capital possa fugir às restrições e limites da história, inclusive à delimitação histórica de seu período de vida. Para tornar inteligíveis esses problemas não devemos situá-los num "círculo dialético" hegeliano determinado pela classe, mas no quadro de uma ontologia social dialética de fundamentação objetiva, que não deve ser confundida com as tradicionais variedades teológicas ou metafísicas da ontologia. A identidade das formas desenvolvida e subdesenvolvida do capital só se aplica à sua natureza mais profunda, não à sua forma e a seu modo de existência sempre historicamente adaptados.

O papel socialmente dominante do capital em toda a história moderna é óbvio. No entanto, é necessário explicar como é possível que, sob certas condições, uma dada "natureza" (a natureza do capital) se desdobre e se realize – de acordo com sua natureza objetiva, com suas potencialidades e limitações inerentes – seguindo suas próprias leis internas de desenvolvimento (apesar até dos antagonismos mais violentos, com as pessoas negativamente afetadas por seu modo de funcionamento), desde a forma subdesenvolvida até a forma da maturidade.

Neste sentido, é preciso entender a dialética objetiva da *contingência* e da *necessidade*, assim como do *histórico* e do *trans-histórico* no contexto do modo de funcionamento do sistema do capital. Esses são os parâmetros categorizadores

---

[5] Marx, *O capital*, vol. 1, p. 288.

que ajudam a identificar os *limites* relativos e absolutos dentro dos quais o poder sempre historicamente ajustado do capital se afirma *trans-historicamente*, através de muitos séculos. Sujeito a essas determinações categóricas e estruturais, o capital – na qualidade de modo de controle sociometabólico – pode afirmar, acima de todos os seres humanos, as leis funcionais que emanam de sua natureza, sem levar em conta a boa ou a má disposição que pudessem ter em relação ao impacto dessas leis sob determinadas circunstâncias históricas.

A natureza inalterável do capital (o mesmo que sua determinação estrutural objetiva) o torna
- 1) eminentemente próprio para a realização de *certos tipos* de objetivos na estrutura sistêmica de suas mediações de *segunda ordem* e
- 2) total e *poderosamente hostil* a aceitar todos os tipos que não se ajustam à rede estabelecida da segunda ordem de mediações, não importando quão vitais forem os interesses humanos em suas raízes.

É isto que circunscreve a viabilidade histórica do capital para cumprir as funções de um processo de reprodução social viável em termos (1) positivos e (2) negativos.

Um dos exemplos dados por Marx para ilustrar a identidade da natureza do capital em sua forma desenvolvida e na subdesenvolvida diz respeito ao relacionamento entre credor e devedor:

> O código que a influência dos proprietários de escravos impôs sobre o território do Novo México pouco antes da irrupção da guerra civil norte-americana diz que o trabalhador, dado que o capitalista comprou sua força de trabalho, "é o seu [do capitalista] dinheiro". A mesma ideia corria entre os patrícios romanos. *Através* dos meios de subsistência, o dinheiro que estes haviam adiantado ao devedor plebeu foi transformado na carne e no sangue do devedor. Portanto, essa "carne e sangue" eram seu dinheiro. Por isso a lei de Shylock das Dez Tábuas, a hipótese de Linguet de que os credores patrícios de vez em quando preparavam do outro lado do Tibre banquetes com a carne dos devedores podem continuar tão sem confirmação quanto a de Daumer sobre a Eucaristia cristã.[6]

O caso é que o capital deve afirmar seu domínio absoluto sobre todos os seres humanos, mesmo na forma mais desumana, quando estes deixam de se adaptar a seus interesses e a seu impulso para a acumulação. É isto que faz da "lei de Shylock" não uma aberração ou uma exceção, mas a regra "racional" durante as metamorfoses das formas subdesenvolvidas do capital para as desenvolvidas. Se compararmos as monstruosas desumanidades do sistema do capital no século XX realizadas numa escala de massa outrora inconcebível (dos horrores da primeira guerra imperialista global de 1914-18, passando pelo Holocausto nazista e pelos campos de trabalho de Stalin, até as bombas atômicas de Hiroshima e Nagasaki), a abordagem "artesanal" limitada de um Shylock shakespeariano se desbota, tornando-se insignificante. A adaptação histórica às novas circunstâncias do extermínio de massa em nada mudou a natureza do capital. Ao adotar a variante *despersonalizada* da "lei de Shylock" original para atender às circunstâncias mudadas, o capital foi capaz de impor à humanidade as desumanidades ditadas por sua natureza numa escala incomensuravelmente maior do que nunca, ao mesmo tempo isen-

---
[6] Id., ibid.

tando muito convenientemente suas próprias personificações de culpa e responsabilidade. Com isso, o capital apenas mudou seu modo e seus meios de funcionamento anteriores, utilizando todas as tecnologias e todos os instrumentos de destruição disponíveis contra as dificuldades que teve de superar, de acordo com sua natureza.

Do ponto de vista do capital, até as mais problemáticas formas do desenvolvimento histórico devem ser caracteristicamente apresentadas com "positivismo acrítico". Isto realmente deve ser feito até pelos maiores pensadores, inclusive por Hegel, que conceituam o mundo a partir do ponto de vista necessariamente simplificado do capital. Portanto, não é nada espantoso que a racionalização idealista das contingências materiais e, assim, sua estranha elevação ao plano sublime da "necessidade ideal" imponha suas consequências negativas a todos os níveis da filosofia hegeliana. Mesmo os mais palpáveis processos materiais devem ser virados e revirados de todos os lados no interesse da apologética social. Ou seja, dada sua condição de fato material, eles se originariam da absolutamente inquestionável, acima de tudo incensurável, autodeterminação da Ideia em si, conforme o "princípio" e a "categoria" idealmente estipulados do período histórico a que pertencem os fatos em questão.

À guisa de exemplo, poderíamos pensar na maneira como Hegel idealiza até mesmo a tecnologia da guerra moderna. Ele chega a essa idealização "deduzindo" o armamento moderno do que, em sua visão, deve ser o ápice das determinações filosoficamente mais louváveis: "o pensamento e o universal". Hegel assim apresenta a seus leitores uma peculiaríssima dedução filosófica:

O princípio do mundo moderno – o pensamento e o universal – *deu à coragem uma forma superior*, porque sua manifestação agora parece mais mecânica, não ato desse indivíduo particular, mas do membro de um conjunto. Além do mais, parece ter-se voltado não contra um único indivíduo, mas contra um *grupo* hostil, daí a *bravura pessoal* parecer *impessoal*. É *por esta razão* que *o pensamento inventou o canhão*, e a invenção desta arma, que transformou a forma da valentia exclusivamente pessoal em uma bravura mais abstrata, não é acidental.[7]

Assim, por sua origem direta do "princípio do mundo moderno", a contingência material do armamento moderno cada vez mais poderoso, enraizado na tecnologia capitalista em expansão global, não adquire apenas sua "necessidade ideal". Ela também é simultaneamente colocada acima de qualquer crítica concebível, em virtude de ser plenamente adequada – "a racionalidade do real" – a este princípio. Além do mais, como Hegel associa de maneira inextricável a coragem como "mérito intrínseco" ao "final absoluto, a soberania do Estado"[8], encerra-se o círculo apologético da história, atingindo sua culminação no Estado germânico "civilizador" do sistema do capital, com seu armamento moderno cruelmente eficaz "inventado pelo pensamento" em nome da realização da "imagem e realidade da razão" numa adequada forma "impessoal".

No entanto, apesar da grandeza intelectual de seu mentor, é mais do que absurdo o pensamento de que a destruição em massa de seres humanos (exatamente por dirigir-se contra grupos e não contra indivíduos particulares, como se grupos de pessoas eliminadas pudessem ser simplesmente considerados "números de um conjunto"

---

[7] Hegel, *The Philosophy of Right*, p. 212.
[8] Id., ibid., p. 211.

abstrato, em vez de indivíduos humanos sob quaisquer circunstâncias viáveis) deva ser visto como uma "forma elevada de coragem" e uma "forma abstrata de bravura" emanando diretamente da razão superior do criativo Espírito do Mundo. Pois o poder do capital de derrubar tudo – eliminando seu ancoradouro humano com a universalização da produção fetichista de mercadorias – é aqui espelhado na filosofia, virando de cabeça para baixo os valores humanos, em nome do "pensamento e do universal". Assim, é possível igualar perversamente a forma superior de *coragem e bravura* com a mais extremada forma da *covardia* – praticada nas guerras mais recentes, em que o combatente tecnologicamente superior faz com que, sem nenhum risco para si, "bombas inteligentes" chovam do céu sobre seu inimigo "subdesenvolvido". Com a ajuda desse tipo de raciocínio, é possível aceitar e até filosoficamente glorificar a fatídica ideia potencialmente catastrófica de que a *abstração superior* e sua correspondente tecnologia desenvolvida equivalham a uma *forma superior de coragem e moral*. Uma ideia fatídica e sem dúvida potencialmente catastrófica. Em última análise, a lógica oculta da tendência atual no armamento moderno (que emerge da eliminação de todo o referencial humano com o triunfo universal da reificação capitalista e da concomitante lógica impessoal do sistema do capital, em completo desprezo pela razão e pelas necessidades humanas) não é a "bravura impessoal", mas a destruição verdadeiramente impessoal de toda a humanidade: Holocausto e Hiroshima combinados em escala global.

Certamente, em seus próprios termos de referência, é compreensível que até as mais destrutivas contradições do sistema do capital protegidas pela rede de mediações da segunda ordem sejam racionalizadas, justificadas e muitas vezes até idealizadas do "ponto de vista da economia política", ou seja, da perspectiva do capital. Pois, uma vez aceito sem contestação o fato de que a ordem de coisas vigente corresponde "com plena adequação" à "racionalidade do real", qualquer problema concebível tende necessariamente, pelo mesmo raciocínio, a ser encarado como plenamente resolvido em seu próprio tempo e local, e qualquer discrepância ou dificuldade devidamente remediadas, como algo naturalmente previsível – pela benevolente "mão invisível" de Adam Smith e, na concepção hegeliana, pela iminente *List der Vernunft*, a "astúcia da Razão". No entanto, na prosaica realidade do sistema vigente do capital, os problemas e contradições a enfrentar se afirmam de maneira nada benévola ou tranquilizadora. O sistema estabelecido das mediações de segunda ordem não apenas controla os atores humanos da história com base nos imperativos objetivos da expansão do capital, ele também os ilude com relação às suas motivações como "agentes livres" e também em relação à margem perceptível de suas ações.

As mediações de segunda ordem do sistema do capital, pelas quais as funções vitais da reprodução sociometabólica devem ser realizadas, constituem uma desorientadora rede em que estão inseridos os indivíduos particulares. Na qualidade de membros de um grupo social, eles são localizados em algum ponto predeterminado na estrutura de comando do capital muito antes mesmo de aprender as primeiras palavras no ambiente familiar. Apesar do discurso mentiroso da ideologia dominante a respeito de "mobilidade social", eles poderão escapar da localização em que "nasceram" e, na pequena minoria dos casos, apenas como indivíduos isolados – talvez traindo, ao mesmo tempo, sua lealdade de classe. O caráter totalmente apologético do discurso sobre a "mobilidade social" (bastante promovido por suas funções mitigantes e tranquilizadoras) é revelado no simples fato de que, reunidas ao longo de séculos, todas essas escapadas individuais não alteraram sequer minimamente a *estrutura de comando do capital* que explora e extrai o trabalho excedente. Muito menos tornam democrática e "sem classes" a própria ordem social estabelecida, como continuam proclamando os políticos cínicos e os sempre prestativos autores de seus discursos.

Além do mais, os respectivos Estados nacionais de todos os indivíduos também estão localizados em determinados pontos – mais ou menos favorecidos – na hierarquia de comando do capital, para grande desvantagem dos "despossuídos" dos países menos poderosos (constituindo de fato a avassaladora maioria da humanidade). Com isso, a pregação da "mobilidade social individual" é uma forma de aliviar, e no devido tempo resolver com felicidade as iniquidades e contradições do sistema, que é abertamente ilusória em seu intento e autoenganadora em sua influência sobre todos os que dela esperam sua emancipação. Ademais, nem mesmo em termos de mobilidade real de classe a situação é melhor. Pois o capital é espontânea e necessariamente móvel em sua busca da maximização do lucro e hoje pode ser transferido na velocidade da luz de um país para outro sob as circunstâncias de expectativas favoráveis de lucro. Em compensação, a "mobilidade do trabalho" internacional depara com imensos obstáculos práticos e custos materiais proibitivos, pois deve sempre estar rigorosamente subordinada ao imperativo da acumulação lucrativa de capital – para não mencionar o fato de que a prática consciente da educação de baixo nível e da mistificação ideológica dos trabalhadores, exercida em nome do interesse de seu capital nacional, ergue obstáculos enormes para o desenvolvimento da consciência internacional do trabalho.

O pior de tudo: devido à perversa mediação das funções socioeconômicas essenciais de reprodução por meio da objetificação alienada do trabalho vivo como capital – sobreposto ao trabalho numa forma reificada e levando à confusão entre a categoria dos sempre necessários materiais e meios de produção e o capital como tal com sua independência e oposição hostil ao trabalho –, as relações humanas de poder historicamente geradas e, da mesma forma, historicamente mutáveis aparecem como entidades puramente materiais, inalteráveis em sua constituição essencial. Assim, está firmemente estabelecida a base para a mais ampla difusão da crença na conveniente máxima de que "não existe alternativa", a qual se espera que, todo "indivíduo racional" subscreva e, em termos práticos, adote sem reservas. E é assim que o círculo vicioso da segunda ordem de mediações do capital junta o insulto à agressão, reforçando com isso o poder objetivo do sistema estabelecido de dominação estrutural sobre o trabalho por meio da mistificação "internalizadora" da alegada aceitação "livre e espontânea" pelo indivíduo de todos os comandos que emanam da natureza inalterável do capital e de sua forma necessária de operação.

4.2.4

A constituição do sistema do capital é idêntica à emergência de sua segunda ordem de mediações. O capital em si não passa de um modo e um meio dinâmico de mediação reprodutiva, devorador e dominador, articulado como um conjunto historicamente específico de estruturas e suas práticas sociais institucionalmente incrustadas e protegidas. É um sistema claramente identificável de mediações que, na forma adequadamente desenvolvida, subordina rigorosamente todas as funções de reprodução social – das relações de gênero e família até a produção material e a criação das obras de arte – à exigência absoluta de sua própria expansão, ou seja: de sua própria expansão constante e de sua reprodução expandida como sistema de mediação sociometabólico.

O processo de constituição deste sistema de mediação, naturalmente, está cheio de contingências históricas e sociais, como já vimos na seção 4.2.2 a respeito das reflexões de Diderot sobre a descoberta no século XVIII de tipos muitos diferentes de reprodução sociometabólica, ainda não influenciados pelo "*meum* e *teum*" do possessivo individualismo europeu. Não obstante, no decorrer do desenvolvimento europeu, o impacto dos fatores materiais contingentes de reprodução – favorecendo em diversos campos o surgimento de formas embrionárias de intercâmbio socioeconômico afins ao modo de controle metabólico do capital – torna-se *cumulativo* pela repetição espontânea das práticas exigidas para a boa troca.

Naturalmente, quanto mais esses fatores e essas práticas de reprodução se fundem por meio de sua *repetição cumulativa*, mais tendem a constituir um *sistema* poderoso e a se reforçar mutuamente. Dessa maneira, também intensificam simultaneamente a influência combinada do conjunto do sistema emergente, graças aos complexos intercâmbios e ao funcionamento cada vez mais reciprocamente complementar de suas partes. Assim, as contingências originais são progressivamente empurradas para o fundo, abrindo espaço para a *necessidade* geral cada vez mais arraigada. Pois, uma vez que as mediações da segunda ordem estejam articuladas e consolidadas como um *sistema* coerente, torna-se praticamente impossível eliminar isoladamente uma ou outra de suas estruturas e funções mediadoras específicas ou introduzir, no sistema firmemente estabelecido, fatores rivais estruturalmente novos e diametralmente contrários à sua complexa rede de partes constituintes mutuamente reforçadoras.

Sob tais circunstâncias e determinações, somente uma alternativa de mudança estrutural/sistêmica e totalmente abrangente é viável com alguma esperança de sucesso duradouro. Isto levanta o enorme desafio dos problemas da transição do modo estabelecido de reprodução sociometabólica (e seu sistema historicamente específico de mediações da segunda ordem) para uma ordem social qualitativamente diferente. Portanto, não foi por acidente nem por alguma forma de "utopia" que a negação radical da regra do capital, proposta por Marx, visasse o rompimento geral do sistema estabelecido de mediações da reprodução, para o que o projeto socialista deve fornecer uma alternativa estrutural abrangente.

No entanto, formular assim a questão não significa que se possam evitar os graves problemas da transição do impasse e do rompimento da ordem sociometabólica para algo positivamente sustentável. Ao contrário: evitar as dificuldades da transição do sistema do capital para uma forma socialista de controle metabólico sem teorizar sobre os princípios orientadores e as medidas práticas viáveis do modo necessário de transição do intercâmbio sociorreprodutivo, só reforçará a firme convicção atual na impossibilidade histórica de transcendência da ordem estabelecida – não importando a gravidade de sua crise estrutural.

4.3 A eternização do historicamente contingente: a arrogância fatal da apologia do capital de Hayek

4.3.1
A especificidade histórica da segunda ordem de mediações do capital só pode ser compreendida se sua dimensão *trans-histórica* (ou seja: a relativa continuidade de

sua reprodução bem-sucedida pelos séculos afora) não for confundida com seus antecedentes históricos muito distantes, mas de substância socioeconômica bastante diferente.

Isto se torna ainda mais importante diante do fato de que os apologistas do sistema do capital, como o Companion of Honour da baronesa Margaret Thatcher, F. A. von Hayek, projetam as relações capitalistas de troca até a fase mais antiga da humanidade, para poderem *eternizar* o modo específico de reprodução expandida do atual sistema socioeconômico baseado na regra do capital, e na respectiva "ordem econômica ampliada".

O caráter militante antissocialista dessas teorias pseudocientíficas e não históricas torna-se evidente quando nos dizem que o sistema do capital corresponde à "ordem ampliada espontânea criada por um mercado competitivo"[9] e que...

> A disputa entre a ordem do mercado e o socialismo é nada menos que uma questão de sobrevivência. Seguir a moral socialista destruiria boa parte da humanidade do presente e empobreceria boa parte do restante. ... somos forçados a preservar o capitalismo por causa de sua capacidade superior de utilização do conhecimento disperso. [O capitalismo é] uma ordem econômica insubstituível.[10]

Nesse tipo de teoria, que funciona com analogias vazias arbitrariamente extraídas das ciências biológicas, uma escuridão proverbial desce sobre a terra em nome da eternização do capital e não apenas faz todas as vacas parecerem negras, mas ao mesmo tempo elimina suas diferenças em relação às outras criaturas. É claro que estamos sempre caindo na armadilha do "positivismo acrítico" de Hayek, uma vez que aceitemos, à luz da estipulada escuridão, que a única cor que pode legitimamente existir (no espírito daquele decreto de Henry Ford: o freguês pode escolher qualquer cor para seu carro, desde que seja o preto) é o preto mais negro possível, senão a sobrevivência humana correria um risco mortal com os presunçosos socialistas – "que destruiriam boa parte da humanidade hoje existente". Pois se aceitamos seu pensamento – que iguala qualquer possibilidade de expansão socioeconômica com sua variedade capitalista – também se espera que aceitemos "racionalmente" a irracional proposição segundo a qual a atualmente dominante "ordem ampliada"...

> emergiu da conformidade acidental a certas práticas tradicionais amplamente *morais*, muitas das quais os homens não apreciam tanto e cujo significado eles não compreendem e cuja validade não podem comprovar.[11]

A lógica suicida invertida com que Hayek justifica o capital absolutamente não conhece limites. Segundo ela, o capital é a origem do trabalho (não o contrário), merecendo portanto a veneração intelectual sem fronteiras e a maior aprovação moral. Nas palavras de Hayek: "Quando perguntamos o que os homens devem

---

[9] F. Hayek, *The Fatal Conceit: The Errors of Socialism*, p. 7.
[10] Id., ibid., pp. 7-9.
[11] Id., ibid., p. 6. O grifo em "morais" é de Hayek.

às práticas morais dos chamados capitalistas, a resposta é: suas próprias vidas"[12]. Não obstante, os ingratos trabalhadores criados e mantidos vivos pelos generosos sujeitos chamados de capitalistas não hesitam em morder a mão que os alimenta, em vez de "se submeterem à disciplina impessoal"[13] necessária para o bom funcionamento do melhor dos mundos, a "ordem econômica ampliada" do capital... Pois, "embora essa gente talvez se *sinta* [o grifo é de Hayek] explorada e os políticos possam brincar com esses sentimentos para ganhar poder, grande parte do proletariado ocidental e grande parte dos milhões no mundo em desenvolvimento devem sua existência às oportunidades que os países avançados criaram para eles"[14]. Sua ingratidão também traz consigo a mais lamentável e autodestrutiva irracionalidade porque, como consequência, "o capital às vezes é impedido de fornecer tudo o que poderia para os que desejam aproveitar-se dele, porque os monopólios de grupos de trabalhadores organizados, 'sindicatos' que criam uma escassez artificial de seu tipo de trabalho, não permitem que outros façam, por salário mais baixo, o trabalho que recusam"[15].

Entretanto, a culpa da irracionalidade não reside nas tentativas dos trabalhadores de se defenderem, com muito pouco sucesso, contra a compulsão infinita de reduzir custos do capital. Ao contrário, é a glorificação que Hayek faz do sistema "insubstituível" do capital – com seu círculo vicioso de mediações da segunda ordem – que torna a teoria das manchas solares das crises econômicas formulada por Jevons o paradigma da racionalidade.

Segundo Hayek, a única forma aceitável da racionalidade é a anarquia do mercado, "precipitada nos preços"[16], que deve ser tratada como o referencial absoluto de toda atividade econômica, social e política. Naturalmente, o "mercado livre" idealizado pelo autor de *A arrogância fatal* não existe em lugar algum. Nem em relação a sua *arrogância fatal*, altamente divulgada pelos interesses capitalistas. Pois, se por um lado o autor sucintamente descarta "os intelectuais em geral" por sua relutância em abandonar o controle de seus próprios produtos a uma ordem de mercado"[17], por outro ele é a última pessoa a permitir que o mercado seja o único juiz da viabilidade econômica de seus próprios livros. Ao contrário, este sumo sacerdote do "mercado livre" da "ordem ampliada" do capital se entrincheira atrás dos batalhões ricamente encorajados das mais reacionárias organizações de propaganda do chamado sistema de "livre empresa", desde The Heritage Foundation, em Washington D.C., e do Institute of Economic Affairs, em Londres, até a Fundação Sueca da Livre Empresa, em Estocolmo – todos atuando como generosos patrocinadores financeiros na pu-

---

[12] Id., ibid., p. 130.
[13] Id., ibid., p. 153.
[14] Id., ibid., 131. Na p. 111, Hayek acrescenta que "os principais beneficiários" do sistema capitalista são os "membros do proletariado". Com isso, podemos nos perguntar por que ele protestaria, na p. 74, contra "a infrutífera tentativa de tornar justa uma situação". Se a ordem existente é tão generosa em favor do proletariado, como ele afirma, não há nada a temer da controvérsia moral racionalmente formulada.
[15] Id., ibid.
[16] Id., ibid., p. 99.
[17] Id., ibid., p. 82.

blicação de sua obra completa: prática que Hayek, seus amigos e ricos promotores da "direita radical" sem dúvida condenariam com a maior indignação ideológica se ocorresse na esquerda... Como os capitalistas em geral, que pensam que os *outros* devem se adaptar às "regras do jogo", ao passo que eles mesmos quebram as regras sempre que possam fazê-lo sem riscos, Hayek e seus amigos militantes da ala direita descaradamente dobram as condições do "mercado livre" a seu favor, exigindo ao mesmo tempo em altos brados que os intelectuais – especialmente os intelectuais socialistas – "abandonem o controle de seus próprios produtos a uma ordem de mercado". Assim, supõe-se que um conjunto de regras é apropriado para o Companion of Honour de Margaret Thatcher e outro muito diferente para seus adversários. A não existência do "mercado livre" idealizado não tem a menor consequência para Hayek e seus patrocinadores. A sua apologia serve aos fins da cruzada antissocialista e a mais nada. Não se espera nem se permite que alguém questione a validade dos procedimentos adotados, muito menos os críticos socialistas. Condenam-se todas as formas viáveis da alternativa socialista como "racionalismo construtivista" e, no mesmo fôlego, isentam-se as mediações de segunda ordem do próprio sistema do capital de qualquer escrutínio racional.

Hayek não defende a rede estabelecida das mediações de reprodução com argumentos racionais, mas com *definições circulares*. A racionalidade é excluída *a priori* do tribunal, em nome dos insondáveis "mistérios" da "ordem econômica ampliada", cuja validade ninguém pode nem deve sequer tentar demonstrar, segundo o autor de *A arrogância fatal*. Se Stanley Jevons pelo menos desejou sustentar uma estrutura causal explicativa, mesmo deixando de identificar as causas reais das crises capitalistas, em sua tentativa de torná-las inteligíveis e de, no devido tempo, enfrentá-las, a apologia pseudocientífica de Hayek está muito ansiosa por excluir todas as explicações causais. Por isso, ele insiste em que "a criação da riqueza ... não pode ser explicada por uma cadeia de causa e efeito"[18] – e anuncia a decisiva inquestionabilidade dessa posição arbitrária para desqualificar o questionamento, feito por outros, em bases racionalmente contestáveis, da viabilidade das mediações da segunda ordem do capital, tão propícias à crise.

Se alguém levanta a questão de como se justificaria uma teoria tão estranha, a resposta é outro rodeio falaciosamente autoritário, a alegação de que "a questão da justificação é apenas uma cortina de fumaça"[19] – e, com isso, somos convidados a adotar o bom-senso popperiano: "Nunca se sabe do que se está falando"[20]. Aquele que pensa ser um objetivo legítimo da pesquisa econômica racional tentar remediar os problemas identificados do sistema de reprodução social é logo descartado pelo autor de *A arrogância fatal* como gente que sofre "da ilusão de que a macroeconomia existe e é útil"[21].

---

[18] Id., ibid., p. 99.
[19] Id., ibid., p. 68.
[20] Id., ibid., p. 61. A citação é da p. 27 da "Autobiografia" de Popper, em *The Philosophy of Karl Popper*, editado por P. A. Schilpp, La Salle, Open Court, 1974; nova edição revisada com o título *Unended Quest*, Londres, Fontana/Collins, 1976.
[21] Hayek, ibid., p. 98.

Com a defesa de uma postura tão irracional, não é de espantar que Hayek definisse a natureza da teoria econômica em termos igualmente irracionais e ocos, quando proclamou que "a estranha tarefa da economia é demonstrar aos homens como eles realmente conhecem muito pouco do que imaginam poder planejar"[22]. Ao mesmo tempo, descobrimos que não apenas a abordagem marxista, mas virtualmente todo o conjunto da filosofia e da teoria social, política, psicológica e sociológica (até mesmo a maior parte da teoria econômica, com a notável exceção da "revolução marginal" e seus supostos anunciadores, como Adam Smith) – a começar pelas ideias de Platão e Aristóteles, prosseguindo com as de Tomás de Aquino, Descartes, Rousseau, Hegel, Comte, James e John Stuart Mill, chegando às de Einstein, Max Born, G. E. Moore, E. M. Forster, Keynes, Freud, Bertrand Russell, Karl Polányi, Monod, Piaget e muitos outros – é sumariamente descartado como "erros" e concepções fatalmente equivocadas. Além deles, não apenas "os intelectuais relutantes ao mercado", mas também o sistema educacional em geral é seriamente censurado, por impedir que as pessoas enxerguem a luz no espírito das proposições de Hayek. Segundo este, seus princípios (que pena!) são "altamente abstratos, especialmente difíceis de serem apreendidos pelos que têm formação nos cânones da racionalidade mecanicista, cientificista ou construtivista que dominam o sistema educacional"[23]. Tudo isto num livro cujo autor tem a petulância de papaguear sobre a "arrogância fatal" de *outras pessoas*.

Apesar disso, o âmago teórico da eternização da "ordem econômica ampliada" de Hayek nada tem de "altamente abstrato, especialmente difícil de ser apreendido". Ao contrário, está construído em torno de uma tautologia perfeitamente singela: ele apenas afirma o fato incontestável, e singularmente pouco esclarecedor, de que o imenso número de pessoas hoje existentes não sobreviveria materialmente se a economia necessária para sua sobrevivência material não lhes tornasse possível sobreviver. Mas, é claro, esta proposição ignora totalmente os incontáveis milhões que tiveram (e continuam tendo) de sofrer, e até de perecer, sob as condições da "ordem ampliada do capital", além de não dizer absolutamente nada sobre a sua futura sustentabilidade – ou insustentabilidade, fosse lá qual fosse o caso. Em vez disso, o autor dessa *A arrogância fatal* extrai de sua afirmação central (com a autoridade de um dos habituais decretos falaciosos *ex-cathedra* hayekianos) a glorificação da tirania e da perversidade estruturalmente reforçadas das relações de mercado capitalistas, que, em sua visão, devemos aceitar – a não ser que sejamos favoráveis à extinção da humanidade. O que Hayek chama de "justiça distributiva" é...

> ... incompatível com uma ordem de mercado competitiva, com o crescimento ou mesmo a manutenção da população e da riqueza ... A humanidade não poderia ter atingido, nem hoje manter, seu número presente sem uma desigualdade que não é determinada por, nem compatível com, quaisquer julgamentos morais deliberados. Naturalmente, o esforço pode melhorar as oportunidades individuais, mas não pode por si só garantir resultados. A inveja dos que o tentaram, embora perfeitamente compreensível, trabalha contra o interesse comum. Portanto, se

---

[22] Id., ibid., p. 76.
[23] Id., ibid., p. 88.

o interesse comum é realmente nosso interesse, não devemos ceder a esse traço instintivo muito humano, mas sim *permitir que o processo do mercado determine a recompensa*. Ninguém pode avaliar, senão pelo mercado, o tamanho da contribuição de um indivíduo ao produto total.[24]

Se fosse possível levar a sério essas palavras, Hayek deveria ter recusado o rico patrocínio reacionário de seus próprios livros, a recompensa politicamente motivada de seu prêmio Nobel e a igualmente política recompensa representada pelo título de Companion of Honour recebido de Margaret Thatcher – nenhum dos quais "determinado pelo processo de mercado". O real significado do decreto de Hayek é bastante diferente. Está formulado a partir da posição de poder e no interesse da ordem dominante, que recompensa com prêmios Nobel e outras grandes honrarias (totalmente livres dos processos do mercado) seus meritórios filhos e filhas – naturalmente, mais filhos do que filhas. As normas "competitivas" da economia do "mercado livre" foram criadas para restringir e manter permanentemente em sua posição de subordinação estrutural os que se encontram no lado fraco da "ordem econômica ampliada" – ou seja: a avassaladora maioria da humanidade. Ao mesmo tempo, até os indivíduos aspirantes à pequena burguesia que se deixam lograr pelos preceitos da propaganda conservadora segundo a qual "esforços trazem resultados", desde que sejam "esforços bastante duros", devem ser advertidos, para que a "inveja" não lhes traga dúvidas sobre a idealidade da tal "ordem econômica insubstituível". Menos ainda podem se permitir que essas dúvidas os deixem tentados a morder a mão que os alimenta, como supostamente fez o trabalho, ao formar "sindicatos monopolistas" para proteger seus "salários injustamente elevados" à custa dos que fariam o trabalho por salários ainda mais baixos. O "interesse comum" – e agora subitamente nos deparamos com a ideia do "interesse comum" que devemos adotar como valor incontestável, ao passo que em outras partes d'*A arrogância fatal* Hayek nos diz que não existe algo como um discurso racional sobre moral e valores – é a aceitação inquestionável da subjugação permanente da imensa maioria da humanidade ao domínio do capital.

4.3.2

Dado que o mercado idealizado por Hayek tem caráter anárquico, a história deve ser reescrita de trás para diante, para caber no mesmo quadro. Os avanços capitalistas são assim explicados: "... pode-se dizer da renovação da civilização europeia na Alta Idade Média, que a expansão do capitalismo – e da civilização europeia – deve sua origem e sua *raison d'être* à *anarquia política*"[25]. Hipótese igualmente absurda "explica" a queda do Império Romano, com a projeção de mais um dos dogmas favoritos de Hayek – desta vez, contra a "interferência do Estado": o declínio e queda ocorreram "só depois que a administração central em Roma tomou o lugar do livre empreendimento"[26]. Como se, antes de mais nada, o estabelecimento do Império Romano nada tivesse a ver com as deploradas práticas de interferência de sua "administração central".

---

[24] Id., ibid., pp. 118-9.
[25] Id., ibid., p. 33.
[26] Id., ibid., p. 32.

Nesse mesmo espírito, embora aqui invertendo a ordem histórica, relações monetárias bastante primitivas são quixotescamente projetadas à frente como um ideal para o futuro, com a postulação de que "a economia de mercado seria bem mais capaz de desenvolver suas potencialidades se *o monopólio governamental do dinheiro fosse abolido*"[27], por "tornar impossível a experiência competitiva"[28]. Numa era em que o "monopólio governamental do dinheiro" exercido por Estados *nacionais* está ameaçado – não por algum Linen Banks local ou pela tentativa de algumas pequenas firmas construtoras de soltarem suas próprias marcas de papel moeda, mas pelo contraditório desenvolvimento transnacional do capital, tanto na União Europeia como em outras partes do mundo –, a proposta de Hayek de adoção de uma "experiência local" com o dinheiro, mantendo-se acriticamente a própria estrutura da "ordem econômica ampliada" do capital, diz maravilhas de sua maneira de defender as mediações de segunda ordem do capital.

A força orientadora da apologia que Hayek faz do capital é o ódio patológico ao projeto socialista. Como Marx critica a reificação e o fetichismo do dinheiro, para Hayek eles devem ser aclamados como boa coisa e, consequentemente, "o misterioso dinheiro e as instituições financeiras nele baseados" devem estar isentos de qualquer crítica[29]. A lente distorcida de seu ódio, encerrada em mais um "argumento" circular, transforma até Aristóteles num deplorável socialista, com base em que na cada vez mais desperdiçadora "ordem econômica ampliada" do capital...

A preocupação com o lucro é exatamente o que possibilita o uso mais eficaz dos recursos.
... O nobre *slogan* socialista, *produção para uso, não para lucro*, que encontramos sob uma ou outra forma, de Aristóteles a Bertrand Russell, de Albert Einstein ao arcebispo Câmara do Brasil (geralmente, desde Aristóteles, com o acréscimo de que esses lucros são feitos "à custa de outros"), trai a ignorância de como a capacidade produtiva é multiplicada por diferentes indivíduos.[30]

O problema com esse raciocínio não é apenas sua circularidade: a presunção arbitrária do que se deveria pelo menos tentar comprovar – que "a preocupação com o lucro é exatamente o que possibilita o uso mais eficaz dos recursos" – é que justifica a triunfante e falaciosa conclusão de que Aristóteles e outros socialistas ignoram a "verdade" não comprovada de Hayek. Pior ainda, Hayek se mostra cego – tem de ser assim, em nome da apologia do capital – para o aspecto realmente óbvio de sua hipótese. Literalmente: o "uso mais eficaz dos recursos" de que ele fala, quando associado à "preocupação com o lucro", está rigorosamente confinado ao tipo de produção sujeita à produção de lucro, em cujos termos sua viabilidade é avaliada e aprovada ou – caso não corresponda aos critérios de lucratividade estipulados – im-

---

[27] Id. ibid., p. 104.
[28] Id. ibid., p. 103.
[29] Assim, ficamos sabendo que "o preconceito que surge da desconfiança das misteriosas esferas atinge um tom ainda mais alto quando dirigido às mais abstratas instituições de uma civilização avançada da qual depende o comércio, que faz a mediação dos efeitos da ação individual mais geral, indireta, remota e desapercebida e que, embora indispensável para a formação da ordem estendida, tende a velar seus mecanismos de orientação das sondagens: o dinheiro e as instituições financeiras nele baseados". Id., ibid., p. 101.
[30] Id., ibid., p. 104.

placavelmente rejeitada. E rejeitada de maneira muito negligente (ou deliberadamente ignorante) em relação ao sofrimento, e até à mais descuidada eliminação das condições da reprodução sociometabólica sustentável, causada inevitavelmente pela adoção deste caminho.

Isto nos leva ao aspecto mais problemático da abordagem de Hayek até em seus próprios termos de referência: sua incapacidade de assumir uma postura crítica em relação até mesmo às dimensões mais destrutivas do sistema do capital. Por definição, "crescimento" deve ter uma conotação positiva em sua teoria, já que ele deseja provar em base quase dogmática a superioridade das mediações de segunda ordem do capital em relação a qualquer alternativa viável do socialismo. Com isso, ignoram-se as consequências destrutivas do crescimento capitalista, e a preocupação com a sombra cada vez mais escura desse crescimento, em quaisquer de seus aspectos ligados às tendências conhecidas da "ordem ampliada", é descartada como insignificante, até mesmo quando essa preocupação é expressa por seus próprios camaradas de luta. Hayek então afirma com desaprovação que "até um filósofo sensível [quer dizer: um adepto da "direita radical"] como A.G.N. Flew louvou Julian Huxley por admitir prematuramente, 'antes que isso fosse admitido amplamente como o é hoje, que a fertilidade humana representa a maior ameaça para o bem-estar presente e futuro da raça humana'". E Hayek logo acrescenta: "Tenho argumentado que o socialismo constitui uma ameaça para o bem-estar presente e futuro da raça humana, no sentido de que nem o socialismo nem qualquer outro substituto conhecido para a ordem do mercado poderia sustentar a atual população mundial"[31]. Contudo, logo em seguida, tudo o que ele apresenta é uma esperança otimista, expressa em termos de "acredito que"

> Podemos ter a esperança e a expectativa de que, uma vez exaurido o restante da reserva de pessoas que estão agora entrando na ordem ampliada, o aumento de seu número, que tanto aflige as pessoas, irá aos poucos retroceder. ... Acredito que o problema já esteja diminuindo: a taxa de crescimento populacional aproxima-se agora de seu ponto máximo ou já o atingiu e não subirá muito, mas cairá.[32]

Certamente o risco de uma "explosão populacional" frequentemente enunciado é apresentado de maneira tendenciosa pelos que se identificam com o ponto de vista do capital, pois têm de buscar soluções compatíveis com os limites estruturais do sistema – de preferência, capazes até de estendê-los. Será necessário levar este problema em conta na seção 5.4. Como dificuldade histórica a ser enfrentada hoje (mesmo que, como inegável dificuldade, tenha natureza muito diferente dos habituais diagnósticos neomalthusianos de uma prevista "explosão populacional"), ela tem implicações bem mais graves para a viabilidade do sistema do capital do que se poderia manejar por meio de um genérico "controle populacional" biológico, seja na tradicional forma selvagem, afirmando-se como fome em massa e outras calamidades, ou por meio de uma variedade mais sofisticada de controle populacional, administrada em sintonia com os requisitos de uma "alta tecnologia" lucrativa. No

---

[31] Id., ibid., p. 121. A citação é da p. 60 de *Evolutionary Ethics*, Londres, A. G. N. Flew, Macmillan, 1967.
[32] Hayek, ibid., p. 128.

presente contexto, o importante é que *A arrogância fatal* de Hayek se recusa obtusamente a levar a sério o problema em si, cuja existência é admitida até por seus aliados ideológicos mais chegados. Se ele tivesse de reconhecer que algo está errado neste importante plano do processo de reprodução capitalista, estariam certamente solapados sua idealização da "ordem econômica ampliada" e seu conceito de "crescimento" cruamente identificado à acumulação do capital, defendidos sem a menor crítica por Hayek, ainda que só se possam realizar com a violação das necessidades elementares de incontáveis milhões de seres humanos.

Para Hayek, as coisas são muito simples em suas equações de apologia do capital: "sem os ricos – os que acumularam o capital – os pobres que existissem seriam ainda mais pobres"[33]. E assim, no que diz respeito às pessoas "que vivem nas periferias ... por mais doloroso que seja este processo, também elas, ou melhor, especialmente elas se beneficiam da divisão do trabalho formada pelas práticas das classes empresariais"[34] ... "ainda que isto signifique morar por algum tempo [*sic!*] em favelas das periferias"[35]. Naturalmente, defende-se a costumeira selvageria de deixar a última palavra do julgamento ser pronunciada pela presença ou ausência de *acumulação lucrativa de capital* – para o que absolutamente nenhuma alternativa deve ser contemplada, nem por um momento – em questões que afetam o tamanho da população, quando se argumenta, com ilimitada hipocrisia (em nome da retidão moral), que...

> ... poderá realmente surgir um conflito moral, se os países materialmente avançados continuarem a dar assistência ou mesmo a subsidiar o crescimento das populações [nas regiões subdesenvolvidas]... qualquer tentativa de manter as populações além do volume em que o *capital acumulado* ainda possa ser normalmente reproduzido, o número que poderia ser mantido *diminuiria*. A menos que *interfiramos*, somente as populações capazes de se alimentar aumentarão.[36]

Depois de tudo isso, não é de espantar que a linha de argumentação de Hayek termine em uma nota autocomplacente: "De qualquer maneira, não há risco de que, em algum futuro previsível que possa nos preocupar, a população esgote os recursos materiais naturais do mundo; temos todas as razões para pressupor que *forças inerentes* deterão esse processo muito antes de isso acontecer"[37]. E assim a idealização das mediações de segunda ordem do capital é levada a seu extremo, apresentando uma rematada tranquilização sobre a absoluta viabilidade e a eterna persistência da única ordem econômica "natural"...

4.3.3

Com esses cânticos, os louvores às estruturas estabelecidas e ao modo de controle sociometabólico deve ter sido música suave para os governos dos países capitalistas dominantes no final dos anos 70 e por toda a década de 80. Algo compreensível

---

[33] Id., ibid., p. 124.
[34] Id., ibid., p. 130.
[35] Id., ibid., p. 134.
[36] Id., ibid., p. 125.
[37] Id., ibid.

e revelador. Compreensível porque, depois do início da crise estrutural global do sistema do capital no início dos anos 70, os dirigentes do G7 precisavam ser tranquilizados em altíssimos brados – até contra as dúvidas nascidas de sua própria capacidade de melhor julgamento –, apesar dos sintomas da crise, que nem os economistas oficiais podiam negar, que o sistema socioeconômico estava imune a problemas sérios; as havia muito desprezadas teorias de Hayek, culminando no agregado de seu *A arrogância fatal*, correspondiam perfeitamente a essa necessidade. Ao mesmo tempo, também foi muito revelador que os governos dos países de capitalismo avançado adotassem a abordagem de Hayek. Pois ela exigia – pelo menos na ideologia e nas medidas políticas antitrabalhistas, mesmo que, significativamente, não na prática econômica de financiamento do déficit patrocinada pelo Estado – mudanças importantes na orientação keynesiana uniforme desses países de livre expansão do capital nas décadas do pós-guerra.

Essas mudanças – no plano das retóricas ideológicas imensamente contrastantes, mas perfeitamente complementares em sua essência socioeconômica – entre as duas abordagens políticas marcaram claramente a limitada margem de manobra do sistema do capital ocidental. O keynesianismo realmente jamais conseguiria significar mais do que a "fase de arranque" do monetarismo; assim como a outra, apesar de suas amplamente divulgadas alegações de pureza econômica, associada à sua autocontraditória oposição à "interferência do Estado", jamais poderia sequer sonhar em oferecer mais do que um estranho equivalente à "fase de parada" do keynesianismo. Na verdade, o otimismo fatalmente presunçoso de Hayek, para obter um mínimo grau de plausibilidade, precisava da intervenção do Estado nas questões econômicas numa escala consideravelmente maior – na forma de políticas estatais da "direita radical" (ainda que, verdade seja dita, com pouquíssima eficácia econômica sustentável) adotadas com entusiasmo autoritário pela primeira-ministra Margaret Thatcher e outros chefes de governo do mesmo molde. E gente como Hayek preferia esquecer que a formação do Estado moderno foi absolutamente essencial para a articulação completa e o triunfo global do sistema do capital. Queriam realmente que não levássemos em conta essa verdade inconveniente para nos induzir a partilhar seu entusiasmo pela panaceia da "revolução marginalista" e também sua convição na "ordem econômica ampliada", causalmente inexplicável, mas, não obstante, para eles natural e absolutamente definitiva para a humanidade. Supunha-se que deveríamos ignorar que o Estado moderno, com todas as suas ligações a todas as outras partes do sistema, em virtude de sua constituição objetiva como estrutura abrangente de comando político do modo estabelecido de reprodução sociometabólica, fosse um membro tão importante das mediações de segunda ordem do capital quanto todos os seus mecanismos e instituições "puramente econômicos" reunidos, inclusive o grandemente idealizado, mas inexistente na forma recomendada, mercado da "sociedade de mercado".

No momento em que Gorbachev foi recompensado com o prêmio Nobel, um de seus ex-amigos e íntimo colaborador, Gerasimov, comentou ironicamente que era uma pena que ele não tivesse recebido o prêmio Nobel de economia. E se tivesse recebido? Hayek, Milton Friedman e outros defensores do mesmo tipo de opinião foram ungidos com o sagrado óleo do prêmio Nobel por suas teorias econômicas, ignoradas durante as longas décadas em que dominava a panaceia keynesiana. Naturalmente, isto aconteceu na esperança de que sua elevação oficial ao *status* intelectual de prêmio Nobel da economia – e, assim, a consagração de uma nova ortodoxia capitalista (devidamente adotada pelos governos dos países ocidentais mais avançados) – produzisse os milagres absolutamente necessários para a boa reprodução das condições de expansão experimentadas nos anos dos "milagres" (inspirados em Keynes) de Alemanha, Itália, França, Japão etc. Entretanto, essas expectativas otimistas não se cumpriram muito melhor do que as ligadas às reformas de Gorbachev. A julgar pelas evidências da história desde o pós-guerra até nossos dias agitados, não importa quantas vezes as duas abordagens substituam uma à outra, ou até venham a se aliar no futuro pelos bem-dispostos donos da política, nem as possíveis variedades do keynesianismo, nem a orientação econômica do tipo Hayek/Friedman têm probabilidade maior de resolver os inúmeros problemas e contradições da "ordem econômica ampliada" no Ocidente do capitalismo avançado do que a da malfadada perestróika de Gorbachev, de remediar as falhas e os antagonismos do sistema do capital de tipo soviético no Leste.

4.4 Os limites produtivos da relação-capital

4.4.1
O poder do capital é exercido como uma verdadeira força opressora em nossa era graças à rede estreitamente entrelaçada de suas mediações de segunda ordem – que emergiram de contingências históricas específicas ao longo de muitos séculos. Foram sendo fundidas durante a consolidação do conjunto do sistema, produzindo assim um imenso poder sistêmico de discriminação em favor do modo de intercâmbio reprodutor do capital que se desdobrava aos poucos e contra todas as possibilidades contrárias de controle sociometabólico. É assim que, ao longo de toda a sua constituição histórica, o capital se tornou, de longe, o mais poderoso (uma "bomba de extração", segundo Marx) extrator de excedentes conhecido da humanidade. Na verdade, adquiriu com isto uma justificação autoevidente de seu modo de ação. Esse tipo de justificação poderia ser mantido enquanto a prática cada vez mais intensa da própria extração de excedentes – não em busca da gratificação humana, mas no interesse da reprodução aumentada do capital – conseguisse esconder sua destrutividade final.

A completa deturpação, pelos defensores do sistema, da dimensão *trans*-histórica do capital como permanência absoluta só poderia funcionar com os encômios ao caráter sempre positivo da "ordem econômica ampliada" como tal, ou escondendo seu crescente desperdício (que já se fazia sentir numa fase histórica relativamente prematura) e, com o passar do tempo, sua destrutividade ameaçadora. Somente quando o imperativo de um modo de reprodução sociometabólico radicalmente diferente apareceu no horizonte histórico, contra o pano de fundo dessa destrutividade visível da ordem socioeconômica estabelecida – somente então foi possível submeter à "crítica prática" a antes pressuposta racionalidade óbvia e a inalterável permanência das mediações de segunda ordem do capital. Na filosofia de Hegel, concebida do ponto de vista da economia política burguesa, todo o sistema das mediações de segunda ordem se congelou na estrutura, idealizada e desprovida de história, da moderna "sociedade civil" e seu "Estado ético", erigindo assim uma ordem social eternizada sobre a interrupção peremptória do movimento histórico – como "absoluto fim da história" – no ponto focal do presente.

A abordagem de Hegel foi de longe a maneira mais engenhosa de tratar as contradições do sistema. A acumulação de evidências das impressionantes transformações históricas não poderia ser simplesmente ignorada ou negada; tinha de ser subordinada aos limites estruturais das mediações de segunda ordem do capital, redefinindo o significado de qualquer dinamismo legitimamente viável. Todo movimento que caísse fora desse quadro de referências estrutural devia ser rejeitado *a priori* como afronta – ou como inveja e ressentimento da "plebe" manifestando-se em ações irracionais e destrutivas contra o existente, não apenas *de facto*, mas também *de jure*. Foi dessa maneira que, no maior sistema filosófico burguês, a contingência histórica das mediações de segunda ordem do capital adquiriu não apenas sua necessidade *supra*-histórica absoluta e a correspondente eternização na direção do futuro, mas também sua igualmente absoluta justificação *moral*. Isso foi celebrado por Hegel como a encarnação da necessária autorrealização do Espírito do Mundo. Uma autorrealização que teria de assumir a forma de relação para sempre entrelaçada e eticamente sancionada entre a "sociedade civil" e o "Estado, desvendado como imagem e realidade da razão". Assim poderia terminar a história turbulenta, mais evidente do que nunca no rastro da Revolução Francesa e das guerras napoleônicas (como teria de ser a partir do ponto de vista autoeternizante do capital), precisamente quando não se poderia deixar de explicar o dinamismo histórico do sistema, com sua tendência a tudo engolfar. Esse paradoxal fim da história – pelo qual a mudança tanto poderia ser afirmada com "positivismo acrítico" como categoricamente rejeitada *a priori* – só poderia ser inventado pela transformação de todo movimento legítimo em estritamente *interno* à peculiar "racionalidade" do próprio sistema do capital, conforme os grandes princípios da economia política clássica. Em outras palavras, o encerramento da história só poderia ser examinado caso se confinasse todo movimento dentro das margens capitalistas restritivas e fortemente irracionais de operação e expansibilidade das já estabelecidas mediações de segunda ordem, teorizadas por Hegel sob as estruturas duais da sociedade civil burguesa e do Estado moderno.

Compreensivelmente, à luz da emergente destrutividade e dos crescentes antagonismos do sistema, essa tendenciosa "racionalização da realidade" tinha de ser atacada por seus críticos, pela forte ênfase no caráter inerentemente histórico e na "transitoriedade" da ordem reprodutiva dada como Karl Marx tentou fazer em todas as suas principais obras, que subintitulava "Crítica da economia política". É igualmente compreensível que, no calor da crítica lançada contra o ponto de vista necessariamente autoeternizador do capital (adotado com o mesmo "positivismo acrítico" pelos grandes economistas políticos ingleses e escoceses e por Hegel em seu rastro), a ênfase tivesse de cair na *transitoriedade* do sistema, à custa da investigação de seu imenso *poder de resistência* que emanou – e continua a emanar ainda hoje – do *círculo vicioso* de suas mediações de segunda ordem. Um século e meio depois das reflexões de Marx sobre a questão, o sistema do capital continua a afirmar seu poder – e de modo algum apenas

nas teorias de seus apologistas, mas por toda parte, na vida cotidiana dos indivíduos – como uma permanência aparentemente indiscutível. Ele se impõe pelo controle de todos os aspectos da reprodução e distribuição sociometabólica de maneira a que, apesar da destrutividade e das contradições do sistema, não pareça haver alternativa viável.

O fato inegável de a rede estreitamente interligada das mediações de segunda ordem do capital ter sido *historicamente constituída* não afeta em si ou por si o argumento em favor dos que enfatizam a necessidade de uma alternativa radical. O fato de as mediações particulares de segunda ordem terem se reforçado mutuamente e ao conjunto do sistema durante sua constituição histórica pode ser colocado a serviço das mais sofisticadas formas de apologia – os tipos que aceitam e acolhem a eficácia das determinações históricas até a formação da ordem estrutural existente e apenas a negam na direção de um futuro qualitativamente diferente.

Em relação a um futuro qualitativamente diferente, o que se tem de provar é que a ontologia do trabalho (historicamente constituída e ainda em andamento), em seu significado fundamental de agência e atividade da reprodução sociometabólica, pode se sustentar melhor, com um grau superior de produtividade, quando livre da camisa de força do modo ampliado de extração do excedente do que quando seu movimento é restrito pelo imperativo perverso de acumulação do capital característico deste modo. Em outras palavras, a alternativa ao modo necessariamente *externo* e *adversário* de o capital controlar o processo de trabalho (só deturpado como interno e positivo pelos defensores não críticos do sistema) é a reconstituição, tanto do processo de trabalho quanto de sua força motriz social, o trabalho, com base em determinações *consensuais/ cooperativas internas* e conscientemente adotadas. Esta comprovação só pode ser antecipada teoricamente e apenas em linhas gerais: mediante a indicação, em termos *positivos,* de suas condições de possibilidade de realização e, em termos *negativos,* as tendências destrutivas insustentáveis da ordem existente, que apontam na direção de sua necessária ruptura. A parte decisiva dessa comprovação deve ser a reconstituição do próprio trabalho, não apenas como antagonista do capital, mas como agente soberano criativo do processo do trabalho – um agente capaz de assegurar as condições escolhidas (em oposição às atuais, impostas de fora pela divisão social estrutural/hierárquica do trabalho) de reprodução expandida sem as muletas do capital. Este é o verdadeiro significado da *crítica prática* marxista da economia política do capital relativa à necessidade de ir além do capital e de sua rede, hoje universalmente dominante e, pelo visto, permanente, das mediações de segunda ordem.

4.4.2

A crítica aos "moinhos satânicos" do capital apareceu na história paralelamente ao estabelecimento dos próprios moinhos, durante a até então decididamente mais dinâmica fase de desenvolvimento do sistema do capital. Contudo, para sucesso duradouro dessa "crítica prática" marxista, nem mesmo a mais apaixonada denúncia dos "moinhos satânicos" seria suficiente, pois a mais do que compreensível e justificável tentação de se engajar nessas denúncias não proporcionaria a medida adequada de força para não apenas superá-los negativamente, mas também para positivamente tomar seu lugar no momento da indispensável autoemancipação do trabalho. O aspecto mais desconcertante da "crítica prática" socialista foi o fato de que as mediações de segunda ordem do capital não seriam negativamente superadas se não fossem, ao mesmo tempo, positivamente substituídas pelas necessárias alternativas estruturais. O sistema do capital poderia recuperar seu poder – ainda que temporariamente subjugado, sob as grandes crises e emergências históricas – caso as funções vitais sociometabólicas de sua rede mediadora estreitamente interligada deixassem de ser incorporadas às formas alternativas de funcionamento eficaz: formas capazes de superar a contradição de ter de paralisar o produtor, o preço a ser pago por uma boa redução nos custos materiais da produção. Por esta razão, a paixão e a compaixão da denúncia moral evidentes nos escritos dos grandes utopistas socialistas, aliadas à concepção nobre (mas idealizada) do "educador" iluminado da humanidade que vem em seu socorro, também deveriam estar sujeitas a uma crítica minuciosa, que enfatizasse a necessidade de se reestruturar a essência das próprias condições objetivas que inevitavelmente também "educam os educadores".

Para se ter alguma esperança de êxito na luta contra as incorrigíveis tendências estruturalmente destrutivas do capital, não bastaria apontar suas óbvias fraquezas (de modo algum estruturalmente intranscendíveis, mas historicamente emergentes e superáveis dentro das limitações do sistema), como, por exemplo, a cruel exploração do trabalho infantil. Ao contrário, seria preciso admitir a existência da força total do sistema do capital, reconhecer seu avanço histórico – por mais problemático que fosse – sobre todos os modos anteriores de reprodução sociometabólica. É por isto que já em seus *Manuscritos econômicos e filosóficos de 1844*, Marx falava sobre a *vitória civilizada dos bens móveis*[38], ressaltando também que "precisamente o fato de que na troca e na divisão do trabalho, como encarnações da propriedade privada, está a dupla comprovação de que, por um lado, a vida humana exigia a propriedade privada para sua realização e, por outro, que ela agora exige a superação da propriedade privada"[39].

As mesmas reflexões foram reiteradas por Marx desde as primeiras versões até os volumes publicados de *O capital*. Assim, nos *Manuscritos econômicos de 1861-63*, ao discorrer sobre o processo capitalista da reificação e sobre a "inversão do sujeito em objeto e vice-versa", ele insistia em que...

> ... examinada *historicamente*, essa inversão aparece como o ponto de entrada indispensável para reforçar a criação da riqueza em prejuízo da maioria, ou seja: as forças implacáveis do trabalho social que, sozinho, pode dar a base material para uma sociedade humana livre. É preciso passar por essa força antagônica, assim como o homem teve primeiro de moldar suas forças espirituais numa forma religiosa, como poderes independentes de si. É o *processo de alienação* em relação a seu próprio trabalho. O trabalhador aqui está, desde o início, em situação superior à do capitalista, porque este está enraizado no processo de alienação e nele encontra sua satisfação absoluta, ao passo que o trabalhador, desde o início vítima desse processo, tem com ele uma relação de rebeldia e o percebe como processo de escravização. Na medida em que o processo de produção é ao mesmo tempo um processo real de trabalho e o capitalista

---

[38] Marx, *Economic and Philosophical Manuscripts of 1844*, Londres, Lawrence and Wishart, 1959, p. 91.
[39] Id., ibid., p. 134.

tem de desempenhar a função de *supervisão* e *direção* na produção real, na verdade sua atuação adquire com isso um conteúdo múltiplo específico. O *processo de trabalho* em si apenas aparece como um *meio* para o *processo de valorização*, assim como o valor de uso do produto aparece como veículo de seu valor de troca. A autovalorização do capital (criação da mais-valia) é, portanto, o objetivo determinante, dominante e subjugante do capitalista, força motriz absoluta e conteúdo de sua ação, de fato apenas impulso objetivo racionalizado do açambarcador. Este é um conteúdo totalmente miserável e abstrato, que faz o capitalista parecer tão subjugado à relação do capital quanto o trabalhador no extremo oposto, ainda que sob ângulo diferente.[40]

Assim, no final, o que decidiu a questão foi: durante quanto tempo as mediações de segunda ordem da *relação-capital* historicamente estabelecida teriam condições de cumprir suas funções *produtivas*, apesar de exercidas de forma desumana, "em prejuízo da maioria". "Antes de mais nada, a *produtividade* do capital, mesmo quando se considera apenas a subordinação formal do trabalho ao capital, consiste na *compulsão de produzir o trabalho excedente*; trabalhar além das necessidades imediatas do indivíduo. O modo de produção capitalista compartilha essa compulsão com modos de produção anteriores, mas o exerce e o realiza de maneira mais favorável à produção"[41]. O capital também é produtivo, "absorvendo dentro de si e apropriando-se das forças produtivas do trabalho social e das forças sociais da produção em geral"[42]. Esta consideração é muito importante, porque com o pleno desdobramento da relação-capital desenvolve-se "uma grande continuidade e intensidade do trabalho e uma economia maior no emprego das condições de trabalho, no sentido de que se façam todos os esforços para garantir que o produto só represente o *tempo de trabalho socialmente necessário* (ou melhor, menos do que isso). E isso tanto se aplica ao trabalho vivo empregado para produzir o produto como em relação ao trabalho *objetificado* – que, assim como o valor dos meios de produção empregados, entra como fator no valor do produto"[43].

Contudo, esses aspectos – historicamente positivos – do modo estabelecido de reprodução sociometabólica é apenas um lado da moeda. Do outro lado, o sistema de produção baseado na relação-capital está cheio de antagonismos. Os capitalistas particulares e os trabalhadores individuais nele funcionam apenas como *personificações* do capital e do trabalho e têm de sofrer as consequências de dominação e subordinação implícitas na relação entre as personificações particulares e o que está sendo personificado. A lei do valor, por exemplo, que regula a produção do valor excedente, "parece infligida pelos capitalistas uns sobre os outros e sobre os trabalhadores – e, por isso, aparece de fato apenas como uma lei do capital atuando contra o capital e contra o trabalho"[44]. O trabalho – em suas personificações gerais e nas particulares – é profundamente afetado pela subordinação estrutural ao capital em todos os aspectos. Esta é uma relação antagônica da maior intensidade, com sua inegável influência sobre as limitações e potencialidades produtivas de todo o sistema do capital. Essas contradições também

---

[40] *Economic Manuscripts of 1861-63*, MECW, vol. 34, pp. 398-9. O grifo é de Marx.
[41] Ibid., p. 122. O grifo é de Marx.
[42] Ibid., p. 128.
[43] Ibid., pp. 430-1. O grifo é de Marx.
[44] Ibid., p. 460.

surgem nos lugares onde menos seriam esperadas, surgindo até mesmo das realizações positivas da relação-capital. Pois, dentro da estrutura das mediações de segunda ordem do capital, a produção...

    ... não está limitada por quaisquer barreiras predeterminantes ou predeterminadas impostas pelas necessidades. (Seu caráter antagônico implica *barreiras à produção*, a serem ultrapassadas. Daí as crises, o excesso de produção etc.) Este é um lado, a diferença em relação ao modo de produção anterior, o lado positivo, SE VOCÊ PREFERIR. O outro é o lado negativo, o antagônico: a *produção* em oposição ao *produtor*, sem se preocupar com este. O produtor real como simples meio de produção, a riqueza objetiva como fim em si. Portanto, o desenvolvimento dessa riqueza objetiva em oposição ao indivíduo humano e em prejuízo dele.[45]

Marx jamais discutiu detalhadamente as formas históricas intermediárias e correspondentes de intercâmbio metabólico que ligam a relação-capital à ordem social por ele antevista. As restrições socioeconômicas de sua época e o ponto de vista que Marx adotou em relação a elas tornaram-no impossível. Não obstante, ele baseava suas previsões críticas em dois pilares sólidos: (1) a avaliação realista das realizações históricas e a imensa força prática do sistema do capital, e (2) a identificação dos antagonismos estruturais que tendiam a prejudicá-lo como sistema viável de reprodução sociometabólica ou "processo de vida social". Ao apoiar seus argumentos sobre esses dois pilares, ele concluiu a linha de pensamento que o distanciou e até o opôs diametralmente aos clássicos da economia política, declarando que, por meio da articulação da relação-capital...

    ... tem lugar uma completa revolução. Por um lado, ela cria, pela primeira vez, as *condições reais para a dominação do capital sobre o trabalho*, complementando-as, dando-lhes uma forma adequada. Por outro lado, nas forças produtivas do trabalho que ela desenvolve em oposição ao trabalhador, nas condições de produção e nas relações de comunicação, ela cria as condições para um novo modo de produção, *relegando a forma antagônica* do modo de produção capitalista e lançando a *base material* para um *processo de vida social com nova formação* e, daí, uma nova formação social.

Esta é uma concepção essencialmente diferente da dos economistas políticos que se prendem aos preconceitos capitalistas, que se consideram capazes de verificar como a produção é realizada *na* relação-capital, mas não como se produz esta *relação* propriamente dita e como, ao mesmo tempo, se produzem dentro dela as condições materiais para sua dissolução, eliminando assim sua *justificação histórica* como *forma necessária* do desenvolvimento econômico da produção da riqueza social.[46]

Desnecessário dizer que a perda da antiga justificação histórica como forma necessária para a continuidade do desenvolvimento econômico ainda está a uma distância astronômica do estabelecimento de um "processo de vida social radicalmente novo". A presente incorporação da relação-capital em base material economicamente avançada não passa de mera *potencialidade* para a criação do novo modo, radicalmente diferente, de controle da reprodução sociometabólica. O novo modo de intercâmbio reprodutivo só aparece como tal no horizonte externo positivo de uma prática socialmente transformadora abrangente. Seus objetivos esperados serão atingidos apenas na condição

---

[45] Ibid., p. 441. O grifo é de Marx.
[46] Ibid., p. 466. O grifo no último parágrafo é de Marx.

de que sua prática transformadora tome o lugar (e no grau em que o conseguir), por meio da articulação e do funcionamento de suas mediações de reprodução de primeira ordem "radicalmente novo"[47], da *realidade opressora* do sistema estabelecido do capital.

Assim, a questão importante diz respeito à transformação da *potencialidade* em *realidade*. Essa tarefa não pode ser realizada sem a reestruturação radical da "base material" e das "condições materiais" cada vez mais destrutivas do ubíquo sistema do capital – que criaram "pela primeira vez as condições para a dominação do capital sobre o trabalho" – num quadro de intercâmbio sociometabólico utilizável pelos indivíduos para garantir seus próprios fins. Em outras palavras, a tarefa em questão só pode significar a garantia dos fins *conscientemente escolhidos* pelos indivíduos sociais e sua realização *como indivíduos* (e não como personificações particulares do capital ou do trabalho)[48] no processo. E, ao fazê-lo, deixar de se resignar, como são obrigados hoje, a um sistema que apresenta, em seu próprio nome, os imperativos da produção como "fim em si" indiscutível, impondo-os implacavelmente com o círculo vicioso de suas mediações de segunda ordem, apesar do inegável desperdício e da crescente destrutividade de seu modo de controle. Naturalmente, para passar ao modo de reprodução sociometabólica previsto por Marx, é preciso uma mudança *qualitativa*, com grandes implicações também na "base material" e nas "condições materiais". Pois, em sua modalidade atual, elas são absolutamente incompatíveis com as aspirações socialistas.

Produzir a necessária mudança qualitativa exige o estabelecimento de formas e instrumentos apropriados de intercâmbios da mediação, a fim de tornar aquelas condições materiais utilizáveis, em primeiro lugar, para os objetivos positivos de um "processo de vida social com nova formação". Hoje, mais do que nunca, corresponder à dificuldade dessa trabalhosa transformação qualitativa deve ser o princípio orientador essencial do projeto socialista. Apesar das realizações produtivas do sistema do capital no período histórico decorrido (ou melhor: precisamente por sua própria perversidade), as condições materiais existentes são hoje ainda menos utilizáveis diretamente na realização das aspirações socialistas do que o eram na época em que Marx vivia. As mediações de segunda ordem do modo estabelecido de reprodução sociometabólica, profundamente arraigadas, excluem categoricamente a possibilidade de caminhos mais curtos para a realização dos objetivos socialistas originalmente previstos.

4.5 A articulação alienada da mediação da reprodução social básica e a alternativa positiva

4.5.1

A emergência e a dominação das mediações de segunda ordem do capital não podem ser devidamente apreciadas sem que sejam relacionadas a seus distantes antecedentes históricos. Isto é importante por duas razões. Em primeiro lugar, porque todos os

---

[47] Discutiremos mais esses problemas nos capítulos 19 e 20. Aqui se deve enfatizar a fundamental diferença entre a troca mediadora consciente das atividades, baseada num "processo de vida social reformado", e as mediações de segunda ordem incontroláveis e reificadas da ordem de reprodução social hoje estabelecida.

[48] Segundo Marx, no processo de produção, "o dono dos bens se torna um capitalista, *capital personificado*, e o trabalhador, *mera personificação do trabalho* para o capital" (ibid., p. 399).

que adotam o ponto de vista do capital tendem a aniquilar suas especificidades históricas para afirmar a inequívoca validade e a inalterabilidade estrutural da ordem estabelecida do controle sociometabólico, como se vê nos textos de todos os economistas e filósofos burgueses, de Adam Smith e Kant até Hegel, passando pelos que no século XIX propuseram a "revolução marginalista" na economia, e chegando aos atuais apologistas do capital, como Hayek. A segunda razão é ainda mais importante para uma crítica socialista do sistema do capital e diz respeito ao outro extremo dessas questões, ou seja: o descuido em relação às profundas raízes históricas do modo de reprodução socioeconômica hoje globalmente dominante. A adoção desse tipo de postura resulta em subestimar-se fatalmente a magnitude da tarefa diante dos socialistas. Pois, ao se concentrar em certas características limitadas da fase *capitalista* relativamente breve de desenvolvimento histórico – em especial nos aspectos de suas relações de propriedade que podem ser diretamente afetadas pela derrubada do Estado capitalista e pela expropriação legal/política da propriedade privada –, perde-se completamente de vista o imenso poder regenerativo e restaurador do modo de reprodução sociometabólico prevalecente afirmado com o círculo vicioso de suas mediações de segunda ordem. Em consequência, os objetivos socialistas originais se tornam cada vez mais ilusórios e as estruturas metabólicas herdadas continuam a dominar a sociedade como antes. A força paralisadora das mediações de segunda ordem, essencialmente inalteradas, combina-se à falsa convicção centralmente cultivada de haver um modo de reprodução social radicalmente diferente nas sociedades pós-revolucionárias. Presume-se que o novo modo de reprodução social funcione com base nas decisões verdadeiramente democráticas e conscientemente planejadas de todos os indivíduos, embora estes na realidade estejam tão à mercê da "força das coisas" quanto no passado. A sociedade é administrada pelo novo tipo de "personificações do capital", os burocratas do partido do sistema pós-capitalista do capital, cuja função primordial é impor ao novo tipo de "personificações do trabalho" (os "trabalhadores socialistas", de quem se extrai, não de modo economicamente controlado, o trabalho excedente) os imperativos de um sistema reificado e fatalmente alienador de reprodução sociometabólica.

Em termos históricos, podemos identificar três conjuntos de determinações que permanecem incorporadas à constituição estrutural do sistema do capital, como se fossem "camadas geológicas" ou "arqueológicas". Cronologicamente, a mais recente pertence à fase *capitalista* do desenvolvimento, que se estendeu apenas pelos últimos quatrocentos anos. Em compensação, a camada intermediária abrange uma escala de tempo bem maior, cobrindo muitos séculos em que emergem e se consolidam algumas mediações particulares de segunda ordem do capital, como acontece por exemplo com o primitivo capital monetário e comercial. Contudo, essas formas de mediação sociometabólica resumem-se apenas ao que Marx chama de "*subordinação formal* do trabalho ao capital" – em comparação com a sua *subordinação real* sob as condições históricas específicas do capitalismo – como veremos no capítulo 17. A fase mais antiga de desenvolvimento, importante para a compreensão da constituição histórica do capital, produz formas de dominação que absolutamente não são características do modo de funcionamento do sistema do capital, mas nele são posteriormente reproduzidas numa forma adequada à tendência geral de seu desenvolvimento. Assim, a *divisão* hierárquico-estrutural *do trabalho*, que, em seu devido momento, assume uma série de formas de *dominação de classes*, precede historicamente até as mais embrionárias manifestações do modo de controle do processo sociometabólico pelo capital. Contudo, através das mediações de segunda ordem do capital, a antiga divisão hierárquica do trabalho social assume uma forma historicamente específica, que pode explorar plenamente e de início utilizar para acumulação do capital a subordinação *formal* do trabalho ao capital – base em que o cada vez mais poderoso capital pode chegar à incomparavelmente mais produtiva e lucrativa *subordinação* do trabalho a si mesmo, resultando no triunfo global do sistema do capital plenamente desenvolvido, sob a forma da produção de mercadorias universalmente difundida. O mesmo acontece com todas as formas de dominação historicamente precedentes: elas se subordinam ou são incorporadas às mediações de segunda ordem específicas do sistema do capital, da família às estruturas de controle do processo de trabalho, e das variadas instituições de troca discriminadora até o quadro político de dominação de tipos muito diferentes de sociedades.

É muito importante ressaltar que o demorado processo de constituição das mediações de segunda ordem do capital é *cumulativo*, mas de maneira alguma *uniforme*. Para dar um exemplo importante, a consolidação da família nuclear – sintonizada com a necessidade de *relações flexíveis de propriedade* adequadas às condições de alienabilidade e reificação universais e também à exigência essencial da boa reprodução de uma *força de trabalho móvel* sem a qual a fase *capitalista* do desenvolvimento do sistema do capital talvez não funcionasse – é um fenômeno histórico bem posterior ao aparecimento das relações dinâmicas de troca monetária. Da mesma maneira, as primeiras formas da produção de mercadoria, ainda bastante limitadas (como seria óbvio), precedem de muitos séculos a formação do Estado moderno, que, por sua vez, é absolutamente essencial para a plena articulação do sistema global do capital.

Entretanto, por meio da influência cumulativa do processo de subordinação das primeiras formas de mediação metabólica às exigências específicas do modo de controle do capital que se desenvolvia, os variados constituintes do intercâmbio reprodutivo se fundiram num novo sistema poderoso e coerente. Isto só é possível pelo *redimensionamento qualitativo* dos antecedentes históricos do capital, ao contrário do que diz a explicação eternizadora do pensamento burguês, concebido do ponto de vista do sistema já desenvolvido do capital.

4.5.2
Os aspectos salientes desse redimensionamento das primeiras formas e estruturas da mediação reprodutiva podem ser assim resumidos:
- a tendência dominante das mediações de segunda ordem do capital é *econômica*, num duplo sentido:
  1) afastando-se progressivamente do antigo controle (essencialmente político) do processo de reprodução social, instituindo em seu lugar um conjunto de modos primordialmente econômicos e instrumentos de troca reprodutiva, ao se orientar em direção à prevalência universal do "nexo do dinheiro vivo", conforme o já mencionado princípio de que *l'argent n'a pas de maître* ("dinheiro não tem dono") – e
  2) "economizando"
     a) os *meios e o material* utilizados no processo de produção;

b) com os *métodos* cada vez mais produtivos exigidos pela administração de um processo de trabalho eficiente por meio do desenvolvimento do conhecimento (ciências naturais etc.) numa forma muito adequada aos objetivos de expansão e lucro do sistema do capital;

c) a *quantidade de trabalho* necessária para uma determinada quantidade de produtos, reduzindo, de muitas maneiras diferentes, ao mínimo absoluto o tempo de trabalho socialmente necessário, inclusive o aperfeiçoamento da divisão tecnológica do trabalho (dentro da empresa produtiva) e da divisão social do trabalho entre elas (na sociedade em geral);

d) o gasto real e potencial dos recursos de produção desnecessariamente desperdiçados em *interrupções* da produção, garantindo a esta um grau de *continuidade* totalmente inconcebível em sistemas antigos de reprodução sociometabólica – ainda que muito distante de seu pleno potencial, que só pode ser atingido num quadro não antagônico de produção;

e) os esforços desnecessariamente gastos em práticas produtivas *isoladas* – ou, pensando de outra maneira, das energias potencialmente produtivas desperdiçadas por não terem sido ativadas – suplantando as limitações destas, pelo uso da força latente do que Marx chama de "espírito animal" na realização "em comum" de tarefas produtivas, e assim utilizando produtivamente – sem quaisquer custos para o próprio capital – a força positiva que emana da socialização cada vez maior da produção; e

f) a população disponível – paralelamente ao avanço produtivo do sistema do capital imensamente aumentado – anteriormente desperdiçada como "população excedente" inútil e contraproducente (controlada pelos métodos mais desumanos possíveis, como o enforcamento de centenas de milhares de "vagabundos" só na Inglaterra, na fase histórica de "acumulação primitiva do capital") e que agora, com a expansão do capital, passa a ser utilizada produtivamente, tanto em empregos como na qualidade de um lucrativo "exército industrial de reserva", que aumenta a economia;

- o novo modo de controle é caracterizado por um alto grau de *homogeneização* das formas e instituições de intercâmbio social, sob o domínio do princípio *econômico* nos dois sentidos mencionados, com consequências favoráveis para a coesão global do sistema de reprodução social e para a facilidade relativa de controle dos indivíduos. Por um lado, segundo o primeiro princípio, os modos e instrumentos da troca reprodutiva – em essência econômicos –, instituídos com sucesso, circunscrevem eficazmente a vida dos indivíduos (também o fazem com o mais alto grau possível de compulsão econômica do "trabalho livre"; a não adaptação a essa compulsão só pode ser tentada "sob pena de morte" imposta não por meio do carrasco do Estado, mas pela da ação impessoal da fome). Por outro lado, o segundo sentido proporciona a mais poderosa justificação ideológica para a "aceitação racional" desse sistema como "o melhor dos mundos possíveis" que opera "em benefício de todos" (e, segundo Hayek, como vimos acima, funcionando "da melhor maneira possível para benefício dos proletários"). Em comparação, formas antigas da troca reprodutiva social tinham de controlar os indivíduos por meios *externos* e instituições de imposição de normas – da violência política às sanções da Igreja etc. Ao serem constituídas, as práticas reprodutivas homogeneizadas do sistema do capital foram arranjadas para atingir esse controle por meios *internos/consensuais*. Daí a importância central – ou melhor, a autoridade inquestionada e a idealidade – do mercado na racionalização da ideologia e na prática socioeconômica espontânea;

- o sucesso na busca da *expansão* e da *acumulação* é a meta fundamental da atividade econômica, já que "o céu é o limite", tanto em termos rigorosamente naturais e materiais como em relação aos recursos humanos necessários para garantir a reprodução sempre expandida do sistema. Da mesma forma justifica-se o caráter axiomático não crítico do pressuposto de que todos os obstáculos podem – pois seu destino é – ser superados pela melhoria da produtividade e pela ampliação interminável do tamanho das operações de solução de problemas das empresas econômicas dominantes; e....

- a instituição e o aperfeiçoamento da *igualdade formal* e da *desigualdade substantiva* pertencem ao modo normal de funcionamento do sistema do capital, o que está plenamente sintonizado com a tendência de homogeneização do princípio econômico dominante, atendendo à necessidade de fornecimento de uma força de trabalho móvel em expansão e de eliminação de obstáculos artificiais – por exemplo, a inalienabilidade feudal da terra e a proibição dos juros sobre o capital, prática condenada como "usura pecaminosa" – da trilha do sucesso no desenvolvimento econômico e, em termos gerais, à viabilidade dos contratos. As estruturas econômicas discriminadoras da "sociedade civil" – com a indispensável subordinação do trabalho embutida em seus componentes econômicos – são suficientes para satisfazer a necessidade de *desigualdade substantiva* essencial para o funcionamento do sistema. Em comparação, os modos de reprodução sociometabólica em que os indivíduos são controlados externa e politicamente devem manter sua iniquidade característica também no plano formal/legal, como demonstrado pelo tipo de dominação exercida na escravidão ou sob os privilégios e proibições formalmente institucionalizados do sistema feudal.

Todas essas tendências estão em clara evidência durante a fase de ascensão do desenvolvimento histórico do capital, assegurando assim a dominância de suas mediações de segunda ordem. Entretanto, é importante observar que o século XX produziu, especialmente em suas últimas décadas, uma significativa inversão de todas as tendências aqui mencionadas, incluindo o movimento legalmente protegido de instituição da igualdade formal que anteriormente prevalecia. Os limites da igualdade formal no sistema do capital são sempre subordinados – estruturalmente, pela mudança das relações de poder material impostas – às exigências de uma desigualdade substantiva. É impensável uma legislação trabalhista liberal em favor dos sindicatos, que não ofereça benefícios a seções do capital que seriam negativamente afetadas em sua competitividade por "empregadores inescrupulosos" e "aventureiros inexperientes". Esta é uma condição que muda historicamente e se tornou anacrônica com a alteração das relações de poder entre as seções do capital cada vez mais concentrado e centralizado. Portanto, é compreensível que na Inglaterra, numa fase anterior de desenvolvimento, ninguém menos do que Sir Winston Churchill – o mesmo político que mais tarde, em 1926, foi infatigável em seus esforços para acabar com a greve dos mineiros de carvão e com a greve geral – tenha sido muito ativo na proposição de "legislação trabalhista esclarecida", precisamente para negar os frutos da "vantagem injusta" aos chamados "maus empregadores". Em compensação, seus descendentes conservadores hoje (com um grau muito revelador de cumplicidade dos partidos Liberal e Trabalhista) introduziram na legislação sucessivas leis para castrar o movimento sindical. O mesmo aconteceu com a aprovação, e posterior limitação, ou não imposição, das salvaguardas legais razoavelmente eficazes que já estiveram embutidas na legislação antimonopolista. Quando foram originalmente propostas, os patrocinadores dessas leis contra o monopólio insistiam, em nome da autoridade parlamentar, na igualdade formal das unidades rivais do capital. Hoje a situação é muito diferente. O evidente enfraquecimento dessas leis em período recente, até a perda total de significado, é o resultado do atual desenvolvimento monopolista da base material da sociedade capitalista contemporânea, que favorece objetiva e estruturalmente as corporações gigantescas. Não se pode exagerar o impacto potencial dessas mudanças. A inversão das tendências que antes promoviam a expansão dinâmica do sistema de controle sociometabólico hoje globalmente dominante tem implicações seriíssimas para a viabilidade futura das mediações de segunda ordem do capital.

4.5.3
Os defensores do capital não podem admitir o caráter histórico e os limites das estruturas e do modo existentes de mediação reprodutiva. Em sua ansiedade para eternizar a ausência de qualquer alternativa para o sistema do capital, eles procuram caracterizar um modo específico de troca socioeconômica, baseado no domínio historicamente constituído do capital, como se este em substância fosse atemporal e possuísse uma validade universal absolutamente inquestionável – e nada ilustra isso melhor do que a categoria da "ordem econômica ampliada" de Hayek. Mesmo em relação ao passado mais remoto, o "tempo" só aparece em seu horizonte como noção quantitativa mecânica – a inexplicável, mas inteiramente louvável "ampliação" na quantidade da reprodução material, que na visão de Hayek equivale a "civilização". Somente um louco, que escolhesse a eliminação da humanidade, poderia questionar a necessidade de manter "*a* ordem econômica ampliada", cuja "extensão", segundo Hayek, constitui sua absoluta justificação para sempre no futuro. Nesse raciocínio, todas as características definidoras específicas (positivas ou negativas, mas sempre qualitativamente significativas) do modo de "reprodução ampliada" do capital desaparecem do quadro, no interesse da apologética eternizadora. As funções sociometabólicas primárias, sem as quais a humanidade não sobreviveria nem mesmo na forma mais ideal de sociedade – da reprodução biológica dos indivíduos à regulamentação das condições da reprodução econômica e cultural – são cruamente identificadas a suas variedades capitalistas, por mais problemáticas que sejam. Até mesmo o *redimensionamento qualitativo* das mediações de segunda ordem específicas das formas historicamente mais antigas da subordinação e da dominação hierárquica

é deixado de lado ou eliminado, atingindo as desejadas conclusões da apologética eternizadora do capital, baseadas na reveladora premissa de que a dominação em si é "natural" e insuperável. Dessa posição, é claro, mais um passinho leva à afirmação já citada de Hayek de que os pobres devem sua própria existência e seu "bem-estar" aos ricos – e deveriam ser eternamente gratos por isso.

O outro extremo, já mencionado e do qual devemos nos afastar, deixa de lado as "camadas" da reprodução sociometabólica por razões muito diferentes. Em seu desejo de fazer atalhos para a nova ordem histórica revista, ele postula que, pela intervenção política representada pela "expropriação dos expropriadores" que encerra a forma de exploração capitalista, pode-se realizar a meta socialista da emancipação. Nesta concepção firme e unilateralmente anticapitalista, "capital" equivale a *capitalismo*. Assim, o desdobramento histórico e a força do sistema do capital ficam irrealisticamente confinados à fase caracterizada pela "*subordinação real* do trabalho ao capital" – posição que deixa de enfrentar as difíceis questões de como foi possível uma "subordinação real" e como ela conseguiu se sustentar, apesar de suas explosivas contradições. Esta maneira de avaliar os parâmetros históricos do projeto socialista é problemática em dois grandes aspectos.

Antes de mais nada, ignora-se significativamente o fato de que, ao longo do complexo desenvolvimento histórico do capital, constituiu-se um poderosíssimo sistema coerente de controle metabólico, pelo redimensionamento qualitativo bem-sucedido das mediações hierárquicas de segunda ordem dos sistemas de reprodução que precederam, em milhares de anos, o modo de controle sociometabólico capitalista. Esse processo funcionou, em parte, pela incorporação de modos de troca característicos das primeiras formas do capital, mas não do capitalismo, e em parte por outras que nada tinham a ver sequer com as especificidades das formas mais embrionárias do capital, que, apesar disso, se afirmaram por meio de modos de hierarquia e dominação. Tal sistema de controle metabólico não pode ser historicamente ultrapassado sem que sejam criadas alternativas viáveis para as inúmeras funções reprodutoras nele realizadas por meio da *subordinação formal* e também *real* do trabalho, embutidas profundamente nas diversas camadas de dominação e subordinação do sistema do capital. Isto significa que, diante do fato de que o modo de controle sociometabólico do capital está constituído historicamente como um conjunto estreitamente interconectado pelo redimensionamento *homogeneizador* de seus antecedentes históricos, *nenhuma* de suas mediações essenciais de segunda ordem pode ser simplesmente incorporada na alternativa socialista. *Não pode haver escolha,* "do que melhor contém" ao contrário do que imaginaram os chamados "socialistas de mercado" na antiga União Soviética e no Leste europeu antes de seu rude despertar pela impressionante implosão do sistema soviético de Gorbachev e Yeltsin.

O segundo aspecto que se deve ter em mente é ainda mais importante: diz respeito ao lado inerentemente *positivo* das aspirações socialistas, ao contrário da indispensável mas insuficiente negação da subordinação formal e real do trabalho ao capital.

Esse lado positivo é mais importante porque, sem o estabelecimento de condições para sua realização, o projeto socialista não pode demonstrar sua viabilidade sequer como negação radical da ordem estabelecida, não importando a legitimidade de sua preocupação com a destrutividade fundamental da incontrolável acumulação do capital e da sujeição da carência humana aos imperativos da contínua expansão dos valores de troca. Acontece que é relativamente fácil dizer *não*, não somente para o modo capitalista de controlar os indivíduos sociais, mas em princípio também para o capital em geral, consideradas todas as suas raízes e ramificações históricas, inclusive suas metamorfoses pós-capitalistas dolorosamente experimentadas no século XX.

O lado positivo do projeto socialista não pode ser articulado sem se enfrentar os problemas da mediação *primária* sociometabólica. Em outras palavras, a dimensão positiva da alternativa socialista não pode se tornar realidade a menos que se encontre um equivalente racionalmente controlável e humanamente compensador de todas essas funções vitais da reprodução individual e social que devem ser realizadas – de alguma forma – por todos os sistemas de intercâmbio mediador produtivo.

Neste sentido, devemos estar conscientes das necessárias implicações de duas características definidoras inalteráveis:

1) os seres humanos são uma *parte* da natureza que deve satisfazer suas necessidades elementares por meio de um constante intercâmbio com a natureza – e...

2) eles são constituídos de tal maneira que não podem sobreviver como indivíduos da espécie a que pertencem (a única espécie "intervencionista" do mundo natural) num intercâmbio *não mediado* com a natureza – como fazem os animais – regulado pelo comportamento instintivo diretamente determinado pela natureza, por mais complexo que seja esse comportamento instintivo dos animais.

Em consequência dessas condições e determinações ontológicas, os indivíduos humanos devem sempre atender às inevitáveis exigências materiais e culturais de sua sobrevivência por meio das indispensáveis *funções primárias de mediação* entre si e com a natureza de modo geral. Isto significa assegurar e salvaguardar as condições objetivas de sua reprodução produtiva sob circunstâncias que mudam inevitável e progressivamente, sob a influência de sua própria intervenção através da atividade produtora – a ontologia unicamente humana do trabalho – na ordem original da natureza, que só será possível se envolver plenamente todas as facetas da reprodução humana produtiva e a complexa dialética do trabalho e da história da reprodução autoprodutiva.

Assim, não há como escapar do imperativo de estabelecer relacionamentos estruturais fundamentais pelos quais as funções vitais da *mediação primária* sejam exercidas enquanto a humanidade sobreviver. Paradoxalmente, o círculo vicioso das mediações de segunda ordem do capital é grandemente reforçado porque suas principais formas historicamente evoluídas (discutidas na seção 4.2.1) estão todas ligadas (ainda que de maneira alienada) a alguma mediação primária ou de primeira ordem da atividade básica produtiva/reprodutiva – fato esse perigosamente ignorado pelos socialistas.

As formas essenciais da mediação primária abrangem as relações em cujo quadro tanto os indivíduos da espécie humana como as entrelaçadas condições culturais/intelectuais/morais/materiais cada vez mais complexas de sua vida são reproduzidos segundo a margem de ação sócio-histórica disponível e cumulativamente ampliada. Entre essas condições estão:

- a regulação da atividade reprodutora biológica, mais ou menos espontânea e imprescindível, e o tamanho da população sustentável, em conjunto com os recursos disponíveis;
- a regulação do processo de trabalho, pelo qual o indispensável intercâmbio da comunidade com a natureza produz os bens necessários para gratificação do ser humano, além dos instrumentos de trabalho, empresas produtoras e conhecimentos pelos quais se pode manter e aperfeiçoar esse processo de reprodução;
- o estabelecimento de relações adequadas de troca, sob as quais as necessidades historicamente mutáveis dos seres humanos podem ser associadas para otimizar os recursos naturais e produtivos (inclusive os culturalmente produtivos);
- a organização, a coordenação e o controle das múltiplas atividades pelas quais se asseguram e se preservam os requisitos materiais e culturais para a realização de um processo bem-sucedido de reprodução sociometabólica das comunidades humanas cada vez mais complexas;
- a alocação racional dos recursos humanos e materiais disponíveis, combatendo a tirania da escassez pela utilização econômica (no sentido de *economizadora*) dos meios e formas de reprodução da sociedade, tão viável quanto possível com base no nível de produtividade atingido e dentro dos limites das estruturas socioeconômicas estabelecidas; e
- a promulgação e administração das normas e regulamentos do conjunto da sociedade, aliadas às outras funções e determinações da mediação primária.

Como se pode ver, nenhum desses imperativos da mediação primária exige, em si e por si, o estabelecimento de hierarquias estruturais de dominação e subordinação como o quadro indispensável da reprodução sociometabólica. As determinações opressivas dos modos hierárquicos de controle da reprodução surgem de outras raízes no curso da história. Inevitavelmente, as mediações de segunda ordem de sistemas de reprodução social historicamente específicos afetam profundamente a realização de quaisquer das funções de mediação primária.

Portanto, graças às mediações de segunda ordem do capital cada uma das formas primárias é alterada de modo a se tornar quase irreconhecível, para adequar-se às necessidades expansionistas de um sistema fetichista e alienante de controle sociometabólico, que subordina absolutamente tudo ao imperativo da acumulação de capital. Por exemplo, é por esta razão que, no sistema do capital, a meta teimosamente perseguida de reduzir os "custos de produção", tanto os materiais como os do trabalho vivo e a concomitante luta contra a escassez mostram fantásticas realizações, de um lado, para em seguida anulá-las completamente de outro, criando as mais absurdas carências e "apetites artificiais" que para nada servem, a não ser para a reprodução, cada vez mais dissipadora, dessa "ordem econômica ampliada". Igualmente, quando consideramos outra das exigências da mediação primária – a promulgação e a administração de normas destinadas ao intercâmbio social mais abrangente –, também encontramos sua distorção típica. As práticas indispensáveis para a promulgação e a administração de tais regras excluem sumariamente a avassaladora maioria dos indivíduos, porque estes ocupam as camadas inferiores na estrutura de comando do capital tanto na "sociedade civil" como no Estado político. Na melhor das hipóteses, eles podem apenas "participar"[49], no sentido mais superficial, pelo exercício, uma vez em cada quatro ou cinco anos, de seu "poder político" para abdicar de seus "direitos democráticos", legitimando assim o mencionado sistema de igualdade formal e desigualdade substantiva, estruturalmente imposto e prejulgado pelo capital. As funções mediadoras primárias, de decreto e administração de normas sociais – que, em princípio, poderiam ser exercidas de maneira bem mais democrática por todos para benefício de todos –, assumem a forma alienada do Estado político moderno. O mandato desse Estado é impor aos indivíduos a reprodução ampliada do sistema do capital em seus próprios termos, segundo sua constituição objetiva e determinação estrutural como a estrutura abrangente de comando político do capital.

Mesmo assim, em relação às inevitáveis funções primárias da mediação da reprodução social, não pode haver certa nostalgia romântica em relação a alguma "condição original" ou "estado natural" idealizado. Nenhuma delas poderia ser considerada primária, num sentido cronológico. Em todos os modos viáveis de reprodução sociometabólica, elas não constituem uma camada *historicamente* primária, mas uma camada *estrutural* e, assim, devem ser sempre remodeladas segundo as especificidades sócio-históricas da ordem reprodutiva em que continuam a exercer sua funções – como determinações *trans-históricas* – dentro da objetiva dialética da "continuidade na descontinuidade" e vice-versa.

Naturalmente, assim como não poderia existir um "estado natural original" idealizado, correspondente direto das mediações primárias a que se poderia voltar, também não há forma de escapar à determinação estrutural das necessidades de mediação trans-historicamente persistentes. Contudo, justamente por esta razão, existe um mundo de diferença entre a situação em que as funções de mediação primárias estruturalmente inevitáveis sejam remodeladas sob as circunstâncias históricas prevalecentes – sempre na forma de mediações de segunda ordem – que levam à autorrealização do ser humano e aquela em que, pelo contrário, sejam destrutivamente opostas a estas.

É impossível passar do círculo vicioso das mediações de segunda ordem do capital, seja para o mundo romantizado de um "estado original" mais ou menos idílico, que nas velhas parábolas da religião e da filosofia precederam a "queda" da alienação, seja para uma terra-de-ninguém inteiramente constituída dos parâmetros estruturais da igualmente idealizada mediação primária. Gostando-se ou não, esta só pode existir nas, ou por meio das, mediações de segunda ordem das ordens sociais historicamente cambiantes. Da mesma forma, o significado do projeto socialista – ao contrário do modo de reprodução do capital, que deixa as alavancas do controle fora do alcance dos indivíduos até mesmo nas palavras de seus ilustres idealizadores, desde a "mão invisível" de Adam Smith até a "astúcia da Razão" de Hegel – é o

---

[49] Na rebelião de maio de 68 em Paris, um dos cartazes que apareceu nos muros da Sorbonne dizia: "Eu e Você participamos, Ele/Ela participam, Nós e Vocês participamos, Eles... lucram". Vê-se que imaginosa e sucintamente pegaram o espírito da coisa, levantando também a necessidade de colocar a "criatividade no poder". Bom, mas seria preciso muito mais do que a imaginação para tirar o capital de sua posição de poder protegida e estruturalmente resguardada.

estabelecimento de um conjunto coerente de mediações de segunda ordem, viáveis na prática e controladas racionalmente, não por certa misteriosa entidade impessoal como o "Espírito do Mundo" e suas variantes, nem por um "coletivo" mítico, mas por indivíduos reais.

Dadas as inevitáveis ligações às condições sócio-históricas que as precederam – condições passíveis de transcendência apenas no triplo sentido da boa expressão do alemão antigo *Aufhebung* ("superação", "preservação" e "elevação a um nível superior") –, ninguém poderia sustentar a sério que as mediações de segunda ordem do processo de reprodução socialista estivessem livres de restrições, mesmo das gravemente limitadoras, sobretudo em suas primeiras etapas de desenvolvimento. Não obstante, há uma grande diferença: o projeto socialista visa reduzir progressivamente a força dessas restrições – em vez de transformar sua permanência em virtude, como fazem os defensores do sistema do capital, em nome de um mercado idealizado e outras estruturas reificadas de dominação.

Neste sentido, a alternativa socialista se define como um conjunto de práticas que cumprem as funções mediadoras primárias da reprodução sociometabólica em base racionalmente constituída e (conforme as necessidades humanas que mudam historicamente) alterável em sua estrutura, ou seja, sem subjugar os indivíduos ao "poder das coisas". A viabilidade de ir-se *além do capital* depende inteiramente dessa importantíssima questão. À luz da experiência histórica, é dolorosamente óbvio que, quaisquer que sejam as dificuldades pelo caminho, não se pode esperar sucesso duradouro, nem sequer no objetivo limitado de oposição ao capitalismo, sem que se troque o círculo vicioso das mediações intertravadas de segunda ordem do capital por uma alternativa positiva sustentável. Isto requer a instituição de formas e estruturas de controle metabólico por meio das quais os indivíduos – empenhados no necessário intercâmbio de uns com os outros e com a natureza, em harmonia com as exigências das funções mediadoras primárias da existência humana – possam dar significado às possibilidades da "reprodução ampliada". Não no sentido de submissão à tirania de uma "ordem econômica ampliada" fetichista, mas ampliando suas próprias forças criativas como indivíduos sociais.

Capítulo 5

A ATIVAÇÃO DOS LIMITES ABSOLUTOS DO CAPITAL

Todo sistema de reprodução sociometabólica tem seus limites intrínsecos ou absolutos, que não podem ser transcendidos sem que o modo de controle prevalecente mude para um modo qualitativamente diferente. Quando esses limites são alcançados no desenvolvimento histórico, é forçoso transformar os parâmetros estruturais da ordem estabelecida – em outras palavras, as "premissas" objetivas de sua prática – que normalmente circunscrevem a margem global de ajuste das práticas reprodutivas viáveis sob as circunstâncias existentes. Isto significa sujeitar a um escrutínio fundamental nada menos do que os princípios orientadores mais essenciais, historicamente dados de uma sociedade, e seus corolários instrumentais-institucionais, pois, sob as circunstâncias da mudança radical inevitável, eles deixam de ser os pressupostos válidos e o quadro estrutural aparentemente insuperável de toda a verdadeira crítica teórica e prática, e transformam-se em restrições absolutamente paralisantes.

Em princípio, a crítica prática transformadora não deveria constituir um problema impeditivo nem mesmo em nosso período histórico, independente do alcance e da complexidade dos ajustes necessários. Afinal de contas, para os seres humanos, é essencial assegurar "o domínio da sociedade sobre a riqueza" no sentido potencialmente universalizável e abrangente de sua economia, preocupada com a economia da vida e a relação adequada entre o esforço investido e a realização. Entretanto, o problema é que essa meta não poderia ser mais claramente contraditória em relação ao "domínio da riqueza sobre a sociedade" prevalecente no sistema do capital. Este é imposto sobre os indivíduos sociais em nome do sentido altamente seletivo/exclusivo (e tendenciosamente perverso) de uma "economia" extremamente problemática, voltada para o benefício da minoria dominante, apesar de seu gritante desperdício. Assim, o argumento tantas vezes apresentado da "insuperável complexidade" – de Max Weber a Hayek e seus atuais seguidores – só é usado para emprestar uma aparência de justificativa racional à permanência absoluta de uma ordem socioeconômica insustentável. Assim, o significado dado à "complexidade" por todos os que escondem atrás dessa ideia suas verdadeiras preocupações e interesses não resulta de que a instituição das indispensáveis mudanças qualitativas seja difícil e exija dedicados esforços combinados de todos, mas porque entrar num empreendimento desse gênero não deveria sequer ser contemplado, e muito menos tentado, na prática.

Ainda assim, a verdade é que as proclamadas "complexidades insuperáveis" que hoje se têm de enfrentar não surgem a partir de exigências apriorísticas de alguma "ordem econômica ampliada", mas das premissas estruturais problemáticas do próprio sistema de capital. Precisamente porque esse sistema de controle sociometabólico é *estruturado de maneira mutuamente antagônica* (das menores células ou "microcosmos" que o constituem às mais abrangentes unidades globais de intercâmbio econômico e político), as verdadeiras premissas de seu modo de funcionamento contínuo devem ser organizadas de modo que garantam a subordinação permanente do trabalho ao capital. Qualquer tentativa de modificar esta subordinação estrutural deve ser tratada como tabu absoluto – daí a evidente comprovação de "complexidade insuperável". Quanto mais mudam as próprias circunstâncias históricas, apontando na direção de uma mudança necessária das contraditórias e cada vez mais devastadoras premissas estruturais irracionais do sistema do capital, mais categoricamente os imperativos de funcionamento devem ser reforçados e mais estreitas devem ser as margens dos ajustes aceitáveis. É por isso que, nas últimas décadas, a máxima de que *não há alternativa* aos ditames materiais prevalecentes se tornou o axioma indiscutível do sistema do capital pelo mundo afora.

A manutenção da estabilidade de um sistema erigido sobre toda uma série de antagonismos estruturais explosivos é algo absolutamente impensável sem a superposição de camadas artificiais de complexidade, cuja função essencial é a perpetuação da ordem dominante e o retardamento do "momento da verdade". Não obstante, como a ativação dos limites absolutos do capital, enquanto sistema de reprodução plausível, surgiu em nosso horizonte histórico, já não se poderá evitar por muito mais tempo o enfrentamento da questão de como superar os pressupostos estruturais destrutivos do modo estabelecido de controle sociometabólico.

Evidentemente, os interesses profundamente enraizados do capital e de suas "personificações" militam contra todas as ideias sérias sobre essa questão. O capital não pode funcionar sem fazer respeitar com maior firmeza do que nunca (até de maneira autoritária, se preciso for) as premissas e os antagonismos estruturais de sua prática. Não fosse por isso, a avaliação racional dos riscos históricos que se apresentam para as condições da própria sobrevivência humana seria de grande ajuda para fazer a balança pender em favor das mudanças necessárias. Entretanto, quando as premissas fundamentais do partido materialmente dominante estão em jogo, argumentos racionais são impotentes para superar a hostilidade à mudança. As racionalizações de "complexidade insuperável" e seus corolários reveladores, escorados pela potência material da ordem estabelecida, não podem ser convincentemente contra-atacadas nem mesmo pelos melhores argumentos racionais, a menos que estes também estejam plenamente apoiados por uma força material alternativa com viabilidade na prática – uma força capaz de colocar seus novos princípios orientadores e suas instituições organizadoras e produtivas no lugar das premissas práticas dominantes da ordem social dada, que todos os dias demonstram seu anacronismo histórico por meio do recurso, cada vez mais intolerante, ao "não há alternativa" utilizado pelas personificações do capital. Por isso é revelador que em nossos dias até os limitados órgãos defensivos do movimento operário – seus sindicatos e os partidos parlamentaristas tradicionais – tornem-se totalmente impotentes: quer pela integração dos altos escalões de sua liderança aos quadros de um consenso perverso, quer pela mobilização aberta dos artifícios legais de opressão e da força material repressiva do "Estado democrático" contra as atividades anteriormente toleradas do trabalho organizado.

Assim, dadas as opressivas premissas estruturais do sistema do capital, o projeto socialista marxista não poderia confinar-se a uma demonstração teórica da necessidade da busca de um rumo racionalmente sustentável na reprodução sociometabólica. Não pode fazê-lo apesar de, em termos históricos, o aspecto mais importante da proposta do socialismo ser o de tornar possível – pela eliminação dos antagonismos de classe e a influência decisiva dos interesses criados inseparáveis da estrutura antagônica do sistema do capital – a periódica introdução racional, sem dificuldades, de inevitáveis mudanças estruturais no desenvolvimento social, como seria de esperar, por indivíduos com completa autoridade para exercer o controle sobre as atividades de suas vidas. A demonstração teórica do curso racional da ação cooperativa completa (ou seja: socialista/comunitária) exigida para a realização deste objetivo deveria ser complementada pela articulação *material* de sua verdade. Por isso, Marx teve de insistir em que "a arma da crítica não pode substituir a crítica pelas armas, a força material deve ser derrubada pela força material... *não basta o pensamento esforçar-se por sua realização, a própria realidade deve esforçar-se para chegar ao pensamento*"[1]. Ao mesmo tempo, ele também indicava a saída para o dilema implícito dessa visão, ressaltando que "a teoria também se torna uma força material quando agarra as massas. ... A teoria pode ser realizada num povo *apenas na medida em que seja a realização das necessidades desse povo*"[2].

A apresentação desses critérios tornou o discurso socialista duplamente difícil, embora ele seja realista na avaliação global do que pode ser feito: por um lado, deveria demonstrar com rigor científico a validade de sua "arma da crítica" racional, levando em conta toda a força de seu adversário, tanto em termos gerais e teóricos como nos históricos e práticos. Por outro lado, ao contrário até das concepções dos mais nobres socialistas utópicos – para quem "a história futura há de se resolver na propaganda e na realização de seus planos sociais, ... pois, uma vez entendido o seu sistema, como as pessoas deixariam de ver nele o melhor plano para o melhor estado da sociedade?"[3] –, sua posição dependia da capacidade ou incapacidade da teoria socialista radical de "agarrar as massas" e de realizá-lo e não de ter inventado "o melhor plano para o melhor estado da sociedade". Marx sabia muito bem que isto não poderia acontecer, porque todas as verdadeiras realizações traziam consigo as sementes de sua necessária superação futura. E também sabia que o sucesso permanente do projeto socialista só poderia ser visado se as aspirações nele expressas correspondessem às necessidades reais das pessoas.

---

[1] Marx, "Contribution to the Critique of Hegel's Philosophy of Law, Introduction", MECW, vol. 3, pp. 182-3.
[2] Id., ibid.
[3] Marx e Engles, *Manifest of the Communist Party*, Marx e Engels, *Selected Works*, vol. 1, p. 62.

Apesar dos defeitos da esquerda histórica, e mais do que nunca precisamente por causa deles, os critérios do sucesso historicamente sustentável que Marx apresentou (*não basta o pensamento esforçar-se por sua realização, a própria realidade deve esforçar-se para chegar ao pensamento* porque *a teoria pode ser realizada num povo apenas na medida em que seja a realização das necessidades desse povo*) continuam válidos no que diz respeito à estratégia a seguir e também para uma boa avaliação das falhas do passado.

Com relação a este último critério, é óbvio que as mudanças sociais impostas em nome do projeto socialista – especialmente sob o *slogan* do "socialismo num único país" – estavam tragicamente distantes da "realização das necessidades do povo". Até mesmo o projeto socialista marxiano teve de sofrer as restrições de sua época. A crise do capital percebida por Marx em meados do século XIX no "cantinho europeu do mundo" por muito tempo não foi uma crise geral. Ao contrário, a continuação da ascendência histórica da ordem burguesa no "terreno bem mais amplo" do resto do mundo dissolveu durante todo um período histórico até mesmo a relativamente limitada crise europeia. Em consequência, o próprio movimento socialista inicialmente articulado por Marx e seus camaradas intelectuais e políticos foi fatalmente prematuro. *No momento de sua concepção, a teoria marxista lutou como pôde para se realizar, mas a própria realidade se recusou a lutar ao seu lado, da maneira esperada e estipulada por seu autor.*

Hoje, a situação é radicalmente diferente e chega a ser diametralmente oposta ao que foi enquanto Marx vivia. Embora o aprofundamento da crise estrutural do capital signifique que "a realidade está começando a se movimentar em direção ao pensamento", parece que em consequência das derrotas e falhas do movimento socialista (em especial, no passado recente), o próprio pensamento – e as indispensáveis forças materiais e organizacionais, sem as quais nem o mais válido pensamento tem condições de "agarrar as massas" e tornar-se uma força material eficaz – se recusa a caminhar na direção da realidade e "lutar por sua própria realização". Nesse meio tempo, as necessidades das pessoas continuam frustradas e negadas, como sempre.

Apesar das grandes derrotas do passado, a questão decisiva é o fato de que o final da ascendência histórica do capital em nossa época – seu domínio agora se estende aos bolsões mais distantes e anteriormente isolados do planeta – ativou os limites absolutos deste sistema de controle sociometabólico. Com o relacionamento do modo de reprodução social do capital à *causalidade* e ao tempo, o que foi discutido no início do capítulo 4, a margem de deslocamento das contradições do sistema se torna cada vez mais estreita e suas pretensões ao inquestionável *status* de *causa sui*, visivelmente absurdas. Isso ocorre, porém, a despeito do poder destrutivo, outrora inimaginável, que ora se encontra à disposição de suas personificações, poder este capaz de atingir a humanidade inteira. Essa que parece ser a sua tendência, com certeza, não será seletiva no sentido de destruir somente o seu antagonista histórico, mas inclusive o seu sistema de controle.

Embora tenhamos de estar conscientes da ativação dos limites absolutos do capital para permanecer alertas em relação a suas implicações destrutivas, é também necessário introduzir aqui algumas ressalvas, a fim de evitar possíveis mal-entendidos e ilusões de falso otimismo com relação à saída da crise.

Em primeiro lugar, deve-se enfatizar que a expressão "limites absolutos" não implica algo absolutamente impossível de ser transcendido, como os apologistas da "ordem econômica ampliada" dominante tentam nos fazer crer para nos submeter à máxima do "não há alternativa". Esses limites são absolutos apenas para o sistema do capital, devido às determinações mais profundas de seu modo de controle sociometabólico.

Em segundo lugar (o que é bem menos tranquilizador), é preciso fazer a ressalva de que não devemos imaginar que o incansável impulso do capital de transcender seus limites deter-se-á de repente com a percepção racional de que agora o sistema atingiu seus limites absolutos. Ao contrário, o mais provável é que se tente tudo para lidar com as contradições que se intensificam, procurando ampliar a margem de manobra do sistema do capital em seus próprios limites estruturais. No entanto, como as fundamentações causais responsáveis pela ativação dos limites absolutos desse modo de controle não podem ser discutidas, e muito menos adequadamente resolvidas dentro de tais limites, a correção de alguns dos problemas mais explosivos do espinhoso processo sociometabólico tende a ser procurada de outras formas. Esta correção ocorrerá por meio da manipulação dos obstáculos encontrados, estendendo-se ao extremo as formas e os mecanismos do intercâmbio reprodutivo no plano de seus efeitos limitadores, hoje deplorados até pelos "capitães de indústria".

Diante do fato de que a mais problemática das contradições gerais do sistema do capital é a existente entre a impossibilidade de impor restrições internas a seus constituintes econômicos e a necessidade atualmente inevitável de introduzir grandes restrições, qualquer esperança de encontrar uma saída desse círculo vicioso, nas circunstâncias marcadas pela ativação dos limites absolutos do capital, deve ser investida na dimensão política do sistema. Com as recentes medidas legislativas que já apontam nessa direção, não pode haver dúvida de que o pleno poder do Estado será ativado para atender à meta de encerrar esse círculo vicioso do capital, ainda que isto signifique sujeitar quaisquer dissensões potenciais a restrições autoritárias extremas. Igualmente, não pode haver dúvida de que o sucesso ou não desta ação corretiva (ajustada aos limites estruturais do sistema global do capital), apesar de seu caráter evidentemente autoritário e de sua destrutividade, vai depender da capacidade ou incapacidade da classe trabalhadora de rearticular o movimento socialista como empreendimento verdadeiramente internacional.

De qualquer forma, o que torna os problemas especialmente graves é o fato de que as questões de longo alcance que a humanidade enfrenta na fase atual do desenvolvimento histórico não podem ser evitadas pelo sistema do capital dominante, nem por qualquer alternativa a ele. Apesar disso, por incertezas do momento histórico, esses problemas surgiram com a ativação dos limites absolutos do capital e não podem ser devidamente superados nem se pode esperar que sua gravidade deixe de existir como por encanto. Ao contrário, eles permanecem como exigência inadiável de ação corretiva abrangente dos diversos processos de reprodução da humanidade, enquanto o círculo vicioso da presente contingência histórica do capital não for definitivamente consignado ao passado. A capacidade de enfrentar, de maneira sustentável, o desafio histórico absoluto que resultou das perversas contingências e contradições do sistema do capital constitui paradoxalmente a medida da plausibilidade de *qualquer* alternativa sociometabólica à ordem dominante. Consequentemente, a luta para superar os ameaçadores limites absolutos do sistema do capital tende a determinar os planos históricos no futuro previsível.

A intratável contradição entre a irrefreabilidade do capital e a hoje historicamente inevitável necessidade de restrições básicas esclarece um grande problema futuro. No passado, pelo dinamismo de sua irrefreabilidade, o capital assegurou imenso avanço produtivo e, dessa forma, dirigiu-se para a satisfação potencial das necessidades e aspirações humanas. O fato de que, durante o desenvolvimento histórico, seu irrestrito dinamismo inicial tenha-se voltado contra as condições elementares da sobrevivência humana, com a ativação dos limites absolutos do capital, não significa que a causa positiva do avanço produtivo constante – necessária precondição para realizar as legítimas aspirações humanas – possa ser deliberadamente abandonada.

Entretanto, é compreensível que, sob as condições críticas atuais, os defensores do sistema do capital apresentem todo tipo de alternativas falsas. Para tomarmos um exemplo evidente, os que defendem as medidas corretivas reunidas sob a bandeira dos "Limites do Crescimento"[4] argumentam que a busca do desenvolvimento deveria ser abandonada em prol de um fictício "equilíbrio global em que população e capital são essencialmente estáveis"[5]. Naturalmente, recomendam esta solução sem submeter a uma crítica séria o próprio sistema socioeconômico culpado de produzir os sintomas quixotescamente criticados por eles[6]. No entanto, ao contrário da falsa dicotomia "crescer ou não crescer", o desafio histórico de ter de lutar contra as catastróficas implicações dos limites absolutos do capital consiste justamente na necessidade de encontrar soluções viáveis para cada uma das contradições nele manifestas, por meio de uma boa redefinição qualitativa do significado do avanço produtivo, em vez de por intermédio da fetichista maneira quantitativa de tratar dos problemas do desenvolvimento utilizada pelo sistema do capital – uma *redefinição qualitativa* que abrangesse toda a humanidade em termos de *substantiva*

---

[4] Ver as atividades do "Clube de Roma", particularmente sua famosa publicação *The Limits to Growth: A Report for the Club of Rome Project on the Predicaments of Mankind*, escrito por Donella H. Meadows, Dennis L. Meadows, Jorgen Randers e William W. Behrens III, com prefácio de William Watts, presidente da Potomac Associates, Londres, A Potomac Associates Book, Earth Island Limited, 1972.

[5] Id., ibid., p. 171.

[6] Coerentemente, também neste livro evita-se a dimensão social das questões identificadas em nome da "complexidade", ao insistir em que "os principais problemas a serem enfrentados pela humanidade são de tal forma complexos e tão inter-relacionados que as instituições e políticas tradicionais já não têm condições de enfrentá-los" (pp. 9-10.) Apesar disso, ironicamente o resultado da adoção desta abordagem no interesse da eternização da regra do sistema do capital (como já vimos, o objetivo do equilíbrio definido no relatório para a humanidade é "tornar população e capital essencialmente estáveis") é que o método de modelagem em computador oferecido para dominar intelectualmente a complexidade e as inter-relações alegadas gera apenas a vacuidade que trai as intenções originais. É assim que ficamos sabendo, na conclusão deste "Report on the Predicament of Mankind", que o relatório apresenta de forma direta as alternativas diante não de uma nação ou de um povo, mas de todas as nações e todos os povos, forçando o leitor a encarar a dimensão da *problemática mundial*. Evidentemente, um dos problemas desta abordagem é o fato de que – dada a heterogeneidade da sociedade mundial, das estruturas políticas nacionais e dos níveis de desenvolvimento – as conclusões do estudo, apesar de válidas para todo o planeta, não se aplicam em detalhe a qualquer país ou região (p. 188).

Realmente, uma conclusão valiosa e tranquilizadora.

igualdade, em vez de continuar excluindo a avassaladora maioria dos seres humanos dos frutos do avanço produtivo, como aconteceu durante o longo período de ascendência histórica do capital. Contudo, toda a preocupação com a igualdade tem sido caracteristicamente descartada como "a palavra vazia da igualdade"[7] pelo inspirador dos modelos pseudocientíficos em computador que permeiam o tipo de literatura de *Limites para o crescimento*. Entretanto, apesar da diligência com que este espírito é aplicado, e da fanfarra com que são saudadas suas conclusões circulares a partir de premissas arbitrárias, apresentadas sob o simulacro de uma sólida quantificação erudita, nenhum insulto e nenhuma demagogia desse gênero pode desviar a atenção das graves questões trazidas à baila pela crise estrutural do sistema do capital.

As quatro questões escolhidas para a discussão que vem a seguir não representam características isoladas. Longe disso: cada uma delas é o centro de um conjunto de grandes contradições. Como tais, elas demonstram ser insuperáveis precisamente porque, em conjunto, intensificam imensamente a força desintegradora de cada uma e a influência global desses conjuntos particulares tomados em seu todo.

Assim, o antagonismo estrutural inconciliável entre o capital global – irrestritamente transnacional em sua tendência objetiva – e os Estados nacionais necessariamente repressores é inseparável de (pelo menos) três contradições fundamentais: as que existem entre (1) *monopólio e competição*; (2) a crescente *socialização* do processo de trabalho e a *apropriação discriminatória e preferencial* de seus produtos (por várias personificações do capital – de capitalistas privados às autoeternizadoras burocracias coletivas); e (3) a *divisão internacional do trabalho*, ininterrupta e crescente, e o impulso irreprimível para o desenvolvimento desigual, que, portanto, deslocam necessariamente as forças preponderantes do sistema global do capital (no período posterior à Segunda Guerra Mundial, basicamente os Estados Unidos) para a *dominação hegemônica*.

Da mesma forma, os problemas a ser discutidos na seção 5.2 não se restringem às questões ambientais apregoadas em altos brados, mas convenientemente limitadas, como a hipócrita preocupação dos círculos oficiais com o "buraco do ozônio" (que traria rápidos negócios e lucros maximizados a algumas companhias transnacionais da química, como a ICI inglesa, pela promoção da "alternativa 'amiga do ozônio' ao condenado CFC"). Como veremos, elas abrangem todos os aspectos vitais das condições da reprodução sociometabólica – desde a alocação perdulária de recursos (renováveis ou não renováveis) ao veneno que se acumula em todos os campos em detrimento das muitas gerações futuras; e isso, não apenas sob a forma

---

[7] Ver a entrevista com o Professor Jay Forrester, do Massachusetts Institute of Technology, no *Le Monde*, 1º de agosto de 1972. Ver também o seu livro *World Dynamics*, Cambridge, Massachusetts, Wright-Allen Press, 1971.

do irresponsável legado atômico para o futuro (tanto armamentos como usinas de energia), mas também no que diz respeito à poluição química de todo tipo, inclusive a da agricultura. Além do mais, com referência à produção agrícola, a condenação literal à fome de incontáveis milhões de pessoas pelo mundo afora é acompanhada das absurdas "políticas agrícolas comuns" protecionistas, criadas para assegurar o lucrativo desperdício institucionalizado, sem levar em conta as consequências imediatas e futuras. Qualquer tentativa de tratar dos problemas relutantemente admitidos deve ser empreendida sob o peso proibitivo de leis fundamentais e antagonismos estruturais do sistema. Assim, as "medidas corretivas" contempladas em grandes encontros festivos – como a reunião de 1992 no Rio de Janeiro – acabam em malogro[8], pois estão subordinadas à perpetuação de relações de poder e interesses globais estabelecidos. Causalidade e tempo devem ser tratados como brinquedos dos interesses capitalistas dominantes, não importando a gravidade dos riscos implícitos. O futuro está implacável e irresponsavelmente confinado ao horizonte muito estreito das expectativas de lucro imediato. Ao mesmo tempo, a dimensão causal das condições mais essenciais da sobrevivência humana é perigosamente desconsiderada. Somente a manipulação retrospectiva da reação aos sintomas e efeitos é compatível com a permanência do domínio da *causa sui* do capital.

Da mesma forma, grandes questões se fundem em torno da exigência elementar e politicamente irrefreável da liberação das mulheres – à guisa de permanente lembrete de promessas não cumpridas e não cumpríveis do sistema do capital – e transformam a grandiosa causa de sua emancipação numa dificuldade *não integrável* ao domínio do capital. Não pode haver nenhum modo de satisfazer a exigência da emancipação feminina – que veio à tona há muito tempo, mas adquiriu urgência num período da história que coincidiu com a crise estrutural do capital – sem uma mudança *substantiva* nas relações de desigualdade social estabelecidas. Neste sentido, o movimento feminista, que no início parecia ter um campo limitado, chega a uma audácia que vai muito além dos limites de suas necessidades imediatas; ele realmente questiona o âmago do sistema dominante de reprodução sociometabólica, sejam quais forem as artimanhas usadas pela ordem estabelecida para tentar tirar dos trilhos as suas múltiplas manifestações, pois, pela própria natureza de seus objetivos, o movimento não pode ser apaziguado por "concessões" formais/legais, tanto com o direito de voto parlamentar como com o grotescamente divulgado privilégio da abertura da Bolsa de Valores a mulheres representativas da burguesia. Ao concentrar-se na *significativa natureza não integrável*

---

[8] Até mesmo as ineficazes resoluções da Conferência do Rio de Janeiro de 1992 – diluídas quase a ponto de perder toda a significância, sob a pressão das potências capitalistas dominantes, principalmente os Estados Unidos, cuja delegação foi chefiada pelo Presidente Bush – só são usadas como álibi para que tudo continue como antes, sem que nada se faça para enfrentar o desafio, enquanto se finge "cumprir obrigações assumidas". Pode-se assim observar a hipocrisia desavergonhada com que o governo britânico tentou justificar, em 1994, o imposto de valor agregado de 17,5% sobre o consumo interno de combustíveis – castigando principalmente os pobres e os aposentados de baixa renda –, com a desculpa de preocupar-se com o meio ambiente, referindo--se à Conferência do Rio. Na verdade esta medida altamente impopular – que cinicamente transformou no seu contrário a solene promessa eleitoral dos conservadores de reduzir impostos – foi imposta para tentar reduzir um déficit orçamentário anual de £50 bilhões, sem qualquer expectativa de que o aumento da carga tributária viesse a forçar uma redução do consumo de energia e as consequências negativas de se continuar a produzir energia com os mesmos métodos altamente poluidores.

da questão em pauta, a exigência de emancipação das mulheres também assombra a ordem burguesa com seu próprio passado, trazendo à baila a traição da ética original, sobre a qual se baseou a ascendência dessa ordem. Assim, a necessidade da emancipação feminina serve muito bem para lembrar que "liberdade, igualdade e fraternidade" em outros tempos não foram palavras vazias ou alguma espécie de embuste cínico usados para desviar a atenção do adversário real. Ao contrário, essas palavras foram os objetivos perseguidos com a paixão de uma classe (a burguesia progressista que ainda partilhava uma significativa causa comum com o trabalho, como componentes do "Terceiro Estado") que mais tarde teve de esvaziar e, mais tarde ainda, descartar com desprezo (como "palavras vazias") suas convicções e aspirações para justificar até mesmo as mais gritantes iniquidades e desumanidades do domínio do capital na ordem social. Para a ordem dominante, o grande problema da emancipação feminina não é apenas o fato de que as mulheres não se satisfazem com artifícios formais ou legais vazios. O que a torna igualmente, ou até mais, indigesta é que esta emancipação não pode ser descartada como simples "inveja" injustificada da "posição duramente conquistada dos criadores da riqueza por parte do trabalho sem méritos". Desta forma, cai por terra a condenação mistificadora do interesse na verdadeira igualdade – que a ideologia dominante equipara a "injustas aspirações de classe". Assim, é inevitável que o desafio da emancipação das mulheres relembre as dolorosas perguntas sobre onde se perderam as aspirações outrora sinceras de emancipação do ser humano e – à luz do fato de que as exigências substantivas de igualdade não avançam – e sobre o porquê de tudo ter dado errado no desenvolvimento do sistema do capital. Além do mais, para piorar, agora é impossível fugir desses "o quê" e "por quê" pela simples exclusão deste novo desafio histórico – que não podia nem pode ser resolvido no quadro estrutural de qualquer sociedade de classes conhecida ou imaginável – como mais uma "palavra vazia da igualdade". Consequentemente, no momento exato em que as personificações do capital se asseguravam de que haviam conseguido derrubar para sempre o fantasma do socialismo e, com isso, sossegar o espectro da emancipação das classes (afirmando ao mesmo tempo, com típica autocontradição, que vivemos numa "sociedade sem classes" e noções afins, e que a "palavra vazia da igualdade" é manifestação da "inveja e da ganância das classes"), elas sentiram-se forçosamente desapontadas. Agora têm de enfrentar não apenas a exigência de emancipação feminina, mas também suas associações inerentes relativas à necessária emancipação dos seres humanos em geral – tanto em termos estritos de classes nos países de capitalismo avançado como nas perversas relações destes com as massas ultraexploradas do chamado "Terceiro Mundo" – do domínio do capital, que sempre se afirma como sistema incuravelmente hierárquico de dominação e subordinação. Assim, de forma paradoxal e inesperada (pois a classe das mulheres atravessa todos os limites de classes sociais), a emancipação feminina comprova ser o "calcanhar de Aquiles" do capital: ao demonstrar a total incompatibilidade de uma verdadeira igualdade com o sistema do capital nas situações históricas em que essa questão não desaparece, não pode ser reprimida com violência (ao contrário do que acontecia com a militância de classes no passado) nem esvaziada de seu conteúdo e "realizada" na forma de critérios formais vazios.

Por fim, a questão do desemprego crônico traz à baila as contradições e os antagonismos do sistema global do capital na forma potencialmente mais explosiva. Todas as medidas criadas para tratar do profundo defeito estrutural do crescente desemprego tendem a agravar a situação, em vez de aliviarem o problema. Seria um milagre se fosse diferente, já que todas as premissas e determinantes causais do sistema devem ser consideradas resolvidas e inalteráveis: a maneira característica de lidar com as dificuldades é reforçar de modo implacável a subordinação do trabalho ao capital até nos países "democráticos liberais" (que nos últimos tempos aprovaram leis mais abertamente antitrabalhistas) e ao mesmo tempo fingir que ela não existe neste melhor de todos os mundos realmente plausíveis. A ampla intervenção em todos os níveis e todas as questões direta ou indiretamente pertinentes à permanência do domínio do capital sobre o trabalho (mais do que nunca necessária por causa do aprofundamento da crise estrutural do sistema) se fazem acompanhar da mais cínica mistificação ideológica da única forma viável de reprodução socioeconômica: a idealizada "sociedade de mercado" e as "oportunidades iguais" que supostamente uma sociedade desse tipo oferece a todos os indivíduos.

Na realidade, até na parte mais privilegiada do sistema do capital o desemprego em massa, a mais grave das doenças sociais, assumiu proporções crônicas, sem que a tendência a piorar tenha algum fim à vista. Somente no capitalismo avançado da Europa Ocidental existem bem mais do que vinte milhões de desempregados; há pelo menos mais uns dezesseis milhões em outros "países de capitalismo avançado". Todos esses números ameaçadores estão registrados na forma de cifras oficiais imensamente subestimadas (ou cinicamente falsificadas); na Inglaterra, por exemplo, *16 horas* de trabalho por semana (em geral associadas à miserável remuneração de 2 libras por hora a milhões de trabalhadores – ou seja: a principesca importância de 3 dólares por hora, nos valores de 1994) contam como "emprego em tempo integral" e, arbitrariamente, muitas categorias de pessoas que na verdade estão desempregadas por algum pretexto estão excluídas das estatísticas do desemprego. O remédio para dar seguimento às deficiências e "disfunções" devidas ao desemprego crônico em todos os países sob o domínio do capital, em rigorosa conformidade aos parâmetros causais do sistema do capital, é visto em termos de "maior disciplina do trabalho" e "maior eficiência", resultando de fato na redução dos níveis salariais, na crescente precarização da força de trabalho até nos países capitalistas avançados e no aumento generalizado do desemprego. A estratégia fortemente idealizada da "globalização" – que não passa de mais um nome para o reforço reiterado das relações iníquas de poder socioeconômico entre os países avançados e os subdesenvolvidos, ou "Terceiro Mundo" do sistema global do capital – agrava o problema do desemprego também nos países "metropolitanos" ou "centrais", acelerando a mencionada tendência à uniformização do índice diferencial da exploração. Subjugar ou reprimir a força de trabalho – com a cooperação ativa de suas lideranças políticas e sindicais –, em nome da disciplina do trabalho, do aumento da produtividade, da eficiência do mercado e da competitividade internacional, não é uma solução realista, apesar das vantagens *parciais* que podem *temporariamente* disso derivar para uma ou outra seção do capital competitivo. Em seu teor, essas medidas não combatem a tendência à recessão global – e, no devido momento, depressão – pela simples razão de que é impossível espremer o "poder de compra crescente" (necessário para uma "expansão saudável") de salários que encolhem e do deteriorado padrão de vida da força de trabalho. Apesar de todos os esforços e recursos da intervenção do Estado e da teoria econômica capitalista, ninguém conseguiu resolver esta contradição particular (nem os bitolados representantes implacáveis da "direita radical" no governo e nas empresas) nem jamais conseguirá. Graças a seu monopólio total dos meios e recursos da produção, o capital pode sujeitar a força de trabalho a seus imperativos – mas somente dentro dos limites de que atualmente nos aproximamos como tendência histórica. É por isso que o absurdo do preço a pagar pela permanência das condições prevalecentes não pode ser escondido para sempre debaixo das mistificações da "sociedade de mercado" idealizada. O caso é que, para se desembaraçar das dificuldades da acumulação e expansão lucrativa, o capital globalmente competitivo tende a reduzir a um mínimo lucrativo o "tempo necessário de trabalho" (ou o "custo do trabalho na produção"), e assim inevitavelmente tende a transformar os trabalhadores em *força de trabalho supérflua*. Ao fazer isto, o capital simultaneamente subverte as condições vitais de sua própria reprodução ampliada. Como veremos na seção 5.4, nem a intensificação da taxa de exploração nem os esforços para resolver o problema por meio da "globalização" e pela criação de monopólios cada vez mais vastos apontam uma saída para este círculo vicioso. As condições necessárias para assegurar e manter o bom funcionamento do sistema – um sistema de controle *par excellence* ou nada –, na ausência da alternativa socialista, geralmente escapam ao controle do capital, levantando o espectro da incontrolabilidade destrutiva. Aqui a contradição é realmente explosiva. É o que dá um significado real à preocupação, em seu próprio interesse, das personificações do capital com o problema da "explosão populacional". Assim sendo, esta preocupação tem duplo significado: por um lado, indica a incontrolável multiplicação da "força de trabalho supérflua" da sociedade; por outro, mostra a acumulação da instável carga explosiva que invariavelmente acompanha tais fatos.

É preciso expor rapidamente dois outros aspectos relacionados aos quatro conjuntos de questões de que até aqui nos ocupamos. Em primeiro lugar, esses limites absolutos do sistema do capital ativados nas atuais circunstâncias não estão separados, mas tendem, desde o início, a ser inerentes à lei do valor. Neste sentido, eles correspondem de fato à "maturação" ou plena afirmação da lei do valor sob condições marcadas pelo encerramento da fase progressista da ascendência histórica do capital. E, *vice-versa*, pode-se dizer que a fase progressista da ascendência histórica do capital chega ao encerramento precisamente porque o sistema global do capital atinge os limites absolutos além dos quais a lei do valor não pode ser acomodada aos seus limites estruturais.

O segundo aspecto está intimamente relacionado a esta circunstância. Antigamente (na verdade, não muito tempo atrás), todos os quatro conjuntos de determinantes foram constituintes positivos da expansão dinâmica e do avanço histórico do capital; desde o relacionamento simbiótico do capital com seus Estados nacionais até o uso vigorosamente autossustentado a que o sistema podia impor sua maneira característica (ainda que sempre problemática) de tratar das questões de igualdade e emancipação, e desde o domínio das forças da natureza no interesse de seu próprio desenvolvimento produtivo totalmente desimpedido por limites externos ou internos moderadores (o que seria colocar em questão seu domínio da natureza), até a reprodução ampliada anteriormente inimaginável não apenas de seus próprios recursos materiais e de suas condições de intercâmbio e controle do metabolismo, mas também do prodigioso crescimento da força de trabalho verdadeiramente produtiva e, nos parâmetros do capital, lucrativamente sustentável.

Ao contrário, o problema ameaçador para um futuro não muito distante não é simplesmente o fato de que os tipos dinâmicos de relacionamento expansionista manifestos no passado, sob os quatro conjuntos de determinação aqui tratados, já não podem mais continuar sendo positivamente sustentados. É algo bem pior. Nas condições do desenvolvimento histórico que hoje se desdobram, esses quatro conjuntos de forças interativas já não representam apenas uma *ausência* (que por si só já seria bastante ruim), mas um *impedimento atuante* para a acumulação tranquila do capital e o funcionamento futuro do sistema global do capital. Portanto, a ameaça da incontrolabilidade lança uma sombra muito longa sobre todos os aspectos objetivos e subjetivos do modo historicamente singular de que o capital dispõe para controlar a ininterrupta reprodução sociometabólica.

5.1 O capital transnacional e os Estados nacionais

5.1.1
Para os pensadores que adotam o ponto de vista do capital, foi sempre muito difícil resolver a contradição entre a tendência fundamental de desenvolvimento econômico transnacional expansionista e as restrições a ela impostas pelos Estados nacionais historicamente criados. Muitas vezes – na velha tradição de se imputar os problemas ao "núcleo incontrolável da natureza humana", uma espécie de fuga convenientemente arquitetada – eles atribuíam as explosões manifestadas em conflitos nacionais à "irracionalidade" de gente rebelde (muitas vezes também rotulada como "inferior" e assim descartada), procurando remédios onde eles não poderiam ser encontrados. As soluções nesse terreno eram encaradas como regra, fosse na forma de doce ilusão – no passado remoto, capaz de assumir formas nobres, como a defesa da "paz perpétua" de Kant –, fosse por meio de apelos descarados à necessidade de força repressora, inclusive grandes guerras. Esta última ideia variava da teorização do Estado-nação de Hegel e da definição de Clausewitz da guerra como "a continuação da política por outros meios" e chegava à formulação de mitologias racistas de dominação e à mais desavergonhada apologia do imperialismo. O que havia de comum entre o tipo de otimismo kantiano e a mais realista defesa do uso da força não era a impossibilidade de enfrentar a natureza antagônica desse "âmago desprovido de controle da natureza humana", mas a própria tendência transnacionalmente expansionista do capital, que *estava destinada* (e ainda está) a reproduzir os conflitos em escala sempre maior e com gravidade cada vez pior. Essa gente que hoje é ingênua o bastante para acreditar, sob a orientação de formadores de opinião como *The Economist* de Londres, que a nossa era mostra o triunfo da "livre escolha econômica" universalmente benéfica – além de generosas porções da "livre escolha política" e a concomitante difusão da "democracia", consignando ao passado não apenas o imperialismo, mas todas as tentativas de resolver pela força

os antagonismos econômicos e políticos fundamentais – corre o risco de sofrer um despertar bastante rude.

A principal razão por trás da maneira irrealista de tratar desses problemas, até em abordagens mais realistas, é que não se pode admitir a existência dos determinantes causais profundos dos interesses conflitantes inseparáveis do modo de controle capitalista sem colocar em perigo a legitimação tradicional do sistema. Consequentemente, sempre que os antagonismos se tornam sérios demais para ser tratados por meios "consensuais", abandonam-se os simulacros democráticos normais para preservar a relação de forças estabelecida no sistema global do capital, garantindo a permanente sujeição e dominação desses povos "rebeldes" por meios nada democráticos. Significativamente, esse tipo de solução é adotado ou defendido não apenas por personalidades abertamente autoritárias, mas também por políticos que explicitamente reivindicam "credenciais democráticas". Estes não hesitam em argumentar – de forma absolutamente absurda – que sua recomendação de negar a "opção democrática" de autonomia e autodeterminação aos povos "rebeldes" deve ser seguida em nome da nobre causa da preservação das realizações e valores democráticos dos Estados Unidos e dos países da Europa ocidental. Assim, num livro recente, o "distinto senador democrata" dos Estados Unidos Daniel Patrick Moynihan insiste em que "será preciso que os Estados Unidos e as democracias da Europa ocidental reconsiderem... a ideia de que a democracia seja uma opção universal para todas as nações"[9]. De acordo com esta abordagem "realista", a "opção democrática", com todos os privilégios econômicos e políticos a ela atribuídos por direito, deve estar reservada aos Estados Unidos e a seus associados mais próximos, as chamadas "democracias de capitalismo avançado". Em compensação, os povos que se opõem à perpetuação das relações de força na ordem internacional devem ser desqualificados – e mantidos sob firme controle pelos que têm o poder de fazer respeitar esse controle, privando-os sem a menor cerimônia do direito à autodeterminação – por conta de sua alegada predileção irracional pela criação do "pandemônio étnico".

No mesmo espírito, o arquiconservador Friedrich von Hayek, autoproclamado defensor dos valores liberais, esbraveja não apenas contra os liberais e conservadores preocupados com as questões sociais que, para ele, se juntaram aos socialistas nos países capitalistas avançados na "Via da Servidão"[10]. Ele reprova igualmente todos aqueles que temerariamente levantam suas vozes em favor dos oprimidos do "Terceiro Mundo", pintando o espectro de que

... a "teologia da libertação" pode se fundir ao *nacionalismo* para produzir uma *nova e poderosa religião*, com desastrosas consequências para as pessoas que já estão em péssima situação econômica.[11]

---

[9] Daniel P. Moynihan, *Pandemonium: Ethnicity in International Relations*, Oxford University Press, 1993, pp. 168-9.

[10] No prefácio da edição de 1976 de *The Road to Serfdom*, Hayek se diz "orgulhoso da inspiração que me fez dedicá-lo aos socialistas de todos os partidos". F. A. Hayek, *The Road to Serfdom*, Londres, Routledge/ARK edition, 1986, p. viii.

[11] Hayek, *The Fatal Conceit*, p. 138.

É claro que uma "nova e poderosa religião" não traz absolutamente em seu rastro "desastrosas consequências". Afinal de contas, diz-se que a outrora "nova e poderosa religião" do protestantismo gerou, pariu e mantém numa existência perfeitamente vitoriosa o maravilhoso mundo do capitalismo, segundo ninguém menos que Max Weber. Aparentemente, somente as religiões que fazem pressão em prol da libertação e da emancipação dos oprimidos devem ser *a priori* desqualificadas. Também é difícil ver o que, na luta pela autodeterminação e pela libertação com a ajuda da religião da consciência social, têm a perder as pessoas já "em péssima situação" a que Hayek se refere. Tanto nos discursos de Hayek contra a teologia da libertação e o nacionalismo como na negação de Moynihan da "opção democrática da autodeterminação" para os países que o senador considera indignos dela, está claro que os nossos críticos do "nacionalismo do Terceiro Mundo" têm de recorrer à acusação automaticamente condenatória de incurável irracionalidade (num caso, a "religião", no outro, o "pandemônio étnico"), para com a mesma cajadada isentarem do escrutínio absolutamente necessário da crítica as fundamentações causais de seu sistema idealizado, por definição racional e superior, mas na verdade um produtor incontrolável de antagonismos.

De qualquer maneira, essa idealização do capitalismo e a simultânea condenação do nacionalismo são não apenas hipócritas, mas inteiramente contraditórias. Os países capitalistas dominantes sempre defenderam (e continuam a defender) seus interesses econômicos vitais como combativas entidades nacionais, apesar de toda a retórica e mistificação em contrário. Suas companhias mais poderosas estabeleceram-se e continuam a funcionar pelo mundo afora; são "multinacionais" apenas no nome. Na verdade, são corporações *transnacionais* que não se sustentariam por si mesmas. Harry Magdoff convincentemente enfatizou:

"É importante ter em mente que praticamente todas as multinacionais são de fato organizações nacionais que funcionam em escala global. Não estamos negando que o capitalismo seja, e sempre foi, desde o início, um sistema mundial, nem que tal sistema tenha se tornado mais integrado por ação das multinacionais. Contudo, assim como é essencial compreender e analisar o capitalismo como sistema mundial, é igualmente necessário admitir que cada empresa capitalista se relaciona ao sistema mundial por intermédio do Estado-nação e, em última análise, dele depende.[12]

A expressão "multinacional" é frequentemente usada de modo completamente equivocado, ocultando a verdadeira questão do domínio das empresas capitalistas de uma nação mais poderosa sobre as economias locais – em perfeita sintonia com as determinações e os antagonismos mais profundos do sistema do capital global. De modo geral, as nações capitalistas dominantes defendem seus interesses com todos os meios à sua disposição – pacíficos enquanto possível, mas recorrendo à guerra se não houver outra forma. Esse relacionamento entre o capitalismo do século XX e suas unidades econômicas dominadoras tem, muitas vezes, uma concepção mal formulada até pelas personalidades mais importantes das esquerdas parlamentares, que criticam em termos vagos sua forma externa, mas não seu conteúdo. Em sua

---

[12] Harry Magdoff, *Imperialism: From the Colonial Age to the Present*, Nova York, Monthly Review Press, 1978, p. 183.

crítica às "multinacionais", por exemplo, essas lideranças muitas vezes pensam que as restrições legislativas defendidas em seus parlamentos nacionais limitados podem resolver tudo. Entretanto, o dedo acusador deve apontar firmemente para as contradições cada vez maiores do sistema do capital e suas iníquas hierarquias e relações de poder internacionais – e não para algumas "multinacionais que interferem na política", por maiores que sejam essas companhias. E isto torna a possibilidade de uma solução duradoura incomparavelmente mais difícil do que a promulgação de medidas legislativas de restrição para empresas transnacionais específicas. Porque o remédio deve ser aplicado a algum mecanismo crucial do sistema como um todo, com sua relação geral de forças, se não se quiser que as indeterminações estruturais desta última anulem a intervenção legislativa prevista. Citando Magdoff mais uma vez:

> ... o desenvolvimento das corporações multinacionais é meramente a última emanação da infatigável acumulação de capital e do impulso inato em direção a uma maior concentração e centralização do capital. ...qualquer sucesso das políticas do governo resulta da manutenção ou restauração da saúde da economia por meio da promoção do poder de empresas gigantescas, pois sem a prosperidade dessas empresas a economia só pode ir ladeira abaixo. As razões básicas para a impotência dos governos em manter suas economias num barco flutuando com uniformidade serão encontradas nos limites e contradições do capitalismo monopolista. Em outras palavras, os problemas não surgem dos males das multinacionais ou da presumida redução da soberania dos Estados-nações industrializados e avançados; os problemas são inerentes à natureza de uma sociedade capitalista.[13]

Os representantes das seções mais poderosas do capital compreendem que não estão em posição de dispensar a proteção oferecida por seus Estados nacionais aos seus interesses vitais. Às vezes eles até se dispõem a deixar isso claro em suas recomendações políticas para o futuro. Como exemplo típico, podemos pensar num livro escrito por Robert B. Reich, secretário do Trabalho do presidente Clinton e ex-professor da Universidade de Harvard[14]. Como condiz a um político importante do país imperialista dominante, o autor não tem ilusões sobre a renúncia ao centro nacional e à defesa do poder capitalista "multinacional" em nome de ideias fantasiosas de uma globalização neutra e universalmente benéfica. Dado o caráter das relações socioeconômicas globais sob o domínio do capital e dados os antagonismos existentes no interior de sua estrutura, o "Plano para o futuro" de Reich (um eco ao título de *A riqueza das nações* de Adam Smith, mudando a ênfase para a necessidade de integrar *O trabalho das nações* numa escala planetária) *reflete* os elementos conflitantes do sistema sem considerar suas contradições, pois não consegue admitir que as tendências descritas sejam problemáticas e até explosivas. Prefere apresentá-las lado a lado, como se constituíssem um todo harmonioso. De um lado, ele insiste que no próximo século não haverá produtos ou corporações nacionais, nem indústrias e economias nacionais – e assim defende a inevitabilidade da "globalização". Por outro lado, também recomenda que seu país adote

---

[13] Id., ibid., pp. 187-8.
[14] Ver Robert B. Reich, *The Work of Nations: A Blueprint for the Future*, Hemel Hampstead, Simon & Schuster, 1994.

o *"nacionalismo econômico positivo"*[15] e prevê sua prática numa forma que conciliaria as exigências e os interesses do centro nacional, defendidos pelo democrata secretário do Trabalho dos Estados Unidos, com os do resto do mundo. Para começar, a forma como inicialmente se produziria e mais tarde se administraria continuamente esta conciliação ilusória continua a ser um mistério completo... Ainda mais se nos lembramos das desigualdades existentes – que ainda estão *aumentando*, em vez de diminuir – e da dominação estrutural das economias mais fracas pelos países "do capitalismo avançado" no quadro das relações de poder prevalecentes. Reich postula a possibilidade de uma solução com base na premissa da eliminação fictícia (mais uma vez, por alguma espécie de milagre) do chamado relacionamento entre a grande empresa e o trabalho que gratuitamente se pressupõe ser a causa das dificuldades existentes[16].

Admitir, como o fazem Robert Reich e outros, que as atuais relações de poder, de dominação e de dependência possam se tornar permanentes – para não dizer aperfeiçoadas até o grau projetado em favor do país imperialista mais importante, os Estados Unidos – é totalmente irreal, não importa quanta força seja mobilizada pelos atuais beneficiários, pois os profundos antagonismos gerados pela dominação estrutural não podem ser dissolvidos pela tentativa de exorcizar o "nacionalismo irracional do Terceiro Mundo" como obra do diabo. O ilustre historiador filipino Renato Constantino ressaltou, no *Le Monde*:

> O nacionalismo permanece hoje como prioridade para os povos do Sul. Ele é uma *proteção*, no sentido de permitir afirmar os direitos de soberania e uma estrutura de *autodefesa* contra as práticas de dominação do Norte. Nacionalismo não significa a retração para dentro de si mesmo: ele tem de ser aberto; mas para isto deve pressupor uma nova ordem mundial que – ao contrário do que se vê hoje – não consista na hegemonia de uma superpotência e seus aliados, sem respeito pelas nações jovens[17].

---

[15] Id., ibid., p. 311.

[16] Robert Reich apresenta a categoria dos "analistas simbólicos" como parte importante da solução antecipada. No seu sistema, os "analistas simbólicos" deverão ser a nova força dominante na economia. Tudo isso é familiar, pois a função do "analista simbólico" é muito semelhante à da tecnoestrutura de Galbraith. A diferença é que Galbraith gostava de tecer fantasias a respeito de uma "convergência" universal, enquanto Reich tece loas ao "nacionalismo econômico positivo" não gerador de problemas, com a mesma probabilidade de um resultado positivo.

[17] "Un entretien avec Renato Constantino", *Le Monde*, 8 de fevereiro de 1994.

A forma cínica com que as potências dominantes tratam a soberania das nações menores, ao mesmo tempo em que defendem hipocritamente os "princípios da democracia e da liberdade", é ilustrada claramente pela recente controvérsia em torno da imposição de interesses militares dos Estados Unidos – sob a forma de "direitos automáticos de acesso para forças militares americanas" depois da abolição das bases – nas Filipinas. Em Washington, a questão é tratada sob o manto do segredo, com o argumento de que "os acordos de acesso militar são geralmente secretos, pois poderiam ser politicamente delicados para o país anfitrião". No caso das Filipinas, este acordo secreto entre o Pentágono e o presidente Ramos é claramente contrário à Constituição do "país anfitrião", como foi repetidamente reafirmado pelo Senado daquele país. Como comenta um artigo de um especialista em problemas filipinos:

Quando a escalada das forças (militares) dos Estados Unidos era feita por meio de bases, ela sempre foi uma grande fonte de intervenção na política filipina, culminando no apoio dos Estados Unidos ao ditador Marcos. Não seria possível que a adoção pelos Estados Unidos desta escalada sob a forma de acesso viesse a facilitar atividade semelhante? Na verdade, como o acesso serve atualmente para solapar a Constituição filipina, torna-se evidente uma intervenção política de tipo subversivo.

Daniel B. Schirmer, "Military Access: The Pentagon versus the Philippine Constitution", *Monthly Review*, vol. 46, nº 2, junho de 1994, pp. 32 e 35.

Além do mais, o sistema global estabelecido do capital, de hierarquias estruturais, revela-se absolutamente indefensável não apenas pela dominação do "Terceiro Mundo", fortemente contestada. Também existem graves antagonismos entre as potências capitalistas dominantes, que tendem a se intensificar no futuro próximo. Isto acontece não apenas porque o imaginado "nacionalismo econômico positivo" dos Estados Unidos já esteja gerando respostas nada positivas na Europa ocidental, no Japão e no Canadá, mas também porque grandes diferenças de interesse produzem conflitos cada vez mais incontroláveis até entre os membros da Comunidade Europeia (hoje chamada otimisticamente de "União Europeia") há muito estabelecida. Assim, para fazer surgir uma solução viável, é necessário muito mais do que a esperançosa projeção de "reconciliação amigável" dos interesses econômicos em colisão, ou mesmo a extensão da categoria do "pandemônio étnico" do senador Moynihan a toda a Europa.

5.1.2
O postulado da "conciliação" não é novidade na teoria burguesa. Em suas raízes encontramos as inconciliáveis contradições de *soberania,* concebida do ponto de vista do capital, refletindo a dissonância entre as estruturas de reprodução material do capital e sua formação de Estado discutidas no capítulo 2. Isto tem pouco a ver com a estatura intelectual dos que procuram apresentar a prometida "conciliação". Nem mesmo a maior teorização positiva do Estado burguês (a *Filosofia do direito*, de Hegel) consegue mostrar uma saída do labirinto das contradições implícitas. Por outro lado, Hegel ressalta a *individualidade* do Estado, insistindo em que essa individualidade intranscendível "manifesta-se como uma relação com outros Estados, *cada um* dos quais é autônomo diante dos outros. Essa autonomia... é a liberdade mais fundamental que um povo possui e também sua mais elevada dignidade"[18]. Portanto, na visão de Hegel, "o *Estado-nação* é consciência em sua racionalidade substantiva e realidade imediata; portanto, é o *poder absoluto* na terra. Consequentemente, cada Estado é soberano e autônomo contra seus vizinhos. Tem o direito, em primeiro lugar e *sem reservas*, à soberania do ponto de vista destes, ou seja, de ser reconhecido por eles como soberano"[19]. Mas é forçado a completar imediatamente – para criar a necessária cláusula de fuga para a perpetuação das mais cruéis relações de poder entre os Estados nacionais – que "essa habilitação é puramente formal... e o *reconhecimento depende* do *juízo e da vontade dos Estados* vizinhos"[20]. Assim, o que supostamente seria "absoluto

---

[18] Hegel, *The Philosophy of Right*, p. 208.

[19] Id., ibid., p. 212.

[20] Id., ibid. Hegel teve de reconhecer que os fundamentos (ou pretextos) de onde se extrai o "reconhecimento" são completamente arbitrários, apesar de ele preferir usar a expressão "inerentemente indeterminável", que é muito mais facilmente aceita. De acordo com ele: "Por intermédio de seus súditos, um Estado tem associações generalizadas e interesses multifacetados que podem sofrer agressões consideráveis; mas qual dessas agressões à honra e à autonomia do Estado deve ser encarada como uma quebra específica de tratado é uma questão inerentemente indeterminável". E a sentença seguinte oferece a racionalização e a "justificação" da aceitação da arbitrariedade como a justificativa da quebra de tratados internacionais – com um raciocínio que beira o cinismo completo das grandes potências imperialistas: "A razão para tal é que um Estado pode considerar que cada um de seus interesses, por menor que seja, coloque em jogo sua infinidade e honra, estando assim tanto mais inclinado a ser suscetível à agressão, quanto mais fortemente sua individualidade, em razão de uma *longa paz interna*, for levada a buscar e criar uma *esfera de atividade no exterior*" (id., ibid., p. 214).

e irrestrito" torna-se condicional e é caracterizado como inteiramente dependente de arbitrários "juízo e vontade" do "Estado vizinho" mais poderoso. Este, de modo geral, se recusa a outorgar a seu vizinho mais fraco o "reconhecimento da autonomia e da soberania absoluta" inicialmente postulado e toma pelas armas ou pela ameaça do poder tudo o que sua força lhe permita agarrar.

Naturalmente, até aos olhos de Hegel, o sistema de relações entre os Estados erigidos nessas bases é extremamente instável, embora ele não se perturbe minimamente com os riscos implícitos. Hegel assim caracteriza a situação:

> A proposição fundamental da lei internacional ... é que os tratados, como base da obrigação entre os Estados, devem ser mantidos. No entanto, como a soberania de um Estado é o princípio de suas relações com os outros, até aí os Estados estão em *estado de natureza na relação entre eles*. Seus direitos são realizados apenas em suas vontades particulares e não em uma vontade universal com poderes constitucionais sobre eles. Essa cláusula universal da lei internacional portanto não vai além de um dever-ser e o que realmente acontece é que as relações internacionais de acordo com tratados se alternam com o *rompimento* dessas relações.[21]

O que aqui se revela extremamente problemático não é a descrição da situação existente – e a concomitante inevitabilidade das guerras –, mas o postulado da viabilidade e, na verdade, da permanência absoluta dessa precária situação. É bastante óbvio o interesse de classe por trás desse tipo de conceituação da etapa final do desenvolvimento histórico, com sua "conciliação" das contradições sob o domínio do "Estado germânico" imperialista (a encarnação do "princípio do norte"). Hegel, sob o título *O reino germânico* – ou seja, para ele, a culminação da história –, diz que a "conciliação da liberdade e da verdade objetiva como verdade e liberdade que aparece na consciência e na subjetividade, [é] uma conciliação cuja realização foi confiada ao princípio do norte, o princípio dos povos germânicos"[22]. O fato de o "princípio do norte" ser a dominação dos povos do Sul pelos "países capitalistas avançados" dominantes do Norte não deve gerar a menor preocupação nas teorizações do Estado do ponto de vista privilegiado do capital, nas quais a "conciliação" é vista como a permanência absoluta das hierarquias estruturais estabelecidas. As contradições e os antagonismos do sistema do capital estão preservados em todas essas concepções, oferecendo apenas o vazio da "conciliação" verbal.

Entretanto, por mais engenhosos que sejam, mais cedo ou mais tarde os planos de "conciliação" propostos estarão abalados até em seus próprios termos de referência. Neste sentido, o postulado hegeliano da absoluta permanência das relações entre os Estados do sistema do capital que, segundo ele, "permaneceram contaminadas pela contingência"[23], está baseado em duas premissas falsas. A *primeira* (rapidamente mencionada na seção 4.2.3) é a glorificação da guerra moderna, como o correspondente direto do estágio final do desenvolvimento da Ideia. Nesse aspecto, simplesmente não ocorreu a Hegel, devido à sua categórica defesa da "racionalidade do real", que o

---

[21] Id., ibid., p. 213.
[22] Id., ibid., p. 222.
[23] Id., ibid., p. 214.

glorificado princípio moderno do "pensamento e o universal" poderia (ou, o que é pior, *faria*) produzir tipos de armamentos capazes de eliminar a humanidade, encerrando assim a "História do Mundo" em vez de "realizar a Ideia" na forma de uma perfeita reconciliação das contradições. A teorização do mundo a partir do ponto de vista do capital impossibilita (não apenas para Hegel, mas para todos os que adotam esse ponto de vista) ver o lado *destrutivo* inseparável do *avanço* produtivo do sistema em seu desdobramento dinâmico. Essa falha perverte até mesmo a descrição correta de situações historicamente específicas, mas de forma alguma absolutizáveis, como o contraditório funcionamento da soberania e da autonomia burguesas admitido na *Filosofia do direito*.

A *segunda* premissa falsa é igualmente grave em suas implicações para a permanência da "conciliação" postulada. Ela afirma que

... na sociedade civil os indivíduos são reciprocamente *interdependentes* em numerosos pontos, ao passo que os Estados autônomos são principalmente totalidades cujas necessidades são atendidas *dentro de suas próprias fronteiras*.[24]

Naturalmente, isto é uma ilusão completa, diante da irrefreável tendência expansionista mostrada desde o início pelo sistema do capital sob todos os seus aspectos mais importantes. No entanto, esta não é uma ilusão pessoal e em princípio corrigível, mas *necessária*, inerente ao sistema. Ela surge da necessidade de justificar o sistema dado de reprodução sociometabólica, em que as reciprocidades e interdependências contraditórias dos "microcosmos" reverberam com intensidade cada vez maior através de todo o "macrocosmo" do capital. Assim, a formação do Estado no sistema do capital não é menos afetada por reciprocidades e interdependências potencialmente explosivas do que a sua "sociedade civil". No mínimo, é ainda *mais* afetada. Em Hegel e no pensamento burguês em geral, a falsa oposição entre a "sociedade civil" e o Estado serve ao objetivo de idealizar a "conciliação" da imaginária (na melhor das hipóteses, apenas temporária) "solução" das contradições e dos antagonismos reconhecidos. Nessa situação, o Estado está destinado, por definição, a superar as contradições da sociedade civil, por mais intensas que sejam, por meio de suas instituições e sistemas legais, deixando-as ao mesmo tempo totalmente intactas na sua "própria esfera" de operação, ou seja: na própria "sociedade civil".

Dada a dissonância estrutural entre as estruturas de reprodução material do capital e sua formação de Estado, seria preciso um milagre que abalasse o mundo para atingir o resultado previsto. Por isso, a teoria burguesa em todas as suas formas deve apenas pressupor a existência dos poderes idealmente corretivos do Estado, até mesmo quando, diante dela, alguns ideólogos do capital defendem a "retirada" do Estado das questões econômicas. Quer façam o *lobby*, em linhas keynesianas, pelo financiamento do déficit expansionista, quer o façam a favor da "criação de condições favoráveis para as empresas" por meio de restrição monetária e corte dos gastos públicos, seu denominador comum é a admissão explícita ou implícita de que, sem a intervenção "adequada" do Estado, as estruturas de reprodução material do sistema estabelecido não produziriam os resultados esperados. Mesmo a ideia de "encolher as fronteiras da atividade do Estado" pressupõe (ilusória e arbitrariamente) no mínimo a *capacidade* de o Estado fazer isto.

---

[24] Id., ibid., p. 213.

A verdade desagradável é que, mesmo por meio de maciça intervenção estatal, as projetadas "conciliação" e "solução" das contradições não podem ser realizadas devido às deficiências estruturais do sistema e à consequente ativação dos limites absolutos do capital na fase atual do desenvolvimento histórico. Hoje ninguém mais pode acreditar nas falsas premissas de Hegel, sobre as quais foi erigida sua racionalização legitimadora dos antagonismos destrutivos do sistema do capital. No tempo em que Hegel vivia, a "conciliação" só poderia ser contemplada pressupondo-se que: (1) ao contrário da "sociedade civil", o Estado não sofre de antagonismos e divisões estruturais e, portanto, é eminentemente adequado para resolver as contradições da "sociedade civil"; (2) a sanção final, perfeitamente plausível e aceitável do sistema, cujas partes se combinam num todo coerente e adquirem individualidade intranscendível por meio do Estado, seja a solução dos conflitos e derrota dos adversários pela guerra, não importa em que escala. Essas ilusões do grande filósofo alemão, que fazem apologia de classes, mas em seu próprio tempo eram necessárias, perderam hoje toda a aparência de racionalidade. Por meio de sua penetração nos mais remotos cantos do planeta, a consumação da ascendência histórica do capital trouxe a redefinição qualitativa das relações fundamentais de intercâmbio sociometabólico, ativando os limites absolutos do sistema de uma forma agravada pela *urgência do tempo*. Com isto, torna-se impossível continuar escondendo os limites e contradições do capital sob o manto de uma "conciliação" atemporal a ser realizada pelo Estado nacional mais ou menos idealizado.

5.1.3

Longe de "satisfazer as próprias necessidades dentro de suas fronteiras", como imaginou Hegel, até mesmo o maior dos "Estados autônomos" – o chinês, com uma população bem acima de 1 bilhão e 200 milhões de pessoas – vê sua autonomia significativamente reduzida pela condição objetiva de não poder satisfazer suas necessidades sem manter inúmeras relações importantes de reprodução material fora de suas fronteiras, com os inevitáveis corolários políticos, sobre os quais só tem controle estritamente limitado, não importando sua potência em termos militares. Portanto, surgem problemas de variada gravidade e intensidade que têm de ser acomodados nos limites e determinações estruturais do sistema global do capital – já que, dadas as suas reivindicações mutuamente exclusivas, eles não têm "solução". Para usar uma expressão moderada, seria completa ingenuidade acreditar que a proclamação de sublimes princípios conseguiria superar (no sentido da "conciliação" frequentemente postulada e jamais realizada) as tensões e os conflitos sempre renovados deste sistema. Ainda mais depois que o século XX foi testemunha, não só de erupções dos antagonismos do tipo nazista do sistema do capital, mas também das mais recentes tentativas de retirar das potências econômicas mais fracas até o direito formal de defender seus interesses básicos, sob o pretexto de "proteger a democracia" dos riscos do "*pandemônio étnico*".

Para criar uma justificativa cheia de "princípios" para as formas existentes de discriminação, os propagandistas políticos do capital inventam todo gênero de teorias, usando como tijolos na construção dessas "teorias" afirmações gritantemente falsas e autocontraditórias. Assim, num editorial intitulado "Sentimento tribal", *The Economist* pontifica, em tom de indignação artificial:

Examinem o mundo e, da Sérvia ao Canadá, da Turquia ao Sri Lanka, verificarão que as tribos estão se afirmando. Mais do que isto, em geral elas o fazem com as bênçãos, se não com o estímulo, dos que habitualmente apregoam valores universais. ...geralmente parece de mau gosto dizer, por exemplo, a um *québécois* que ele também é canadense, a um tâmil que sua nacionalidade é o Sri Lanka ou a um curdo que é turco.[25]

A estranha afirmação de que as mágoas dos *French Canadians* poderiam ser resolvidas incluindo-os sob a denominação "canadenses do Québec" (*Canadian Quebeckers*) e de que os curdos sejam realmente turcos é uma das piores piadas criadas nas últimas décadas pelos padrões de *The Economist*. Há mais. Duas linhas abaixo, no mesmo artigo, o problema das minorias dissidentes é falsamente atribuído aos males do comunismo no passado: "Muitas vezes essas minorias sofreram anos de discriminação e somente agora, com a disseminação da democracia, têm a oportunidade de ventilar seus ressentimentos". Como essa afirmação poderia ser aplicada à lista de "tribalistas" dada algumas linhas acima, com a aparente exceção da "Sérvia", é um mistério completo. Contudo, até o que diz respeito à "Sérvia" é totalmente contradito meia página abaixo, no mesmo editorial, quando *The Economist* muda de assunto, admitindo que a "Iugoslávia explodiu *apesar* dos direitos da minoria, proclamados e verdadeiramente *respeitados na época do comunismo*".

A construção desse tipo de "teorias", a partir de afirmações falsas e contradições gritantes, resulta da patética estrutura explicativa necessariamente adotada pelos que fazem a apologia do sistema do capital. Estes não podem sequer sugerir as causas reais dos problemas identificados e, portanto, são obrigados a conceber todo tipo de pseudocausas para justificar a frustração de saber que os antagonismos continuam a irromper pelo mundo afora, apesar da "Nova Ordem Mundial", antes anunciada como sem problemas, e do feliz encerramento da história com o triunfo absoluto da "democracia liberal". Raymond Aron, importante ideólogo do capitalismo ocidental, previu uma crescente prosperidade trazendo "um modo de vida mais classe média"[26], que inevitavelmente resultaria na volta da União Soviética ao redil. Como se sabe, nada semelhante aconteceu. Não obstante, não foi afetado o esquematismo primitivo, tantas vezes refutado, de "democracia e prosperidade crescente" – que afirma tornar inteligível não apenas os fatos passados, mas, o que é mais importante para a tranquilidade do sistema, também a possível (e admissível) causalidade de mudanças futuras. Sempre que o exame mais superficial dos fatos contradiz seriamente a "explicação" pseudocausal preferida, a palavra "exceção" vem em socorro, trazendo a necessária cláusula de escape. Em outro artigo dedicado ao perturbador problema dos conflitos étnicos, *The Economist* nos diz:

> Com poucas exceções, como a Irlanda do Norte e o País Basco, as velhas tensões religiosas e étnicas das regiões ocidentais da Europa há muito sucumbiram aos *efeitos apaziguadores da democracia e da crescente prosperidade*. O mesmo poderá acontecer algum dia na Europa Central e no Leste.[27]

---

[25] "Tribal feeling", *The Economist*, 25 de dezembro de 1993–7 de janeiro de 1994, p. 13.

[26] Raymond Aron, *The Industrial Society: Three Essays on Ideology and Development*, Londres, Weidenfeld and Nicolson, 1967, p. 121.

[27] "That other Europe", *The Economist*, 25 de dezembro de 1993–7 de janeiro de 1994, p. 17.

Mas também pode ser que não aconteça, o que transformaria as "poucas exceções" (algumas encontradas na Europa ocidental, desde a Bélgica etnicamente polarizada até regiões da Itália) na categoria metafísica das "linhas de transgressão" oferecida pelo Professor Huntington, ansioso por repetir o sucesso de sua ideia das "aldeias estratégicas" no Vietnã. De qualquer maneira, não houve tentativas, nem se espera que haja, de explicar as causas por trás dessas aparentemente iluminadas "exceções" – sejam elas poucas ou muitas. Jamais saberemos, nem devemos investigar, de quanto mais "democracia e crescente prosperidade" se precisa para fazer os teimosos "tribalistas" *canadenses franceses* enxergarem a luz da razão e admitirem que até mesmo em Ontário, no próprio Canadá, eles são realmente "canadenses do Quebec", assim como os curdos são turcos. O ponto que nos interessa em todo o exercício, e que exigiu a troca de cavalos na metade do artigo de *The Economist,* é a necessidade de desqualificar as pessoas que fazem pressão pelos *direitos da minoria*, incluindo os defensores de direitos iguais para *deficientes,* sucintamente rejeitados no artigo citado. Segundo esse editorial, "direitos são para *indivíduos*, não para *grupos*". Se for preciso fazer concessões a "minorias ressentidas", que sejam feitas "sob a condição, talvez numa cláusula de duração", que não permita sua permanência por muito tempo.

A "abolição dos direitos de grupos e minorias" – inclusive a proteção dos sindicatos e a antiga lei que assegurou o *salário mínimo*[28] para a seção mais desprotegida da classe trabalhadora – é a abordagem racional adequada a essas questões, segundo os editores de *The Economist,* que entusiasticamente mudam a meta sempre que necessário para se ajustar às condições alteradas da dominção continuada do capital, e para acentuá-las mais um pouco. Nesse espírito, como os feriados públicos tradicionais são "economica-

---

[28] A este respeito, o perverso consenso entre capital e liderança sindical integrada é muito revelador. Este fato é bem ilustrado por uma entrevista característica dada por Paul Gallagher, o novo secretário-geral da Federação dos Sindicatos de Engenharia e Eletricidade (AEEU) – até poucos anos atrás um dos sindicatos mais radicais na Grã-Bretanha. Nessa entrevista, Gallagher rejeitou a ideia de que se devesse apoiar a reivindicação de um salário mínimo, aliando-se ao governo conservador na rejeição da antiga legislação do salário mínimo. Ele insistiu em que "A política dos sindicatos é a de oposição a um salário mínimo", que, segundo ele, "tinha potencial de eliminar o diferencial dos trabalhadores mais bem remunerados". E continuou:
"Não é correto acionar John Smith [líder do Partido Trabalhista à época da entrevista] nesta questão. Ela é politicamente perigosa e espero que não sejamos *empurrados contra as cordas e forçados a assumir uma posição"* ("Sindicatos instruídos a não encaminhar listas de reivindicações ao Partido Trabalhista", *The Independent*, 6 de maio de 1994).
A ironia de tudo isso é que o político responsável pela proposição de uma lei sobre o salário mínimo na Grã-Bretanha, em 1909, foi ninguém mais que Sir Winston Churchill. Ele adotou esta medida no interesse dos capitais competitivos, que pressionavam em favor da "equidade" com relação aos "empregadores inescrupulosos". Hoje todas as seções do capital são "inescrupulosas", e "equidade" passou a ser definida como a aceitação pelos sindicatos dos ditames da "economia de mercado" e de suas "exigências racionais". Mais revelador ainda é o fato de que hoje até mesmo os tradicionais objetivos políticos dos sindicatos foram arquivados ou completamente abandonados no interesse do oportunismo político parlamentar, com base na crença ridícula de que a capitulação aos ditames do capital há de interromper a tendência atual de desqualificação e de precarização da força de trabalho. Assim, Gallagher concluiu sua entrevista com a afirmação de que "existe o perigo de que os patrões venham a tentar desqualificar os empregos e distribuir qualificações de forma generalizada, o que há de reduzir a flexibilidade do empregado". Como se a "atitude razoável" dos sindicatos tornasse possível sonhar quixotescamente com o desaparecimento dos imperativos objetivos do desenvolvimento capitalista global.

mente prejudiciais" para as operações transnacionais do capital, os autores do editorial apresentam o que chamam (não de brincadeira, mas a sério) de "solução liberal": "*os feriados públicos deveriam ser abolidos*"[29]. Por um instante, chegam a mostrar a cor dos dentes sugerindo que, em consequência dessa medida liberal, "desapareceria o feriado bancário de maio que desagrada à Inglaterra"[30], enterrando o dia da solidariedade do movimento trabalhista internacional há muito respeitado pelo mundo afora, e não apenas na Inglaterra.

A defesa da abolição dos direitos das minorias e dos grupos baseada na racionalização da consciência de classe de que "direitos são para indivíduos, não para grupos" – como se os indivíduos que sofrem essas discriminações perversas não fossem membros de grupos hierarquicamente subordinados e explorados – combinada ao apelo hipócrita à "humanidade comum" dos indivíduos reflectem a fase atual do desenvolvimento do sistema global do capital transnacionalmente entrelaçado. Com isso, procura simplificar seu caminho, desdobrando-se com a eliminação de "restrições legais desnecessárias" decretadas em etapa anterior do desenvolvimento pelas mesmas "democracias liberais" de quem hoje se espera que possam corrigir-se. Ao mesmo tempo, a conversa sobre "direitos para indivíduos, não para grupos" tem a conveniência – cuidadosamente camuflada sob a ambígua preocupação pseudo-humanitária de *The Economist* – de manter intactas as *relações de poder* estabelecidas que impõem a subordinação estrutural do trabalho ao capital. Nenhuma quantidade de direitos conferidos a indivíduos particulares faria a mais ínfima diferença. E os autores nos contam que...

> A longo prazo, os direitos devem se basear no que as pessoas têm em comum – fazer parte da humanidade – e não em genes ou acasos de nascimento que os tribalistas sempre usarão para dividi-las.[31]

Naturalmente, a objeção aos "acasos de nascimento" não se aplica ao privilegiado Norte ou, pelo globo afora, aos verdadeiros proprietários e controladores "tribalistas" dos meios de produção: as "personificações do capital". Além do mais, falar sobre o "longo prazo" é bastante seguro – nem tanto porque "a longo prazo, estaremos todos mortos", nas celebradas palavras de um velho ídolo, John Maynard Keynes, mas porque o "longo prazo" está bloqueado com brutal eficácia pela realidade do domínio do capital. A divisão das pessoas em grupos e classes antagônicos não é um malfeito de minorias "tribalistas" nacionais, mas a condição necessária para a manutenção do controle da reprodução sociometabólica sob o sistema do capital. Quando os imperativos de operações transnacionais exigem menor divisão, ressaltando a ativação dos limites absolutos do capital na forma da contradição grandemente aumentada entre a divisão cada vez maior e a unidade estipulada mas impossível, seria preciso bem mais do que o abstrato apelo de *The Economist* à "participação comum na raça humana" para encontrar uma solução adequada.

5.1.4

Como já foi mencionado no começo do capítulo, o antagonismo estrutural entre o capital transnacional em expansão e os Estados nacionais é inseparável das profundas

---

[29] "Don't bank on it", *The Economist*, 25 de dezembro de 1993–7 de janeiro de 1994, p. 16.
[30] Ibid.
[31] "Tribal feeling", *The Economist*, 25 de dezembro 1993–7 de janeiro de 1994, p. 14.

contradições entre (1) monopólio e competição, (2) a crescente socialização da produção e a discriminadora apropriação de seus produtos, e (3) a divisão internacional cada vez maior do trabalho e o impulso das maiores potências nacionais pela dominância hegemônica do sistema global. Portanto, é inevitável que as tentativas de superar os antagonismos estruturais do capital abranjam todas essas dimensões, sem exceção.

Com relação a *monopólio e competição*, o impulso em direção ao estabelecimento e à consolidação das corporações monopolistas tem se pronunciado cada vez mais no século XX. Baran e Sweezy o enfatizaram em sua importante obra:

> O capitalismo monopolista é um sistema constituído de corporações gigantescas. Isto não quer dizer que não existam outros elementos no sistema ou que valha a pena estudar o capitalismo monopolista abstraindo-se tudo, com exceção das corporações gigantescas. ... No entanto, deve-se ter o cuidado de não cair na armadilha de pressupor que a Grande Empresa e os pequenos negócios sejam qualitativamente iguais ou tenham igual importância para o *modus operandi* do sistema. O elemento dominante, o motor primeiro, é a Grande Empresa organizada como corporações gigantescas. Essas corporações são *maximizadoras do lucro e acumuladoras do capital*. ... De modo geral, o capitalismo monopolista é *tão desprovido de planejamento quanto seu predecessor competitivo*. As grandes corporações se relacionam basicamente através do mercado, entre si, com os consumidores, com o trabalho, com as pequenas empresas. O funcionamento do sistema continua a ser o resultado não premeditado das ações em interesse próprio das inúmeras unidades que o compõem.[32]

Neste sentido, embora o desenvolvimento monopolista nos países capitalistas dominantes tenha ajudado a neutralizar, por algum tempo e dentro de limites bem demarcados, alguns aspectos da lei do valor, ele não poderia de modo algum passar por cima da própria lei. O melhor que poderiam esperar foi, e continua a ser, o "retardamento do momento da verdade", apesar do uso maciço do papel facilitador do Estado no século XX – por meio de uma série de instituições de apoio material e auxílio legal ou político que "lavam mais branco", de corpos de "cães de guarda", entre os quais a chamada "Comissão de Monopólios e Fusões" na Inglaterra (cuja função essencial é a hipócrita racionalização e legitimação dos novos monopólios a pretexto da regulamentação antimonopólio) e seus equivalentes por toda parte. Em 1843, em seu "Esboço de uma crítica da economia política", que exerceu grande influência em Marx quando este se envolveu com a questão, o jovem Engels escreveu:

> O oposto da competição é o monopólio. O monopólio foi o grito de guerra dos mercantilistas; a competição, o grito de batalha dos economistas liberais. É fácil perceber que esta antítese é bastante vazia. ... A competição se baseia no interesse próprio e, por sua vez, o interesse próprio cria o monopólio. Resumindo, a competição se transforma em monopólio. Por outro lado, o monopólio não consegue deter a maré da competição – na verdade, ele mesmo cria a competição ... A contradição da competição é que cada um de seus elementos só pode desejar o monopólio, ao passo que o conjunto tende a perder com o monopólio e, portanto, deve eliminá-lo. Além do mais, a competição já pressupõe o monopólio – em outras palavras, o monopólio da propriedade (e aqui a hipocrisia dos liberais volta à luz); ... Portanto, é lamentável a meia-medida de atacar

---

[32] Baran e Sweezy, *Monopoly Capital*, pp. 52-3.

o pequeno monopólio e deixar intocado o monopólio básico. ... A lei da competição diz que demanda e oferta sempre lutam para se complementar e, portanto, jamais conseguem. Os dois lados dilaceram-se mais uma vez e se transformam em pura oposição. A oferta sempre segue a demanda de perto, sem jamais corresponder a ela: ou é grande demais ou pequena demais e jamais corresponde à demanda, porque nesta condição inconsciente da humanidade ninguém sabe o tamanho da oferta e da demanda. ... O que se deve pensar de uma lei que só pode se afirmar por meio de crises periódicas? É apenas uma lei natural baseada na inconsciência dos participantes.[33]

As teorias apologéticas que no século XX postularam a realização do "planejamento" no sistema do capital, de uma forma ou de outra afirmaram haver resolvido as contradições que surgiam da "condição inconsciente da humanidade", enfatizada por Engels. Na realidade, essas contradições se agravaram imensamente durante o século XX, com a expansão global e a transformação monopolista do capital. Estendendo os limites extremos da escala das operações do capital aos cantos mais remotos do planeta, foi possível eliminar algumas contradições específicas que ameaçavam provocar explosões dentro dos muros de seu confinamento anterior, como, por exemplo, "o cantinho do mundo, a Europa", descritas assim por Marx antes da grande expansão imperialista a partir do terço final do século XIX. Contudo, paralelamente à grande expansão imperialista que temporariamente deslocou a contradição, a competição pelo domínio e a colisão entre interesses antagônicos assumiram escala e intensidade muito maiores. Resultaram, em poucas décadas, nas devastadoras desumanidades de duas guerras mundiais, em incontáveis guerras menores e também no clímax totalmente "não planejado" (ou melhor, planejado da única maneira pela qual as grandes corporações monopolistas são capazes de "planejar", com unilateralidade intencional) de toda essa expansão, decididamente imprevisto e potencialmente catastrófico, levando a humanidade à beira da autoaniquilação.

A ideia de que a difusão harmoniosamente coordenada de monopólios e semimonopólios "cientificamente planejados e administrados" pelo mundo inteiro, na forma da "globalização" universalmente benéfica, poderia mostrar uma saída desse conjunto de antagonismos, corrigindo assim a "condição inconsciente da humanidade" deplorada pelos socialistas, é tão absurda quanto a projeção de que alguns monopólios de um Estado hegemonicamente dominante poderiam controlar de modo permanente todo o sistema do capital. A luta pela dominação hegemônica mencionada no começo do capítulo faz da primeira uma camuflagem cínica do verdadeiro projeto criado pelos poderes dominantes, e a constituição objetiva do sistema global do capital, na forma de Estados nacionais necessariamente orientados para si mesmos, torna a segunda perfeitamente irreal. Hegel estava certo ao enfatizar a intranscendível "*individualidade*" dos Estados nacionais, mas foi simplesmente ingênuo ao imaginar que a solução violenta dos antagonismos (a decisão de

---

[33] Engels, "Outline of a Critique of Political Economy", no Apêndice de Marx, *Economic and Philosophic Manuscripts of 1844*, Londres, Lawrence and Wishart, 1959, pp. 194-5.
É também importante acentuar aqui que a admiração de Marx por este trabalho do jovem Engels não se limita aos seus próprios primeiros trabalhos. Na verdade ele cita uma passagem em que Engels fala de uma "lei natural baseada na inconsciência do indivíduo" numa das seções mais importantes do *Capital* (volume 1), "The Fetishism of Commodities and the Secret Thereof".

conflitos incompatíveis em guerras de "vida ou morte"), inseparável dessa condição, poderia ser usada indefinidamente.

A impossibilidade ou de fazer a *competição* prevalecer venturosamente por meio da instrumentalidade do mítico "mercado livre", ou de chegar ao domínio indiscutível do *monopólio*, acuando permanentemente todos os campos da produção e da distribuição, ressalta as insolúveis contradições do sistema do capital no plano das estruturas da reprodução material e no campo da política. A "individualidade", enfatizada por Hegel com seu habitual "positivismo acrítico", impõe seus limites negativos fundamentalmente insuperáveis até mesmo à maior das gigantescas corporações monopolistas (ou semimonopolistas) e também aos Estados nacionais mais poderosos. Não há saída possível dessas restrições estruturalmente limitadoras na base material do capital, "contaminadas pela contingência" e sofrendo de instabilidade incurável. As estruturas de produção material do capital não podem ser reproduzidas na escala expandida necessária, sem a perpetuação do antagonismo entre trabalho e capital – instável por sua própria natureza.

A inexorável tendência para a socialização cada vez maior da produção, inseparável da divisão e da combinação internacionais do trabalho, igualmente crescentes sob o domínio de gigantescas empresas transnacionais, são partes integrantes das tentativas de superar essas restrições estruturais e ao mesmo tempo deslocar as contradições do sistema. É por isso que a recalcitrância real e potencial das "minorias nacionais" deve ser condenada e subjugada com todos os meios à disposição dos poderes dominantes. A pregação pseudo-humanitária de *The Economist,* que deseja negar "direitos de grupos" às chamadas "minorias nacionais", pertence à ponta mais quixotesca do espectro, no sentido de que apresenta "argumentos racionais" em favor dessa negação – por mais ideologicamente transparentes em relação às classes, e até autocontraditórios, que sejam tais argumentos. Por outro lado, os "realistas" falam de seu "nacionalismo econômico positivo" absolutamente necessário, ou mesmo da necessidade de tratar com métodos autoritários, implacáveis os países sumariamente desqualificados com o rótulo de "pandemônio étnico". Ao mesmo tempo, proporcionam generosos orçamentos para a "pesquisa de armamento não letal" do Pentágono, descaradamente propostos contra as "perturbações internacionais" a serem causadas pelas minorias étnicas e nacionais[34].

No entanto, o problema é que, do ponto de vista do capital transnacional globalmente expansionista, *até o maior país*, com seus poderes potencialmente restritivos, é *uma intolerável "minoria nacional"*. No passado, os monopólios eram estabelecidos com a racionalidade possível dentro das fronteiras de territórios nacionais eficazmente controláveis e nas colônias outrora mantidas com firmeza sob o domínio de um punhado de potências imperialistas. Hoje, ao contrário, a ideia de monopólios universalmente prevalecentes que poderiam afirmar seus interesses no quadro de uma economia global plenamente integrada é desprovida de qualquer racionalidade. O absurdo desta ideia surge hoje da circunstância de que, numa economia globalmente

---

[34] Para provar que o tratamento firme das pequenas nações problemáticas deve ser levada a sério, o senador democrata americano Daniel Patrick Moynihan – "o homem mais poderoso do Senado", como é geralmente chamado – ameaçou bombardear a Coreia do Norte em junho de 1994.

integrada, os desenvolvimentos monopolistas duradouros teriam de estar assegurados sobre uma base até impossível de imaginar e muito menos de realizar, pois, pela própria natureza dos empreendimentos – rivais e mutuamente exclusivos – que empurram na direção do estabelecimento do monopólio abrangente, quanto maior a escala das operações, maior a intensidade das lutas. A diferença historicamente experimentada entre as guerras locais e as guerras mundiais ilustra muito bem a natureza dessas determinações crescentes. A lógica fundamental do desenvolvimento dos monopólios globais exigiria a possibilidade, não de meia dúzia desses monopólios, mas de apenas *um*, controlando tudo e por todos os cantos sem um quadro institucional harmonioso e plausível de um monopolismo dividido consensualmente (o que já é, em si, um absurdo) ou, diante da impossibilidade de transformá-lo em realidade, um poder compensador exercido pela força bruta – no final das contas, mutuamente destrutiva – na escala global necessária. Não se deve ignorar o fato de que um monopolismo global bem-sucedido também teria de inventar uma força de trabalho perfeitamente obediente, aceitando com satisfação ser dominada pelo poder global hegemônico. A irrealidade de uma invenção desse tipo também deixa sob um desagradável ponto de interrogação a viabilidade do imaginado "nacionalismo econômico positivo" (imposto com ou sem o consentimento do resto do mundo pela "superpotência" internacional).

Sob as condições que hoje se apresentam, torna-se imensamente problemática a antiga prática bem-sucedida de empurrar as contradições do sistema do capital por meio do desenvolvimento expansionista. Já mencionei que no passado muitos problemas graves podiam ser adiados, estendendo-se a escala de invasão do sistema a todos os territórios ainda não controlados e, ao mesmo tempo, aumentando o cacife entre os principais poderes envolvidos. Agora não há mais lugar para garantir, na escala adequada, o necessário deslocamento expansionista. Além do mais, a "soberania decapitada" de Hegel – que em nosso tempo priva o sistema de sua capacidade de impor os interesses dominantes pela guerra – não frustra apenas as soluções hegemônicas rigorosamente passageiras, mais cedo ou mais tarde inevitavelmente derrubadas: para piorar a situação, ela reativa os antagonismos internos dos países particulares que antigamente podiam ser aplacados pelo envolvimento nacional na guerra, como Hegel admitia com franco cinismo.

Enquanto isso, prosseguem a concentração e a centralização do capital, "com a inexorabilidade de uma lei natural baseada na inconsciência dos participantes". Contudo, os problemas parecem multiplicar-se até nesse aspecto, contradizendo as esperanças associadas ao longo período da expansão transnacional e "globalização" pacífica. Há pouco tempo, os propagandistas do capital, no lado quixotesco do espectro, começaram a levantar suas vozes em advertência contra a "*deseconomia de escala*" – depois de décadas pregando a virtude absoluta e as insuperáveis vantagens da "*economia de escala*" – porque se assustaram com o desempenho desastroso de algumas das maiores corporações transnacionais. Assim era seu novo sermão, a que davam um significado diametralmente oposto aos sermões celebrativos de ontem:

> A degradação das grandes empresas está apenas começando. ... Conforme se acelerarem essas tendências, a questão decisiva diante dos superintendentes das grandes companhias não será descobrir como suas empresas podem crescer ainda mais, mas se conseguirão

sobreviver sem encolher. Em 1993, "grande" já não significava mais "bem-sucedida", como antes; daqui a não muito tempo, é provável que signifique "falência".[35]

Naturalmente, as personificações do capital encarregadas das grandes empresas não prestam atenção a sermões que os convidam a corrigir seus rumos. Não veem necessidade de mudança só porque as corporações gigantes andaram perdendo monumentais volumes de dinheiro. Por enquanto, elas conseguem ganhar dinheiro até no asfalto ou desviá-lo legalmente dos fundos de pensão de seus trabalhadores, como fez a General Motors. Preferem sair do problema das perdas maciças seguindo a "linha da menor resistência", segundo a qual a tendência do capital que realmente ocorre é desenvolver-se em direção a uma concentração e a uma centralização sempre maiores. Não causa espanto que um ano depois lêssemos em outro jornal influente:

> A plena globalização está sendo experimentada por multinacionais em outras indústrias, como a Unilever e a Nestlé, em produtos para o consumidor, mas nenhuma ainda realmente a conseguiu. "Isto é decididamente um filhote de Trotman"[36], disse uma fonte norte-americana. "Ele tem uma visão do futuro em que, para vencer no plano global, a Ford deve se tornar uma corporação verdadeiramente global." Em outubro de 1993, Trotman declarou ao *Sunday Times*: "À medida que a competição da indústria automotiva se globaliza ainda mais ao entrarmos no próximo século, a pressão para encontrar *economias de escala* aumentará muito mais. Quando se pode fazer um milhão de unidades de um só motor, em vez de dois motores com 500.000 unidades de cada, os custos são bem menores. Em última análise, haverá uma meia dúzia de jogadores globais e o resto não estará ali ou estará lutando para chegar".
>
> Trotman e seus colegas concluíram que a plena globalização é a única maneira de derrotar os competidores, como os japoneses e a arquirrival General Motors, que detêm na Europa uma vantagem de custos sobre a Ford. A Ford também acredita que precisa da globalização para se capitalizar nos mercados emergentes do Oriente e da América Latina.[37]

Assim, a tendência do desenvolvimento é de maiores, não de menores, concentração e centralização, com perspectivas inevitavelmente mais agudas de luta semimonopolista inteiramente despreocupada com as consequências perigosas para o futuro. Ainda assim – dada a "lei natural baseada na inconsciência dos participantes", segundo a qual operam os "planejadores" das corporações e os "capitães de indústria" que, como Trotman, antecipam confiantemente que "haverá uma meia dúzia de jogadores globais e o resto não estará ali ou estará lutando para chegar" –, as perspectivas não são cor-de-rosa nem mesmo para a "meia dúzia de jogadores globais" de Trotman. É bem mais realista vê-los como dinossauros imensos envolvidos em eternas lutas "de vida ou morte" até perecerem todos do que imaginar que se sentarão harmoniosamente em torno da mesa de reunião para compartilhar, com espírito fraternal, o produto da pilhagem que conseguirem extrair, pela eternidade, de uma força de trabalho complacente por todo o mundo. Além do mais, é difícil imaginar todos os Estados nacionais como colaboradores

---

[35] "The fall of big business", artigo de capa de *The Economist*, 10-17 de abril 1993, p. 13.
[36] Alex Trotman é o presidente inglês da transnacional americana Ford Corporation.
[37] "Ford prepares for global revolution", de Andrew Lorenz e Jeff Randall, *The Sunday Times*, 27 de março de 1994, seção 3, p. 1.

satisfeitos da "meia dúzia de jogadores globais", exatamente como seus Estados nacionais particulares hoje proporcionam serviços às gigantescas corporações transnacionais, aceitando com pouca ou nenhuma agitação a devastação de suas próprias economias e interesses comerciais dominantes e compelindo, ao mesmo tempo, a força de trabalho nacional a aceitar as consequências desses acontecimentos em troca das perspectivas de emprego cada vez piores no interesse da florescente "meia dúzia de jogadores globais". Só se pode acreditar em tudo isso pressupondo que até a estreita margem de racionalidade compatível com a "lei natural baseada na inconsciência dos participantes", a racionalidade parcial do autointeresse, tenha desaparecido completamente – ou pelo tempo necessário às otimistas previsões do presidente da Ford – dos países na extremidade receptora da globalização transnacional defendida.

5.1.5
A dissonância estrutural entre as estruturas da reprodução material do capital global e sua estrutura totalizadora de comando político – os diversos Estados nacionais, com sua individualidade "intranscendível" – só pode ser um prenúncio do agravamento dos antagonismos e da necessidade de grandes batalhas, em completa oposição às previsões ilusórias dos setores do capital temporariamente mais favorecidos. Como vimos acima, "o Estado do sistema do capital em si" continua a ser até hoje apenas uma "ideia reguladora" kantiana, apesar de todos os esforços despendidos, no período que se seguiu à Segunda Guerra, para torná-la real na forma de uma rede internacional de instituições econômicas e políticas – do Banco Mundial e do Fundo Monetário Internacional à OCDE, ao GATT e à ONU – sob o domínio mais ou menos velado dos Estados Unidos. Hoje, como antes, o capital global está desprovido de sua adequada formação de Estado, porque as unidades reprodutoras materiais dominantes do sistema não conseguem se livrar de sua "individualidade". De fato, não podem se livrar de uma necessariamente "combativa individualidade" (combativa no mesmo sentido em que o Estado deve ser capaz e estar pronto para se envolver no combate; em outras palavras, o conceito de "individualidade" glorificado por Hegel na verdade exauriu-se na sua capacidade de enfrentar o adversário para derrotá-lo), porque são obrigados a operar em situação inerentemente conflitante em todos os cantos do mundo, dados os antagonismos estruturais intranscendíveis do sistema do capital, desde o menor "microcosmo" de sua reprodução até as empresas de produção e distribuição mais gigantescas.

Assim, a "individualidade" em questão é uma determinação *negativa* inalterável, que não pode ser preenchida com um conteúdo positivo. Neste sentido, encontramos no plano da reprodução material inúmeros capitais que se opõem uns aos outros e, o que é mais sério, aos grupos de trabalho sob seu controle, todos lutando – inexoravelmente e, por sua própria natureza, descontroladamente – para a dominação total em seu próprio território e além de suas fronteiras nacionais. Ao mesmo tempo, no plano político totalizador, o Estado do sistema do capital é articulado como uma série de Estados nacionais opostos entre si (e, naturalmente, à força de trabalho nacional sob seu controle "constitucional") como "Estados soberanos" particulares. A determinação negativa do capital – no singular ou no plural – não pode ser transformada em positiva, porque o capital é *parasitário* do trabalho, que estruturalmente tem de dominar e explorar. Isto significa que o capital *nada* é sem o trabalho, nem mesmo por um instante, o que torna *absoluta e permanente* a determinação negativa do capital – em termos de sua dependência do trabalho. Igualmente, a formação do Estado no sistema do capital é impensável se este não reproduzir, à sua própria maneira, a mesma multiplicidade de determinações negativas intranscendíveis, articulando por meio de sua estrutura de comando político totalizador – numa forma hierárquica invertida, correspondente à hierarquia estrutural do processo da reprodução material – a absoluta dependência do capital ao trabalho.

Neste sentido, é intelectualmente coerente falar da "soberania do Estado" como fronteira negativa que separa e opõe todos os Estados uns aos outros, por mais problemático que seja, sob outros aspectos, no plano das verdadeiras relações de poder entre eles. Esperar que o Estado do sistema do capital se transforme numa formação positiva para adquirir a capacidade de reunir e "conciliar" debaixo de si mesmo as contradições dos Estados nacionais num "governo mundial" ou numa "liga das nações" kantiana é pedir o impossível. O "Estado" do sistema do capital (que existe na forma de Estados nacionais particulares) *nada* é sem sua oposição real ou potencial a outros Estados, assim como o capital nada é sem sua oposição ao trabalho e sem a autodeterminação negativa em relação a ele. Pensar o Estado como instrumentalidade política de autodeterminações positivas (autossustentadas) significa esperar a restituição de suas funções controladoras alienadas em relação ao corpo social e, com isso, o necessário "estiolar" do Estado. Na situação existente sob o domínio do capital, prevalece a negatividade que se afirma com implacável eficácia no plano da reprodução e no político, internamente e por meio das relações conflituosas entre os Estados. Entretanto, os limites absolutos do sistema do capital são ativados sempre que antagonismos cada vez mais sérios dos intercâmbios globais materiais e políticos exigem soluções verdadeiramente positivas, mas o modo profundamente arraigado de controle sociometabólico do capital é estruturalmente incapaz de oferecê-las. Ele tem de seguir em frente às cegas, em sua própria "linha de menor resistência" – sob a lei das sempre maiores concentração e centralização – e em direção à dominação interna e internacional da "meia dúzia de jogadores globais", repelindo quaisquer preocupações com os riscos explosivos de tais circunstâncias.

Com exceção do conceito de "revolução", o de "soberania" é o mais maltratado no discurso político burguês. No mundo das relações realmente existentes de poder, significa a justificação impecável para que as grandes potências (nas palavras de Hegel, "as nações históricas do mundo") espezinhem a soberania – o teoricamente inviolável direito à autonomia e à autodeterminação – das nações menores, utilizando qualquer pretexto adequado à conveniência dos poderosos, desde o "incidente do golfo de Tonquim" totalmente inventado contra o Vietnã do Norte, até a proposta de supressão do "pandemônio étnico". Assim, a defesa da soberania das nações menores deve ser parte integrante da tentativa de emancipação do domínio do capital no campo das relações entre os Estados. Com o sistema existente de dominação e subordinação, intensificado pela pressão do capital transnacional para afirmar seus interesses acima de todas as aspirações à autonomia e à autodeterminação nacionais, a luta dos oprimidos por uma soberania há muito negada é um passo inevitável no processo da transição para uma ordem sociometabólica qualitativamente diferente. Como corretamente ressaltou Constantino, ela não pode evitar ser negativa – a rejeição e a negação de uma interferência do Estado mais forte – e *defensiva*, em sua oposição à atribuição de um *status* inferior na ordem hierárquica do sistema do capital.

A alternativa positiva ao domínio do capital não pode ser defensiva. Todas as posturas defensivas sofrem de uma instabilidade fundamental, pois até as melhores defesas podem ser derrubadas sob fogo concentrado, dada uma mudança conveniente nas relações de poder em favor do adversário. Assim, a defesa da soberania nacional e do direito à autodeterminação não pode ser a última palavra nessas questões, embora com certeza seja o primeiro passo indispensável. A defesa contra os excessos do grande capital continua deixando intocado o caráter abusivo (manifesto em sua exploração do trabalho e na inalterável dominação estrutural) do sistema do capital, o que torna qualquer possibilidade de êxito rigorosamente temporária e arriscada. Depois da Segunda Guerra, o destino de grande parte das lutas de libertação contra o domínio colonial sob a liderança da burguesia nacional ilustra claramente essas dificuldades. Elas só conseguiram substituir o domínio do capital antes exercido sob a administração direta colonial-imperialista por alguma de suas versões "neocoloniais" e "neocapitalistas" de dependência estrutural, apesar dos enormes sacrifícios dos povos envolvidos nas guerras anticolonialistas.

5.1.6

O antagonismo entre o capital transnacional globalmente expansionista e os Estados nacionais – que indica, de forma muito acentuada, a ativação de um limite absoluto do sistema do capital – não pode ser derrubado com a atitude defensiva e as formas de organização da esquerda histórica. O sucesso exige as forças do genuíno *internacionalismo*, sem as quais a perversa dinâmica global do desenvolvimento transnacional não pode ser nem temporariamente combatida, muito menos substituída por um novo modo autossustentável de intercâmbio sociometabólico na escala global necessária. Desde seu início marxiano, o movimento socialista tinha aspirações internacionais conscientes. No entanto, suas formas concretas, os partidos e sindicatos tradicionais do movimento operário – inseridas nas estruturas estabelecidas da reprodução material e da política do sistema do capital, esperando a realização de seus objetivos irremediavelmente defensivos a partir de uma parcela da expansão do capital –, mostraram-se inadequadas para a tarefa.

Esse internacionalismo não pode ser apenas uma aspiração e uma determinação *organizacionais*. Pensar nele nesses termos (o que no passado demonstrou ser a principal causa de muitos fracassos) ainda o manteria numa definição negativa e defensiva e, consequentemente, confinado à dependência e à oposição ao perverso globalismo do capital. Ele tem de ser articulado como uma *estratégia* para o estabelecimento de uma ordem internacional alternativa de reprodução social, instituída e administrada com base na igualdade real entre seus múltiplos componentes. Uma igualdade definida em termos *positivos substantivos*, ao contrário da inevitável negatividade e defensividade da luta pela soberania nacional, até da mais evidentemente justificada, que só poderá ser conquistada a partir das margens disponíveis das determinações e restrições historicamente prevalecentes do capital.

O internacionalismo positivo não pode se acomodar nem mesmo dentro das margens mais favoráveis da expansão do capital global, menos ainda num momento em que o antagonismo cada vez maior entre o capital transnacional e os Estados nacionais em grande parte se deve ao estreitamento dessas margens. No passado, todas as teorias da "conciliação" dos conflitos entre os Estados no quadro do sistema do capital fracassaram – mesmo as mais nobres, como a visão da "paz perpétua" de Kant, baseada no idealizado "espírito comercial" de Adam Smith. Elas jamais questionaram (ao contrário, em geral glorificavam) o princípio estruturador profundamente iníquo das próprias estruturas da reprodução material, que em última análise eram as responsáveis pelos antagonismos sempre reproduzidos. Este sempre foi, e continua a ser hoje, o xis da questão. Portanto, a estratégia do internacionalismo positivo significa a substituição do princípio estruturador iníquo (insuperavelmente conflitante) dos "microcosmos" reprodutivos do capital por uma alternativa plenamente cooperativa. O impulso destrutivo do capital transnacional não pode ser nem aliviado, muito menos ser concretamente superado, apenas no nível internacional. A existência de "microcosmos" antagônicos incluídos em estruturas cada vez mais amplas do mesmo tipo conflitante, mais cedo ou mais tarde, leva necessariamente à reprodução dos conflitos temporariamente aplacados. Assim, o internacionalismo positivo se define como a estratégia de ir além do capital como um modo de controle sociometabólico, ajudando a articular e coordenar de maneira abrangente uma forma não hierárquica de tomada de decisão, tanto no plano da reprodução material como no cultural e político. Uma estratégia em que as funções controladoras essenciais da reprodução sociometabólica – expropriadas de si mesmas, na ordem existente, pelos que ocupam os altos escalões na estrutura de comando do capital, tanto no campo das relações empresariais, como no da política – podem ser "devolvidas" aos membros dos "microcosmos" e as atividades destes podem ser devidamente coordenadas até abrangerem os níveis mais amplos, porque não estão dilaceradas por antagonismos inconciliáveis.

Voltaremos a esses problemas com algum detalhamento na Parte III, especialmente nos capítulos 14, 19 e 20. O ponto a ressaltar aqui é que, como "a atividade não é *dividida* de forma deliberada"[38], mas, ao contrário, regulada por alguma espécie de processo "natural" no quadro global da competição e da luta internacional, devem existir estruturas sociais capazes de impor aos indivíduos uma divisão do trabalho não meramente funcional, mas estrutural-hierárquica. (As estruturas fundamentais dessa divisão hierárquico-estrutural reforçada do trabalho são, naturalmente, as classes sociais competindo de maneira antagônica.) Inversamente, os antagonismos potencialmente mais destrutivos sempre são reproduzidos no plano internacional mais amplo porque o capital não consegue operar os "microcosmos" vitais da reprodução sociometabólica sem submetê-los a seu princípio de controle estruturador rigorosamente vertical e hierárquico.

Naturalmente, a mesma correlação também vale para a alternativa positiva. Neste sentido, a condição necessária para uma verdadeira solução (e não manipulações e postergações temporárias) dos conflitos, por meio do internaciona-

---

[38] *The German Ideology*, p. 45.

lismo socialista, é a adoção de um princípio estruturador realmente democrático e cooperativo nos próprios microcosmos da reprodução social, fundamentando a possibilidade inicial da autoadministração positiva e a "coordenação lateral" dos produtores associados em escala global (em oposição à, no momento, subordinação vertical prevalecente a um poder controlador estrangeiro). Isto é o que Marx deve ter pretendido dizer quando preveniu que a autorrealização consciente do agente social existe "para si mesma"[39].

---

[39] O leitor interessado vai encontrar uma análise detalhada desses problemas no meu ensaio "Contingent and Necessary Class Consciousness", em *Philosophy, Ideology and Social Sciences*, p. 57-104. Aqui posso apenas tocar em alguns pontos.
Na discussão deste assunto, Marx distingue entre o trabalho como uma "classe em si" (ou seja, uma "classe contra o capital") e uma "classe para si", que se define como uma "universalidade autoconstitutiva", em oposição não apenas ao particularismo burguês, mas a qualquer particularismo. Pois é inconcebível o trabalho emancipar-se pela simples reversão dos termos anteriores de dominação e instalar-se como o novo particularismo tornado dominante pela exploração dos dominadores de ontem. A reprodução social não poderia ocorrer sobre uma base tão estreita.
Esta distinção categórica teve origem em Hegel, que falou a respeito do ser "em e para si" constituir-se por meio da "automediação" e sendo, dessa forma, "postulado para si como o universal" (Hegel, *The Science of Logic*, Londres, Allen & Unwin, 1929, vol. 2, p. 480). Por esses critérios, a burguesia não pode se transformar numa "classe para si". Ou seja, de um lado, porque ela se coloca como antagonista insuperável em relação ao proletariado, e portanto falta a condição de "automediação" estipulada por Hegel. De outro lado, ela não pode "postular-se como universal" porque é constituída como uma força social necessariamente exclusivista, na forma contraditória de "parcialidade universalizada", ou seja, autointeresse parcial transformado no princípio geral organizador da sociedade. Dessa forma, a burguesia é *particularismo por excelência*: ou seja, a seção dominante do antigo "Terceiro Estado" que se transforma no "estamento em e para si" – o princípio dos Estados, "privilégio definido e limitado", universalizado como o princípio dominante da sociedade e como a expropriação de todo privilégio para si (por exemplo, a conversão da propriedade feudal da terra na agricultura capitalista) – mas apenas uma "classe em si", não uma classe para si. A burguesia adquire sua característica de classe pela incorporação de várias formas de privilégio ao seu próprio modo de existência, tornando-se assim uma classe do tipo estamento, ou uma classe de todos os estamentos, que surge deles e leva seu princípio à conclusão lógica.
Isso significa que o capital nunca há de superar sua própria *negatividade* e dependência permanente do trabalho, a que ele tem de se opor antagonisticamente (negar) e ao mesmo tempo dominar. Tanto nas estruturas materiais do capital como sistema de controle sociometabólico, como formação historicamente específica do estado dessa ordem reprodutiva, a categoria do "em si" (sua definição "contra o outro", ou seja, contra o antagonista) prevalece absolutamente. A base "positiva e de autossustentação" de sua constituição é uma *pseudopositividade:* uma estrutura que assegura a dominação e a exploração do antagonista ao reproduzir sempre o antagonismo. Assim, tanto nas estruturas reprodutivas materiais do capital como na sua formação do Estado, as categorias de "em si" e "para si" coincidem mistificadoramente de tal forma que a realidade do "em si" particularista se apresenta como o universalmente benéfico e universalmente realizável (cf. "igualdade de oportunidade" etc.) que na realidade, em termos substantivos, é um para si absolutamente irrealizável. Esta coincidência e camuflagem perversa cria uma aparência enganadora de positividade apesar de sua substância inalteravelmente negativa. Ao mesmo tempo, esconde sua natureza real, por meio da falsa aparência de estruturas e instituições materiais reprodutivas *livres* e políticas soberanas. O resultado é que o parasita opressor e explorador do trabalho produtivo pode reivindicar, para si, privilégios por ser o "criador de riquezas", e para seu "Estado democrático", que defenda e imponha o "interesse geral ou universal".
Entretanto, tudo isso deixa de ser viável quando se atingem os limites absolutos. Pois a negatividade inerente até aos maiores monopólios – que lutam contra outros monopólios e contra o trabalho, tanto no próprio país como no exterior – não tem capacidade de se transformar numa positividade abrangente e conciliadora feliz. Nem a defesa e a imposição políticas dos interesses de expansão transnacional do capital – Estado nacional – tem condições de se transformar numa força positiva universal. É por isso que a criação de um "Governo Mundial" deve continuar sendo um sonho irrealizável hoje e no futuro, como o era há duzentos anos.

5.2 A eliminação das condições de reprodução sociometabólica

5.2.1

Na seção 5.1 vimos que, no decorrer de seu desenvolvimento histórico, o sistema do capital tentou ir além de suas possibilidades com relação a uma de suas mais importantes dimensões, que afeta diretamente o relacionamento entre sua estrutura de comando de reprodução material e a política no nível mais abrangente. A irreconciliável contradição entre os Estados nacionais rivais do sistema do capital e o problemático impulso de suas mais poderosas unidades econômicas – as corporações gigantescas – em direção ao monopólio transnacional é a manifestação clara desta tentativa.

Perseguir aspirações monopolistas era "natural" para o capital mercantil. Portanto, é compreensível que, de seu ponto de vista, o Estado esperasse assegurar a vitória dessas aspirações utilizando todos os meios à sua disposição. Entretanto, fazê-lo além de uma fase histórica muito limitada não significou apenas colocar obstáculos, mas contradizer diretamente a articulação da dinâmica interna do sistema, em sua qualidade de modo de reprodução sociometabólica, globalmente entrelaçado sob a dominação do capital *industrial*. Assim, as primeiras restrições monopolistas do capital mercantil tiveram de ser afastadas para uma fase mais avançada de desenvolvimento socioeconômico. O monopolismo muito diferente que acompanhou o desdobramento do imperialismo nos séculos XIX e XX não poderia fazer o relógio voltar atrás para recriar o monopolismo relativamente sem problemas do capital mercantilista, apesar do fato de o capital *financeiro* ter se imposto vigorosamente sob as novas circunstâncias. Nem a dominação do sistema global por uma meia dúzia de monopólios, nem a restrição ao desdobramento da dinâmica interna do capital poderiam ser consideradas opções realistas. Ao contrário, a humanidade teve de experimentar a intensificação dos antagonismos do sistema e sua explosão em duas guerras globais – para não mencionar a antecipação, em Hiroshima e Nagasaki, da total catástrofe de uma eventual Terceira Guerra – sem nem ao menos chegar a arranhar uma solução sustentável.

Por um lado, o irrefreável impulso para articular e consolidar suas estruturas de reprodução material na forma de um sistema global plenamente integrado e, por outro, sua incapacidade de satisfazer a tendência à integração econômica por meio de um Estado global integrado de maneira correspondente (o "governo mundial") ilustram muito claramente o fato de que o sistema tentou ir além de suas possibilidades, bem como a insustentabilidade desta situação. "Não há mais para onde ir" neste planeta, até no limitado sentido da tomada de controle das possessões de potências capitalistas rivais (a maneira como, pela última vez na história da rivalidade imperialista, os Estados Unidos conseguiram assumir o controle dos antigos impérios britânico e francês, depois da Segunda Guerra Mundial) e, ainda assim, as fronteiras dos Estados nacionais existentes não podem ser toleradas. Elas têm de ser declaradas intoleráveis, não por qualquer Estado em particular, mas pelos imperativos do modo estabelecido da reprodução sociometabólica, que tornam o problema muito mais grave. Pois, enquanto se continuar preso dentro da estrutura irremediavelmente desintegradora de produção e distribuição do capital, não há defesa contra os antagonismos explosivos do "macrocosmo" de sua reprodução social.

A completa articulação do sistema do capital trouxe dificuldades que não podem ser enfrentadas sem substituir os frequentes e abstratos apelos à ideia da "humanidade em comum" dos indivíduos por sua realização numa prática viável da reprodução social. No entanto, como o "macrocosmo" e os "microcosmos" do sistema – inseparáveis de seus antagonismos geradores de dominação – devem ser considerados absolutamente inquestionáveis por serem o melhor de todos os modos concebíveis de intercâmbio sociometabólico, os apologistas do capital só nos podem oferecer a pregação vazia da "humanidade comum" de indivíduos isolados contra os males dos "tribalistas", como vimos nos absurdos sermões de *The Economist*. Ao mesmo tempo, o pleno desenvolvimento e a invasão transnacional do "macrocosmo" estabelecido de reprodução ativaram um dos limites absolutos do capital, na forma da tentativa de ir além de suas possibilidades, pois, para assegurar a permanência de seu domínio global, ele agora se vê compelido a assumir o controle indiscutível do que não puder subjugar nem mesmo com as formas de domínio mais autoritárias inventadas no século XX. Assim, é inevitável que a mencionada tentativa de ir além de suas possibilidades seja uma contradição insolúvel, produzindo um verdadeiro beco sem saída. Por isso, nas atuais condições históricas, o capital deixa de articular e regular corretamente sua estrutura de comando político totalizadora: a garantia última da viabilidade de suas estruturas de reprodução material que em si e por si são perigosamente centrífugas.

A tentativa de ir além de suas possibilidades é a marca da relação do capital também com as condições elementares de reprodução sociometabólica, no intercâmbio absolutamente inevitável da humanidade com a natureza. Nem as fantasias sobre a "sociedade pós-industrial" – na qual a "informática" supostamente toma o lugar das "indústrias de chaminé" e se espera que os "analistas simbólicos" se tornem, com a mesma clareza mágica, o novo poder dominante –, nem as variadas estratégias concebidas e recomendadas da perspectiva do capital como a maneira adequada de "limitar o crescimento" podem aliviar essa grave situação. Geralmente a autocomplacência caracteriza as diversas fantasias "pós-industriais" e, no caso dos aspirantes a "limitadores do crescimento", a questão dos limites está tendenciosamente mal concebida.

Ela está mal concebida para poder atribuir a responsabilidade pelos problemas percebidos e perigos crescentes aos indivíduos sem poder – de quem se afirma não estarem dispostos a aceitar os limites restritivos – e, naturalmente, deixar intocado o quadro geral e a base causal do sistema do capital. Assim, como esperado, os autores patrocinados pelo proeminente empreendimento capitalista, o "Clube de Roma", definem o "dilema humano" e a tarefa de enfrentá-lo como a necessidade de estabilizar e preservar "os setores interligados do sistema capital-população"[40], identificando com a perpetuação do

---

[40] *The Limits to Growth*, p. 30. Ver também *Thinking about the Future: A Critique of The Limits to Growth*, editado por H. S. D. Cole, Christofer Freeman, Marie Jahoda e K. L. R. Pavitt, Chatto & Windus para Sussex University Press, Londres, 1973.

domínio do capital a necessidade de assegurar as condições sociometabólicas elementares. Este tipo de abordagem prevê que os limites do sistema do capital continuarão a ser eternamente os inevitáveis limites de nosso horizonte de reprodução social. Consequentemente, insiste-se em que o remédio está na aceitação dos limites encontrados e em "aprender a conviver com eles"[41], em vez de "lutar contra os limites"[42], como a "cultura" nos condicionou a fazer no passado. Convenientemente, todos os diagnósticos deste "dilema humano"[43] esquecem que "lutar contra os limites" pertence à natureza íntima do capital – exatamente o que eles desejam perpetuar.

Dessa maneira, não apenas se atribui falaciosamente a responsabilidade pelo aprofundamento da crise aos "indivíduos egoístas" – apresentados como incuravelmente egoístas por natureza, ainda que, espera-se, capazes de se adaptar ao esclarecedor discurso dos porta-vozes do capital – mas representa-se de forma totalmente falsa a questão fundamental dos limites objetivos de que dependem tantos pontos decisivos. As determinações e os imperativos materiais esmagadores que dirigem o capital são *minimizados* e substituídos por impulsos psicológicos superficiais dos indivíduos, transformando uma gravíssima questão multifacetada num discurso neomalthusiano amplamente retórico sobre a necessidade de "controle populacional". Essa monótona estratégia univariada é defendida para preservar na condição atual – ainda que futuramente numa forma estacionária não realista – os "setores entrelaçados do sistema capital-população". Os defensores de soluções neomalthusianas não podem entender, ou se recusam a admitir, que os desastres diagnosticados não apareceram no horizonte porque os indivíduos estão acostumados "a lutar contra os limites" em vez de "aprender a conviver com eles" – mas, ao contrário, porque *o capital em si é absolutamente incapaz de se impor limites*, não importando as consequências, nem mesmo a eliminação total da humanidade:

> O capital é o impulso infinito e ilimitado de ultrapassar as barreiras que o limitam. Qualquer limite (*Grenze*) é e tem de ser uma barreira (*Schranke*) para ele. Caso contrário, ele deixaria de ser capital – dinheiro que se autorreproduz. Se tivesse percebido algum limite não como uma barreira, mas se sentisse bem dentro dessa limitação, ele teria *renunciado ao valor de troca pelo valor de uso*, passando da forma geral de riqueza para um modo *tangível e específico* desta. O capital em si cria uma mais-valia específica porque não tem como criar uma infinita; ele é o *movimento constante para criar mais da mesma coisa*. Para ele, a *fronteira quantitativa* da mais-valia é uma simples barreira natural, uma carência que ele tenta constantemente violar, além da qual procura chegar. *A barreira se apresenta como um acidente a ser conquistado*.[44]

O discurso de defesa da necessidade de "conviver com os limites" errava completamente o alvo. De um lado, os indivíduos que aceitam (como se espera) a estrutura do sistema do capital como seu horizonte de reprodução, pelo mesmo motivo condenam-se à impotência total para consertar a situação. Ao mesmo tempo, o capital (sendo o

---

[41] *The Limits to Growth*, op. cit., p. 150.
[42] Ibid.
[43] Ibid., p. 195.
[44] Marx, *Grundrisse*, pp. 334-5.

modo estabelecido de controle sociometabólico) não teria apenas de ser *diferente*, mas *diametralmente oposto* ao que pode e deve ser, para ser capaz de sair do seu desastroso rumo fatal de desenvolvimento, e "restringir-se" para funcionar "dentro de limites racionais". Ele teria de "renunciar ao valor de troca pelo valor de uso e passar da forma geral da riqueza para uma forma específica e tangível desta", o que não se concebe que possa fazer sem deixar de ser capital – ou seja: modo alienado e reificado do processo de controle sociometabólico, capaz de seguir o rumo inexorável de sua própria expansão (sem preocupação com as consequências) justamente porque rompeu as restrições do valor de uso e da necessidade humana.

Assim, não é de espantar que só se possa levantar a questão dos limites como retórica enganadora dos que defendem "crescimento zero e equilíbrio global". Eles não prestam a menor atenção à verdadeira "explosão populacional" sob o sistema do capital, que examinaremos na última seção deste capítulo. É significativo que se procure assustar os indivíduos, afirmando que, se não restringirem seus hábitos procriadores, a população mundial estará condenada, porque "o *sétimo bilhão* poderá chegar antes do ano 2000, menos de trinta anos à nossa frente"[45]. O fato de estarmos muito longe dos números com que nos ameaçaram, a menos de cinco anos da data fatídica, é uma boa medida da excelência dessas autoproclamadas projeções "científicas". A verdade é que os indivíduos não deveriam ser convidados a "aceitar os limites dados", já que, de qualquer maneira, são *obrigados* a fazer isso sob o domínio do capital. Ao contrário, têm a necessidade vital de lutar tanto quanto possível contra os incorrigíveis limites destrutivos do capital, antes que seja tarde demais. Desnecessário dizer que um tratamento tão diferente da questão dos limites não tem muito a ver com o discurso dos defensores do sistema do capital.

5.2.2
A tendência universalizadora do capital tem sido irresistível (e também, de muitas maneiras, benéfica) há muito tempo na história. Por isso, alguns clássicos da filosofia burguesa podiam conceituar – com certa justificativa – o "mal radical" como instrumento para realizar o bem. Contudo, para ver o mundo do ponto de vista do capital, eles teriam necessariamente de omitir as limitações *históricas*. Em si, o capital não é mau nem bom, mas "indeterminado" em relação aos valores humanos. No entanto, essa "indeterminação" abstrata, que o torna compatível com o progresso concreto sob circunstâncias históricas favoráveis, adquire uma destrutividade devastadora quando as condições objetivas associadas às aspirações humanas começam a resistir a seu inexorável impulso expansionista.

A tendência universalizadora do capital, que nos trouxe ao ponto em que hoje estamos, emanou de seu "impulso ilimitado e infinito para superar a barreira limitadora", qualquer que tenha sido esta: obstáculos naturais ou fronteiras culturais e nacionais. Além do mais, a mesma tendência universalizadora era inseparável da necessidade de deslocar os antagonismos internos do sistema por meio da constante ampliação da escala de suas operações.

---

[45] *The Limits to Growth*, op. cit., p. 149.

É da natureza do capital não reconhecer qualquer medida de restrição, não importando o peso das implicações materiais dos obstáculos a enfrentar, nem a urgência relativa (chegando à emergência extrema) em relação a sua escala temporal. A própria ideia de "restrição" é sinônimo de *crise* no quadro conceitual do sistema do capital. A degradação da natureza ou a dor da devastação social não têm qualquer significado para seu sistema de controle sociometabólico, em relação ao imperativo absoluto de sua autorreprodução numa escala cada vez maior. É por isto que durante o seu desenvolvimento histórico se excedeu o capital em todos os planos – incluído seu relacionamento com as condições básicas da reprodução sociometabólica –, mas estava destinado a fazê-lo cedo ou tarde.

Os obstáculos externos jamais detiveram o impulso ilimitado do capital; a natureza e os seres humanos só poderiam ser considerados "fatores de produção" externos em termos da lógica autoexpansionista do capital. Para ter impacto limitador, o poder de restrição do capital teria de ser *interno* à sua lógica. Além de certo ponto, a *tendência universalizadora* de avanço produtivo do próprio capital teria de se tornar uma *invasão universal* basicamente insustentável, com o esgotamento dos domínios a invadir e subjugar. Por isso o "mais" começou paradoxalmente a significar "menos" e o "controle universal" (assumindo a forma da "globalização" antagonista) a indicar os riscos de uma completa perda de controle. Isto foi produzido pelo próprio capital, ao criar por todo o mundo uma situação totalmente insustentável, que exige uma coordenação abrangente (e, obviamente, um planejamento consensual para torná-la possível) – quando, por sua própria natureza, o sistema do capital se opõe diametralmente a tais exigências. É por isso que o resultado negativo – razão pela qual o "mais" começa a significar "menos" e o "controle" do mundo inteiro sob o domínio do capital traz a profunda crise do controle – não aconteceu simplesmente, deixando em aberto a possibilidade de inversão da situação, mas teve de acontecer com a irreversibilidade de uma tragédia grega. Foi apenas uma questão de tempo para que o capital – em seu irrefreável impulso para ir *além* dos limites encontrados – tivesse de se superar, contradizendo sua lógica interna e entrando em colisão com os limites estruturais insuperáveis de seu próprio modo de controle sociometabólico.

É assim que as galinhas produzidas pelo deslocamento das contradições do sistema, com a constante ampliação da escala (segundo o modelo do imaginário jogador de roleta e seu bolso sem fundo já mencionados), começam a voltar ao poleiro, pois hoje é impossível pensar em qualquer coisa associada às condições elementares da reprodução sociometabólica que não esteja letalmente ameaçada pela forma como o capital se relaciona com elas: a única que ele conhece. Isto não vale apenas para as exigências de energia da humanidade ou para a administração dos recursos naturais e dos potenciais químicos do planeta, mas para todas as facetas da agricultura global, inclusive a devastação em grande escala das florestas e a maneira irresponsável de tratar o elemento sem o qual nenhum ser vivo pode sobreviver: a água. No período vitoriano, quando algumas localidades entraram na moda como estâncias de saúde, alguns empresários cínicos engarrafavam ar com o nome dessas estâncias para que os ricos os soltassem em seus quartos ao retornarem para casa. Hoje, se conseguir açambarcar a atmosfera do planeta e privar os indivíduos de seu modo espontâneo e pouco sofisticado de respirar, com toda certeza o capital criará uma fábrica de engarrafamento global e autoritariamente racionalizará a produção a seu bel-prazer, prolongando indefinidamente sua própria vida. É possível que os apologistas do capital já tenham reunido especialistas em futurologia ocupados em algum projeto desse tipo, como agora patrocinam generosamente a pesquisa de "armas não letais" voltadas contra as nações menores. Não obstante, duvida-se que esta "fase de produção em escala total" da indústria de engarrafamento do ar chegue a tempo de salvar o sistema (e a humanidade) da explosão de seus devastadores antagonismos.

Na ausência de soluções milagrosas, a postura arbitrária de autoafirmação do capital em relação a suas determinações objetivas de causalidade e tempo poderá no final resultar numa colheita amarga à custa da humanidade. Todos os que continuam a postular que "ciência e tecnologia" resolverão as graves deficiências já inegáveis e as tendências destrutivas da ordem estabelecida de reprodução, "como sempre aconteceu no passado", estão se iludindo. Ignoram a *escala proibitiva* dos problemas que se acumulam e teriam de ser resolvidos dentro das restrições dos recursos de produção disponíveis e ampliáveis de modo realista (em oposição às fictícias projeções de recursos tirados do céu que se multiplicam infinitamente, para tornar real a viabilidade permanente do "crescer além dos limites"). E, devido à grande urgência, ignoram os *limites do tempo* inevitavelmente impostos a todos por causa do caráter objetivo dos fatos presentes. Para uma comparação moderada, basta cotejar as absurdas projeções baseadas no vago sucesso das viagens à Lua na época do presidente Kennedy (quando se usurpou gratuitamente uma infinidade de recursos à disposição do "mundo livre", do que se deduz que o céu era mesmo "o limite") com a realidade da NASA, hoje muito reduzida, e dos programas espaciais de outros países.

No período da ascendência histórica do capital, a capacidade do sistema de ignorar a causalidade espontânea e o ritmo da natureza – que circunscreviam e "fechavam" as formas de satisfação dos seres humanos – trouxe um grande aumento em seu poder de produção, graças ao desenvolvimento do conhecimento social e à invenção das ferramentas e dos métodos exigidos para traduzi-lo em potencialidade emancipadora. No entanto, como esse progresso teria de ocorrer de forma alienada, sob o domínio de uma objetividade reificada – o capital – que determinasse o rumo a seguir e os limites a transgredir, o intercâmbio reprodutivo entre a humanidade e a natureza teve de se transformar no oposto. O terreno da ciência e da tecnologia *viável* teria de estar rigorosamente subordinado às exigências absolutas da expansão e da acumulação do capital. Por essa razão, ciência e tecnologia sempre tiveram de ser utilizadas com enorme seletividade, conforme o único princípio de seletividade à disposição do capital, até nas formas historicamente conhecidas dos sistemas pós-capitalistas. Assim, mesmo as formas existentes de conhecimento científico, que até poderiam combater a degradação do ambiente natural, não podem se realizar porque interfeririam com o imperativo da expansão inconsciente do capital; para não mencionar a recusa em dar andamento aos projetos científicos e tecnológicos que, se tivessem a necessária escala monumental, compensariam a piora de toda a situação. A ciência e a tecnologia só poderão ser utilizadas a serviço do desenvolvimento produtivo se contribuírem diretamente para a expansão do capital e ajudarem a empurrar para mais longe os antagonismos internos do sistema. Portanto, a ninguém deve surpreender que, sob tais determinações, o papel da ciência e da tecnologia tenha de ser degradado para melhorar "positivamente" a poluição global e a acumulação da destrutividade na escala prescrita pela lógica perversa do capital, em vez de atuar na direção oposta como, em princípio, poderia – hoje, só mesmo "em princípio".

Ao mesmo tempo, e noutro plano, o progresso das forças da produção agrícola não erradicou a fome e a desnutrição. Mais uma vez, isto estaria em contradição com o imperativo da expansão "racional" do capital. Não se deve permitir que motivações "sentimentais" relativas à saúde – e até à simples sobrevivência – dos seres humanos perturbem ou interrompam os "processos de tomada realista de decisão" orientados para os mercados. O ritmo e a recalcitrância espontâneos da natureza já não são desculpas convincentes para justificar as condições de vida de milhões e milhões de pessoas que sucumbiram à miséria nas últimas décadas e continuam a perecer ainda hoje pela mesma causa.

As prioridades adotadas no interesse da expansão e da acumulação do capital são fatalmente distorcidas contra os condenados à fome e à desnutrição, principalmente no "Terceiro Mundo". O que não significa que o resto do mundo nada tenha a temer com relação a isso no futuro. As práticas de produção e distribuição do sistema do capital na agricultura não prometem, para quem quer que seja, um futuro muito bom, por causa do uso irresponsável e muito lucrativo de produtos químicos que se acumulam como venenos residuais no solo, da deterioração das águas subterrâneas, da tremenda interferência nos ciclos do clima global em regiões vitais para o planeta, da exploração e da destruição dos recursos das florestas tropicais etc. Graças à subserviência alienada da ciência e da tecnologia às estratégias do lucrativo *marketing* global, hoje as frutas exóticas estão disponíveis durante o ano inteiro em todas as regiões – é claro, para quem tem dinheiro para comprá-las, não para quem as produz sob o domínio de meia dúzia de corporações transnacionais. Isso acontece contra o pano de fundo de práticas irresponsáveis na produção, que todos nós observamos impotentes. Os custos envolvidos não deixam de colocar em risco – unicamente pela maximização do lucro – as futuras colheitas de batata e as safras de arroz. Hoje, o "avanço dos métodos de produção" já coloca em risco o escasso alimento básico dos que são compelidos a trabalhar para as "safras de exportação" e passam fome para manter a saúde de uma economia "globalizada" paralisante.

Hoje, a interferência irresponsável na causalidade da natureza é a norma; a pesquisa de projetos de produção realmente emancipadores, a rara exceção. Os recursos são entregues em escala prodigiosa a projetos militares totalmente perdulários e inerentemente perigosos, afastando implacavelmente as reclamações que emanam das necessidades frustradas dos seres humanos. Neste aspecto, nada se alterou com o fim da Guerra Fria e a proclamação da "Nova Ordem Mundial". Enquanto os recursos renováveis e não renováveis estiverem à disposição do sistema, eles continuarão a ser generosamente alocados para esses projetos militares sem sentido e convenientemente perdulários. Isto acontece até nas circunstâncias da recessão, quando são feitos cortes drásticos nos serviços sociais, na saúde e na educação. Como regra, nada parece grande o bastante para deter o apetite do complexo militar e industrial. Para tomarmos apenas um exemplo entre os incontáveis, descobrimos que o custo do Eurofighter 2000 – o avião em projeto conjunto de quatro nações: Inglaterra, Alemanha,

Itália e Espanha – já atingiu a cifra dos 43 bilhões de libras ou 66 bilhões de dólares (valores atuais). "Quando a aeronave foi concebida na década de 80, o orçamento de seu custo total estava em 21 bilhões de libras"[46]. O número inicialmente "planejado" – ou seja, o cálculo fraudulento criado pelas personificações do capital para fazer passar esse tipo de projeto, com a ajuda dos "chicotes de três linhas" em seus respectivos parlamentos nacionais – aumentou em relação às estimativas "científicas" dos custos, como sempre acontece, pois ele jamais se reduz. Nessa barganha, "não se pode esperar que o Eurofighter entre em serviço antes de dezembro do ano 2000 – dois anos além do planejado"[47]. Quando esse momento chegar, com um pouco de sorte, os custos previstos talvez tenham duplicado mais uma vez. Assim, o simulacro de "planejamento" não passa de manipulação cínica e enganadora da opinião pública, com a alegação da imposição rigorosa do interesse dos "consumidores soberanos" e dos "pagadores de impostos" – os produtores explorados e ignorados, que no final pagam a conta. Este é o significado que hoje resta do "cálculo racional" glorificado por Max Weber e outros apologistas da supostamente inalterável e seguramente eternizável "sociedade de mercado" capitalista, como sua "gaiola de ferro" que eles aceitam perfeitamente por causa das postuladas "habilidades dos conhecedores" da "boa burocracia" que, a seu ver, servem à ordem capitalista com muita dedicação, em nome do interesse de todos.

Com relação à forma como o sistema do capital espezinha o tempo (em perfeita correspondência à desastrosa interferência nas determinações objetivas da causalidade) na vã convicção de que sempre conseguirá se safar, basta que nos lembremos do legado atômico. Mesmo que se queira cultivar a ideia de que os desastres nucleares jamais acontecerão, apesar das dezenas de milhares de armas nucleares (e nada à vista para controlá-las e eliminá-las, com a remoção das causas de sua existência), nem mesmo a maior credulidade poderá minimizar o peso deste legado atômico, pois ele significa que o capital está impondo cegamente a incontáveis gerações – que se estendem no tempo por *milhares* de anos – a carga de, mais cedo ou mais tarde e com certeza absoluta, ter de lidar com forças e complicações totalmente imprevisíveis. O futuro distante da humanidade terá de ser perigosamente empenhado porque o sistema do capital deverá sempre seguir seu rumo de atuação dentro da mais estreita escala de tempo, desprezando as consequências, mesmo que estas apontem a destruição completa das condições elementares da reprodução sociometabólica.

5.2.3

A consumação da ascendência histórica do capital intensifica, até o ponto da ruptura, uma das contradições básicas do sistema: a que existe entre a sempre crescente socialização da produção (em direção à plena globalização) e seu controle hierárquico restritivo por diferentes tipos de personificações do capital. A irrevogável extrapolação do capital no plano das condições elementares da reprodução sociometabólica é a consequência inevitável desta contradição.

---

[46] Andrew Lorenz, "Britain vets U.S. rivals to Eurofighter", *The Sunday Times*, 10 de julho de 1994, seção 3, p. 1.
[47] Id., ibid.

No decorrer do desenvolvimento histórico, a constante expansão da escala das operações ajuda a deslocar por muito tempo essas contradições, liberando a pressão dos "gargalos" na expansão do capital com a abertura de novas rotas de suprimento de recursos humanos e materiais, além de criar as necessidades de consumo determinadas pela continuidade da autossustentação, em escala cada vez maior, do sistema de reprodução. Contudo, além de certo ponto, de nada adianta um aumento maior dessa escala e a usurpação da totalidade dos recursos renováveis e não renováveis que o acompanha, mas, ao contrário, ele aprofunda os problemas implícitos e se torna contraproducente. É o que se deve entender por ativação do limite absoluto do capital com relação à maneira como são tratadas as condições elementares de reprodução sociometabólica.

Para compreender a gravidade desse problema, devemos ter em mente que o pior aqui é o que talvez tenha sido a maior realização do capital na sua fase de ascensão histórica. Segundo Marx,

> Quando se fala do tempo necessário de trabalho, os ramos particulares isolados do trabalho aparecem como necessários. Quando a base é o valor de troca, essa necessidade recíproca é mediada pela troca. ... Essa necessidade é em si sujeita a mudanças, porque *as necessidades são produzidas*, assim como o são os produtos e os diferentes tipos de habilidades do trabalho. Aumentos e reduções ocorrem dentro dos limites impostos por essas necessidades e esses trabalhos necessários. Quanto maior a extensão a que as *necessidades históricas* (necessidades criadas pela própria produção, *necessidades sociais*), necessidades que são em si *filhas das relações e da produção sociais* e tanto mais postuladas como necessidades *quanto maior o nível a que chegou o desenvolvimento da riqueza real*. ... por isso o que antes aparecia como *luxo agora é necessário*. ... Esse afastamento do *chão natural* dos fundamentos de todas as indústrias, e essa *transferência de suas condições de produção, saindo de si*, para um contexto geral – daí a transformação do que antes era *supérfluo* no que é *necessário*, como necessidade historicamente criada – é a tendência do capital. A base de todas as indústrias passa a ser a troca geral em si, o mercado mundial, e daí a totalidade de atividades, intercâmbios, necessidades etc. de que ele se compõe. O luxo é o oposto do naturalmente necessário. As necessidades necessárias são as do próprio indivíduo reduzido a um sujeito natural. O desenvolvimento da indústria suspende essa necessidade natural assim como esse luxo anterior – é verdade que, na sociedade burguesa, isto é feito apenas *em forma antitética*, pois ela própria só postula como necessário outro padrão social específico, o oposto ao luxo.[48]

Evidentemente, os grandes avanços produtivos são realizados pelo sistema do capital por meio da criação histórica de necessidades sociais e da transferência de condições da produção em todas as indústrias para *fora* dele, para o contexto geral, transcendendo as restrições originais – pois "a necessidade natural é suspensa" – graças ao impacto produtivo de um círculo imensamente maior de necessidades e carências reunidas na troca geral por intermédio do mercado mundial. É igualmente óbvio que esses avanços se fazem a um custo muito alto, potencialmente proibitivo, em muitos aspectos.

---

[48] Marx, *Grundrisse*, pp. 527-8.

- Em primeiro lugar, a transferência das condições de produção, *saindo* de uma indústria qualquer para o contexto global, torna o *controle* da produção (e reprodução sociometabólica mais ampla) com base nos princípios operativos dados e viáveis do capital, não apenas difícil, mas em última análise quase impossível de se manter. Como as condições objetivas e subjetivas de produção estão situadas "fora", exigindo que o intercâmbio da totalidade das atividades, necessidades etc. se dê no quadro da troca global, elas necessariamente estão *além do alcance* de qualquer empresa isolada, não importando o quanto seja gigantesca ou transnacionalmente monopolista. Neste aspecto, se em nossa imaginação multiplicássemos a General Motors ou a Ford umas cem vezes, elas continuariam insignificantes. Na realidade, o controle é um pesadelo por toda parte e em parte alguma, mesmo que os Alex Trotmans do mundo continuem a fantasiar que a solução do problema está na certeza de que suas próprias companhias estão entre a "meia dúzia de jogadores globais", graças à sua capacidade de impor a outros o custo correspondente às vantagens que tiram da ilimitada "economia de escala" defendida sem consciência.

A lógica inerente ao sistema do capital piora progressivamente essa contradição, em vez de ajudar a resolvê-la. Para as empresas que operam segundo a lógica do capital, a única forma de melhorar as oportunidades de controle é aumentar constantemente sua escala de operação – o que torna a expansão do capital uma exigência absoluta –, não importa o quanto sejam destrutivas em termos globais as consequências da utilização voraz dos recursos disponíveis (para os quais as empresas privadas não têm medidas nem preocupações). Sua vantagem relativa é viável e eficaz (enquanto os limites absolutos não estiverem plenamente ativados) pelo aperfeiçoamento da racionalidade e da eficácia parciais de suas operações específicas – pela produção em massa destinada a um mercado global, pelo controle da maior fatia do mercado possível etc. – em conformidade com o imperativo absoluto da expansão do capital que se aplica a *todas* elas. É o que empurra para a frente não apenas as empresas isoladas, mas também o sistema do capital em geral, trazendo em primeiro lugar o deslocamento de suas contradições e, no devido tempo, a intensificação inevitável e assustadora destas. Deve-se ressaltar que, devido a seu princípio estruturador interno antagonista, o capital é capaz apenas de racionalidade parcial, pelas mesmas razões que tornaram o "por si mesmo" do capital uma camuflagem desorientadora para o seu "em si mesmo" no sentido discutido na nota 39 deste capítulo. Dessa mesma forma, a racionalidade *parcial* do capital, ou seja, o impulso expansionista necessário das empresas isoladas e do sistema em geral sem levar em conta as consequências devastadoras, contradiz diretamente as ponderações elementares e literalmente vitais da *restrição racional* e correspondente *controle racional* dos recursos humanos e materiais globais.

Assim, *quanto mais bem-sucedidas* forem as empresas particulares (como devem ser, para sobreviver e prosperar) em seus próprios termos de referência – ditados pela "racionalidade" e lógica interna de todo o sistema, que lhes impõe demandas fetichistas de "eficiência econômica" –, *tanto piores* serão as perspectivas de sobrevivência da humanidade nas condições hoje prevalecentes. A falha não está nas empresas "transgressoras" particulares (que, em princípio, seriam controladas pelo Estado, que afirma supervisionar e defender o "interesse geral"); a falha emana da natureza do sistema de reprodução estabelecido, de que as empresas são parte integrante. Daí a irrealidade hipócrita das declarações políticas de fé que propõem, por exemplo, remediar as consequências deletérias da poluição "fazendo o poluidor pagar".

O impulso expansionista cego do sistema do capital é incorrigível, porque não pode renunciar à sua própria natureza e adotar práticas produtivas compatíveis com a necessidade de restrição racional em escala global. Praticando uma restrição racional abrangente, o capital de fato reprimiria o aspecto mais dinâmico de seu modo de funcionamento, cometendo suicídio como sistema de controle sociometabólico historicamente único. Esta é uma das principais razões por que a ideia de um "governo mundial" globalmente racional e consensualmente limitador baseado no sistema do capital – necessariamente *parcial* em sua única forma viável de racionalidade – é uma contradição gritante. A transferência das condições de produção e reprodução social para o exterior das empresas e indústrias particulares tem como consequência que, quando esse processo se completar historicamente, o capital como sistema de controle se extralimitará de maneira irreversível. Não pode ser revertido para uma condição anterior (menos integrada e expandida globalmente), nem pode continuar em seu impulso expansionista global na escala requerida.

O bloqueio de novos territórios sobre os quais o capital poderia estender seu domínio e aos quais poderia "exportar" suas contradições ativa os limites absolutos e a simultânea crise estrutural do sistema. Consequentemente, a necessidade inevitável de assegurar a administração sustentável das condições de controle sociometabólico e da produção no contexto global adequado se revela como algo irremediavelmente *além do alcance do capital*, não importa até onde e quão perigosamente se extralimite o sistema. É assim que, desde o início, a incontrolabilidade estrutural inerente do capital, como modo de controle, fecha o seu círculo. Tal círculo é verdadeiramente vicioso e se completa tornando *absolutamente necessário* o controle racional do sistema global (a um nível adequadamente *global*, em que só ele seria sustentavelmente controlado), que ele mesmo havia historicamente criado. Isso torna *impossível* seu controle num contexto mais limitado, no plano do necessariamente "mau comportamento transgressor" de empresas isoladas nacionais e transnacionais. É inconcebível escapar de tal círculo vicioso sem superar radicalmente as determinações fundamentais do próprio sistema do capital.

- O segundo aspecto mais importante desses acontecimentos, pelos quais se pagará muito caro, diz respeito a "afastar o terreno natural das fundações de qualquer indústria" e à transformação do "luxo" em necessidade, tanto para os indivíduos como para seu sistema de reprodução sociometabólica. O lado positivo, potencialmente emancipador e universal desse processo, constitui a maior realização histórica do sistema do capital. Contudo, esta só ocorrerá não apenas com o fim das restrições naturais originais, mas com o abandono de quaisquer medidas e padrões humanamente significativos, trocados, como medida única, pelo sucesso ou fracasso na expansão do capital. Acontece que não são apenas as necessidades legítimas que são historicamente criadas – o *"vale tudo"* é adotado como princípio orientador da produção (e do julgamento de valor em geral), limitado pela única cláusula implícita de que tudo o que for praticado deve contribuir para a expansão do capital.

Com isso, abre-se a possibilidade – na verdade, a necessidade – da busca de "soluções" arbitrárias e manipulativas para os novos problemas e contradições emergentes na vida econômica e social. As consequências negativas são visíveis em relação aos consumidores e ao sistema produtivo. Com relação aos indivíduos, prepondera a criação e manipulação de *"apetites artificiais"*, já que a "administração da demanda" deve estar subordinada aos imperativos do valor de troca que se expande. Se as necessidades reais dos indivíduos couberem nos limites desse valor de troca de maneira vantajosa para o sistema (com sua necessidade de bens produzidos em massa para serem distribuídos com a eficácia máxima no mercado global), elas podem ser correspondidas ou pelo menos consideradas legítimas; se assim não for, deverão ser frustradas e substituídas por qualquer coisa produzida em conformidade com o imperativo da expansão do capital.

A utilização predatória dos recursos renováveis e não renováveis e o correspondente desperdício em escala monumental é o corolário fatal dessa maneira alienada de se relacionar com a necessidade humana individual. No que se refere à influência desse mesmo fato no sistema produtivo em si, descobrimos que a série de carências historicamente criadas (e dos bens correspondentes, não importando sua artificialidade) estão incorporadas num quadro reprodutivo *altamente ampliado*, com dificuldade cada vez maior de garantir a exigida *continuidade* da produção e das necessárias "realização" e "valorização" do capital em escala sempre crescente.

Com o desenvolvimento das forças produtivas subordinado ao critério único da expansão do capital, as determinações rigorosamente naturais retrocedem e dão lugar a um novo conjunto. A eliminação dos novos "luxos" estruturalmente incorporados (difundidos, generalizados) do referencial da produção existente levaria ao colapso de todo o sistema de produção. Pois, enquanto o processo de produção dado segue suas próprias determinações, multiplicando a riqueza divorciada dos desígnios humanos conscientes, os produtos desse processo reificador e alienado devem ser impostos aos indivíduos como "apetites" destes – no interesse do processo de reprodução dominante, sem se levar em conta as consequências a um prazo mais longo. Assim, "afastar o terreno natural das fundações de qualquer indústria" não nos livra da necessidade, mas nos impõe cruelmente e difunde universalmente um novo tipo de necessidade, na escala mais ampla possível, colocando em risco a própria sobrevivência da humanidade e não apenas o altamente ampliado sistema do capital.

- O terceiro aspecto vital diz respeito à contradição entre o caráter eminentemente social das necessidades historicamente criadas ("filhas das relações e da produção sociais") e o controle hierárquico e discriminatório da produção e da distribuição. Esta contradição resulta inevitavelmente numa deturpação paralisante do que poderia ser um processo emancipador e muito realizador, se o princípio estruturador do sistema de reprodução estabelecido não lhe fosse antagônico.

A deturpação incorrigível manifesta-se não apenas na iníqua apropriação dos frutos do avanço produtivo pelas personificações do capital. Necessidades sociais legítimas e modos sociais de satisfação também não podem surgir espontaneamente, menos ainda ser conscientemente criados, porque a estratégia obrigatória de maximização das oportunidades de acumulação do capital tem de prevalecer sobre tudo. Por esta razão, a ação de consumo dos seres humanos deve ser fragmentada até sua menor unidade possível – o indivíduo isolado –, pois essas unidades são mais facilmente manipuladas e dominadas, além de terem maior probabilidade de proporcionar a máxima demanda para os artigos produzidos pelo capital. As relações da família "nuclear" devem ser adaptadas no mesmo sentido, reduzidas à unidade básica de uma geração e à transformação dos filhos em "consumidores soberanos" tão cedo quanto possível, conjugada com os índices crescentes de divórcio que agem na mesma direção, especialmente nos países de "capitalismo avançado". A "família monogâmica como unidade econômica da sociedade"[49] com sua "indissolubilidade do casamento"[50] (a ela imposta por muito tempo no passado de uma forma ou de outra) já não pode ser considerada suficiente em sua própria esfera para a boa saúde da economia capitalista. A reprodução ampliada do capital deve ser garantida por quaisquer meios e a quaisquer custos, "harmonizando", neste sentido perverso, as metas de produção e as unidades básicas de consumo. Para tomarmos apenas um (muito importante) exemplo desse aspecto, podemos pensar no automóvel, que representa o segundo maior gasto para todos os que podem ter suas próprias casas ou apartamentos, e o maior gasto para quem não pode ter a casa própria. Aqui é muito revelador que o chamado "carro da família" pertença à estrutura de demanda antediluviana do "capitalismo avançado" muito ampliado. Para manter a multiplicação dos automóveis, algo desprovido de sentido – e o correspondente abandono ou a eliminação deliberada dos serviços de transporte público –, o sistema teve de criar a absurda estratégia de *marketing* do segundo ou até do "terceiro carro da família". A continuação da "saudável

---

[49] Engels, *The Origin of the Family, Private Property and the State. In the Light of Researches by Lewis H. Morgan*, Londres, Lawrence & Wishart, 1972, p. 138.

[50] Id., ibid., p. 145.

expansão" da ordem produtiva do capital precisa desse tipo de prática, apesar da imensa quantidade de recursos em matérias-primas e trabalho aplicados perdulariamente em cada um dos automóveis fabricados e apesar do impacto devastador dessa forma grotescamente ineficaz de transporte (promovida por um sistema que se orgulha de sua proclamada "eficiência"), esgotando sua energia e seus recursos químicos não renováveis e envenenando em escala inimaginável o ambiente natural. Têm-se calafrios ao pensar na possibilidade dos monumentais engarrafamentos de trânsito que aconteceriam na China ou na Índia "plenamente motorizadas" que a mitologia burra da "modernização" capitalista costumava projetar como um curso de desenvolvimento adequado para esses países. Na realidade, aumentos bem menores no número dos carros já apresentam perspectivas bastante assustadoras. Na Inglaterra, prevê-se que o número já muito elevado de automóveis – mais de 25 milhões, num país com 55 milhões de pessoas – *dobrará* em vinte anos, embora a velocidade média dos carros nos centros das grandes cidades atualmente mal chegue ao ritmo da caminhada de um pedestre, para não falarmos nas concomitantes emissões de gases venenosos que já se comprovou amplamente serem prejudiciais à saúde, especialmente das crianças.

A solução governamental proposta, como sempre, é apenas alterar um pouco esses efeitos, deixando intocadas as causas – que emanam dos interesses capitalistas dominantes. Vai-se portanto instalar equipamentos eletrônicos de medição e registro em todas as estradas importantes, para que se possa enviar contas pesadas aos que entram nos perímetros urbanos das metrópoles – para impedir a entrada dos que não dispõem de tanto dinheiro (a maioria dos motoristas). O "ideal" a seguir, já bastante alardeado pelas autoridades, é só este: "use o seu carro estritamente nos percursos inevitáveis". Esse gênero de conselho e a medida restritiva a ele associada devem ser comparados ao índice ridiculamente baixo da utilização de automóveis nos dias de hoje, chegando a *menos de um por cento* de seu uso potencial. A lógica fundamental desse tipo de "solução" – ditada pela maneira como o capital manipula as necessidades sociais geradas em sua estrutura – é persuadir ou forçar o "consumidor soberano" a *comprar* os artigos em oferta a intervalos regulares, deixando-os totalmente sem uso até que "se autodestruam" por si sós.

Não se pode atenuar a contradição entre produção e necessidades sociais e o controle hierárquico e discriminatório da produção e do consumo, mesmo que não se leve ao extremo a lógica maluca do "cálculo racional" do capital. A expansão quantitativa é o critério pelo qual a saúde do sistema é medida e, portanto, todas as ponderações sobre *qualidade* – em relação a qualquer espécie de necessidade social, inclusive a saúde infantil sob riscos cada vez maiores – devem ser implacavelmente abandonadas em subordinação à necessidade da autorreprodução ampliada do capital. Se não houver nenhuma outra maneira (mais palatável e ideologicamente mais segura), as necessidades sociais não devem ser apenas manipuladas (sutilmente ou com crueza transparente), mas até reprimidas com a ajuda de impostos e legislação autoritária. Não há nenhuma esperança de mudar-se esta situação. Pois não será possível atender humanamente às necessidades sociais e às condições para sua realização sem que se mude radicalmente o princípio estruturador antagonístico e o modo de controle hierárquico e discriminatório do sistema.

As palavras de Marx em nossa última citação dos *Grundrisse* enfatizavam a potencialidade positiva dos fatos em andamento, indicando o lado negativo com uma brevíssima referência à sua "forma antitética". Como já vimos, no decorrer desses últimos 150 anos o lado negativo adquiriu uma dominância avassaladora, a ponto de colocar diante da humanidade a perspectiva de ser precipitada na barbárie se os processos destrutivos do capital – que hoje afetam diretamente as condições elementares da reprodução sociometabólica – não estiverem sob controle consciente num futuro não muito distante.

O postulado ilusório de que mais cedo ou mais tarde acabaremos por descobrir medidas remediadoras adequadas contra os processos destruidores identificados dentro dos parâmetros do próprio sistema do capital é, na melhor das hipóteses, ingênuo – muitas vezes até pior do que isto, pois não é possível introduzir-se neste sistema a racionalidade abrangente exigida e a alocação correta dos recursos humanos e materiais e ao mesmo tempo aderir a seus princípios de funcionamento e às premissas necessárias de sua prática. O ponto de partida e o ponto final na ordem sociometabólica dominante são as "personificações do capital", que devem traduzir em ordens exequíveis os imperativos objetivos de autorreprodução ampliada do capital com referência ao avanço projetado de seus empreendimentos *limitados*, por maiores que sejam. Isto continuará a ser verdade, mesmo se, a título de argumento, pressupusermos a viabilidade de funcionamento de um mundo constituído pela "meia dúzia de jogadores globais" de Trotman. Portanto, as pessoas preocupadas com o ambiente perderão a batalha pela racionalidade abrangente e restrição legítima da economia antes mesmo de ela começar, se sua meta não envolver a mudança radical dos parâmetros estruturais do próprio sistema do capital. Em si, o fato de que, na forma da ameaça de destruir as condições fundamentais da reprodução sociometabólica, um dos limites absolutos do capital esteja sendo ativado não é nada estimulante. Tudo depende do sucesso ou fracasso em complementarmos num futuro previsível as condições sociais inevitáveis da reprodução global (hoje seriamente deturpadas) com um modo de produção e controle inerentemente social em todos os níveis e todos os campos do processo da reprodução social – em outras palavras: um modo de cooperação abrangente e realmente comunitário em sua constituição interna.

Neste contexto, deve-se mostrar um outro aspecto relativo ao legado da ordem dominante. Muitas vezes no passado, inclusive no passado recente, admitiu-se – apesar de todas as provas em contrário – que as atividades de produção muito avançadas do capital podem proporcionar a base material para uma ordem de reprodução socialista, prometendo os frutos da *abundância* para todos e a irreversível eliminação da *escassez*.

Enquanto Marx ainda vivia, antes, portanto, que se completasse a destrutividade incorrigível dos acontecimentos atuais, talvez houvesse algum fundamento para essa conclusão. No entanto, mesmo naquela época, era uma convicção discutível que se deveria limitar energicamente concentrando-se a atenção nas forças e tendências compensadoras inerentes ao modo de funcionamento do capital. Lamentavelmente, antes do final do século, tornou-se parte do credo social-democrata a afirmação, muitas vezes repetida mas totalmente desprovida de conteúdo, hipnotizando até sua ala esquerda, segundo a qual "a sociedadeburguesa carrega em todos os campos as sementes da transformação socialista da sociedade"[51]. A única crítica era a de que os frutos do processo da reprodução estabelecida eram proporcionados pela burguesia com certas restrições, "apenas para seus eleitos"[52], antecipando assim o remédio na forma de um grande aumento quantitativo na escala de produção capitalista sob as novas circunstâncias políticas, com administração social-democrata. A partir dessas premissas falsas era possível postular com otimismo que...

A transformação revolucionária que muda fundamentalmente todos os aspectos da vida humana, em especial a situação das mulheres, está acontecendo diante de nossos olhos. É apenas uma questão de *tempo*, até a sociedade ampliar essa transformação em grande escala, até o processo se acelerar e ser estendido a todos os terrenos, de modo que todos, sem exceções, poderão gozar de suas vantagens inúmeras e diversificadas.[53]

Hoje – cem anos depois que August Bebel, um dos social-democratas mais radicais da esquerda alemã, apresentou esse prognóstico sobre o rumo futuro dos acontecimentos –, à luz da situação prevalecente, seria uma perigosa ilusão acreditar que mesmo em um único terreno o sistema do capital pudesse "carregar as sementes da transformação socialista da sociedade", preparando assim a base para a eliminação da escassez e a criação da abundância para benefício de todos, muito menos que pudesse fazê-lo em todos os terrenos. A maneira como foi articulado o sistema de reprodução do capital e como chegou à perfeição "perversa" no decorrer do último século (com o desperdício incorporado em sua estrutura e a deturpação paralisante até das necessidades humanas mais elementares) torna suas realizações e seu modo de funcionamento ampliado extremamente problemáticos, se não contraproducentes em inúmeros aspectos.

Sem uma reestruturação radical em todo domínio e toda dimensão da ordem de reprodução estabelecida (que deverá ser herdada por todas as formas viáveis do socialismo), não se há de superar os novos tipos de necessidades perversas criadas pelas exigências alienadas da autorreprodução ampliada do capital indicados acima. Ao contrário, na situação atual, as perspectivas são bem menos promissoras do que na época de Marx, pois a tirania da necessidade artificialmente produzida foi estendida pelo capital a vastos terrenos antes intocados.

---

[51] August Bebel, *Society of the Future*, Moscou, Progress Publishers, 1971, p. 114.
[52] Id., ibid., p. 115.
[53] Id., ibid., p. 116. (itálico de Bebel).
É uma pena, mas, assim como os imperialistas fabianos, os social-democratas alemães (mesmo os da esquerda, como Bebel) nada viam de errado em todo o conceito de "colonização civilizadora", projetado com base no determinismo tecnológico do sistema capitalista, aceito sem restrições. Só questionavam os meios adotados, argumentando que quando se estabelecesse sua "nova sociedade a missão civilizadora será executada apenas por meios amigáveis, que farão com que os civilizadores não apareçam como inimigos, e sim como *benfeitores*, perante os bárbaros e selvagens. Cientistas e viajantes inteligentes já perceberam o sucesso desta abordagem" (id., ibid., p. 127; itálico de Bebel).

Ao contrário do que imagina muita gente da esquerda, a tecnologia e a ciência não podem ser consideradas antídotos plausíveis. Quem acredita que sejam costuma projetar quadros idealizados de meios técnicos supostamente existentes e conhecimento científico ainda não realizado como a base material de um futuro socialista de abundância. Pode parecer boa retórica política (a condenação indignada das falhas existentes), mas está muito longe de ser uma teoria bem fundamentada. A verdade realista é que a ciência e a tecnologia existentes estão profundamente incrustadas nas determinações que hoje prevalecem na produção, por meio das quais o capital impõe à sociedade as condições necessárias de sua existência instável. Em outras palavras, a ciência e a tecnologia não são jogadores bem treinados e em boa forma que, sentados nos bancos de reservas, ficam à espera do chamado dos treinadores socialistas esclarecidos para virar o jogo. Em seu modo real de articulação e funcionamento, estão inteiramente implicadas num tipo de progresso *simultaneamente* produtivo e destrutivo. Esta condição não pode ser consertada separando-se o lado produtivo do lado destrutivo para seguir apenas o primeiro. A ciência e a tecnologia não sairão de sua situação extremamente problemática por qualquer "experiência em pensamento", por mais bem intencionada que seja – pela qual elas só participariam em investimentos produtivos e se recusariam a ter qualquer coisa a ver com a dimensão destrutiva de tais investimentos –, mas somente se forem radicalmente reconstituídas como formas da prática social. Também não se deve esquecer que os imensos recursos materiais (e humanos) exigidos para transformar em realidade as projeções científicas e tecnológicas – na escala visada – não são algo com que se possa contar na forma de ilimitada abundância, como se emergisse diretamente das forças criativas da ciência e da tecnologia, como Palas Atena outrora surgiu completamente armada da cabeça de Zeus. Fazê-lo seria evitar o problema, admitindo sem questionamento o que não pode ser admitido sem violar a lógica. Ao contrário, esses recursos (que hoje não existem) só poderiam ser produzidos com uma base socioeconômica radicalmente diferente, para além do desperdício incorrigível do capital no nível de desenvolvimento hoje atingido.

Além do mais, a transformação dos meios pretensamente técnicos de sua escala, hoje, talvez, seletivamente viável (somente em poucos países privilegiados), para a *escala global*, requerido para a solução positiva otimistamente hipostasiada de nossos problemas não é apenas uma questão de *quantidade*, como imaginaram os social-democratas da Segunda Internacional (até os do tipo de Bebel) e outros em seu rastro, quando projetaram os efeitos universalmente benéficos da produção capitalista assim que praticada em "*grande escala*". Sob as condições regidas pelos princípios orientadores do capital é muito tentador procurar respostas para a insuficiência material simplesmente postulando o aumento das quantidades produzidas, ou defender o oposto exato, quando as consequências negativas da cega expansão do capital se tornam tão óbvias que não podem mais ser ignoradas. Essas respostas em geral se exaurem em falsas dicotomias, como "crescimento *versus* não crescimento" e "economia de escala *versus* deseconomia de escala". O verdadeiro erro no campo socioeconômico não é a *deseconomia de escala*. Aqui estamos preocupados é com a *utilização dilapidadora dos recursos materiais e humanos* –, em outras palavras, com a imperdoável *deseconomia dos recursos desperdiçados*, que podem ser aplicados (e, sob o domínio do capital, realmente se aplicam) a *qualquer escala*, da menor à maior.

Evidentemente, na estrutura do sistema do capital, a escala sempre maior é uma condição agravante. Portanto, é inevitável que sob o domínio do capital a ciência e a tecnologia a serviço da produção em massa sejam grandes produtoras de um desperdício sem preço. Não obstante, a grande escala não é, em si ou por si, a *causa* do problema, nem sua simples inversão (se isso fosse possível, o que não é) poderia indicar uma saída. Ignorar esta verdade simples só pode levar a miragens do tipo "o pequeno é bonito" (*small is beautiful*) que, se levadas a sério, serviriam apenas para levar a humanidade à miséria que acompanha a adesão a práticas produtivas quixotescas.

Ao contrário, a realização dos objetivos socialistas globalmente difundidos na devida escala é inconcebível sem a *dialética da quantidade e da qualidade* em todo o complexo das relações da reprodução social em que estão integradas a ciência e a tecnologia. Até nas ciências físicas há uma barreira *quantitativa* que deve ser superada – aparentemente com dificuldades proibitivas – antes que se passe da fase experimental da tecnologia da fusão nuclear (já realizada em pequena escala) à produção da energia de fusão em escala total. Há dificuldades quando ciência e tecnologia não oferecem espontaneamente *solução* para as questões espinhosas com que se deparam, mas as dificuldades são muito maiores quando elas mesmas são parte do *problema a superar*! Em sua articulação atual ambas estão estruturalmente subordinadas aos imperativos da reprodução do sistema do capital, que certamente não pode impor seu desperdício e sua destrutividade a toda a humanidade sem que elas tenham um papel bastante ativo no processo. Conceber outra forma de ciência e tecnologia hoje em dia é substituí-las na imaginação por uma forma existente que, na verdade, primeiro teria de ser (e só poderia ser) criada, no quadro de uma ordem sociometabólica socialista – e isto, para poder continuar sustentando, de maneira absolutamente falaciosa, que as forças positivas dessa ciência e dessa tecnologia já estão a nosso dispor e poderiam felizmente constituir aqui e agora a base produtiva de uma ordem socialista de reprodução.

Longe da projetada fartura garantida pela tecnologia, o futuro hoje não pode prometer mais do que o domínio permanente de algum tipo de escassez na humanidade – caso se consiga *romper em termos qualitativos* com as práticas dominantes da reprodução e, entre elas, com as que prevalecem na ciência e tecnologia. Se nos esquecermos desta verdade desconcertante, não poderemos sequer dar início à difícil tarefa de criar uma agenda socialista sintonizada com as necessidades de nossa difícil situação histórica.

O círculo vicioso da escassez artificialmente criada e imposta só poderá ser quebrado com uma reorientação *qualitativa* das práticas produtivas em direção a uma grande melhoria do índice, hoje desastrosamente baixo, de utilização de serviços, de bens e da capacidade produtiva (material, instrumental e humana), para a qual tanto devem ser canalizados os recursos da humanidade como ocorrer redefinição funcional da ciência e da tecnologia para esses objetivos emancipadores. Também é inconcebível realizar essa reorientação e essa redefinição necessárias dentro dos limites estruturais do sistema do capital, pois essa é uma tarefa que, além de um planejamento racional e abrangente de todos os recursos materiais e humanos (algo de que o capital é incapaz, pelas razões mencionadas), exige uma maneira radicalmente diferente de regular, pelos próprios indivíduos, o intercâmbio social entre os indivíduos, o que, pela primeira vez, permitirá um planejamento verdadeiro. É isso que oferece uma perspectiva em que a ciência e a tecnologia *ainda a serem produzidas* sejam partes de uma solução emancipadora viável, advertindo-nos a não confundir uma *potencialidade abstrata* – que pode permanecer para sempre uma potencialidade não realizada sem uma boa reorientação qualitativa do estilo de vida e das práticas produtivas da sociedade – com uma *realidade* já dada, quando faltam até mesmo as condições de transformar a potencialidade *abstrata* em *concreta* nos terrenos relevantes. Neste contexto, devemos também lembrar que não temos um cronograma folgado para a necessária transformação da potencialidade em realidade. Isto deve acontecer com a agravante de uma enorme urgência.

Outrora os defensores do sistema do capital podiam louvar com certa justificativa seu poder de "*destruição produtiva*", inseparável da dinâmica positiva do progresso. Esta visão estava muito bem alinhada com o constante aumento da escala de operações do capital, verdadeiramente uma forma de "destruição produtiva". A invasão pelo capital de tudo o que poderia ser invadido ou usurpado – ou seja, antes que o sistema tivesse de superar a si mesmo da maneira que já examinamos – deu sustentação à ideia da "destruição produtiva", ainda que sempre mais problemática conforme aumentava a escala. A destruição envolvida poderia ser generosamente lançada como parte inevitável dos "custos da produção" e da reprodução ampliada, se a constante ampliação da escala das operações do capital trouxesse o benefício adicional do deslocamento das contradições do sistema. No entanto, as coisas ficaram muito piores com a consumação da ascensão histórica do capital e a ativação dos limites absolutos do sistema. Sem outras possibilidades de invasão na escala requerida, o fator *destrutivo* dos "custos totais da produção" – a ser enfrentado dentro de limites progressivamente restritivos – torna-se cada vez mais *desproporcional* e em última análise *proibitivo*. Historicamente passamos da prática de "destruição *produtiva*" da reprodução do capital para uma fase em que o aspecto predominante é o da produção *destrutiva* cada vez maior e mais irremediável.

Ainda que as personificações do capital não o admitam, não é muito difícil perceber que nenhuma reprodução sociometabólica pode subsistir assim indefinidamente.

5.3 A liberação das mulheres: a questão da igualdade substantiva

5.3.1

Como já vimos na seção 4.5.3, a regulamentação economicamente sustentável da reprodução biológica dos seres humanos é uma função mediadora primária do processo sociometabólico. Portanto, a articulação historicamente mutável dos relacionamentos humanos é da maior importância nessa questão.

Os processos reguladores que nos interessam aqui estão emaranhados em toda uma rede de relacionamentos dialéticos. Inevitavelmente, sua expressão em formas historicamente específicas e institucionalmente reforçadas de intercâmbio humano são profundamente afetadas pelas características estruturais fundamentais de todo o complexo social – e, por sua vez, também afetam profundamente a articulação ininterrupta de todo o processo sociometabólico. Portanto, se os imperativos alienantes do sistema estabelecido da reprodução econômica exigem um controle social discriminatório e hierárquico, afinado com o princípio antagonista estruturador da sociedade, e o correspondente modo de administrar o processo do trabalho, o "macrocosmo" abrangente desse tipo encontrará seu equivalente em todos os níveis do intercâmbio humano, até mesmo nas menores "microestruturas" ou "microcosmos" da reprodução e do consumo habitualmente teorizados sob o nome de "família". Inversamente, enquanto o relacionamento vital entre homens e mulheres não estiver livre e espontaneamente regulado pelos próprios indivíduos em seu "microcosmo" *autônomo* (mas de maneira alguma *independente* da sociedade) do universo histórico interpessoal dado, com base numa *igualdade significativa* entre as pessoas envolvidas – ou seja, sem a imposição dos ditames socioeconômicos da ordem sociometabólica sobre eles – não se pode sequer pensar na emancipação da sociedade da influência paralisante que evita a autorrealização dos indivíduos como seres sociais particulares. Marx afirmou, em um de seus primeiros textos:

> O relacionamento direto, natural e necessário de *pessoa a pessoa* é a relação do homem com a mulher. ... Portanto, desse relacionamento se pode avaliar o nível de desenvolvimento do homem. ... Nesse relacionamento também se revela a extensão em que a necessidade do homem se tornou uma necessidade *humana*; portanto, a *outra pessoa* tornou--se para ele uma necessidade – a extensão em que, em sua *existência individual,* ele é ao mesmo tempo um *ser social.*[54]

A julgar pela maneira como poderiam ser caracterizadas as formas conhecidas do relacionamento interpessoal socialmente estabelecido entre mulheres e homens – utilizando o critério da livre determinação humanamente realizadora de suas vidas por pessoas autônomas interagindo sobre a base da verdadeira igualdade –, "todo o nível do desenvolvimento" realizado no decorrer da história não é hoje muito mais alto do que foi alguns milhares de anos atrás, apesar de todo o avanço na produtividade. Os ganhos obtidos no demorado período da ascensão do capital não ultrapassaram o nível da igualdade *formal*. Na seção 5.3.2 veremos que, além da polêmica enérgica contra as exigências de verdadeira igualdade, eliminadas peremptoriamente por terem supostamente cometido o maior pecado da lógica e violado as exigências peculiares da *própria racionalidade*, também as vitórias relativas na ampliação do alcance da igualdade formal – que as práticas produtivas de extração do excedente do "trabalho livre" tornaram necessárias, no quadro de uma "igualdade contratual" – estavam presentes já nas teorias de grandes filósofos como Kant e Hegel e não apenas nas dos insensíveis apologistas do capital, como Hayek e respectivos seguidores.

Seria um milagre se o "microcosmo" do sistema do capital fosse ordenado segundo o princípio da igualdade real. Em seu conjunto, este sistema não pode se manter sem reproduzir, com sucesso e de maneira constante, as *relações de poder* historicamente específicas pelas quais a função de controle se encontra radicalmente separada da, e de maneira autoritária *imposta* sobre a, força de trabalho pelas personificações do capital, mesmo nas variedades pós-capitalistas do sistema. Os complexos sociais sempre funcionam com base em reciprocidades dialéticas. Entretanto, todas essas reciprocidades têm seu *übergreifendes Moment* objetivamente predominante, o que não se pode ignorar nem modificar de modo artificial para agradar às conveniências

---

[54] Marx, *Economic and Philosophic Manuscripts of 1844*, pp. 100-1.

da apologética social. Neste importante sentido de um *übergreifendes Moment* dialeticamente predominante, a *estrutura de comando* do capital, sempre muito *hierárquica* (ainda que historicamente mutável em sua forma), é a *consequência* inevitável da determinação incorrigível do sistema do capital como um sistema de *relações de poder antagônicas*, em que o poder de controle está inteiramente separado dos produtores e cruelmente imposto sobre eles. As variedades existentes de hierarquia discriminatória não são a "causa original" do funcionamento do sistema do capital como exercício de relações antagônicas de poder na forma da subordinação autoritária da produção a um controle alienado (o que constitui a determinação *trans*-histórica de todas as metamorfoses concebíveis do controle sociometabólico na base material do capital, apesar de toda a conversa sobre "democracia"). Se a iníqua estrutura de comando fosse especificamente a causa dos antagonismos estruturais, eles poderiam, em princípio, ser resolvidos com uma alteração esclarecida dessa mesma estrutura, mantendo-se todo o seu quadro de reprodução. Não poderia haver violação mais absurda da lógica do que a inversão das relações causais existentes, para se visualizar a capacidade do sistema de introduzir todos os aperfeiçoamentos desejáveis nesse "macrocosmo" com a premissa inalterável da manutenção das relações de poder material da *subordinação estrutural* do trabalho ao capital, sempre reforçadas pela estrutura de comando inevitavelmente hierárquica (e, portanto, impossível de ser reformada em qualquer sentido). Mas é precisamente isto o que encontramos em todas as reivindicações de igualdade, tanto nas já estabelecidas como nas que estão a ponto de ser instituídas – inclusive o apelo ritual à ideia de "igualdade de oportunidades" – e postuladas pelos defensores do sistema do capital em suas idealizações da "sociedade industrial moderna" e da "sociedade de mercado" com preocupações sociais.

Pelas mesmas razões, não é menos problemático pensar na articulação e no funcionamento interno sustentável do "microcosmo" do sistema do capital baseados na existência de uma igualdade verdadeira. Isto exigiria a existência de um "macrocosmo" socioeconômico abrangente totalmente diferente – e harmonioso – ou postular a misteriosa transformação das "*microestruturas*" hipostatizada, verdadeiramente *igualitárias,* num *conjunto antagônico*. Na verdade, isto implicaria a complicação adicional de se ter de explicar como é possível assegurar a reprodução *simultânea* desse todo antagônico e das partes livres de antagonismos que o constituem. Pares isolados podem ser capazes de ordenar (o que certamente fazem) seus relacionamentos pessoais em verdadeira igualdade. Na sociedade contemporânea existem até mesmo enclaves utópicos de grupos de pessoas que interagem comunitariamente e podem se afirmar engajados em relações interpessoais não hierárquicas humanamente satisfatórias e em formas de criar os filhos muito diferentes da família nuclear e suas fragmentações. Não obstante, nenhum desses dois tipos de relação pessoal pode se tornar historicamente dominante no quadro do controle sociometabólico capitalista. Sob as circunstâncias prevalecentes, o *übergreifendes Moment* determina que os microcosmos da reprodução devem ser capazes de se aglomerar num conjunto abrangente que não pode, de forma alguma, funcionar numa base de verdadeira igualdade. O menor de todos os "microcosmos" da reprodução deve sempre proporcionar sua participação no exercício global das funções sociometabólicas, que não incluem apenas a reprodução biológica da espécie e a transmissão ordenada da propriedade de uma geração à outra. Nesse aspecto, não é menos importante seu papel essencial na reprodução do *sistema de valores* da ordem estabelecida da reprodução social, *totalmente oposto* – como não poderia deixar de ser – ao princípio da verdadeira igualdade. Ao se concentrar demais no aspecto da transmissão da propriedade na família e no sistema legal associado a ele, até Engels tende a pintar um quadro excessivamente idealizado do lar proletário, descobrindo nele uma igualdade inexistente:

> O amor sexual no relacionamento com uma mulher torna-se, e só pode se tornar, uma regra entre as classes oprimidas, ou seja, em nossos dias, *entre o proletariado* – seja este relacionamento oficialmente sancionado ou não. Mas, aqui, estão afastadas todas as fundações da monogamia típica. Aqui não há propriedade, para cuja preservação e herança foram estabelecidas a monogamia e a supremacia masculina; portanto, não há incentivo para tornar eficaz esta supremacia masculina. Além disso, também não há meios de realizá-lo. A lei burguesa, que protege esta supremacia, só existe para a classe possuidora e suas relações com os proletários. A lei custa dinheiro e, por causa da pobreza, ela não tem validade na relação do trabalhador com sua mulher. Aqui são outras condições pessoais e sociais muito diferentes que decidem. Agora que a grande indústria tirou a esposa de casa, levando-a para o mercado de trabalho e para a fábrica, muitas vezes fazendo dela o ganha-pão da família, o lar proletário não tem mais nenhuma base para a supremacia masculina – a não ser, talvez, certa brutalidade contra as mulheres que se disseminou depois da introdução da monogamia. A família proletária não é mais monógama no sentido rigoroso, mesmo onde há o amor apaixonado e a mais firme lealdade de parte a parte ou as bênçãos da autoridade civil e da religiosa. Aqui, portanto, os eternos praticantes da monogamia, do concubinato e do adultério, têm um papel quase nulo. A esposa de fato reconquistou o direito de dissolver o casamento; se duas pessoas não conseguem viver juntas, preferem separar-se. Resumindo: o casamento proletário é monógamo no sentido etimológico da palavra, mas absolutamente não o é em seu sentido histórico.[55]

O problema é que muitas das inúmeras características aqui atribuídas por Engels à família proletária poderiam ser estendidas aos tipos de família de outras classes sociais, como aconteceu no decorrer do século XX, e assim isso não elimina a natureza extremamente problemática da própria família nuclear constituída sob a regra do capital. Além do mais, a família proletária está longe de encarnar o ideal de relações igualitárias entre os pais ou no que diz respeito à educação dos filhos e sua orientação em relação a valores. Depois da Segunda Guerra Mundial, intelectuais alemães expatriados para os Estados Unidos tentaram mostrar sua gratidão ao país anfitrião explicando *a personalidade autoritária* (e a ascensão de Hitler) em termos da atitude subserviente da família alemã para com a autoridade política. O problema real do autoritarismo era bem mais complexo do que isto e, consequentemente, sua solução não estava na adoção dos padrões mais ou menos idealizados da família anglo-saxã. Toda a questão deveria ter sido relacionada à atitude pouco questionadora dos indivíduos educados nos tipos de família estabelecidos para a autoridade do *capital*, não apenas para uma das específicas formas de controle político do capital.

---

[55] Engels, *The Origin of Family*, p. 135.

O aspecto mais importante da família na manutenção do domínio do capital sobre a sociedade é a perpetuação – e a *internalização* – do *sistema de valores* profundamente iníquo, que não permite contestar a autoridade do capital, que determina o que pode ser considerado um rumo aceitável de ação dos indivíduos que querem ser aceitos como *normais*, em vez de desqualificados por "comportamento não conformista". É por isso que encontramos por toda parte a síndrome da subserviência internalizada do *conheço-meu-lugar-na-sociedade* nos países anglo-saxônicos, na Alemanha, na antiga Rússia soviética, tanto em famílias proletárias como nas da burguesia e da pequena burguesia. A existência de um tipo de família que permitisse à geração mais jovem pensar em seu papel futuro na vida em termos de um sistema de valores alternativo – realmente igualitário –, cultivando o espírito de rebeldia potencial em relação às formas existentes de subordinação, seria uma completa infâmia do ponto de vista do capital.

Assim, dadas as condições estabelecidas de hierarquia e dominação, a causa histórica da emancipação das mulheres não pode ser atingida sem se afirmar a demanda pela *igualdade verdadeira* que desafia diretamente a autoridade do capital, prevalecente no "macrocosmo" abrangente da sociedade e igualmente no "microcosmo" da família nuclear. No fundo, esta não deixa de ser profundamente autoritária devido às funções que lhe são atribuídas num sistema de controle metabólico dominado pelo capital, que determina a orientação de indivíduos particulares por meio de seu sistema incontestável de valores. Este autoritarismo não é mera questão de relacionamentos pessoais mais ou menos hierárquicos entre os membros de famílias específicas. Mais do que isso, diz respeito ao imperativo absoluto de proporcionar o que se espera do tipo de família historicamente evoluído, imposto pela indispensável subordinação do "microcosmo" específico de reprodução às exigências tirânicas de todo o processo reprodutivo. A verdadeira igualdade dentro da família só seria viável se pudesse reverberar por todo o "macrocosmo" social – o que, evidentemente, não é possível. Esta é a razão fundamental pela qual o tipo de família dominante deve estar estruturado de maneira apropriadamente autoritária e hierárquica. Deixando de se adaptar aos imperativos estruturais gerais do modo de controle estabelecido – conseguindo afirmar-se nos ubíquos "microcosmos" da sociedade, na validade e no poder de autorrealização dos intercâmbios humanos baseados na verdadeira igualdade –, a família estaria em direta contradição ao *ethos* e as exigências humanas e materiais necessárias para assegurar a estabilidade do sistema hierárquico de produção e de reprodução social do capital, prejudicando as condições de sua própria sobrevivência.

Na causa da emancipação das mulheres, podem-se avaliar as implicações de longo alcance do questionamento direto à autoridade do capital, quando se tem em mente o fato de não se conceber que o sistema de valor estabelecido prevalecesse nas condições do presente, e menos ainda pudesse ser transmitido (e internalizado) por sucessivas gerações de indivíduos, sem o envolvimento ativo da família nuclear hierárquica, articulada em plena sintonia com o princípio antagônico que estrutura o sistema do capital. A família está entrelaçada às outras instituições a serviço da reprodução do sistema dominante de valores, ocupando uma posição essencial em relação a elas, entre as quais estão as igrejas e as instituições de educação formal da sociedade. Tanto isso é verdade que, quando há grandes dificuldades e perturbações no processo de reprodução, manifesta de maneira dramática também no nível do sistema geral de valores – como a crescente onda de crimes, por exemplo –, os porta-vozes do capital na política e no mundo empresarial procuram lançar sobre a família o peso da responsabilidade pelas falhas e "disfunções" cada vez mais frequentes, pregando de todos os púlpitos disponíveis a necessidade de "retornar aos valores da família tradicional" e aos "valores básicos". Às vezes tentam encerrar essa necessidade até mesmo na forma de leis quixotescas, procurando jogar nos ombros dos pais (na forma de sanções financeiras punitivas) a responsabilidade pelo "comportamento antissocial" dos filhos. (Mais um exemplo característico da tentativa de se resolver problemas brincando com os efeitos e consequências, por jamais conseguir tratar das causas subjacentes...)

Tudo isso indica uma profunda crise que afeta todo o processo de reprodução do sistema de valores do capital, prenunciando conflitos e batalhas, estando entre estes a luta pela emancipação das mulheres e sua demanda de igualdade significativa – um elemento de crucial importância. Como o modo de funcionamento do capital em todos os terrenos e todos os níveis do intercâmbio societário é absolutamente incompatível com a necessária afirmação prática da igualdade substantiva, a causa da emancipação das mulheres tende a permanecer *não integrável* e no fundo irresistível, não importa quantas derrotas temporárias ainda tenha de sofrer quem luta por ela.

5.3.2
A entrada em massa das mulheres na força de trabalho durante o século XX, em extensão tão significativa que hoje elas já chegam a constituir maioria nos países de capitalismo avançado, não resultou em sua emancipação. Em vez disso, apareceu a tendência de generalizar para toda a força de trabalho a imposição dos salários mais baixos a que as mulheres sempre tiveram de se submeter; exatamente como a "concessão" legislativa às mulheres, no caso da exigência de tratamento igual em relação à idade da aposentadoria, resultou na elevação da sua idade de aposentadoria para 65 anos, em vez da redução da idade masculina para 60 anos, como acontecia com as mulheres. Discutem-se as recentes tendências do desenvolvimento que...

> Em todos os países da OCDE [Organização para a Cooperação e Desenvolvimento Econômico], os trabalhos de baixos salários são realizados por mulheres, minorias e imigrantes. Objetiva e intencionalmente, isso está *reduzindo o nível salarial geral* em todas essas economias. O aumento do número de mulheres na força de trabalho ocorreu em paralelo com o aumento do trabalho no setor de serviços da economia. Entre 60 e 85 por cento das mulheres empregadas nos estados da OCDE estão ocupadas em serviços. Conforme aumentava a inflação e os salários reais começavam a cair, duas pessoas passaram a manter o rendimento familiar, e o aumento do crédito a sustentar o consumo em quase um quinto além do rendimento. Nos Estados Unidos, a porcentagem de mulheres na força de trabalho dominante saltou de 36,5 por cento em 1960 para 54 por cento em 1985; o principal aumento ocorreu na faixa de mulheres casadas entre os 25 e 34 anos, cuja participação passou de 28 por cento para 65 por cento. Em mais de 50 por cento das famílias com filhos, pai e

mãe trabalham, inclusive quase todas as mulheres com filhos abaixo dos 6 anos. A diferença entre os salários de homens e mulheres diminuiu, mas a origem dessa mudança foi *a queda nos salários dos homens*. No entanto, apesar de mais de um ganha-pão, *o poder de compra familiar caiu nos anos 80*; em 1986 estava abaixo do que havia sido em 1979 e continuou a cair em 1987. Na Europa, as novas indústrias de tecnologia sofisticada e de serviços passaram a utilizar mais trabalhadores em meio período, mulheres e imigrantes. Essa tendência se tornou seu recurso para reestruturar a economia e aumentar o emprego.[56]

Assim, até mesmo as relativas conquistas do passado – possibilitadas pela expansão dinâmica do capital no momento de sua ascensão histórica – têm de sofrer um recuo significativo quando o processo da acumulação encontra dificuldades maiores. Portanto, é inevitável que também a esperada melhoria na condição das mulheres dentro das margens da ordem estabelecida se torne irrealizável com o encolhimento da margem de manobra do capital. Nessas condições, tornam-se mais pronunciadas as dissensões no próprio movimento feminista em relação aos anos 60 e 70, o que é muito compreensível, pois, devido à redução das margens, muita coisa depende de as estratégias defendidas para assegurar o avanço da emancipação das mulheres se dispuserem ou não a questionar os *limites estruturais* impostos pelos parâmetros do próprio sistema do capital. Em outras palavras, é preciso enfrentar a questão do *tipo de igualdade* viável para os indivíduos em geral, e para as mulheres em particular, na base material de uma ordem de reprodução sociometabólica controlada pelo capital, em vez de se discutir como se poderiam redistribuir os recursos disponíveis nas presentes circunstâncias dentro das margens que se encolhem. Os limites estruturais de qualquer sistema de reprodução geralmente também determinam seus princípios e seu modo de distribuição.

Baran e Sweezy enfatizaram esse aspecto: "O igualitarismo da ideologia capitalista é uma de suas forças, que não se deve descartar levianamente. Desde a mais tenra infância as pessoas aprendem por todos os meios concebíveis que todos têm *oportunidades iguais* e que as desigualdades com que se deparam não são o resultado de instituições injustas, mas de seus dotes naturais superiores ou

---

[56] Joyce Kolko, *Restructuring the World Economy*, Nova York, Pantheon Books, 1988, p. 315.

Outro estudo recente mostrou que "ao longo dos últimos vinte anos, muitas empresas americanas transferiram para o exterior os empregos em manufatura. A criação desta 'linha de montagem global' tornou-se um componente crucial da estratégia corporativa de redução de custos. Nos novos locais, essas empresas contrataram mulheres por salários mínimos, tanto no Terceiro Mundo como em países como a Irlanda. Apesar dos baixos salários, esses empregos atraíram milhares de mulheres que estavam se mudando de aldeias rurais empobrecidas para as cidades, em busca de uma vida melhor para suas famílias. Mas nos Estados Unidos milhões de trabalhadores perderam o emprego em resultado da fuga do capital ou do processo de *downsizing* empresarial. O processo pelo qual os trabalhadores perdem o emprego, porque sua fábrica foi fechada ou transferida, ou seu cargo ou turno abolido, é chamado de *deslocamento* do empregado. Mais de 5 milhões de trabalhadores foram deslocados entre 1979 e 1983, e outros 4 milhões entre 1985 e 1989. Nos dois períodos, as mulheres tiveram uma probabilidade ligeiramente inferior de perder o emprego do que a dos homens do mesmo grupo racial-étnico. ... O resultado global foi que as mulheres perderam emprego, em razão de *downsizing* ou deslocamento, a uma taxa inferior à dos homens. Na verdade, a participação feminina no trabalho manufatureiro aumentou entre 1979 e 1990. Em outras palavras, as mulheres assumiram uma participação *crescente num bolo que estava encolhendo*". (Teresa Amott, *Caught in the Crisis: Women and the U.S. Economy Today*, Nova York, Monthly Review Press, 1993, pp. 58-60.)

inferiores"⁵⁷. Portanto, assegurar a manutenção da gritante desigualdade e dos privilégios na educação, por exemplo, é algo que "se deve buscar indiretamente, garantindo amplos recursos para a subsistência da parte do sistema que atende à oligarquia, deixando, ao mesmo tempo, faminta a parte que atende às classes baixas e aos trabalhadores. Isto garante a desigualdade na educação tão vitalmente necessária para apoiar a desigualdade geral que é o coração e a essência de todo o sistema"⁵⁸. Assim é possível sustentar a mitologia da igualdade – pelo menos na forma da proclamada "igualdade de oportunidades" – e perpetuar seu oposto diametral na ordem vigente sob o domínio do capital.

Embora tenha havido uma grande mudança na racionalização ideológica e na legitimação da ordem estabelecida no decorrer de sua plena articulação e consolidação, o que, no final, resultou na prática de homenagens cínicas e falsas aos ideais de "liberdade e igualdade" inicialmente anunciados (e nem isso para a "fraternidade"), a atitude contraditória em relação ao princípio da igualdade vem de um tempo muito distante no passado. Kant, um dos maiores filósofos do Iluminismo burguês, o admitiu sem precisar de qualquer camuflagem cínica:

> A *igualdade geral* dos homens como súditos de um Estado coexiste muito de perto com a *maior desigualdade* nos graus das posses dos homens ... Por isso a igualdade geral dos homens também coexiste com a *grande desigualdade de direitos específicos*, dos quais talvez existam muitos. Disso decorre que o bem-estar de um homem poderá depender em grande extensão da vontade de outro homem, assim como os pobres dependem dos ricos e o que *depende* deve *obedecer* ao outro como um *filho* obedece aos pais, a *esposa* ao marido ou, mais uma vez, como um homem tem domínio sobre outro, como um homem serve e outro paga etc. No entanto, todos os súditos são iguais diante da lei, que, como pronunciamento da vontade geral, só pode ser uma. Essa lei diz respeito à *forma* e não à *matéria* do objeto em relação ao qual eu talvez tenha algum direito. Nenhum homem pode coagir outro [sob o governo constitucional] a não ser sob a lei publicamente conhecida e por meio de seu executor, o chefe de Estado, e por essa mesma lei todo homem poderá resistir no mesmo grau. ... em outras palavras, ninguém pode fazer um acordo, ou qualquer outra transação legal, que não lhe dê direitos, mas apenas deveres. Por um contrato desse gênero, ele se privaria do *direito de fazer um contrato* e assim o contrato se anularia.⁵⁹

Essas palavras foram escritas depois da Revolução Francesa, em 1793; a abordagem de Kant reflete a maneira como a burguesia fugia das implicações revolucionárias de sua convicção inicial. Os direitos tinham de ser definidos em termos rigorosamente *formais*, o "direito de fazer um contrato" tornou-se absoluto, ao mesmo tempo em que igualmente tornava-se absoluta outra consideração,

---

⁵⁷ Baran e Sweezy, *Monopoly Capital*, p. 171.
⁵⁸ Id., ibid.
⁵⁹ Kant, "Theory and Practice Concerning the Common Saying: 'This May Be True in Theory But Does Not Apply to Practice'", em *The Philosophy of Kant: Immanuel Kant Moral and Political Writings*, ed. por Carl J. Friedrich, Nova York, The Modern Library, Random House, 1949, pp. 417-8.

que nada tinha de formal: a aceitação da ordem estabelecida do Estado, com o argumento de que "qualquer instigação à rebeldia é o pior crime na comunidade, e deve ser punida. A proibição à rebeldia é absoluta"[60]. Da mesma forma, a iníqua ordem de dominação e dependência também tinha de ser absoluta em substância (ou "matéria"), apesar de toda a conversa de restringir o discurso à "igualdade formal". Os privilégios feudais tinham de ser rejeitados em nome da mesma "sociedade contratual livre" da burguesia – antes que a inexorável tendência para a concentração e a centralização do capital se tornasse inegável pelos entusiásticos defensores do sistema – com a alegação de que os descendentes dos grandes proprietários "permaneceriam sempre grandes proprietários sob o feudalismo, sem que houvesse qualquer possibilidade de que as propriedades fossem *vendidas ou divididas por herança* e assim se tornassem úteis para mais pessoas"[61]. Ao mesmo tempo, os privilégios reais da dominação exploradora que acompanhavam a propriedade privada "contratualmente" adquirida e ampliada tinham de ser defendidos sem muitas exigências, sendo idealizados pela troca da argumentação, que saía do terreno das *relações da essência material* para o da *política formal*, justificando as perversas relações de poder com o postulado de que no terreno da política "artesãos e grandes ou pequenos proprietários são *todos iguais*" em virtude do fato de que "cada um tem direito a *apenas um voto*"[62].

Dentro desse quadro de racionalização e legitimação ideológica da ordem burguesa – em que as *mulheres*, assim como as *crianças*, não poderiam se qualificar para a cidadania e o direito de votar, porque "não são senhoras de si"[63] – tudo tinha de ser definido tendenciosamente. O fio que orienta as definições devia caber nos requisitos de um sistema que funciona com base na "igualdade" – reduzida ao *direito de vender* (por meio de um "contrato livre") a sua *propriedade*, em que

---

[60] Id., ibid., p. 423.
[61] Id., ibid., p. 421.
[62] Id., ibid., p. 420.
No sistema do capital realmente existente, o papel do voto parlamentar muda de acordo com as mudanças das circunstâncias históricas. Apesar das ilusões originais do Iluminismo associadas ao poder positivo todo-poderoso de "uma pessoa, um voto", houve (e ainda há) muitas formas de alienar as massas trabalhadoras, sem lhes tirar o direito de voto, uma vez concedido. De qualquer forma, também é possível manipular o sistema formal de votação quando as restrições materiais do modo estabelecido de reprodução sociometabólica assim o determinarem. O "princípio constitucional democrático" há muito estabelecido de uma pessoa um voto está sendo questionado, de muitas formas em países diferentes, sob pressão crescente da base material do capital. Assim, por exemplo:
Lee Kuan Yew, velho estadista de Singapura, está em campanha para alterar o princípio de uma pessoa, um voto, e dar aos pais de família maior peso nas eleições. De acordo com o plano do ex-primeiro-ministro, pessoas casadas e com filhos entre 35 e 60 anos teriam um voto adicional. Segundo ele, a proposta visa dar mais peso nas eleições àqueles com responsabilidades maiores. ... Na sua opinião, esta mudança radical seria necessária dentro de 15 ou 20 anos, porque a população de Singapura está envelhecendo e um enorme exército de idosos poderia ser tentado a pressionar por *seguro social*. Em 2030, um quarto da população deverá ter mais de 60 anos de idade, comparado com uma proporção de 10% hoje em dia. Agora, oito trabalhadores sustentam um idoso, e naquela época esta relação terá chegado a 2,2:1.
Kenneth Whitting, "Lee wants extra vote for parents", *The Times*, 28 de julho 1994, p. 14.
[63] Kant, op. cit.

podemos incluir qualquer arte, ofício ou ciência"[64]. Assim como Rousseau, Kant estava convencido de que na ordem econômica justa "todos teriam alguma coisa e ninguém teria demais"[65], e por isso aprovava a venda ou a divisão por herança das grandes propriedades. Como essa "alguma coisa" à venda pela esmagadora maioria das pessoas era apenas sua força de trabalho, que se contrapunha ao poder de exploração e repressão obtido da imensa riqueza possuída pelos poucos, esta contradição teria de ser enfrentada de alguma forma. Ela foi "esclarecida" por Kant e suas almas gêmeas ideológicas por meio da separação radical da "*forma da lei*" de sua "matéria", de modo que, em nome da *racionalidade apriorística*, possa sustentar que "a igualdade geral dos homens" *de jure* (ou seja: como questão de direito e justiça indiscutíveis) pode "muito bem coexistir ao lado da maior desigualdade nos graus das posses dos homens". Assim, segundo essa visão altamente tendenciosa, quem quer que ousasse levantar a questão da igualdade com referência às diferenças existentes na riqueza material e no poder correspondente teria, ele próprio, sido automaticamente banido (para não dizer *ela própria*) do campo do discurso racional. E não era só isso. Os interesses ideológicos afirmados por Kant, e por outros depois dele, pela separação dualista explícita entre forma da lei e sua matéria foram ainda mais reforçados por outro dualismo anunciado em nome da racionalidade apriorística, opondo a lei como tal às aspirações do ser humano à felicidade, insistindo em que tudo isso é "assim determinado pela *pura razão legislativa apriorística* que não tem nenhuma relação com objetivos empíricos como os compreendidos sob o nome geral de *felicidade*"[66].

Sob ameaça de excomunhão do terreno da razão, a "igualdade" e a "justiça" tinham portanto de ser separadas da substância ("matéria") e da felicidade, em conformidade às exigências da legalidade burguesa a serviço das relações de poder material do sistema do capital, eliminando-se assim a possibilidade de pedir uma justificativa racional para as injustiças contra as pessoas na ponta receptora da hierarquia estrutural existente. Hegel, que criticou Kant em muitos aspectos, também não hesitou em relegar todos os que tentaram levantar a questão da igualdade em termos substantivos ao reino inferior do "simples entendimento" (*Verstand*), excluindo-os com desdém do campo da razão (*Vernunft*), como vimos acima. Em geral, a tradição filosófica burguesa somente poderia visar o tipo de reformas e melhorias que se adaptasse aos limites do formalismo legal preconcebido em favor da ordem dominante.

Como é característico, as mesmas ponderações sobre a legalidade vazia que regulava a "igualdade contratual" do trabalho foram também aplicadas às queixas das mulheres. Engels as enfatizou:

---

[64] Id., ibid.
[65] Rousseau, *The Social Contract*, Everyman Edition, p. 19. Mas na mesma frase Rousseau também afirmou – evidentemente antes da Revolução Francesa –, com radicalismo agressivo, que sob a ordem existente a "*igualdade é apenas aparente e ilusória;* serve somente para manter na pobreza o pobre e o rico na posição que usurpou". Kant, ao contrário, torna "o pobre dependente do rico", sem se perguntar como surgiu essa dependência, e como ela poderia ser desfeita. O fato de, na realidade, os pobres produzirem a riqueza dos ricos, e assim a dependência em discussão estar representada ao contrário, não pode ser aceito nem mesmo na mais iluminada das justificações filosóficas do universo burguês.
[66] Kant, op. cit., p. 416.

Naturalmente, os nossos juristas acreditam que o progresso na legislação está deixando as mulheres sem mais nenhuma base para reclamações. Os modernos sistemas civilizados da lei cada vez mais admitem, em primeiro lugar, que para um casamento ser legal deve ser firmado um contrato em que as duas partes entram espontaneamente e, segundo, também que no estado de casados os dois parceiros devem ter as mesmas condições de direitos e deveres iguais. Se essas duas exigências forem solidamente cumpridas, dizem os juristas, as mulheres têm tudo o que possam pedir. Esse método tipicamente legalista de argumentação é exatamente o mesmo usado pelo burguês republicano radical para colocar o proletário em seu lugar. O contrato de trabalho deve ser firmado espontaneamente entre os dois parceiros. Não obstante, considera-se *firmado espontaneamente* enquanto a lei considera as duas partes *iguais no papel*. O poder conferido a uma das partes pela diferença de posição de classe, a pressão que esta produz sobre a outra parte (a posição econômica real de ambas) nada têm a ver com a lei. Enquanto perdura o contrato de trabalho, as duas partes terão direitos iguais, desde que uma ou outra não renuncie expressamente a eles. O fato de que as relações econômicas obriguem o trabalhador a renunciar até à mais ínfima semelhança do que sejam direitos iguais... – aqui, mais uma vez, nada tem a ver com a lei.[67]

Essa determinação estipuladora dos termos em que os remédios poderiam ser buscados dentro dos limites do sistema profundamente iníquo estabelecido teria de frustrar a luta pela emancipação em todos os campos. Verdade seja dita: ainda que mantidos dentro dos limites bem demarcados das concessões puramente formais/legais, nos séculos XIX e XX fizeram-se avanços na questão da emancipação das mulheres em relação à época de Kant, como a celebrada vitória das sufragistas ou a eliminação de parte da legislação discriminatória contra as mulheres. Entretanto, essas mudanças não afetaram significativamente as relações de poder material da desigualdade estrutural, assim como a eleição de governos social-democratas e trabalhistas em nada emancipou o trabalho do domínio do capital.

5.3.3

Na solução de Kant para o problema de como regular a posição das mulheres na sociedade não havia apenas uma afirmação aberta (ainda assim honesta) do patriarcado confiante, mas uma coerência perversa. Ele negava *status* igual às mulheres não devido a alguma aversão pessoal mórbida em relação a elas. No plano kantiano das coisas, as mulheres recebiam uma posição subordinada porque era impossível conceber-se a satisfação das exigências de uma verdadeira emancipação da mulher por meio de concessões legalistas formais. Para terem algum significado, as concessões adotadas e as mudanças consequentes teriam de ser substantivas. Mas a estrutura de comando do capital sempre foi – e para sempre será – totalmente incompatível com a ideia de conceder a qualquer pessoa igualdade substantiva na tomada de decisões, até mesmo às "personificações do capital" que devem operar rigorosamente sob seus ditames materiais. Neste sentido, quer as mulheres tenham quer deixem de

---

[67] Engels, op. cit., pp. 135-6.

ter o direito de votar, elas devem ser excluídas do verdadeiro poder de decisão por causa de seu papel decisivo na reprodução da família, que terá de se alinhar com os imperativos absolutos e os ditames autoritários do capital. E isto deve acontecer porque a família, por sua vez, ocupa uma posição de importância essencial na reprodução do próprio sistema do capital: ela é seu "microcosmo" insubstituível de reprodução e consumo. Da mesma maneira, é inconcebível a ideia de que o trabalho venha a adquirir igualdade significativa, nem mesmo se os membros trabalhistas e os social-democratas do parlamento aprendessem a ficar sempre de ponta-cabeça (no que fizeram grandes progressos, pena que não tenham feito progresso em mais nada), devido à absoluta necessidade de manter o trabalho em permanente subordinação estrutural ao capital como "Senhor" (no sentido kantiano) da ordem sociometabólica dada. Kant expõe essa visão com uma consistência interessada, mas não obstante perversamente sustentável:

> ... as pessoas não podem julgar em termos legais a maneira como se deve administrar a constituição. Quando se pressupõe que elas têm esse poder de julgamento e o exerceram em contradição com o do verdadeiro chefe de Estado, quem decidirá qual das partes está certa? Ninguém pode fazê-lo, pois será juiz em causa própria. Portanto, deveria haver um chefe acima do chefe de Estado para decidir entre as pessoas e o chefe de Estado, o que em si é uma contradição.[68]

Partilhar uma posição de igualdade com o capital e ao mesmo tempo manter a necessária subordinação do trabalho no processo da reprodução socioeconômica é uma evidente contradição. Para resolvê-la realmente e não apenas em termos legais e políticos fictícios, seria preciso um controle e uma organização radicalmente diferentes do processo sociometabólico. Contudo, é claro que assim toda a questão da "igualdade com o capital" – ou "parceria igual entre governo, empresa e trabalho" nas pretensões mistificadoras dos governos social-democratas e seus suspeitos parceiros – se tornaria uma preocupação totalmente redundante.

Naturalmente, Kant não poderia imaginar uma ordem socioeconômica alternativa, organizada e controlada com base no compartilhamento cooperativo de tarefas, embora fosse contemporâneo de François Babeuf, um revolucionário decapitado em 1797 precisamente por defender essa causa. O axioma de Kant tinha de ser este: "o Senhor comanda e os súditos obedecem" – coerente em todas as formações tornadas inevitáveis e possíveis pela "sociabilidade a-social" da humanidade[69], desde o lar da família até o Estado político que tudo abrange. Em sua visão do que poderia ser considerada uma tomada de decisão viável, tudo deveria adaptar-se a uma hierarquia rigorosa, com alguém claramente identificável em seu ápice. O poder de decisão na economia – onde "um homem manda no outro" – teria de estar nas mãos do possuidor de uma propriedade privada, fosse esta grande ou pequena; na família, o Senhor seria a parte masculina; no Estado constitucional, o totalmente inquestionável chefe de Estado. Não importando o quanto fosse questionável em termos *substantivos*, essa maneira de tratar dos pro-

---

[68] Kant, op. cit., pp. 423-4.
[69] Kant, "Idea for a Universal History with Cosmopolitan Intent", p. 120, no volume citado na nota 59.

blemas era muito mais consistente que os esforços posteriores dos "utilitaristas" que se exauriam em pronunciamentos vazios e muitas vezes até ofensivos para com as massas do povo – como o pretensioso "princípio" da felicidade de John Stuart Mill, segundo o qual era "melhor um Sócrates descontente do que um porco satisfeito", com o que ele procurou justificar (contradizendo diretamente a Kant) a proposta alocação de votos múltiplos às pessoas intelectualmente superiores; ou como as "teorias" chauvinistas, machistas e aristocrático-racistas de Edgeworth a respeito da iníqua distribuição de "utilidades e felicidade", para ele correta e adequada, como vimos na seção 3.2.1.

Kant pensou que o princípio da "igualdade diante da lei" – com o que queria dizer abolição dos privilégios feudais fixados politicamente, uma proposição verdadeiramente radical para sua época – resolveria os problemas remanescentes. Além do mais, ele foi honesto o bastante para admitir que a regulamentação burguesa das relações de propriedade a que aderia "poderia causar uma *enorme desigualdade de riqueza* entre os membros da comunidade"[70]. Por um lado, Kant saiu dessa dificuldade graças à sua plena confiança na força benevolente do mercado (que ele compartilhava com Adam Smith, de quem até tomou emprestada) e, por outro lado, transferindo as reflexões sobre felicidade a outro reino, mostrando que "as coisas materiais não dizem respeito à *personalidade* e podem ser *adquiridas* como a propriedade e *descartadas*"[71], ao contrário das propriedades de terra, que estavam totalmente atadas a seus proprietários pelos privilégios feudais denunciados. Separando a forma da lei de seu conteúdo e, de acordo com esta mesma abordagem, atribuindo um reino diferente à preocupação com a felicidade (para ele, justificadamente fora do alcance da razão legislativa), Kant também proporcionava o modelo para a fundamentação da "igualdade" numa "justiça" formal/legal amplamente imaginária, que poderia ser materialmente anulada.

Racionalizações posteriores sobre a ordem sociometabólica do capital (em especial, no século XX) perderam até a relativa justificativa das ilusões kantianas, que no século XVIII se sustentavam devido ao fato de que o sistema do capital estava bem longe do pleno desenvolvimento. Entretanto, com o passar do tempo, o mercado não correspondeu às expectativas a ele atribuídas por Adam Smith e Kant, que o viam como instituição benevolente que, a longo prazo, atuava na direção de uma ordem social justa e mais equitativa, por meio da tendência potencialmente equalizadora (que, como se viu, não aconteceu) da "vendabilidade universal". Ao mesmo tempo, até a postulada "igualdade diante da lei" mostrou-se falsa, graças ao poder da grande riqueza exploradora de, na prática, comprar serviços preferenciais (inclusive os da lei). Acumulando riqueza, as "personificações do capital" podiam tomar para si, e da maneira mais iníqua imaginável, "utilidade" e "felicidade". Na verdade, com frequência até exagerada, elas conseguem até assassinar com literal impunidade, graças à sua posição protegida e institucionalmente privilegiada (mesmo não sendo do tipo feudal anacrônico), demonstrando de forma cabal

---

[70] Kant, "Theory and Practice ... ", op. cit. p. 419.
[71] Id., ibid.

que somente na ficção legal se pode separar a forma da lei de seu conteúdo – a serviço dessa "universalização" supostamente equalizadora. Com esse histórico dolorosamente irrefutável, só os mais descarados defensores do capital poderiam defender a ordem estabelecida em nome do idealizado "Domínio da Lei", utilizando as ilusões sinceras do Iluminismo sobre igualdade formal para justificar as mais gritantes desigualdades do presente, como se não tivesse havido oposição eficaz a essas ilusões durante os últimos duzentos anos. Portanto, é compreensível que, onde as preocupações verdadeiramente humanitárias deram o tom no século XVIII, ainda que misturadas com as ilusões da época, hoje encontremos a hipocrisia descarada, à beira do cinismo.

A esse respeito, um exemplo particularmente notável é o do cavaleiro de honra de Margaret Thatcher, Friedrich von Hayek. Sua argumentação se caracteriza por declarações e premissas arbitrárias (como a defesa da "imparcialidade do Estado"[72]), ao lado de tautologias que mereceram o prêmio Nobel. Em seu sucesso editorial *Road to Serfdom* [A estrada para a servidão], ele nos conta que "foi a submissão dos homens às forças impessoais do mercado que *tornou possível* no passado o surgimento de uma civilização que, *sem isto, não poderia ter-se desenvolvido*"[73]. E Hayek também declara que "o Domínio da Lei, no sentido de domínio da lei formal", é a única salvaguarda contra "o governo arbitrário". Depois de *pressupor,* com arbitrariedade apologética classista, o relacionamento inevitável entre "o domínio da lei *formal* " e o "governo não arbitrário", excluindo assim por antecipação a verdadeira justiça do terreno da razão legisladora, algumas linhas abaixo Hayek conclui com uma declaração igualmente arbitrária – e inteiramente tautológica – que "um verdadeiro ideal de justiça distributiva deve levar ao fim do Domínio da Lei"[74]. Da mesma maneira, a concepção ideológica apriorística de Hayek apresenta os axiomas insustentáveis de que "o planejamento leva à ditadura"[75] e "quanto mais o Estado planeja, mais difícil o planejamento se torna para o indivíduo"[76]. Mais adiante no livro, ele contradiz seu próprio lamento sobre as dificuldades do planejamento individual, adotando satisfeito a ideia de que "uma civilização complexa como a nossa inevitavelmente se baseia na adaptação do indivíduo às mudanças cuja causa e natureza ele não pode compreender"[77]. Assim, não apenas ficamos com uma gritante contradição entre a idealização do "planejamento individual" sob o capitalismo e sua negação pelo mercado, mas também com uma grotesca noção do que supostamente deve aceitar o indivíduo submisso como a última conquista de nossa "civilização complexa". Curiosamente, em nome da liberdade, ele também nos diz que a maior virtude é a submissão inquestionada de todos os indivíduos à tirania do mercado:

---

[72] Hayek, *The Road to Serfdom*, p. 57.
[73] Id., ibid., pp. 151-2.
[74] Id., ibid., p. 59.
[75] Id., ibid., p. 52.
[76] Id., ibid., p. 57.
[77] Id., ibid., p. 151.

... a menos que se queira eliminar essa complexa sociedade, a única alternativa para a submissão às forças impessoais e aparentemente irracionais do mercado é a submissão a um poder igualmente incontrolável e portanto arbitrário de outros homens.[78]

Está óbvio que Hayek não consegue admitir a possibilidade e a legitimidade de se contemplar uma alternativa para o domínio do capital, a que, em sua visão, todos devem se submeter; menos ainda se isto significar que os indivíduos assumirão o controle sobre as atividades de suas próprias vidas por meio de formas conscientemente organizadas – ou seja, realmente planejadas – de intercâmbio social produtivo, administrado a partir de suas próprias decisões, em vez dos ditames materiais preexistentes (para ele, incompreensíveis). Nessa abordagem, Hayek não desfaz um grande mistério: por que alguém preferiria o tipo de *incontrolabilidade e submissão* de Hayek ao que este demagogicamente projeta como *única* alternativa? Só porque o que ele recomenda é "impessoal" e "aparentemente irracional"? Afinal de contas, ao caracterizar o sistema nestes termos, tudo é apresentado de cabeça para baixo. O sistema do capital não é apenas "aparentemente irracional", mas completa e irremediavelmente *irracional*; além disso, não é "impessoal" em sua natureza real, mas apenas *aparentemente* impessoal. Ou seja, ele é impessoal apenas devido ao *fetichismo da mercadoria* historicamente prevalecente, que faz com que um tipo de relação entre os homens – sob o modo de controle sociometabólico do capital – assuma a seus olhos "a forma fantástica de um relacionamento entre coisas", para que "sua própria ação social assuma a forma de ação de objetos que dominam os produtores em vez de serem por eles dominados"[79]. A questão é que a força restritiva dessa "forma fantástica" a que se supõe que estaremos submetidos para sempre, na prática, pode ser desafiada expondo-se, e combatendo-se as relações estabelecidas de dominação de classes e de subordinação estrutural baseadas na impessoalidade mistificadora do fetichismo da mercadoria, que Hayek está ansioso por confundir em seus escritos falaciosos em defesa do capital. Mais uma vez, aqui o contraste com Kant não poderia ser maior. O grande filósofo alemão confessou sua simpatia pela "*utopia filosófica*, que tem a esperança de um Estado de paz perpétua baseada numa liga de povos como uma república mundial, e [pela] *utopia teológica*, com sua expectativa de uma completa regeneração moral de toda a raça humana"[80]. O próprio Kant deu sua contribuição a ambas, em suas reflexões sobre "A paz perpétua" e sobre "A religião apenas nos limites da Razão", para que não fossem "universalmente ridicularizadas como fantasias"[81]. Todavia, para Hayek esses esforços devem ser realmente condenados como devaneios ociosos, se não coisa bem pior. Nós já vivemos no melhor dos mundos... Assim, a questão de melhorar a ordem existente, cuja "natureza não conseguimos entender", não pode surgir com legitimidade. O dever de homens e mulheres, segundo ele, é "submeter-se" alegremente aos ditames de nossa "complexa civilização" e lutar com unhas e dentes contra os que se recusam a aceitar a necessidade da submissão como "condição humana" permanente...

---

[78] Id., ibid., p. 152.
[79] Marx, *Capital*, vol. 1, pp. 72 e 75.
[80] Kant, "Religion within the Limits of Reason Alone", p. 382, no volume citado na nota 59.
[81] Id., ibid.

5.3.4

E assim testemunhamos a completa degradação de uma interpretação que era bastante problemática – e já questionada – até na época das ilusões parcialmente perdoáveis do Iluminismo... Ela não foi questionada apenas por Babeuf, que acreditava tão apaixonadamente numa ideia radicalmente diferente de igualdade e justiça que estava preparado para morrer por ela, mas também, antes dele, por Diderot, que (já vimos na seção 4.2.2) insistia: "se o trabalhador é miserável, a nação é miserável". Por mais problemáticas que fossem as ideias de Kant sobre o relacionamento entre igualdade, felicidade e "personalidade", ele jamais tentou fingir que os beneficiários da desigualdade material não fossem considerados privilegiados, mesmo que, com certeza, não tivessem vantagens *morais*. A negação vergonhosa até da ligação mais palpavelmente inegável entre o privilégio e a desigualdade material só ganhou proeminência num quadro conceitual em que as relações verdadeiras tinham de ser apresentadas de pernas para o ar, alterando deliberadamente a base dos argumentos em nome da mais grosseira forma de propaganda antissocialista fantasiada de teoria.

Para tomarmos um exemplo típico, Hayek exclui categoricamente todas as ponderações de "verdadeira igualdade" e "verdadeira justiça" do campo da discussão legítima, oferecendo como único tipo adequado de lei a obrigação geral de "dirigir do lado esquerdo ou do direito da estrada, desde que todos façam a mesma coisa" – mesmo "se sentirmos que é injusto"[82]. Por que diabos alguém sentiria que esse tipo de lei administrativa formal pudesse ser injusta, quando ela se aplica a todos num terreno racionalmente incontestado (e incontestável)? Esse é outro grande mistério... Mas está bem clara a intenção apologética que há por trás. O objetivo de Hayek é camuflar a *lei substantiva repressora* – decretada e imposta sem a menor cerimônia como dimensão política do domínio tirânico do capital – como se ela pertencesse à mesma categoria das regras administrativas formais aplicadas por coerção, mas de fato racionalmente incontestadas (mesmo quando na prática são violadas por alguns indivíduos). Algumas linhas abaixo, na mesma página e em oposição ao que Hayek consideraria uma "inação" totalmente censurável do Estado, o exemplo dado para ilustrar a sua legítima ação coercitiva é a intervenção contra os "*piquetes de greve*" – uma ação que nem a imaginação mais pobre poderia incluir na categoria das regras administrativas formais não contestadas (e legitimamente incontestáveis). Dessa maneira, ao revelar a intenção ideológica apologética classista culta por trás desse gênero de teorização, que neste caso afeta diretamente o trabalho organizado, a qualificação que entra em jogo, graças a um truque do autor, é que a coerção do Estado é correta e adequada mesmo quando as pessoas "sentem que ela é injusta".

O principal argumento de Hayek sobre privilégio e desigualdade não é menos problemático:

> O conflito entre a *justiça formal e a igualdade formal diante da lei* por um lado e, por outro, as tentativas de realizar os diversos ideais da *verdadeira justiça e igualdade* também são responsáveis pela confusão generalizada sobre o conceito do "privilégio" e seu consequente abuso. Para mencionar apenas o maior exemplo deste abuso: a

---

[82] Hayek, *The Road to Serfdom*, p. 60.

aplicação da palavra privilégio à propriedade. Seria realmente um privilégio se, por exemplo (como acontecia no passado), a propriedade da terra estivesse reservada aos membros da nobreza. ... No entanto, chamar de privilégio a propriedade privada que todos *podem* adquirir sob as *mesmas regras* porque só alguns *conseguem* adquiri-la é tirar da palavra *privilégio* o seu significado.[83]

Neste mundo em que vivemos o *privilégio* não existe, existe apenas o "privilégio" entre aspas. Os que sustentam o contrário participam da "confusão generalizada", violando o conceito de privilégio (que pertence ao passado feudal); o pior é que estes também *abusam* da razão, acima de tudo porque ousam questionar o poder discriminatório do privilégio substantivo material que emana da dominância estrutural da propriedade capitalista privada. A razão estipulada para que se excluam do discurso racional as incontáveis pessoas "confusas" que "abusam" da razão é que os excluídos da propriedade privada – uma questão das relações materiais existentes – *podem* adquiri-la "sob as mesmas regras", ainda que não o consigam...

Naturalmente, mais uma vez encontramos, oculta embaixo desse "argumento racional", a habitual tautologia apologética classista de Hayek. Ele afirma arbitrariamente que levantar a questão de justiça e igualdade *substantivas* é manifestação de "confusão generalizada" e deve ser condenada, porque as considerações acerca de igualdade e justiça *devem* ser confinadas rigorosamente às regras *formais* e, assim, o autor "conclui logicamente" que, em virtude das *mesmas regras formais*, sob as quais a propriedade privada *pode* ser adquirida por todos, em princípio tudo está correto e adequado neste nosso mundo em que não há lugar para o privilégio, graças ao funcionamento ideal das regras formais do Estado (que, aliás, também são uma completa ficção, mesmo que no presente contexto isso tenha importância secundária). A questão vital – saber se, sob o sistema vigente do capital, o "pode" invocado por Hayek é *real ou inteiramente oco*[84] – deve permanecer a seus olhos um tabu absoluto.

---

[83] Id., ibid.

[84] Uma medida do total vazio do "pode" constantemente proclamado e nunca realizado, mesmo que em mínima escala, é a ampliação da lacuna entre ricos e pobres, que se afirma apesar de todas as promessas do liberalismo e da social-democracia tradicional. Pode-se encontrar uma breve história e crítica desses desenvolvimentos, desde Bernstein até as idealizações do Estado de bem-estar social posteriores à Segunda Guerra Mundial, no capítulo 8 de *The Power of Ideology*.

Dados recentes reafirmam o absurdo de se esperar soluções por meio de "melhoramentos graduais" da estrutura do sistema do capital, quando, na verdade, tudo aponta na direção da intensificação da desigualdade. Nem mesmo a falsificação usual de números politicamente indesejáveis pelos governos consegue ocultar esta verdade desconcertante.

A lacuna entre ricos e pobres aumentou [na Grã-Bretanha] sob o governo conservador, quando, de acordo com números oficiais, foi atingido o pico de uma pessoa em três abaixo da linha de pobreza definida em Bruxelas. A renda dos 10% mais pobres da população caiu 17% entre 1979 e 1991, enquanto a renda dos 10% mais ricos aumentou 62%. ... Estes números, apresentados no último relatório *Households Below Average Income*, mostram que o número de pessoas que vivem abaixo da linha europeia da pobreza, ou seja, com renda inferior à metade da média, aumentou de 5 milhões em 1979 para 13,9 milhões em 1991-92. Outras 400.000 pessoas passaram para baixo da linha de pobreza desde o relatório anterior, 200.000 das quais eram crianças. Em 1979, 1,4 milhão de crianças viviam abaixo da linha de pobreza, passando a 3,9 milhões em 1990-91 e 4,1 milhões um ano depois. ... Em dinheiro, a renda média dos 10% mais pobres caiu de £74 para £61 (ou seja, $91) por semana. ... Estes números se baseiam em dados da Pesquisa sobre Despesa Familiar do governo.

Jill Sherman, "Child poverty trebles in 12 years while rich get richer", *The Times*, 15 de julho, 1994, p. 4.

Os temerários que ousassem levantar essa questão seriam banidos do reino do discurso racional pelo autor de *A estrada para a servidão*, com a peremptória decisão da mesma tautologia que ele utiliza aqui contra os que supostamente "abusam" da razão, culpados de "tirar o significado da palavra *privilégio*".

Típico dessas defesas do sistema do capital é a fuga, em causa própria, da questão das *relações de poder material*. Por meio dessa evasão, até as formas mais substantivas de domínio e subordinação exploradora podem ser equivocadamente apresentadas como estando plenamente de acordo com as exigências do "Domínio da Lei" e a ausência de arbitrariedade. Dizem-nos que "não é a fonte do poder, mas sua limitação que evita que ele seja arbitrário"[85]. Nesse postulado, tanto a *fonte* como a *limitação* do poder legislador do Estado estão ficticiamente isoladas da base material e dos interesses a que servem, como se o idealizado poder político "não arbitrário" se autossustentasse e autolimitasse. Evidentemente, o poder político das formações estatais do capital não é arbitrário, mas rigorosamente dominado pelas determinações estruturais materiais do sistema estabelecido de controle sociometabólico. Em parte essa arbitrariedade diz respeito à irracionalidade do "processo de realização" basicamente incontrolável, que afeta até as mais privilegiadas "personificações do capital", e em parte à sujeição implacável de grandes massas de pessoas aos imperativos de um modo fetichista e tirânico de reprodução socioeconômica para o qual "não há alternativa". Em outras palavras, o arbitrário em relação aos indivíduos é a categórica exclusão de alternativas aos ditames materiais absolutos do sistema do capital e não a tradução desses ditames em regras fixas de legislação historicamente específica do Estado. Afirmar que o Domínio da Lei é a "encarnação legal da *liberdade*"[86] sobre a base fictícia de que ele se restringe adequadamente "ao tipo de regras *gerais* conhecidas como regras *formais*"[87] é uma deturpação completa não apenas do relacionamento entre a legislação do Estado e a base material do capital – a força limitadora, não formal mas muito real, das práticas legisladoras políticas e executivas –, mas também da natureza das próprias leis e regras da política. As apologeticamente idealizadas "regras conhecidas do jogo"[88] (que se diz garantirem a liberdade do indivíduo) não são apenas "gerais e formais" e aplicadas segundo o aprovado princípio formal de igualdade para qualquer pessoa particular (no espírito dos exemplos ilustrativos preferidos de Hayek, tomados do Código de Trânsito e da adoção geral de "pesos e medidas"). Elas também são *substantivas* e *discriminadoras*. Nesta última qualidade, não são dirigidas meramente contra os interesses de um número limitado de indivíduos *específicos* (segundo as referências ritualistas de Hayek à natureza ideal do "credo liberal"[89], num contraste vazio com a orientação explícita do "credo coletivista"), mas contra as *classes* das pessoas em desvantagem estrutural, como, por exemplo, a substantiva e repressiva legislação antissindicalista, claramente contra os piquetes grevistas...

---

[85] Hayek, op. cit., p. 53.
[86] Id., ibid., p. 61.
[87] Id., ibid., p. 62.
[88] Id., ibid., p. 54.
[89] Id., ibid., p. 52.

Esse tipo de raciocínio – típico da defesa empedernida da desigualdade material sob a pretensão de fazê-lo em nome do Domínio da Lei – funciona com a afirmação arbitrária de uma série de equações falsas. Diz-se que o Domínio da Lei é igual à regra da lei *formal*; ambos equivalem à ausência de *privilégios* – e os três juntos são iguais e *protegem "a igualdade* diante da lei, que é o oposto do governo arbitrário"[90]. Como acabamos de ver, nenhum elemento desta série de equações explicativas é sustentável, muito menos se poderia considerar que importem na única posição racionalmente justificável. Na verdade, o objetivo de todo o exercício é fazer as pessoas aceitarem duas proposições – totalmente injustificáveis. Primeiro, toda a preocupação com a igualdade deveria estar rigorosamente confinada à questão da "igualdade diante da lei". Em segundo lugar, diante do fato de que não se pode avançar para a verdadeira igualdade no quadro das restrições dogmáticas da primeira proposição, também se deve aceitar que ela é verdadeira e adequada (ou seja: racional e plenamente justificável) – e que realmente deveria permanecer assim para sempre em nossa visão, a menos que desejemos ser responsáveis pela vergonha de favorecer um "governo arbitrário" e o fim da "encarnação legal da liberdade" – e que absolutamente ninguém deveria agir para mudar as relações prevalecentes de desigualdade substantiva. Segundo Hayek, "a igualdade formal diante da lei está em conflito e é de fato *incompatível com qualquer atividade do governo que vise deliberadamente a igualdade material ou verdadeira de pessoas diferentes*"[91].

Na verdade, a questão há muito discutida da igualdade e da emancipação não pode ser seriamente tratada sem resolvermos as suas duas dimensões substantivas. A primeira está ligada a problemas da lei substantiva e aos obstáculos legislativos diretos ou indiretos erigidos no curso da história contra a potencial realização da igualdade substantiva; a segunda diz respeito ao que deve ir muito além dos poderes da compensação legal direta.

As teorias formalistas dos defensores do capital são formuladas para negar o inegável, ou seja, que existem – ou se conceberia que existissem – esses obstáculos legislativos substantivos no quadro do Estado liberal. Contudo, esta não é sua função mais importante. Sua interpretação diz respeito primordialmente à *incapacidade axiomática* daquilo que não se adapte aos limites de sua ordem material e legal preferencial. O ponto principal de sua defesa do Domínio da Lei e do planejado confinamento deste a "regras formais" é circunscrever o campo da ação legítima a fim de torná-la totalmente irrealizável (aplicando-se os critérios formais estipulados tanto à emancipação das mulheres como à verdadeira igualdade material dos trabalhadores em termos de seus poderes potenciais de tomada de decisão). Em primeiro lugar, eles restringem a possibilidade de progresso no ato de votar e, assim, até isso eliminam, anulando convenientemente o resultado emancipador potencial do próprio voto. Mesmo que todas as pessoas interessadas dessem, pelo voto, o poder a um governo cujo mandato instituísse a verdadeira igualdade e a emancipação real (não a formal/

---

[90] Id., ibid., p. 59.
[91] Id., ibid.

legal, materialmente impotente), tal governo não teria permissão para violar o tabu da verdadeira desigualdade, como vimos no penúltimo parágrafo.

Entretanto, os obstáculos diante da igualdade e da emancipação não terminam aqui. Há uma preocupação ainda maior precisamente com o que está na base material de todas as práticas legislativas relativas a isso. As forças contrárias à exigência de igualdade substantiva conseguiram se reafirmar – apesar de todos os progressos no domínio legal, no que tange à causa da emancipação das mulheres – sob todas as formações conhecidas do Estado moderno, inclusive suas variedades pós-capitalistas.

5.3.5

Na história, a demanda pela verdadeira igualdade vinha à tona com especial intensidade em períodos de crise estrutural, quando, por um lado, a ordem estabelecida se rompia sob a pressão de suas contradições internas e deixava de corresponder a suas funções sociometabólicas essenciais e, por outro, a nova ordem do domínio da classe destinada a tomar o lugar da antiga ainda estava longe de plenamente articulada. Nem o velho sistema nem a alternativa emergente tinham poder para eliminar (com a *autoridade internalizada* de axioma opressor) a possibilidade de realizar a antiga aspiração de livrar os intercâmbios humanos da tirania da ubíqua hierarquia estrutural. Significativamente, surgiram incontáveis sistemas de convicções igualitárias sob as condições desse vácuo social relativo "entre dois mundos" – que chegavam a assumir a forma de lutas organizadas, entre as quais estão as revoltas de escravos, os levantes camponeses, as muitas rebeliões esporádicas dos anabatistas, a conspiração da "sociedade dos iguais" de Babeuf, a militância extremista e o sacrifício do movimento inicial da classe trabalhadora, em condições de externa inferioridade, na primeira metade do século XIX. Geralmente, no curso da história, os movimentos igualitários militantes eram sufocados em sangue pelas forças da exploração e da opressão que sempre estavam prontas para atacar – o que não diminui sua importância. A cada ataque, esses movimentos mostravam a impossibilidade de se erradicar uma ideia, quaisquer que fossem as forças contrárias, cujo momento a história muitas vezes pressagiou, mesmo que ainda não tenha chegado.

A exigência da emancipação das mulheres conferiu uma nova dimensão a esses antigos enfrentamentos históricos que faziam pressão em prol da verdadeira igualdade. As mulheres tiveram de compartilhar uma posição subordinada em todas as classes sociais, sem exceção, o que tornava inegável (até pelas forças conservadoras mais extremadas) que sua demanda pela igualdade não poderia ser atribuída a uma "particular inveja de classe" e assim descartada. Esta circunstância também deixou óbvio que o "poder nas mãos das mulheres", em qualquer sentido dessa expressão, seria inconcebível se o quadro estrutural de dominação e hierarquia de classes se mantivesse como princípio organizador da ordem sociometabólica. Mesmo que todas as posições de comando nas empresas e na política do capitalismo fossem reservadas por lei para as mulheres – naturalmente isto não poderia acontecer por uma série de razões, incluindo-se, em lugar proeminente, a estrutura existente da família; de onde a hipocritamente exagerada admissão de minorias –, um número incomparavelmente maior de irmãs continuaria em abjeta subordinação e impotência. Não se poderia encontrar nenhum "espaço especial" para a emancipação das mulheres no referencial dessa ordem socioeconômica. Por isso, o "poder nas mãos das mulheres" teria de significar poder nas mãos de todos os seres humanos ou nada, exigindo o estabelecimento de uma ordem de produção e reprodução sociometabólica alternativa radicalmente diferente, que abrangesse todo o quadro de referências e as "microestruturas" que constituem a sociedade.

Com isso, era inevitável que a irrefreável exigência de emancipação das mulheres também concentrasse a atenção na promessa inicial e na definição do movimento socialista e, mais tarde, em seu trágico descarrilar. Esse descarrilamento assumiu a forma de uma mudança fatal – pela administração pós-capitalista do Estado e o reformismo social-democrata, nas sociedades de "socialismo realmente existente" – da estratégia de instituir-se uma *alternativa* para a ordem social do capital para a aceitação de melhorias parciais de vida curta que poderiam ser conciliadas pelo próprio sistema do capital.

Nesse aspecto, o contraste em relação à visão marxista se torna claro quando nos lembramos de que, referindo-se ao proletariado, Marx falava de "formação de uma classe com cadeias radicais, uma classe *na* sociedade civil que não é uma classe *da* sociedade civil, um estamento que é a dissolução de todos os estamentos, uma esfera que tem uma natureza universal por seu sofrimento universal e que não reivindica nenhum direito *particular* porque nenhum agravo em particular, mas o agravo generalizado é perpetrado contra ela; ela não permanece em nenhuma antítese unilateral em relação às *consequências* mas às *premissas* do estamento – é uma esfera que não pode se emancipar sem emancipar todas as outras esferas da sociedade"[92]. Marx não via a classe trabalhadora como classe no sentido tradicional. Para ele, as classes tradicionais que visavam alguma forma de domínio de classe eram "classes *da* sociedade civil", pois podiam satisfazer seus próprios objetivos egoístas na sociedade civil hierárquica vigente. Em compensação, a classe do trabalho não conseguia realizar suas metas na forma de interesses *particularistas*, além de ser inconcebível que se tornasse uma classe privilegiada, acima e contra uma classe produtora, ou seja, ela própria.

Não obstante, não se poderia excluir a possibilidade de que as organizações econômicas e políticas trabalhistas historicamente estabelecida se emaranhassem na perseguição a interesses particularistas e descarrilassem a emancipação do trabalho.

Em primeiro lugar, porque a classe do trabalho – ao contrário das mulheres, que integram todas as classes – ocupava um determinado espaço no espectro social, oposto à classe adversária: o capital e suas "personificações" mutantes. Neste sentido, como "classe contra classe", o trabalho tinha aspirações e queixas historicamente específicas, que poderiam ser tratadas, em termos relativos, em cima do modelo da aquisição de um *pedaço* quantitativamente maior do bolo (por meio do aumento na produtividade), ainda que de modo algum uma *fatia* proporcionalmente maior do bolo disponível em relação à parcela apropriada pelo capital. As ilusões e mistificações do reformismo poderiam muito bem basear-se nessa ambiguidade fundamental – que, mais uma vez, não teria nenhum equivalente no terreno da emancipação das mulheres, a qual, por sua própria natureza, exige uma ordem social *qualitativamente* diferente. Adotando essa ambiguidade como estratégia, o reformismo social-demo-

---

[92] MECW, vol. 3, p. 186. Tradução modificada.

crata podia falsamente prometer a realização dos objetivos socialistas por meio da gradual ampliação de melhorias quantitativas no padrão de vida dos trabalhadores (por meio do autoengano e jamais, mesmo sob governos trabalhistas ou social-democratas, tentando consistentemente a "taxação progressiva"), quando na realidade o capital sempre permaneceu com o controle total do processo da reprodução social e da distribuição da "riqueza da nação" produzida pelo trabalho.

Em segundo lugar, por um período histórico relativamente longo, as circunstâncias socioeconômicas não foram muito favoráveis à realização das perspectivas defendidas e antecipadas por Marx. Enquanto a ascensão histórica do capital pudesse continuar sem perturbações no terreno global, também haveria espaço em termos materiais efetivos para a busca de interesses particularistas nos movimentos trabalhistas dos países relativamente privilegiados. Ainda que os objetivos estratégicos originais dos socialistas fossem postos de lado enquanto estivessem atrás desses interesses limitados, a longo prazo insustentáveis até em sua escala limitada, seria possível obter da margem de lucro em expansão do capital alguns ganhos mensuráveis para as seções de liderança das classes trabalhadoras nos países economicamente mais dinâmicos (os imperialistas), modificando assim a máxima anteriormente válida do *Manifesto comunista*: os proletários só tinham a perder as suas correntes.

O momento histórico da social-democracia reformista surgira a partir desses fatos. Já na época da *Crítica ao programa de Gotha* de Marx e bem mais, pelo final do século XIX, sob o *slogan* do *Socialismo evolucionista* de Bernstein, o movimento social-democrata adotou a estratégia de lutar por privilégios no quadro da reprodução do capital. Dessa maneira ele contribuía ativamente para a revitalização do adversário capitalista, em vez de defender sua própria causa em favor de uma ordem social alternativa. Inevitavelmente, a aceitação de melhorias parciais concedidas pelo adversário, retiradas de suas margens de operação na expansão lucrativa do capital, impunha um altíssimo preço ao trabalho. Significava a aceitação dócil da autoridade do capital na determinação das reivindicações que seriam ou não consideradas legítimas e na participação adequada do trabalho na riqueza social disponível. Assim, não espantava que no discurso social-democrata a questão da verdadeira igualdade humana se diluísse a ponto de perder o sentido, ritualmente reiterada nas convenções partidárias na forma da retórica vazia e autocontraditória de "justiça" (de todas as coisas diante do capital, pedindo, no novo jargão dos líderes trabalhistas, até o *salário mínimo* numa "medida *sensata*" a um "ritmo *sensato*") e "igualdade de oportunidades" devida e subservientemente contraposta à "igualdade de resultados".

Essa forma de tratar a demanda por verdadeira igualdade, que voltava teimosamente à tona, era vazia e contraditória, porque nem como projeto afetava o edifício estrutural da sociedade de classes exploradora, para não mencionar sua efetiva realização. Uma vez considerado inquestionável o sistema socioeconômico estabelecido como quadro indispensável de reivindicações e aspirações legítimas, tudo teria de ser "realisticamente" avaliado com base nas premissas da permanência da viabilidade e da "reformabilidade" do capital gratuitamente aceitas durante quase um século de devaneios social-democratas. Desse modo, a ideia de igualdade passou a estar rigorosamente subordinada a considerações de "imparcialidade" e "justiça", adotando como devida medida de "imparcialidade" e "justiça" o que quer que o capital pudesse e desejasse conceder de suas margens flutuantes de lucratividade.

A racionalidade deste tipo de discurso, postulando a realização de "igualdade" e "imparcialidade" (para não mencionar o socialismo) com a premissa indiscutível da inalterabilidade da ordem social hierárquica e exploradora do capital, só poderia ser caracterizada com a frase condenatória de Kant: *ex pumice acquam* – ou seja: "fazer água da pedra-pomes". O fato de, com a consumação global da ascendência histórica do capital em nossos dias, o movimento social-democrata ter abandonado até suas metas reformistas limitadas e adotado sem reservas a "economia dinâmica de mercado" do capital, transformando-se mais ou menos abertamente numa versão do liberalismo burguês, aponta o fim de uma estrada que constituía, desde o início, um beco sem saída para as aspirações emancipatórias.

Nesse aspecto, é agradável e tranquilizador para o futuro que a descarrilada retórica da "imparcialidade" – que no passado invariavelmente significava bater em portas que não poderiam ser abertas – não tenha qualquer papel especial no discurso sobre a emancipação das mulheres. Como veremos mais adiante, aqui a questão do que deve ser feito com as *relações de poder* existentes não pode ser evitada quando se levanta a questão da igualdade, nem pode ser diluída na vaga noção de "igualdade de oportunidades" dada a sua evidente negação pela ordem social estabelecida. Implorar a um sistema de reprodução sociometabólica profundamente perverso – baseado na perniciosa divisão hierárquica do trabalho – a concessão de "oportunidades iguais" para as mulheres (ou para o trabalhador), quando ele é *estruturalmente incapaz* de fazer isso, é transformar em zombaria a própria ideia da emancipação. A condição prévia essencial da verdadeira igualdade é enfrentar com uma crítica radical a questão do modo inevitável de funcionamento do sistema estabelecido e sua correspondente estrutura de comando, que *a priori* exclui quaisquer expectativas de uma verdadeira igualdade. Deve-se excluir categoricamente a igualdade substantiva devido à forma como, já há muito tempo, a divisão social do trabalho está constituída na ordem existente. É isto que deve ser invertido. Marx apresenta assim essa ideia:

> A divisão do trabalho em que todas essas contradições estão implícitas e que, por sua vez, se baseia na divisão natural do trabalho na família e na separação da sociedade em famílias individuais opostas entre si implica simultaneamente a distribuição, uma distribuição qualitativa e quantitativamente *desigual,* do trabalho e seus produtos e daí a propriedade, seu núcleo, cuja primeira forma está na família, onde esposa e filhos são escravos do marido. Essa escravidão latente na família, embora ainda bastante grosseira, é a primeira forma da propriedade, mas até mesmo nesta etapa ela corresponde perfeitamente à definição dos economistas modernos, que a chamam de poder de dispor da força de trabalho dos outros.[93]

Aqui o problema aparentemente intratável é que todas as transformações internas da família na história ocorreram na ampla estrutura da divisão hierárquico-social inevitavelmente iníqua do trabalho e teve de incorporar as suas exigências gerais, em qualquer nível de civilização. As relações prevalecentes de poder tinham de ser

---
[93] Ibid., vol. 5, p. 46.

reconstituídas constantemente em toda parte – inclusive no "núcleo", sob a forma da "distribuição quantitativa e qualitativamente desigual" das forças produtivas sociais historicamente estabelecidas e seus produtos – e de maneira tal que as menores células constituintes e suas ligações mais abrangentes deveriam permanecer sempre estruturalmente emaranhadas e inextricavelmente entrelaçadas entre si como estruturas de produção e reprodução reciprocamente condicionantes. Somente dessa maneira foi possível manter a dominância e a continuidade da ordem existente, assegurando não apenas a reprodução de cada membro da sociedade, mas de toda a própria estrutura em que ocorrem todas as funções reprodutivas, ou seja, no sistema estabelecido de divisão do trabalho. Neste contexto, devemos nos lembrar do papel decisivo atribuído à família na perpetuação das relações discriminatórias da propriedade e o correspondente sistema de valores da ordem social dominante (de um lado do divisor social, orgulhosamente dominante, e do outro, devidamente submisso). Nem mesmo as formas historicamente mais recentes e "sofisticadas" do "núcleo" de reprodução e distribuição da sociedade, localizadas na família, poderiam evitar – não importa quão esclarecida e igualitária seja a intenção da atitude pessoal de seus membros individuais entre si – a imperiosa necessidade desumanizadora da subserviência consciente ou inconsciente em relação aos valores que emanam da divisão estrutural/hierárquica do trabalho, garantindo seu tranquilo funcionamento. Por isso, os princípios fundamentais constitutivos e as relações efetivas de poder material desta última teriam de ser diretamente enfrentados para que a causa histórica da emancipação das mulheres pudesse chegar além da frustrante mentira da "igualdade de oportunidades" que não leva a absolutamente lugar algum.

5.3.6
A crítica das relações estabelecidas de poder material não poderia se contentar com a denúncia das gritantes iniquidades da exploração e da dominação do capitalismo privado. Os anais das sociedades pós-capitalistas estão longe de ser promissores nesse aspecto. Margaret Randall o enfatizou num livro impressionante:
> Na verdade, nem as sociedades capitalistas que tão falsamente prometem igualdade nem as sociedades socialistas que prometeram igualdade e até mais, adotaram a bandeira do feminismo. Sabemos como o capitalismo coopta qualquer conceito libertador, transformando-o em *slogan* utilizado para nos vender o que não carecemos, onde as ilusões de liberdade substituem a realidade. Agora me pergunto se a incapacidade do socialismo de abrir espaço para a agenda feminista – para realmente adotar esta agenda à medida que emerge naturalmente em cada história e cada cultura – seria uma das razões pelas quais o socialismo não poderia sobreviver como sistema.[94]

O mesmo refrão soou por todo o mundo socialista: uma vez obtida a igualdade econômica, o resto viria. Este *resto* raramente foi designado, se é que chegou a receber algum nome. Quando se exigia espaço para uma discussão do feminismo ou se estimulava uma análise baseada na recuperação da história, da cultura e da experiência

---

[94] Margaret Randall, *Gathering Rage: The Failure of Twentieth Century Revolution to Develop a Feminist Agenda*, Nova York, Monthly Review Press, 1992, p. 37.

das mulheres, era muito provável que se recebesse o apelido de "feminista burguesa" – divisionista ou, pior, contrarrevolucionária.[95]

A falha das sociedades pós-capitalistas com relação à emancipação das mulheres é ainda mais notável quando se sabe que, em algum ponto de sua história, elas prometiam consertar as sérias iniquidades admitidas. No final, as relações de poder existentes que afetam diretamente as mulheres não foram muito alteradas – em vez disso, tentaram em vão mascarar sua falha com versões pós-capitalistas da falsa admissão das minorias. A mesma autora diz o seguinte:

> O poder continua sendo um grande problema. Quando, ano após ano, apenas uma insignificante meia dúzia de mulheres consegue ser eleita para postos de poder político, o socialismo parece anular seu objetivo de criar uma sociedade mais justa para todos. O processo de chegada das mulheres ao poder político na União Soviética e em boa parte do Leste europeu foi especialmente lento, e lento a ponto do absurdo; foi mais bem-sucedido no Vietnã, na Nicarágua e em Cuba. Contudo, nenhum lugar do mundo socialista tem mulheres nos postos representativos mais elevados, além dos simples direitos adquiridos pela falsa admissão; mais precisamente: as posições de poder são sistematicamente negadas a mulheres com visão feminista.[96]

O registro de promoção de mulheres a postos importantes de tomada de decisão política nas sociedades pós-capitalistas é lamentável, mesmo em relação a países capitalistas. Nestes há um número não desprezível de mulheres autorizadas a ocupar o mais alto posto político – o de primeiro-ministro: Indhira Gandhi, Margaret Thatcher e a sra. Bandaranaik e, para mencionar apenas algumas. Ao contrário, os países pós-capitalistas não tiveram nenhuma; até nos Politburos do partido no poder as mulheres eram tão raras quanto os corvos brancos na natureza – apesar da oficialmente anunciada política da "plena igualdade". Naturalmente, isto não significou que nos países capitalistas a conquista do posto mais elevado por algumas mulheres importasse em algo mais do que uma falsa admissão. E nisso as diferenças eram apenas manifestação de tipos e usos diferentes dessa falsa admissão. Além do mais, ainda que por algum milagre todas as posições mais altas do poder político fossem ocupadas por mulheres nas sociedades pós-capitalistas, isto não tornaria essas sociedades mais socialistas nem as pessoas – inclusive as mulheres – estariam nelas mais emancipadas.

As impressionantes diferenças na ocupação de um alto posto político que testemunhamos no século XX podem ser explicadas em termos da diferença bastante significativa com que o trabalho excedente é extraído nos dois sistemas. No capitalismo privado (seja ele "avançado" ou "subdesenvolvido"), enquanto prevalecer, a bem-sucedida extração *econômica* do trabalho excedente (na forma capitalista de apropriação e acumulação da mais-valia) atribuirá aos políticos e à tomada de decisão política direta funções muito diferentes das existentes nas variedades pós-capitalistas do sistema do capital. Nestas, o controle da extração do trabalho excedente está no terreno da política (para o bem ou para o mal) e o tipo soviético das "personificações do capital" não cumpre suas funções sem envolver-se diretamente nas formas altamente

---

[95] Id., ibid., p. 134.
[96] Id., ibid., pp. 168-9.

centralizadas de tomada de decisão política, em que sempre há muito em jogo e cujas consequências têm longo alcance. Diferentemente disso, nos sistemas de capitalismo privado, o papel essencial da política é o de *facilitadora* (e, em seu devido momento, também o de codificadora legal) de mudanças que se *desdobram espontaneamente* – e não o de sua *iniciadora*. As pessoas encarregadas dos diversos órgãos políticos capitalistas convenientemente se recusam a assumir a responsabilidade pelas mudanças que ocorrem e por aquelas defendidas pelos adversários, utilizando as sentenças comumente ouvidas de que "o papel do governo é apenas criar um clima favorável para os negócios" ou de que "os governos não podem fazer isso ou aquilo".

Com a extração do trabalho excedente economicamente garantida e o correspondente modo de tomada de decisão política sob a ordem sociometabólica de reprodução do capitalismo privado, este não deixa espaço para a agenda feminista de verdadeira igualdade, que exigiria uma reestruturação radical tanto das células constituintes como do quadro estrutural de todo o sistema estabelecido. Ninguém em perfeito estado mental poderia sequer sonhar em instituir essas mudanças por meio da máquina política da ordem capitalista, qualquer que seja a importância do posto ocupado, sem se expor ao risco de ser chamado de Dom Quixote feminista. Não há risco de introduzir a agenda feminista nem de surpresa nos sistemas capitalistas, já que não pode haver absolutamente nenhum espaço para ela na estrutura rigorosamente circunscrita da tomada de decisão política, destinada ao papel de *facilitar* a extração mais eficiente possível do trabalho excedente. Não é por acaso que as Indhira Gandhis, as Margaret Thatchers, e as madames Bandaranaikes, desse mundo – e esta última apesar de suas credenciais originárias da esquerda radical – não avançaram em nada a causa da emancipação das mulheres; no mínimo aconteceu o contrário...

A situação é muito diferente nos sistemas pós-capitalistas de reprodução sociometabólica e de tomada de decisões políticas. Em virtude de sua posição essencial na garantia da necessária continuidade da extração do trabalho excedente, eles podem iniciar grandes mudanças no processo da reprodução em andamento por meio da intervenção política direta. Assim, as determinações do pessoal político são aqui de uma ordem bastante diferente, no sentido de que sua orientação potencial é, *em princípio*, bem mais aberta do que sob o capitalismo. Pois, apesar da mitologia da "sociedade aberta" (propagandeada por seus inimigos autoritários, como Hayek e Popper), os objetivos e mecanismos da "sociedade de mercado" permanecem tabus intocáveis sob o capitalismo, delineando rigorosamente o mandato e a incontestável orientação do pessoal político, que não pode nem quer considerar seriamente a interferência com a extração econômica estabelecida do trabalho excedente – nem mesmo na sua manifestação social-democrata. Essa diferença na abertura potencial nos dois sistemas, *em princípio*, também cria espaço para a introdução de elementos dos projetos feministas, como o atestam as curtas tentativas pós-revolucionárias na Rússia.

Entretanto, essa abertura potencial não pode ser realizada em bases duradouras sob o domínio do capital pós-capitalista, pois a administração hierarquizada da extração do trabalho excedente reafirma-se como característica determinante decisiva do sociometabolismo também sob as circunstâncias alteradas. Assim, toda a questão do mandato político deve ser muito bem redefinida, eliminando a possibilidade de *representação* (característica da estrutura parlamentar capitalista, com o mandato completamente indiscutível dos representantes voltado para o modo econômico estabelecido de extração do trabalho excedente e acumulação do capital) e *delegação*, que caracterizou boa parte da literatura socialista sobre o assunto. Uma autoridade política absolutamente incontestável e despersonalizada – o Partido do Estado-partido – deve ser superposta individualmente ao pessoal político sob o domínio do capital pós-capitalista, articulado na forma da estrutura de comando hierárquica mais rigorosa, orientada para a extração máxima do trabalho excedente politicamente regulamentada.

É isso que exclui *a priori* qualquer possibilidade de se "dar espaço para a agenda feminista". O papel da política é bastante diferente nos dois sistemas; sob o capitalismo as mulheres *às vezes* podem ocupar com segurança até o mais alto posto político, ao passo que nas condições pós-capitalistas elas são excluídas sem a menor cerimônia. Sob o sistema pós-capitalista, devem-se eliminar até as limitadas tentativas das mulheres de estabelecer um novo tipo de relação familiar em apoio a suas antigas aspirações, que vieram espontaneamente à tona logo nos primeiros anos pós-revolucionários. Enquanto a máxima extração do trabalho excedente, politicamente garantida e protegida, continua a ser o princípio orientador essencial do sociometabolismo com sua estrutura de comando necessariamente hierárquica, a questão da emancipação das mulheres, que exige igualdade substantiva – e, por implicação, uma reestruturação radical da ordem social estabelecida desde suas menores células até seus órgãos coordenadores mais abrangentes –, não pode ser considerada nem por um momento. Qualquer tentativa de examinar criticamente as relações de poder estabelecidas do ponto de vista da emancipação das mulheres e visando remediar as velhas perversões logo deve ser descartada. A questão da igualdade deve ser confinada ao que é compatível com a divisão hierárquica do trabalho social prevalecente, reforçando e perpetuando a subordinação do trabalho com todos os recursos políticos à disposição do sistema.

Nos termos desses critérios, as mulheres podem se tornar membros plenamente iguais da força de trabalho conscientemente ampliada, entrando por esta razão em alguns territórios antes proibidos. No entanto, sob nenhuma circunstância elas poderão questionar a divisão do trabalho estabelecida e seu próprio papel na estrutura familiar herdada. Nas sociedades, pós-capitalistas, as mulheres em geral realmente podem se emancipar a ponto de entrar em qualquer profissão. Elas realmente o fazem, e geralmente sob as mesmas condições de remuneração financeira de seus colegas do sexo masculino. Além do mais, sua situação de mães trabalhadoras pode até ser bastante melhorada, com a instalação de creches e jardins de infância, de modo que possam retornar mais fácil e rapidamente à força de trabalho em tempo integral. O chamado, com razão, "segundo turno" das mulheres, que se inicia ao chegarem em casa depois do trabalho, serviu apenas para enfatizar a natureza problemática de todas essas realizações, inclusive a estranha "falsa admissão política" praticada nesse tipo de sociedades, que nada podia fazer para alterar as relações de força estabelecidas e o papel subordinado das mulheres na força de trabalho estruturalmente subordinada. Ele só enfatizou o fato de que a causa histórica da emancipação das mulheres não poderia progredir sem questionar todas as formas de domínio do capital.

5.3.7

É muito revelador que os intelectuais dos países de capitalismo avançado, que se consideravam socialistas democráticos, cantassem em uníssono com o autoritarismo soviético precisamente na questão da igualdade. O socialista fabiano Bernard Shaw, por exemplo, falava com entusiasmo sobre a denúncia pública do líder do partido soviético dos "políticos com quem Stalin perdeu a paciência quando os ridicularizou como *mercadores da igualdade*"[97]. Shaw não se deteve aí, mas continuou a justificar a ideologia stalinista e a prática da subordinação da força de trabalho a uma divisão hierárquica do trabalho, implacavelmente opressora, evocando a imagem de uma "ordem natural" fictícia na produção e na distribuição. Ele queria que esta fosse controlada pelas chamadas "pessoas pioneiras superiores" que não poderiam nem deveriam ser questionadas pelas "pessoas conservadoras medianas" e pelas "pessoas inferiores relativamente atrasadas" da sociedade. Shaw assim projetava uma ordem social supostamente em perfeita sintonia com a "natureza humana" e os ideais do "socialismo democrático". Em suas palavras:

> Na URSS, descobriu-se que era impossível aumentar a produção ou sequer mantê-la até que fossem estabelecidos o pagamento por resultados e por tarefa, apesar dos Mercadores da Igualdade. Quando o socialismo democrático tiver atingido a autossuficiência de recursos, a igualdade de oportunidades e a intermatrimonialidade para todos, com *a produção mantida em sua ordem natural,* cobrindo desde artigos de necessidade até os de luxo, e os tribunais não tiverem a distorção de advogados mercenários, sua tarefa estará terminada; ... ele continuará sendo a *natureza humana,* com todos os seus empreendimentos, ambições e emulações em plena atividade, com suas *pessoas pioneiras superiores, pessoas medianas conservadoras e inferiores relativamente atrasadas em seus lugares naturais,* muito bem alimentadas, educadas em sua máxima capacidade e "intercasáveis". A igualdade não pode ir mais longe.[98]

À primeira vista é difícil acreditar que um homem com a inteligência de George Bernard Shaw pudesse mergulhar a esse nível de preconceito burro, fantasiado com as vestes pseudodemocráticas do absurdo da eugenia. Como se a hierarquia estruturalmente imposta do sistema do capital nada tivesse a ver com a anunciada base biológica do "atraso das pessoas inferiores", que poderia e deveria ser remediado – mesmo que só para justificar e codificar a hierarquia "socialista democrática" e sua "ordem natural" em nome dos postulados "conservadorismo" eterno e "atraso relativo" irremediável das massas – por meio da grotesca receita fabiana da eugenia pela possibilidade nacional de "*intercasamento*". Por mais triste que possa parecer, o que dá certa credibilidade a esse tipo de ideias formuladas por intelectuais relativamente progressistas, como Bernard Shaw, é o fato de sua aversão à verdadeira igualdade ser partilhada com todos os que não podem imaginar uma alternativa para o sistema do capital e sua desumanizante divisão social do trabalho. E como, na prática, as premissas do funcionamento da ordem vigente são consideradas inquestionáveis, e até

---

[97] George Bernard Shaw, *Everybody's Political What's What?,* Londres, Constable and Company, 1944, p. 56.
[98] Id., ibid., p. 57.

declaradas "naturais", na falaciosa igualdade entre os limites históricos específicos do capital e a inalterabilidade eterna e absoluta, nada resta a ser milagrosamente espremido da imutável hierarquia *de facto* e *de jure* do sistema, além do mundo fantasioso da chamada "igualdade de oportunidades". Em vez da atuação autoemancipadora de uma intervenção social realista, Bernard Shaw nos oferece em sua visão do "socialismo democrático" apenas os "empreendimentos, ambições e emulações" de uma "natureza humana" genérica, ridiculamente personificada e esquizofrenicamente dividida em personalidades "superiores" e "inferiores". Sua atitude subserviente em relação ao ataque, longe de apenas verbal, de Stalin aos "mercadores da igualdades", severamente castigados, demonstra que as mais variadas personificações do capital – não apenas as do tipo descarada e conscientemente burguês, mas também suas manifestações de tipo soviético e as "democrático-socialistas" fabianas – encontram seu denominador comum justamente na rejeição categórica da verdadeira igualdade.

A defesa insincera da "igualdade de oportunidades" associada à "imparcialidade" e à "justiça" serve a um objetivo apologético, pois, ao se eliminar a verdadeira igualdade do rol das aspirações legítimas, as hierarquias estruturais do sistema do capital são reforçadas e se tornam provedoras indispensáveis das vazias "oportunidades" prometidas e, ao mesmo tempo, são aclamadas por sua "imparcialidade" e por sua "justiça", que tornam possível a "igualdade de oportunidades". O fato de o prodigioso avanço na produtividade ocorrido nesses últimos duzentos ou trezentos anos não ter conseguido transformar em realidade qualquer dessas promessas não preocupa os apologistas, pois eles poderão sempre retorquir que as pessoas é que são culpadas por não saberem aproveitar as "oportunidades". As mulheres não têm nada do que se queixar, dada a fartura de "oportunidades iguais" à sua disposição, especialmente no século passado.

O obscurecimento do que realmente está em jogo é a arma proeminente no arsenal dos apologistas da desigualdade. Um dos estratagemas prediletos é utilizar as diferenças nos talentos artísticos como justificativa hipócrita (e, com relação à natureza, também a perpetuação) da hierarquia social de exploração historicamente estabelecida. Como se fosse impossível imaginar o gênio musical de Mozart sem as hierarquias sociais paralisantes e humilhantes a que ele estava sujeito e sob cujos sofrimentos acabou perecendo jovem e no auge de sua criatividade artística, *apesar* de sua genialidade. Outra tática apologética muito bem ensaiada é afirmar que a meta da verdadeira igualdade socialista significa "nivelar por baixo" – o que nesta visão impossibilitaria o surgimento e a liberdade de ação dos Mozarts. Como se a história do vitorioso sistema do capital nesses últimos séculos correspondesse ainda que muito remotamente a um "nivelamento por cima", para não mencionar a capacidade de demonstrar um perfeito *non sequitur*: o relacionamento causal inevitável entre o florescimento da superioridade artística e o sistema em que as personificações do capital impõem por toda parte os imperativos materiais de sua ordem sociometabólica e, para este fim, devem dominar de uma ou outra maneira toda a atividade intelectual e artística.

Já seria lamentável pregar as virtudes de uma sociedade em que a "igualdade de oportunidades" fosse considerada mais do que hipocrisia, mesmo que o registro das realizações efetivas não avançasse, em vez de caminhar em direção à verdadeira igualdade (único sentido possível de toda essa iniciativa), para não dizer que se movesse na direção oposta. Entretanto, as estatísticas até de países do capitalismo mais avançado revelam um quadro muito deprimente. Um relatório oficial do governo na Inglaterra – que subestimava imensamente a gravidade da situação com a manipulação de números, excluindo arbitrariamente do levantamento algumas categorias e calculando os números relativos ao desemprego de 33 maneiras "refinadas" e "aperfeiçoadas", ou seja, tendenciosamente falsificadas – teve de admitir que

> A lacuna entre ricos e pobres se ampliou... A renda dos dez por cento mais pobres da população caiu 17 por cento entre 1979 e 1991, ao passo que a dos dez por cento mais ricos subiu 62 por cento. ... Os números constantes do último relatório sobre *Famílias abaixo da renda média* mostram que o número de pessoas que vivem abaixo da linha de pobreza europeia, ou seja, com um rendimento abaixo da metade da média, passou de 5 milhões em 1979, para 13,9 milhões em 1991-92. Outras 400.000 pessoas passaram para baixo da linha da pobreza desde o relatório anterior; 200.000 são crianças. Em 1979, 1,4 milhão de crianças vivia abaixo da linha da pobreza, passando para 3,9 milhões em 1990-91 e 4,1 milhões um ano depois. Em termos de dinheiro vivo, o rendimento médio dos 10 por cento da população mais pobre passou de 110 dólares para 91 dólares por semana. Esses números se baseiam em dados da *Pesquisa dos gastos familiares* do governo inglês.[99]

Ao mesmo tempo, o Instituto Adam Smith de Londres (da "direita radical") publica um panfleto atrás do outro, preocupado com a maneira mais rápida de banir para o passado as medidas de segurança social do "Welfare State", outrora anunciadas em altos brados, que não incluíam apenas benefícios para o desemprego e a invalidez, mas até pensões para os velhos e o direito universal à assistência à saúde. Como era esperado, os manipuladores da opinião pública da imprensa burguesa (com proeminência, o *Times* de Londres) rapidamente se juntaram aos colegas da "extrema direita" e começaram a passar sermões – em editoriais de títulos sonoros, como "O racionamento racional"[100] – sobre a necessidade da recomendação moral e intelectual do "racionamento" nos cuidados com a saúde até nas situações de risco de vida (ou seja: a eliminação discriminadora dos que não podem pagar um seguro privado). Naturalmente, essa racionalização e essa legitimação das brutais restrições que emergem da crise estrutural do capital são apresentadas num pacote característico de untuosa hipocrisia, adornado com expressões do tipo *excelência, flexibilidade* e *liberdade*, como bem ilustra esta citação do editorial mencionado:

> Tratamentos complexos, como a diálise renal ou cirurgias de emergência, poderão ser negados a pessoas mais idosas. As reformas desses últimos três anos no sistema da saúde tornaram mais transparente a cultura da prática clínica. Nem todo paciente pode receber o tratamento que deseja – este é um fato que agora devemos enfrentar. ...

---

[99] "Child poverty trebles in 12 years while rich get richer", *The Times*, 15 de julho 1994.
[100] "Rational Rationing", *The Times*, 29 de julho 1994.

É provável que apareçam orientações internacionais e locais a partir dessa difícil discussão. No entanto, a essência do racionamento deve continuar sendo a excelência profissional e a delegação da responsabilidade aos médicos. Deveria haver maior investimento financeiro; os clínicos gerais que já dispõem de financiamento deveriam ter maior flexibilidade. Não se obterá um bom racionamento por meio da burocracia ou do excesso de legislação, mas concedendo-se aos médicos a liberdade de tomarem decisões difíceis sem medo ou vergonha.

O cúmulo da hipocrisia típica do sistema é o fato de que as escolhas a serem feitas – e isso já aconteceu da maneira mais autoritária que se possa imaginar – são ocultas da fiscalização cobrindo-se a comida amarga com o molho doce e enjoativo do *Generaltunken*[101] da "transparência" democrática inexistente e da fictícia "delegação de responsabilidade" (sem poder) à pretensa "liberdade individual" – sendo esta delegação imposta pelos burocratas "administradores de área", indicados pelo poder central e muito bem pagos, e por seus amigos lotados no National Health Service (Serviço Nacional de Saúde), em franca deterioração e cuja "excelência profissional" tem sido duramente negada –, no interesse dos transparentes objetivos apologéticos do capital. A questão não é a "delegação da responsabilidade" aos médicos para condenar à morte os velhos, os de meia-idade e até mesmo os jovens, negando-lhes o tratamento existente que salvaria suas vidas, nem a "liberdade" de fazê-lo. É a decisão tomada pelas personificações do capital na política e nas empresas (em nome da expansão ininterrupta do capital) relativa à alocação dos recursos materiais e intelectuais da sociedade, negando legitimidade à necessidade literalmente vital, que salva ou melhora a vida, em benefício dos domínios destrutivos e perdulários em que ocorre a autorreprodução do capital – claramente exemplificados pelas somas astronômicas investidas nos armamentos. Em outras palavras, a questão inabordável é a completa ausência de uma *contabilidade social* sob o domínio do capital, que provoca a *incontrolabilidade* do sistema e o desvio misterioso da responsabilidade do setor adequado para os ombros de pessoas desamparadas – neste caso, os médicos, que realmente não podem assumir o seu peso (a avassaladora maioria protesta em vão). Não é preciso grandes conhecimentos de matemática para calcular quantos milhares de vidas poderiam ser salvas utilizando para compra de máquinas de diálise renal parte dos bilhões de libras destinados a um único item totalmente destrutivo do orçamento militar: o projeto do submarino nuclear Trident. Exemplos desse tipo se multiplicam facilmente. O sábio editorial explicativo sobre "O racionamento racional" do *Times* londrino foi apenas mais um artifício para desviar a atenção das *escolhas reais* verdadeiramente racionais, mas sistematicamente frustradas e anuladas. O objetivo é poder isentar as personificações do capital de sua evidente responsabilidade nessas questões e ordenar aos médicos que assumam "a liberdade de fazer as escolhas difíceis". Escolhas que jamais deveriam existir, muito menos ser impostas por uma sociedade "avançada" a muitos milhares de membros que morrem desnecessariamente (cuja "igualdade de oportunidades" não chega tão longe...).

---

[101] O "molho universal" da cozinha sem gosto.

Na verdade, nas circunstâncias atuais, qualquer conversa sobre "oportunidades iguais" é zombaria. Como já vimos, o editorial do *Times* projetava no futuro uma "discussão difícil" da qual é provável que apareçam "orientações locais e internacionais". As tais "orientações futuras" até já haviam sido impostas pelo governo autoritário conservador da Inglaterra bem antes da publicação desse editorial, que foi cúmplice depois do fato acontecido, apesar de se apresentar como sabedor por antecipação... Como se revelou recentemente, sob instruções do governo, já no inverno passado os médicos decidiram não vacinar contra a gripe muitos idosos em asilos; um grande número dessas pessoas morreu quando o vírus atacou.

As mortes enfureceram o conselho de saúde da comunidade de Southampton. Ken Woods, o diretor, declarou: "Quando se legitima a ideia de que é possível suspender o tratamento porque a qualidade de vida de uma pessoa não vale as 5 libras de uma vacina, entramos num caminho perigoso. São os médicos brincando de Deus".[102]

A responsabilidade por "brincar de Deus" é do governo, os médicos apenas obedecem às suas orientações. No dia seguinte à revelação, "os críticos atacaram a política da 'eutanásia' introduzida sem nenhuma discussão pública. Tessa Jowell, membro do comitê de saúde do Partido Trabalhista na Câmara dos Comuns, a chamou de 'fato sinistro'. Peggy Norris, médica de clínica geral aposentada e presidente do Alert, o grupo contra a eutanásia, disse que suspender o tratamento com a vacina da gripe era uma discriminação escandalosa. Enquanto os especialistas em cuidados de idosos se preparavam para selecionar os candidatos a receber o golpe esta semana, o Departamento de Saúde emitia orientações que deixavam nas mãos dos médicos a decisão de quem deveria recebê-la e se os parentes deveriam ser consultados"[103]. É assim que a "liberdade de fazer escolhas dolorosas" deve ser exercida segundo orientações políticas há muito existentes. Em relação ao ano seguinte,

O programa de vacinação de 33,5 milhões de libras proporciona doses suficientes para 5,5 milhões de crianças pequenas e adultos vulneráveis, embora ainda existam pelo menos 10 milhões de idosos correndo o risco de um ataque fatal da doença. Isto cria um problema moral intensamente sentido pelos psiquiatras e pelos médicos que tratam dos idosos.[104]

Isto quer dizer que já no ano corrente bem mais de metade dos idosos, a maioria deles pobres, estarão privados da vacina contra a gripe; assim, muitos estão expostos a risco de vida. Parece que é apenas uma questão de tempo (não muito distante) antes que, no espírito do defendido "racionamento racional", os médicos sejam sobrecarregados com a chamada "delegação de responsabilidade" com "flexibilidade ainda maior" e uma "liberdade" que, de modo muito conveniente, visa administrar a eutanásia compulsória aos "inocentes pobres". No interesse de maior eficiência econômica, eles serão instruídos a não consultar sequer os parentes mais próximos,

---

[102] "Doctors let elderly die by denying flu vaccine", *The Sunday Times*, 9 de outubro 1994.
[103] Ibid.
[104] Ibid.

apresentando ao público essas políticas, com a hipocrisia e o cinismo habituais, como reconhecimento democrático da "excelência profissional". É assim que um lado da equação das "oportunidades iguais" está preparando o futuro da avassaladora maioria das pessoas. Já velhos e deixando de ser membros diretamente explorados da força de trabalho, suas vidas passam a valer muito menos (conforme os receios do diretor do conselho de saúde de Southampton) do que a vacina de 5 libras por unidade que teria de ser desperdiçada com eles.

O outro lado da equação das "oportunidades iguais" aparece no jornal num Relatório Insight publicado na mesma página do artigo mencionado acima: "Médicos deixam idosos morrer negando a vacina contra a gripe". O relatório se refere a um homem que, segundo o jornal, fracassou três vezes no exame para tornar-se contador, mas mesmo assim tornou-se misteriosamente multimilionário. Esse homem é Mark Thatcher, filho da Companion of Honors de Hayek, a baronesa Margaret Thatcher. O Relatório Insight tem o título: "Revelado: o lucro secreto de Mark Thatcher com negócio de armas de 20 bilhões de libras" e oferece uma leitura muito desagradável não apenas para a família Thatcher, mas para todos os membros do Partido Conservador no governo. O artigo faz com que eles se lembrem de que há uma norma rigorosa segundo a qual "os ministros tomarão medidas para que não surja, nem haja a aparência de que venha a surgir, conflito algum entre seus interesses privados e seus deveres públicos. Nenhum ministro ou servidor público deve aceitar presentes, hospitalidade ou serviços que poderiam, ou *dar a aparência de*, colocá-los sob alguma obrigação. O mesmo princípio se aplica aos presentes oferecidos a um membro de sua família"[105]. No entanto, apesar do chamado "aviso da bruxa" – oferecido por Sir Clive Whitmore, na época secretário Permanente do Ministério da Defesa e ex-secretário particular de Margaret Thatcher – sobre as "consequências potencialmente desastrosas do envolvimento de seu filho" como beneficiário nos lucrativos negócios das armas, um aviso ignorado pela primeira-ministra, que se vangloriou de "bater-se pela Inglaterra", Mark Thatcher ficou £12 milhões (US$18 milhões) mais rico como recompensa por duvidosos serviços prestados... O Relatório Insight diz o seguinte:

> As transcrições [de gravações de conversas] e evidências comprovadoras de fontes próximas ao negócio resolvem o mistério de como Thatcher começou sua fortuna. Jamais se explicou de modo satisfatório como o ex-aluno de uma escola particular três vezes reprovado no exame para se tornar contador e praticante de corrida de automóveis conseguiu passar rapidamente de seus modestos recursos, no momento em que sua mãe se tornou primeira-ministra em 1979, à condição de multimilionário, poucos anos depois.
>
> Para alguns funcionários ingleses, o envolvimento de Thatcher foi eticamente incorreto. "Thatcher foi um oportunista que entrou no trem da alegria, agarrando todo o dinheiro possível desses negócios", disse um antigo executivo do programa

---

[105] Marie Colvil e Adrian Levy, "Revealed: Mark Thatcher's secret profit from £20 bilhões arms deal", *The Sunday Times*, 9 de outubro 1994.

aeroespacial britânico, que desempenhou um papel importante. "Ele se valeu de seu nome e de sua posição em relação a Margaret Thatcher".[106]

Este é o quinhão de um Mark Thatcher no estoque disponível das "oportunidades iguais". Apesar de absurdo e de, na visão que acabamos de citar, "eticamente incorreto", talvez não devêssemos ser tão duros com um pobre multimilionário, três vezes reprovado como contador. Ele compartilha a desagradável situação de obter muito por nada com todos aqueles que, em virtude de sua posição (ou mesmo da posição de seus pais ou suas mães) na estrutura de comando do capital, não recebem apenas uma passagem vitalícia mas, em países capitalistas, até uma passagem hereditária para viagens grátis no trem da alegria. O fato de que Margaret Thatcher na Lista de Honra de sua renúncia tenha dado a seu marido um título hereditário de nobreza, reservando para si um simples título vitalício, deve ser examinado sob a luz devida. Deus nos livre de pensar que tal feito se devesse a algo mais do que a preocupação altruísta de uma avó comum de assegurar apenas uma "oportunidade igual" para o futuro de seu neto. Mas é estranho que, numa pesquisa de opinião pública de outubro de 1994, 61 por cento dos ingleses, inclusive boa parte dos eleitores conservadores, estivessem convencidos de que o Partido Conservador no poder se caracteriza por "sujeira e corrupção".

Para nós, o sentido dos exemplos acima é óbvio. Eles são bastante contrastantes. Aparecem na mesma página do mesmo jornal, num mesmo dia em que outros jornais da Inglaterra apresentam muitos outros exemplos – para não mencionar o número incontável de casos dignos de nota não registrados ou apenas "justificados" com elegância. Em quaisquer desses casos os nossos exemplos também mostram como são estreitas as margens de onde se deve tirar espaço para a emancipação das mulheres, limitando-a aos esforços de uma luta morro acima contra os azares da "igualdade

---

[106] Id., ibid. O jornal também lembrou aos leitores que "em 15 de janeiro de 1984, enquanto os funcionários faziam os últimos acertos no contrato [de venda de armas no valor de £20 bilhões para a Arábia Saudita] o jornal *Observer* publicou a história de como Mark Thatcher, três anos antes, tinha conseguido um contrato em Oman para a Cementation International, durante uma visita de sua mãe". Esta foi outra ocasião em que a Companion of Honor de Hayek "bateu-se pela Grã-Bretanha".
The Economist também se juntou à controvérsia recente. Citando:
As táticas usadas pelo sr. Thatcher para reunir sua fortuna têm causado alarme em Whitehall por mais de uma década. Em pelo menos duas ocasiões durante os anos 80, funcionários graduados protestaram junto à sra. Thatcher, avisando-a de que as atividades de seu filho poderiam causar grandes embaraços ao seu governo. ... Em 1984, o próprio sr. Thatcher foi censurado, pelos mesmos funcionários, por causa dos perigos de transacionar em nome de sua mãe. Pouco depois o sr. Thatcher se mudou para os Estados Unidos e estabeleceu ali sua base de operações. Apesar do exílio, o estilo de vida extravagante do sr. Thatcher, que possui casas em Dallas e em Londres e um mordomo que o acompanha em viagens, continuou a atrair atenções. Membros do partido tendem a arrancar os cabelos desesperados ante o que consideram cegueira de mãe. Em 1991, o falecido Sir Y. K. Pao, um armador magnata de Hong Kong, ficou assustado ao receber do filho da ex-primeira-ministra um pedido de fundos em nome da recém-fundada Fundação Thatcher, criada pela mãe. Consta que o magnata atordoado teria sido informado de que "é hora de ajudar a Mamãe".
"Mumsie's boy", *The Economist*, 15-21 de outubro 1994, p. 32.
Lembrar a um armador magnata de Hong Kong, elevado a cavaleiro o valor em dinheiro do apoio político de um membro proeminente da família Thatcher, durante o período da sra. Thatcher no poder, foi evidentemente a forma que Mark Thatcher encontrou de "se bater pela Grã-Bretanha", mostrando mais uma vez a verdade do antigo provérbio inglês segundo o qual a "caridade começa em casa".

de oportunidades" – sempre anulada. Um outro relatório, este das Nações Unidas, revelou, no dia 17 de outubro de 1994, dia em que se deveria abrir o ano "da erradicação da pobreza no mundo" (realmente, uma perspectiva muito provável!!!...), que as mulheres representam nada menos do que *70 por cento* dos pobres do mundo. Seria milagre se fosse diferente, diante da "igualdade de oportunidades" que prevalece na prática. Sob o domínio do capital em qualquer de suas variedades – e não apenas hoje, mas enquanto os imperativos desse sistema continuarem a determinar as formas e os limites da reprodução sociometabólica – a "igualdade das mulheres" não passa de simples falsa admissão.

5.3.8

Como a promessa de "oportunidades iguais" é utilizada como desvio mistificador pela ideologia dominante, permanecendo para os que aspiram a uma oportunidade tão impalpável como um sonho impossível, é grande a tentação de virar as costas para toda essa questão da igualdade e procurar vantagens relativas para porções mais ou menos limitadas de homens ou mulheres em posição estruturalmente subordinada. É justamente isso que o artifício ideológico oco da "igualdade de oportunidades" tenciona obter prometendo um avanço em direção a uma condição cuja realização está negando e ao mesmo tempo excluindo a possibilidade de uma ordem social equitativa.

No entanto, com todas essas mistificações, não é absolutamente por indiferença ou por atribuir-lhe uma importância menor que a ordem dominante não consegue firmar seu domínio sobre as massas hierarquicamente submissas sem recorrer constantemente à falsa promessa de todo tipo de igualdade, ainda que na forma *abastardada* e esvaziada da "igualdade de oportunidades". É inconcebível que se mantivesse a autolegitimação do sistema do capital – baseada na ideia de contratos livremente firmados entre partes iguais, sem o que a própria ideia de contrato seria nula e vazia – se as personificações do capital declarassem abertamente que têm de negar, e que realmente negam, igualdade às massas estruturalmente subordinadas de mulheres e homens, em qualquer sentido significativo do termo.

Além do mais, a autoexpansão do capital torna necessário trazer progressivamente ao processo de trabalho grupos antes marginalizados ou não participantes e, potencialmente, toda a população – inclusive, é claro, virtualmente todas as mulheres. Esse tipo de mudança no processo do trabalho importa, de algum modo, extensão significativa do círculo consumidor (ainda que por uma série de razões inegavelmente iníquas), alterando também, no sentido correspondente, a estrutura familiar assim como o papel e relativa importância das gerações mais jovens e das mais velhas no processo geral da reprodução socioeconômica e na realização do capital. Assim, a ilusão antes mencionada do "nivelamento por cima", politicamente estimulada pelos partidos liberais e social-democratas – postulada com base no "bolo crescente" (ilusão essa cultivada enquanto o bolo cresce e até mesmo depois), apesar da clara evidência permanente de que a *fatia* proporcional do bolo concedida ao trabalho não está crescendo, mas encolhendo – fica ainda mais complicada com as mudanças no processo do trabalho diretamente associado à extensão do círculo consumidor. Ainda que a causa da equalização estrutural não tenha avançado sequer um centímetro com a relativa ampliação do círculo consumidor e ainda que existam grandes desigualdades nos benefícios agora oferecidos ao trabalhador em diferentes países, conforme sua posição na estrutura global e na ordem hierárquica do capital (como veremos nos capítulos 15 e 16), apesar de tudo, o processo subjacente traz consigo a melhoria do padrão de vida para importantes seções da força de trabalho, na fase expansionista do desenvolvimento histórico do capital.

Naturalmente, este é um processo cheio de contradições, como acontece em todos os lugares nos quais os imperativos do sistema do capital impõem seu domínio. Essas contradições não se manifestam apenas nas enormes diferenças entre os grupos de trabalhadores de qualquer país em particular ou globalmente; também é importante que o próprio sistema do capital dependa da expansão do círculo consumidor, o que não pode ser indefinidamente sustentado e assim, no devido momento, ativará uma contradição potencialmente mais explosiva entre capital e trabalho. Ainda que não seja possível o *nivelamento por cima,* o que modificaria a estrutura do sistema do capital, decididamente há um *nivelamento por baixo* que afeta diretamente a força de trabalho até nos países em que o capitalismo é mais avançado. Esse fato é indiscutivelmente concomitante com o aparecimento de grandes perturbações no processo de expansão e acumulação do capital das últimas duas décadas, que assumiu a forma de uma perigosa *tendência ao nivelamento do índice diferencial da exploração* já mencionado.

Outra dimensão de importância essencial do problema que nos preocupa é a piora da posição das mulheres, como resultado das mudanças na estrutura familiar resultantes dos imperativos do capital e diretamente associadas à indispensável ampliação do círculo consumidor. As contradições também estão claras nesse terreno; por um lado, o processo ininterrupto de reprodução do capital precisa seriamente das mudanças ocorridas no consumo (que parecem continuar com a mesma intensidade) mas, por outro lado, o sistema está ao mesmo tempo exposto aos riscos e perturbações que surgem da crescente instabilidade da "família nuclear". Em outras palavras, o capital depende da continuidade dessas mudanças e tende a ser por elas enfraquecido. Neste aspecto, é significativo que, segundo um relatório – intitulado "Variados arranjos de vida das crianças" – do departamento do censo norte-americano, em 1991, uma pequena fração a mais do que a metade das crianças nos Estados Unidos vivia em "famílias nucleares": 50,8 por cento, para sermos precisos. (Esse número hoje deve estar bem abaixo da metade, se a tendência citada no relatório se manteve entre 1991 e 1994.) Em 1991, quase a metade das crianças norte-americanas fora da "família nuclear" vivia

> ... em alguma espécie de arranjo familiar: pais solteiros, pais adotivos, meio-irmãos e assim por diante. É uma grande mudança. Há não muito tempo, um censo oficial encontrou, em estudo separado, que o número de crianças em famílias "nucleares" era de 57 por cento em 1980. Em 1970, já havia sido de 66 por cento.[107]

Naturalmente, a parte do leão nos problemas e complicações gerados por essas mudanças é colocada em cima dos ombros das mulheres. A carga imposta pelo sistema do capital sobre as mulheres para manter a família nuclear está se tornando cada vez mais pesada, e a situação delas no espectro da pobreza está sempre mudan-

---

[107] "Nuclear fission", *The Economist*, 3 de setembro 1994, p. 42.

do para pior, em vez de ser aliviada como pretenderia a retórica da "oportunidade igual para as mulheres" e da "eliminação de qualquer discriminação de gênero". O fato preocupante apontado pelas Nações Unidas de que em 1994 as mulheres constituíam 70 por cento dos pobres do mundo não é em absoluto surpreendente. Devido às determinações causais por trás desses números, a situação das mulheres tende a piorar no futuro previsível. Com base nas tendências atuais, o número espantoso enfatizado pelas Nações Unidas tem a probabilidade de atingir os *75 por cento* dentro de uma década, o que significa uma *proporção de 3 por 1* em relação aos homens que estão entre os pobres do mundo.

Tudo isso sublinha claramente o que não deveria, mas precisa, ser enfatizado, devido aos artifícios da ideologia dominante e às amplamente difundidas mistificações de "oportunidades iguais", ou seja: sem *mudanças fundamentais* no modo de reprodução social, não se poderão dar sequer os primeiros passos em direção à verdadeira emancipação das mulheres, muito além da retórica da ideologia dominante e de gestos da legislação que permanecem sem a sustentação de processos e remédios materiais adequados. Sem o estabelecimento e a consolidação de um modo de reprodução sociometabólica baseado na *verdadeira igualdade*, até os esforços legais mais sinceros voltados para a "emancipação das mulheres" ficam desprovidos das mais elementares garantias materiais; portanto, na melhor das hipóteses, não passam de simples declaração de fé. Jamais se enfatizará o bastante que somente uma forma comunitária de produção e troca social pode arrancar as mulheres de sua posição subordinada e proporcionar a base material da verdadeira igualdade.

Pode-se avaliar a magnitude das dificuldades a serem superadas ao nos lembrarmos da maneira como o processo de produção foi sendo constituído durante um período muito longo, bem antes da emergência e do triunfo do capitalismo. A transformação radical necessária para o bom funcionamento de um processo sociometabólico baseado numa verdadeira igualdade envolve a superação da força negativa das estruturas hierárquicas discriminatórias e das correspondentes relações interpessoais da "economia individual" iniciada há milhares de anos.

O sistema do capital se constituiu sobre os alicerces de estruturas discriminatórias alienantes e mediações de segunda ordem da "economia individual" há muito estabelecidas e, naturalmente, forçosamente as adaptou a seus próprios objetivos e a suas exigências de reprodução. Paralelamente a esses fatos, em parte antes e em parte durante o avanço do sistema do capital, levantou-se repetidamente a questão de como superar de maneira radical a divisão do trabalho alienante e desumanizadora, inseparável do processo de reprodução da "economia individual" e também da propriedade privada. A formulação de visões alternativas de organização dos intercâmbios reprodutivos dos indivíduos na sociedade vem de um passado muito distante, como testemunham incontáveis projetos utópicos. Entretanto, os objetivos dessas negações críticas extremadas da economia individual casada com a propriedade privada não poderiam ser bem-sucedidos antes que o próprio sistema do capital se desenvolvesse completamente, devido às condições materiais precárias a que estava associada sua crítica da ordem estabelecida. Marx assim expôs a questão:

> Em todos os períodos anteriores, a abolição [*Aufhebung*] da economia individual, que é inseparável da abolição da propriedade privada, era impossível pela simples

razão de que as condições materiais necessárias não existiam. A implantação de uma economia comunitária nacional pressupunha o desenvolvimento de maquinário, o uso de forças naturais e de muitas outras forças produtivas – como, por exemplo, o suprimento de água, a iluminação a gás, o aquecimento a vapor etc., a supressão [*Aufhebung*] da cidade e do campo. Sem essas condições, uma economia comunitária em si não formaria uma nova força produtiva; ela não teria a base material e estaria fundamentada apenas em teorias – em outras palavras, seria mera excentricidade e não passaria de uma economia monástica. ... É óbvio que a superação da economia individual é inseparável da superação da família.[108]

A maneira como essas questões – relativas à "economia individual" e às unidades básicas do consumo da sociedade: a "família nuclear" contemporânea – estão entrelaçadas sob as condições existentes constitui um círculo vicioso. Como sempre, o sistema do capital aqui também se afirma na forma de contradições insolúveis. Por um lado, os processos econômicos da industrialização capitalista trazem *ao alcance da vista* (mas devido à própria natureza do capital completamente *fora do alcance*) as condições materiais de uma economia comunitária sustentável e com isso, pelo menos em princípio, antecipam um aspecto da correlação entre a economia individual e a família – por meio do desenvolvimento de um modo de produção concentrado e bastante centralizado. No entanto, o capital não consegue sequer arranhar a superfície da outra condição prévia essencial para um sociometabolismo verdadeiramente plausível: o aspecto relacionado à necessária reestruturação das unidades de consumo da sociedade numa direção comunitária, que tornaria viável a progressiva eliminação do imenso desperdício característico do sistema atual. Não se pode dar sequer um passo experimental para este fim dentro dos limites do modo estabelecido de produção e reprodução sociometabólicas. O capital tem interesses especiais exatamente opostos ao que seria necessário. Ele tem de fragmentar ao extremo as unidades de consumo e modificar de maneira correspondente a estrutura da família, em nome da manutenção, a qualquer custo, de seu processo de "realização" cada vez mais perdulário, ainda que este custo tenda a tornar-se absolutamente proibitivo a longo prazo. Durante o desenvolvimento histórico do capital também são ativadas algumas potencialidades positivas para a emancipação das mulheres – apenas para serem mais uma vez anuladas sob o peso das contradições do sistema.

É da maior importância que o relacionamento do capital com as mulheres também se caracterize pela extralimitação no que se refere à mulher. É o mesmo que já vimos nas seções 5.1 e 5.2 sobre a contradição entre o capital transnacional em desenvolvimento global e os Estados nacionais, por um lado, e, por outro, os imperativos que emanam da lógica objetiva do capital e levam à destruição das condições básicas da reprodução sociometabólica.

Esta extralimitação do capital por si mesmo em relação às mulheres traz para a força de trabalho um número cada vez maior delas, sob o inexorável impulso expansionista do sistema: uma alteração que não pode se completar sem que se levante a questão da igualdade das mulheres, eliminando no processo alguns tabus e barreiras

---

[108] MECW, vol. 5, pp. 75-6.

anteriormente existentes. Este movimento – que surge do indispensável impulso do capital para a expansão lucrativa e não da mais leve inclinação a uma esclarecida preocupação emancipadora em relação às mulheres – erra o tiro no momento oportuno. Não apenas porque as mulheres têm de aceitar uma parcela desproporcional das ocupações mais inseguras e mais mal pagas no mercado de trabalho e estejam na péssima situação de representar 70 por cento dos pobres do mundo. O movimento também erra o tiro porque, em virtude de seu papel decisivo na família nuclear, as exigências que são (e continuarão a ser) jogadas em cima das mulheres são cada vez mais difíceis de satisfazer no cenário social mais amplo, contribuindo para que qualquer "disfunção social" seja associada à crescente instabilidade da família, como as preocupações do relatório do departamento do censo norte-americano sobre a "fissão nuclear" da sociedade, a difusão aparentemente incontrolável de uma cultura de drogas, a taxa de criminalidade juvenil que se acentua etc. Do ponto de vista da estabilidade social do sistema do capital, o pior é estarmos diante de um círculo vicioso. Quanto maiores as "disfunções sociais", maiores a carga e as exigências impostas às mulheres como eixo da família nuclear; quanto maiores esses pesos, menores as suas condições de lidar com eles, além de seu papel de ganha-pão, do "segundo turno" depois do trabalho e afins... Outro aspecto importante da extralimitação do capital relacionado com as mulheres é a fragmentação e a redução da família nuclear a seu âmago mais interior (comprovadas pelos índices crescentes do divórcio), que, na qualidade de "microcosmo" e unidade consumidora básica da sociedade, tende a contribuir para a maior instabilidade da própria família, sob enormes pressões num momento de crise estrutural cada vez mais profunda, e por sua vez tem sérias repercussões negativas para todo o sistema.

5.3.9
Toda a conversa sobre "imparcialidade" e "justiça" como base da "igualdade" coloca o carro na frente dos bois mesmo quando seja sincera, e não uma camuflagem cínica para a negação das mais elementares condições de igualdade. A definição das questões em jogo em termos de "igualdade de oportunidades" está nas mãos dos que anseiam por evitar qualquer mudança nas relações de poder prevalecentes e nas correspondentes hierarquias estruturalmente impostas, oferecendo a promessa irrealizável de "oportunidade igual" diante dos críticos da desigualdade social como a cenoura inalcançável na frente do burro. A promessa de "imparcialidade" e "justiça" em um mundo dominado pelo capital só pode ser o álibi mistificador para a permanência da *desigualdade substantiva*.

    A condição preliminar do movimento na direção de uma ordem social justificável é mudar a ordem invertida que hoje predomina entre justiça e igualdade. A única maneira possível de realmente dar uma base à própria justiça, retirando-a do reino da mistificação ideológica e da manipulação cínica, é fazer com que a igualdade substantiva se torne o princípio eficaz de regulamentação de todas as relações humanas. Não há outra maneira, ainda que os "legisladores ideais" – que tentariam instituir a "imparcialidade" da "oportunidade igual" – enrubescessem diante da pressão de suas boas intenções acumuladas. Em outras palavras, somente a igualdade substantiva pode ser a base de uma justiça significativa, mas nenhuma justiça legalmente decretada criaria uma igualdade legítima – ainda que isso pudesse acontecer, e este naturalmente não é o caso.

Por sua própria natureza, o relacionamento entre capital e trabalho é a manifestação tangível da hierarquia estrutural insuperável e da desigualdade substantiva. Assim, em sua própria constituição, o sistema do capital indiscutivelmente não pode ser mais do que a perpetuação da *injustiça fundamental*. Portanto, quaisquer tentativas de conciliar este sistema com os princípios da justiça e da igualdade são inevitavelmente absurdas – elas só podem importar no que uma expressão húngara chama de "forjar rodas de ferro da madeira de lenha". Para criar a visão de suas rodas de ferro forjado, os praticantes dessa arte devem atuar por decreto, estipulando que somente os critérios puramente *formais* são relevantes, eliminando assim *a priori* todas as considerações substantivas (inclusive as diferenças materiais entre a madeira e o ferro), de modo que possam afirmar, no final, que uma "igualdade de resultado" (ou seja, uma igualdade significativa) não tem importância alguma sob qualquer aspecto. Eles desejam manter a *igualdade formal* por duas razões. Em primeiro lugar, porque ela é essencial para a misteriosa (ou melhor, convenientemente mistificadora) arte de forjar rodas de ferro da madeira de lenha, ao mesmo tempo em que exclui por decreto a possibilidade de se questionar – sob pena de se expor a acusações de "irracionalidade" e "erro categórico" – a incurável iniquidade do próprio relacionamento entre capital e trabalho, que se admite pertencer à "categoria" da "contingência material", mesmo se numa forma praticamente eternizada. Em segundo lugar, porque a igualdade formal legalmente válida tem seus usos na regulamentação de alguns aspectos do relacionamento entre unidades particulares do capital, sem entrar em conflito com os processos substantivos de concentração e centralização do capital. Em sua eficácia ideológica, a "igualdade de oportunidades" irrealizável, contraposta à "igualdade de resultados", é certamente o produto mais importante da venerável arte de extrair rodas de ferro forjado da lenha, reduzindo a substância à "forma pura" e transformando a hierarquia discriminatória estruturalmente imposta, com todas as suas óbvias desigualdades, em "imparcialidade" e "justiça". A "Comissão de Justiça" do Partido Trabalhista inglês utiliza essa mesma arte mágica para produzir da lenha capitalista infestada de vermes as rodas de ferro forjado da "imparcialidade e justiça socialista modernizada"; baseada nesta hipótese, o seguro social pode ser inteiramente *esvaziado* por um futuro governo trabalhista em nome da "meta justa e realista" dos "pobres merecedores".

Contudo, os socialistas havia muito sabiam que em todos os relacionamentos que envolvem a questão da desigualdade, inclusive os das mulheres, os verdadeiros cacifes sempre são definidos em termos das necessidades e dos recursos existentes. Babeuf – no meio do turbilhão que se seguiu à Revolução Francesa – havia formulado os critérios pelos quais essas questões deveriam ser avaliadas, refutando ao mesmo tempo o elitismo utilitarista e a quantificação mecanicista com os termos da avaliação que adotou:

> A igualdade deve ser medida pela *capacidade* do trabalhador e a *necessidade* do consumidor, não pela intensidade do trabalho e a quantidade das mercadorias consumidas. Ao levantar um peso de dez quilos, um homem dotado de certo grau de força trabalha tanto quanto um homem com força cinco vezes maior que levanta um

peso de cinquenta quilos. Quem satisfaz uma sede ardente engolindo uma jarra de água não goza prazer maior do que seu camarada que, estando com uma leve sede, engole apenas um copo. A meta do comunismo em questão é a *igualdade nas dores e nos prazeres*, não no *consumo das coisas* e nas *tarefas* do trabalhador.[109]

Ninguém que esteja seriamente preocupado com a questão da igualdade poderia fazer objeções a esses critérios, que também colocam em perspectiva a conexão entre imparcialidade e justiça, insistindo na redefinição e na refundamentação destas por meio da admissão da prioridade da verdadeira igualdade que emana diretamente da real necessidade humana. Neste aspecto, é significativo que, estando a liberação das mulheres centrada na questão da igualdade substantiva, uma grande causa histórica entra em movimento, sem encontrar saídas para sua realização dentro dos limites do sistema do capital. A causa da emancipação e da igualdade das mulheres envolve os processos e instituições mais importantes de toda a ordem sociometabólica.

Também é significativo que, desde o momento em que apareceram as formas mais militantes do movimento pela igualdade das mulheres, a resposta, até dos intelectuais burgueses mais progressistas, em perfeita sintonia com a atitude dos defensores do sistema, foi procurar restringir suas reivindicações e avaliar as realizações viáveis em termos dos critérios *formais*, na boa tradição de fazer rodas de ferro forjado de madeira. Foi assim que o socialista fabiano H. G. Wells – que até se fantasiava como defensor da liberação das mulheres – usou o seguinte argumento numa obra famosa:

Nos animados dias da emancipação feminina próximo ao encerramento do século passado falava-se muito das mudanças e maravilhas que aconteceriam quando este deixasse de ser um mundo "feito pelos homens". As mulheres seriam independentes e tudo estaria melhor. Na realidade, a *alforria das mulheres*, a abertura a elas de qualquer profissão imaginável, uma legislação como a Lei da Desqualificação (eliminação) do Sexo, de 1919, significou que as mulheres não estavam assumindo a posse do próprio nariz, mas que estavam apenas renunciando a si mesmas – ou, se preferível, fugindo de si mesmas.[110]

O nível da realização feminina em geral é elevado, mais elevado do que o de homens de segunda classe, mas em nenhum dos campos abertos, a não ser na ficção doméstica, pode-se dizer que alguma delas já tenha apresentado qualidades e iniciativas que as colocassem no mesmo nível dos melhores homens ... Na literatura, nas artes, no laboratório científico, elas tiveram um bom campo e foram bastante favorecidas. Elas não sofrem de deficiência alguma. No entanto, até agora nenhuma apresentou força ou fôlego estrutural, profundidade e firmeza de concepção comparáveis às melhores obras dos homens. Elas não produziram nenhuma generalização científica esclarecedora.[111]

Wells não se contenta em minimizar as realizações das mulheres em relação a todas as condições discriminatórias reais, usando como base de seu julgamento os critérios formais de que as mulheres foram "alforriadas" e, com a eliminação da "Incapacitação do Sexo" por uma Lei do Parlamento de 1919, "qualquer profissão

---

[109] Ver Philippe Buonarroti, *Conspiration pour l'égalité dite de Babeuf,* 1828, p. 297.
[110] H. G. Wells, *The Work, Wealth and Happiness of Mankind*, Londres, Heinemann, 1932, p. 557.
[111] Id., ibid., p. 558.

imaginável" estava aberta para elas. Depois de demonstrar, com essa indulgência cega, sua total incompreensão do é que necessário para tornar possível a verdadeira igualdade, reservando presunçosamente para os homens o domínio das "realizações de primeira grandeza" e usando a "melhor obra" isolada em arte ou na ciência como critério legitimador para negar a igualdade em relação aos homens a mais da metade da humanidade, Wells oferece a perspectiva de eterna condição "ancilar" às mulheres, enfeitada com a retórica do "serviço" prestado "honrada e espontaneamente" – repetindo o modelo antigo e aparentemente insuperável da fala de Menenius Agripa às massas rebeldes nas colinas em torno de Roma. O sermão de Wells proclamava o seguinte:

> As mulheres têm desempenhado o papel de *argamassa social*. Elas parecem capazes de aceitar mais prontamente, com maior simplicidade e de manterem maior lealdade. Na sociedade mundial do futuro, moralizada com maior sutileza, com educação superior e governo científico, esta sociedade mundial que será a única alternativa para o desastre da humanidade, uma função matricial como essa será ainda mais vitalmente necessária. Este, mais do que o *papel de estrelas*, talvez seja *o destino geral das mulheres* no futuro. Elas continuarão a ser mães, enfermeiras, continuarão a prestar assistência, a proteger, confortar, recompensar e manter a humanidade unida. Até aqui o papel da mulher foi decorativo ou ancilar. Hoje parece continuar decorativo e ancilar. Suas recentes conquistas em liberdade ampliaram as opções em relação ao que ela poderá usar como adorno ou para servir, mas não libertaram nenhuma nova iniciativa nas questões humanas. Talvez isso não seja agradável para a feminista entusiasta da nova escola *fin-de-siècle*, mas estes são os fatos... Num mundo em que a causa do serviço parece destinado a se tornar a causa social dominante, nada há de deplorável a qualquer mulher no que apresentamos aqui.[112]

O que foi curiosa e convenientemente esquecido nessa idealização da "argamassa social" como "destino geral das mulheres" é que, por sua própria natureza e função "ancilar", a argamassa se destina a ser espremida entre pedras e tijolos. Ela continuará sempre ignorada e esquecida, a não ser que a chuva ou qualquer problema cause uma erosão, quando surge alguma emergência. Então a atenção é novamente concentrada na argamassa, mas somente enquanto durar a emergência, quando os blocos de construção – que, para H. G. Wells, mesmo não sendo mais luminosos do que pedras ou tijolos, desempenham com todo o direito o "papel de estrelas" – são recuperados e devidamente repintados pela brigada ancilar.

Há uma linda e comovente balada folclórica húngara do início do século XVIII que nos diz o que entender da "argamassa social" como permanente "destino das mulheres". Seu título é *Kömíves Kelemenné*[113]. É a narrativa da trágica história da senhora Kelemen, a esposa do mestre-pedreiro Kelemen.

Seu marido e outros onze pedreiros, encantados pelo "rico pagamento em alqueires de prata e ouro", são contratados para erigir a grande fortaleza de Déva, mas não conseguem porque...

---

[112] Id., ibid., pp. 561-2.
[113] "*Kömíves Kelemenné*", em *Hét évszázad magyar versei*, Budapeste, Szépirodalmi Könyvkiadó, 1954, pp. 26-8.

o que eles constroem até o meio-dia desmorona no fim da tarde,
o que eles constroem até o final da tarde cai pela manhã...
Para resolver o problema, eles fazem uma lei a que solenemente todos decidem se submeter: a primeira esposa a chegar será queimada e suas cinzas serão misturadas à cal, para obtenção de uma argamassa indestrutível com a qual erguer a grande fortaleza.

Acontece que a senhora Kelemen é a primeira a partir para Déva em sua finíssima carruagem puxada por quatro lindos cavalos baios. A meio caminho, o cocheiro lhe implora para deixá-lo voltar, dizendo que em sonho tivera uma premonição, e vira o filhinho dela cair e morrer no fundo do poço que havia no meio do pátio de sua casa. A senhora o faz calar, com palavras a que ele não poderia replicar:
segue, cocheiro, a carruagem não é tua,
os cavalos não são teus, apressa-os!

Ao aproximarem-se de Déva, o mestre-pedreiro os reconhece de longe, pedindo a Deus para detê-los com um raio na estrada bem diante da carruagem, para que os cavalos se assustem e deem a volta ou, se isto não funcionar, para quebrar as pernas dos quatro cavalos, de modo que não conseguissem chegar... Tudo em vão. A senhora Kelemen chega e os doze pedreiros lhe contam com palavras muito suaves o destino cruel a que não poderia escapar. Ela os chama de "doze assassinos", inclusive seu próprio marido, e pede que esperem que vá até sua casa e volte, para despedir-se de "minhas amigas e do meu lindo filhinho"...

Ao voltar, os homens a queimam e utilizam suas cinzas para fazer a argamassa forte e conseguem erguer a altíssima fortaleza de Déva, recebendo o prometido "rico pagamento em alqueires de prata e ouro". Quando a fortaleza fica pronta e o mestre-pedreiro Kelemen volta para casa, o filho não para de perguntar pela mãe ausente. Depois de usar muitas evasivas, no final o pai tem de contar ao menino que sua mãe está enterrada entre as pedras da fortaleza de Déva. Em desespero, o filho vai até a fortaleza no alto da montanha e grita três vezes:
Mãe, doce mãe, fala comigo outra vez!
A mãe responde e a balada termina assim:
"Não posso falar contigo! O peso das pedras me cala!
Estou emparedada e enterrada nessas pedras tão pesadas..."
O coração dela então se partiu e com isso a terra se abriu,
o menino caiu no fundo e ali foi enterrado.

A balada folclórica sobre a triste história da "mulher-argamassa" tem algumas lições a ensinar, de forma muito diferente, mas infinitamente mais realista do que a do indulgente conto de fadas romântico de H. G. Wells, escrito no espírito comum a todos os que usam a desculpa da igualdade *formal* para negar a *igualdade substantiva*. As lições estão implícitas tanto no sofrimento da senhora Kelemen, cruelmente imposto a ela com a participação, como colegislador, de seu marido, como no trágico destino de mãe e filho – que não nos fala apenas do "destino geral das mulheres", mas do destino longe de tranquilizador de toda a humanidade, se essas lições não forem aprendidas. No entanto, não há a menor esperança de que as personificações do capital (sejam homens ou mulheres) deem a elas a mínima atenção, como demonstra o papel desempenhado, sob o domínio do capital, até pelo mestre-pedreiro Kelemen, que, apesar de amar sua mulher, deve obedecer ao fundamento de qualquer lei formal ou explícita decretada pelo sistema, ou seja, a lei última de ser dirigido pela necessidade de "alqueires de ouro e prata".

5.4 O desemprego crônico: o significado real da "explosão populacional"

5.4.1
A duvidosa distinção de criar o pânico em relação à "explosão populacional" pertence ao reverendo T. R. Malthus, apesar de ele mesmo não ter usado este termo. Entretanto, no seu *Ensaio sobre o princípio da população e como ele afeta os desenvolvimentos futuros da humanidade, com observações sobre especulações de Mr. Goodwin, M. Condorcet e outros autores*, publicado anonimamente pela primeira vez em 1798, e posteriormente em edições grandemente ampliadas, ele lançou os alicerces de uma forma extremamente conservadora e alarmista de abordar o problema do aumento da população. No interesse da apologética classista, ele separou as tendências correntes de desenvolvimento de suas determinantes sociais, na tentativa de tratar questões inerentemente *históricas* sobre por que e como as populações mudam sob "uma lei natural" mecânica profetizadora de catástrofes. Assim, não poderia ser maior o contraste com a avaliação socialista das questões pertinentes. Marx caracterizou assim a abordagem malthusiana:

> [Malthus] vê a superpopulação como se fosse sempre do mesmo tipo em todas as fases históricas do desenvolvimento; como não entende as diferenças *específicas* entre elas, ele reduz essas relações complicadas e variáveis a uma única relação, duas equações em que a reprodução *natural* da humanidade aparece de um lado, e a reprodução *natural* das plantas comestíveis (ou meios de subsistência) do outro, como duas *séries naturais*, sendo a primeira uma progressão geométrica e a segunda aritmética. Desta forma ele transforma a relação historicamente distinta numa relação *numérica abstrata*, que ele pescou do nada e que não se apoia em leis naturais nem históricas. Supostamente, existe uma diferença natural entre a reprodução da humanidade e a dos grãos, por exemplo. Assim, esse babuíno indica que o crescimento da humanidade é um processo puramente natural, que exige restrições externas para não crescer geometricamente. ... Ele transforma em *barreiras externas* os limites *imanentes e historicamente variáveis* do processo de reprodução humana, e as barreiras externas à reprodução natural em limites imanentes ou *leis naturais* da reprodução.[114]

A transubstanciação malthusiana do historicamente específico numa determinação atemporal e pseudonatural acabou por inverter completamente a relação entre limites imanentes e barreiras externas. Isto atendeu ao objetivo ideológico de eximir o sistema socioeconômico historicamente estabelecido (e portanto, em princípio, historicamente variável) de qualquer culpa imaginável na questão que levou o próprio reverendo anônimo a soar o alarme. Ao mesmo tempo, ele propôs "soluções corretivas" – em nome de uma falsa lei natural – que não somente atenderiam à conveniência da ordem existente de reprodução sociometabólica, mas

---
[114] Marx, *Grundrisse*, pp. 605-7.

também reforçariam suas alegações justificadoras de permanência absoluta. Essa ordem merecia a permanência absoluta por causa de sua capacidade de administrar a "lei natural" sem se alterar como sistema social articulado, por meio de parâmetros estruturais de distribuição iníqua da propriedade privada e da correspondente dominação de classes. Assim, de acordo com a intenção ideológica implícita, a lei pseudonatural malthusiana do aumento da população – proposta para se afirmar "numa razão geométrica"[115], e também descrita pelo autor do *Ensaio sobre o princípio da população* como o "efeito de uma grande causa intimamente ligada à *natureza do próprio homem*" cuja especificidade foi curiosamente classificada de modo geral como "a tendência constante de *toda vida animada* de crescer além do alimento à sua disposição"[116] – poderia ser complementada por Malthus com a ordem pseudonatural da sociedade capitalista, estruturalmente imutável. Neste espírito, ele poderia pontificar que

> A *estrutura da sociedade*, nas suas características principais, provavelmente se manterá sempre *inalterada*. Temos toda a razão para crer que ela será sempre formada por uma *classe de proprietários* e *uma classe de trabalhadores*.[117]

Como o próprio Malthus reconheceu, seu *Ensaio* foi concebido como uma reação contra a projeção socialista, libertária e utópica de William Godwin de uma ordem social alternativa orientada para o estabelecimento da verdadeira igualdade e para as relações correspondentes de regulação dos intercâmbios sociais. Com a "lei natural" por trás do seu "princípio da população", Malthus deveria oferecer a refutação de todas essas ideias. O sistema estabelecido de dominação estrutural, com as iníquas relações de propriedade, representavam para Malthus o melhor de todos os mundos possíveis. O objetivo apologético de sua teoria era o de oferecer uma justificação racional – que, em sua opinião deveria ser visível e convincente também para a classe dos trabalhadores e para os pobres – da legitimidade e da validade da ordem estabelecida. Todos os melhoramentos deveriam ser encarados estritamente *dentro* dos parâmetros estruturais supostamente eternos dessa ordem.

Contra o cenário histórico da Revolução Francesa e o medo das alterações importantes que ela provocou em todas as classes dominantes de toda a Europa, Malthus pintou "um quadro ainda mais assustador para a imaginação" do que "a eutanásia prevista por Hume"[118], nestes termos:

> Se as *reclamações políticas* se misturassem aos gritos de *fome*, e ocorresse uma *revolução* pela instrumentalidade de uma multidão clamando contra a falta de comida, as consequências seriam a mudança e a carnificina incessantes.[119]

Então Malthus postulou que se a "estrutura da sociedade" correspondente à sua visão da "ordem natural" fosse entendida adequadamente por todos os interes-

---

[115] T. R. Malthus, *An Essay on the Principle of Population*, Londres, Everyman's Library, J. M. Dent & Sons, n.d., vol. 1, p. 8.
[116] Id., ibid., p. 5.
[117] Id., ibid., vol. 2, p. 262.
[118] Id., ibid., p. 187.
[119] Id., ibid.

sados, ricos ou pobres, não haveria o perigo de insatisfação política e revoluções. Ele desprezou bruscamente as ideias de Thomas Paine sobre os direitos do homem como "grande maldade": o resultado do fato de seu proponente ser um "completo desconhecedor da estrutura da sociedade"[120]. Ao mesmo tempo, ele insistiu em que os seres humanos "não têm nem podem ter o direito à subsistência quando seu trabalho não puder comprá-la" (eximindo dessas considerações "os senhores do campo e os homens com propriedades"[121]), completando cinicamente que "quem deixasse de deter o *poder*, deixaria de ter o *direito*"[122]. Assim, de acordo com o reverendo Malthus, "a inferência que fizeram o sr. Paine e outros contra os governos em razão da infelicidade das pessoas é claramente injusta"[123]. Pois o que parecem ser injustiças políticas e sociais são apenas o resultado do "princípio da população", ou seja, do aumento catastrófico do número de pessoas que precisam substituir.

Ao se opor às "visões" maldosas "do sr. Paine e outros", Malthus enunciou sua mensagem "racional" com a confiança parcialmente recuperada dos que acreditavam que o pior da ameaça revolucionária já tinha passado, apesar de continuar sendo aconselhável a adoção de reformas graduais acomodadas dentro dos parâmetros estruturais da ordem estabelecida. Argumentando no seu estilo inimitável, fundindo os personagens do conservador fanático e do pastor pegajoso, Malthus afirmou oferecer a base sobre a qual – em completo acordo com "o crescimento diário da ciência" – também estaria garantido o avanço da "ciência da filosofia moral e política"[124]. O autor do *Ensaio sobre o princípio da população* resumiu assim os aspectos mais importantes de suas próprias realizações científicas:

> Que a causa principal e permanente da pobreza tem pouca ou nenhuma relação com as formas de governo ou com a divisão desigual da propriedade; e que, assim como os ricos não têm na realidade o poder de encontrar emprego e subsistência para os pobres, os pobres, dada a natureza das coisas, não têm o direito de exigi-los; são verdades importantes que fluem do princípio da população, que, quando adequadamente explicado, não estaria acima da compreensão mais comum. E é evidente que todo homem das classes inferiores da sociedade que tivesse conhecimento dessas verdades estaria disposto a aceitar com mais paciência a infelicidade que lhe coubesse; teria menos razões de insatisfação e irritação com os governos e com as classes mais altas da sociedade por causa de sua pobreza; estaria, em qualquer ocasião, menos disposto à insubordinação e à turbulência; e se recebesse ajuda, de alguma instituição pública ou das mãos da caridade privada, ele a receberia com mais gratidão, e saberia lhe dar o justo valor.
>
> Se essas verdades se tornassem gradualmente mais conhecidas (o que não parece improvável, no correr do tempo, devido aos efeitos naturais da interação mútua de opiniões), as classes inferiores do povo, como um corpo, se tornariam mais pacíficas

---

[120] Id., ibid., p. 190.
[121] Id., ibid., p. 192.
[122] Id., ibid., p. 191.
[123] Id., ibid., p. 193.
[124] Id., ibid.

e ordeiras, estariam menos propensas a comportamentos tumultuosos em épocas de escassez, e seriam sempre menos influenciadas por publicações sediciosas e inflamadas, por saberem como é pequena a relação entre a revolução, o preço do trabalho e os meios de manter a família. O simples conhecimento dessas verdades, mesmo se não produzisse influência suficiente para operar qualquer alteração significativa nos hábitos prudentes dos pobres com relação ao casamento, teriam, ainda assim, um efeito muito benéfico sobre sua conduta política; e sem dúvida um dos mais valiosos entre esses efeitos seria o poder resultante para as classes alta e média da sociedade de aprimorar seu governo sem a apreensão desses excessos revolucionários, que hoje ameaçam privar a Europa até mesmo dos graus de liberdade que ela já soube serem possíveis, e cujos efeitos salutares ela já desfrutou.[125]

Dessa forma, as vitórias científicas anunciadas em seu *Ensaio sobre o princípio da população* representaram, na verdade, um claro exercício apologético e para aumentar a confiança, pelo qual, desde então, os porta-vozes intelectuais e políticos dos "homens de propriedade" nunca deixaram de honrar e emular seu autor. Além disso, até mesmo a evidência alegada por Malthus da qualidade política de sua própria teoria, dada a sua aceitação clara por "todo homem das classes inferiores da sociedade", foi "pescada do nada" – o vazio do otimismo conservador – assim como seu pilar "científico": a postulada "lei natural" de crescimento em progressão geométrica da população, a que se opunha a limitada "progressão aritmética" da produção viável dos meios necessários de subsistência. Ele acreditava que, ao enfrentar e assustar o povo com as implicações de sua fórmula mágica, apesar de absurda, até mesmo os "entendimentos mais comuns" seriam conquistados e se esqueceriam de seus problemas, ou pelo menos deixariam de dirigir suas queixas contra os guardiães da ordem existente. Ele preferiu esquecer a diferença realmente evidente entre as condições reais de vida e os interesses materiais e políticos dos "senhores da terra e dos homens de propriedade" – que responderam com entusiasmo evidente às suas opiniões – e os "das classes inferiores da sociedade", para poder ter condições de afirmar, como principal mérito político de sua empresa, que a aceitação universal, por todas as classes, de suas verdades evidentes em si era irresistível.

O absurdo das fórmulas de Malthus deve ter ficado suficientemente claro, mesmo à época da primeira publicação de seu *Ensaio*, pois ele projetou que

> no final do primeiro século, a população [somente da Inglaterra] seria de cento e setenta e seis milhões, e os meios de subsistência seriam iguais apenas ao necessário para atender a cinquenta e cinco milhões, deixando uma população de cento e vinte e um milhões totalmente sem recursos.[126]

Com relação ao crescimento da população mundial, Malthus previu que ao final do século XX ela seria de no mínimo 256 bilhões, e assim a relação entre a população e os meios de subsistência seria de 256 para 9; e ao fim de três séculos [no final do século XXI] ela seria de 4096 para 13[127]. Ele procurava remédios – oferecendo o mo-

---

[125] Id., ibid., pp. 260-1.
[126] Id., ibid., vol. 1, p. 10.
[127] Id., ibid., p. 11.

delo seguido por seus imitadores atuais da "direita radical" – na sua defesa constante das restrições e na eliminação final de toda a assistência social para os necessitados, com o argumento de que

> ao criar, por subscrições ou acordos públicos, uma demanda artificial sobre o governo, nós evidentemente evitamos que a população do país se ajuste gradualmente à redução de recursos.[128]

Na verdade, na boa tradição dos escritores obscurantistas, que não podiam oferecer provas claras de suas teorias, Malthus geralmente nada usava em suas discussões de questões muito importantes além de condicionais contrafactuais com o julgamento final que ninguém teria condições de contestar. Nem ele esperava que as pessoas contestassem seus julgamentos. Pois exatamente a sua imunidade geral a qualquer contestação era o grande valor apologético da metodologia contrafactual, preferida por Malthus, como, por exemplo, na afirmação segundo a qual

> se as leis de benefícios aos pobres não tivessem jamais existido neste país, apesar de poder ter havido alguns casos de grande infelicidade, a massa agregada de felicidade entre o povo comum teria sido muito maior do que é hoje.[129]

Seus adversários, que apontaram os avanços sociais implantados depois da Revolução Francesa, que nem Malthus poderia negar, foram ignorados da mesma forma pelo autor do *Ensaio sobre o princípio da população*. Sua resposta foi uma afirmação peremptória de que não tivessem as massas trabalhadoras da França depois da revolução adotado as propostas resultantes de seu "princípio" – como por exemplo uma "redução significativa do número de nascimentos" (que só existiu na imaginação do pastor) – "a revolução nada teria feito por elas"[130].

Exatamente como seus imitadores de hoje, os que se opõem à garantia de um "salário mínimo" aos trabalhadores minimamente remunerados, Malthus condenava todos os esforços no sentido de aumento dos níveis de salários como "irracionais e ineficazes" por "terem o efeito de lançar muitos no desemprego"[131]. Por mais hipócrita que fosse, assim como seus seguidores de hoje, Malthus apresentava sua condenação da legislação social como se tivesse o coração sangrando pelo povo trabalhador. Tentava levar seus críticos a acreditar que estivesse apenas "ansioso pela felicidade da grande massa da comunidade"[132], pois as leis aprovadas em prol da assistência social

> reduziram decididamente os salários das classes trabalhadoras, e tornaram sua condição geral essencialmente pior do que teria sido se essas leis nunca tivessem existido.[133]

Da mesma forma, Malthus clamava constantemente contra o que hoje chamamos de "*cultura da dependência*", advogando como única solução racional e humana a condenação mais severa de todos os que aceitassem a "pobreza dependente", apesar de, mais uma vez, assumir a pose de sofrimento:

---

[128] Id., ibid., vol. 2, p. 242.
[129] Id., ibid., p. 51.
[130] Id., ibid., pp. 68-9.
[131] Id., ibid., p. 65.
[132] Id., ibid., p. 66.
[133] Id., ibid., p. 64.

Por mais duro que possa parecer em situações individuais, a *"pobreza dependente"* deveria ser considerada *vergonhosa*. Um estímulo como este deve ser absolutamente necessário para promover a felicidade da grande massa da humanidade; e toda tentativa geral de enfraquecer este estímulo, por mais benévola que seja a intenção, há sempre de derrotar seu objetivo. Se os homens forem induzidos a se casar pela simples perspectiva de receber provisões da paróquia, eles serão não apenas injustamente tentados a trazer a infelicidade e a dependência sobre si mesmos e seus filhos, mas também tentados, sem saber, a prejudicar a todos na mesma classe. ... instituições positivas [de assistência social], que generalizam a pobreza dependente, enfraquecem a vergonha que, pelas melhores razões e as mais humanas, deveria estar ligada a ela.[134]

Pedir o *"estímulo"* de rotular as pessoas de *"vergonhosas"*, por se submeterem à condição desumanizadora de *"pobreza dependente"* imposta a elas pelo sistema do capital, era uma forma típica de apresentar tudo ao contrário, da maneira mais dura, bem de acordo com a defesa, hoje em dia, da "volta aos valores básicos" e aos "valores vitorianos apropriados". Malthus completou sua abordagem com sua própria versão do "ataque ao Estado de bem-estar", ao condenar claramente o "auxílio certo e sistemático com que os pobres podem contar confiantemente" e defender a ideia de que o auxílio generalizado deveria ser substituído por uma "assistência discriminada e ocasional"[135].

No mesmo espírito (que deve encontrar profunda ressonância junto a todos os políticos que se manifestam com grande indignação contra "mães solteiras que engravidam para passar à frente nas filas para a casa própria"), Malthus expressou sua aprovação ao estoque precário de moradias da Inglaterra de seu tempo, ao acrescentar – sem dúvida, por estar apenas "ansioso pela felicidade da grande massa da comunidade" – que "uma das limitações mais salutares e menos perniciosas ao casamento precoce neste país é a dificuldade de conseguir uma casa"[136]. E finalizou pedindo uma forma de educação por meio da qual "um homem adquira aquele *tipo decente de orgulho* e aqueles *hábitos mais justos de pensar* que evitarão que ele sobrecarregue a sociedade com uma família de filhos que não tem condições de manter"[137].

De acordo com o "princípio da população", os filhos adequadamente educados das classes trabalhadoras deveriam "adiar o casamento até que tenham uma boa perspectiva de ter condições de manter uma família"[138]. Deveriam também reconhecer que – conforme os "hábitos de prudência e providência" e a "cooperação necessária com as lições da Natureza e da Providência"[139] – deveriam adquirir o "hábito de poupar" e aplicar seu dinheiro nos "bancos de poupança" estabelecidos, que "permitiriam aos pobres precaver-se contra as próprias contingências"[140].

---

[134] Id., ibid., pp. 49-50.
[135] As duas citações de id., ibid., p. 249.
[136] Id., ibid., p. 250.
[137] Id., ibid.
[138] Id., ibid., p. 252.
[139] Id., ibid., p. 242.
[140] Id., ibid., pp. 242-3.

Os trabalhadores pobres têm de aprender a impor "restrições às suas inclinações", a "cultivar os hábitos de economia e a fazer uso dos meios oferecidos pelos bancos de poupança, para guardar seus ganhos enquanto ainda solteiros, para mobiliar uma casa quando se casarem, e poder iniciar uma nova vida com conforto e decência"[141]. Além disso, Malthus esperava que os membros das classes trabalhadoras economizassem o dinheiro necessário para si próprios e suas famílias, não apenas para os períodos de doença e velhice, mas até mesmo, depois da morte, para a viúva e os filhos[142] – só Deus sabe como, já que em outro contexto ele admitiu que os salários dos trabalhadores eram muito baixos, quando atacou as leis existentes de assistência social, por terem pressionado os níveis de salários. Os que hoje advogam a abolição progressiva das pensões oferecidas pelo Estado, e sua substituição por algum tipo de sistema privado de pensões, para aliviar a profunda crise fiscal do Estado capitalista, não têm probabilidade maior de encontrar a saída do labirinto das contradições malthusianas do que seu otimista ancestral.

O conjunto do constructo teórico malthusiano concentrou-se em torno de uma única proposta. Qualquer problema levantado por ele, ou a que o reverendo Malthus respondesse, era resolvido imediatamente pelo apelo direto à "lei natural da população". Se as pessoas ouvissem os ensinamentos enunciados no *Ensaio sobre princípio da população*, todos os perigos desapareceriam sem necessidade de alterar a ordem social existente: "uma sociedade dividida entre uma classe de proprietários e uma classe de trabalhadores, em que a grande máquina tem como mola principal o amor de si", em completo acordo com as "leis inevitáveis da natureza"[143]. Tudo o que era necessário contra as múltiplas tendências negativas era fazer os ajustes corretivos de acordo com o "princípio" único e abrangente do sr. Malthus. Como o autor insistia em que a ordem estabelecida tinha surgido das "inevitáveis leis da natureza" e devia ser preservada como tal, o corretivo ajustado e eficaz para os problemas reconhecidos só poderia ser outra "lei inevitável da natureza". Entretanto, esta última, curiosamente, só poderia ser uma "lei da natureza" para o fim obviamente apologético de aterrorizar as pessoas, de forma que elas se acomodassem às restrições estruturais da ordem capitalista. Esta forma de tratar os problemas é fundamentalmente a mesma que hoje nos é oferecida nos sermões que pregam os "limites do crescimento" (produzidos por ninguém mais que os ideólogos do "Clube de Roma"), ameaçando-nos com as consequências fatais da "explosão populacional" que se aproxima, com o fim precípuo de nos forçar a "aprender a viver dentro dos limites existentes".

Na realidade, os dois conjuntos das assim chamadas "leis inevitáveis da natureza" – a constituição e a transformação da sociedade e o crescimento da população – são inerentemente sociais, apesar do fato de os apologistas, como Malthus, não poderem reconhecer seu caráter social mesmo quando face a face com ele; e nem mesmo em seus próprios termos de referência[144]. Ao final, o que torna viável a esperança de enfrenta-

---

[141] Id., ibid., p. 66.
[142] Id., ibid., p. 50.
[143] As duas citações de id., ibid., p. 21.
[144] Encontramos um exemplo impressionante dessa cegueira na p. 60 do volume 2. Num capítulo acrescentado ao *Essay* Malthus, esperando confiantemente o impacto corretivo de sua "lei natural" durante os anos de recessão, escreveu que

mento bem-sucedido das tendências destrutivas do sistema estabelecido de reprodução sociometabólica é exatamente a circunstância de que a humanidade tem de enfrentar e colocar, sob controle racional, não as "leis inevitáveis da natureza", mas as tendências sociais de desenvolvimento que podem ser corrigidas. De fato, a ideia proposta por Malthus e adaptada às suas circunstâncias e aos seus instrumentos de "demonstração" por seus seguidores conservadores do século XX – ou seja, a projeção de que o impacto devastador das "leis inevitáveis da natureza" pode ser enfrentado positivamente pela força da pregação moralista[145] – não é menos absurda que a proposta malthusiana

---

provavelmente há de se ver, quando se examinarem os resultados do próximo censo populacional, que diminuiu o número de casamentos e o de nascimentos, e que o de mortes aumentou a uma taxa ainda maior que a de 1801 e 1802; e a continuidade parcial deste efeito ainda por alguns anos há de retardar o crescimento da população, e combinada com as necessidades crescentes da Europa e da América resultantes de sua riqueza crescente, e a adaptação da oferta de produtos no país à nova distribuição de riquezas ocasionada pela alteração do meio circulante, mais uma vez há de dar vida e energia a nossas transações mercantis, e devolver à classe trabalhadora o pleno emprego e os bons salários.

Entretanto, numa nota de rodapé incluída nesta previsão em 1825, Malthus teve de admitir que o efeito que ele esperava em razão de seu princípio da população não se materializou:

O Censo de 1821 mostrou que os anos de escassez de 1817 e 1818 tiveram um efeito muito pequeno na redução do número de casamentos e nascimentos, comparado ao efeito de grande proporção dos anos de fartura no aumento desses números; de forma que a população cresceu com grande rapidez durante os dez anos findos em 1820. Mas, o grande aumento da população evitou que a classe trabalhadora chegasse tão próximo do pleno emprego quanto poderia indicar a prosperidade do comércio e da agricultura durante os dois ou três últimos anos.

Assim, apesar da forma confusa e remendada deste relato, transparece o fato de que o valor prognosticador da "lei natural" de Malthus é nulo. Mas é evidente que o autor de uma teoria univariada não poderia ter levado em consideração os vários fatores sociais, implícitos até mesmo em sua justificativa, que acentuavam a necessidade de tipos muitos diferentes de explicação para o que estava acontecendo e para as razões pelas quais as previsões de Malthus fracassaram e, na verdade, tinham de fracassar. Tudo que ele poderia fazer, mais uma vez, era reiterar a validade de seu "princípio" em conjunto com a proposição condicional contrafactual de que, caso suas previsões se tivessem realizado (o que não aconteceu), então as classes trabalhadoras teriam tido mais empregos e melhor remuneração (que não tiveram). O erro de Malthus não consistiu apenas na leitura errada de uma contingência histórica, mas em toda a sua estrutura teórica, pois a ideia (fundamental para o sistema malthusiano) – a ideia de que um crescimento menor da população fosse suficiente para resolver os problemas observados, trazendo "pleno emprego e bons salários" para a classe trabalhadora (e se isso não ocorrer é por causa de um crescimento populacional maior que o esperado), sob as condições do sistema do capital (que impõem a maximização dos lucros na busca de expansão e acumulação) – não é falsa apenas com relação a algumas circunstâncias históricas passageiras. É absolutamente grotesca em termos da necessária determinação estrutural da ordem estabelecida (às vezes percebida pelo próprio Malthus, como demonstra o trecho acima), apesar das proposições contrafactuais distorcidas de seus apologistas passados e presentes.

[145] Citando Malthus:

Estas considerações mostram que a virtude da *castidade* não é, como supuseram alguns, um produto forçado de uma sociedade artificial, mas que ela é a fundação mais sólida e real da natureza e da razão; por ser a única forma virtuosa de evitar o vício e a miséria que resultam, com tanta frequência, do princípio da população (Id., ibid., p. 161).

A dificuldade da *repressão moral* será talvez apresentada como objeção a esta doutrina. Para aquele que não reconhece a autoridade da religião cristã, só tenho a dizer que, depois de investigação mais cuidadosa, esta virtude parece *ser absolutamente necessária* para evitar certos males que, de outra forma, resultariam das leis gerais da natureza. É dever dele, de acordo com seus próprios princípios, a busca do bem maior consistente com essas leis (ibid., p. 166).

Portanto, parece que cada indivíduo tem dentro de si a capacidade de evitar as más consequências para si e para a sociedade que resultam do princípio da população pela prática da virtude claramente determinada a ele pela luz da natureza, e prescrita pela religião revelada (ibid., p. 166).

original, segundo a qual o crescimento da população humana é determinado por uma lei da natureza correspondente a uma "progressão geométrica".

5.4.2

Como sabemos todos, a população mundial não chegou, durante estes dois últimos séculos, ao número projetado de 256 bilhões. Na verdade, o erro foi de mais de 250 bilhões, e certamente não por causa dos corretivos malthusianos propostos.

Naturalmente, isto não significa que os problemas que acompanham o crescimento da população possam ser ignorados deliberadamente sob o sistema existente de reprodução sociometabólica ou sob qualquer sistema alternativo. Significa apenas que, em vez de projetar determinações causais pseudonaturais e os remédios fictícios correspondentes – com o fim de preservar, como "natural" e racionalmente inquestionável, o sistema socioeconômico inviável existente –, deve-se identificar as causas sociais historicamente específicas e fazê-las acompanhar-se por práticas políticas e sociometabólicas viáveis. Qualquer alternativa metabólica viável à ordem estabelecida exige a harmonização das necessidades humanas com recursos materiais e humanos conscientemente geridos. Isto implica a adoção de medidas adequadas também no plano do crescimento da população, possibilitadas por transformações radicais da estrutura geral e das microestruturas da reprodução sociometabólica. Sem essas mudanças estruturais fundamentais, qualquer conversa sobre chegar-se ao "equilíbrio global em que população e capital serão essencialmente estáveis" será apenas um sonho.

A definição falsa de problemas e a projeção otimista de soluções superpostas a eles – seja na forma da castidade malthusiana ou de seus equivalentes mais recentes e igualmente grotescos de abstinência, a serem impostos em prejuízo dos pobres, todos propostos depois de ameaçar a humanidade em geral com uma forma ou outra de colapso direto *imposto pela natureza* – devem-se ao fato de não se poder contestar a *dinâmica interna* perversa do sistema. Assim, as "soluções" têm sempre

---

Esperar que a solução dos antagonismos explosivos do sistema do capital chegue por meio da "repressão moral" e da "prática da virtude" – e em particular da castidade, por sua relação direta com o "princípio da população" – revela o vazio total da apologética malthusiana. Da mesma forma que os escritos dos descendentes atuais de Malthus, o caráter inerentemente *social* dos problemas negativos identificados, na sua *especificidade histórica*, é ignorado e substituído por determinações pseudonaturais, completada ficticiamente pelo bom trabalho da virtude "absolutamente necessária". Até mesmo a sanção última do capital – a guerra, quando falham as outras formas de afirmação antagonista dos interesses dominantes – é atribuída diretamente, neste discurso mecânico primitivo, à causa "natural" do crescimento da população, que é considerado diretamente responsável pela "insuficiência de espaço e alimento" (ibid., p. 165), como nos lamentos de Hitler em torno da insuficiência de *Lebensraum*, e que deve ser combatido com a aceitação da "verdade" de Malthus e com a "virtude absolutamente necessária", para impor restrições externas ao crescimento populacional, de acordo com "a verdade" segundo a qual "se poderia razoavelmente esperar que a guerra, a grande peste da humanidade, sob tais circunstâncias, deixe em breve de espalhar sua destruição" (ibid., p. 164). É um raciocínio muito peculiar, que leva a sério a ideia de que, apenas porque as guerras podem e realmente destruíram muitos povos, esses povos devam ser caracterizados como "*população redundante*" (ibid., p. 165) e condenada a ser a causa das guerras, que devem ser combatidas pela virtude da castidade.

de seguir a linha da quadratura do círculo. Reconhece-se que os problemas que nos ameaçam são *globalmente abrangentes*, mas este reconhecimento é anulado pela restrição inevitável de o sistema do capital ser estruturalmente incompatível com o planejamento abrangente. O resultado é que o círculo tem de virar um quadrado de forma contraditória, mediante a estipulação de que a "solução globalmente abrangente" para a ameaça globalmente abrangente colocada em relevo consiste na *acomodação* da humanidade, não por tempo limitado, mas para sempre, aos limites dos quais surgiu a ameaça, mantendo sua estrutura socioeconômica de determinações *causais*, enquanto se torce para que as consequências necessárias das causas subjacentes desapareçam ao se projetar a conquista do "equilíbrio global". A complicação "sem importância" de ser o capital absolutamente refratário ao "equilíbrio" – que, da mesma forma que "competição perfeita", existe somente nas teorias capitalistas mais apologéticas – evidentemente não pode ser incorporada às abordagens estratégicas em que a incapacidade do sistema de lidar com as exigências do planejamento *abrangente* possa ser camuflada como já resolvida sob a projeção totalmente gratuita do "equilíbrio global".

Ameaçar a humanidade com os limites dos *absolutos naturais* é tão absurdo quanto esperar a eliminação da *escassez* pelo aumento absoluto da produção. Os dois conjuntos de problemas só podem ser tratados racionalmente no âmbito de sua estrutura cultural e socioeconômica. No Haiti, a renda média está na casa incrível de *US$ 70 por ano* (valor de 1994); nos Estados Unidos, os operários da indústria automobilística recebem, incluídos os benefícios, cerca de *US$ 50 por hora*. Mas quem poderia argumentar, com base nesses valores tão diferentes, que o capitalismo americano já resolveu o problema da escassez, ou que os operários da indústria automobilística americana nunca tenham tido problemas econômicos? Dado o modo de controle capitalista da reprodução sociometabólica, criam-se constantemente novas formas de desperdício e escassez (e formas antigas são recriadas), mesmo nos países economicamente mais privilegiados, para fazer o sistema avançar para além de qualquer "equilíbrio" viável, embora em comparação com o Haiti os problemas de escassez pudessem se considerar resolvidos com uma única semana de esforços produtivos dos Estados Unidos. Assim, a corrida de verdade é a que se disputa com a escassez criada e reproduzida socialmente; e – devido às regras que a comandam – essa corrida será perdida sempre antes mesmo de se iniciar.

Operar com valores absolutos projetados fetichisticamente poderia ser considerado absolutamente sem sentido, se não fosse a sua apologética função ideológica. Pois, mais uma vez, é precisamente a aparente força natural das magnitudes absolutas que ajuda a legitimar a ordem existente, como se limitada apenas por fronteiras *naturais*, e portanto isenta de toda a censura ou emendas *sociais* possíveis.

A colisão projetada com os limites naturais compõe-se geralmente com a mítica ameaça do despotismo absoluto, no caso de a receita de acomodação total aos limites dados – ou seja, a regra inalterável de um despotismo já existente – não ser prontamente aceita. Malthus, por exemplo, avisou que, a menos que suas soluções fossem seguidas, o resultado seria a "mudança interminável, a chacina interminável, a corrida sangrenta, da qual somente o estabelecimento de um *despotismo absoluto* poderia nos livrar"[146].

E ele não hesita em apresentar o conteúdo autoritário de sua mensagem disfarçado, com a hipocrisia costumeira, em amor pela liberdade, ao dizer que

> Como amigo da liberdade, e naturalmente inimigo de grandes exércitos permanentes, é com enorme relutância que sou forçado a reconhecer que, não fosse pela grande força organizada do país, a infelicidade do povo durante a última escassez [1800 e 1801], incentivada pela loucura extrema de muitos entre as classes superiores, poderia ter levado as multidões a cometer os piores ultrajes e afinal envolver o país nos horrores da fome.[147]

A ameaça de colapso devida a supostas leis naturais e a causas estritamente naturais é assim adotada como a racionalização do autoritarismo extremo por meio do qual a ordem estabelecida pode se preservar, graças aos bons ofícios de "grandes exércitos permanentes" e da "grande força organizada", tudo em perfeita harmonia com os valores proclamados de vida e liberdade individual no melhor dos mundos possíveis. As referências cataclísmicas e o tom desse discurso, em todas as suas variantes antigas ou recentes, foram necessários exatamente porque nenhum de seus dogmas ou afirmações poderia ser substanciado. Era impossível que não fosse um discurso "de cabeça para baixo", bem como "do avesso". Era "do avesso" porque a questão real era a defesa da ordem estabelecida, cujos defeitos deveriam ser transformados em limites naturais. E era um discurso de "cabeça para baixo" porque o remédio da pregação idealista foi apresentado como a força capaz de enfrentar o poder das leis naturais. Quando projeções e previsões se tornam problemáticas, pode-se e deve-se preservar a substância ideológica do discurso cataclísmico, como se nada tivesse acontecido, simplesmente "*mudando as regras*". Assim, como as projeções cataclísmicas, feitas nos anos 60 e 70, para o final do século XX obviamente não se realizarão, a nova data da catástrofe natural, sob a forma da "explosão populacional" iminente foi fixada para perto de 2020. E sem dúvida, no devido tempo, datas mais distantes serão oferecidas, se as condições sociais nos permitirem chegar ao ano 2020, o que de forma alguma está garantido.

O problema é que, ao mesmo tempo em que se projetam (e se adiam) pseudoemergências e catástrofes determinadas pela natureza, a "explosão populacional" realmente ameaçadora – a tendência irresistível de desemprego crônico em todos os países – é ignorada e completamente deturpada. É deturpada como se fosse devida apenas a desenvolvimentos tecnológicos e às descobertas científicas básicas, e portanto como se fosse devida à "aparência de leis naturais". Assim, uma vez que se ignoram os parâmetros estruturais dados e as limitações do sistema sob o qual operam as forças produtivas humanas e materiais (inclusive, evidentemente, as forças produtivas científicas e tecnológicas), os únicos remédios aceitáveis – no caso de se reconhecerem os perigos da instabilidade – são, mais uma vez, os que puderem ser considerados *externos* à dinâmica social real, com o que se tenta prender a tampa na panela enquanto se atiça o fogo responsável pelo aumento da pressão. Os remédios

---
[146] Id., ibid., p. 187.
[147] Id., ibid.

externos assumem a forma ou de uma pregação vazia – por exemplo, "os trabalhadores têm de entender que já passou o tempo do pleno emprego" e "ninguém pode ter um emprego vitalício" etc. – ou, de maneira mais realista e cruel, de imposição de medidas autoritárias, em nome da "autonomia dos indivíduos" (para que se contentem com empregos em tempo parcial) e do amor à liberdade individual (para ser dirigido contra os órgãos coletivos tradicionais de defesa dos interesses da população trabalhadora). Em outras palavras, os pilares duplos da sabedoria dos realistas são: (1) *torne a força de trabalho precarizada*, e (2) *transforme em criminosos os que protestarem contra*. Pois, se o sistema não tem condições de enfrentar a intensificação das contradições, ninguém deve nem pensar em lutar por outra alternativa. Como o capital é estruturalmente incapaz de planejamento abrangente como forma de sair do labirinto de irracionalidades destrutivas, ninguém deveria procurar respostas na direção da coordenação racional dos poderes de produção com as necessidades humanas. O planejamento por meio da ação democrática dos produtores, ao contrário das determinações impostas de cima pelas personificações do capital, é absolutamente inadmissível e deve ser desqualificado como "absolutismo completo" e "despotismo". O que parece ser a violação real da liberdade individual e do direito, antes aceito, a uma autodefesa coletiva limitada da população trabalhadora é executado realmente pelos "verdadeiros amigos da liberdade", no interesse de preservar a única ordem natural e racionalmente justificável. A alternativa é uma catástrofe determinada pela natureza que deve ser evitada a todo custo, inclusive com a repressão – se necessário pelos "grandes exércitos permanentes" e pela "grande força organizada" – dos inimigos do sistema.

5.4.3

Imaginava-se que o "excesso de população" ou a "população redundante" dos livros de quem grita sermões sobre os perigos da "explosão populacional" seria simplesmente a qualificação numérica de "gente demais", em relação à disponibilidade de meios de subsistência, quantificada essencialmente em termos de alimentos. A realidade claramente identificável de nossos dias se mostrou radicalmente diferente. Primeiro, ela não se caracterizou pela incapacidade da sociedade de oferecer a quantidade necessária de produtos agrícolas para alimentar a população, sob condições em que se desperdiçam grandes quantidades de alimentos – e seu disperdício é até denunciado em círculos capitalistas competidores – no interesse da maximização de lucros, por exemplo no quadro da "política agrícola comum" europeia. E, segundo, "explosão da população" não é uma categoria genérica de "gente demais", mas é definida por determinações sociais muito precisas – e muito perigosas em suas implicações. Pois o que hoje se chama de "excesso de população" significa, cada vez mais, "trabalho supérfluo". Pior que isso, esse "excesso de população" não pode ser simplesmente deduzido de um número total abstrato, como faziam os tradicionais contos de fadas sobre o crescimento da população e de seu controle malthusiano ou neomalthusiano. O atual "excesso" ou "população redundante" se refere ao "excesso em relação às necessidades", num sentido muito limitado. Como acontece com tudo o que é submetido ao domínio do capital, também aqui testemunhamos o impacto de um processo contraditório. Pois as grandes massas de pessoas – em praticamente todos os campos de atividade – que continuam a ser impiedosamente expulsas do processo de trabalho e consideradas "redundantes" pelos imperativos da expansão lucrativa do capital estão longe de poder ser consideradas supérfluas como *consumidoras* que asseguram a continuidade da reprodução ampliada e da autovalorização do capital.

Naturalmente, os apologistas do sistema se recusaram por muitos anos a notar a intensificação das contradições e continuaram a tecer fantasias sobre o "pleno emprego numa sociedade livre", afirmando cegamente que só se poderia mencionar "pequenos bolsões de desemprego", e mesmo isso não por muito tempo, graças à "sensibilidade política" da "sociedade democrática" esclarecida[148]. Na verdade, alguns dos principais teóricos econômicos concluíram de suas premissas contrafactuais que

> A noção tradicional de desemprego passa a cada ano a ter um significado diferente. Mais e mais, os números relativos ao desemprego relacionam os que estão desempregados em termos das exigências modernas do sistema industrial. Essa incapacidade pode coexistir com a escassez aguda de talentos mais qualificados.[149]

Essa forma de ver as tendências sociais emergentes, através do lado errado do telescópio, foi espantosa, considerando a época turbulenta em que o livro citado foi publicado. Na verdade, as consequências devastadoras da tendência contraditória de expulsar um grande número de trabalhadores do processo de trabalho, até mesmo nos países capitalistas mais avançados, já são visíveis há muito tempo. Há vinte e cinco anos, argumentei que

> O problema já não é apenas o sofrimento dos trabalhadores sem qualificação, mas também o de um grande número de *trabalhadores qualificados* que, junto com o exército de desempregados, disputam o número desesperadamente pequeno de empregos disponíveis. A tendência da amputação "racionalizadora" já não se limita aos "ramos periféricos de uma indústria envelhecida", mas inclui alguns dos setores mais desenvolvidos e modernos da produção – da construção naval e aeronáutica à eletrônica, e da engenharia à tecnologia espacial. Assim, já não estamos preocupados com os subprodutos "normais" e bem aceitos do "crescimento e desenvolvimento", mas com a sua paralisação; nem com problemas periféricos de "bolsões de subdesenvolvimento", mas com uma contradição fundamental do modo capitalista de produção em seu conjunto, que transforma até as maiores conquistas do "desenvolvimento", da "racionalização" e da "modernização" em pesos paralisantes de subdesenvolvimento crônico. E, mais importante de tudo, a ação humana que se encontra no lado dos que sofrem as consequências já não é constituída pela multidão

---

[148] No mesmo espírito, Walter Rostow decretou que "temos todas as razões para acreditar, depois de verificar a sensibilidade do processo político até para pequenos bolsões de desemprego nas sociedades democráticas modernas, que as políticas lentas e tímidas dos anos 20 e 30 com relação ao nível de emprego não serão mais toleradas nas sociedades ocidentais. Principalmente agora que os segredos dessas medidas – devido à revolução keynesiana – são amplamente conhecidos. Não se deve esquecer que Keynes se propôs a tarefa de derrotar o prognóstico de Marx acerca do crescimento do desemprego sob o capitalismo; e em grande parte ele foi vitorioso" (W. W. Rostow, *The Stages of Economic Growth: A Non-Communist Manifesto*, Cambridge University Press, 1960, p. 155).

[149] Galbraith, *The New Industrial State*, p. 233.

socialmente impotente, apática e fragmentada de pessoas "desprivilegiadas", mas por todas as categorias de trabalhadores, qualificados ou sem qualificação: ou seja, objetivamente o *total da força de trabalho* da sociedade[150].

Quando os defensores do sistema começaram a admitir que a escala do desemprego era um pouco maior do que a que poderia estar contida nos "pequenos bolsões" – e que tinham de admiti-lo porque precisavam cortar o déficit financeiro do Estado, que havia sido enganosamente atribuído ao "excesso de auxílio desemprego" e não à sua causa subjacente –, continuaram a postular que a nova fase do "desenvolvimento industrial" e da "revolução tecnológica" consertaria tudo no devido tempo, uma vez que as novas políticas da "direita radical" fossem "implantadas", e que o "ambiente político", assim como o "clima econômico" favorecessem realmente a dinâmica expansão empresarial. Foi preciso mais algum tempo até que a previsão otimista de relegar ao passado as tendências negativas tivesse de ser complementada por seu corolário não tranquilizador segundo o qual até mesmo quando surge a "nova prosperidade" não se pode garantir a volta às condições de "tempo bom para o trabalho", sobre o "colchão do pleno emprego".

Mas até mesmo este novo otimismo muito limitado da "direita radical", até há pouco ilimitadamente arrogante, subestima enormemente as dificuldades e os problemas à frente, pois

> Por toda a Europa Ocidental já estamos nos encaminhando para a confrontação política, com o problema do emprego, ou melhor, do desemprego, no coração do conflito. É compreensível. No interior da Comunidade Econômica Europeia o nível de desemprego se aproxima da média de 12 por cento, e quase o dobro deste número, no caso, por exemplo, da Espanha. E são dados oficiais, que subestimam a condição real, que chegou para ficar. Já por muitos anos os ciclos de progresso não provocam uma recuperação clara do nível de emprego, apenas reduzem momentaneamente o aumento incansável das filas de desempregados. O fenômeno já não é mais limitado aos jovens, às mulheres, aos operários. Afeta toda a população, inclusive as classes médias. Isto talvez explique por que esteja chegando agora às páginas dos jornais europeus.[151]

Com frequência crescente, os conflitos já não surgem nas regiões mais pobres do mundo, mas nas partes mais privilegiadas do "capitalismo avançado". De acordo com o *Sunday Times*, "nos círculos governamentais cresce a ansiedade de que o avanço incansável do desemprego em massa esteja criando o que um relatório policial descreveu como um 'espírito de insurreição'"[152]. Ansiedade é agora um lugar-comum mesmo nos órgãos da imprensa alemã, que no passado nunca se cansou de elogiar o "milagre alemão". Mas o que está acontecendo agora com o "milagre alemão"? A situação atual e as perspectivas para o futuro próximo são assim descritas:

---

[150] Mészáros, *The Necessity of Social Control*, pp. 54-5. Ver p. 1005 neste volume.
[151] Daniel Singer, "Europe's crises", *Monthly Review*, vol. 46, nº 3, julho-agosto 1994, p. 93.
[152] Tony Allen Mills, "French jobs chaos provokes spirit of revolt", *The Sunday Times*, 6 de março de 1994. O mesmo artigo informou que "um comissário da polícia especializada em agitação social observou: "Fomos enfrentados por manifestantes que se sentem perdidos. Ao contrário daqueles de 1968 (ano da revolta dos estudantes em Paris) eles não têm esperanças, sejam eles fazendeiros, operários ou pescadores". ... Os sindicatos de policiais já avisaram que seus membros não têm condições de controlar explosões politicamente motivadas. O pessimismo foi aumentado por outro relatório, emitido pelo Centro de

Com demissões generalizadas, instalou-se um profundo sentimento de insegurança na mente da maioria dos empregados. Sob a manchete "Quem é o próximo? – O medo pelo emprego", a capa da edição da semana passada de *Der Spiegel* mostrava trabalhadores caindo de uma correia transportadora. Na verdade, o futuro parece negro. Todas as grandes empresas estão demitindo: 13.000 na Siemens, 20.000 na Thyssen, 43.000 na Mercedes. Até mesmo as ferrovias e os Correios pretendem demitir 100.000 trabalhadores. Numa pesquisa do Instituto Alemão da Economia, 35 de cada 41 companhias afirmaram estar planejando cortar empregos em 1994.

No início do ano, o número oficial de desempregados na Alemanha estava em 3,7 milhões, apesar de se acreditar que o número real seja bem maior. "O que vai acontecer a uma sociedade em que mais pessoas entram na fila de desempregados?", perguntava *Der Spiegel*. "Será que o próprio tecido social vai se alterar se muitos de seus cidadãos passarem a viver da caridade? Será que as pessoas vão mudar?"

Certamente não os homens da Ford-Zehlendorf. Apesar de se terem perdido 600.000 empregos na área de engenharia desde 1991, e de mais da metade das principais companhias estarem no vermelho, o operário do fabricante alemão de automóveis ainda tem perspectivas cor-de-rosa de seu valor de mercado.[153]

Assim, a maior preocupação é a de que a força de trabalho não dê indicações de estar disposta a absorver os golpes, preferindo, ao contrário, desafiar a "racionalidade" de entrar nas filas de desempregados, como aconselharia o seu "valor de mercado" em queda.

Agora ficamos sabendo que os números oficiais de desempregados estão errados. A falsificação sistemática ou "maquiagem" das estatísticas é o meio preferido de minimizar os problemas: uma forma de "assoviar no escuro" para se acalmar. É praticada não apenas em relação às estatísticas do desemprego mas também para minimizar as graves consequências resultantes do desemprego catastroficamente crescente. Em setembro de 1994, o governo inglês publicou que a taxa de criminalidade tinha caído 5,5 por cento: "a maior queda em mais de 40 anos". Isto era uma mentira cínica, pois todo mundo sabia – e um número cada vez maior passou a saber por meio de uma experiência amarga – que a taxa de criminalidade na verdade tinha aumentado, e continua a subir a cada ano. O segredo da impressionante vitória contra o crime foi revelado mais tarde, para surpresa de ninguém, em relatórios da imprensa, conforme os quais "*A redução no crime anunciada pelo governo é um mito*. Centenas de milhares de crimes graves foram silenciosamente retirados dos registros policiais, pois os oficiais superiores maquiam as suas estatísticas para atender às metas de eficiência do Home Office (Ministério do Interior). ... *apenas 57 por cento dos cerca de 8 milhões de crimes denunciados à polícia na Inglaterra e no País de Gales foram registrados* [3.440.000 não vão para os registros] nas estatísticas oficiais. Um porta-voz informou

---

Estudo de Rendas e Custos (CERC), que descobriu que 11,7 milhões de uma força de trabalho de 25 milhões estava em "situação de fragilidade econômica e social". Destes, segundo o CERC, 7 milhões de pessoas tinham emprego, mas ou estavam tendo dificuldades para se manter, ou tinham pouca integração com a sociedade francesa. Ao viajar para Lyon na sexta-feira, Balladur insistiu em que a França tinha de "inventar alguma coisa diferente do modelo econômico, social, político e administrativo em que se tinha baseado ao longo dos últimos cinquenta anos".

[153] Michael Kallenbach, "Streik, rule rises in jobless Germany", *The Sunday Times*, 6 de fevereiro de 1994.

que o governo não sabia informar por que a proporção de crimes registrados estava caindo. Entretanto, os chefes de polícia e outros peritos disseram que a prática é o resultado inevitável da *pressão* recente imposta por Whitehall (ou seja, o governo) *sobre a polícia para melhorar as estatísticas criminais*"[154]. O "melhoramento das estatísticas" de desemprego e de assuntos correlatos é a preocupação atual dos governos das "sociedades democráticas", que assim admitem o seu fracasso no tratamento das causas básicas. O que é difícil de entender é a quem eles acham que estão enganando com os frutos do método preferido pelo chefe de propaganda de Hitler.

Os ideólogos do sistema defendem o retorno ao capitalismo selvagem, enquanto falam, com hipocrisia mentirosa, do "desemprego vergonhosamente alto". Assim, lemos num editorial de *The Economist* que

> a longa história europeia de desemprego vergonhosamente alto mostra que seus *mercados de trabalho estão destruídos e precisam ser recuperados.* Uma das causas principais – especialmente da tragédia crescente do desemprego de longo prazo – é o *auxílio desemprego*, que é *muito generoso e duradouro*, que representa um estímulo pequeno para que quem o recebe procure um emprego. ... Não há dúvida, por exemplo, de que o desemprego anormalmente alto na França, especialmente entre os jovens, se deve em parte ao *salário mínimo nacional* – de cerca de 50 por cento do salário médio (que inclui cerca de 12 por cento da força de trabalho), um valor muito alto pelos padrões internacionais, que deve afastar muitos jovens do mercado de trabalho. Os governos devem evitar também de outras formas o aumento do custo da contratação de mão de obra, que hoje desestimulam o recrutamento, por oferecerem *excessiva proteção do emprego para os empregados que são contratados.*[155]

As soluções propostas neste editorial para a melhoria do problema do desemprego são absurdas até mesmo nos seus próprios termos de referência, pois não se oferece a menor sombra de evidência para comprovar seus argumentos. As alegações do editorial não se apoiam em coisa alguma, além da esperança de que a volta a práticas industriais mais sintonizadas com os repressivos "valores vitorianos" e a liquidação dos "auxílios excessivamente generosos" possam oferecer respostas para problemas que se agravam. A ubiquidade do desemprego crescente – em todos os países e em todos os campos e níveis de emprego – não parece levar os autores do editorial a avaliar suas soluções com base nos seus próprios dados, que expõem como grotesca a noção de inventar empregos para os que são rejeitados pelo processo produtivo no atual estágio de desenvolvimento do "capital avançado" por meio da redução dos salários a níveis abaixo mesmo do miserável salário mínimo. Os dados de outro artigo de *The Economist* – conforme o qual "em 1973 a Chrysler empregava 152.560 trabalhadores horistas; mesmo que a empresa continue crescendo, é pouco provável que ela empregue mais que 85.000 em 1995. A mão de obra da Ford caiu de quase 200.000 no final dos anos 70 para 99.000 no início deste ano. É pouco provável que este número aumente. ... muitos dos que são admitidos vêm preencher a vaga

---

[154] Ian Burrell e David Leppard, "Fall in crime a myth as police chiefs massage the figures", *The Sunday Times*, 16 de outubro 1994. Com relação à manipulação dos indicadores de desemprego, ver também Phil Murphy, "Real unemployment: 10%, 25%, ou 60%?", em *Living Marxism*, agosto de 1994, pp. 16-8.
[155] "Jobless Europe", *The Economist*, 26 de julho de 1993, p. 19.

deixada por alguém que se aposentou"[156] – obviamente não tiveram qualquer efeito sobre os voos das esperanças do pensamento antitrabalhista. No mesmo artigo em que relacionam os empregos perdidos, os editores de *The Economist* alegam que "os operários daquela indústria são os mais bem pagos dos Estados Unidos ($50 por hora, inclusive outros benefícios) e os mais seguros entre os trabalhadores manuais". Pode-se avaliar o quanto eles são "seguros" pelo número de empregados que a Ford e Chrysler tornaram redundantes nos Estados Unidos – quase a metade no caso da Chrysler e mais da metade no da Ford –, citados na mesma página pelo *Economist*. Continua a ser um mistério completo a forma de reduzir o impacto destrutivo destes cortes selvagens, eliminando os benefícios de desemprego e assim forçando metade dos trabalhadores manuais mais bem pagos da indústria automobilística a "aumentarem sua autonomia individual" entrando na fila cada vez mais longa da sopa dos desempregados.

A situação na verdade é particularmente séria porque a "explosão populacional" representada pelos trabalhadores tornados redundantes está criando problemas sociais e econômicos graves nos países capitalistas mais poderosos, como os Estados Unidos: sempre citados por todos os apologistas do capital como o exemplo mais brilhante de solução de dificuldades. Na verdade, nada existe que possa justificar os elogios aos Estados Unidos como modelo de soluções viáveis. Longe disso. A total incapacidade de enfrentar a tragédia do desemprego nos Estados Unidos é bem resumida por Straughton Lynd:

> Estou possesso com a hipocrisia da retórica da administração Clinton com relação a empregos. Parece que estamos nos anos 60. Temos um presidente que produz ruídos idealistas e generosos. Esse cara foi eleito para criar empregos. Mas na verdade seu programa é ajudar as empresas a cortar empregos. As companhias que buscam a maximização dos lucros estão hoje reduzindo seu tamanho. E a administração Clinton oferece "treinamento", ou seja, você e eu aprendemos o trabalho um do outro, e assim no ano que vem um de nós se vai. O "conjunto" a que se refere o secretário do Trabalho, Robert Reich, significa que o patrão diz: "Vamos demitir 30 por cento de vocês e o sindicato é quem vai decidir quem sai". ... O capitalismo americano já não precisa de, digamos, 40 por cento da população. São as pessoas que, de uma forma ou de outra, foram atraídas para aqui durante a fase de acumulação do capital. Agora são seres humanos supérfluos. Não passam de problemas para as pessoas que comandam a sociedade. ... Nos períodos eleitorais, os políticos prometem o pleno emprego, mas não querem o pleno emprego. Nunca quiseram o pleno emprego – nem mesmo no período da acumulação primitiva na Inglaterra, enquanto Marx escrevia, nem no mesmo período os Estados Unidos, setenta e cinco anos mais tarde. *Hoje, no período da decadência do imperialismo capitalista, é como se o exército de trabalhadores de reserva fosse o mundo todo.*[157]

Há algum tempo, os principais apologistas do capital, aquecendo-se à luz da glória, afirmavam que "Keynes se tinha atribuído a tarefa de derrotar o prognóstico de Marx sobre o curso do desemprego sob o capitalismo; e tinha vencido com folga mar-

---

[156] "Virtual jobs in Motown", *The Economist*, 26 de março de 1994, p. 102.
[157] Straughton Lynd, "Our kind of Marxist: From an interview with Straughton Lynd", *Monthly Review*, vol. 45, nº 11, abril de 1994, pp. 47-9.

gem"¹⁵⁸. Como aconteceu em muitos outros assuntos, o enterro de Marx por causa de seu prognóstico relativo ao desemprego sob o sistema do capital foi prematuro. Na verdade, não Marx, mas a fonte da luz da glória refletida foi muito efêmera. Pois os seguidores entusiásticos de Keynes de ontem, hoje escrevem editoriais com o título: "Já é hora de enterrar Keynes?", e respondem com um sonoro sim¹⁵⁹.

5.4.4

Há não muito tempo foi-nos prometido que os empregos que desaparecessem na indústria seriam grandemente compensados pela "indústria de serviços" e pelo impacto econômico positivo de todo tipo de "empregos que adicionam valor" com que os países do Terceiro Mundo que recebessem nossas "indústrias com chaminés" – os felizes beneficiários da nossa transferência de tecnologia – não poderiam competir. Na verdade, nada estava mais longe da verdade. Pois, ao longo dos dois últimos anos, as manchetes dos jornais deram o alarme de que "as redundâncias agora ameaçam o trabalhador de colarinho branco"¹⁶⁰ e "Cai o machado sobre 50.000 empregos públicos"¹⁶¹.

É curioso, mas quando se oferecem novas "soluções", em vez de algo tangível, recebemos platitudes vazias como esta: "Você também precisa de um mercado de trabalho que funcione, que transfira os empregados das indústrias que se encolhem para as que se expandem"¹⁶². Era uma vez um filósofo, chamado Stirling, que escreveu um livro enorme, em dois volumes, sobre o *Segredo de Hegel*, caracterizado com muita propriedade numa resenha que dizia que o autor, depois de todas aquelas páginas, tinha conseguido guardar o segredo. O mesmo se aplica aos textos de nossos redatores de editoriais. Pois em suas incontáveis e solenes declarações e recomendações eles conseguiram guardar o segredo, que é exatamente quais são as indústrias em expansão que hoje oferecem os necessários quarenta milhões de "novos empregos para os trabalhadores já demitidos de suas indústrias" nos países capitalistas mais avançados, sem mencionar os outros milhões que devem segui-los.

O padrão real da expansão visível parece, na verdade, estar ficando claro e não é promissor. De acordo com reportagem do próprio *The Economist* – ignorada por seus próprios editorialistas quando lançam no papel seus sermões editoriais –, é exatamente nas empresas mais dinâmicas e com mais recursos que "os novos trabalhadores entram para ocupar as vagas deixadas pelos que se aposentam"¹⁶³. O mesmo parece ser verdade em todos os países capitalistas avançados, grandes ou pequenos. Assim, para usar um exemplo escandinavo, *"Dagens Nyheter*, o principal jornal sueco, informou que os presidentes das cinquenta maiores empresas suecas não estão prevendo qualquer aumento significativo do recrutamento de pessoal, apesar de esperarem lucros substanciais e crescentes ao longo da

---

158 W. W. Rostow, citado na nota 48.
159 "Time to bury Keynes?", *The Economist*, 3 de julho de 1993, pp. 21-2.
160 Matthew Lyn, "Redundancies focus on the white collar worker", *The Sunday Times*, 20 de março de 1994.
161 Andrew Grice e Liz Lightfoot, "Axe falls on 50.000 civil service jobs", *The Sunday Times*, 10 de julho de 1994.
162 "Jobless Europe", *The Economist*, 26 de junho de 1993, p. 19.
163 "Virtual jobs in Motown", *The Economist*, 26 de março de 1994, p. 102.

década de 90"[164]. Ainda assim, uma das soluções propostas para o problema do desemprego é ainda mais quixotesca do que a outra.

As soluções variam desde o compartilhamento do trabalho com salários reduzidos até programas nebulosos e sem sentido de investimento em pequenas empresas e programas educacionais. Ninguém explicou exatamente como as pequenas empresas hão de gerar os milhões de empregos eliminados pelas transnacionais, mas o SAP (Partido Trabalhista Social-democrata da Suécia) está repetindo três vezes por semana este mantra sobre pequenas empresas e educação.[165]

Como bem acentuou Straughton Lynd, o *slogan* muito anunciado de "educação" e "retreinamento" – sem a correspondente base industrial em expansão dinâmica, e ainda mais sob as circunstâncias da "racionalização" capitalista contracionista – significa que "no ano que vem um de nós se vai".

Naturalmente, o Partido Social-democrata sueco não está sozinho ao prometer soluções inventadas a partir de tais miragens, com a "premissa básica de que o bem-estar da classe trabalhadora depende dos lucros empresariais"[166]. Depois de abandonar até mesmo suas propostas de avanços gradualistas na direção da transformação socialista, todos os partidos social-democratas agora oferecem apenas a manutenção da atividade capitalista, tanto por meio de doações econômicas como graças à estrutura legislativa "adequada" – ou seja, legislação antissindical eficaz – para proteger os empregadores das ações da classe trabalhadora. Um bom exemplo da dupla subserviência da social--democracia à empresa capitalista é o próprio *The Economist*, que não pode ser acusado de tendenciosidade anticapitalista. Num artigo importante dedicado aos problemas da indústria automobilística, lemos que

No início de março a Nissan pediu ao governo espanhol e à autoridade regional de Madri e de Castilla y Leon subsídios de 4,6 bilhões de pesetas para ajudar a manter abertas duas de cinco fábricas na Espanha. [Enquanto isto] a Suzuki exige 38 bilhões de pesetas do governo espanhol para manter aberta a fábrica de Santana em Linares, Andaluzia. Mesmo se receber o dinheiro, a Suzuki vai demitir mais da metade dos 2.400 empregados da Santana. [Estas empresas japonesas, em suas discussões com o governo espanhol, ameaçam] com o fato de que os custos trabalhistas na República Tcheca são inferiores à metade dos espanhóis.

Agora, com a recessão do mercado de automóveis, o principal problema dos proprietários estrangeiros passou a ser a rigidez da legislação trabalhista. Segundo Daniel Jones, analista da indústria automobilística da Escola de Administração de Cardiff, "Não se consegue demitir pessoal com a rapidez necessária para evitar o espalhamento da tinta vermelha". Em dezembro, o ministério espanhol propôs reformas que visam aumentar os contratos em tempo parcial e tornar mais fácil a contratação e demissão pelas empresas. Apesar de os empregadores terem aplaudido estas medidas, muitos já dizem que elas chegaram tarde.[167]

---

[164] Peter Cohen, "Sweden: the model that never was", *Monthly Review*, vol. 46, nº 3, julho-agosto de 1994, p. 56.
[165] Id., ibid., p. 57.
[166] Id., ibid., p. 56.
[167] "Virtual jobs in Motown", *The Economist*, 26 de março de 1994, p. 107.

O fato de Felipe Gonzalez ter concordado está de acordo com o que vem acontecendo em todos os partidos social-democratas no governo ou próximo dele. O Partido Trabalhista Britânico ajusta-se perfeitamente ao padrão, como mostra o discurso programático pronunciado por seu líder, publicado com destaque na imprensa burguesa. O discurso – lido perante uma plateia de empresários e especuladores no mercado financeiro da City de Londres – foi recebido com saudável aprovação. O que não é surpresa. Pois

> Na noite passada o Partido Trabalhista cortejou o empresariado inglês ao prometer manter a estrutura das *leis sindicais do Partido Conservador* e avaliar cautelosamente a proposta de um novo *salário mínimo*. Tony Blair garantiu à City que os trabalhistas haviam rompido com as tradições de "governo grande" da década de 70, e não recuariam em relação à legislação trabalhista e sindical conservadora dos anos 80. "Aceita-se hoje que os elementos básicos daquela legislação – votos antes de greves para as eleições sindicais, e restrições à formação em massa de piquetes – vieram para ficar", informou aos membros do *Per Cent Club*. "O *salário mínimo* deve ser definido com cautela, e publicado a fim de evitar qualquer impacto negativo sobre os empregos. Deve-se buscar o equilíbrio entre a proteção do empregado contra abusos e *o peso da carga imposta aos empregadores*." Negou uma volta às altas taxas marginais de juros do último governo trabalhista. Também disse: "Já é tempo de ir além da situação em que as relações do Partido Trabalhista com o meio empresarial se dão em termos de garantias tranquilizadoras" ... os empresários devem ver no Partido Trabalhista *o seu lar natural*. Estão convidados a *forjar uma nova ordem industrial, disse ele*".[168]

Na verdade, os editores do *The Economist* não poderiam ter escrito melhor o discurso do líder trabalhista. Dada a aceitação das premissas práticas do sistema do capital numa situação de crise, toda conversa acerca da solução do grave problema social do desemprego só pode se resumir à retórica vazia da estratégia social-democrata. Mesmo os sindicatos italianos, outrora radicais, liderados pelos comunistas, agora totalmente social-democratizados e rebatizados de "Partido da Esquerda Democrática", "reconhecem que alguns dos privilégios conquistados ao longo dos anos terão de ser perdidos. É significativo que os trabalhadores em engenharia quebraram sua tradição de confrontação e concordaram em renovar seu contrato nacional em julho sem nem mesmo um simulacro de greve. ... Desde 1992, os salários se reduziram em termos reais, e a queda dos níveis reais de renda deve continuar"[169]. Mas é claro que nenhuma concessão extraída do trabalho por seus próprios partidos, líderes sindicais ou governos é suficientemente grande ou chegou a tempo de satisfazer o apetite do capital – como descobriu o obsequioso Felipe Gonzalez na Espanha. Da mesma forma, na Itália, as concessões feitas pelo movimento trabalhista só são aceitas como um primeiro passo, a ser seguido por muitos outros. Também neste caso, as metas são alteradas constantemente, conforme determina a crise que se aprofunda.

O governo Berlusconi deu em julho os primeiros passos, ainda tímidos, para *liberalizar o mercado de trabalho*. As medidas introduzem o princípio do *emprego temporário* ... Isto

---

[168] Alice Thompson, "Blair will keep union laws intact", *The Times*, 9 de novembro de 1994.
[169] Robert Graham, "Pragmatism may prevail", *Financial Times*, 25 de outubro de 1994.

ainda está aquém de uma *política de facilidade de contratação e demissão*, e não atende a muitas das queixas dos empregadores relativas ao *alto custo não salarial do emprego*. Entretanto, está surgindo um novo ambiente em que se possam aplicar regras *mais flexíveis* ao emprego.[170]

Regras flexíveis querem dizer, também na Itália, a *precarização* da força de trabalho no mais alto grau praticável, na esperança de melhorar as perspectivas de acumulação lucrativa do capital, enquanto se finge uma preocupação com a garantia dos empregos e com a redução do desemprego.

Como veremos nos capítulos 17 e 18, esses desenvolvimentos, que afetam de forma tão profunda o movimento trabalhista e demonstram o fracasso histórico da esquerda tradicional foram corolários necessários da grande redução da margem de manobra do sistema do capital ao entrar na crise estrutural dos anos 70. As formas organizacionais e suas estratégias correspondentes para obter *ganhos defensivos* para o trabalho foram estritamente temporárias e a longo prazo se tornaram totalmente inviáveis. Jamais houve a oportunidade de instituir o socialismo por meio de reformas graduais dentro da estrutura do modo estabelecido de reprodução sociometabólica. O que criou a ilusão de se estar movendo naquela direção foi precisamente a viabilidade – e, por algumas décadas também a praticabilidade – de ganhos defensivos, tornados possíveis pela fase, relativamente pouco problemática, de expansão global do capital. Entretanto, sob os efeitos da crise estrutural, até mesmo os elementos parcialmente favoráveis da equação histórica entre capital e trabalho têm de ser derrubados em favor do capital. Assim, não somente deixou de haver espaço para assegurar ganhos substantivos para o trabalho – muito menos para uma expansão progressiva da margem de avanço estratégico, já projetada, de forma tola e eufórica, como a adoção generalizada do "modelo sueco", ou como a "conquista das alturas estratégicas da economia mista" etc. – mas também muitas das concessões anteriores tiveram de ser arrancadas, tanto em termos econômicos como no domínio da legislação. É por isso que o "Estado de bem-estar" está hoje não só em situação tão problemática mas, para todos os efeitos, morto.

Os limites desse movimento de recuo, com graves implicações para a permanência do desemprego crônico, não são definidos pela "sensibilidade política das sociedades democráticas", como postularam no passado os apologistas do sistema, ao prever confiantemente a eliminação até mesmo de "pequenos bolsões de desemprego". Ao contrário, estão limitados pelo nível de instabilidade tolerável que acompanha as pressões econômicas e políticas criadas pelo processo inevitável de ajustamento estrutural do capital que se desenrola perigosamente diante de nossos olhos – e que incluem, em lugar de destaque, a tomada de muitos dos ganhos passados do trabalho e o crescimento inexorável do desemprego – ameaçando com a implosão do sistema, não a periferia, mas a região mais avançada.

5.4.5
Uma das mais manchetes mais assustadoras acerca do desemprego nos últimos anos veio da China: "268 milhões de chineses perderão os empregos em uma década".

---

[170] Id., ibid.

Tratava de desenvolvimentos econômicos e sociais com que o governo chinês estava seriamente preocupado:

> O relatório do Ministério do Trabalho chinês, publicado na semana passada, foi nada menos que impressionante. De acordo com ele, pelo ano 2000 haveria 268 milhões de pessoas desempregadas na China – número 60 vezes maior que o atual. ... [O relatório] também trazia um aviso com relação aos riscos de agitação à medida que aumenta o desemprego nas cidades nos próximos anos. ... muitos trabalhadores já foram demitidos, apesar de ainda não figurarem nas estatísticas oficiais. Um relatório classificado chinês citou mais de 1.000 casos de agitação no ano passado, muitos dos quais detonados por demissões e desemprego.[171]

O mesmo artigo também mencionou que o governo chinês está tentando amortecer o impacto de suas próprias políticas econômicas mantendo ainda por algum tempo muitos trabalhadores na folha de pagamentos, oferecendo auxílio desemprego ou uma chamada "indenização paraquedas", e permitindo que os trabalhadores demitidos mantenham a casa e o acesso à assistência médica oferecidos pelo empregador.

"Atirá-los na rua seria muito capitalista para um país como o nosso", informou Shen, [médico assalariado mas demitido entrevistado no artigo], acentuando a ironia de um regime comunista que está sistematicamente demitindo seus representantes. Mas por quanto tempo o governo terá condições de manter esses benefícios, se o número de desempregados continua a aumentar?

A última pergunta sem dúvida é pertinente. Entretanto, seu corolário, que preocupa o governo chinês – ou seja, por quanto tempo as centenas de milhões de trabalhadores removidos e marginalizados continuarão a aceitar sua condição cada vez mais precária, se a tendência atual de "crescimento inexorável do número de desempregados" não for interrompida e revertida –, é ainda mais pertinente.

Aqui, temos de lembrar que dois ou três anos antes de o crescimento brutal do desemprego na China ter-se tornado ameaçador demais para ser ignorado, jornais liberais ocidentais estavam cheios de artigos entusiasmados sobre o "milagre chinês", na velha tradição de elogiar os outros "milagres" – desde o alemão e o italiano até o japonês e o brasileiro – que, no devido tempo, se esvaziaram todos. Ao mesmo tempo, é preciso lembrar que desenvolvimento semelhante foi previsto para o conjunto da Europa oriental quando os especialistas e conselheiros econômicos "democráticos" da Rússia, por exemplo, advogaram com toda a seriedade (por mais inacreditável que hoje possa parecer) que o governo teria de se livrar de nada menos que *40 milhões* de "trabalhadores supérfluos". Para garantir a "nova prosperidade" prometida, o governo russo foi pressionado a impor tal estratégia com "férrea determinação", desconhecendo totalmente as explosões potenciais. O remédio mágico para todos os problemas nas sociedades pós-capitalistas que tentavam voltar ao aprisco foi uma *"terapia de choque"*, não importando quantas dezenas de milhões de trabalhadores – e no caso da China até mesmo centenas de milhões – tivessem de ser declarados "excedentes em relação ao necessário". O fato de a "terapia de choque" ter se cons-

---

[171] Anthony Kuhn, "268 million Chinese will be out of jobs in a decade", *The Sunday Times,* 21 de agosto de 1994.

tituído de muito choque e pouca terapia, favorecendo apenas um pequeno grupo (geralmente o mais cruel e corrupto) da população, enquanto expunha a enorme maioria a privações extremas, mostra que os problemas do sistema do capital hoje, em todas as suas variedades, são tão difíceis que a proposta de remediá-los por meio da "racionalidade econômica" do desemprego em massa não consegue nem mesmo arranhar a superfície.

A ameaça do desemprego era apenas latente no modo de regulação da reprodução sociometabólica do capital ao longo de séculos de desenvolvimento histórico. O "exército de reserva" do trabalho não só não representava uma ameaça fundamental para o sistema enquanto se mantivesse a dinâmica da expansão e da acumulação lucrativa do capital, mas, ao contrário, era um elemento bem-vindo e necessário para sua boa saúde. Enquanto as contradições e os antagonismos internos do sistema puderam ser geridos por *"deslocamentos expansionistas"*, os níveis de piora periódica do desemprego podiam ser considerados estritamente temporários, a serem superados no devido tempo, com tanta certeza quanto à noite se seguir o dia, gerando a ilusão de que o sistema "natural" de reprodução socioeconômica nada teria a temer porque seus ajustes mais cedo ou mais tarde seriam sempre executados com sucesso pelas "leis naturais". Afinal, um dos maiores economistas da história, Adam Smith, não afirmou a existência de um período problemático na história, em que a "propensão ao comércio e às trocas foi implantada no homem pela natureza"? E, no mesmo espírito, um dos maiores filósofos de todos os tempos, Immanuel Kant, não afirmou com toda a certeza – exatamente durante a agitação inimaginável da Revolução Francesa e das guerras napoleônicas – que o "Espírito do Comércio" no devido tempo iria consertar tudo, trazendo à humanidade em geral nada menos que a bênção absoluta da "paz perpétua"? Se essas proposições puderem ser consideradas verdadeiras, quaisquer dificuldades que surgirem das condições atuais ou no futuro só poderão persistir por tempo limitado. Pois mesmo as massas, temporariamente afetadas e descontentes, haveriam de reconhecer, mais cedo ou mais tarde – tão logo se abrissem as novas avenidas do deslocamento expansionista dos antagonismos socioeconômicos, como certamente se abrirão – que seus interesses reais hão de estar no mercado, definido pela relação entre capital e trabalho: a única estrutura adequada em que as massas de trabalhadores poderão viver de acordo com sua "propensão natural ao comércio e às trocas".

Entretanto, a situação muda radicalmente quando a dinâmica do deslocamento expansionista e a acumulação tranquila do capital sofrem uma interrupção importante, que traz consigo, com o passar do tempo, uma crise estrutural potencialmente devastadora. O realinhamento violento das relações de forças por duas guerras mundiais entre as potências capitalistas mais importantes durante o século XX demonstrou claramente, neste aspecto, o nível dos cacifes em jogo. Assim, quando as contradições crescentes do sistema não puderem mais ser exportadas por meio de uma confrontação militar maciça como a experimentada em duas guerras mundiais, nem puderem ser dissipadas internamente pela mobilização de recursos humanos e materiais da sociedade para se preparar para uma guerra próxima – como vimos acontecer, não somente nos anos 30, mas também no período que se seguiu à Segunda Guerra Mundial, de "crescimento e desenvolvimento pacíficos", até que a carga sempre crescente do rearmamento contínuo (racionalizada como "guerra fria") começasse a se tornar proibitiva até mesmo para os países economicamente mais poderosos –, então o desemprego em massa começa a lançar uma sombra realmente ameaçadora, não somente sobre a vida socioeconômica de um ou outro país, mas sobre todo o sistema do capital. Pois uma coisa é imaginar o alívio ou a remoção do impacto negativo do desemprego em massa de um, ou mesmo mais de um, país particular – mediante a transferência de sua carga para alguma outra parte do mundo, ao "melhorar a posição competitiva" do país ou dos países em questão: um remédio tradicional nos textos, de que até hoje se ouve falar. Entretanto, outra coisa completamente diferente é sonhar com essa solução quando a doença afeta todo o sistema, estabelecendo um limite óbvio ao que um país pode fazer para "mendigar ao vizinho", ou mesmo o resto do mundo, caso se trate do país hegemônico mais poderoso, caso dos Estados Unidos no período posterior à Segunda Guerra Mundial. Sob essas circunstâncias, ativa-se a "explosão populacional", sob a forma de *desemprego crônico,* como um limite absoluto do capital.

A guerra – ou a disputa de conflitos por meio do choque de interesses antagônicos – no passado não foi apenas um elemento necessário, mas também uma válvula de segurança do sistema do capital, pois ajudou a realinhar a relação de forças e criar as condições sob as quais a dinâmica expansionista do sistema poderia ser renovada por um período determinado, ainda que limitado. Entretanto, a questão dos limites não poderia ser deliberadamente ignorada. Assim, não se deve esquecer que as guerras devastadoras do século XX foram responsáveis pela "quebra do elo mais fraco" primeiro na Rússia em 1917, e depois na China, nos últimos anos da Segunda Guerra Mundial, ao criar as condições sob as quais as forças lideradas por Mao puderam finalmente vencer o Kuomintang e seus aliados imperialistas ocidentais em 1949.

Neste aspecto, o que traz graves implicações para a viabilidade do sistema do capital não é apenas a impossibilidade do uso continuado da válvula de segurança das colisões militares totais, dada a ameaça que representam para a própria sobrevivência da humanidade. É igualmente importante ter em mente o fato de que as duas guerras globais do século XX, apesar de seu imenso impacto destrutivo, não conseguiram oferecer o espaço vital necessário para a expansão econômica tranquila baseada no desenvolvimento pacífico. A ameaça do revanchismo na Europa, junto com a perspectiva de colisões militares que afetem todo o mundo, apareceu no horizonte histórico imediatamente após a Primeira Guerra Mundial; e os Estados Unidos, apesar de suas enormes vantagens econômicas ao fim da guerra, não conseguiram garantir para si próprios uma base sólida de expansão durante os anos 20 e 30. Longe disso, como demonstrou seu papel na "grande crise econômica". Quanto ao período que se seguiu à Segunda Guerra Mundial, o período de expansão capitalista ocidental era inseparável do destino do complexo militar-industrial, com seu dinamismo temporariamente irresistível, mas, em essência, autodestrutivo. Na verdade, as primeiras tentativas de tornar aceitáveis as perspectivas de uma nova guerra, a ser travada contra o regime soviético, já foram feitas durante os últimos anos da própria guerra; e esforços neste sentido se tornaram uma orientação política quase oficial em 1946, com o discurso em Fulton de Sir Winston Churchill sobre a "cortina de ferro".

Assim, a proposição malthusiana de que as guerras são travadas porque não há "espaço" para as "populações excedentes" – assim como a resposta de Hitler de que não havia *Lebensraum* para a superior população alemã – demonstrou seu completo absurdo também por meio do impacto das guerras do século XX. Na verdade, o "milagre alemão" se desenvolveu num *Lebensraum* muito mais estreito do que a Alemanha de Hitler, em consequência das alterações de fronteiras depois da Segunda Guerra Mundial. No que se refere à proposição malthusiana geral, apesar de as guerras do século XX – não apenas das mundiais, mas de incontáveis outras – terem destruído milhões de pessoas, a população mundial não se reduziu, ao contrário, cresceu várias vezes o número de pessoas destruídas por todas as guerras do século reunidas. As guerras foram travadas – e ainda o são, com a exceção das globais – não porque "não haja espaço e alimento" para a população. As guerras são endêmicas para o sistema do capital porque ele é *estruturado antagonisticamente*, desde as menores células construtivas até as estruturas mais abrangentes.

A ascensão e a queda do keynesianismo são altamente relevantes neste contexto. Os pontos principais da teoria de Keynes foram concebidos nos anos 20 e início dos 30, sob as condições de uma persistente crise econômica e financeira capitalista. Outros fatores importantes da orientação de Keynes foram a existência e a expansão, naquela época, do sistema soviético: a única parte do mundo que parecia imune – graças à intervenção e financiamento maciços pelo Estado – ao tipo de problemas recessivos experimentados pelo Ocidente capitalista. Embora Keynes fosse extremamente crítico em relação aos desenvolvimentos soviéticos, ele adotou o princípio da intervenção do Estado como o corretivo necessário das tendências negativas do capital. Tanto mais que o New Deal de Roosevelt parecia apontar na mesma direção.

Ainda assim, as recomendações keynesianas foram completamente ignoradas até o último ano da guerra, ou seja, muito depois de a economia de guerra ter tornado por toda parte a intervenção do Estado na economia um fato da vida. Na verdade, a influência de Keynes só foi sentida nos anos de expansão e acumulação do capital depois da guerra. Estava ligada ao papel a ser desempenhado pelo Estado capitalista com relação à sorte do complexo industrial-militar, que, por vários anos, oferecia espaço para as políticas significativas de um Estado de bem-estar, e para a defesa, pelos liberais e social-democratas, do "pleno emprego". Entretanto, pelas mesmas razões, uma vez que chegou ao fim a dinâmica expansionista, construída em grande parte sobre as bases da indústria armamentista, tornando necessário que os partidos nos parlamentos ocidentais começassem a procurar novas respostas para a crise fiscal crescente do Estado, Keynes se tornou um problema embaraçoso, e não uma vantagem. A mudança de perspectiva dos partidos social-democratas teve muito a ver com isso, assim como a crise que se desenrolava foi responsável pela conversão às soluções da "direita radical" por parte dos partidos liberais e conservadores, sinalizando o fim do "butskelismo" (ou seja, o consenso entre o político e intelectual conservador Rab Butler e o líder trabalhista Hugh Gaitskell) e a entrada de Margaret Thatcher na cena política inglesa. No devido tempo, a mesma crise trouxe com ela a eliminação sistemática, em todos os partidos social-democratas europeus, da Alemanha à Itália e da França à Inglaterra, de todos os compromissos programáticos de realizar o socialismo por meio de reformas graduais. Pois quando até mesmo os modestos compromissos com o bem-estar compatíveis com as ideias de Keynes tiveram de ser substituídos por cortes selvagens em todos os serviços sociais, desde a saúde e o seguro social até a educação, a ideia de uma redistribuição radical da riqueza em favor do trabalho perdeu toda a credibilidade.

Assim, a história de sucesso conforme as linhas keynesianas cobriu um intervalo muito breve na história do sistema do capital durante o século XX. A ligação entre "pleno emprego" e produção militarista é uma regra ignorada ou deturpada não somente em relação à Europa, mas também em relação aos Estados Unidos. Ainda assim, como acentuaram Baran e Sweezy:

> O New Deal conseguiu aumentar o gasto do governo em mais de 70 por cento, mas isso não era nem remotamente suficiente para trazer a economia a um nível em que os recursos humanos e materiais fossem totalmente empregados. A resistência da oligarquia à expansão adicional das despesas civis se endureceu quando o desemprego ainda estava bem acima dos 15 por cento da força de trabalho. Em 1939 estava se tornando cada vez mais claro que a reforma liberal tinha fracassado na tentativa de resgatar o capitalismo monopolista americano de suas próprias tendências autodestruidoras. Quando se aproximava o fim do segundo mandato de Roosevelt, pairava uma sensação de desconforto e frustração por todo o país. Chegou então a guerra, e com ela a salvação. Os gastos do governo aumentaram enormemente e o desemprego se reduziu. No final da guerra, com certeza cortou-se a despesa militar, mas o atendimento da demanda civil reprimida durante a guerra (composta com racionamentos e uma acumulação maciça de poupança) reduziu a recessão esperada, que foi suave e breve, e logo deu lugar a um *boom* de reconversão inflacionária. E este *boom* ainda estava em pleno vigor quando se iniciou a Guerra Fria. O gasto militar atingiu o mínimo no pós-guerra em 1947, voltou a subir em 1948, recebeu um tremendo incentivo da Guerra da Coreia (1950-1953), caindo um pouco durante os dois anos seguintes, e então, em 1956, começou um crescimento lento que continuou, com pequena interrupção em 1960, durante os anos 60. Como percentagem do PNB, as variações de gastos militares seguiram um padrão semelhante, exceto que houve pouca alteração entre 1956 e 1961. ... a diferença entre a profunda estagnação dos anos 30 e a relativa prosperidade dos anos 50 é completamente explicada pelos enormes desembolsos militares dos anos 50. Por exemplo, em 1939, 17,2 por cento da força de trabalho estavam desempregados e acredita-se que cerca de 1,4 por cento do resto estava empregado na produção de bens e serviços para os militares. Ou seja, cerca de 18 por cento da força de trabalho ou estavam desempregados ou dependiam dos gastos militares para ter emprego. Em 1961 (assim como 1939, um ano de recuperação de uma recessão cíclica), os números comparáveis foram de 6,7 por cento de desempregados e 9,4 por cento de dependentes de gastos militares, um total de cerca de 16 por cento. Seria possível elaborar e refinar estes cálculos, mas não há razão para pensar que isto iria afetar a conclusão geral: o percentual da força de trabalho que estava desempregado ou que dependia dos gastos militares era muito semelhante em 1961

e 1939. Segue-se daí que, se o orçamento militar fosse reduzido às proporções de 1939, também o desemprego atingiria as proporções de 1939.[172]

Naturalmente, tinha de haver um preço a ser pago por se ter gerido a economia sobre uma base tão precária, por trás da falsa aparência de solidez e saúde, apresentado como o modelo a ser seguido por todos os pretendentes a "modernizadores". Na verdade, o saldo negativo – que não chega aos bilhões, mas aos *trilhões* de dólares – ainda não foi apresentado a quem terá de pagá-lo. Até hoje, apesar de todos os problemas que se acumulam, a indústria da geração do falso otimismo está trabalhando a plena capacidade, tentando convencer as pessoas de que o que elas estão sentindo na verdade não está acontecendo. Seria importante ouvir as vozes da contestação: "estamos cansados de ouvir como a economia está bem. Não se pode abrir o jornal ou ligar a TV sem ser atacado por uma montanha de histórias de sucesso. Pode esquecer. Estamos no ciclo mais fraco de recuperação desde o final da Segunda Guerra Mundial. ... Os salários reais continuam a queda das duas últimas décadas, e a qualidade dos empregos que se criam nesta recuperação nunca foi pior. Na sua edição de 10 de outubro, *Business Week* apresentou um comentário franco de seu editor de questões trabalhistas sob o título 'Os Estados Unidos estão produzindo péssimos empregos'. Com relação ao futuro, a recuperação atual deve se esgotar no próximo ano, seguida de outra recessão. Nada é tão parecido com a situação que se apresentava em 1937, quando havia muito otimismo a poucos meses do colapso do verão daquele ano. A história não se repete necessariamente, mas sem dúvida pode fazê-lo'[173].

A questão do quando e de que forma será apresentada a conta dos trilhões de dólares não pagos não é a nossa preocupação no momento. O que interessa aqui é a tendência de aumento inexorável do desemprego durante pelo menos sete décadas do século XX, e a inviabilidade de todos os esforços para resolver de modo sustentável as contradições que a geraram. Os "truques" antes celebrados como a grande conquista da "revolução keynesiana" se mostraram tão relevantes para os problemas da sociedade real quanto os truques de um mágico de circo. E o que torna tudo pior é que, no caso dos Estados Unidos e de um punhado de outros países ocidentais, não estamos falando de dificuldades temporárias e absolutamente compreensíveis do "subdesenvolvimento" e do movimento na direção de um modelo ocidental incontestável, mas das partes mais privilegiadas do "capitalismo avançado", que deveriam ter deixado para sempre todas essas dificuldades no passado distante.

O crescimento do desemprego na Europa Oriental, na antiga União Soviética e na China é significativo e extremamente desconcertante para os apologistas do capital precisamente por isto. Pois a adoção dos ideais da "prosperidade de mercado" não trouxe para a população desses países a "nova prosperidade" prometida. Ao contrário, ela os expôs aos perigos do capitalismo selvagem e do desemprego em massa, generalizando assim por todo o mundo a condição do desemprego crônico como a tendência mais explosiva do sistema do capital.

Entretanto, seria completamente errado olhar essas sociedades através de lentes cor-de-rosa, por não terem reconhecido abertamente o desemprego resultante de sua

---

[172] Baran e Sweezy, *Monopoly Capital*, pp. 175-6.
[173] Magdoff e Sweezy, "Notes from the editors", *Monthly Review*, vol. 46, nº 6, novembro de 1994.

forma de gerir as contradições e os antagonismos inevitáveis do sistema pós-capitalista. Não há dúvidas de que houve uma época na história em que a "quebra do elo mais fraco da corrente" – depois das revoluções russa e chinesa – abriu possibilidades para um tipo muito diferente de desenvolvimento, com uma perspectiva viável de desembaraçar as sociedades pós-capitalistas interessadas – por meio de um processo sustentado de reestruturação radical – das contradições do sistema do capital herdado. A mobilização potencial da força de trabalho para esse fim também foi inicialmente favorecida pela confrontação com as forças capitalistas de intervenção e pela tarefa imensa de reconstrução, depois de terem vencido as forças da intervenção capitalista estrangeira. A vasta expansão das oportunidades de emprego foi um corolário óbvio desses acontecimentos. Entretanto, com o passar do tempo, e com a reafirmação, sob nova forma, dos elementos autoritários do sistema do capital herdado, a força de trabalho se tornou progressivamente mais alienada da ordem política e social estabelecida, em vez de ter sido mobilizada com sucesso para a realização de um modo muito diferente de reprodução sociometabólica. Assim, a perspectiva de desemprego em massa voltou ao horizonte social tão logo terminaram as tarefas básicas da reconstrução (ou seja, os objetivos de um processo de trabalho "extensivo" que pudesse ser controlado por meio dos métodos mais autoritários, inclusive os campos de trabalho em massa). A garantia constitucional sempre louvada de pleno emprego – introduzida por Stalin e imitada por todos – foi uma forma de acalmar a força de trabalho gerida impiedosamente, mas não teria condições de garantir um futuro economicamente viável. Assim, o *desemprego oculto e latente* tornou-se uma característica dessas sociedades, com graves implicações para suas perspectivas de desenvolvimento. Ainda assim, essa falha se apresentou como um ideal, como se as sociedades tivessem tido sucesso completo e permanente na solução do problema do desemprego crônico. Na verdade, houve uma época na história do pós-guerra – a década de 60, para ser preciso – em que o "modelo chinês" foi saudado por alguns teóricos do desenvolvimento da esquerda como o ideal a ser seguido por todas as sociedades pós-coloniais, inclusive e principalmente pela da Índia. É isso que ajuda a colocar em perspectiva o número assustador de "286 milhões de chineses desempregados no ano 2000", ainda que a perspectiva esteja muito distante de ser tranquilizadora. Significa que na nossa "economia globalizada" o círculo vicioso do desemprego agora está completo, relegando ao passado todas os celebrados modelos de desenvolvimento do século XX – do "modelo sueco" de democracia social até o "capitalismo avançado", bem como os modelos rivais, russo e chinês, de garantia da "modernização" e de solução das contradições do subdesenvolvimento e do desemprego crônicos. Somente resta hoje o modelo exemplificado pelos "cinco pequenos tigres" do Extremo Oriente, para quem for inocente a ponto de acreditar que a emulação seja a panaceia finalmente descoberta.

5.4.6
As políticas impiedosas da "direita radical", que ganharam proeminência no final dos anos 70, como uma resposta à crise estrutural emergente do capital e ao fracasso das soluções keynesianas do pós-guerra, não estiveram à altura das expectativas de seus seguidores. Portanto, é compreensível que os antigos seguidores entusiasmados e

propagandistas da "direita radical" manifestem um desapontamento amargo, para não dizer depressão. Eles se perguntam o que causou aquilo que se considera um estado de coisas depressivo, e respondem assim:

> Em parte, estamos assistindo aos efeitos mais profundos das reformas de mercado dos anos 80 que se desenvolvem de formas inesperadas. As reformas de Thatcher, que, como muitos outros, apoiei como o movimento imprescindível contra o governo todo--poderoso e a economia estagnante dos anos 70, prometeram oportunidade e escolha para os muitos que nunca as tiveram. Mas o resultado a longo prazo dessas reformas, aprofundado ainda mais pelo ataque do governo Major às profissões, foi apressar a *desintegração da vida da classe média*, a que aspiravam os seguidores mais ardentes de Thatcher. As reformas também tornaram as novas incertezas da vida mais difíceis de suportar porque foram suprimidos os amortecedores do Estado de bem-estar social. *A classe média está hoje diante do abismo.*[174]

O fato de essas preocupações chegarem agora às manchetes dos jornais europeus tem muito a ver, como sugeriu Singer, com o fato de que o desemprego crescente e o padrão de vida em queda afetam profundamente também a classe média. Como afirma o artigo que acabamos de citar,

> Para um número muito grande de pessoas na Inglaterra, o modo de vida de classe média já deixou de existir. Há uma década admitia-se que a *classe trabalhadora iria desaparecer lentamente* à medida que realizasse suas aspirações e fosse *absorvida numa classe média aumentada*. Ao contrário, *aconteceu o oposto*, com a classe média sendo tomada pela incerteza e pela preocupação crônicas que sempre acompanharam a vida da classe operária.[175]

O que se afirma aqui ter sido "aceito há uma década" – ou seja, a absorção feliz da classe operária na classe média – na verdade foi postulado por Max Scheler como um axioma da propaganda antimarxista, antes da Primeira Guerra Mundial, e popularizada por Karl Mannheim em *Ideology and Utopia* há setenta anos. Assim, a não realização desta perspectiva e o movimento na direção oposta (ou seja, a tendência inexorável à "equalização por baixo" já mencionada), pode ser uma surpresa apenas para os que professam o mesmo otimismo que seus predecessores de uma década.

O que torna a pílula mais amarga é que alguns dos antigos dogmas ideológicos e princípios legitimadores da ordem burguesa tenham agora de ser criticados com a afirmação de que as políticas adotadas de acordo com eles levou à "desintegração da vida da classe média". Argumenta-se assim que

> Somente agora se torna claro que *a ideologia do livre comércio* esconde as *novas realidades* dentro das quais vivemos. O que agora está ficando claro é que a transformação do mundo num vasto mercado único vai reduzir os salários dos países ocidentais aos níveis dos do Terceiro Mundo ... Não são apenas os operários da indústria ocidental que terão seus salários reduzidos a níveis desconhecidos há gerações. O que agora está surgindo é que quem trabalha na indústria de serviços pode esperar a exportação de seu trabalho para países com salários mais baixos. [A

---

[174] John Gray, "Into the abyss?", *The Sunday Times*, 30 de outubro de 1994.
[175] Id., ibid.

alternativa é um novo protecionismo.] Todas as circunstâncias em que se encontram as pessoas comuns do Ocidente indicam que a ideia do novo protecionismo veio para ficar. ... O novo protecionismo, por si só, não há de remover a ameaça à vida da classe média colocada pelas novas tecnologias e pela abertura de mercados da década de 80. Entretanto, sem ele as classes médias da Inglaterra e por todo o Ocidente verão seu modo de vida desmoronar diante de seus olhos, à medida que mergulham na insegurança crônica e na pobreza nova e permanente.[176]

Evidentemente, as novas "realidades" não são assim, e o remédio quixotesco recomendado de um "novo protecionismo" é tão novo quanto seus irmãos de cento e cinquenta ou mesmo duzentos anos atrás. E quando a rica fonte de sabedoria protecionista da "direita radical", o bilionário Sir James Goldsmith – que compreensivelmente foi feito cavaleiro por um governo trabalhista "socialista" – faz soar o alarme de que "o mercado livre global *enriquece maciçamente* os países com *força de trabalho barata e cria na sociedade divisões muito maiores que as previstas por Marx*"[177], ele demonstra não apenas a ignorância da "erudição antimarxista", mas também uma total incompreensão das tendências contemporâneas de desenvolvimento da ordem socioeconômica de que ele e seus aliados ideológicos, todos emitindo sons populistas no espírito usual do coração partido malthusiano, são os beneficiários óbvios.

A diferença agora, comparada à época de Malthus, é que o "babuíno do clero" – como Marx o chamou – se desfez da indumentária de pastor. (Não que a levasse muito a sério; durante toda a vida ele preferiu o emprego de doutrinador colonial da East India Company ao serviço na paróquia em que foi consagrado pastor.) Mesmo assim, com ou sem o sinal externo do colarinho clerical, a substância da teoria babuínica continua a mesma. Pois, exatamente como nos dias do celebrado ancestral intelectual, espera-se vencer as tendências hoje deploradas de desenvolvimento – *intrínsecas* ao sistema do capital real – pelo levantamento de barreiras *externas* artificiais contra elas.

Culpar um "mercado livre global" praticamente inexistente pelo crescimento do desemprego e pela queda do padrão de vida nos países industriais do coração do sistema do capital – quando até mesmo o modesto acordo do GATT, ainda longe de completamente implementado, é combatido com unhas e dentes pela "direita radical", política e economicamente bem protegida – é muito grotesco. Significa uma revisão completa da ordem cronológica, de forma a inventar uma ligação causal direta entre "o trabalho barato do Terceiro Mundo" (que de repente, para os fins cínicos da propaganda, se descobre que é barato) e os problemas das sociedades capitalistas ocidentais. Na verdade, o crescimento inexorável do desemprego e a redução simultânea do padrão de vida da força de trabalho *precederam em um quarto de século* as jeremiadas atuais. Estas são usadas geralmente apenas para racionalizar e justificar os cortes selvagens impostos rotineiramente à população trabalhadora pelas personificações do capital até mesmo no punhado de países privilegiados. Além

---

[176] Id., ibid. Ver também o livro de John Gray, *Beyond the New Right*, Londres, Routledge, 1994.
[177] Citado em "The new protectionists: In defence of voter's jobs", *The Sunday Times*, 30 de outubro de 1994. Ver também Sir James Goldsmith, *The Trap*, Londres, Macmillan, 1994.

disso, também se oculta convenientemente o fato de serem os principais beneficiários do trabalho barato, não os países do Terceiro Mundo – que de acordo com a mitologia do "novo protecionismo" deveriam estar "maciçamente enriquecidos" hoje – mas as grandes empresas transnacionais que dominam suas economias. Os enormes lucros gerados por meio da exploração obscena do trabalho barato local são um ingrediente essencial da saúde geral das transnacionais dominantes, com sede no coração do capital ocidental, e não podem ser afastadas pela defesa quixotesca do *protecionismo regional,* sem consequências catastróficas, não somente para as próprias companhias, mas também para seus países.

As "novas realidades" de que fala o conto melancólico estão conosco já por muito tempo. Dadas as características fundamentais definidoras do atual modo de reprodução sociometabólica, com seu imprescindível impulso expansionista, a tendência à *equalização da taxa diferencial de exploração* deverá afetar todos os ramos da indústria em todos os países, inclusive os que estão no topo da hierarquia internacional do capital. A dominação neocolonial da maior parte do mundo por um punhado de países pode adiar o desenvolvimento completo dessa tendência objetiva do sistema nos países privilegiados (e mesmo assim de forma desigual), mas não pode amortecer indefinidamente, e muito menos anular completamente, o seu impacto. Quando a Ford das Filipinas paga 30 centavos por hora à força de trabalho local, conseguindo, desta forma, um retorno de 121,3 por cento sobre o capital próprio, em contraste com uma média mundial de 11,8 por cento (valor que inclui, evidentemente, os lucros imensos de fábricas no Terceiro Mundo), é óbvio que isto ajudou a Ford Corporation a pagar o salário de 7,50 dólares no mesmo ano (1971) pelo mesmo tipo de trabalho à sua força de trabalho de Detroit, ou seja, 25 vezes mais que o salário das Filipinas. Entretanto, imaginar que essas práticas possam continuar para sempre vai contra todas as evidências, como demonstram claramente os graves problemas das montadoras americanas em anos recentes – resultando em enormes prejuízos e nas enormes quantidades de mão de obra excedente, já citados, nos próprios Estados Unidos. Assim, sugerir que essas contradições, com todas as ramificações "metropolitanas" e globais, possam ser resolvidas ou aliviadas por alguma forma de "protecionismo regional" desafia a racionalidade.

O problema é que as contradições – que se manifestam mesmo nos países capitalistas mais privilegiados de forma tão destrutiva que até mesmo os defensores conservadores mais extremados da ordem estabelecida já se alarmam com a "insegurança crônica" – são inseparáveis da *dinâmica interna* do capital. Assim, não existe esperança real de mantê-las fechadas em *fronteiras externas,* artificialmente criadas, apenas porque fazê-lo iria atender a interesses seccionais, por mais poderosos que sejam. Qualquer conversa sobre "coesão e harmonia regionais" deve se manter na condição de otimismo injustificado, mesmo que as partes interessadas consigam montar, durante algum tempo, algum tipo de estrutura institucional ajustada a essa situação. Como limite absoluto do sistema do capital, a contradição entre capital transnacional e Estados nacionais – e até mesmo entre o capital transnacional em expansão global e a composição artificial "regionalizada" desses Estados – não pode ser afastada, independentemente do quanto seja forte o desejo do grupo mais poderoso de capitalistas de uma "cooperação harmoniosa das regiões que defendem o próprio interesse" (uma noção absolutamente fictícia), principalmente quando se considera que as contradições do sistema se combinam quando seus limites absolutos são ativados. Pois, em conjunto com os problemas insolúveis que surgem dos conflitos de interesse entre o capital transnacional e os Estados nacionais, a tendência ao desemprego crônico que se desenvolve sob os imperativos estruturais objetivos e o controle necessariamente impiedoso do capital sobre o mundo – ou seja, a afirmação de um antagonismo fundamental que ativa outro limite absoluto do sistema do capital – só pode intensificar as tensões internas disruptivas do modo dominante de reprodução sociometabólica em *todos* os planos e em *todos* os países. Deve ser este o caso mesmo que se explore a dor amplamente sentida do desemprego crescente nos países de capitalismo avançado para colocar trabalhador contra trabalhador e inventar uma comunidade fictícia de interesses entre capital (que se diz "regionalmente ameaçado" pelos "países do Terceiro Mundo que estão se enriquecendo maciçamente") e trabalho.

Assim, a atual "explosão populacional" sob a forma do aumento do desemprego crônico nos países capitalistas mais avançados representa um perigo sério para a totalidade do sistema, pois acreditava-se no passado que o desemprego maciço fosse algo que só afetasse as áreas mais "atrasadas" e "subdesenvolvidas" do planeta. Na verdade, a ideologia associada a este estado de coisas poderia ser – e, com um toque de cinismo, ainda é – usada para acalmar o operariado dos países "avançados" com relação à sua suposta superioridade concedida por deus. Entretanto, como uma grande ironia da história, a dinâmica interna antagonista do sistema do capital agora se afirma – no seu impulso inexorável para reduzir globalmente *o tempo de trabalho necessário* a um valor mínimo que otimize o lucro – como uma tendência devastadora da humanidade que transforma por toda parte a população trabalhadora numa *força de trabalho crescentemente supérflua*.

Acreditava-se que este processo fosse desejável e natural na "periferia do Terceiro Mundo" e devesse ser imposto no interesse dos futuros benefícios que viriam no devido tempo, com a mesma certeza de que à noite se segue o dia, como resultado do "desenvolvimento" capitalista e da "modernização" também na "periferia". Entretanto, quando a mesma devastação começa a ser a regra também nas partes idealmente "avançadas" do universo social, ninguém mais pode fingir que tudo está bem neste melhor de todos os mundos possíveis. Nesse ponto, as pessoas são submetidas à experiência absolutamente desorientadora da inversão da ordem do fluxo histórico, como se tivessem de viver a realidade como um filme que fosse projetado do fim para o começo. Pois o que está sendo trazido para as suas condições atuais de vida é o que já deveria ter ficado para trás, num passado de pesadelo, para nunca mais voltar. Nessas condições, até mesmo os apologistas cegos do sistema, como Hayek, teriam dificuldade em cantar – mesmo diante de uma plateia ansiosa por ser tranquilizada – a sua velha canção, como foi composta originalmente. Pois a experiência inacreditável não é cinematográfica nem imaginária, mas dolorosamente real. De fato, ao ver a forma como se realizam as tendências intrínsecas da concentração e da centralização do capital – sob o imperativo da reprodução autoampliada –, não é muito difícil perceber que a multiplicação incontrolável da "força de trabalho supérflua" representa não apenas uma drenagem enorme de recursos do sistema, mas também uma carga potencialmente explosiva extremamente instável.

Hoje estamos testemunhando um ataque em duas frentes à classe operária, não apenas nas partes "subdesenvolvidas" do mundo, mas também, com implicações perigosas para a viabilidade continuada do modo estabelecido de reprodução sociometabólica, nos países capitalistas avançados. Estamos testemunhando: 1) um desemprego que cresce cronicamente em todos os campos de atividade, mesmo quando é disfarçado como "práticas trabalhistas flexíveis" – um eufemismo cínico para a política deliberada de fragmentação e precarização da força de trabalho e para a máxima exploração administrável do trabalho em tempo parcial; e 2) uma redução significativa do padrão de vida até mesmo daquela parte da população trabalhadora que é necessária aos requisitos operacionais do sistema produtivo em ocupações de tempo integral.

Ao mesmo tempo, como corolário, em todos os países capitalistas avançados somos confrontados por numerosos exemplos de legislação autoritária, apesar das tradições do passado e das constantemente reiteradas, atualmente, pretensões à "democracia". As medidas autoritárias se tornam necessárias pelas dificuldades crescentes de administração das condições cada vez mais deterioradas da vida socioeconômica, que não foram geradas por intervenção legislativa direta do Estado. São criadas para apoiar, com a ameaça da lei e, sempre que necessário, com o uso da força as posturas mais agressivas do capital com relação à sua força de trabalho. De fato, como mostra a crônica das questões trabalhistas durante as últimas duas décadas – desde o fechamento autoritário da organização dos controladores de voo, nos Estados Unidos, até a maciça intervenção do Estado, no governo de Margaret Thatcher, na greve de um ano dos mineiros –, essas medidas não são apenas legalmente sancionadas como "reserva de poder" do Estado, para uso em situações de emergência política importante. São impiedosa e quase rotineiramente aplicadas contra os órgãos de defesa do movimento operário em disputas econômicas, às vezes com o pretexto de lutar contra a "subversão do Estado", como ouvimos na denúncia dos mineiros por Margaret Thatcher como "o inimigo interno".

Entretanto, apesar de todos os esforços de manipulação política e econômica, os problemas estão se tornando claramente mais graves, sem qualquer solução no horizonte. Dado o caráter altamente expandido do processo de reprodução sob as condições do "capitalismo avançado", e a exposição correspondentemente maior do trabalho vivo ao requisito estrutural de garantir uma produção e um processo de realização relativamente tranquilos, a vulnerabilidade objetiva do sistema a uma queda significativa do poder de compra, devido a um colapso dramático do pleno emprego, é incomparavelmente maior do que nas sociedades "subdesenvolvidas", onde os altos níveis de desemprego representam a "norma" a ser aprimorada pela "modernização". Esta vulnerabilidade também significa que a força de trabalho deverá considerar absolutamente intolerável sujeitar-se indefinidamente à sensação de estar à mercê das circunstâncias; não por causa de uma incapacidade de atender a algumas "aspirações fictícias da classe média", mas em termos dos compromissos e obrigações mínimos, sem os quais as pessoas não conseguem levar sua vida diária, adicionando assim o pavio ao explosivos que se acumulam. E, dada a posição dominante do "capitalismo avançado" no conjunto do sistema, seria absolutamente impossível imaginar o seu funcionamento sustentado no caso do colapso de seu núcleo interno, por qualquer razão imaginável.

É importante observar aqui o caráter de dois gumes da contradição do desemprego crônico. Pois ele tende a produzir *dinamite social* dentro da estrutura do sistema do capital, independentemente das formas de solução procuradas. Neste sentido, considerado em si mesmo, o desemprego sempre crescente mina a estabilidade social, trazendo consigo o que até os círculos oficiais reconhecem ser "consequências indesejáveis", depois de muitos anos de negar que as tendências negativas de desenvolvimento denunciadas tivessem algo a ver com o câncer social que é o desemprego crônico. Elas vão desde uma taxa de criminalidade crescente (especialmente entre os jovens) até denúncias violentas de agravos econômicos e formas de ação direta (por exemplo, a revolta de massa contra um "imposto de pedágio" que foi a causa da queda da primeira-ministra Margaret Thatcher na Inglaterra), trazendo o perigo de graves agitações sociais. Por outro lado, o que poderia ser uma alternativa óbvia à deterioração do emprego – que às vezes é defendida por reformadores bem-intencionados – não tem a menor chance de aprovação.

Com certeza, tudo o mais permanecendo igual, a alternativa racional ao inevitável impacto desestabilizador do desemprego seria uma grande redução no número de horas passadas no local de trabalho, digamos a metade, de forma a se fazer sentir e se ajustar ao porte do problema, dando oportunidade de emprego a muitos milhões. Mas, é claro, tudo o mais não é igual. Pois a adoção desta solução sob as condições atuais de produção geraria *ipso facto* o "lazer" (ou seja, tempo livre à disposição dos indivíduos) e a instabilidade que o acompanha em escala inimaginável. Assim, mesmo se uma solução como esta fosse economicamente viável dentro da estrutura de um sistema orientado para a maximização de lucros e acumulação – o que ela não é, como demonstra a rejeição sistemática até mesmo das demandas modestas dos sindicatos de redução da carga horária semanal –, a adoção deste curso de ação ainda iria produzir dinamite social na ordem social dada, totalmente sem rumo. Pois, sob as condições de vida atuais, o único objetivo praticável que poderia aspirar a receber legitimidade social é o que é estreita e necessariamente determinado pelo capital, como a força controladora e o princípio orientador absoluto da reprodução sociometabólica.

A sombra da incontrolabilidade, pelas razões discutidas acima em relação a todos os quatro conjuntos de problemas associados aos limites absolutos do sistema do capital, está cada vez mais escura. Sob as condições de sua ascendência histórica, o capital teve condições de administrar os antagonismos internos de seu modo de controle por meio da dinâmica do *deslocamento expansionista*. Agora estamos diante não apenas dos antigos antagonismos do sistema, mas também da condição agravante de que a dinâmica expansionista do deslocamento tradicional também se tornou problemática e, em última análise, inviável.

Isto é verdade não apenas no que se refere à contradição entre o capital transnacional e os Estados nacionais, assim como a invasão do ambiente natural devido aos imperativos da reprodução autorreprodutora, mas também com relação aos limites estruturais absolutos encontrados pela transformação do tradicional "exército de reserva do trabalho" numa explosiva "força de trabalho supérflua" – ainda assim e ao mesmo tempo mais necessária do que nunca para possibilitar a reprodução ampliada do capital –, com implicações particularmente ameaçadoras para todo o sistema resultantes da desestabilização de seu núcleo. Com relação à demanda de igualdade substantiva, a que o capital é absolutamente avesso, ela representa um problema diferente mas não menos sério. Pois a demanda afirmou-se nas últimas décadas de forma irreprimível, trazendo consigo complicações insolúveis para a "família nuclear" – o microcosmo da ordem estabelecida – e, dessa forma, dificuldades proibitivas para a garantia da reprodução continuada do sistema de valores do capital.

Como tentativa de tomar o controle da incontrolabilidade do sistema, estamos sujeitos a uma tendência de determinações *crescentemente políticas* nos desenvolvimentos econômicos do século XX. Isso significa uma reversão do longo período de ascensão histórica do capital em que as determinações econômicas predominavam no processo de reprodução sociometabólica. As transformações pós-capitalistas do sistema do capital que conhecemos foram parte integrante desta reversão da tendência anterior. Mas não foram, de modo algum, as únicas formas de intervenção do Estado a mostrar pouco ou nenhum sucesso. O New Deal de Roosevelt esteve longe de resolver o problema do desemprego nos Estados Unidos, como vimos acima, e as estratégias keynesianas de intervenção estatal em larga escala na economia durante o pós-guerra chegaram todas a um final melancólico. Além disso, a tentativa contraditória da direita radical de "reduzir as fronteiras do Estado" por meio de aumento da atividade do Estado na regulação do desenvolvimento econômica (mesmo não sendo de tipo keynesiano) – ainda elogiada em jornais econômicos[178] – não produziram melhor resultado. Entretanto, mesmo se a perspectiva de sucesso for muito precária, com base em toda a evidência histórica, a tendência de interferência importante do Estado no controle de processos socioeconômicos provavelmente há de continuar, e até mesmo intensificar-se – talvez até pela imposição de estratégias propostas de "protecionismo regional". De fato, o que torna essa tendência de envolvimento político direto particularmente clara é o fato de que ela tem de ser mantida e ampliada apesar de seus resultados pouco tranquilizadores.

Assim, a necessidade de uma transição para uma ordem social controlável e conscientemente controlada pelos indivíduos, como defende o projeto socialista, continua na agenda histórica, apesar de todos os fracassos e decepções. Naturalmente, esta transição exige um mudança de era – um esforço sustentado de ir além de todas as formas de dominação estruturalmente arraigadas – que não pode ser imaginada sem uma reestruturação radical das formas e dos instrumentos existentes de reprodução sociometabólica, em contraste com a tentativa de acomodar os objetivos socialistas às restrições paralisantes das condições herdadas, como aconteceu no passado. Pois a *raison d'être* do projeto socialista é reter a consciência dos objetivos estratégicos de transformação, mesmo sob as condições mais adversas, quando o poder da inércia puxa na direção oposta: a da "linha de menor resistência", que leva à revitalização da incontrolável força controladora do capital.

---

[178] Ver por exemplo David Lane, "Rolling back the boundaries of the state", *Financial Times*, 25 de outubro de 1994.

PARTE II

LEGADO HISTÓRICO DA CRÍTICA SOCIALISTA 1: O DESAFIO DAS MEDIAÇÕES MATERIAIS INSTITUCIONAIS NA ESFERA DE INFLUÊNCIA DA REVOLUÇÃO RUSSA

> *Não há alternativa.*
> Margaret Thatcher
>
> *É possível negociar com o sr. Gorbachev.*
> Margaret Thatcher
>
> *Não há alternativa.*
> Mikhail Gorbachev

Capítulo 6

A TRAGÉDIA DE LUKÁCS E A QUESTÃO DAS ALTERNATIVAS

6.1 Tempo acelerado e profecia atrasada

6.1.1

No fim de 1988, a Hungria testemunhou um evento editorial bastante incomum. A grande novidade de uma temporada festiva, um longo volume de 258 páginas de Lukács, veio a público na coleção popular da Magvetö Kiadó, ao preço de apenas 25 florins, ou seja, pouco menos de 25 pennies. O nome da série popular: "O tempo que se acelera"; o título do livro: *O presente e o futuro da democratização*.

O que tornou esse evento bastante peculiar foi o fato de o livro de Lukács – agora celebrado na imprensa do Partido – ter sido escrito pelo menos *vinte anos* antes da sua publicação, entre a primavera e o outono de 1968. Estranhamente, contudo, foi apresentado nos últimos dias de 1988 como se a tinta do escritor tivesse secado havia pouco no manuscrito e se tratasse de um tema que subitamente adquirisse atualidade.

Hoje, ao se ler o livro, não constitui surpresa que, ao redigir seu profundo estudo sobre o imperativo de democratizar *todas* as sociedades pós-revolucionárias, Lukács tenha sentido que – à luz da intervenção militar da Rússia na Tcheco-Eslováquia, ocorrida em agosto de 1968 e que colocou um fim trágico às esperanças associadas à "Primavera de Praga" – muitas coisas que, até no passado mais recente, eram mantidas na esfera dos tabus políticos tivessem que ser urgentemente submetidas ao exame público.

Após completar seu estudo, o autor, com alguma ingenuidade, submeteu seu manuscrito ao Comitê Central do Partido, solicitando permissão para publicá-lo. Não obstante os desapontamentos passados, ele continuava a nutrir a esperança (e ilusão) de que lhe seria permitido intervir, efetivamente, com seu estudo politicamente sincero, no problemático processo de redefinição do socialismo contemporâneo. Contudo, sob as circunstâncias da assim denominada "Doutrina Brezhnev" – dolorosamente sublinhada em Praga pelos tanques do Exército Vermelho –, seu pedido foi peremptoriamente negado. De fato, *O presente e o futuro da democratização* foi interditado por duas longas décadas, apesar de toda a retórica reformista e conciliadora do regime pós-1956 da Hungria. O trabalho de Lukács – que clamava apaixonadamente pela urgente democratização – foi, sem qualquer cerimônia, engavetado pela mesma hierarquia partidária que, no final de 1988, envolta na crise econômica e social do país que não mais podia ser negada, parecia estar ansiosa por dar divulgação popular e proeminência política ao texto.

A mudança de atitude para com *O presente e o futuro da democratização,* no final de 1988, relembrou a todos um fato ocorrido durante os eventos de 1956 na Hungria. Após as consequências do XX Congresso do partido soviético como resultado do discurso secreto de Khruschev sobre a era Stalin, um texto de Lukács que havia muito se alegava estar perdido – as *Teses de Blum* de 1928-9, internacionalmente inovadoras e denunciadas pela liderança stalinista – foi novamente "encontrado". Em meio ao distúrbio da erupção política de então, as teses foram "repentinamente" descobertas nos arquivos secretos do Partido húngaro e debatidas no verão de 1956 numa importante reunião do Círculo Petöfi[1]. Num clima muito semelhante, em 1988, foram adotadas providências, como a repentina decisão de publicar *O presente e o futuro da democratização,* que assinalavam a vontade hesitante do Partido húngaro de acertar as contas com as demandas do "tempo que se acelera".

Como tributo irremediavelmente tardio, no último dia de 1988, o livro de Lukács recebeu uma resenha de página inteira no principal jornal do Partido, *Népszabadság,* com o título: "Profecia atrasada? O testamento de György Lukács"[2]. Além do mais, alguns meses depois, um membro do Politburo, Rezsö Nyers (que, enquanto isso, tinha se tornado presidente do Partido que trocara de nome), publicou um artigo intitulado "O presente e o futuro da reestruturação". Nele, Nyers não apenas acolheu decididamente o título do livro de Lukács, por tanto tempo banido, como também declarou que

> Do movimento comunista, o que eu sinto profundamente como meu do passado distante é a linha definida pelos nomes de Jenö Landler e György Lukács, e até certo ponto de Jozsef Révai, uma linha que então se estendeu e se intensificou e, no VII Congresso do Cominterm, tornou-se o novo conceito de uma política de Frente Popular ... Eu concordo totalmente com György Lukács, apesar de, por um longo tempo, não ter aceito seus pontos de vista – e quando eu tenho que escolher um passado penso da perspectiva de Lukács.[3]

Contudo, tal despertar dos líderes do Partido na Hungria, assim como em todo o resto do Leste da Europa, ocorreu tarde demais para ter credibilidade. Desde o anúncio oficial da pretendida reorientação da política para atender às demandas crescentes por democratização, em poucos meses, todas as esperanças de que os "ventos de mudança" que varriam a região pudessem ser confinadas aos limites fixados no ensaio de Lukács

---

[1] O Círculo Petöfi – uma homenagem ao grande poeta revolucionário e líder mais radical do levante de 1848-9 e da guerra de independência contra a dominação dos Habsburgo na Hungria – foi o mais ativo fórum público entre os criados em 1956 para articular as reivindicações de erradicação do stalinismo no país, um processo que culminou alguns meses depois com o levante de Outubro.

[2] László Aziklai, "Megkésett prófécia? Lukács Gyögy testamentuma", *Népszabadság,* 31 de dezembro de 1988, p. 7.

[3] Rezsö Nyers, "The Present and Future of Restructuring", *The New Hungarian Quarterly,* primavera de 1989 (nº 113), pp. 24-5.

O presente e o futuro da democratização revelaram-se anacronismos históricos dolorosamente óbvios. "O tempo que se acelera" – que não foi uma particularidade do Leste Europeu, apesar da desigualdade com que tende a se afirmar nos diferentes períodos da história – deu uma guinada das mais dramáticas.

Com certeza, não é possível ao tempo histórico – que emana da dinâmica das interações sociais – fluir em ritmo uniforme. Dadas as enormes variações de intensidade dos conflitos e determinações sociais, podem-se experimentar intervalos históricos nos quais tudo parece levar a uma paralisia completa, que teimosamente se recusa a se mover por um prolongado período de tempo. E, da mesma forma, a erupção e a intensificação de conflitos estruturais podem resultar na concatenação mais inesperada de eventos aparentemente incontroláveis, que realizam em poucos dias mais do que se realizou nas décadas anteriores.

Assim, após um período de relativa imobilidade, acelerou-se mais uma vez o ritmo do tempo histórico nos últimos anos da década e, em 1989, envolveu uma parte muito maior do planeta do que apenas o Leste Europeu. Contudo, ficaram ocultos, naquelas circunstâncias, os graves problemas estruturais dos países capitalistas dominantes. E isto ocorreu apesar de os problemas em questão incluírem não só o astronômico endividamento interno e externo dos Estados Unidos, mas também as ubíquas práticas protecionistas que acompanham o perigo de uma enorme guerra comercial como contraponto ao "mercado livre" idealizado, inexistente em nossos dias em qualquer lugar do mundo.

Do mesmo modo, o conflito inconciliável de interesses entre os países capitalistas avançados e aqueles estruturalmente dependentes do "Terceiro Mundo" não chegou a perturbar a euforia das celebrações. Desse modo, desconsiderando as condições profundamente problemáticas de todos os principais aspectos do mundo ocidental, os dramáticos eventos que se desdobraram em 1989 no Leste puderam ser convenientemente usados para justificar o quadro harmonioso, triunfante e saudável das perspectivas futuras do sistema capitalista.

6.1.2

Por coincidência, o ano de 1989 marca também o bicentenário da Revolução Francesa. Apesar disso, esse ano será lembrado como marco decisivo pelos acontecimentos ocorridos durante ele. Pois não há dúvidas de que, mesmo em nosso século, pleno de acontecimentos, nenhuma outra data – desde os "dez dias que abalaram o mundo" de 1917 – assemelhou-se ou produziu a aceleração no ritmo das mudanças históricas como 1989. De fato, parece que as reverberações do terremoto de 1989 serão sentidas não apenas por um longo tempo, mas em todos os lugares, já que, em nosso mundo contemporâneo globalmente entrelaçado, não se podem isolar grandes eventos históricos e mudanças radicais em compartimentos estanques.

Não é um exagero afirmar que 1989 encerra uma longa fase histórica – aquela iniciada pela Revolução de Outubro de 1917. De agora em diante, qualquer que seja o futuro do socialismo, este terá que ser estabelecido em fundamentos radicalmente novos, para além das tragédias e dos malogros do tipo soviético de desenvolvimento que se paralisou desde muito cedo, logo após a conquista do poder da Rússia por Lenin e seus seguidores.

Devemos retornar a esta questão nos últimos capítulos do presente estudo. Por ora, indicaremos brevemente a dedicação de Lukács por um período de mais de cinquenta anos à causa da transformação socialista, tanto como uma liderança política como, após sua expulsão do campo diretamente político em 1929, um intelectual profundamente comprometido.

A trajetória de Lukács no movimento comunista internacional só pode ser caracterizada como trágica, não simplesmente porque o atual curso de desenvolvimento das antigas "sociedades do socialismo realmente existente" vai diretamente contra os ideais que ele advogou e pelos quais viveu. Muitos compartilharam com ele este destino. Nem sua tragédia poderia ser comparada à de Rosa Luxemburgo, que adentrou muito prematuramente na cena histórica com suas ideias radicais, permanecendo desesperadamente fora de sincronia com sua época, e mesmo com a nossa. (É nesse sentido que, diferentemente de Lukács, podemos reconhecer no seu destino a tragédia de alguém cujo tempo *ainda não* chegou[4].)

A tragédia de Lukács foi, de fato, de um tipo muito diferente. Consistiu, intelectual e politicamente, na internalização da representação daquele desenvolvimento bloqueado do qual ele esperava, desde a eclosão da Revolução de Outubro, a efetivação de seus ideais. Tendo feito sua escolha em 1917, ele nunca deixou de considerar a adoção de uma postura crítica radical em relação a ela uma traição aos princípios que o levaram a fazer aquela escolha. Tragicamente, contudo, permanecer fiel à perspectiva adotada quando abandonou, por profunda convicção, a classe privilegiada na qual nasceu deixou-o ao final virtualmente sem nenhuma margem de ação como intelectual politicamente comprometido.

A situação de Lukács agravou-se com o fato de que, de 1928-9 até o final da sua vida, até mesmo o pequeno espaço que lhe restou para uma intervenção ativa nas questões culturais e políticas foi considerado excessivo para ser tolerado pela burocracia do Partido. Apesar de nunca haver vacilado na sua dedicação à causa que abraçou em 1917, a esfera oficial do Partido submeteu-o seguidamente a ataques furiosos e à indignidade das autocríticas forçadas, suprimindo, durante o tempo em que isto foi possível, as evidências das suas preocupações vitais, claramente demonstradas não apenas nas *Teses de Blum* e em *O presente e o futuro da democratização*, mas até em seu "Testamento político" final.

Deve ser sublinhado, neste contexto, que, ao contrário das acusações levantadas contra ele de acomodação oportunista e de capitulação ao stalinismo em busca de privilégio, a internalização da experiência pós-revolucionária por Lukács foi completamente autêntica e, longe de ser o produto de uma conjuntura política limitada, teve, desde as suas fases iniciais, profundas raízes no passado intelectual do filósofo húngaro.

Nada ilustra melhor a autenticidade da orientação pessoal de Lukács do que duas das suas últimas entrevistas, cuja publicação apenas recentemente foi permitida. Ele as gravou entre os dias 5 e 15 de janeiro de 1971, quando certamente já sabia que lhe restavam, na melhor das hipóteses, apenas alguns meses de vida, devido ao

---

[4] Discuti esses problemas em "O significado da tragédia de Rosa Luxemburgo", *O poder da ideologia*, São Paulo, Ensaio, 1996, pp. 419-51.

estágio muito avançado do câncer que o levou à morte no dia 4 de junho daquele ano. Nessas entrevistas, ele tentou esclarecer não apenas a sua relação com o Partido, como militante por mais de cinco décadas, mas também a perspectiva política a partir da qual ele julgava a linha seguida pela liderança e a necessidade de mudar algumas das políticas criticadas para evitar o tipo de sublevação que se testemunhava então na Polônia.

Dadas as circunstâncias em que se conduziram as entrevistas, seria um absurdo sugerir que alguém, próximo da morte – da qual tinha plena consciência –, fosse motivado pela necessidade de ajustar sua perspectiva ao interesse de acomodação pessoal e à obtenção de privilégios. Ainda assim, mesmo enquanto defendia suas posições com total convicção, Lukács continuou a endossar a legitimidade da divisão do trabalho institucionalizada – e, com efeito, excessivamente paralisante – entre políticos e intelectuais nas sociedades pós-revolucionárias, sublinhando em vários momentos, ao longo das entrevistas, que ele "não era um político", mas meramente um intelectual preocupado com os campos da cultura e da ideologia. Além disso, ele respondeu a todos os principais tópicos levantados nas entrevistas, adotando em relação a eles essencialmente a mesma perspectiva dos seus escritos anteriores.

A internalização acima mencionada permaneceu claramente em evidência tanto nas entrevistas de janeiro de 1971 como em seus escritos do início da década de 30. Soluções para os problemas identificados eram consideradas a partir "*do interior*" do desenvolvimento bloqueado que ele criticava. Tudo isso de um homem à morte, para quem os privilégios e favores do partido não poderiam ter qualquer significado. Haveria razões muito mais fortes para a manutenção dessa perspectiva – não importando o quanto fosse problemática – do que aquelas apontadas pelos adversários e detratores, não apenas do passado de Lukács, quando ele ainda estava vivo, mas mesmo de anos recentes.

Apesar das restrições limitadoras, conscientemente aceitas por ele, que são bastante evidentes nas entrevistas de janeiro de 1971, as referências críticas às políticas perseguidas pelo Partido húngaro provaram ser inadmissíveis para a liderança até mesmo no fim de 1988, quando O *presente e o passado da democratização* foi saudado como o "Testamento de Georg Lukács". Na verdade, elas eram consideradas perigosamente "revisionistas" mesmo quando o novo presidente do Partido insistiu, como vimos acima, que ele agora se identificava sem reservas com o espírito de Lukács.

As entrevistas com o filósofo que se aproximava da morte – feitas, de fato, a pedido do Partido com a promessa de publicação rápida e integral – permaneceram nos arquivos secretos por outros dezesseis meses após o fim de 1988. Foram consideradas publicáveis apenas depois que se tornou óbvio que o Partido húngaro, qualquer que fosse o seu nome, deveria entregar as rédeas do poder às forças políticas opositoras, em consequência da sua desmoralizante derrota eleitoral. Foi assim que nos permitiram, finalmente, ler – pela segunda vez em dois anos – "O testamento político de Georg Lukács"[5], publicado no órgão teórico do Partido, *Társadalmi Szemle*, revista da qual Lukács esteve banido por muitos anos de sua vida.

---

5 "Lukács György politikai végrendelete: kiadatlan interjú 1971-böl" ("Testamento político de G. Lukács: entrevistas inéditas de 1971"), *Társadalmi Szemle*, vol. XLV, abril de 1990, pp. 63-89.

6.2 A busca pela "individualidade autônoma"

6.2.1

Como já mencionado, a internalização dos acontecimentos pós-revolucionários tinha raízes profundas no passado intelectual de Lukács. Em termos filosóficos, remetia ao modo como ele, desde o início da sua carreira literária, concebia as condições de realização do indivíduo na sua relação com as forças supraindividuais.

É assim que Lukács anuncia uma preocupação de toda a sua vida, registrada já em um dos seus primeiros ensaios, "A metafísica da tragédia" (1910):

> O milagre da tragédia é o da criação da forma; sua essência é a *individualidade*, de forma tão exclusiva quanto é exclusiva do misticismo a essência da auto-obliteração. A experiência mística é padecer o Todo, a experiência trágica é criar o Todo. ... O eu dá ênfase à sua individualidade com uma força que a tudo exclui, que a tudo destrói, mas essa afirmação extrema comunica uma dureza férrea e uma vida autônoma a tudo que encontra e – ao alcançar o ápice da pura individualidade – finalmente se cancela a si própria. A tensão final da individualidade supera tudo que é meramente individual. Sua força eleva todas as coisas ao *status* de destino, mas sua grande luta com o destino autocriado faz dela algo suprapessoal, um símbolo de alguma relação última com o destino. Dessa maneira, os modos trágico e místico de experimentar a vida se tocam e suplementam um ao outro. Ambos misteriosamente combinam vida e morte, *individualidade autônoma e total dissolução do eu em um ser superior*. Rendição é o modo místico do homem, luta, o seu modo trágico; o primeiro, ao final da sua vida, é absorvido no Todo, o outro fragmenta-se contra o Todo.[6]

Compreensivelmente, o jovem Lukács – nascido na alta burguesia, filho de um banqueiro muito rico e poderoso – não poderia se isolar do individualismo dominante nos debates culturais de sua época. Todavia, ele se sentia muito desconfortável com as armadilhas do individualismo e tentou conceituar uma síntese viável entre o individual e as forças supraindividuais, bem como entre o platonicamente supra-histórico/sempre existente/essencial e os princípios históricos.

Os méritos da *verdadeira individualidade* (que ele sempre quis preservar e desenvolver, mesmo quando apenas podia falar dela em "linguagem esópica") era sublinhada pelo autor de "A metafísica da tragédia" como segue:

> Tragédia é o tornar-se-real da natureza essencial, concreta, do homem. A tragédia fornece uma resposta firme e segura à mais delicada questão do platonismo: ou as coisas individuais podem ter ideia ou essência. A resposta da tragédia põe a questão de um modo oposto: só aquilo que é individual, somente algo cuja individualidade seja levada ao seu limite extremo, é adequado à sua ideia – ou seja, é realmente existente. Aquilo que é geral, aquilo que engloba todas as coisas e, no entanto, não possui nem cor ou forma propriamente suas, é muito fraco na sua universalidade, muito vazio na sua unidade, para alguma vez se tornar real. ... A mais profunda aspiração da existência humana é a raiz metafísica da tragédia: a *aspiração à individualidade no homem*, o desejo de transformar o cume medíocre de sua existência numa ampla planície, cruzada pela trajetória de sua vida, e de transformar seu significado em uma realidade cotidiana.[7]

---

[6] Lukács, "The Methaphisicis of Tragedy" (1910), in *Soul and Form*, Londres, Merlin Press, 1974, p. 160.
[7] Id., ibid., p. 162.

Quanto à dimensão inevitavelmente histórica da existência humana, o jovem Lukács tentou concilia-la com o essencialismo platônico deste modo:
> A história aparece como um profundo símbolo de destino – da acidentalidade regular do destino, sua arbitrariedade e tirania, a qual, em última análise, é sempre justa. A luta da tragédia pela história é a grande guerra de conquista contra a vida, uma tentativa de encontrar, na vida, o *significado da história* (que está incomensuravelmente distante da vida usual), de extrair da vida o significado da história como o verdadeiro *significado oculto da vida*. Um sentido de história é sempre a necessidade mais viva; a força irresistível; a forma na qual ocorre é a força da gravidade do mero acontecer, a força irresistível no interior do fluxo das coisas. É a necessidade de tudo ser conectado com tudo o mais, a *necessidade negadora-de-valores*, não há diferença entre pequeno e grande, pleno de significado e sem significado algum, primário e secundário. O que é tinha de ser. Cada momento segue o precedente, sem ser afetado por fim ou propósito.[8]

Portanto, de acordo com o jovem Lukács, só se pode decifrar o significado da história por meio dos bons serviços da tragédia e de sua "luta pela história" extremamente paradoxal. Pois somente esta última poderia prometer extrair da própria vida o significado da história como o "sentido oculto da vida", e fazê-lo contra a força da história descrita como uma "necessidade negadora-de-valores".

A probabilidade de que tal iniciativa viesse a obter sucesso foi apenas postulada em "A metafísica da tragédia". Nenhuma indicação foi dada de como se poderia completá-la na realidade. De fato, os termos da análise de Lukács apontavam para uma direção diametralmente oposta à síntese desejada.

Reminiscente da concepção irracionalista de história de Max Weber e seus concomitantes "demônios pessoais" (isto é, os marcos valorativos puramente subjetivos e absolutamente inconciliáveis dos sujeitos auto-orientados), a irracionalidade da busca dos objetivos verdadeiramente essenciais dos indivíduos era rigidamente confrontada com a realidade irracional da história. Assim, o jovem Lukács nada poderia oferecer além de dicotomias e paradoxos como soluções e, no final, um quadro completamente desolador do que a postulada realização das aspirações de inteireza da vida dos indivíduos e de autenticidade da individualidade de fato representaria:
> Por meio de sua *realidade irracional*, a história impõe a *universalidade* pura sobre os homens; não permite a um homem expressar a sua própria ideia, a qual, em um outro nível, é *igualmente irracional*: o contato entre elas produz algo estranho a ambos – a saber, universalidade. Afinal, de todas as necessidades, a necessidade histórica é a mais próxima da vida. Mas também a mais distante dela. A realização da ideia possível é apenas um modo indireto de atingir sua realização essencial. (A mencionada trivialidade da vida real é aqui reproduzida no mais alto nível possível.) Mas a vida íntegra do homem íntegro é também um modo indireto de atingir outros objetivos mais elevados; suas aspirações pessoais mais profundas e sua luta para atingir o que almeja são apenas os *instrumentos cegos de um capataz idiota e desconhecido*.[9]

---

[8] Id., ibid., pp. 167-8.
[9] Id., ibid., p. 171.

Contudo, como se poderia resolver o paradoxo segundo o qual o mais próximo é também o mais distante da vida? Poder-se-ia encontrar um significado na história que não apareça como uma "força de gravidade" misteriosa que se impõe por meio da confusão sem sentido de "acontecimentos" particulares e que revela uma ordem inteligível aos indivíduos apenas quando tudo está já irrecuperavelmente enterrado no passado? Como poderia ser superada a oposição aparentemente inconciliável entre valor e atualidade histórica? Seria uma condição inevitável da humanidade o fato de que aqueles que alcançassem o patamar da autorrealização e realizassem "a aspiração humana de individualidade" tivessem de ser "atropelados pelo Todo"? Como se poderia livrar os indivíduos engajados na sua luta pela integridade da vida – que, é o que se afirma, todos almejam igualmente – de ser dominados por uma universalidade irracional, e pelo destino de ser aviltados à condição de uma ferramenta cega nas mãos de um capataz? É possível apoderar-se da história, não em termos universalistas abstratamente hipostasiados, mas de tal modo que a personalidade dos indivíduos envolvidos na iniciativa da autêntica autorrealização pudesse encontrar meios autênticos, no mundo real sustentável, para a sua própria realização?

Tais questões não puderam ser formuladas e respondidas por Lukács antes de *História e consciência de classe*, no qual ele elaborou sua famosa síntese de Hegel e Marx e redefiniu a aspiração, anteriormente abstrata, a uma personalidade autêntica em relação à causa da emancipação humana. Não obstante, a visão trágica da conexão entre a necessidade histórica e a luta pela individualidade autêntica, delineada em "A metafísica da tragédia", fundamentou a conceituação dessas questões quando ele adotou o marxismo ao fim da Primeira Guerra Mundial e, num sentido importante – que veremos ao longo deste estudo –, jamais o abandonou.

6.2.2

Significativamente, o modo pelo qual Lukács inverteu "a mais delicada questão do platonismo" – assegurando audaciosamente que o problema da essência deveria ser subsumido ao da individualidade, concebida como o único problema realmente existente, antecipando assim um tema central do existencialismo do século XX – fazia parte do espírito das preocupações individualistas de sua época. E isto independentemente do fato de o jovem Lukács querer definir, a uma distância crítica, sua própria posição em relação às formas culturalmente dominantes de individualismo, ao mesmo tempo em que buscava preservar o que considerava ser o núcleo válido de tais questões.

Desse modo, a *universalidade* adquiriu uma conotação extremamente negativa na sua visão, tornando-se sinônimo do que Hegel denominou de *"universalidade abstrata"*. Do mesmo modo, a ideia da *unidade*, definida em termos do "geral" que a tudo abarca, apenas poderia ter uma conotação nitidamente negativa na sua estrutura conceitual. Pois a universalidade do "geral" aparecia ao autor de "A metafísica da tragédia" como *"muito fraca"* e sua unidade *"muito vazia"*.

Em completo contraste com a rejeitada universalidade abstrata, "cor", "forma" e "concretude" – em suas intricadas relações com o papel designado pelo jovem Lukács para a tragédia – ocupavam o polo da positividade no seu espectro conceitual. Nesse sentido, a "natureza essencial do homem" tinha que ser caracterizada por ele como "*concreta*": determinação que, por sua vez, o autor de *A alma e as formas* só conseguiu tornar inteligível quando a considerou gerada pelo alegado poder metafísico da "tragédia que cria a forma"[10].

Contudo, tudo isso soa irremediavelmente misterioso. De fato, Lukács não fez qualquer tentativa para esconder o caráter misterioso das relações e processos identificados. Assim, ele descreveu como *irracional* não apenas a sombria realidade da história tirânica, que impõe a universalidade, mas até mesmo a do seu antípoda, a própria ideia do "homem essencial-concreto". Quanto à força positiva da tragédia, também a sua intervenção que "cria a forma" passou a ser denominada "*um milagre*".

Fala por si o fato de que a concepção de racionalidade de Lukács podia conter, sem inconsistências, como seus principais termos de referência, a "realidade irracional da história" (junto com as tentativas "igualmente irracionais" dos indivíduos de perseguir, contra a irracionalidade tirânica da história, a ideia verdadeira de homem), o "milagre da tragédia" e a "experiência mística", indicando a indefensabilidade última do sistema do jovem filósofo. Pois, apesar de o modo pelo qual Lukács conduz a busca de soluções viáveis em "A metafísica da tragédia" ter identificado claramente alguns dos principais desafios existenciais que confrontam os indivíduos, simultaneamente ele também introduziu uma forte tensão naquilo que oferecia como estrutura explicativa racional. Uma estrutura que almejava tornar filosoficamente inteligíveis e convincentes as preocupações existenciais do autor, mas que só poderia fazê-lo apelando repetidamente para a autoridade do mistério.

De fato, "A metafísica da tragédia" caracterizou o papel da tragédia, assim como a própria experiência mística, por uma problemática comum. Esta era a relação delas – opostas apenas superficialmente – com aquilo que realmente decidia, aos olhos do autor: o absoluto ético da individualidade. Apenas ao conferir a ambas, à tragédia e à experiência mística, sua determinação substantiva comum, Lukács teve condições de sustentar – reciprocamente, por meio da asserção da sua profunda comunidade – o significado e a legitimidade de cada uma tomada separadamente, não importando o quanto suas diferenças pudessem parecer nítidas e mutuamente excludentes ao observador não iniciado. É por isso que, no final, sua análise tinha que culminar na asserção de que ambas "misteriosamente combinam vida e morte, individualidade autônoma e a dissolução total do eu em um *ser mais elevado*"[11].

Apesar de suas tensões internas, tanto em "A metafísica da tragédia" como nos outros ensaios de *A alma e as formas,* concebidos todos no mesmo estado de espírito, Lukács nos ofereceu uma poderosa visão. O poder e a atratividade de sua visão, para todos que compartilhavam o desconforto do autor com o individualismo, derivavam precisamente do modo pelo qual ele se recusava a ocultar suas tensões inerentes, que, ao contrário, apareciam abertamente proclamadas e combinadas em uma visão trágica de um todo complexo e humanamente autêntico. Nenhum argumento intelectual direto poderia alterar significativamente o poder sugestivo dessa visão aos olhos dos que

---

[10] *A alma e as formas* (*Die Seele und die Formem*) foi o primeiro livro de Lukács internacionalmente aclamado. Contém um conjunto de belíssimos ensaios, articulados ao redor de alguns *leitmotifs* recorrentes. "A metafísica da tragédia" é a peça conclusiva e o sumário final das ideias desenvolvidas nesse volume.

[11] Ibid., p. 160.

compartilhavam a perspectiva social da qual tinha emergido a síntese teórica juvenil de Lukács. Para se entender os seus aspectos problemáticos, seria necessária a aparição de alguma motivação que permitisse ultrapassar o horizonte social que inspirou sua busca de respostas compatíveis com os limites deste horizonte, como de fato ocorreu ao autor alguns anos depois.

Naturalmente, as regras que se aplicam ao leitor criativo de alta estatura intelectual são muito diferentes das regras que se aplicam a leitores que compartilham uma dada perspectiva social, com cujas articulações teóricas se identificam sem hesitações. Pois o primeiro deve, cedo ou tarde, confrontar as tensões internas de sua própria visão para elaborar uma solução humana e intelectualmente mais defensável. Por outro lado, a não resolução das tensões e contradições identificadas pelo filósofo pode, de fato, oferecer considerável conforto e segurança aos seus leitores que espontaneamente percebem na sua própria experiência não apenas as contradições de sua condição social, mas também a inércia aparentemente inescapável que acompanha tais contradições.

Os constantes apelos de Lukács, num referencial explanatório presumivelmente racional, ao milagre da tragédia e à ideia corolária da experiência mística foram uma das duas principais tensões – na época quase insuperável – que tenderam a romper seu primeiro sistema. A outra foi a ausência nele de uma dimensão histórica, apesar de todas as referências a uma história metafisicamente transubstanciada.

A singular configuração dos elementos poderosamente sugestivos e insustentáveis de *A alma e as formas* é ainda mais paradoxal caso se considere que os constituintes místicos do sistema do jovem Lukács tinham por raiz uma determinação racional claramente identificável, não importando o quanto fosse inconsciente, já que a intenção objetiva de sua teoria não era o desejo de patrocinar o misticismo. Pelo contrário, era o de colocar em relevo alguns dos mais importantes problemas existenciais que, dada a ausência, na sua perspectiva, dos necessários parâmetros históricos objetivos, Lukács poderia apenas sublinhar, nesse estágio do seu desenvolvimento intelectual, na forma de um discurso metafísico atemporal. Além do mais, à época em que o jovem Lukács articulou sua visão trágica em *A alma e as formas*, a busca da temporalidade histórica tinha sido mais ou menos abandonada pelos porta-vozes intelectuais da classe com a qual ele ainda se identificava, apesar da sua rebelião ética, ainda vaga e sem direção, que lentamente emergia.

Portanto, o desafio de superar a impotência ética do discurso metafísico atemporal trazia consigo a necessidade de escapar dos limites das mesmas determinações sociais que produziam o abandono da genuína temporalidade histórica mesmo pelos principais pensadores liberais da época. Isto nem sequer poderia ser contemplado sem um deslocamento valorativo radical – ou seja, uma mudança verdadeira – do ponto de vista social do intelectual a partir do qual as sínteses teóricas se tornavam viáveis.

O caráter vago e a impotência da rebelião ética de Lukács à época em que redigia "A metafísica da tragédia" podem ser reconhecidos pelo modo como ele combinava "forma" e "ética". Apesar de sua "aspiração" por soluções genuínas e humanamente realizadoras – e, significativamente, "aspiração" foi uma das categorias mais frequentemente usadas nos ensaios do jovem Lukács –, ele só conseguiu derivar da identidade arbitrariamente decretada, meramente verbal, entre forma e ética, um impasse conformista e paralisante, ao invés de uma convocação ao compromisso e à ação efetiva no mundo real. Desse modo, em *A alma e as formas*, Lukács diz que

> Forma é o mais elevado juiz da vida ... uma ética; ... A validade e a força de uma ética não dependem de esta ética ser ou não aplicável. Portanto, apenas uma forma que tenha sido purificada até se tornar uma forma ética, sem com isto cegar-se ou se empobrecer, pode *esquecer a existência de tudo que é problemático e bani-lo para sempre de sua esfera*.[12]

O aposto qualificador sobre não se tornar "cega ou pobre" soa completamente vazio: uma vez mais, outro *fiat* irrealizável, ainda que proclamado com a voz da preocupação autêntica mas impotente, e não com a da má-fé. Pois uma ética que pode esquecer-se da existência de tudo que é problemático e bani-lo para sempre de sua esfera condena-se inevitavelmente não apenas a ser cega e miserável, mas também à total irrelevância.

Resignar-se a viver permanentemente dentro dos limites de tal visão – um verdadeiro beco sem saída, se é que alguma vez houve algum – só poderia ser concebível em um mundo em que nada acontece, mas não no mundo real. O fato de Lukács haver reconhecido, ainda que na forma de um aposto, a contradição entre a ética sem objeto e inaplicável que ele advogava e o perigo de sua futilidade cega e miserável mostra que ele já começava a adquirir a consciência do quanto era insustentável, em termos de seus próprios objetivos, o sistema exposto em *A alma e as formas*.

Os dilemas e desafios existenciais identificados por Lukács em "A metafísica da tragédia" ajudaram-no a escolher mais tarde um percurso intelectual muito diferente. Esses problemas, aliás, muito reais, clamavam por uma ruptura com as limitações do discurso filosófico adotado e exigiam uma avaliação histórica e especificamente social daquilo que estava em jogo, com o objetivo preciso de trazer à tona a *concretude* genuína que o autor considerava ser sinônimo do *essencial*. Esses problemas ainda apontavam para muito além das soluções originais de Lukács, apesar de serem ainda necessárias muitas mudanças antes que as questões mais radicais, que foram somente esboçadas em *A alma e as formas*, pudessem ser claramente articuladas, para não dizer adequadamente respondidas pelo filósofo húngaro.

6.2.3

Em *A teoria do romance*, escrito nos anos de 1914 e 1915, a problemática rebelião ética de Lukács recebeu um quadro de referências mais tangível e de intenção mais radical, ainda que, naquele momento, fosse "puramente utópico", de acordo com o julgamento retrospectivo do autor. (Era utópico porque "nada, mesmo no nível da mais abstrata intelecção, auxiliava a mediação entre a atitude subjetiva e a realidade objetiva"[13], como ele assinalou em 1962.)

Apesar disso, ao rejeitar sem hesitação – e em agudo contraste com seu amigo Max Weber – a "Grande Guerra", e reagir à confusão causada por ela, no espírito da

---

[12] Ibid., pp. 173-4.
[13] Lukács, G., *The Theory of the Novel*, Merlin Press, Londres, 1971, p. 12.

condenação por Fichte do presente como "*a era do pecado absoluto*", Lukács intensificou sua rebelião ética de forma a poder, mais tarde, justificar sua alegação de que

A teoria do romance não é conservadora, mas subversiva por natureza, ainda que baseada em um utopismo fortemente ingênuo e totalmente sem fundamento: a esperança de que uma vida natural digna do homem pudesse florescer da desintegração do capitalismo e da destruição, considerada idêntica àquela desintegração, das categorias econômicas e sociais sem vida e negadoras-da-vida.[14]

Como mencionado anteriormente, a lógica interna da estrutura conceitual do jovem Lukács, assim como as tensões manifestas em "A metafísica da tragédia" tendiam a quebrar seu sistema. O desafio intelectual de superar as tensões do seu sistema, de acordo com sua lógica imanente, foi muito importante para o desenvolvimento subsequente de Lukács. Contudo, o elemento decisivo para isso foi a irrupção da realidade, sob a forma da própria conflagração global, no interior do seu mundo autorreferente, de pura forma, onde se podia seriamente esperar "esquecer a existência de tudo o que fosse problemático".

A guerra acelerou tremendamente o processo de autodefinição teórica de Lukács, que agora, com os pés na terra, produziu, em *A teoria do romance,*

A concepção de mundo que inspirou a fusão de uma ética de "*esquerda*" com uma epistemologia, uma ontologia etc... "*de direita*", uma ética de esquerda orientada para a revolução radical acoplada a uma exegese tradicional-convencional da realidade.[15]

Compreensivelmente, portanto, a nova visão presente em *A teoria do romance* – que marcou, na reorientação intelectual de Lukács, não apenas uma transição de Kant para Hegel, mas também "uma 'kierkegaardização' da dialética hegeliana da história"[16] – não poderia trazer a solução para os seus dilemas e paradoxos. Poderia representar não mais do que um ponto de partida, de algum modo viável, para futuras jornadas no seu complicado curso de desenvolvimento intelectual.

A teoria do romance marca um avanço fundamental em relação a *A alma e as formas*, ainda que tivesse de permanecer inacabada – por ser a sua perspectiva insustentável em razão da contradição entre os imperativos éticos abstratos do autor e seu diagnóstico não crítico dos parâmetros estruturais fundamentais da sociedade contra a qual queria se rebelar –, para logo ser ultrapassada pelo desdobramento dos eventos históricos. Pois o desejo subjacente a este trabalho era desenvolver a racionalidade da estrutura explicativa do autor pela combinação do radicalismo ético e político a que ele aspirava com uma concepção da história empiricamente sustentável: uma nova mudança qualitativa para o filósofo húngaro.

Foi a possibilidade de realizar esse desejo como síntese praticamente viável que Lukács viu surgir no horizonte, dois anos após escrever as últimas linhas de *A teoria do romance*, quando da eclosão da Revolução de Outubro. Ele abraçou com entusiasmo ilimitado a perspectiva do fogo purificador e da transformação radical implícitos na revolução, pois estava convencido de que ela representava a corporificação de suas "aspirações" anteriores de uma saída da crise. Desta vez, não uma saída na forma de

---

[14] Id., ibid., p. 20.
[15] Id., ibid., p. 21.
[16] Id., ibid., p. 18.

uma "pura revelação da mais pura experiência"[17], nem pelas aventuras do "Espírito do Mundo" hegeliano kierkegaardizado, mas por meio da intervenção consciente de um sujeito histórico tangível no processo histórico real.

Naturalmente, essa reorientação não poderia significar simplesmente dar as costas ao próprio passado. Muitos dos importantes temas articulados pelo jovem Lukács continuaram a emergir em seus escritos subsequentes; alguns como questões vivas e positivamente redefinidas e outros como obstáculos negativos, identificados pelo intelectual politicamente comprometido com seu combate e sua superação genuína. Nesse sentido, por exemplo, a luta de toda sua vida contra o "*irracionalismo*" não foi a rejeição não problemática, por um *outsider* desinteressado, de uma tendência fundamental do desenvolvimento cultural/intelectual moderno, mas uma torturante crítica que também era, simultaneamente, a autocrítica do autor. Ela chamou a atenção seguidas vezes para os modos intelectualmente mais tentadores – tanto nas suas velhas como nas novas formas constantemente reemergentes – pelos quais as pseudossoluções e evasivas irracionalistas poderiam ser substituídas por respostas práticas muito necessárias: tentações que o próprio Lukács experimentou, tanto quanto qualquer outro intelectual.

Em um plano mais complexo, a visão trágica de suas primeiras obras – numa forma "transcendida/preservada" (*aufgehoben*) – permaneceu como o núcleo estruturante dos últimos escritos de Lukács. Nesta condição, ela contribuiu enormemente para a representativa significação do trabalho de uma vida concebida "entre dois mundos", que nunca cessou de lutar com os dilemas surgidos do "imperativo categórico" do socialismo e das aterradoras dificuldades de sua realização histórica.

6.3 Dos dilemas de *A alma e as formas* à visão ativista de *História e consciência de classe*

6.3.1

História e consciência de classe, de Lukács, foi não apenas uma crítica das determinações alienantes da sociedade capitalista mas, igualmente, uma reavaliação da visão exposta em seus escritos anteriores, já que um intelectual substantivo não pode simplesmente esvaziar a si próprio a cada mudança dos ventos da moda e da acomodação cultural/política. O verdadeiro crescimento intelectual não pode ser outro senão aquele processo orgânico que supera conservando e aprofundando, não obstante as mudanças qualitativas que podem e devem acompanhar a redefinição das suas relações com a dinâmica turbulenta da história. Mudar de posição, pulando de uma *tábula rasa* para outra, sem sequer tentar justificar o abandono das crenças antes professadas e a proclamação de novas certezas (as quais frequentemente são tão facilmente abandonadas tão logo as conveniências o exijam) pode resultar num vazio sem princípios.

Sob o impacto da guerra e das revoluções que se seguiram – não apenas na Rússia, mas também na Hungria, uma revolução da qual ele participou com todo o entusiasmo –, a adoção por Lukács da perspectiva marxista foi autêntica e criativa.

---

[17] *Soul and Form*, p. 172.

Entretanto, não poderia atingir a fruição teórica sem antes reformular as opiniões e preocupações centrais dos seus trabalhos anteriores em relação às novas potencialidades históricas identificadas.

A virada conceitual e axiológica pós-revolucionária trouxe com ela a completa subversão dos termos de referência tal como articulados por Lukács em *A alma e as formas* e em *A teoria do romance*, mas não o abandono das preocupações substantivas nelas implícitas ou explícitas. Sem conferir o devido peso da determinação orgânica da "continuidade na descontinuidade" no desenvolvimento de Lukács, seria quase impossível compreender a perspectiva expressa na sua primeira síntese marxiana, *História e consciência de classe*.

Em uma questão crucial, que trata do objetivo estratégico da superação da inércia mortal das determinações sócio-históricas dadas, Lukács tanto reiterou alguns elementos de sua visão anterior (incluindo a associação valorativa positiva ou negativa de tais elementos) como também deu-lhes a definição radical no modo pelo qual passaram então a ser situados pela concepção totalizante e socialmente ativista de *História e consciência de classe*. Para dar um exemplo característico, foi assim que o filósofo húngaro redefiniu criticamente sua preocupação juvenil com a "interioridade" e com "a pura revelação da mais pura experiência" na peça central de *História e consciência de classe*, seu celebrado ensaio "Reificação e a consciência do proletariado":

> ... esta união da interioridade, depurada até a *abstração total* e aliviada de todos os sinais de *corporalidade* com uma *filosofia transcendental da história* corresponde, de fato, à *estrutura ideológica fundamental do capitalismo*.[18]

Por meio de tal continuidade categorial, alguns constituintes vitais da visão anterior de Lukács foram retidos, enquanto outros tiveram que ser rejeitados. E, claro, mesmo aqueles que foram mantidos adquiriram, na nova síntese, um significado qualitativamente diferente ao se situarem no interior de uma malha conceitual muito diferente. É assim que, na passagem acima, Lukács realiza um importante deslocamento da conotação negativa dada à história como tal em "A metafísica da tragédia" para a condenação historicamente qualificada da "*filosofia* transcendental da história" orientada pelo capitalismo. Em outras palavras, o objetivo negado era então caracterizado por Lukács como uma concepção filosófica tendenciosa que emerge, não das distorções ou dos erros teóricos subjetivos (que, a princípio, seriam corrigíveis), nem da incompletude da própria história metafisicamente determinada (absolutamente insuperável), mas – como substância feita pelo homem e portanto necessidade humanamente alterável – como reflexo da natureza mais íntima e da articulação historicamente concreta da ordem social dada.

Assim, tornou-se possível reter, em *História e consciência de classe*, tanto a associação valorativa da "universalidade abstrata" e seus corolários com a negatividade, como a da "de carne e osso" (ou, em outros contextos: "totalidade" substantiva e "concretude" substantivas, por oposição às inessenciais e naturalistas "fragmentariedade" e "imediaticidade") com a positividade. Da primeira, esperava-se que o conjunto negativo de valores

---

[18] Lukács, G., *History and Class Consciousness*, Londres, Merlin Press, 1971, p. 192 (*História e consciência de classe*, Porto, Publicações Escorpião, 1974, p. 213).

fosse completamente eliminado pelo processo de transformações históricas em curso, e da última, que o conjunto positivo fosse atualizado pela iniciativa histórica social e politicamente específica advogada pelo autor.

Além disso, os fenômenos condenados não eram rejeitados por Lukács como valores descorporificados e existentes numa atemporalidade metafísica – como acontecia nos ensaios anteriores, particularmente nos de *A alma e as formas* – mas como determinações estruturais objetivas "correspondentes à estrutura ideológica fundamental do capitalismo". O problema que ele tentou resolver em *A alma e as formas* adquiriu, desse modo, uma dimensão qualitativamente nova. A procura de soluções no plano da "interioridade" não poderia ter qualquer validade na nova perspectiva de Lukács, não importando o quanto fosse autêntica em sua intenção subjetiva e rigorosa no seu esforço a "pura revelação da mais pura experiência". Do mesmo modo, a rejeição utópica do capitalismo em *A teoria do romance* – sob a forma da ingênua rejeição das categorias sociais e econômicas em geral – teve que ser radicalmente reexaminada à luz da experiência histórica real e do ponto de vista das alternativas materialmente viáveis propostas. Sem esse tipo de investigação sobre a "estrutura ideológica fundamental do capitalismo" e as formas mais abstratas de consciência que dela emanam, não poderia haver qualquer chance de produzir uma crítica válida da ideologia dominante: uma tarefa considerada por Lukács absolutamente vital para o empreendimento histórico da emancipação.

Portanto, de acordo com o autor de *História e consciência de classe*, seria necessário conferir um significado desmistificado, materialmente fundado, não apenas à "interioridade" e à "alma" mas também, e principalmente, à categoria de "*forma*". Tudo isso tinha que ser feito para tornar verdadeiramente inteligível o que ele denominou de estrutura ideológica do capitalismo e também para privar esta estrutura da sua eficácia sufocante.

6.3.2

Esse complexo de problemas foi explicitado muito claramente em uma passagem de *História e consciência de classe*, aquela em que a crítica de Lukács ao seu velho amigo íntimo, Ernst Bloch, contém também uma redefinição radical das suas próprias categorias-chave, tal como formuladas originalmente em *A alma e as formas* e em *A teoria do romance*. O autor de *História e consciência de classe* resumiu assim as suas posições então recentemente adotadas:

> Quando Ernst Bloch afirma que esta junção da religião com a revolução socioeconômica [nas seitas revolucionárias, por exemplo, Thomas Münzer e seus seguidores] aponta para a via do aprofundamento do materialismo histórico "meramente econômico", não percebe que este aprofundamento simplesmente passa ao largo da verdadeira profundidade do materialismo histórico. Quando, em seguida, ele percebe o econômico como uma preocupação com coisas objetivas, que se opõem a *alma e a interioridade*, deixa de perceber que a revolução social real só pode ser a reestruturação da vida *concreta e real* do homem. Ele não percebe que o que se conhece por economia não é senão o *sistema de formas* que define esta vida real. As seitas revolucionárias foram forçadas a evadir-se a esta questão, porque tal reestruturação da vida e até mesmo a do problema eram objetivamente impossíveis

na sua situação histórica. Mas não convém ver uma indicação de aprofundamento na sua fraqueza, na sua incapacidade de descobrir o ponto arquimediano de transformação da realidade, na situação que o força ora a mirar acima deste ponto, ora abaixo.[19]

Como podemos ver, Lukács adotou aqui – à sua maneira característica – a grande percepção marxiana de que as categorias básicas do pensamento são "formas de ser" (*Daseinsformen*) segundo as quais a dinâmica histórica dos complexos socioeconômicos dados, assim como a constituição das estruturas ideológicas correspondentes, podem e devem ser dialeticamente entendidas. Inevitavelmente, portanto, as categorias da "alma e da interioridade" tinham que ser colocadas no seu devido lugar nesta visão totalizante materialmente fundada, assinalando o abandono radical do discurso anterior de Lukács. Pois a questão crucial – como reestruturar a "vida *real e concreta* do homem" – tinha que receber um novo significado, já que a própria estrutura da síntese teórica marxiana adotada conferia um novo significado à categoria que sustentava todas as outras no universo conceitual original do jovem Lukács, ou seja, a categoria da *forma*.

Graças a essa reavaliação praticamente orientada, empreendida em *História e consciência de classe*, a categoria da forma em Lukács perdeu seu caráter misterioso anterior, já que seu significado se tornou sinônimo de uma concepção enfaticamente não mecanicista da economia vista como fundamento do ser social. Nesse sentido, passou-se a considerar de importância fundamental o "*sistema de formas*" historicamente qualificado – e não a vaga generalidade da forma adotada do sistema platônico. Pois era o sistema de formas historicamente concreto que "*definia a vida real*" através da intermediação inescapável da economia. Consequentemente, na nova visão de Lukács não havia lugar para a questão de "reestruturar a vida real e concreta do homem" sem que se dominasse adequadamente a complexa malha de determinações reais cristalizadas no sistema de formas historicamente identificável. Em outras palavras, a emancipação não poderia ser pensada na esfera da "alma e da interioridade", mas somente por meio da "revolução social real", que implica o controle consciente do "sistema de formas" objetivamente dado pelos homens em sua vida real. Assim, a noção do "ponto arquimediano" – que deve ser apropriado na sua especificidade estratégica para se ganhar o controle do todo – adquire um significado sócio-histórico tangível para Lukács, tornando-se sinônimo do "sistema de formas", concebido não como um conjunto de categorias filosóficas abstratas, mas como o *Daseinsformen* crucial da sociedade capitalista contemporânea.

Ao escrever *A alma e as formas* e *A teoria do romance*, as concepções filosóficas de Lukács e Bloch tinham muito em comum. De fato, em *A teoria do romance*, Lukács adianta algumas ideias que, alguns anos mais tarde, aparecerão também entre os principais traços do expressionismo patrocinado por Bloch. Tudo isso, contudo, mudou fundamentalmente com a separação dos caminhos dos dois amigos após a Revolução de Outubro. Lukács não pôde mais suportar os limites que as categorias presentes em seus escritos anteriores lhe impunham, assim como

---

[19] Id., ibid., p. 193 (ed. port., p. 214 – citaremos sempre assim as referências ao texto da edição portuguesa; v. nota anterior).

não pôde mais expressar sua preocupação socialmente específica nos termos da "ética de esquerda e epistemologia de direita" de *A teoria do romance*. Ernst Bloch, ao contrário, não alterou significativamente suas posições nestes aspectos[20]. Suas principais diferenças, que vimos na última citação de *História e consciência de classe*, aparecem de forma proeminente no confronto acerca do expressionismo nos anos 30[21], que deram o tom da futura polêmica contra Lukács nos círculos literários e filosóficos da Alemanha. Compreensivelmente, portanto, mais tarde Lukács caracterizaria o debate sobre o expressionismo e o realismo, no qual foi condenado – com um tipo peculiar de argumento – por haver abandonado a sua afinidade de juventude com a abordagem expressionista, como "uma situação algo grotesca na qual Ernst Bloch invocou *A teoria do romance* na sua polêmica contra o marxista Georg Lukács"[22].

Da parte de Lukács, sua escolha se tornara irrevogável ao final de 1917. Não havia mais retorno ao mundo de *A alma e as formas*, nem mesmo para a mais terrena, ainda que não menos a-histórica, visão de *A teoria do romance*. Na agitação das revoluções que se desdobravam, ele se comprometeu por toda a vida não apenas com a perspectiva marxiana, mas simultaneamente com o que ele considerou ser o único veículo possível de realização, a vanguarda do Partido. De agora em diante, todos os dilemas e mudanças, pela primeira vez articulados de forma notável nos famosos volumes de juventude, tiveram que ser redefinidos no espírito do materialismo histórico, não abstratamente, mas intimamente atados à instrumentalidade do Partido. A tragédia de Lukács foi o objetivo do seu projeto emancipatório ter se tornado cada vez mais frustrado pelas demandas crescentes impostas pela inércia institucional/instrumental do Partido sobre a estrutura teórica adotada sob as circunstâncias históricas preponderantes.

6.3.3

O caráter ativista da nova visão de Lukács é evidente no modo pelo qual ele resolveu, para si próprio, em um pequeno espaço de tempo, depois de 1917, as preocupações éticas expressas em seus escritos anteriores sem jamais abandonar seu intenso comprometimento moral.

Ao escrever *A alma e as formas* ele argumentou vigorosamente a favor da purificação necessária da forma "até ela haver se tornado *ética*"[23]. Como já vimos, ele queria manter a "purificada" e ao mesmo tempo estranhamente "eticizada" forma

---

[20] No seu prefácio de 1962 à *A teoria do romance*, Lukács escreveu:
O fato de Ernst Bloch ter continuado a se apegar, imperturbável, à sua síntese de ética "de esquerda" e epistemologia "de direita" (cf., por exemplo *Philosophische Grundfragen I, Zur Ontologie des Noch-Nicht-Seins* "Questões fundamentais de filosofia: a ontologia do ainda-não-ser" – Frankfurt, 1961) honra a sua força de caráter, mas não pode modificar a natureza ultrapassada de sua posição teórica (op. cit., p. 22).

[21] Ver Ernst Bloch, "Discussing Expressionism" e Georg Lukács, "Realism in the Balance" no volume: E. Bloch, G. Lukács, B. Brecht, W. Benjamim, Th. W. Adorno, *Aesthetics and Politics*, Londres, NBL, 1977, pp. 16-59. Tanto os artigos de Lukács como os de Bloch apareceram originalmente em 1937.

[22] *Soul and Form*, p. 18.

[23] Ibid., p. 174.

distante de "tudo que é problemático", condenando assim todo o empreendimento à futilidade.

A nova orientação adquirida nos estágios finais da Primeira Guerra, coincidindo com a irrupção da Revolução Russa, ofereceu a Lukács uma saída para esse impasse. Pois então ele pôde intensificar suas preocupações éticas e ligá-las a objetivos claramente identificáveis no interior da estrutura da concepção marxiana das formas – as formas do ser social em desenvolvimento histórico. Esta visão lhe ofereceu uma solução também para a difícil questão do significado do trabalho intelectual ou, como ele coloca, da "liderança intelectual da sociedade". Lukács resume assim este tópico em "Tática e ética":

> É neste ponto que emerge a questão epistemológica da liderança da sociedade que, em nosso ponto de vista, apenas o marxismo se mostrou capaz de responder. Nenhuma outra teoria social conseguiu sequer colocar a questão de modo não ambíguo. A própria questão possui dois aspectos, mesmo que ambos apontem para uma única direção. Primeiro, temos que perguntar: qual deve ser a natureza das forças que movem a sociedade e as leis que as governam de modo que a consciência possa entendê-las e a vontade e os objetivos humanos possam nelas intervir significativamente? E segundo: qual deve ser a direção e a composição da consciência humana capaz de intervir significativamente e com autoridade no desenvolvimento social.[24]

Com base nessa formulação das possibilidades da intervenção ativa no processo social, Lukács descreve, no parágrafo seguinte, os princípios originais orientadores da teoria marxiana, todos diretamente centrados no papel da consciência[25], concluindo que a "Liderança intelectual pode ser apenas uma coisa: o processo de *tornar consciente o desenvolvimento social*"[26]. Além do mais, o modelo de consciência utilizado por Lukács era "o *conhecimento moral que* o homem tem de si próprio, isto é, seu senso de responsabilidade, sua consciência em contraste com o conhecimento das ciências naturais, em que o objeto conhecido permanece eternamente estranho ao sujeito que conhece, por maior que seja o conhecimento".

---

[24] Georg Lukács, *Political Writings, 1919-1929: The Question of Parliamentarism and Other Essays*, Londres, NBL, 1972, p. 14.

[25] De acordo com Lukács,

a primeira dessas teses é: que o desenvolvimento da sociedade é determinado exclusivamente pelas forças presentes no interior da sociedade (na visão marxista, pela *luta de classes* e a transformação das relações de produção). A segunda: que a direção desse desenvolvimento pode ser claramente determinada, mesmo que ele *ainda não seja completamente compreendido*. A terceira: que esta direção tem que estar relacionada de alguma maneira, mesmo que *ainda não completamente conhecida*, a objetivos humanos; tal relação pode ser percebida e *tornada consciente*, e o processo de a fazer consciente exerce uma influência positiva no próprio desenvolvimento. E, finalmente, a quarta tese: que a relação em questão é possível porque, apesar de as forças motrizes da sociedade serem independentes de cada consciência humana *individual*, ou de sua vontade e de seus objetivos, a existência delas é inconcebível exceto na forma de *consciência humana, vontade humana e objetivos humanos*. Obviamente, as leis que devem se tornar efetivas nesta relação são refletidas, na maior parte, de uma maneira obscura ou distorcida, na *consciência* dos seres humanos *individuais* (ibid., pp. 14-5).

[26] Ibid., p. 15

Desse modo, ele argumentava que, de acordo com esta visão de consciência, "a distinção entre *sujeito* e *objeto* desaparece, e com ela, portanto, a distinção entre teoria e prática. Sem sacrificar nada de sua pureza, de sua imparcialidade e de sua verdade, *teoria se torna ação, prática*"[27].

À luz dessa nova posição, Lukács se convence de que a antiga tensão (e, de fato, a contradição) entre "ética de esquerda" e "epistemologia de direita" tinha sido completamente superada. Sua visão ativista, modelada a partir da consciência moral, dava-lhe a capacidade de falar sobre "verdade" e o "sistema" de um modo radicalmente diferente. Ao passo que no passado ele podia apenas imaginar a "aspiração pelo sistema"[28], admitindo ao mesmo tempo "a desesperança última de toda aspiração"[29]. Compreensivelmente, portanto, nos ensaios de *A alma e as formas,* ele concluiu, com grande resignação, que "não há sistema em lugar algum, pois não é possível viver-se o sistema"[30]. Ao sistema ele contrapôs o ideal de redigir ensaios, descrevendo-os como uma "forma de arte"[31] – ideia rejeitada com menosprezo pelo Lukács marxista – abraçando a ideia do Schlegel idoso acerca de Hemsterhuys de que os ensaios eram realmente "poemas intelectuais"[32]. E quando, nos anos seguintes, antes de se comprometer com a causa socialista, sonhou poder um dia escrever uma obra importante sobre ética, e embarcou, por duas vezes, na longa jornada de redigir um trabalho "estético sistemático"[33], falhou neste último intento sem chegar sequer próximo da conclusão desejada, abandonando completamente a ideia no momento em que se radicalizou politicamente. Em conversa pessoal, em 1956, sobre seu sistema estético de juventude, descartou sem a menor simpatia todo o empreendimento, apesar dos anos de esforço nele investidos, dizendo que, naquele estágio do seu desenvolvimento intelectual e político, o máximo que ele poderia produzir era "um monstro: uma cabra de seis pernas".

A visão de sistema expressa em *A alma e as formas* articulava-se com a concepção de Lukács sobre verdade, segundo a qual "Verdade é apenas subjetiva – talvez o seja; mas *subjetividade* é com certeza *verdade*"[34]. Numa visão de mundo na qual Sören Kierkegaard ocupava um grande espaço e em que, mesmo alguns anos depois, Hegel só podia ser admitido numa "forma kierkgaardizada", a verdade apenas poderia ser subjetiva e o próprio conceito de sistema absolutamente problemático. Uma vez que os termos de referência "epistemológicos" de Lukács – que mais tarde, corretamente e sem hesitação, ele redefiniu como *ontológicos* e não meramente epistemológicos – tenham sido centrados numa visão do mundo social, na qual a "intervenção significativa"

---

[27] As últimas duas citações, ibid., p. 15.
[28] *Soul and Form*, p. 17.
[29] Ibid., p. 93.
[30] Ibid., p. 31.
[31] Ibid., p. 18.
[32] Ibid.
[33] Ver os volumes de Lukács publicados postumamente, *Heidelberger Philosophie der Kunst (1912-14)*, e *Heidelberger Aesthetik (1916-18)*, ed. por György Markus e Frank Benseler, Luchterhand Verlag, Darmstadt & Neuwied, 1974.
[34] Ibid., p. 32.

era tanto possível como necessária, a rejeição kierkegaardiana elitista do sistema (aquele "ônibus" no qual a "turba" – as massas do povo – poderia, horror dos horrores, viajar) teria que ser posta de lado. Ao mesmo tempo, a proposição hegeliana que constitui o fundamento conceitual do sistema, de acordo com a qual "o todo é a verdade", teria que ser completamente reabilitada. Com isso, a concepção anterior de Lukács da subjetividade como fundamento da verdade – casada com a concepção da "individualidade autônoma" do indivíduo isolado – teria que ser banida do horizonte. O filósofo húngaro revisou-a por meio da asserção de que o desenvolvimento social era objetivo não num sentido fetichizado/reificado, mas em termos da postulada identidade de sujeito e objeto e da unidade/identidade entre teoria e prática. Assim, a ideia de que "a verdade é o todo" tanto pôde ser abraçada por Lukács como redefinida como "o ponto de vista da totalidade" conferido ao proletariado. De fato, o lukacsiano "princípio metodologicamente necessário" do "ponto de vista da totalidade" foi articulado com a proposição de que o proletariado é o "sujeito/objeto idêntico da história", pela ação da qual "teoria se torna ação" e se cumpre a vital "missão histórico-mundial" de criar uma nova ordem social.

A dimensão ética que Lukács tinha do sujeito histórico era óbvia. Quando pensamos no corolário da ideia que transforma a teoria em ação, que Lukács anunciou na mesma ocasião – isto é, que "Decisões, *decisões reais, precedem* os fatos"[35] –, ele adquire sentido apenas se nos lembrarmos de que foi formulado segundo o mesmo modelo da definição lukacsiana de consciência moral. No espírito desta última, ele argumentou pela necessidade do compromisso sem reservas do intelectual com a missão histórico-mundial do "sujeito/objeto idêntico" (que ele dizia estar objetivamente em processo de realização), como um curso *eticamente válido* a ser seguido. Pois Lukács insistia que "*considerações éticas* inspiram no indivíduo a decisão de poder transformar sua própria necessária consciência histórico-filosófica em ação política correta, isto é, componente de uma *vontade coletiva*, e que pode também determinar aquela ação"[36].

6.4 A contínua postulação de alternativas

6.4.1

O pano de fundo histórico disso tudo foi a revolução "no elo mais fraco da cadeia" (Lenin). Como veremos, uma das principais razões por que *História e consciência de classe* teve um impacto imediato e adquiriu uma representatividade significativa foi o modo pelo qual o autor argumentou que a fraqueza do "elo mais fraco" deveria, na verdade, ser considerada um ponto positivo precisamente em relação ao tema decisivo da consciência. Pois, como ele coloca, a ausência de uma longa tradição do movimento dos trabalhadores na Rússia, ao contrário do impacto negativo causado pelo reformismo e pelo "economicismo" da Segunda Internacional no Ocidente, conduziria a uma resolução mais rápida da "crise ideológica do proletariado"[37]. Na

---

[35] "What is Orthodox Marxism?" (primeira versão, 1919), in Georg Lukács, *Political Writings, 1919-1929*, p. 26.
[36] "Tatics and Ethics", in *Political Writings, 1919-29*, p. 8.
[37] *History and Class Consciousness*, p. 312 (ed. port., p. 312).

análise de Lukács, esta perspectiva se apoiou numa avaliação assustadoramente voluntarista da relação de forças global entre capital e trabalho, sob o argumento de que o *"capital nada mais é do que um obstáculo à produção"*[38]. Desse modo, uma tendência objetiva de desenvolvimento socioeconômico, que, mesmo hoje, quase oitenta anos depois, pode ser realçada com validade apenas, em seus termos *histórico-mundiais* de referência, numa escala de *épocas*, foi caracterizada por Lukács como um *fato iminente*. Diz isso apesar de ser ele, naquela época, muito sarcástico quanto a "fatos iminentes"[39], citando, com aprovação e sem reservas, o aforismo extremamente idealista de Fichte: ser contradito pelos fatos é "Tanto pior para os fatos"[40]. A ascendência do capital em escala global, ainda longe de se esgotar, tinha que ser não apenas minimizada, mas completamente ignorada em seu discurso centrado na "crise ideológica" do proletariado e no papel dos intelectuais responsáveis comprometidos política e moralmente com a resolução daquela crise.

Nos seus argumentos endereçados aos colegas intelectuais, Lukács insistia que, sob as circunstâncias históricas que se desdobravam,

> a consciência do indivíduo e seu sentido de responsabilidade eram confrontados com o postulado segundo o qual ele deveria agir como se de sua ação ou inação dependesse a mudança do destino do mundo, que é inevitavelmente auxiliado ou retardado pela tática que ele pretenda adotar... Qualquer pessoa que, no presente, venha a optar pelo comunismo é, por essa razão, obrigado a ser portador da mesma *responsabilidade individual* por todo ser humano que morrer por ele na luta, tal como se ele próprio os tivesse matado a todos. Mas todos aqueles que se aliam ao outro lado, a defesa do capitalismo, devem carregar a mesma responsabilidade individual pela destruição resultante das novas guerras imperialistas revanchistas que são certamente iminentes, e pela futura opressão de nacionalidades e classes. ... Aquele cujas decisões não se apoiam em tais considerações – não importa o quanto seja evoluído em outros aspectos – existe, em termos éticos, em nível primitivo, inconsciente, instintivo.[41]

Desse modo, a responsabilidade moral individual estava diretamente ligada aos conflitos sociais fundamentais da época, combinando inextrincavelmente também a ideia da autoconsciência individual com a defesa do desenvolvimento da consciência de classe apropriada. Assim, Lukács insistia que para

> Todo socialista a ação moralmente correta está fundamentalmente relacionada com a correta percepção de uma situação histórico-filosófica dada, o que, por sua vez, é possível apenas por meio dos esforços de cada indivíduo *para tornar sua autoconsciência consciente de si mesma*. O primeiro pré-requisito inevitável para isto é a formação da *consciência de classe*. Para que a ação correta se transforme num regulador correto e autêntico, a consciência de classe deve se elevar acima do nível do meramente dado; deve lembrar sua missão histórico-mundial e seu senso de responsabilidade.[42]

---

[38] *Political Writings, 1919-29*, p. 27.
[39] Ibid., p. 26.
[40] Ibid., p. 27.
[41] Ibid., p. 8.
[42] Ibid., p. 9.

Em resposta aos dramáticos eventos da Rússia e de toda a Europa, incluindo, em um lugar de destaque, o estabelecimento da República dos Conselhos na Hungria, Lukács pôs a questão: "já chegou o momento histórico que passa – ou melhor, salta – do estado de gradual aproximação [à realização do ideal socialista] àquele da verdadeira realização?"[43]. E ele, sem hesitação, respondeu enfaticamente pela afirmativa: "*a revolução está aqui*, ... chegou a hora da expropriação dos exploradores"[44]. O fato de a parte do mundo onde a "cadeia foi quebrada" vir a ser o "elo mais fraco" na estrutura total do capital na condição de sistema global, com implicações potencialmente muito graves para as possibilidades de desenvolvimento futuro, não importava e não poderia importar no discurso quase exclusivamente centrado na ideologia de Lukács. Tudo o que importava era que a cadeia havia sido quebrada. Consequentemente, a revolução política na Rússia foi saudada por Lukács como um golpe decisivo no capital em geral e, no terreno em que irrompeu, como uma ruptura irreversível rumo ao socialismo. A partir daquele momento, na sua visão, a única questão seria: como estender a revolução para o resto do mundo, resolvendo ao mesmo tempo a "crise ideológica", pela qual a maior parte da responsabilidade deveria ser atribuída aos partidos reformistas da Segunda Internacional.

A força motora por trás do trabalho intelectual divisado por Lukács teria que ser um profundo compromisso *ético* que caracterizaria não apenas o indivíduo mas, como veremos adiante, também o partido. Ele continuou a repetir, por vários anos – até tais opiniões serem banidas como heréticas e perigosas, levando à sua expulsão do campo da política – que a "missão do partido era moral" e que a "liderança intelectual" exercida pelo partido (e pelos intelectuais que aderiram a ele) tinha que ser merecida no sentido ético do termo. Apesar de as expectativas acentuadamente voluntaristas associadas aos prognósticos de um resultado positivo da luta em andamento continuar tendo um papel importante na perspectiva de Lukács, jamais houve qualquer indício de um otimismo simplista. Ao contrário, ele sempre se preocupou em colocar em relevo a dimensão *trágica* da dialética da história e o modo pelo qual afetaria as chances de vida dos indivíduos.

Vimos na seção 1.4.3 o elogio de Lukács à visão hegeliana da "tragédia na esfera do ético". Este tema, que já havia aparecido, de uma ou outra forma, nos seus escritos anteriores sem qualquer referência a Hegel, foi reafirmado, pela primeira vez, quando ele adotou a perspectiva marxiana. Nesse espírito ele escreveu em "Tática e ética" que

> Não é tarefa da ética inventar prescrições para a ação correta, nem reduzir ou negar os *insuperáveis, trágicos conflitos do destino humano*. Ao contrário, a autoconsciência ética esclarece plenamente que há situações – situações trágicas – nas quais é impossível agir sem sobrecarregar de culpa a si próprio. Mas, ao mesmo tempo, ela nos ensina que, mesmo diante da escolha entre dois modos de incorrer em culpa, nós ainda encontraremos uma norma associada à ação correta e à incorreta. Esta norma nós denominamos *sacrifício*. E, assim como o indivíduo, que escolhe entre duas formas de culpa, finalmente faz a *escolha correta* quando sacrifica seu *eu interior* no altar da *ideia mais elevada*, assim também é necessário força para avaliar este sacrifício em

---

[43] Ibid.
[44] Ibid., p. 26-7.

termos da *ação coletiva*. No último caso, contudo, a ideia representa *um imperativo da situação histórico-mundial, uma missão histórico-filosófica*.[45]

Para Lukács, a perspectiva marxiana mostrava que a inevitável "tragédia na esfera do ético" poderia ser associada a uma estratégia de transformação social radical. Significava para ele a promessa de que as "tragédias, a serem encontradas *en route* pela sociedade sem classes", diminuiriam enormemente conforme os "indivíduos tornassem sua autoconsciência consciente para si mesmos". E – por meio da formação da "consciência de classe imputada" – o sujeito histórico torna-se consciente da sua missão "histórico-filosófica" de tornar a humanidade capaz de assumir o controle sobre seu próprio destino, para além da busca costumeira dos interesses particulares de classe. Em decorrência, isto também significou, na visão de Lukács, que a vida cotidiana dos indivíduos – fragmentada, isolada, "privatizada" e dominada pela "reificação" sob o capitalismo – se tornará cada vez mais genuinamente social e plena em si própria, conferindo desse modo um significado aos sacrifícios que inevitavelmente seriam provocados *en route* pela sociedade socialista projetada e tornando o triunfo sobre a alienação e a reificação um empreendimento do qual valeria a pena participar.

Como veremos no capítulo 10, a tragédia pessoal do teórico Lukács, na sua condição de teórico, foi que essa visão, como resultado do bloqueio inevitável do desenvolvimento das sociedades pós-capitalistas, teve que ser revertida *para o interior*. Ele foi forçado pela lógica perversa das transformações pós-revolucionárias a reverter o principal impulso de sua própria busca após 1917, projetando nas suas obras de fina síntese – como um meio pouco plausível de superar o problema social da alienação – o poder do imperativo que surge da consciência moral dos indivíduos para lutar contra a sua própria alienação pessoal. E apesar de, até o fim, ele ter criticado seu velho amigo Ernst Bloch, por professar fé no *Prinzip Hoffnung* – o "Princípio da Esperança"[46] – como a categoria-chave por meio da qual se devem avaliar as perspectivas do desenvolvimento humano, o próprio Lukács terminou por assumir uma posição muito semelhante, apesar de seus protestos[47]. Em sua *Ontologia do ser social*, assim como nos delineamentos fragmentários de sua *Ética*, ele se apoia – esperança sem esperança – no poder postulado da "*ética como mediação*", reafirmando sua eficácia na ausência de forças sociais identificáveis e de movimentos políticos viáveis engajados na luta para romper o círculo vicioso das mediações de segunda ordem do capital. Foi assim que a comovente preocupação de Lukács com a "tragédia na esfera do ético", *que defronta diretamente o indivíduo*, teve neste sistema sua última palavra.

---

[45] Ibid., p. 10.
[46] Ernst Bloch, *Das Prinzip Hoffnung*, Berlim, Aufbau-Verlag, 1959.
[47] "Pessoalmente sou contra o 'Princípio da Esperança' de Bloch. Esta visão não diz respeito apenas a Bloch. Por um longo tempo compartilhei a concepção epicurista de Espinoza e Goethe que rejeita o medo e a esperança, considerados perigosos para a liberdade da verdadeira humanidade". De uma carta ao seu editor alemão, Frank Benseler, de 21 de janeiro de 1961, citada nas pp. 21-2 de *Versuche zu einer Ethik*, ed. por György Iván Mezei, Budapeste, Akadémiai Kiadó, 1994.

6.4.2

Como vimos na seção 6.2.1, o jovem Lukács procurava um modo de associar a "individualidade autêntica e a dissolução total do eu em um *ser mais alto*", como tópico de uma escolha existencial profunda e de um compromisso autêntico. Quando escreveu "Tática e ética", o mistério anterior ficou para trás, mas permaneceu o imperativo de um compromisso existencial autêntico por meio de uma escolha autêntica, ainda que seus termos de referência tenham sido redefinidos. A questão não era simplesmente o imperativo de fazer a escolha, mas o de encontrar a "*escolha correta*". E, tal como no passado, quando a solução autêntica foi descrita como combinação de "individualidade autêntica e dissolução total do eu em um *ser mais alto*", também para o Lukács "marxizante" o indivíduo deveria submergir seu "eu inferior" na "ideia mais alta", o que era inconcebível sem alguma forma de "*ação coletiva*". Quanto à última, o critério de sua correção – do qual também dependiam a autenticidade e a validade do compromisso existencial do indivíduo – teve que ser definido em termos objetivos, diretamente relacionados à conjuntura histórica dada e às alternativas vitais dela emergentes, confrontando a humanidade como um todo. Esse é o motivo pelo qual Lukács citou a ação coletiva como representante de "um imperativo da situação histórico-mundial", tornada sinônimo da "missão histórico-filosófica". As próprias alternativas eram descritas nos termos mais dramáticos não apenas em relação ao indivíduo moralmente responsável – de quem se esperava o sacrifício de seu "eu inferior", egoisticamente orientado para si próprio, à ideia mais alta – mas também em relação ao sujeito histórico da ação coletiva considerada. Assim, como veremos na seção 7.5.1, Lukács descreveu o "destino" da classe cuja consciência de classe "atribuída" ou "imputada" o preocupava – por comparação com a sua "consciência psicológica", correspondente à autoconsciência do indivíduo, orientada para si próprio – afirmando que ela iria "ou *perecer ignominiosamente* ou cumprir sua tarefa em plena consciência".

O ponto culminante da crença de Lukács com um resultado tangivelmente positivo foi o dia 21 de março de 1919, quando os dois partidos operários húngaros – o Social-democrata e o Comunista – uniram suas organizações durante a efêmera República dos Conselhos. Até mesmo o geralmente cauteloso Lenin saudou este evento com grande entusiasmo, escrevendo, em carta aos trabalhadores húngaros, que "Vocês deram ao mundo um exemplo ainda melhor do que o da Rússia Soviética ao serem capazes de unir todos os socialistas desde o início em torno da plataforma da verdadeira ditadura do proletariado"[48]. Lukács, no mesmo espírito, assim falou do ato de unificação:

> Os partidos cessaram de existir – agora há um proletariado unificado. Este é o significado teórico decisivo dessa união. Não importa que tenha recebido o nome de partido – a palavra partido significa agora algo completamente novo e diferente. Não é mais um agrupamento heterogêneo composto de diferentes classes, buscando por todos meios, violentos ou conformistas, realizar alguns dos seus objetivos na sociedade de classes. Hoje, o partido é o meio pelo qual a vontade unificada do proletariado unificado expressa a si própria; é o órgão executivo da vontade que está se envolvendo, a

---

[48] Lenin, *Carta aos trabalhadores húngaros*, 27 de março de 1919.

partir de novas fontes de energia, com a nova sociedade. A crise do socialismo, que encontrou expressão no antagonismo dialético entre os movimentos do partido, terminou. O movimento proletário entrou definitivamente numa nova fase, a fase do poder proletário. O feito mais prodigioso do proletariado húngaro foi conduzir a revolução mundial *conclusivamente* para esta fase. A Revolução Russa demonstrou que o proletariado é capaz de tomar o poder e organizar uma nova sociedade. A Revolução Húngara demonstrou que esta revolução é possível sem lutas fratricidas no meio do próprio proletariado. Desse modo, a revolução mundial é levada para um estágio ainda mais avançado. E é para crédito duradouro e honra do proletariado húngaro ter ele sido capaz de extrair de si próprio a força e os recursos para assumir o papel de liderança, de conduzir não apenas seus próprios líderes, mas os proletários de todos os países.[49]

Esta avaliação dos eventos não significou para Lukács que se pudesse abandonar a necessidade da "tragédia na esfera do ético". Significou que grandes feitos históricos estavam no horizonte, desde que a consciência moral prevalecesse sobre as tentações dos "interesses imediatos", corruptoras-da-autoconsciência, ou sobre qualquer outra forma de imediaticidade desorientadora, fosse aquela do consumo material direto ou as pretensas formas mais sofisticadas de atividades filosóficas ou artísticas, com seu "culto da imediaticidade": todas vigorosamente combatidas pelo filósofo húngaro por toda a sua vida.

À medida que as expectativas revolucionárias de uma grande virada histórica se afastaram do horizonte com a brutal consolidação do reino da necessidade stalinista, Lukács continuou a insistir, nos termos do seu discurso moral, na necessidade da existência de uma alternativa positiva – a realização da humanidade não alienada – apesar "do necessário *détour* histórico". E ele o fez, mesmo quando experimentou pessoalmente a "tragédia *en route*" em direção ao objetivo final, durante sua prisão em Moscou e a simultânea deportação de seu filho, o engenheiro Ferenc Jánossy, para um campo de trabalho forçado na Sibéria. Alguns anos depois, em 1947, as grandes expectativas reapareceram nos escritos de Lukács, ao descrever os acontecimentos do pós-guerra nestes termos:

> A verdadeira democracia – a nova democracia – produz em todos os lugares transições reais, dialéticas, entre a vida privada e a pública. A mudança decisiva na nova democracia é que agora se participa das interações da vida pública com a privada como *sujeito ativo* e não como *objeto passivo* ... A *nova fase eticamente emergente* demonstra, acima de tudo, que a liberdade de um não é uma ameaça à liberdade do outro, mas sua precondição. O indivíduo não pode ser livre senão numa sociedade livre. ... A autoconsciência emergente da humanidade anuncia, como perspectiva, o fim da "pré-história humana". Com isto, a autocriação do homem adquire uma nova ênfase; agora vemos a emergência, como tendência, da unidade entre a autoconstituição humana do indivíduo e a autocriação da humanidade. *A ética é um elo intermediário crucial neste processo como um todo.*[50]

---

[49] Lukács, "Party and Class", in *Political Writings, 1919-1929*, p. 36
[50] Lukács, "A marxista filozófia feladatai az új demokráciában". ("As tarefas da filosofia marxista na nova democracia"). Texto de uma palestra dada no Congresso de Filósofos Marxistas em Milão, em 20 de dezembro de 1947. Publicado como volume separado em Budapeste, 1948. Citações das pp. 11-2.

Desse modo, mesmo que exagerando largamente o significado positivo das transformações em andamento, ele ainda falava sobre as mudanças sociais e políticas junto às quais ele entrevia a ética a cumprir o seu papel de "elo intermediário crucial" nos processos emancipatórios propostos. O ano oficialmente glorificado como "da virada" (1949), logo depois do rompimento do Cominform com a Iugoslávia de Tito, pôs um fim a tudo isso, impondo também à Hungria a mais rigorosa dominação do stalinismo. A nova situação – uma caricatura grotesca da virada decisiva projetada pelo movimento socialista marxista – colocou Lukács novamente em perigo, submetendo-o a violentos ataques e mesmo à ameaça de prisão durante o "debate Lukács" dos anos 1949-51. É compreensível, portanto, que as esperanças associadas à política o tenham abandonado. Só mais uma vez na sua vida, durante o levante de outubro de 1956, Lukács voltou a assumir um papel político direto. Ele se tornou ministro da Cultura do governo Imre Nagy, razão por que foi deportado para a Romênia; e, após ser solto, por oito anos continuou a sofrer ataques por seus imperdoáveis pecados. Apesar de tudo, a defesa, por Lukács, de um modo alternativo de ordenar a vida humana – por meio da intervenção direta da ética – permaneceu tão forte quanto antes, ainda que tivesse que soar tão abstrata como nunca nos últimos anos de sua vida.

Capítulo 7

DO FECHADO HORIZONTE DO "ESPÍRITO DO MUNDO" DE HEGEL À PREGAÇÃO DO IMPERATIVO DA EMANCIPAÇÃO SOCIALISTA

7.1 Concepções individualistas do conhecimento e da interação social

7.1.1

Durante séculos, a relação entre consciência e realidade, e entre indivíduo e consciência totalizante, foi um problema ausente entre filósofos. O conhecimento obtido da experiência meramente individual sempre foi considerado muito problemático pela filosofia, assim como, no campo da arte e da literatura, a finalidade do artista jamais se limitou ao registro das impressões imediatas dos indivíduos particulares. Paradoxalmente, contudo, o verdadeiro objeto do conhecimento – aquele oculto por trás da aparência ilusória – permaneceu esquivo, das "formas" de Platão à "coisa-em-si" de Kant, como se o problema não pudesse ser formulado em termos de "consciência social": um conceito inerentemente histórico. A grande dificuldade consistiu em reconhecer "validade universal" na experiência particular, real, espaço-temporalmente limitada, dos seres humanos particulares. Este dilema necessariamente apareceria como insolúvel, como se o "universal" fosse concebido como um ideal oposto à atualidade da experiência vivida.

A introdução da ideia de uma consciência social que se desenvolve historicamente, não importa sob qual denominação, efetivamente desatou o nó górdio desse paradoxo. A "universalidade" é então concebida como *inerente*, e não *oposta*, à particularidade que se desdobra dinamicamente. Desse modo, a identidade histórica específica, por exemplo, de uma obra de arte particular poderia ser reconhecida não como a *negação* da "universalidade" mas, ao contrário, como sua *realização*: uma concepção frontalmente oposta à concepção platônica da obra de arte como "cópia da cópia" ontológica e epistemologicamente inferior. Nessa perspectiva, a obra de arte poderia alcançar universalidade apenas e precisamente enquanto obtivesse sucesso na captura – pelos meios à disposição do artista em seu singular *medium* de atividade – da especificidade espaço-temporal, característica da existência real composta de momentos significativos do desenvolvimento sócio-histórico. A unidade dialética do particular e do universal era, assim, concebida como "continuidade na descontinuidade" e "descontinuidade na continuidade": uma abordagem diametralmente oposta às "formas fenomênicas" e às "essências" metafísicas estaticamente permanentes. Historicidade e permanência, portanto, assim como consciência do indivíduo e consciência social, apareceriam como indissoluvelmente inter-relacionadas numa concepção dialética.

Significativamente, esta percepção tanto da dimensão histórica como da dimensão da consciência coletiva veio à tona num período de imensa conturbação social: a Revolução Francesa e as guerras napoleônicas, que envolveram toda a Europa – e não somente ela – numa série de confrontações violentas e realinhamentos, provocando uma desintegração maior no espaço de alguns poucos anos do que em séculos anteriores. Com tal subversão dos elementos, caíram por terra as muralhas que continham um desenvolvimento social incomparavelmente mais dinâmico, e pensadores como Hegel perceberam-no, ainda que de forma abstrata, especulativa.

Contudo, mesmo a filosofia hegeliana – que representou o ápice do desenvolvimento da consciência histórica da burguesia – não poderia superar as limitações do seu horizonte, a saber, o "ponto de vista da economia política" (Marx). De fato, o conceito hegeliano de *List der Vernunft* (a astúcia da Razão) expõe de forma clara tanto as realizações fundamentais como as limitações estruturais de sua abordagem. Por um lado, sublinhava enfaticamente a objetividade das tendências históricas, afirmando o predomínio delas sobre os limitados e autocentrados planos individuais e negando a propensão subjetivista necessariamente inerente às vontades dos indivíduos. Por outro lado, porém, hipostasiava o fato da interação social como uma mítica entidade *supraindividual*. Na verdade, foi esta entidade *supraindividual* que misteriosamente assumiu o controle da história, superpondo seu próprio projeto ao mundo dos indivíduos reais, fazendo-os desempenhar de um modo inconsciente *seu* "destino", *sua* "teodiceia", no espírito de uma teleologia definitivamente teológica.

Mas, mesmo que removamos a hipóstase mítica do esquema hegeliano, esta estrutura de pensamento não dá conta das transformações históricas efetivas, pois carece do conceito de um *sujeito coletivo* genuíno. A hipóstase (não apenas em Hegel, mas em muitos outros filósofos), na forma de um constructo supraindividual – seja a astúcia da "Razão", a odisseia do "Espírito do Mundo", a "mão invisível" do "espírito comercial" ou até as "vicissitudes da consciência" em geral –, nada mais é que a totalização inconsciente das interações atomísticas individuais no interior da estrutura do mercado capitalista. E já que o verdadeiro sujeito da história – grupos sociais e classes em oposição a indivíduos isolados – não pode ser apreendido por tal filosofia, o que exigiria que as tensões e contradições internas do modo pelo qual se desdobra a "pré-história" fossem postas a nu, uma confusão de conflitos *individuais* deveria ser substituída por antagonismos *de classe* que exibem a marca do sistema de dominação prevalecente.

É essa substituição da conflitualidade individual, miticamente inflada pelas – ideologicamente inadmissíveis – contradições sociais que produz a opacidade impenetrável da totalidade histórica, que gera o "Espírito do Mundo" (ou seu equivalente conceitual nos sistemas dos outros filósofos) para estabelecer a superimposição de ordem aos mistérios das interações atomísticas individuais. Pois, como a história que se desdobra sob o impacto dos antagonismos sociais não é apenas *ininteligível* em termos de sistemas de dominação que se sucedem, mas também demonstra a necessária desintegração, mais cedo ou mais tarde, de *qualquer sistema* particular de dominação – precisamente o que *a priori* é inadmissível do ponto de vista da economia política –, a hipótese segundo a qual interações individuais atomísticas produzem uma totalização histórica coerente, e não o completo caos, é um postulado completamente arbitrário. Na verdade, um grande pensador como Hegel não poderia deixar as coisas em tal nível de inconsistência intelectual. Ele introduz o conceito de "indivíduos histórico-mundiais" – Napoleão, por exemplo, como mencionado acima – através de cujas ações o "Espírito do Mundo" implementa seu projeto no mundo de mudanças temporais e históricas. Desse modo, uma engenhosa solução filosófica é encontrada para deslocar o mistério original (aquele das interações atomísticas individuais resultarem em uma ordem histórica) por dois outros mistérios – um supraindividual: o "Espírito do Mundo", e o outro individual de um modo muito especial, elitista, a saber, o sujeito misteriosamente escolhido pelo "Espírito do Mundo": o "indivíduo histórico-mundial" –, ao mesmo tempo em que preserva a consistência interna da abordagem individualista, em total conformidade com o ponto de vista da economia política.

7.1.2

É importante sublinhar aqui que as mesmas determinações que produziram a ideia de Robinson Crusoé – tanto na ficção como na economia política, como Marx assinalou nos *Grundrisse* – são também responsáveis por todas essas concepções individualistas do conhecimento e da interação social, do "ego" cartesiano e da epistemologia de Hobbes, assim como da filosofia social dos sistemas kantiano e hegeliano e das suas contrapartidas no século XX, apesar do tempo que os separa. O fato de a individualidade atomisticamente isolada ser um constructo artificial; de o indivíduo real ser subsumido sem cerimônia à sua classe desde o momento em que tateia por uma consciência; de ser capturado pela malha de determinações sociais, não apenas devido ao seu pertencimento de classe, mas também devido à preponderante reciprocidade de confrontações de classe em virtude das quais o indivíduo é de fato submetido a uma *dupla* dependência de classe – tudo isso é periférico e irrelevante (pertencendo ao "mundo empírico/fenomênico" ontologicamente inferior ou, nas palavras de Sartre, meramente à "experiência *subjetiva* de um homem *histórico*"[1]), se o *conflito* for percebido como emanando da constituição essencial do *indivíduo*, e não das específicas e superáveis condições históricas de sua *existência social*. Uma vez, contudo, que esta visão atomística/individualista da natureza do conflito social tenha se tornado a premissa da filosofia, a própria história ou se torna inteligível, do modo como vemos em Kant ou Hegel, com a ajuda de uma teleologia teológica, ou então recebe um *status* ontologicamente secundário muito problemático, tal como em Heidegger ou no Sartre "pré-marxizante".

De fato, nos últimos dois séculos de desenvolvimento da filosofia burguesa só pudemos presenciar uma involução a esse respeito. Quanto mais se aproxima a nossa

---

[1] Sartre, *Being and Nothingness*, Londres, Methuen, 1969, p. 429.

época, mais radical se torna a recusa até mesmo da possibilidade de uma consciência social engajada numa real totalização da experiência, em um modo socialmente coerente e significativo. Kant ainda tentou conectar os indivíduos limitados à categoria mais abrangente à qual pertencem, ou seja, a humanidade. E, quando atingimos o "existencialismo ateu" de *O ser e o nada*, tentativas como esta são descartadas não devido às suas falhas filosóficas, mas em *princípio*, como incorrigivelmente equivocadas até mesmo para se dirigir a tais tópicos. Para citar Sartre:

> Mas, caracterizando-se Deus como ausência radical, o esforço para realizar a humanidade como *nossa* é renovado sem cessar e sem cessar resulta em fracasso. Assim, o "nós" humanista – enquanto nós-objeto – propõe-se a cada consciência individual como um ideal impossível de atingir, embora cada um guarde a ilusão de poder chegar a ele ampliando progressivamente o círculo das comunidades a que pertence; esse "nós" humanista mantém-se como um conceito vazio, mera indicação de uma possível extensão do uso vulgar do nós. Toda vez que utilizamos o "nós" nesse sentido (para designar a humanidade sofredora, a humanidade pecadora, para determinar um sentido objetivo da história, considerando o homem como um objeto que desenvolve suas potencialidades), limitamo-nos a indicar certa experiência concreta a ser feita *em presença* do terceiro absoluto, ou seja, Deus. Assim, o conceito-limite de humanidade (enquanto totalidade do nós-objeto) e o conceito-limite de Deus implicam-se mutuamente e são correlatos.[2]

Certamente o problema da totalização é insolúvel – tanto no nível da consciência como no das práticas materiais concretas – sem uma compreensão adequada da *mediação*. Do mesmo modo, é bastante óbvio que tais mediações estejam ausentes não apenas em Kant – que *diretamente* conecta cada indivíduo, tomando-o isoladamente, à categoria genérica da Humanidade, por meio de um *postulado moral abstrato* – mas também em quase todas as outras versões da filosofia individualista. Mas não é com isso que Sartre se preocupa. Ao contrário, ele, abruptamente, recusa a própria ideia da mediação como uma *ilusão*, junto com a possibilidade de se efetivar potencialidades humanas positivas por meio do desenvolvimento histórico objetivo.

E, ainda, a "humanidade como nossa" de fato existe numa forma alienada e praticamente impõe a si própria, como história do mundo, através das inevitáveis realidades do mercado e da divisão do trabalho em escala mundial. Nem o conceito de espécie humana desenvolvendo suas potencialidades objetivas implica minimamente a formulação de um ideal impossível, visto do ponto de vista ilusório do "Terceiro absoluto", Deus. Em vez disso, para que "a humanidade como nossa" faça sentido, precisa-se apreender a desconcertante realidade das estruturas materiais e ideais de dominação no processo dinâmico de sua objetiva, inflexível e potencial dissolução, não do ponto de vista do "Terceiro absoluto", mas de um sujeito coletivo em autodesenvolvimento.

---

[2] Id., ibid., p. 423 (ed. bras.: *O ser e o nada*, trad. de Paulo Perdigão, Petrópolis, Vozes, pp. 523-24). Se podemos entender por que o autor de *O ser e o nada* se posiciona desse modo, é assustador ver Althusser assumir a mesma posição (nos seus ataques ao "humanismo teórico", assim como em sua curiosa teoria da ideologia), perseguindo os marxistas dissidentes do ponto de vista de uma ideia burguesa *par excellence* do século XX.

Naturalmente, o autor de *O ser e o nada* não pode fazer uma opção similar, visto que a sua postura extrema em relação à natureza do conflito funda-se, segundo ele, na "solidão ontológica do Para-si": uma ideia que possui implicações diametralmente opostas à que confere potencialidades a um sujeito coletivo. Portanto, as desanimadas tentativas de Hegel de enfrentar o dilema da totalização histórica dentro de um horizonte social individualista – tentativas que, apesar de tudo, resultaram nos seus maiores feitos, desmentindo intelectualmente sua anemia ideológica – devem ser filosoficamente desfeitas e rejeitadas como um ingênuo "otimismo ontológico e epistemológico":

> Em primeiro lugar, Hegel nos parece pecar por um otimismo epistemológico. Com efeito, parece-lhe que a *verdade* da consciência de si pode aparecer, ou seja, que pode ser realizado um acordo objetivo entre as consciências, com o nome de reconhecimento de mim pelo outro e do outro por mim. ... Mas há em Hegel outra forma de otimismo, mais fundamental. É o que convém chamarmos de otimismo ontológico. Para ele, com efeito, a verdade é verdade do Todo. E Hegel se coloca do ponto de vista da verdade, ou seja, do Todo, para encarar o problema do outro. ... as consciências são momentos do todo, momentos que são por si mesmos, "unselbstständig", e o todo é mediador entre as consciências. Daí um otimismo ontológico paralelo ao otimismo epistemológico: a pluralidade pode e deve ser transcendida rumo à totalidade.
> [Diferentemente] ... o único ponto de partida seguro é a interioridade do *cogito*. ... Nenhum otimismo lógico ou epistemológico poderia, portanto, fazer cessar o escândalo da pluralidade das consciências. Se Hegel supôs tê-lo conseguido, é porque nunca apreendeu a natureza dessa dimensão particular de ser que é a consciência (de) si. ... [Porque] ainda que tenhamos conseguido fazer a existência do outro participar da certeza apodítica do *cogito* – ou seja, de minha própria existência –, nem por isso logramos "transcender" o outro rumo a alguma totalidade intermonadária. A dispersão e a luta das consciências permanecerão como são...[3] O conflito é o sentido originário do ser-Para-outro.[4]

Não é necessário dizer que, se a única totalização que podemos conceber é a que busca estabelecer uma totalidade "composta por mônadas", não pode haver qualquer esperança de sucesso. Caracteristicamente, contudo, Sartre bloqueia a via, inclusive à possibilidade de sucesso, ao descartar a *mediação* – e a importância-chave do conceito de *todo* como quadro de referência necessário – como nada mais que uma ilusão ontológica otimista, e como tal totalmente desprovida de uma fundação ontológica real (heidegger-sartriana). O único sujeito "autêntico" concebível e compatível com esta ontologia "não otimista" é e permanece sendo o indivíduo atomisticamente isolado. A ideia de um sujeito coletivo como totalizador potencial é abandonada, não devido a considerações práticas mas, novamente, como questão de impossibilidade *ontológica*:

> A classe oprimida, com efeito, só pode afirmar-se como nós-sujeito em relação à classe opressora. ... Mas a experiência do nós permanece no terreno da psicologia individual e continua sendo simples símbolo da almejada unidade das transcendências; ... as subjetividades continuam fora de alcance e radicalmente separadas. ... Em vão

---

[3] Id., ibid., p. 240 (ed. bras.: pp. 311-16).
[4] Id., ibid., p. 364 (ed. bras.: p. 454).

desejaríamos um nós humano no qual a totalidade intersubjetiva tomasse consciência de si como subjetividade unificada. Semelhante ideal só poderia ser um sonho produzido por uma passagem ao limite e ao absoluto, a partir de experiências fragmentárias e estritamente psicológicas. ... Por isso, seria inútil que a realidade-humana tentasse sair desse dilema: transcender o outro ou deixar-se transcender por ele. A essência das relações entre consciências não é o Mitsein, mas o conflito.[5]

Assim, em vista da alegada necessidade ontológica de o conflito emergir da constituição essencial da individualidade atomística – a versão existencialista do *bellum omnium contra omnes* de Hobbes –, não há saída para o círculo vicioso de dominação e subordinação. É esta camisa de força ontológica autoimposta que impede Sartre de alcançar seus objetivos quando, quinze anos depois, ele tenta acertar as contas com as questões tangíveis da história real em sua *Crítica da razão dialética*. Não se pode realçar suficientemente a honestidade do seu compromisso com a busca, através da *Crítica*, de uma solução radicalmente diferente em sua perspectiva social de *O ser e o nada*, nem também a grandeza dos problemas com os quais ele se debate. O que torna ainda mais significativo, portanto, o fato de que sua inabilidade em abandonar os preconceitos ontológicos atomistas dos seus trabalhos anteriores faça-o girar cada vez mais em círculos à medida que se aproxima do limiar da tarefa que se impôs: entender a história *real*. Ao contrário, Sartre não consegue senão completar o volume "preliminar", no qual ele termina, contra sua intenção original, reiterando, em quase todas as questões importantes, suas posições ontológicas anteriores no contexto do que ele próprio apenas pode descrever como a "estrutura *formal* da história".

7.1.3

Quanto ao conjunto da tradição do "individualismo possessivo"[6], nele o conceito de *interesse de classe* é conspícuo pela ausência. Isto está de acordo com a manutenção do seu modelo de conflito que emana de indivíduos abstratos lutando por interesses estrita e propriamente seus, indivíduos auto-orientados/egoístas – e, portanto, necessariamente isolados. Uma vez, contudo, que os interesses e conflitos sejam definidos em termos atomísticos, implicitamente decorrem os tipos de ação e mudança social admissíveis. Já que o problema da totalização é conceituado do ponto de vista de um sistema de sociometabolismo já mais ou menos firmemente estabelecido, o da sociedade de mercado[7], a ação racional apenas pode ser a que se acomoda bem aos horizontes de tal sociedade.

---

[5] Id., ibid., pp. 422-9 (ed. bras.: pp. 522-31). Para a conexão desses problemas com a filosofia de Sartre como um todo, ver Capítulo 5 do meu livro *The Work of Sartre: Search for Fredom*, Brighton, Harvester Press, 1979, pp. 158-243 (ed. brasileira, *A obra de Sartre: busca da liberdade*, São Paulo, Ensaio, 1991, p. 169 e ss.).

[6] Para empregar um termo salientado por C. B. Macpherson, que caracteriza adequadamente uma tendência que vai muito além das preocupações dele até os nossos dias. Ver o influente livro de Macpherson, *The Political Theory of Possessive Individualism: Hobbes to Locke*, Londres, Oxford University Press, 1962 (ed. brasileira, *A teoria política do individualismo possessivo (de Hobbes a Locke)*, Trad. de Nelson Dantas, Rio de Janeiro, Paz e Terra, 1979).

[7] Este caso antecede até mesmo a revolução burguesa, que é essencialmente *política* no seu caráter. Seus ideólogos argumentam a favor de alinhar-se "racionalmente" às instituições dominantes com as exigências

Pelo contrário, o que é totalmente inadmissível – na verdade, um tabu conceitual – é antever uma *alternativa* efetiva ao sistema prevalecente de sociometabolismo "racional".

É isso que torna inteligível a ideologia que constrói, sobre o indivíduo abstrato, a teoria do conflito do "individualismo possessivo", obliterando, conceitualmente, a áspera realidade dos interesses de classe. Pois nenhum indivíduo isolado, nem um agregado mais ou menos casual de indivíduos "soberanos", poderia representar uma alternativa viável a uma ordem social estabelecida. De modo oposto, qualquer conjunto particular de *interesses de classe* necessariamente deve ser articulado apenas como *alternativa* ao interesse a que ele tenta se opor. Assim, retratar o *sujeito individual* abstrato como criador e portador do conflito corresponde à necessidade – por mais inconsciente que seja – de idealizar o sistema prevalecente de intercâmbio socioeconômico e cancelar qualquer alternativa a ele. Os indivíduos em conflito, perseguindo seus impulsos e apetites, afetam-se reciprocamente, limitando concomitantemente a realização bem-sucedida de qualquer estratégia centrada nos interesses personalistas[8]. Seus intercâmbios e embates resultam num *equilibrium* último no interior desse modelo de interações individuais paralelogramática/atomística. Não constitui surpresa, portanto, que as conceituações burguesas do processo social, como tendentes ao equilíbrio – as quais admitem o "equilíbrio dinâmico" da produção de mercadoria autoimpulsionada como o horizonte necessário da vida social em geral – se agarrem ao seu modelo de explicação atomístico/individual. Não surpreende também que, no interior de tal modelo, nenhuma teoria coerente da totalização possa ser formulada mesmo pelas maiores figuras dessa tradição.

7.2   O problema da "totalização" em *História e consciência de classe*

7.2.1

Entre março de 1919 e o Natal de 1922, Lukács produziu, na forma de reflexão crítica do seu próprio passado filosófico e das várias forças políticas e intelectuais que contribuíram para a derrota da República dos Conselhos húngara, uma poderosa crítica do desenvolvimento do pensamento burguês em *História e consciência de classe*: uma obra que, a esse respeito, permanece insuperável ainda hoje. Insistindo que o método

---

de um sistema produtivo capaz de satisfazer os apetites individuais e as inclinações espontâneas da natureza humana, para não mencionar os estágios posteriores, quando os ditames de uma sociedade de mercado plenamente desenvolvida são considerados inquestionáveis, como pressupostos autoevidentes da teoria social.

[8] Claro, isto requer um exame detido, pois sabemos muito bem que *algumas* estratégias centradas nos interesses personalistas obtêm sucesso às expensas de outros. Contudo, é impossível tornar inteligível seu sucesso sem focalizar as relações sociais de dominação e subordinação vigentes. Por contraste, teorias burguesas sobre interações individuais atomísticas têm que operar, de um lado, com as ficções do "Estado benevolente" e da igualmente benevolente "mão invisível", como guardiãs dos interesses sociais (o que implica agir contra excessos individuais intoleráveis). De outro lado, são forçadas a apelar às características individuais miticamente infladas ("espírito empreendedor", "iniciativa pessoal" etc.) e recorrer a premissas autocontraditórias – a noção do "incentivo material individual" para tornar inteligíveis as manifestações estranhamente discriminatórias de uma alegada "natureza humana" que impulsiona poderosamente para a frente alguns indivíduos e falha ao motivar outros – para não produzir nada que se assemelhe a uma explicação plausível da dinâmica real do processo social.

da filosofia não pode ser "autenticamente totalizador" se permanecer contemplativo[9], é assim que ele resume sua posição em algumas questões decisivas:

O indivíduo nunca pode tornar-se a medida de todas as coisas. Pois, quando o indivíduo confronta a realidade objetiva, faz face a um complexo de objetos inalteráveis e prontos que apenas permitem a ele a resposta subjetiva de reconhecimento ou de rejeição. Só a classe ... pode relacionar-se com o todo da realidade de uma maneira prática e revolucionária. E a classe também só pode fazê-lo se estiver apta a ver através da objetividade reificada do mundo dado o processo que é simultaneamente o seu próprio destino. Para o indivíduo, mantêm-se insuperáveis a reificação e o determinismo (determinismo sendo a ideia de que as coisas são necessariamente conexas). Toda a tentativa, a partir dessas premissas, para se alcançar a "liberdade" falhará inevitavelmente, pois a "liberdade interior" pressupõe a imutabilidade do mundo. É por isso que mesmo a cisão do ego em "ser" e "dever-ser", em ego inteligível e empírico, é incapaz de servir como fundamento de um processo dialético do devir mesmo para o indivíduo isolado. O problema do mundo exterior, e, com ele, a estrutura do mundo exterior (das coisas), se referia à categoria do ego empírico. Psicológica e fisiologicamente, o último está submetido às mesmas leis deterministas tais como se aplicam ao mundo exterior em um sentido estrito. O ego inteligível torna-se uma ideia transcendental (pouco importa se é visto como um ente metafísico ou como um ideal a ser realizado). É da essência desta ideia obstar uma interação dialética com os componentes empíricos do ego e, *a fortiori*, a possibilidade de o ego inteligível reconhecer a si próprio no ego empírico. O impacto de tal ideia sobre a realidade empírica a ela correspondente produz o mesmo enigma que descrevemos anteriormente na relação entre o ser e o dever-ser... Claro que o "indeterminismo" não significa, evidentemente, que ele supere essa dificuldade para o indivíduo. O indeterminismo dos pragmáticos modernos, na origem, nada mais era do que a aquisição de uma margem de "liberdade" que as exigências conflitantes e a irracionalidade das leis reificadas podiam oferecer ao indivíduo na sociedade capitalista. No fim, converte-se em uma mística da intuição que deixa mais intacto que antes o fatalismo do mundo exterior reificado (pp. 193-5; ed. port., pp. 215-6).

Em contraste com tais abordagens, Lukács indicava a adoção do "ponto de vista da totalidade" como a única linha viável de solução, argumentando que desde que "a inteligibilidade dos objetos se desenvolve proporcionalmente à medida que compreendemos sua função na totalidade à qual pertence..., apenas a concepção dialética da totalidade pode nos capacitar a compreender a realidade como um processo social" (p. 13; ed. port., p. 23). E, quanto ao sujeito material, capaz de operar de acordo com o ponto de vista da totalidade, Lukács apontou o proletariado e a sua consciência de classe "não psicológica", quando tentou explicar os avanços e fracassos do movimento revolucionário, por um lado, em relação ao desenvolvimento "atribuído" ou "imputado" da consciência de classe[10] e, por outro, à "crise ideológica do proletariado".

---

[9] Lukács, *History and Class Consciousness*, p. 221 (ed. port., p. 220).

[10] Um livro conciso e escrito com clareza que se inspirou em Lukács nos anos 30 é *Ideology and Superstructure in Historical Materialism*, de Franz Jakubowski (Londres, Allison & Busby, 1976, 132 p.), publicado

Retornaremos, logo a seguir, a alguns aspectos muito problemáticos da solução de Lukács. Mas, antes, é necessário sublinhar a validade não apenas da sua crítica magistral às "antinomias do pensamento burguês", mas também da demolição intelectual que faz do "economicismo", do "fatalismo" etc. social-democratas, demonstrando em numerosos contextos a urgência historicamente renovada de uma intervenção radical ativa da consciência social na luta em andamento. Igualmente, a sua análise da "hegemonia" – que não apenas antecipou, mas inspirou diretamente a reflexão de Gramsci sobre o tema – é de grande importância[11]. Sem esquecer, claro, o significado metodológico e teórico, assim como o prático, de colocar no primeiro plano dos debates socialistas a perspectiva há muito tempo perdida da "autêntica totalização".

7.2.2

É necessário sublinhar que a defesa de Lukács do "ponto de vista da totalidade" era diretamente dirigida contra dois alvos práticos fundamentais.

De um lado, ele o contrapunha à orientação tática estreita da Segunda Internacional, com seu "evolucionismo ilusório" e a separação não dialética de "meios" e "fins". Pois as principais lideranças da Segunda Internacional adotaram esta posição para serem capazes de glorificar os meios às expensas das finalidades socialistas originais, que abandonaram a favor de um "realismo" e um "pragmatismo" totalmente oportunistas.

Mas o segundo alvo era igualmente importante para Lukács, mesmo que mais tarde se tornasse cada vez mais difícil – em razão do sucesso da stalinização da Terceira Internacional – dar voz à crítica implícita em sua posição, definida, de modo oblíquo[12], já em *História e consciência de classe*. Na verdade, Lukács tentava atacar, com a imagem um tanto quanto idealizada que fazia do partido, as tendências que emergiam recentemente da burocratização do movimento comunista. Frequentemente ele enfatizava a importância da autocrítica, tanto em relação ao trabalho teórico marxista quanto como princípio fundamental da organização partidária. Seu modo

---

pela primeira vez em 1936 sob o título: *Der ideologische Überbau in der materialistischen Geschichtsauffassung*. Nos anos do pós-guerra, Lucien Goldman aplicou com grande sucesso alguns dos conceitos-chave de Lukács – especialmente o de "consciência imputada" – ao estudo da filosofia e da literatura. Ver seu *Immanuel Kant* (Londres, NLB, 1971; ed. francesa, 1948). *The Human Sciences and Philosophy* (Jonathan Cape, Londres, 1966; ed. francesa: 1952 e 1966; ed. brasileira, *Ciências humanas e filosofia: o que é a sociologia?* São Paulo, Difel, 1986); *The Hidden God* (Londres, Routledge & Kegan Paul, 1967; ed. francesa, 1956); *Recherches Dialectiques* (Paris, Gallimard, 1958); *Pour une sociologie du roman* (Paris, Gallimard, 1964); *Lukács and Heidegger* (Londres, Routledge & Kegan Paul, 1977; ed. francesa, 1973). Para um estudo da reificação no espírito de Lukács ver José Paulo Netto, *Capitalismo e reificação*, São Paulo, Livraria Editora Ciências Humanas, 1981.

[11] Ver, por exemplo, pp. 52-3, 65-6, 68-9 e 79-80 (ed. port., pp. 65-7, 80-81, 94-5).

[12] É oblíqua na medida em que Lukács não nomeia explicitamente seus adversários – como Béla Kun, um dos favoritos de Stalin na época – e as políticas que eles defendiam. Sua crítica é formulada em termos um tanto abstratos. Apesar de tudo, os objetos de sua crítica, ainda que oblíqua, são, naquele momento, complexos políticos/organizacionais claramente identificáveis. Diferentemente dos anos 30, após a derrota de suas "Teses de Blum", e com ela o fim do seu papel diretamente político, Lukács, então, se limita a questões filosóficas/literárias, e suas referências críticas às estratégias políticas são postas numa "linguagem esópica" muitíssimo mediada, como ele próprio observou após 1956.

oblíquo de criticar a burocratização consistiu em opor aos "partidos de velho tipo" – ou seja, os objetos contemporâneos muito reais de suas próprias análises – a imagem idealizada que fazia do partido ao qual, afirmava, estava "*destinado* o sublime papel de ser, tanto o portador da consciência de classe do proletariado, como a consciência de sua vocação histórica" (p. 41; ed. port., p. 56). Assim ele caracterizava o "velho tipo" da organização partidária:

> O partido divide-se em um grupo ativo e outro passivo, e o segundo só ocasionalmente deve ser posto em movimento e sempre sob a direção do primeiro. A "liberdade" possuída pelos membros de tais partidos não é, por conseguinte, mais do que a liberdade de observadores mais ou menos periféricos e nunca completamente engajados para julgar o curso fatalisticamente aceito dos eventos ou os erros dos indivíduos. Tais organizações nunca tiveram sucesso ao englobar a personalidade total de seus membros, elas nem sequer poderiam tentar fazê-lo. Como todas as formas sociais da civilização, essas organizações assentam-se na mais precisa e mecanizada divisão de trabalho, na burocratização, nos rigorosos delineamento e separação de direitos e deveres. Os membros só estão ligados à organização em virtude dos aspectos abstratamente captados de suas existências e esses laços são objetivados como direitos e deveres (p. 319-9; ed. port., p. 327).

Agravando ainda mais as coisas, alguns parágrafos mais tarde mostram com clareza o objetivo desse modo indireto de falar sobre o presente criticando os "partidos de velho tipo". Neles, Lukács reitera que sem a adesão consciente e o envolvimento dos seus membros, a disciplina partidária "deverá degenerar em um sistema reificado e abstrato de direitos e deveres e o partido recairá em um estado típico de um partido burguês padrão" (p. 320; ed. port., p. 328).

Lukács não se limitou a simplesmente apresentar uma crítica da moldura institucional das transformações pós-revolucionárias em termos das exigências de democratização do partido. Ele também levantou a questão crucial da democratização em relação à autoatividade necessária das massas populares e aos órgãos institucionais dessa autoatividade que se revelaram no curso dos grandes levantes revolucionários do passado, de 1871 em Paris a 1917 na Rússia e em todos os demais lugares. Assim, em um dos ensaios mais impactantes de *História e consciência de classe*, Lukács apelou às potencialidades de longo alcance dos Conselhos dos Trabalhadores. Para citar uma importante passagem:

> Toda revolução proletária tem criado conselhos operários de modo cada vez mais radical e consciente. Ao aumentar seu poder, a ponto de se transformar em órgão do Estado, essa arma é um sinal de que a consciência de classe do proletariado está em vias de sobrepujar a perspectiva burguesa de seus líderes. O conselho dos trabalhadores revolucionários (que não deve ser confundido com suas caricaturas oportunistas) é uma das formas que a consciência do proletariado lutou para criar desde seu nascimento. O fato de existir e estar constantemente se desenvolvendo mostra que o proletariado está no limiar da vitória. O conselho dos trabalhadores anuncia a derrota econômica e política da reificação. No período que se seguir à ditadura, eliminará a separação burguesa entre a legislatura, a administração e o judiciário. Durante a luta pelo poder, sua missão é dupla. Por um lado, ele deve superar a fragmentação do proletariado no

tempo e no espaço, por outro lado, tem que articular economia e política na verdadeira síntese da práxis proletária. Desse modo auxiliará na reconciliação do conflito dialético entre interesses imediatos e objetivo final (p. 80; ed. port., p. 95).

Ironicamente, contudo, quando *História e consciência de classe* foi publicado, em 1923, não apenas a República dos Conselhos da Hungria fora militarmente derrotada, mas todos os outros lugares, inclusive a Rússia, onde os conselhos operários ainda existiam, haviam se transformado numa reminiscência trágica da contradição entre as aspirações originais da revolução e os constrangimentos sócio-históricos que então prevaleciam também na Rússia pós-revolucionária.

De modo algum, portanto, foi acidental a condenação de *História e consciência de classe* pelo próprio Comintern, por meio da intervenção pessoal de autoridades de alto nível, como Bukharin e Zinoviev, para não mencionar inúmeros ataques ao qual seu autor foi submetido, por escritores e funcionários bem menos conhecidos, pelas opiniões expressas nesse livro tão influente. Apenas em um dos seus últimos trabalhos – *Demokratisierung heute und morgen*[13] – pôde Lukács reformular, em termos muito explícitos, sua condenação ao impacto fatalmente negativo da burocratização do partido sob as condições do desenvolvimento pós-revolucionário. Reitera ao mesmo tempo, de forma limitada, sua crença no significado histórico-mundial dos Conselhos dos Trabalhadores que espontaneamente emergiram em várias ocasiões no passado de lutas do movimento socialista[14].

---

[13] *Demokratisierung heute und morgen* (Democratização hoje e amanhã), um diligente exame das contradições tanto da democracia ocidental como do tipo stalinista de desenvolvimento, escrito na Alemanha em 1968, principalmente em resposta à intervenção soviética na Tcheco-Eslováquia; publicado vinte anos depois na Hungria com o título *A demokratizálódás jelene és jövöje* (O presente e o futuro da democratização), Budapeste, Magvetö Kiadó, 1988, brevemente discutida na seção 6.1.1 e no Capítulo 10.

[14] Nesse último trabalho, mais de uma vez Lukács relembra a seus leitores o estabelecimento espontâneo do Conselho de Trabalhadores no curso dos levantes revolucionários, apontando para eventos de 1871, 1905 e 1917. Em uma passagem-chave do seu livro sobre a *Democratização*, é assim que ele resume seus pontos de vista sobre o assunto:
A tarefa da democracia socialista, como forma social de transição que leva ao "reino da liberdade", é precisamente a supressão do dualismo entre homens privados e cidadãos. Os grandes movimentos de massa já mencionados acima, que sempre acompanharam e prepararam a revolução socialista, provaram que este não é um constructo ideal. Naturalmente, o que temos em mente é o modo pelo qual os conselhos foram constituídos em 1871, 1905 e 1917. Já mostramos que esse movimento – que tinha por objetivo a solução racional dos problemas existenciais vitais dos trabalhadores, das preocupações cotidianas com moradia e trabalho às grandes questões da vida social, de acordo com suas necessidades elementares de classe – foi esmagado por uma máquina burocrática após o final vitorioso da guerra civil; mostramos que Stalin, mais tarde, consolidou inquestionavelmente os reguladores burocráticos e praticamente liquidou todo o sistema dos conselhos ... Assim, as massas trabalhadoras perderam seu caráter como *sujeitos* capazes de tomar decisões: tornaram-se novamente *meros objetos* no cada vez mais poderoso, ubíquo, sistema burocrático de regulações que dominou todos os aspectos de suas vidas. Com isto, a via para o desenvolvimento socialista que poderia ter levado ao "reino da liberdade" foi bloqueada na prática (citado da edição húngara, pp. 159-61).

Contudo, como veremos no Capítulo 10, mesmo em 1968, quando Stalin poderia ser abertamente criticado sem receio de prisão ou algo pior, os Conselhos de Trabalhadores eram saudados por Lukács como pertencentes à história passada, sem qualquer perspectiva realista para sua reconstituição nas circunstâncias dos dias presentes. Isto se alinha com a reversão parcial do entusiasmo original de Lukács com os Conselhos de Trabalhadores; uma reversão que ocorre já nos últimos ensaios de *História e consciência de classe* (sobre essa questão, ver Capítulo 9).

7.3 "Crise ideológica" e sua resolução voluntarista

7.3.1

É necessário aqui empreender uma análise de alguns dos principais traços de *História e consciência de classe* no que diz respeito às exigências do autor acerca das condições da intervenção coletiva consciente no processo social com o propósito de instituir uma mudança estrutural radical. Para antecipar de forma breve, a própria solução de Lukács para as importantes questões que levantou são problemáticas: por uma variedade de razões teóricas/internas e políticas/práticas, ele é incapaz de definir em temos materiais tangíveis as condições nas quais a totalização coletiva consciente do conhecimento e a experiência que ele advoga e antevê poderiam de fato ocorrer. Consequentemente, ele é obrigado a procurar por respostas em um nível puramente ideológico – de fato, em um nível metodologicamente abstrato.

Podemos ver isso bem claramente na avaliação irrealista que Lukács faz do planejamento burguês como a "*capitulação* da consciência de classe da burguesia perante o proletariado" (p. 67; ed. port., p. 82). A própria crise social é definida repetidamente por Lukács como uma "*crise ideológica*" e, por correspondência, a tarefa revolucionária é identificada com a "*luta pela consciência*" (p. 68; ed. port., p. 83).

A razão pela qual *Lukács* insiste na alegada *capitulação* burguesa à consciência de classe do proletariado é para enfatizar o absurdo da "estranha contrapartida", ou seja, que "justamente a este ponto no tempo alguns setores do proletariado *capitulam* diante da burguesia" (p. 67; ed. port., p. 82), na medida em que aceitam a perspectiva do reformismo social-democrata. Se ao menos os proletários pudessem superar a sua *crise ideológica*! Pois, na visão de Lukács, é absolutamente vital que eles possam ter claro que, "como a burguesia tem a vantagem intelectual, organizacional e todas as outras, a superioridade do proletariado *deve* repousar exclusivamente na sua habilidade em ver a sociedade do centro, como um todo coerente" (p. 69; ed. port., p. 84).

Em vão procuraríamos em *História e consciência de classe* uma análise concreta das tendências objetivas do desenvolvimento do capitalismo contemporâneo. Tudo é projetado no nível da ideologia e da luta entre consciências de classe rivais. Na ausência de evidências objetivas de desenvolvimento, somos apresentados, não surpreendentemente, à sucessão de imperativos morais como nosso guia para o futuro:

Consciência de classe é a "ética" do proletariado, a unidade da sua teoria e da sua prática, o ponto no qual a necessidade econômica de sua luta pela libertação muda dialeticamente para liberdade. Ao perceber que o *partido* é a corporificação histórica e a *encarnação ativa* da consciência de classe, vemos que é também a encarnação da *ética do proletariado em luta*. Isto *deve* determinar sua política. Sua política pode nem

---

É também importante apontar no presente contexto que, diferentemente de *História e consciência de classe*, em *O presente e o futuro da democratização* não há mais menção à necessária "eliminação da separação burguesa de legislatura, administração e judiciário". Já que Lukács está agora resignado à ideia de que não se pode almejar mais que o estabelecimento de "uma divisão de trabalho realista entre o partido e o Estado", a tarefa de eliminar a separação burguesa entre os poderes é substituída no seu estudo escrito em 1968 pela demanda muito mais abstrata e institucionalmente inespecífica de "supressão do dualismo entre homem privado e cidadão", com vimos na última citação.

sempre estar de acordo com a realidade empírica do momento; em tais momentos seus *slogans* podem ser ignorados. Mas o curso inelutável da história dará a eles razão. *Ainda mais*, a *força moral* conferida pela correta consciência de classe trará frutos em termos da prática política.

A verdadeira força do partido é *moral*; ela é nutrida pela confiança das massas espontaneamente revolucionárias, cujas condições econômicas as forçaram à revolta. É alimentada pelo *sentimento* de que o partido é a objetivação de seu próprio desejo (por *obscuro* que possa ser para elas), que é a visível e *encarnada organização da sua consciência de classe*. Apenas quando o partido houver lutado por esta *confiança* e *a adquirido* poderá se tornar o líder da revolução. Pois apenas então as massas espontânea e instintivamente pressionarão com todas as suas energias avante em direção ao partido e em direção à sua própria consciência de classe (p. 42; ed. port., p. 56-7).

Dessa forma, recebemos um curioso postulado duplo, representando uma oposição abstrata à realidade da situação.

- Primeiro, a "real" ("não psicológica") consciência de classe do proletariado é convertida em um imperativo moral ao qual os trabalhadores devem se conformar no curso da realização de sua missão histórica.
- E, segundo, o partido é postulado como a "encarnação ativa e organizada da consciência de classe", desde que seja capaz e deseje se adequar à determinação moral do seu caráter essencial – sua força moral derivada de ser a "encarnação da ética do proletariado em luta" – e por esse meio "adquira a confiança" para realizar seu mandato histórico estipulado.

Uma vez que a realidade tanto da classe como do partido seja vista através do prisma refratário deste duplo *Sollen* ("dever-ser"), todo o resto também aparecerá sob a mesma luz. Considera-se o engajamento em questões particulares "um meio de *educação* para a *batalha final*, cujo resultado depende da superação do espaço entre a consciência psicológica e a atribuída" (p. 74; ed. port., p. 89). Acontecimentos verdadeiramente positivos podem ser esperados apenas quando "a escola da história completar a educação do proletariado e conferir a ele a liderança da humanidade" (p. 76; ed. port., p. 91).

A condição de sucesso é definida como o trabalho da consciência sobre a consciência – na classe trabalhadora como um todo e também no interior do partido – voltado para a superação da "crise ideológica". Pois, de acordo com Lukács, "é uma *crise ideológica* que deve ser resolvida *antes* que possa ser encontrada uma solução prática para a crise econômica mundial" (p. 79; ed. port., p. 95).

Significativamente, a grande sensibilidade do autor para soluções dialéticas é aqui abandonada, na medida em que ele define a questão em termos de "antes" e "depois": algo que ele jamais faria no nível da análise dos princípios filosóficos gerais envolvidos. Ele evita também a questão de *como* solucionar a crise ideológica como tal (e apenas pela força da ideologia) se a burguesia tão enfaticamente possui "as vantagens intelectual, organizacional e todas as outras", como ele próprio afirmara anteriormente. O trabalho educacional da consciência sobre a consciência, junto com a vantagem posicional e a superioridade qualitativa da postulada consciência totalizadora de classe do proletariado supostamente deveriam superar todas estas dificuldades práticas.

Quando Lukács tenta explicar a não realização das potencialidades revolucionárias, a ausência de condições socioeconômicas objetivas favoráveis é minimizada de tal modo que se atribui a responsabilidade pelas dificuldades e pelos fracassos a fatores ideológicos e organizacionais. Ao tratar da alegada tendência das greves de massa se transformarem numa luta direta pelo poder, Lukács caracteristicamente insistia no fato de que esta tendência não tenha ainda se tornado uma realidade, apesar de as condições econômicas e sociais terem sido *frequentemente satisfeitas*, tal é precisamente a crise ideológica do proletariado. Esta crise ideológica se manifesta, por um lado, no fato de que a posição objetiva e extremamente precária da sociedade burguesa é dotada, *nas mentes dos trabalhadores*, de toda a sua estabilidade anterior; em muitos aspectos o proletariado está ainda preso às velhas *formas de pensar e sentir* capitalistas. Por outro lado, o aburguesamento do proletariado se institucionaliza nos partidos mencheviques dos trabalhadores e nos sindicatos que eles controlam. Estas organizações ... empenham-se em evitar que [os trabalhadores] voltem sua *atenção à totalidade*, seja ela territorial, profissional etc., ou mesmo se envolve a sintetização do movimento econômico com o político. Nisto, os sindicatos tendem a assumir a tarefa de atomizar e despolitizar o movimento e *velar suas relações com a totalidade*, ao passo que os partidos mencheviques executam a tarefa de estabelecer a *reificação da consciência* do proletariado, tanto *ideologicamente* como no nível da *organização*. Desse modo eles asseguram que a consciência do proletariado permanecerá num certo estágio de relativo aburguesamento. Eles só podem realizar isto porque o proletariado está numa situação de *crise ideológica*, porque mesmo em teoria o desenvolvimento natural – ideológico – para a ditadura e para o socialismo está fora de questão para o proletariado, e porque a crise envolve não apenas o enfraquecimento econômico do capitalismo mas, igualmente, a transformação ideológica do proletariado que foi educado na sociedade capitalista sob a influência das formas-de-vida burguesas. Esta transformação ideológica deve sua existência à crise econômica que cria a oportunidade objetiva para a tomada do poder. O curso que de fato ela assume, contudo, de modo algum se desdobra de forma paralelamente *automática* e *"necessária"* ao percurso da crise objetiva como tal. *Esta crise pode ser resolvida apenas pela ação livre do proletariado* (pp. 310-11; ed. port., p. 318, itálicos de Lukács na última sentença).

Podemos ver na última passagem também um modo revelador de desacreditar o *"necessário"* identificando-o – graças a um uso peculiar das aspas – com *automático*. Naturalmente o dialético Lukács está bem ciente da diferença entre a necessidade das determinações do complexo social e o rude reducionismo dos atalhos mecânicos e automáticos na qualidade de hipóteses explicativas. E, ainda, ele identifica os dois no contexto do seu discurso acerca do trabalho da consciência sobre a consciência, para estabelecer a *"ação livre do proletariado"* como resultado da solução com sucesso da sua crise ideológica.

Similarmente, algumas páginas depois – falando sobre possíveis vias econômicas de escape ao desenvolvimento capitalista futuro –, Lukács contrapõe de modo algo retórico "o puro mundo teórico da economia" à "realidade da luta de classe" (p. 306; ed. port., p. 314.). Ele descreve as possíveis vias econômicas de escape como meros "expedientes", adicionando que "para o capitalismo expedientes podem certamente ser pensados neles e por eles próprios. Se eles podem ser colocados em prática, *contudo*, *depende do proletariado*. O proletariado, as ações do proletariado, bloqueiam as saídas do capitalismo da crise" (ibid., itálicos de Lukács). Abstratamente isto é verdade. Mas esta verdade abstrata repousa na falsa pressuposição da *livre atividade* do proletariado: uma condição à cuja realização Lukács não consegue ver os obstáculos senão em termos ideológicos. E, novamente, as condições objetivas vitais são desacreditadas pelas estranhas aspas e pela montagem tendenciosa, com a ajuda dos termos "fatalista" e "automático", de um argumento a ser facilmente batido:

A força recém-encontrada do proletariado é o produto das "leis" econômicas objetivas. O problema, contudo, de converter esse poder potencial em um poder real e de capacitar o proletariado (que hoje é realmente mero objeto do processo econômico e apenas potencial e latentemente seu sujeito codeterminante) a emergir como seu sujeito na realidade *não é mais* determinado por estas "leis" em qualquer modo *fatalista e automático* (ibid).

O argumento a ser facilmente batido é exposto também na total redundância do seu "não mais". Pois forças sociais e suas consciências *nunca* foram – nem poderiam *jamais* ser – determinadas de um "modo fatalista e automático", como Lukács o sabe muito bem. Contudo, ele precisa de tais alvos fáceis no contexto de seu discurso sobre a "luta pela consciência". Seu apelo exclusivo em favor de um esforço urgente e concentrado para superar a crise ideológica diagnosticada como o principal obstáculo para o avanço da luta revolucionária se revelaria bastante problemático se ele tivesse que admitir que no bloqueio que realmente experimentamos atuam forças objetivas maciças, e sua efetividade é enormemente fortalecida, ao invés de enfraquecida, precisamente pelo fato de que elas não impõem suas determinações paralisantes de um modo "fatalístico e automático".

Certamente, todo sujeito social deve articular, no nível da sua consciência social, as determinações objetivas pelas quais é modelado: uma condição de modo algum invalidada pela categoria da "falsa consciência". Do mesmo modo, é fácil assumir que a consciência social (ou "falsa consciência") não pode ser *reduzida* diretamente às determinações materiais, para não falar de forças exteriores "automáticas" e "fatalistas". Daqui, contudo, não decorre que se possa proceder do modo inverso, reduzindo os fatores social/material objetivos, leis e forças, a atos da consciência, apesar de eles indubitavelmente aparecerem *na* consciência, seja de um modo correto, seja de cabeça para baixo. Colocar as imagens em sua posição correta não eliminará o seu fundamento objetivo de determinação, não importa quão bem-sucedido possa temporariamente ser o trabalho de consciência sobre consciência em seu esforço para produzir uma "clarificação ideológica". Deixar intactos tais fundamentos objetivos de determinação é como terminar reproduzindo, mais cedo ou mais tarde, as mesmas imagens de cabeça para baixo que a consciência esclarecida tão arduamente tentou extirpar das suas consciências-alvo.

Na subordinação voluntarista de Lukács de algumas das mais poderosas forças objetivas – caracteristicamente descritas como "meros expedientes econômicos" – à "realidade da luta de classes" encontramos precisamente esta tendência a um reducionismo invertido. (E ele de modo algum é o único filósofo culpado disto.) A ênfase irrealista e exagerada colocada nos fatores ideológicos e políticos acompanha passo a passo a fatal subestimação do poder de recuperação do capital e da continuidade de seu domínio. A sugestão de que a estabilidade capitalista existe apenas "nas mentes dos trabalhadores" – os quais, assim, percebem de uma forma totalmente irracional "a posição objetiva extremamente precária da sociedade burguesa" – é um exemplo nítido a esse respeito.

O voluntarista reducionismo invertido implícito em tais asserções tem sido uma das principais razões da legendária influência de *História e consciência de classe* não apenas sobre o marxismo de esquerda dos anos 20 e 30, mas também sobre a "teoria crítica" – tanto na época de sua criação como nos anos do pós-guerra – e ainda, depois, sobre o movimento estudantil nos anos 60, especialmente na Alemanha[15]. Publicado em um momento em que o capital estava bem adiantado para assegurar em novas bases a sua estabilidade, quando a onda revolucionária do final da guerra havia se exaurido, *História e consciência de classe,* de modo apaixonado, recusou-se a aceitar a situação que surgia e apelou diretamente ao ideal da consciência totalizante[16] como sua única aliada contra as graves desvantagens da nova estabilidade. Portanto, não constitui surpresa que continue a encontrar ecos favoráveis em movimentos intelectuais socialmente muito isolados, ainda que desafiadores, os quais tentaram articular, em circunstâncias similares de imobilidade social – contra o pano de fundo da aparente integração[17] da classe trabalhadora e suas organizações tradicionais – a ideia de uma rebelião consciente contra o poder da reificação.

7.3.2

A adoção desse tipo de solução por Lukács ao escrever *História e consciência de classe* deve ser situada no contexto dos conflitos e estratégias rivais do profundamente dividido movimento socialista. Como é bem conhecida, essa divisão ocorreu na virada do século, apesar de suas raízes retrocederem aos anos finais da I Internacional, ainda no período da vida de Marx. Ela se tornou manifesta já nas ásperas controvérsias acerca da sua *Crítica ao Programa de Gotha*. Tais acontecimentos coincidiram com a nova tendência imperialista dos mais importantes países capitalistas no último terço do século XIX, dando um tempo de vida ao capital que também forneceu a oportunidade para a acomodação da classe trabalhadora na adequadamente ajustada estrutura parlamentar ocidental.

---

[15] Ver o representativo volume *Geschichte und Klassenbewusstsein Heute: diskussion und Dokumentation*, por F. Cerutti, D. Clausen, H-J. Krahl, O. Negt e A. Schmidt, preparado em 1969, mas publicado apenas em 1971 pela Verlag de Munter, Amsterdã. Ver também a importante coletânea de ensaios *Konstitution und Klassenkampf: zur historischen Dialektik von bürgerlicher Emanzipation und proletarischer Revolution* de Hans-Jürgen Krahl, Verlag Neue Kritik, Frankfurt, 1971. Para um reexame crítico desta experiência e sua relação com o primeiro Lukács, ver Furio Cerutti, *Totalitá, bisogni, organizzazione: ridiscutendo "Storia e coscienza di classe"*, Firenza, La Nuova italia, 1980.

[16] A sentença a seguir é um exemplo típico do elevado caráter passional desse apelo direto: "A menos que o proletariado prefira compartilhar o destino da burguesia e perecer de modo vil e ignominioso nos espasmos da morte do capitalismo, deve ele realizar esta tarefa *em plena consciência*" (p. 314, itálicos de Lukács).

[17] De modo algum foi acidental que outra influência seminal a moldar a ideologia do movimento estudantil tenha sido *One-Dimensional Man* (ed. brasileira, *O homem unidimensional*, Rio de Janeiro, Zahar Editores, 1973) de Marcuse (Londres, Routledge & Kegan Paul, 1964). Pois Marcuse insistiu que os povos anteriormente oprimidos, "antes que fermente a mudança social, 'avançaram' para se tornar o fermento da coesão social", deixando apenas os excluídos na oposição e, portanto, uma "esperança sem esperança" de que "neste período os extremos históricos possam novamente se encontrar: *a consciência mais avançada da humanidade* com sua força mais explorada" (pp. 256-7).

Sob novas condições, os até então pequenos grupos e organizações socialistas dos principais países capitalistas puderam se tornar partidos de *massas* no seu cenário *nacional*, como Lenin apontou. Mas o preço pago por tal crescimento foi a perda da sua perspectiva global e de sua postura radical, pois as duas eram (e permaneceram assim no futuro) inextrincavelmente atadas uma à outra. O radicalismo socialista era então (e ainda mais hoje) viável apenas na condição de que o antagonista do capital avalie estrategicamente as potencialidades assim como as limitações estruturais inevitáveis do seu adversário de um ponto de vista *global*.

Sob as condições históricas da nova tendência imperialista, contudo, o reformismo nacionalista constituiu a corrente principal do movimento da classe trabalhadora, com muito poucas exceções. Quanto às próprias exceções, elas puderam surgir apenas como resultado das complexas circunstâncias do *desenvolvimento dependente*, como no caso da Rússia, por exemplo. O desenvolvimento capitalista dependente da Rússia – em conjunção com a política repressiva anacrônica do regime czarista, que, ao contrário de seu equivalente ocidental, não ofereceu qualquer paz ou acomodação parlamentar às classes trabalhadoras – forneceu um terreno muito mais favorável para um movimento socialista radical. Mas, precisamente por estas circunstâncias muito especiais, os caminhos seguidos pela classe trabalhadora organizada tinham que se cindir ainda por um longo tempo.

Compreensivelmente, o movimento socialista russo, como movimento revolucionário de uma *vanguarda* política orientada para a massa, mas rigidamente organizada, tinha que se adaptar às especificidades de seu cenário sócio-histórico, assim como os partidos parlamentares legalizados, orientados para o voto de massa da social-democracia ocidental, articularam seus princípios estratégicos segundo as demandas políticas que emergiam dos complicados, na verdade contraditórios, interesses materiais da sua situação nacional economicamente muito mais avançada e sustentada de modo imperialista.

A ideologia apenas não poderia superar a clivagem que objetivamente separava esses movimentos nos termos dos diferentes *graus* de desenvolvimento dos seus países; do seu *tipo* de desenvolvimento relativamente privilegiado ou dependente; da *posição* mais ou menos favorável que os países em questão ocupavam no sistema global das hierarquias imperialistas; do caráter dos respectivos *Estados* tal como desenvolvidos por um longo período histórico; e das estruturas *organizacionais* viáveis da transformação socioeconômica e político-cultural que poderia ser visada no interior da base material estabelecida (ou herdada) e sua complexa superestrutura em cada país particular. É por isso que as observações de Lenin, na sequência da Revolução Russa, descrevendo esta última como modelo e "futuro inevitável e próximo"[18] dos países ocidentais de capitalismo mais avançado, teriam que se revelar desesperadoramente

---

[18] Lenin, "'Left-Wing' Communism – an Infantile Disorder", Collected Works, vol. 31, p. 22.
É verdade que Lenin observara na sentença anterior que logo após a vitória da revolução proletária, em pelo menos um dos países avançados, uma aguda mudança provavelmente acontecerá; a Rússia cessará de ser o modelo e uma vez mais se tornará um país atrasado (no sentido "soviético" e socialista) (ibid., p. 21). Esta é a sentença que Lukács gosta de citar em sua crítica aos acontecimentos stalinistas. Contudo, esta é uma representação completamente parcial da linha de argumentação de Lenin, pois, imediatamente após a sentença acima citada, ele continua seu artigo assim:

otimistas, ao passo que as palavras de Rosa Luxemburgo – "Na Rússia, o problema apenas poderia ser posto, mas não poderia ser solucionado na Rússia"[19]– resistiriam ao teste do tempo.

As dificuldades se tornaram particularmente agudas alguns anos após a Primeira Guerra Mundial, na sequência das derrotas das insurreições fora da Rússia. Pois, uma vez que a "onda revolucionária" retrocede e os regimes capitalistas do lado derrotado na guerra se tornam relativamente estáveis novamente, a clivagem acima mencionada da condição sócio-histórica dos movimentos mutuamente opostos da classe trabalhadora – a qual, na situação imediata do pós-guerra, não apenas *parecia ser* mas, pelo breve momento histórico do colapso, ao final da guerra, dos regimes derrotados (apesar de decididamente não o dos vencedores, que podiam contar com o butim da guerra), *realmente era* muito mais estreita – alargou-se tremendamente, resultando numa brecha muito maior do que em qualquer época anterior.

A tentação de superá-la através da *ideologia* nos recém-formados partidos comunistas da Terceira Internacional, tornou-se irresistível. Ainda mais que as estruturas materiais de *desenvolvimento* e *subdesenvolvimento*, em vez de diminuir em importância, afirmaram-se no mundo com crescente severidade. Os países capitalistas ocidentais mantinham abertas algumas possibilidades objetivas graças às quais foram capazes – por um período histórico relativamente longo – de *deslocar* (mas, de modo algum, *resolver*) suas contradições. Isto, por sua vez, tornou muito problemático o discurso revolucionário dos principais intelectuais da Terceira Internacional, como Lukács mais tarde admitiu autocriticamente, caracterizando sua própria posição, junto com a de seus camaradas associados ao periódico *Communism*, como "utopismo messiânico" (p. xviii; ed. port. p. 358). Pois eles tenderam a ignorar as possibilidades objetivas à disposição do seu antagonista histórico, subestimando enormemente o "poder de permanência" do capital, insistindo que "a força atual do capitalismo foi tão enfraquecida que ... *apenas a ideologia permanece como obstáculo*" (p. 262).

O próprio discurso de Lenin era muito distinto, mesmo quando, em luta contra o oportunismo reformista, ele enfatizava a ideologia, já que se dirigia a pessoas que precisavam enfrentar os problemas e contradições de situações muito diferentes. Os dois fatores básicos das suas dificuldades socioeconômica e política – o peso

---

No atual momento da história, no entanto, é o *modelo russo* que revela para *todos* os países alguma coisa – e alguma coisa muito significante – de seu *futuro próximo e imediato*. Trabalhadores avançados de todos os lugares o perceberam; mais frequentemente, eles o captaram com seu instinto de classe revolucionário muito mais que o compreenderam (ibid., p. 22; a palavra *todos* foi posta em itálico por Lenin).

Portanto, a adoção pela Terceira Internacional da perspectiva segundo a qual a Revolução Russa e seus resultados representavam o "futuro próximo e imediato", mesmo dos países de capitalismo mais avançado, não pode ser dissociada de Lenin. Isto não é alterado pelo fato de que ele teve que formular sua avaliação estratégica das condições históricas dadas em oposição aos "líderes da Segunda Internacional, tais como Kautsky na Alemanha e Otto Bauer e Friedrich Adler na Áustria, que, ao falharem em compreender isto, provaram ser os reacionários e partidários do pior tipo de oportunismo e traição social" (ibid., p. 22). Pois Rosa Luxemburgo não se opunha menos a eles do que Lenin, condenando sua cegueira em relação à significação histórica mundial da Revolução Russa nos termos mais duros possíveis.

[19] Luxemburgo, *The Russian Revolution*, The University of Michigan Press, 1961, p. 80.

do desenvolvimento capitalista dependente na Rússia e as medidas extremamente repressivas do Estado policial czarista – tornaram viável, naquelas circunstâncias, a sua estratégia. Ainda assim, e mesmo em seu caso, a defesa da forma *clandestina* de organização do partido como garantia universalmente válida da correção da ideologia e da estratégia, a ser também aplicada na Alemanha e em todo o Ocidente, e mais tarde seu apelo ideológico direto ao caráter de *modelo* da Revolução Russa tiveram seus dilemas insuperáveis. Uma vez que a orientação estratégica do "*socialismo em um só país*" prevaleceu na Rússia após a morte de Lenin com uma finalidade dogmática, a linha geral da Terceira Internacional – que continuou a insistir no caráter de modelo dos desdobramentos soviéticos – era na realidade uma contradição em relação às perspectivas de desenvolvimento para um movimento socialista internacional genuíno. Não foi, portanto, nem um pouco surpreendente que a Terceira Internacional tivesse chegado ao lamentável fim que terminou por alcançar.

7.3.3

A incapacidade de se engajar numa análise completa das transformações em curso no capitalismo ocidental, adotando, ao contrário, a proposição segundo a qual o modelo russo representava "o futuro inevitável e próximo" do capitalismo em geral, trouxe algumas conclusões verdadeiramente peculiares mesmo no caso de intelectuais excelentes e profundamente comprometidos como Lukács. Com respeito à questão das formas legais e ilegais, ele afirmou em *História e consciência de classe* que

A questão da legalidade ou ilegalidade se reduz, para o Partido Comunista, à *mera questão de tática* a ser resolvida na *utilidade do momento*, para a qual é escassamente possível estabelecer regras gerais como decisões que devem ser tomadas com base nas *experiências imediatas* (p. 264, itálicos de Lukács; ed. port., p. 272).

Ao mesmo tempo, Lukács reviu seu entusiasmo anterior com a posição de Rosa Luxemburgo e reinterpretou algumas de suas concepções de tal modo a não mais terem qualquer semelhança com as verdadeiras declarações dela. Assim, a respeito da possível mudança das estruturas capitalistas em socialistas, Lukács atribuiu a ela a visão de que o capitalismo é "dócil a tais mudanças 'através de mecanismos legais' no interior da estrutura da sociedade capitalista" (p. 283; ed. port. pp. 291-2). Na verdade, ela tinha desprezo por tal ideia, expondo do modo mais claro possível o absurdo de *Bernstein* em procurar meios legislativos onde nenhum controle efetivo poderia ser de fato encontrado[20]. Pior ainda, Lukács também afirmou – e, para dar maior peso, ele até grifou – a proposição mais surpreendente de todas, segundo a qual Rosa Luxemburgo "*imagina a revolução proletária como tendo a forma estrutural das revoluções burguesas*" (p. 51; ed. port. p. 292). Contudo, na verdade, ela repetiu seguidamente que a "história não torna nossa revolução algo tão fácil quanto as revoluções burguesas. Naquelas revoluções foi suficiente derrubar o poder oficial no centro e substituir uma dúzia, ou algo equivalente, de pessoas como autoridades. Mas nós temos que trabalhar mais de baixo. Nesse sentido emerge o caráter de massa

---

[20] Id., *Reform or Revolution*, New York, Pathfinder Press, 1970, p. 50.

de nossa revolução, que objetiva transformar a *estrutura toda da sociedade*"[21]. Esta interpretação incorreta por parte de Lukács não foi acidental, muito menos o resultado da "capitulação oportunista à ortodoxia de partido", como é frequentemente alegado. Foi, ao contrário, a consequência de não conferir suficiente importância ao fato de que *o fundamento material da solidariedade* para o movimento da classe trabalhadora internacional tinha sido abalado na virada do século. Nenhum contramovimento *ideológico* poderia corrigir as coisas nesse aspecto se o próprio fundamento material ficasse intacto.

Nem era realmente possível remediar a situação apenas com esforços *político--organizacionais*, por melhores que fossem. Pois a grande dificuldade a ser enfrentada pelo movimento socialista concernia ao metabolismo socioeconômico fundamental do sistema global do capital. Nenhum apelo ideológico direto à consciência do proletariado poderia, por assim dizer, "queimar as etapas" de tais acontecimentos objetivos, nulificando ou superando desse modo o caráter orgânico dos acontecimentos em questão, quando o capital ainda podia encontrar, apesar dos reveses que sofreu com a vitória da Revolução Russa, vastas vias de escape para deslocar suas contradições com base na sua *ascendência global*.

Caracteristicamente, portanto, até mesmo as questões *organizacionais* tendiam a ser reduzidas a preocupações *ideológicas*. O partido era definido como portador da consciência de classe "designada" ou "atribuída do proletariado", em que a consciência de classe atribuída era assim descrita:

> Quando se relaciona consciência com toda a sociedade, torna-se possível *inferir* os pensamentos e sentimentos que os homens *teriam que ter* em uma situação particular se eles fossem *capazes* de avaliar tanto a situação como os interesses dela emergentes no seu impacto sobre a ação imediata e em toda a estrutura da sociedade. Ou seja, seria possível *inferir* os pensamentos e sentimentos *apropriados* à sua situação objetiva ... Consciência de classe consiste de fato nas reações "*atribuídas*" [zugerechnet] *apropriadas e racionais* a uma particular *posição típica* no processo de produção (p. 51; ed. port., p. 64).

Do mesmo modo, a tentativa de Lukács de sempre conferir à ideologia um papel crucial também dominou seu diagnóstico do processo socioeconômico que se desdobrava:

> Com as crises da guerra e do período do pós-guerra ... a ideia de uma economia "planejada" ganhou terreno ao menos entre os elementos mais progressistas da burguesia. ... Quando o capitalismo *ainda se expandia* ele rejeitou todo tipo de organização social... Se compararmos isto com as tentativas correntes de harmonizar a economia "planejada" aos interesses de classe da burguesia, seremos forçados a admitir que o que nós estamos testemunhando é a *capitulação da consciência de classe da burguesia àquela do proletariado*. Claro, a fração da burguesia que aceita a noção de uma economia "planejada" não entende por isso a mesma coisa que o proletariado; considera-a *a última tentativa de salvar o capitalismo* dirigindo suas contradições internas a um ponto de ruptura. Contudo, isto significa *abandonar a*

---

[21] Id., *Spartacus*, Colombo, Young Socialist Publications, 1971, p. 27.

última linha de defesa teórica. (Como uma estranha contrapartida podemos notar que, justamente neste momento, certos setores do proletariado *capitulam diante da burguesia* e adotam esta, a mais problemática forma de organização [de partido] burguesa.) Com isto toda a existência da burguesia e a sua cultura são mergulhadas na *crise mais terrível* ... Esta crise *ideológica* é um sinal infalível de decadência. A burguesia já foi jogada à defensiva; por mais agressivas que suas armas possam ser, ela está lutando pela autopreservação. *Seu poder de dominação se esvaneceu para além do ponto de retorno* (p. 67; ed. port., p. 82).

O fato histórico que revelou a "estranha contrapartida" (do reformismo social-democrata) à "capitulação da consciência de classe da burguesia perante a do proletariado", surgido não "justamente neste momento", mas pelo menos três décadas antes do "período pós-guerra" (isto é, mesmo antes de Bernstein), pareceu não importar ao diagnóstico de Lukács. Nem tentou ele explicar o que o causou.

Da mesma forma, ele não sentiu necessidade de empreender uma análise séria da economia capitalista global e de suas tendências recentes de desenvolvimento no interior de seus próprios termos de referência. Seu discurso ideologicamente orientado forneceu tanto o diagnóstico como a solução em termos estritamente teórico-ideológicos: o "abandono da última linha de *defesa teórica*" e a "*crise ideológica*" dele resultante.

Contudo, já que o paradoxo da "estranha contrapartida" da crise ideológica da burguesia foi conceituado do mesmo modo, a solução foi teorizada em um espírito idêntico, ou seja, no interior da ideologia. Coerentemente, afirmou-se que

> as estratificações no interior do proletariado que levam à formação dos vários partidos trabalhistas e do partido comunista não são estratificações objetivas, econômicas, mas simplesmente estágios no desenvolvimento da consciência de classe (p. 326; ed. port., pp. 333-4).

Consequentemente, a solução possível para os problemas identificados poderia apenas ser definida por Lukács em termos ideológicos-organizacionais, como "a *ação livre e consciente* da própria *vanguarda consciente* ... a superação da *crise ideológica*, a luta para adquirir a correta consciência de classe proletária" (p. 330; ed. port., pp. 337).

Quanto ao paradoxo da própria "estranha contrapartida", a resposta de Lukács seguiu o mesmo padrão. Foi dada de forma a conferir à organização política a *missão ideológica* de resgatar das mãos da sua liderança oportunista "a grande massa do proletariado que é instintivamente revolucionária mas não alcançou ainda o estágio de clara consciência" (p. 289; ed. port., p. 292).

A importância dos fatores objetivos foi constantemente minimizada por Lukács para ampliar a plausibilidade do seu apelo ideológico dirigido a uma consciência de classe proletária idealizada e à sua "encarnação ativa, visível e organizada", o partido igualmente idealizado. A crise do sistema capitalista foi exagerada de modo a sugerir que, não fosse pela "mentalidade dos trabalhadores", a ordem estabelecida não mais poderia sustentar a si própria. Desse modo, a negligência dos fatores materiais deu-lhe a ilusão de que as pré-condições econômicas e sociais da transformação revolucionária teriam sido *frequentemente realizadas* e apenas a "mentalidade dos trabalhadores" teria que ser modificada pela "ativa e visível encarnação da sua consciência de classe" para conquistar a vitória sobre a *"objetivamente e extremamente precária* condição da sociedade burguesa".

Desse modo, a estabilidade historicamente produzida e objetivamente sustentada (isto é, o bem-sucedido avanço imperialista e a reestabilização e expansão do pós-1919) da sociedade capitalista ocidental foi afastada por Lukács por carecer de existência real, já que, supostamente, ela existia apenas "na mentalidade dos trabalhadores". Do mesmo modo, a múltipla estratificação objetiva no interior da classe trabalhadora realmente existente tinha seu *status* objetivo negado e era descrita, ao contrário (algo misteriosamente, segundo o modelo da "tipologia" weberiana positivamente assumida em vários contextos de *História e consciência de classe*), como "estágios" no autodesenvolvimento da consciência de classe proletária. Como resultado desta abordagem, a tarefa histórica do "que fazer" tinha que ser definida como o trabalho de consciência sobre consciência. É assim que Lukács – um dos pensadores mais originais e realmente dialéticos do século – terminou por proclamar com unilateralidade não dialética a proposição, por último citada, segundo a qual a "crise ideológica" do proletariado "deve ser solucionada *antes* que se possa encontrar uma solução prática para a crise econômica do mundo".

7.4 A função do postulado metodológico de Lukács

7.4.1

Quando Lukács insiste que ao "partido está designado o sublime papel de portador da consciência de classe do proletariado e da consciência de sua vocação histórica", ele o faz em aberto desafio à "visão superficialmente mais 'ativa' e 'mais realista' [que] confere ao partido tarefas relacionadas predominantemente ou mesmo exclusivamente à organização" (p. 41; ed. port., p. 56). Nesta avaliação desafiadora das condições históricas predominantes, à classe trabalhadora é *atribuída* – apesar de sua estratificação dissentânea interna e da acomodada submissão ao poder do capital reconhecidas por Lukács – sua consciência totalizadora de classe, e ao partido é *designado* o papel de ser o portador real daquela consciência, apesar das claramente identificáveis e muito perturbadoras tendências ao "realismo" estreito e à burocratização do movimento comunista internacional. Desse modo, na ausência das condições objetivas requeridas, a ideia de uma totalização consciente dos múltiplos processos sociais conflitantes na direção de uma transformação socialista radical torna-se extremamente problemática. Ela tem que ser transformada em postulado, para ser mantida viva para o futuro, e deve ser concebida uma teoria que seja capaz de afirmar e reafirmar sua validade diante de quaisquer derrotas e desapontamentos que o futuro real ainda tenha guardado para o sitiado movimento socialista.

Estas determinações possuem consequências de longo alcance para a abordagem de Lukács. Contra as condições negativas prevalecentes, ele não pode simplesmente oferecer melhorias *prováveis*, sob circunstâncias material, política e organizacionalmente determinadas e específicas. Ele deve oferecer nada menos que *certezas* para ser capaz de contrabalançar todas as evidências dadas e possíveis que apontavam na direção indesejada. Assim, absolutamente nada pode colocar sob a sombra da dúvida "a certeza de que o capitalismo está condenado e que – no final – o proletariado será vitorioso" (p. 43; ed. port., p. 57). Se a classe mostra sinais não convincentes de "superar o fosso entre sua consciência de classe *atribuída* e a *psicológica*", e se, pior ainda, a "encarnação visível e organizada" da consciência de classe, o partido – devido ao seu crescente "realismo" e à sua burocratização –, parece incapaz de cumprir a função a ele *designada*, tudo isso deve ser desprezado em nome do imperativo do resultado final.

A razão por que o discurso de Lukács deve ser transferido para um plano metodológico abstrato agora torna-se visível. A validade desafiadora da distante perspectiva positiva que ele deve pregar apenas pode ser estabelecida – contra todas as evidências contrárias visíveis e, como ele argumenta, *concebíveis* – em termos de um discurso puramente metodológico. Como o próprio Lukács coloca na continuação imediata da última citação,

Não pode haver garantia "material"[22] de certeza. Ela pode ser *garantida metodologicamente* – pelo método dialético (p. 43; ed. port., p. 57).

O problema é, contudo, que a "garantia metodológica" oferecida por Lukács às vezes corre o perigo de se tornar uma nova forma de *apriorismo* que tende a descartar, como irrelevantes, questões *substantivas* quando, de fato, elas deveriam ser constante e continuamente mantidas sob detalhado exame.

7.4.2

Podemos encontrar as fontes da ideia de Lukács, concernente à certeza dialética da vitória contra a realidade da dominação material, na polêmica de Rosa Luxemburgo contra a denúncia feita por Bernstein da dialética marxiana como um mero "andaime". Ela escreve em resposta a tal visão:

Quando Bernstein dispara sua flecha mais afiada contra nosso sistema dialético, ele está de fato atacando o *modo de pensar* empregado pelo proletariado consciente em luta pela libertação. É uma tentativa de quebrar a espada que tem possibilitado ao proletariado perfurar a escuridão do seu futuro. É uma tentativa de abalar o braço intelectual com a ajuda do qual o proletariado, apesar de *materialmente* sob o jugo da burguesia, é contudo capaz de triunfar contra a burguesia. Pois é nosso *sistema dialético* que mostra às classes trabalhadoras o caráter *transitório* desse jugo, provando aos trabalhadores a *inevitabilidade da sua vitória*, e já está realizando uma revolução no domínio do pensamento.[23]

Em contraste com a posição de Lukács, contudo, o método do *sistema dialético*, com base no qual Rosa Luxemburgo predica, tanto quanto Lukács, a "*inevitabilidade da vitória proletária*" não está por ela separado das proposições substantivas da estrutura teórica marxiana. Em Luxemburgo, o conteúdo não se opõe ao método. Ao contrário, ela insiste na coerência teórica das proposições marxianas como um sistema abrangente cujas teses particulares devem ser entendidas no contexto do todo. Ela rejeita o reformismo oportunista de Bernstein tanto em termos substantivos, sublinhando sua incompetência ao querer superar a prática teórica parasita atacando tão somente *teses isoladas* da doutrina marxiana. É assim que ela o coloca no mesmo trabalho:

---

[22] Na mesma linha dos nossos exemplos anteriores, note novamente o uso característico das aspas.
[23] Luxemburgo, *Reform or Revolution*, p. 58.

O oportunismo não está em posição de elaborar uma *teoria positiva* à prova de críticas. Tudo que ele pode fazer é atacar várias das *teses isoladas* da teoria marxista e, justamente porque a doutrina marxista constitui um *edifício solidamente construído*, esperar que por este meio abale o *sistema todo*, desde o topo até sua fundação.[24]

Na verdade, Luxemburgo realça que a tentativa reformista de ir para além de Marx representa, na verdade, um retorno a uma posição pré-marxista, mas um retorno que, nas novas circunstâncias, é totalmente desprovido da relativa justificação histórica das tendências teóricas originais como associadas a uma fase anterior no desenvolvimento do movimento socialista. E, em seu esforço para apanhar, na sua crítica negativa, questões substantivas estrategicamente vitais da luta socialista mais atual, ela concentra a atenção, em termos de conteúdos teóricos bem específicos, na reorientação bernsteiniana regressiva e desesperadamente irrealista do movimento socialista de substituir a esfera da *produção* pela da *distribuição*[25]. Na concepção de Rosa Luxemburgo, portanto, metodologia e doutrina constituem uma *unidade* inseparável do sistema dialético marxiano.

7.4.3

Lukács apaixonadamente compartilha com Luxemburgo a rejeição radical à posição reformista e sua insistência na importância do método dialético diante das adversidades materiais historicamente dadas. Contudo, sob as circunstâncias históricas prevalecentes –

---

[24] Id., ibid., p. 59.

[25] Na continuação imediata da última citação, é assim que Rosa Luxemburgo argumenta sobre os pontos em questão:
Isto mostra que a prática oportunista é essencialmente irreconciliável com o marxismo. Mas também prova que o oportunismo é incompatível com o socialismo (o movimento socialista) em geral, que sua tendência interna é empurrar o movimento dos trabalhadores para os caminhos da burguesia, que o oportunismo tende a paralisar completamente a luta da classe proletária. A última, considerada historicamente, evidentemente nada tem a ver com a doutrina marxista, pois, antes de Marx, e independentemente dele, havia movimentos de trabalhadores e várias doutrinas socialistas, cada um dos quais, de modo próprio, era a expressão teórica correspondente, nas condições da época, à luta da classe trabalhadora pela emancipação. A teoria que consiste em basear o socialismo na noção moral de justiça, numa luta contra o modo de *distribuição*, em vez de baseá-lo na luta contra o modo de *produção*, a concepção dos antagonismos de classe como antagonismo entre o pobre e o rico, a tentativa de enxertar o "princípio cooperativo" na economia capitalista – todas as virtuosas noções encontradas na doutrina de Bernstein – já existiam antes de Marx. Todas estas teorias foram, *na sua própria época* [itálico de Luxemburgo], apesar de sua insuficiência, teorias efetivas da luta de classe do proletariado. Elas foram as botas de sete léguas das crianças nas quais o proletariado aprendeu a andar no cenário histórico (ibid., pp. 59-60).
É bastante significativo que, em uma discussão metodológica geral acerca do desenvolvimento da filosofia europeia nos últimos três séculos, Sartre reitere o argumento de Rosa Luxemburgo sobre as tentativas antimarxistas de ir "para além de Marx". Ele escreve:
Os períodos de criação filosófica são raros. Entre o século XVII e o XX, eu vejo três períodos que designarei pelos nomes dos homens que os dominaram: há o "momento" de Descartes e Locke, o de Kant e Hegel e, finalmente, o de Marx. Estes três filósofos se transformaram, cada um no seu momento, no húmus de todo pensamento particular e no horizonte de toda cultura; não há como ir além deles enquanto o homem não tiver ido além do momento histórico que eles expressam. Eu tenho com frequência observado que um argumento "antimarxista" é apenas aparentemente o rejuvenescimento de uma ideia pré-marxista. Um assim dito "ir para além" do marxismo será, na pior das hipóteses, apenas um retorno ao pré-marxismo, na melhor, a redescoberta de um pensamento já contido na filosofia que se acredita ter ultrapassado.
Sartre, *The Problem of Method*, Londres, Methuen, 1963, p. 7.

muito desfavoráveis –, ele tende a conferir àquilo que Rosa Luxemburgo denomina "uma revolução no domínio do pensamento" uma potencialidade autossustentável, graças ao poder irreprimível do método dialético sobre todos os adversários.

Nesse sentido, por exemplo, um ponto importante levantado por Franz Mehring é contornado por Lukács, transformando em virtude uma falha séria: "A questão de Mehring", ele escreve, "até que ponto Marx teria superestimado a consciência do Levante dos Tecelões não nos diz respeito aqui. *Metodologicamente* [itálico de Lukács] ele ofereceu uma descrição *perfeita* do desenvolvimento de uma consciência de classe revolucionária do proletariado" (p. 219; ed. port., p. 194).

Tal oposição entre método e conteúdo busca remover os fatores contingentes da teoria, estabelecendo, portanto, suas perspectivas sobre fundamentos livres de flutuações empíricas e temporais. Contudo, em sua tentativa de oferecer uma defesa segura – em termos de uma temporalidade de longo prazo do método dialético – contra a imediaticidade frequentemente explorada ideologicamente das confrontações econômicas e políticas diárias, Lukács termina com um paradoxo extremo:

> Permita-nos assumir, para continuar a argumentação, que pesquisas recentes houvessem refutado de uma vez para sempre cada uma e todas as teses individuais de Marx. Mesmo que isso fosse provado, todo marxista "ortodoxo" sério ainda seria capaz de aceitar todas estas descobertas modernas desse modo, abrir mão de todas as teses de Marx *in totum* – sem ter que renunciar à sua ortodoxia por um único momento sequer. O marxismo ortodoxo, portanto, não implica a aceitação acrítica dos resultados das investigações de Marx. Não é a "crença" nesta ou naquela tese, nem a exegese de um livro "sagrado". Ao contrário, ortodoxia se refere exclusivamente ao *método* (p. 1; itálico de Lukács; ed. port., p. 15).

Não é necessário dizer que se uma teoria está sob ataque em termos de proposições substantivas, como tem estado a de Marx, "confinar a discussão às suas premissas e implicações metodológicas" (p. xliii; ed. port., p. 8) provavelmente não fornecerá uma defesa verdadeiramente efetiva. Contudo, muito além da questão da defesa, o paradoxo metodológico de Lukács é muito problemático, em primeiro lugar porque rompe a relação dialética inerente entre método e fundamento substantivo no qual se apoia, tornando desse modo bastante suspeitos *tanto* os princípios metodológicos gerais – que podem funcionar em tal universo autossustentado de abstrações desencarnadas – como as teses e proposições particulares articuladas no interior de sua moldura totalizante. De fato, como algumas das conclusões de Marx são questionáveis, na medida em que exibem as limitações substantivas de sua época, o método adotado de rigorosas antecipações dedutivas, usado para articular tanto os delineamentos monumentais como os mínimos detalhes específicos da teoria, com base na – historicamente muito limitada – evidência disponível, de modo algum está isento de problemas internos[26].

Devemos enfatizar, novamente, que o dialético Lukács, tratando de tais problemas no nível mais abstrato da análise filosófica, em sua poderosa crítica das antinomias e contradições do pensamento burguês, tem plena consciência da neces-

---

[26] Alguns destes problemas são discutidos aqui nos capítulos 11-13 da Parte II em "A divisão do trabalho e o Estado pós-capitalista", na Parte IV.

sária relação entre forma e conteúdo, método e substância, categorias e ser social, princípios dialéticos gerais e teses particulares, proposições e conclusões. É ainda mais significativo, portanto, que sob a pressão das determinações acima mencionadas ele seja forçado a ir contra o seu melhor julgamento e propor uma validade autossuficiente ao método como tal.

A necessidade de oferecer garantias seguras para a "certeza da vitória final", casada com a necessidade de encontrar em sua perspectiva algo mais que puras "garantias metodológicas" para o desenvolvimento positivo sob as circunstâncias histórica prevalecentes, produz uma abordagem que permanece pelo resto de sua vida[27]. Definidas as questões em discussão – parcialmente como uma crítica da Segunda Internacional, e mais importante: uma resposta às derrotas recentes dos vários levantes revolucionários europeus, assim como ao crescente "realismo" da Terceira Internacional – em termos da *certeza da vitória final*, em vez de com base nos estágios *transitórios* necessariamente contraditórios que poderiam levar à "vitória final", a questão da garantia tinha que ser puramente metodológica. E, inversamente: uma garantia puramente metodológica, que diz respeito aos delineamentos mais gerais da teoria, só poderia ter grande utilidade para reafirmar sua própria validade em relação à tendência *geral* de desenvolvimento, mas não para avaliar as desnorteantes flutuações dos eventos específicos e a variabilidade das relações de força.

---

[27] Em seu ensaio sobre "Class Structure and Social Consciousness", Tom Bottomore compreensivelmente se surpreende com o fato de "que Lukács houvesse repetido, com grande aprovação, no seu novo prefácio de 1967, a passagem que opõe método a conteúdo no ensaio que abre *História e consciência de classe*". (Ver *Aspects of History and Class Consciousness*, ed. I. Mészáros, Londres, Routledge & Kegan Paul, 1971, p. 55.) Contudo, se nos lembrarmos da função que tem a ideia de uma "garantia metodológica" para a certeza da vitória no pensamento de Lukács, então a reasserção da sua validade, em 1967, está longe de ser surpreendente. De fato, a constante polêmica de Lukács na defesa do método dialético contra o "materialismo mecânico" e o "marxismo vulgar" aos seus olhos também cumpre uma função política importante na luta contra o sectarismo e seu culto não dialético da imediaticidade. A longa série de obras a esse respeito vai desde a crítica do *Materialismo histórico* de Bukharin, passando pelo seu ensaio "Moses Hess e os problemas da dialética idealista", ao *Jovem Hegel*, *A destruição da razão*, e, finalmente, *A ontologia do ser social*. De fato, conforme desapareciam as condições do debate ideológico aberto com a consolidação do stalinismo, o discurso sobre como superar a "crise ideológica" do proletariado é cada vez mais confinado ao argumento, em termos teóricos abstratos, a favor do método dialético, expressando assim, na "linguagem esópica" da metodologia filosófica, as aspirações políticas grandemente mediadas de Lukács. (*O jovem Hegel* é o documento mais importante dessa "fase esópica" no desenvolvimento de Lukács.)
Um importante aspecto desse problema é a insistência de Lukács, por toda a sua vida, de que apenas pode haver um "verdadeiro marxismo" (isto é, "ortodoxia", entre aspas, para diferenciar da ortodoxia institucionalmente imposta). Ao mesmo tempo, de acordo com o caráter mais íntimo do seu discurso – centrado na noção da "crise ideológica" e na "responsabilidade dos intelectuais" ao abrir o caminho para fora da crise –, ele é profundamente preocupado em ampliar a influência intelectual do marxismo.
Assim, as duas determinações se encontram na definição metodológica de "verdadeiro marxismo". Por um lado, deve ser capaz de exercer uma função crítica/excludente contra o "dogmatismo stalinista", o "materialismo mecânico", o "marxismo vulgar" etc., sem frontalmente atacar a poderosa instituição objeto de sua crítica nas questões políticas/econômicas. E, por outro lado, a definição de marxismo deve ser flexível o suficiente para abarcar de um modo "não sectário", de um espectro político moderadamente amplo, todos os pesquisadores e intelectuais sérios que desejam positivamente caminhar em direção ao marxismo.
Estes dois aspectos são claramente visíveis nas conferências dadas em Roma, Milão e Turim em junho de 1956 (*La lotta fra progresso e reazione nella cultura d'oggi*, Milão, Feltrinelli, 1957), quando Lukács pôde

Portanto, no caso de Lukács, não poderia haver qualquer indagação quanto às *garantias* materiais, mesmo que apenas de um tipo muito mais limitado. Tais garantias materiais diriam respeito ao desdobramento contraditório das tendências e transformações transitórias – em ambos os lados da grande confrontação social – em suas desigualdades, reincidências e em seus mais ou menos extensivos bloqueios estruturais. Perseguir tal abordagem alternativa era radicalmente incompatível com o horizonte filosófico e político de Lukács. Compreensivelmente, portanto, uma estratégia transformadora conscientemente abrangente não poderia ser definida em termos tangíveis no seu horizonte. Tinha, ao contrário, que ser desafiadoramente afirmada, *contra* as derrotas desanimadoras da realidade sócio-histórica dada, como um *postulado* filosófico fundamental em conformidade com a *garantia metodológica* lukácsiana.

7.5 A hipostatização da "consciência de classe atribuída"

7.5.1

A característica mais problemática da abordagem de Lukács surge de uma atitude essencialmente acrítica para com o próprio conceito de classe. A hipostatização da consciência de classe e da vontade coletiva na forma de um partido idealizado é uma consequência necessária dessa atitude acrítica. Lukács está absolutamente correto ao sublinhar que apenas os *sujeitos coletivos* podem ser considerados os verdadeiros sujeitos da história; no entanto, ele obscurece a importantíssima linha de demarcação marxiana entre história e *"pré-história"*. Ele o faz primeiro ao conferir à classe algumas funções que esta não pode de modo algum realizar; e, segundo, para se livrar destas contradições, pela hipóstase da realização das funções estipuladas por meio da ação do partido como a "encarnação organizada da consciência de classe do proletariado".

De acordo com Marx, a classe – inclusive a classe para-si – é necessariamente ligada à *pré-história*. Consequentemente, a ideia de uma totalização coletiva consciente numa base de classe, não obstante as diferenças qualitativas entre as classes em contenda, é e continua a ser um conceito problemático. Postular, portanto, uma organização (o partido idealizado) e uma força social/material (o proletariado

---

pela primeira vez, depois do XX Congresso do Partido Soviético, abertamente desafiar seus adversários. Ele insiste que no interesse "da propaganda esclarecedora do verdadeiro marxismo" (p. 18), visando exercer "influência ideológica ... para liderar numa nova direção os intelectuais não marxistas" (p. 34) e assim "influenciar o fermento ideológico e o desenvolvimento do mundo" (p. 46), é necessário "quebrar definitivamente com o sectarismo e o dogmatismo" (p. 44). O "dogmatismo stalinista" rejeitado (p. 34) é definido, mais uma vez, em termos primordialmente metodológicos: tanto quanto a "ausência de *mediação*" (p. 5), ocorrem ainda a reificadora "confusão de *tendência* com *fato* realizado" (p. 7), a "subordinação *mecânica* da *parte* ao *todo*" (p. 9), a asserção da "relação imediata entre traços *fundamentais* da teoria e o problema do *dia*" (p. 10), a "restrição dogmática do materialismo dialético" (p. 36) e, mais importante, a inconcebível crença de que o "*marxismo é uma coleção de dogmas*" (p. 45). Ele também declara categoricamente que o único modo de exercer influência ideológica é por meio da "crítica *imanente*" (p. 25) que coloca as questões metodológicas na linha de frente.

Neste mesmo espírito, ele elogia, no Prefácio de 1967 de *História e consciência de classe*, sua antiga "definição [metodológica] de ortodoxia no marxismo, que agora considero não apenas objetivamente correta como também capaz de exercer uma influência considerável mesmo hoje, quando estamos no limiar de um renascimento marxista" (p. xxv; ed. port., pp. 365-6).

como um idealizado *"sujeito-objeto idêntico* da história") é uma tentativa de se livrar desse problema simplesmente pela asserção de que a "corporificação histórica" da consciência de classe proletária *é ela própria* a ponte entre a "pré-história" e a "história real", adicionando que a tarefa será *plenamente* realizada na consciência pela superação do fosso entre a consciência de classe "psicológica" e a "atribuída". Como veremos em um momento, vários elementos da situação real são utilizados por Lukács meramente como *trampolim* para a solução postulada. E, desde que a situação existente é descrita em termos dos contrastes os mais extremos, de modo a ser capaz de apresentar a classe com as rígidas alternativas do seu "destino" ("perecer ignominiosamente ou realizar sua tarefa com plena consciência"), Lukács tornou impossível para si mesmo escapar aos dilemas das soluções postuladas.

Podemos tomar como exemplo a maneira pela qual Lukács utiliza a realidade como trampolim para o ideal ao tratar do problema da *estratificação* no interior da classe trabalhadora. Em *História e consciência de classe* ele reconhece que "a estratificação dos problemas e interesse econômicos no interior do proletariado está, desafortunadamente, quase inexplorada". Contudo, o problema é imediatamente abandonado, no espírito do seu discurso sobre a "crise ideológica", quando ele afirma que a verdadeira questão diz respeito aos

> graus de distância entre a consciência de classe psicológica e a compreensão adequada da situação total. Estas gradações, no entanto, não podem mais ser referidas a causas socioeconômicas. A teoria objetiva da consciência de classe é a teoria da sua possibilidade objetiva (p. 79; ed. port., p. 94).

Assim, a questão da estratificação é meramente usada como um aparte para sublinhar dramaticamente a "crise ideológica". Dois parágrafos depois, nas linhas conclusivas do ensaio, Lukács levanta a questão da "autocrítica" do proletariado. Significativamente, contudo, em agudo contraste com Marx[28] – que a define como incessante reexame radical e reestruturação *prática* das formas sociais objetivas e instituições criadas pela revolução socialista –, ele a confina estreitamente no nível da consciência, equiparando "a luta do proletariado contra si próprio" à luta "contra os *efeitos* devastadores e degradantes *do sistema capitalista sobre sua consciência de classe*"

---

[28] Revoluções burguesas, como aquelas do século XVIII, avançam rapidamente de sucesso em sucesso; seus efeitos dramáticos excedem uns aos outros; os homens e as coisas se destacam como gemas fulgurantes; o êxtase é estado permanente da sociedade; mas estas revoluções têm vida curta; logo atingem o auge, e uma longa modorra se apodera da sociedade antes que esta tenha aprendido a assimilar serenamente o seu período de lutas e embates. Por outro lado, as revoluções proletárias, como as do século XIX, criticam constantemente a si próprias, interrompem continuamente seu curso, voltam ao que parecia resolvido para recomeçá-lo outra vez, escarnecem com impiedosa consciência das deficiências, fraquezas e misérias de seus primeiros esforços, parecem derrubar seus adversários apenas para que estes possam retirar da terra novas forças e erguer-se novamente, agigantados, diante delas, recuam constantemente ante a magnitude infinita de seus próprios objetivos até que se crie uma situação na qual se torne impossível qualquer retrocesso e na qual as próprias condições gritam:
Hic Rhodus, hic salta!
Aqui está Rodes, salta aqui!
Marx, "The Eighteenth Brumaire of Louis Bonaparte", in Marx and Engles *Selected Works*, Londres, Lawrence & Wishart, 1958, vol. 1, pp. 250-1 (ed. brasileira, "Dezoito Brumário de Luís Bonaparte", in *Karl Marx e Friedrich Engels – textos*, São Paulo, Edições Sociais, vol. III, p. 206).

(p. 80; ed. port., p. 96). Temos aqui um outro exemplo daquele "reducionismo invertido" visto acima, que apela para uma solução meramente ideológica e para uma organização – o partido – capaz de administrar tal solução.

Um outro exemplo ainda mais importante é o tratamento da própria "consciência reificada". Lukács insiste que há apenas uma "possibilidade objetiva" de superar "a estrutura puramente *post festum* da meramente 'contemplativa' consciência reificada da burguesia" (p. 317; ed. port., p. 325), que, sob o capitalismo, também é compartilhada pelos trabalhadores. Este diagnóstico produz um grave dilema, já que,

> para cada trabalhador individual, porque sua consciência é reificada, a via para alcançar a consciência de classe *objetivamente possível* e para adquirir aquela *atitude interior* na qual ele pode *assimilar* a consciência de classe deve passar pelo processo de compreensão de sua própria experiência imediata apenas depois de tê-la experimentado; o que quer dizer que *em cada indivíduo o caráter post festum da consciência é preservado* (pp. 317-8; ed. port., pp. 325-6).

Podemos perceber, novamente, que a realidade é usada como trampolim para a solução idealizada. Em apoio a esta solução, a situação real é descrita de tal modo que, em vista do caráter da reificação que em tudo penetra – dominando a consciência de *cada trabalhador individual* –, apenas o sujeito coletivo plenamente consciente (o partido), que pela própria definição da sua natureza escapa destas determinações, pode oferecer um vislumbre de esperança. Nenhuma mediação pode emergir da situação real dada, já que os indivíduos envolvidos estão fatalmente aprisionados pela reificação das suas consciências. Portanto, a exigência vital da transição pela mediação necessária entre a atual situação e a futura sociedade socialista deve ser hipostasiada e localizada no partido, que deste modo se torna "*a mediação concreta entre o homem e a história*" (p. 318; itálico de Lukács; ed. port., p. 326).

Naturalmente, a mediação concebida desse modo – ou seja, como um órgão *separado*, em contraste com a massa dos trabalhadores que são todos e cada um amaldiçoados com uma "consciência reificada" – só pode ser um postulado abstrato. Falha ao não atender ao critério marxiano de uma mediação bem-sucedida entre a "pré-história" e a "história real" (não "*entre homem e história*"), definida por Marx como a *autoatividade* e a *automediação* materialmente fundadas da totalidade dos produtores associados numa fase necessária de *transição* ao estágio qualitativamente superior do desenvolvimento sócio-histórico.

Paradoxalmente, pela idealização da classe trabalhadora como o atual portador do "ponto de vista da totalidade", Lukács cria para si próprio uma situação da qual não há saída a não ser saltando de imperativo a imperativo. Pois, tão logo ele afirma que o proletariado (como o sujeito coletivo radicalmente novo da história) age de acordo com o "ponto de vista da totalidade", sua tentativa de explicar os traços dominantes das condições atualmente existentes de desenvolvimento o força a admitir a discrepância aguda entre o ideal estipulado e o estado atual de coisas. Portanto, para ser capaz de superar o fosso entre o constructo ideal e a situação real bastante desconcertante, Lukács é forçado a uma *substituição* imperativa – o partido – como corporificação real e realização prática do "ponto de vista da totalidade" proletária e da "vontade coletiva consciente" do proletariado (p. 315; ed. port., pp. 323-4). Como resultado, a intenção originariamente crítica dessa teoria é minada e Lukács termina preso a uma idealização apologética que, contra as suas próprias intenções, ele mesmo construiu. Pois, uma vez que a nova idealização se torne o ponto central de referência, a realidade da classe aparece muito mais obscura e sua consciência de classe real muito mais reificada, ao passo que sua contraimagem, pela mesma razão, aparece muito mais brilhante e *praticamente* (ou praticavelmente) além de qualquer crítica.

7.5.2

Não é fato que Lukács *tenha buscado* produzir uma avaliação acrítica do partido e da sua relação com a classe trabalhadora. Como vimos, manifesta sérias reservas críticas, pelas quais ele prontamente e de modo muito claro é chamado pelo Comintern a dar explicações. Apesar disso, *termina* com uma postura essencialmente acrítica por meio da *lógica interna* do seu próprio raciocínio, e não como resultado de uma pressão stalinista institucional. Esta lógica possui três constituintes principais:

1) a adoção do conceito hegeliano do "sujeito-objeto idênticos" e sua identificação com o proletariado como o sujeito coletivo radicalmente novo da história;
2) o postulado concomitante do "ponto de vista da totalidade" e sua designação à consciência do proletariado;
3) a consumação imperativa dos dois primeiros pelo partido idealizado como a encarnação real tanto da ética como do conhecimento e, portanto, a "mediação" prática "entre o homem e a história".

No que diz respeito às determinações teóricas internas, a dimensão apologética da avaliação que Lukács faz do partido conceituado como um todo emerge, com uma consistência lógica perversa, dos caracteres messiânicos/idealistas dos dois primeiros pontos. Pois, uma vez que os interesses históricos e o processo social correspondentemente estipulado são definidos em termos absolutos, apenas a contraimagem imperativa atualmente existente pode categoricamente superar a dura evidência da "má imediaticidade" prevalecente. Portanto, o "dever-ser" do partido deve ser sobreposto à realidade empírica da classe e sua consciência de classe "psicológica". Deve ser apresentado como um corretivo absolutamente necessário a todo desvio possível da direção certa *já dada*, e como medida do avanço para o "objetivo final" – definido em termos de "superar o fosso entre a consciência de classe psicológica e a atribuída" –, do qual, por definição, apenas o partido pode ser o juiz.

É verdade que, segundo Lukács, o partido em questão *deve* se conformar aos requisitos que o fazem *digno* das funções históricas a ele designadas, como vimos acima. Desse modo, no que concerne às intenções abertamente declaradas, a relação é concebida em termos potencialmente críticos. Contudo, a dimensão acrítica se insinua na teoria de Lukács como resultado do caráter puramente abstrato do segundo imperativo. Pois o partido, como corretivo imperativo da classe e sua consciência imediatamente dada, não é apenas um "dever-ser" moral, mas também uma realidade prática/institucional realmente existente – uma importante *estrutura de poder* depois da revolução – que possui uma dinâmica objetiva própria. Diferentemente, o segundo "dever-ser" – o conjunto de requisitos ideais e determinações morais aos quais se espera que o partido se conforme – não tem qualquer garantia ou força objetiva por trás e deve, para sua implementação, fiar-se exclusivamente no apelo abstrato e praticamente sem poder do postulado moral do próprio "dever-ser".

Não é, portanto, de modo algum surpreendente que *História e consciência de classe* seja cheia de tensões internas. Por um lado, de forma firme, advoga a causa do envolvimento e da autodeterminação popular por meio do Conselho dos Operários e, por outro lado, advoga a "renúncia à liberdade individual" em nome da "liberdade real":

> A burguesia não tem mais o poder de ajudar a sociedade, após algumas tentativas mal-sucedidas, a desatar o "nó cego" criado por suas leis econômicas. E o proletariado tem a oportunidade de virar os eventos para outra direção pela exploração consciente das tendências existentes. Esta outra direção é a regulação consciente das forças produtivas da sociedade. Desejar isto conscientemente é desejar o "reino da liberdade" ... O desejo consciente pelo reino da liberdade pode apenas significar conscientemente dar os passos que realmente levarão a ele. E, cônscio de que na sociedade burguesa contemporânea a liberdade individual pode apenas ser corrupta e corromper porque é um caso de *privilégio unilateral* baseado na não liberdade dos outros, este desejo deve requerer a *renúncia à liberdade individual*. Implica a *subordinação consciente* do eu à vontade coletiva que está destinada a trazer à existência a liberdade real (pp. 313-5; ed. port., pp. 321-23).

De modo similar, encontramos, por um lado, a defesa de uma sociedade verdadeiramente igualitária e uma denúncia apaixonada do "privilégio unilateral" (como acabamos de ver), e, por outro, a defesa da *hierarquia do partido*, com a justificativa sumariamente não esclarecedora de que "como a luta está acontecendo é *inevitável* que deva haver uma hierarquia" (p. 336; ed. port. p. 344).

Naturalmente, Lukács de modo algum está cego para o que denomina "o perigo de ossificação" (ibid.) do partido. Desde, contudo, que o partido constitui o ápice de sua pirâmide de imperativos, na ausência de garantias institucionais objetivas e forças materiais/sociais correspondentes que possam assegurar suas estratégias de autoemancipação numa verdadeira escala de massa, segundo as possibilidades de salvaguardas institucionais e organizacionais da autoatividade tanto no interior como fora do partido, tudo em que se pode fiar é numa longa lista de "dever-ser" (mesmo que sejam repetidamente chamados de necessários pelo próprio Lukács[29]). Tais imperativos são sustentados em *História e consciência de classe* em relação ao perigo da "ossificação" burocrática por nada mais que um outro "dever-ser" – desejosamente representado como um fatual "é" –, qual seja, que "O novo aspecto decisivo da organização [do partido] é que ele luta com uma *consciência firmemente crescente* contra este perigo interior" (ibid.).

---

[29] ... a atividade de todo membro do partido deve se estender a todo tipo possível de trabalho partidário. Além do mais, esta atividade deve variar de acordo com qual trabalho esteja disponível, de tal modo que os membros do partido entram com a sua personalidade toda numa relação viva com a vida do partido como um todo e com a revolução, para cessarem de ser meros *especialistas* necessariamente expostos ao *perigo da ossificação*. Toda hierarquia no partido deve ser baseada na adequação de certos talentos às exigências objetivas da fase particular da luta. Se a revolução deixa uma fase particular para trás ... o que é necessário também [além de uma mudança nas táticas e nos métodos] é a realocação na hierarquia partidária: a seleção do pessoal deve ser exatamente adequada à nova fase da luta (pp. 335-6; ed. port., p. 344).

É difícil ver como se poderia tentar reconciliar a aguda percepção crítica de Lukács sobre as tendências crescentes de "realismo" e "burocratização" no movimento comunista internacional com sua idealização acrítica da "consciência firmemente crescente" dos perigos que tinha que enfrentar, com todas as suas implicações de longo alcance para as perspectivas do avanço socialista. A verdade é que, claro, eles simplesmente não podem ser reconciliados. Pelo contrário, a sensibilidade crítica de Lukács, frequentemente perspicaz, e sua hipostatização, acrítico, e que o desarmou diante do partido, como o único sujeito concebível da solução positiva requerida, constituíram uma síntese contraditória. Eles pertencem às tensões internas insuperáveis de uma teoria que de forma desesperada tenta se livrar das contradições objetivas de uma realidade social historicamente desfavorável por meio de postulados metodológicos/teóricos e morais assim como por intermédio de seus apelos exortatórios a uma consciência de classe "atribuída".

Podemos também notar aqui a influência da mistificação weberiana – que sistematicamente confunde a divisão de trabalho *técnica/especialista* e a *social/hierárquica*, para justificar a segunda sob o disfarce da primeira – conforme seja levantada a questão da "ossificação". Pois, na realidade, a última não é uma questão de funcionários individuais "superespecializados", nem pode ser prevenida por qualquer culto utópico do "renascimento da personalidade". Ela diz respeito primariamente às próprias instituições sociais, exigindo corretivos e garantias *institucionais/organizacionais* adequados.

O que está fundamentalmente errado com a divisão social do trabalho não é que diferentes indivíduos realizem diferentes funções na sociedade, mas sim que suas "especializações" (frequentemente carentes de qualquer conteúdo, representando de fato apenas no nome uma "especialidade") os alocam arbitrariamente em algum ponto determinado da escala das hierarquias e subordinações sociais dadas. Portanto, o que precisa ser radicalmente questionado não é a "especialização" como tal, mas o caráter pernicioso de designar para as pessoas, em uma ordem *hierárquica*, um lugar na sociedade sob o pretexto da especialização funcional.

Capítulo 8

OS LIMITES DE "SER MAIS HEGELIANO" QUE HEGEL

8.1 Uma crítica da racionalidade weberiana

8.1.1
A influência de Max Weber em *História e consciência de classe* mostrou-se muito problemática. A teoria weberiana dos "tipos ideais", nesse estágio do desenvolvimento de Lukács, não é de modo algum submetida a um escrutínio crítico, como testemunham várias das suas referências positivas à "tipologia".

Como resultado, o conceito de Marx sobre a consciência de classe sofre uma distorção idealista na estrutura teórica de Lukács, tornando o conceito de consciência de classe "atribuída" ou "adjudicada" maleável a ponto de poder substituir as manifestações históricas reais da consciência de classe por uma matriz de imperativos idealizada, minimizando assim a importância das primeiras por suas alegadas contaminações "psicológica" e "empírica".

Da mesma forma, como já mencionado[1], a mistificadora fusão weberiana dos aspectos funcional e estrutural/hierárquico da divisão social do trabalho – sob o uso legitimador a-histórico que o próprio Weber faz da categoria da "especialização" no seu esquema – tem um impacto negativo na estrutura conceitual de *História e consciência de classe*. E a avaliação da "racionalidade" e do "cálculo" capitalistas mostrou-se a mais danosa das influências weberianas.

Nas últimas obras de Lukács[2] temos um tratamento incomparavelmente mais realista destes problemas do que no famoso volume de transição de 1923. Contudo, ainda existe uma tendência a ignorar a contribuição original do velho Lukács para a filosofia, que repudia a crítica, feita por ele próprio, de *História e consciência de classe* como nada mais que capitulação à pressão stalinista. George Lichteim, por exemplo,

---

[1] Ver o último parágrafo da nota 29, cap. 7.
[2] Isto já é verdade em seu ensaio sobre "Moses Hess e os problemas da dialética idealista" (1926). Ver a este respeito também *O jovem Hegel* (primeira edição alemã, 1948, completada durante a guerra), *A destruição da razão* (1954) e sua última grande obra, *A ontologia do ser social* (nesta, ver particularmente volume 2, capítulo II, que trata da complexa questão da *Reprodução*).

chegou certa vez ao extremo de publicar um artigo sobre o desenvolvimento intelectual de Lukács com o sonoro título: "Um desastre intelectual". E, muito estranhamente, não viu o caráter dúbio de realizar tal ataque, arrogantemente moralizador, a Lukács nas colunas da *Encounter*, um periódico inglês patrocinado pela CIA[3].

Assim, enquanto as últimas realizações de Lukács são rejeitadas com um apriorismo longe de justificável, negando-lhe até mesmo o direito elementar de assumir uma posição crítica em relação ao próprio trabalho à luz do seu desenvolvimento intelectual posterior, são precisamente os aspectos mais problemáticos de *História e consciência de classe* que continuam a ser aclamados como a principal inspiração do "marxismo ocidental". Exemplo disso é a caracterização preconceituosa e a recusa sumária de Merleau-Ponty – em *Aventuras da dialética* – de quase toda a obra de Lukács escrita após o início dos anos 20, sob o rótulo de "Marxismo do Pravda", para não mencionar as tiradas denunciadoras de Adorno contra o filósofo húngaro.

Até determinado ponto, a propensão em favor do jovem Lukács é compreensível, ainda que longe de justificável. *História e consciência de classe* é uma obra de *transição* na qual o autor está engajado em sua primeira tentativa sistemática de ir além dos limites metodológicos que uma vez compartilhou com seus famosos contemporâneos filosóficos, incluindo Simmel, Lask, Dilthey, Husserl, Scheler e Weber. As primeiras obras filosóficas de Lukács – da *Cultura estética* e *A alma e as formas* até *Filosofia da arte de Heidelberg*, a *Teoria do romance* e a *Estética de Heidelberg* – testemunham abundantemente a sua completa identificação com a abordagem geral da tradição filosófica da qual tenta se libertar após 1918.

Não é, portanto, difícil de explicar que os princípios metodológicos desta tradição, aceitos por Lukács não como uma questão de exercício acadêmico, mas como um compromisso existencial profundamente sentido muito cedo na sua juventude, continuaram a assombrá-lo, não apenas em *História e consciência de classe*, mas também por muitos anos após a publicação de sua famosa obra de transição. Esta é uma das principais razões por que Lukács dedica tanto espaço à discussão das questões metodológicas tanto em *História e consciência de classe* como nos seus escritos posteriores de até meados dos anos 30, num autêntico esforço de autoexame crítico e distanciamento de seu próprio passado filosófico.

Pela mesma razão, é igualmente compreensível que alguns importantes intelectuais de esquerda (como Walter Benjamin e Marcuse, por exemplo), que enfrentavam os mesmos problemas de Lukács na sequência da Revolução de Outubro e dos grandes levantes dos anos 20, respondessem com entusiasmo real, no curso

---

[3] A esse respeito, Lichtheim apenas imitou o ataque igualmente farisaico de Adorno de alguns anos antes, no mesmo tipo de periódico, logo após Lukács ter sido liberado de sua deportação – graças a um consistente protesto internacional – e ter publicado um livro na Alemanha Ocidental, como um ato de aberto desafio ao governo que o havia condenado, tendo se tornado uma *persona non grata* que não seria mais publicada não apenas na Alemanha Oriental, mas também em todo o Leste, inclusive na Hungria. Adorno considerava ser a Alemanha Ocidental seu próprio território para conceder ou recusar a admissão de teorias sociais marxistas. Enquanto Lukács esteve confinado no Leste, Adorno costumava fazer grandes elogios a ele, mas não pôde tolerar o transgressor. (Para o artigo de Lichtheim, ver o número de maio de 1963 da *Encounter*. Quanto ao ataque de Adorno a Lukács – intitulado "Erpresste Versöhnung": "reconciliação forçada" –, conferir o equivalente alemão da *Encounter*: *Der Monat*, novembro de 1958.)

de suas próprias investigações em busca de uma abordagem radical viável, a uma obra engajada em um reexame radical e de longo alcance da herança filosófica que compartilhavam. Eles poderiam fazê-lo apesar de (ou talvez precisamente porque) as ligações com o passado, mantidas pelo autor de *História e consciência de classe* (por exemplo, a reformulação, depois autocriticamente rejeitada, do princípio hegeliano da identidade Sujeito/Objeto, a qual veremos em um momento, ou a equivalente fusão hegeliana das categorias da objetivação e alienação/reificação etc.), serem extremamente problemáticas, em alguns contextos, com relação aos objetivos advogados.

8.1.2
O peso da influência weberiana é particularmente revelador nesse contexto. Pois, diante do objetivo conscientemente professado por Lukács, em *História e consciência de classe*, de explicar os problemas e contradições do mundo contemporâneo no espírito do sistema conceitual marxiano, é verdadeiramente espantoso encontrar nesse trabalho a seguinte passagem de Weber, que ele cita com aprovação calorosa, acerca da afinidade estrutural entre o Estado capitalista e as empresas na sociedade de mercado:

> Ambos são, ao contrário, bastante similares em sua natureza fundamental. *Vistos sociologicamente*, uma "companhia" é o Estado moderno; o mesmo vale para a fábrica: e é isto, precisamente, o que é a ela historicamente *específico*. E, do mesmo modo, as relações de poder numa empresa são também do mesmo tipo. A *relativa independência* do *artesão* (ou artífice doméstico), do *camponês* proprietário de terra, do proprietário de uma *renda*, do *cavaleiro* e do *vassalo* era baseada no fato de que ele próprio possuía ferramentas, suprimentos, recursos financeiros ou armas com o auxílio dos quais cumpria suas funções econômicas, políticas e militares e dos quais vivia enquanto atendia às suas obrigações. Da mesma forma, a *dependência hierárquica* do trabalhador, do funcionário, do assistente técnico, do assistente no instituto acadêmico, do servidor civil e do soldado tem uma base comparável: a saber, que as ferramentas, suprimentos e recursos essenciais tanto para o "interesse-empresarial" como para a sobrevivência econômica estão nas mãos, em um caso, do *entrepreneur* e, no outro, do *chefe político* (p. 95; ed. port., p. 110).

E Lukács continua seu pleno endosso da abordagem weberiana adicionando que "E [Weber] finaliza sua avaliação – muito pertinentemente – com uma análise da *causa* e das implicações sociais desse fenômeno":

> A preocupação do capitalista moderno está baseada *internamente* sobretudo no *cálculo*. É necessário para a sua sobrevivência um sistema de justiça e de administração cujos trabalhos possam ser calculados *racionalmente, ao menos em princípio*, segundo leis gerais fixadas, assim como se pode avaliar a performance provável de uma máquina. Ele é tão pouco capaz de tolerar a administração da justiça segundo o senso de *fair play* do juiz nos casos individuais, assim como qualquer outro meio ou princípio irracional de administrar a lei ... quanto é incapaz de tolerar a administração patriarcal que obedece aos ditames do seu próprio capricho ou sentido de bondade e, de resto, procede de acordo com uma tradição sacrossanta e inviolável, porém irracional ... O que é *específico ao capitalismo moderno* que o torna distinto das *velhas formas capitalistas* é que a *organização estritamente racional do trabalho*, com base na *tecnologia racional*, não nasceu, nem poderá nascer, em nenhum lugar dentro de tais

sistemas políticos irracionalmente constituídos. Pois as empresas modernas, com os seus *capitais fixos* e seus *cálculos exatos,* são por demais sensíveis às *irracionalidades* legais e administrativas. Elas só poderiam existir em um *Estado burocrático* com suas *leis racionais* onde ... o juiz é mais ou menos uma *máquina automática de ministrar regras,* na qual você introduz em cima os arquivos junto com custos e taxas, após o que ela ejetará embaixo o julgamento junto com as suas razões mais ou menos convincentes: o que quer dizer, onde o comportamento do juiz é, como um todo, *previsível* (p. 96; ed. port., pp. 110-1).

Se olharmos mais de perto a primeira citação (p. 95; ed. port., pp. 110), ficará claro que, longe de identificar as especificidades históricas reais do "moderno capitalismo", como alega Weber, sua preocupação principal é sua obliteração radical sob o manto de características funcionais superficiais. Pois, nos termos de sua caracterização, "o artesão ou o artífice doméstico, o camponês proprietário de terra, o proprietário de uma renda e o cavaleiro e o vassalo" são todos, surpreendentemente, reduzidos a um denominador comum se *"vistos sociologicamente"*, ou seja, se simplesmente se aceitasse a categorização weberiana estipulada pelo que ela afirma de si própria, sem submetê-la ao necessário escrutínio crítico. Como artifício metodológico recorrente nos copiosos escritos de Weber, o mesmo tipo de válvula de escape é fornecido na segunda citação (p. 96; ed. port., pp. 110-1), na qual Weber assegura que, mesmo quando esta categorização circular é contrariada pela evidência sócio-histórica, ela deve ser, apesar de tudo, considerada válida, já que as alegadas características do sistema "capitalista moderno" devem se manter *"ao menos em princípio"*.

Ao definir assim seus termos de referência – isto é, estipulando uma identidade *mecânica* entre "a companhia" e o Estado ("a companhia *é* o Estado moderno, o mesmo vale para a fábrica"), desse modo reduzindo um ao outro, de uma maneira muito semelhante à dos "marxistas vulgares" que produzem suas reduções não dialéticas em um contexto muito diferente –, Weber é capaz de assegurar:

1) que a íntima correlação entre economia e política é específica apenas ao *"capitalismo moderno"*, "que o torna distinto das *velhas formas capitalistas de aquisição"*; portanto, o princípio geral orientador marxiano, que afirma a primazia dialética das determinações econômicas – "em última análise" –, é rebaixado a um *status* muito limitado, devido à sua alegada "especificidade histórica"; e

2) que a consideração fundamental no sistema capitalista é a *"dependência hierárquica* do trabalhador, do secretário, do assistente técnico, do assistente em um instituto acadêmico, do servidor civil e do soldado", com o que tudo se reduz à questão de relações diretas de poder, em que a primazia está no *político* e não no *econômico*. Além disso, de modo algum é indicada a natureza da interconexão entre o político e o econômico. Tudo, supõe-se, deve se encaixar milagrosamente pelo poder persuasivo da mera *analogia* entre o Estado moderno e a "companhia".

É assim que, ao final da primeira citação, recebemos uma "explanação" inacreditável, derivada do "tipo ideal" da analogia weberiana. Nela se afirma, sem a menor tentativa de examinar a evidência sócio-histórica relevante, que "ferramentas, suprimentos e recursos financeiros" essenciais estão *"nas mãos,* em um caso, do *entrepreneur* e, no outro, do *chefe político"*.

Sugerir, contudo, que as confusas categorias de "artesão/artífice doméstico, de camponês proprietário, de proprietário de uma renda, de cavaleiro e de vassalo" representam uma genuína *independência* (mesmo se "relativa", para fornecer a Weber uma outra válvula de escape conveniente, caso seja pressionado neste aspecto), oposta à *dependência hierárquica* dos vários grupos sociais comprimidos nas outras confusas categorias: "o trabalhador, o secretário, o assistente técnico, o assistente de uma instituição acadêmica, o servidor civil e soldado", é um gritante absurdo. Isto porque, tendenciosamente, ele desconsidera a multiplicidade de dependências opressivas – da dependência e hierarquia sociopolíticas absolutistas num estágio histórico anterior de desenvolvimento ao sistema econômico legalmente assegurado de hipotecas injustas e vários tipos de aluguéis e débitos e/ou arrendamentos controlados pelos bancos em épocas mais recentes –, às quais os grupos sociais em questão, ditos "independentes", estão submetidos.

Quanto à contraimagem weberiana de tal "independência" idealizada – qual seja, a asserção segundo a qual o controle da dependência hierárquica do moderno capitalismo está "nas mãos" de um "*entrepreneur*" mítico e de um igualmente mítico "chefe político" –, esta visão merece ser comentada apenas porque trai o facciosismo social do autor e sua ânsia ideológica, apesar do disfarce adotado de uma objetividade neutra. Assim como a sua cínica caracterização do comportamento "racionalmente calculável e previsível" dos juízes como "máquinas automáticas de administrar regras", ao final da segunda passagem citada por Lukács, mostra sua lealdade ideológica.

8.1.3
O objetivo de Weber é a descrição tendenciosa das relações capitalistas como horizonte insuperável da própria vida social. É esta a razão pela qual a sua concepção, que eterniza as "alternativas" históricas, está articulada ao capitalismo, de um modo ou de outro, desde as alegadas "antigas formas capitalistas de aquisição" (em outras palavras, para ele aquisição se iguala a capitalismo, tanto ao antigo como ao moderno) até a "especificidade racional" do "capitalismo moderno".

Além disso, ao transubstanciar de maneira arbitrária a forma de capitalismo, historicamente muito *limitada* e específica (o sistema dominado pelo *empresário*), no *modelo geral* do "capitalismo moderno" como tal – num momento em que a tendência torna visível (não apenas a Lenin e Rosa Luxemburgo, mas também a pensadores muito menos radicais) que a fase do empreendedor no capitalismo estava destinada a se tornar, muito rapidamente, um *anacronismo histórico*, pois ele já estava em processo de efetivo deslocamento pelo sistema *monopolista do capital*, muito além do poder de controle mesmo do maior *empreendedor* –, pode-se convenientemente ofuscar a dinâmica sócio-histórica real do processo em andamento. Além de tudo, Weber era um contemporâneo, e um entusiasta oficial alemão, da malfadada aventura imperialista e do genocídio da Primeira Guerra Mundial, que tinha muito a ver com os interesses inconciliáveis e as aspirações rivais das forças monopolistas dominantes.

Por um lado, o conceito weberiano de "capitalismo" é historicamente estendido de modo a abarcar, no sentido mais genérico, milhares de anos de desenvolvimento socioeconômico e cultural. Ao mesmo tempo, e por outro lado, a especificidade materialmente fundada do capitalismo, como *sistema socioeconômico antagônico* historicamente circunscrito, com suas *classes em luta*, e com a incurável *irracionalidade* da sua estrutura geradora-de-crise, é transformada em uma entidade fictícia: uma ordem social caracterizada pela "estrita organização racional do trabalho", articulada com uma "tecnologia racional", assim como com um correspondente "sistema racional de leis" e uma conveniente "administração racional". É claro que tudo isso se funde sem maiores problemas em um sistema global estritamente racional e calculável de *controle burocrático intercambiável*, tanto nos variados "interesses empresariais" enquanto tais como no Estado burocrático que politicamente os abarca, sob o comando do "empreendedor", por um lado, e do "chefe político", por outro. Na visão de Weber, qualquer tentativa de questionar e desafiar esse sistema burocrático da "racionalidade" capitalista deve ser considerada "mais e mais utópica", já que "o dominado não pode abrir mão ou substituir o aparato burocrático de autoridade uma vez que ele exista"[4].

Assim, a eternização das relações capitalistas dominantes, como horizonte inalterável da vida social, é realizada com sucesso, por Weber, graças a uma série de suposições definidoras e asserções categóricas.

Na estrutura conceitual weberiana, embaralhar uma multiplicidade de grupos sociais heterogêneos – tanto na categoria dos "independentes" como no caso daqueles condenados para sempre à "dependência hierárquica" – cumpre precisamente o propósito de se livrar da categoria realmente relevante de *classes em luta*. Ainda mais, é uma mistificação alegar que o "empresário" e o "chefe político" estejam no controle do sistema da "dependência hierárquica", à qual todos que restam parecem estar submetidos, não importando a qual grupo social pertençam. Tal mistificação, contudo, é ideologicamente *necessária*, pois o discurso weberiano não deixa espaço à ação de classes sociais antagônicas, para não dizer à possibilidade de qualquer estratégia racionalmente viável que converta a *classe subordinada* na classe que controle a ordem social.

Na verdade, o trabalhador não é dependente do "empresário" e do "chefe político": uma sugestão que tanto torna trivial como mistifica a natureza das relações de poder em questão. Ele é submetido, material e politicamente, a uma *dependência estrutural ao capital* imposta, cujas injunções objetivas e cujos imperativos estruturais devem ser executados também pelo pessoal dirigente, tanto nos "interesses empresariais" como no "Estado burocrático", não importando em que fase histórica particular de desenvolvimento possamos estar pensando na longa trajetória do sistema capitalista de produção e reprodução cada vez mais ampliada. Além disso, a mistificadora personalização do alegado controle "empresarial" e "chefia política" do sistema estabelecido oblitera o fato de que – longe de ter "em suas mãos" as condições objetivas do sociometabolismo, como alega Weber – também aqueles em posição de comando são, na verdade, inseridos numa malha de determinações e indeterminações objetivas que confere um estrito mandato às suas atividades, mesmo que sua "liberdade" seja exercida no interesse da regência do capital sobre a sociedade, em vez de estar em oposição a esta regência.

---

[4] *From Max Weber: Essays in Sociology*, ed. por H. H. Gerth e C. Wright Mills, Londres, Routledge & Kegan Paul, 1948, p. 229.

8.1.4

Na verdade, tanto a idealização weberiana da "calculabilidade racional" no capitalismo moderno como a desconcertante personificação da questão da dependência só podem nos desviar do caminho que identifica as forças e tendências reais do desenvolvimento em curso, pois o importante é que

> a consolidação do que nós mesmos produzimos em uma *força material acima de nós*, que cresce *fora do nosso controle*, frustrando nossas expectativas, *reduzindo a nada nossos cálculos*, é um dos fatores principais do desenvolvimento histórico até agora.[5]

A dependência de *todos* os indivíduos de tal poder incontrolável e que nega-o--cálculo-racional nunca foi tão forte quanto no "moderno capitalismo". Os indivíduos podem ter todo tipo de ilusões em relação à sua maior liberdade sob o sistema capitalista de produção e intercâmbio social. Na realidade, contudo, eles são menos livres, porque são, numa maior extensão, governados por forças materiais"[6] ou, nas palavras um tanto mais afiadas do original alemão, são dominados pelo – ou "subsumidos sob" – poder de coisas[7].

Sugerir, portanto, como faz Weber, que os resultados empresariais esperados e previstos do empreendimento econômico capitalista possam ser racionalmente calculados, "tal como a performance provável de uma *máquina* pode ser calculada", é um exagero grotesco – e completamente ilusório. É um traço característico das analogias weberianas, que até mesmo em sua escassa plausibilidade parecem ser aplicáveis em apenas um sentido: o das conclusões zelosamente antecipadas e socialmente apologéticas do autor.

No momento em que procuramos testá-las, perguntando se as correlações pressupostas entre os membros de uma dada relação são verdadeiras em ambas as direções – ou seja, no caso atual, perguntando se alguém poderia dizer em alto e bom som, sem envergonhar-se, que a performance das máquinas é tão previsível quanto a "previsibilidade racional" dos negócios capitalistas –, elas perdem imediatamente a força e revelam o interesse ideológico subjacente ao alegado raciocínio objetivo weberiano e seu constructo peculiar. Se a performance provável das máquinas não pudesse ser calculada de modo mais confiável que a performance dos negócios capitalistas, então a probabilidade de os lançamentos do Cabo Canaveral para a superfície da Lua aterrissarem nos jardins da Casa Branca seria muito maior do que a de atingirem seu destino previsto.

Em relação à "previsibilidade" dos juízes para administrar as "leis racionais" do Estado capitalista, alegar que suas decisões sejam "racionalmente calculáveis" – porque eles se comportam como "máquinas que administram regras" – nos oferece muito pouco além de um cinismo intrínseco. Pois evita ou ignora, em primeiro lugar, a questão de *como e por que* as próprias regras são produzidas desse ou daquele modo.

Também, e novamente de forma característica para Weber, tal descrição não diz absolutamente nada sobre o caráter de *classe* das próprias leis em si, que são des-

---

[5] MECW, vol. 5, pp. 47-8.
[6] Ibid., p. 79.
[7] "In der Wirklichkeit sind sie natürlich unfreier, weil mehr unter sachliche Gewalt subsumiert", MEW, vol. 3, p. 76.

critas no livro das regras antes que possam ser "administradas". Weber prefere, ao contrário, o mito da "racionalidade" pura, embotando até mesmo o senso crítico do jovem Lukács em *História e consciência de classe,* quando ele fala da "sistematização racional de todas as leis que regulam a vida" a que se chega "de uma maneira puramente lógica, como um exercício em torno do dogma legal puro etc." (p. 96; ed. port., p. 111). De fato, Weber chega a sugerir, de modo totalmente idealista, que o "moderno Estado ocidental" é "criação dos juristas"[8].

A realidade é, claro, muito mais prosaica que isso. Antes de tudo, não é de modo algum verdade que os juízes se comportem simplesmente como uma "máquina de administrar regras", exceto em assuntos puramente de rotina, o que não explica nada, quanto mais a alegada constituição "racional" das próprias regras. Certamente, os "juízes eruditos" apreciam, e são perfeitamente capazes de produzir, em termos estritamente legais, julgamentos completamente inesperados, assim como explicações deturpadas segundo a necessidade da ocasião – colocando de lado, sem a menor hesitação, as leis relevantes. Desse modo violam a própria "lei racional" que eles, presumivelmente, deveriam administrar obedientemente – se o confronto social exigir que assim o façam em uma situação de algum conflito importante. Isso para não mencionar que, mesmo em relação à questão secundária de quem de fato possui a riqueza, de modo a ser capaz de "inserir em cima os custos e taxas necessárias" para receber, "embaixo", "ejetado" pelos juízes, o julgamento desejado, o óbvio caráter de *classe* desse exercício "paradigmaticamente racional" não pode ser descartado.

Obviamente, a verdade, que está longe de ser "racionalmente tranquilizadora", é que o sistema atual de leis impostas constituiu-se (e continua a ser modificado em seus delineamentos fundamentais e dimensões sociais vitais), acima de tudo, com o objetivo de assegurar e salvaguardar o controle do capital sobre o corpo social e, simultaneamente, perpetuar a *subordinação estrutural* do trabalho ao capital. Esta é também a razão principal por que somos surpreendidos, por vezes, com a mais paradoxal – aparentemente bastante irracional – *não aplicação* de certas leis-chave em alguns confrontos importantes contra um sindicato, enquanto a mesma lei pode ser estritamente aplicada contra outro sindicato que é considerado pelos representantes das classes dominantes o principal "inimigo interno".

Temos alguns exemplos muito claros dessas aparentes "irracionalidades" e "inconsistências formais" em anos recentes; na greve dos mineiros britânicos, por exemplo, os funcionários "independentes, destemidos e objetivos" do judiciário, que ministram nosso sistema de "lei racional", evitaram deliberadamente um conflito – potencialmente muito danoso para a estratégia do governo Tory – com o sindicato mais poderoso, o Transport and General Workers Union, em flagrante violação aos seus estatutos, para poder concentrar o fogo do governo com muito mais severidade e efetividade sobre a National Union of Mineworkers. Táticas similares puderam ser observadas por ocasião de duas disputas importantes dos sindicatos dos gráficos, incluindo a estranheza da punição desigual recebida pela N.G.A., se comparada com a da menos radical SOGAT. Em qualquer caso, fica o desafio de alguém tentar explicar

---

[8] *From Max Weber: Essays in Sociology,* p. 299.

as várias medidas legislativas antissindicais, em termos de "estrita racionalidade", "lógica pura", "dogma legal puro", "administração racional" e coisas desse tipo.

Sem dúvida, podemos testemunhar uma surpreendente "previsibilidade dos juízes" em todas as situações de conflitos sociais fundamentais; isto é, quando as disputas são definidas em termos *estruturalmente* significativos. Contudo, tal previsibilidade não é de modo algum inteligível em termos de "pura lógica" ou "racionalidade pura". Ao contrário, a lógica e a racionalidade com as quais nos defrontamos na administração da lei pertencem à categoria da "racionalidade aplicada", a qual, em qualquer evento claramente identificável, emerge de – e com um poderoso efeito *racionalizante* que promove a sua causa – um *interesse de classe* mais ou menos conscientemente perseguido.

8.1.5

Outro contexto em que podemos ver o caráter problemático dos conceitos weberianos diz respeito à relação entre *troca* e *uso* e às categorias intimamente conexas a esta relação.

Como sabemos, sob as condições do desenvolvimento histórico moderno, as trocas capitalistas tiveram sucesso em dominar unilateralmente o uso em proporção direta com o grau em que se estabiliza a produção generalizada de mercadorias. Fomos, assim, presenteados com a completa subversão da antiga primazia dialética do *uso* sobre a *troca*. Consequentemente, também nesse aspecto, o capital afirma suas rígidas determinações e interesses materiais com completo desprezo pelas consequências. Como resultado, o valor de uso correspondente à necessidade adquire o direito à existência apenas quando se ajusta aos imperativos aprioristicos do valor de troca sempre em expansão.

Para apreciar toda a importância desta subordinação estrutural do *uso* à *troca* na sociedade capitalista, precisamos situá-la no contexto de vários outros dualismos práticos importantes que têm uma relação direta com ela – especialmente as relações entre *abstrato* e *concreto*, *quantidade* e *qualidade* e *tempo* e *espaço*.

Em todas as três instâncias deveremos ser capazes de falar, em princípio, de uma interconexão *dialética*. Contudo, numa inspeção mais detalhada, encontramos uma situação na qual, em suas manifestações históricas específicas sob as condições da produção e troca de mercadoria, a dialética objetiva é *subvertida* pelas determinações reificadas do capital em que *um* lado de cada relação domina rigidamente o outro. Assim, o *concreto* é subordinado ao abstrato, o *qualitativo* ao quantitativo, e o *espaço* vivo das interações humanas produtivas – se o pensarmos como a "natureza à mão" na sua imediaticidade ou sob seu aspecto de "natureza-trabalhada", se o tomarmos como ambiente-do-trabalho no sentido mais estrito do termo ou, diferentemente, se o considerarmos em referência ao seu significado mais abrangente de estrutura vital da própria existência humana sob o nome de *ambiente* em geral – é dominado pela tirania da *administração-do-tempo* e da *contabilidade-do-tempo* do capital, com consequências potencialmente catastróficas.

Além do mais, o modo pelo qual os quatro complexos são trazidos a uma interação comum sob as determinações do capital agrava terrivelmente a situação. Pois, ao contrário da interpretação weberiana que Lukács faz de algumas ideias originais de Marx em *História e consciência de classe*, o problema não é que a "postura contemplativa" do trabalho *"reduz* espaço e tempo a um denominador comum e *degrada* o tempo à dimensão do espaço" (p. 89; ed. port., p. 104), mas, ao contrário, que *"Tempo é tudo, o homem é nada"*[9].

De fato, a *redução* com a qual nos deparamos aqui diz respeito ao *trabalho* na sua *especificidade qualitativa*, e não ao tempo e ao espaço como tais. Redução, na verdade, pela qual o qualitativamente específico e rico "trabalho composto" é transformado em um "trabalho simples" completamente empobrecido, em que simultaneamente também se afirma a dominação do *abstrato* sobre o *concreto* bem como a correspondente dominação do *valor de troca* sobre o *valor de uso*.

Três citações de Marx ajudam a esclarecer essas conexões. A primeira é de *O capital* e contrapõe a posição da economia política aos escritos da Antiguidade clássica:

> A economia política, que só aparece como ciência independente no período manufatureiro, considera a divisão do trabalho exclusivamente do ponto de vista da divisão manufatureira do trabalho como um meio de produzir com o mesmo *quantum* de trabalho mais mercadorias, portanto para baratear as mercadorias e acelerar a acumulação do capital. Na mais rigorosa oposição a essa acentuação da quantidade e do valor de troca, os escritores da Antiguidade clássica exclusivamente se atêm à qualidade e ao valor de uso. ... Quando mencionam eventualmente também o aumento da quantidade de produtos, isso é feito apenas relativamente à maior abundância do valor de uso. Não se faz a menor alusão ao valor de troca, ao barateamento das mercadorias.[10]

A segunda citação ilumina o modo pelo qual a *redução* realizada pelos economistas políticos oblitera a *determinabilidade social* dos indivíduos – privando-os desse modo das suas *individualidades*, já que não pode existir verdadeira individualidade e particularidade na ausência da rica multiplicidade de determinações sociais – a serviço dos interesses ideológicos dominantes. Nela lemos:

> A sociedade, tal como aparece aos economistas políticos, é *sociedade civil*, na qual *cada indivíduo* é uma totalidade de necessidades e apenas existe para a outra pessoa, assim como o outro existe para ele, na medida em que um se torna um *meio* para o outro. O economista político *reduz* tudo (tal como faz a política nos seus *Direitos do Homem*) a *homem*, isto é, ao *indivíduo* do qual ele *retira toda a sua determinabilidade* de modo a classificá-lo como *capitalista ou trabalhador*.[11]

A preocupação expressa na terceira citação, a seguir, tem grande proximidade com a anterior, cujas implicações apontam para a dialética da verdadeira individualidade que surge das muitas mediações da determinabilidade social, oposta à abstração redutiva dos economistas políticos que vinculam diretamente *individualidade abstrata* e *universalidade abstrata*. A citação em questão coloca em foco a relação entre trabalho simples e trabalho complexo e a subordinação dos homens às necessidades de quantidade e tempo. É assim que Marx coloca:

---

[9] Marx, *The Poverty of Philosophy*, MECW, vol. 6, p. 127.
[10] Marx, *Capital*, vol. I, pp. 364-5 (ed. brasileira, *O capital*, São Paulo, Abril Cultural, 1983, vol. I, tomo I, pp. 286-7).
[11] Marx, *Economic and Philosophic Manuscripts of 1844*, p. 129.

A competição, segundo um economista americano, determina quantos dias de trabalho simples estão contidos em um dia de trabalho complexo. Esta *redução* dos dias de trabalho complexo a dias de trabalho simples não pressupõe, nela própria, que o trabalho simples seja tomado como medida de valor? Se a simples *quantidade* de trabalho funciona como *medida* de valor indiferente à *qualidade*, isto pressupõe que o trabalho simples se torne o pivô da indústria. Pressupõe que o trabalho tenha sido equalizado pela *subordinação do homem* à *máquina* ou pela extrema *divisão do trabalho*; que *os homens sejam obliterados pelo seu trabalho*; que o pêndulo do relógio se torne uma medida tão acurada da atividade relativa de *dois trabalhadores* como da velocidade de *duas locomotivas*. Portanto, não deveríamos dizer que uma hora de trabalho de um homem vale uma hora do trabalho de outro homem, mas antes que *um homem* durante uma hora *vale tanto quanto outro homem* durante uma hora. *Tempo é tudo, o homem é nada*; no máximo ele é apenas a *carcaça do tempo*. A *qualidade* já não mais importa. A *quantidade* sozinha decide tudo, hora por hora, dia por dia.[12]

Portanto, no interior da estrutura do sistema socioeconômico existente, uma multiplicidade de interconexões anteriormente dialéticas são reproduzidas sob a forma de perversos dualismos práticos, dicotomias e antinomias, reduzindo seres humanos a uma condição reificada (pelo que *eles* são reduzidos a um denominador comum, e se tornam substituíveis por "locomotivas" e outras máquinas) e a um *status* ignominioso de "*carcaças do tempo*". E já que a possibilidade de manifestar na prática e realizar o *valor inerente* e a especificidade humana de todos os indivíduos por meio de sua atividade produtiva essencial está bloqueada, como resultado desse processo de redução alienante (que faz "um homem durante uma hora valer tanto quanto um outro homem"), o *valor* em si torna-se um conceito *extremamente problemático*. Pois, no interesse da lucratividade capitalista, não apenas não há espaço para a atualização do valor específico dos indivíduos, mas, pior ainda, o *antivalor* deve prevalecer sem cerimônia sobre o valor e afirmar sua dominação absoluta como a única relação de valor prático admissível, em direta subordinação aos imperativos materiais do sistema do capital.

8.1.6

Em seu prefácio de 1967 a *História e consciência de classe* (p. xxxvi; ed. port., p. 375), quando descreve o impacto dos *Manuscritos econômicos e filosóficos de 1844* no seu desenvolvimento intelectual, Lukács menciona que conhecia alguns textos afins que deveriam ter levado a uma mudança radical da sua interpretação das questões em jogo já na época em que escrevia a mencionada obra. Contudo, a literatura em questão não poderia exercer uma influência real sobre ele, pois lia Marx através de lentes hegelianas.

O mesmo é verdade no que diz respeito ao efeito negativo, ofuscante, das grossas lentes weberianas que o filósofo húngaro ainda usava em *História e consciência de classe*. Pois, como demonstram as evidências disponíveis, no início dos anos 20, ele está familiarizado com as análises de Marx da perversa e desumana dominação da contabilidade-do-tempo capitalista na ordem socioeconômica estabelecida. Ele até

---

[12] Marx, *The Poverty of Philosophy*, pp. 126-7.

mesmo cita, em *História e consciência de classe,* uma passagem muito relevante de *A miséria da filosofia,* de Marx, sobre o assunto. Contudo, permanece completamente cego ao seu significado, devido à opacidade das lentes weberianas da "racionalidade" e do "cálculo racional", as quais ele inquestionavelmente aceita como intuições positivas da natureza do sistema do capital.

É bastante significativo a esse respeito que, como reavaliação crítica do seu próprio passado, muitas das últimas obras de Lukács tenham envolvido diretamente um reexame radical da "racionalidade" capitalista, enfatizando a *irracionalidade* estruturalmente insuperável do seu sistema de produção e reprodução sociais.

Referências a Weber não são muito frequentes, apesar de serem claramente visíveis as conexões teóricas, e em *A destruição da razão* – a análise sistemática de Lukács da tradição filosófica do irracionalismo no último século e meio, no contexto do seu ambiente socioeconômico e histórico – ele submete também a obra de seu antigo professor e amigo, Max Weber, a uma crítica mais diligente.

É assim que, no capítulo intitulado "A sociologia alemã no período wilhelminiano" (pp. 601-19, dedicadas à discussão da obra de Weber), Lukács observa que o conceito weberiano de racionalidade e "calculabilidade racional" é baseado na identificação arbitrária de *tecnologia* e *economia,* de acordo com a "simplificação vulgarizante que reconhece apenas o capitalismo mecanizado como sua autêntica variedade" (ibid., p. 607).

Além disso, Lukács enfatiza algumas linhas depois, em *A destruição da razão,* que a concepção weberiana

> resulta necessariamente na inversão da economia capitalista, à medida que aquele fenômeno superficial popularizado assumiu prioridade sobre os problemas do desenvolvimento das forças produtivas. Esta distorção abstrativa permitiu aos sociólogos alemães atribuir às formas ideológicas, particularmente lei e religião, um papel causal equivalente e até superior à economia. Isto, por sua vez, conduz a uma sempre crescente *substituição metodológica de analogias por conexões causais.*
> Por exemplo, Max Weber viu uma forte semelhança entre o *Estado moderno* e o *empreendimento capitalista industrial.* Mas, já que ele descartou com argumentos agnóstico-relativistas o problema da causação primária, terminou preso a meras descrições com a ajuda de analogias... Este pensamento sempre culminou na impossibilidade econômica e social do socialismo. A aparente historicidade dos estudos sociológicos visava – mesmo se não explicitamente – a defender a tese do capitalismo como um sistema necessário, não mais essencialmente mutável, e a expor as pretensas contradições econômicas e sociais internas que, dizia-se, tornavam a realização do socialismo impossível em teoria e prática.

Desse modo, a correlação estabelecida por Weber entre o Estado moderno e os interesses-empresariais-capitalistas – uma equação mecânica e absolutamente superficial que, como vimos na seção 8.1.2, ainda era tida em *História e consciência de classe* como uma importante intuição teórica – é recusada em *A destruição da razão* como exemplo paradigmático de uma metodologia extremamente problemática, a serviço de uma ideologia combativa cujo objetivo mais ou menos velado é minar qualquer crença na possibilidade do desenvolvimento socialista.

Essa crítica é estendida por Lukács a todo o arsenal da tão influente metodologia weberiana. Pois, como Lukács argumenta em *A destruição da razão,* a sociologia de Weber era plena de analogias formalistas. Assim, ele equiparou formalmente, por exemplo, a velha burocracia egípcia ao socialismo, o Estado de conselhos (*Räte*) aos estados (*Stände*); falando da vocação irracional do líder (carisma), traçou uma analogia entre os xamãs siberianos e o líder democrata Kurt Eisner etc. Como resultado de seu *formalismo, subjetivismo e agnosticismo*, a sociologia, vista como a filosofia contemporânea, não fez mais que construir tipos específicos, levantar tipologias e arranjar os fenômenos históricos nessa tipologia ... Com Max Weber esse problema dos tipos se transforma na questão metodológica central. Weber considerava a montagem de "tipos ideais" puramente construídos a questão central da tarefa da sociologia. Segundo ele, a análise sociológica somente seria possível se se procedesse a partir desses tipos. Mas essa análise não produziu uma linha de desenvolvimento, apenas a *justaposição de tipos ideais casuisticamente selecionados e arranjados*. O curso da própria sociedade, compreendido, em sua unicidade, em linhas rickertianas e não segundo um padrão regular, tinha um *caráter irremediavelmente irracionalista* ... Disto é evidente que as categorias sociológicas de Weber – ele definia como "acidentais" as mais diversas formações sociais, como força, justiça, o Estado e assim por diante – revelarão tão somente a psicologia abstratamente formulada do agente calculista individual do capitalismo. ... A concepção de Weber de "acidental" era, por um lado, modelada segundo a interpretação de Mach do fenômeno natural e, por outro, condicionada pelo subjetivismo psicológico da "teoria da utilidade marginal". Ela converteu formas objetivas, transmutações, acontecimentos etc. da vida social numa confusa rede de "expectativas" – realizadas ou não realizadas – e seus princípios regulares em "acidentes" com maior ou menor probabilidade de realizar tais expectativas. É do mesmo modo evidente que a sociologia operante nesse sentido não poderia ir além de analogias abstratas em suas generalizações (*ibid.*, pp. 611-13).

Desse modo, em *A destruição da razão*, os pilares metodológicos do edifício conceitual weberiano, uma vez tão admirados, foram então submetidos a uma crítica radical por Lukács. Ele traçou uma nítida linha de demarcação entre o que considera ser um critério necessário de racionalidade genuína, isto é, a racionalidade em completa consonância com a dialética objetiva do processo histórico, e o sistema ideológico completamente subjetivista do sociólogo alemão, de explícito caráter antissocialista. E ele insiste que o sistema weberiano, apesar de todos os protestos formulados por seu autor de objetividade, de "neutralidade-de-valores" (*Wertfreiheit*) e de "racionalidade estrita", permanece confinado aos limites "*irremediavelmente irracionais*" das analogias formalistas.

8.1.7

A mesma atitude crítica caracteriza os escritos posteriores de Lukács sobre Weber. Em sua última obra, *A ontologia do ser social*, a teoria weberiana da racionalidade e sua aplicação à esfera da moralidade – que necessariamente resulta numa "*concepção*" completamente "*relativista de valores*"[13] – é firmemente rejeitada por Lukács.

É descartada porque expressa a corporificação de uma abordagem dos problemas do juízo moral que pode apenas conduzir a um beco sem saída, pois, para Lukács, ela representa a combinação de dois falsos extremos típicos que – apesar de suas alegações

---

[13] Lukács, *The Ontology of Social Being: Labour*, Londres, Merlin Press, 1980, p. 93.

em contrário – permanecem presos ao fetichismo da aparência e nada trazem com eles a não ser a capitulação da razão moral à ordem estabelecida. Segundo Lukács, o que nos oferecem tais conceituações do papel da razão moral e do consequente significado do pluralismo de valores postulado é,

> por um lado, o apego à *imediaticidade* na qual os fenômenos se apresentam no mundo da aparência e, por outro, um sistema de valores *super-racionalizado*, logicizado e hierarquizado. Estes extremos igualmente falsos, quando são postos a funcionar sozinhos, produzem ou um *empirismo puramente relativista* ou então *um constructo racional* que não pode ser adequadamente aplicado à realidade; quando postos lado a lado, produzem a aparência de uma razão moral impotente diante da realidade.[14]

Desse modo, no interior da estrutura de *A ontologia do ser social* não há espaço sequer para um dos mais influentes aspectos da teoria weberiana, pelo qual Lukács certa vez sentiu grande simpatia. É rejeitado com o argumento de que tal abordagem é capaz de produzir apenas mistificações fetichizadas e impotência moral, pois o impacto desmobilizador de um "empirismo puramente relativista" de modo algum pode ser contrabalançado até mesmo pelo esquema mais genial de tipologia super--racionalizante, na qual em termos substantivos e em relação às suas correspondentes orientações ideológicas, toda iniciativa permanece presa na prosaica, mas por Weber romantizada "jaula de ferro" da imediaticidade capitalista.

Como veremos mais tarde, a problemática influência weberiana jamais foi completamente superada por Lukács. Contudo, há uma outra questão importante em relação à qual podemos ver a reavaliação conscientemente crítica de Lukács da abordagem "super-racionalizante" de seu outrora companheiro filosófico. A questão se refere à categoria da *manipulação*, que possui, não apenas em sua última obra, mas em geral durante os últimos vinte anos de sua vida, uma importância cada vez maior no pensamento de Lukács. Tanto é assim que, de fato, ele censura até mesmo Engels pelo que, em sua visão, corresponde a uma falha importante em perceber uma tendência potencialmente muito destrutiva na orientação da ciência e da tecnologia; aquela que começa a se manifestar já nos desenvolvimentos capitalistas do final do século XIX.

Como resultado dessa tendência, Lukács insiste que o potencial que já foi claramente libertador e, portanto, corretamente celebrado da "ciência genuína que abarca o mundo" é praticamente contrabalançado e por fim anulado pela articulação da ciência como *"mera manipulação técnica"*[15] a serviço de objetivos extremamente duvidosos.

Não é importante, neste contexto, saber se a categoria da "manipulação" é adequada para tratar dos problemas destacados por Lukács em suas muitas referências aos perigos inseparáveis das práticas econômicas e culturais/ideológicas denunciadas. (Eu não creio que o seja.) O que importa aqui é que muito do que o autor de *História e consciência de classe* aceita da mitologia weberiana da ordem socioeconômica e cultural/legal/política capitalista, como "racionalidade" e "racionalização", é consignada sem hesitação pelo velho Lukács à categoria da *manipulação*.

---

[14] Id., ibid.
[15] Id., ibid., p. 126.

8.2 O paraíso perdido do "marxismo ocidental"

8.2.1

A principal razão pela qual Merleau-Ponty idealiza *História e consciência de classe* de Lukács em seu *As aventuras da dialética* como a corporificação clássica do "marxismo ocidental" (em contraposição ao "marxismo do Pravda") é o tratamento que o filósofo húngaro confere à problemática hegeliana do sujeito-objeto idêntico.

Para seu crédito, Merleau-Ponty está pronto a admitir que sua reconstrução do significado de Lukács é feita "muito livremente ... para avaliar o comunismo de hoje, para perceber ao que ele renunciou e ao que ele se resignou"[16]. Em consonância com esta aspiração, a tendência geral de *As aventuras da dialética* é a legitimação teórica do extremo relativismo. Esta é a razão de ter superado até mesmo seu ídolo intelectual, Max Weber, dizendo que este "grande intelecto"[17] "não persegue a *relativização do relativismo até os seus limites*"[18]. Consequentemente, Merleau-Ponty procura uma retificação adequada de Weber e anuncia que a encontrou no jovem Lukács. Pois, na visão de Merleau-Ponty, o mérito exemplar da posição assumida pelo filósofo húngaro em *História e consciência de classe* deve ser reconhecido com base no alegado fato segundo o qual

> ele não reprova Weber por ter sido muito relativista, mas antes por não ter sido suficientemente relativista e por não ter ido tão longe quanto "relativizar as noções de sujeito e objeto". Pois, quando isto é feito, obtém-se um tipo de totalidade.[19]

Merleau-Ponty necessita da "relativização do relativismo até os seus limites" por duas razões fortemente interligadas.

Primeira, para ser capaz de relativizar de tal modo o significado do que deveria ser ou não considerado progressista no campo da ação sociopolítica a fim de que pudesse reverter completamente sua rejeição anterior dos "compromissos com a opressão colonial e social"[20]. Assim, o novo relativismo fornece a Merleau-Ponty uma desculpa para condenar o que ele, agora, rotula de "fracasso moralizante" absoluto[21] dos militantes anticolonialistas que disputam e lutam pelo direito de autodeterminação nos territórios coloniais franceses ainda remanescentes. Na sua nova posição, Merleau-Ponty os castiga com base no fato de "eles não aceitarem qualquer compromisso com a política colonial"[22]. Melancolicamente, neste primeiro sentido, a "relativização do relativismo até os seus limites" é empregada por Merleau-Ponty para glorificar a política colonial francesa – e fazê-lo na época da guerra da Argélia e do retorno ao poder de De Gaulle – como um "Plano Marshall para a África"[23]. E ele conclui sua autoidentificação apolo-

---

[16] Maurice Merleau-Ponty, *Adventures of the Dialectic*, Londres, Heinemann, 1974, pp. 57-8.
[17] Id., ibid., p. 25.
[18] Id., ibid., p. 31.
[19] Id., ibid. Como é característico da interpretação "muito livre" de Merleau-Ponty de *História e consciência de classe*, nenhuma evidência textual é fornecida por ele para apoiar esta impetuosa asserção.
[20] Merleau-Ponty, "The URSS and the camps", *Signs*, Northwestern University Press, 1964, p. 272.
[21] "On Madagascar", *Signs*, p. 331.
[22] Ibid., p. 329.
[23] Ibid., p. 332.

gética com os exploradores e opressores proclamando que "não mais podemos dizer que o sistema foi feito para a exploração; não há mais, como se usava dizer, qualquer 'exploração colonial'"[24].

A segunda razão pela qual as virtudes do relativismo extremo são cantadas pelo filósofo francês diz respeito à natureza da própria estrutura teórica na qual pode ser realizada a reversão completa da postura política prática antes genuinamente advogada pelo intelectual radical Merleau-Ponty. Apenas alguns anos antes de escrever *As aventuras da dialética*, o fenomenólogo "marxizante" condenou duramente aqueles antigos marxistas americanos que, em sua visão, aderiram à "liga da esperança abandonada". Ele os censura por se terem "livrado de todo tipo de crítica marxista, todo o tipo de índole radical. Os fatos da exploração através do mundo representavam para eles apenas problemas isolados que devem ser examinados e solucionados um a um. Eles não possuem mais quaisquer ideias políticas"[25]. E o radical Merleau-Ponty – na época em que escreveu o artigo citado, ainda um camarada de armas de Sartre – resume assim sua posição contra os membros da "liga da esperança abandonada":

> tudo considerado, o reconhecimento do homem pelo homem e da sociedade sem classes é menos vago, como princípios de uma política mundial, do que a prosperidade americana, e a missão histórica do proletariado é em última análise uma ideia mais precisa do que a missão histórica dos Estados Unidos.[26]

Dois anos e meio depois da publicação de *As aventuras da dialética*, a "filosofia da história marxista" é sumariamente rejeitada por Merleau-Ponty, que agora afirma que "a própria ideia de um poder proletário se tornou problemática"[27].

Esta mudança é preparada teoricamente pela interpretação "muito livre" que relativiza não apenas o sujeito e o objeto – nos termos os mais gerais, com o propósito confesso de "obter algum tipo de totalidade" –, mas especificamente a relação da filosofia com a base material da vida social. Assim, Merleau-Ponty esvazia a estrutura teórica marxiana de seu conteúdo estabelecendo – não por uma análise construída por evidências históricas e textuais, mas por meio de um decreto completamente arbitrário – uma oposição, que depois virou moda, entre o jovem Marx "filosófico" e o criador do socialismo científico. Como resultado dessa linha de abordagem, o assim denominado "marxismo ocidental" – a "relativização do relativismo até seus limites" na filosofia – é inventado por Merleau-Ponty para, com sua ajuda, minar radicalmente não apenas o marxismo dos seguidores de Marx, mas a própria estrutura conceitual de Marx. Caracterizado como uma espécie de marxismo "antes da queda", o idealizado marxismo ocidental postula-se como representante do antídoto – algo mítico – não apenas aos "dogmáticos Pravda-marxistas" mas, muito mais significativamente, ao próprio Marx historicamente conhecido.

É para o estabelecimento desse objetivo teórico dúbio que se faz necessária a reconstrução "muito livre" da linha de argumentação de Lukács em *História e*

---

[24] Ibid., p. 333.
[25] "The URSS and the camps", *Signs*, p. 269.
[26] Ibid., p. 270.
[27] "On Madagascar", *Signs*, p. 329.

consciência de classe. Ao final – totalmente relativizado –, o marxismo aprovado por Merleau-Ponty não é outro senão

o do *pré-1850*. Depois disso vem o socialismo "científico", e o que é dado à ciência é retirado da filosofia. ... Nesse período posterior, portanto, quando Marx reafirma sua lealdade a Hegel, isto não deveria ser mal compreendido, porque o que ele procura em Hegel não é mais uma inspiração filosófica; antes, é o racionalismo, para ser empregado para o benefício da "matéria" e "taxas ou estimativas de produção", que são consideradas uma ordem em si mesmas, um poder externo e completamente positivo. Não é mais uma questão de salvar Hegel da abstração, de criar a dialética dando-a em confiança ao próprio movimento do seu conteúdo, sem qualquer postulado idealista: é muito mais uma questão de anexar a lógica de Hegel à economia .... *O conflito entre o "marxismo ocidental" e o leninismo já está fundado em Marx* como um conflito entre o pensamento dialético e o naturalismo, e a ortodoxia leninista eliminou a tentativa de Lukács assim como o próprio Marx eliminou seu próprio primeiro período "filosófico".[28]

Naturalmente, a periodização arbitrária de Merleau-Ponty enfrenta dificuldades desde o primeiro momento da sua formulação. Pois o filósofo francês, depois de declarar que o comentado Marx "filosófico" é "aquele pré-1850", é imediatamente forçado a recuar o relógio por pelo menos cinco anos até o "jovem filosófico" Marx. Nesse sentido, Merleau-Ponty afirma na próxima linha de suas *As aventuras da dialética*, sem se preocupar em solucionar a contradição nessa periodização, que "*A ideologia alemã* já falava em destruir a filosofia ao invés de realizá-la"[29]. Desse modo, nem sequer ao Marx pré-1850 é permitido juntar-se às exaltadas fileiras do "marxismo ocidental". Tal *status* é atribuído apenas a um Marx que nunca existiu.

Como podemos ver, então, a reconstrução relativista de *História e consciência de classe*, em *As aventuras da dialética,* serve a um propósito ideológico muito preciso e extremamente problemático. Em termos pessoais, melancolicamente, marca um estágio importante no curso do desenvolvimento político e intelectual de Merleau-Ponty desde a sua sarcástica condenação da "liga da esperança abandonada" até a sua identificação sem reservas com as opiniões ideológicas conservadoras dela própria[30].

8.2.2
Com certeza a celebrada obra de Lukács absolutamente nada tem a ver com as intenções ideológicas antimarxistas de Merleau-Ponty. Nem ninguém poderia identificar no autor de *História e consciência de classe* o ancestral intelectual daqueles que contrapuseram o jovem Marx "filosófico" ao pensador "economista científico" que veio a seguir[31]. Pelo contrário, é completamente justificável que Lukács sublinhe no seu Prefácio à edição de 1967 de *História e consciência de classe* que

---

[28] Merleau-Ponty, *Adventures of Dialectic*, pp. 62-4.
[29] Id., ibid., p. 62.
[30] Discuti mais longamente o desenvolvimento político e intelectual de Merleau-Ponty em *The Power of Ideology*. Ver em particular pp. 153-6 e 161-7 (ed. brasileira, *O poder da ideologia*, São Paulo, Ensaio, 1996, pp. 207-10 e 218-225).
[31] Podemos encontrar a mesma contradição que vimos em *As aventuras da dialética* de Merleau-Ponty na periodização do desenvolvimento intelectual de Marx por Louis Althusser, ainda que a intenção ideológica do filósofo comunista seja diametralmente oposta à do seu modelo. Lamentavelmente, contudo, Althusser aceita a classificação autocontraditória de Merleau-Ponty, apenas revertendo o "sinal" da sua falsa equação.

eu incluí os primeiros trabalhos de Marx no quadro global de sua visão de mundo. Eu o fiz em uma época em que a maioria dos marxistas estava propensa a ver neles nada mais que documentos históricos importantes apenas para seu desenvolvimento pessoal. Além disso, *História e consciência de classe* não pode ser acusada se, décadas depois, a relação foi revertida de tal modo que as primeiras obras fossem vistas como produtos da verdadeira filosofia marxista, enquanto os trabalhos mais recentes eram negligenciados. Certo ou errado, eu sempre tratei as obras de Marx como tendo uma *unidade essencial* (p. xxvi; ed. port., p. 366).

Em *História e consciência de classe* as dificuldades reais são abundantes. Como o próprio Lukács assinalou em 1967, ele tenta *"hegelianamente superar Hegel"* em seu "constructo puramente metafísico" que retrata o proletariado como o "sujeito-objeto idêntico da história real da espécie humana" (p. xxiii; ed. port., p. 363).

Como resultado da abordagem dos problemas do desenvolvimento sócio-histórico nesse espírito, Lukács termina com "um edifício audaciosamente erigido acima de qualquer realidade possível" (p. xxiii; ed. port., p. 363), reproduzindo ao mesmo tempo também a fusão hegeliana dos conceitos de "alienação" e "objetivação": um procedimento que deve ser considerado duplamente desconcertante em uma concepção histórica materialista que explicitamente visa identificar a alavanca objetiva materialmente eficaz da emancipação social. Pois, uma vez que a *objetivação* é descartada como "reificação" e "alienação", não resta nenhum solo concebível no qual até mesmo a estratégia emancipatória teoricamente mais sofisticada poderia ser implementada com sucesso no mundo real.

Contudo, se Lukács tenta "hegelianamente superar Hegel" em *História e consciência de classe*, Merleau-Ponty vai muito além disso em *As aventuras da dialética*, pois ele tenta "weberianamente superar Weber" com a ajuda de Lukács para "relativizar o relativismo até seus limites". Além disso, o filósofo francês muito simplesmente se recusa a examinar qualquer outra coisa que possa ser encontrada em a *História e consciência de classe* além da problemática hegeliana do sujeito-objeto idêntico. E mesmo este aspecto é abordado em *As aventuras da dialética* apenas de uma forma "para-além-de-weberiana", extremamente relativizada e subjetivada. De uma forma, na qual, em todas as referências às condições reais de existência do proletariado e às exigências estratégicas de sua transformação – presentes, ao menos em alguma extensão, em *História e consciência de classe*, mesmo se em uma forma muito problemática –, as formas objetivas desaparecem completamente em Merleau-Ponty. Desse modo, este

---

Diferente de Merleau-Ponty, em seus dois primeiros volumes de ensaios – *For Marx* e *Reading Capital* – Althusser elogia o "Marx científico" contra o "jovem Marx filosófico", que em sua visão é supostamente culpado de hegelianismo, devido à sua preocupação com o "conceito ideológico" de alienação. Mais tarde, contudo, ele descobre que também o "Marx maduro", incluindo o autor de *O capital*, recai pesadamente nos mesmos pecados. Aprisionado pela lógica do esquematismo adotado, Althusser chega à conclusão peculiar de que apenas algumas poucas páginas da *Crítica ao Programa de Gotha* (1875) e as *Marginal Notes on Wagner* (1882) devem ser consideradas obras propriamente marxistas, livres das aberrações ideológicas denunciadas (ver acerca disto a Introdução de Althusser à edição da Garnier-Flammarion do volume I de *O capital* de Marx, publicado em Paris em 1969). Isto demonstra que não é suficiente reverter a intenção ideológica de um adversário político e intelectual sem submeter a um escrutínio crítico a sua substância teórica. Esta omissão traz consigo a infeliz consequência de permanecer cativa de suas lendas.

aspecto, de longe o mais questionável de *História e consciência de classe,* é transformado em uma mitologia neoweberiana, enquanto todas as realizações reais dessa importante obra de transição são intencionalmente ignoradas.

Além disso, mesmo a questão do relativismo é caracteristicamente deturpada na reinterpretação ideologicamente motivada de *História e consciência de classe* que faz Merleau-Ponty. Pois ele aplaude Lukács por ter pretensamente ido além de Weber ao "perseguir a relativização do relativismo até seus limites". Ainda mais, o único lugar em *História e consciência de classe* em que podemos encontrar algo que vagamente se assemelha à alegação de Merleau-Ponty é onde Lukács insiste que

> somente a *dialética da história* tem condições de criar uma situação radicalmente nova. Não apenas porque ela *relativiza todos os limites*, ou *melhor*, porque ela os põe em um *estado de fluxo contínuo*. Nem porque todas aquelas formas de existência que constituem a contrapartida do absoluto são dissolvidas em processos e vistas como manifestações concretas da história de tal forma que o absoluto não é tanto negado quanto dotado de sua *forma histórica concreta* e tratado como um aspecto do processo em si (p. 188; ed. port., pp. 209-10).

Portanto, enquanto o ideal de Merleau-Ponty de "perseguir a relativização do relativismo até seus limites" (o que quer que signifique esta curiosa expressão) tem por atributo a "superação-weberiana de Weber", ou seja, do próprio filósofo relativista, Lukács está de fato se referindo a algo completamente diferente. Ele levanta a questão da relativização (ou, melhor, como ele acrescenta, a questão coloca os limites das coisas "em um estado de fluxo", sublinhando assim seu caráter inerentemente processual) em relação à dialética da história como tal. É esta última que "*relativiza todos os limites*" no curso do *seu* desdobramento objetivo no interior da estrutura na qual tudo deve assumir uma "*forma histórica concreta*". Tanto é assim que, apenas algumas linhas depois da passagem da página 188 (ed. port.,   pp. 209-10), Lukács – antecipando e rejeitando o duvidoso cumprimento de Merleau-Ponty – afirma muito categoricamente que "*é profundamente enganador descrever o materialismo dialético como 'relativismo'*" (p. 189; ed. port., p. 210).

8.2.3
Para fazer de fato justiça ao autor de *História e consciência de classe*, contudo, devemos citar uma outra passagem também dessa obra para mostrar até onde vai Lukács em sua insistência no caráter longe de relativista das determinações que, em sua visão, emanam da *dialética objetiva* da história. Na seção final do ensaio mais importante de *História e consciência de classe*, "Reificação e a consciência do proletariado" – acerca das dificuldades de encontrar um modo de "romper a estrutura reificada da existência" (p. 197; ed. port., p. 219) sob a forma histórica concreta da sociedade capitalista –, Lukács insistentemente argumenta que

> a estrutura pode ser rompida apenas se as *contradições imanentes* do processo [como uma totalidade histórica em desenvolvimento] forem tornadas conscientes. Apenas quando a consciência do proletariado for capaz de apontar o curso pelo qual a dialética da história *é objetivamente impelida*, mas que ela não pode percorrer sem ajuda, a consciência do proletariado será despertada para uma consciência do processo, e apenas então o proletariado se torna o *sujeito-objeto idêntico da história* cuja práxis mudará a realidade. Se o proletariado falhar em dar este passo, as contradições permanecerão

irresolutas e serão *reproduzidas* pela *mecânica dialética do desenvolvimento* em um patamar superior, em uma forma alterada e com *intensidade crescente*. É nisto que consiste a *necessidade objetiva da história*. A obra do proletariado não pode jamais ser mais do que dar o *próximo passo* no processo [32] (pp. 197-8; ed. port., p. 219).

Como podemos ver, neste esforço para sublinhar a inevitável natureza objetiva do processo histórico em andamento, Lukács não hesita em recorrer a um conceito tão excêntrico – à primeira vista até contraditório – como a "mecânica dialética do desenvolvimento" (*die dialektische Mechanik der Entwichlung*)[33]. O que ele quer dizer com isso é que a dialética da história (isto é, a dialética do desenvolvimento histórico global, *Gesamtentwicklung*) é ela própria *objetivamente impelida* – como um mecanismo dialeticamente produtivo – a revelar, numa intensidade sempre crescente, as contradições subjacentes da sociedade capitalista como uma *necessidade objetiva do processo de desenvolvimento* (*die objektive Notwendigkeit des Entwicklungsprozesses*), mesmo se a consciência do proletariado *falhar* em sua "missão histórica".

Dessa visão seguem-se duas conclusões:
- Primeira, que não pode haver tal integração *permanente* do proletariado, mas tão só uma integração que seja estritamente *temporária*. O "mecanismo dialético" e a "necessidade objetiva do desenvolvimento" tornam impossíveis para o proletariado viver permanentemente integrado à estrutura capitalista exploradora e desumanizadora. Pois o *Gesamtprozess* continua a reproduzir as contradições imanentemente antagônicas da sociedade capitalista, tanto num patamar superior como com uma intensidade crescente, precisamente porque a dialética da história não "é auxiliada", na sua propensão objetivamente impelida para a resolução das contradições em questão, pela atualização da consciência de classe *potencial* (ou "atribuída") do proletariado. Sendo assim, as contradições devem ser seguidamente enfrentadas pelos trabalhadores, não importando quanto esforço seja investido nos vários esquemas de acomodação por meio dos quais a ordem dominante – com a colaboração ativa do reformismo social-democrata – tenta varrê-las para baixo do tapete.
- A segunda conclusão se refere às dramáticas alternativas implícitas nas tendências objetivas do desenvolvimento histórico real na era do capitalismo global e do imperialismo. Nesse aspecto o autor de *História e consciência de classe* está em completo acordo com o *dictum* de Rosa Luxemburgo:

---

[32] As palavras "nisto" e "próximo passo" foram italizadas por Lukács. E reafirmando sua rejeição de que a flexibilidade estratégica do materialismo pudesse ser considerada uma forma de relativismo ele acrescenta em uma nota de rodapé que
O feito de Lenin é que ele redescobriu esse lado do marxismo que aponta a vida para uma compreensão de seu nódulo *prático*. Seus constantes e reiterados alertas para se agarrar o "próximo elo" da cadeia com todo o nosso poder, aquele elo do qual o destino da totalidade depende naquele momento, sua recusa de todas as demandas utópicas, isto é, seu "relativismo", sua "Realpolitik": todas essas coisas não são nada mais que a realização prática das *Teses sobre Feuerbach* do jovem Marx (p. 221; ed. port., pp. 219-20).
A palavra "prático" foi grifada por Lukács.

[33] Lukács, *Geschichte und Klassenbewusstsein. Studiem über marxistische Dialektik*, Berlim, Malik Verlag, 1923, p. 216. A edição inglesa que corrigimos nessa passagem interpreta "*die dialektische Mechanik der Entwicklung*" como "dialectical mechanics of history" (dialética mecânica da história).

"*socialismo ou barbárie*"³⁴. Pois, segundo Lukács, a dialética objetiva da necessidade histórica não pode assegurar, por si só, o resultado *positivo* das quase inevitáveis confrontações pelas quais as duas classes hegemônicas da ordem produtiva dada – capital e trabalho – devem resolver pela força seus conflitos em uma conclusão historicamente viável, sob a pressão da "mecânica dialética do desenvolvimento". Afirmou-se que o proletariado é "o sujeito-objeto idêntico do processo histórico, isto é, o primeiro sujeito na história que é (objetivamente) capaz de uma consciência social adequada" (p. 199; ed. port., pp. 218-9). Mas "*capaz*" permanece o termo operativo chave. Tudo depende, portanto, da atualização vitoriosa da "capacidade objetiva" constantemente reiterada por Lukács.

As categorias que vimos na passagem citada das páginas 197-8 (ed. port., p. 219) de *História e consciência de classe* são trazidas à nossa atenção por Lukács para articular a estrutura teórica no interior da qual estas duas conclusões podem ser tiradas. Elas são, de fato, descritas por ele com a maior clareza, nas palavras finais do ensaio sobre a "Reificação e a consciência do proletariado" e sem o menor sinal de qualquer "relativização do relativismo até seus limites". Desse modo:

Conforme os antagonismos se tornam agudos, *duas possibilidades* se abrem ao proletariado. É dada a oportunidade de substituir a carcaça velha e superada pelo seu próprio conteúdo objetivo. Mas, *pelo menos por um tempo*, ele também está exposto ao perigo de se adaptar ideologicamente a estas formas mais vazias e mais decadentes da cultura burguesa ... A *evolução econômica objetiva* não pode fazer mais do que criar a posição do proletariado no processo de produção. Foi esta posição que determinou seu ponto de vista. Mas a evolução objetiva poderia apenas dar ao proletariado a *oportunidade* e a *necessidade* de mudar a sociedade. Qualquer transformação pode se efetivar apenas como produto da ação – livre – do próprio proletariado (pp. 208-9; ed. port., pp. 231).

Coerente com a linha geral da sua abordagem, Lukács define novamente o obstáculo à resolução positiva das contradições identificadas em termos de *ideologia*. Um obstáculo que, em sua visão, poderia ser superado pelo trabalho de consciência sobre consciência, e tornado possível instrumental/organizacionalmente na forma da atividade ideológica esclarecedora do partido, desde que o próprio partido se tornasse digno da sua tarefa histórica, como vimos Lukács argumentar em outro contexto. A circunstância, contudo, não retira do diagnóstico de Lukács da situação, e da sua discussão do modo pelo qual se poderia romper a "estrutura reificada da existência" (*die verdinglichte Struktur des Daseins*), os seus termos de referência objetivos.

Felizmente em *História e consciência de classe* nem tudo é deixado ao artifício mágico do "sujeito-objeto idêntico da história", que o autor buscou em Hegel e na tradição filosófica idealista elevada pelo grande dialético alemão ao seu nível mais

---

³⁴ Como Lukács observa em outro ensaio, "Observações críticas sobre a *Crítica da Revolução Russa* de Rosa Luxemburgo":
O socialismo jamais aconteceria "por si mesmo", como resultado de um inevitável desenvolvimento econômico natural. As leis naturais do capitalismo de fato levam inevitavelmente à sua crise última, mas o fim de sua trajetória seria a destruição de toda civilização e um novo barbarismo.
História e consciência de classe, p. 282; ed. port., p. 291. Itálicos de Lukács.

alto. Há também as categorias "necessidade histórica objetiva", "mecânica dialética do desenvolvimento", "necessidade objetiva do processo de desenvolvimento", "forma histórica concreta"[35] dos objetos, tendências e estruturas, "luta entre capital coletivo e trabalho coletivo" etc., com as quais o discurso quase místico de Merleau-Ponty acerca da "relativização do relativismo até seus limites" é totalmente incompatível.

No que diz respeito a Lukács, não há qualquer possibilidade de "recuperar um tipo de totalidade". Para ele "totalidade" não é algo romanticamente perdido e ainda mais romanticamente reencontrado graças a sua subsunção à categoria idealista da "identidade sujeito-objeto". Por mais inadequado que seja o tratamento de Lukács do postulado hegeliano adotado, mesmo na época em que escrevia "A reificação e a consciência do proletariado", a identidade sujeito-objeto historicamente concretizada é *apenas* parte de toda a história.

Totalidade, em *História e consciência de classe*, é o desdobramento do processo histórico global (*Gesamtprozess*) que se afirma – para o melhor ou para o pior – em sua necessidade histórica objetiva, e inseparavelmente dialética, tanto se nos tornamos dela conscientes como se falhamos em fazê-lo. Apesar de Lukács considerar, com uma esperança e uma expectativa muito irrealistas, o poder da consciência de transformar o "mundo reificado" na direção almejada, ele não tenta equalizar o *processo objetivo* do desenvolvimento histórico com a "*consciência* do processo" (p. 197; ed. port., p. 219).

Esta é a razão pela qual a estrutura conceitual de *História e consciência de classe*, apesar de todos os seus traços problemáticos, não pode se reduzir a um denominador comum com sua reconstrução "muito livre" por Merleau-Ponty em suas *As aventuras da dialética*. De fato, Lukács explicitamente rejeita não apenas "*todo 'humanismo' ou ponto de vista antropológico*" (pp. 186-7; ed. port., p. 208) – que supostamente deveriam ser o traço distintivo do "jovem Marx filosófico" e do próprio primeiro Lukács – como também o relativismo muito admirado pelo filósofo francês. Ele argumenta, com força e de forma clara, que "o relativismo se move num mundo essencialmente *estático*" (p. 187; ed. port., p. 208), representando uma posição filosófica *dogmática* devido à sua falha em tratar dialeticamente tanto os seres humanos como a sua situação histórica concreta.

8.3 O "sujeito-objeto idêntico" de Lukács

8.3.1

Como já mencionado, *História e consciência de classe* é uma obra de transição muito importante. Ela marca um divisor de águas no desenvolvimento intelectual de Lukács, no sentido em que permanece como um ponto de referência crucial para o autor durante a sua vida, como fundamento tanto positivo quanto negativo de sua visão. De um lado, no curso de suas reflexões subsequentes acerca dos problemas

---

[35] "A reificação e a consciência do proletariado", *História e consciência de classe*, p. 188 (ed. port., pp. 209-210). E em outra passagem da mesma obra Lukács argumenta que "a totalidade concreta do mundo histórico, o processo histórico concreto e total, é o único ponto de vista a partir do qual a compreensão se torna possível" (p. 145; ed. port., p. 164).

fundamentais da filosofia que se estende até sua última obra de síntese, *A ontologia do ser social*, Lukács estará conscientemente engajado numa reavaliação crítica severa e justificada da linha perseguida em *História e consciência de classe*, e na qual acredita profundamente. Ao mesmo tempo, e por outro lado, ele permanece fielmente atraído – mesmo mais do que ele próprio parece se dar conta – não apenas pelos problemas levantados em seu volume de ensaios, mas também pelas soluções divisadas ainda entre 1918-1923, não importa o quanto pudessem algumas delas ser discutíveis, como vimos em seu Prefácio à edição de 1967 de *História e consciência de classe* no que diz respeito à questão da metodologia.

No que tange à identidade sujeito-objeto, tal questão refere-se a um dos aspectos mais problemáticos de *História e consciência de classe* e também do desenvolvimento filosófico burguês em geral.

Paradoxalmente, o fundamento do qual emerge o problema não poderia ser mais tangível, já que a relação entre sujeito e objeto, na sua constituição original, é inseparável das condições de produção e reprodução da atividade humana e da valoração do objeto (os meios e materiais de produção), sem a qual nenhuma reprodução sociometabólica – por meio do modo historicamente específico de trocas humanas entre os próprios indivíduos e com a natureza – é concebível. Contudo, através do prisma refratário da mistificação filosófica (ideologicamente ligada aos insuperáveis interesses de classe), a substância tangível das relações concretas, materiais e sociais subjacentes é metamorfoseada em um enigma metafísico cuja solução apenas pode assumir a forma de algum postulado ideal irrealizável, decretando a identidade de sujeito e objeto. E precisamente porque a questão, na sua determinação estrutural fundamental, concerne à relação entre o *sujeito que trabalha* e o objeto de sua atividade produtiva – que, sob a regência do capital, só pode ser uma relação intrinsecamente exploradora –, a possibilidade de desvelar a natureza real dos conflitos e problemas em jogo, visando transcendê-los em algo diferente de uma forma puramente fictícia, deve ser inexistente na prática. Porquanto os pensadores – sejam eles economistas, políticos ou filósofos burgueses – que se identificam com o ponto de vista (e os interesses materiais correspondentes) do capital devem divisar uma "solução" que deixe absolutamente intacta a relação *praticamente invertida* entre o sujeito que trabalha e seu objeto na própria realidade.

O problema, aqui, diz respeito aos perversos efeitos subvertedores da divisão social de trabalho que se desdobra historicamente e termina no sistema do capital. Uma importante passagem dos *Grundrisse* de Marx auxilia a iluminar a natureza dos processos materiais que, ao final, são transfigurados – e absolutamente adulterados – no bem conhecido postulado idealista da identidade sujeito-objeto. Marx parte de uma crítica a Proudhon e insiste que

> assim como o *sujeito que trabalha* é um indivíduo natural, um ser natural, a primeira *condição objetiva* do seu trabalho aparece como natureza, terra, como um corpo inorgânico. Ele próprio, como *sujeito*, é não apenas o corpo orgânico, mas também natureza inorgânica. Esta condição não é algo que ele produziu, mas algo que ele encontra à mão; algo existente na natureza, algo que ele pressupõe. ... o fato de o trabalhador encarar a condição objetiva do seu trabalho como algo *separado* dele, como *capital*, e o fato de o capitalista encarar os trabalhadores *sem propriedade* como *trabalhadores abstratos* – a troca tal como acontece entre valor e *trabalho*

vivo – supõe um processo histórico, não importando quanto o capital e o trabalho assalariado, como tais, reproduzam esta relação e a elaborem em extensão objetiva, assim como em profundidade. E este processo histórico, como podemos ver, é a história evolutiva tanto do capital como do trabalho assalariado. Em outras palavras, a origem extraeconômica da propriedade significa meramente a gênese histórica da economia burguesa, das formas de produção às quais as categorias da economia política dão expressão teórica ou ideal...

As condições originais de produção não podem inicialmente ser produzidas como tais – elas não são resultado da produção ... pois se esta reprodução aparece, de um lado, como a apropriação dos *objetos* pelos *sujeitos*, aparece igualmente, de outro lado, como a moldagem, a sujeição dos objetos por e para um propósito subjetivo; a transformação dos objetos em resultados e repositórios da *atividade subjetiva*. O que requer explicação não é a *unidade* de seres humanos vivos e ativos com as condições naturais, inorgânicas do seu metabolismo com a natureza, e portanto de sua apropriação da natureza; nem é este o resultado de um processo histórico. O que devemos explicar é a *separação* dessas condições inorgânicas da existência humana da sua existência ativa, uma separação que apenas é completamente realizada na relação entre trabalho assalariado e capital. Na relação de escravidão e de servidão não há tal separação; o que acontece é que uma parte da sociedade é tratada pela outra como condição meramente inorgânica e natural de sua própria reprodução. O escravo não se encontra em nenhum tipo de relação com as condições objetivas do seu trabalho. Ele é antes o próprio trabalho, tanto na forma de escravo como na de servo, o qual é colocado entre as outras coisas vivas (*Naturwesen*) como uma condição inorgânica de produção. Ao lado do gado ou como um apêndice do solo. Em outras palavras, as condições originais de produção aparecem como *pré--requisitos naturais*, condições naturais de existência do produtor, assim como seu corpo vivo, ainda que reproduzido e desenvolvido por ele, não é originalmente estabelecido por ele próprio, mas aparece como seu pré-requisito.[36]

Como podemos ver, a possibilidade de desvelar o caráter real da relação entre o sujeito que trabalha e seu objeto, junto com a inerente potencialidade emancipatória em tal desvelamento, emerge apenas sob as condições do capitalismo, como resultado de um longo processo de desenvolvimento histórico e produtivo. Pois, em completo contraste com o escravo, que "não se encontra em nenhum tipo de relação com as condições objetivas do seu trabalho", o sujeito que trabalha na "escravidão assalariada" verdadeiramente adentra a estrutura objetiva do empreendimento capitalista como um *sujeito* que trabalha. Isto é assim apesar do fato de ser seu caráter de sujeito imediatamente obliterado no ponto de entrada da "oficina despótica", que deve girar sob a absoluta autoridade do pseudo-sujeito usurpador, o *capital*, que transforma o sujeito real, o trabalhador, em mero dente da engrenagem da máquina produtiva do sistema do capital. Apesar de tudo, quando da constituição formal de sua relação econômica, o trabalhador supostamente deve ser não o servo obediente, mas o soberano *equivalente* à personificação do capital, de tal forma a ser capaz de adentrar, como *"sujeito livre"*, no acordo contratual requerido.

---

[36] Marx, *Pre-Capitalist Economic Formations*, Londres, Lawrence and Wishart, 1964, pp. 85-7. Para uma tradução alternativa ver a edição Penguin dos *Grundrisse* de Marx, p. 488-90.

Contudo, já que o sujeito que trabalha sob o sistema do capital está condenado à existência de "*trabalhador abstrato*", porque ele é *sem-propriedade* – bastante diferente do escravo e do servo que de modo algum são "sem-propriedades" mas *parte integrante* da propriedade, e, portanto, estão muito distantes de serem "abstratos" –, o "escravo assalariado" está completamente à mercê da capacidade e disposição do capital de empregá-lo para sua própria sobrevivência. Isto, novamente, não poderia ser mais contrastante com a relação original (primitiva) entre o sujeito que trabalha e as condições objetivas (necessárias) de sua atividade produtiva. Pois esta relação é caracterizada pela "*unidade* de seres humanos vivos e ativos com as condições naturais, inorgânicas, do seu metabolismo com a natureza".

Portanto, a verdadeira questão da relação sujeito-objeto é como *reconstituir, em patamar completamente compatível com o desenvolvimento produtivo historicamente atingido da sociedade, a necessária unidade dos sujeitos que trabalham com as condições objetivas atingíveis de sua vida-atividade plena de significado.* Tal *identidade* do sujeito e do objeto nunca existiu; nem poderia jamais existir. Além do mais, a *unidade* de sujeito e objeto que encontramos em fases anteriores da história só poderia ser aquela primitiva. Ela foi esgarçada e destruída pelas fases subsequentes do desenvolvimento histórico. Apenas um sonhador incurável poderia imaginar sua ressurreição. Não obstante, a reconstituição *qualitativamente diferente* da unidade entre trabalho vivo, como sujeito ativo, e as condições objetivas exigidas para o exercício das energias humanas criativas, conforme o patamar historicamente alcançado do desenvolvimento produtivo, é tanto possível como necessária. O projeto socialista, já bem antes de Marx, tentou se orientar para a realização desse objetivo.

A oposição – e, sob o domínio do capital, uma contradição antagônica – entre o trabalho vivo e as condições necessárias ao seu exercício é um óbvio absurdo: o truque mais ardiloso da *List der Vernunft* (astúcia da razão) de Hegel. A mistificação filosófica manifesta no postulado da identidade sujeito-objeto é o corolário necessário dessa relação objetiva, mesmo assim absurda, tal como é percebida do ponto de vista do capital. A contradição em questão apenas pode ser reconhecida, em termos que permanecem completamente compatíveis com os imperativos estruturais do capital, como modo eternizado de controle do sociometabolismo. Esta é a razão pela qual o remédio capaz de reconstituir em patamar qualitativamente mais elevado a *unidade* do sujeito que trabalha com as condições objetivas de sua atividade deve ser metamorfoseado no postulado totalmente místico do "sujeito-objeto *idêntico*".

A confusão hegeliana entre *objetivação* e *alienação* é apenas mais um aspecto da mesma problemática. Lukács, portanto, apenas evita a questão quando sugere, no Prefácio de 1967 à *História e consciência de classe,* que

> a relutância de Hegel em se comprometer neste ponto [acerca da relação entre as classes hegemônicas na sociedade capitalista] é o produto da equivocada insistência em seus conceitos básicos incorretos (p. xxiii; ed. port., p. 363).

Na verdade, a "equivocada insistência" alegada não explica mais que a resposta recebida pelo crítico indiano satirizado pelo autor de *História e consciência de classe.* O crítico, que questionou a ideia de que o mundo se apoia nas costas de um elefante, "ao receber a resposta de que o elefante encontra-se sobre uma tartaruga, [seu] 'criticismo' declarou-se satisfeito" (p. 110; ed. port., p. 126). A questão que fica sem resposta pela sugestão da "equivocada insistência" de Hegel é: quais são as determinações objetivas em sua raiz? Pois, como Lukács sabe melhor do que muitos, Hegel é um pensador grande demais para ser acusado de fazer uma simples "confusão filosófica".

O problema não é que Hegel seja "relutante em se comprometer" com as questões sociais fundamentais em jogo, como alega Lukács. Pelo contrário, o grande filósofo alemão está muito comprometido com o ponto de vista do capital, como ficou evidenciado também pela solução peculiar, e por fim totalmente apologética, que dá às contradições imanentes da "dialética do senhor/escravo" na *Fenomenologia do espírito*, apesar do seu reconhecimento da dinâmica potencialmente emancipatória nela implícita[37]. Claro que é verdade, como Lukács afirma em seu Prefácio de 1967, que

> no termo alienação Hegel inclui todo tipo de objetivação. Assim, "alienação" quando levada à sua conclusão lógica é idêntica à objetivação. Portanto, quando o sujeito-objeto idêntico transcende a alienação ele deve ao mesmo tempo também transcender a objetivação. Mas como, de acordo com Hegel, o objeto, a coisa existe apenas como uma alienação da autoconsciência, trazê-la de volta para o sujeito significa o fim da realidade objetiva e, portanto, de toda e qualquer realidade (pp. xxiii-xxiv; ed. port., pp. 363-4).

Contudo, esta confusão categorial particular não é, de modo algum, uma ocorrência isolada no universo conceitual hegeliano. Antes, sua obra como um *todo* é caraterizada pela confusão sistemática – e completamente desconcertante – das categorias da *lógica* com as determinações objetivas do *ser*. Esta característica emana da tentativa hegeliana de conjurar até o impossível no interior do grandioso edifício do seu sistema filosófico: a saber, a "reconciliação" final das contradições antagônicas da realidade sócio-histórica observada através dos artifícios conceituais da "*Ciência da lógica*".

O postulado místico do sujeito-objeto idêntico, que supostamente deveria transcender objetividade/estranhamento/alienação, é uma corporificação categorial paradigmática deste estado de coisas. Pois, enquanto a contradição subjacente, tal como percebida e reconhecida por Hegel, é uma contradição muito real, a "conciliação transcendente" considerada deixa tudo completamente intacto no mundo real. A "oposição" hegeliana "do *em-si* e *para-si*, da consciência e da autoconsciência, de *sujeito* e *objeto* ... é a oposição, *no interior* do próprio pensamento, entre pensamento abstrato e realidade sensível ou sensorialidade real"[38]. Graças a tal conceituação das dicotomias da filosofia burguesa, as contradições da vida real – inerentes ao poder inflexível de alienação e reificação do capital – podem ser simultaneamente reconhecidas (por um momento fugaz) e feitas desaparecer de modo permanente pela sua redução "apropriada" a "*entidades abstratas do pensamento*". Uma redução que traz consigo a eliminação ideologicamente motivada de sua *determinabilidade social* em cada domínio singular do monumental empreendimento filosófico hegeliano.

---

[37] Ver a esse respeito o ensaio "Kant, Hegel, Marx: Historical Necessity and the Standpoint of Political Economy" em meu livro *Philosophy, Ideology and Social Sciences*, pp. 143-95 (ed. brasileira, "A necessidade histórica e o ponto de vista da economia política", in *Filosofia, ideologia e ciências sociais*, São Paulo, Ensaio,1993).

[38] Marx, *Economic and Philosophic Manuscripts of 1844*, p. 149, itálicos de Marx.

Para citar Marx:

> a apropriação do que é estranho e objetivo, ou a anulação da objetividade sob a forma de estranhamento (que tem de evoluir de estranhamento indiferente a estranhamento real, antagônico) significam igualmente ou mesmo primariamente, para Hegel, que é a *objetividade* que deve ser anulada, porque não é o caráter *determinado* do objeto, mas antes o caráter *objetivo* que é ofensivo e constitui estranhamento para a autoconsciência... Um papel peculiar, portanto, é desempenhado pelo ato da *superação* em que negação e preservação – negação e afirmação – estão encadeadas uma à outra. Assim, por exemplo, na *Filosofia do Direito* de Hegel, *Direito Privado* superado equivale a *Moralidade*, Moralidade superada equivale a *Família*, Família superada equivale a *Sociedade Civil*, Sociedade Civil superada equivale a *Estado*, Estado superado equivale a *História Mundial*. No *mundo real*, direito privado, moralidade, família, sociedade civil, Estado etc., permanecem em existência apenas porque se transformaram em ... momentos de movimento.[39]

É, portanto, a atitude ambivalente de Hegel em relação aos antagonismos da sociedade – a percepção do seu significado do ponto de vista do capital, junto com uma recusa idealista do reconhecimento de suas implicações negativas transcendentais para a ordem dada na estrutura do desenvolvimento histórico que se desdobra – que é responsável por produzir essas curiosas "dissolução e restauração filosóficas do mundo empírico existente"[40], do qual a misteriosa alienação-transcendência postulada do sujeito-objeto idêntico é um exemplo por demais revelador.

A razão pela qual é necessário criar esta solução fictícia para a dominação desumanizadora do trabalho vivo (o sujeito que trabalha) por sua contrapartida ao mesmo tempo objetivada e alienada, ou seja, o "trabalho acumulado" ou capital, é o fato de a única solução exequível – a reconstituição historicamente adequada da *unidade* necessária de trabalho vivo com as condições objetivas da sua atividade produtiva – ser um tabu absoluto do ponto de vista do capital. Pois a formulação de tal programa necessariamente implica o fim da absurda *separação* das condições inorgânicas da existência humana do sujeito que trabalha. Uma "separação que apenas se completa por inteiro na relação entre trabalho assalariado e capital". De fato, esta separação alienada e – em relação ao sujeito que trabalha – implacavelmente dominadora/"adversa" constitui a própria essência do capital como um modo de controle social. Assim, nenhum economista político ou filósofo que se identifique com o ponto de vista do capital pode concebivelmente divisar a reconstituição da unidade em questão, já que esta última *ipso facto* implicaria não apenas terminar com a dominação do capital sobre a sociedade, mas simultaneamente também a liquidação do ponto de vista a partir do qual eles constroem seus sistemas teóricos.

Esta é a razão de não poderem ser explicados de forma simples, nos termos das determinações conceituais internas das várias teorias envolvidas, os dualismos e dicotomias ideologicamente convenientes da economia política e da filosofia burguesas, junto com suas miraculosas transcendências. Pois eles se tornam inteligíveis apenas se os relacionarmos aos múltiplos dualismos e antinomias *reais* da ordem socioeconômica prevalecente da qual necessariamente emergem.

---

[39] Id., ibid., pp. 159-62, itálicos de Marx.
[40] Id., ibid., p. 150.

Em relação à última, no núcleo da estrutura de dominação e subordinação dicotomicamente articulada da sociedade de mercado, nós nos confrontamos com o mais absurdo de todos os dualismos concebíveis: a oposição entre os *meios* de trabalho e o próprio trabalho *vivo*. Se o examinarmos mais cuidadosamente, acharemos que não apenas os meios de trabalho (o capital) dominam o trabalho, mas também que, por meio de tal dominação, a única relação sujeito/objeto verdadeiramente significativa é, na realidade, completamente *subvertida*. Como resultado, o sujeito real da atividade produtiva essencial é degradado à condição de objeto facilmente manipulável, enquanto o objeto original e o momento anteriormente subordinado da atividade produtiva da sociedade é elevado à posição na qual pode usurpar toda a subjetividade humana incumbida de tomar as decisões. O novo "sujeito" da usurpação institucionalizada (ou seja, o capital) é de fato um pseudo-sujeito, já que é forçado por suas determinações internas fetichizadas a operar no interior de parâmetros extremamente limitados, substituindo a possibilidade de um desígnio conscientemente adotado a serviço da necessidade humana, por seus próprios ditames e imperativos materiais cegos.

Caracteristicamente, em paralelo ao desenvolvimento que produz a relação *prática* opressiva/explorativa entre o sujeito que trabalha e seu objeto no curso da história moderna, encontramos a filosofia que ou simplesmente codifica (e legitima) a rigorosa oposição entre sujeito e objeto em sua imediaticidade mais nua, ou faz uma tentativa de "superá-la" por meio do postulado ideal da identidade "sujeito-objeto".

Como mencionado antes, esta última é uma proposição completamente mística e sem saída, já que deixa o dualismo existente e a inversão da relação que se trava no mundo real exatamente como ela estava antes da aparição de tal "criticismo transcendente". E precisamente porque o dualismo e a superação práticos da relação sujeito/objeto são constantemente *reproduzidos* na realidade, repetidamente somos presenteados pela filosofia, de uma forma ou de outra, com a problemática dualidade sujeito/objeto, tal como divisada do ponto vista da economia política burguesa. Um ponto de partida social desse tipo não pode, de modo algum, questionar a realidade dessa *inversão*, para não falar da dominação exploradora do capital sobre o trabalho a ela correspondente. Consequentemente, a solução do problema em questão se mantém permanentemente além do seu alcance tal como posto pelos cegos imperativos materiais de seu próprio caráter de pseudossujeito.

Nesse sentido, temos de fato perante nós uma curiosa "identidade sujeito/objeto", ainda que sua realidade indisfarçada não pudesse ser mais distinta da sua conceituação e idealização filosófico-abstrata. Ela consiste na identificação arbitrária do *objeto* (meios de trabalho, capital) com a posição do *sujeito* (graças à derivação da "autoconsciência" ou "identidade-do-sujeito" do discurso filosófico para a autoidentificação do pensador com os objetivos que emanam das determinações materiais do capital como um *sujeito/objeto autoposto*), junto com a eliminação simultânea do *objeto real* (trabalho vivo) do quadro filosófico. Não admira, portanto, o fato de que a elusiva busca do "sujeito-objeto idêntico" persista até os nossos dias como uma obsessiva quimera filosófica.

8.3.2

A reavaliação crítica de Lukács da problemática da dualidade sujeito-objeto em *História e consciência de classe* emerge diretamente da solução adotada pela filosofia clássica alemã na forma do postulado idealista de "sujeito-objeto idêntico", primordialmente nas obras de Schiller e Hegel. Também a preocupação weberiana com a "racionalidade formal" e o "cálculo" deixa uma forte marca no diagnóstico de Lukács sobre as questões envolvidas e no modo pelo qual ele tenta articular uma alternativa viável à linha de abordagem seguida nesses assuntos pela economia política e pela filosofia burguesas.

O ensaio central de *História e consciência de classe*, "Reificação e consciência do proletariado", atribui o fracasso da filosofia burguesa em tratar do problema existencialmente inevitável da reificação à sua incorporação acrítica da tendência formalizante da ciência moderna na filosofia. É assim que Lukács resume sua posição sobre o assunto:

> A filosofia mantém com as ciências especiais a mesma relação que estas têm com a realidade empírica. A conceituação formalista das ciências especiais se torna para a filosofia um substrato dado imutavelmente, e isto assinala a renúncia final e desesperada a toda tentativa de iluminar a reificação que está na raiz desse formalismo. ... Confinando-se ao estudo das condições possíveis de validade das formas nas quais se manifesta sua existência subjacente, o pensamento burguês moderno barra seu próprio caminho para uma visão clara dos problemas que se referem ao nascimento e à morte dessas formas, e sobre sua essência e seus substratos reais (p. 110; ed. port., pp. 125-6).

A crítica da tendência aparentemente irresistível ao formalismo intensificador-da-reificação e à "objetivação racional" (p. 92; ed. port., p. 107) sob as condições capitalistas é perseguida por Lukács com grande rigor em *História e consciência de classe*. Ele submete a filosofia kantiana – considerada por ele representativa da totalidade da tradição filosófica burguesa – a uma crítica radical, com o argumento de que sua tentativa de ir além do formalismo meramente estipulando a necessidade do conteúdo "não pode fazer mais do que o oferecer [a saber, o princípio irrealizável da necessidade do conteúdo] como um programa metodológico, isto é, para cada uma das áreas distintas ela pode indicar o ponto onde a síntese real *deveria* começar, e onde deveria começar se sua *racionalidade formal* lhe permitisse fazer mais que predizer *possibilidades formais* em termos de *cálculos formais*" (pp. 133-4; ed. port., p. 151).

Ao mesmo tempo Lukács está igualmente ansioso para realçar as implicações práticas/axiológicas da linha adotada pela filosofia burguesa moderna. Pois, em sua opinião, tal filosofia

> conscientemente evita interferir com o trabalho das ciências especiais. Ela até mesmo considera essa renúncia um avanço crítico. Consequentemente, seu papel fica limitado à investigação dos *pressupostos formais* das ciências especiais, sem corrigi-los nem neles interferirem. E o problema que eles tangenciam a filosofia também não pode resolver, nem sequer colocar, para dizer a verdade. Onde a filosofia recorreu às premissas estruturais subjacentes à relação entre forma e conteúdo, ela ou exalta o *método "matematizador"* ou *"materializante"* das ciências especiais, elevando-o a método próprio da filosofia (como na Escola de Marburg) ou então estabelece a *irracionalidade da matéria*, como logicamente o fato "último" (como fazem Windelband, Rickert e Lask). O horizonte que delimita a totalidade que foi, e pode ser, criado aqui é, no melhor dos casos, a cultura (ou seja, a cultura da sociedade burguesa). Esta cultura não pode ser derivada de nada mais e deve simplesmente ser aceita em seus

próprios termos como uma *"facticidade"* no sentido dado pelos filósofos clássicos. ... [Assim] surge no pensamento da sociedade burguesa a dupla tendência característica de sua evolução. Por um lado, adquire crescente controle sobre os *detalhes* de sua existência social, submetendo-os às suas necessidades. Por outro lado, perde – do mesmo modo progressivo – a possibilidade de assumir o controle intelectual da sociedade como um *todo* e com isso perde suas próprias *qualificações para a liderança* (pp. 120-1; ed. port., pp. 137-8).

A última afirmação feita por Lukács é particularmente importante para entender a estratégia teórica seguida pelo filósofo húngaro não apenas em *História e consciência de classe* mas também em seus últimos anos. A questão do conhecimento – incluindo a preocupação com o princípio metodologicamente vital definido por Lukács como "o ponto de vista da totalidade" – é inseparável de sua concepção da questão da *legitimidade e do valor* que, em última análise, deve ser desenredada na esfera da *ética*: um projeto de vida nunca realmente realizado pelo autor de *História e consciência de classe*. (Até mesmo sua última obra, *A ontologia do ser social*, é cheia de referências a um próximo estudo sistemático da *Ética* que ele nunca pôde levar além de notas preparatórias, com brechas muito grandes para serem transformadas, mesmo por uma década de trabalho duro, em uma empresa teórica sustentável. Apenas fragmentos desse projeto puderam se materializar em alguns escritos afins, acima de tudo no sumário final de suas ideias estéticas, a monumental *A especificidade do estético*[41].)

Em *História e consciência de classe,* algumas das objeções mais pesadas de Lukács à filosofia da classe que havia "perdido suas qualificações para a liderança" diziam respeito diretamente às grandes questões práticas da ética. Ele rejeitava o "racionalismo moderno" como uma forma de *irracionalidade*, devido à sua incapacidade de enfrentar aquelas questões práticas, argumentando que em vários sistemas racionalistas "os problemas 'últimos' da existência humana persistem com uma irracionalidade que o entendimento humano não pode mensurar" (p. 113; ed. port., p. 129). Assim, no espírito dessa preocupação com os "problemas últimos da existência humana", a crítica de Lukács ao formalismo adquire seu pleno significado apenas no contexto em que ele afirma que na filosofia burguesa moderna

a *ética* torna-se puramente formal e carente de conteúdo. Como todo conteúdo que nos é dado pertence ao mundo da natureza e assim é incondicionalmente sujeito às leis objetivas do mundo fenomênico, as normas práticas apenas podem ser orientadas nas formas interiores de ação. No momento em que esta ética tenta se fazer concreta, isto é, testar sua força em problemas concretos, é obrigada a emprestar os elementos de conteúdo dessas ações particulares do mundo dos fenômenos e dos sistemas conceituais que os assimilam e absorvem as suas "contingências". O *princípio de criação entra em colapso* tão logo o primeiro conteúdo concreto é criado (pp. 124-5; ed. port., pp. 141-2).

Em oposição ao formalismo ético kantiano e neokantiano, em *História e consciência de classe* Lukács está procurando por uma solução – e a encontra em sua versão do sujeito-objeto idêntico – em cujos termos o "princípio de criação" não entre em colapso quando entra em contato com o conteúdo concreto (historicamente específico). Nesta

---

[41] *Die Eigenart des Aesthetischen*, publicado pela Luchterhand Verlag, Neuwied am Rhein, 1963, em dois maciços "meios volumes" com 850 e 987 páginas respectivamente. Várias centenas de páginas dessa obra tratam, direta ou indiretamente, de questões éticas.

busca, a inspiração direta vem tanto de Schiller como de Hegel. Na obra de Schiller ele encontra a concepção de natureza

> na qual podemos claramente discernir o ideal e a tendência para superar os problemas da *existência reificada*. "Natureza" aqui se refere à humanidade autêntica, à verdadeira essência do homem libertado das falsas formas mecanizadas de sociedade: o homem como um *todo* perfeito que superou interiormente, ou está no processo de superação, as dicotomias de teoria e prática, razão e sentidos, forma e conteúdo; homem cuja tendência a criar suas próprias formas não implica um *racionalismo abstrato* que ignora o conteúdo concreto; homem para quem *liberdade e necessidade são idênticas* (pp. 136-7; ed. port., pp. 154-5).

Usando a arte (vista à luz da tentativa de Schiller de avançar para além de Kant) como modelo, Lukács trata do problema cuja solução permaneceu esquiva à filosofia pós-cartesiana: "criar o sujeito do 'criador'" (p. 140; ed. port., p. 159). Ele imediatamente acrescenta à caracterização da tarefa filosófica expressa na última sentença (uma tarefa visualizada já por Vico em termos de "sujeito criativo da história") uma ideia que se transforma em tema recorrente nos seus escritos subsequentes, incluindo *A ontologia do ser social*; a saber, a questão que confronta a filosofia necessariamente "vai além da *pura epistemologia*" (ibid.).

Esta conclusão é perfeitamente compreensível, pois, como vimos, a visão de Lukács do que está em jogo concerne diretamente aos "problemas últimos da existência humana", que não são receptivos nem a soluções formalistas (e fundamentalmente "matematizadoras", pseudocientíficas) nem a soluções puramente epistemológicas. Os problemas existenciais em si são profundamente "ligados-ao-conteúdo" (isto é, *ontológicos* na sua natureza mais íntima) e simultaneamente também práticos/"ligados-a-valores" (ou seja, não podem, de modo algum, ser enfrentados sem que se destaque sua relação intrínseca com as questões fundamentais da *ética*).

Com esta visão, a ideia weberiana da "neutralidade-axiológica" é rejeitada por Lukács sem hesitação, apesar do fato de, em seu diagnóstico da situação, sobreviverem vários dos "*Leitmotifs*" weberianos acerca de formalismo e racionalização. Do mesmo modo, a sugestão de Weber segundo a qual os problemas existenciais da ética devem ser tratados como preocupações privadas de sujeitos estritamente individuais (que possuem seus "demônios privados", arbitrariamente escolhidos, para obedecer, que são totalmente inconciliáveis com as escolhas contrastantes dos outros sujeitos individuais) é considerada por Lukács um falso ponto de partida, pois só pode agravar o dualismo da filosofia clássica alemã (e não apenas alemã) que contrapõe o "ato ético" "do sujeito individual que age eticamente" à realidade empírica na forma de um constructo metafísico, de tal modo que

> a própria *dualidade* é introduzida no *sujeito*. Mesmo o sujeito é dividido em fenômeno e númeno, e o conflito não resolvido, insolúvel e portanto permanente entre liberdade e necessidade agora invade sua estrutura mais íntima (p. 124; ed. port., p. 141).

Weber não pode oferecer qualquer ajuda nesse sentido. Muito pelo contrário. A solução weberiana mantém o dualismo criticado por Lukács e o agrava ao transformar em total arbitrariedade as escolhas individuais, para atender às necessidades do *subjetivismo* extremo. Portanto, sob este aspecto, a abordagem de Weber representa um agudo contraste à tentativa kantiana de fixar *objetivamente* os atos éticos de sujeitos individuais impondo-os à severa exigência da "universalização" das suas máximas morais, de acordo com o "imperativo categórico" revelado a eles pela sua própria "razão prática", com o argumento da liberdade do indivíduo particular que emana do mundo "inteligível" ou numênico ao qual diz-se que eles pertencem como sujeitos morais.

Para Lukács, a tarefa desafiadora, com a qual a filosofia burguesa não tinha como acertar as contas, permanece tal como antes: "superar a *desintegração reificada do sujeito* e a rigidez e a impenetrabilidade – do mesmo modo reificadas – de seus *objetos*" (p. 141; ed. port., p. 159). Ele vê a realização da tarefa identificada como uma tendência, que se desdobra irreversivelmente, do próprio desenvolvimento histórico contemporâneo, que, em sua visão, já tinha sido conceituado, mesmo que da forma mais inadequada, pelos melhores representantes da filosofia burguesa. Em outras palavras, o autor de *História e consciência de classe* aceita a problemática herdada da filosofia clássica alemã, mas tenta encontrar uma solução não formalista e coletivamente orientada para os seus obsessivos dilemas. Uma solução que, no julgamento de Lukács, é radicalmente incompatível com o ponto de vista social e teórico da classe que perdeu irrecuperavelmente as suas antes merecidas "qualificações para a liderança".

Assim, o sujeito-objeto idêntico de *História e consciência de classe* entra em cena como o portador da condenação moral e intelectual de Lukács em relação à classe da qual se originou, a partir do ponto de vista da classe com a qual se identificou sem reservas no curso dos levantes revolucionários que se seguiram à Primeira Guerra Mundial. O papel que o sujeito-objeto idêntico em *História e consciência de classe* supostamente deve cumprir não é abstratamente teórico, mas primordialmente prático-moral. Do mesmo modo, todas as categorias centrais de *História e consciência de classe* foram articuladas de tal modo que a mensagem ética do seu autor transpirasse através delas com uma clareza inequívoca.

De fato, nenhuma das categorias-chave dessa obra faz qualquer sentido se abstraída do seu contexto prático-moral historicamente concreto. A preocupação de Lukács com a "perda burguesa da totalidade" e com seu oposto, o aparecimento histórico do "ponto de vista da totalidade" numa base de classe proletária; com a "transcendência da consciência reificada"; com a superação da "desintegração reificada do sujeito" por meio da intervenção histórica "do sujeito coletivo que age eticamente"; com a abolição da "objetividade impenetrável" graças ao "ato da subversão consciente da forma objetiva do seu objeto"; e com a realização da filosofia pela atividade do "sujeito-objeto idêntico da história" – tudo isso leva o filósofo húngaro a articulá-los em uma síntese que lhe permite anunciar a superação com sucesso da "dualidade de *pensamento e existência*" (p. 203; ed. port., pp. 225-6), graças à dinâmica irreprimível da dialética histórica e seu agente coletivo, o proletariado potencialmente autoconsciente.

8.3.3
Tudo isso está perfeitamente sintonizado com a definição de Lukács de consciência de classe em um outro ensaio de *História e consciência de classe*, "O marxismo de Rosa Luxemburgo", escrito alguns meses antes de "A reificação e a consciência do proletariado"[42]. De fato, o ensaio acerca da reificação é concebido por Lukács como

---

[42] "O marxismo de Rosa Luxemburgo" foi escrito em janeiro de 1921, e o muito mais longo "Reificação e consciência do proletariado" foi iniciado depois de março de 1921 e completado ao longo de 1922.

uma prova filosófica – a demonstração detalhada da "garantia metodológica" (p. 43; ed. port., p. 57) tão necessária – por meio da qual pode ser sustentado o acerto das conclusões estratégicas e organizacionais vitais do ensaio anterior. Pois, em "O marxismo de Rosa Luxemburgo", a natureza e o papel da consciência de classe são definidos em solenes termos *éticos*, tanto quanto a "ética do proletariado", como vimos na seção 7.3.1, numa passagem-chave citada na página 42 (ed. port., pp. 56-7) de *História e consciência de classe*. Ao mesmo tempo, o instrumento estratégico necessário da transformação histórica antecipada, o partido, é legitimado em termos idênticos, devido ao seu mandato moral estipulado, de acordo com a sua definição como "a encarnação da ética do proletariado em luta" e como "a encarnação organizada da consciência de classe proletária".

Em suas reflexões posteriores sobre a incapacidade da filosofia clássica alemã de "exibir concretamente o 'nós' que é o sujeito da história" (p. 145; ed. port., p. 164) e descobrir o sujeito concreto da gênese histórica, o *"sujeito-objeto metodologicamente indispensável"* (p. 146; ed. port., p. 165) – a saber, o sujeito coletivo eticamente ativo, o proletariado –, Lukács enfatiza a importância da práxis emancipatória como oposta à mera contemplação. Ele insiste corretamente que numa práxis transformadora é impossível manter-se "a *indiferença* de forma e conteúdo" (p. 126; ed. port., p. 142) que caracteriza as concepções filosóficas formalistas e racionalistas, pois a relação não contemplativa da práxis com o seu objeto opera com base na seleção dos conteúdos *relevantes* para sua busca. Significativamente, mais à frente, no ensaio acerca da "Reificação e a consciência do proletariado", o critério de verdade também é identificado por Lukács como *"pertinência à realidade"* (p. 203; ed. port., pp. 225-6), realçando novamente a dimensão ética orientada-para-a-práxis da concepção de conhecimento "não epistemológica" do autor. E ele deixa claro que a realidade da qual está falando "não é de modo algum idêntica à existência empírica. Esta realidade *não é*, ela *vem a ser*" (ibid.). Portanto, focalizar a questão do *vir-a-ser* – que é inseparável do sujeito coletivo da transformação histórica mais ou menos consciente e inevitavelmente associado-ao-valor – é o que ele considera crucial para entender a realidade como um processo histórico.

Dadas as suas intensas preocupações éticas, Lukács, em consonância com os grandes antecessores, define a tarefa da filosofia: "descobrir os princípios por meio dos quais se torna possível, em primeiro lugar, para um "dever-ser" modificar a existência" (p. 161; ed. port., p. 180). Em sua visão, mesmo as maiores figuras da filosofia burguesa não poderiam descobrir os princípios em questão por causa de sua atitude incorrigivelmente[43] contemplativa e socialmente apologética em relação aos problemas do conhecimento. Como solução, ele realça a consciência de classe totalizante do pro-

---

[43] Segundo Lukács, incorrigivelmente porque os interesses de classe prendem a visão dessa filosofia à imediaticidade do modo estabelecido de vida cotidiana. Pois, apesar de "a gênese intelectual em princípio dever ser idêntica à gênese histórica", o desenvolvimento do pensamento burguês "tende a separar pela força esses dois princípios um do outro". Tanto é assim, de fato, que

> como resultado dessa dualidade de método, a realidade se desintegra em um grande número de fatos irracionais e acima destes é então lançada uma malha de "leis" puramente formais, vazias de todo conteúdo. E concebendo uma *"epistemologia"* que pode ir além da forma abstrata do mundo imediatamente dado (e sua conceptibilidade) a *estrutura é tornada permanente* e adquire uma *justificação* – não inconsistentemente – como sendo a necessária "pré-condição de possibilidade" desta visão de mundo.

letariado – que simultaneamente é também sua ética – de modo a tornar inteligível a atividade do "metodologicamente indispensável sujeito-objeto da história" como um empreendimento *pleno de significado*.

Inevitavelmente, contudo, a estrutura no interior da qual a crítica de Lukács é articulada impõe limitações às suas soluções. A refutação substancial da aspiração não realizada da filosofia clássica alemã – descobrir os meios pelos quais o "dever-ser" pode modificar a existência – induz Lukács a expor sua própria solução do problema em termos de um "dever-ser", apesar de sua inspiração implícita demonstrar a transcendência da dicotomia entre "é" e "dever-ser" do ponto de vista do "sujeito-objeto idêntico da história real". E as dificuldades são ainda maiores, pois, do começo ao fim, no espírito de um discurso totalmente imperativo, a "ética do proletariado" lukácsiana nos presenteia com um *duplo "dever"*.

- Primeiro, na oposição mais aguda possível que ele estabelece entre a estipulada "consciência atribuída" do proletariado e sua realidade empírica.
- E, segundo, na imposição do partido idealizado – como a misteriosa "encarnação da ética do proletariado" – nas formas reconhecíveis da existência histórica real, apesar das manifestas contradições na relação entre o partido e a classe, que Lukács percebe mas idealisticamente põe de lado ao dizer que o partido "*deve* determinar sua política" com base na percepção de que "sua força é *moral*".

Igualmente problemático é que Lukács, apesar de criticar Kant pelo fato de a "necessidade do conteúdo" que ele prescreve ter apenas o *status* de um *programa metodológico* genérico em sua filosofia, sem jamais ser substancialmente implementado, ainda assim lamenta que o muito que ele tem a dizer permaneça no plano certamente lastimável de *postulados metodológicos*. É imenso o número das exortações puramente metodológicas de Lukács. Mesmo a mais importante categoria de *História e consciência de classe*, o sujeito histórico coletivo, é filosoficamente estabelecida e legitimada por ele como o "*sujeito-objeto metodologicamente indispensável*".

8.3.4

Estas características são a consequência de uma dupla determinação. Por um lado, entrar na estrutura do discurso kantiano/hegeliano com o propósito de uma "crítica imanente" resulta em que o diagnóstico de Lukács dos problemas e tarefas da filosofia é ajustado aos parâmetros intelectuais de tal discurso. Isto acontece mesmo quando a relação com a filosofia clássica é exposta negativamente por Lukács, ao perseguir o ideal de "método filosófico intrinsecamente sintetizante" (p. 109) – e outras tarefas formuladas pela filosofia burguesa, como vimos –, o qual os objetos de sua negação crítica não poderiam realizar. Nessa negação "intrinsecamente sintetizante" ele permanece na dependência do objeto de sua crítica imanente.

Mas incapaz de orientar esse movimento "crítico" em direção a uma verdadeira criação do objeto – neste caso do objeto pensante – e, na verdade, tomando a direção oposta, essa tentativa "crítica" de levar a análise da realidade à sua conclusão lógica termina por retornar à mesma imediaticidade que enfrenta o homem ordinário da sociedade burguesa em sua vida cotidiana. Ela foi conceitualizada, mas apenas imediatamente (p. 155; ed. port., p. 175).

Portanto, não é de modo algum acidental que Lukács seja completamente acrítico em relação à confusão hegeliana das categorias de *alienação* e *objetivação*, apesar do fato de que as conquistas teóricas de Marx neste aspecto estejam presentes também nas obras bem conhecidas pelo autor de *História e consciência de classe* (por exemplo, *O capital* e a introdução seminal dos *Grundrisse*), e não apenas nos *Manuscritos econômicos e filosóficos de 1844*, que ainda não haviam sido publicados no início dos anos 20.

O segundo aspecto da dupla e intimamente entrelaçada determinação que conforma *História e consciência de classe* é ainda mais importante.

- Diz respeito às circunstâncias sociais e políticas nas quais o ex-comissário para Cultura e Educação da República Soviética Húngara derrotada militarmente teve de acertar as contas, no exílio, com o trabalho teórico e político, no interior do horizonte revolucionário "no elo mais fraco da corrente" como a única referência sociopolítica disponível. Isto é o que constitui o *"übergreifendes Moment"* das complexas determinações dialéticas que atuavam neste período do desenvolvimento intelectual e político de Lukács.

- Como já mencionado no contexto da "garantia metodológica da vitória proletária", postulada por Lukács em *História e consciência de classe*, ele testemunhou não apenas a intervenção estrangeira e o esmagamento da revolução na Hungria, mas também o refluxo da onda revolucionária europeia que havia lhe dado uma esperança messiânica quando da sua conversão ao comunismo. Agora, sob as circunstâncias do "ócio forçado", como coloca em seu prefácio de dezembro de 1922 a *História e consciência de classe* (p. xli; ed. port., p. 7), em "Reificação e consciência do proletariado" se propõe a tarefa de demonstrar a "certeza da vitória" em termos estritamente teóricos, na ausência de provas mais tangíveis. É portanto bastante incorreto ver os aspectos problemáticos do discurso de Lukács em *História e consciência de classe* simplesmente como a "sobrevivência de influências hegelianas". Elas "sobrevivem" porque são *necessárias* nas circunstâncias – quando os limites sócio-históricos do "elo mais fraco" se impõem na realidade como uma vingança – como o veículo de todo empreendimento voltado a assegurar a vitória teórica sobre a burguesia e sua cultura. E esta vitória supostamente deve ser alcançada pela demonstração das contradições e do necessário fracasso da cultura burguesa, fornecendo ao mesmo tempo também as soluções perseguidas em vão pela filosofia clássica alemã através de uma "crítica imanente", formulada "do ponto de vista da totalidade" tal como tentado pelo próprio Hegel; na formulação de Lukács, isso é alcançável apenas do ponto de vista do proletariado: o único e exclusivo "sujeito-objeto idêntico" historicamente concreto.

O confronto essencial das duas classes hegemônicas pelo controle do processo metabólico da sociedade e pelas "questões últimas da vida humana" é, portanto, transferido para o plano de uma contenda sobre a verdadeira – não contemplativa, "associada-ao-valor" – *compreensão* e sua "condição de possibilidade". A vitória já pode ser antevista no próprio modo como Lukács formula o problema, insistindo que a *totalidade concreta* do mundo histórico, o *processo histórico total e concreto* é o único ponto de vista do qual *a compreensão torna-se possível* (p. 145; ed. port., p. 164).

Apesar dos maiores avanços feitos pelo pensamento burguês para a compreensão da natureza do conhecimento, no fim, segundo Lukács, a tarefa deve derrotar os filósofos envolvidos.

Aqui, em nosso conhecimento recentemente adquirido, onde, como Hegel apresenta na *Fenomenologia*, "a verdade se torna uma orgia báquica da qual ninguém escapa de ficar embriagado", a razão parece ter levantado o véu que escondia o mistério sagrado em Sais e descobre, como na parábola de Novalis, que é ela própria a solução do enigma. Mas aqui encontramos, uma vez mais, agora bastante concretamente, o problema decisivo dessa linha de pensamento: o problema do *sujeito da ação*, o sujeito da sua *gênese*. Pois a unidade de *sujeito e objeto*, de *pensamento e existência* que a "ação" empreendida se comprometeu a provar e exibir encontra tanto sua realização como seu substrato na unidade da gênese dos determinantes do pensamento e da história da evolução da realidade. Mas, para *compreender* esta unidade, é necessário tanto descobrir o *lugar* a partir do qual resolver todos esses problemas como exibir *concretamente* o "*nós*" que é o *sujeito da história*, aquele "nós" cuja ação é de fato história (ibid.; ed. port., pp. 164-5).

Como podemos ver, Lukács aceita novamente a problemática formulada pela filosofia clássica. E o faz não porque seja prisioneiro de influências kantianas/hegelianas, mas porque a problemática em questão lhe fornece as armas necessárias para a busca com sucesso da *vitória teórica* postulada. É assim que podemos ler nas linhas imediatamente seguintes às acima citadas que "neste ponto a filosofia clássica recuou e perdeu-se no labirinto infinito da mitologia conceitual ... foi incapaz de descobrir este *sujeito concreto da gênese, o metodologicamente indispensável sujeito-objeto*" (pp. 145-6; ed. port., p. 165). O fato de o próprio "metodologicamente indispensável sujeito-objeto" ser parte da mitologia conceitual criticada parece não o preocupar, pois ele necessita da categoria do "sujeito-objeto idêntico" como o sujeito da criação responsável pelos resultados da ação histórica concreta (no sentido da gênese histórica/conceitual) e – devido ao seu "ponto de vista da totalidade" e da práxis correspondente – como o fiador da obtenção do verdadeiro conhecimento para realcançar a unidade de *pensamento e existência*.

Os obstáculos que derrotaram a filosofia clássica, assim como o modo de superá-los, são definidos por Lukács em termos estritamente teóricos: adotando o ponto de vista "do metodologicamente indispensável sujeito-objeto" da gênese intelectual/histórica. Como Lukács apresenta:

apenas superando a dualidade – teórica – de filosofia e disciplina especial, de conhecimento metodológico e factual, pode ser encontrada a via para anular a *dualidade de pensamento e existência* (p. 203; ed. port., pp. 225-6).

Assim, a responsabilidade da própria realidade em criar e reproduzir *dualismos e inversões práticos,* que estão na raiz dos dualismos e inversões teóricos, é minimizada ou afastada, porque as soluções que exibem a "certeza da vitória" devem ser elas próprias divisadas dentro dos parâmetros do discurso teórico empreendido por Lukács na sua "*crítica imanente*" dos resultados e fracassos dos seus antecessores filosóficos.

Dizem-nos que o "isolamento e a fragmentação" capitalistas "são apenas *aparentes*" (p. 92; ed. port., p. 106), e que a "atomização é apenas uma *ilusão*" (p. 93; ed. port., p. 106), mesmo que necessária. A confusão entre *alienação e objetividade* é assim não apenas o resultado de um fracasso em ver "a persistência no erro dos conceitos básicos de Hegel", como coloca Lukács em 1967, mas algo positivamente bem-vindo ao seu esquema, quando da redação de *História e consciência de classe*. Pois, ao concentrar seu ataque nas "ilusões necessárias" da "consciência reificada" o autor pode seriamente nutrir a ilusão de que o esclarecimento teórico – o trabalho da consciência sobre a consciência – poderia produzir as *mudanças estruturais* requeridas na própria realidade social, desde que a própria realidade fosse vista como um processo histórico. Por esta razão ele também deve atacar a teoria do reflexo do conhecimento, caracteristicamente interpretando de maneira incorreta uma passagem em que cita Engels, porque não cabe no seu esquema[44].

No espírito da confusão já mencionada de alienação e objetivação, ele reclama que "o *objeto* do pensamento (como algo *exterior*) se torna *estranho* ao *sujeito*" (p. 200; ed. port., p. 222), e identifica "*fatos reificados*" com o "*mundo empírico*" em si (p. 203; ed. port., pp. 224-5), contrapondo "realidade empírica" a "realidade mais elevada" do "complexo de processos" (ibid.). Do mesmo modo, a dialética marxiana é descrita como um procedimento no qual "as *formas objetivas* dos objetos são elas próprias transformadas em um processo, um *fluxo*", e tudo é "intensificado até o ponto em que *fatos são completamente dissolvidos no processo*" (p. 180; ed. port., pp. 200-1). Isto é feito para tornar "possível ao proletariado descobrir que ele próprio é o *sujeito* desse processo [isto é, do processo de produção e reprodução capitalista] mesmo que esteja acorrentado e atualmente *inconsciente* desse fato" (p. 181; ed. port., p. 201).

O *fato* desconfortável de que no mundo real o proletariado – como resultado da alienação e da inversão da relação entre o sujeito que trabalha e seu objeto praticamente cumprido e realizado – enfaticamente *não* é o sujeito do processo de reprodução, mas torna-se *objetivamente* reduzido ao *status* de mera condição (e custo) da produção, totalmente à mercê dos imperativos e de decisões "racionalizantes/economizadoras" do capital, não pode ser importante para essa concepção. Isto porque os fatos foram "completamente dissolvidos no processo" para atender à conveniência do sujeito-objeto idêntico e seu "labirinto de mitologia conceitual". Tudo o que vem a ser necessário é transformar o proletariado "*inconsciente*" – prisioneiro no presente

---

[44] Engels – corretamente – é avesso à ideia de "coisas *já-prontas*". Ele contrapõe as últimas à categoria de "um complexo de processos". Lukács, todavia, após citar com aprovação a rejeição de Engels das "coisas já prontas", pergunta com uma ânsia reveladora a questão retórica: "Mas, se *não há coisas*, o que é 'refletido' no pensamento?" (p. 200; ed. port., p. 222). Como se o "complexo de processos" contraposto por Engels à noção *mecânica* de coisas "já-prontas" tivesse também que excluir a ideia da *configuração dialética* de coisas decididamente não "prontas". Lukács tem que operar o movimento conceitual que falaciosamente iguala *coisas* com *coisas já-prontas* porque ele quer manter que "Na teoria do reflexo encontramos a corporificação teórica da *dualidade de pensamento e existência*, consciência e realidade, que é tão intratável para a consciência reificada". (ibid.) Para livrar a "consciência reificada" dessa condição, Lukács oferece os bons ofícios do "sujeito-objeto idêntico" que supostamente deveria superar a dualidade de pensamento e existência através da sua constituição mais íntima (isto é, por definição). Infelizmente, todavia, esta solução aprisiona todos aqueles que a adotaram no "labirinto sem fim da mitologia conceitual" que Lukács condena na prática da filosofia clássica.

de sua "consciência psicológica" – em um proletariado completamente consciente de seu *status* de sujeito, tarefa a ser alcançada pelos meios do esclarecimento ideológico e da iluminação teórica. A ideia é modelada segundo a parábola de Hegel/Novalis de "levantar o véu", de tal modo que o proletariado possa descobrir – tal como a Razão na passagem citada anteriormente, da página 141 (ed. port., p. 159) de *História e consciência de classe* – que ele próprio é a solução para o enigma.

O fato grave de que a posição de sujeito deve ser reconquistada pelo trabalho e radicalmente *reconstituída* no próprio "mundo empírico" – descartado por Lukács – por meio de *mediações materiais* objetivamente viáveis capazes de reestruturar a divisão de trabalho antagônica, constituída historicamente sob a regência do capital, parece não ter qualquer peso em *História e consciência de classe*. Ao contrário, de acordo com a necessidade de transformar os limites objetivos do "elo mais fraco" em vantagens plausíveis e materialmente efetivas, a "*mudança estrutural*" é postulada como resultado direto – ou mesmo como sinônimo – da mudança na *consciência*.

É assim que se chega às miraculosas equações e transformações transcendentes--da-reificação, do tipo "compreendido *logo reestruturado*" (p. 189; ed. port., p. 210) e "este *conhecimento* traz uma *mudança estrutural objetiva* no objeto do conhecimento (p. 169; ed. port., p. 189). Tudo isto supostamente deve acontecer graças ao discernimento de que "a rígida *duplicação epistemológica* de sujeito e objeto" (p. 169; ed. port., p. 189) deve ser teoricamente abandonada e substituída pelo "sujeito-objeto idêntico", após o que "a existência rigidamente reificada dos objetos do processo social se dissolverá em *mera ilusão*" (p. 179; ed. port., p. 199). Para coroar tudo isso, vem o passe de mágica definitivo – "*o ato de consciência subverte a forma objetiva de seu objeto*" (p. 178; ed. port., p. 198)[45]. Naturalmente, se as relações estruturais objetivas existentes podem ser transformadas do modo postulado por Lukács, neste caso é apenas uma questão de tempo antes que todas as dificuldades identificadas possam ser consignadas ao passado.

Desse modo, mantendo a estrutura de referência hegeliana de "objetividade/alienação" – uma estrutura conceitual que torna possível a Lukács afastar e dissolver os problemas do modo como ele o faz em *História e consciência de classe* –, a vitória do proletariado sobre a cultura e a filosofia burguesas pode ser realizada *na teoria* por meio do postulado "ato de consciência" desobjetivador, sem se ter que mudar absolutamente nada no mundo real. É assim que se torna também possível conferir plausibilidade espúria a uma asserção anteriormente citada, segundo a qual a "*crise ideológica*" do proletariado deve ser solucionada "*antes* que uma solução prática para a crise econômica mundial possa ser encontrada", subvertendo completamente a *primazia relativa* marxiana dos fatores materiais que representam o "*übergreifendes Moment*" na relação *dialética* (nem idealistamente, nem mecânica ou materialistamente unilateral) entre ser social e consciência social.

8.3.5

Naturalmente, Hegel está muito presente nessas equações transcendentes e superadoras. Pois, visto que ele representa o ápice da filosofia clássica, nada pode, na visão de Lukács, ser melhor evidência da validade teórica e da magnitude da anunciada vitória

---

[45] A última sentença é italizada por Lukács na sua totalidade.

proletária do que ir além dele solucionando os problemas que escaparam mesmo a Hegel. Segundo o autor de *História e consciência de classe*,

Hegel representa a *consumação absoluta do racionalismo*, mas isso significa que ele pode ser superado apenas por uma inter-relação de pensamento e existência que cessou de ser contemplativa, pela *demonstração concreta* do *sujeito-objeto idêntico* (p. 215; ed. port., p. 158).

E Lukács justifica a linha de abordagem que segue em *História e consciência de classe* associando intimamente a problemática central de "Reificação e consciência do proletariado" com a estrutura categorial hegeliana que em geral ele considera ser válida – após ser tornada concreta pela "demonstração concreta do sujeito-objeto idêntico" – também para o empreendimento filosófico marxiano. Na verdade, Lukács insiste que "o postulado de Hegel, para o qual o conceito é o 'ser reconstituído'[46], é apenas possível na suposição da *criação real do sujeito-objeto idêntico*" (p. 217; ed. port., p. 167).

É aqui que se evidencia o contraste com a concepção marxiana das categorias como *Daseinsformen* (formas de existência) – admitida por Lukács como equivalente do postulado hegeliano do conceito como "ser reconstituído", daí a necessidade de demonstrar a "possibilidade" concreta da noção hegeliana –, pois Marx não estava minimamente interessado em projetar a "certeza da vitória proletária" abarcando e "interiormente" superando ou concretizando a problemática "racionalista consumada" e a estrutura categorial da filosofia burguesa clássica por meio de uma "crítica imanente". Antes, ele estava preocupado em elaborar as estratégias – praticamente viáveis – pelas quais tal vitória pudesse ser de fato materializada no mundo real. A Introdução de Marx para os *Grundrisse*, na qual ele resume brevemente sua interpretação das categorias como "*Daseinsformen*", já era conhecida de Lukács quando da redação de *História e consciência de classe*. Significativamente, todavia, ele não pode fazer uso da substância da abordagem marxiana no que diz respeito às categorias idealistamente mistificadas da filosofia clássica[47] devido à incompatibilidade entre a visão severamente desmistificadora de Marx sobre o assunto e sua própria adesão à mitologia do sujeito-objeto idêntico.

As ideias de Marx sobre a natureza e a origem, mesmo das mais abstratas mas genuínas categorias da filosofia e da economia política (como opostas aos produtos artificiais da mitologia conceitual), são no geral perfeitamente diretas. De fato ele se diverte bastante com a mistificação filosófica que cerca a questão. Escreve em uma carta a Engels:

o que o velho Hegel diria no outro mundo se escutasse que o geral [*Allgemeine*] em alemão e norueguês significa nada mais que terra comunal [*Gemeinland*], e o particular, *Sundre, Besondere*, nada mais que a propriedade separada que foi dividida da terra comunal? Aqui estão as *categorias lógicas* saindo muito bem do "*nosso intercurso*" apesar de tudo.[48]

---

[46] Hegel, *Werke*, vol. 5, p. 30.

[47] Nos três capítulos de *A ontologia do ser social* disponíveis em inglês, o leitor interessado pode encontrar uma abordagem radicalmente diferente dessas questões, inclusive uma profunda avaliação crítica da estrutura categorial hegeliana.

[48] Marx, *Letter to Engels*, 25 de março de 1868.

A ideia de que se deve primeiro subscrever a noção idealista do sujeito-objeto idêntico, antes que se possa compreender as categorias como formas de existência, está a uma distância astronômica da concepção marxiana. Esta pretende demonstrar sua verdade por meio da evidência tangível fornecida pela "nossa correspondência" e não por deduções filosóficas aprioristicas. Isto se evidencia se pensarmos nas categorias de "*Allgemeine*" e "*Besondere*" em sua relação com a terra comum (e depois dividida), ou na categoria geral do "trabalho" – em contraste com as formas específicas e variedades do trabalho historicamente conhecidas, confinadas aos meios e materiais limitados do trabalho como sua base de execução – em seus elos demonstráveis praticamente com as condições pós-fisiocráticas de desenvolvimento sob as quais o "trabalho abstrato" torna-se materialmente dominante por meio da empresa capitalista industrial que avança vitoriosamente.

Não é necessário dizer que seria quase impossível espremer a categoria do "metodologicamente indispensável sujeito-objeto da história" no intercurso cultural e material da vida real, pois seu legítimo campo é aquele "labirinto sem fim da mitologia conceitual" do qual nem sequer o esforço filosófico mais genial pode libertá-lo.

Capítulo 9

A TEORIA E SEU CENÁRIO INSTITUCIONAL

9.1 A promessa de concretização histórica

9.1.1
Há um ponto em *História e consciência de classe* em que Lukács praticamente admite que sua interpretação do postulado do sujeito-objeto idêntico não é "verdadeiramente concreta". Todavia, tal admissão nos é apresentada apenas ao fim do longo ensaio "Reificação e consciência do proletariado" e, ainda assim, com a frustrante ressalva de que "os estágios individuais desse processo não podem ser esboçados aqui" (p. 205).

Portanto, ainda que na forma dessa limitada reflexão *a posteriori*, Lukács inequivocamente declara que a tarefa empreendida por ele em *História e consciência de classe* não pode ser considerada de fato realizada sem a necessária "concretização histórica", que ele frequentemente define e celebra na sua obra como o princípio orientador teoricamente mais importante e que assegura a superioridade da abordagem marxiana sobre a filosofia clássica burguesa, inclusive Hegel. Como explica Lukács, depois de afirmar ser impossível realizar "aqui" o que é preciso para fornecer a necessária prova de validade das conclusões por ele alcançadas em *História e consciência de classe*:

> Só então [isto é, apenas após a realização com sucesso do programa pretendido de demonstração histórica concreta] seria possível iluminar na sua intimidade o processo dialético de interação entre a situação sócio-histórica e a consciência de classe do proletariado. Só assim se tornaria verdadeiramente concreta a afirmação de que o proletariado é o sujeito-objeto idêntico da história da sociedade (p. 205-6; ed. port., p. 228).

Contudo, o fato é que a prometida concretização do papel do proletariado como sujeito-objeto idêntico da história está ausente não apenas de *História e consciência de classe*, mas também dos escritos subsequentes de Lukács. Na verdade, como resultado do seu encontro com os *Manuscritos econômicos e filosóficos de 1844* de Marx, aproximadamente uma década após a publicação de *História e consciência de classe*, Lukács abandona completamente a noção do sujeito-objeto idêntico.

Porém, as reservas acerca da concretização sócio-histórica ausente não se limitam ao óbvio impacto negativo da mítica identidade sujeito-objeto sobre a avaliação que Lukács faz das potencialidades e características concretas de desenvolvimento da ação sócio-histórica em *História e consciência de classe*. A questão maior diz respeito à avaliação das condições objetivas sob as quais se pode realizar a ideia de uma totalização coletiva consciente de conhecimento e experiência – e, com ela, o controle efetivo das numerosas tendências contraditórias do desenvolvimento histórico real. Pois é somente pela articulação bem-sucedida dos instrumentos e modalidades necessários de *mediação material* que se tornam reais as possibilidades emancipadoras do projeto socialista, durante a esperada transição do "reino da necessidade" capitalista para o "reino da liberdade", isto é, nos termos da visão de Marx, adotada por Lukács, da passagem, mais ou menos cegamente determinada, da "pré-história" do homem à verdadeira história da humanidade, consciente e cooperativamente vivida.

Por muitas razões, a resposta que Lukács dá a esta questão em *História e consciência de classe* é insatisfatória. A distância que separa as duas ordens sociais – "o 'salto do reino da necessidade para o reino da liberdade', a conclusão da 'pré-história da humanidade'" (p. 247; ed. port., p. 259) – é por ele superada de modo puramente verbal, com o anúncio de alguns "princípios reguladores" gerais. Assim ele declara, por um lado, que "a categoria do radicalmente novo, a colocação da estrutura econômica na sua liderança, a mudança na direção do processo, isto é, a categoria do salto *deve* ser levada a sério na prática" (p. 249; ed. port., p. 260). E, por outro lado, ele assegura que

> o *salto* é um *processo* longo e árduo. Sua essência está expressa no fato de que em toda ocasião ele denota uma tendência em direção a algo qualitativamente novo; vem à tona a ação consciente direcionada para o conjunto da sociedade em sua totalidade; e portanto – em *intenção* e na base – seu lar é o reino da liberdade (p. 250; ed. port., p. 260).

Contudo, não se dá qualquer indicação das dificuldades quase proibitivas que envolvem "colocar a estrutura econômica na sua liderança", nem sequer das medidas práticas tangíveis que devem ser adotadas para se ser capaz de "levar a sério na prática a categoria do salto/processo". Ainda mais problemática é a tentativa de Lukács de passar por cima das imensas complexidades teóricas e práticas implícitas na transição divisada, não apenas de uma ordem socioeconômica e cultural/política para outra, mas para outra da qual se espera que sinalize simultaneamente o fim da dominação de classe, a supressão radical da divisão do trabalho e do Estado político separado. Todas estas dificuldades deveriam supostamente ser eliminadas por uma caracterização estipulativa e definidora das circunstâncias segundo as quais, "em intenção e na base", somente o reino da liberdade pode ser o lar de toda ação consciente no interior da estrutura reguladora do "salto/processo/qualitativamente novo".

Assim, a ação proletária consciente *por definição* se desenvolve no reino da liberdade – considerado um salto/processo –, não importa quão distante esteja do *estado real* de uma sociedade socialista. Em outra passagem até mesmo a autoconsciência exigida é removida retrospectivamente da definição de ação historicamente significativa (hegemônica) – da qual se diz mover-se inexoravelmente, em sua "aspiração inconsciente", na direção da esperada emancipação humana radical – ao afirmar que se o "reino da liberdade" for considerado no contexto do processo que conduz a ele, então não pode haver dúvida de que até mesmo a mais primitiva aparição do proletariado na cena da história indicou uma *aspiração por aquele fim* – admissivelmente em um modo *completamente inconsciente* (p. 313; ed. port., p. 321).

Subestimar a significância do estado de coisas dado como "fatos e condições meramente empíricos" (a serem *completamente dissolvidos* no processo") e, ao mesmo tempo, dar uma exagerada ênfase voluntarista à noção abstrata de "processo como tal", em prejuízo do processo realmente existente, tais são as características gerais de *História e consciência de classe*, racionalizadas precisamente pela determinação de Lukács em afirmar (em contraposição ao empiricamente dado) a *realidade* já existente do "reino da liberdade" e a *inevitabilidade* de sua realização plena   (p. 250. ed. port., p. 260), que só pode ser evitada pela regressão catastrófica da humanidade a "uma nova barbárie" (p. 306. ed. port., p. 314), não importando o peso da "facticidade" que aponta na direção oposta sob as circunstâncias historicamente prevalecentes. Desse modo, o "processo" se converte no *sujeito* mítico da ação histórica, enquanto a classe realmente existente é considerada mero "*repositório*" do processo (p. 321; ed. port., p. 329-30).

O postulado "sujeito-objeto idêntico da história" é necessário para permitir a Lukács produzir esta personificação que substitui o processo, e tem uma dupla função. Por um lado, o sujeito-objeto idêntico – que se transforma em sinônimo do processo de transformação histórica conscientemente perseguida – pode ser identificado com a "consciência de classe atribuída", sendo esta última transferida para o partido de vanguarda que se transforma na "encarnação ativa da consciência de classe". Ao mesmo tempo, por outro lado, o proletariado realmente dado pode ser caracterizado como um "*repositório*" do processo histórico (em seu desdobramento necessário), eliminando assim as dificuldades inerentes ao comportamento não revolucionário da classe revolucionária. Desse modo, somos apresentados de modo tranquilizador a um sujeito histórico que é revolucionário, mesmo quando na realidade atua como não revolucionário, e consciente mesmo quando é "completamente inconsciente".

Compreensivelmente, portanto, dentro da estrutura desse discurso apriorístico, perde-se a significância das mediações materiais concretas – por meio das quais se tornaria plausível a realização do "reino da liberdade" em termos historicamente concretos. A elaboração teórica das modalidades e dos instrumentos necessários de mediação material que conduz ao futuro esperado não poderia ser considerada um *ganho* mas, nos termos de tal discurso, apenas um *obstáculo*, pois removeria a *certeza* apriorística da vitória proletária, repetidamente anunciada por Lukács não apenas no contexto – e com base na evidência – da metodologia dialética (como vimos acima), mas também em inúmeras outras passagens, definindo o papel da consciência totalizadora como "a aceleração consciente do processo na *direção inevitável*" (p. 250; ed. port., p. 260). Pela mesma razão, ele é também levado a afirmar que "por menos que o objetivo final do proletariado seja capaz, mesmo na teoria, de influenciar diretamente os estágios iniciais da primeira parte do processo, ele é, *em princípio*, um fator sintetizador e portanto nunca pode estar completamente ausente de qualquer aspecto do processo" (p. 313; ed. port., p. 321).

9.1.2

Uma das principais razões teóricas que levam Lukács a perseguir essa linha de argumentação emana do seu diagnóstico não realista dos obstáculos a serem superados no interesse da transformação socialista por meio da ditadura do proletariado.

Ao contrário da caracterização dos problemas feita por Marx, Lukács teoriza num sentido muito restrito as contradições reificantes que afetam as relações do trabalho com o capital. Em suas reflexões sobre as estratégias práticas necessárias, ele as trata como se fossem confinadas à dimensão diretamente ligada aos capitalistas – e também efetivamente removíveis pela expropriação dos mesmos capitalistas. Ele cita uma passagem de *O capital* de Marx segundo a qual

> o comando dos produtos de trabalho passado sobre o trabalho excedente vivo dura exatamente apenas enquanto durar a *relação-capital*, a relação social determinada em que o *trabalho passado confronta* de maneira autônoma e avassaladora *o trabalho vivo* (p. 248; ed. port., p. 259).[1]

Desprezando o fato crucial de que as relações hierarquicamente articuladas do capital (a divisão de trabalho capitalista há muito estabelecida vigente em cada fábrica singular etc.) são *relações materiais* de dominação que afirmam a si próprias primariamente pela própria instrumentalidade dada da produção, Luckács comenta a passagem citada de modo a transformar a *relação material* entre o trabalho passado (isto é, acumulado, objetivado/alienado) e o presente (ou trabalho vivo) em uma *oposição abstrata temporal entre "passado e presente"*. Assim o faz para ser capaz de metamorfosear a própria tarefa histórica, com todos os seus *limites materiais* persistentes – e em algumas circunstâncias até mesmo esmagadores – em uma questão de *consciência* (isto é, no trabalho proposto de esclarecimento da consciência pela consciência).

Assim se desenvolve a argumentação de Lukács no ensaio intitulado "Mudança de função do materialismo histórico":

> O significado social da ditadura do proletariado, socialização, significa em primeira instância não mais que esta dominação será retirada das mãos do *capitalista*. Mas no que concerne ao proletariado – considerado como classe – o seu próprio trabalho objetivamente cessa agora de o confrontar de uma maneira autônoma, objetiva. Pelo fato de o proletariado se apoderar simultaneamente tanto do trabalho que se tornou objetivado como do trabalho em processo de tornar-se tal, esta oposição é *objetivamente*

---

[1] A citação é da página 391 de *O capital*, vol. 3. A passagem como um todo, na qual Marx discute o fetichismo do capital portador de juros, lê-se como se segue:

> No capital portador de juros está, no entanto, consumada a concepção do fetiche-capital, a concepção que atribui ao produto acumulado do trabalho, e ainda fixado na forma de dinheiro, o poder de produzir, em virtude de uma qualidade inata e secreta, como um autômato, em progressão geométrica, mais-valia, de modo que esse produto acumulado do trabalho, conforme pensa o *Economist*, já há muito tempo descontou toda a riqueza do mundo, para todo o sempre, como algo que lhe pertence e lhe cabe de direito. O produto do trabalho passado, o próprio trabalho passado, em si e para si está prenhe de uma porção de trabalho excedente vivo, presente ou futuro. Sabe-se, entretanto, que na realidade a conservação, e nessa medida a reprodução do valor dos produtos de trabalho passado, é *apenas* o resultado de seu contato com o trabalho vivo; e segundo: que o comando dos produtos de trabalho passado sobre o trabalho excedente vivo dura exatamente apenas enquanto durar a relação-capital, a relação social determinada em que o trabalho passado confronta de maneira autônoma e avassaladora o trabalho vivo (ibid., pp. 390-1, ed. brasileira, *O capital*, vol. III-1, São Paulo, ed. Abril, 1984, p. 299).

abolida na prática. Com ela desaparece também a oposição correspondente na sociedade capitalista de *passado e presente*, cujas relações devem agora ser estruturalmente alteradas. Por mais longo que possa ser o processo objetivo de socialização, por mais tempo que leve para o proletariado se *tornar consciente* da alterada relação interna do trabalho com suas formas objetivadas (*a relação de presente e passado)*, com a ditadura do proletariado a virada decisiva foi dada   (p. 248; ed. port., p. 259).

Assim, a contradição irreconciliável entre capital e trabalho, que emana de uma relação material substantiva, é transfigurada numa oposição temporal abstrata entre "passado e presente", facilitando assim a resolução – puramente imaginária – do antagonismo estrutural fundamental do sistema do capital graças à revolução. O fato de o "elo mais fraco" ter imensas limitações objetivas, tanto internamente como em suas inevitáveis relações com o sistema do capital global, não pode exercer nenhum peso nessa linha de argumentação. Na visão de Lukács, a transformação radical da sociedade é *objetivamente realizada* pelo ato político de "tirar das mãos do capitalista a dominação do trabalho". Em certo momento, ele fala até mesmo sobre a "*disposição interna*" da antiga classe dominante em "*aceitar a regência do proletariado*" (p. 266; ed. portuguesa, p. 275), desde que a ditadura do proletariado se recuse a fazer concessões aos antigos capitalistas. Depois disso, ainda restará ao processo de "socialização" fazer com que os trabalhadores *se tornem conscientes* da natureza das mudanças já ocorridas, de modo a reconhecer e confirmar a *identidade não problemática entre presente e passado* sob a ditadura do proletariado. Como resultado da hipostatização idealista de Lukács da identidade de passado e presente, deixam simplesmente de existir as questões espinhosas – que brotam dos conflitos materialmente ancorados e ainda, de várias formas, antagônicos – acerca das relações pós-revolucionárias herdadas do trabalho com o capital. Desse modo, graças ao postulado teórico abstrato, "desaparece" até mesmo a oposição genérica entre passado e presente, apesar de as estruturas materiais correspondentes a ela ainda sobreviverem por um largo período na sociedade pós-revolucionária.

Esta linha de raciocínio é a mesma que vimos no caso do sujeito-objeto idêntico, que recebeu sua posição-chave na teoria de Lukács porque se esperava que cumprisse o papel de fazer "desaparecer a distinção entre a teoria e a prática"[2], ainda que, na realidade histórica dada, se tivesse que testemunhar as manifestações das ofuscantes

---

2   Numa nota de rodapé, Lukács escreve em um dos primeiros ensaios – *Tactics and Ethics* – publicado em húngaro em 1919:
O conceito de consciência foi primeiro percebido e elucidado pela filosofia clássica alemã. "Consciência" se refere àquele estágio particular do conhecimento no qual sujeito e objeto do conhecimento são substantivamente *homogêneos*, por exemplo, no qual o conhecimento ocorre do interior e não do exterior. (O exemplo mais simples é o conhecimento moral do homem de si próprio, por exemplo, seu senso de responsabilidade, sua consciência em contraste com o conhecimento das ciências naturais, onde o objeto do conhecimento permanece para sempre estranho ao sujeito que conhece, por mais que este o conheça.) O principal significado deste tipo de conhecimento é que *o mero fato do conhecimento* produz uma *modificação essencial no objeto conhecido*; graças ao *ato de consciência*, do conhecimento, a tendência a ele inerente até aqui torna-se então mais segura e vigorosa do que poderia ter sido antes. Uma outra implicação desse modo de conhecimento, contudo, é que a *distinção entre sujeito e objeto desaparece*, e com ela, portanto, a *distinção entre teoria e prática*. Sem sacrificar nada de sua pureza –, de sua imparcialidade ou verdade, *a teoria se transforma em ação, em prática.*

contradições entre teoria e prática das quais a persistente burocratização na Rússia pós-revolucionária provou ser um dos exemplos mais agudos.

9.1.3
Na realidade, a emancipação do trabalho do jugo do capital é inseparável da necessidade de substituir e superar a *divisão social do trabalho,* hierárquica e antagônica. Isto não pode ser realizado pelo ato *político* de abolir a dominação jurídica do capitalista sobre o trabalho, pois a estrutura objetiva da divisão social do trabalho herdada – a articulação material de produção existente – permanece basicamente inalterada na sequência de qualquer revolução socialista, mesmo sob as mais favoráveis condições históricas e relações de poder. Ao se negar politicamente a forma capitalista específica de propriedade privada, por meio da "expropriação dos expropriadores" e da concomitante instituição da propriedade estatal, persistem ainda – no importantíssimo processo de trabalho da sociedade – muitas das condições substantivas do metabolismo socioeconômico, mesmo que a "personificação do capital" (Marx) em uma base *hereditária* tenha sido proscrita naquelas circunstâncias, apesar de não haver nenhuma garantia de que assim permaneça.

A enorme importância deste fato se refere diretamente às alavancas práticas disponíveis para controlar efetivamente a operação das condições de produção. O fetichismo da mercadoria e a forma jurídica duplamente mistificadora em que se articulam nas esferas política e legal as determinações materiais do capital que governam o sociometabolismo ofuscam, de forma inacreditável, estas questões. Pois, na realidade, o capital é, ele próprio, essencialmente um *modo de controle,* e não meramente um *direito* de controle legalmente codificado. Isto é verdadeiro independentemente do fato de que, sob as condições históricas específicas da sociedade capitalista, o direito de exercer controle sobre a produção e a distribuição seja "constitucionalmente" atribuído a um número limitado de indivíduos, na forma de direitos hereditários de propriedade bem protegidos pelo Estado.

Do ponto de vista do capital, visto como modo de controle, a questão importante não é a sua forma contingente, é a necessidade de uma expropriação da mais-valia

---

Na passagem à qual esta nota está associada, Lukács – caracteristicamente no mesmo espírito com que ele trata desses problemas em *História e consciência de classe*, como vimos na seção anterior – minimiza o poder das determinações materiais (as "forças cegas da natureza" às quais Marx se refere na sua caracterização do metabolismo socioeconômico capitalista) como *"mera aparência"*, para poder oferecer, como o remédio necessário, o ato da consciência esclarecedora. Assim ele insiste, repetidamente, que tais determinações materiais são "meras aparências que somente podem sobreviver enquanto aquelas forças cegas não tiverem sido *despertadas para a consciência"* pelo conhecimento provido pela atividade do sujeito-objeto idêntico (citações da página 15 de *Political Writings* de Lukács, New Left Books, Londres, 1972).

Naturalmente as dificuldades são muito maiores. O conhecimento das determinações materiais preponderantes, não importa quão acurado, não remove por si só a força de inércia dessas determinações, mesmo que possa indicar o modo pelo qual esta tarefa possa vir a ser realizada por meio de uma fundamentada *prática social* transformadora. Vale a pena lembrar aqui a avaliação sóbria que Marx faz de suas próprias realizações teóricas, as quais ele colocou em perspectiva dizendo que a descoberta das partes componentes do ar não alterou a atmosfera. Em contraste, segundo o postulado lukasiano do sujeito-objeto idêntico e da identidade – *por definição* – da teoria com a prática, a atmosfera supostamente deve ser "estruturalmente alterada" pelo próprio ato autoesclarecedor da consciência enquanto tal, graças à alegada descoberta que, do ponto de vista do sujeito-objeto idêntico, o poder das determinações materiais é "uma mera aparência".

que-assegure-a-acumulação. De uma forma ou de outra, sua forma contingente deve ser modificada – mesmo nos parâmetros estritamente capitalistas – no curso da inexorável autoexpansão do capital, de acordo com as variações de intensidade e escopo da acumulação de capital possível na prática sob as circunstâncias históricas dadas. Sendo assim, a questão da dominação do capital sobre o trabalho, junto com as modalidades concretas de sua superação, devem se tornar inteligíveis em termos das *determinações material-estruturais* das quais emergem as várias possibilidades de intervenção pessoal no processo de reprodução social. Pois, por mais paradoxal que possa parecer, o poder objetivo da tomada de decisão, e a correspondente autoridade não escrita (ou não formalizada) do capital na qualidade de modo de controle real, *precede* a autoridade estritamente delegada (isto é, os imperativos objetivos do próprio capital estritamente delegados e apenas contingentemente codificados) dos próprios capitalistas.

Nesse sentido, enfrentar a questão do *direito* dos capitalistas de dominar o trabalho – um direito que pode ser instantaneamente "tirado" ou "abolido" pela ditadura do proletariado, ou até mesmo restaurado mais tarde por meio de algum tipo de intervenção contrarrevolucionária – há de resultar apenas em mudanças muito limitadas na estrutura da sociedade transicional. O verdadeiro alvo da transformação emancipatória é a *completa erradicação do capital como modo de controle totalizante* do próprio sociometabolismo reprodutivo, e não simplesmente o *deslocamento* dos capitalistas da condição historicamente específica de "personificações do capital". O fracasso, qualquer que seja a razão, em efetuar a erradicação estrutural objetiva do próprio capital dos processos reprodutivos em andamento, mais cedo ou mais tarde deve criar um intolerável vácuo no controle metabólico vital da sociedade. Isto exigiria o estabelecimento de novas formas de *"personificação"*, visto que a articulação estrutural socioeconômica de controle em vigor continua a ser marcada pelas características objetivas da divisão social hierárquica de trabalho herdada, cuja natureza mais íntima demanda algum tipo de personificação iníqua.

Não é necessário dizer que só é possível procurar por respostas viáveis para estes pesados limites materiais no âmbito da estrutura de uma teoria realista da transição, teoria que parta da premissa de que o "radicalmente novo" da "nova forma histórica" antecipada não é concebível sem o doloroso empreendimento de uma *reestruturação material* totalmente abrangente das relações produtivas e distributivas da sociedade. Empreendimento que envolve, por sua vez, o estabelecimento *prático* das formas necessárias de mediação material por meio das quais no devido tempo a erradicação do capital do processo sociometabólico se torna viável.

Sem sequer tentar formular tal teoria, o discurso de Lukács sobre o "radicalmente novo", em *História e consciência de classe*, tende a se exaurir na proclamação de alguns princípios reguladores genéricos e no anúncio solene de toda uma série de soluções puramente verbais que ele oferece para os seus próprios paradoxos nitidamente definidos acerca da identidade essencial do *"salto"* e do *"processo"*. Os problemas históricos e sociais concretos da transição são abordados apenas na medida em que podem ser reduzidos à formulação abstrata e algo irrealista da relação entre *economia e violência*, de tal modo que a eficácia da *intervenção política* – na forma da ditadura do proletariado – deveria ser completamente adequada para dar solução aos problemas encontrados. Lukács oferece aos seus leitores o seguinte diagnóstico e esta solução:

Se os princípios da existência humana estão a ponto de se tornar livres e assumir o controle da humanidade pela primeira vez na história, então economia e violência, os objetos e instrumentos da luta, passam a ser de fundamental interesse. O simples fato de esses conteúdos, que eram antes denominados "ideologia", agora começarem a se transformar – apesar de alterados em todos os sentidos – em objetivos reais da humanidade torna supérfluo usá-los para adornar as lutas econômicas e violentas que se travam em seu nome. Além do mais, sua existência e sua realidade se evidenciam no próprio fato de todo o interesse se centrar nas lutas reais que cercam sua realização, isto é, sobre a economia e a violência. Portanto, deixa de parecer paradoxal que esta *transição* seja uma era quase exclusivamente preocupada com interesses econômicos e caracterizada pelo *uso franco da força pura*. Economia e violência começaram a atuar como o *último estágio* da sua existência histórica e, se elas parecem dominar a arena da história, isto não pode mascarar o fato de que este é o seu *último aparecimento* (p. 252; ed. port., p. 263).

O problema com este tipo de discurso é que ele não consegue perceber nenhuma daquelas tendências de desenvolvimento – visíveis já na época da publicação de *Socialismo evolucionário* de Bernstein – com base nas quais a social-democracia reformista se transforma na forma dominante de articulação do movimento da classe trabalhadora nos países capitalistas ocidentais dominantes. Essas tendências são acompanhadas das mais mistificadoras variedades da "economia mista"; do "Estado de bem-estar social" idealizado e social-democraticamente administrado; das práticas parlamentares desmobilizadoras da "política do consenso"; da participação deliberada do trabalho ocidental, privilegiado e orientado pela social-democracia, nas aventuras imperialistas das classes dominantes etc.; em vez de se conformarem à expectativa lukacsiana de "uso franco da força pura", que supostamente deveria marcar o "último estágio" do desenvolvimento social antes que a humanidade realizasse sua plena libertação.

Mais importante ainda, no que diz respeito à avaliação de Lukács da situação, a ausência de qualquer visão do que deva constituir uma transição real para a sonhada nova forma histórica de autoemancipação coletiva prova ser ela insustentável, mesmo em seus próprios termos de referência, sob as circunstâncias históricas dadas. Pois mais ou menos ao mesmo tempo em que Lukács escrevia as palavras exaltadas acima citadas sobre a última relação histórica entre economia e violência (junho de 1919), ele também é forçado a encarar na Hungria as condições econômicas enormemente deterioradas, o afrouxamento da disciplina do trabalho, a queda dramática na produtividade etc., que, *do interior* de suas próprias bases sociais, já ameaçavam a própria sobrevivência da ditadura do proletariado nos seus primeiros meses de vida.

Tendo postulado a identidade entre *teoria e prática, assim como* o desaparecimento da oposição entre *passado e presente* – em referência ao autoconhecimento do sujeito-objeto idêntico da história, tal como foi construída por Lukács sobre o modelo do conhecimento *moral* de si próprio que tem o indivíduo e sobre seu senso de responsabilidade correspondente[3] –, ao filósofo húngaro deveria parecer descon-

---

[3] Ver a primeira citação na nota 29, cap. 7.

certante que tal situação pudesse emergir. Ao mesmo tempo, os limites da teoria do jovem Lukács em relação às possibilidades de uma solução são tanto reduzidos como problemáticos. Como resultado da redução dos problemas da transição à relação entre economia e violência, pode haver apenas duas alternativas compatíveis com a linha de raciocínio de Lukács. Ou ele deve pregar o "poder da moralidade sobre as instituições e a economia", na forma de um apelo idealista direto à consciência moral e ao elevado senso de responsabilidade dos indivíduos proletários com o propósito de desenvolver radicalmente suas práticas de trabalho, ou deve antecipar, no mesmo discurso, as consequências fatais da necessidade, imposta à classe proletária pelas circunstâncias materiais desfavoráveis, "de virar sua ditadura contra si mesma", no caso de os indivíduos proletários não serem capazes de viver à altura do imperativo da disciplina do trabalho socialista, tal como vimos Lukács argumentar em seu ensaio "The Role of Morality in Communist Production"[4], escrito no mesmo período.

Entretanto, a verdade desconfortável é que as medidas políticas da ditadura do proletariado, incluindo o "uso franco da força pura", são por si mesmas incapazes de estabelecer a "identidade entre teoria e prática" e de superar positivamente "a oposição entre passado e presente". E, pela mesma razão, elas estão longe de ser adequadas para oferecer uma solução positiva ao que Lukács chama "a queda de produção do período de transição" (p. 252; ed. port., p. 263). Contudo, os corretivos historicamente concretos e viáveis não podem infelizmente ser conciliados com os termos de referência de Lukács em *História e consciência de classe*.

9.2   Mudança na avaliação dos Conselhos de Trabalhadores

9.2.1
Ao longo do tempo decorrido entre a redação do primeiro e do último ensaio de *História e consciência de classe*, podemos testemunhar uma mudança significativa na posição de Lukács em relação a um dos mais importantes órgãos de mediação material e política no período de transição do comando do capital sobre a sociedade para uma ordem socialista. Trata-se da mudança de avaliação do *Conselho de Trabalhadores* como a ponte possível, na prática, entre as estruturas políticas e socioeconômicas herdadas e aquelas que devem ser articuladas de forma *positiva* para se tornarem capazes de "considerar seriamente a categoria do salto para o reino da liberdade". Pois, na visão de Marx, a forma social que se define por meio da (reconhecidamente necessária, porém de modo algum suficiente) "expropriação dos expropriadores" – que desse modo permanece articulada à "negação da negação" – não poderia ser considerada uma forma verdadeiramente autossustentável, devido às contradições que emergem da continuidade da sua dependência do objeto negado.

O *ethos* positivo da nova sociedade apenas poderia ser encontrado na autoatividade emancipada dos seus membros e nos complexos institucionais e instrumentais correspondentes que respondem de forma flexível às necessidades dos indivíduos sociais, em vez de os opor por meio de sua própria – predeterminada – inércia material.

---

[4]   Ver aqui a seção intitulada "A solução de Lukács" no ensaio *Poder político e dissidência nas sociedades pós-revolucionárias*, Parte IV.

Apenas em tal moldura institucional e instrumental pode-se levar a sério a categoria da totalização coletiva *consciente* – isto é: a completa harmonização cooperativa – dos objetivos livremente escolhidos dos indivíduos sociais, em agudo contraste com o sistema regido pela "mão invisível" do mercado, pois este último se caracteriza pela absoluta *totalização inconsciente* que faz com que os objetivos próprios do capital prevaleçam por trás dos indivíduos particulares, mesmo quando eles são idealizados pela filosofia burguesa como "indivíduos histórico-mundiais".

É nesse contexto que o potencial mediador e emancipador dos Conselhos de Trabalhadores se torna visível. A passagem citada na seção 7.2.2 do famoso ensaio "Consciência de classe" – escrito em março de 1920, antes de ele ter recebido e aceito sinceramente sua própria parcela da crítica de Lenin ao "esquerdismo, uma doença infantil" – torna estas conexões muito claras, colocando a ênfase na eliminação da separação burguesa do legislativo, do administrativo e do judiciário, na superação da fragmentação do proletariado e na articulação entre economia e política numa nova síntese de uma práxis proletária historicamente concreta e eficaz (p. 80). Em comparação, a discussão do mesmo complexo institucional em um dos últimos ensaios de *História e consciência de classe* – "Notas metodológicas sobre a questão da organização", escrito em setembro de 1922 – é altamente crítica (e, mesmo que não explicitamente, autocrítica por implicação, devido à visão sustentada um ano antes pelo autor), como podemos ver na seguinte citação:

apenas após anos de conflitos revolucionários terem decorrido foi possível para o Conselho de Trabalhadores se livrar do seu *caráter utópico, mitológico* e cessar de ser visto como *a panaceia para todos os problemas da revolução*; foram-se anos para que ele pudesse ser visto pelos proletários não russos pelo que de fato ele era. (Não quero sugerir que esse processo de esclarecimento tenha se completado. De fato eu o duvido muitíssimo. Mas, como ele foi *invocado apenas como ilustração*, eu não o discutirei *aqui*.) (p. 296-7, ed. port., p. 304-5).

Infelizmente, contudo, como resultado da involução sociopolítica na Rússia pós-revolucionária, que culminou alguns anos depois no triunfo do stalinismo, a cláusula que postergava a discussão designada pela palavra *aqui* para Lukács se transforma em um tempo muito longo. Vale mencionar a esta altura que, em sua correspondência com Anna Seghers, Lukács é chamado a responder às críticas levantadas contra ele, que frequentemente as ignorava afirmando algo como "este não é o lugar para discuti-las". Ele se defende insistindo que a complexidade dos problemas não permite que se lhes faça justiça, mas ao mesmo tempo o assunto em discussão exige ao menos uma referência às dimensões ausentes.

Isto, claro, é verdadeiro em alguns casos, mas não é, de forma alguma, toda a verdade. Pois em numerosos contextos teóricos e politicamente importantes, nos quais Lukács invoca as mesmas reservas que o isentam, devemos procurar outras razões, o que de fato novamente demonstra a íntima conexão entre a metodologia e sua base sociopolítica substantiva de determinação.

A adoção da cláusula "não aqui" – que frequentemente termina significando "nunca" – não pode ser explicada em termos de "complexidade". Ao contrário – como no caso acima citado –, ela indica o desconforto de Lukács em manter uma posição que não pode justificar adequadamente em termos teóricos e políticos. Nos últimos ensaios de *História e consciência de classe,* a mudança significativa que ocorre – como resultado dos acontecimentos sociopolíticos regressivos na Rússia – na sua própria avaliação dos Conselhos de Trabalhadores exigiria uma explicação muito mais adequada que uma referência negativa sumária àqueles que veem neles uma "panaceia para todos os problemas da revolução". O que torna proibitivamente "complexo" enfrentar este problema de amplo significado prático não é alguma complexidade teórica insuperável, mas o tabu da disciplina partidária que o cerca, que deve ser "internalizada" pelo devotado membro do partido.

Do mesmo modo, uma das questões estratégicas mais importantes do movimento socialista – a relação entre as amplas massas populares e o partido político – é tratada por Lukács com desconforto após as mudanças em sua avaliação da obra de Rosa Luxemburgo, de acordo com a linha do partido. O que está em disputa nessa questão é formulado por Luxemburgo com impressionante clareza em seu debate com Bernstein. Ela escreve:

> A união de amplas massas populares com um objetivo que vai para além da ordem social existente, a união da luta diária com a grande transformação mundial, esta é a tarefa do movimento social-democrático, que deve logicamente tatear em sua via de desenvolvimento entre estes dois extremos: abandonar o caráter de massa do partido ou abandonar seu objetivo final, caindo no reformismo burguês ou no sectarismo, no anarquismo e no oportunismo.[5]

Na verdade, a posição de Lukács nos primeiros ensaios de *História e consciência de classe* é muito próxima à de Rosa Luxemburgo. É ainda mais revelador, portanto, que nos últimos ensaios (quando o partido anuncia a necessidade de lutar contra os "luxemburguistas") ele tenha que seguir um raciocínio estranho e tortuoso, esforçando-se para racionalizar e transformar o monumental dilema histórico, tão claramente expresso nas palavras de Luxemburgo – que deve ser enfrentado mesmo hoje, ou talvez hoje mais do que nunca – em uma questão de "tipologia das seitas" weberiana. É esta a sua argumentação:

> Não faz diferença se, por um processo de mitologização, uma correta propensão à ação revolucionária é atribuída sem reservas às massas ou se argumenta que uma minoria "consciente" tem que assumir a ação em nome das massas "inconscientes". Tais extremos são aqui dados apenas como ilustrações, pois até mesmo a tentativa mais superficial de dar uma tipologia das seitas estaria muito além do objetivo deste estudo (p. 321-2; ed. port., p. 329-30).

O problema é, contudo, que a "ilustração" transforma uma preocupação vital – pois afeta diretamente o *núcleo* de todas as estratégias socialistas possíveis – numa questão de pequenas seitas cuja "tipologia" talvez venha um dia a ser delineada pelo filósofo. Desse modo, cria-se a ilusão de que o problema possa ser teoricamente resolvido pela manutenção de "equidistância" dos "dois extremos, dados aqui apenas como ilustrações".

Ainda, a realidade social teimosamente se recusa a se mover segundo tais soluções "tipológicas" idealistas que relegariam à *periferia* os dramáticos conflitos do núcleo central da sociedade. Um dos dois "extremos de pequenas seitas" – aquele que atribui "propensão à ação revolucionária às massas" (ainda que não

---

[5] Rosa Luxemburgo, *Reform or Revolution*, Nova York, 1970, pp. 60-1.

"sem reservas", como o queria uma das caracterizações redutoras e desqualificadoras de Lukács) – de fato corresponde à posição de Rosa Luxemburgo e muitos outros que queriam construir suas estratégias do movimento socialista sobre a "espontaneidade das massas", sem descuidar do papel da consciência. Ao mesmo tempo, o outro "extremo sectário marginal" se transforma cada vez mais na linha estratégica *dominante* – e, finalmente, sob a regência *exclusiva* de Stalin – dos desdobramentos pós-revolucionários.

Indubitavelmente, Lukács deseja assumir na prática uma posição crítica efetiva em relação também à segunda abordagem "sectária", pois ele a amaldiçoa também com a caracterização de seita, insistindo "que a estrutura de sua consciência é intimamente relacionada à da burguesia" (p. 321). Contudo, sua crítica está lançada contra o alvo errado. Primeiro, porque – ao desconsiderar o enorme poder prático/institucional por trás da posição estratégica criticada – permanecemos, novamente, no interior da esfera da consciência, esperando que a solução do problema sublinhado por Lukács surja da ideia de que, graças ao trabalho da consciência sobre a consciência, o sectarismo é insustentável, dada a afinidade entre sua estrutura de consciência e a consciência burguesa. E, segundo, porque a *linha principal* do desenvolvimento no movimento socialista internacional, com imensas consequências teóricas e práticas para o futuro, é tratada como um fenômeno *marginal* (de seitas), de modo a poder ser contido nos limites de uma crítica puramente metodológico-ideológica.

É essa a origem da "linguagem de Esopo" da crítica de Lukács, bem anterior ao sucesso de Stalin na eliminação de seus rivais do cenário político da Rússia. A eficácia de tal linguagem é, por sua própria natureza, muito limitada, já que as referências às estruturas material e institucional e às tendências de desenvolvimento que se desdobram são transportadas para um plano metodológico abstrato no qual é normalmente muito difícil fixar seu alvo substantivo. Ao mesmo tempo, o fato de seu autor apresentar apenas argumentos *metodológicos* com relação ao objeto de sua crítica, sem indicar suas implicações materiais e organizacionais diretas, pode fornecer a ele significativa margem de *proteção* contra as medidas de retaliação daqueles que têm acesso a muito mais do que armas puramente metodológicas. Como o próprio Lukács diz em *História e consciência de classe*, em seu ensaio de setembro de 1922, "Notas metodológicas sobre a questão da organização":

> No nível da *teoria pura* as visões e tendências mais disparatadas são capazes de coexistir pacificamente, antagonismos são apenas expressos na forma de discussões que podem ser *contidas* dentro da estrutura de uma e mesma organização *sem rompê-la*. Mas, tão logo essas mesmas questões recebam forma organizacional, elas se tornam fortemente opostas e mesmo *incompatíveis* (p. 299; ed. port., p. 307).

Manter seu próprio discurso primordialmente no plano metodológico e apresentar os objetos substantivos desse discurso numa "linguagem esópica" é o modo mais ou menos consciente de Lukács de assegurar para si próprio uma "coexistência pacífica", sem abandonar o que ele considera o direito e a obrigação do intelectual de se associar à luta pela emancipação do modo que lhe seja possível. E ele quer assegurar tal "coexistência pacífica" – à qual parece conduzir o seu discurso metodológico em tempos difíceis, nos quais a *dissidência substantiva* é automaticamente condenada como "*fracionismo* organizacional", com consequências desastrosas para todos os que se entregam a ela – não simplesmente para seu próprio benefício, mas na qualidade de disciplinado membro do partido cujo dever absoluto é evitar "romper a organização": um pecado que ele julgaria imperdoável em qualquer um, inclusive em si mesmo.

Nesse sentido, é correto sublinhar novamente que a posição problemática assumida por Lukács em relação à direção "sectária" dominante não é o resultado de uma "acomodação oportunista" e de "capitulação" em resposta às críticas que recebeu de funcionários do partido *após* a publicação de *História e consciência de classe*. Como vimos, isso pode ser inequivocamente identificada nessa própria obra. A hipótese (ou acusação) de oportunismo e capitulação – a qual, todavia, se recusa a tomar conhecimento mesmo dos mais simples fatos de cronologia – nada pode explicar no caso de alguém que, como Lukács, teve que pessoalmente abrir mão de tanta coisa quando fez sua escolha irrevogável de identificar a si próprio sem reservas com o destino do partido.

9.2.2

Contudo, enfatizar tudo isso apenas ressalta que o significado do recuo de Lukács, em sua avaliação original do Conselho de Trabalhadores, é inseparável do modo pelo qual o assunto é tratado *praticamente* pelo partido sob as condições do desenvolvimento pós-revolucionário. Somente num dos seus últimos escritos – *Demokratisierung heute und morgen*, cuja publicação foi proibida na Hungria por vinte anos após ser finalizado e por dezessete anos após a morte do autor – Lukács teve autorização para retornar à discussão do passado histórico do Conselho de Trabalhadores[6], e mesmo assim em termos os mais gerais, negando-lhe relevância para o presente.

Certamente, o Conselho de Trabalhadores não deveria ser considerado a "panaceia para todos os problemas da revolução". Contudo, sem alguma forma de *autoadministração* genuína, as dificuldades e contradições que as sociedades pós-revolucionárias têm que enfrentar se transformarão em crônicas, e podem até mesmo trazer o perigo de uma reincidência nas práticas produtivas da velha ordem, mesmo que sob um tipo diferente de controle pessoal. Quando da sua constituição espontânea, em meio às importantes crises estruturais dos países envolvidos, o Conselho de Trabalhadores tentou se atribuir, em mais de uma ocasião na história, precisamente o papel de autoadministrador possível, a par da responsabilidade *autoimposta* – que está implícita no papel assumido e é praticamente inseparável dele – de executar a gigantesca tarefa de reedificar, a longo prazo, a estrutura reprodutiva social herdada.

Dada a ausência no horizonte teórico de formas historicamente específicas e institucionalmente articuladas de autogestão genuína – e aqui é pouco importante se elas denominam a si próprias Conselho de Trabalhadores ou adotam outro nome, desde que sejam capazes de cumprir o papel de mediador material efetivo entre a ordem antiga e a ordem socialista almejada –, toda conversa acerca de "abolir a *separação entre direitos e deveres*" (p. 319; ed. port., p. 327) está destinada a permanecer meramente especulativa, confinada à defesa de algum "dever-ser", em vez de enfrentar as dificuldades inerentes à produção de estratégias viáveis praticamente. É por isso

---

[6] Ver a passagem citada do livro de Lukács *Democratization* na nota 14.

que Lukács, após descartar a ideia de uma autoadministração por meio da atividade coletiva do Conselho de Trabalhadores como "mitologia utópica" e "panaceia para todos os problemas da revolução", e sem tentar colocar no lugar do complexo material criticado qualquer salvaguarda institucional e historicamente concreta, tem que terminar com a idealização de uma "metodologia dialética" autoconfirmadora, usando-a como um substituto idealista para os órgãos necessários e possíveis de controle social participativo.

Desse modo, paradoxalmente, após censurar o caráter utópico e mitológico das ideias associadas às práticas socioeconômicas e políticas manifestadas mediante a *realidade histórica* dos Conselhos de Trabalhadores, Lukács oferece a *mitologia* de a própria teoria realizar a tarefa de transformação prática em condições "puramente dialéticas". E ele não parece perturbado pelo fato de criar apenas simulacros de solução para os problemas investigados por meio da oferta de nada mais que uma série de *imperativos abstratos* ("condicionais" articulados com "deveres") em vez dos necessários *afirmativos* apoiados por evidência sócio-histórica tangível. É assim que Lukács defende sua posição:

> O fato de que a consciência de classe proletária se torna autônoma e assume uma forma objetiva [por meio do partido] só tem significado para o proletariado *se* a todo momento de fato corporificar para o proletariado o significado revolucionário daquele momento. Então, em uma situação objetivamente revolucionária, a correção do marxismo revolucionário é muito mais que a correção "geral" de sua teoria. Precisamente porque ele se tornou totalmente prático e se articulou com os últimos acontecimentos, a teoria *deve* se transformar no guia dos passos cotidianos. E isto apenas é possível *se* a teoria se despojar inteiramente de suas características puramente teóricas e se transformar em *puramente dialética*. O que significa que ela *deve* transcender na prática toda tensão entre o *geral* e o *particular*, entre a *regra* e o caso *individual* "subsumido" a ela, entre a *regra* e sua *aplicação*, e portanto toda tensão entre *teoria* e *prática* (p. 333; ed. port., p. 340).

Mas é inútil tentar encontrar nos últimos ensaios de *História e consciência de classe* formas institucionalmente concretas de prática social graças às quais se poderiam transcender a "tensão" (em realidade, a aguda contradição) entre o geral e o particular, a regra e sua aplicação, a regra e o "caso individual" (isto é, na realidade, os próprios indivíduos historicamente existentes) incluído nela, assim como (nos termos mais abrangentes) a oposição entre teoria e prática. Ainda assim, apenas pela mediação material de tais formas de prática social – articuladas e salvaguardadas institucionalmente – a tensão/contradição entre as amplas massas do povo e o partido (isto é, na sociedade pós-revolucionária entre o povo e o Estado-partido emergente) poderia ser progressivamente superada no interior da estrutura de uma atividade produtiva progressivamente autodeterminada, plenamente compartilhada – com todas as suas compensações e sacrifícios – entre os membros da "vanguarda consciente" de Lukács e todos os membros da comunidade de trabalhadores.

Ao testemunhar os trágicos acontecimentos históricos sob o impacto do "cerco" externo e da "burocratização" interna na Rússia pós-revolucionária, que inevitavelmente paralisou e finalmente baniu *praticamente* (mesmo que não formalmente) os Conselhos de Trabalhadores espontaneamente constituídos, o autor de *História e consciência de classe* é incapaz de argumentar a favor do fortalecimento do poder autônomo de tomada de decisões pelas massas populares. Ao contrário, ele oferece – ainda outra vez – remédios puramente verbais para os conflitos e contradições que percebe.

O modo pelo qual ele descreve as "tensões" reconhecidas no interior da classe trabalhadora e suas organizações tendem a privá-las do seu peso objetivo. Ele explica as tensões e contradições (por vezes com o auxílio de equações e transformações conceituais completamente desconcertantes) decretando aprioristicamente que

a *aguda cisão* na organização entre a vanguarda consciente e as amplas massas é apenas um aspecto do processo *homogêneo porém dialético* do desenvolvimento da classe como um todo e de sua consciência (p. 338; ed. port., p. 346).

Desse modo, mesmo os grandes desafios que as sociedades pós-revolucionárias devem enfrentar em suas tardias tentativas de superar a divisão estrutural herdada do corpo social em governantes e governados, em líderes e liderados, em educadores e educandos, podem ser ilusoriamente hipostasiadas por Lukács como transcendidos, por definição, pelo desenvolvimento "homogêneo porém dialético" da consciência de classe imputada. Nem toda a massa de evidências históricas contrárias (o contrário, declarado por Lukács, tem o *status* de "consciência" meramente "empírica/psicológica") poderia romper as muralhas de tal fortaleza ideológica construída a partir dessa inabalável linha de raciocínio.

9.2.3

As reflexões de Lukács sobre esse assunto, é preciso que se reconheça, não carecem de uma significativa intenção crítica. Após rejeitar o que denomina "esperanças utópicas ou ilusões" (p. 335), que direta ou indiretamente se referem aos Conselhos de Trabalhadores, ele se mostra disposto a admitir que "devemos descobrir *dispositivos e garantias organizacionais*" (ibid.) para sermos capazes de realizar os objetivos socialistas almejados. Contudo, ele atribui inteiramente à reificação capitalista a continuidade dos problemas (a seu ver primariamente ideológicos), argumentando que a "transformação interna dos indivíduos" não pode ser alcançada "enquanto o capitalismo ainda existir" (ibid.) Consequentemente, Lukács diagnostica a situação de tal modo que os próprios problemas encontrados deveriam, aparentemente, pressionar para a sua solução – a única possível – pela intermediação organizacional do partido idealizado.

Inevitavelmente, portanto, também a dimensão crítica da estratégia lukácsiana – ou seja, os "dispositivos e garantias organizacionais" ainda a serem descobertos – deve ser concebida em termos que possam ser acomodados no *interior* do partido, sem impor o menor limite objetivo ao poder soberano de tomada de decisões pelo próprio partido, resultante dos elos que este deve ter com outros corpos e formas institucionais e organizacionais. Em outras palavras, na estrutura teórica de Lukács, a dialética da história em relação ao partido jamais poderia ser pensada como uma totalidade dinâmica da qual o partido fosse apenas uma *parte*, pois nela o partido representa o elemento ativo – processual – da história, assim como "o ponto de vista da totalidade visivelmente encarnado" e, por meio desses dois constituintes fundamentais, ele se reveste do próprio princípio da totalização coletiva. Assim, a natureza mais interna do partido é definida como a encarnação visível e – pela primeira vez na história – consciente do sujeito-objeto idêntico do processo totalizante, enquanto a classe revolucionária é considerada apenas o "repositório" do processo, sem qualquer reivindicação concebível (conscientemente justificável) sobre a encarnação institucional/organizacionalmente concreta e ativa da consciência do proletariado. E, uma vez que o partido seja visto como a corporificação organizacional do único ponto de vista válido – o "ponto de vista da totalidade" – em relação à realidade social, seria uma contradição considerá-lo apenas *parte* da totalidade que se desdobra historicamente, o que o tornaria objeto dos limites e exigências mutáveis da estrutura estratégica global da transformação socialista.

Portanto, é muito claro que a idealização do partido por Lukács não é consequência de sua alegada "capitulação à ortodoxia stalinista". Todos os leitores atentos de *História e consciência de classe* podem confirmar por si próprios que os pecados supostamente cometidos por ele nos dez anos que se seguiram à publicação de sua obra mais famosa, sob a pressão direta das censuras do Comintern (e da burocracia partidária associada), e para salvar sua própria posição privilegiada na hierarquia comunista internacional, estão de fato presentes já na própria *História e consciência de classe* que os adversários ideológicos de Lukács gostam de apresentar mentirosamente como o produto quintessencial de um místico marxismo ocidental "antes da queda". De fato, o ensaio anteriormente citado sobre "Consciência de classe", no qual Lukács caracteriza o partido como a "corporificação histórica e encarnação ativa da consciência de classe", assim como a "encarnação da ética do proletariado em luta", foi escrito por ele em março de 1920, três meses antes até mesmo da qualificada crítica de Lenin do "comunismo de esquerda" de Lukács, para não mencionar a condenação sumária do líder (então o mais poderoso) do Comintern – Zinoviev – logo após a publicação de *História e consciência de classe*.

Em resposta autocrítica aos renovados ataques no início dos anos 1930, Lukács adota a mesma posição sobre o partido que podemos encontrar em *História e consciência de classe*. Ele se distancia, fundamentalmente em termos teóricos, da famosa obra repetidamente condenada pelos altos funcionários do partido. Sua própria crítica de *História e consciência de classe* está primariamente preocupada com os problemas da teoria do "reflexo", do sujeito-objeto idêntico, da confusão entre alienação e objetividade e questões similares.

Como vimos no capítulo 6, a inegável idealização do partido por Lukács pode se tornar inteligível em termos da formação intelectual do autor, centrada, desde um estágio precoce, na noção do sujeito *moral* historicamente necessário: aquele capaz de enfrentar o desafio de uma renovação radical necessária em um "período de total pecaminosidade"[7]. É isto que ele está profundamente convencido de haver encontrado no partido – com sua "missão moral", correspondente à alegada determinação objetiva enquanto "ética do proletariado em luta" etc. – desde o primeiro momento em que aderiu ao Partido Comunista Húngaro como um dos seus primeiros recrutas.

Contudo, restabelecer a verdade com relação a tais problemas não os torna mais fáceis, apenas ajuda a explicar por que Lukács teve que definir o aspecto prático – ainda

---

[7] Ver sua obra pré-marxista, *A teoria do romance*, e o prefácio escrito em 1962 para sua edição inalterada alemã, publicada pela Luchterhand Verlag em 1963 e em inglês pela Merlin Press em 1971.

não alcançado – da mediação em termos partidário-organizacionais. Ele pode apenas procurar as garantias necessárias contra os perigos provocados pela burocratização e pela ossificação no plano de uma liderança partidária esclarecida e, por uma questão de princípio, periodicamente alterada (o plano de um "dever-ser"), associadas a uma *"disciplina de ferro"* e à política deliberadamente adotada, e aceita de bom grado pelos indivíduos criticados, de *expurgos* renovados[8].

Tudo isso encontramos na própria *História e consciência de classe*, muito tempo antes de Stalin conseguir assegurar uma posição absolutamente inquestionável no partido russo e no movimento comunista internacional. De acordo com a sua orientação moral apaixonada, Lukács recusa-se a aceitar como critério apropriado de participação individual no partido qualquer coisa abaixo do envolvimento do indivíduo com sua *"personalidade total"* na atividade partidária, aceitando as suas ordens sem hesitação nem dúvida, de acordo com o mesmo critério. Ele insiste em que a compreensão da "articulação necessária entre personalidade total e *disciplina partidária*" representa "um dos mais exaltados e importantes problemas intelectuais na história da revolução" (p. 320). Desse modo, a submissão à *"disciplina de ferro"* é aprovada e recomendada por Lukács não sob pressão externa que impõe acomodação mas, pelo contrário, como fundamento completamente interiorizado em que a "demanda por *total comprometimento*", em nome da necessária disciplina de ferro,

> rompe o *véu reificado* que obscurece a consciência do indivíduo na sociedade capitalista (p. 339; ed. port., p. 347).

Seguindo esta linha de raciocínio até sua conclusão lógica sobre o papel do indivíduo, Lukács também insiste, com total sinceridade, em que

> o desejo consciente pelo reino da liberdade ... deve impor a *renúncia à liberdade individual*. Implica a subordinação consciente do eu àquela *vontade coletiva* que está destinada a tornar real a verdadeira liberdade. Esta vontade coletiva consciente é o *Partido Comunista* (p. 315; ed. port., p. 323-4).

Desta perspectiva, compreende-se por que Lukács confina a tarefa da mediação histórica à questão da *organização política*; para ele, o partido é "a *mediação concreta entre homem e história*" (p. 318; ed. port., p. 326). Ao adotar esta posição, segue-se,

---

[8] Lukács escreve, em seu ensaio "Notas metodológicas sobre a questão da organização", de *História e consciência de classe*:
A questão muito vilipendiada e difamada dos *"expurgos do partido"* é apenas o lado negativo da mesma questão [da verdadeira democracia]. Aqui, como com qualquer problema, foi necessário progredir da utopia à realidade. Por exemplo, as exigências contidas nas 21 Condições do Segundo Congresso de que todo partido legal deveria iniciar tais expurgos de tempos em tempos provou ser uma exigência utópica incompatível com o estágio de desenvolvimento alcançado pelos partidos de massa recém-nascidos no ocidente. (O Terceiro Congresso formulou sua visão sobre essa questão com uma cautela muito maior.) Contudo, o fato desta cláusula ter sido inserida não foi, apesar disso, um "erro". Pois ela clara e inegavelmente aponta a direção que o Partido Comunista deve tomar no seu desenvolvimento interno mesmo que a maneira pela qual o princípio é levado adiante seja determinada pelas circunstâncias históricas ... quanto mais clara e energicamente o processo medeia as necessidades do momento, colocando-as nas suas perspectivas históricas, mais clara e energicamente será ele capaz de absorver o indivíduo em suas atividades isoladas; mais será capaz de fazer uso dele, de trazê-lo a um apogeu de maturidade e de julgá-lo (p. 338-9; ed. port., p. 345-6).
Naturalmente, a aceitação dos expurgos por Lukács de modo algum tolera a liquidação física dos censurados, o que se tornou a marca característica de política stalinista nos anos 30.

para ele, que a "*Organização* é a forma de mediação entre teoria e prática" (p. 299; ed. port., p. 307). Quanto às questões concretas da prática transformadora que devem ser enfrentadas no curso da luta, sua condição de satisfação, de acordo com Lukács, se condensa no imperativo "de formar unidades políticas (partidos) que *possam mediar* entre a ação de cada membro e a de toda a classe" (p. 318; ed. port., p. 326).

Desse modo, estamos novamente confinados ao domínio dos princípios reguladores gerais, procurando por respostas no plano de um outro "dever-ser", mesmo que o princípio recomendado de "mediar entre a ação de cada membro do partido e a da classe como um todo" seja colocado por Lukács com a intenção de responder às necessidades historicamente específicas – o concreto "o que fazer?" – da luta revolucionária. Contudo, a questão fundamental de "*como* mediar?" em termos tangíveis e institucional e organizacionalmente seguros, é considerada não apenas supérflua, mas também completamente inadmissível. O partido, na qualidade de encarnação historicamente específica da consciência de classe imputada, deve ser entendido, por sua própria natureza, como a "mediação concreta" não apenas entre os indivíduos e a classe mas, ao mesmo tempo, entre *homem e história*.

Os conflitos reais e potenciais no interior das "unidades políticas" propostas são ignorados por Lukács com a ajuda da asserção geral segundo a qual "o *fator unificador* aqui é a *disciplina*" (p. 316; ed. port., p. 324). Quanto às "garantias e dispositivos organizacionais", que devem ser descobertos a fim de evitar ossificação, eles não merecem outro esclarecimento além de breves referências ao desiderato geral de que a hierarquia do partido deveria ser baseada "na adequação de certos talentos às exigências objetivas da fase particular da luta" (p. 336; ed. port., p. 344), princípio que, segundo Lukács, deveria ser implementado nas formas conscientemente aceitas e bem-vindas das "redistribuições na hierarquia do partido" (ibid).

A viabilidade das recomendações críticas de Lukács é questionável, portanto, em dois aspectos. Primeiro e primordialmente, porque a questão da mediação é restrita à questão da organização política do partido. E segundo porque, mesmo nos seus próprios termos de referência, a eficácia ou a impotência das intenções críticas de Lukács permanecem inteiramente dependentes da disposição, nunca demonstrada, da hierarquia do partido que mantém o controle da tomada de decisões de se "redistribuir", com base na sua própria admissão conscientemente autocrítica de que seus "talentos" já não são mais "adequados para as exigências objetivas da luta" sob circunstâncias alteradas.

9.3 A categoria da mediação de Lukács

9.3.1

Uma vez definida a questão da mediação tal como vimos na última seção – isto é, atribuindo ao partido o *status* ontológico de ser "a mediação concreta entre homem e história" –, não há espaço para mais nada a não ser a asserção e a reiteração apriorística de que os problemas foram resolvidos "em princípio", ainda que seja dolorosamente óbvio que a tarefa prática da transformação emancipadora, com todos os seus potenciais retrocessos e mesmo derrotas maciças, nem sequer tenha se iniciado.

Para ser capaz de sustentar sua mensagem apriorística/otimista, a discussão de Lukács da mediação está primordialmente preocupada em demonstrar que o pensamento burguês permanece no nível da *imediaticidade*, enquanto o "ponto de vista da totalidade" do proletariado é, em princípio, capaz de fazer uso adequado da "categoria da mediação" na teoria, graças à situação objetiva da própria classe em relação à totalidade social, pois,

> enquanto a burguesia *permanece enroscada na imediaticidade* em virtude do seu papel de classe, o proletariado é impulsionado, pela dialética específica de sua posição de classe, a abandoná-la... O elemento único em sua situação é que seu *ultrapassar da imediaticidade* representa uma *aspiração* para a sociedade em sua totalidade, não importando se esta aspiração é *consciente* ou se permanece *inconsciente* no momento. Esta é a razão por que sua lógica não lhe permite permanecer estacionário em um estágio relativamente elevado da imediaticidade mas o força a perseverar em um movimento ininterrupto para a totalidade, isto é, a persistir no processo dialético cujas imediaticidades são constantemente anuladas e transcendidas (p. 171-4; ed. port., p. 191-4).

A ênfase do discurso de Lukács acerca da categoria da mediação está na reafirmação constante de que o mundo da imediaticidade possibilita apenas uma imagem falsa da realidade cuja estrutura é, ela própria, mediada, e apenas o pensamento burguês pode – e *deve* – ficar satisfeito com essa falsa aparência. Como Lukács afirma numa passagem característica de *História e consciência de classe*:

> A categoria da mediação é uma alavanca para superar a mera imediaticidade do mundo empírico e enquanto tal não é algo (subjetivo) sub-repticiamente inserido nos objetos de fora, não é nenhum valor-julgamento ou "dever" oposto ao "ser". Antes é a manifestação da sua própria *estrutura objetiva*. Isto apenas pode se tornar aparente nos objetos visíveis da consciência quando a *falsa atitude* do pensamento burguês para com a realidade objetiva tenha sido *abandonada*. A mediação não seria possível não fosse pelo fato de que a existência empírica dos objetos é *ela própria mediada* e apenas *parece* ser imediata, enquanto a *percepção da mediação* estiver faltando de tal modo que os objetos são despedaçados do complexo de suas verdadeiras determinações e colocados em um isolamento artificial (p. 162-3; ed. port., p. 182).

Assim, a *categoria* da mediação é colocada em relevo como prova da superioridade qualitativa da concepção teórica correspondente à posição e ao interesse de classe do proletariado sobre a de seu adversário de classe. Combinada com a afirmação de que o próprio partido é a "mediação concreta entre homem e história", a questão da mediação parece se resolver não apenas "em princípio", mas também definitivamente. Pois se a própria realidade já é mediada, e o partido identificado como o sujeito plena e conscientemente engajado na realização das tarefas concretas do processo histórico, neste caso tratar das questões das mediações materiais (inclusive a institucional/organizacional) – que estariam inevitavelmente concentradas na dimensão *temporal* do partido, com todas as suas especificidades e limitações sócio-históricas, em vez de situá-lo *acima* de tais obstáculos, em virtude de sua alegada posição mediadora "entre homem e história" – deve ser considerado não apenas redundante mas até mesmo contraproducente.

9.3.2

Compreensivelmente, é muito importante apresentar as questões do ponto de vista de um pensador que está no processo de abandonar, com profunda convicção, o ponto de vista da classe em que nasceu e adotar um ponto de vista teórico radicalmente diferente que ele jamais deixaria de recomendar aos seus colegas intelectuais. Considerando, contudo, as necessidades objetivas e tarefas emancipatórias específicas da *prática* mediadora, o mesmo discurso revela ser muito mais problemático, pois a realidade pós-revolucionária está muito distante de ser ela própria mediada com respeito a seus objetivos transformadores fundamentais. Para este fim, as indispensáveis condições objetivas e subjetivas podem apenas ser criadas no curso do processo real de sua própria reestruturação radical e, precisamente, pela articulação bem-sucedida das formas historicamente possíveis de mediação material.

Para o intelectual em busca de segurança é tranquilizador saber que o novo desenvolvimento do proletariado significa, como insiste Lukács, "que os trabalhadores *podem* se tornar conscientes do caráter social do trabalho, que a forma universal, abstrata do princípio societário, tal como é manifesta, *pode* ser crescentemente concretizada e superada" (p. 171; ed. port., p. 191), mas o anúncio teórico de que estas *possibilidades* apareceram no horizonte histórico não as transforma *ipso facto* em realidades materiais tangíveis, nem é indicação de que se tenha iniciado, muito menos completado, a tarefa de "intensificar a concretização".

Do mesmo modo, afirmar que "as formas de mediação pelas e através das quais se torna *possível* ir para além da existência imediata dos objetos tais como eles são dados *pode* demonstrar que os *princípios estruturais* e as tendências reais dos próprios objetos" (p. 155; ed. port., p. 174-5) estão longe de resolver o problema. O que está em jogo, de fato, é a *criação* das formas indispensáveis da *concreta mediação material e institucional* que tanto responda flexivelmente às demandas imediatas da situação sócio-histórica dada como, ao mesmo tempo, assuma a função de reestruturar o sistema metabólico herdado de uma divisão social do trabalho hierárquica, profundamente iníqua.

- A "categoria da mediação" por si própria é absolutamente impotente para produzir as mudanças materiais necessárias. Mediações transformadoras exigem intervenções práticas sustentáveis de um agente social da vida real, e não a irrealidade autorreferente de um ponto de vista filosófico hipostasiado idealisticamente com a função de agente substituto *a priori* bem-sucedido.
- Em qualquer caso, a proposição segundo a qual as dificuldades são solucionadas pelo abandono puro e simples da "falsa atitude do pensamento burguês", da qual "está ausente a consciência da mediação" (isto é, o reconhecimento de que a "existência empírica dos objetos é *ela própria mediada*"), oferece uma caracterização muito tendenciosa da situação real. Em primeiro lugar, quando se toma consciência – como resultado do abandono da falsa atitude do pensamento burguês – de que na realidade tudo é mediado, essa mesma realidade não se torna mais mediada que antes em sua constituição geral; permanece bastante não mediada em relação às tarefas históricas específicas das mediações transformadoras orientadas para o socialismo. Mesmo que possamos assegurar que tudo na realidade é sempre mediado, esta verdade – genérica – indica muito pouco sobre o caráter das relações dinâmicas envolvidas, pois as mediações em questão sempre assumem a forma concreta de tendências e *contratendências*. É a

interação conflitante de tais tendências e contratendências que produz, em qualquer momento histórico particular, as formas dominantes (mas de modo algum permanentes) de mediação.

Como vimos, Lukács sublinha vigorosamente que as formas historicamente dadas de mediação são os "princípios estruturais e tendências reais dos próprios objetos enquanto tais" (p. 155; ed. port., p. 174-5). Ao mesmo tempo, contudo, ele negligencia o papel complicador e potencialmente desencaminhador das contratendências necessariamente geradas no terreno da prática social. Isto de modo algum é acidental. Em seu discurso, a questão está irrevogavelmente resolvida em virtude da incapacidade estrutural da consciência de classe burguesa de se tornar consciente da mediação, muito menos de enfrentá-la com seus complicadores e limites objetivos na prática social. Na visão de Lukács, a tendência irreversível da dialética histórica é a abolição da ordem burguesa. Ele nunca se cansa de assegurar que as condições objetivas de tal abolição já foram "frequentemente atendidas". Se o proletariado conseguisse simplesmente superar sua "crise ideológica", diz ele, a vitória seria completa e irreversível.

9.3.3

A sistemática subestimação da consciência de classe burguesa constitui um dos principais pilares do pensamento de Lukács em *História e consciência de classe*. Ele menospreza não apenas a capacidade teórica da burguesia de compreender a "categoria da mediação", pois fazê-lo afetaria de modo negativo – direto ou indireto – seus interesses fundamentais de classe. Mais importante, ele nega à burguesia a capacidade de se *contrapor*, no terreno prático das mediações sócio-históricas, com efeitos estruturalmente significativos e duradouros (ao invés de apenas manipuladores[9] e portanto efêmeros), aos movimentos de sua classe adversária.

O descaso teórico de Lukács para com as contratendências vitalmente importantes no desdobramento da dialética histórica é uma consequência necessária de sua atitude irrealista para com as limitações da consciência de classe da burguesia e a correspondente capacidade de intervenção da classe adversária no processo das mediações socioeconômica, política e cultural/ideológica.

Não obstante, sempre que nos referirmos aos "princípios estruturais e tendências objetivas" do mundo social, devemos ter em mente que as tendências das quais falamos não podem ser divorciadas de suas contratendências, que – ao menos temporariamente – podem deslocar ou mesmo reverter as tendências correntes. De fato, toda tendência é necessariamente contraposta – em maior ou menor grau – por seu contrário no curso do desenvolvimento capitalista. Esta condição objetiva das complicadas interações tendenciais é ainda mais acentuada (e ainda mais agravada, em suas implicações para as estratégias socialistas de curto prazo) pela natureza intrinsecamente contraditória do próprio capital. Quaisquer que sejam as mudanças corretivas conscientes imediatamente viáveis neste aspecto, o impacto negativo das interações tendenciais e contratendenciais herdadas do passado deverá continuar sendo um problema importante também na fase pós-capitalista, pelo menos por um considerável período de tempo.

---

[9] A exagerada importância atribuída por Lukács à "manipulação" tem muito a ver com o espaço conceitual criado para esta categoria em *História e consciência de classe*.

No sociometabolismo do sistema do capital caracterizado por Marx em termos de suas tendências dominantes[10], as leis tendenciais não naturalistas do desenvolvimento enumeradas por ele são contrapostas por suas poderosas contrapartidas. Assim, a tendência irreprimível do capital ao *monopólio* é efetivamente contrabalançada (de formas diferentes em diferentes fases do desenvolvimento capitalista, o que vale também para as outras) pela *competição*; do mesmo modo, a *centralização* pela *fragmentação*, a *internacionalização* pelos *particularismos* nacional e regional; a *economia* pela extrema *perdularidade*; a *unificação* pela *estratificação*; a *socialização* pela *privatização*; a tendência ao *equilíbrio* pelas outras contratendências que *quebram o equilíbrio* etc.

O resultado dos intercâmbios conflituosos entre as várias tendências e contratendências é determinado pela configuração global delas, com base nas características objetivas de cada uma. Neste aspecto, só se consegue evitar o relativismo teórico fazendo-se referência aos *limites últimos* (ou seja, à natureza imanente) do próprio capital, os quais determinam a tendência *global* (ou "totalizante") das mais variadas manifestações do capital. Mas esta tendência global só pode prevalecer – com suas características objetivas e sua força determinante – por meio das próprias interações múltiplas e conflituosas.

- Naturalmente, todas estas interações conflituosas, nas suas especificidades históricas, só podem se tornar inteligíveis caso se dê a devida consideração ao *feedback reciprocamente corretivo* – e em larga medida perseguido conscientemente – da parte dos sujeitos sociais rivais, no interior dos parâmetros materiais de seus limites globais *basicamente* insuperáveis (mas, e isto não pode ser realçado em excesso, apenas basicamente). Isto explica por que a questão da mediação não pode ser solucionada de forma *apriorística*, com a ajuda da "categoria da mediação", atribuída apenas ao ponto de vista teórico da classe.

A capacidade do capital de deslocar suas contradições opera por meio da atividade e da prática mediadora da classe que positivamente identifica seus interesses com os limites objetivos deste sistema de controle sociometabólico. Assim, esta classe estará sempre mais do que disposta a ajustar (e, em larga medida, tem capacidade para tanto) suas estratégias – tanto nacionalmente, se pensamos na "economia mista", no "Estado de bem-estar social", na "política do consenso" etc., como internacionalmente, na aceitação das assim chamadas relações "não ideológicas" entre Estados, no lugar das antes abertamente buscadas guerras intervencionistas da "guerra fria" – quando a alteração na correlação de forças assim o exigir, para modificar em benefício próprio as tendências que surgem.

9.3.4

Os principais ajustes estratégicos adotados pelas "personificações do capital" sob a força de circunstâncias históricas representam *mudanças estruturais objetivas*, ainda que sejam por necessidade articuladas no interior dos limites estruturais últimos do capital. Seria, portanto, totalmente incorreto atribuir a eles a categoria tranquilizadora

---

[10] Deve ser sublinhado que Marx tem plena consciência do significado das contratendências objetivas no processo socioeconômico, e frequentemente determina suas análises das tendências dominantes neste sentido.

da "manipulação" (ou "manipulação ideológica"), a qual poderia ser mais ou menos facilmente contrabalançada pelo trabalho da consciência sobre a consciência, desde que armada pela ideia de que "a consciência da mediação está ausente" da consciência de classe burguesa. Como Marx argumentou,

> nenhuma formação social desaparece antes que se desenvolvam todas as forças produtivas que ela contém, e jamais aparecem relações de produção novas e mais elevadas antes de amadurecerem no seio da própria sociedade antiga as condições materiais de sua existência.[11]

Isto é o que define os limites estruturais últimos do capital como controle sociometabólico, abarcando toda a *época* para a qual suas forças produtivas podem ser desenvolvidas e estendidas. Assim, as transformações mediadoras abertas ao capital como modo de controle são coextensivas a tudo que possa ser compatível com estes limites definidos *por época*. Além disso, capital e trabalho são tão interpenetrantes no processo metabólico vigente, que os ajustes mediadores viáveis são necessariamente condicionados – para melhor ou para pior – pelos movimentos estratégicos do adversário social do capital e, certamente, *vice-versa*.

O discurso de Lukács sobre os limites da consciência de classe da burguesia deriva da consideração dos limites *últimos por época*, mas não dá a atenção devida aos períodos históricos intervenientes no desenvolvimento potencial do capital e às transformações mediadoras. É por isso que ele saúda a prática do "planejamento" capitalista como a "capitulação da consciência de classe burguesa diante da consciência do proletariado", quando não se trata de nada semelhante. Avaliar desse modo um aspecto importante da tendência em desenvolvimento (até agora bem-sucedida) do capital para o *controle monopolista* torna-se ainda mais problemático quando se considera que mesmo a modalidade socialista de *planejamento* – por oposição à sua forma caricatural chamada de *economia de comando* – só pode ser *realizada* (ou seja, realmente constituída, em vez de assumida novamente como uma categoria autoevidente e que se autossustenta) durante o processo de articulação de formas institucional e organizacionalmente concretas e viáveis de *mediação material*, pois, só por meio de tal mediação podem as estratégias socialistas de planejamento comprovar na prática a alegação de que a nova ordem social representa um modo de produção superior, baseado na *autoadministração* genuína das mais diversas unidades produtivas e sua integração coerente em um todo social viável.

Podemos ver, então, como a análise de Lukács da mediação falha em sua promessa em dois aspectos principais.

Primeiro porque, ao desprezar a capacidade da burguesia no trato dos problemas que emergem da sua relação conflituosa com o trabalho, por meio dos ajustes mediadores necessários, ele ignora a crescente necessidade de o trabalho (com o aumento dos riscos) enfrentar os desafios recentemente definidos elaborando suas próprias respostas mediadoras às mudanças – geralmente desnorteantes – adotadas pelo seu adversário social.

---

[11] Marx, *A Contribution to the Critique of Political Economy*, Londres, Lawrence & Wishart, 1971, p. 21 (ed. brasileira, Marx e Engels, *Textos 3*, São Paulo, Ed. Sociais, 1977, p. 302).

E segundo ao oferecer, por um lado, uma estrutura de categorias e postulados teóricos como solução dos problemas encontrados – da identidade de sujeito e objeto, passado e presente, teoria e prática, salto qualitativo e processo gradual (para relacionar apenas alguns) – e, por outro, a alegada exclusividade do proletariado em relação às categorias da mediação, planificação etc., Lukács oferece um quadro cor-de-rosa das tarefas a serem enfrentadas. Pois, no que se refere à sociedade socialista visada, não é apenas a "*consciência* da mediação que está ausente", mas também estão objetivamente ausentes as próprias estruturas reais de mediação necessárias e úteis para os propósitos emancipadores. Além disso, se e quando sua concretização se tornar mais provável, elas deverão continuar, por todo o período de transição, sujeitas aos mais variados tipos de constrangimentos, contradições e recuos potenciais.

Capítulo 10

POLÍTICA E MORALIDADE: DE *HISTÓRIA E CONSCIÊNCIA DE CLASSE* A *O PRESENTE E O FUTURO DA DEMOCRATIZAÇÃO* E DE VOLTA À *ÉTICA* NÃO ESCRITA

10.1 Apelo à intervenção direta da consciência emancipatória

10.1.1
Um dos maiores dilemas de Lukács diz respeito à relação entre a base material da sociedade e as várias formas de consciência social. Ao longo de toda a sua vida, ele persegue esses problemas com grande paixão e rigor intelectual, procurando soluções emancipatórias para as contradições identificadas por meio da intervenção direta da consciência social. Esta é a razão pela qual ele dedica tantas obras a estudos eticamente inspirados em questões estéticas, convencido de que o desenvolvimento da arte e da literatura – na forma de seu desdobramento bem-sucedido da "Luta pela Libertação", como já torna explícito o próprio título do capítulo final de duzentas páginas da sua monumental *Estética* – está inseparavelmente emaranhado na causa da emancipação humana.

Contudo, a grande dificuldade em relação a esta visão é que essas formas de consciência social, nas quais o interesse emancipatório é particularmente forte, como acontece sem dúvida no domínio do discurso estético, não podem na realidade responder diretamente às necessidades e exigências da base social para, por meio da sua intervenção, moldar a estrutura material da ordem social estabelecida. Pois, no processo de desenvolvimento histórico, quanto mais articulada se torna a superestrutura legal e política, mais abrangentemente ela abarca e domina não apenas as práticas materiais reprodutivas da sociedade, mas também as mais variadas "formas ideais" de consciência social.

O resultado é que práticas teóricas, filosóficas, artísticas etc., só podem intervir indiretamente no processo social de transformação por meio da *mediação* necessariamente *oblíqua* da superestrutura legal e política. Paradoxalmente, contudo, o exercício efetivo dessas formas potencialmente emancipatórias de consciência social (incluindo a arte e a literatura) precisa, como seu veículo, dos complexos instrumentais da superestrutura legal e política, apesar de esta última – em sua viciante capacidade de tudo penetrar sob as condições da formação socioeconômica e política capitalista – constituir o alvo mais óbvio e imediato de sua crítica.

Muitas coisas podem mudar a este respeito após a revolução. Contudo, em vista da continuidade da divisão do trabalho e do concomitante fortalecimento do papel do Estado pós-revolucionário – em agudo contraste com a ideia do seu fenecimento – a necessidade de submeter a uma crítica radical a superestrutura legal e política, no interesse da emancipação, nada perde de sua importância e urgência anterior na época histórica de transição, como o demonstra a experiência de todas as sociedades pós-capitalistas.

Lukács está perfeitamente consciente do caráter problemático da política – de qualquer política e não apenas da sua variedade capitalista. Ele sabe muito bem que as determinações legais necessariamente uniformizadoras e niveladoras, por meio das quais o Estado trata dos problemas encontrados, são muito inadequadas à irreprimível variedade desses problemas e ao modo como emergem do solo social, gerados pela atividade-viva diária dos indivíduos motivados pelas suas aspirações pessoais "não redutíveis". Isto explica por que, mesmo na época de seu envolvimento mais ativo na atividade política direta como um dos líderes do Partido Comunista Húngaro durante a curta República dos Conselhos e até poucos anos depois, ele define o papel histórico do próprio partido essencialmente em termos *morais*. Como vimos acima, ele insiste em que a legitimidade histórica do partido emerge, por um lado, do cumprimento efetivo do seu mandato moral e, por outro, do fato de ele oferecer o espaço necessário para a realização da *"personalidade total"* dos indivíduos que aderem às suas fileiras para se dedicar à causa da transformação socialista. Um outro modo pelo qual Lukács, em *História e consciência de classe*, tenta ultrapassar a malha limitadora da instrumentalidade política é a formulação do *apelo direto* à ideologia e à consciência imputada do proletariado, combinada a afirmações repetidas de que já estão dadas as condições objetivas para a mudança estrutural radical. A "crise ideológica" é o único obstáculo no caminho da realização do grande salto adiante em direção à "nova forma histórica".

Mas o que aconteceria ao discurso do filósofo se o partido, por qualquer razão, fosse incapaz de corresponder ao tipo de determinação moral de sua essência que Lukács nos oferece em *História e consciência de classe*? Claramente, à luz da experiência histórica pós-revolucionária, é impossível continuar a idealizar o partido como a "mediação entre homem e história" etc. Sob as circunstâncias da coletivização forçada e dos julgamentos públicos stalinistas, não é mais possível substituir a realidade contraditória do partido realmente existente – o corpo exclusivo da tomada de decisão do Estado-partido centralizado – por um conjunto de imperativos morais que poderiam soar perfeitamente plausíveis na sequência imediata da Revolução de Outubro de 1917 que se tornou vitoriosa contra desvantagens esmagadoras sob a liderança do partido leninista. Compreensivelmente, portanto, dada a expulsão de Lukács do campo da atividade política direta, como resultado da derrota das suas "Teses de Blum", para não mencionar sua prisão na Rússia de Stalin, a definição eticamente inspirada do partido, no diapasão de *História e consciência de classe*, se torna insustentável aos olhos do próprio filósofo húngaro.

Em vista do seu compromisso irrevogável com o movimento comunista internacional, Lukács tem que, de algum modo, entrar em acordo com os acontecimentos posteriores à sua derrota como líder político – daí sua desconfortável *racionalização* da estratégia stalinista do "socialismo em um só país" até o fim de sua vida, inclusive nas obras em que abertamente critica Stalin[1] –, mas isto é feito de modo qualitativamente diferente da *idealização* exaltada do "sujeito-objeto idêntico" e da "ativa encarnação da consciência de classe proletária" moralmente delegada, em *História e consciência de classe*.

Há alguma resignação nesta mudança de perspectiva a partir do fim da década de 1920. Após a derrota de suas "Teses de Blum", um toque de resignação se torna visível nos escritos de Lukács, não no sentido de que o autor permitisse a alguém lançar uma sombra pessimista de dúvida sobre a viabilidade da prometida transformação radical socialista. É a *escala de tempo* das expectativas de Lukács que muda fundamentalmente, quando se reconhece que a instrumentalidade anteriormente idealizada da revolução como "a ética do proletariado" é problemática.

Esta mudança resignada na escala de tempo esperada é inevitável já que, na visão de Lukács, mesmo após sua saída forçada da política ativa, não pode haver alternativa que substitua a instrumentalidade emancipatória do próprio partido. Nem sequer sob a forma da proposta do estabelecimento de algum contrapeso institucional

---

[1] A resposta de Lukács ao questionário de uma mesa redonda internacional do periódico *Nuovi Argomenti*, acerca do XXII Congresso do Partido Comunista Soviético, com a participação de Paul Baran, Lelio Basso, Isaac Deutscher, Maurice Dobb, Pietro Ingrao, Rudolf Schlesinger, Paul Sweezy e Alexander Werth – é representativa de sua visão a esse respeito:
Desde que passou a onda revolucionária que se desencadeou em 1917 sem instituir uma ditadura estável em nenhum outro país, foi necessário enfrentar a resolução do problema da construção do socialismo em um país (atrasado). Foi neste período que Stalin se revelou um estadista notável e perspicaz. Sua defesa vigorosa da nova teoria leninista da possibilidade de uma sociedade socialista em um país contra os ataques, principalmente, de Trotsky representa, como não se pode deixar de reconhecer hoje, a salvação do desenvolvimento soviético ... O que hoje consideramos despótico e antidemocrático no período stalinista tem uma relação estratégica muito próxima com as ideias fundamentais de Trotsky. Uma sociedade socialista liderada por Trotsky teria sido pelo menos tão pouco democrática quanto a de Stalin, com a diferença de que, estrategicamente, teria se orientado através do dilema: uma catastrófica política de capitulação, ao invés da tese de Stalin – substantivamente acurada –, afirmando a possibilidade do socialismo em um país. (A impressão pessoal que formei com base em meu encontro com Trotsky em 1921 me convenceu de que, como indivíduo, ele era muito mais atraído pelo culto à personalidade do que Stalin.) ... Com todos os seus erros, a industrialização de Stalin foi capaz de criar as condições e os requisitos tecnológicos para ganhar a guerra contra a Alemanha de Hitler. Contudo, a nova situação mundial impõe à União Soviética, no campo econômico, tarefas completamente novas: ela deve criar uma economia capaz de superar, em todas as áreas da vida, o capitalismo mais avançado, o dos Estados Unidos, e elevar o padrão de vida do povo soviético acima do nível americano. Uma economia capaz de prestar toda sorte de ajuda, tanto sistemática como permanente, aos outros Estados socialistas e também aos povos economicamente atrasados em suas vias de emancipação. Para este fim, novos métodos são necessários, mais democráticos, menos burocraticamente centralizados que aqueles que se puderam desenvolver até agora. O XXII Congresso abriu o caminho para um grandioso e variado sistema de reformas. Aqui me limito a relembrar apenas a decisão extremamente importante de que, nas futuras eleições do Partido, 25 por cento dos velhos líderes não podem ser reeleitos.
"8 domande sul XXII Congresso del PCUS", *Nuovi Argomenti*, n. 57-8, julho-outubro de 1962, pp. 117-32. Como sabemos, advogar a ultrapassagem dos Estados Unidos na produção *per capita* já era uma das ideias favoritas de Stalin. Quanto à sugestão de que o deslocamento periódico de 25 por cento dos funcionários do partido deveria ser considerada uma "reforma grandiosa" – uma ideia bastante de acordo com a proposta de Lukács, em *História e consciência de classe*, de solicitar aos próprios funcionários do partido que "se deslocassem" de tempos em tempos – é muito ingênua, para dizer pouco. Tais reformas – mesmo que implementadas, o que de modo algum estava garantido, como testemunham as décadas subsequentes de desenvolvimento – deixam quase intacta a divisão, fundamentalmente não democrática da sociedade, entre líderes e governados.

genuinamente autônomo às tendências burocratizantes deste último, prontamente reconhecidas pelo próprio Lukács. Portanto, diferentemente da perspectiva proposta pelo filósofo húngaro em *História e consciência de classe*, após 1930 não se ouve mais que as condições materiais de uma superação radical do capitalismo efetivamente se realizaram e que a crise ideológica é o único obstáculo no caminho da vitória final. Ao mesmo tempo, é repetidamente afirmado por Lukács, com as mesmas convicção e paixão, que

> apenas sob as condições do socialismo realizado será superada a subordinação do homem à sociedade, abrindo para ele uma relação sujeito-objeto normalmente equilibrada e saudável tanto com seu mundo interior como com o seu mundo exterior.[2]

Após deplorar a "situação paradoxal" de o veio principal da literatura socialista lamentavelmente não dar a menor atenção ao problema central da "Luta pela Libertação", como evidencia o desenvolvimento histórico da arte e da literatura, Lukács escreve, a propósito do tempo necessário para a mudança verdadeiramente radical:

> A dificuldade é demonstrar que as forças capazes de realizar vitoriosamente a luta pela libertação residem no socialismo, na cultura socialista. Contudo, acreditamos que esta dificuldade pertence apenas ao momento histórico dado e, portanto, vista de uma perspectiva histórico-mundial, é transitória. A questão que conclui nossas considerações pertence à perspectiva histórico-mundial. É tarefa da filosofia esclarecer os fundamentos teóricos de tais problemas, mas não é, de modo algum, a de antecipar profética ou utopicamente suas formas e fases concretas de realização ... em termos de transformação histórica desse tipo, não apenas os anos, mas até mesmo as décadas contam muito pouco. ... Para nós, o mais importante é a perspectiva geral do desenvolvimento. Julgados desta perspectiva, os obstáculos subjetivos e objetivos das décadas sob Stalin não são, em última análise, decisivos, pois, apesar de tudo, a tendência principal do desenvolvimento foi o fortalecimento e a consolidação do socialismo.[3]

Assim, já que a estrutura socioeconômica e política das sociedades pós-capitalistas não pode ser submetida a uma crítica radical, Lukács é forçado a optar pela escala de tempo de uma "perspectiva histórico-mundial" levada até seus extremos como um substituto para tal crítica. E ele pode sustentar apenas como uma questão de fé e não como uma posição teoricamente demonstrável a viabilidade da perspectiva adotada. É por isso que ele escolhe, como um dos seus motes favoritos, um dito levemente modificado de Zola: "*La vérité est lentement en marche et à la fin des fins rien ne l'arrêtera*"[4].

Desse modo, Lukács pode divisar uma solução positiva, "no devido tempo", para os problemas e contradições do "socialismo realmente existente" que ele – ou devido aos constrangimentos políticos externos, ou por causa de razões teóricas

---

[2] Lukács, *Aesthetik Teil I: Die Eigenart des Aesthetischen*, Neuwied and Berlin, Luchterhand Verlag, 1963, vol. 2, p. 856.

[3] Id., ibid., pp. 870-1.

[4] "A verdade está lentamente em marcha e no final nada a segurará." Postscriptum 1957 zur "Mein weg zu Marx", in *Georg Lukács: Schriften zur Ideologie und Politik*, ed. por Peter Ludz, Neuwied and Berlin, Luchterhand Verlag, 1967, p. 657 (ed. bras., "Meu caminho para Marx", *in* Chasin, J. (org.,) *Marx Hoje*, São Paulo, Ensaio, 1987, pp. 91-107).

internas – não podia explicitar em termos concretos. Inevitavelmente, portanto, passariam a ocupar posição secundária, ou até desapareceriam desta perspectiva, as tarefas historicamente específicas de mediação prática materialmente efetiva que permitissem avanços, sob as condições estabelecidas, em direção à esperada "solução histórico-mundial" dos problemas candentes da sociedade. A problemática da mediação se mantém viva como uma preocupação da estética e da ética. A "luta pela libertação" se transforma em sinônimo de realização "desta-mundanidade" na consciência, e a emancipação correspondente dos indivíduos do poder da religião; uma luta para a qual, na visão de Lukács, o exemplo paradigmático é fornecido pela longa progressão histórica da arte e da literatura em direção à completa superação da tutela e da dominação da religião.

Por conseguinte, este modo de caracterizar a luta pela libertação carrega a pesada marca da "força da circunstância pós-revolucionária", sob a qual o autor de *História e consciência de classe* e ex-ministro da Cultura e Educação da República dos Conselhos húngara é obrigado a remodelar sua perspectiva original. Ao mesmo tempo, esta mudança demonstra o quanto é problemático avaliar as necessidades e potencialidades do presente (assim como do futuro previsível) na perspectiva orientada-pela-cultura--clássica de Lukács, na qual, cada vez mais, avultam os nomes de Aristóteles, Goethe, Hegel e Thomas Mann[5]. Embora o desenvolvimento histórico-mundial distante de uma humanidade plenamente unificada talvez possa, de fato, superar a necessidade de encontrar na religião "a alma de um mundo sem alma" (como Marx coloca na *Ideologia alemã*), mesmo assim, como questão de inevitável mediação prática entre o passado e o futuro em muitas partes do mundo contemporâneo – da Nicarágua ao Brasil, de El Salvador até a maior parte da África – dificilmente se pode dispensar o potencial emancipatório e a ação combativa de movimentos religiosos profundamente comprometidos com a causa da libertação dos oprimidos da tutela e da dominação de forças políticas e econômicas muito reais.

10.1.2
Em um importante sentido, após a década de 1920, para Lukács o problema permaneceu exatamente como antes. A saber: como provocar um impacto direto na base social (agora pós-revolucionária) por meio da intervenção direta da

---

[5] Significativamente, Goethe fica com a última palavra na *Estética* de Lukács:
Wer Wissenschaft und Kunst besitzt,
Hat auch Religion;
Wer jene beiden nicht besitzt,
Der habe Religion.
(Se você tem Ciência e Arte,
Você tem Religião, também;
Se você não possui ambos,
Deveria ter Religião.)
Eigenart des Aesthetischen, vol. 2, p. 872.
Algo pelo qual Lukács foi muito criticado – sua rejeição categórica do *avant-gardism* – só pode ser entendido em termos da mesma perspectiva. Tal como ele insiste seguidamente:
em um sentido histórico-mundial, a capitulação do vanguardismo diante das amorfas necessidades religiosas contemporâneas – que tende a destruir toda objetividade artística – representa um episódio sem importância no curso do desenvolvimento artístico (ibid., p. 830).

consciência social. De fato, após a consolidação do stalinismo e em vista do fato de ele ter sido forçado a se retirar do campo de tomada de decisão e ação política, a possibilidade de uma mudança positiva passa a ser definida por Lukács mais fortemente do que nunca precisamente nesses termos (falando também da "luta ideológica pela liberdade").

Como resultado da completa stalinização do Comintern e da derrota sofrida pela fração do partido húngaro liderada por Lukács após a morte do excepcional ex-líder sindical Eugene Landler, o autor de *História e consciência de classe* (e das "Teses de Blum") não detém mais qualquer posição de autoridade para intervir nos debates acerca de estratégia política e organização partidária, nem sequer em termos puramente metodológicos. Assim, sua proposta de solucionar os problemas do movimento socialista pelo trabalho da consciência sobre a consciência – uma ideia já proeminente em *História e consciência de classe*, mesmo que ainda associada à questão do mandato moral do partido e da sua capacidade de fornecer o espaço necessário para a realização da "plena personalidade" do seus membros ativos, como vimos acima – se transformou, nas novas circunstâncias políticas, no único caminho a seguir. Como membro dedicado do partido, aceita o papel a ele atribuído nas novas circunstâncias, tomando parte ativa nas inflamadas discussões sobre a política cultural e literária. Mas, com exceção dos poucos dias de outubro de 1956, como ministro da Cultura do Governo Imre Nagy, Lukács nunca mais exerceu papel diretamente político. Nem ele reivindicou o direito a tal papel na sua definição da missão moral e da responsabilidade dos intelectuais. Inquestionavelmente, Lukács confere ao partido a função de formular tanto a estratégia como a política de cada dia. Dos intelectuais nada mais se espera do que um serviço de assessoria à liderança do partido, como nos "Brains-Trust de Kennedy"[6], e que cumpram um papel educacional na sociedade em geral.

---

[6] Em *Lukács' Concept of Dialectic,* refiro-me a uma passagem das pp. 78-9 de *Gespraechet Mit Georg Lukács* (Hamburg, Rowohlt Verlag, 1976 – ed. bras.: Holz, H. H. *et al., Conversando com Lukács,* Ed. Paz e Terra, 1969, pp. 98-9), na qual o autor, um tanto ingenuamente, idealiza os Brains-Trust do Presidente Kennedy como um modelo a ser adotado também nos países socialistas no papel de um corretivo da burocracia. Na visão de Lukács, com o Brains-Trust:
Um novo princípio organizacional apareceu, a saber, a *dualidade* e a coatividade de teoria e prática política, que não mais estão unificadas em uma só pessoa – fato que, se tanto, aconteceu apenas uma vez – mas que, devido à extraordinária ampliação das tarefas, pode ser trazida à realidade hoje apenas em tal *forma dual.*
A realidade, claro, era completamente diferente e eu não pude deixar de sentir, então, que:
Quase todo elemento singular da avaliação de Lukács está desesperadamente desligado da realidade. George Kennan, talvez o melhor cérebro do Brains-Trust de Kennedy, tem uma opinião muito pior desta "forma organizacional". Ele sabe que seu princípio real de funcionamento é: "Deixe seu cérebro e seus ideais para trás ao entrar neste Brains-Trust", se eles diferirem daqueles dos "burocratas de primeiro escalão" (*"hohen Bürokraten"*). Depois de renunciar à equipe de Kennedy, Kennan escreveu que a única ocasião em que estes burocratas não puderam prevalecer sobre ele foi quando doou seu sangue após o terremoto de Skopie: os burocratas não puderam evitar que *aquilo* acontecesse. Além disso, o problema não é saber se temos em abundância homens da estatura de Lenin e Marx. A raridade do talento político intelectualmente criativo não é uma "causa original", mas, antes, o *efeito* de um certo tipo de desenvolvimento social que não apenas evita o surgimento de novos talentos, mas destrói o talento disponível por meio de julgamentos políticos (cf. os numerosos intelectuais e políticos russos liquidados na década de 30), pela expulsão de homens de talento da esfera da política (Lukács, por exemplo), ou por forçá-los à aceitação das estreitas perspectivas políticas

Sob o domínio de Stalin, a relação entre o partido e os intelectuais é muito diferente do modo pelo qual funciona o conjunto do movimento comunista internacional até o final dos anos 20. Desde o Manifesto do Partido Comunista até a consolidação do stalinismo, os intelectuais, que tinham compreensivelmente origem burguesa, puderam exercer um papel muito importante na moldagem da orientação estratégica das forças socialistas. A famosa afirmação de Lenin (frequentemente citada pelo próprio Lukács) de que uma adequada consciência política apenas pode ser trazida "de fora" para o movimento socialista dos trabalhadores pelos intelectuais dedicados do partido se baseia nesse fato histórico. Mesmo nos anos 20, alguns intelectuais de liderança ainda podiam, como figuras políticas, provocar impactos significativos na política do partido com suas intervenções diretas nos debates em andamento. Isto foi assim não apenas na Rússia, mas também nos partidos comunistas dos países ocidentais. É suficiente citar a esse respeito os nomes de Gramsci, Karl Korsch e o próprio Lukács.

O processo de stalinização pôs um drástico fim a toda intervenção crítica dos intelectuais comunistas no processo político. Por amarga ironia, foi um dos próprios políticos intelectuais russos – Grigorii Zinoviev – quem introduziu nos debates do partido a referência aos "professores" como termo ofensivo e automático de desqualificação política. Tal como Bukharin e muitos outros, entre os quais o próprio Lukács, intelectuais e políticos cairiam vítimas dos expurgos stalinistas. Exemplo disso é o V Congresso da Internacional Comunista, no qual Zinoviev dogmaticamente condena Lukács, ameaçando-o de punição, devido à sua visão expressa em *História e consciência de classe*, declarando que

> se alguns mais desses professores vierem e nos ofertarem suas teorias marxistas, então a causa estará mal parada. Não podemos, em nossa Internacional Comunista, permitir que revisionismo teórico desse tipo permaneça impune.[7]

---

da situação dada (por exemplo, o grande talento, pelos padrões mais elevados, de Joseph Révai)... A "forma organizacional", proposta como uma síntese entre teoria e prática, é um postulado meramente utópico. Não passa de uma esperança ingênua esperar que os frustrados burocratas de Kennan abram mão de suas ideias e propostas, assim como é um desejo vazio esperar que a solução dos grandes problemas estruturais do socialismo internacional venha do reconhecimento autoconsciente e voluntário dos primeiros secretários do Partido de que eles não são Marxes nem Lenines. Se for verdade, e é bem possível que seja, que estamos hoje diante de uma "extraordinária ampliação de tarefas" (*"ausserordentliche Verbreitung der Aufgaben"*), mais urgente e vital se torna insistir na interpenetração recíproca de teoria e política, teoria e prática, em vez de oferecer uma justificativa para sua alienação e "necessária dualidade" que idealiza uma forma organizacional, um Brains-Trust inexistente e impraticável. Nada poderia ser mais ilusório do que esperar a solução para nossos problemas do "Brains-Trust" de intelectuais abstratos e políticos estreitamente pragmáticos. A alegada *Verbreitung der Aufgaben* necessita, para sua solução, da interpenetração recíproca de teoria e prática em todas as esferas da atividade humana e em todos os níveis, do mais baixo ao mais alto, e não do beco sem saída dos acadêmicos e políticos do topo. Em outras palavras, a tarefa se impõe pela *democratização e pela mudança radical* de todas as estruturas sociais e não pela remontagem utópica das *hierarquias existentes*.

Mészáros, *Lukács's Concept of dialectics*, Londres, Merlin Press, 1972, pp. 89-91; publicado primeiramente em um volume editado por G. H. R. Parkinson, *Georg Lukács, The Man, His Work and His Ideas*, Londres, Weidenfeld & Nicholson, 1970.

[7] G. Zinoviev, "Gegen die Ultralinken" (1924), *Protokoll des V. Kongresses der Kommunistchen Internationale*, Moscou, 1925. Reimpresso em *Georg Lukács: Schriften zur Ideologie und Politik*, ed. Peter Ludz, pp. 719-26.

Na época das censuras de Zinoviev, Lukács (até poucos anos antes um homem rico) vivia com sua família no exílio sob condições de extrema miséria, dedicando-se completamente ao trabalho partidário – na verdade, ele só se torna professor, pela primeira vez, após seu retorno para a Hungria em 1946. Obviamente isso nada vale quando o interesse da *Gleichschaltung* (uniformização) stalinista considera intolerável a continuidade do debate teórico e político aberto no movimento comunista internacional. A verdadeira tragédia de tudo isso é que durante o processo de liquidação, expulsão e silenciamento stalinista dos intelectuais, a avaliação crítica das estratégias adotadas se torna quase impossível, com as consequências mais devastadoras por muitas décadas futuras não apenas na Rússia, mas indiretamente – pelo efeitos paralisadores do desenvolvimento stalinista – também nos países capitalistas mais avançados do Ocidente. Como resultado dessas mudanças, o autor de *História e consciência de classe* é apenas um dos importantes intelectuais comunistas cuja contribuição política, muito necessária à causa da transformação socialista, é completamente marginalizada.

10.2 A "luta de guerrilha da arte e da ciência" e a ideia da liderança intelectual "de cima"

10.2.1
Lukács conduz pelo resto de sua vida uma luta de guerrilha contra a burocracia partidária, conforme permitem as circunstâncias. Apesar de não poder tratar, nem mesmo indiretamente, das questões das estratégias socioeconômicas e políticas, ele critica – em "linguagem esópica", como coloca mais tarde – alguns dos principais dogmas da política cultural e literária publicamente decretada pelo partido (por exemplo, a concepção zdanovista de "realismo socialista" e "romantismo revolucionário"), mantendo teimosamente também sua própria linha herética em algumas questões filosóficas principais como, por exemplo, em defesa de Hegel – e da dialética em geral – contra as interpretações oficialmente proclamadas. De fato, após retornar para a Hungria, em 1946, ele formulou a teoria atacada por Rudas, Révai e outros no cáustico "debate Lukács" entre 1949-52 – segundo a qual ao escritor deveria ser permitido ser um *guerrilheiro*, em vez de se exigir dele que se comporte como um *soldado raso* do exército que executa a estratégia do partido. No mesmo espírito, como importante princípio geral de sua teoria estética, na qual rejeita abertamente a condenação do partido às suas concepções sobre o direito de o artista ser um guerrilheiro, Lukács, muito mais tarde, em *Die Eigenart des Aesthetischen* escreve que

> o artístico, isto é, esta mundana interpretação de mitos bíblicos, é o resultado de uma *luta de guerrilha*, silenciosa porém tenaz, entre arte e igreja, mesmo que no início não abertamente declarada, e mesmo que talvez nem o produtor da arte nem o consumidor se tornem conscientes desse estado de coisas.[8]

Segundo Lukács, "toda verdadeira obra de arte é uma *antiteodiceia* no sentido mais estrito do termo"[9], e, consequentemente, neste sentido, arte e ciência têm

---

[8] *Die Eigenart des Aesthetischen*, vol. 2, p. 742.
[9] Ibid., p. 837.

muito em comum. E quando declara que "arte e ciência estão em inconciliável antagonismo com a religião"[10], ele reitera seu princípio sobre a simultânea "guerra de guerrilha" e "coexistência" dos artistas e dos intelectuais da ciência com as instituições predominantes da época (o que poderia ser facilmente aplicado ao presente, também), sublinhando que

> esta afirmação teórica não é nem um pouco enfraquecida pelo fato de sua relação ter sido, por longo tempo, caracterizada por um *compromisso de silêncio* junto com uma *irreprimível guerra de guerrilha*.[11]

Mesmo assim, Lukács tem de reconhecer que a margem de ação do guerrilheiro intelectual/cultural é muito limitada em relação aos processos de tomada de decisão do presente. É por isso que ele precisa constantemente se referir à "perspectiva histórico-mundial" e ao "sentido histórico-mundial" dos acontecimentos investigados. Categorias que, em tom de esperança (o *Prinzip Hoffnung* de Lukács), colocam os traços negativos em perspectiva, compensando os desapontamentos do presente.

Inevitavelmente, portanto, na avaliação das questões mais importantes do "que fazer?" e "como fazê-lo?", as respostas de Lukács são formuladas, cada vez mais conforme avança o tempo, no interior da estrutura de um discurso *ético* constantemente anunciado – mas nunca completamente realizado. Nele, a ênfase recai no papel direto dos *indivíduos* de controlar as adversidades e de se emancipar, eles mesmos, da realidade *social* da alienação por meio de suas vitórias sobre seus próprios "particularismos". Veremos os principais ingredientes desse discurso mais à frente neste capítulo. Mas, antes de podermos examinar mais de perto os traços característicos da concepção de Lukács do papel que a ética é chamada a cumprir na transformação socialista da sociedade, é necessário indicar alguns fatores limitantes objetivos da situação do filósofo húngaro, assim como a internalização deles, que o levaram a defender apaixonadamente a solução imperativa ética.

É muito significativo que até os últimos anos da década de 1960, bem depois do discurso de Khruschev contra Stalin, a avaliação de Lukács dos erros da revolução e de como reconstruí-la tenha ficado confinada – com exceção do ensaio sobre a *Democratização*, cuja publicação ficou proibida por vinte anos – estritamente ao campo da cultura. E, mesmo a exceção de 1968, que defende a necessidade da democratização, oferece apenas uma crítica *metodológica* geral ao stalinismo, sem entrar nas questões *substantivas* da estratégia stalinista de "socialismo em um só país", que ele aceita até o fim, sem reservas, como também vimos na nota 1 deste capítulo. O fato de Lukács reiterar, no seu Prefácio de 1967 à *História e consciência de classe*, a oposição anterior entre método e proposições teóricas substantivas, insistindo na validade do conceito marxiano com argumentos puramente metodológicos, adquire significação política neste contexto.

Apesar de seu papel político ser abruptamente interrompido no fim da década de 1920, em virtude da intervenção autoritária da burocracia do Comintern, Lukács se recusa durante décadas a questionar as mudanças socioeconômicas e políticas. Sua crítica do desenvolvimento pós-revolucionário se expressa apenas em relação às con-

---

[10] Ibid., p. 847.
[11] Ibid.

sequências *culturais* negativas dos métodos stalinistas, sublinhando, em sua resposta às "8 perguntas sobre o XXII Congresso do PCUS", que

> hoje [em 1962] a situação é menos favorável do que na década de 1920, quando os métodos de Stalin ainda não estavam aperfeiçoados, nem sistematicamente aplicados a todos os campos da produção cultural ... A grande tarefa da cultura socialista é mostrar aos intelectuais e, por meio deles, às massas, o seu lar espiritual. Nos anos 20, apesar das grandes dificuldades políticas e econômicas, isto foi realizado com sucesso, em larga medida. O fato de tais tendências terem depois se enfraquecido muito na arena internacional é uma consequência do período stalinista.[12]

Assim, a aceitação das mudanças socioeconômicas e políticas das décadas pós--revolucionárias reduzem enormemente a margem de ação do crítico Lukács. Tudo o que ele pode reivindicar é um status *excepcional* para o domínio da criação artística e literária e opor-se – aberta ou apenas implicitamente, conforme a conjuntura o permita – àquelas medidas que tendem a interferir com o desenvolvimento orgânico da cultura que ele defende. A autoridade de Lenin é advogada nesta perspectiva, de acordo com a linha de abordagem que tenta ampliar a margem da atividade cultural relativamente autônoma no espírito do "guerrilheiro". Ele cita escritos de Lenin, publicados muito antes da Revolução de Outubro, sem sequer questionar se a situação pós-revolucionária demandaria um reexame radical das passagens citadas, visto que as circunstâncias se alteraram fundamentalmente.

Dois exemplos devem ser suficientes para ilustrar tanto as grandes dificuldades teóricas de Lukács como as soluções problemáticas que ele adianta para superar as dificuldades em questão. O primeiro diz respeito à relação entre a produção literária e o partido (isto é, a questão da disciplina do partido à qual os intelectuais criativos deveriam ou não se conformar); e o segundo ao papel dos intelectuais em geral no desenvolvimento da consciência socialista e no processo da tomada de decisão na sociedade de transição.

Em sua tentativa de alargar a margem da autonomia da ação do escritor, Lukács frequentemente afirma que o famoso artigo de Lenin sobre a literatura do partido "não se refere absolutamente à literatura criativa"[13]. A evidência a favor desta tese é, na verdade, muito débil: uma carta de Krupskaya na qual, de uma distância de muitos anos, ela conta em suas lembranças que Lenin não pretendia incluir a literatura criativa na categoria de literatura de partido. O texto de Lenin, contudo, diz outra coisa, pois ele se refere, inequivocamente, à questão da "liberdade da *criação literária*"[14], enfatizando ao mesmo tempo que

> não há dúvidas de que a literatura deve ser sujeita a um mínimo de ajustes e nivelamentos mecânicos ... neste campo, deve-se sem dúvida permitir grande espaço à iniciativa pessoal, inclinação pessoal, pensamento e fantasia, forma e conteúdo.[15]

---

[12] *Nuovi Argomenti*, nº 57-8, pp. 130-1.
[13] Lukács, "Solzhenitsyn's novels" (1969), p. 77 de Lukács, *Solzhenitsyn*, Londres, Merlin Press, 1970. A discussão abaixo é tirada da minha resenha de *Solzhenitsyn*, *New Statesman*, 26 de fevereiro de 1971; reimpressa nas pp. 105-14 da edição da Merlin Press de *Lukács's Concept of Dialectic*.
[14] Lenin, "Party Organization and Party Literature" (1905), *Collected Works*, vol. 10, p. 46.
[15] Id., ibid.

E a conclusão de Lenin é que, se o controle *mecânico* não é admissível, o princípio da "literatura de partido" deve, de fato, também se aplicar ao campo da literatura criativa.

Esta questão ilustra graficamente o dilema de Lukács e os limites necessários de sua oposição às teorias e práticas stalinistas. Não somente porque ele usa a autoridade de Lenin em apoio ao seu próprio princípio – que reivindica uma posição privilegiada para a literatura criativa – mas porque sua defesa da literatura contra a interferência burocrática deve assumir a forma de um princípio extremamente problemático. Se Krupskaya e Lukács estivessem corretos neste ponto, Lenin estaria claramente errado. Nada há que se objetar – na Rússia czarista de 1905, quando Lenin publica seu discutido artigo – à ideia de que os escritores criativos, se querem entrar no partido (quando eles são perfeitamente livres para não o fazer) devam aceitar suas responsabilidades nas tarefas comuns, na forma que for adequada ao seu meio de atividade, isto é, a que reconheça a relação especial entre forma literária e conteúdo, assim como a importância de iniciativa pessoal, inclinação individual e fantasia.

A situação é, contudo, radicalmente diferente após 1917, quando o partido não é mais uma minoria perseguida, mas o poder inquestionável do país. Assim, a verdadeira questão não é a da relação entre a literatura e o partido, e sim a da relação entre o partido e a estrutura institucional total da sociedade *pós-revolucionária*. E nenhuma quantidade de liberdade criativa na literatura poderia concebivelmente remediar as contradições desta última. Por exemplo, em sua nobre defesa de Solzhenitsyn contra oponentes que "leem em suas obras ideias políticas extravagantes e lhes creditam um grande impacto político"[16], Lukács propõe, novamente, uma situação especial para a literatura. Sua defesa é baseada no argumento estético de que literatura é política "apenas no nosso sentido de mediação, que frequentemente é muito remoto, já que existem conexões sociais reais entre o nível artístico deste retrato e seu efeito indireto, mas são distantemente mediadas"[17]. Em apoio à sua ideia, ele minimiza desesperadamente o fato de que as obras em questão estão destinadas a ter grande impacto político numa sociedade que, mesmo ao tempo da publicação do ensaio de Lukács sobre os romances de Solzhenitsyn (1969), está muito distante de ter realizado seu anunciado programa de desestalinização. À luz deste exemplo podemos ver claramente que – longe de ser uma acomodação calculada, como sugerem seus críticos burgueses – a internalização dos limites políticos do período stalinista torna-se para Lukács uma genuína "segunda natureza". Até mesmo em 1969, quando deixou de ser real o perigo de consequências brutais para os intelectuais dissidentes, ele não pode recolocar esses problemas em termos diferentes daqueles que, nas décadas do domínio de Stalin, aprisionaram a aspiração crítica socialista de intelectuais como ele.

O segundo exemplo se refere a uma questão de importância fundamental. Como já mencionado, em apoio à sua própria definição do papel e da responsabilidade dos intelectuais, podemos encontrar nas obras de Lukács muitas referências à declaração de Lenin segundo a qual a consciência socialista deve ser trazida "de fora" para

---

[16] Lukács, "Solzhenitsyn's Novels", p. 80.
[17] Id., ibid., p. 81.

o movimento dos trabalhadores. Mesmo em seu ensaio sobre a *Democratização* – escrito quase setenta anos após Lenin ter formulado a ideia em questão –, ela ocupa um lugar central na linha de argumentação de Lukács. Assim, ele argúi que

> qualquer um que esteja disposto a pensar estas questões pode ver que hoje – como já declaramos – a ideia de um movimento democratizador orientado pelo socialismo apenas pode ser trazido à consciência do povo se dirigida, para dizê-lo com Lenin, "de fora"; não pode nela emergir espontaneamente.[18]

Lukács percebe, claro, que há algo de problemático em apegar-se a um princípio sete décadas após sua formulação original, desconsiderando as circunstâncias históricas específicas sob as quais Lenin escreveu sua obra – *O que fazer?* –, na qual aparece a conhecida observação. Curiosamente, contudo, Lukács está convencido de que pode se desembaraçar sem problemas desta dificuldade fazendo da proposição historicamente definida de Lenin um *princípio metodológico geral*. Ele adota esta posição apesar de ter antes reconhecido que a proposição de Lenin foi formulada como orientação estratégica do movimento revolucionário russo em resposta às demandas e limitações de uma conjuntura histórico-política e ideológica específica[19].

Ao invocar o princípio da consciência que vem "de fora", o objetivo de Lukács é assegurar aos intelectuais um papel e uma margem de ação compatível com o significado histórico da tarefa que eles deveriam realizar, que, de acordo com o princípio recomendado, nenhuma outra força social, senão os intelectuais, poderia cumprir. Esta orientação é advogada por Lukács no mesmo espírito com o qual ele sugere, em sua resposta às "8 perguntas sobre o XXII Congresso do PCUS", que se os intelectuais forem capazes de encontrar sua "terra natal espiritual" então "por meio deles as massas" a encontrarão também. Ao mesmo tempo ele aceita – uma infeliz internalização das restrições stalinistas – que nenhuma iniciativa autônoma e genuína com caráter de massa pode surgir sob as circunstâncias sócio-históricas prevalecentes. A iniciativa emancipatória assim se torna sinônimo, no pensamento de Lukács, da intervenção teórica autônoma de intelectuais comprometidos com a causa da transformação socialista. Intelectuais capazes de oferecer o tipo correto de conselho àqueles que, no partido, são de fato – e, na visão de Lukács, corretamente – os responsáveis pela tomada de decisão.

Desse modo, as determinações temporalmente limitadas da orientação estratégica historicamente definida de Lenin tornam-se completamente irrelevantes. Na verdade, um problema do ponto de vista de Lukács, pois, com a desculpa das mudanças nas circunstâncias, os burocratas podem negar aos intelectuais a margem de ação que Lukács procura. Paradoxalmente, esta é a razão pela qual se alinha com a autoridade de Lenin e transforma a orientação sócio-historicamente específica do líder revolucionário russo em princípio metodológico geral. E ele o faz para conferir ao princípio em questão a validade que transcende as – desfavoráveis – condições históricas e circunstâncias políticas dadas.

---

[18] Lukács, *A demokratizálódás jelene és jövöje*, p. 192.
[19] Id., ibid., p. 187.

Independentemente do viés positivo das intenções de Lukács, esta argumentação é fatalmente defeituosa, pois, involuntariamente, ele aceita uma perspectiva que bloqueia o caminho para a solução dos graves problemas e contradições estruturais das sociedades pós-capitalistas ao perpetuar a relação, radicalmente contestável, entre os "intelectuais socialmente conscientes" e a massa "inconsciente" ou "falsamente consciente".

10.2.2

Os críticos do princípio organizacional de Lenin gostam de assinalar que ele o formulou num período em que estava sob "a influência de Kautsky". Isto é completamente injustificado. É verdade que Lenin, de forma aprovadora, cita passagens, em *O que fazer?*, de um artigo escrito por Kautsky em que ele afirma que a "consciência socialista é algo introduzido de fora [*von Aussen Hineingetragenes*] na luta da classe proletária e não algo que emerge espontaneamente do seu interior"[20]. Contudo, Lenin ignora deliberada e completamente os elementos mais problemáticos, no mesmo artigo de Kautsky, da relação entre "ciência e tecnologia" e o proletariado.

O interesse de Lenin em sublinhar o ponto em discussão está, de fato, diretamente relacionado à controvérsia, que tomava conta do partido russo na época em que ele escrevia *O que fazer?*, acerca do tipo de organização política exigida para realizar a revolução socialista sob as circunstâncias brutalmente repressivas do regime czarista. A questão crucial é saber, segundo Lenin, se o objetivo da social-democracia russa deveria ser a criação de uma organização política de *massa* ou a de uma organização mais fechada, capaz de operar com sucesso apesar das pressões, das limitações e dos perigos inseparáveis das condições de clandestinidade a ela impostas. Dadas as circunstâncias do Estado policial czarista, Lenin opta pela organização de *revolucionários profissionais* que podem operar sob as condições de *segredo rigoroso*.

Ao mesmo tempo, Lenin não poderia ser mais claro ao enfatizar que "concentrar todas as funções secretas nas mãos de um número tão pequeno de revolucionários profissionais não significa que caiba a eles '*pensar por todos*' e que os membros de base não terão parte ativa no movimento"[21]. A última coisa que ele estaria disposto a considerar, mesmo sob as circunstâncias históricas prevalecentes (para não mencionar o futuro mais distante), era a perpetuação da divisão entre intelectuais e trabalhadores. Ao contrário, ele insiste, na mesma obra, que

> devem desaparecer por completo *todas as distinções entre trabalhadores e intelectuais*, para não falar das distinções entre carreiras e profissões, em ambas as categorias.[22]

Desse modo, a argumentação de Lukács a favor da necessidade de manter como referência orientadora do *presente*, em 1968, o princípio do "de fora" é desesperadoramente inadequada, por vários motivos.

Primeiro, porque, retirada do seu contexto histórico, ela não reflete corretamente o espírito da obra de Lenin, apenas sua letra – como vimos, nas últimas

---

[20] Lenin, *What is to be done?* (1902), *Collected Works*, vol. 5, p. 384 (ed. brasileira: *O que fazer?*, São Paulo, Hucitec, 1978, p. 31).
[21] Id., ibid., p. 465 (ed. brasileira, pp. 96-7).
[22] Id., ibid., p. 452 (ed. brasileira, p. 87).

citações de *O que fazer?* de Lenin a relação historicamente dada entre intelectuais e trabalhadores é um fato explicitamente questionado com o objetivo de fazer desaparecer as diferenças no curso do avanço revolucionário do movimento.

Segundo, porque a ausência de condições específicas (ou seja, o repressivo Estado policial czarista), a partir da qual Lenin justifica o princípio organizacional recomendado do partido de vanguarda – a organização de um número limitado de revolucionários profissionais que podem trabalhar em segredo rigoroso –, exige uma reavaliação radical do próprio princípio nas sociedades pós-revolucionárias, de acordo com a mudança das condições históricas, em vez de conferir a ele a validade indeterminada de "princípio geral metodológico" como propõe Lukács.

E, terceiro, porque as dificuldades e contradições das sociedades pós-revolucionárias não podem ser superadas pela perpetuação e, num sentido muito importante – no que diz respeito à relação entre intelectuais do partido e trabalhadores –, pelo agravamento das divisões estruturais da ordem social herdada.

- A terceira consideração acima mencionada vem a ser, em nosso entendimento, a mais importante. Após a revolução, quando o partido detém as rédeas do poder e o controle social, não pode mais haver qualquer coisa parecida com o "de fora". Este "de fora"– *vis à vis* às massas de trabalhadores – se transforma simultaneamente no hierarquicamente autoperpetuador *de cima*. Assim, a liderança intelectual não pode ser exercida nas sociedades pós revolucionárias simplesmente "de fora", como acontece sob as circunstâncias de comando capitalista, quando os trabalhadores e intelectuais progressistas são igualmente o objeto deste domínio. Diferentemente, sob as circunstâncias alteradas, a "liderança intelectual" se transforma num *controle político das massas* institucionalizado, exercido *de cima* e imposto com todos os meios à disposição do Estado pós-capitalista. E, claro, esta circunstância negativa, em vista da constituição objetiva e da força determinante das estruturas materiais de poder herdadas, não se torna melhor apenas por ser inevitável na *sequência imediata* da conquista do poder.
- Assim, a nova tarefa histórica é a reestruturação radical das estruturas de poder hierarquicamente dadas, numa genuína base de *massa*, em contraste com a dolorosa perpetuação da divisão da sociedade em mandantes (ou, com um nome mais palatável, líderes) e mandados, em nome de uma necessidade, que se considera inevitável, de introduzir "de fora" do movimento dos trabalhadores a consciência socialista. As medidas estratégicas adotadas, adequadamente justificadas no tempo certo, não podem mais ser consideradas historicamente legítimas. Após a conquista do poder, a consciência socialista não pode ser desenvolvida "de fora", que já não existe, e ainda menos de *cima*, que existe e é contraproducente. A consciência socialista pode apenas ser gerada *de dentro* da base de massa da sociedade pós-revolucionária, pelas *próprias massas*, em resposta às tarefas e aos desafios que elas têm de enfrentar em suas tentativas de solucionar os problemas materiais, políticos e culturais de sua vida cotidiana, por meio do difícil aprendizado e dos processos de ajustamento recíproco à atividade produtiva planejada cooperativamente.

- Claramente, portanto, argumentar a favor do reconhecimento e da confirmação pública desta incontestável mudança do "de fora" para o "de cima", como resultado da conquista do poder, não significa um "apelo" acrítico "à espontaneidade das massas". Caracteristicamente, todos aqueles que têm interesse particular em esconder que seu próprio meio de exercer o controle "de fora" se tornou o equivalente de *impô-lo de cima* gostam de desqualificar, automaticamente, toda preocupação séria com essas questões, dizendo que o simples fato de se levantar a questão já significa uma "capitulação à espontaneidade". Todavia, a questão não é de modo algum "espontaneidade *versus* consciência". É, ao contrário, o desenvolvimento autônomo da consciência adequada às exigências e aos desafios das novas condições. E isto significa não apenas que tal consciência pode ser desenvolvida *de dentro* por aqueles que têm de lutar contra seus graves problemas existenciais. Significa também que, caso se espere o seu sucesso, tanto ao enfrentar as preocupações diárias do povo como a tarefa de reestruturar a ordem socioeconômica dada, esta consciência deve ser articulada não em relação aos objetivos estratégicos genéricos, mas às *tarefas* historicamente *específicas*, de acordo com os parâmetros dinamicamente mutáveis das *formas materiais mediadoras* adotadas que ligam o presente ao futuro.
- A última condição nos leva de volta novamente à necessidade do "*de dentro*", sob as condições das sociedades pós-revolucionárias, pois a estratégia do "de fora" é, quando muito, capaz de habilitar o povo trabalhador a adquirir a consciência – indubitavelmente muito importante – de que é necessário conquistar o poder para mudar significativamente suas condições de vida. No entanto, não pode mostrar às massas populares como construir e administrar a nova ordem social de forma autônoma, já que o sucesso de todo o empreendimento depende exatamente disso. Divisar a *autonomia* dos produtores associados pelo "desenvolvimento" de sua consciência a partir *de fora*, para não mencionar *de cima*, é uma óbvia (e, em suas implicações práticas, totalmente absurda) contradição em termos.

Como sabemos, há nos anais da história uma profusão de evidências que tratam da derrubada de ordens sociais e políticas antiquadas e opressivas. Intelectuais de origem burguesa, como Lukács, que se voltaram contra a classe na qual se originaram, poderiam prestar um grande serviço à causa da transformação socialista se avaliassem tal experiência histórica a serviço da revolução proletária. Contudo, não há absolutamente nenhum precedente histórico de se atacar a tarefa a ser enfrentada pelo agente da reestruturação pós-capitalista. Consequentemente, sob as novas circunstâncias, os intelectuais (especialmente os antigos intelectuais burgueses, cujas condições de vida cotidiana são muito diferentes das das massas populares) sabem *muito menos* acerca "do que fazer" em relação aos problemas específicos das sociedades pós-revolucionárias e as formas materiais mediadoras correspondentes do que as classes trabalhadoras, cujo pão de cada dia é diretamente afetado pelo sucesso ou pelo fracasso das medidas necessárias. Assim, ao contrário da situação anterior à conquista do poder político, os intelectuais não estão, de modo algum, em posição privilegiada no plano do conhecimento com relação às tarefas históricas qualitativamente novas de superação do poder do capital por meio da reestruturação radical da ordem social, econômica e política herdada.

10.3 Elogio da opinião pública subterrânea

10.3.1
Do que se segue, podemos ver o quanto está desamparado até mesmo um grande intelectual como Lukács diante de tais dificuldades. Em uma seção do seu livro sobre a *Democratização,* ele apela ao partido para prestar atenção à "opinião pública subterrânea" das massas. Em apoio à sua reivindicação, Lukács menciona que, de acordo com sua experiência de várias décadas no campo da cultura,

> o sucesso ou o fracasso, o impacto mais profundo ou superficial de livros e filmes etc. dependem muito mais dessa "opinião pública" que da crítica, e menos ainda da crítica oficial.[23]

Ao mesmo tempo ele reconhece que "é muito mais difícil demonstrar o mesmo efeito em questões econômicas"[24]. O único exemplo que ele pode oferecer, e mesmo este apenas passando para os países *capitalistas*, é a eficácia da "operação padrão" de uma disputa trabalhista em estradas de ferro[25]. Apesar de Lukács advogar que o partido deveria prestar atenção a esta opinião pública, ele não vê a necessidade de fazer mudanças institucionais significativas para colocar em prática as visões críticas que emanam de baixo. Ele deseja manter nas mãos do partido o poder soberano de tomada de decisão também nesse aspecto, sem divisar qualquer tipo de garantia institucional que traduza em medidas práticas a "opinião pública subterrânea" que elogia.

Infelizmente, contudo, um exame mais cuidadoso da esperançosa reivindicação, porém institucionalmente longe de assegurada, de Lukács ao partido termina por se revelar completamente equivocada, porque os assuntos em questão são, eles próprios, muito diferentes deste exemplo ilustrativo. No campo da cultura, a "opinião pública subterrânea" das massas populares se afirma (apesar de, mesmo nesse caso, apenas numa extensão muito limitada) por meio de votações individuais, com os seus próprios passos e com o dinheiro do seu bolso, quanto a qual filme ou livro em particular elas aprovam ou rejeitam como indivíduos particulares. No caso de questões econômicas, ao contrário, elas não têm nada análogo à sua disposição.

- Neste terreno, o modelo de Lukács, pelo qual indivíduos isolados, na qualidade de indivíduos autoconscientes, podem – com as consequências radicalmente reformadoras previsíveis – "escolher entre alternativas", simplesmente não funciona, pois, no que ele denomina "assuntos econômicos", a questão não é de modo algum realmente "econômica" mas uma questão de *relações estruturais de poder* politicamente articulada. Ou seja, não é um consumo econômico seletivo, comparável ao consumo cultural seletivo e que permite a recusa dos produtos oficialmente favorecidos. Diz respeito, em primeiro lugar, à *alocação do excedente socialmente produzido*, junto com a embaraçosa definição: *quem o aloca?* A questão de colocar a "opinião pública subterrânea nos assuntos econômicos", analogamente à aceitação ou à rejeição de produtos culturais em oferta, pode apenas surgir

---

[23] Lukács, *A demokratizálódás jelene és jövöje*, p. 171.
[24] Id., ibid.
[25] Id., ibid., pp. 171-2.

mais tarde, com base nas relações de poder existentes. Em outras palavras, pressupõe a redefinição radical da questão vital do *controle* da produção social total na ordem socioeconômica e política existente.

Nesse sentido, esperar que a solução dos graves problemas materiais das sociedades pós-capitalistas surja da resposta simpática do partido à "opinião pública subterrânea em assuntos econômicos" – opinião que, na realidade, é absolutamente privada de recursos materiais seletivamente aplicáveis e amplamente eficazes – está longe de ser realista. Possui o mesmo realismo esperar a reforma radical do sistema capitalista – sua metamorfose em um "socialismo do povo" como os políticos conservadores continuam prometendo – a partir do impacto econômico das "compras" das donas-de-casa (tal como estes mesmos políticos as convidam constantemente a fazer) em supermercados mais ou menos idênticos, controlados em cumplicidade egoísta (cinicamente apresentada como "competição saudável") por um punhado de firmas gigantescas.

É necessário examinar mais de perto esses problemas, em seus próprios contextos, nos capítulos 17, 19 e 20. Aqui, é necessário apenas sublinhar que, no mundo real das sociedades pós-capitalistas, o modo pouco promissor pelo qual a frustrada "opinião pública subterrânea" consegue expressar sua visão das relações de "igualdade" do poder socioeconômico existentes foi capturado numa piada popular mortalmente séria – e nas correspondentes práticas produtivas – segundo a qual "está tudo muito bem: *nós* fingimos que trabalhamos, *eles* fingem que nos pagam". Em outras palavras, o alvo da ironia popular não era uma medida econômica *particular* ou um produto cujos aspectos negativos poderiam ser satisfatoriamente resolvidos pela auscultação simpática da *vox populi* pelo partido. Antes, tratava-se do sistema estabelecido de relações conflituosas entre os trabalhadores e aqueles que efetivamente controlavam tanto a hierárquica divisão social do trabalho como a alocação das recompensas materiais do processo de trabalho.

10.3.2

Tudo isso evidencia uma dificuldade absolutamente fundamental. De fato, o significado do desenvolvimento da consciência socialista nas sociedades pós-capitalistas é perfeitamente claro e as medidas de seu sucesso ou seu fracasso absolutamente tangíveis. A saber, o grau em que as relações sociais emergentes trazem com elas a superação da oposição (e o antagonismo continuado) entre "*Nós*" e "*Eles*" pelo "*Nós*" comunitário. Mas, claro, isto não pode ser apenas uma questão do "trabalho" (não importa quão bem-intencionado) "de consciência sobre consciência" de Lukács, por meio do qual a consciência esclarecida e iluminadora afeta diretamente "de fora" sua consciência-alvo – a consciência das massas populares.

As barreiras entre "Nós" e "Eles" só serão desmanteladas pelo empreendimento prático sustentado que resolve diretamente os candentes problemas existenciais do povo. Quanto à última tarefa, sua realização é viável apenas com base na articulação *autônoma* material/institucional da dimensão-de-controle do processo de trabalho como um todo por aqueles que nele se engajam ativamente. Apenas isso pode fornecer tanto os objetivos como os meios necessários para o autodesenvolvimento da consciência de massa socialista. Rosa Luxemburgo explicou esta questão há muito tempo:

O socialismo não há de, nem pode, ser inaugurado por decreto: não pode ser estabelecido por nenhum governo, por mais admiravelmente socialista. O socialismo deve ser criado pelas massas, deve ser feito por *cada* proletário. Onde se forjam os grilhões do capitalismo, lá devem eles ser quebrados. Apenas isto é socialismo, e apenas assim o socialismo pode vir a ser[26]. *As massas devem aprender a usar o poder pelo uso do poder. Não há outro jeito.*[27]

Com estas relações em mente, torna-se claro que é extremamente problemático que, em 1968, após quase *setenta anos* de *O que fazer?* de Lenin (o que também significa cinco décadas de poder soviético), Lukács tenha ainda de idealizar uma estratégia bem-sucedida para, um belo dia, introduzir "de fora" a consciência socialista para o interior da classe trabalhadora.

Se a questão-chave neste aspecto é a articulação prática das formas materiais e institucionais da produção e do consumo comunitários, por meio da qual, pela primeira vez, se torna possível desenvolver a consciência socialista das massas populares – em relação às tarefas específicas e aos desafios materiais de sua situação –, neste caso a função histórica da estrutura de tomada de decisão "de cima", herdada da velha ordem (inclusive do partido leninista, catapultado à posição "de cima" no processo de conquista do poder), pode agir somente como *parteira* para o nascimento da administração autônoma. Todo o resto – qualquer que seja a sua justificação histórica relativa – pode apenas prolongar as muitas décadas (agora quase todo um século desde *O que fazer?*) durante as quais as raízes da consciência socialista de massa deveriam um dia ser estabelecidas e fortalecidas a ponto de se tornar inabaláveis. Porém, no meio tempo entre os fracassos necessários das tentativas de solucionar estes problemas "de fora" (o que significa: do ponto de vista de uma sociedade autoperpetuante regida hierarquicamente de cima) permanecerá uma clara lembrança do poder continuado do capital numa nova forma, assim como o perigo da restauração capitalista assegurada numa base hereditária enquanto o capital retiver – em qualquer forma que seja – as alavancas do controle sociometabólico.

10.4 A segunda ordem de mediação do capital e a proposta da ética como mediação

10.4.1

Não poderia ser maior o contraste entre a estrutura política da busca da emancipação e os objetivos emancipatórios divisados pelo filósofo húngaro. É por isso que nas obras sistemáticas, escritas nos últimos quinze anos de sua vida, o papel da mediação pode ser atribuído apenas aos imperativos éticos em geral, considerados em conjunto com a intimamente relacionada "luta pela libertação" da arte e da literatura.

A questão da "ação autônoma", em contraste com sua negação pelas formas existentes de dominação, é definida pelo autor de *Eigenart des Aesthetischen* e de *A*

---

[26] Rosa Luxemburgo, *Spartacus*, Londres, Merlin Press, 1971, p. 19.

[27] Id., ibid., p. 27.

ontologia do ser social nos seus termos mais gerais de referência: ele centra a questão no "gênero humano" na qualidade de "senhor do seu próprio destino". Assim, o sujeito de tal ação verdadeiramente autônoma não é mais uma classe social historicamente identificável – como vimos em *História e consciência de classe*, em referência ao proletariado e seu "ponto de vista da totalidade" –, mas a humanidade em geral. Nem há muito espaço nesse discurso para a "missão moral do partido", visto como corporificação consciente e portador ativo do ponto de vista do proletariado da totalidade que a tudo emancipa. O grande obstáculo a ser superado é a "transcendência absoluta" (religiosa ou secular), e a própria esfera da ação autônoma é celebrada como a realização "dessa-mundanidade" (*Diesseitigkeit*). Lukács nos diz que

> desde que a criatividade artística *por-ela-própria* ... rejeita toda *transcendência absoluta*, encontramos na categoria *dessa-mundanidade* a expressão mais profunda da afirmação do mundo pela humanidade, sua autoconsciência de que – na qualidade de gênero humano – ela é *senhora do seu próprio destino*.[28]

Desse modo, Lukács permanece sempre fiel à perspectiva marxiana da transformação socialista radical, mas em termos de referências temporais cada vez mais distantes. Como já se tinha comprometido completamente com a procura de soluções na margem de ação criada pelo elo mais fraco da cadeia e, subsequentemente, pelo "socialismo em um só país", ele não tem mais liberdade de questionar em termos substantivos as determinações e consequências fatais dessa margem de ação para o movimento socialista historicamente dado. Continuou a expressar suas reservas em termos estritamente *metodológicos*, combinadas com o nobre apelo moral à perspectiva última da "humanidade senhora do seu próprio destino". A questão candente de como fazer os *trabalhadores* nas sociedades pós-capitalistas se tornarem "senhores do seu próprio destino" não é sequer levantada. Quando o é, subsume-se imediatamente às considerações metodológicas abstratas sobre o fato de Stalin subordinar a "teoria à tática", ou a sua "rude manipulação" da sociedade, em contraste com a "manipulação sutil" com que Lukács caracteriza o capitalismo contemporâneo. Não é de modo algum surpreendente, portanto, que a lacuna assustadora entre o "socialismo realmente existente" e sua visão da humanidade plenamente emancipada só possa ser coberta pelo postulado da ética como mediação. Assim, no mesmo espírito que vimos na última citação, o autor de *Eigenart des Aesthetischen* insiste que

> a Ética é o campo fundamental da luta crucial que a tudo decide entre *esta-mundanidade* e *outra-mundanidade* (*Jenseitigkeit*), da superação e da preservação reais da particularidade humana. Portanto, o problema que emerge a este respeito pode ser respondido com propriedade apenas em uma Ética.[29]

A promessa de elaborar tal ética é um tema recorrente nos escritos de Lukács dos últimos quinze anos de sua vida. Este projeto se originou, de fato, muito antes no passado, como vimos acima, e jamais chegou a ser, mesmo que remotamente, executado nem completamente abandonado, como testemunha a *Versuche zu einer Ethik*, publicada postumamente. Veremos na seção 10.5 o quanto foi problemático o empreendimento desde o seu início, quando a estrutura filosófica kantiana

---

[28] Lukács, *Eigenart des Aesthetischen*, vol. 2, p. 831.
[29] Id., ibid., pp. 836-7.

ainda condicionava pesadamente a visão de Lukács da ética em sua fase "hegeliana kierkegaardizada" de desenvolvimento; e ainda mais paradoxalmente quando, em 1956, ele seriamente embarcou novamente no caminho de enfim realizar seu projeto havia muito acalentado. Agora deveremos ver brevemente como Lukács tenta enfrentar o problema da alienação em sua *A ontologia do ser social* postulando a intervenção mediadora e emancipadora da ética.

Distanciando-se da identidade sujeito-objeto, defendida em *História e consciência de classe*, Lukács relembra que, na tentativa hegeliana de elucidar a relação entre liberdade e necessidade – definindo sua reciprocidade ao dizer que "a verdade da necessidade é a liberdade"[30] –, "a substância é transformada em sujeito na passagem para o sujeito-objeto idêntico"[31]. Encontramos algo similar na *Ontologia* de Lukács, ainda que ele não proponha explicitamente uma nova identidade sujeito-objeto. Apesar de tudo, apesar de não ser mais sugerido que o proletariado seja o sujeito-objeto idêntico da história, Lukács reitera a ideia, de forma alterada, em relação ao "trabalho como o sujeito que propõe". Ele discute a realidade em termos de uma *causalidade dual*: 1) a série de *"postulados teleológicos"* realizada pelo trabalho e 2) a cadeia de *causas e efeitos* colocada em movimento pelos objetivos postulados pelo trabalho. Trabalho no seu sentido mais geral é o sujeito-objeto idêntico do mundo da postulação teleológica, por meio da qual é criada a "história na qualidade de realidade ontológica do ser social"[32]. Nesse sentido, não somente é criada a espécie humana (inseparavelmente, claro, dos indivíduos), mas também a própria *realidade* que, na natureza, existe apenas como *possibilidade*.

Sem que se transforme esta *possibilidade* existente do *natural* em *realidade*, todo objeto é condenado a ser infrutífero, impossível. Mas não se reconhece aqui *uma espécie qualquer de necessidade*, mas somente uma *possibilidade latente*. Não é uma necessidade cega que se torna consciente, mas uma *possibilidade latente*, que sem o processo de trabalho permaneceria latente para sempre e que, mediante o trabalho, é elevada à esfera da realidade. Este, porém, é apenas um lado da possibilidade no processo de trabalho. O momento da transformação *dos sujeitos que trabalham*, sublinhado por todos aqueles que realmente compreenderam o trabalho, é, sob a perspectiva ontológica, substancialmente um *revelar-se sistemático de possibilidades* que estavam previamente dormentes no homem como meras possibilidades.[33]

Desta caracterização da relação entre "mera possibilidade" e poder criador-de--realidade da "postulação teleológica", Lukács deduz uma concepção de liberdade de que passa diretamente a fazer uso ético. Ele insiste em que o aspecto mais importante desse processo diz respeito "àqueles efeitos que o trabalho faz surgir no próprio homem que trabalha: a necessidade do seu autocontrole, sua constante

---

[30] Como Hegel coloca: "Esta verdade da necessidade, portanto, é a Liberdade: e a verdade da substância é a Noção – uma independência que, apesar de se repelir em distintos elementos independentes, ainda nesta repulsão é idêntica a si mesma, e no movimento da reciprocidade permanece comodamente inativa e conversando consigo mesma". Hegel, *Logic*, trad. por William Wallace, Oxford, The Clarendon Press, 1975, p. 220.

[31] Lukács, *The Ontology of Social Being: Labour*, Londres, Merlin Press, 1980, p. 121.

[32] Id., ibid., p. 134.

[33] Id., ibid., pp. 123-4.

batalha contra seus próprios instintos, emoções etc. ... este autocontrole do sujeito é um traço permanente do processo de trabalho"³⁴. Naturalmente, o único modo de manter o "autocontrole do sujeito" como "característica permanente do processo de trabalho" é nos abstrair, como faz Lukács, da *realidade* do processo de trabalho sob o comando do capital (incluindo o sistema do capital de tipo soviético), quando falar de "autocontrole" do trabalho não tem qualquer relação com as condições de controle alienado tiranicamente impostas sobre os sujeitos que trabalham.

Esta abstração é necessária para os próprios objetivos de Lukács, inseparáveis do papel que ele deseja atribuir à ética. Neste contexto, ele realiza seu objetivo teórico 1) ao descrever "o sujeito que trabalha" como trabalho em geral (ou a raça humana em si, identificada sem problemas com seus membros individuais), e 2) ao apresentar a forma da consciência – tal como em *História e consciência de classe* onde, como vimos, o proletariado poderia ser tratado como consciente mesmo quando "completamente inconsciente" – que pode ser rapidamente conciliada, na busca do nobre objetivo ético, com a ausência real de consciência. É assim que ele discute a questão:

> Mas já no trabalho se trata de muito mais [que uma similaridade formal entre trabalho e ética]. Independentemente do grau de consciência que dele tenha o executor do trabalho, neste processo [o trabalho] ele produz a si mesmo como membro do gênero humano e, portanto, como o próprio gênero humano. Pode-se mesmo dizer que o caminho do autocontrole, a série de lutas que conduz do determinismo natural dos instintos ao autodomínio consciente é a única via real para se alcançar a liberdade humana real. ... a conquista do domínio sobre si mesmo, sobre sua própria natureza originalmente apenas orgânica, é sem dúvida um ato de liberdade, um fundamento da liberdade para a vida humana. Aqui encontramos o caráter da espécie no ser humano e na liberdade: a superação do simples mutismo orgânico, sua evolução para a espécie articulada, que se autodesenvolve, do homem que se forma num ente social é, do ponto de vista ontológico-genético, o mesmo ato de nascimento da liberdade. ... a liberdade mais espiritualizada e elevada deve ser conquistada com os mesmos métodos do trabalho original, e o seu resultado, mesmo que num nível muito mais alto de consciência, tem em última análise o mesmo conteúdo: o *domínio do indivíduo que age, de acordo com a natureza de sua espécie, sobre a sua simples individualidade natural e particular.*³⁵

Assim, em seu discurso sobre o trabalho em geral, oculta-se o círculo vicioso da segunda ordem de mediações do capital – interposta entre os sujeitos existentes que realmente trabalham e os objetos de sua atividade produtiva. Seu lugar é tomado pela ideia de que o "*trabalho* constantemente interpõe toda uma série de mediações entre o homem e o objetivo imediato que ele se propõe a realizar"³⁶. Abstraindo-se a relação de forças e sua cruel coação no processo de trabalho historicamente criado e realmente existente, isto é claramente verdade, mas esta verdade abstrata é totalmente invalidada pelo modo de controle e pela força mediadora absoluta-

---

³⁴ Id., ibid., p. 134.
³⁵ Id., ibid., pp. 135-6.
³⁶ Id., ibid., pp. 101-2.

mente destrutiva do capital, que exigem uma avaliação qualitativamente diferente. Ainda mais porque o círculo vicioso das mediações controladoras se interpõe entre os sujeitos que trabalham e sua atividade produtiva também no sistema do capital pós-capitalista. Sobre este último, contudo, em parte por razões políticas, em parte por razões teóricas internas, Lukács não pode falar.

> Mesmo a forma mais primitiva do trabalho, que postula a utilidade como o valor de seu produto, e é diretamente relacionada à satisfação de necessidades, coloca em movimento, no homem que o realiza, a *intenção objetiva* que – independentemente da extensão em que isto é adequadamente concebido – leva ao desdobramento real do desenvolvimento superior do homem. ... não pode haver ato econômico – do trabalho rudimentar até a produção puramente social – que não tenha sob ele *uma intenção ontológica imanente para a humanização do homem* no sentido mais amplo do termo.[37]

O objetivo desta abordagem é fornecer o fundamento ontológico para o discurso de Lukács sobre as obrigações éticas dos indivíduos que têm condições de escolher entre alternativas reais que lhes permitam emancipar-se, como indivíduos particulares, do poder da alienação. Esta é a razão pela qual ele também insiste em que "mesmo a economia mais complicada é uma resultante de *postulações teleológicas individuais* e de suas realizações, ambas na forma de *alternativas*"[38]. O fato de as alternativas serem nulificadas – não pela "rude" ou "sutil manipulação", mas *pelo modo necessário de operação* dos sistemas do capital em todas as suas formas – há de ser considerado secundário ou irrelevante em um discurso ansioso por assegurar o sucesso da luta contra o poder da alienação, graças à escolha da alternativa correta, feita pelos indivíduos particulares em suas lutas contra os seus particularismos alienados, no âmbito das suas vidas cotidianas.

10.4.2
Percebe-se a vitória sobre a alienação quando se colocam em relevo as categorias da "possibilidade" e do "dever", dirigidas por Lukács aos indivíduos particulares com rigor ético inexorável. Isto está claramente expresso em *A ontologia do ser social,* quando Lukács argumenta que, apesar dos parâmetros sociais gravemente limitadores da alienação,

> é uma *possibilidade* real para todo indivíduo singular – do ponto de vista do desenvolvimento de sua personalidade real – e seu *dever íntimo* conquistar, autonomamente, a vitória sobre sua própria alienação, independentemente de como se tenha constituído esta alienação. ... o papel da ideologia na conquista da vitória dos indivíduos sobre seus próprios modos de viver alienados talvez nunca tenha sido maior do que nesta era presente de sutil manipulação desideologizada.[39]

Em Lukács, esta forma de abordar o problema é inevitável, em vista da sua avaliação do desenvolvimento pós-capitalista, pois ele tanto deseja lutar contra a alienação

---

[37] Id., ibid., pp. 86-7.
[38] Id., ibid., p. 83.
[39] Lukács, *A társadalmi lét ontológiájáról, Sziztematikus fejezetek* (A ontologia do ser social, capítulos sistemáticos), Budapeste, Magvetö Kiadó, 1976, vol. 2, pp. 786-7.

sob as circunstâncias existentes como é impedido de fazê-lo pela sua teorização das condições realmente prevalecentes de desenvolvimento. Ele nunca se dispôs a abandonar a ilusão de que, como resultado da quebra histórica "no elo mais fraco da cadeia", uma *sociedade essencialmente socialista* esteja em processo de construção, não importa o quanto se tenha tornado problemática em alguns aspectos. Em relação a esta questão fundamental, a sabedoria burguesa terminou com um fiasco inglório, pois previa, desde o começo, um rápido colapso e, repetidamente no período da NEP, um retorno ao capitalismo. ... O fato importante é que, apesar de todos os seus traços problemáticos, uma *nova sociedade* está sendo construída, com *novos tipos humanos*. ... continua, de um modo *objetivamente irresistível*, a transformação do povo da velha sociedade de classes em seres humanos que se sentem e agem como socialistas, apesar das distorções, fraquezas, da redução do ritmo do processo e dos obstáculos criados pela rude manipulação de Stalin.[40]

Até mesmo a expropriação política repressiva do trabalho excedente, sob as condições da sociedade pós-revolucionária "essencialmente socialista", é transfigurada e idealizada nesta visão, apesar do modo autoritário e hierárquico de controle da produção e distribuição sob o sistema de capital pós-capitalista com todas as suas dolorosas iniquidades e diferenciações. Neste sentido, o autor de *A ontologia do ser social* nos diz que "o socialismo difere das outras formações sociais 'apenas' no fato de que nele a sociedade em si, a sociedade em sua totalidade, é o único e exclusivo *sujeito* da apropriação; consequentemente, esta forma de apropriação deixa de ser um princípio de diferenciação da relação entre indivíduos particulares e grupos sociais"[41]. É então inevitável que, nos limites de sua concepção, a margem de intervenção crítica sobre o atual processo social deva ser extremamente estreita, mesmo que Lukács permaneça firmemente convencido de que os indivíduos particulares ainda estejam muito distantes de realizar as possibilidades inerentes ao fato de "pertencerem à espécie" e os deveres que emanam deste fato.

Lukács oferece a correção das tendências negativas reconhecidas parcialmente em termos *metodológicos* e parcialmente no plano em que ele considera ser possível uma ação *individual* autoemancipadora. Reafirma-se a "necessidade histórica" dos acontecimentos pós-revolucionários sob Stalin, em função dos agressivos planos de guerra de Hitler. Este fato é limitado pela crítica metodológica segundo a qual "conteúdos diários e tópicos foram rigidamente transformados em dogmas"[42]. Como acontecera antes, também em *A ontologia do ser social* Lukács repetidamente sublinha que está preocupado apenas "com o método ... a predominância da tática sobre a teoria"[43]. Também em relação ao presente, ele pode apenas oferecer, como saída para as dificuldades encontradas, o conselho de um "retorno teórico e metodológico a Marx", ao contrário das "conclusões teóricas adotadas apressadamente"[44].

---

[40] Id., ibid., p. 777.
[41] Id., ibid., p. 248.
[42] Id., ibid., p. 319.
[43] Id., ibid., p. 561. Lukács também acrescenta na mesma página que "nós não discutimos se as decisões táticas foram corretas ou falsas. O importante é que o ponto de partida de Stalin sempre foi tático".
[44] Id., ibid., p. 320.

Quanto à postulada autoemancipação dos indivíduos, o diagnóstico de Lukács do estado de coisas existente e da margem de ação disponível é teoricamente baseada na afirmação de que

> o *desenvolvimento econômico objetivo* tornou *ontologicamente viável* para o gênero humano a *possibilidade* de estabelecer seu ser-para-si.[45]

Contudo, a "viabilidade ontológica" da "possibilidade da humanidade para-si" aqui afirmada constitui um terreno extremamente frágil. Ainda mais porque as vitórias do "desenvolvimento econômico objetivo" – assim como aconteceu na época em que ele redigia *História e consciência de classe*, quando fomos informados de que as condições materiais da emancipação humana estão "geralmente satisfeitas" e de ser a "crise ideológica o único obstáculo" – são incrivelmente exageradas por Lukács, para que ele possa estabelecer a viabilidade do seu discurso ético sobre escolha individual entre alternativas. Pois o "desenvolvimento econômico objetivo" realmente realizado sob o comando do capital trouxe não apenas um avanço material (e, mesmo isto, de modo extremamente discriminatório e iníquo para a enorme maioria da humanidade), mas também a condição trágica de as "*possibilidades*" de emancipação – uma categoria absolutamente central no discurso de Lukács[46] – terem sido transformadas em *realidades destrutivas*. Como resultado, o aspecto dominante do capital plenamente desenvolvido não é o de "emancipador em potencial", mas o de verdadeiro *coveiro* da humanidade. Assim, a situação objetivamente existente – e não a "realidade" idealizada projetada por Lukács, como se emergindo das possibilidades abstratas de sua perspectiva esperançosa – é muito mais grave do que a que poderia ser enfrentada por qualquer porção, por maior que fosse, de oposição individual ao "manipulado consumo de prestígio", por meio do qual, de acordo com a sua visão, as pessoas "são fixadas ao seu particularismo"[47].

Apesar de tudo, no frágil terreno da "viabilidade ontológica da possibilidade da humanidade para si" postulada por Lukács, ele insiste em que

> o caminho para uma vitória real e ideologicamente bem concebida sobre a alienação está hoje – em perspectiva – mais bem pavimentado do que em qualquer época anterior. ... depende do próprio indivíduo decidir se vive de modo reificado e alienado ou se deseja tornar realidade, com seus próprios feitos, sua personalidade real.[48]

Em aguda oposição à "imediaticidade reificada da mera aparência", o conceito de "processo" desempenhou um papel muito importante em *História e consciência de classe*. O mesmo é verdade para *A ontologia do ser social*. Ele insiste repetidamente que a "alienação, em termos de ser, nunca é um estado de coisas, mas sempre um processo"[49]: "a imediaticidade dada da alienação é mera aparência"[50]. Assim, segundo ele, a luta contra o processo de alienação "impõe aos indivíduos a *tarefa* de alcançar

---

[45] Id., ibid., p. 332.
[46] É incontável o número de vezes em que a categoria da possibilidade aparece em *A ontologia do ser social*. Lukács argumenta, para citar uma sentença típica a este respeito, que a luta dos indivíduos contra sua própria alienação "pode influenciar potencialmente o desenvolvimento social e, sob certa condições, é possível a ela obter peso objetivo significativo" (ibid., p. 768).
[47] Id., ibid., p. 739.
[48] Id., ibid.
[49] Id., ibid., p. 624.
[50] Id., ibid., p. 625.

novas decisões e de traduzi-las na prática"[51]. De fato, esta tarefa de "emancipar-se da própria alienação"[52], em sua visão, pode ser vivida conscientemente pelos indivíduos interessados mesmo quando não é perseguida por eles com plena consciência, pois "a arma mais forte contra a alienação à disposição do indivíduo é a convicção que modela o conteúdo da sua vida – que pode não ser mais do que um sentimento vago ou um pressentimento – de que o caráter da própria espécie [do qual podem participar] é um existente real"[53].

Evocando Goethe e Schiller (não como ideais estéticos para serem seguidos pela literatura contemporânea, mas como originadores de algumas mensagens ontológicas eticamente válidas), o autor de *A ontologia do ser social* descreve o indivíduo exemplar digno do grande desafio ético como um homem que tem "suficiente discernimento, força de decisão e coragem para rejeitar dele próprio todas as tendências à alienação"[54], relembrando o *dictum* kantiano de que "dever implica poder". Na visão de Lukács, não pode haver meios de evitar a responsabilidade inseparável do desafio de que "na vida cotidiana ... todo indivíduo singular que esteja em contato com outros indivíduos deve decidir *a favor ou contra suas próprias alienações*"[55]. A perspectiva social adotada pelos indivíduos, no seu esforço para enfrentar sua própria alienação, pode muito bem ser uma perspectiva *trágica*[56]. Como sabemos, vem de muito longe, no passado, a convicção de Lukács, herdada de Hegel, acerca da inevitabilidade da "tragédia na esfera do ético". Aos seus olhos, o que decide a questão é que, com a ajuda da perspectiva positiva recomendada (repetidamente colocada em contraste com a esperança), o indivíduo pode *"internamente* elevar-se acima da sua própria particularidade, entrelaçada e atolada na alienação"[57].

Assim, não se permite às mediações materiais paralisantes do sistema do capital realmente existente lançar sua sombra sobre a crença do autor no modo apropriado de se obter a vitória sobre a alienação. Sua atenção se concentra, ao contrário, no possível papel que a ética possa desempenhar de inspirar os indivíduos a "se elevarem internamente acima dos seus particularismos alienados" na vida cotidiana. Este modo de evitar o círculo vicioso da mediação material do capital, por meio da postulada intervenção da "ética como mediação", combina-se com outro postulado no papel de um tipo medíocre de sujeito social que emerge dos muitos protestos individuais contra a "manipulação". Diz-se dele que toma a forma da "aversão dos muitos indivíduos (ou pequenos grupos) condensados num movimento de massa"[58]. Como prova da emergência desse novo modo de confrontar a alienação, no espírito da sua perspectiva positiva, o autor de *A ontologia do ser social* pode apenas oferecer, numa forma reminescente do *Homem unidimensional* de Marcuse e outros

---

[51] Id., ibid.
[52] Id., ibid.
[53] Id., ibid.
[54] Id., ibid., p. 734.
[55] Id., ibid., p. 735.
[56] Id., ibid., p. 758.
[57] Id., ibid.
[58] Id., ibid., p. 809.

escritos, uma superestimação fantástica do movimento estudantil, ao projetar que "a integração social da revolta de muitos indivíduos produz um *movimento de massa* suficientemente forte para assumir a luta contra os fundamentos existentes das alienações humanas"[59]. Em *História e consciência de classe*, o trabalho, na forma da classe trabalhadora historicamente existente com sua "consciência atribuída" totalizante, era representado como o sujeito social da emancipação. Em *A ontologia do ser social*, o trabalho aparece como o fundamento da "postulação teleológica" em geral e o "modelo de toda liberdade"[60]. Este é o fundamento teórico por meio do qual se espera que a "escolha entre alternativas" dos indivíduos – a favor ou contra sua própria alienação – cumpra o papel de mediação emancipadora da ética num mundo preso no círculo vicioso das mediações de segunda ordem do capital.

10.5 A fronteira política das concepções éticas

10.5.1

Como podemos ver, há muito de resignação nesta visão, apesar do apelo ao *pathos* de sua perspectiva fundamentalmente positiva. Às vezes, sua nostalgia do passado combativo do movimento da classe trabalhadora – que resultou, na época, em sua própria conversão ao marxismo e inspirou o volume de ensaios *História e consciência de classe* – transpira claramente em *A ontologia do ser social*, quando Lukács compara as condições presentes de existência àquelas do período do turbilhão revolucionário. É assim que ele resume a diferença:

> O elo objetivo espontâneo entre a luta de classes diária, por objetivos econômicos imediatos, e as grandes questões, de como seria possível tornar a vida humana plena de significado para todos, foi sem dúvida uma das razões principais pelas quais, naqueles dias, o movimento da classe trabalhadora exercia um poder irresistível de atração bem além das fronteiras do proletariado. Naturalmente, há confrontos em torno de questões socioeconômicas também na sociedade contemporânea. Contudo, na maior parte dos casos falta precisamente o *pathos* dos primeiros movimentos da classe trabalhadora. Isto ocorre porque, nas atuais circunstâncias, os objetos em disputa nos países capitalistas avançados já não possuem o mesmo significado direto para o processo elementar de vida e destino da grande maioria dos trabalhadores.[61]

Não é necessário dizer que este diagnóstico é problemático em relação às classes trabalhadoras dos países capitalistas mais avançados, para não mencionar o fato de que, mesmo que fosse correto, ainda deixaria de considerar os quatro quintos da população mundial socialmente oprimidos e, em termos econômicos, monstruosamente prejudicados. Contudo, importante no presente contexto é que o tom nostálgico da última citação indica uma retirada da política, mais forte do que em qualquer outro texto de Lukács.

---

[59] Id., ibid., p. 741. E, na página 809 do mesmo livro, Lukács afirma que "a revolta dos estudantes está se transformando em um movimento de massa internacional".

[60] Id., ibid., p. 136.

[61] Id., *A társadalmi lét ontológiájáról*, vol. 2, pp. 791-2.

Isto está em contraste nítido não apenas com a visão sustentada por Lukács nos anos 20, mas também com suas elevadas expectativas – nos anos imediatos do pós-guerra – acerca das transformações sociopolíticas nas "democracias populares", como vimos na seção 6.4.2. Na passagem citada na página 371, extraída de uma conferência apresentada no final de 1947, ele afirmava que "agora se participa das interações da vida privada com a pública como *sujeito ativo* e não como *objeto passivo*". Em contraste, em seu ensaio sobre a *Democratização*, ele teve que admitir que nos regimes pós-revolucionários "as massas trabalhadoras perderam sua característica de *sujeitos* da tomada de decisão: elas se tornaram novamente *meros objetos* do cada vez mais poderoso e ubíquo sistema burocrático de dominação, que regula todos os aspectos de suas vidas"[62]. E, mesmo que as profundas razões objetivas, que explicam como se tornou possível terminar com a reversão completa das expectativas socialistas originais, jamais tenham sido investigadas por Lukács, que se limitou a condenar a "burocratização" e os métodos stalinistas de "rude manipulação" (nenhum dos quais pode ser considerado uma explicação causal séria), isto não altera o fato de que a perversão reconhecida dos ideais socialistas foi um golpe terrível na perspectiva positiva lukácsiana. No passado, esta era uma parte integrante das expectativas positivas de todos aqueles que permaneceram na órbita da "revolução no elo mais fraco" – uma expectativa fortemente reafirmada após o discurso secreto de Khruschev contra Stalin –, de que os acontecimentos socialistas no Oriente exerceriam um grande "poder de atração" sobre as classes trabalhadoras dos países capitalistas ocidentais mais avançados, ao invés de se constituírem num terrível embaraço, como de fato terminou por acontecer com o "socialismo realmente existente" (considerado socialista até mesmo na última obra completa de Lukács, *A ontologia do ser social*, como vimos acima).

O afastamento da política nos últimos quinze anos da vida de Lukács é uma questão complicada. Não é simplesmente uma consequência da deportação e dos ataques que sofreu após 1956. Paradoxalmente, ele adota a posição mostrada em suas últimas obras principais precisamente para permanecer fiel à perspectiva aberta pela revolução no elo mais fraco, não importa o quanto fossem desfavoráveis as circunstâncias políticas e formas organizacionais associadas a ela no presente. Assim, *A ontologia do ser social* é uma tentativa de demonstrar, no que diz respeito ao contínuo desenvolvimento objetivo, "o avanço irresistível para a realização da humanidade para-si", e subjetivamente a validade indiscutível da integral "dedicação à causa do socialismo"[63], até mesmo quando a "grande causa" parece haver desertado daqueles

---

[62] Id., *A demokratizálódás jelene és jövöje*, p. 160.

[63] Id., *A társadalmi lét ontológiájáról*, vol. 2, p. 772. Este problema é discutido longamente nas pp. 773-8 do volume 2.
Encontramos o ancestral intelectual da ideia de se dedicar sem reservas à grande causa em *História e consciência de classe*, quando Lukács fala sobre o "compromisso ativo da personalidade total" (p. 319). Contudo, a grande diferença é que, em *História e consciência de classe*, a ideia é diretamente ligada ao partido, e ele insiste que sua condição de realização "é a disciplina do Partido Comunista, a absorção incondicional da personalidade total na práxis do movimento" (p. 320; ed. port., p. 327-8). Em *A ontologia do ser social*, ao contrário, Lukács admite não somente que a dedicação a uma causa progressista possa assumir formas alienadas como também, "mesmo que excepcionalmente, que, apesar de tudo, seja possível que algumas pessoas se identifiquem com causas sociais regressivas de um modo subjetiva e humanamente autêntico" (p. 773).

que acreditaram nela em virtude do desenvolvimento truncado e da "rude manipulação" ocorrida na esfera da tomada de decisão política. Esta é a última linha de defesa de Lukács para a perspectiva que ele recebeu de Outubro de 1917 e manteve até o fim, contra toda adversidade.

Aqui relembro uma conversa que tivemos no verão de 1956, quando Lukács falou do plano de finalmente escrever sua *Ética*. Argumentei que ele jamais seria capaz de escrevê-la, já que a pré-condição para enfrentar os agudos problemas da ética seria realizar uma crítica radical da política pós-revolucionária, o que era absolutamente impossível nas circunstâncias. Reafirmei esta convicção em um ensaio sobre Lukács – "Le philosophie du *tertium datur* et du dialogue co-existentiel"[64] –, escrito em 1958, e subsequentemente reimpresso em alemão, no *Festschrift*[65], dedicado a ele no seu octogésimo aniversário, em 1965. Com referência ao antigo plano tão querido a Lukács, escrevi em meu ensaio que "Ele ainda alimenta a intenção [de escrever sua ética], realização que não se tornará possível sem uma *mudança fundamental* nas condições presentes, ou então *os problemas de sua ética terão que ser confinados às esferas mais abstratas*"[66]. O esboço geral da *Ética* – com o título *Die Stelle der Ethik im system menschlichen Aktivitäten*, "O lugar da ética no sistema de atividades humanas" – foi elaborado por Lukács logo após a finalização da sua *Estética*, como ele descreveu em uma carta de Budapeste, datada de 10 de maio de 1962. Vinte meses mais tarde, contudo, quando perguntei, em uma carta, como estava indo a sua *Ética*, ele reclamou que avançava "muito lentamente. Provou-se necessário que eu primeiro escrevesse uma longa parte introdutória sobre a ontologia do ser social, que também avança muito lentamente"[67]. A "parte introdutória" terminou por se transformar em *A ontologia do ser social* e no *Prolegomena* anexo a ela, e a *Ética* nunca pôde ser escrita[68]. E não poderia ter sido escrita por Lukács nem mesmo quando o perigo da prisão política já havia saído do horizonte nos seus últimos cinco anos de vida.

O que está em questão aqui é a *internalização* dos limites fundamentais dos acontecimentos pós-revolucionários, combinada com a reafirmação da alternativa socialista nos termos mais amplos possíveis, expressa em relação à perspectiva distante da "realização da humanidade para-si". É assim que, não apenas a projetada *Ética* lukácsiana se transformou em *A ontologia do ser social*, mas a filosofia em geral, no que diz respeito aos seus temas cruciais, é definida como ontologia. Como Lukács coloca a questão:

---

[64] Mészáros, "Le philosophie du 'tertium datur' et du dialogue co-existentiel", in *Les grands courants de la pensée mundial contemporaine*, vol. VI, Milano, Marzorati Editore, 1961, pp. 937-64.

[65] Ver "Die Philosophie des 'tertium datur' und des Koexistenzdialogs", in Frank Benseler (ed.) *Festschrift zum achtzigsten Geburtstag von Georg Lukács*, Neuwied & Berlim, Luchterhand Verlag, 1965, pp. 188-207.

[66] "Il nourrit encore cette intention dont la réalisation ne serait possible qu'après un *changement fondamental* des circonstances actuelles, ou bien *les problèmes de cette éthique devront se limiter aux sphères les plus abstraites*". (Marzorati Ed., p. 952, *Festschrift*, p. 205.)

[67] Carta de Lukács de Budapeste datada 13 de janeiro de 1964.

[68] As notas e observações esquemáticas, recentemente publicadas sob o título *Versuche zu einer Ethik*, apesar de muito valiosas para o pesquisador especializado na obra de Lukács, acrescentam muito pouco ao que podemos já encontrar em *Eigenart des Aesthetischen* e *A ontologia do ser social*.

O conteúdo central da filosofia é a espécie humana, isto é, *o quadro ontológico do universo e da sociedade* do ponto de vista do que eles foram em si próprios, do que eles se tornaram, e do que eles são, de tal modo que a filosofia deveria ser capaz de produzir os tipos sempre realmente existentes da característica genérica possível e necessária; assim ela sinteticamente unifica, no seu quadro de pertencimento à espécie, os dois polos: o mundo e o homem.[69]

Esta visão está intimamente ligada à rejeição explícita da exigência de tornar prática a filosofia no sentido de articulá-la com a categoria "próximo elo da cadeia" de Lenin, que Lukács achava apropriada apenas em sua *prática política*, estabelecendo assim – em contraste com *História e consciência de classe* – uma aguda oposição entre a práxis orientada politicamente e a filosofia propriamente dita. Ele insiste em que "o quadro típico da verdadeira filosofia não contém, de modo algum, nenhuma categoria que mantenha mesmo uma relação distante com o "próximo elo da cadeia"[70]. Obviamente, isto é, em parte, a autodefesa do filósofo contra o perigo da "manipulação burocrática" e a "imposição dogmática da tática sobre a teoria". Mas, ao mesmo tempo, é muito mais que isso, pois, ao adotar o ponto de vista ontológico da filosofia, do leitor se espera que concorde que as contradições desesperadoras, grandes derrotas e tragédias que estamos destinados a encontrar – tanto no Oriente como entre as classes trabalhadoras dos países capitalistas mais avançados do Ocidente – são "puramente episódicas" no processo inexorável de realizar plenamente a "humanidade para-si". E, para este processo, todo indivíduo singular não apenas *pode* mas também tem o *dever interior* de contribuir ativamente.

10.5.2
No ensaio de Lukács sobre "Tática e ética" (início de 1919), encontramos a assustadora afirmação de que "o sistema de Hegel é destituído de ética"[71]. Ele prossegue com uma reivindicação ainda mais assustadora, segundo a qual ele teria "descoberto a resposta ao problema ético: a aderência à tática correta é ela própria ética"[72].

Estas duas afirmações são típicas de uma fase no desenvolvimento de Lukács quando ele estava convencido de haver encontrado a solução para a relação entre política e ética, mediante a estipulação de sua *unidade não problemática*. Mesmo a questão das responsabilidades individuais parecia ser facilmente solucionável, pela afirmação de que "o sentido da *história mundial* determina os critérios *táticos*, e é *diante da história* que aquele que não se desvia, por razões expedientes, da via estreita e íngreme da ação correta – prescrita pela filosofia da história, a única que conduz ao objetivo – assume a responsabilidade por todos os seus feitos"[73].

História e consciência de classe nasceu desse espírito que divisa uma consciência totalizante capaz de entender a "correta ação prescrita pela filosofia da história". Ao mesmo tempo, esse espírito de entusiasmo revolucionário (ou "utopia messiânica", na

---

[69] Lukács, *A társadalmi lét ontológiájáról*, vol. 2, p. 529.
[70] Id., ibid., p. 727.
[71] Lukács, *Political Writings 1919-1929*, pp. 6-7.
[72] Id., ibid., p. 6.
[73] Id., ibid.

caracterização de Lukács de 1967) também exigia uma corporificação estratégica e um portador organizado da consciência hipostasiada: o partido. E, tranquilizadoramente, o próprio partido seria capaz de oferecer o guia necessário para o "caminho estreito e íngreme da ação correta", graças à determinação ética da sua natureza, que emergia, na visão de Lukács, do mandato moral a ele conferido pela história. Desse modo, o partido poderia assumir *de jure* a "liderança da sociedade" (perdida pela burguesia, segundo o autor de *História e consciência de classe*) e "ativar a personalidade total"[74] de todos aqueles dispostos a "assumir a responsabilidade por todos os seus atos". Os indivíduos politicamente dedicados nada tinham a perder e tudo a ganhar da sua aceitação da "tática correta" e da "renúncia à liberdade individual"[75], pois deste modo – e apenas deste modo – eles poderiam encontrar uma satisfação eticamente adequada na realização da sua "personalidade total". Assim, no período em que os ensaios de *História e consciência de classe* foram escritos, Lukács poderia conceber a própria *ética* como não problemática e *diretamente política* porque a *política* era vista como *diretamente ética*.

A situação é completamente diferente quando Lukács aventura-se na redação de sua *Ética* que terminou por ser uma *Ontologia*. Inicialmente, no verão de 1956, parecia que a sociedade pós-Stalin começava a se mover na direção correta, ainda que muito lentamente, prometendo a possibilidade de um reexame sério da relação entre ética e política. A brutal repressão do levante de Outubro na Hungria pôs um fim abrupto a tais esperanças. Por isso, na medida da viabilidade de execução do projeto, todas as questões candentes da ética, na sua relação inevitável com a política, tiveram de ser transferidas para a esfera mais abstrata da ontologia. Certamente, isto não ocorreu apenas devido aos perigos políticos aos quais o filósofo húngaro esteve exposto por vários anos após 1956, mas também devido ao seu modo de internalizar e racionalizar a "força das circunstâncias" (incluindo o que ele chama de "*détour* histórico necessário" sob Stalin) que já vinha de longo tempo. Em 1919, ele postulou que a ação política é *diretamente ética* sob a autoridade do partido que detém um mandato moral; isso não é menos problemático do que o modo pelo qual a dimensão política da ética é tratada na *Ontologia* e nas notas fragmentárias de seu *Versuche zu einer Ethics*. (Neste último, reveladoramente, o verbete sobre política ocupa o espaço de apenas uma página; e mesmo se acrescentarmos a isso o verbete sobre Liberdade – a maior parte do qual se ocupa, em termos bastante gerais, da questão de "dominar a natureza e a nós mesmos"[76] e não de política – a somatória chega a menos de cinco páginas num total de aproximadamente cem.)

No mundo real, política e moralidade estão tão entrelaçadas que dificilmente seria imaginável enfrentar e resolver os conflitos de qualquer época sem trazer à baila as dimensões cruciais de ambas. Assim, se é difícil fazer face aos problemas e contradições da política na ordem social vigente, as teorias da moralidade também estão destinadas a sofrer as consequências. Naturalmente, esta relação tende a prevalecer também na direção positiva. Como demonstra toda a história da filosofia, os

---

[74] Id., *History and Class Conciousness*, p. 319 (ed. port., p. 327).
[75] Id., ibid., p. 315 (ed. port., pp. 323-4).
[76] Id., *Versuche zu einer Ethics*, p. 75.

autores das principais obras éticas também são os originadores de teorias seminais sobre política; e, vice-versa, toda conceituação séria da política tem seus corolários necessários no plano do discurso moral. Isto serve para Aristóteles, assim como para Hobbes e Spinoza, para Rousseau e Kant, tanto quanto para Hegel. De fato, no caso de Hegel encontramos uma ética completamente integrada à sua *Filosofia do direito*, isto é, a sua teoria do Estado. Por isso se torna tão supreendente ler, em "Tática e ética", de Lukács, que o "sistema de Hegel é destituído de ética": uma visão que ele mais tarde abranda dizendo que o tratamento hegeliano da ética sofre as consequências do seu sistema e da tendência conservadora de sua teoria do Estado. Seria muito mais correto dizer que – apesar da tendência conservadora da sua concepção política – Hegel é o autor do último grande tratamento sistemático da ética. Comparado a isso, o século XX, no campo da ética (assim como no da filosofia política), é muito problemático.

Sem dúvida, isto tem muito a ver com a margem cada vez mais estreita das alternativas permitidas pelo modo necessário de funcionamento do sistema do capital global, que produz a ideia de que "não há alternativa", pois evidentemente não pode haver qualquer discurso moral significativo baseado na premissa de que "não há alternativa". A ética se ocupa da avaliação e da implementação dos objetivos alternativos que os indivíduos e grupos sociais podem realmente definir para si próprios nos seus enfrentamentos dos problemas de sua época. E é aí que a inevitabilidade política causa o seu impacto, pois nem mesmo a investigação mais comprometida da ética pode substituir a crítica radical da política e sua realidade contemporânea frustrante e alienante. O *slogan* "não há alternativa" não se origina da ética; nem é suficiente reafirmar, em termos éticos e ontológicos, a necessidade de alternativas, não importa com que paixão isto seja sentido e declarado. A busca de alternativas viáveis à realidade destrutiva da ordem social do capital, em todas as suas formas – sem a qual o projeto socialista é absolutamente sem sentido –, é um problema prático. O papel da moralidade e da ética é crucial para o sucesso desse empreendimento, mas não pode haver esperança de sucesso sem a rearticulação conjunta do discurso moral socialista e da estratégia política, levando plenamente em conta as lições do passado recente.

O discurso de Lukács sobre a ética opera num nível de abstração em que as mediações materiais realmente existentes – alienadas e alienantes – têm importância secundária, já que a ética em si deve supostamente cumprir o papel crucial de mediação entre o particularismo dos indivíduos e a humanidade para-si. O sistema do capital pós-capitalista e sua formação de Estado não é sequer submetido a uma crítica substantiva parcial (além das referências já mencionadas à "tática voluntarista" e à "rude manipulação"), para não falar da crítica radical global que seria necessária. Do mesmo modo, o processo de trabalho é discutido nos termos mais gerais, sem identificar as graves contradições (e desumanidades) de sujeitar a força de trabalho realmente existente às injunções implacáveis da extração politicamente regulada do trabalho excedente em nome do socialismo. Quando se discute a divisão do trabalho, ela é tratada de tal modo a nos manter aprisionados, sem esperança, nos parâmetros existentes do tipo soviético de sistema do capital, como veremos no capítulo 19.

Dadas as condições históricas de existência sob o comando do capital e de suas formações estatais, com sua negação autoritária de alternativas práticas significativas (mesmo quando alega credenciais democráticas), seria obviamente uma autoilusão postular a relação harmoniosa e a unidade entre política e ética. Considerando que as formas dominantes da política estão muito distantes de ser éticas, a própria ética não pode ser política sem problemas, no sentido de se vincular à tendência principal da política. Ao contrário, na época em que a crise estrutural do capital fatalmente manifesta-se também no campo da política, o potencial emancipador do papel da ética é impensável sem a sua autodefinição como crítica radical socialista da política engastada na estrutura institucional do sistema do capital, incluindo a maior parte dos órgãos defensivos originais do movimento da classe trabalhadora. Este é o único sentido no qual a ética pode ser política hoje, contemplando a *constituição* de uma unidade potencial da política e da ética no empreendimento prático de superar o poder da tomada de decisão política alienada dos indivíduos sociais, no espírito do projeto marxiano. Mas, precisamente nesse sentido, a estrutura de operação dessa ética para o futuro previsível pode apenas ser o círculo existente da segunda ordem de mediações do capital, e não o postulado de uma mediação abstrata e genérica entre "particularismo individual" e "humanidade para-si". De fato, sua medida de sucesso pode apenas estar na capacidade de se manter constantemente atenta a uma crítica prática reanimada em direção ao verdadeiro objetivo da transformação socialista: ir para além do capital em todas as suas formas realmente existentes e possíveis por meio da redefinição e da rearticulação prática viável do processo de trabalho.

O discurso ontológico de Lukács sobre a ética tem no seu centro de referência o dualismo entre indivíduo e sociedade e o modo pelo qual a ética poderia, em princípio, intervir para superá-lo. Ele insiste que

> apenas na ética se pode transcender o dualismo socialmente necessário: na ética, a vitória sobre o particularismo dos indivíduos assume a forma de uma tendência unificada; a exigência ética encontra aqui o centro da personalidade do homem agente; o indivíduo escolhe entre as demandas que na sociedade são necessariamente antinômicas e contraditórias, e a decisão, que se expressa na forma de uma escolha, é ditada pelo comando interno para reconhecer como seu próprio dever o que se ajusta à sua própria personalidade – e tudo isso unifica o gênero humano e a personalidade que é vitoriosa sobre seu próprio particularismo.[77]

Contudo, é por demais problemático pensar neste processo como o que rompe efetivamente o círculo vicioso das mediações de segunda ordem do capital, induzindo a esmagadora maioria dos indivíduos (se não a totalidade) – e não algumas excepcionais "personalidades históricas", como Goethe – a se conformarem ao modelo postulado por Lukács e criarem a unidade idealizada entre suas personalidades e a humanidade para-si, sob circunstâncias nas quais o capital sempre reconstitui e intensifica as antinomias e contradições existentes em razão do seu modo necessário de operação. Há, de fato, algumas passagens nos escritos de Lukács em que ele admite que no curso do desenvolvimento humano a *tarefa* (*Aufgabe*) que

---

[77] Id., *A társadalmi lét ontológiájáról*, vol. 2, p. 330.

ele atribui à ética – tal como ele atribui ao proletariado e ao partido: a "mediação entre homem e história", uma "consciência totalizante" moralmente operativa em *História e consciência de classe* – só se torna "*socialmente possível numa sociedade sem classes*" ("*nur in klassenloser Gesellschaft möglich*")[78]. Mas, então, o poder mediador e transcendente de contradições da ética é projetado para um estágio no qual ele não se aplica, já que deveria supostamente ter superado os antagonismos da sociedade, com suas "exigências necessariamente antinômicas e contraditórias" sobre os indivíduos. Isto é o que coloca em perspectiva o nobre discurso ontológico de Lukács acerca da ética, auxiliando a compreender por que sua "concretização" repetidamente prometida jamais foi realizada.

10.6 Os limites do último testamento político de Lukács

10.6.1

Após reler seu ensaio sobre a *Democratização* – condenado e engavetado pela liderança do partido como "politicamente perigoso"[79] – Lukács teve sérias restrições em relação a ele. Escreveu, em uma carta ao seu editor alemão, que "como panfleto é muito científico e, como estudo científico, parece mais um panfleto"[80]. Na verdade, este ensaio é muito mais problemático do que indicam as reservas de seu autor, pois ele tenta oferecer soluções para agudos problemas políticos e socioeconômicos no plano metodológico abstrato e num discurso ontológico remoto, sem indicar as necessárias mediações materiais e institucionais que pudessem superar, pelo trabalho crítico estratégico, as dificuldades e contradições identificadas do presente. Novamente, na sua forma característica, Lukács prometeu abordar as questões – a seu ver, insatisfatoriamente analisadas – e desenvolvê-las de modo adequado, em contraste com o tratamento "como panfleto", na sua projetada *Ética*. Ele não poderia admitir para si mesmo que muitas das agudas questões políticas e socioeconômicas do desenvolvimento pós-revolucionário receberam o mesmo tipo de tratamento não mediado em A *ontologia do ser social* e nos fragmentos de sua *Ética* irrealizável, assim como no manuscrito de *The Present and Future of Democratization*. A proposição, constantemente repetida, de que "apenas a ética pode superar o dualismo entre o particularismo dos indivíduos e seu caráter-genérico" etc., funciona em todo lugar como mero postulado em relação aos problemas discutidos. Ele nunca tentou explicitar concretamente como o recurso ético postulado poderia ser efetivamente aplicado, não a aspectos mais ou menos marginais, mas às graves contradições e aos explosivos antagonismos materiais e político-ideológicos do "socialismo realmente existente". Ao contrário, sua defesa da ética como única mediação viável tende a assumir o papel de um – nobre, porém ilusório – *substituto* das formas socialmente específicas de intervenção crítica. Concentra-se na distante perspectiva

---

[78] Id., *Versuche zu einer Ethics*, p. 124.
[79] László Sziklai, "Megkésett prófécia? Lukács György testamentuma" (Profecia retardada? Testamento de Georg Lukács), *Népszabadság*, 31 de dezembro de 1988.
[80] Lukács, carta a Frank Benseler, 18 de dezembro de 1968; citada na resenha de Sziklai do livro de Lukács sobre a *Democratização*, citado na última nota.

de uma "humanidade para-si" plenamente realizada, perdendo ao mesmo tempo o alvo tangível da negação socialista absolutamente necessária: o modo de *controle* alienado imposto pela força sobre o trabalho nas sociedades pós-capitalistas realmente existentes, que são astronomicamente distantes do socialismo.

O problema foi a *internalização,* por Lukács, dos limites fundamentais dos acontecimentos pós-revolucionários, e não uma acomodação pessoal oportunista à linha partidária. A noção de "acomodação oportunista" é completamente negada pelo fato de que, por um longo período após a sua morte, os principais escritos políticos de Lukács continuaram a ser considerados "politicamente perigosos" pelo partido húngaro. De fato, em 1968 ele corajosamente rejeitou a invasão russa da Tcheco-Eslováquia e, em termos contundentes, escreveu uma carta endereçada a György Aczél, secretário do Politburo responsável pelas questões culturais, solicitando que uma cópia fosse passada a János Kádár, o líder do partido:

> Não posso concordar com a solução do problema tcheco nem com a posição assumida pelo MSzMP [o Partido Socialista dos Trabalhadores Húngaros]em relação a ele. Consequentemente, devo me retirar do papel público que assumi nos últimos anos. Espero que os desdobramentos na Hungria não levem a uma situação tal que medidas administrativas contra verdadeiros marxistas húngaros forcem-me novamente à reclusão intelectual da última década.[81]

Mesmo antes da repressão militar da "Primavera de Praga", e dos protestos de Lukács contra ela, já havia um movimento no quartel-general do Partido para iniciar um novo debate ideológico e político contra o filósofo húngaro. A questão foi levantada em um memorando escrito por Miklós Óvári, um secretário do Comitê Central do Partido treinado e dirigido por Moscou, datado de 21 de fevereiro de 1968. "Este plano – inspirado do exterior – equivalia a nada mais que fazer o MSzMP iniciar um julgamento ideológico"[82] contra Lukács. Ainda que, nas circunstâncias, e com receio de um provável grande escândalo internacional, este plano não tenha sido implementado, "o perigo de um julgamento ideológico pendeu sobre a cabeça do acusado até o fim de sua vida"[83]. Apesar de tais perigos, intensificados após a invasão da Tcheco-Eslováquia, Lukács não apenas completou seu ensaio acerca da *Democratização* como ainda continuou dando ousadas e desafiadoras entrevistas a jornalistas e intelectuais ocidentais. Ele o fez, como já o tinha feito com grande integridade moral e considerável risco para si próprio, quando desafiou as autoridades russas e húngaras e foi deportado para a Romênia após o levante de 1956. Ele não apenas se recusou categoricamente a dizer sequer uma palavra contra o ex-primeiro-ministro Imre Nagy, apesar das suas bem conhecidas diferenças políticas (por exemplo, sobre a conveniência de deixar o Pacto de Varsóvia nos dias decisivos de Outubro de 1956, quando Lukács votou contra ela sozinho com seu amigo íntimo e aliado político Zoltán Szántó quando János Kádár votou com Nagy pela saída do Pacto), insistindo que "quando Imre Nagy e eu estivermos livres para andar nas ruas de Budapeste, estarei disposto a

---

[81] Lukács, carta a György Aczél, 24 de agosto de 1968, publicada em *Társadalmi Szemle*, abril de 1990, p. 89.
[82] Károly Urbán, "Megbékélés? Lukács és az MSzMP 1967/8-ban" ("Reconciliação? Lukács e o MSzMP em 1967-8"), *Magyar Nemzet*, 2 de abril de 1990.
[83] Id., ibid.

expressar com toda franqueza meus desacordos políticos com ele; mas não faço nenhuma confissão contra meu *colega de prisão*"[84]. E, quando na mesma situação Zoltán Szántó cedeu à pressão inquisitorial e depôs contra Nagy, Lukács imediata e abertamente rompeu sua amizade de toda a vida com ele[85].

Portanto, as limitações da solução de Lukács não surgem de uma conciliação política ou do medo por sua própria segurança pessoal, para não dizer da procura de favores que se pudesse obter por meio da acomodação. Tais limitações eram parte integrante dos principais traços do desenvolvimento de sua visão de mundo com a qual ele se identificava plenamente. A razão pela qual ele não podia contemplar uma crítica mais radical da ordem estabelecida foi o fato de esta crítica ser incompatível com os parâmetros vitais do conjunto de sua concepção, articulada na época em que ele adotou a perspectiva do "elo mais fraco" e, como marxista, elaborou em detalhes suas ideias no período de grandes confrontos acerca da questão do "socialismo em um só país", tendo permanecido até o fim na órbita da Revolução Russa. É por isso que ele continuou a repetir o falso paradoxo de que "a pior forma de socialismo é qualitativamente melhor do que o melhor capitalismo"[86]. E esta é a razão de ele, mesmo no seu ensaio politicamente mais radical sobre a *Democratização*, no qual incorporou suas reflexões críticas mais sinceras sobre os acontecimentos na Tcheco-Eslováquia, não ter hesitado em repudiar as dúvidas manifestadas sobre o caráter socialista do denominado socialismo realmente existente como "difamação e estupidez burguesa"[87].

Em contraste com a época em que Lukács, como um dos intelectuais mais ativos politicamente, insistia que a "adesão à tática correta é, em si própria, ética", nas últimas três décadas e meia de sua vida (e especialmente nos seus últimos quinze anos), a prevalência da tática – *vis à vis* com a teoria e a estratégia – adquiriu uma conotação extremamente negativa no seu pensamento. Mas, paralelamente a esta mudança, também testemunhamos sua aceitação totalmente injustificável da *dualidade* e da legitimidade da separação entre política e atividade intelectual, entre as decisões práticas dos políticos e as preocupações teóricas das pessoas no

---

[84] "Lukács György politikai végrendelete" ("O testamento político de Georg Lukács"), *Társadalmi Szemle*, abril de 1990, p. 84.

[85] Isto assumiu a forma não apenas da condenação moral mais drástica de um velho amigo, mas também de um aberto desafio às autoridades aprisionadas sobre como poderiam responder à manifestação de desprezo para com seu homem que "havia retornado às fileiras". O modo como isso ocorreu foi inquestionavelmente autenticado por Miklós Vásárhelyi, um dos melhores amigos de Imre Nagy e dos seus conselheiros políticos mais próximos, que passou vários anos na prisão após a execução do primeiro-ministro Nagy. Ele me disse, em dezembro de 1990, que os deportados para a Romênia compartilhavam uma sala de jantar e costumavam se sentar em pequenos grupos de amigos e membros da família. Lukács e sua esposa, Gertrúd, dividiam uma mesa com Zoltán Szántó e sua esposa. Na manhã após Szántó fazer sua confissão incriminadora, Lukács e Gertrúd foram, à hora do café, até a mesa que compartilhavam com eles até então, recolheram seus pratos e talheres, e sentaram-se ao lado, com Szilárd Ujhelyi, que não tinha nenhum membro da família e sempre comia sozinho na sua mesa. Isto foi o fim plenamente justificado de uma longa amizade.

[86] Citado em György Aczél e István Sziklai, "Feljegyzés a Politikai Bizottságnak" ("Memorandum para o Politburo", escrito em 24 de junho de 1966), *Társadalmi Szemle*, abril de 1990, p. 88.

[87] Lukács, *A demokratizálás jelene és jövöje*, p. 194.

campo da ideologia. Em uma série de entrevistas conduzidas a pedido da liderança do partido, alguns meses antes de morrer, em janeiro de 1971, mas liberadas para publicação – sob o título de "Testamento político de Georg Lukács"[88] – apenas em abril de 1990 ele pôde afirmar que "não desejo me intrometer nas questões políticas diárias. Não me considero um político. ... apenas levanto a questão do ponto de vista do sucesso *ideológico* da democracia"[89]. Assim ele expressou basicamente a mesma posição de alguns anos antes em seu elogio dos "Brains-Trust"[90] do presidente Kennedy, esperando ingenuamente melhorias significativas do "socialismo realmente existente" por meio da divisão de trabalho entre políticos e intelectuais recomendada.

Da internalização das restrições do "elo mais fraco" resultou, para Lukács, que o Estado pós-revolucionário, sob controle do partido, não poderia ser sujeito a qualquer crítica substantiva. Esta é a razão de, em sua busca de alternativas, ele concluir não apenas pela defesa autopunitiva da separação das atividades política e intelectual, na vã esperança de uma margem de atividade autônoma, *estruturalmente incompatível* com o sistema pós-capitalista, como também de uma alternativa totalmente falsa ao existente: "uma *divisão do trabalho* bem pensada e *realista entre o partido e o Estado*"[91]. Nada poderia ser mais *irrealista,* como o demonstrou a supressão do seu ensaio acerca da *Democratização* e das suas entrevistas de 1971 – dadas a pedido do partido, então profundamente preocupado com a onda de greves de massa na Polônia. De fato, todo o sistema deveria implodir antes que a crítica limitada e as propostas marginais de Lukács para a melhoria das condições estabelecidas pudessem ver a luz do dia, muito menos influenciar a ação.

A margem de crítica política possível no âmbito dos parâmetros conceituais de Lukács, tal como elaborados na órbita da "revolução no elo mais fraco", sempre foi extremamente estreita e assim permaneceu até o fim de sua vida. Em seu "testamento político" ele apenas poderia recomendar a autorização de "organizações *ad hoc*", por períodos estritamente limitados e para a realização de objetivos pateticamente estreitos, como forma de instituir a democracia socialista. Argumentou que o partido deveria

> permitir que o homem médio se organizasse em torno de algumas questões concretas, importantes para a sua vida. Para ilustrar com um exemplo, vamos supor que haja uma rua importante em Budapeste sem sua própria farmácia. Eu não posso ver a razão por que não se possa permitir às pessoas que vivem nesta rua a criação de uma organização *ad hoc* cuja tarefa seja obter permissão do conselho local para o estabelecimento da farmácia naquela rua. ... sou absolutamente incapaz de ver qual perigo poderia possivelmente decorrer, para a nossa república de conselhos, da abertura desta farmácia. ... O que considero essencial é que tal liberdade de movimento e

---

[88] "Lukács György politikai végrendelete", *Társadalmi Szemle*, abril de 1990, pp. 63-85.
[89] Ibid., p. 66-7.
[90] Ver Hans Heinz Holz, Leo Kofler, Wolfgang Abendroth, *Gespräche mit Georg Lukács* ed. por Theo Pinkus, Hamburg, Rowohlt Verlag, 1967, pp. 78-9 (ed. bras.: Holz, H. H. *et al.*, *Conversando com Lukács*, Paz e Terra, 1969, p. 98-9).
[91] Lukács, *A demokratizálás jelene és jövöje*, p. 194.

democracia se manifeste nos assuntos cotidianos da vida, pois apenas com sua ajuda será possível podar os maus efeitos do burocratismo.[92]

A extrema ingenuidade de Lukács consistia não apenas em não perceber que a liderança do Estado-partido estabelecido era incapaz de fazer as menores concessões, mas também em imaginar que, mesmo que os chefes do partido (reconhecidos por Lukács como os únicos que poderiam legitimamente tomar as decisões) pudessem responder positivamente a elas, suas limitadas propostas iriam melhorar significativamente as perspectivas futuras do sistema historicamente condenado. Ele não poderia admitir para si próprio que as contradições básicas incuráveis do sistema estabelecido do capital pós-capitalista resultassem do modo de controle *necessariamente* autoritário do metabolismo socioeconômico que operava a extração politicamente imposta – altamente antagônica – do trabalho excedente, com sua própria forma de "personificação do capital". Neste sistema, o "burocratismo" criticado não era uma questão marginal, cujos "maus efeitos" poderiam ser adequadamente "podados" com a ajuda de "organizações *ad hoc*" que se autoaboliriam e farmácias de rua generosamente concedidas pelas autoridades. A democracia socialista, para ter qualquer significado, requer a *equidade substantiva* dos produtores associados determinando tanto os objetivos das atividades de suas vidas como a forma de realizar os objetivos escolhidos, em agudo contraste com o ser regido por imperativos de uma *divisão de trabalho hierarquicamente estrutural* e seus feitores políticos, não importa o quanto estes últimos fossem bem aconselhados pelos intelectuais que se auto-obliteram, de acordo com o esquema lukacsiano, pela "necessária dualidade entre política e atividade intelectual". Infelizmente, Lukács não poderia divisar um modo de reprodução sociometabólico sem a perpetuação da divisão do trabalho, como veremos com algum detalhe no capítulo 19, com todas as implicações muito mais que problemáticas de tal divisão do trabalho para a posição permanentemente subordinada do trabalho. É esta a razão de, no seu testamento político, ele ter que procurar por um modo bem-sucedido de quadratura do círculo, que designou por "hierarquia socialista"[93], termo que confunde desejo e realidade.

10.6.2
Em sua tentativa de encontrar uma "fundação ontológica" para sua noção peculiar de "hierarquia socialista", Lukács começou por afirmar que, "no tempo de Stalin, quando se punha em primeiro plano exclusivamente a quantidade da produção, desapareceu o conceito de bom trabalho, a honra do bom trabalho se tornou menos importante na fábrica do que era antes"[94]. Os argumentos de Lukács não tinham espaço para admitir o fato óbvio – do qual dependem muitos dos empreendimentos do capitalismo ocidental – de que este *controle de qualidade* poderia ser imposto à força de trabalho pelas personificações do capital de forma tão cruel quanto a imposição dos ditames da *quantidade*. Ele tinha duas razões pelas quais perseguir a noção romântica de "bom trabalho", para a qual poderia apenas oferecer um exemplo

---

[92] "Lukács György politikai végrendelete", p. 76.
[93] Ibid., p. 69.
[94] Ibid., p. 68.

artesanal: um "bom ferreiro" contraposto a um "mau ferreiro". A primeira era encontrar uma "hierarquia espontânea" entre os trabalhadores, que poderia ser usada para regulá-los sem o antagonismo e o perigo das "greves selvagens" testemunhadas na Polônia e temidas pelo partido[95] (uma utopia incrível), e a segunda usar o conceito de "bom trabalho" como justificação da hierarquia na sociedade como um todo.

Foi assim que Lukács generalizou o significado de uma conversa que teve, em 1919, durante a República dos Conselhos húngara, com um "bom ferreiro" (sem se embaraçar pelo fato de não haver muitos ferreiros artesãos, bons ou maus, nos empreendimentos produtivamente avançados no mundo de hoje), assegurando que "esta hierarquia entre os trabalhadores certamente ainda existia em 1919; o período stalinista a destruiu em grande medida, colocando uma produção puramente quantitativa em seu lugar"[96]. E ele continuou a argumentar que a solução adequada para as questões em debate era fazer

> a posição do trabalhador na fábrica depender de ser ele um bom trabalhador, pois apenas do bom trabalho pode se desenvolver o tipo de autoestima humana que encontramos em inúmeros cientistas e escritores, que estava tão presente nos trabalhadores no passado ... Portanto, a questão da melhoria da qualidade é extremamente importante para a reorientação do próprio trabalho: passar do trabalho simplesmente produtor de resultados quantitativos para aquele que prevalece como bom trabalho, e fazer do bom trabalho a categoria fundamental dos trabalhadores.[97]

É assim que Lukács, baseado na ontologia do trabalho, quer produzir a "hierarquia socialista". Ele chegou mesmo a sugerir que, já na pré-história da humanidade, centenas de milhares de anos atrás,

> o primeiro trabalhador culto foi o homem que, provavelmente, ao produzir um machado de pedra, cometeu erros menos frequentes, e portanto tornou menos necessário jogar fora a pedra que havia começado a afiar por tê-la afiado mal.[98]

Na ausência de qualquer crítica substantiva aos fundamentos socioeconômicos existentes e suas formações estatais, é compreensível que Lukács tivesse necessidade desses dúbios fundamentos ontológicos. Com a suposição completamente insustentável – mas afirmada categoricamente – segundo a qual "na vida econômica dos Estados socialistas ... a socialização dos meios de produção criou forçosamente relações objetivas que *sempre serão qualitativamente diferentes* das relações nas sociedades de classe"[99], os corretivos potenciais das relações sociais *reais* dos Estados pós-capitalistas (ou minimamente socialistas), falsamente descritas, tinham que ser confinados à questão de desenvolver, na vida cotidiana dos trabalhadores individuais, a *"subjetividade apropriada"* à rejeição-do-consumo-de-prestígio, "de forma tal que um dia fosse possível a eles tornarem-se os seres humanos livres da formação social comunista"[100], e fazê-lo no plano da ontologia social geral, inspirados e mediados pela ética.

---

[95] Ver pp. 65-7 da sua entrevista.
[96] Ibid., p. 69.
[97] Ibid., pp. 69-70.
[98] Ibid., p. 67.
[99] *A demokratizálás jelene és jövöje*, p. 178.
[100] Ibid.

O problema desta visão sempre foi que, na realidade, nada corresponde à pretensa "socialização dos meios de produção" (apenas *estatizada* e não *socializada*) nem, muito menos, ao "Estado *socialista*". Este, na verdade, definiu a si próprio pela imposição autoritária de sua abrangente estrutura de comando político sobre a força de trabalho, em diametral oposição à ideia socialista de estar – por um período estritamente transitório, com o objetivo de avançar para "o fenecimento do Estado"[101] – sob o controle dos produtores associados. Assim, o discurso ontológico de Lukács sobre o "bom trabalho" como "categoria fundamental da vida dos trabalhadores", desde o ancestral primitivo que afiava com consciência-da-qualidade o machado de pedra até a "subjetividade adequadamente livre dos seres humanos livres na sociedade comunista", simplesmente evita a questão das mediações materiais, em vez de empreender a crítica radical vitalmente necessária das formas estabelecidas de mediação socioeconômica e política. Cinquenta e dois anos antes, em "Tática e ética", Lukács apelou à consciência moral dos trabalhadores, insistindo para que eles adotassem uma elevada disciplina do trabalho, e alertando-os, caso falhassem em fazê-lo, de que seria necessário "criar um sistema legal por meio do qual o proletariado *obrigue* os seus próprios membros individuais, os proletários, a agir de modo correspondente ao seu interesse de classe: *o proletariado volta sua ditadura contra si próprio*"[102]. Em 1971, após mais de cinco décadas de "ditadura do proletariado", cujas credenciais proletárias, à luz da experiência histórica real ele foi obrigado a colocar em dúvida, Lukács também teve que admitir que o "sistema legal" criado após a revolução falhou em realizar o que dele se havia esperado. Contudo, desde que a crítica da formação estatal pós-revolucionária permaneceu para ele um tabu internalizado junto com "a vida econômica dos Estados socialistas", a única mediação que ele poderia conceber era, de novo, um apelo direto, moralmente inspirado –, nobre em sua intenção, mas totalmente ineficaz na realidade – à ideia do "bom trabalho".

Desta vez o apelo de Lukács não foi dirigido aos próprios trabalhadores, que eram absolutamente impotentes para instituir as mudanças orientadas para a qualidade que ele advogava em sua crítica ao culto stalinista da quantidade, mas ao partido líder e aos funcionários do Estado – as "personificações do capital" no sistema do capital pós-capitalista –, que, naturalmente, não tomaram qualquer conhecimento do seu nobre discurso ontológico, enterrando por vinte anos as fitas das suas entrevistas nos arquivos do partido e liberando-as apenas após perderem o controle do aparato estatal húngaro. Ao mesmo tempo, quando Lukács, moribundo, recomendava que, em consonância com o fundamento ontológico de sua visão, a "vida econômica dos Estados socialistas" deveria ser conduzida de acordo com o princípio do "bom trabalho", permanecia completamente intocada a questão crucial do *controle* dos processos de *tomada de decisão* da sociedade sob as condições realmente dadas. A noção de que os trabalhadores individuais conquistassem – por meio da luta ética contra a sua própria alienação e seu "consumo de prestígio" – sua *subjetividade apropriada* na vida cotidiana, de tal modo que um dia lhes fosse possível tornar-se

---

[101] Mais acerca desses problemas nos capítulos 13 e 20.
[102] Conferir aqui "A solução de Lukács" em "Poder político e dissidência nas sociedades pós-revolucionárias", pp. 1021.

os *seres humanos livres* da formação social *comunista"*, não poderia oferecer qualquer ajuda quanto à forma como os membros da força de trabalho realmente existente poderiam se tornar, sob as condições dadas, ainda que minimamente, mais livres de sua sujeição aos imperativos socioeconômicos e políticos do sistema do capital pós-capitalista. O controle da reprodução sociometabólica era deixado nas mãos do partido e do Estado, só se divisando melhorias por meio da "divisão de trabalho realista entre o partido e o Estado". Na sua reflexão crítica sobre a situação do Estado existente, ele designou às "massas", como uma importante melhoria, o papel de *feedback* (não importa se "subterrâneo" ou aberto), insistindo que "realmente liderar os trabalhadores para a *verdade* só é possível se realmente os *conduzimos*, significando que observamos as necessidades que surgem neles; e, se essas necessidades forem corretas, neste caso nós as satisfaremos, e se elas não forem corretas nós as questionaremos com os trabalhadores e tentaremos ganhá-los para a posição correta"[103]. A possibilidade de que os trabalhadores pudessem julgar por si mesmos se suas necessidades eram ou não "corretas" e de tomar suas próprias decisões sobre o controle da ordem sociometabólica para satisfazer tais necessidades, contrariando "a posição correta" das pessoas que estivessem acima deles na "hierarquia socialista" – não importando o quanto fossem bem-intencionadas e eticamente inspiradas –, simplesmente não poderia se ajustar à estrutura de um discurso que postulava a permanência da divisão do trabalho.

Desse modo, o discurso ontológico abstrato de Lukács e sua tentativa desesperada de conectar diretamente as questões em disputa entre a ordem pós-revolucionária e a perspectiva mais geral de uma ainda distante "humanidade para-si" postulam a viabilidade da "ética como a única mediação possível" entre o passado e o futuro remoto. Mas isso tudo estava organicamente ligado à sua incapacidade de *confrontar criticamente* as formas e instituições de controle sociometabólico, visando identificar as formas materialmente eficazes de mediação possível nas condições existentes – por meio de sua negação necessariamente radical – e o futuro almejado. Em outras palavras, ao permanecer sem reservas na órbita da "revolução no elo mais fraco da cadeia" – frequentemente repetindo as máximas duais de "certo ou errado, este é o meu partido" (sem jamais escutar, ao menos uma vez, "certo ou errado, este é nosso Lukács") e "mesmo o pior socialismo é melhor que o melhor capitalismo" –, ele poderia ver corretivos dos problemas percebidos e contradições explosivas das sociedades pós-capitalistas apenas em termos de amplos princípios regulativos ontológicos e éticos, hipostasiando resultados substantivamente diferentes no plano de um futuro muito distante, mesmo quando acreditava estar fornecendo soluções para o presente.

Portanto, a margem de intervenção crítica, conscientemente buscada por Lukács, só poderia ser extremamente estreita e, às vezes, diretamente contraditória com suas próprias intenções. Vimos como eram ingênuas e limitadas suas visões sob o modo de instituir a "democracia socialista" por intermédio da autorização de "organizações *ad hoc*" autoabolíveis com o objetivo de estabelecer farmácias nas ruas: formas de "organização democrática" que contradizem a ideia até mesmo de uma ação minimamente democrática, já que permanecem completamente à mercê das auto-

---

[103] "Lukács György politikai végrendelete", p. 65, itálicos de Lukács.

ridades que tomam as decisões, não sujeitas a qualquer controle. Da mesma forma, Lukács tentou se distanciar dos entusiastas da reforma de mercado, mas entrou rapidamente em contradição – devido à sua margem de crítica dolorosamente estreita – quando tentou explicitar sua crítica. A premissa de sua reflexão sobre o assunto era a aceitação do "novo mecanismo econômico" oficial húngaro, o que restringiu enormemente a sua margem de dissidência. Assim, por um lado, ele apenas poderia oferecer vagas proposições genéricas acerca das medidas de mercado que deveriam ser "multidimensionais" e complementadas por um "complexo variado de democratização"[104], sem se perguntar se a aceitação da *tirania do mercado* é compatível com a aspiração a um "complexo variado de democratização". Por outro lado, quando nas entrevistas de 1971 ele advogava medidas econômicas, seu procedimento foi conectar diretamente seu ideal ontológico e ético do "bom trabalho" com a perspectiva da competição de mercado. Ele argumentava que

> é uma vergonha e desgraça que em Budapeste, a capital de um país agrícola, o pão seja tão ruim. As fábricas estatais de pão são incapazes de mudar este fato. Estou convencido de que se três cooperativas agrícolas vizinhas decidissem montar sua fábrica do produto em Budapeste e produzissem bom pão estaria resolvido o problema do abastecimento de pão em Budapeste. Há um momento falamos da questão do bom trabalho. Bem, se estas cooperativas agrícolas tentassem vencer a competição contra as fábricas estatais de pão, só teriam sucesso nessa iniciativa com a ajuda do *bom trabalho*. Somente se nas fábricas cooperativas fosse assado *bom* pão. Podemos ver aqui até que ponto existe um socialismo espontâneo nos novos desenvolvimentos agrícolas.[105]

Como todos sabemos, é possível assar pão bom sob as condições da cruel competição e da implacável exploração capitalistas, sem qualquer apelo ao ideal ontológico e ético da "autoestima humana produtora de bom trabalho" que está muito mais próximo da autorrealização humana do ancestral que afiava machados de pedra do que da "humanidade para-si" postulada pelo filósofo húngaro. Assim, a forma de Lukács procurar e descobrir o "socialismo espontâneo" no sucesso esperado da competição das eventuais fábricas cooperativas de pão contra suas rivais administradas pelo Estado, na estrutura sonhada do mercado "multidimensional" e "democratizado" do "novo mecanismo econômico" húngaro, revelam as limitações insuperáveis de sua abordagem: a conexão direta de uma visão ontológica geral com a "má imediaticidade" do presente que ela queria corrigir. Demonstrava a trágica irrealidade das soluções propostas a partir das perspectivas fatalmente estreitas até mesmo de alguém com a estatura moral e intelectual de Lukács: uma verdadeira "visão afunilada" produzida na órbita da revolução que não apenas ficou *inacabada*, mas era *inacabável* mesmo no maior país de todos, ao contrário do que afirmava a doutrina do "socialismo em um só país", aceita também por Lukács. Visão reiterada em "testamento político", num período em que o sistema do capital pós-capitalista, que emergiu depois da "revolução no elo mais fraco da cadeia", continuou a ser fustigado, não apenas pelo fato de os responsáveis pela tomada de decisões políticas não

---

[104] Lukács, *A demokratizálás jelene és jövöje*, p. 200.
[105] "Lukács György politikai végrendelete", p. 77, itálicos de Lukács.

terem tido a sabedoria de autorizar as "organizações *ad hoc*" e as fábricas cooperativas de pão, mas também por uma profunda crise histórica, devido à inconciliabilidade de seus antagonismos internos estruturais.

Em *História e consciência de classe,* Lukács cita a forma poética com que Hegel resumiu a relação entre verdade e Razão na *Fenomenologia*: "'a verdade se transforma em uma orgia báquica da qual ninguém escapa de ficar bêbado', a *Razão* parece ter *levantado o véu* que vela os mistérios sagrados em Sais e descobre, como na parábola de Novalis, que *ela própria é a solução para o enigma*" (p. 145; ed. port., p. 164). E continua:

> Mas aqui encontramos uma vez mais, bastante concretamente desta vez, o problema decisivo desta linha de pensamento: o problema do sujeito e da ação, o sujeito da gênese [histórica]. Pois a unidade de sujeito e objeto, de pensamento e existência que a "ação" encarregou-se de provar e exibir encontra tanto a sua realização como o seu substrato na unidade da gênese dos determinantes do pensamento e da história da evolução da realidade. Mas para compreender esta unidade é necessário tanto descobrir o lado a partir do qual resolver todos esses problemas como exibir concretamente o "nós" que é o sujeito da história, aquele "nós" cuja ação é realmente história (ibid.).

Em *História e consciência de classe,* e por um tempo bastante longo, Lukács manteve a ideia de que, ao *levantar o véu* da mistificação ideológica, o partido – como a corporificação prática da consciência de classe e da ética do proletariado – pode demonstrar conclusivamente que o proletariado é a solução do enigma da história conscientemente moldada. Neste espírito, ele afirma que

> o partido como um todo transcende as *divisões reificadas* de nação, profissão etc. e modos de vida (economia e política) em virtude de sua ação, pois esta é orientada em direção à unidade, colaboração e objetivos revolucionários para estabelecer a verdadeira unidade da classe proletária. E o que ele faz como um todo do mesmo modo realiza para seus membros individuais. Com sua organização tecida finamente e com a consequente disciplina de ferro e sua exigência por compromisso total *rasga os véus reificados* que embaçam a consciência dos indivíduos na sociedade capitalista (p. 339; ed. port., p. 347).

Além disso, em *História e consciência de classe,* a idealização do proletariado russo e de seu partido é afirmada na teorização representativa da Revolução Russa sob cerco:

> A maturidade ideológica do proletariado russo se torna claramente visível quando consideramos os próprios fatores que têm sido tomados como evidência de seu atraso pelos oportunistas do Ocidente e seus admiradores da Europa Central. A saber, o esmagamento claro e definitivo da contrarrevolução interna e a intrépida batalha ilegal e "diplomática" pela revolução mundial. O proletariado russo não saiu vitorioso de sua revolução por ter sido ajudado por uma constelação de circunstâncias afortunadas. (Esta constelação existiu igualmente para o proletariado alemão em novembro de 1918 e para o proletariado húngaro na mesma época e também em março de 1919.) Foi vitorioso porque havia sido robustecido por uma longa luta ilegal e por isso adquiriu um entendimento claro da natureza do Estado capitalista (p. 270; ed. port., p. 278-9).

Não nos preocupa aqui a omissão idealizante da vastidão de recursos, que já derrotou até mesmo Napoleão sem qualquer contribuição da clareza ideológica e autoconsciência do proletariado russo, ou de ter sido a República dos Conselhos húngara derrubada com relativa facilidade por uma intervenção militar maciça, com o total envolvimento das potências "democráticas" ocidentais. O que importa no presente contexto é a perda de perspectiva que permite postular a viabilidade da "revolução no elo mais fraco da cadeia", pois, tragicamente, o autor de *História e consciência de classe* teve que descobrir que "levantar o véu" não era suficiente para resolver o enigma, nem para a "Razão" de Hegel, nem para o proletariado como "sujeito-objeto idêntico da história", nem ainda para aqueles intelectuais, como Lukács, que acreditavam ser eles próprios capazes de remover "a névoa da consciência na sociedade capitalista" pela dedicação de sua "personalidade total" ao partido.

A mensagem esperançosa de que a chave da solução da "crise ideológica" – e, portanto, da crise histórica – seria observar e remodelar a sociedade do "ponto de vista da totalidade", de acordo com a consciência de classe "atribuída" ou "imputada" ao proletariado, foi uma voz no deserto, sob as condições de desenvolvimento do sistema pós-capitalista do capital realmente existente. Pois o partido do partido-Estado pós-revolucionário não apenas "rasgou os véus reificados" da sociedade capitalista pré-revolucionária, mas também os substituiu por suas próprias lonas pesadas, pregando o "socialismo em um só país", em cujo nome ele seguiu reprimindo cruelmente toda aspiração singular trazida a este mundo pelo projeto socialista original. Assim, ao invés de construir o "socialismo em um só país", ele terminou conseguindo voltar a classe trabalhadora – o sujeito histórico da emancipação socialista – contra a própria ideia de socialismo. O resultado foi que as revoltas espontâneas anteriores dos trabalhadores foram efetivamente desarmadas pelas amedrontadoras práticas de exploração e repressão de um sistema que alegava ser socialista. Mesmo as expectativas internacionais, expressas com confiança na última citação de Lukács, acerca da batalha ilegal "intrépida e 'diplomática' pela revolução mundial", em vez de perseguir uma política em seu favor se transformou no seu oposto diametral, no qual o Estado stalinista converteu a si próprio em um gigantesco obstáculo para a revolução mundial.

Graças a todos estes retrocessos, o "enigma", a ser resolvido por aqueles que se recusaram a abandonar a perspectiva socialista, tinha se tornado ainda mais impenetrável, e ao mesmo tempo ainda mais dolorosamente urgente do que antes. No curso das transformações pós-revolucionárias, tornou-se inegável que a tarefa de identificar os obstáculos que se erguiam à frente das forças de emancipação não poderia limitar-se a "um entendimento claro da natureza do Estado *capitalista*". Acumularam-se as dificuldades, mesmo as ligadas à luta política, geradas pela experiência histórica devastadora do Estado que pregava e impunha os imperativos do "socialismo em um só país". Os desencorajadores anos dessa experiência trouxeram consigo a necessidade inevitável de confrontar os antagonismos internos do sistema do capital pós-revolucionário como um todo e as tirânicas práticas antitrabalho do Estado *pós-capitalista*, pois este deveria, segundo as expectativas originais, cumprir suas limitadas funções históricas e mover-se em direção ao próprio "fenecimento" como Estado em si, nas formas estritamente transitórias da "ditadura proletária" dos produtores associados, ao invés de se transformar no órgão todo-poderoso que se autoperpetua exercendo sua dominação absoluta sobre todas as facetas da produção material e cultural.

Desnecessário dizer, Lukács não foi de modo algum o único a ser profundamente afetado pelas contradições dos acontecimentos pós-revolucionários daquela época. Houve muitos intelectuais e membros de numerosas organizações políticas de esquerda que definiram suas próprias posições em resposta à "revolução no elo mais fraco da cadeia" permanecendo na sua órbita por décadas, ora com uma disposição positiva para com ela, ora assumindo uma postura negativa limitada como a principal característica definidora de suas perspectivas políticas. Até mesmo os principais intelectuais da "Escola de Frankfurt", de Walter Benjamin a Marcuse, chegaram no passado a se orientar nesse sentido. Contudo, a maioria deles assumiu, ao final, uma postura profundamente pessimista não simplesmente em relação ao desenvolvimento soviético, mas a tudo. Também Marcuse, que no auge do movimento estudantil no Ocidente dirigiu-se à sua audiência com tom de otimismo excitante, em seguida voltou atrás e afirmou, com melancolia infinita, que "*na realidade o mal triunfa*; há apenas *ilhas* de bem para onde se pode *escapar* por curtos períodos de tempo"[106]. Sem nos esquecer daqueles membros do Instituto de Pesquisa Social de Frankfurt, como Adorno, o mais proeminente deles, que foram com razão fustigados por Lukács, em seu Prefácio de 1962 à *Teoria do romance,* por terem feito as pazes com a opressão capitalista, enquanto assumiam uma postura de desdém autoindulgente e elitista em relação às suas manifestações "vulgares de cultura de massa". Nas palavras de Lukács:

> eles se alojaram no "Grande Hotel Abismo", um bonito hotel, equipado com muito conforto, na beira de um abismo, do nada, da absurdidade. E a contemplação diária do abismo, entre excelentes refeições ou diversões artísticas, apenas pode elevar o prazer dos sutis confortos oferecidos.

Apesar de o próprio Lukács — pelas várias razões políticas e teóricas internas que vimos acima – não ter podido submeter a ordem social pós-revolucionária à necessária crítica radical, permanece uma parte válida e legítima do seu discurso que rejeita, com consistência intelectual e paixão, a perspectiva do pessimismo que se autodesarma. Quando o colapso irrevogável do sistema soviético ameaçou até mesmo seu "*Prinzip Hoffnung*" ele não mais estava vivo.

A implosão do sistema do capital de tipo soviético concluiu uma experiência histórica de sete décadas, tornando historicamente superadas todas as teorizações e estratégias políticas concebidas na órbita da Revolução Russa – seja positivamente dispostas em relação a ela, seja representando várias formas de negação. O colapso deste sistema foi inseparável da crise estrutural do capital que começou a se afirmar na década de 70. Foi esta crise que demonstrou claramente a vacuidade das estratégias anteriores, desde a projeção de Stalin de estabelecer o estágio mais elevado do socialismo, com base na "superação do capitalismo dos EUA" na produção *per capita* de ferro fundido, aos igualmente absurdos *slogans* pós-stalinistas de construir uma

---

[106] Herbert Marcuse, *Die Permanenz der Kunst*, Munich, Carl Hanser Verlag, 1977, p. 53.

sociedade comunista plenamente emancipada por meio da "derrota do capitalismo pela competição pacífica". Ora, sob o sistema do capital não pode haver tal "competição pacífica", nem mesmo quando uma das partes em competição continua a manter a ilusão de estar isenta dos limites estruturais mutiladores do capital em sua forma historicamente específica.

A desintegração dos partidos comunistas no Leste ocorreu paralelamente à implosão do sistema soviético. Contudo, estávamos testemunhando nos países capitalistas ocidentais um processo muito mais complicado, pois a crise dos partidos comunistas ocidentais precedeu o colapso na Rússia e em todo o Leste por bem mais de uma década, como demonstrou o destino dos poderosíssimos partidos comunistas francês e italiano. Mais uma vez, esta circunstância sublinhou o fato de a causa básica crucial ser o aprofundamento da crise estrutural do sistema do capital em geral, e não a dificuldade da resposta política às vicissitudes frustrantes na Rússia e na Europa Oriental. Certamente, após a explosão do sistema soviético, todos os partidos comunistas ocidentais tentaram usar os eventos no Leste como a racionalização e a justificação atrasadas de terem abandonado toda aspiração socialista. Muitos deles até mesmo trocaram seus nomes, como se isso pudesse fazer qualquer diferença para melhor. Na verdade, o mesmo tipo de racionalização e reversão da cronologia histórica real, com o interesse de justificar uma virada óbvia para a direita, caracterizou também os partidos socialista italiano e trabalhista britânico. O verdadeiro problema era que, nas novas circunstâncias da crise estrutural do capital, os antigos partidos da classe trabalhadora, comunistas ou não comunistas, não tinham nenhuma estratégia a oferecer sobre a forma como sua base tradicional – o trabalho – deveria confrontar o capital que estava determinado a impor ao povo trabalhador uma miséria crescente. Ao contrário, eles se resignaram à aceitação humilde – dita "realista" – do que poderia ser arrancado das margens cada vez mais estreitas da lucratividade problemática do capital. Compreensivelmente, em termos de ideologia política, esta virada dos fatos representou um problema muito maior para os partidos comunistas do que para os não comunistas. As estratégias natimortas do "eurocomunismo" e do "grande compromisso histórico" foram tentativas de acertar as contas com esta dificuldade, na esperança de encontrar uma nova base no "solo intermediário", ao mesmo tempo em que mantinha algo da velha retórica. Mas tudo resultou em nada e terminou em lágrimas para muitos militantes devotados que genuinamente acreditaram que o seu partido estava se movendo em direção a uma futura transformação socialista. A desintegração da esquerda na Itália, entre outras nos últimos anos, testemunha a gravidade desses acontecimentos, sublinhando a enormidade do desafio para o futuro.

A perspectiva histórica de estender globalmente e, sob condições favoráveis, melhorar imensuravelmente as realizações da "revolução enclausurada no elo mais fraco da cadeia" – uma perspectiva que já foi compartilhada pelos partidos comunistas, assim como por muitos outros movimentos políticos na esquerda – agora pertence inevitavelmente ao passado. Todavia, o desafio de "adquirir uma compreensão clara da natureza do capital" em todas as suas formas, incluindo a necessidade de se compreender a natureza contraditória de suas formações estatais, é hoje ainda muito maior. Em larga medida, isso se deve à exaustão histórica da perspectiva – e por suas negações mais ou menos diretas – que por tantos anos manteve seu poder orientador, mas que agora o perdeu completamente, pois sete décadas de desenvolvimento só puderem sublinhar dolorosamente que, como coloca Marx,

> a forma econômica específica pela qual o *trabalho excedente não pago* é sugado dos produtores diretos determina a relação dos *governantes e governados*, já que ela emerge diretamente da própria produção e, por sua vez, reage sobre ela como *elemento determinante*.[107]

Nesse sentido, as razões para o trágico fracasso histórico de mais de sete décadas de poder soviético devem ser buscadas, para que sejam evitadas no futuro, tanto na modalidade experimentada de "sugar o trabalho excedente não pago dos produtores diretos" como na dura realidade do historicamente conhecido Estado pós-revolucionário como "elemento determinante". Este, ao invés de liberar as forças de tomada de decisão autônomas, pelas quais, no devido tempo, o Estado poderia "fenecer", impôs implacavelmente à sociedade o sistema do capital pós-capitalista de extração do trabalho excedente, perpetuando, com consequências desastrosas, uma "relação de governantes e governados". Obviamente, não pode haver socialismo na totalidade dos países, muito menos num único país, se tal estrutura de determinações socioeconômicas e políticas sobreviver.

---

[107] Marx, *O capital*, vol. 3, p. 772.

LEGADO HISTÓRICO DA CRÍTICA
SOCIALISTA 2: RUPTURA RADICAL E TRANSIÇÃO
NA HERANÇA MARXIANA

Os homens devem mudar de cima abaixo as condições de sua existência industrial e política, e consequentemente todo o seu modo de ser.

Marx

Em Frankfurt, como na maior parte das cidades velhas, existia a prática de ganhar espaço em prédios de madeira fazendo não apenas o primeiro, mas também os pisos mais altos, se projetarem sobre a rua, o que incidentalmente tornava as ruas, principalmente as estreitas, sombrias e depressivas. Finalmente foi feita uma lei permitindo que apenas o primeiro andar de uma casa nova se projetasse para fora do terreno, enquanto os andares superiores deveriam se manter nos limites do térreo. Para evitar perder o espaço que se projetava sobre a rua no segundo andar, meu pai contornou esta lei, *como outros o tinham feito antes dele, escorando as partes mais elevadas da casa, tirando um andar depois do outro, da base para cima, enquanto ele* introduzia a nova estrutura, *de tal modo que, apesar de* ao fim nada da velha casa ter restado, *o prédio totalmente novo poderia ser considerado mera renovação.*

Goethe

Capítulo 11

O PROJETO INACABADO DE MARX

Como pôde o marxismo ter sucesso em identificar os objetivos últimos da transformação socialista radical, mas não as formas e modalidades de transição pelas quais tal objetivo poderia ser alcançado? É a concepção marxista compatível com uma teoria da transição plenamente elaborada que especifique as condições de uma transformação socialista, incluindo algumas estratégias viáveis para atravessar o desnorteante labirinto de contradições e reversões que surgiram durante o desenvolvimento pós-revolucionário? Em outras palavras, pode o marxismo oferecer algo mais concreto e praticamente aplicável que a reafirmação da sua crença no princípio dialético abstrato, ainda que correto em seu quadro de referência, acerca da "continuidade na descontinuidade e descontinuidade na continuidade"?

Os princípios gerais de uma teoria devem ser claramente diferenciados de suas aplicações às condições e circunstâncias específicas, mesmo que estas últimas necessariamente entrem novamente na constituição dinâmica dos próprios princípios fundamentais. É tarefa de uma teoria da transição articular as questões específicas do processo social em andamento, identificando com precisão suas limitações temporais, na estrutura ampla dos princípios mais abrangentes que orientam a avaliação de cada detalhe. Se isto não for feito, qualquer alteração nas circunstâncias históricas que invalide alguns dos princípios *limitados* pode ser apresentada como refutação da teoria como um todo: estratagema favorito dos adversários do marxismo. Mas há uma dimensão muito mais importante deste problema do ponto de vista do movimento socialista. Reclamar validade *geral*, em que apenas uma validade limitada se aplica, gera uma pressão apologética para desqualificar qualquer desvio da norma aceita, quando, na verdade, a própria ideia de tal norma vai contra o espírito de um movimento que advoga mudanças fundamentais. Além do mais, uma vez que a apologia reforçada institucionalmente não consiga se manter, a exposição pública das contradições anteriormente veladas, na ausência de uma teoria que claramente identifique o peso relativo e o lugar específico de cada uma no desenvolvimento global, gera desorientação, desilusão e mesmo cinismo. Desse modo, as restrições da teoria marxista com relação aos problemas da transição hoje se afirmam como um assunto de grande interesse prático.

11.1 Do mundo das mercadorias à nova forma histórica

Como ponto de partida, seja-nos permitido citar uma passagem importante dos *Grundrisse* de Marx:

> Todas estas afirmações são corretas apenas nesta *abstração* da relação do *ponto de vista do presente*. Surgirão relações adicionais que *as modificarão significativamente*.[1]

Esta citação exemplifica claramente uma regra fundamental do método de Marx: o aprofundamento e a revisão constantes ("modificação significativa") de todos os pontos principais acontecem à luz das séries de relações complexas em desdobramento às quais pertencem. Em outra passagem, também virtualmente muito importante do ponto de vista metodológico, todo o programa marxiano é delineado em algumas poucas linhas:

> O desenvolvimento exato do conceito de capital é necessário, já que é o conceito *fundamental* da economia moderna, assim como o próprio capital, cuja *imagem* abstrata, *refletida* no seu conceito, é o *fundamento* da sociedade burguesa. A formulação exata dos *pressupostos básicos* da relação deve trazer *todas as contradições* da produção burguesa, assim como os *limites* que ela leva *para além de si própria*.[2]

De acordo, portanto, com as determinações e contradições que se desdobram objetivamente, através das quais o capital sobrepuja seus próprios limites, tudo deve ser apreendido pela lógica interna dos seus múltiplos contextos. É por isso que Marx afirma que

> nada pode *emergir* ao final do processo que não tenha aparecido como premissa e pré-condição no *começo*. Mas, por outro lado, tudo tem que se evidenciar.[3]

Segundo esses princípios metodológicos, a tarefa teórica consiste na identificação e na elucidação de todas aquelas pressuposições e pré-condições objetivas que tenham uma relação importante com qualquer ponto particular em questão. O empreendimento crítico parte da imediaticidade do *fenômeno* investigado e, por meio da compreensão e da explicação das condições e pressuposições relevantes da sua composição estrutural, age como parteira das conclusões que emergem objetivamente. Essas, por sua vez, constituem as pressuposições e pré-condições necessárias de outros conjuntos de relações neste sistema dialético e inerentemente objetivo de determinações recíprocas.

Isto pode soar um pouco complicado, e requer uma ilustração adicional, fornecida pelo breve delineamento feito por Marx do plano geral de seu texto:

> Nesta primeira seção, onde examinamos valores de troca, dinheiro, preço, as mercadorias aparecem como *já presentes*. A determinação das formas é simples. ... Isto ainda se apresenta, até mesmo na superfície da sociedade desenvolvida, como o mundo de mercadorias diretamente disponível. Mas, por si próprio, ele aponta *para além de si próprio* em direção às relações econômicas que são postas como relações de produção. A *estrutura interna da produção* forma, assim, a segunda seção; a concentração do todo, a terceira; a relação *internacional*, a quarta; o *mercado mundial*, a *conclusão*, na qual a produção é postulada como uma totalidade juntamente com

---

[1] Marx, *Grundrisse*, Harmondsworth, Penguin Books, 1973, p. 341.
[2] Id., ibid., p. 331.
[3] Id., ibid., p. 304.

todos os seus momentos, mas dentro da qual, ao mesmo tempo, *todas as contradições entram em jogo*. O mercado mundial então, novamente, forma a pressuposição do todo assim como seu substrato [*Träger*]. *Crises* são então o anúncio geral que *aponta para além da pressuposição* e o *impulso* [*Drägen*] que dirige para a adoção de *uma nova forma histórica*.[4]

Como podemos ver, somos conduzidos da identificação das pré-condições e pressuposições da "forma simples" à "*conclusão*" do mercado mundial, que, por sua vez, constitui a "*pressuposição* do todo". Só que tal "conclusão" do processo como um todo pode colocar em jogo a totalidade confluente de contradições sem a qual não pode haver qualquer crise estrutural. A ativação das contradições globais e das crises que se seguem, por outro lado, "anunciam", mas, vejam bem, apenas anunciam, sem que de modo algum *produzam automaticamente a* nova forma histórica "para além da pressuposição". Sem o anúncio dessa nova forma histórica permaneceríamos trancados no círculo vicioso das *pressuposições recíprocas do capital*. Ao mesmo tempo, a realização daquilo que apenas é anunciado pela crise é o mais complexo de todos os processos sociais divisados, apresentando dificuldades quase proibitivas de conceituação porque escapa às regras de qualquer matriz determinista. Em outras palavras, a "nova forma histórica" não pode ser definida em termos do sistema prevalecente de pressuposições, pré-condições e predeterminações precisamente porque deriva sua novidade histórica – o "reino da liberdade" – da escolha consciente dos produtores associados, para além do colapso do determinismo econômico do capital, numa bifurcação da história quando "todas as contradições entram em jogo" e clamam por uma solução de tipo radicalmente novo.

O mesmo problema é expresso em uma passagem na qual Marx identifica o objetivo último a ser buscado numa sociedade sem reificação, ou seja, numa sociedade "onde já não há de existir o trabalho dentro do qual um ser humano vale o mesmo que poderia valer uma coisa". E, de novo, a realização dessa sociedade é apenas "anunciada" com referência à *barreira* do próprio capital:

O empenho incessante do capital em busca da forma geral de riqueza conduz o trabalho para além dos limites da sua insignificância natural [*Naturbedürftigkeit*], criando assim os elementos *materiais* para o desenvolvimento da *rica individualidade*, que é multifacetada em sua produção bem como no seu consumo. Aí, portanto,

---

[4] Id., ibid., pp. 227-8. Ver também p. 264, onde Marx escreve:
Após o capital, é a vez da propriedade da terra ser enfrentada, seguida do trabalho assalariado. Pressupostos os três, o movimento de preços, visto como circulação agora definida na sua totalidade interior. Do outro lado, as três classes, vistas como produção posta nas suas três formas básicas, e pressuposições da circulação. Então o Estado. (Estado e sociedade burguesa. Impostos, ou existência de classes improdutivas. A dívida do Estado. População. O Estado externamente: colônias. Comércio externo. Taxa de câmbio. Dinheiro como moeda internacional. Finalmente o mercado mundial. A penetração da sociedade burguesa no Estado. Crises. Dissolução do modo de produção e forma da sociedade baseada no valor de troca. Postulação real do trabalho individual como social e vice-versa.)
Como podemos ver, somos apresentados à mesma progressão que retrata a lógica interna da necessidade do capital pelo comércio em uma escala sempre crescente. A condição vital de satisfazer aquela necessidade é o Estado, tanto internamente como em suas relações externas. Tudo isto é crivado de contradições de escala e intensidade crescentes, levando a uma crise estrutural e por fim divisando a dissolução da sua formação social. A nova forma histórica é, de novo, apenas "*posta*" (ou "necessariamente intimada") como a real *unidade do trabalho individual e social*, isto é, como uma formação social livre da contradição que opõe um ao outro.

o trabalho também não mais aparece apenas como trabalho, mas como o pleno desenvolvimento da atividade em si da qual *desapareceu* a *necessidade natural* na sua forma direta; porque uma necessidade *historicamente* criada tomou o lugar da *natural*. É por isso que o capital é produtivo, ou seja, uma relação essencial para o desenvolvimento das forças produtivas sociais. Ele cessa de existir enquanto tal apenas onde o desenvolvimento dessas forças produtivas encontra sua barreira no próprio capital.[5]

No ambiente global do desenvolvimento social, portanto, mesmo a *erupção* de todas as contradições do capital pode apenas resultar numa crise estrutural devastadora diante da barreira em questão. Ela própria, porém, não pode produzir o *salto qualitativo* ao universo social da nova forma histórica, já que este salto pressupõe a *resolução* das contradições fundamentais, não apenas sua condensação e sua explosão.

Mesmo que divisemos um desenvolvimento relativamente direto, sem o aparecimento de complicações e confusos fatores históricos que produzam estágios intermediários desconcertantes e "paradas intermediárias", esta é a desconfortável conclusão implícita no raciocínio de Marx. E quão mais difícil tudo será se permitirmos, como de fato devemos, a constituição de formas e variedades "adulteradas" ou "híbridas" de capital no curso do desenvolvimento social real em direção à sua articulação global saturada, a qual, e apenas ela, pode colocar em jogo todas aquelas contradições referidas por Marx? De modo claro, uma teoria de transição adequada é uma exigência essencial para o avanço em tais circunstâncias.

O que está em questão aqui é o perturbador sucesso do capital em *estender* os limites da sua própria utilidade histórica. E não se trata aqui apenas da questão das condições históricas "prematuras" sob as quais a revolução socialista irrompeu na Rússia, na sequência de um colapso militar total, numa época em que as forças produtivas sociais estavam de fato muito distantes de atingir suas "barreiras no próprio capital". Mais importante neste aspecto é a capacidade inerente ao capital de responder com flexibilidade às crises, adaptando-se a circunstâncias que, *prima facie*, parecem ser hostis à continuidade do seu funcionamento. Devemos examinar mais de perto estes problemas em seu ambiente próprio[6]. A esse respeito é necessário salientar que, sem enfrentar de modo realista e sem reavaliar constantemente os limites *dinâmicos* do capital, toda extensão bem-sucedida destes limites continuará a ser saudada como um prego no caixão do marxismo pelos seus adversários.

11.2 O cenário histórico da teoria de Marx

Em qualquer apropriação criativa da concepção original de Marx, várias considerações importantes não podem ser esquecidas. A *primeira* diz respeito à exigência de nos orientarmos pelo *espírito* de sua obra. Pois, após um longo período de reverência estática, agora se tornou moda ser "crítico" para com Marx, sem propriamente entender ou mesmo sem desejar entender o contexto e as limitações dialéticas vitais de suas afirmações. Se, por exemplo, no passado, sua alegada tese

---

[5] Id., ibid., p. 325.
[6] Ver aqui em particular os capítulos 14, 15, 18 e 20.

sobre a "pauperização do proletariado" tinha que ser defendida a todo custo, hoje ela é citada *ad nauseam* como uma refutação autoevidente de todo o sistema de Marx, apesar do fato de que ele estava claramente divisando a possibilidade da "fartura" dos trabalhadores ("seja seu pagamento alto ou baixo", como ele coloca em *O capital* e na *Crítica ao Programa de Gotha*) que seus críticos pouco criativos de hoje convenientemente ignoram, tal como o fizeram seus simplórios "defensores" do passado, que confundiam desejo e realidade.

Como vimos antes, era princípio metodológico explícito de Marx constantemente revisar e "modificar significativamente" suas proposições, em conformidade com as exigências da mudança no conjunto das relações em termos das quais os vários conceitos eram definidos, com conotações cada vez mais ricas. Sem tal revisão, os conceitos teriam permanecido "abstrações" parciais, como ele próprio os denominou tratando das suas primeiras formulações. Quando, mais tarde, sob a pressão de determinações políticas, a defesa dos princípios socialistas contra o "revisionismo", que se tornou uma preocupação central do movimento da classe trabalhadora, gerou também o anúncio compreensível da *ortodoxia* política e teórica[7] e a negligência do método dialético de Marx, culminando com a completa subordinação da teoria à ortodoxia política (stalinista). Apelar ao espírito da obra de Marx, portanto, significa antes de tudo empreender a *crítica interna* necessária, nas palavras do próprio Marx, isto é, a "modificação significativa" de algumas proposições específicas, à luz da teoria como um todo e, portanto, a remoção de todas as "abstrações" e unilateralidades removíveis.

A *segunda* consideração é intimamente associada à primeira e emerge do caráter incompleto do projeto de Marx. Vimos que as "*pressuposições do todo*", que têm um óbvio significado condicionante para tudo o mais, incluindo a discussão anterior das "formas simples", não poderiam ser explicitadas antes da "*quinta seção*". Esta última deveria analisar o mercado mundial como a estrutura na qual a "totalidade dos *momentos*" se torna visível, junto com a "totalidade das *contradições*", conforme entram em jogo na forma de uma *crise* em escala *global*. Agora, do ponto de vista de uma teoria da transição, a questão vital diz respeito ao possível *deslocamento* das contradições do capital que não podem sequer ser tocadas, para não dizer examinadas sistematicamente, sem uma investigação adequada da estrutura mais abrangente em que tais contradições podem ser deslocadas: a saber, a confrontação global do capital na qualidade de totalidade complexa com a totalidade do trabalho.

Como todos sabemos, das cinco maciças "seções" imaginadas por Marx no delineamento do seu projeto acima citado, ele foi capaz de escrever apenas as duas primeiras; e mesmo a segunda ele pôde apenas esboçar numa forma incomple-

---

[7] Ver, por exemplo, no ensaio sobre "O marxismo de Rosa Luxemburgo" em *História e consciência de classe*, a inspirada defesa que Lukács faz de Rosa Luxemburgo. Ele também tentou, na mesma obra, particularmente nos ensaios "O que é marxismo ortodoxo" e "Reificação e a consciência do proletariado" colocar em relevo a natureza dialética do método de Marx, e tentou reconciliá-lo com as exigências de uma radical "ortodoxia" teórica/política. Muito cedo, contudo, a concepção mais estreita de ortodoxia terminou prevalecendo na III Internacional, o que significou de fato nada mais que a aceitação sem questionamento dos últimos decretos político-partidários (stalinistas). De tal visão de "ortodoxia", o próprio método dialético de Marx naturalmente se tornaria uma vítima por um longo período histórico.

ta, na qual o terceiro volume de *O capital* foi interrompido justamente quando iniciava a discussão das classes, como parte integral de sua análise das relações de produção. Somente uma seção e três quartos da segunda estão completas de cinco inicialmente projetadas (ou seis, se acrescentarmos as antecipações acerca da "nova forma histórica")!

Podemos apenas fazer conjecturas a respeito de como Marx teria revisado as partes já completas se ele tivesse conseguido escrever as "seções" que faltaram, desse modo alcançando o ponto de vista da "conclusão" geral e a definitiva "pressuposição do todo", junto com uma adequada determinação das barreiras do capital em uma escala global. O que é mais importante, contudo, e o mais inteiramente factível, é explicitar, no contexto dos nossos próprios problemas, vários aspectos da teoria de Marx que aparecem apenas implicitamente nas formulações originais, já que seu desenvolvimento adequado pertence às seções não escritas. Pensar sobre tais problemas está longe de ser um exercício acadêmico. Ao contrário, é um desafio prático, que surge da reavaliação inevitável de alguns importantes traços parciais da teoria de Marx do ponto de vista de sua concepção como um todo.

É prova da coerência e da vitalidade do sistema marxiano que desde sua morte não se tenha tornado supérflua a tarefa de elaborar as "seções" que faltam, no espírito em que ele originalmente as rascunhou. Mas nada poderia ser mais estranho ao seu espírito do que seguir fingindo que estamos de posse de um sistema totalmente completo e hermético, esperando apenas por uma boa e velha "astúcia da história" para sua implementação prática.

Isto nos leva à *terceira* consideração, de longe a mais importante: o impacto dos acontecimentos sociais pós-marxianos sobre a orientação da teoria.

Os horizontes de uma época histórica definem inevitavelmente os limites de qualquer teoria, mesmo das mais grandiosas. As "pressuposições do todo", concebidas nos horizontes de uma época histórica, circunscrevem a articulação de todos os detalhes e pressuposições parciais. É por isso que mesmo em teoria "nada pode emergir ao final do processo que não apareça como pressuposição e precondição no *começo*".

Grandes levantes históricos, contudo, criam *novos começos* e drasticamente redesenham as fronteiras das pressuposições e precondições anteriores. Passaremos por alguns exemplos relevantes mais tarde[8]. É necessário salientar aqui que, *em princípio,* Marx poderia ter completado as partes que faltam de seu monumental empreendimento, no espírito em que as delineou, mas as implicações radicalmente diferentes de uma época histórica, mesmo em princípio, não são prontamente acessíveis a uma teoria constituída no interior de horizontes anteriores. Isso não significa que as novas exigências, que emanam das determinações alteradas do "novo começo", sejam incompatíveis com a teoria em questão. Mas significa, sim, que uma modificação significativa das teóricas "pressuposições do todo" é necessária para adaptar a teoria original aos horizontes históricos alterados.

---

[8] Ver Capítulo 12.

Nesse sentido, no que se refere à teoria marxista, o *deslocamento* das contradições do capital e a emergência de *novos tipos de contradições* nas sociedades pós-capitalistas representam as mais novas e desafiadoras "pressuposições do todo". São questões paradigmáticas para uma teoria de transição, e o marxismo, ajustado aos horizontes do seu ambiente histórico original, certamente não foi concebido como tal. Na verdade, o próprio Marx se recusou terminantemente a especular sobre problemas que poderiam surgir no terreno da "nova forma histórica". Nesse sentido, a situação não melhorou por um longo tempo, pois, mais tarde, o "revisionismo" conferiu uma péssima fama a qualquer preocupação com os problemas da transição. Compreensivelmente, portanto, dada a desastrosa performance prática dos partidos revisionistas e suas estratégias de "transição gradual ao socialismo", nada menos que a ideia de uma "ruptura radical" poderia satisfazer àqueles que permanecem fiéis às suas aspirações revolucionárias. Esta resposta, todavia, em vez de auxiliar na modificação da teoria de acordo com a mudança das circunstâncias históricas, tendia a reforçar uma característica problemática da concepção original.

Tudo isso reforça com clareza as dificuldades que uma teoria marxista da transição enfrenta quando é obrigada a responder a exigências e determinações não facilmente conciliáveis. Tal teoria deve ser ao mesmo tempo flexível em suas partes, conferindo todo o peso às circunstâncias reais que se deslocam tortuosamente, e firmemente sem concessões em sua orientação estratégica para a nova forma histórica. Hoje, dado o colapso das sociedades do "socialismo real" no ambiente geral da crise estrutural do capital, o exame crítico desses assuntos não é mais uma especulação abstrata sobre algum futuro remoto, como costumava ser na época em que Marx viveu. E, embora Marx pudesse ainda condenar tais especulações como um *desvio* das tarefas reais, hoje a posição é completamente oposta. Evitar esses problemas é que passa a constituir um "desvio" intolerável da necessidade de produzir algumas estratégias socialistas viáveis para o futuro em construção.

11.3 A crítica marxiana da teoria liberal

Em sua discussão das origens do marxismo, Lenin apontou três "fontes":
(1) a economia política clássica;
(2) a filosofia alemã; e
(3) o socialismo utópico.

De fato, um "acerto de contas crítico" foi essencial para a formação do pensamento de Marx, e o tom tinha que ser posto na *negação* radical do ponto de vista social de tais concepções.

Na "Crítica da economia política" de Marx – o título ou subtítulo recorrente de todas as suas obras principais –, as limitações do horizonte liberal/burguês foram mostradas como responsáveis pelo necessário fracasso inclusive no ponto culminante da teoria liberal em resolver seus problemas. Quanto a Hegel, a asserção segundo a qual o filósofo alemão compartilhava o "ponto de vista da economia política" indica claramente que Marx julgava as limitações últimas da filosofia hegeliana nos mesmos termos. E, finalmente, o socialismo utópico tinha que ser rejeitado como a consciência pesada do liberalismo. Pois, apesar de suas confessadas simpatias, os socialistas utópicos não puderam ir além de fornecer sermões moralistas que se mostraram incapazes de alterar a ordem social estabelecida.

O radicalismo dessa crítica era necessário não apenas por razões teóricas, mas também por razões práticas e políticas. Teoricamente, a negação radical da abordagem liberal era um pré-requisito para elaborar uma visão de mundo científica que se propusesse a transcender o "fetichismo da mercadoria" do ponto de vista da "nova forma histórica". Politicamente, era necessário minar o edifício intelectual dominante do liberalismo cuja influência constituía um importante obstáculo ao desenvolvimento do movimento da classe trabalhadora, ainda muito jovem. Esta influência negativa se manifestava nas seguintes formas: (1) a confusão desorientadora de uma "economia vulgar" pseudo-socialista; (2) variedades de mistificação filosófica; e (3) a impotência do pensamento utópico que substitui a realidade pelo desejo. Naturalmente, por vezes, as três se apresentam combinadas numa violenta mistura, em correntes como o proudhonismo. Assim, a crítica devastadora de Marx à posição liberal criou o terreno para um movimento político que tateando buscava sua própria voz e orientação estratégica independente. O liberalismo tinha que ser atacado porque representava o principal obstáculo à emancipação do movimento da classe trabalhadora da tutela política/intelectual da "burguesia esclarecida".

A rejeição radical da problemática liberal trouxe consigo a mudança do centro de interesse de Marx para a investigação das contradições antagônicas que tendem a *explodir* a ordem social estabelecida, junto com a antecipação da nova forma histórica como a única *solução* viável a tais contradições. A única solução viável não era, de modo algum, *ipso facto* uma *necessidade* e não tinha qualquer evidência urgente para Marx, apesar, é claro, de ele ter consciência do problema, como vimos nas suas referências à apenas *anunciada* nova forma histórica.

Para Marx, socialismo era uma *realidade* existente nas formas negativas e positivas, e isso era suficiente. *Negativamente*, porque antecipava o colapso final das cada vez mais intensas contradições do capital (daí o "anúncio"). *Positivamente*, como o crescente movimento político da classe trabalhadora orientado para o estabelecimento da ordem socialista. O interesse da teoria liberal na *continuidade* (e na *transição* tendo em vista a continuidade) tinha que ser posto em segundo plano para revelar, em toda relação estável do capital, a instabilidade subjacente que tende para a *ruptura* como o "*übergreifendes Moment*" (o "momento de importância fundamental").

Naturalmente, Marx era tão profundamente dialético que não poderia desconsiderar completamente a continuidade. Era uma questão de ênfase ou proporções relativas. O *übergreifendes Moment* tinha que ser uma *ruptura* no desenvolvimento objetivo e naufrágio final do capital. Quanto tempo exatamente o processo em questão levaria? Que formas tortuosas poderia assumir? Contra quantos desapontamentos, reveses e fracassos possíveis se teria que lutar? Ou, por tocar no assunto: que tipo de novas contradições poderia surgir das determinações tangenciais da estabilidade social enquanto tal? Todas estas questões deviam ser bastante periféricas, nas circunstâncias, para a concepção de Marx.

A teoria liberal, em um sentido importante, é nada mais que uma teoria da transição: e nisto uma teoria das mais peculiares. Ela opera no interior da moldura que tem um conjunto de *pressuposições ideológicas* como seus pontos de referência *permanentes*, produzindo a *aparência* de um movimento para um fim que, sempre inquestionavelmente, é considerado garantido. Assim, a "natureza humana possessiva", o inevitável conflito dos indivíduos egoístas; a "mão invisível" miraculosamente benfazeja e a não menos miraculosa "maximização das utilidades individuais"; o conjunto hierarquicamente ordenado das relações sociais na "sociedade civil" e o Estado político correspondente, são os parâmetros absolutos cuja *continuidade* constitui o objetivo central da *estruturalmente apologética* teoria liberal da transição.

No liberalismo somos apresentados a um programa de transição dos *absolutos* da sociedade advogada para a sua *preservação* mais eficaz. Em outras palavras, recebemos a oferta de uma "transição" dos conjuntos *dados* de relações sociais para a sua reprodução – por meio de variações de "engenharia social", da "arte do compromisso", da política do "consenso" etc. – numa forma parcialmente alterada mas *estruturalmente idêntica*. Assim, nada poderia dar uma descrição mais adequada da teoria liberal da transição que o ditado segundo o qual *plus ça change, plus c'est la même chose* ("quanto mais muda, mais permanece o mesmo"). Isso porque a teoria liberal é, em si, a-histórica e anti-histórica[9], o que tornou imperativo para Marx rejeitar radicalmente a problemática liberal como um todo no curso de sua elaboração da concepção materialista da história.

11.4 Dependência do sujeito negado

A teoria marxiana da transição não poderia extrair absolutamente nada da abordagem liberal, já que tinha que ser *estruturalmente subversiva* – não importa o quanto fosse flexível – e não apologética. Precisava ser genuinamente histórica e *aberta*, em vez de ser contida nos limites dos "absolutos" liberais (da "natureza humana" ao Estado moderno, e da "mão invisível" à busca personalista de benefício próprio nos horizontes do mercado capitalista). Devia se orientar para a constituição do sujeito *socioindividual* real, em vez do modelo em larga medida fictício da *individualidade isolada* (que servia para representar as relações de poder impostas, que emanam dos imperativos reificados do capital, como manifestações ideais do indivíduo que persegue livremente sua escolha soberana de "prazer" e "utilidade"). E tinha que ser crítica mesmo em relação ao seu próprio ideal: ilimitadamente *autocrítica*, como Marx insistiu no *18 Brumário*[10] e em outros lugares[11]. Já que em todas estas referências Marx não foi simplesmente um crítico da abordagem liberal, mas alguém que contrapôs a ela uma visão *diametralmente oposta*, é compreensível que, no curso da busca da lógica interna das confrontações polêmicas, a problemática da transição tendesse a ser deslocada para a periferia.

Neste aspecto, um exemplo importante é representado pela questão da *"produção em geral"*. Por razões óbvias, Marx tinha que rejeitar a constante tentativa dos eco-

---

[9] Como vimos no Capítulo 1, Hegel representa um caso extremamente complicado, já que ele vai bem além da solução liberal usual de acordo com a qual "a história existiu até agora mas não existe mais". Mas mesmo sua concepção se funda, ao fim, sobre os alicerces das exigências estruturalmente apologéticas do "ponto de vista da economia política".

[10] Ver a passagem citada do *18 Brumário* de Marx na nota 78.

[11] Ver, por exemplo, *Guerra Civil na França* de Marx.

nomistas políticos liberais de representar as condições da produção *capitalista* como sinônimo das condições de *produção em geral*. Eles assim o fizeram arbitrariamente, afirmando a identidade do *capital* com o instrumento de produção em si, evitando ou grotescamente empobrecendo a questão acerca da origem do próprio capital. Ao rejeitar a "eternização das relações históricas de produção"[12], a ênfase precisava se dar firmemente nas qualidades *específicas* dos processos socioeconômicos, insistindo que "não há produção em geral" para colocar claramente em relevo o interesse ideológico da posição liberal:

> O objetivo é apresentar a produção – veja, por exemplo, John Stuart Mill – ... como encapsulada em *leis naturais eternas* independentes da história, oportunidade em que as relações *burguesas* são então silenciosamente contrabandeadas como leis naturais invioláveis sobre as quais a *sociedade é fundada no abstrato*. Este é o propósito *mais ou menos consciente* de todo procedimento.[13]

Nossa completa concordância com as conclusões penetrantes de Marx, todavia, não pode remover o sentimento de desconforto com sua recusa sumária de algumas linhas válidas de investigação como "tautologias simplórias". Pois, mesmo que a análise de John Stuart Mill do "Estado estacionário"[14] da sociedade seja cheia de mistificação, ela se preocupa com uma questão fundamental: os limites últimos da *produção em si*, e não meramente da produção capitalista.

Esta questão sempre *assombrou* a teoria liberal/burguesa, desde Adam Smith[15], por uma boa razão: o medo de que o capital possa um dia encontrar seu *limite absoluto*. Nas circunstâncias em que este medo transforma-se numa realidade inevitável – o que está rapidamente acontecendo hoje –, a investigação das condições da produção em si deixa de ser uma questão de "tautologia simplória". Antes, adquire uma posição dramática porque os *limites do capital* colidem com as condições elementares do próprio *sociometabolismo*, e desse modo ameaçam aguda e cronicamente a própria sobrevivência da humanidade.

É neste contexto que considerações críticas da ecologia se transformam em uma parte vitalmente necessária da teoria marxista. Naturalmente, nossa abordagem deve ser *estruturalmente* diferente se comparada com a preocupação liberal/burguesa com tais questões. Pois esta última apenas pode pretender "administrar" manipulativamente a produção no interior dos e subordinada aos *limites do capital*[16], enquanto o objeto do marxismo é a *transcendência* histórica desses limites. A este respeito, um

---

[12] Marx, *Grundrisse*, p. 85.
[13] Id., ibid., pp. 86-7.
[14] Ver o Livro IV, Capítulo VI de *Principles of Political Economy*, de John Stuart Mill.
[15] Ver as considerações de Adam Smith sobre o "estado progressivo da sociedade" em *An Inquiry into the Nature and Causes of the Wealth of Nations*. Como J. S. Mill acertadamente observou: "A doutrina segundo a qual não importa por quanto tempo a luta incessante possa atrasar nossa ruína, o progresso da sociedade deva 'terminar em pântanos e misérias', longe de ser, como muitos ainda acreditam, uma invenção depravada do senhor Malthus, foi ou expressa ou tacitamente afirmada por seus mais distintos predecessores ..." (*Principles of Political Economy*, Longmans, Londres, Green & Co., 1923, p. 747).
[16] Ver o caráter apologético de boa parte do debate acerca de "Os limites do crescimento".

conceito que requer uma reavaliação fundamental é o de "avanço produtivo" do capital, pois numa época em que a vertiginosa produtividade do capital o capacita a engolir a totalidade dos recursos humanos e materiais do nosso planeta, e vomitá-los de volta na forma de maquinaria e "produtos de consumo de massa" cronicamente subutilizados – e muito pior: imensa acumulação de armamentos voltados à potencial destruição da civilização por centenas de vezes –, em uma situação como esta a própria *produtividade* se transforma num conceito enormemente *problemático*, já que parece ser inseparável de uma fatal *destrutividade*.

Diante da emergência de tal destrutividade, a conclusão é inevitável: o tremendo poder da produtividade do capital que "empurra o trabalho para além dos limites de sua insignificância natural" não pode ser simplesmente *herdado* pela "nova forma histórica". Ou seja, a desconcertante verdade é que, em relação às exigências qualitativamente mais elevadas da nova forma histórica (a saber, o desenvolvimento da "rica individualidade" de Marx), o poder liberador e que satisfaz necessidades da sua produtividade é um *mero potencial*, mas com o predomínio das necessidades autoperpetuadoras da produção-do--capital é uma *realidade devastadora*. Por isso é que, paradoxalmente, os instrumentos e modalidades capitalistas de produção, antes que possam ser "herdados", devem ser *radicalmente reestruturados* e reorientados.

11.5 A inserção social da tecnologia e a dialética do histórico/trans-histórico

Como é possível romper este círculo vicioso e fornecer uma resposta sem empobrecer a questão? De novo, estamos encarando um problema paradigmático da transição, com amplas consequências em jogo, pois a inserção social da tecnologia capitalista mostra que ela é estruturada com o único propósito da reprodução ampliada do capital a *qualquer custo social*. Assim, o assustador crescimento exponencial da destrutividade do capital não é o resultado de determinações políticas – variações da "guerra fria" nada mais são que uma justificação ideológica precária *a posteriori* de um estado de coisas já prevalecente –, mas representa a necessidade mais íntima da "produtividade" do capital nos dias atuais. Do modo como as coisas estão hoje, o capital seria ameaçado de um colapso total se suas válvulas de escape produtivas--destrutivas fossem repentinamente bloqueadas.

A discussão sobre a necessidade estrutural do "complexo industrial-militar" no desenvolvimento contemporâneo do capital está presente em outro ponto deste estudo[17]. Ao mesmo tempo, não há como deixar de sublinhar: a produtividade do capital, que nos dias presentes está *necessariamente* orientada para a destrutividade do complexo industrial-militar, não é meramente *incapaz* de fornecer o poder liberador antecipado para a nova forma histórica. Muito pior que isto: representa de fato um obstáculo do tamanho do Himalaia diante de qualquer esforço voltado para a finalidade da emancipação.

Nesse sentido, a menos que algumas estratégias viáveis de transição tenham sucesso em romper o círculo vicioso da catastrófica inserção social da tecnologia capitalista, a "produtividade" do capital continuará a lançar sua sombra como

---

[17] Ver Parte III, em particular o capítulo 16.

uma ameaça constante e aguda à sobrevivência, em vez de ser aquela realização das "condições materiais de emancipação" que Marx tantas vezes saudou com elogio. Pois, se a "maquinaria não é uma categoria econômica mais do que o *boi* que puxa o arado",[18] isso está longe de ser o caso em que "o modo pelo qual a maquinaria é usada é *totalmente* distinto da própria maquinaria"[19]. E, de qualquer modo, o complexo industrial-militar, com sua maquinaria infernal, certamente não é um boi. Nem pode o poder da produtividade articulado no interior dos seus limites ser "herdado" como qualquer outra coisa senão como a mais pesada de todas as pedras de moer atadas ao redor do pescoço.

A dificuldade aqui consiste em traçar uma linha de demarcação extremamente fina entre os constituintes *historicamente específicos* e os *trans-históricos* do desenvolvimento social. Apesar de esta distinção nunca ser absoluta, mas se referir às taxas *diferenciais* de mudança, ela não deixa, ainda por isso, de ser um assunto de grande importância. Como vimos, o contexto de confrontações polêmicas tornou necessário a Marx enfatizar fortemente a especificidade histórica e subestimar o peso dos fatores trans-históricos. Ele insistiu corretamente "que toda geração sucessora encontra-se na posse de forças produtivas conquistadas pela geração precedente, que *lhe servem* como a *matéria-prima* para nova produção"[20]. É necessário acrescentar a esta afirmação, com relação ao assunto em pauta, que tais forças não apenas servem à nova geração mas simultaneamente também *a acorrentam* à rocha das determinações passadas, tornando assim as coisas muito mais problemáticas do que poderia sugerir a expressão "matéria-prima".

Isto constitui uma condição particularmente grave quando a questão em jogo não é apenas como fazer a transição de uma geração à outra, mas como realizar o salto qualitativo do mundo do capital para o "reino da nova forma histórica". Pois, paradoxalmente, tecnologia – que pode ser considerada "em princípio neutra" em alguns aspectos, isto é, até que tal visão seja "modificada significativamente" pela força de outras considerações fundamentais – na realidade adquire, por meio da inserção social necessária, o peso da *inércia* superpoderosa de um fator *trans-histórico*. É por isso que temos que enfrentar a força paralisante que *serve* ao complexo industrial militar[21] e *acorrenta* (ou pelo menos constrange) todos os esforços que visem à sua reestruturação no caso da conquista *política* do poder. Não é necessário dizer, este é um fato negativo de dimensões vastas que multiplica as dificuldades de se divisar uma conquista e a consolidação do poder com sucesso nas circunstâncias presentes.

O sociometabolismo opera por uma multiplicidade de fatores e processos que se interconectam e exibem entre si taxas vastamente diferenciadas de mudança. Num polo

---

[18] Marx, *The Poverty of Philosophy*, Londres, Lawrence & Wishart, 1936, pp. 112-3.
[19] Marx, Carta a P. V. Annenkov, 28 de dezembro de 1846.
[20] Id., ibid.
[21] Sob um aspecto diferente, o mesmo problema nos confronta hoje sob as formas da divisão da organização e do desenvolvimento transnacional da tecnologia – cinicamente adaptada até mesmo às exigências imediatas de derrotar as greves – em conformidade com as necessidades atuais do capital.

encontramos aqueles que são sujeitos às flutuações mais rápidas – por exemplo, acontecimentos políticos diários e os ajustes ziguezagueantes correspondentes nas formas institucionais associadas. Em outro, a persistência teimosa de estruturas, valores e aspirações profundamente enraizados, que se reproduzem com relativamente poucas alterações. Estes últimos estão sujeitos a mudanças comparativamente lentas, não apenas no *interior* de um dado período histórico, ou no curso de transição de uma fase do desenvolvimento de um sistema social particular para outra fase, mas mesmo entre as fronteiras distantes de formações sociais significativamente diferentes (a "família nuclear", por exemplo). Naturalmente, são tais estruturas relativamente constantes ou trans-históricas que representam o maior desafio do ponto de vista da transição à nova forma histórica, implicando uma radical transformação de toda a estrutura social.

Neste contexto podemos ver novamente a significativa dependência negativa da teoria de Marx do objeto de sua negação radical: a problemática liberal. Em oposição às tendências "eternizantes" do liberalismo, era essencial insistir nas dimensões historicamente específicas da família e no caráter apologético fictício da concepção liberal de "natureza humana". Apesar disso, após retificarmos o equilíbrio tendenciosamente distorcido e resgatarmos a história da órbita circular de um interesse ideológico estreito, ainda ficamos com um problema não menos agudo: como produzir a necessária *maior velocidade* de mudança em estruturas que mostram *velocidades de mudança diferenciais* muito *baixas* entre as fronteiras históricas, como resultado de uma enorme variedade de determinações que se interpenetram.

Assim, a família em sua forma real de existência não é apenas a "família burguesa" historicamente específica, mas simultaneamente também a não tão específica "família nuclear" – e a primeira inextrincavelmente se interconecta com a última – que regula o sociometabolismo *em si* num sentido muito significativo. Similarmente, enquanto a "natureza humana possessiva" é uma ficção liberal anti-histórica, a reprodução incontestável das aspirações aquisitivas para bem além das fronteiras de mudanças sociais fundamentais, se estendendo por várias épocas históricas e formações sociais, sublinha também nesse aspecto a necessidade de uma completa reavaliação destas questões – em termos da dialética histórica específica em sua relação com o trans-histórico – em resposta a alguns dos desafios práticos que se afirmam com crescente intensidade hoje.

11.6 Teoria socialista e prática político-partidária

A *Crítica ao Programa de Gotha* de Marx terminou com a frase crítica: *dixi et salvavi animam meam* (disse e salvei minha alma). Ela indica, antes de tudo, as estranhas dificuldades sob as quais Marx teve que escrever suas observações. O que tornou as coisas piores foram os dezesseis longos anos que se passaram antes que as notas críticas de Marx pudessem ser publicadas, e o fato de só o terem sido após uma cáustica luta contra oposição poderosa. Nem terminou por aqui, pois, em seguida à própria publicação, os "*chefes socialistas*"[22] continuaram seus ataques, aos quais Engels precisou responder defensivamente em uma carta a Kautsky: "Se não ousamos dizer isto [a crítica] abertamente hoje, então quando?"[23]. Engels põe seu dedo num assunto

---

[22] Engels, Carta a F. A. Sorge, 11 de fevereiro de 1891.
[23] Id., ibid., Carta a K. Kautsky, 3 de fevereiro de 1891.

dos mais delicados quando escreve em outra carta a Kautsky: "É também necessário que parem finalmente de tratar os funcionários do Partido – seus próprios servos – com as eternas luvas de pelica e de se postar, diante deles, muito obedientemente, em vez de *criticamente,* como se fossem *burocratas infalíveis*"[24].

Tudo isto revelou o aparecimento de um novo tipo de constrangimento no desenvolvimento do movimento socialista: a *internalização* (e concomitante racionalização) das necessidades e contradições imediatas do próprio movimento. Apenas alguns anos antes das controvérsias em torno do *Programa de Gotha,* Marx ainda podia orgulhosamente escrever:

A Comuna não pretendia *infalibilidade,* o atributo invariável de todo governo de velha estampa. Publicou seus atos e discussões, e apresentou ao *público* todas as suas *falhas.*[25]

Agora, em completo contraste, ele tinha que dirigir suas observações, em estrita confiança, a um pequeno punhado de amigos: "apenas para absolver sua consciência e *sem qualquer esperança de sucesso*"[26], como depois admitiu Engels. Pois até mesmo um dos que estavam do seu lado em 1875, August Bebel[27], quando apareceu a *Crítica ao Programa de Gotha* de Marx, tinha em larga medida se acomodado às pressões internas, aceitando a supressão da crítica com a "justificação" – tristemente familiar aos membros do movimento socialista desde então – de que a crítica dos líderes do partido *auxilia nossos inimigos*[28]. Os esforços conscientes de Engels para "baixar o tom" das observações de Marx e "oferecer alguma morfina tranquilizadora e um pouco de bromato de potássio na introdução", como ele colocou, não pôde produzir um "efeito suficientemente calmante"[29] nas mentes dos "chefes socialistas infalíveis" que preferiram se esconder atrás do espectro miticamente inflado dos "inimigos".

Assim, poder-se-ia testemunhar a completa reversão das intenções originais em mais de um aspecto vitalmente importante. A defesa apaixonada da proposta de conduzir os assuntos sob escrutínio público, sem qualquer tentativa de esconder

---

[24] Id., ibid., 11 de fevereiro de 1891.

[25] Marx, *The Civil War in France*, Peking, Foreign Languages Press, 1966, p. 80. ed. brasileira, Marx, K., *A Guerra Civil na França*, in Marx, K., Engels, F., *Textos 1*, São Paulo, Ed. Sociais, 1977, p. 205.

[26] Engels, Carta a A. Bebel, 1º-2 de maio de 1891.

[27] Bebel foi o destinatário da carta preocupada de Engels citada na última sentença.

[28] "Este medo [da publicação] era essencialmente baseado na consideração: o que o inimigo fará disso? Já que a coisa foi impressa no órgão oficial, a exploração pelo inimigo ficará atenuada e nós nos colocamos em uma posição na qual podemos dizer: Vejam como nós nos criticamos – somos o único partido que pode se permitir fazer isso; tentem nos imitar! E este é também o ponto de vista correto que deveria ter sido adotado em primeiro lugar" (Engels, Carta a K. Kautsky, de 3 de fevereiro de 1891).
A principal objeção de Bebel à publicação da carta de Marx a W. Bracke (datada de 5 de maio de 1875, com comentários sobre o *Programa de Gotha*) afirmava que a liderança do partido se preocupava com as armas que uma crítica poderia colocar nas mãos dos inimigos (ver a carta de Bebel a Engels de 30 de março de 1891).
Em outra carta a Kautsky (datada de 23 de fevereiro de 1891), Engels novamente voltou ao assunto: "O receio de que colocaria armas nas mãos dos nossos oponentes era infundado. Insinuações maliciosas, claro, são associadas a qualquer coisa e a tudo, mas no geral a impressão causada em nosso oponente foi de *completo pasmo a esta impiedosa autocrítica* e a este sentimento: que poder interno deve possuir um partido que pode suportar tal coisa? Isto pode ser percebido nos jornais hostis que você me enviou (pelos quais muitos agradecimentos) e daqueles aos quais eu tive acesso de outro modo. E, falando francamente, esta era de fato a minha intenção quando publiquei o documento".

[29] Engels, Carta a K. Kautsky, 15 de janeiro de 1891.

falhas, colidiu com os interesses personalistas de segredo e "confidencialidade". O princípio da *autocrítica*, sob a pressão de tais interesses, assumiu a forma ridícula de *censura* voluntariamente implementada como *autocensura* em nome da unidade do partido. Engels comentou com amarga ironia:

> É de fato uma ideia brilhante a de colocar a ciência socialista alemã, após sua libertação da Lei Antissocialista de Bismarck, sob uma nova Lei Antissocialista a ser fabricada e imposta pelas próprias autoridades do Partido Social-democrata. Quanto ao resto, ordena-se que as árvores não devem crescer para o céu.[30]

A tudo isso devemos acrescentar outra questão com implicações de mais longo alcance: a realização da preocupação fundamental de Marx com a "*unidade de teoria e prática*" na forma da completa subordinação da teoria à prática político-partidária estreita, com sua "*propensão a medidas coercitivas*" (Engels) em nome da "*disciplina partidária*"[31].

Obviamente, portanto, esta foi uma inversão de uma importância absolutamente fundamental. Afirmar, como Engels, que "todos os que contam *teoricamente* estão do meu lado"[32] era uma consolação verdadeiramente muito pobre. Pois como poderia acontecer que aqueles que não contassem teoricamente "contassem" na prática política? A própria possibilidade de colocar assim a questão só poderia sublinhar o caráter ameaçador de tais acontecimentos para o futuro do movimento socialista. Engels se dirigiu a Bebel em um esforço de obter seu apoio para enfrentar a perigosa tendência de burocratização e supressão da crítica:

> Você – o Partido – *precisa* de ciência socialista, que não pode existir sem liberdade de movimento. Para isso, tem-se que tolerar inconveniências, e é melhor o fazer com graça, sem vacilação. Mesmo uma leve tensão, para não falar do rompimento *entre o Partido alemão e a ciência socialista alemã*, seria um infortúnio e uma desgraça sem paralelo.[33]

Engels fez esta advertência no condicional, na esperança de aumentar a força persuasiva de seu apelo ao não apontar muito obviamente seu dedo àqueles diretamente responsáveis. Como a história nos diz, ele não estava tentando remediar o "rompimento entre a ciência socialista e o partido", estava falando, isto sim, de uma situação já existente que se tornou muito pior com o passar do tempo. Seu diagnóstico da situação, formulado na mesma carta a Bebel, soa verdadeiramente profético à luz dos acontecimentos subsequentes do movimento socialista organizado:

> Está evidente que a executiva e você detêm, e devem deter, uma influência *moral* importante [itálico de Engels] no *Neue Zeit* assim como em todo o resto que está sendo publicado. Mas isto deve e pode também ser suficiente para você. O *Vorwärts* está sempre se gabando da *liberdade inviolável de discussão*, mas não se vê muito dela. Você não tem ideia de como soa estranha tal *propensão a medidas coercitivas* aqui no estrangeiro, onde se está acostumado a ver os mais velhos chefes do partido serem *grosseiramente chamados a prestar contas* ao seu próprio partido (por exemplo,

---

[30] Id., ibid., 23 de fevereiro de 1891.
[31] Id., ibid., Carta a A. Bebel, 1º-2 de maio de 1891.
[32] Id., ibid., Carta a F. A. Sorge, 4 de março de 1891.
[33] Id., ibid, Carta a A. Bebel de 1º-2 de maio de 1891.

o governo tory de Lord Randolph Churchill). E você ainda não deve esquecer que *em um grande partido a disciplina não pode ser tão rígida como numa pequena seita*, e que a Lei Antissocialista que forçou os lassalleanos e os eisenacherianos a se juntarem ... e tornou necessária essa firme coesão, *já não mais existe*.

Como podemos ver, Engels identificou sobriamente, à época de sua aparição, os perigos de:

(1) transformação de uma autoridade moral nos poderes ditatoriais de uma autoridade "burocrática" *ex officio*;
(2) supressão da *liberdade de discussão*;
(3) introdução de um sistema de *medidas coercitivas*;
(4) asserção da *infalibilidade dos chefes do partido* (o que colocava o partido socialista abaixo do nível dos partidos burgueses, apesar de supostamente dever exercer uma "autocrítica implacável" como demonstração do seu "poder interno");
(5) imposição da disciplina *artificial* de uma *pequena seita* a um *partido de massa* (em outras palavras: o triunfo do *sectarismo imposto*, que funciona pela multiplicação de medidas coercitivas e pelo culto religioso – o "culto da personalidade"? – da "infalibilidade"); e
(6) cultivo artificial da mentalidade de crise do *estado de emergência* como justificação autoevidente e inquestionável da violação mais escandalosa de todos os princípios, formas organizacionais e práticas de qualquer democracia socialista concebível.

11.7 Novos desenvolvimentos do capital e suas formações estatais

Por mais sérios que parecessem por si sós, esses problemas internos do movimento socialista estavam longe de representar a soma total das novas complicações. Nem representavam simplesmente um "conflito de princípios", ou uma contradição entre "ideais e realidade". Como Marx insistiu já em seus primeiros escritos[34] e continuou a reiterar em diversas ocasiões[35], aqueles que adotam a perspectiva do socialismo científico e do materialismo histórico "não têm outro ideal a realizar que não seja libertar os elementos da nova sociedade da qual está grávida a velha sociedade burguesa em colapso"[36]. As dificuldades dizem respeito aos elementos objetivos da mudança social em ambos os lados da equação: as estratégias visadas para libertar "os elementos da nova sociedade" por um lado, e por outro as expectativas de desenvolvimento "da velha sociedade burguesa em colapso". As pessoas tendiam a ler a metáfora de Marx com uma parcialidade otimista que ignorava sua advertência implícita: a saber, que a gravidez de úteros velhos frequentemente resulta em abortos ou recém-nascidos física ou mentalmente e gravemente deficientes.

Se novas dificuldades apareceram no movimento socialista, foi devido principalmente às estranhas formas com que as contradições do capital passaram a emergir e encontrar sua solução, de modo a reaparecerem com complexidade

---

[34] Ver a sua *Introdução à crítica da filosofia do direito de Hegel* assim como a Parte I de *A ideologia alemã*.
[35] O mais enfaticamente em *O manifesto do Partido Comunista*.
[36] Marx, *The Civil War in France*, op. cit., p. 73 [ed. brasileira, op. cit., p. 200; a edição brasileira disponível não contém o texto integral, assim várias das citações não puderam ser referidas a ela].

sempre crescente. Da fundação econômica à máquina política do governo, a "velha sociedade" estava sendo abalada em todos os seus níveis. Contudo, conseguiu não apenas sobreviver mas também, inexplicavelmente, emergir ainda mais poderosa de todas as crises importantes.

Marx descreveu o poder estatal corrupto do Segundo Império como "a última *forma possível* do domínio de classe"[37], acrescentando alhures que "no continente europeu pelo menos" este tipo de poder governamental se tornou "*a única forma possível de Estado*"[38] pela qual a classe dos apropriadores consegue manter sua dominação sobre a classe produtora. E, no mesmo contexto, ele anunciou a *morte do parlamentarismo* como o próximo passo lógico, seguindo o colapso da sua "última" forma de Estado. Tratando da crise do Segundo Império ele escreveu: "Este foi o poder estatal na sua forma última e mais *prostituída*, em sua realidade suprema e mais básica, a qual tinha de ser superada pela classe trabalhadora de Paris, e da qual apenas esta classe poderia livrar a sociedade. Quanto ao *parlamentarismo*, tinha *sido morto por sua própria responsabilidade* e pelo Império. Tudo o que a classe trabalhadora tinha a fazer era *não o reanimar*"[39].

Precisamos aqui relembrar Engels, que falou – em sua Introdução à *Guerra Civil na França* – da "ironia da história"[40] em produzir exatamente o oposto das intenções conscientes. É de fato a ironia da história que, de uma forma um tanto desconcertante, em alguns momentos predomina nas curvas e reviravoltas deste desenvolvimento, pois poderia haver ironia maior do que ver representantes socialistas – inclusive alguns dos mais radicais como Bebel – engajados na supressão e na censura dos escritos de Marx e em boicotar Engels[41] sob a pressão do seu próprio envolvimento com as vicissitudes do parlamentarismo? Ao invés de desaparecer da cena histórica, junto com a "última forma possível" do poder do Estado, o parlamentarismo reapareceu com um novo poder recentemente adquirido: dividir contra si próprio o mesmo movimento que não pode ter sucesso em seus objetivos sem a superação radical de tais formas políticas.

Já que as análises de Marx sempre foram parte integrante de um complexo muito maior, suas asserções acerca da "última" forma de Estado – como a "última forma possível do domínio de classe" – antecipavam um processo irrevogável de dissolução do próprio capital. Naturalmente, ele estava falando de um processo *histórico* cuja unidade de tempo não são dias – nem mesmo anos – mas *épocas* completas, abarcando o período de vida possivelmente de muitas gerações. Falando da época das revoluções sociais ele escreveu:

---

[37] Id., ibid., p. 167.
[38] Id., ibid., p. 228 [ed. brasileira, op. cit., p. 196].
[39] Id., ibid., p. 232.
[40] Id., ibid., p. 13 [ed. brasileira, op. cit., p. 164].
[41] "O boicote feito a mim pelos berlinenses ainda não foi levantado e eu não vejo nem escuto nada por carta ..." (Engels, Carta a Kautsky, 11 de fevereiro de 1891). E, novamente: "Há um plano de divulgar uma proclamação de fração declarando que a publicação [da *Crítica* ... de Marx] teve lugar sem conhecimento anterior deles e que eles a desaprovam. Se eles desejam, podem se divertir à vontade ... Enquanto isso, eu sou boicotado por esses senhores, o que está muito bem para mim, pois me economiza muito tempo". (Engels, Carta a F. A. Sorge, 11 de fevereiro de 1891).

A classe trabalhadora sabe que tem de passar por *diferentes fases* da luta de classe. Ela sabe que a superação das condições *econômicas* de escravidão do trabalho pelas condições do trabalho livre e associado só pode ser um *progressivo trabalho do tempo*, ... que exige não apenas uma mudança na *distribuição*, mas *uma nova organização da produção*, ou antes a libertação das formas sociais de produção na atual organização do trabalho (engendrado pela indústria presente), das malhas da escravidão, de seu caráter atual de classe, e sua *harmoniosa coordenação nacional e internacional*. Ela sabe que esse trabalho de regeneração será retardado e muitas vezes impedido pela resistência de interesses estabelecidos e pelo egoísmo de classe. Ela sabe que a atual "ação espontânea das leis naturais do capital e da propriedade da terra" só há de ser superada pela "ação espontânea das *leis da economia social* do trabalho livre e associado" por um *longo processo* de desenvolvimento de novas condições ... Mas ela sabe ao mesmo tempo que grandes avanços podem ser feitos imediatamente por meio da forma comunal de organização *política* e que chegou a época para *iniciar* este movimento para ela própria e para a própria humanidade.[42]

De modo claro, não há aqui nenhuma ilusão quanto à viabilidade de soluções rápidas através do sucesso de revoluções *políticas*, pois mesmo aquilo que surge em muitos sonhos socialistas como o mais rápido e promissor dos remédios – uma radical mudança no modo de *distribuição* – era sensatamente articulado à exigência de uma nova organização da *produção* como seu fundamento necessário, reafirmando os elos dialéticos entre os dois, em completa harmonia com os escritos anteriores de Marx.

Nesse sentido, como elementos das perspectivas gerais da transformação socialista *sem uma escala de tempo*, os princípios orientadores de Marx, contidos em nossa última citação, mantiveram sua validade fundamental até nossos dias. Os dilemas surgiram no contexto das mudanças *temporais*. Eles surgiram com relação à avaliação de eventos socioeconômicos e políticos específicos e das tendências de desenvolvimento. Em outras palavras, o inegável desvio das tendências históricas objetivas do "modelo clássico" colocou em discussão, com certa urgência, as complicações de qualquer transição para o socialismo, trazendo com isso a necessidade de elaborar teorias específicas de transição, de acordo com as novas modalidades de crise e a mutante configuração das condições socioeconômicas e circunstâncias históricas.

Foi em resposta a tais tendências de desenvolvimento que o seguidor mais radical de Marx, Lenin, definiu o *Imperialismo* como o "*estágio superior* do capitalismo". Isto coloca o Segundo Império na sua real perspectiva como uma forma de fato muito "subdesenvolvida" das verdadeiras potencialidades do capital, tanto em nível econômico como político. Certamente, Lenin também viu o novo, o mais elevado estágio como a "última fase" – e nesse sentido sua concepção também é passível de importantes restrições históricas. Apesar de tudo, ele trouxe para o centro da análise a problemática da implacável expansão global do capital e suas múltiplas contradições, tal como graficamente exemplificado pela inerente fraqueza estrutural – a ponto de provocar uma ruptura estrutural – em determinados elos de sua cadeia global.

---

[42] Marx, *The Civil War in France*, op. cit., p. 172.

Na lógica de tal perspectiva (que utiliza até o fim as potencialidades objetivas dos elos *particularmente* frágeis para romper a cadeia), não poderia haver qualquer hipótese de *uma única* revolução ou transição ao socialismo: tinha de haver *muitas*. Dessa mudança de perspectiva seguiram-se duas importantes implicações: uma muito esperançosa, outra cheia dos perigos de um novo campo minado. A primeira abria as possibilidades de um assalto ao ameaçador poder global do capital, com a promessa de sucessos parciais e a consolidação de algumas posições pós-capitalistas específicas pela exploração das contradições internas do capitalismo em sua totalidade, sob a forma de confrontações diretas desiguais. (De fato, até nossos dias, todo sucesso espetacular contra a formação capitalista surgiu deste tipo de estratégia e combate tipo "guerrilha".) A segunda implicação, contudo, apontava na direção oposta, pois prenunciava a *adaptação* da estrutura global do capital ao desafio de rupturas parciais. E não havia absolutamente nada a indicar, e muito menos a garantir *a priori*, que tais ajustamentos se dariam necessariamente em detrimento da continuidade da sobrevivência do capital em um futuro previsível.

11.8 Uma crise em perspectiva?

Marx identificou o verdadeiro objetivo dos ataques socialistas na *superação* (não na abolição repentina/política) da "escravidão *social* dos produtores ... a regência *econômica* do capital sobre o trabalho"[43], da qual o Estado burguês era apenas a "perpetuação imposta" mas não a *causa*. Compreensivelmente, apesar de lamentável, ele não estava interessado em explorar qualquer detalhe dos modos pelos quais o capital poderia ter sucesso em deslocar suas contradições – e assim resolvê-las temporariamente – adiando assim, por um período muito mais longo do que se poderia desejar, a erupção da sua crise estrutural. Ele saudou a Comuna (em sua comovente celebração daqueles dias heroicos) como evidência irrefutável da ativação efetiva de tal crise: daí as suas referências à época da *revolução social*. A imagem de Roma em desintegração, em sua frequente recordação dos acontecimentos da história antiga como alertas ao presente, ajudaram a intensificar suas expectativas de um colapso dramático. A tarefa de uma reconsideração não unilateral das possibilidades e formas de um novo período do ciclo de vida do capital – trazendo com ele uma correspondente continuação e intensificação da "escravidão social dos produtores" – não lhe poderia servir, até mesmo por causa de seu temperamento.

Precisamente neste aspecto, os meados de 1870 trouxeram para ele uma verdadeira crise: uma crise muito distante da simples necessidade de "lutar contra uma saúde em decadência"[44]. Aqueles que perderam seu tempo (e o nosso) perseguindo uma imaginária ruptura entre o "jovem Marx" e o "Marx maduro", batendo rumorosamente na porta errada, não conseguiram perceber o problema óbvio – invisível, claro, da perspectiva neostalinista: a incapacidade de Marx de levar a uma conclusão satisfatória (para ele) *O capital*, apesar de todos os anos

---

[43] Id., ibid., p. 229.
[44] Engels, "Prefácio" a *O capital* de Marx, vol. II.

de heroicos esforços despendidos. Na verdade, ele sofreu muito com a saúde ruim. Mas, exatamente nos anos 1870, sua saúde melhorou encorajadoramente, como notou o próprio Engels[45]. As maiores dificuldades de Marx eram as *internas*, como ele próprio explicitamente revelou ao expressar um sentimento de desconforto sobre o manuscrito abandonado de *O capital,* pois a "Parte III do Volume II, que trata da reprodução e da circulação do capital social, parecia a ele *necessitar de uma profunda revisão*".[46]

O desconforto de Marx se referia aos capítulos sobre a *autorreprodução ampliada do capital* e, dentro desta, à questão do consumo – o que constitui seu último envolvimento com o manuscrito de *O capital,* quatro anos antes de sua morte. Ele retomou as formulações mais recentes do problema acerca do modo pelo qual o capital necessita do consumo para sua autorrenovação, mas tratou-as de uma forma muito polêmica, sem explorar suas implicações até as suas conclusões lógicas no que diz respeito às suas potencialidades positivas para o capital. Ele cita, de um artigo publicado em *The Nation* de outubro de 1879, algumas páginas nas quais o secretário da Embaixada Britânica em Washington, um certo sr. Drummond, sugeriu que

> não há razão por que o trabalhador não devesse desejar tantos confortos quanto o pastor, o advogado e o doutor, que estão recebendo o mesmo que ele. Ele não o faz, contudo. O problema que permanece – como elevá-lo a um *consumidor* mediante procedimentos racionais e saudáveis – não é fácil, já que sua ambição não vai além de uma diminuição das suas horas de trabalho, os demagogos antes o incitando a isso que à elevação de seus poderes mentais e morais.

O mesmo sr. Drummond também citou o secretário de uma companhia americana que prometeu "bater a Inglaterra" não apenas em relação à *quantidade* de produção (o que, ele alegava, já havia sido realizado), mas também com *preços mais baixos,* a serem alcançados, no caso de sua companhia (uma fábrica de cutelaria), pelo rebaixamento dos custos tanto do *aço* como do *trabalho.*

Os comentários de Marx são apaixonadamente negativos. Primeiro, retrucou com ironia que "estes pastores, advogados e doutores particulares terão que se satisfazer *apenas em desejar* muitos confortos". E, daí, ele prosseguiu para explicitar com sarcasmo ainda mais agudo sua oposição à própria ideia de tais acontecimentos:

> *Longas horas de trabalho* parecem ser o segredo desses "procedimentos racionais e saudáveis" que devem elevar a condição do trabalhador ao elevar seus "poderes mentais e morais" e fazer dele um consumidor racional. Para se tornar um consumidor racional de mercadorias dos capitalistas, ele deve começar, antes de mais nada – mas o demagogo o impede! –, a permitir que o capitalista consuma sua própria força de trabalho de maneira irracional e nociva à saúde. ... Redução de salários e longas horas de trabalho – essa é a essência do "procedimento racional e saudável" que deve elevar o trabalhador à dignidade de um consumidor racional para

---

[45] "Marx retornou de Carlsbad bastante mudado, vigoroso, rejuvenescido e saudável, e logo poderá retornar seriamente ao trabalho" (Engels, Carta a W. Bracke, 11 de outubro de 1875).
[46] Engels, "Prefácio" a *O capital* de Marx, vol. II.

criar um mercado para a massa de objetos que a cultura e o progresso das invenções lhe tornaram acessíveis.[47]

Certamente, a hipocrisia acintosa do artigo do secretário da Embaixada merecia todas as palavras de censura de Marx. No entanto, no calor da polêmica, ele tentou focalizar apenas seu aspecto mais servil, deixando de perceber algumas importantes implicações da perspectiva consumista expostas nos comentários do senhor Drummond. Mesmo que, aos olhos dos apologistas do capital, os militantes socialistas aparecessem como meros "demagogos", esta circunstância não os impedia de perceber – do ponto de vista e no interesse do capital – que há pelo menos um *conflito* potencial entre a *efetividade* da militância e o nível de desenvolvimento do sistema de consumo, ligado até o final às inflexíveis limitações, do mercado capitalista. Eles perceberam (de um modo contraditório, unilateralmente seguindo à conclusão dos imperativos do capital, geralmente – mas não sempre – na forma de meras *ilusões*) que o surgimento do *trabalhador na qualidade de consumidor de massa* estenderia *radicalmente* o mercado, produzindo uma válvula de escape aparentemente, e para eles esperançosamente, sem limites para a expansão capitalista.

Tais pessoas eram "ingênuas" (para não usar termo mais forte) ao imaginar que se pudessem manter *longas horas* como uma norma, em razão de apetites "culturalmente" estimulados por consumo inessencial – estando fora de questão a recusa até mesmo das mais insalubres longas horas, se o que estiver em jogo for *a sobrevivência* do trabalhador. Mas estas mesmas pessoas também percebiam que se poderia impor com sucesso à classe trabalhadora um dia de trabalho muito além do que demandavam os meios absolutamente essenciais de subsistência, desde que as horas relativamente longas fossem articuladas a uma grande expansão no consumo. Daí as referências à "invenção" serem, nesta linha de argumentação, muito mais que mera demagogia. O objetivo era a exitosa expansão do mercado: sua transformação radical, isto é, qualitativa, em *mercado de consumo de massa*. Isto deveria ser alcançado por meio da integração das reivindicações dos trabalhadores – e, na sua esperança implícita, também dos próprios trabalhadores, após livrá-los dos seus "demagogos" – neste novo mercado. Consequentemente, a redução do *custo* do trabalho (e de modo algum necessariamente seu *preço*, que poderia realmente aumentar) era tão aceita quanto qualquer outro passo na mesma direção.

Nesta "*quantificação da qualidade*" (um processo que visa, do ponto de vista do capital, o estabelecimento de um mercado mais *favorável*, definido como um mercado de consumo de *massa*), a própria *qualidade* era tratada como uma consideração necessária, porém *insuficiente*. Daqui a ênfase na demanda quantitativa por melhorar significativamente os níveis de preços tanto em termos de matérias-primas como de custos do trabalho. Além disso, as mudanças propostas afetavam simultaneamente – e para melhor – tanto os interesses de uma dada unidade do *capital nacional* (neste caso, uma porção particular do capital americano em sua competição com o capital britânico) como os interesses do *capital propriamente dito*. (Por isso é que o secretário da Embaixada britânica podia corretamente se entusiasmar tanto com os acontecimentos nos Estados Unidos.) Desse modo, a questão em jogo não era apenas

---

[47] Marx, *Capital*, Vol. II, Harmondsworth, Penguin Books, 1978, pp. 591-2 [ed. bras. *O capital*, vol. II, São Paulo, Ed. Abril Cultural, 1984, p. 375].

a competição limitada de capitais particulares, em relação à qual o sarcasmo de Marx seria muito apropriado, já que, de fato, "todo capitalista deseja que seu trabalhador compre sua mercadoria particular"[48]. Tratava-se, simultaneamente, também da "competição fundamental ou absoluta" (Marx) entre capital e trabalho. Ao fazer-se a si próprio mais avançado e flexível, o capital *em si* melhorava sua posição competitiva *vis-à-vis* ao trabalho por um período histórico tão longo quanto as novas relações de mercado pudessem manter seu progresso. Em relação a todos estes problemas, a habilidade das classes trabalhadoras para "criar um mercado para a massa de objetos que a cultura e o progresso das invenções lhes tornaram acessíveis" apresenta um desafio muito mais sério do que a rápida recusa de Marx poderia sugerir.

Significativamente, nas páginas que se seguem imediatamente à discussão do artigo do senhor Drummond, Marx destaca a importância da continuidade da expansão do "Departamento II" (meios de consumo) na reprodução do capital, pois "haveria *superprodução relativa* no Departamento I [meios de produção] correspondente a esta *não expansão* simultânea da reprodução por parte do Departamento II"[49]. Naturalmente, esta conclusão de forma alguma indica que *haveria* superprodução, com sua crise subsequente; nem que não haveria. Neste ponto, a questão era meramente a de estabelecer as implicações necessárias das partes constituintes uma para a outra e para o desenvolvimento do sistema do capital como um todo.

A direção provável do desenvolvimento *real* estava, claro, intimamente ligada ao sucesso ou ao fracasso das estratégias advogadas pelo secretário britânico e seus senhores, exigindo uma definição precisa das especificidades históricas e condições mutáveis dos vários fatores envolvidos. O sonho de uma expansão sem impedimentos do capital por meio do "consumo produtivo" é tão velho quanto a própria economia política burguesa. No último quartel do século XIX iniciou-se uma fase no desenvolvimento do mercado mundial de mercadorias que prometeu realizar aquele sonho, afetando profundamente por um longo período a orientação do próprio movimento socialista. Marx testemunhou o *início* dessa nova fase assim como os *primeiros sinais* do seu impacto negativo nas perspectivas de uma vitória socialista. Daí suas dificuldades internas: do *dixi et salvavi animam meam* até a incapacidade de atribuir toda a sua importância às potencialidades enormemente aperfeiçoadas do capital global em sua própria estrutura teórica. Foi precisamente em relação a esses acontecimentos que a sensação de Marx de que "seu tratamento da reprodução e da circulação social em muito necessitava de uma revisão" era plenamente justificada.

O capital necessitava de novos caminhos para a continuidade de sua sobrevivência e seu poder, e encontrou duas principais válvulas de escape para enfrentar a ameaça de atingir seus próprios limites estruturais. A primeira foi a *intensificação* incansável do seu domínio *interno*; a segunda, a expansão e a multiplicação do seu poder em

---

[48] Id., ibid., p. 591 [ed. bras. op. cit., p. 376].
[49] Id., ibid., p. 593 [ed. bras. op. cit., p. 376].

escala *global*. No segundo aspecto, isso significou mover-se de sua forma um tanto subdesenvolvida do Segundo Império – e suas formações paralelas em todos os outros lugares – para *um sistema de imperialismos* (que de modo algum representava os limites últimos de sua articulação internacional). E, com relação ao seu desenvolvimento interno, a nova fase trouxe com ela o que pode ser chamada uma "*colonização interna*" de seu próprio mundo "metropolitano", por meio da extensão e da intensificação da "dupla exploração" dos trabalhadores: como produtores e como consumidores. Em contraste com o seu modo de funcionamento nas colônias e nos territórios neocoloniais "independentes", nas áreas "metropolitanas" o crescimento do consumo – a serviço da autorreprodução ampliada do capital – adquiriu um significado cada vez maior. Desse modo, no plano interno, a nova fase foi marcada por uma transição radical de um *consumo limitado* para um "*consumo*" maciçamente ampliado e "*administrado*", com implicações de largo alcance e consequências dolorosamente reais para o desenvolvimento do movimento da classe trabalhadora.

Capítulo 12

A "ASTÚCIA DA HISTÓRIA" EM MARCHA À RÉ[1]

12.1 *List der Vernunft* e a "astúcia da história"

A noção marxista da "astúcia da história" foi formulada como um "colocar-se de pé materialista" da *List der Vernunft* ("astúcia da Razão") de Hegel. Segundo Hegel, trata-se da "astúcia que, parecendo subtrair-se à atividade, observa e vê a forma como a determinidade e sua vida concreta constituem um agir que provoca *sua própria dissolução* e se faz um *momento do todo*, justamente onde acredita ocupar-se de sua própria conservação e de seu interesse particular"[2].

Na concepção hegeliana, um resultado positivo deste embate de interesses particulares – por meio de sua subsunção adaptadora ao todo que se desdobra divinamente – é assegurado *a priori,* já que

> o racional, o divino, possui o *poder absoluto* de consumar-se a si próprio e, *desde o início*, realizou-se a si próprio; ... O mundo é esta atualização da Razão divina; é apenas na sua *superfície* que predomina o jogo das *contingências*.[3]

O caráter apologético da concepção de Hegel de "ser ativo em prol da Razão" é explicitado com particular clareza em sua *Filosofia do Espírito*, ao discutir as eras da humanidade. O tratamento de Hegel desse problema expõe graficamente a natureza conservadora da teoria liberal da "transição". Pois, no momento que atingimos a "sociedade civil" – o domínio estruturalmente inalterável dos interesses burgueses –, o "movimento dialético" se transforma em uma pseudoprogressão cujo significado reside em preservar todas as condições "essenciais" (isto é, estruturalmente inalteráveis).

---

[1] Publicado pela primeira vez em italiano como parte de um estudo mais amplo: "Il rinnovamento del marxismo e l'attualità storica dell'offensiva socialista", *Problemi del socialismo*, janeiro-abril de 1982, pp. 5-141, e em inglês na *Radical Philosophy*, n. 42 (inverno/primavera 1986), pp. 2-10. Este estudo é agora publicado com pequenas mudanças nos capítulos 11-13 e 18. As notas 22-25 deste capítulo e a seção 18.4 foram adicionadas neste volume.

[2] Hegel, *The Phenomenology of Mind*, Londres, Allen & Unwin, 1966, p. 114 [ed. bras., *Fenomenologia do espírito*, Petrópolis, Vozes, 1991, Parte I, p. 52].

[3] Hegel, *Philosophy of Mind*, Oxford, Clarendon Press, 1971, p. 62.

Ele [o homem adulto] mergulhou na Razão do mundo atual e se mostrou ativo em prol dela ... Se, portanto, o homem não quer perecer, deve reconhecer o mundo como um mundo *autodependente* que, em sua natureza *essencial*, está *já completo*, deve *aceitar as condições* postas a ele pelo mundo e lutar a partir delas pelo que ele deseja para si próprio. Como regra geral, o homem crê que esta *submissão* é imposta a ele pela necessidade. Mas, em verdade, esta *unidade* com o mundo deve ser reconhecida não como uma relação imposta pela *necessidade*, mas como *o racional*. ... portanto o homem se comporta muito racionalmente ao *abandonar* seu plano de transformar completamente o mundo e ao esforçar-se por realizar seus objetivos pessoais, paixões e interesses apenas no interior do mundo do qual é parte. ... apesar de o mundo *dever ser reconhecido como já completo em sua natureza essencial*, ele não é um mundo morto, absolutamente inerte, mas, assim como o *processo-da-vida*, um mundo que perpetuamente cria a si próprio novamente, o qual, ao mesmo tempo que *meramente preserva a si próprio, progride*.[4]

De acordo com o ponto de vista da economia política burguesa clássica, Hegel usa o modelo *orgânico* do "processo-da-vida" (que opera numa escala de tempo completamente diferente daquela do mundo social), de modo a ser capaz de projetar a *aparência* de um avanço enquanto constantemente reitera a *conservação* necessária das condições que são ditas estarem "já completas em sua natureza essencial". Como podemos ver, na estrutura de tal concepção "orgânica", que aceita como inquestionável a "sociedade civil", o real *deve* da "submissão necessária" é transubstanciado em um "deve" fictício – de fato, um "deveria" impotente: um mero *Sollen* – de "avanço", culminando na apoteose das filosofias do direito, da ética e da religião:

É nesta conservação e no avanço do mundo que consiste o trabalho do homem. Portanto, por um lado, podemos dizer que o homem apenas *cria o que já está lá*; todavia, por outro lado, sua atividade *deve* também trazer um avanço. Mas o progresso do mundo ocorre apenas *em larga escala* e apenas se torna visível em *um amplo agregado* do que foi produzido... Este conhecimento, assim como *o discernimento da racionalidade do mundo*, o libera de lamentar a *destruição de seus ideais* ... o elemento substancial em todas as atividades humanas é o mesmo, a saber, *os interesses do direito, da ética e da religião*.[5]

Desse modo o caráter orgânico do "processo-de-vida" se encaixa, sem dúvida, duplamente no esquema das coisas de Hegel. Primeiro, porque é *cíclico-repetitivo*; e, segundo, porque exibe a temporalidade quase atemporal da história natural se medida na dramática escala de tempo dos eventos e transformações sociopolíticas. Em ambos os casos o modelo de "processo-de-vida" somente pode servir à "eternização" das condições estabelecidos.

Nesse sentido, para Hegel teria sido um completo absurdo sugerir que a "astúcia da Razão" pudesse trazer um embate de interesses antagônicos de tal severidade que burlasse não apenas as partes em conflito, mas também *a si própria*, provocando a *destruição* do "todo", em vez da "atualização da Razão divina" por meio da integração racional de todas as contradições vistas como "momentos do todo que se autossustenta" (Hegel), interligados de modo feliz. Em consonância com o "ponto de vista" liberal/apologético "da economia política" (Marx), o

---

[4] Id., ibid., pp. 62-3.
[5] Id., ibid., p. 63.

conflito de interesses era tanto reconhecido como *eternizado* nesta concepção de Hegel, pois atribuía à mera *superfície* o que denominava de "jogo de contingências", excluindo categoricamente a possibilidade de mudanças estruturais no todo divinamente prefigurado e permanente.

Quanto à transformação materialista da "astúcia da Razão", devemos estar cientes de uma outra dificuldade intrínseca: a aplicação de um modelo *individualista* a processos e transformações fundamentalmente *não individualistas*. Para Hegel, este problema não existia por duas razões principais:

(1) A escala de tempo de seu modelo orgânico está perfeitamente afinada com a estrutura individualista de sua concepção das interações, já que ela não teve que produzir progressão histórica real a partir de uma interação caótica-anárquica de vontades individuais. Longe disso, já que o "resultado final" *necessário* era antecipado no próprio começo como "já dado" e "já completo", enquanto a interação da infinitude das vontades individuais em uma escala de tempo infinita destinava-se meramente a produzir o que era requerido pela "noção" de predeterminações da "Razão Divina";

(2) A dificuldade de fazer a transição de indivíduos essencialmente diferentes para *a universalidade* do processo histórico abrangente foi facilmente resolvida por:

(a) postular *a priori* a "*unidade* com o mundo" dos indivíduos; e

(b) postular uma unidade similar entre o indivíduo humano e *a humanidade em si*. (Nas palavras de Hegel: "A sequência de eras na vida do homem se envolve, desse modo, em *uma totalidade de alterações conjecturalmente determinadas,* que são produzidas pelo processo do gênero com o *indivíduo*"[6]. Como podemos ver, o conceito mistificador do "individual-genérico", mencionado nas *Teses sobre Feuerbach* de Marx, não está confinado ao materialismo. Caracteriza toda a tradição filosófica que compartilha o "ponto de vista da economia política".)

Desse modo, os indivíduos historicamente relevantes eram indivíduos--genéricos que necessária e racionalmente agiam a partir do destino divinamente prefigurado da espécie na escala de tempo correspondente ao "processo-de-vida que se autorrenova perpetuamente", em relação à qual as aberrações do "jogo de contingências" poderia apenas produzir uma leve ondulação na superfície.

Caminhos tão fáceis não se abrem à concepção materialista da história. Causa, portanto, perplexidade ver como Engels utiliza a "astúcia da história" – a "resultante" de muitos desejos individuais conflitantes – para explicar o movimento histórico:

Raramente se realiza o que se deseja e na maioria dos casos os numerosos fins visados *se entrecruzam e se entrechocam* ...Os choques entre *as inumeráveis vontades* e atos individuais criam no domínio da história um estado de coisas *muito semelhante* ao que impera na *natureza inconsciente*. Os objetivos *visados* pelos atos são produtos da vontade, mas os resultados desses atos não são os que se esperam ... Os homens fazem sua história, quaisquer que sejam os rumos desta, na medida em que *cada um* busca seus próprios fins, com a consciência e a vontade do que fazem; e a história é

---

[6] Id., ibid., p. 64.

precisamente a resultante dessas *numerosas vontades* projetadas *em direções diferentes e de sua múltipla influência no mundo exterior.*[7]

Se esta for uma avaliação precisa, há algo de misterioso no fato de algum tipo de ordem (história), e não o *caos total*, resultar das muitas vontades empurrando inexoravelmente em "inumeráveis direções diferentes".

A "astúcia da história" como a *resultante* esperada de milhões de forças centrífugas auto-orientadas não é uma explicação muito plausível da história. Pois, se não houver coesão e direção de algum tipo já nas próprias vontades individuais (embora, claro, não em todas as suas flutuações momentâneas ou caprichosas), então seria preciso algum poder mágico para dar conta da coesão última e do movimento, ou se seria forçado a uma posição que tende a subestimar a importância das determinações individuais conscientes em favor de alguma "lei geral interna" e "causas históricas" separadas.

O fato é que há momentos em que a formulação de Engels cai na segunda categoria. É o que ocorre, por exemplo, quando ele insiste que

> o curso da história é governado por *leis gerais internas* ... as muitas vontades individuais ativas na história na maior parte produzem resultados absolutamente outros que não aqueles pretendidos – em geral absolutamente *opostos*; seus motivos, portanto, em relação ao resultado total são do mesmo modo *apenas de importância secundária*. ... Quais são as *causas históricas* que transformam a si próprias nestes motivos nos cérebros dos atores?[8]

O *individual-genérico* e a "astúcia da Razão" representam o modo de Hegel evitar a conclusão da anarquia e do caos enquanto retém convenientemente a estrutura individualista da "sociedade civil" eternizada na qual *antagonismos sociais* fundamentais são mistificadoramente transubstanciados em conflitos *individuais*. Coerentemente, nem o individual-genérico nem a "astúcia da Razão" são adequados para ser assimilados em uma concepção materialista da história. Junto com o *bellum omnium contra omnes* (guerra de *todos contra todos*) de Hobbes, eles pertencem a um certo tipo de teoria com a qual a concepção de Marx do *indivíduo social* – orientado e motivado do interior da estrutura de uma *consciência social* específica – não tem realmente nada em comum.

A diferença fundamental entre a concepção especulativa e a materialista de história não é estabelecida pela simples alteração do nome "astúcia da Razão" para "astúcia da história", mas por identificar os constituintes dinâmicos do desenvolvimento histórico real na sua *radical abertura*: isto é, sem qualquer garantia preconcebida de um resultado positivo do embate de forças antagônicas. É por isso que na concepção marxiana a "nova forma histórica" pode apenas ser *anunciada* (como Marx coloca nos *Grundrisse*), já que sua constituição *real* envolve a necessidade (a única "inevitabilidade" nestes assuntos) de atravessar o campo minado nodal do capital, com suas implicações longe de felizes para a própria história. Marx firmemente declarou que

---

[7] Engels, *Ludwig Feuerbach and the End of Classical German Philosophy*, in Marx and Engels, *Selected Works*, Vol. II, p. 354 [ed. bras. Engels, *Ludwig Feuerbach e o fim da filosofia clássica alemã*, in Marx e Engels *Textos*, São Paulo, Ed. Sociais, 1977, p. 108; o texto em português traz "resultado" ao invés de "resultante", no que foi corrigido].

[8] Id., ibid., pp. 354-5 [ed. bras., op. cit., p. 108].

uma formação social *nunca perece* antes que estejam desenvolvidas todas as forças produtivas para as quais ela está suficientemente desenvolvida, e novas relações de produção mais adiantadas *jamais tomarão o seu lugar* antes que suas condições materiais de existência tenham sido *geradas* no seio mesmo da velha sociedade. É por isso que a humanidade só se propõe as tarefas que pode resolver, pois, quando se considera mais atentamente, vai-se chegar à conclusão de que a própria tarefa só aparece onde as condições materiais de sua solução já existem ou, pelo menos, estão *no processo de seu devir*.[9]

O desenvolvimento histórico real não é, portanto, de modo algum fechado, apesar da visão vulgar-fatalista atribuída a Marx por alguns seguidores, assim como por adversários. Ele apenas se refere ao processo *de devir* das *condições materiais* de uma solução *possível* (é "necessária" no sentido não fatalista de ser *exigida*, assim como no sentido, do mesmo modo não fatalista, de predicar a *maturação* última das próprias contradições, mas de modo algum a *solução feliz* para elas). E, apesar de a sentença que se segue à última citação – "com essa formação social se encerra a pré-história da sociedade humana"[10] – criar a impressão de um fechamento, mesmo nela a questão é simplesmente reforçar que, *se* o processo é completado com sucesso, ele marca uma fase qualitativamente nova no desenvolvimento da espécie humana.

Alegar que Marx garante a "inevitabilidade" do socialismo apenas com base na *formação*, em andamento (e longe de seu final), das condições *materiais* de uma *possível* solução – enquanto, na verdade, ele dedicou toda a sua vida à tarefa de imaginar algumas outras condições vitais, tais como a elaboração de uma teoria socioeconômica e de uma estratégia política adequadas – é nada menos que ridículo. Sua declaração trata das *tendências* gerais de um certo *tipo* de desenvolvimento social: aquele marcado pelas determinações mais propriamente cegas da "pré-história", na qual se permite à "astúcia da história" correr solta. O que significa dizer que não se trata aqui dos modos tortuosos e das desconcertantes especificidades transicionais por meio dos quais se pode retardar, colocar em risco ou mesmo reverter por um período mais curto ou mais longo a formação das condições materiais e não materiais de uma possível solução sob a pressão sempre-crescente da articulação *global* do capital por meio da qual "*alle Widersprüche zum Prozess kommen*" (todas as contradições entram em jogo)[11].

12.2 A reconstituição das perspectivas socialistas

Como foi que a "astúcia da história" – que supostamente deveria auxiliar, por assim dizer *ex officio*, as forças históricas em ascensão contra as velhas, para assegurar a concretização da nova ordem –, em vez de fazer o seu trabalho, entrou em marcha à ré e começou a se mover na direção oposta, estendendo para além do reconhecível

---

[9] Marx, "Preface" a *Critique of Political Economy*, in *A Contribution to the Critique of Political Economy*, Londres, Lawrence & Wishart, 1971, p. 21. Infelizmente, nesta tradução a palavra *always* (*immer*) é interpretada por *inevitably*, desse modo encorajando uma leitura fatalista/determinista [ed. bras. "Prefácio" à *Crítica da economia política*, São Paulo, Abril Cultural, 1982, p. 26].

[10] Id., ibid.

[11] Marx, *Grundrisse*, p. 228.

a vitalidade daquele "anacronismo social" que parecia estar em seu último estágio (como a "última forma possível de domínio de classe" etc.) em meados do século XIX? E, em vista do fato de esses acontecimentos não terem ocorrido no universo especulativo hegeliano, mas no solo real da história humana, quais são as chances e condições de impedir esse retrógrado impulso temerário, em máxima velocidade rumo ao precipício, com a visibilidade limitada a um retrovisor miseravelmente pequeno: muito distante da aclamada visão totalizante da "astúcia da Razão"?

A resposta à primeira questão se apresenta em duas partes, a saber:

(1) desde meados do século XIX as forças socialistas desenvolveram algumas contradições internas, cujo impacto negativo excedeu em muito as previsões que já haviam induzido Marx a chegar à triste conclusão já mencionada em sua *Crítica ao Programa de Gotha*: *dixi et salvavi animam meam* (disse e salvei minha alma), em sua próprias palavras "sem qualquer esperança de sucesso" em influenciar as decisões importantes que tinham que ser tomadas na época pelas alas em disputa do movimento alemão; e

(2) no mesmo período o próprio capital teve sucesso em alterar significativamente seu caráter e seu modo de operação: não com respeito aos seus *limites últimos*, mas em relação às *condições* de maturação de suas contradições como reconhecidas e teorizadas por Marx.

Quanto à segunda questão, que se refere à mudança da presente situação para melhor, a resposta obviamente depende da completa maturação das próprias contradições. Pois apenas este processo objetivo pode bloquear tanto a "linha de menor resistência" como as válvulas de escape existentes para o *deslocamento* das contradições, em ambos os lados do antagonismo social.

Se é verdade que uma ordem social nunca perece antes que *todas* as forças produtivas, para as quais ela é amplamente suficiente, tenham se desenvolvido no interior de sua estrutura, esta verdade possui implicações de longo alcance para os modos pelos quais uma formação social particular pode ser substituída por outra. Nesse aspecto, não é indiferente se uma crise conduz a uma quebra e um colapso totais da ordem social em questão – cujas forças produtivas obviamente não podem mais se desenvolver nos seus limites – ou se, sob o impacto de uma crise *maior*, novas modalidades de funcionamento forem introduzidas a fim de prevenir aquela quebra. Uma vez, contudo, que tais mudanças são introduzidas, elas se tornam partes integrantes mais ou menos conscientemente adotadas de um novo conjunto de relações "híbridas", deste modo redefinindo radicalmente os termos em que se pode considerar a crise *fundamental* (ou seja, não apenas "periódica") subsequente. É por isso que os novos ajustamentos "híbridos" ampliaram significativamente o potencial de desenvolvimento contínuo das forças produtivas no interior da estrutura estabelecida, impondo assim a necessidade de um profundo reajuste nas estratégias do adversário.

Nesse sentido, a viabilidade da velha ordem é agora afetada positivamente em um grau antes inimaginável. Nem se deveria admitir que esta seja uma opção "que não se possa repetir". Pelo contrário, tais mudanças geram as condições de sua própria autorrenovação ao injetar novas "variáveis" – cada uma com características objetivas e potencialidades próprias – cuja interação se converte, uma vez mais, no solo objetivo para gerar novas potencialidades e suas combinações. Isso traz a extensão ainda maior dos limites e poderes produtivos *anteriores* (embora, claro, não dos limites *últimos*) da ordem social estabelecida. E já que as forças envolvidas em tais intercâmbios são, elas próprias, forças sociais inerentemente *dinâmicas*, com *consciência* (e "falsa consciência") dos seus interesses que se alteram, em *ambos* os lados do antagonismo social fundamental, estes reajustamentos devem ser conceituados como um *processo em andamento,* cujos limites *últimos* ou "absolutos", apesar de existirem, não podem ser prontamente prefigurados. A negação mais ou menos explícita de tais limites produz a submissão fútil das perspectivas "revisionista" ou "social-democrata" (de Bernstein a Anthony Crosland e mesmo seus seguidores menores dos dias atuais), enquanto sua tradução voluntarista direta numa consciência da crise assume as formas políticas igualmente danosas das variedades do stalinismo até manifestações de sectarismo de pequenos grupos, os quais vivem imaginariamente a "revolução permanente" ao adotar a psicologia de um estado de emergência permanente.

Os limites últimos mencionados acima dizem mais respeito às mais amplas condições *históricas* do processo do que às suas flutuações transitórias. Enquanto estas transformações se desenvolverem num terreno muito disputado, nenhum passo emancipatório estará a salvo dos perigos da regressão, não importa o quanto as relações históricas *últimas* de força sejam favoráveis para a "nova forma histórica" numa situação em que a velha ordem se mostre incapaz de desenvolver as forças produtivas. Enquanto as confrontações sociais persistirem efetivamente, o resultado permanecerá fundamentalmente em *aberto*. Isto porque as apostas nas confrontações atuais não se aplicam ao "*tudo ou nada*" sumário – exceto naquelas situações muito raras de crise quase apocalíptica (e mesmo assim não por muito tempo) –, mas à solução *desse* ou *daquele* conjunto de problemas ou contradições, com a possibilidade de reagrupamento após uma derrota parcial ou, ainda, de perder tudo como resultado do consumo insuspeito dos frutos indigestos da vitória.

Faz parte da natureza mais íntima do confronto entre capital e trabalho que *nenhum* dos dois antagonistas principais pode ser simplesmente abandonado morto no campo de batalha. A "abolição do capital", como um *ato* (em oposição a um longo *processo de reestruturação* que se arrasta), é tão absolutamente irrealista quanto a repentina "abolição do Estado" ou a "abolição do trabalho". Os três permanecem e "caem" juntos. (De fato Marx fala de *"Aufhebung"*, um processo histórico complexo de "superação-preservação-elevação a um nível superior".) Isto faz a transição ao socialismo não apenas complexa mas, ao mesmo tempo, abre um vasto terreno para as manifestações da "astúcia da história", supostamente benevolente, no que ela tem de pior.

Quando Malenkov foi primeiro-secretário do Partido Soviético, ele resumiu sua visão da história assegurando à sua audiência: já que a Primeira Guerra Mundial resultou na vitória da Revolução Soviética e que a Segunda tinha sido importante para a emergência das Repúblicas Populares e da China, a Terceira Guerra Mundial produziria inevitavelmente a vitória do socialismo em todo o mundo. A coisa toda soa hoje como uma brincadeira macabra, apesar de Malenkov ter falado seriamente, em uma ocasião solene. O fato, contudo, é que as perspectivas mais gerais do desenvolvimento histórico não oferecem muita confiança, pois as questões são geralmente decididas em seu contexto real, no terreno de suas especificidades sócio-históricas mutáveis, determinações transicionais, assim como de seus retrocessos.

Desse modo, as perspectivas históricas da transformação socialista não podem ser simplesmente *reafirmadas*. Elas devem ser constantemente *reconstituídas* com base no pleno reconhecimento das transformações reais (que nem sempre são para melhor) das forças sociais envolvidas nas confrontações mutáveis. Se, desde a morte de Marx, não podemos acertar contas com os aspectos negativos do desenvolvimento social, do modo como eles afetam as perspectivas da transição ao socialismo, qualquer ação de autotranquilização crédula está destinada a soar como um canto no escuro.

Como sabemos, Marx declarou inequivocamente que cada país "depende da revolução dos outros" e, portanto, que o "comunismo é apenas possível como o ato de todos os povos dominantes 'súbita' e simultaneamente, o que pressupõe o desenvolvimento universal das forças produtivas e o intercâmbio mundial conectado a elas"[12]. Muitos anos depois – de fato já em 1892 – Engels reiterou essencialmente a mesma posição ao dizer que o "triunfo da classe trabalhadora europeia ... apenas pode ser assegurado pela cooperação ao menos de Inglaterra, França e Alemanha"[13].

Na mesma obra de 1845, na qual Marx fala de revoluções simultâneas dos "povos dominantes", ele também considera, como exceção à regra, a possibilidade de uma revolução socialista irromper em um país *subdesenvolvido*, como resultado do *desenvolvimento desigual*. Na sua visão, graças ao potencial objetivo deste último, "para conduzir a uma colisão em um país, esta contradição não precisa necessariamente ter alcançado seu limite extremo naquele país em particular. A competição com os países mais industrializados, provocada pela expansão das trocas internacionais, é suficiente para produzir uma contradição *similar* em países com indústrias *menos avançadas* (por exemplo, o *proletariado latente* na Alemanha elevado a uma maior proeminência pela competição com a indústria inglesa)"[14].

Outra importante passagem dessa obra explora o problema do desenvolvimento desigual tanto internamente como no seu contexto internacional mais amplo:

É evidente que a grande indústria não alcança o mesmo grau de desenvolvimento em todas as localidades de um mesmo país. Mas isso não detém o movimento de classe

---

[12] Marx and Engels, *Collected Works* (daqui por diante citada como MECW), Vol. 5, p. 49 (*The German Ideology*) [ed. bras. Marx, K; Engels, F., *A ideologia alemã*, São Paulo, Hucitec, 6ª ed., 1987, pp. 50-1, (para manter a coerência do texto de Mészáros, optamos por uma pequena alteração na tradução brasileira].

[13] Engels, "Introduction" à edição inglesa de *Socialism: Utopian and Scientific*, Marx and Engels, *Selected Works*, Vol. II. p. 105 [ed. bras. "Prefácio" à edição inglesa de Engels, F., *Do socialismo utópico ao científico*, in K. Marx, F. Engels, *Textos 1*, São Paulo, Ed. Sociais, 1977, p. 26].

[14] MECW, Vol. 5, pp. 74-5.

do proletariado, dado que os problemas engendrados pela grande indústria põem-se à testa desse movimento e arrastam consigo toda a massa, e dado também que os trabalhadores excluídos da grande indústria veem-se atirados por ela a uma situação ainda pior do que a dos trabalhadores da própria grande indústria. Do mesmo modo, os países em que se desenvolve uma grande indústria influem sobre os países menos industriais, na medida em que estes últimos são compelidos pelo comércio mundial à luta universal da concorrência.[15]

Portanto, diferentes tipos de desenvolvimento para a erupção de revoluções socialistas também foram considerados por Marx e Engels, mesmo que não tenham sido colocados em primeiro plano pela sua estratégia global.

Tal como ocorreu, os acontecimentos históricos reais desconsideraram a lei e produziram uma complicada variante da exceção. Naturalmente, os adversários de Marx nunca cessaram de repetir desde então, com prazer autocongratulatório, que a história refutou o marxismo. Que se divirtam enquanto ainda podem, já que se recusam a ver o óbvio: o que importa é o fato inegável da erupção de tais revoluções, e não suas variantes particulares sob circunstâncias históricas determinadas. E, de qualquer modo, Marx não deixou esta questão no ponto em que aparece em *A ideologia alemã*, indicando mesmo lá a possibilidade de revoluções socialistas em países menos avançados. Ele desenvolveu mais a ideia, em sua correspondência com Vera Zassulitch, com relação às condições específicas – e potencialidades – da Rússia, onde a revolução prevista, de fato, mais tarde aconteceu.

Apesar de recordamos isto, ainda assim é importante reconhecer que, uma vez que a *exceção* foi capaz de se afirmar na escala em que se afirmou, deste ponto em diante ela se converteu na *regra* à qual todo o resto tem que se ajustar.

Idealmente "teria sido melhor" se as esperanças e expectativas originais houvessem prevalecido, pois este ato desnorteador da "astúcia da história" pelo qual a exceção é convertida em regra está destinado a prolongar "as dores do parto da nova forma histórica". Contudo, a história real não trata com contrafatos condicionais. A emergência dos "cruéis fatos", produzidos pelo complexo de interações de forças socio-históricas multifacetadas, sempre reconstitui significativamente o solo sobre o qual a ação seguinte deve e pode se realizar.

Nesse sentido, a história social é realmente *feita de exceções*. Suas "leis" são *tendências* tornadas reais por agentes sociais particulares que seguem objetivos conscientes e, *dentro de limites*, constantemente ajustam suas ações em relação à realização, com maior ou menor sucesso, desses objetivos. Não são, portanto, *leis físicas* do universo natural que portam determinações radicalmente diferentes, em uma escala de tempo incomparavelmente mais longa. No modelo das ciências naturais, a ocorrência de uma exceção inesperada pode ser considerada uma aberração, assegurando-se assim a validade da regra original. No universo social, contudo, não

---

[15] Id., ibid., p. 74 [ed. bras., op. cit., pp. 95-6].

há tais soluções (ou consolações). Apesar de tudo, não há como fazer voltar o impacto histórico mundial de eventos como a Revolução de Outubro, já que eles criam equações radicalmente novas para todas as forças sociais, assim como para os termos originais da teoria. Uma vez que essas "exceções" monumentais se consolidem, a continuidade de qualquer insistência num eventual retorno da "regra clássica" seria como ficar "esperando Godot".

12.3 A emergência da nova racionalidade do capital

Ainda hoje é tão verdade quanto antes o fato de o "comunismo apenas ser possível" pela ação sustentada dos "povos dominantes", mas suas condições de realização se alteraram profundamente. Seria uma supersimplificação dizer que esta mudança ocorreu repentinamente, em 1917, apesar de a Revolução Soviética, obviamente, ter trazido um alargamento posterior imenso nos complexos de determinações envolvidos.

O fato é que, muitos anos antes, a emergência e a consolidação de vários fatores importantes já apontavam na mesma direção. Para resumir em uma sentença: a transição para o socialismo se tornou incomparavelmente mais complicada tendo em vista o fato de que o capital, em resposta ao desafio apresentado pelo desenvolvimento do movimento socialista, adquiriu uma "nova racionalidade" como uma forma de autodefesa e um modo de contra-atuar ou neutralizar os ganhos do seu adversário. Apesar de esta nova racionalidade não ter significado, nem poder significar, a *eliminação* da "irracionalidade" e do "caráter anárquico" do capital, notados por Marx, ela *estendeu* significativamente os limites anteriores. Deve ser realçado, contudo, que estas características nunca foram tratadas pelo próprio Marx como determinações absolutas – ao contrário de alguns de seus seguidores – mas como fatores relativos e *tendenciais*, que afetavam a relação das *partes* com o *todo*, assim como a contradição entre as medidas *imediatas* e suas consequências *de longo prazo*. Nesse sentido, nunca se negou que o capital fosse capaz de racionalidade parcial e de curto prazo; apenas a possibilidade de uma integração bem-sucedida e duradoura das determinações parciais em um todo abrangente, o que evidentemente é uma questão de *limites*.

Permita-se que examinemos brevemente alguns dos aspectos mais importantes desse conjunto de problemas.

(1) A teoria marxista de consciência de classe – incluindo o seu tratamento por Lukács, como vimos acima – necessita de uma "modificação significativa" (Lenin). Apesar de os conceitos de "classe *da* sociedade civil", "classe na sociedade civil" e "classe *para* si" permanecerem válidos até onde vão, eles obviamente não vão suficientemente longe e não podem dar conta de várias dificuldades sérias. O problema não é o fato de a discussão de Marx acerca das classes no Volume III de *O capital* ter sido interrompida bem no seu começo, mas que acontecimentos posteriores modificaram, na própria realidade, algumas características importantes da consciência de

classe *tanto* do capital como do trabalho. (Pode-se legitimamente perguntar aqui: é puramente coincidência que a análise de Marx das classes em *O capital* tenha sido interrompida – seis anos antes de sua morte – precisamente no momento em que novas complicações, que surgiam desses acontecimentos, começaram a se fazer visíveis? Ou poderia ser, talvez, que tais novos problemas se somaram às dificuldades internas de Marx que podem ser identificadas em outros contextos?)

Por exemplo, o "proletariado latente" (Marx) tornou-se "realidade" em todos os países importantes, e nem sempre no sentido antecipado. Para mencionar apenas um importante aspecto deste problema: o proletariado, por meio de seus interesses – por mais "parciais" e de "curto prazo" – na ordem capitalista predominante nos países de alguns "povos dominantes", se tornou *também* uma "classe *da* sociedade civil", contra todas as expectativas originais. E, a menos que a escala do tempo de tais acontecimentos, assim como as condições de suas reversões, sejam definidas com alguma precisão, as várias teorias acerca da "integração da classe trabalhadora" continuarão a exercer sua influência desorientadora.

De modo similar, as limitações da consciência de classe burguesa necessitam de uma avaliação mais realista do que aquelas a que nos acostumamos. Isto diz respeito acima de tudo à capacidade da classe dominante de unificar em larga medida seus elementos fragmentados em torno de seus interesses gerais de classe, tanto *internamente, vis-à-vis* sua classe trabalhadora autóctone, como *externamente*, em seu confronto com a dimensão *internacional* da autoemancipação do trabalho. Todos estes problemas direta ou indiretamente envolvem a necessidade de um reexame extensivo da relação entre a classe dominante e o Estado, em seu ambiente internacional abrangente bem como no local. Em outras palavras, requer uma reavaliação sóbria da capacidade de a classe dominante reproduzir, relativamente imperturbada, a totalidade das relações estatais e interestatais, apesar de suas contradições internas, salvaguardando, assim, uma precondição vital para a continuidade da sobrevivência do capital na estrutura global do mercado mundial.

(2) Politicamente, a classe dominante respondeu ao desafio de seu adversário "suspendendo", mais ou menos conscientemente, alguns dos seus interesses e divisões setoriais. Esta tendência surgiu já na época da Comuna de Paris: brutalmente esmagada em um pequeno espaço de tempo graças à completa virada de Bismarck, que libertou os prisioneiros de guerra franceses contra os comunardos fornecendo, desse modo, a mais devastadora prova material, política e militar da solidariedade de classe burguesa. Mas não parou por aí. Bismarck, em 1871-72, se ocupava em estabelecer uma estrutura internacional de ação contra o movimento revolucionário. Em outubro de 1873 seu plano foi de fato implementado com a formação da Liga dos Três Imperadores da Alemanha, Rússia e Áustria-Hungria, com o objetivo conscientemente unificador de empreender ações em comum na eventualidade de um "distúrbio europeu" – causado pela classe trabalhadora – em qualquer país em particular.

Ao mesmo tempo, esse astuto representante da classe dominante não limitou sua estratégia interna a medidas repressivas, como sua Lei Antissocialista: um equivalente caseiro comparável ao seu esquema internacional. Simultaneamente, ele tentou implementar o plano – complementar e de modo algum inteiramente sem sucesso – de acomodar a classe trabalhadora alemã. Tanto que uma das razões principais pelas quais Marx detestava Lassalle era sua convicção de que ele estava "intrigando com Bismarck"[16]. Além disso, certas medidas práticas introduzidas na economia pelo "Chanceler de Ferro" criaram tal confusão entre os socialistas, que Engels teve que explicar de modo muito claro:

> desde que Bismarck empreendeu o caminho da *nacionalização*, surgiu uma espécie de *falso socialismo*, que degenera de vez em quando em um tipo especial de socialismo submisso e servil, que em *todo* ato de nacionalização, mesmo nos adotados por Bismarck, vê uma medida socialista.[17]

Nas longas décadas que se seguiram à derrota da Comuna, a burguesia como um todo continuou a reivindicar, com sucesso, o título de "classe nacional", como demonstrou clamorosamente o destino da social-democracia durante a Primeira Guerra Mundial. Mesmo em relação ao colonialismo, a classe como um *todo* emergiu mais forte do que nunca após o fim do seu domínio diretamente político-militar, apesar do fato de algumas seções das classes dominantes britânica e francesa sofrerem perdas temporárias quando da dissolução dos seus impérios. Ela o fez pela instituição, na forma de *neocapitalismo* e *neocolonialismo*, de um sistema de exploração incomparavelmente mais "racional", mais "eficaz em termos de custo" e mais dinâmico que as versões anteriores de dominação colonial/militar direta.

Paralelamente a esses acontecimentos, a classe dominante como um *todo* se adaptou com sucesso, em termos internacionais, à perda de vastas áreas do planeta – a União Soviética, a China, Europa Oriental, partes do Sudeste Asiático, Cuba etc. – e internamente fortaleceu sua posição por meio da invenção e da administração com sucesso da "economia mista", do "Estado de bem-estar social" e da política do "consenso". E por fim, mas definitivamente não menos importante, a instituição (novamente, pela classe dominante como um todo) de uma "nova ordem internacional" que teve sucesso em eliminar – no que supostamente deveria ser a "era do imperialismo e de inevitáveis guerras mundiais" – colisões violentas entre os principais poderes capitalistas, agora já por mais de cinquenta anos. Dados os limites existentes em relação às possíveis consequências de uma autodestruição recíproca, parece que tal eliminação continuará indefinidamente.

Devemos lembrar a respeito que Stalin repetia, já em 1952 – numa obra aclamada como seu "testamento político" –, suas fantasias acerca da benevolência da "astúcia da história", ao proclamar sua crença na inevitabilidade de outra guerra mundial imperialista e, por meio dela, na autodestruição do capitalismo, insistindo que a contradição fundamental era *entre* poderes capitalistas e não entre "capitalismo e socialismo". Desse modo ele assumiu uma posição completamente antimarxista, já que Marx sempre manteve que o antagonismo social básico seria entre capital e trabalho, ao passo que as contradições entre capitais particulares seriam secundárias e a ele subordinadas. Foi assim que Stalin "defendeu" sua tese, em um capítulo intitulado "A inevitabilidade de guerras entre os países capitalistas":

---

[16] Ver Engels, Carta a Kautsky, 23 fevereiro de 1891.
[17] Engels, *Socialism: Utopian and Scientific, Selected Works*, Vol. II., p. 135 [ed. bras., op. cit., p. 54].

Tomem, antes de tudo, Grã-Bretanha e França. Sem dúvida são países imperialistas. Sem dúvida matérias-primas baratas e mercados seguros são de suprema importância para eles. Pode ser assegurado que eles irão tolerar indefinidamente a presente situação, na qual, sob o pretexto da "ajuda do Plano Marshall", os americanos estão penetrando nas economias da Grã-Bretanha e da França e tentando convertê-las em apêndices da economia americana, e o capital americano está se apoderando das matérias-primas e dos mercados nas colônias francesas e britânicas e assim delineando desastres para os altos lucros dos capitalistas britânicos e franceses? Não seria mais verdadeiro dizer que a Grã-Bretanha capitalista e, após ela, a França capitalista, serão finalmente forçadas a romper com o cerco dos Estados Unidos e entrar em um conflito com eles para assegurar uma posição independente e, claro, lucros?

Passemos aos principais países vencidos, Alemanha (Ocidental) e Japão. Estes países estão agora *padecendo na miséria* sob o coturno do imperialismo americano. Sua indústria e sua agricultura, seu comércio, suas políticas externa e doméstica, e todas as suas vidas estão acorrentadas pelo "regime" de ocupação americano. Contudo, apenas ontem estes países eram grandes potências imperialistas e estavam abalando as bases do domínio britânico, dos Estados Unidos e da França na Europa e Ásia. Pensar que esses países não tentarão se levantar novamente, não tentarão esmagar o "regime" americano, e abrir seu caminho para o desenvolvimento independente, é acreditar em milagres ...

Que garantia há, então, que a Alemanha e o Japão não se levantarão novamente, não tentarão quebrar as amarras americanas e viver suas próprias vidas independentes? Eu penso que não há tal garantia. *Contudo, segue-se disto que a inevitabilidade de guerras entre os países capitalistas permanece em vigor.*[18]

Escrito num período em que os "milagres econômicos" da Alemanha e do Japão estavam já em pleno andamento, para não mencionar os primeiros passos importantes que estabeleciam o Mercado Comum Europeu, a lógica dessas linhas – "eu penso... logo... segue-se" – era verdadeiramente extraordinária no seu subjetivismo e voluntarismo.

A relevância da mudança na rivalidade intercapitalista deve ser avaliada em seu contexto mais amplo. Vistas como continuação lógica da competição mais extremada, colisões violentas entre Estados capitalistas costumam constituir uma parte integrante do desenvolvimento e do funcionamento normal do capital. Assim, a mudança que testemunhamos neste aspecto fornece uma importante prova da capacidade do capital de retificar alguns dos seus aspectos mais perversos e de sua racionalidade irracional, mesmo que tais mudanças tenham vindo primariamente por meio da ameaça nuclear e não como resultado de uma deliberação positiva. Ao mesmo tempo deve-se realçar, neste aspecto, que a questão dos limites é da máxima importância, pois esta expansão forçada da racionalidade do capital simultaneamente o despoja da sua última arma competitiva: a destruição do seu antagonista. Isto, por sua vez, bloqueia uma via anteriormente vital para o deslocamento das contradições, e assim reativa algumas tendências explosivas da dinâmica social interna, com uma severidade potencialmente extrema.

---

[18] Stalin, *Economic Problems of Socialism in the U.S.S.R.*, Peking, Foreign Languages Press, 1972, pp. 34-6.

(3) Nos últimos cem anos, a ordem capitalista passou por alguns acontecimentos econômicos importantes, cujo impacto estendeu grandemente sua racionalidade e sua capacidade de enfrentar seus problemas. Apesar de a primeira reação do *"mainstream"* às novas tendências ter sido um tanto estreita, os representantes mais imaginativos da classe dominante tenderam a prevalecer a longo prazo. Isto porque receberam forte apoio dos próprios acontecimentos econômicos objetivos, o que alterou objetivamente as condições em favor da adoção de políticas e medidas mais racionais do ponto de vista da classe como um *todo*.

Para mencionar apenas algumas:
– o desenvolvimento bem-sucedido da economia de consumo de massa;[19]
– a adoção de estratégias keynesianas, concebidas na sequência de uma crise econômica desastrosa;
– a aceitação em larga escala da nacionalização no pós-guerra;
– a adaptação flexível do capital às demandas e tensões da "economia mista";
– o estabelecimento do Sistema Monetário Internacional e a criação de um grande número de instituições multinacionais (da CEE, ao EFTA, GATT, FMI etc.) em conformidade com os interesses globais do capital;
– a adaptação muito bem-sucedida do Estado nacional burguês às necessidades das "multinacionais" (na realidade, gigantescas empresas nacionais "transnacionais");
– a operação bem-sucedida de um sistema global de dominação que mantém o "Terceiro Mundo" em paralisante dependência, fornecendo à burguesia não apenas vastos recursos e válvulas de escape para a expansão do capital, mas rendimentos suficientemente grandes para compensar em uma extensão significativa a queda tendencial da taxa de lucro, em adição à compensação fornecida pela concentração monopolista e pela centralização do capital.

Além do mais, como argumentei em abril de 1982, quando "A astúcia da história em marcha à ré" foi publicada na Itália,

enquanto as fantasias agressivas de uma derrota militar do "socialismo real" provaram ser um fracasso completo, o sucesso da penetração neocapitalista pelos

---

[19] Apesar de ser politicamente compreensível, eventos e desenvolvimentos que representam tanto o sucesso do capital como a vitória do trabalho são frequentemente saudados pelos socialistas, exagerando sua importância para o avanço do próprio movimento (da recusa da Lei Antissocialista de Bismarck e outras versões da legislação antitrabalho, ao "Estado do bem-estar social!" e à economia de consumo).

Certamente, a classe trabalhadora tem uma parcela vital em todas estas realizações. Contudo, é mais do que mera coincidência que estas conquistas tenham se tornado possíveis em períodos nos quais o capital está em posição não apenas de digeri-las, mas também de transformar as concessões em grandes ganhos para si próprio. Em outras palavras, estas melhorias se concretizaram quando, como resultado da dinâmica interna do capital – da qual sua relação com o trabalho é, claro, um fator-chave –, a postura repressiva provou ser não apenas ultrapassada e redundante, mas na verdade um obstáculo à futura expansão de seu poder e sua riqueza.

Naturalmente pelas mesmas razões – as quais afirmam os interesses predominantes do capital nessas questões – as coisas podem se mover exatamente na direção oposta por um período de tempo mais curto ou mais longo, sob condições históricas e circunstâncias específicas: como demonstrou não apenas a emergência do fascismo, tendo por pano de fundo a crise econômica maciça, mas também a emergência recente da "direita radical", com suas medidas legislativas implacáveis dirigidas contra o trabalho.

seus crescentes tentáculos econômicos representa, também neste aspecto, um perigo muito mais sério.

Para compreender a importância relativa desta última tendência, temos que ter em mente que o endividamento de vários países da Europa Oriental – especialmente Polônia e Hungria – para com o capitalismo ocidental é absolutamente fenomenal. A dívida da Hungria, por exemplo, sobe a mais de dois mil dólares por pessoa. (Dado o nível consideravelmente baixo de renda nesses países em comparação com seus equivalentes ocidentais, o débito *per capita* é muito mais alto do que aparenta à primeira vista. Na Hungria, por exemplo, o Produto Nacional Bruto *per capita* soma menos que U$ 2.000,00 *per annum*, em contraste com os Estados Unidos onde é dez vezes mais elevado, ultrapassando bastante os U$ 20.000,00.)

Naturalmente, é necessário pagar o serviço desta dívida, a grande magnitude do pagamento dos juros deve, por si só, impor enormes pressões – como testemunha a economia polonesa – aos países envolvidos. Para não mencionar as consequências irônicas de importar inflação para os países de "economia planejada" com a bênção do capital ocidental. E este é apenas um dos muitos modos pelos quais a crescente malha de relações econômicas funciona em favor dos países capitalistas. Outros incluem:

– relações comerciais desproporcionalmente unilaterais;

– exportar, para obter moedas ocidentais, bens dos quais há falta no país (incluindo comida, desconsiderando até mesmo o perigo de desordens por alimentação, como assistimos no caso da Polônia);

– desenvolver alguns setores da economia principalmente em função dos mercados ocidentais;

– produzir produtos acabados em função de interesses capitalistas, para venda no exterior;

– subcontratar firmas ocidentais para o fornecimento de componentes;

– produção sob licença capitalista desembolsando os pagamentos dos *royalties* decorrentes;

– compra de instalações industriais capitalistas completas, o que envolve, novamente, pagamento de substanciais *royalties*, frequentemente por processos e produtos ultrapassados;

– taxas de conversão "não oficiais" altamente inflacionárias para a moeda ocidental no contexto do comércio turístico e em todo o resto;

– construção de hotéis de luxo e até mesmo cassinos (áreas econômicas "fechadas" à população) e o seu aluguel a empreendimentos capitalistas ocidentais em termos altamente vantajosos aos últimos.[20]

Também foi possível identificar algumas consequências desconcertantes que demonstraram o impacto diretamente negativo das sociedades da Europa Oriental sobre a vida e as lutas da própria classe trabalhadora ocidental. Assim, três anos após ter aparecido este capítulo pela primeira vez, o jornal húngaro *Magyar Hirek*[21] orgulhosamente noticiou:

> Este ano 280 mil *blue jeans* serão produzidos sob licença da firma English Lee Cooper pela fábrica Karcag da Cooperativa de Roupas de Budapeste. Esta quantidade é mais

---

[20] Mésáros, "L'astuzia della storia a marcia indietro", pp. 46-7 do estudo em italiano referido na nota 1 deste capítulo.

[21] *Magyar Hirek*, 2 de fevereiro de 1985.

que o dobro do número de *farmer trousers* [o nome húngaro para *blue jeans*] feitas no ano passado.

Por coincidência, na mesma semana foi anunciado na Grã-Bretanha que a firma Levi-Strauss – um concorrente importante da Lee Cooper – estava fechando duas de suas fábricas escocesas, adicionando quinhentos trabalhadores ao já elevado número de desempregados na Escócia. Apesar de a data, claro, ser mera coincidência, a conexão real está longe de ser acidental. Representa, na verdade, um dos muitos modos pelos quais o capitalismo ocidental pode dirigir sua capacidade de explorar, em seu próprio benefício, até mesmo a força de trabalho relativamente mal paga da Europa Oriental e usar a mobilidade do capital – enquanto prega a "necessidade de mobilidade do trabalho" como o remédio mágico para o desemprego – contra sua própria força de trabalho.

Um outro exemplo significativo, bem como extremamente doloroso, pode ser dado pela duplicação das exportações de carvão polonês para a Grã-Bretanha de Margareth Thatcher durante a greve dos mineiros. E, para tornar as coisas ainda piores, isto ocorreu em circunstâncias em que a organização Solidarnosk de Lech Walesa (diferentemente de alguns grupos locais de trabalhadores poloneses) nem sequer fez um gesto verbal de solidariedade para com os mineiros britânicos.

Talvez o caso mais irônico tenha sido o que causou algum espanto mesmo nos jornais conservadores. Como *The Times* noticiou:

O senhor Eddy Shah, proprietário do Messenger Group Newspapers, imprimirá seu novo jornal nacional nas gráficas financiadas por *leasing* pela subsidiária londrina do Banco Nacional Húngaro, como foi revelado ontem. A aliança financeira pegou os sindicatos de surpresa, já que o Banco Nacional Húngaro é totalmente controlado pelo governo comunista da Hungria. O senhor Shah é em geral considerado um empregador antissindicatos desde que derrotou a Associação Gráfica Nacional, no final de 1983, em uma disputa com seus trabalhadores em Warrington acerca do direito de contratar empregados não sindicalizados. O senhor Shah declarou que havia procurado vários bancos e financiadores britânicos, mas todos eles estavam "receosos das implicações políticas". ... O senhor Tim Newling, diretor gerente do Banco Nacional Húngaro, disse que seus diretores húngaros foram consultados e concordaram que os planos do senhor Shah "prometem muito".[22]

Particularmente surpreendente acerca de tais acordos "puramente financeiros" não foi apenas o fato de um país socialista se envolver nos negócios de alguém que é "em geral considerado um empregador antissindicatos", mas que fizesse – necessariamente, devido ao "capital de risco" que teve de colocar à disposição do seu curioso sócio – uma aposta no sucesso de um empreendimento que não poderia deixar de ser intensamente político (e ninguém poderia ter qualquer dúvida quanto ao lado do divisor político), mesmo que o senhor Shah quisesse que seu jornal nacional se colocasse acima da política.

Por isso argumentei então que as tendências e medidas já eram mais que suficientes para mostrar que os acontecimentos que se desdobravam seriam muito sérios em relação ao seu peso e ao seu impacto nas "sociedades do socialismo real", tanto para a situação apresentada na ocasião como em suas implicações futuras.

---

[22] Ver *The Times*, 11 de abril de 1985.

Em vista de todas essas transformações, podemos muito bem considerar a afirmação otimista de Engels – segundo a qual "o capitalista não tem mais qualquer função social do que embolsar os dividendos, cortar seus cupões e jogar na bolsa, onde os capitalistas de toda a espécie arrebatam, uns aos outros, os seus capitais" – algo prematura e utópica.[23] O problema não é simplesmente o fato de que algumas expectativas não se materializaram. Muito mais importante é o aspecto positivo dessa questão: a saber, que os acontecimentos intervenientes criaram algumas condições e funções objetivas que devem ser realisticamente enfrentadas com a criação de uma alternativa viável ao funcionamento existente do capital nos dias atuais, que está significativamente racionalizado, pois uma negação unilateral carrega consigo o perigo da simples perda dos instrumentos da racionalidade do capital – indubitavelmente limitados, mas muito eficazes dentro desses limites –, deixando-nos completamente enredados e em dificuldades econômicas crônicas das quais a história das "sociedades do socialismo real" nos fornecem exemplos numerosos e infelizes.

12.4 Contradições de uma era de transição

No mesmo período de desenvolvimento, as consequências negativas para as forças socialistas podem ser resumidas muito mais sucintamente, já que o outro lado da moeda do sucesso do capital – que se deu na forma de implicações negativas razoavelmente óbvias em cada ponto mencionado acima – não necessita ser longamente exposto agora. Não obstante, é necessário sublinhar alguns problemas particularmente importantes.

Em primeiro lugar, a cisão do movimento socialista em um ramo radical e outro reformista, assim como sua fragmentação nos particularismos nacionais, contra a expectativa original de uma coesão internacional crescente, permanece como um desafio importante para o futuro. Similarmente, a oposição institucionalmente acentuada entre a teoria (largamente ineficaz) e a prática política autossustentada (autoritária-burocrática) mostra muito poucos sinais de mudança, permanecendo assim um problema igualmente sério para os socialistas de hoje.

Em outro plano, as pressões imediatas sobre o movimento da classe trabalhadora no Ocidente – para assegurar e proteger o emprego, para melhorar ou mesmo apenas para manter o padrão de vida alcançado etc. – objetivamente interessado e envolvido na continuidade do sucesso do "capitalismo organizado", com as tentações concomitantes de cumplicidade no apoio até mesmo ao "complexo industrial militar" com a "justificação" alarmante de ser este um importante empregador. Uma cumplicidade igualmente chocante se manifesta na participação da classe trabalhadora "metropolitana", como beneficiária, na contínua exploração do assim chamado "Terceiro Mundo": uma parte integrante, mas estruturalmente dependente e explorada de um e único mundo real.

Quanto às "sociedades do socialismo real", o processo da assim chamada "*acumulação socialista*" iniciada em 1917 azedou. O que significa que por um longo tempo teremos que continuar a sofrer as consequências do "fato histórico brutal" de

---

[23] Ironicamente – uma vez mais outra "ironia da história"? – esta avaliação foi feita em uma obra intitulada *The Development of Socialism from Utopia to Science* (a citação é de Marx e Engels, *Selected Works*, Vol. II., p. 136 [ed. bras. Engels, F., *Do socialismo utópico ao socialismo científico*, op. cit., p. 54].

que não foram "todos os povos dominantes juntos e simultaneamente" que iniciaram a revolução socialista, mas um país tragicamente subdesenvolvido, sob maciças pressões internas e externas, que no curso da sua defesa sacrificou em demasia a sua própria força socialista. Ao mesmo tempo, tentava realizar o objetivo professado – a produção das "precondições e pressuposições materiais" – que Marx simplesmente considerou garantidas, e que, no quadro de referência temporal, era plenamente justificável teoricamente. Além disso, sob o impacto da corrida armamentista, com seus custos astronômicos, toda realização socialista era constantemente ameaçada e potencialmente anulada. A questão não era simplesmente o estonteante e insuportável volume dos próprios recursos materiais alocados à produção de armas, em lugar de desenvolver e satisfazer as necessidades do "rico indivíduo social" de Marx. Era igualmente a questão da orientação global da economia, direta ou indiretamente ligada às exigências da produção de armas de "alta tecnologia", em competição com o capital ocidental. Isso para não mencionar o tipo de controle social necessário a tal economia, orientada para a extração máxima, politicamente imposta, do trabalho excedente.

Evidencia-se, desse modo, como a "astúcia da Razão" hoje é, na melhor das hipóteses, simplória, e como a "astúcia da história" está inclinada a terminar com a própria história.

Mas, mesmo assim, seria absolutamente errado levá-las a sério em demasia e tirar conclusões pessimistas indevidas. Pois, se o tempo não está necessariamente do nosso lado, as limitações objetivas do capital *em si* não devem ser subestimadas.

Isto nos leva de volta à questão muito importante dos limites *últimos* que sempre *permanecem em operação*. Nunca será demais discutir isso, precisamente porque com frequência eles passam despercebidos mesmo quando um ajustamento e uma extensão bem-sucedidos dos limites anteriores criam uma situação econômica e politicamente estável e favorável para a "velha ordem" por um período relativamente longo. Eles operam subjacentes a todos os ajustes e circunscrevem o alcance das opções viáveis, impedindo enfaticamente a reversão bem-sucedida das próprias tendências *fundamentais*. Nesse sentido, mas apenas nele, há uma real *irreversibilidade do tempo histórico*, mesmo que seus momentos particulares devam ser tratados com o máximo cuidado e com uma sóbria avaliação.

Em uma escala historicamente relevante, uma *era de transição* se inicia no momento em que as forças dominantes da velha ordem são *forçadas* por uma *crise aguda* a adotar remédios que seriam totalmente inaceitáveis a elas sem aquela crise, introduzindo, desse modo, um corpo estranho na estrutura original, com consequências *em última análise* destrutivas, não importa o quanto sejam benéficos os resultados imediatos.

Certamente, qualquer ostra dotada de autoestima objetaria fortemente à introdução de areia – torpe irritante – em sua carne. Contudo, uma vez que o grão de areia esteja lá, a ostra consegue não apenas sobreviver por um longo tempo, como ainda produz uma pérola brilhante, que pode dar a impressão de ter solucionado os problemas ao multiplicar, talvez por um milhão, o seu valor. Como sabemos, contudo, nenhum dos problemas reais do nosso mundo são solucionáveis pela produção de pérolas. Nem é verdade, como pensam os reformistas, que a introdução da areia na carne do capital, e a consequente multiplicação do seu valor, faz da ostra-capital uma feliz formação de transição a caminho do paraíso social-democrata e sua estranha idealização pelos proponentes do "socialismo de mercado". Uma ostra é uma ostra – e no final uma ostra morta – não importa quão inflado seu valor de troca.

A *era de transição* ao socialismo – nosso inevitável problema *histórico* – não significa, de modo algum, que vários países envolvidos em tal transformação exibam todos realmente um grau determinado de aproximação do objetivo socialista em uma escala linear. Nem sequer significa que estejamos seguramente destinados a lá chegar, já que os amedrontadores e sempre crescentes poderes de destruição que se acumulam – graças à inclinação suicida da "astúcia da história" – podem nos precipitar na 'barbárie' de Rosa Luxemburgo, em vez de garantir o final socialista.

Apesar disso, podemos falar da era de transição ao socialismo, com base no fato de que o capital conta com uma margem cada vez mais perigosamente *estreita* de alternativas viáveis à plena ativação de sua crise estrutural. Assim:
– o *encolhimento* do tamanho do mundo diretamente controlado pelo capital privado no século XX;
– a enorme magnitude dos *recursos* necessários para o deslocamento das contradições, limitados pela redução crescente e ameaçadora da *lucratividade*;[24]
– a *saturação* lentamente emergente da estrutura global da produção de capital rentável;[25]
– as dificuldades crônicas encontradas na, e geradas pela, elevação da renda necessária para manter em existência as seções *parasitárias* do capital, às expensas de sua parte *produtiva*;

---

[24] A destrutividade que acompanha estes acontecimentos assumiu atualmente tais proporções que ameaça diretamente a sobrevivência humana. Ver aqui a respeito o capítulo 5.

[25] Devido às importantes deficiências que se afirmam no domínio da acumulação e da produção lucrativas do capital, a dívida se tornou um problema definitivamente incontrolável em alguns dos países capitalistas de ponta, Grã-Bretanha inclusive. Em nenhum outro lugar os perigos são mais evidentes do que nos Estados Unidos: o poder hegemônico preponderante do sistema global do capital. Tenho argumentado, desde 1983, que o verdadeiro problema da dívida não é o do "Terceiro Mundo", mas o endividamento em espiral – tanto interno como externo – dos Estados Unidos, prenunciando um perigoso terremoto econômico internacional quando aquele país deixar de honrar a sua dívida de uma forma ou de outra. Aqueles que continuam a afirmar que a economia norte-americana – até agora o maior devedor do mundo – "sairá" da sua precária condição financeira fecham seus olhos a toda evidência factual, invertendo a relação causal atualmente prevalecente entre crescimento e endividamento sempre crescente. Pois, como Paul Sweezy e Harry Magdoff realçaram em um importante estudo:
O problema com esta linha de raciocínio está em que políticas deste tipo têm sido, desde os dois mandatos de Reagan, mais vigorosas que nunca, ao mesmo tempo em que a expansão econômica global tem sido mais obviamente que nunca dominada pela expansão cada vez mais acelerada da dívida. Houve períodos na história do capitalismo em que de fato ocorreu, ainda em larga escala, o crescimento para além da dívida, mas a referência a eles aqui e agora é um bom exemplo de como se colocar a carroça na frente do boi: hoje, neste país, a dívida é o crescimento, a dívida é o *motor* do crescimento, não um *produto secundário* do crescimento.

– o perceptível enfraquecimento do *poder ideológico* das instituições manipuladoras (que foram originalmente estabelecidas nas circunstâncias da expansão econômica do

> Paul M. Sweezy e Harry Magdoff, *The Irreversible Crisis*, NovaYork, Monthly Review Press, 1988, p. 70.
> Dificilmente se poderia exagerar a gravidade da situação em que o endividamento crescente tem que cumprir o papel contraditório de "motor do crescimento", destinado a resgatar a economia (por tanto tempo quanto estas práticas possam ser sustentadas) de sua tendência à estagnação:
> A medicina estimuladora que Keynes prescreve para depressões – doses maciças de gastos deficitários – já foi usada. Não há nada mais no saco de truques. A realidade da estagnação em uma escala não experimentada em meio século agora nos encara fixamente...
> Entre as forças que agem contra a tendência à estagnação, nenhuma tem sido mais importante ou menos compreendida pelos analistas econômicos do que o crescimento, iniciado nos anos 60 e que rapidamente ganhou velocidade depois da severa depressão de meados dos anos 70, da estrutura de endividamento do país (do governo, das corporações e dos indivíduos) em um ritmo que excede em muito a preguiçosa expansão da economia "real". O resultado tem sido a emergência de uma superestrutura financeira ineditamente enorme e frágil, sujeita a tensões e pressões que ameaçam crescentemente a estabilidade da economia como um todo.
> Entre 1970 e 1980, a relação entre dívida e PIB aumentou de 1,57 para 1,7, o que terminou sendo apenas o prelúdio da explosão da dívida nos anos 80. Em 1987, o total projetado da dívida era *2,25* vezes maior que o PIB daquele ano...
> É particularmente digno de nota que a dependência da dívida nos últimos quinze anos tem aumentado regularmente para compensar o enfraquecimento da economia privada. Os gastos totais do governo têm sido uma influência econômica importante desde os anos que se seguiram à Segunda Guerra Mundial, elevando-se de 13,5 por cento do PIB, em 1950, para 20,4 por cento, em 1987. Mas enquanto, em anos anteriores, o excedente dos anos bons mais ou menos contrabalançavam os *déficits* de períodos de recessão, mais tarde o padrão se alterou. Os *déficits* gradualmente começaram a ultrapassar o excedente durante os anos 60, e daí em diante a dependência dos *déficits* rapidamente cresceu. Durante a década de 1970 como um todo, os *déficits* eram necessários para pagar pelos 8 por cento dos gastos do governo federal, enquanto nos primeiros sete anos da presente década esta proporção mais que dobrou, para 17 por cento...
> [Na economia de consumo, empréstimos bancários em companhias financeiras] impulsionaram as vendas de imóveis e bens de consumo duráveis, amealhando uma montanha de dívidas dos consumidores que está rapidamente se aproximando de um limite insustentável: em 1970, a dívida projetada dos consumidores chegava a cerca de 67 por cento de sua renda, descontados os impostos; em 1987, estava próxima de 90 por cento ...
> Negócios não financeiros não têm se excluído à acumulação febril de dívidas... Incapazes de encontrar oportunidades de investimento produtivos diante da capacidade excedente e da demanda em queda, têm sido zelosos participantes no frenesi das fusões, encampações e compras alavancadas que varreu o país nos anos recentes, tornando-se, no processo, tanto credores como devedores em enorme escala. Por todas estas razões, corporações não financeiras como um todo suportam uma carga de dívida de cerca de U$ 1,5 trilhão, que, de acordo com Felix Rohatyn, do banco de investimentos Lazard Frères, excede em 12 por cento o valor total de seu patrimônio líquido. Além disso, aponta Rohatyn, desde 1982 o custo do serviço da dívida tem absorvido 50 por cento de todo fluxo de caixa das corporações. Em comparação, durante a recuperação de 1976-79, este custo foi em média de apenas 27 por cento. ...
> Mesmo alertas para o perigo que as espreita à frente, as autoridade monetárias têm as mãos atadas. E a razão é precisamente a fragilidade do sistema. Interferências do governo ou das autoridades monetárias, além das tentativas de apagar os incêndios onde eles aparecerem, trazem consigo o potencial de desencadear uma reação em cadeia. Isto explica por que, em toda conjuntura crítica, os limites para a expansão financeira posterior tenham sido relaxados para evitar uma quebra maior. A remoção dos controles, por sua vez, abriu as portas para ainda mais inovações que se adicionam à fragilidade (pp. 11, 13-4, 16-7 e 20).
> Sem dúvida, acontecimentos recentes na Europa oriental podem abrir algumas novas possibilidades para a acumulação de capital rentável nos países capitalistas ocidentais dominantes, acima de tudo na República Federal da Alemanha. Contudo, dada a escala relativamente limitada de tais aberturas econômicas, assim como das complicações políticas delas inseparáveis, seria muita ingenuidade esperar pela solução dos defeitos estruturais do sistema capitalista ocidental como um todo a partir das novas oportunidades de mercado que surgem no Leste.

pós-guerra e seu irmão gêmeo: o "Estado de bem-estar social") em tempo de recessão e crescente "desemprego estrutural".

Caracteristicamente, este é o único contexto em que os apologistas do capital notaram, finalmente, a existência de determinações e condições *estruturais*. Mas, claro, a admissão de que o desemprego é agora "estrutural" é afirmada – com uma lógica que corresponde à sabedoria "analítica" do capital – não para clamar por uma mudança na *estrutura* (a ordem social) na qual tais consequências são inevitáveis. Ao contrário, para *justificar* e manter sua própria estrutura intacta qualquer que seja o custo humano, aceita-se o "desemprego estrutural" como um traço *permanente* da única estrutura concebível.

Podemos ver aqui, novamente, a "eternização das condições burguesas", mesmo em face de um desenvolvimento histórico dramaticamente óbvio e extremamente perturbador. Ontem o oráculo dizia: "*Pleno emprego em uma sociedade livre*" (ver o livro do mesmo título do liberal-trabalhista Lord Beveridge); hoje ele fala de "desemprego estrutural". Mas, claro, nada de fato mudou, e especialmente nada deve mudar. Pois o desemprego é "estrutural", e, portanto, está aqui para ficar até o final dos tempos.

Todas estas tendências indicam um movimento muito real *em direção* aos limites últimos do capital em si e, portanto, assinalam a realidade *histórica* de um doloroso, porém inescapável processo de transição.

Capítulo 13

COMO PODERIA O ESTADO FENECER?

A história dos Estados pós-capitalistas, em agudo contraste com as expectativas originais, nos confronta com alguns pesados problemas que podem ser resumidos como se segue:

(1) Reconhecer que não houve sinais de "fenecimento" do Estado nada significaria senão uma subestimação evasiva da realidade, pois os acontecimentos reais não apenas não corresponderam às expectativas como se moveram na direção oposta, fortalecendo maciçamente o poder do político sobre e contra o corpo social. A antecipada curta duração da fase histórica da ditadura do proletariado, seguida de um processo sustentado de "fenecimento" – até o ponto da retenção das funções puramente administrativas –, não se materializou. Ao contrário, o Estado assumiu o controle sobre todas as facetas da vida social, e a ditadura do proletariado foi promovida ao *status* de ser a forma política permanente de *todo* o período histórico de transição.

(2) Para agravar as coisas, o próprio Estado capitalista – novamente contra as expectativas – não se tornou um Estado extremamente autoritário: o tipo fascista de formação estatal permaneceu episódico na história do capitalismo até o presente. Se ninguém deve subestimar o perigo de ditaduras de direita como soluções a períodos de crise aguda, tais soluções, apesar disso, parecem estar muito em desacordo com as exigências objetivas do processo capitalista de produção e circulação em suas fases relativamente tranquilas de desenvolvimento. A "sociedade civil", há muito estabelecida e articulada ao redor do poder econômico estruturalmente arraigado dos capitais privados em competição, tanto assegura como preserva a dominação capitalista do Estado político e, por meio dele, da sociedade como um todo. Qualquer reversão de tais relações de poder em favor do Estado autoritário em período de crise aguda é, na verdade, uma faca de dois gumes, que tanto ameaça como defende a ordem estabelecida, ao romper o mecanismo *normal* de dominação estrutural e ao colocar em jogo a colisão frontal das forças antagônicas no lugar da

esmagadora inércia da situação anteriormente aceita. A relação normalmente prevalecente entre "sociedade civil" e Estado político amplia em muito o poder ideológico de mistificação do Estado político burguês – por se apresentar como o modelo insuperável de não interferência e liberdade individual – e, por meio da sua própria inércia, constitui um obstáculo material paralisante a qualquer estratégia de transição. Impõe ao seu adversário socialista o imperativo de prometer "liberdade da dominação do Estado" em futuro próximo, apesar de, na verdade, o poder socialista sustentado do Estado pós-capitalista (cujas modalidades estão muito longe sequer de ter sido tocadas, para não dizer completamente exauridas, por referências sumárias à "ditadura do proletariado") contra a "sociedade civil" herdada, estruturalmente capitalista, é uma condição *sine qua non* da mudança estrutural necessária.

(3) Declarar que "agir no interior de formas políticas pertence à velha sociedade" (em vista da continuidade da existência de uma esfera política separada) é tão verdadeiro em suas perspectivas últimas quanto inadequado para os problemas de transição. Já que o *ato* de libertação não pode ser separado do *processo* de libertação, e desde que o Estado político, apesar de condicionado, é também e simultaneamente um fator condicionante vital, a emancipação socialista da sociedade da regência opressiva da esfera política necessariamente pressupõe a radical transformação da política propriamente dita. Isto significa que a transcendência do Estado pretendida apenas pode ser realizada por meio da instrumentalidade pesadamente condicionante do próprio Estado. Se este é o caso, e na verdade é, como poderemos escapar do círculo vicioso? Pois, mesmo que todos concordemos em que o Estado político em suas características essenciais pertence à velha sociedade, a questão permanece: como transformar o Estado herdado em uma genuína formação *transicional* da estrutura que se tornou abrangente e necessariamente *autoperpetuante* no processo do desenvolvimento capitalista? Sem uma identificação realista das mediações teóricas necessárias e forças materiais/sociais envolvidas em tal mudança transicional, o programa de abolir a política pela reorientação socialista da política está destinado a ser muito problemático.

(4) Questionar a validade do marxismo devido à sua concepção do Estado é uma questão de grandes implicações. Mas de modo algum é comparável às disputas periféricas e tendenciosamente explicadoras do óbvio, ou seja, o fato de terem as revoluções socialistas irrompido em países capitalistas subdesenvolvidos ao invés de nos desenvolvidos. Como argumentei no capítulo 12[1], a ideia de Marx de "desenvolvimento desigual" poderia dar conta de discrepâncias a este respeito. E, de todo modo, sua teoria se preocupava primariamente com a evidente necessidade de revoluções socialistas, e não com as circunstâncias e modalidades inevitavelmente alteradas em seu desdobramento prático. De outro lado, fosse inválida

---

[1] Ver seção 12.2 do presente volume.

a teoria marxiana do Estado, o marxismo como um todo se tornaria completamente insustentável, em vista da centralidade de sua crença na reciprocidade dialética entre base e superestrutura, entre as fundações materiais da sociedade e sua esfera política. (É precisamente neste sentido que a denominada "crise do marxismo" tem sido repetidamente interpretada no passado recente, saltando de um pânico apressado para conclusões apriorísticas a partir da mera asserção da crise, ao invés de enfrentar seus elementos de uma perspectiva positiva.) O que torna a questão particularmente aguda, neste momento crítico da história, é que ela tem implicações políticas *diretas* para as estratégias de todos os movimentos socialistas existentes, tanto no Ocidente como no Oriente. Nesse sentido, não é apenas o valor heurístico da teoria social que se coloca em questão, mas algo incomparavelmente mais tangível e imediato. É por isso que hoje se torna inevitável um exame cuidadoso da teoria marxiana do Estado, à luz dos desenvolvimentos pós-revolucionários.

13.1 Os limites da ação política

A concepção de política mais antiga de Marx foi articulada na forma de uma tripla negação, visando colocar em perspectiva as potencialidades e limitações do modo político de ação. Compreensivelmente, dadas as circunstâncias do que ele chamou "miséria alemã", a ênfase tinha que ser colocada na severidade de tais limitações. Neste aspecto, apesar de todas as mudanças surgidas nos escritos posteriores de Marx, a definição predominantemente negativa de política permaneceu um tema central de sua obra até o fim de sua vida.

A negação de Marx foi dirigida a três objetos claramente identificáveis, e as conclusões derivadas de suas avaliações fundem-se no imperativo[2] de identificar os elementos constitutivos de um modo de ação social radicalmente diferente.

- O primeiro objeto de sua crítica foi o próprio subdesenvolvimento alemão, e a vacuidade de uma ação política sob os limites de um capitalismo semifeudal: um mundo situado, em termos do calendário político francês, bem antes de 1789, segundo ele.
- Seu segundo objeto de negação foi a filosofia política de Hegel, que elevou ao nível de "ciência" as ilusões de produzir uma mudança muito necessária, enquanto permanecia de fato nos limites da matriz política anacrônica.
- E, finalmente, o terceiro alvo do ataque de Marx eram as limitações até mesmo da política francesa, mais avançada, que apesar de ser "contemporânea" do presente, em termos estritamente políticos, era, todavia, desesperadamente inadequada para o imperativo de uma transformação social radical, sob as condições de um antagonismo social crescente.

---

[2] Ele falou até mesmo de um "imperativo categórico", no contexto da discussão do sujeito social – o proletariado –, que considerou tanto necessário como adequado à tarefa de uma mudança estrutural. Ver sua "Crítica à filosofia do direito de Hegel. Introdução".

Assim, a lógica interna da avaliação crítica de Marx das limitações políticas da *Alemanha* impulsionou-o, desde sua primeira postura crítica e rejeição simples das restrições políticas locais, a um questionamento radical da natureza e dos limites inerentes à *ação política propriamente dita*. Por essa razão era necessária uma ruptura com seus primeiros camaradas políticos já num estágio inicial do seu desenvolvimento. Para eles, a crítica de Hegel apenas tornaria a política alemã um pouco mais "contemporânea do presente". Em contraposição, para Marx era apenas o preâmbulo de um modo muito diferente de ação política que se iniciava pela rejeição consciente das determinações mutiladoras da ação social pela necessária unidimensionalidade de *toda política* "propriamente dita". A tarefa de compreender a "anatomia da sociedade burguesa" – pela avaliação crítica da economia política – era o próximo passo lógico, no qual a contrapartida positiva à sua tripla negação tinha que estar situada num plano material. Isto para evitar as ilusões, não apenas de Hegel e seus epígonos, mas também dos socialistas franceses contemporâneos que tentaram impor sua visão política restrita como orientação ao movimento emergente da classe trabalhadora.

Falando da predisposição política dos seus camaradas socialistas, Marx reclamou que "até os políticos radicais e revolucionários já não procuram o fundamento do mal na *essência do Estado*, mas numa determinada *forma de Estado*, no lugar da qual eles querem colocar uma outra forma de Estado. Do ponto de vista político, o *Estado* e o sistema de sociedade não são duas coisas diferentes. *O Estado é o sistema de sociedade*"³. Para Marx era imperativo *sair* do "ponto de vista político" para poder ser verdadeiramente crítico do Estado. Ele insistiu que

> quanto mais poderoso é o Estado e, portanto, quanto mais *político* é um país, tanto menos está disposto a procurar no princípio do Estado, portanto *no atual ordenamento* da sociedade, do qual o Estado é a expressão ativa, autoconsciente e oficial, o fundamento dos males *sociais* e compreender-lhes o princípio geral. O intelecto político é político exatamente na medida em que pensa *dentro* dos limites da política. Quanto mais agudo ele é, quanto mais vivo, tanto *menos é capaz* de compreender os males *sociais*. O período clássico do intelecto político é a Revolução Francesa. Bem longe de descobrir no princípio do Estado a fonte dos males sociais, os heróis da Revolução Francesa descobriram antes nos males sociais a fonte das más condições políticas. Desse modo, Robespierre vê na grande miséria e na grande riqueza um obstáculo à democracia pura. Por isso, ele quer estabelecer uma frugalidade espartana geral. O princípio da política é a *vontade*. Quanto mais unilateral, isto é, quanto mais perfeito é o intelecto político, tanto mais ele crê na onipotência da vontade e tanto mais é cego diante dos limites naturais e espirituais da vontade e, consequentemente, tanto mais é incapaz de descobrir a fonte dos males sociais.⁴

Política e *voluntarismo* estão, portanto, enredados um no outro, e a irrealidade de remédios políticos baseados no desejo emana do "substitucionismo" inerente à política enquanto tal: seu *modus operandi* necessário, que consiste em assumir, ela própria, o

---

³ Marx, "Critical Marginal Notes on an Article by a Prussian", MECW, vol. 3, p. 197 [ed. bras., "Glosas críticas marginais ao artigo *O rei da Prússia e a reforma social. De um prussiano*", tradução Ivo Tonet, Belo Horizonte, Praxis, n. 5, out-dez. 1995, pp. 79-80].

⁴ Id., ibid., p. 199. Pode-se ver aqui muito claramente com quanta força Marx se opõe a qualquer posição mecanicista e reducionista [ed. bras., op. cit., pp. 81-2].

social, negando assim a ele qualquer ação reparadora que não possa estar contida na sua própria estrutura – auto-orientada e autoperpetuante. Dentro dos limites da política, a oposição ao "substitucionismo" de Stalin, que advoga a substituição de um "burocrata" por um "líder político iluminado", ainda que bem-intencionado, é uma outra forma de voluntarismo político. Segundo Marx, a questão é qual categoria é realmente abrangente: a política ou a social? A política, dada a forma como se constitui, não pode evitar a substituição da autêntica universalidade da sociedade por sua própria parcialidade, impondo assim seus próprios interesses sobre os dos indivíduos sociais, e apropriando-se, para si própria, do poder de arbitrar os interesses parciais conflitantes em nome de sua universalidade usurpada.

Política não substitucionista, portanto, implicaria toda uma ordem de mediações sociais – e, claro, a existência de forças sociais/materiais correspondentes –, o que para nós representa um agudo problema, mas estava ausente do horizonte histórico dentro do qual Marx esteve situado durante toda sua vida. Daí a manutenção da definição predominantemente negativa da política, inclusive em seus últimos escritos, apesar de sua sóbria apreciação do envolvimento necessário na política (opondo-se ao "abstencionismo"[5] e à "indiferença à política"[6]), seja para os propósitos de negação, seja para agir, mesmo após a conquista do poder, "dentro das formas antigas".

Marx percebeu que a contradição entre o social e o político seria inconciliável. Dado o caráter antagônico da própria base social, perpetuada como tal pela estrutura política, o Estado seria irredimível, portanto descartado, pois

> diante das consequências que brotam da natureza associal dessa vida civil, dessa propriedade privada, desse comércio, dessa indústria, dessa rapina recíproca das diferentes esferas civis, diante de tais consequências, a impotência é a lei natural da administração. Com efeito, essa fragmentação, essa infâmia, essa escravidão da sociedade civil são o fundamento natural onde se apoia o Estado moderno, assim como a sociedade civil da escravidão era o fundamento no qual se apoiava o Estado antigo. A *existência do Estado* e a existência da *escravidão* são inseparáveis. ... Se ele [o Estado moderno] quisesse eliminar a vida privada, deveria *eliminar a si mesmo*, uma vez que ele só existe como antítese desta.[7]

Assim, a ênfase na necessidade de abolir o Estado para resolver as contradições da sociedade civil articula-se à ideia de que o Estado e a política em geral, como a conhecemos, são, por sua própria natureza, incapazes de abolir a si mesmos.

O imperativo de abolir o Estado foi colocado em evidência, mas não em termos voluntaristas. Ao contrário, Marx nunca perdeu a oportunidade para reiterar a completa futilidade dos esforços voluntaristas. Para ele era claro, desde o início, que nenhum fator material pode ser "abolido" por *decreto*, incluindo o próprio Estado, um dos mais poderosos de todos os fatores materiais. Falando da tentativa da Revolução Francesa de abolir o pauperismo por decreto, ele pôs o foco nas limitações inevitáveis da política como tal:

---

[5] Ver Marx e Engels, "Fictitious Splits in the International; Circular from the International Working Men's Association" (escrito em janeiro-março de 1872).

[6] Ver Marx, "Indifference to Politics" (escrito em janeiro de 1873).

[7] Marx, "Critical Marginal Notes on the Article by a Prussian", op. cit., p. 198 [ed. bras., op. cit., pp. 80-81].

Qual foi a consequência da determinação da Convenção? Que houvesse uma determinação a mais no mundo e que um ano depois mulheres esfomeadas cercassem a Convenção. E, no entanto, a Convenção era o máximo da energia política, da força política e do intelecto político.[8]

Se o Estado era assim tão impotente diante dos problemas sociais tangíveis, cujo alegado controle constituía sua tênue legitimação, como se poderia conceber que confrontasse todo o peso de suas próprias contradições para abolir a si próprio no interesse do progresso social geral? E, se o próprio Estado não for capaz de realizar tal tarefa, qual força da sociedade terá condições de fazê-lo? Estas eram as questões que deveriam ser respondidas, uma vez que foram postas na agenda histórica pelo crescimento do próprio movimento socialista. As respostas amplamente diferentes que encontramos nos anais da época testemunham as estratégias qualitativamente diferentes das pessoas engajadas na luta.

13.2 Os principais traços da teoria política de Marx

No que se refere ao próprio Marx, a resposta fora substancial e claramente formulada no início da década de 1840, com repetidas advertências contra o voluntarismo e o dogmatismo, *Leitmotifs* de sua visão política. Os principais pontos da resposta de Marx podem ser resumidos como se segue:

(1) O Estado (e a política em geral, como um domínio separado) deve ser *transcendido* por meio de uma transformação radical de toda a sociedade, mas não pode ser *abolido* nem por decreto, nem por toda uma série de medidas político-administrativas;

(2) A revolução que se aproxima não pode ser simplesmente uma revolução política; deve ser uma revolução *social* para não ficar aprisionada dentro dos limites do sistema autoperpetuador de exploração socioeconômica;

(3) Revoluções sociais buscam remover a contradição entre parcialidade e universalidade que as revoluções políticas do passado sempre reproduziram, submetendo a sociedade como um todo à regência da parcialidade política[9], no interesse das seções dominantes da "sociedade civil";

(4) O sujeito social da emancipação é o proletariado porque é forçado, pela maturação das contradições antagônicas do sistema do capital, a subverter a ordem social dominante, ao mesmo tempo em que é incapaz de impor a si próprio como uma nova parcialidade dominante – uma classe dominante mantida pelo trabalho de outras – sobre toda a sociedade;

(5) Lutas políticas e socioeconômicas constituem uma unidade dialética e consequentemente a negligência da dimensão socioeconômica despoja a política de sua realidade;

---

[8] Id., ibid., p. 197 [ed. bras., op. cit., p. 79].

[9] A "Alemanha, vista como deficiência do presente político constituído em um mundo particular, não será capaz de se livrar das suas limitações especificamente alemãs sem se livrar das limitações *gerais* do seu presente *político*. Não é a revolução radical, a emancipação humana geral que constituem um sonho utópico para a Alemanha, mas, ao contrário, é a revolução *parcial*, meramente política, a revolução que deixa em pé os pilares da casa" (Marx, "Contribution to Critique of Hegel's Philosophy of Law. Introduction", MECW, vol. 3. p. 184).

(6) A ausência de condições objetivas para a implementação das medidas socialistas ironicamente pode apenas levar adiante as políticas dos adversários na eventualidade de uma conquista prematura do poder[10];

(7) A revolução social bem-sucedida não pode ser local ou nacional – apenas revoluções políticas podem se confinar a uma situação limitada, de acordo com sua própria parcialidade –, ela há de ser *global/universal*; o que implica a transcendência necessária do Estado em escala *global*.

Os elementos dessa teoria constituem, claramente, um todo orgânico e não podem ser separados um a um, pois cada um deles se refere a todos os outros e só adquirem seu significado pleno graças a suas interconexões recíprocas. Isso é razoavelmente óbvio se considerarmos 1, 2, 5, 6 e 7 juntos, já que tratam todos das inevitáveis condições objetivas de transformação social, concebida como uma complexa totalidade social com dinamismo interno próprio. Os números 3 e 4 são aqueles que não se encaixam, já que propor a resolução da contradição entre parcialidade e universalidade parece ser uma injustificada intrusão da lógica hegeliana no sistema de Marx e o número 4 uma tradução imperativa desta categoria lógica abstrata em uma entidade pseudoempírica.

É verdade que os adversários de Marx interpretaram sua teoria negando realidade objetiva ao conceito de proletariado e "invalidando" sua teoria como um

---

[10] Este ponto é bem ilustrado pelo confronto entre Marx e Schapper: "Eu tenho sempre resistido às opiniões momentâneas do proletariado. Somos devotados a um partido que, *afortunadamente* para ele, ainda não pode chegar ao poder. Se o proletariado chegasse ao poder, as medidas que ele introduziria seriam pequeno-burguesas e não diretamente proletárias. Nosso partido pode chegar ao *poder* apenas quando as condições lhe permitirem colocar em prática *sua própria* visão. Louis Blanc é o melhor exemplo do que ocorre quando se chega prematuramente ao poder. Na França, além disso, não é apenas o proletariado que toma o poder, mas também os camponeses e a pequena-burguesia, tendo que levar adiante não as suas, mas as medidas *deles*" (Marx, "Meeting of the Central Authority, 15 de setembro de 1850", MECW, vol. 10, pp. 628-9).
Este sóbrio realismo não poderia ser mais contrastante com o voluntarismo bombástico de Schapper, que na mesma reunião diz: "A questão em exame é se nós próprios cortaremos algumas cabeças logo no início ou se serão nossas próprias cabeças que cairão. Na França, os trabalhadores chegarão ao poder e portanto na Alemanha também. Se este não fosse o caso, eu de fato iria para minha cama; caso no qual eu poderia gozar de uma posição material diferente. Se atingirmos o poder, poderemos tomar tais medidas, que são necessárias para assegurar o domínio do proletariado. Eu sou um apoiador fanático desta visão... Certamente serei guilhotinado na próxima revolução; apesar disso irei para a Alemanha ... Não compartilho a visão segundo a qual a burguesia na Alemanha tomará o poder, e neste ponto eu sou um entusiasta fanático – se não fosse não daria nenhum tostão por todo o assunto" (p. 628). Como podemos ver, Schapper (que morreu numa idade avançada em sua cama) apoia sua concepção voluntarista de política dizendo e repetindo que ele "fanaticamente acredita" nela.
Marx está certo em sublinhar, em oposição a Schapper e outros como ele, que "a revolução não é vista como o produto de *realidades* da situação, mas como resultado de um esforço de *vontade*. Quando teríamos de dizer ao trabalhadores: vocês têm 15, 20, 50 anos de guerra civil pela frente para alterar a situação e a *treinar* vocês mesmos para o *exercício do poder*, se diz: devemos tomar o poder *imediatamente*, ou então voltar para nossas camas. Tal como os democratas abusaram da palavra 'povo', agora a palavra 'proletariado' tem sido usada como uma mera frase. Para tornar esta frase efetiva será necessário descrever todos os pequenos-burgueses como proletários e consequentemente representar na prática a pequena burguesia e não os proletários. O processo revolucionário *real* teria que ser substituído por *lemas* revolucionários. Este debate finalmente tornou claras as diferenças em princípio que estão por trás do choque de personalidades..." (pp. 626-7).

todo devido a esta "inverificabilidade" etc. Contudo, o procedimento de Marx é perfeitamente legítimo, mesmo que a conexão com Hegel não possa – nem deva – ser negada. A similaridade entre a "classe universal" de Hegel (a burocracia idealizada) e o proletariado de Marx é, no entanto, superficial, porque seus discursos pertencem a universos completamente diferentes. Hegel deseja preservar (de fato, glorificar) o Estado, inventando a classe burocrática "universal" como um *Sollen* quintessencial (um "dever ser"); esta cumpre a função de conciliar as contradições dos interesses em guerra ao preservá-los, protegendo e assegurando desse modo a permanência da estrutura estabelecida da sociedade em sua forma antagônica. Marx, em contraste completo, está preocupado com a *transcendência* do Estado e da política como tal, identificando a paradoxal universalidade do proletariado (uma universalidade ainda-não-dada, ainda-para-ser-realizada) como uma *parcialidade* que necessariamente se *autoextingue*.

Assim, enquanto a "classe universal" fictícia de Hegel é uma entidade *sem classe* (e enquanto tal uma contradição em termos), o proletariado de Marx é completamente conforme-à-classe (e nesse sentido inevitavelmente parcial) e real. Em sua "tarefa histórica" tem uma *função* universalizante objetivamente fundada. Ao mesmo tempo, sua parcialidade é também única, já que não pode ser convertida em uma condição *de domínio exclusivo* da sociedade. Consequentemente, para "dominar", o proletariado deve generalizar sua própria condição de existência: a saber, a incapacidade de dominar, como uma parcialidade, às expensas de outros grupos sociais e classes. (Obviamente, isto está em contraste total com a burguesia e com outras classes dominantes da história passada que dominaram precisamente ao excluir e subjugar outras classes.) É nesse sentido que a "ausência-do-caráter-de-classe" [*Classlessness*] – o estabelecimento de uma sociedade sem classes – está ligada ao peculiar domínio de classe "da parcialidade que se autoextingue", cuja medida de sucesso é a generalização de um modo de existência totalmente incompatível com o domínio de classe (exclusivamente a favor de si mesma).

O domínio da parcialidade sobre a sociedade como um todo é sempre sustentado pela política como o complemento necessário à iniquidade das relações materiais de poder estabelecidas. Isto explica a impossibilidade de a sociedade emancipar-se do domínio da parcialidade sem radicalmente transcender a política e o Estado. Em outras palavras, se age *politicamente*, o proletariado permanece na órbita da parcialidade (com sérias implicações para o próprio proletariado, que é necessariamente afetado pelo domínio de sua própria parcialidade), enquanto a realização da revolução *social* advogada por Marx envolve inúmeros outros fatores, muito além do nível político, junto com a maturação das condições objetivas relevantes.

Naturalmente, o proletariado, enquanto existir, estará, em qualquer ponto particular da história, situado numa distância maior ou menor da realização de sua "tarefa histórica"; a avaliação da composição sociológica variável da classe, de sua relação com outras forças, junto com suas realizações e seus fracassos relativos etc., exige investigações detalhadas segundo circunstâncias específicas. No presente contexto, é necessário simplesmente reforçar as ligações que não podem ser rompidas entre os pontos 3 e 4 acima e o restante da teoria política de Marx. Por um lado, é precisamente a sua categoria de universalidade objetivamente fundada que coloca a política em perspectiva: por se mover "para fora" da política (o que significa para além das restrições impostas pelo "pensar no interior da estrutura da política"). Isto deve ser feito para se ter a capacidade de *negar* a parcialidade crônica da política; e deve-se fazê-lo não em um nível lógico-metafísico abstrato, mas a partir da única e exclusiva universalidade não fictícia (que não tem o caráter de um *Sollen*), isto é, do *metabolismo* fundamental da sociedade, o *social*. (Tal compreensão da universalidade é tanto histórica como trans-histórica, na medida em que sublinha as condições necessariamente mutáveis do sociometabolismo, enquanto indica também os limites além dos quais mesmo os meios e modos mais poderosos deste metabolismo – capital, por exemplo – perdem sua vitalidade e justificação histórica.) Por outro lado, o proletariado, como uma realidade socioeconômica real, era, bem antes de Marx, um ator principal no cenário histórico que demonstrou sua habilidade em gravitar para uma "revolução no interior da revolução" já na sequência imediata de 1789, tentando adquirir um papel independente, em seu próprio interesse, contrastando com sua posição até então subordinada no interior do Terceiro Estado. Desse modo, já em 1792, nega o marco político recentemente conquistado, no exato momento de seu nascimento, como observou com perspicácia Pierre Barnave do ponto de vista da ordem burguesa emergente. Nesse sentido, negar a realidade do proletariado é um curioso passatempo do século XX.

- O fato de Marx ter associado teoricamente o proletariado à necessidade da revolução *social* e à condição de universalidade não era uma dúbia exigência funcional de um sistema ainda dependente de Hegel, mas uma profunda percepção do novo caráter histórico-mundial do antagonismo social entre capital e trabalho. A progressão das trocas entre tribos locais até a história mundial, da ação confinada a uma esfera extremamente limitada até uma outra que reverbera através do mundo, não é uma questão de transformações conceituais, mas diz respeito ao desenvolvimento real e à integração recíproca de estruturas cada vez mais abrangentes e complexas. Esta é a razão por que soluções de tipo parcial – que são perfeitamente possíveis, na verdade inevitáveis, em estágios anteriores – no curso do desenvolvimento histórico-mundial devem ser substituídas por outras cada vez mais abrangentes, com uma tendência última para soluções "hegemônicas" e para a universalidade. A caracterização que Marx faz do proletariado, portanto, reflete e articula a mais elevada intensidade de confrontos hegemônicos com a impossibilidade histórica de soluções parciais em estágios determinados dos desenvolvimentos capitalistas e globais.

- Mesmo que de forma mistificada, a teoria de Hegel incorpora essa problemática. Ele reconhece plenamente o imperativo de uma solução "universal" que deveria superar as colisões das parcialidades em guerra. Todavia, é graças ao "ponto de vista da economia política" (isto é, o ponto de vista do capital), compartilhado com seus grandes antecessores ingleses e escoceses, que Hegel foi forçado a transubstanciar os elementos percebidos de uma realidade inerentemente contraditória na figura-fantasia, "universalmente" reconciliatória e pseudoempírica, do altruísta burocrata-estatal. Mas mesmo tais mistificações não podem obliterar as realizações de Hegel, devido às quais ele se encontra num nível de teorização política qualitativamente superior ao de qualquer outro antes de Marx, inclusive Rousseau. Aqueles que tentaram condenar Marx (e que também tentavam censurar sua obra) pelo seu alegado "hegelianismo", ao mesmo tempo em que glorificavam Rousseau, esquecem-se de que, em comparação com o paradigma do *imperativo categórico* da "vontade geral" deste, é a objetividade que, apesar de seu subjetivismo preconceituoso, impulsiona Hegel na sua tentativa de dar corpo à categoria de universalidade política sob a forma de uma força social real. Por mais desanimada e contraditória que tenha sido, esta tentativa hegeliana de circunscrever sociologicamente a vontade política foi um sinal dos tempos e como tal refletia um desafio histórico objetivo, representando um enorme avanço na direção correta.

- Retornando aos principais aspectos da teoria política de Marx tomada no seu todo, torna-se claro que nenhum dos outros pontos faz sentido se o sujeito social da transformação revolucionária for abandonado. Pois o que poderá significar um Estado que pode apenas ser "transcendido" e não "abolido" (tanto em uma situação nacional limitada como em uma escala global) se não houver força social que deseje e seja capaz de empreender essa tarefa? O mesmo se dá com todos os outros pontos. A distinção entre revolução social e política tem algum conteúdo apenas se um sujeito, ou sujeitos, socialmente existente possa *realmente* conferir a ela sentido, por meio dos objetivos precisos e das estratégias de sua ação e por intermédio da nova ordem social que emerge desta ação. Do mesmo modo, é impossível predicar uma reciprocidade íntima abrangente entre política e economia antes de um estágio razoavelmente avançado do desenvolvimento econômico/social; isso pressupõe que as principais forças da sociedade estejam recíproca e realmente engajadas numa confrontação inextricavelmente política tanto quanto econômica. Do mesmo modo, as revoluções são "prematuras" ou "atrasadas" apenas em termos da dinâmica específica dos sujeitos em questão, definidas por referência ao alcance das circunstâncias objetivas e às exigências enormemente variáveis da ação consciente. As revoluções camponesas do passado, por exemplo, foram definidas como "prematuras" não apenas devido a algum engajamento voluntarista em confrontações violentas mas, ao contrário, em vista da assombrosa insuficiência *crônica* de seu sujeito em relação ao seu próprio objetivo: algum tipo de "conspiração histórica das circunstâncias" que impôs às massas camponesas o destino de lutar pela causa de outros – e mesmo de vencê-las em algumas ocasiões – enquanto sofriam pesadas derrotas para si mesmas. Por outro lado, várias revoluções coloniais, nos anos do pós-guerra, parecem ser "atrasadas" mesmo quando "prematuras", e são derrotadas mesmo quando parecem vitoriosas, pois sob as relações de força historicamente constituídas e ainda dominantes o sujeito revolucionário "subdesenvolvido" é definido pela sua dependência maciça das estruturas herdadas do "neocolonialismo" e do "neocapitalismo".
- Naturalmente, as interconexões que acabamos de ver são não menos evidentes no sentido inverso. Isto porque o "proletariado", como um conceito vital da teoria de Marx, deriva seu significado precisamente daquelas condições e determinações objetivas que são articuladas, com base na realidade so-

cial dinâmica que refletem, aos pontos brevemente resumidos algumas páginas atrás. Sem eles, as referências ao proletariado significam nada mais que "lemas" vazios, tão desdenhosamente condenados por Marx em sua polêmica contra Schapper e outros, como vimos na nota a respeito (nota 10, p. 517).

Portanto, a transcendência do Estado e quem a desencadeia, o proletariado (ou, para utilizar um termo teoricamente mais preciso: o trabalho, o antagonista estrutural do capital), estão inseparavelmente interligados e constituem o ponto central da teoria política de Marx. Não há qualquer romantismo em sublinhar sua importância desse modo: apenas um alerta destinado àqueles que querem expurgá-lo da estrutura conceitual de Marx, que deveriam perceber quanta coisa mais – de fato quase todo o resto – teria que ser jogado ao mar junto com eles.

13.3 Revolução social e voluntarismo político

É inquestionável a validade fundamental da abordagem de Marx sobre a política no que diz respeito aos *parâmetros absolutos* – os critérios *últimos* – que definem e circunscrevem estritamente seu papel na totalidade das atividades humanas. As dificuldades estão em outro lugar, como veremos mais à frente. O núcleo da concepção política de Marx – a asserção de que a política (com ênfase particular na versão associada ao Estado moderno) *usurpa* o poder social de decisão que ela *substitui* – é e permanece completamente inatacável, pois abandonar a ideia segundo a qual a política socialista deve se preocupar, em todos os passos, mesmo nos menores, com a tarefa de *restituir* ao corpo social os poderes usurpados inevitavelmente despoja a política de transição de sua orientação e sua legitimação estratégicas, e assim necessariamente *reproduz*, de uma nova forma, o "substitucionismo burocrático" herdado, em vez de criá-lo novamente com base em algum místico "culto à personalidade". Consequentemente, a política socialista ou segue o caminho aberto por Marx – *do substitucionismo à restituição* – ou deixa de ser política socialista e, ao invés de "abolir a si própria" no processo, transforma-se em autoperpetuação autoritária.

É verdade que há muitas questões e muitos dilemas não respondidos que devem ser examinados em seu contexto adequado. Nessa medida, será particularmente importante avaliar: em que extensão e de que modo as condições históricas cambiantes, assim como as agudas pressões do antagonismo social em desdobramento, podem modificar significativamente a estratégia política marxista sem destruir seu núcleo. Mas, antes que possamos nos voltar para estas questões, é necessário examinar mais de perto a relação de Marx com seus adversários políticos, pois ela afetou a formulação de sua teoria do Estado.

Em agudo contraste com o "falso positivismo" de Hegel, Marx nunca deixou de realçar o caráter essencialmente *negativo* da política. Detendo este caráter, a política é adequada para realizar as funções *destrutivas* da transformação social – tal como a "abolição da escravidão assalariada", a expropriação dos capitalistas, a dissolução dos parlamentos burgueses etc., realizáveis todas por decreto –, mas não as tarefas *positivas* que devem resultar da própria reestruturação do sociometabolismo. Devido à sua *parcialidade* intrínseca (um outro modo de dizer "negativa"), a política não poderia deixar de ser o *meio* mais inadequado para servir à finalidade desejada. Ao mesmo tempo, a medida de aproximação desta finalidade deveria ser precisamente o grau em que se poderiam descartar completamente os meios restritivos, de tal modo que ao fim os indivíduos sociais pudessem ser capazes de operar em relação direta uns com os outros, sem a intermediação mistificadora e restritiva "do manto da política".

Já que a subjetividade negadora da vontade, que corre solta na política, pode dizer "sim" apenas quando diz "não", a utilidade da política em si era considerada extremamente limitada mesmo após a conquista do poder. Não é surpreendente, desse modo, que a *Crítica ao Programa de Gotha* esperasse dela, na sociedade de transição, não mais que uma intervenção negativa, demandando que agisse "desigualmente" a favor dos fracos, de tal modo que as piores desigualdades herdadas do passado pudessem ser removidas mais rapidamente. Pois, enquanto o socialismo exige a maior transformação *positiva* na história, a modalidade negativa da política (classe *contra* classe etc.) a faz, por si própria, completamente inadequada para esta tarefa.

Marx conceituou o modo de superar a relação problemática entre política e sociedade sobrepondo conscientemente à revolução política sua dimensão social oculta. Ele insistiu que,

> se uma *revolução social* com uma alma política é uma paráfrase ou um absurdo, uma revolução política com uma alma *social*, ao contrário, é racional. A revolução em geral – a *derrocada* do poder existente e a dissolução das velhas relações – é um *ato político*. Por isso, o socialismo não pode se efetivar sem a revolução. Ele tem necessidade deste ato político na medida em que tem necessidade da *destruição e da dissolução*. No entanto, logo que tenha início sua atividade *organizativa*, logo que apareça o seu *próprio objetivo*, a sua alma, então o socialismo se desembaraça do seu *revestimento político*.[11]

Dessa posição privilegiada em sua avaliação crítica de Proudhon e Stirner, Schapper e Willich, Lassalle e Liebknecht, Bakunin e seus associados, bem como dos autores do Programa de Gotha, Marx procedeu ao estabelecimento dos contornos mais gerais de uma estratégia livre de elementos voluntaristas.

Para Marx, a necessidade da revolução não era nem um determinismo econômico (de que ele é frequentemente acusado), nem um ato soberano de vontade política arbitrária (de que, curiosamente, ele também é acusado). Aqueles que o julgam nestes termos apenas provam que são, eles próprios, incapazes de pensar sem o esquematismo pré-fabricado de falsas alternativas. Para Marx, a revolução social corresponde a algumas funções determinadas. Tem que emergir com base em algumas condições objetivas (que constituem seus pré-requisitos necessários) de modo a ir muito além delas no curso do seu desenvolvimento, transformando radicalmente tanto as circunstâncias como o povo envolvido na ação. Se pensamos seja nas teorias pré-revolucionárias do voluntarismo anarquista, seja nas práticas, igualmente arbitrárias e muito mais danosas, reducionistas e substitucionistas do "burocratismo" pós-revolucionário, foram precisamente esta objetividade e esta complexidade dialéticas da revolução social que desapareceram por meio de sua redução procustiana a ato político unidimensional.

A primeira questão, portanto, diz respeito à compreensão da natureza tanto da revolução social como do seu sujeito. Bakunin concebeu este último como um "Estado

---

[11] Marx, "Critical Marginal Notes on the Article by a Prussian", MECW, vol. 3, p. 206 [ed. bras., "Glosas críticas..."; op. cit., pp. 90-1].

geral revolucionário composto de indivíduos devotados, enérgicos e inteligentes ... O número desses indivíduos não deveria ser muito grande. Para a organização internacional de toda a Europa, *uma centena* de revolucionários séria e firmemente unida seria suficiente"[12]. A este mito do "Estado geral revolucionário" corresponderia, naturalmente, uma concepção mítica da própria revolução, bem como das suas massas. Da revolução dizia-se estar "lentamente amadurecendo na *consciência instintiva* das massas populares" (não nas condições objetivas da realidade social), e o papel das "massas instintivas" limitava-se a ser o "exército da revolução" (a "bucha de canhão", como Marx corretamente exclamou)[13].

A condenação por Marx de tais visões não poderia ter sido mais cáustica:

Ele não compreende absolutamente nada de revolução social, apenas de sua retórica política; as condições econômicas simplesmente não existem para ele ... O poder da vontade, não as condições econômicas, é a base da sua revolução social.[14]

Marx tachou as visões de Bakunin de "asneiras de colegial" e reiterou que "uma revolução social radical está associada às condições históricas definidas de desenvolvimento econômico; estas são suas premissas. É possível, portanto, apenas onde o proletariado industrial, ao lado da produção industrial capitalista, reúna, pelo menos, uma fração importante das massas do povo. E para ter qualquer chance de vitória deve ser capaz, *mutatis mutandis*, de fazer diretamente pelos camponeses no mínimo tanto quanto fez a burguesia francesa, na sua revolução, para o campesinato francês. É uma ideia maravilhosa imaginar que o regime dos trabalhadores implica a opressão do trabalho rural"[15].

As determinações objetivas multidimensionais da revolução social, que prenunciam uma escala de tempo longa ("15, 20, 50 anos", como Marx colocou, contra as românticas fantasias de Schapper), também implicavam a necessidade de novos levantes e a impraticabilidade de acomodações. Pois

(1) Dado o patamar social historicamente alcançado do antagonismo entre capital e trabalho, não há possibilidade de "emancipação parcial" e "libertação gradual"[16];

(2) A classe dominante tem muito a perder; não irá ceder por sua própria vontade; deve ser derrubada por uma revolução[17];

(3) A revolução não pode ter sucesso em uma base estreita; requer a "produção em uma *escala de massa*" da *consciência revolucionária*, de tal modo

---

[12] Citado em Marx e Engels, "The Alliance of Socialist Democracy and the International Working Men's Association", (escrito em abril-julho de 1873).
[13] Id., ibid.
[14] Marx, "Notes on Bakunin's Statehood and Anarchy" (escrito em dezembro de 1874-janeiro de 1875), MECW, vol. 24, p. 518.
[15] Id., ibid.
[16] Ver Marx, "Contribution to Critique of Hegel's Philosophy of Law. Introduction".
[17] *The German Ideology*, MECW, vol. 5, p. 53 [ed. bras., *A ideologia alemã*, op. cit., pp. 50-1].

que a classe revolucionária como um todo possa ter "sucesso em livrar-se de todo o esterco milenar e se tornar capaz de fundar uma sociedade nova" – o que é possível pela *prática* das transformações revolucionárias reais[18];

(4) Aprender como dominar dificuldades, responsabilidades, pressões e contradições do exercício do poder requer um envolvimento ativo no próprio processo revolucionário, numa escala de tempo dolorosamente ampla[19].

Como podemos ver, necessidade social no conceito marxiano não é um determinismo mecânico qualquer. Muito pelo contrário: é uma compreensão dialética do que necessita e pode ser realizado com base nas tendências da realidade objetivamente em desenvolvimento. Em si, ela é inseparável da consciência que se ajusta às condições cambiantes e às sóbrias lições do mundo que tenta transformar. As variedades do voluntarismo anarquista, de Proudhon a Bakunin[20], são diametralmente opostas a tal visão, já que são incapazes de compreender a pesada dimensão econômica da tarefa. Elas substituem as condições objetivas pelas suas imagens subjetivas de fervor pela agitação mesmo quando falam sobre a "força das circunstâncias". Marx, por outro lado, articula sua concepção em termos de uma escala completamente diferente, divisando para um longo tempo no futuro o papel de *oposição* para o movimento da classe trabalhadora antes que a questão do *governo* por fim emergisse[21].

Os limites intrínsecos das formas políticas (mesmo das mais avançadas), em contraste com a dimensão metabólica fundamental da revolução social, são resumidos numa passagem-chave da análise de Marx da Comuna de Paris. Lê-se:

Assim como a máquina estatal e o parlamentarismo não são a *vida real* das classes dominantes, mas apenas os órgãos gerais organizados de sua dominação, as garantias políticas e formas de expressão da antiga ordem, a Comuna também não é o *movimento social* da classe trabalhadora, nem de uma regeneração geral da humanidade, mas o *meio* organizado de ação. A Comuna não extingue as lutas de classes, por meio das quais as classes trabalhadoras buscam a abolição de todas as classes e, dessa forma, da dominação de classe (pois ela não representa um interesse particular; representa a libertação do "trabalho", que é a condição *fundamental e natural* da vida individual e social, que somente por meio de *usurpação*, fraude e meios artificiais se pode transferir dos poucos para os muitos), mas permite um

---

[18] Id., ibid., pp. 52-3.

[19] Ver a respeito não apenas as polêmicas de Marx contra Schapper, mas também suas análises da Comuna de Paris de 1871.

[20] "O Sr. Bakunin apenas traduziu as anarquias de Proudhon e Stirner para o idioma bárbaro dos tártaros" (Marx, "Notes on Bakunin's Statehood and Anarchy", MECW, vol. 24, p. 521).

[21] "É evidente que uma sociedade secreta deste tipo, que visa formar não o partido do *governo* futuro, mas *o partido de oposição do futuro* teria pouca atração para indivíduos que, por um lado, velam por sua insignificância pessoal empertigando-se no manto teatral do conspirador e, por outro, desejam satisfazer suas estreitas ambições no *dia* da próxima revolução, e que desejam acima de tudo tornar-se importantes no momento, apanhar sua parcela dos ganhos de demagogia e serem bem-vindos entre os impostores e charlatães da democracia" (Marx, "Revelations Concerning the Communist Trial in Cologne", escrito em dezembro de 1852, MECW, vol. 11, pp. 449).

meio racional em que a luta de classes possa percorrer suas diferentes fases na forma mais racional e humana. ... A classe trabalhadora sabe que tem de passar por diferentes fases de luta de classes. Sabe que a *superação* das condições *econômicas* de escravidão do trabalho em favor de condições de trabalho livre e associado só pode ser o *trabalho progressivo do tempo*, ... que ela exige não apenas uma mudança da *distribuição*, mas uma nova organização da *produção*, ou melhor, a libertação das formas sociais de produção do trabalho organizado atual (criado pela indústria atual) das peias da escravidão e de seu atual caráter de classe, e a coordenação harmoniosa nacional e *internacional*. Ela sabe que este trabalho de *regeneração* será repetidamente atrasado e interrompido pela resistência de interesses específicos e do egoísmo de classe. Sabe que a "ação espontânea das leis naturais do capital e da propriedade da terra" só será *superada* pela "ação *espontânea* das leis da economia social do trabalho livre e associado" depois de um *longo processo* de desenvolvimento de novas condições.[22]

Com todas as suas imensas complicações, portanto, a primeira tarefa está apenas se *iniciando* ali onde o subjetivismo político imagina que as solucionou definitivamente.

A questão em jogo é a criação das "novas condições": a transcendência e a superação da "ação espontânea da lei natural do capital" – e não a sua simples "abolição" política, que é inconcebível – e o desenvolvimento, que se arrasta por um longo tempo, de uma *nova espontaneidade*, "a ação espontânea das leis da economia social", como o modo radicalmente reestruturado do novo sociometabolismo. A expressão "regeneração geral da humanidade" e "trabalho de regeneração", junto com uma ênfase repetida na necessidade de "fases diferentes" de desenvolvimento através de um "trabalho progressivo do tempo", indica claramente que, neste aspecto, o poder da política deve ser muito limitado. Portanto, esperar a geração de uma nova espontaneidade (ou seja, uma forma de intercâmbio social e modo de atividade de vida que se torna uma "segunda natureza" para os produtores associados) por algum decreto político, mesmo que seja ele o mais esclarecido, é uma contradição em termos. Pois, enquanto a *distribuição* é imediatamente receptiva à mudança por decreto (e, mesmo assim, apenas em uma extensão estritamente limitada pelo nível de produtividade socialmente atingido), as condições materiais de *produção*, assim como sua organização hierárquica, permanecem, no dia seguinte à revolução, exatamente as mesmas que antes. É isto que, por um longo tempo, praticamente impossibilita aos trabalhadores tornarem-se "produtores livremente associados", tal como previsto antecipadamente, mesmo sob as circunstâncias politicamente mais favoráveis.

Além disso, a limitação de que a "regeneração" socialista "da humanidade" exige também "harmoniosa coordenação nacional e internacional" coloca novamente a política em perspectiva, pois é da natureza do voluntarismo político deturpar também esta dimensão do problema, pois trata a não realização das exigências marxianas como uma deficiência simplesmente política pela qual suas próprias políticas não podem ser responsabilizadas. É a famosa "argumentação em círculo", com sua autojustificação automática, ao passo que, na verdade, a "harmoniosa coordenação nacional

---

[22] Marx, *The Civil War in France*, pp. 171-2.

e internacional" se refere às condições vitais do próprio trabalho: o profundo inter-relacionamento das estruturas econômicas objetivas em escala global.

É esta, portanto, a verdadeira natureza do "trabalho de regeneração", a verdadeira magnitude da sua objetividade multidimensional. A dominação do capital sobre o trabalho é de caráter fundamentalmente *econômico*, não político. Tudo o que a política pode é fornecer as "garantias políticas" para a continuação da dominação já materialmente estabelecida e enraizada estruturalmente. Consequentemente, a dominação do capital não pode ser quebrada no nível da política, mas apenas as garantias de sua organização *formal*. Isto explica por que Marx, mesmo nas suas referências mais positivas à estrutura política da Comuna de Paris, a define *negativamente* como "uma alavanca para *arrancar pela raiz* os fundamentos econômicos da dominação de classe", vendo a tarefa positiva "na emancipação econômica do trabalho"[23]. E, mais adiante, no mesmo trabalho, Marx compara "a força pública organizada, o poder do Estado" da sociedade burguesa a uma *"máquina* política" que "perpetua pela força a escravidão social dos produtores de riqueza pelos seus apropriadores, a *dominação econômica do capital sobre o trabalho"*[24], tornando novamente bastante claro qual deveria ser o objetivo fundamental da transformação socialista.

Devemos sublinhar aqui que os adversários de Marx falharam completamente em compreender a necessária interligação entre *Estado, capital e trabalho*, e a existência de planos e dimensões absolutamente diferentes de mudança possível. Dada sua relação de autossustentação recíproca, Estado, capital e trabalho poderiam apenas ser eliminados simultaneamente, como resultado de uma transformação estrutural radical de todo o sociometabolismo. Neste sentido, nenhum dos três poderia ser "derrubado nem abolido", mas apenas "transcendido e superado". Este limite, por sua vez, necessariamente traz consigo a extrema complexidade e a temporalidade de longo prazo de tais transformações.

Ao mesmo tempo, todos os três têm uma dimensão imediatamente acessível à mudança, sem o que a própria ideia de uma transformação socialista seria nada mais que um sonho. Ela consiste na especificidade social de suas formas de existência historicamente prevalecentes, quer dizer, no nível atingido de concentração e centralização do capital ("monopólio/imperialista", "semifeudal", "colonial dependente", "subdesenvolvido", "orientado pelo complexo-industrial-militar", ou o que quer que seja); na correspondente variedade das formações estatais específicas (do Estado bonapartista à Rússia czarista logo antes da revolução, e dos Estados "liberais" que dirigem os impérios francês e britânico até o fascismo e até as variedades atuais de ditadura militar empenhadas no "desenvolvimento" neocapitalista, sob a tutela de nossas grandes democracias); e, finalmente, em todas as formas e configurações específicas através das quais o "trabalho assalariado", em íntima conjunção com a forma dominante de capital, redesenham as práticas produtivas de cada país, permitindo que o capital funcione como um sistema global verdadeiramente interligado.

Era neste nível de especificidade sócio-histórica que se deveria ver, como um primeiro passo, a intervenção direta sob a forma "derrubada/abolição". Mas o sucesso dependia de compreender a dialética do historicamente específico com o

---

[23] Id., ibid., p. 72 [ed. bras., *A Guerra Civil na França*, op. cit., p. 199].
[24] Id., ibid., p. 229.

trans-histórico, ligando o necessário primeiro passo do que poderia ser imediatamente derrubado com a tarefa *estratégica* de uma longa e sustentável "transcendência/ superação" do próprio capital (e não apenas do capitalismo), do Estado em todas as suas formas (e não apenas do Estado capitalista) e da *divisão do trabalho* (e não apenas do trabalho assalariado). E, apesar de a revolução *política* poder ter sucesso nas tarefas imediatas, apenas a revolução *social* concebida por Marx – com seu "trabalho" positivo de "regeneração" – pode prometer realizações duradouras e transformações estruturais verdadeiramente irreversíveis.

13.4 Crítica da filosofia política de Hegel

O argumento definitivo de Bakunin em favor da abolição imediata do Estado era uma referência à natureza humana, a qual, alegava ele, é tentada pela existência do Estado a perpetuar o domínio da minoria privilegiada sobre a maioria. Desse modo curioso, o "anarquismo libertário" expôs sua ascendência liberal-burguesa, com todas as suas contradições. Pois a teoria liberal do Estado foi fundada na contradição autoproclamada entre a presumida *harmonia* total das *finalidades* (as finalidades necessariamente desejadas pelos indivíduos, em virtude de sua "natureza humana") e a total *anarquia dos meios* (a escassez *necessária* de mercadorias e recursos, o que faz com que lutem e, por fim, destruam uns aos outros pelo *bellum omnium contra omnes*, a não ser que de algum modo eles tenham sucesso em estabelecer sobre e acima de si próprios uma força repressora *permanente*, o Estado burguês). Assim, *Deus ex machina*, o Estado foi inventado para transformar "anarquia em harmonia" (para harmonizar a anarquia dos meios com o postulado, que confunde realidade com desejo, da harmonia das finalidades), reconciliando o violento antagonismo dos dois fatores *naturais* – "natureza humana" e escassez material – graças à absoluta permanência de seu próprio "artifício", para utilizar uma expressão de Marx. O fato de que a "natureza humana" estipulada fosse somente um pressuposto egoísta e a "escassez" uma categoria inerentemente *histórica* tinha de permanecer oculto na teoria liberal sob as múltiplas camadas de *circularidade*. Foi esta última que permitiu aos representantes do liberalismo moverem-se com liberdade, para frente e para trás, e a partir das premissas arbitrárias, estabelecendo sobre os fundamentos apriorísticos de tal circularidade ideológica a "eterna legitimidade" do Estado liberal em direção às conclusões almejadas.

Bakunin, em sua própria versão da relação estipulada entre o Estado e a "natureza humana" arbitrariamente postulada, simplesmente inverteu a equação, alegando que a tendência *natural* à dominação de *classe* (que noção mais absurda!) desaparecerá, de algum modo misterioso, com a imediata abolição revolucionária por decreto do Estado. E, já que a política elitisticamente concebida do "Estado geral" continuou a ser a estrutura de referência do ato ilusório de autoabolição de Bakunin, que toma desejo por realidade, as referências à "natureza humana", mais uma vez, poderiam apenas servir ao propósito de legitimar a circularidade autoperpetuante da política.

Marx, em comparação, insistiu em que o ato político de decretar a autoabolição não é mais que uma autocontradição, já que apenas a radical reestruturação da *totalidade* da prática social pode atribuir à política um papel cada vez menor. Ao mesmo tempo, ele sublinhou que desafiar criticamente as concepções predominantes e arbitrárias de "natureza humana" – pois a "natureza humana" na realidade nada mais era que a "comunidade de homens"[25], o "conjunto das relações sociais"[26] – era uma condição elementar para escapar da camisa de força da circularidade política herdada.

Naturalmente, a circularidade em questão não era apenas um constructo filosófico mas, como veremos em um momento, o reflexo teórico da perversidade prática da autorreprodução política da sociedade de classes através dos tempos. É por isso que Marx a manteve à frente de suas preocupações também em sua *Crítica da filosofia do direito de Hegel*.

Comentando a definição de Hegel de monarquia ("Tomado sem o monarca e a articulação do todo, que é o concomitante direto e indispensável da monarquia, o povo é uma massa sem forma e não mais um Estado")[27], Marx escreveu:

> Tudo isso é uma *tautologia*. Se um povo tem um monarca e uma articulação que é seu concomitante direto e indispensável, ou seja, se é articulado como uma monarquia, então extraído desta articulação é certamente uma massa sem forma e uma noção absolutamente geral.[28]

Se um grande filósofo como Hegel incorre em tais violações da lógica, deve haver nisso mais que mera "confusão conceitual", este *trouvaille* pseudoexplicatório da "filosofia analítica" que "explica" o que denomina "confusão conceitual", afirmando circularmente a presença da confusão conceitual.

De tautologia em tautologia, o salto de Hegel – da definição que acabamos de ver da monarquia para a determinação circular da esfera política, e da caracterização tautológica da "classe universal" para fornecer a "racionalidade do Estado" pela sua mera asserção – é um traço marcante, mas de modo algum exclusivo, de sua filosofia política. Sob tudo isso encontramos as determinações ideológicas que induzem a teoria liberal como um todo a inferir, a partir de premissas insustentáveis, as conclusões desejadas (e vice-versa), de modo a ser capaz de "eternizar" as relações de produção burguesas junto com as suas correspondentes formações estatais.

O específico de Hegel foi que, vivendo em uma conjuntura histórica que exibia uma forma aguda de explosão dos antagonismos sociais – da Revolução Francesa às guerras napoleônicas e à aparição do movimento da classe trabalhadora como uma força hegemônica que visa seu próprio modo de controle sociometabólico

---

[25] "Mas a *comunidade* da qual o trabalhador está isolado é uma comunidade cuja característica e abrangência são inteiramente diferentes das da comunidade *política*. Essa comunidade, da qual o trabalhador está separado pelo seu trabalho, é a própria vida, a vida física e espiritual, a moralidade humana, a atividade humana, o prazer humano, a essência humana. A essência humana é a verdadeira comunidade humana. E, assim como o desesperado isolamento dela é incomparavelmente mais universal, insuportável, pavoroso e contraditório do que o isolamento da comunidade política, assim também a supressão desse isolamento e até mesmo uma reação parcial, uma revolta contra ele, é tanto mais infinita quanto mais infinito é o homem em relação ao cidadão e a vida humana em relação à vida política" (Marx, "Critical Marginal Notes on the Article by a Prussian", MECW, vol. 3, pp. 204-5 [ed. bras., "Glosas Críticas...", op. cit., p. 89]).

[26] De uma das "Teses sobre Feuerbach" de Marx.

[27] Citado por Marx em seu *Critique of Hegel's Philosophy of Right*, Cambridge University Press, 1970, p. 29.

[28] Id., ibid.

como uma alternativa radical ao já existente –, ele tinha que enfrentar abertamente as muitas contradições que permaneceram ocultas de seus antecessores. Se Hegel foi mais inventivo em sua filosofia do que aqueles antecessores, foi porque, em larga medida, tinha que ser muito menos "inocente" na tentativa de abranger e integrar no seu sistema uma ordem muito maior de problemas e contradições com que eles nem sequer poderiam sonhar. Se, ao fim, ele só conseguiu realizá-lo de um modo lógico/abstrato, frequentemente circular/definicional e intelectualizado, isto se deveu primariamente aos tabus insuperáveis do "ponto de vista econômico-político" da burguesia. O que ele teve que pagar, por compartilhar este ponto de vista, foi a fusão mistificadora das categorias da *lógica* com as características objetivas do *ser,* tentando conjurar o impossível, a saber, a "conciliação" final das contradições antagônicas da realidade sócio-histórica percebida.

A caracterização hegeliana da "classe universal" é um exemplo gráfico de tal circularidade e confusão ideológica.

A classe universal ou, mais precisamente, a classe de servidores civis, *deve,* puramente, em virtude de seu caráter *universal,* ter o *universal* como o fim de sua atividade *essencial*.[29]

Pela mesma razão, a "classe não oficial", ao "renunciar a si própria", demonstra sua adaptabilidade para se encaixar no esquema hegeliano das coisas de modo a adquirir um verdadeiro significado político. Mas, como Marx corretamente comenta, o ato político alegado da "classe não oficial" é uma "completa transubstanciação", pois "neste ato político a sociedade civil *deve* renunciar completamente a si própria como tal, como uma classe não oficial, e afirmar uma parte de sua essência que não apenas nada tem em comum com a existência civil *real* de sua essência, mas *diretamente se lhe opõe*"[30]. Desse modo, a universalidade fictícia (pela essência estipulada) da "classe universal" traz com ela a redefinição igualmente dúbia das forças reais da "sociedade civil", de tal modo que as contradições do mundo social deveriam ser conciliadas, de acordo com a "Ideia", no domínio idealizado do Estado hegeliano.

Como afirma Marx, "a burocracia é um *círculo* do qual ninguém escapa"[31]. Isto porque ela constitui o centro operativo de um constructo circular que reproduz, ainda que de modo desnorteante, a perversidade real do mundo burguês. Ou seja, o Estado político, visto como uma abstração da "sociedade civil", não é uma invenção de Hegel, mas o resultado dos desenvolvimentos capitalistas. Nem "fragmentação", "atomismo", "parcialidade", "alienação" etc. são ficções da imaginação de Hegel, não importa o quanto ele as trate idealisticamente, mas características objetivas do universo social dominante, como é o desafio da "universalidade" acima mencionado. De fato, Marx não dá as costas para esta problemática. Ele a reorienta para o seu fundamento objetivo, insistindo que

---

[29] Ibid., p. 76.
[30] Ibid., p. 77.
[31] Ibid., p. 77.

a abolição/superação [*Aufhebung*] da burocracia só pode consistir na transformação *real* do interesse *universal* – e não, como com Hegel, puramente em pensamento, na abstração – em interesse *particular*; e isto é possível apenas se o interesse particular *realmente* se tornar *universal*[32].

Em outras palavras, o círculo da burocracia (e da política moderna em geral) é um círculo muito real do qual se deve organizar um escape igualmente real.

Marx também reconhece que "o discernimento mais fino de Hegel está em perceber como uma contradição a separação entre sociedade civil e política. Mas seu erro é que ele se contenta com a aparência de sua dissolução, tomando-a pela coisa real"[33]. O fato de Hegel não poder encontrar uma saída para a contradição percebida é, novamente, não sua limitação pessoal, pois a prática de simplesmente presumir uma relação necessária entre uma "sociedade civil" (esgarçada por suas contradições) e o Estado político (que resolve ou, ao menos, mantém em equilíbrio estas contradições) era, como vimos, um traço característico da teoria liberal em geral, cumprindo, graças à sua circularidade a-histórica, uma função apologética/social muito necessária. Quando Hegel "pressupõe a separação da sociedade civil e do Estado político (a situação moderna), e a desenvolve como um momento necessário da Ideia, como uma verdade absoluta da Razão"[34], ele meramente adapta a prática geral da teoria liberal às exigências específicas do seu próprio discurso filosófico.

A grande deficiência na abordagem de Hegel é o modo como ele trata a necessidade da "mediação" (embora não se possa realçar o suficiente que a dificuldade de mediação existe para ele como um problema constantemente recorrente, enquanto na teoria liberal em geral ela tende a ser estreitamente reduzida à questão de uma instrumentalidade "equilibrante", mais ou menos já feita, quando não é completamente ignorada). Hegel percebe que, se o Estado deve cumprir as funções vitais de totalização e conciliação a ele atribuídas em seu sistema, deve ser constituído como uma entidade *orgânica,* adequadamente fundida à sociedade e não mecanicamente superposta a ela. Neste espírito, ele prossegue afirmando que

> é uma preocupação primordial do Estado que a *classe média* deva ser desenvolvida, mas isto apenas pode ser feito se o Estado for uma unidade orgânica como aquela aqui descrita, isto é, pode ser feito apenas *concedendo autoridade a esferas de interesses particulares*, que são relativamente independentes, e nomeando um exército de funcionários cuja arbitrariedade pessoal seja quebrada contra tais corpos autorizados.

Contudo, o problema é que o quadro que se nos apresenta não passa de uma versão estipulada/idealizada da formação estatal política da "sociedade civil" dividida, que preserva todas as divisões e contradições existentes enquanto, de modo conveniente, conjura suas destrutividades últimas. Marx coloca em seu comentário anexado a estas linhas: "Certamente o povo pode aparecer como uma classe, a classe média, apenas em tal unidade orgânica; mas será uma unidade orgânica aquilo que se mantém pelo *equilíbrio de privilégios?*"[35]

---

[32] Ibid., p. 48.
[33] Ibid., p. 76.
[34] Ibid., p. 73.
[35] Ibid., p. 54.

Desse modo, a solução divisada é até mesmo autocontraditória (definindo "organicidade" em termos de um "equilíbrio" instável de forças hostis centrífugas), para não mencionar seu caráter fictício que atribui um remédio *permanente* com base numa conflitualidade real sempre crescente. Nesta *Aufhebung*, que confunde realidade com desejo, das crescentes contradições sociais através do círculo mágico de uma burocracia onisciente e da expansão, enviada dos céus, da "classe média", recebemos o verdadeiro modelo de todas as teorias de acomodação social do século XX: de Max Weber à "revolução gerencial", de Max Scheler e Mannheim ao "fim da ideologia", e de Talcott Parsons à "sociedade pós-industrial orientada-pelo--conhecimento" da "modernidade" e "pós-modernidade" como a solução definitiva. (Mas, perceba-se novamente, Hegel apenas diz que esta classe média *"deveria ser desenvolvida"*, enquanto os apologetas do século XX alegam que ela *realmente* já se realizou, trazendo consigo o fim de todas as principais contradições sociais[36].)

Na realidade, o Estado político moderno não se constitui como uma "unidade orgânica", mas, pelo contrário, foi imposto às classes *subordinadas* a partir das relações de poder *materiais* já prevalecentes da "sociedade civil", no interesse preponderante (e não cuidadosamente "equilibrado") do capital. Desse modo, a ideia hegeliana de "mediação" apenas poderia ser uma falsa mediação, motivada pelas necessidades ideológicas de "conciliação", "legitimação" e "racionalização" (esta última no sentido de aceitar e idealizar as relações sociais prevalecentes).

A inconsistência lógica de Hegel emerge do solo de tais motivações. A facticidade e a separabilidade estabelecidas da "sociedade civil" e seu Estado político são simplesmente pressupostas como dadas e, como dadas, mantêm-se separadas; daqui a tosca circularidade das "tautologias" hegelianas e definições autorreferentes. Ao mesmo tempo, a necessidade de produzir uma "unidade orgânica" gera a "circularidade dialética" mais sutil das mediações (que termina por ser tudo, menos dialética). O cruzamento de referências recíprocas arranjadas ao redor de um termo médio cria a aparência de um movimento e de uma progressão genuína, enquanto de fato reflete e reproduz a autossustentável facticidade dual da ordem social dada ("sociedade civil" e sua formação estatal política), só que agora em uma forma filosófica abstrata dedutivamente "transubstanciada".

Como observa Marx, "se as classes civis são em si classes políticas, então a mediação não é necessária; e se a mediação for necessária então a classe civil não é política, e portanto também não o é sua mediação. ... Aqui, então, encontramos uma das inconsistências de Hegel no interior de seu próprio modo de rever as coisas: e tal *inconsistência* é uma *acomodação*"[37]. Ao fim, o que desmascara o jogo é o caráter

---

[36] Mannheim, por exemplo, que entusiasticamente aprova a ideia grotesca de Scheler de que a nossa é "a época da equalização" [*Zeitalter des Ausgleichs*], alega ao mesmo tempo que antigas classes antagônicas "estão agora, de uma forma ou de outra, se fundindo uma na outra" (ver *Ideology and Utopia*, Londres, Routledge & Kegan Paul, 1936, p. 251). Ele acrescenta a esta ficção uma outra pitada de fantasia sobre a *"intelligentsia* que flutua livremente" [*freischwebende Intelligenz*] – um primo em primeiro grau do burocrata "universal" de Hegel –, que supostamente deve "subsumir em si própria todos aqueles interesses nos quais é permeada a vida social" (p. 140). Discuti estes problemas em "Ideology and Social Science" (*The Socialist Register*, 1972; reimpresso em meu livro *Philosophy, Ideology and Social Science*, Nova York, Harvester/Wheatsheaf, Brighton, and St. Martins Press, 1986, pp. 1-56 [ed. bras. "Filosofia, ideologia e ciência social" *in Ideologia e ciência social*, São Paulo, Ed. Ensaio, 1993].

[37] Marx, *Critique of Hegel's Philosophy of Right*, p. 96.

apologético de sua "mediação"; o jogo se revela como uma reconstrução sofisticada da realidade dual a-historicamente presumida – e como tal eternizada – no interior do discurso de Hegel, e absolutamente não como mediação. Como coloca Marx: "Em geral Hegel concebe o silogismo como um termo médio, um *mixtum compositum*. Podemos dizer que neste desenvolvimento do seu silogismo racional tornam-se aparentes toda a transcendência e o dualismo místico do seu sistema. O termo médio é a espada de madeira, a oposição velada entre universalidade e singularidade"[38].

A deficiência lógica aqui referida é, portanto, não uma questão de se desconhecer conceitualmente a diferença entre "universalidade" e "singularidade", mas uma perversa necessidade de velar a inconciliável oposição entre elas conforme se confrontam mutuamente na realidade social. Pior ainda, a necessidade de preservar o dado em sua facticidade dominante produz uma reversão do conjunto real de relações à medida que desconsidera o novo potencial universal/hegemônico do trabalho e apresenta de forma deturpada uma *parcialidade subserviente* – a burocracia estatal idealizada – como "universalidade verdadeira". Isso explica por que o grandioso empreendimento do "silogismo racional" hegeliano culmina na modalidade prosaica da racionalização apologética. Compreensivelmente, portanto, a "espada de madeira" da falsa mediação apenas consegue esculpir nas dunas de areia de seu universo conceitual uma representação simbólica do mundo burguês dual. (Isto é ainda mais revelador em vista da rejeição explícita de Hegel – poderia ser pela voz da "má consciência"? – de todas as formas de dualismo filosófico.)

Tudo isso de modo algum é surpreendente. Uma vez que a circularidade recíproca da "sociedade civil" e seu Estado político é presumida como uma premissa absoluta da teoria política, as "regras do jogo" se impõem com determinação férrea. É doloroso acompanhar a estatura de um pensador como Hegel, sob o impacto de tais determinações, reduzindo-se quase ao ponto de escrever "besteiras de colegial". É assim que Marx caracteriza a camisa de força que Hegel se impôs:

O soberano, então, tinha que ser o termo médio na legislatura entre o executivo e os Estados, e os Estados entre ele e a sociedade civil. Como poderá mediar entre o que ele próprio necessita, como meio, a menos que sua própria existência se torne uma unilateralidade extrema? Agora se torna patente o absurdo completo desses extremos que, de modo intercambiável, jogam em um momento a parte do extremo e em outro a parte do meio. ... Este é um tipo de *sociedade de conciliação mútua*. ... É como o leão em *Sonhos de uma noite de verão* que exclama: "Eu sou o leão, e eu não sou o leão, mas Snug". De maneira que aqui cada extremo é o leão da oposição e outras vezes o Snug da mediação. ... Hegel, que reduz este absurdo da mediação ao seu lógico abstrato, e portanto à sua expressão pura e irredutível, lhe dá, ao mesmo tempo, os nomes de o mistério especulativo da lógica, a relação racional, o silogismo racional. *Extremos reais não podem ser mediados* um com o outro precisamente porque são extremos reais. Mas eles também não necessitam de mediação, porque são opostos em essência. Eles nada têm em comum um com o outro.[39]

Vendo o naufrágio de Hegel nos recifes de sua falsa mediação, Marx percebeu que era a própria premissa da política que necessitava de uma drástica revisão para se quebrar o círculo vicioso. Enquanto a "mediação" permanecesse presa ao Estado

---

[38] Id., ibid., p. 85.
[39] Id., ibid., pp. 88-9.

político e sua firme base de apoio, a "sociedade civil" estabelecida, a aspiração crítica da teoria política tinha que ser sistematicamente frustrada, admitindo apenas uma margem institucionalmente limitada de protestos facilmente integráveis. Divisar mudanças *estruturais* em termos das premissas aceitas estava *a priori* fora de questão. Pois a ordem prevalecente consegue reproduzir a si própria ligando a filosofia ao peso morto da imobilidade dualística, restringindo a "mediação" à circularidade interessada do discurso político tradicional.

―――※―――

Há épocas na história – normalmente em períodos de transição – em que as contradições internas das formações sociais particulares vêm à tona com maior clareza do que em circunstâncias normais. Isso porque em tais épocas as forças principais do confronto social em andamento defendem suas demandas rivais mais claramente como alternativas hegemônicas entre si, o que confere não apenas uma maior fluidez, mas também uma maior transparência ao processo social. Quando as forças em disputa se acalmam, em modo de interação mais firmemente regulado (na verdade, em uma larga extensão tornado rotineiro ou institucionalizado), sob o predomínio de uma delas – e, para os participantes, por um período de tempo que parece indeterminado –, as linhas de demarcação social se tornam cada vez mais obscuras. O conflito, que anteriormente era agudo, perde sua borda cortante e seus animadores parecem ser assimilados ou "integrados", pelo menos naquela hora.

A filosofia de Hegel é o produto de um período histórico de fluidez dramática e relativa transparência. Apropriadamente, ele completou a monumental síntese de *A fenomenologia do espírito* em Iena no período em que Napoleão – o sujeito de suas maiores esperanças de transformação radical nas estruturas sociais anacrônicas do *Ancien Régime* por toda a Europa – estava dispondo suas forças para uma batalha decisiva nas colinas próximas. E, mesmo que no período em que escrevia *A filosofia do direito* houvesse se acomodado em um espírito mais conservador, sua filosofia como um todo enfrentou e corporificou – apesar de suas mistificações – as contradições dinâmicas do mundo ainda-não-estabelecido do capital, junto com o sóbrio reconhecimento do potencial histórico-mundial ameaçador do seu antagonista.

Dada a vastidão da visão hegeliana, e o modo como articula as complexidades incomensuráveis de sua era irrequieta com seus ciclos aparentemente intermináveis de revoluções e levantes contrarrevolucionários, Marx não poderia ter tido um ponto de partida mais fértil em seu "acerto de contas crítico" com o ponto de vista do capital. Pois o sistema hegeliano demonstrou – conscientemente, por meio de seus *insights* genuínos, e inconscientemente, graças a suas contradições e mistificações impostas pela classe a que pertence – o imenso papel que joga a política na autorreprodução ampliada do mundo dominado pelo capital; e *vice-versa*: de que modo elementar a "sociedade civil" do sistema do capital molda e reproduz a formação política à sua própria imagem. O segredo último da assustadora e nua circularidade da sofisticada filosofia política de Hegel é este: o círculo real da reprodução autoampliadora do capital do qual parece não haver saída, graças aos *círculos duais* que se interconectam da "sociedade civil/Estado político" e "Estado político/sociedade civil", com sua *pressuposição* e sua *derivação* recíprocas, e com o capital no âmago de ambos.

Desse modo, o dualismo abstrato da filosofia política de Hegel se revela como expressão sublimada da sufocante realidade de uma circularidade "concêntrica-dual" por meio da qual o capital politicamente reproduz a si próprio: definindo, *a priori*, os próprios termos e a moldura da "reforma" que promete "superar" (através de alguma "mediação" fictícia) suas profundas deficiências estruturais, sem o menor questionamento do fatal poder imobilizador do próprio círculo político. Isso explica por que a tarefa da emancipação tinha que ser radicalmente redefinida em termos de ruptura com o círculo vicioso da política como tal. Isso devia ser feito, segundo Marx, de modo a tornar possível a continuação da luta contra o poder do capital no nível que de fato importa: muito além das falsas mediações da própria política, no próprio solo material do capital.

13.5 O deslocamento das contradições do capital

Marx elaborou sua concepção da alternativa socialista no estágio final desse dramático período de transição, pouco antes de o capital conseguir consolidar firmemente em escala global sua posição recém-conquistada: primeiro, quando resolveu suas rivalidades nacionais para o próximo período histórico por meio das guerras napoleônicas; e depois quando estendeu impiedosamente sua esfera de dominação aos cantos mais distantes do planeta por intermédio de seus vários impérios. Seus anos de formação coincidem com a aparição desafiadora da classe trabalhadora como uma força política independente por toda a Europa, culminando com as realizações do movimento cartista na Inglaterra e os levantes revolucionários de crescente intensidade na França e na Alemanha na década de 1840.

Sob tais circunstâncias, a relativa transparência das relações sociais e suas contradições antagônicas muito favoreceram a formulação da síntese abrangente de Marx, que traçou conscientemente a dinâmica das tendências fundamentais de desenvolvimento. Ele sempre procurava a configuração "clássica"[40] de forças e eventos, esclarecendo seu significado estrutural último, mesmo quando partia da cotidianidade bruta de suas manifestações fenomênicas[41]. Sem dúvida foi sua capacidade de situar

---

[40] Muito antes de analisar as condições "clássicas" do desenvolvimento capitalista na Inglaterra e dos escritos de "economia política inglesa, isto é, o reflexo científico das condições econômicas inglesas" ("Critical Marginal Notes on the Article by a Prussian", p. 192 [ed. bras. "Glosas Críticas...", op. cit., p. 73), Marx discutiu o redemoinho político da Alemanha nos mesmos termos, insistindo que "a Alemanha tem uma vocação tão *clássica* para a revolução *social* quanto é incapaz de uma revolução *política*" p. 202, itálico de Marx [ed. bras., id., ibid., p. 85].

[41] As obras *O Dezoito Brumário de Luís Bonaparte* e *A guerra civil na França* são exemplos poderosos desse feito marxiano. Em ambas, ele parte da "imediaticidade ainda quente" dos eventos correntes – que amedrontam os historiadores tradicionais – e, integrando-os às tendências históricas prevalecentes nitidamente delimitadas, retira deles alguns *insights* teóricos muito importantes. Os últimos iluminam não apenas os próprios eventos investigados, mas simultaneamente também a época como um todo, assim se transformando em novos elementos e evidências adicionais para apoiar a visão de Marx em constante desenvolvimento. A capacidade de tratar fatos e eventos é inseparável da inflexibilidade apodítica da visão global que o guia (determinando, desse modo, também a metodologia de sua orientação "clássica" na concepção e na apresentação de suas proposições teóricas fundamentais). As condições de possibilidade de tais visões eram precisamente a fluidez e a transparência de uma era de transição – com a relativa abertura e clareza de propósitos das alternativas em disputa – que caracterizaram a confrontação social dos anos de formação de Marx.

o menor dos detalhes no interior de perspectivas as mais amplas que levou Engels a escrever em 1886: "Marx estava acima, viu mais longe e tinha uma visão mais ampla e rápida que todos nós"[42].

Mas claro, para se realizar, essa capacidade tinha de encontrar seu complemento objetivo na própria realidade sócio-histórica dada. Pois, do ponto de vista de um talento individual, por maior que fosse, teria sido fútil ver mais longe e amplamente se tudo o que ele pudesse perceber não passasse de contornos vagos de complexidades confusas, com base em movimentos sociais inconsistentes, tendentes a obscurecer as verdadeiras linhas de demarcação e – preocupado com as estreitas práticas de acomodação e compromisso – evitando como praga toda articulação aberta de seus antagonismos latentes. O deserto intelectual da época da social-democracia reformista é um testemunho eloquente dessa depressiva verdade.

Foi a coincidência histórica do tipo e da intensidade das qualidades pessoais de Marx com a transparência dinâmica da época de seus anos de formação que lhe permitiu elaborar os contornos fundamentais – o verdadeiro *Grundrisse* – da alternativa socialista. Ao definir o significado da política socialista como a total restituição dos poderes de decisão usurpados à comunidade de produtores associados, Marx lançou o núcleo sintetizador de todas as estratégias radicais que podem emergir sob as condições variáveis de desenvolvimento. A validade desses contornos se estende a todo o período histórico que vai da dominação mundial do capital à sua crise estrutural e dissolução final, e ao estabelecimento positivo de uma sociedade verdadeiramente socialista em escala global.

Contudo, ao sublinhar a validade da visão global de Marx para a sua época, enfatizar suas ligações orgânicas com a relativa transparência da época que a tornou possível, não se pretende sugerir que as épocas sejam mais que puras bênçãos para a teoria, no sentido de não imporem qualquer limitação para a visão-de-mundo que se originou do seu solo. Pois, precisamente porque colocam agudamente em relevo as polaridades e alternativas básicas, elas tendem a empurrar para segundo plano tendências e modalidades de ação que apontam em direção à reprodução continuada da ordem social prevalecente; assim como extensos períodos de compromisso e acomodação criam um clima geral de opinião que desencoraja fortemente a articulação da crítica radical, tachando-a, para descartá-la, de "messiânica" ou "apocalíptica".

Marx estava à vontade quando as manifestações da crise atingiram seu momento mais intenso. Pela mesma razão, experimentou grandes dificuldades a partir da década de 1870 (que representam um período de grande sucesso na expansão global do capital). Tais dificuldades foram não apenas de ordem política, em relação a algumas importantes organizações da classe trabalhadora, mas também de ordem teórica, ligadas à avaliação da nova guinada nos acontecimentos. Como reflexo disso, a produção intelectual dos seus últimos quinze anos não é comparável com a década e meia anterior, nem mesmo com os quinze anos precedentes.

---

[42] Engels, "Ludwig Feuerbach and the End of Classical German Philosophy", in Marx and Engels, *Selected Works*, Moscou, 1951, vol. 2, p. 349 [ed. bras., "Ludwig Feuerbah e o fim da filosofia clássica alemã", in Marx e Engels, *Textos*, São Paulo, Ed. Sociais, vol. 1, 1977, p. 103, n. 1].

Não que o "velho Marx" tenha alterado a sua abordagem. Pelo contrário, sua obra retém a mais extraordinária unidade mesmo sob circunstâncias *internamente* as mais difíceis. Através de toda sua vida ele procurou tendências e sinais de desenvolvimento que poderiam fornecer evidências cumulativas para a validade de seus "contornos fundamentais". Elas jorravam durante a fase histórica das alternativas mais nítidas, abertas e transparentes; tanto foi assim que, de fato, a duras penas puderam ser contidas no trabalho maciço de explosão criativa dos seus primeiros 25 anos. Dada a então prevalecente correlação de forças e a grande fluidez da situação sócio-histórica geral, a possibilidade do colapso estrutural do capital era *objetiva*. Foi essa possibilidade que encontrou sua vigorosa articulação nos escritos correspondentemente dramáticos de Marx. Aqueles eram tempos quando até o *London Economist* teve que admitir – como Marx citou entusiasticamente em carta a Engels – que o capital por toda a Europa "escapou por um fio de cabelo do *crash* iminente"[43].

As dificuldades começaram a se multiplicar para ele quando tais possibilidades imediatas retrocederam, abrindo novas válvulas de escape para a estabilização e a expansão que o capital não deixou de explorar no seu desenvolvimento global subsequente. Foi sob tais condições, com alternativas contraditoriamente objetivas no *interior* das classes principais nos dois lados do grande divisor – e não apenas *entre* eles –, que também as divisões internas, nas estratégias práticas do movimento da classe trabalhadora, emergiram com força, induzindo Marx a escrever ao final de seus comentários ao Programa de Gotha, com um tom de resignação militante: *dixi et salvavi animam meam*, como vimos.

Dois pontos devem ser firmemente esclarecidos nesse contexto. Primeiro, que o desaparecimento de algumas possibilidades objetivas, historicamente específicas de mudança, não elimina as contradições fundamentais do próprio capital, como modo de controle sociometabólico, e portanto não invalida o conjunto da teoria de Marx, que se refere ao último. E, segundo, que uma tentativa de identificar as dificuldades e dilemas em algumas das conclusões de Marx não é a projeção de uma "tentativa de explicar o passado" de sua obra (que seria totalmente a-histórica, portanto inadmissível), mas se apoia em elementos explícitos ou implícitos de seu próprio discurso.

Com certeza, os apologistas da ordem estabelecida saúdam cada escapada da crise como sua vitória final, e como a refutação definitiva do marxismo. Já que eles não podem, nem vão, pensar em termos históricos, também não conseguem compreender que os *limites do sistema do capital* podem de fato se expandir historicamente – por meio da abertura de novos territórios, protegidos por impérios coloniais, ou pelos modos mais modernos de "neocapitalismo" e "neocolonialismo". Do mesmo modo, eles podem se expandir graças à "colonização interna", isto é, pelo estabelecimento implacável de novas válvulas de escape nos próprios países, protegendo as condições de sua expansão sustentada por uma exploração mais intensiva tanto do produtor como do consumidor etc. – sem se livrar dos *limites estruturais* e contradições do próprio capital.

---

[43] Carta datada de 8 de dezembro de 1857. MEW, vol. 29, p. 225.

A estrutura teórica de Marx pode facilmente resistir a essas refutações que confundem desejo com realidade, pois se orienta pelas contradições centrais do capital, seguindo seu desdobramento desde os estágios iniciais de desenvolvimento até a dominação global e a desintegração final dessa força controladora da produção social. Na escala de tempo historicamente mais ampla – que vem a ser a temporalidade adequada das categorias básicas investigadas por Marx –, a evidência histórica específica é relevante nesta estrutura de análise quando afeta as relações estruturais básicas. Julgar tal sistema teórico – que se preocupa primariamente com os limites *últimos* do capital e com as condições/necessidades para alcançá-los – na temporalidade de curto prazo, das alegadas "previsões" do que exatamente trará ou não o dia depois de amanhã é completamente fútil, se não for hostilidade estridente travestida de uma indagação "científica" em busca de "verificação" ou "falsificação".

Marx seria de fato refutado se fosse possível provar que os limites do capital são expansíveis *indefinidamente*, ou seja, que o poder do capital é, ele próprio, ilimitado. Já que provar tal coisa é absolutamente impossível, seus adversários preferem *postulá-lo* como um axioma circular de seu próprio mundo de "engenharia social gradual". Esta, portanto, se converte na medida autoevidente de toda crítica e, como tal, por definição, não pode ser ela mesma o objeto de escrutínio e crítica. Ao mesmo tempo, o marxismo pode ser livremente denunciado e descartado como "ideologia inverificável", "holismo", "dedução metafísica", e quem sabe mais o quê.

Mas, mesmo para além dessas visões hostis, persiste uma séria incompreensão quanto à natureza do projeto de Marx. Por um lado, há a expectativa/acusação das implicações preditivas imediatas, junto com a disputa de sua realização ou não realização, conforme possa ser o caso. Por outro lado, em completo contraste, encontramos a caracterização da concepção de Marx como um sistema que se autoarticula, quase dedutivo, sem conexões empíricas, seguindo regras próprias de "produção intelectual", graças às "descobertas", de algum modo misteriosas, de seu "discurso científico" acerca do "continente da história".

Contra a primeira incompreensão, uma vez que Marx visa a identificação das contradições fundamentais do capital e seus limites últimos, não há como se realçar demais que a caracterização da situação sócio-histórica dada (da qual podem se originar previsões para o futuro próximo) é sempre o objeto de múltiplas limitações, em vista do número virtualmente sem fim das variáveis em operação, e portanto deve ser tratada com extremo cuidado. Isso não é de modo algum uma cláusula escapatória convenientemente pré-fabricada, nem uma tentativa de se proteger das dificuldades em encarar a realidade nas brumas de um discurso autorreferente. A questão é que contradições podem ser *deslocadas* em virtude da inter-relação específica de determinadas forças e circunstâncias, e não pode haver qualquer modo *a priori* de prefigurar as formas concretas e fronteiras históricas particulares de deslocamento quando, na verdade, as configurações dinâmicas da própria inter-relação são impossíveis de ser fixadas em um molde esquemático, arbitrário.

Dizer isso não implica, de modo algum, uma negação defensiva das aspirações de se fazer previsões e do valor da teoria marxista. A questão do deslocamento se refere à *especificidade* dessas contradições, e não à determinação dos *limites últimos* do sistema do capital. Em outras palavras, as contradições do capital são deslocadas no *interior* de tais limites, e o processo de deslocamento pode continuar apenas até o ponto da *saturação* final do próprio sistema e o bloqueio das válvulas de escape expansionistas (cujas condições podem ser definidas com precisão), mas não infinita nem indefinidamente. Margens de deslocamento são criadas pela multiplicidade de contradições dadas em uma configuração específica e pelo desenvolvimento desigual, mas certamente não pelo *desaparecimento* das próprias contradições. Assim, os conceitos de "deslocamento", "saturação" e "crise estrutural" adquirem seus significados nos termos dos limites últimos do capital como sistema global, e não em termos de qualquer de suas formas transitórias. Deslocamento significa *postergar* (não liquidar) a saturação das válvulas de escape disponíveis e a maturação das contradições fundamentais. Também significa *estender* as fronteiras historicamente dadas do capital, mas não eliminar seus limites estruturais objetivos e explosivos. Em ambos os casos estamos tratando de processos inerentemente temporais que antecipam um fechamento necessário dos ciclos envolvidos, apesar de, claro, na sua própria escala de tempo. E, enquanto tudo isso coloca as previsões da teoria marxista em sua devida perspectiva, também reafirma sua legitimidade e sua validade com maior ênfase em termos da escala de tempo apropriada.

Quanto ao alegado caráter dedutivo do discurso de Marx – alguns dizem, a mistura infeliz de dedutivismo hegeliano com cientificismo/positivismo/empirismo –, esta questão diz respeito à relação entre realidade e estrutura teórica. Sem dúvida, o método de apresentação de Marx (e suas referências positivas a Hegel) podem às vezes criar a impressão de um procedimento estritamente dedutivo. Além disso, as coisas são ainda mais complicadas pelo fato de Marx apoditicamente concentrar-se nas condições das determinações fundamentais; nas necessidades que operam em todas as relações sociais; no dinamismo objetivo das contradições que se desdobram; e na explicação dos fatos e ideias – desde que situados nos parâmetros de um fundamento material estritamente definido – em termos de uma sutil, mas não menos objetiva, necessidade de reciprocidade dialética.

Contudo, essa poderosa articulação das conexões necessárias, centrada em algumas categorias fundamentais – por exemplo, capital, trabalho, Estado moderno, mercado mundial etc. – não significa a substituição da realidade social pela matriz dedutiva de um discurso autorreferente. Nem, de fato, a superposição de um conjunto de categorias abstratas da "ciência da lógica" sobre as relações reais, como acontece no caso de Hegel; categorias cujas conexões e derivações recíprocas são formalmente/dedutivamente/circularmente estabelecidas no solo mistificador de determinações ideológicas complexas, como vimos anteriormente.

O rigor apodítico da análise marxiana que emerge das conexões necessárias do seu sistema de categorias não é a característica *formal* de uma "prática teórica", mas seu modo de abranger a arquitetura *objetivamente* estruturada da totalidade social. As categorias, segundo Marx, não são constructos filosóficos atemporais, mas *Daseinformen*: formas de ser, reflexos condensados das relações e determinações essenciais de sua sociedade. O que define com precisão o caráter teorizável de qualquer sociedade dada é a *configuração específica* de suas categorias objetivas determinantes. Nesse sentido, enquanto várias categorias da moderna sociedade burguesa se originaram em terrenos muito diferentes, algumas delas na verdade estão destinadas a se estender também para as formações pós-capitalistas, é a combinação única de *capital, trabalho assalariado, mercado mundial* e o *Estado moderno* que, *juntos*, identificam a *formação capitalista* em sua especificidade histórica.

O modo pelo qual algumas categorias cruzam as fronteiras de diferentes formações sociais mostra a dialética objetiva do *histórico* e *trans-histórico* em operação. Isto deve ser abarcado na teoria tanto em termos de seus níveis e escalas objetivamente diferentes de *temporalidade*, como uma característica vital das *estruturas* sociais dadas. (As últimas exibem a correlação entre o histórico e o trans-histórico na forma de *continuidade* na descontinuidade, e *descontinuidade* até mesmo na continuidade aparentemente mais estável.) Na visão de Marx, sublinhar essas articulações e determinações serve para articular, na teoria, o dinamismo histórico do processo social e as características objetivas estruturais de todos os fatores relevantes que em conjunto constituem o solo real de todas as condensações e reflexos categoriais. Assim, o contraste entre dedutivismo e todas as concepções passadas da natureza e da importância das categorias não poderia ser maior.

Os dilemas reais de Marx (que afetaram sua teoria de maneira significativa) referiam-se à questão da crise do capital e às possibilidades de seu deslocamento na medida em que eram visíveis em sua época. Como já mencionado, levantar esta questão não é fazer a projeção *a posteriori* de uma obra articulada sob um ponto de vista muito diferente, mas uma tentativa de entender as consequências teóricas de sua decisão consciente de atribuir uma posição subordinada a certas tendências – já perceptíveis durante sua vida – que parecem a nós possuir um peso relativo muito maior em seu próprio contexto histórico. Este é um problema de grande complexidade, já que vários fatores muito diferentes nele se articulam para produzir o resultado em questão, e nenhum deles poderia possibilitar uma resposta aceitável se tomado separadamente[44]. Os principais fatores a que nos referimos aqui são:

> (1) as dramáticas polaridades e alternativas dos anos de formação de Marx (tornando historicamente possível o colapso do capitalismo, em vista de suas saídas de desenvolvimento/expansão muito mais limitadas na época);
> (2) o método de análise de Marx, emergindo das dramáticas alternativas, foi muito favorecido por elas na exigência de contornos nítidos e pela articulação dos antagonismos centrais (e que pela mesma razão, claro, não favoreceram qualquer método de múltiplas limitações que não ousasse ir além dos detalhes acumulados na "evidência esmagadora");
> (3) as principais confrontações políticas em que Marx se envolveu (em especial sua luta contra o voluntarismo político anarquista); e
> (4) os principais alvos intelectuais de sua crítica (acima de tudo Hegel e "o ponto de vista da economia política").

---

[44] Ver a este respeito também as primeiras páginas da seção 13.6 sobre "Ambiguidades temporais e mediações que faltam".

Todas estas determinações e motivações combinadas produziram aquela definição negativa de política que vimos acima, trazendo com ela não apenas a rejeição radical da problemática liberal, mas também um extremo ceticismo em relação às possibilidades de deslocar a crise estrutural do capital por muito mais tempo. Deve-se realçar que isto se aplica ao conjunto da obra de Marx, inclusive aos últimos anos, quando ele eliminou de suas cartas algumas expressões excessivamente otimistas[45]. Ao mesmo tempo, nunca é demais repetir, já que geralmente se ignora, que este problema existia para Marx como um sério *dilema*. E mesmo que ele o tenha resolvido do modo como o fez estava, apesar disso, plenamente alerta para o fato de que a solução advogada não estava livre de grandes dificuldades.

Para se avaliar o quanto esta questão é envolvente e delicada, devemos colocar lado a lado duas de suas cartas: uma bastante conhecida, a outra, estranhamente esquecida. Vários críticos e "refutadores" de Marx adoram citar a primeira, na qual ele informa a Engels que está "trabalhando freneticamente, até tarde da noite" para completar seus estudo econômicos, de modo a ter "elaborado com clareza pelo menos os esboços fundamentais [os *Grundrisse*] antes do dilúvio"[46]. À luz da crise aparentemente crônica de meados da década de 1850 – que não podia ser ignorada ou rapidamente desconsiderada nem mesmo pelo *Economist*, como vimos acima –, as expectativas de Marx de um "dilúvio" e seu tom excitado são perfeitamente compreensíveis.

Contudo, suas reflexões não se detêm aí. Ele captura com grande realismo toda a responsabilidade do empreendimento socialista, tal como deixa perceber em outra carta muito mais negligenciada:

> Não se pode negar; a sociedade burguesa vive seu segundo século XVI, o qual, *espero*, a levará para o túmulo, tal como o primeiro a trouxe à vida. A tarefa histórica da sociedade burguesa é o estabelecimento de um *mercado mundial*, ao menos em seus contornos básicos, em um modo de produção que descansa sobre esta base. Já que o mundo é redondo, parece que isso foi realizado pela colonização da Califórnia e da Austrália e pela anexação da China e do Japão. Para nós a questão mais difícil é esta: a revolução no continente é iminente e terá, desde o início, caráter socialista; não será ela necessariamente esmagada neste pequeno canto do mundo, já que num terreno muito mais amplo o desenvolvimento da sociedade burguesa está ainda na *ascendente*.[47]

Não se poderia, nem mesmo hoje, resumir de forma mais clara os problemas em jogo, ainda que da nossa privilegiada perspectiva histórica as várias tendências de desenvolvimento investigadas por Marx assumam um significado bastante diferente. Na verdade, a viabilidade do capital é inseparável de sua completa expansão em um sistema mundial que tudo abarca. Apenas quando este processo estiver terminado podem os limites *estruturais* do capital passar a agir com sua intensidade devastadora.

---

[45] Compare o rascunho de suas cartas, escrito no final de fevereiro/início de março de 1881, para Vera Zasulich com sua última versão.
[46] Marx, Carta a Engels de 8 de dezembro de 1857 (MEW, vol. 29, pp. 222-5).
[47] Id., Carta a Engels, de 8 de outubro de 1857 (MEW, vol. 29, pp. 360).

Até este estágio, contudo, o capital mantém o dinamismo inerente em sua ascendência histórica. E, junto com este dinamismo, o capital retém, claro, também seu poder de vergar, subjugar e esmagar as forças que se lhe opõem em muitos "pequenos cantos" do mundo, desde que seus oponentes socialistas não produzam estratégias para se contrapor ao crescente poder do capital no seu próprio terreno.

Portanto, a questão central é: sob quais condições pode o processo de expansão do capital atingir seu final em uma escala verdadeiramente global, trazendo com ele necessariamente o fim de revoluções esmagadas e deturpadas, abrindo assim a nova fase histórica de uma ofensiva socialista que não pode ser reprimida? Ou, para colocar de outro modo, quais são as modalidades viáveis – embora de modo algum inexauríveis – da revitalização do capital, tanto com respeito às suas válvulas de escape diretas como em relação ao seu poder de adquirir novas formas que significativamente estendam suas fronteiras no marco de suas determinações estruturais últimas e de seus limites históricos mais gerais?

A real magnitude do problema se torna mais clara quando nos lembramos de que mesmo hoje – mais de 150 anos após a primeira visão articulada de Marx – o mundo do capital ainda não pode ser considerado um sistema global completamente expandido e integrado, apesar de agora não estar longe de sê-lo. É aqui que podemos ver também que não estamos impondo esta problemática a Marx, como uma compreensão tardia do que deveria ter sido. As tendências objetivas do desenvolvimento real e potencial do capital foram sem hesitação reconhecidas por ele com referência à sua "ascendência" histórica por todo o mundo, em contraste com o que era provável que viesse a acontecer no "pequeno canto" da Europa. As diferenças dizem respeito ao *peso relativo* das tendências identificadas e às temporalidades envolvidas. Pois, enquanto o mundo certamente é redondo, é igualmente verdadeiro que o capital tem o poder de descobrir novos continentes para exploração que estavam anteriormente velados sob a crosta de sua própria ineficiência relativa e de seu subdesenvolvimento. Só quando não houver mais "continentes escondidos" para serem descobertos, apenas então pode-se considerar o processo da expansão global do capital plenamente realizado e seus antagonismos estruturais latentes – o objeto central das análises de Marx – dramaticamente ativados.

A dificuldade é que o capital pode reestruturar suas válvulas de escape segundo as exigências de uma *totalidade intensiva* quando forem alcançados os limites da sua *totalidade extensiva*. Até este ponto também o capital persegue a "linha de menor resistência", tanto se pensarmos as mudanças históricas no modo de explorar as classes trabalhadoras "metropolitanas" como nos seus diferentes modos de dominar o mundo colonizado e "subdesenvolvido". Apenas quando o fluxo de *"mais-valia absoluta"* não mais for adequado à sua necessidade de autoexpansão, apenas então o território incomparavelmente mais vasto da *"mais-valia relativa"* será plenamente explorado, removendo os obstáculos, devido à ineficiência original de sua ganância natural, ao livre desenvolvimento do capital. Nesse sentido, o tamanho do "mundo redondo" poderá muito bem ser dobrado, ou multiplicado por dez, dependendo de uma série de outras condições e circunstâncias – inclusive políticas. Similarmente, sob a pressão de sua própria dinâmica, assim como de vários outros fatores para além do seu controle, o capital pode assumir uma multiplicidade de formas "mistas" ou "híbridas" – e tudo isso ajuda a estender sua sobrevida.

Nesta perspectiva importa muito pouco que o dilúvio esperado nos anos 1850 e 1860 não tenha se materializado. Primeiro, porque o colapso do capital não tem absolutamente que assumir a forma de um dilúvio (apesar de, em algum estágio, este não poder ser excluído). E, segundo, porque o que de fato importa – a desintegração estrutural do capital em *todas* as suas formas historicamente viáveis – é uma questão da escala de tempo que corresponda adequadamente à natureza intrínseca dos determinantes e dos processos sociais envolvidos. Se a "impaciência revolucionária" do pensador particular – sua temporalidade subjetiva – entra em conflito com a escala de tempo histórico-objetiva de sua própria visão, isto por si só não invalida em nada sua teoria. Pois a validade de suas visões vai depender de sua perspectiva histórica global, se captura ou não as tendências fundamentais de desenvolvimento tal como elas se desdobram em não importa qual escala de tempo. Temporalidade subjetiva não deve ser confundida com *subjetivismo*. A primeira – tal como a *vontade* otimista de Gramsci, que ele confronta com o "pessimismo do *intelecto*" – é uma força motivadora essencial que sustenta o indivíduo sob circunstâncias difíceis, a partir dos horizontes de uma visão de mundo que deve ser julgada em seus próprios méritos. Subjetivismo, pelo contrário, é uma imagem arbitrária que substitui por si própria a necessária visão abrangente do mundo e vai diametralmente contra as tendências reais de desenvolvimento.

Enquanto, sem dúvida, na obra de Marx também se pode detectar um conflito de intensidade variável entre as escalas de temporalidade subjetiva e objetiva (muito mais intenso nas décadas de 1850 e 1860 do que após a derrota da Comuna de Paris), ele nunca permitiu que mesmo sua esperança mais otimista minasse a arquitetura monumental de seus "contornos fundamentais". Ele alertava com grande realismo que as antecipações doutrinárias e necessariamente fantásticas do programa de ação para a revolução do futuro nos distraem da luta do presente.[48]

Desse modo, Marx foi capaz de colocar o presente em sua perspectiva apropriada porque o avaliou do ponto de vista global, temporalmente não apressado, da formação social do capital em sua inteireza – da sua "ascendência" à sua gravidez com a "nova forma histórica" –, que é a única em condições de designar o verdadeiro significado de todos os eventos e acontecimentos parciais. E, já que continuamos a viver na órbita das mesmas determinações históricas mais gerais, a concepção geral de Marx é – e permanecerá por um longo tempo ainda – o horizonte inevitável de nossas próprias dificuldades.

13.6 Ambiguidades temporais e mediações que faltam

Em tais horizontes, contudo, o peso relativo das forças e tendências que nos confrontam exige uma redefinição significativa. Para colocar a questão-chave em uma sentença: as *mediações* a que Marx tão teimosamente resistiu são, não antecipações de um futuro mais ou menos imaginário, mas realidades ubíquas do presente. Vimos que o modo pelo qual se constituiu o sistema marxiano trouxe com ele tanto a definição radicalmente

---

[48] Marx, Carta a Domela Nieuwenhuis, 22 de fevereiro de 1881.

negativa da política como a abominação das mediações como prática miserável da conciliação e da cumplicidade com a ordem estabelecida. A ruptura tinha que ser divisada como a mais radical possível, permitindo, mesmo para a política socialista, um papel extremamente limitado, estritamente transitório. Isto é claramente expresso na seguinte passagem:

> já que o proletariado, durante o período da luta para derrubar a velha sociedade, ainda age com base na velha sociedade e, consequentemente, no interior de formas políticas que pertencem mais ou menos àquela sociedade, durante este período de luta, ele ainda não atinge sua *estrutura final*, e para realizar a sua *libertação* ele emprega meios que serão depois *descartados após a libertação*.[49]

Nesta negatividade sem compromisso para com a política várias determinações se encontram e reforçam-se reciprocamente. São elas: o desprezo pelos limites políticos da "miséria alemã"; a crítica da concepção política de Hegel, devido à "falsa positividade" de suas reconciliações e mediações; a rejeição de Proudhon e dos anarquistas; as dúvidas extremas acerca de como se desenvolvia o movimento político da classe trabalhadora na Alemanha etc. Compreensivelmente, portanto, a atitude negativa de Marx poderia tão somente endurecer com o passar do tempo, em vez de "amadurecer" positivamente, como diz a lenda.

O fator mais importante da rejeição radical de Marx às mediações foi o caráter histórico global da própria teoria e as condições relativamente prematuras de sua articulação. Longe de corresponder à época do "dilúvio" real, sua concepção foi explicitada muito antes que se pudesse ver quais as alternativas que o capital poderia perseguir para deslocar suas contradições internas quando elas irrompessem em escala maciça. Por isso Marx procurou – até o fim de sua vida – estratégias que poderiam impedir que o capital penetrasse naqueles territórios que ainda não havia conquistado plenamente, de modo a permitir o seu desaparecimento o mais cedo possível, pois, em relação ao amadurecimento das contradições estruturais do capital, não era indiferente até onde iria se estender a esfera de dominação de seu modo de produção. Enquanto se pudessem acrescentar novos países ao domínio existente do capital, o aumento correspondente em recursos materiais e humanos auxiliaria no desenvolvimento de novas potencialidades produtivas e, portanto, postergaria a crise. Nesse sentido, a erupção e a consumação da crise estrutural sujeita às restrições do desenvolvimento capitalista nas décadas de 1850 e 1860 – isto é, sem uma integração econômica efetiva do resto do mundo à dinâmica da expansão do capital global – teriam um significado radicalmente diferente do que enfrentar o mesmo problema no contexto de recursos incomparavelmente mais flexíveis de um sistema mundial completado com sucesso. Se, portanto, houvesse como evitar que importantes territórios fossem absorvidos pelo capital, em princípio, isto deveria acelerar o amadurecimento da sua crise estrutural.

Precisamente por esta razão, é muito significativo que o último projeto importante de Marx se referisse à natureza dos acontecimentos na Rússia, como evidenciado, no rascunho das cartas a Vera Zasulich, pelo enorme cuidado com que ele tenta definir sua posição em relação aos "modos arcaicos de produção". Em sua

---

[49] Do "Conspectus of Bakunin's Book *State and Anarchy*" de Marx.

defesa corajosa das futuras potencialidades dos modos arcaicos – que contém também a sedutora e polêmica afirmação de que o próprio capitalismo "já atingiu seu estágio de definhamento e logo se tornará nada mais que uma formação 'arcaica'", que depois com razão eliminou de sua carta[50] –, ele ansiava por explorar a viabilidade de uma passagem direta da forma existente do "coletivismo arcaico" à sua forma superior, o socialismo, saltando completamente a fase capitalista. Ao mesmo tempo, ele estava tentando encontrar inspiração política e munição para a revolução social na necessidade postulada de defender a forma de coletivismo-arcaico existente, com todas as suas potencialidades positivas, da destruição pelos processos capitalistas. Em comparação, como resultado dos acontecimentos realmente ocorridos nas décadas seguintes, a abordagem de Lenin foi totalmente diferente. Ele partiu da firme premissa de que a penetração do capitalismo na Rússia tinha sido realizada, de modo irreversível, e que portanto a tarefa era quebrar o "elo mais fraco" da cadeia global de modo a precipitar a reação em cadeia pela revolução política do sistema do capitalismo mundial.

A moldura de referência de Marx era *toda a fase histórica* da formação social do capital, de sua acumulação original até sua dissolução última. Uma de suas preocupações fundamentais era demonstrar o *caráter* inerentemente *transicional* (*Übergangscharakter*) do sistema capitalista *como tal*, em constante polêmica contra a "eternização" desse modo de produção pelos teóricos burgueses. Tal concentração na estrutura histórica mais ampla trouxe consigo, inevitavelmente, uma mudança de perspectiva que enfatizava agudamente os contornos fundamentais e as determinações básicas; da mesma forma, tratava as transformações e mediações parciais como de importância secundária e como diretamente responsáveis, com frequência, pelas detestadas mistificações e conciliações mediadoras.

Em qualquer caso, quando a moldura de referência é toda uma fase histórica, fica muito difícil manter constantemente à vista – quando se trata do presente imediato – que as conclusões sejam válidas em uma escala temporal de longo prazo; e é particularmente difícil fazê-lo no nível do discurso político, que visa a mobilização direta. Se, contudo, esta ambiguidade temporal é deixada sem solução, suas consequências necessárias são ambiguidades no núcleo da própria teoria. Para ilustrar isso, vamos nos concentrar em alguns exemplos diretamente relevantes.

O primeiro deles pode ser encontrado na penúltima citação acima, na qual Marx atribui a política à velha sociedade. Ele fala de uma "estrutura *final*" que deve ser atingida, insistindo ao mesmo tempo que a política "será *descartada* após a *libertação*". Mas a possibilidade de "descartar" a política após a libertação está longe de estar clara. Além disso, a ambiguidade real se refere à própria "*libertação*". Qual é sua temporalidade precisa? Não pode ser apenas a conquista do poder (apesar

---

[50] MEW, vol. 19, p. 398.

de, no sentido primário do termo, poder sê-lo), já que Marx a liga à "estrutura *última*" (*schliessliche Konstitution*) do proletariado. Isso significa, de fato, que o ato de libertação (a revolução política) está muito aquém da própria libertação. E as dificuldades não param aqui, pois a "estrutura última" do proletariado é, segundo Marx, sua necessária autoabolição. Consequentemente, somos solicitados a aceitar simultaneamente que a política pode não ser problemática – no sentido de que o proletariado pode simplesmente *usá-la* como *meio* para seu final soberano, quando então é descartada – ou ser extremamente problemática, por pertencer à "velha sociedade" (e, portanto, inevitavelmente condiciona e constrange todos os esforços emancipatórios), razão pela qual deve ser radicalmente transcendida.

Tudo isso soa um pouco desconcertante. E, contudo, nada há de errado com esta concepção, se sua referência for a sua escala temporal de *longo prazo*. As dificuldades começam a se multiplicar quando se tenta torná-la operacional no contexto da temporalidade imediata. Neste caso torna-se imediatamente claro que a translação das perspectivas de longo prazo para a modalidade das estratégias imediatamente praticáveis não pode ser feita sem primeiro elaborar as *mediações políticas* necessárias. É a brecha estrutural de tais mediações que está sendo preenchida pelas ambiguidades teóricas, articulando a ambiguidade não solucionada das duas – fundamentalmente diferentes – escalas de tempo envolvidas.

Uma ambiguidade teórica igualmente séria surge em *Salário, preço e lucro*, obra na qual – em comparação com as estratégias sindicais estreitas – Marx recomenda à classe trabalhadora que

> em vez do lema *conservador*: "*Um salário justo por uma jornada de trabalho justa!*" deverá inscrever na sua bandeira esta divisa *revolucionária: abolição do sistema de trabalho assalariado!*[51]

Indubitavelmente a proposta de Marx de atacar as *causas* do males sociais, em vez de enfrentar batalhas necessariamente perdidas contra os meros *efeitos* do processo de autoexpansão do capital, é a única estratégia correta a ser adotada. Contudo, no momento em que tentamos entender o significado operacional/prático da "abolição do sistema de trabalho assalariado", trombamos com uma enorme ambiguidade. A escala da temporalidade imediata – a necessária moldura de referência de toda ação política tangível – a define como a abolição da propriedade privada e, portanto, a "expropriação dos expropriadores", o que pode ser realizado por decreto na sequência da revolução socialista. Não é surpreendente, portanto, que o "lema revolucionário" sobre a abolição do sistema de trabalho assalariado tenha normalmente sido assim interpretado.

O problema é, contudo, que muito do "sistema de trabalho assalariado" não pode ser abolido por qualquer decreto revolucionário e, consequentemente, deve ser transcendido na longa escala de tempo da nova forma histórica. Ou seja, imediatamente após a "expropriação dos expropriadores" não apenas os meios, materiais e tecnologias de produção herdados permanecem os mesmos, junto com suas ligações

---

51 Marx, *Lohn, Preis und Profit* ("Wages, Price and Profit", publicado em inglês sob o título "Value, Price and Profit"), MEW, vol. 16, p. 153, e MECW, vol. 20, p. 149 [ed. bras., *Salário, preço e lucro*, in Marx e Engels, *Textos 1*, São Paulo, Ed. Sociais, 1977, pp. 377-8].

com o sistema de troca, distribuição e consumo dado, mas a própria organização do processo de trabalho permanece profundamente encastoada naquela *divisão social hierárquica do trabalho* que vem a ser a mais pesada opressão herdada do passado. Portanto, na necessária escala temporal de longo prazo – a única capaz de realizar as transformações socialistas *irreversíveis* –, o chamamento marxiano pela "abolição do sistema de trabalho assalariado" não apenas não significa abolição do *sistema de trabalho assalariado* como não significa *abolição*.

O verdadeiro objetivo da estratégia defendida por Marx é a divisão social hierárquica do trabalho, que simplesmente não pode ser *abolida*. Tal como o Estado, ela pode apenas ser *transcendida* por meio da *reestruturação radical* de todos aqueles processos e estruturas sociais pelos quais ela necessariamente se articula. Novamente, como podemos ver, não há nada errado com a concepção global de Marx e com sua temporalidade histórica de longo prazo. O problema surge de sua tradução direta no que ele denomina "divisa revolucionária" a ser inscrita na bandeira de um movimento dado. É simplesmente *impossível* traduzir *diretamente* as perspectivas *últimas* em estratégias políticas praticáveis.

Como resultado, também nesse aspecto, o abismo das *mediações que faltam* é preenchido pela profunda ambiguidade dos termos de referência de Marx quando articulados às suas dimensões temporais. E, apesar de ele estar absolutamente correto em insistir que "a classe trabalhadora deveria não exagerar aos seus próprios olhos o resultado *final* dessas lutas *diárias*"[52], a reafirmação apaixonada da validade das amplas perspectivas históricas não resolve o problema.

O conflito entre temporalidades revela uma dificuldade inerente à realização da própria estratégia, e que não pode ser eliminada por metáforas e ambiguidades, mas apenas pelas mediações materiais e institucionais historicamente viáveis. O dilema, na sua realidade mais crua, é este: o ato revolucionário de libertação não é absolutamente libertação (ou emancipação) em si, e a "abolição do sistema de trabalho assalariado" está muito longe de ser sua transcendência real.

Pressionado pela inviabilidade histórica das mediações práticas necessárias, Marx é forçado a decidir-se por uma solução que simplesmente reitera o objetivo final como regra geral para guiar a ação imediata. Assim, preenche o fosso entre o horizonte muito distante e aquilo que é praticamente viável no futuro próximo ao dizer que a classe trabalhadora *deve usar* "suas forças organizadas como uma *alavanca* para a emancipação *final* da classe trabalhadora, o que quer dizer a abolição *final* do sistema de trabalho assalariado"[53].

Desse modo, a questão crucial para a política socialista é: como conquistar as *mediações necessárias* e ao mesmo tempo evitar a armadilha das *falsas mediações* constantemente produzidas pela ordem estabelecida de modo a integrar as forças de oposição. Isso significa que a realidade de um dado conjunto de "más mediações" – com toda a sua "falsa positividade", corretamente condenada por Marx – apenas pode ser combatida por outro conjunto de mediações específicas, de acordo com as circunstâncias cambiantes. Em outras palavras, as pressões para a acomodação

---

[52] MECW, vol. 20, p. 148 [ed. bras., op. cit., p. 377].
[53] Ibid., p. 149 [ed. bras., op. cit., pp. 377-8].

da temporalidade *imediata* não podem ser efetivamente transcendidas pela simples reafirmação da validade de seus amplos horizontes históricos. E, embora a formação social do capital (se considerada em sua escala histórica apropriada, englobando toda a época), como diz Marx, tenha caráter indubitavelmente *transitório*, do ponto de vista das forças *imediatamente* engajadas na luta contra sua dominação mortal está longe de ser transitória. Desse modo, para transformar o projeto socialista em uma *realidade irreversível*, temos que completar muitas *"transições dentro da transição"*, tal como em outro aspecto o socialismo se define como *"revoluções dentro da revolução"* que constantemente se renovam.

Nesse sentido, a radical transcendência do Estado é um lado da moeda, representando os horizontes *finais* de toda estratégia socialista. Como tal, deve ser complementada pelo outro lado, a saber, pelo projeto de *mediações* concretas pelas quais a estratégia final pode ser progressivamente traduzida em realidade. A questão é, portanto, como reconhecer, por um lado, as demandas da *temporalidade imediata* sem ser por elas aprisionado; e, por outro lado, como permanecer firmemente orientado para as perspectivas *históricas* últimas do projeto marxiano sem se afastar das determinações candentes do presente imediato.

Já que para o futuro previsível os horizontes da política como tal não podem ser transcendidos, isso significa simultaneamente "negar" o Estado e atuar no seu interior. Como órgão geral da ordem social estabelecida, o Estado é inevitavelmente predisposto a favorecer o presente imediato e resiste à realização das generosas perspectivas históricas da transformação socialista que postulam o "fenecimento" do Estado. Assim, a tarefa se define como um duplo desafio, visando:

(1) instituir órgãos não estatais de controle social e crescente autoadministração que podem cada vez mais abarcar as áreas de maior importância da atividade social no curso da nossa "transição na transição"; e, conforme permitam as condições,

(2) produzir um deslocamento consciente nos próprios órgãos estatais – em conjunção com (1) e através das mediações globais e internamente necessárias – de modo a tornar viável a realização das perspectivas históricas últimas do projeto socialista.

Certamente, todos esses processos estão articulados à maturação de algumas condições objetivas. Enfrentar toda a problemática do Estado envolve uma multiplicidade de determinações externas e internas em sua íntima interconectividade, nas quais o Estado é tanto o órgão geral de uma dada sociedade como representa a ligação desta com a totalidade social de sua época histórica. Consequentemente, o Estado é, em um sentido, *mediação por excelência*, já que articula ao redor de um foco político comum a totalidade das relações internas – dos intercâmbios econômicos aos laços estritamente culturais – e as integra em vários graus também à estrutura global da formação social dominante.

Já que o capital, durante a vida de Marx, estava muito distante da sua moderna articulação como um sistema verdadeiramente global, sua estrutura geral de comando político, como sistema de Estados globalmente interligados, era muito menos visível em sua precisa mediaticidade. Não é, portanto, de modo algum surpreendente que Marx nunca tenha tido sucesso em sequer rascunhar os meros esboços de sua teoria do Estado, apesar de este receber um lugar muito preciso e importante no seu sistema projetado como um todo. Hoje a situação é absolutamente diferente, à medida que o sistema global do capital, sob uma variedade de formas muito diferentes (na verdade contraditórias), encontra seu equivalente político na totalidade das relações interdependentes entre Estados e no interior deles. É por isso que a elaboração da teoria marxista do Estado hoje é ao mesmo tempo possível e necessária. Na verdade, é vitalmente importante para o futuro das estratégias socialistas viáveis.

———

A proposição marxiana de que "*Os homens devem mudar de cima a baixo as condições de sua existência industrial e política, e consequentemente toda a sua maneira de ser*" permanece mais do que nunca válida como direção estrategicamente necessária do projeto socialista. As derrotas sofridas no século XX aconteceram em larga medida devido ao abandono do verdadeiro alvo da transformação socialista: a necessidade de vencer a guerra da época, indo-se irreversivelmente para além do capital (o que significa atingir a "nova forma histórica"), em vez de se satisfazer com vitórias efêmeas em algumas batalhas contra as divisões mais fracas do capitalismo (por exemplo, o sistema czarista na Rússia, economicamente atrasado e derrotado militarmente), permanecendo ao mesmo tempo desesperançosamente aprisionado pelos imperativos alienantes e autoexpansivos do próprio sistema do capital. Na verdade, o que torna as coisas piores neste aspecto é que a revolução socialista mesmo nos países "capitalistas mais avançados" em nada alteraria a necessidade, e as dificuldades envolvidas, de se ir para além do capital.

O atraso econômico é um dos muitos obstáculos que devem ser superados no percurso para a "nova forma histórica", mas de modo algum o maior deles. Uma vez passadas as piores condições da crise que precipitaram a explosão revolucionária – de modo a tornar novamente possível seguir a "linha de menor resistência" às custas dos outros que se encontram na dependência do "país metropolitano desenvolvido" em questão –, a tentação de reincidir nos modos de funcionamento do sociometabolismo anteriormente estabelecidos em um dos antigos países "capitalistas avançados" não pode ser subestimada. A realização bem-sucedida da tarefa de reestruturar radicalmente o sistema do capital global – com suas multifacetadas e inevitáveis dimensões conflituosas internas e externas – é viável apenas como um imenso empreendimento histórico, sustentado por muitas décadas. Seria tranquilizador pensar, como algumas pessoas de fato sugeriram, que uma vez que os países capitalistas avançados embarcassem na via da transformação socialista a jornada seria fácil. Contudo, geralmente se esquecem, nessas projeções otimistas, que o que está em jogo é um salto monumental da dominação do capital para um modo *qualitativamente* diferente de controle sociometabólico. E, a este respeito, o fato de se estar atado por uma malha mais aperfeiçoada de determinações estruturais e de práticas reprodutivas e distributivas do "capitalismo avançado" representa uma vantagem bastante duvidosa.

O imperativo de se ir para além do capital como controle sociometabólico, com suas dificuldades quase proibitivas, é a condição compartilhada pela humanidade como um todo. Pois o sistema do capital, por sua própria natureza, é um modo de controle global/universalista que não pode ser historicamente superado exceto por uma alternativa sociometabólica igualmente abrangente. Assim, toda tentativa de superar os limites de um estágio historicamente determinado do capitalismo – nos parâmetros estruturais necessariamente orientados-para-a-expansão e propensos-à-crise do sistema do capital – está destinada mais cedo ou mais tarde ao fracasso, independentemente de quanto sejam "avançados" ou "subdesenvolvidos" os países que tentarem fazê-lo. A ideia de que, uma vez que a relação de forças entre os países capitalistas e os pós-capitalistas tenha mudado em favor dos últimos, a via da humanidade para o socialismo será uma jornada tranquila é na melhor das hipóteses ingênua. Foi concebida na órbita da "revolução enclausurada", atribuindo os fracassos do sistema do tipo soviético a fatores externos (até quando falava da "sabotagem interna pelo inimigo"). Nela ignoram-se, ou se deseja descartar, os antagonismos materiais e políticos, necessariamente gerados pela ordem pós-capitalista de extração forçada do trabalho excedente, tanto sob Stalin como depois dele. É a dinâmica *interna* do desenvolvimento que decide finalmente a questão, decidindo potencialmente pelo pior, mesmo sob as mais favoráveis relações externas de forças.

Desse modo, o conceito de *irreversibilidade* da transformação socialista tem significado apenas se se referir ao ponto sem volta da dinâmica interna de desenvolvimento, para além das determinações estruturais do capital, como modo de controle sociometabólico, abarcando plenamente todas as três dimensões do sistema herdado: *capital, trabalho* e o *Estado*. O *salto qualitativo* no discurso marxiano – o aforismo bem conhecido de *O 18 Brumário de Luís Bonaparte* sobre "*Hic Rhodus, hic salta!*" – antecipa a época em que a luta, por muito tempo sustentada para se mover para além do capital, se torna *globalmente irreversível* porque está completamente sintonizada com o desenvolvimento interno dos países envolvidos. E na visão de Marx isto se torna possível apenas como resultado do impacto corretivo e cumulativo da autocrítica radical exercida pelo sujeito social da emancipação, o trabalho, que não deve estar apenas nominalmente (como vimos até agora, sob a autoridade das "personificações do capital" pós-capitalistas), mas genuína e efetivamente encarregado do processo sociometabólico.

Claramente, contudo, o processo de transformação socialista – precisamente porque deve abarcar todos os aspectos da inter-relação entre *capital, trabalho* e *Estado* – é concebível apenas como uma forma de reestruturação transitória no poder das mediações materiais herdadas e progressivamente alteráveis. Como no caso do pai de Goethe (mesmo que por razões muito diferentes), não é possível colocar abaixo o prédio existente e erigir outro com fundações completamente diferentes em seu lugar. A vida deve continuar na casa escorada durante todo o curso da reconstrução, "retirando um andar após o outro de baixo para cima, inserindo a nova estrutura, de tal modo que ao final nada deve ser deixado da velha casa". Na verdade, a tarefa é ainda mais difícil do que esta. Pois a estrutura de madeira em deterioração do prédio também deve ser substituída no curso de retirada da humanidade da perigosa moldura estrutural do sistema do capital.

Desconcertantemente, a "expropriação dos expropriadores" deixa em pé a estrutura do capital. Tudo que pode realizar por si é mudar o tipo de personificação do capital, mas não a necessidade de tal personificação. Como ficou demonstrado, não apenas pela significativa continuidade do pessoal de comando da economia e do Estado nas sociedades pós-revolucionárias mas também pelos movimentos de restauração pós-soviética em toda a Europa oriental, frequentemente o pessoal pode permanecer o mesmo mudando, por assim dizer, apenas a carteira de filiação ao partido. Isto ocorre porque as três dimensões fundamentais do sistema – *capital, trabalho* e *Estado* – são *materialmente* constituídos e ligados um ao outro, e não simplesmente em uma base legal/política.

Sendo assim, nem o capital, nem o trabalho, nem sequer o Estado podem ser simplesmente *abolidos,* mesmo pela mais radical intervenção jurídica. Não é, portanto, de modo algum acidental que a experiência histórica tenha produzido abundantes exemplos de *fortalecimento* do Estado pós-revolucionário, sem dar sequer o menor passo na direção de seu "fenecimento". O trabalho pós-revolucionário, no seu modo imediatamente viável de existência, tanto em antigas sociedades capitalistas avançadas como em países subdesenvolvidos, permanece diretamente atado à substância do capital, isto é, à sua existência material como a determinação estrutural vigente do processo de trabalho, e não à sua forma historicamente contingente de personificação jurídica. A substância do capital, como poder determinante do processo sociometabólico, materialmente encastoado, incorrigivelmente hierárquico e orientado-para-a-expansão, permanece o mesmo enquanto este sistema – tanto em suas formas capitalistas como nas pós-capitalistas – puder exercer com sucesso as funções controladoras do trabalho historicamente alienadas. Diferentemente, as formas político/jurídicas de personificação, por meio das quais os imperativos objetivos reprodutivos do sistema do capital ("a dominação da riqueza sobre a sociedade", nas palavras de Marx) continuam a ser impostos ao trabalho, *podem* e *devem* variar em consonância com as circunstâncias históricas mutáveis, já que tais variações surgem como tentativas necessárias de remediar algumas perturbações importantes ou a crise do sistema no interior de seus próprios parâmetros estruturais. Isto é verdade não apenas nos casos historicamente raros de mudança dramática de uma forma de reprodução sociometabólica capitalista para uma pós-capitalista, mas também nas mudanças muito mais frequentes, e de caráter completamente temporário, das variedades de capitalismo democrático-liberais para as militar-ditatoriais, e de volta para a forma liberal-capitalista economicamente mais viável. Através dos séculos, a única coisa que deve permanecer constante, no que diz respeito às personificações do capital em todas essas metamorfoses do pessoal de controle, é que sua identidade funcional deve ser sempre definida em *contraposição* ao trabalho.

Devido à inseparabilidade das três dimensões do sistema do capital plenamente articulado – capital, trabalho e Estado –, é inconcebível emancipar o trabalho sem simultaneamente superar o capital e o Estado. Pois, paradoxalmente, o pilar material fundamental de suporte do capital não é o Estado, mas o trabalho em sua contínua dependência estrutural do capital. Na sequência da conquista do poder político, Lenin e outros falaram da inevitável necessidade de "esmagar o Estado burguês" como tarefa imediata da ditadura do proletariado. Ao mesmo tempo, como um alerta, Lukács projetou a imagem do proletariado "virando sua ditadura contra si mesmo", como vimos acima. Todavia, a dificuldade está em que a conquista do poder de Estado está muito distante de significar o controle sociometabólico da reprodução. É de fato possível esmagar o Estado burguês pela conquista do poder político, pelo menos em uma extensão significativa. Contudo, é quase impossível "esmagar" a dependência estrutural herdada do trabalho em relação ao capital, já que esta dependência é assegurada materialmente pela divisão estrutural hierárquica do trabalho estabelecida. Pode ser alterada para melhor apenas pela reestruturação radical da totalidade do processo sociorreprodutivo, isto é, por meio da reconstrução progressiva do edifício herdado em sua totalidade. Pregar a necessidade – e a correção ética – de uma alta disciplina do trabalho, como Lukács tentou fazer, evita (no melhor dos casos) a questão de quem realmente está no comando das determinações produtivas e distributivas do processo de trabalho pós-revolucionário. Enquanto as funções controladoras vitais do sociometabolismo não forem efetivamente ocupadas e exercidas autonomamente pelos produtores associados, mas deixadas à autoridade de um pessoal de controle separado (ou seja, um novo tipo de personificação do capital), o próprio trabalho continuará a reproduzir o poder do capital contra si mesmo, mantendo materialmente e dessa forma estendendo a dominação da riqueza alienada sobre a sociedade.

Sob tais circunstâncias, é isto que torna totalmente irrealista o palavrório acerca do "fenecimento do Estado". Ou seja, na sequência da "expropriação dos expropriadores" e da instituição de um novo, mas igualmente separado, pessoal de controle, a autoridade do último deve ser politicamente estabelecida e imposta na ausência de um direito jurídico anterior para controlar as práticas produtiva e distributiva com base na posse da propriedade privada. Desse modo, o *fortalecimento* do Estado pós-revolucionário não ocorre simplesmente em relação ao mundo *exterior* – o qual, após a derrota das forças intervencionistas na Rússia, era de fato incapaz de exercer um impacto importante no curso dos acontecimentos *internos* –, mas sobre e contra a *força de trabalho*. E tendo em vista a máxima extração politicamente regulada do trabalho excedente, esse fortalecimento se transforma numa perversa necessidade estrutural, e não numa "degeneração burocrática" facilmente corrigível a ser retificada no plano político graças a uma nova "revolução política". Como demonstrou a implosão do sistema soviético do capital, dado o poder estatal enormemente fortalecido no país, era muito mais fácil tramar *uma contrarrevolução política de cima* do que divisar realisticamente uma *revolução política de baixo* como forma de corrigir as contradições da ordem estabelecida. Mesmo se uma nova revolução política das massas pudesse prevalecer por um momento, ainda assim permaneceria a ser cumprida a tarefa real de reestruturar fundamentalmente o sistema do capital pós-capitalista. Em comparação, a *perestroika* pretendida por Gorbatchev não tinha que reestruturar absolutamente nada no domínio hierárquico/estrutural do controle sociometabólico dado. Sua proclamação da "igualdade de todos os tipos de propriedade" – ou seja, a *restauração jurídica dos direitos da propriedade privada capitalista* para benefício de alguns – operada na esfera das personificações do capital apenas tornava hereditariamente "justificado" (em nome das prometidas "racionalidade econômica" e "eficiência de mercado") o que eles já controlavam *de facto*. Instituir mudanças legal-políticas no plano da titulação de propriedade é uma brincadeira de criança comparada à tarefa penosa e prolongada de superar o modo pelo qual o capital controla a ordem sociorreprodutiva.

O "fenecimento do Estado" – sem o que a ideia de realizar o socialismo não pode ser seriamente contemplada sequer por um momento – é inconcebível sem o "fenecimento do capital" como regulador do processo sociometabólico. O círculo vicioso que, por um lado, prende o trabalho à dependência estrutural do capital e, por outro, o coloca em uma posição subordinada no que concerne à tomada política de decisão por um poder estatal estranho apenas pode ser quebrado se os produtores progressivamente cessarem de reproduzir a supremacia material do capital. Isto eles só podem fazer desafiando radicalmente a divisão estrutural hierárquica do trabalho. É portanto de importância fundamental ter em mente que o fortalecimento perverso do Estado pós-capitalista não é uma causa autossustentável, mas uma causa inseparável da dependência estrutural do trabalho em relação ao capital. Esta determinação contraditória do trabalho, sob o comando continuado do capital (mesmo que numa nova forma), se afirma apesar do fato de que o capital sempre foi – e só pode ser – reproduzido como a corporificação do trabalho em forma alienada e autoperpetuadora. Já que, contudo, a determinação antagônica em questão é inerente à *estrutura de comando material do capital*, que apenas é *complementada*, e não *fundada*, no Estado enquanto uma estrutura abrangente de comando político do sistema, o problema da autoemancipação do trabalho não pode ser enfrentado apenas (nem principalmente) em termos políticos. Através da história moderna, as incontáveis "revoluções traídas" fornecem evidências dolorosamente abundantes a respeito.

A crítica necessária do poder do Estado, com o objetivo de reduzi-lo e ao final superá-lo, só tem sentido se for praticamente implementado, em seu ambiente sociometabólico/material-reprodutivo. Pois o "fenecimento" do Estado implica não apenas o "fenecimento" do capital (como o controlador objetivado e reificado da ordem social-reprodutiva), mas também a autotranscendência do trabalho da condição de subordinado aos imperativos materiais do capital imposta pelo sistema prevalecente da divisão estrutural/hierárquica de trabalho e poder estatal. Isto é possível apenas se todas as funções de controle do sociometabolismo – que sob todas as formas de dominação do capital devem estar investidas na estrutura de comando material e política de um poder de tomada de decisão alienado – forem progressivamente apropriadas e positivamente exercidas pelos produtores associados. Nesse sentido, o afastamento estrutural objetivo das personificações do capital (em vez do político-jurídico insustentável por si mesmo) por meio de um sistema de *autoadministração genuíno é a chave para a reconstrução bem-sucedida das estruturas herdadas.*

PARTE III

CRISE ESTRUTURAL DO SISTEMA DO CAPITAL

Se o capital aumentar de 100 para 1000, então 1000 é o novo ponto de partida, a partir do qual o aumento tem que começar; a multiplicação por dez, por 1000 por cento, nada significa; os próprios lucro e juros se transformam por sua vez em capital. O que aparecia como mais-valia aparece agora simplesmente como pressuposto etc., como se incluído na sua composição mais simples.

Marx

Na forma de contratos governamentais para o suprimento do exército, o poder de compra pulverizado dos consumidores é concentrado em enormes quantidades e, livre dos caprichos e flutuações subjetivas do consumo pessoal, alcança um crescimento ritmado e quase regularmente automático. O próprio capital controla, no fim das contas, este movimento automático e ritmado da produção militarista por meio do legislativo e da imprensa, cuja função é moldar a assim chamada "opinião pública". É por isso que este setor particular da acumulação capitalista parece, à primeira vista, capaz de expansão infinita.

Rosa Luxemburgo

A competição separa os indivíduos uns dos outros, não apenas a burguesia, mas mais ainda os trabalhadores, apesar do fato de os unir... Daí que todo poder organizado que paira acima e contra estes indivíduos isolados, que vivem em condições que diariamente reproduzem este isolamento, pode ser superado apenas após longas lutas. Exigir o oposto seria o equivalente a exigir que a competição não existisse nesta época definida da história, ou que os indivíduos devessem banir de suas mentes as condições sobre as quais, no seu isolamento, não têm nenhum controle.

Marx

PARTE III

CRISE E ERUPÇÃO DO SISTEMA DO CAPITAL

Capítulo 14

A PRODUÇÃO DE RIQUEZA E A RIQUEZA DA PRODUÇÃO

A primeira questão que devemos considerar diz respeito à possibilidade de uma abordagem radicalmente diferente do desenvolvimento das potencialidades produtivas humanas, em resposta a uma necessidade genuína; oposta à prática estabelecida da reprodução social, subordinada aos imperativos alienados da produção-do-capital sempre-em-expansão, sem consideração das suas implicações para as necessidades humanas.

A razão de esta questão estar à frente de nossas preocupações é dupla. Primeiro, porque não é mais crível que a *disjunção* de necessidade e produção-de-riqueza – que vem a ser uma característica necessária da geração de riqueza sob o domínio do capital – possa sustentar a si própria indefinidamente, mesmo nos países de capitalismo mais avançado e privilegiado; ainda menos que possa satisfazer "no momento apropriado" (graças a seu glorificado "dinamismo") as necessidades elementares da vasta maioria da humanidade que agora tão insensivelmente despreza. E, segundo, porque a crença segundo a qual não pode haver *nenhuma alternativa* às práticas produtivas dominantes se baseia na falsa teorização da relação entre produção, ciência e tecnologia, concebida e caracteristicamente distorcida do ponto de vista do capital que ela eterniza. Tal visão é absolutamente insustentável, pois o domínio do modo de produção do capital possui apenas alguns poucos séculos na história humana, e estabelecer sua permanência absoluta requer muito mais do que as asserções, que se confundem com desejo, de seus defensores.

Naturalmente, do ponto de vista da autopercepção eternizante do capital, a relação do presente tanto com o passado como com o futuro deve ser deliberadamente deturpada. Em relação ao passado, anterior ao triunfo do sistema do capital, deve reduzir a nada as características da atividade produtiva que eram qualitativamente distintas da nossa presente modalidade de reprodução social. Características, portanto, orientadas para finalidades que não poderiam ser mais contrastantes com a busca incessante da acumulação-de-capital. Quanto ao futuro, o que deve ser rejeitado *a priori* do ponto de vista do capital é que hoje seja possível identificar, de um modo tangível, tanto as exigências práticas como os princípios apropriados de operação com base nos quais um sistema de produção alternativo – humanizante, gratificante e satisfatório – possa ser instituído e mantido em existência.

14.1 A disjunção de necessidade e produção de riqueza

14.1.1

A completa subordinação das necessidades humanas à reprodução de valor de troca – no interesse da autorrealização ampliada do capital – tem sido o traço marcante do sistema do capital desde o seu início.

Isto contrasta do modo mais agudo possível com as práticas produtivas do mundo antigo. De fato, as mudanças trazidas pela consolidação do domínio do capital como sistema de controle que a tudo absorve constituíram uma reversão radical dos princípios orientadores que caracterizavam a produção na Antiguidade clássica. Para citar Marx:

> Na Antiguidade ... *a riqueza não aparece como a finalidade da produção* ... A questão é sempre que modo de propriedade cria os melhores cidadãos. A riqueza aparece como um fim em si mesmo apenas entre os poucos povos comerciais – monopolistas do comércio de longa distância – que viviam nos interstícios do mundo antigo, como os judeus na sociedade medieval. ... Portanto, a antiga visão na qual *o ser humano* aparece como *a finalidade da produção*, que não leva em consideração o seu limitado caráter nacional, religioso ou político, parece muito grandiosa quando comparada ao mundo moderno, no qual a *produção aparece como o objetivo da humanidade e a riqueza como o objetivo da produção*.[1]

Para tornar a produção de riqueza a finalidade da humanidade, foi necessário separar o valor de uso do valor de troca, sob a supremacia do último. Esta característica, na verdade, foi um dos grandes segredos do sucesso da dinâmica do capital, já que as limitações das necessidades dadas não tolhiam seu desenvolvimento. O capital estava orientado para a produção e a reprodução ampliada do valor de troca, e portanto poderia se adiantar à demanda existente por uma extensão significativa e agir como um estímulo poderoso para ela.

Naturalmente, a organização e a divisão do trabalho tinham que ser fundamentalmente diferentes em sociedades nas quais o valor de uso e a necessidade exerciam as funções reguladoras decisivas. Dois exemplos são suficientes para ilustrar o agudo contraste entre o modo de produção capitalista – orientado para a multiplicação da riqueza material por meio da autoexpansão do valor de troca – e as sociedades que organizavam suas vidas com base em princípios muito diferentes, mesmo que o papel da troca já fosse bastante significativo no seu intercâmbio metabólico com a natureza. O primeiro exemplo é descrito por Marx como se segue:

> Aquelas pequenas *comunidades indianas* antiquíssimas, por exemplo, que em parte ainda continuam a existir, baseiam-se na posse comum das terras, na união direta entre agricultura e artesanato e numa divisão fixa do trabalho, que no estabelecimento de novas comunidades serve de plano e de projeto. Constituem organismos de produção que bastam a si mesmos, variando suas áreas de produção de cem a alguns milhares de acres. A maior parte dos produtos é destinada ao autoconsumo direto da comunidade não como mercadoria, sendo portanto a própria produção independente da divisão do trabalho mediada pelo intercâmbio de mercadorias no

---

[1] Marx, *Grundrisse*, pp. 487-8. [Ed. bras. *Formações econômicas pré-capitalistas*, Rio de Janeiro, Paz e Terra, p. 80].

conjunto da sociedade indiana. Apenas os *produtos excedentes* transformam-se em *mercadorias*, parte deles apenas depois de chegar às mãos do Estado, para o qual flui desde tempos imemoriais um certo *quantum* como renda natural. Diferentes regiões da Índia possuem diferentes formas de comunidades. Em sua forma mais simples, a comunidade cultiva a terra em comum e distribui os seus produtos entre seus membros, enquanto cada família fia, tece etc. como atividade acessória doméstica. Ao lado dessa massa homogeneamente ocupada encontramos o "habitante principal", juiz, polícia e coletor de impostos em uma pessoa, o guarda-livros, que faz a contabilidade do cultivo e que registra e cadastra tudo que a ele diz respeito; um terceiro funcionário, que persegue criminosos e protege viajantes estrangeiros, escoltando-os de uma aldeia à outra; o guarda de fronteira, que vigia as fronteiras de sua comunidade contra as comunidades vizinhas; o inspetor de águas, que distribui, para as necessidades agrícolas, a água dos reservatórios comunais; o brâmane do calendário, que como astrólogo indica as ocasiões para a semeadura, a colheita e as boas e más horas para todos os trabalhos agrícolas particulares; um ferreiro e um carpinteiro, que confeccionam e consertam todos os instrumentos agrícolas; o oleiro, que faz todo vasilhame da aldeia; o barbeiro, o lavador para limpeza de roupas, o ourives de prata, aqui e ali o poeta, que em algumas comunidades substitui o ourives de prata e em outras o mestre-escola. *Essa dúzia de pessoas é sustentada à custa de toda a comunidade*. Se a população aumenta, estabelece-se uma nova comunidade em terra não cultivada, segundo o modelo da anterior. O mecanismo comunal representa uma divisão planejada do trabalho, *mas sua divisão manufatureira é impossível,* pois o mercado do ferreiro, do carpinteiro etc. permanece inalterado, podendo-se, de acordo com o tamanho da aldeia, encontrar no máximo, em vez de um ferreiro, um oleiro etc., dois ou três deles.[2]

O segundo exemplo é igualmente revelador. Diz respeito às determinações internas da produção e distribuição na estrutura do sistema de guildas e em relação ao sistema e às demandas do capital mercantil que objetivamente conflitam com os princípios constitutivos e as práticas produtivas das guildas. Sob as circunstâncias históricas prevalecentes, as guildas tinham que se defender contra as tendências subversivas do capital mercantil em expansão, e a razão pela qual foram bem-sucedidas por muito tempo na sua ação defensiva foi sua orientação para a produção de valores de uso. Foi assim que Marx caraterizou o funcionamento do sistema de guildas em seu complexo cenário histórico:

> As leis das corporações, conforme já observamos, impediam planejadamente, ao limitar com severidade o número de ajudantes que um único mestre de corporação podia empregar, a sua transformação em capitalista. Da mesma forma, somente era-lhe permitido empregar ajudantes no ofício em que ele era mestre. A corporação defendia-se zelosamente contra qualquer intrusão do capital mercantil, a única forma livre de capital, com que se defrontava. O comerciante podia comprar todas as mercadorias, mas não o trabalho como mercadoria. Ele era apenas tolerado como distribuidor dos produtos artesanais. Se circunstâncias extremas provocassem uma progressiva divisão do trabalho, as corporações existentes dividiam-se em subespécies ou fundavam-se novas corporações ao lado das antigas, porém sem que diferentes ofícios se reunissem em uma

---

2   Marx, *Capital*, vol. 1, pp. 357-8 [ed. bras., op. cit., vol. I/1, p. 281] (grifos do autor).

oficina. A organização corporativa, por mais que sua especialização, o isolamento e o aperfeiçoamento dos ofícios pertençam às condições materiais de existência do período, excluía portanto a divisão manufatureira do trabalho.[3]

Portanto, ambos os exemplos sublinham o caráter historicamente excepcional do sistema capitalista de produção e distribuição que, primeiro, tinha que subjugar, no curso de seu desdobramento histórico, várias determinações naturais espontâneas antes que pudesse com sucesso impor à humanidade os imperativos materiais de seu próprio funcionamento. É importante lembrarmos a este respeito que

> não é a *unidade* da humanidade viva e ativa com as condições naturais, inorgânicas da sua *troca metabólica com a natureza*, e portanto sua apropriação da natureza, que requer uma explicação ou é o resultado de um processo histórico, mas antes a *separação* entre estas condições inorgânicas da existência humana e sua existência ativa, uma separação que está posta completamente apenas na relação entre *trabalho assalariado e capital*.[4]

Esta é uma verdade nitidamente óbvia que, contudo, é completamente (e convenientemente) ignorada pelos apologistas do sistema do capital. Pois este sistema não pode controlar com sucesso o sociometabolismo a menos que torne *permanentes* todas aquelas separações artificiais que constituem os *pressupostos necessários* do seu próprio *modus operandi*, postulando-os como determinações que emanam da própria e inalterável *"natureza humana"*.

14.1.2

Certamente, as correlações naturais originais não podem ser recriadas em um estágio muito mais avançado do desenvolvimento social. Pois todo o sistema de necessidades humanas, junto com suas condições de satisfação, é radicalmente alterado no curso das transformações históricas. E, enquanto permanece um desafio aberto a questão da *"unidade* da humanidade ativa com *as condições naturais inorgânicas* da sua troca metabólica com a natureza", sua realização apenas é concebível no nível mais avançado de intercâmbio produtivo com *ambas* as dimensões da natureza. Deve abarcar a natureza *"externa"*, confrontando o ser humano natural (com suas múltiplas propriedades e forças adaptáveis, assim como com suas resistências indomáveis), e a natureza *"interior"*, isto é, a "própria natureza da humanidade" que se desenvolve historicamente (a qual inclui as condições inorgânicas, naturais, de intercâmbio humano com a natureza).

Isto significa uma reconstituição qualitativamente diferente e produtivamente mais avançada da *unidade* há muito perdida das condições orgânicas e inorgânicas da existência humana. Este não é um desafio *tecnológico*, mas *social*, e dos mais elevados, já que implica o domínio consciente e a regulação em todos os aspectos benéfica das condições de interação criativa humana. Um processo que se desdobra em circunstâncias nas quais a reprodução social não mais é dominada pelo peso da *"escassez"* – primeiramente natural, mas, depois, cada vez mais *causada pelos-homens* de forma paradoxal e assustadora. Ou seja, em circunstâncias em que o até o pre-

---

[3] Id., ibid., pp. 358-9. [Ed. bras., op. cit., v. 1, p. 282.]
[4] Marx, *Grundrisse*, p. 489.

sente "domínio do homem sobre a natureza", frágil e de muitas maneiras ilusório, não mais poderá ser realizado estritamente para o benefício da minoria no poder, ao preço do jugo da vasta maioria da humanidade às demandas alienantes da produção de mercadoria.

Desse modo, devemos ter em mente que as realizações problemáticas do sistema do capital emergem de uma estratégia autocontraditória que ingênua ou assustadoramente ignora as exigências de um adequado "domínio do homem sobre suas condições de existência orgânica e inorgânica" como a precondição necessária de um domínio humano socialmente viável sobre as forças da natureza. Ao mesmo tempo, deve ser lembrado que a crítica socialista das contradições do capital não pode ser formulada da perspectiva e em termos de limitar o processo metabólico às formações socioeconômicas passadas. Pois, comparadas ao dinamismo do capital, que tende desde o seu início para sua dominação e sua articulação globais, são suficientemente claras as limitações estruturais das formas anteriores de produção – o que as exclui com base nas suas inabilidades para atender às exigências socialistas de prover "a cada um de acordo com a sua necessidade".

As comunidades indianas fechadas em si próprias e autossuficientes tiveram, de fato, que pagar um preço muito elevado pelo modo no qual as condições de existência do seu povo continuaram a ser repetidamente reproduzidas com autoimposta estabilidade. O preço pago foi a necessária negação do impacto potencialmente positivo de um intercâmbio produtivo universal com outras comunidades (uma característica fundamental da formação capitalista), já que a troca exerce um papel estritamente marginal no seu sociometabolismo. Mas, mesmo os processos produtivos e distributivos descritos no segundo exemplo – uma estrutura socioeconômica na qual a penetração do valor de troca estava muito mais em evidência do que nas pequenas comunidades indianas – não poderiam escapar das limitações do tipo e do alcance de consumo compatíveis com as determinações intrínsecas daquele sistema. Pois, como sublinhou Marx:

> Com o artesanato urbano, apesar de se apoiar essencialmente na troca e na criação de valores de troca, o *objetivo direto e principal* é a subsistência como artesão, ou mestre-diarista, portanto valor de uso; não riqueza, não valor de troca enquanto *valor de troca*. A produção, portanto, está sempre subordinada a um *dado consumo*, oferta para a *demanda*, e só se *expande lentamente*.[5]

Como podemos ver, portanto, opor valor de uso ao domínio capitalista do valor de troca inexoravelmente em expansão está muito longe de ser capaz de oferecer as condições suficientes da transformação socialista bem-sucedida. Vários sistemas historicamente conhecidos da reprodução social orientada para a produção de valor de uso tenderam a impor severas limitações nas práticas produtivas e de consumo admitidas naqueles sistemas. De fato, seu fim último não se torna inteligível sem referência a tais limitações, que tenderam a solapar sua viabilidade nos seus – mais cedo ou mais tarde inevitáveis – confrontos com o incomparavelmente mais dinâmico modo capitalista de produção e reprodução societárias.

É, portanto, necessário combinar a crítica socialista das relações-de-valor, a afirmação do papel positivo vital do valor de uso, com uma indicação de saídas pra-

---

[5] Id., ibid., p. 512.

ticamente viáveis das contradições das formas pré-capitalistas de intercâmbio socioeconômico à medida que emergem da aproximação ao valor de uso. Contradições que sistematicamente evitam o desenvolvimento da riqueza potencial da produção pelas determinações negativas do consumo limitado e demandas unilaterais. Ou seja, a incapacidade de identificar as condições objetivas e subjetivas de superação positiva de tais limitações traria implicações desconfortáveis para o modo de produção e reprodução socialista previsto, como uma inevitável "generalização da miséria". Na verdade, esvaziaria de toda a sua relevância prática o discurso marxista – que não se limita a restaurar o valor de uso à sua importância passada, mas promove-o à função adequada, potencialmente dinâmica e criativa, de regulação do sociometabolismo. Não é, portanto, de modo algum acidental que, na teoria de Marx, a maior ênfase na determinação orientadora do valor de uso em uma sociedade socialista futura é inseparável da questão do desenvolvimento *em todos os aspectos* das *necessidades e capacidades produtivas* do indivíduo social. Tal desenvolvimento apenas é possível na estrutura irrestrita – ou seja, não mais determinada por interesses e conflitos de classe – da "relação universal" do *"intercâmbio universal" e capacidades e realizações humanas* (discutido no capítulo 19), enquanto oposto ao *valor de troca universalmente dominante*.

14.2 O significado verdadeiro e o fetichizado da propriedade

14.2.1
Durante o desenvolvimento histórico do capital – que impôs à humanidade a produção da riqueza como a finalidade que a tudo absorve –, o caráter real da riqueza propriamente dita desapareceu do horizonte. Foi obliterada por uma concepção reificada, associada a estruturas materiais e relações igualmente fetichizadas que determinaram o sociometabolismo geral em todas as suas dimensões.

Neste aspecto, uma das categorias mais importantes, cujo significado foi perversamente alterado sob o impacto das determinações reificantes do capital, foi a de *propriedade*. Paralelamente aos processos – e em conjunção com eles – que separaram (e alienaram) do sujeito ativo da reprodução social as "condições inorgânicas da existência humana", o significado de "propriedade" mudou a ponto de se tornar irreconhecível. Caracteristicamente, ela foi identificada com a *"coisa"* produção e da troca de mercadoria, e acima de tudo com a garantia institucionalizada da reprodução capitalista (isto é, o "trabalho acumulado, objetificado, alienado" assumindo a forma de ativos do capital legalmente protegidos e de valor de troca sempre em expansão).

A *raison d'être* de tais mudanças não é muito difícil de identificar. Em agudo contraste com seu significado original, é graças a seu radical desvirtuamento que o conceito capitalista de "propriedade" pode exercer um papel vital na legitimação das – *a priori* julgadas e materialmente fixadas, além de salvaguardadas legal/politicamente – relações de produção estabelecidas e do modo dominante de apropriação (e expropriação) a elas correspondentes. Pois:

Originalmente, *propriedade* não significava mais que a relação de um ser humano com suas *condições naturais* de produção como *pertencentes a ele*, como suas, e pressupostas junto com o *seu próprio ser*; relações com tais condições como pressupostos naturais de seu eu, que formam apenas, por assim dizer, *seu corpo ampliado*. Ele realmente não se relaciona com suas condições de produção, mas antes tem uma *dupla existência*, tanto *subjetivamente*, como ele próprio, como *objetivamente* nestas *condições naturais não orgânicas de sua existência*. ... Propriedade originalmente significava – em sua forma asiática, eslava, clássica antiga, germânica – a relação do *sujeito* que trabalha (que produz ou que se autorreproduz) com as *condições* de sua produção ou reprodução enquanto *pertencentes a ele*. Ela terá diferentes formas, portanto, dependendo das condições de sua reprodução. A própria produção visa à reprodução do produtor dentro de suas condições objetivas de existência e em conjunto com elas.[6]

O modo capitalista de reprodução social não poderia estar mais distante desta determinação original de produção e propriedade. Sob o comando do capital, o sujeito que trabalha não mais pode considerar as condições de sua produção e reprodução como *sua própria propriedade*. Elas não mais são os pressupostos autoevidentes e socialmente salvaguardados do seu *ser*, nem os pressupostos naturais do seu *eu* como constitutivos da "extensão externa de seu corpo". Ao contrário, elas agora pertencem a um "ser estranho" reificado que confronta os produtores com suas próprias demandas e os subjuga aos imperativos materiais de sua própria constituição. Assim, a relação original entre o sujeito e o objeto da atividade produtiva é completamente subvertida, reduzindo o ser humano ao *status* desumanizado de uma mera "condição material de produção". O "ter" domina o "ser" em todas as esferas da vida. Ao mesmo tempo, o eu real dos *sujeitos produtivos* é destruído por meio da fragmentação e da degradação do trabalho à medida que eles são subjugados às exigências brutalizantes do processo de trabalho capitalista. Eles são reconhecidos como "sujeitos" legitimamente existentes apenas como *consumidores manipulados* de mercadorias. Na verdade, eles se tornam tanto mais cinicamente manipulados – como fictícios "consumidores soberanos" – quanto maior a pressão da taxa decrescente de utilização.

Naturalmente, em tais circunstâncias e determinações, os seres humanos produtivamente ativos não podem ocupar, como seres humanos, seu lugar legítimo nas equações do capital, e muito menos ser considerados, nos parâmetros do sistema do capital, como a verdadeira finalidade da produção. A relação social mercantilizada e reificada entre os sujeitos produtivos e seu controlador agora independente – que, como questão de direitos materialmente constituídos e legalmente impostos, age como o único proprietário das condições de produção e autorreprodução dos trabalhadores – apresenta-se de maneira mistificada e impenetrável. Igualmente, a tarefa da reprodução social e do intercâmbio metabólico com a natureza é definida de modo fetichizado como a reprodução das condições objetivadas/alienadas de produção, das quais o ser humano que sente e padece nada mais é senão uma parte estritamente subordinada, enquanto um "fator material de produção". E já que o sistema produtivo estabelecido, sob a regência do capital, não pode reproduzir a si próprio, a menos que possa fazê-lo em uma escala sempre crescente, a produção deve não apenas ser considerada a finalidade da humanidade, mas – enquanto um modo de produção ao qual não pode haver alternativa – deve ser tomada como premissa que a finalidade da produção é a multiplicação sem fim da riqueza.

---

[6] Id., ibid., pp. 491-5.

14.2.2

O dinamismo produtivo do sistema do capital, quaisquer que sejam suas inumanidades, é notável em sua história de expansão nacional e global, a cujo impacto as formas anteriores de reprodução social são incapazes de resistir. Naturalmente, o crescimento antes inimaginável da riqueza que acompanha tal dinamismo – tanto quanto ele possa durar – constitui a legitimidade histórica deste sistema. Contudo, dadas as contradições inerentes ao sistema do capital, e a concomitante perdularidade do seu modo de operação, seu desenvolvimento produtivo não pode ser sustentado indefinidamente.

Assim, quando a autoexpansão capitalista do valor de troca está em crise, se quisermos tratar seriamente dos problemas de desenvolvimento e "subdesenvolvimento", visando investigar as condições de uma alternativa socialista viável, é inevitável desafiar os próprios *horizontes* da "riqueza" autorreprodutiva do capital, no interior dos quais não pode haver solução para tais problemas. Em outras palavras, a questão em jogo é absolutamente fundamental e em relação à qual todo o resto pode apenas se qualificar, na melhor das hipóteses, como paliativos *temporários*.

Em termos práticos, a questão que nos preocupa é esta: como tornar novamente o ser humano a finalidade da produção, de acordo com as imensas *potencialidades positivas* – em alguma medida já existentes mas destrutivamente encastoadas – das forças de produção? A questão se coloca numa dimensão contrária àquela que divisa várias racionalizações pseudocientíficas das práticas produtivas do capital que evitam a realização das potencialidades positivas, preservando as relações de produção existentes e a divisão de trabalho iníqua, hierárquica. Inevitavelmente isto envolve uma redefinição radical de "*riqueza*", no mesmo espírito em que o significado distorcido pelo sentido capitalista de "*propriedade*" necessita de uma redefinição radical, pois

> quando a forma burguesa limitada for eliminada, o que será a *riqueza* senão a *universalidade das necessidades, capacidades, prazeres, forças produtivas etc. individuais*, criadas através do *intercâmbio universal* ? O pleno desenvolvimento do domínio do homem sobre as forças da natureza, tanto da *assim chamada natureza* como da *própria natureza da humanidade*? O desdobramento completo destas *potencialidades criativas*, sem qualquer outro pressuposto senão o desenvolvimento histórico prévio, que faz desta totalidade de desenvolvimento, isto é, o *desenvolvimento de todos os poderes humanos enquanto tais o fim em si próprio*, não mensurável com um padrão *predeterminado*? Na qual ele não se reproduz a si próprio em uma *especificidade*, mas produz sua *totalidade*? Luta não para permanecer algo que se *tornou*, mas se encontra no absoluto movimento do *vir-a-ser*? Na economia burguesa – e na época de produção à qual corresponde – este desenvolvimento pleno do conteúdo humano aparece como um completo esvaziamento, esta *objetificação* completa como uma total *alienação*, e este romper de todas as finalidades limitadas, parciais, como sacrifício *da finalidade humana como tal* a um *fim* totalmente *externo*.[7]

Dadas estas considerações, podemos muito bem entender por que certas pessoas que argumentam a partir das *pressuposições* reificadas da "riqueza produtiva"

---

[7] Id., ibid., p. 488. O fato agudamente criticado de ser assim *predeterminado* é colocado em itálico pelo próprio Marx, aquele "rude determinista econômico".

auto-orientada do capital – tanto quando favorecem o "crescimento" como quando são contra ele – devem permanecer aprisionadas às contradições entre a objetivação alienada e sua "finalidade externa" incontrolável, em última análise autodestrutiva, mesmo quando alegam que buscam e oferecem uma solução para tais contradições. E esta é precisamente a posição de todos aqueles que terminam por advogar as falsas dicotomias – como, por exemplo, "crescimento e colapso catastrófico ou equilíbrio global por meio de crescimento zero" – como resultado de sua incapacidade de questionar o círculo vicioso do sistema reificado do capital orientado para a riqueza, tratado por eles como o inalterável alfa e ômega da própria vida social.

Em completo contraste, a remoção do "padrão de mensuração predeterminado" do capital, como medida de toda diligência humana, significa que a atividade vital dos indivíduos associados deve ser em sua inteireza radicalmente reorientada. Pois o padrão do capital pode medir apenas o menor ou o maior grau de sucesso no ajustamento aos imperativos de administrar a produção como finalidade da humanidade subserviente à expansão da riqueza material utilitária/mercantilizada como finalidade da produção. É por isso que, na visão de Marx, a diligência humana deve ser orientada para a *riqueza da produção* (isto é, "a universalidade das necessidades, capacidades, prazeres, forças produtivas etc. do *indivíduo*") e em direção a uma cada vez mais rica – mas, claro, não em um sentido estreitamente material de riqueza – *autorreprodução* dos *indivíduos* sociais como o fim-em-si-próprio conscientemente adotado. O capital é de longe o mais poderoso regulador espontâneo da produção conhecido pela humanidade até o presente e não pode ser substituído por um vácuo socioeconômico. A dominação do capital sobre a sociedade só pode ser superada por uma ordem reprodutiva materialmente sensata e humanamente gratificante que assuma todas as funções metabólicas vitais deste modo de controle sem suas contradições.

A produção ou é conscientemente controlada pelos produtores associados a serviço de suas necessidades, ou os controla impondo a eles seus próprios imperativos estruturais como premissas da prática social das quais não se pode escapar. Portanto, apenas a *autorrealização* por meio da *riqueza de produção* (e não pela *produção de riqueza* alienante e reificada), como a finalidade da atividade-vital dos indivíduos sociais, pode oferecer uma alternativa viável à cega espontaneidade autorreprodutiva do capital e suas consequências destrutivas. Isto significa a produção e a realização de todas as potencialidades criativas humanas, assim como a reprodução continuada das condições intelectuais e materiais de intercâmbio social.

Neste sentido, o que é "utópico" decididamente não é a reorientação socialista da produção como alternativa às práticas agora prevalecentes, independente de suas dificuldades práticas. Ao contrário, uma forma absolutamente lúgubre de utopismo pessimista caracteriza-se precisamente pela defesa de soluções "bem testadas" e "realistas" – apesar de, na verdade, serem totalmente irreais a longo prazo. Ora, as prescrições "realistas" advogadas por aqueles que descartam a perspectiva marxista como nada mais que "utopismo" permanecem prisioneiras dos horizontes da produção-de-riqueza que se autoimpulsiona, mesmo quando falam de um desejado mecanismo regulador que preserva intacto o quadro geral da desigualdade estrutural.

14.3 Produtividade e uso

14.3.1

As perspectivas da emancipação humana são inseparáveis do avanço – historicamente viável – da produtividade. Isto não é apenas uma questão de aumento *quantitativo* do volume de bens à disposição de uma sociedade particular, medida em uma base *per capita*. Várias considerações *qualitativas* são muito mais importantes na conceituação do papel das realizações produtivas no curso do desenvolvimento histórico do que a expansão quantitativa do fluxo produtivo.

Na verdade, uma vez que o sociometabolismo deixe para trás o estágio caracterizado pela satisfação das necessidades apenas em termos da mera necessidade de sobrevivência, uma avaliação estritamente quantitativa das melhorias na produção corrente se torna extremamente problemática, se não completamente sem sentido. Apesar disso, em um estágio mais avançado do desenvolvimento histórico, sob as condições de produção generalizada de mercadorias – após incontáveis séculos de interação recíproca entre novas necessidades que surgem e as correspondentes práticas produtivas, que inevitavelmente acompanham uma grande variedade de diferenciações qualitativas já bem antes do triunfo global do capital –, o fetichismo da quantificação domina completamente a dimensão qualitativa do processo de produção. Tal perversidade se torna inteligível apenas com referência ao modo intrinsecamente contraditório pelo qual o próprio sistema produtivo do capital é, por necessidade, articulado. Este modo particular de reprodução social é sobrecarregado com uma contradição por fim explosiva que transforma suas potencialidades *positivas* em realidades *destrutivas*. Esta virada no desenvolvimento se torna tanto mais pronunciada quanto mais se aproxima dos limites do sistema do capital – os limites das cada-vez-mais-perdulárias quantificação e expansão num mundo de recursos finitos.

A dimensão quantitativa das exigências materiais emancipadoras é sublinhada por Marx quando declara que a nova sociedade proposta pressupõe "um grande incremento da força produtiva, ou seja, um alto grau de seu desenvolvimento. ... sem ele apenas generaliza-se a escassez e, portanto, com a carência, recomeçaria novamente a luta pelo necessário, e toda a imundície anterior seria restabelecida"[8]. Contudo, já que o aumento da produtividade, desde a fase mais inicial do desenvolvimento histórico, está inseparavelmente articulada à expansão dialética das necessidades (junto com a reprodução ampliada de suas condições de satisfação)[9], o aspecto qualitativo da expansão produtiva está implícito na criação e na satisfação das novas necessidades já nos estágios mais primitivos da história humana. Isto é assim mesmo se a diferenciação qualitativa emergente na estrutura das necessidades que se desenvolvem historicamente possa ser materialmente identificada apenas mais tarde. Ela poderá ser percebida quando os limites da "simples necessidade" já não forem mais todo-poderosos no sociometabolismo, graças ao aparecimento e à expansão progressiva do *excedente* socialmente produzido, não importando o quanto seja iniquamente apropriado nas circunstâncias.

---

[8] Marx e Engels, *Collected Works*, vol. 5, pp. 48-9 [ed. bras., *A ideologia alemã*, op. cit., p. 50].

[9] "O *primeiro ato histórico* é, portanto, a produção dos meios que permitam a satisfação dessas *necessidades*, a produção da própria vida material" (p. 42 [ed. bras., p. 39]).

Nesse sentido, o avanço histórico representado pelo estágio capitalista de desenvolvimento produtivo (abarcando, apesar de tudo, apenas alguns séculos da história total da humanidade) é um *retrocesso* real se considerado em relação ao seu impacto na dialética de necessidade e produtividade, porque rompe radicalmente a relação prévia que prevaleceu, como já mencionado, por milhares de anos. Remove – como deveria – não apenas as determinações *limitantes* da produção orientada-para-a-necessidade, mas simultaneamente também a possibilidade de *controlar* as tendências destrutivas que emergem da dominação total da *qualidade* pelos imperativos da expansão quantitativa ilimitada do capital. Isto explica por que a problemática da *necessidade*, *qualidade* e *uso* deve ocupar um lugar central na reorientação socialista da produção e distribuição. Na verdade, o critério orientador da necessidade, a qualidade e o uso se aplica a todos os aspectos da produção e distribuição socialistas, da satisfação das exigências materiais elementares do sociometabolismo aos vários esforços que visam ampliar as dimensões mais mediadas da reprodução cultural.

14.3.2
A quantificação redutiva e reificante, evidente em todo lugar sob o comando do capital, traz consequências de longo prazo para o exercício empobrecido, alienado e desumanizado das funções do trabalho vivo. Para citar Marx:

> Se a mera *quantidade* do trabalho funciona como medida de valor sem qualquer consideração para com a *qualidade*, isto pressupõe que o trabalho simples se tornou o pivô da indústria. Pressupõe que o trabalho foi equalizado pela *subordinação do homem à máquina* ou pela extrema divisão do trabalho; que os *homens são obliterados pelo seu trabalho*, que o pêndulo do relógio se tornou uma medida tão acurada da atividade relativa de *dois trabalhadores* como o é da velocidade de *duas locomotivas*. Portanto, não devemos dizer que a hora de um homem vale a hora de outro homem, mas, sim que um homem durante uma hora vale tanto quanto outro homem durante uma hora. Tempo é tudo, o *homem é nada*; ele é, na melhor das hipóteses, *carcaça do tempo*. A qualidade não mais importa. A *quantidade* sozinha decide tudo; hora por hora, dia por dia.[10]

Portanto, já que os seres humanos apenas podem se encaixar na maquinaria produtiva do sistema do capital como engrenagens do mecanismo geral, suas qualidades humanas devem ser consideradas obstáculos à eficácia ótima de um sistema que tem suas próprias lógica e medida de legitimação. Correspondentemente, os mesmos critérios devem ser aplicados na avaliação tanto da performance humana como na da locomotiva, desse modo não apenas equalizando, mas *subordinando* a sensível e inoportuna[11] humanidade à eficácia pouco exigente dos lucrativos procedimentos mecânicos, muito mais facilmente administráveis.

---

[10] MECW, vol. 6, p. 127.

[11] "Uma vez que a habilidade artesanal continua a ser a base da manufatura e que o mecanismo global que nela funciona não possui nenhum esqueleto objetivo independente dos próprios trabalhadores, o capital luta constantemente com a *insubordinação* dos trabalhadores. 'A fraqueza da natureza humana', exclama o amigo Ure, 'é tão grande que quanto mais hábil for o trabalhador, tanto mais ele se torna *voluntarioso* e mais *difícil de ser tratado* e, por conseguinte, causa grande dano ao mecanismo global, por meio de seus caprichos tolos'. Por todo período manufatureiro continua, por isso, a queixa sobre a falta de disciplina dos trabalhadores". (Marx, *Capital*, Moscou, Foreign Languages Publishing House, 1958, vol. 1, p. 367 [ed. bras., op. cit., vol. I/1, p. 288]).

Para tornar as coisas ainda piores, a eficácia (ou valor) do trabalhador *produtivo* pode ser objetivamente avaliada na estrutura capitalista de contabilidade com considerável exatidão, no mesmo sentido da locomotiva – e este é precisamente o modo como a máquina pode se tornar um competidor direto do trabalhador produtivo. Ao mesmo tempo, o "valor" atribuído aos constituintes *improdutivos* e *parasitários* do processo capitalista de produção e distribuição (dos manipuladores fraudulentos do mercado de ações aos "*experts*" das relações antissindicais e agentes publicitários comerciais ou políticos) está aberto às mais arbitrárias determinações. Na verdade, quanto mais nos aproximamos dos estágios mais desenvolvidos do "capitalismo avançado", mais pronunciada é a mudança na direção dos constituintes não produtivos e parasitários.

Como ilustração da natureza de tal mudança podemos tomar o exemplo de Baran de uma padaria hipotética na qual oitenta trabalhadores são produtivos e vinte são empregados não produtivos. Os trabalhadores não produtivos são empregados como se segue:

> cinco são comissionados para mudar continuamente a fôrma dos pães; a um homem é dada a tarefa de misturar à farinha uma substância química que acelera a perecibilidade do pão; quatro homens são contratados para fazer novas embalagens para o pão; cinco homens são empregados para compor propagandas para o pão e distribuí-las pela mídia disponível; um homem é designado para vigiar com cuidado as atividades de outras padarias; dois homens devem se manter em dia com os desenvolvimentos legais da área antitruste; e finalmente a dois homens é dada a responsabilidade das relações públicas da corporação à qual pertence a padaria.[12]

Se tivermos em mente que o propósito inerente da produção supostamente deve ser a satisfação da necessidade humana, se evidencia que nas condições prevalecentes, ao contrário, a *utilidade* pode ser perfeitamente igualada à *antinecessidade*, e neste sentido à afirmação prática negadora-de-necessidade do *antivalor*. Ao mesmo tempo, os constituintes improdutivos e parasitários do sistema podem atuar sem controle, na ausência de todo e qualquer padrão objetivo para avaliar a contribuição ou não contribuição de tais constituintes à produção da riqueza social. Ao contário, eles próprios podem arbitrariamente determinar o curso da distribuição da riqueza em virtude de sua posição privilegiada na *estrutura de comando do capital*, como "capitães de indústria" ou como guardiães políticos do Estado burguês. Desse modo, para piorar, eles podem absurdamente elevar a si próprios ao excelso *status* de "criadores de riqueza" de modo a se apropriar, de acordo com a grandiosidade desse *status*, de uma porção importante do produto social para o qual eles não contribuem com absolutamente nenhuma substância.

---

[12] Baran, *The Political Economy of Growth*, Nova York, Monthly Review Press, 1957, p. xx.

Admissivelmente, estas contradições, com todas as suas grotescas manifestações, se tornam particularmente agudas apenas no "capitalismo avançado". Apesar de tudo, o conflito entre trabalho produtivo e não produtivo já aparece num estágio muito primitivo do desenvolvimento capitalista, mesmo que não possa assumir na época de seu surgimento as formas *extravagantes* hoje familiares. Pois sua precondição necessária é a expansão prodigiosa do poder produtivo da sociedade que possibilita – e, como veremos à frente, sob as condições do "capitalismo avançado", na verdade exige – a alocação de uma porção cada vez maior da riqueza social para a produção do *desperdício institucionalizado*.

14.4 Contradição entre trabalho produtivo e não produtivo

14.4.1
A contradição entre trabalho produtivo e não produtivo é inerente ao antagonismo fundamental entre os interesses do capital e os do trabalho e, como tal, insuperável. Ela emerge em primeiro lugar do caráter explorador do próprio processo de trabalho capitalista e da necessidade de encontrar uma forma de controle adequada à sua perpetuação. Como Marx coloca:

> Em primeiro lugar, o *motivo que impulsiona* e o *objetivo* que determina o processo de produção capitalista é a maior autovalorização possível do capital, isto é, a maior produção possível de *mais-valia*, portanto a maior *exploração* possível da força de trabalho pelo capitalista. Com a massa dos trabalhadores ocupados ao mesmo tempo cresce também sua resistência e, com isso, necessariamente a pressão do capital para superar essa resistência. A direção do capitalista não é só uma função específica surgida da natureza do processo social do trabalho e pertencente a ele, ela é ao mesmo tempo uma função de exploração de um processo social de trabalho e, portanto, condicionada pelo inevitável antagonismo entre o explorador e a matéria-prima de sua exploração. (...)
> Se portanto a direção capitalista é, pelo seu conteúdo, *dúplice*, ela é, quanto à sua forma, *despótica*; isso ocorre em virtude da duplicidade do próprio processo de produção que dirige, o qual, por um lado, é processo social de trabalho para a elaboração de um *produto* e, por outro, processo de *valorização* de capital. Com o desenvolvimento da cooperação em maior escala, esse despotismo desenvolve formas peculiares. Como o capitalista, de início, é libertado do trabalho manual, tão logo seu capital tenha atingido alguma grandeza mínima, com a qual a produção verdadeiramente capitalista apenas começa, assim ele transfere agora a função de *supervisão* direta contínua do trabalhador individual ou de grupos de trabalhadores a uma *espécie particular de assalariados*. Do mesmo modo que um exército precisa de oficiais superiores militares, uma massa de trabalhadores que coopera sob o comando do mesmo capital necessita de oficiais industriais superiores (dirigentes, *managers*), suboficiais (capatazes, *foremen, overlookers, contre-maîtres*) os quais, durante o processo de trabalho, *comandam* em nome do capitalista. O trabalho da superintendência se cristaliza em sua função exclusiva. Comparando o modo de produção de camponeses independentes ou de artífices autônomos com a economia

das plantações, baseada na escravatura, o economista político considera este trabalho de superintendência um dos *faux frais* [custos falsos ou gastos inúteis] de produção. Ao considerar o modo de produção capitalista, ele identifica em contraposição à função de direção, na medida em que deriva da natureza do processo de trabalho coletivo, com a mesma função em que é condicionada pelo caráter capitalista e, por isso, *antagônico*, desse processo. O capitalista não é capitalista porque ele é dirigente industrial, ele torna-se comandante industrial porque é *capitalista*. O comando supremo na indústria torna-se *atributo do capital*, como no tempo feudal o comando supremo na guerra e do tribunal era atributo da propriedade fundiária.

Portanto, Auguste Comte e sua escola poderiam ter mostrado que os senhores feudais são uma *necessidade eterna*, tanto quanto o fizeram no caso dos senhores do capital.[13]

Extensões posteriores dos constituintes não produtivos, que geram antivalor no processo de trabalho capitalista, partilham as mesmas premissas e são construídas sobre os mesmíssimos fundamentos materiais. Elas pertencem àqueles "falsos custos e despesas inúteis de produção" que são, apesar de tudo, absolutamente vitais para a sobrevivência do sistema: uma determinação contraditória da qual ele não pode se livrar.

Além disso, além de um certo ponto do desenvolvimento capitalista, como veremos abaixo, as mudanças quantitativas na extensão da dimensão não produtiva se convertem em um redimensionamento *qualitativo* de toda a estrutura. Como resultado, o funcionamento dos constituintes genuinamente produtivos se torna cada vez mais dependente da manutenção e do crescimento posterior dos setores *parasitários* – dos quais um número crescente de pessoas depende para seu sustento, enquanto outros dependem destes na qualidade de consumidores dos seus produtos –, desse modo aumentando paradoxalmente as contradições do complexo global também ao oferecer remédios às suas disfunções mais ou menos abertamente reconhecidas.

É aqui que as limitações intrínsecas dos princípios orientadores capitalistas de produção vêm à tona. A crise que se aprofunda no sistema estabelecido não pode ser resolvida em termos de simples expansão da "produção de riqueza", já que em sua estrutura "riqueza" se iguala a *mais-valia*, e não a produção de *valor de uso* pela aplicação criativa do *tempo disponível*. Ao mesmo tempo, o potencial libertador da *produtividade crescente* é dissipado e nulificado pelo crescimento cancerígeno dos "falsos custos" de controle a serviço da dimensão exploradora. A proposição marxiana que trata da reorientação da produção, de sua subordinação à mais-valia (isto é, da forma capitalista de "produção de riqueza" que funda a multiplicação da riqueza reificada como a finalidade da produção) para uma produção de riqueza socialista orientada para a necessidade e o uso, bem como ampliadora da criatividade tenta resolver precisamente estas dificuldades – insuperáveis na estrutura do capital.

---

[13] Marx, *Capital*, op. cit., pp. 331-2 [ed. bras., op. cit. pp. 263-4].

14.4.2

No que diz respeito às práticas produtivas socialistas propostas, a questão aqui é nada menos que a *completa reversão* da abordagem predominante – extremamente eficaz nos seus termos unilateralmente quantitativos, apesar de perdulária – da questão da utilidade. O contraste é realçado nas palavras de Marx quando ele avalia que

> em uma sociedade futura na qual tenha cessado o *antagonismo de classe*, na qual não haverá mais classes, o *uso* não mais se determinará pelo *mínimo* tempo de produção; mas o *tempo* de produção dedicado a um artigo será determinado pelo grau de sua *utilidade*.[14]

Naturalmente, esta concepção pressupõe a capacidade dos produtores associados de superar os limites da *escassez* e organizar suas vidas com base em uma alocação verdadeiramente racional não apenas dos recursos materiais disponíveis e utilizados dinamicamente (isto é, *genuinamente expansível* neste sentido essencialmente *qualitativo*), mas, acima de tudo, de acordo com as potencialidades libertadoras do *tempo disponível*.

O conceito de tempo disponível, tomado no seu sentido positivo e libertador, surgiu, bem antes de Marx, em um panfleto anônimo intitulado *As origens e os remédios para as dificuldades nacionais*, publicado em Londres em 1821. Em algumas passagens citadas por Marx, este panfleto fornecia uma compreensão notavelmente dialética tanto da natureza do processo de produção capitalista – enfocando a atenção nas categorias vitalmente importantes de "tempo disponível", "trabalho excedente" e "diminuição da jornada de trabalho" – como da possibilidade de escapar de suas contradições:

> *Riqueza é tempo disponível* e nada mais. ... Se todo o trabalho de um país fosse suficiente apenas para angariar o sustento de toda a população, não haveria *trabalho excedente*, consequentemente nada que pudesse ser *acumulado como capital*. ... Verdadeiramente *rica uma nação* se não houver juros ou se a *jornada de trabalho* for de seis horas em vez de doze.[15]

Certamente, reorientar a produção social de acordo com o espírito e a estrutura categoriais desse panfleto anônimo é completamente incompatível com a lógica do capital. Pois, devido à natureza inerentemente contraditória do capital como o regulador geral do sociometabolismo, nem os avanços na *produtividade*, nem o aumento potencial no *tempo disponível* positivamente alocado podem ser harmoniosamente absorvidos em sua estrutura.

A melhoria da produtividade, certamente, é uma finalidade necessária do capitalista *individual*, à medida que pode assegurar-lhe *vantagem competitiva*. Contudo, esta circunstância nada gera de positivo em relação ao *uso* genuíno correspondente à *necessidade humana*, já que a conexão é puramente *acidental* do ponto de vista do capitalista individual, pouco interessado em "necessidade" ou "uso", mas meramente na *realização* de seu capital em uma escala ampliada. Nem o capitalista individual

---

[14] MECW, vol. 6, p. 134.
[15] Citado in Marx, *Grundrisse*, Harmondsworth, Penguin Books, 1973, p. 397.

estaria interessado em necessidade e uso, sobre os quais ele não tem nenhum controle, já que não tem qualquer garantia de encontrar, no domínio misterioso regido pela "mão invisível", a "demanda efetiva" e a capacidade de consumo *capitalisticamente legitimadas* equivalentes para suas próprias mercadorias. Muito menos tem ele qualquer meio de determinar o uso ao qual o produto social na sua inteireza deve ser destinado.

Pior ainda, apesar de o sistema produtivo do capital criar *de facto* "*tempo supérfluo*" no conjunto da sociedade, em uma escala crescente, não pode reconhecer a existência *de jure* de tal tempo excedente como *tempo disponível* potencialmente criativo. Ao contrário, deve assumir uma atitude *negativa/destrutiva/desumanizadora* para com ele. De fato, o capital deve dolorosamente desconsiderar o fato de que o conceito de "trabalho supérfluo" na realidade se refere a *seres humanos vivos* e possuidores de capacidades produtivas *socialmente* úteis – mesmo que *capitalisticamente* redundantes ou inaplicáveis.

14.4.3
Em todas as formas de sociedade, a produtividade está indissoluvelmente associada ao tipo de *utilidade* e à *utilização* compatível com as práticas produtivas dominantes daquela sociedade. Naturalmente, o mesmo vale para a ordem social capitalista. Dadas as limitações e contradições estruturais desta ordem social universalmente mercantilizadora, orientada para o lucro, o escopo de sua produtividade é desesperançosamente limitado – e sua direção, além de certo ponto do desenvolvimento histórico em andamento, radicalmente pervertida – pelo modo no qual as demandas da expansão do capital praticamente definem o critério de *"utilidade"* ao qual tudo deve se conformar. Como Marx observa nos *Grundrisse* acerca da determinação perversa da "utilidade" e da "carência-de-utilidade" que emergem dos limites intranscendíveis da utilização capitalista:

> É uma lei do capital criar *trabalho excedente, tempo disponível*; e só pode fazê-lo se acionar o *trabalho necessário* – ou seja, se entrar em intercâmbio com o trabalhador. É sua tendência, portanto, criar tanto trabalho quanto possível; do mesmo modo, é igualmente sua tendência *reduzir* o trabalho necessário ao mínimo. Portanto, igualmente é uma tendência do capital *aumentar* a população trabalhadora, assim como constantemente colocar uma parte dela como *população excedente* – população que é *carente de uso* até a época em que *o capital possa utilizá-la*. (Daí o acerto da teoria da população excedente e do capital excedente.) É igualmente uma tendência do capital tornar o trabalho humano (relativamente) *supérfluo*, de modo a conduzi-lo, como trabalho humano, ao infinito. O valor nada mais é que trabalho objetivado, e valor excedente (realização do capital) é apenas o excesso daquela parte de trabalho objetivado que é necessário à reprodução da capacidade de trabalho. Mas o trabalho em si é, e permanece, o pressuposto [da produção capitalista], e o trabalho excedente apenas existe em relação ao necessário, portanto apenas enquanto este último existir. O capital deve, portanto, constantemente postular o trabalho *necessário* para postular o trabalho *excedente*; ele precisa multiplicá-las (a saber, as jornadas de trabalho simultâneas) para multiplicar seu excedente; mas ao mesmo tempo deve *suspendê-*

-*las* como *necessárias*, para poder postulá-las como *trabalho excedente*. ...o capital excedente recém-criado só pode ser realizado como tal ao ser novamente trocado por trabalho vivo. Daqui a tendência do capital de simultaneamente *aumentar* a população trabalhadora assim como de *reduzir* constantemente a parte necessária (para postular constantemente uma parte como *reserva*). É o aumento da própria população o principal meio para reduzir a parte necessária. No fundo, isto é apenas uma aplicação da relação da jornada de trabalho *singular*. Aqui já estão, portanto, todas as *contradições* expressas como tal pela moderna teoria da população, mas por ela não captada. Capital, como postulado do trabalho excedente, é, igualmente e ao mesmo tempo, o postulado e o não postulado do trabalho necessário; só existe enquanto o trabalho necessário simultaneamente existir e não existir.[16]

Sendo assim, o sistema contraditório do capital praticamente configura seus próprios limites – historicamente *específicos* – como limites da *produção em geral*. Reconhece e legitima a necessidade humana (e a correspondente utilização dos recursos materiais e humanos disponíveis) apenas até o ponto de torná-la conforme aos imperativos da autorrealização ampliada do capital. Tudo o que ficar fora de tais parâmetros, independente das consequências, deve ser considerado "inútil", "inutilizável" e intoleravelmente supérfluo. De fato, o incansável impulso do capital para a frente – no processo da sua autorreprodução cada vez mais ampliada – o impede de prestar atenção aos acontecimentos destrutivos que emergem das contradições entre o trabalho supérfluo e o necessário. O próprio capital apenas existe "enquanto o trabalho necessário simultaneamente existir e não existir", ou seja, enquanto ele tiver sucesso em reproduzir as contradições subjacentes (por mais precária que seja a situação) e desse modo reproduzir a si próprio enquanto tal.

Além disso, as contradições do *microcosmo* único do capital, identificável nas determinações e tensões internas da *jornada de trabalho singular*, são inevitavelmente reproduzidas em toda parte do "*macrocosmo*" do modo de produção capitalista. A reificação se torna ubíqua porque sob a regência do capital as características específicas de toda atividade produtiva, das menores unidades locais às fábricas das gigantescas corporações transnacionais, são necessariamente constituídas em conformidade com os imperativos material e organizacional de *estrutura de mercadoria* que se aplica não menos ao *trabalho vivo* do que aos meios e ao material de produção.

14.5 A estrutura de comando do capital: determinação vertical do processo de trabalho

14.5.1

Graças à desumanização do próprio trabalho vivo, transformado em uma *mercadoria* que só pode funcionar (como uma força produtiva) e biologicamente se sustentar (como um organismo) adentrando a estrutura – e se submetendo às exigências materiais e organizacionais – das *relações de troca* dominantes, os principais obstáculos que limitavam pesadamente o escopo e o dinamismo dos sistemas produtivos

---

[16] Id., ibid., pp. 399-401.

anteriores são removidos com sucesso. Já que o trabalho vivo se transforma em *"carcaça do tempo"*, torna-se possível estruturar as jornadas de trabalho resultantes (reificáveis) – tanto horizontal como verticalmente – de acordo com as exigências da autorreprodução ampliada do capital.

É exatamente este processo de redução quantificadora e reificação do trabalho vivo que traz a difusão e a dominação *universal* da estrutura de mercadoria; bem entendido, uma vez que as condições de sua universabilidade sejam historicamente satisfeitas. Quanto à última questão, a estrutura de mercadoria capitalista se torna *universalizável* – no sentido de que absolutamente tudo pode ser subsumido à ela – precisamente porque, sob as novas circunstâncias, o trabalho vivo mercantilizado pode ser utilizado e controlado com grande flexibilidade e dinamismo. Este controle é exercido tanto horizontal como verticalmente, tal como os imperativos estruturais emergentes da divisão do trabalho capitalista o prescrevem (sob seus múltiplos aspectos funcionais e sociais/hierárquicos).

A flexibilidade *horizontal* das novas determinações organizacionais traz consigo, por um lado, a jornada de trabalho do processo de trabalho capitalista organizada de forma única (isto é, em um sentido ainda a ser discutido, completamente *homogeneizado*): isso ocorre em agudo contraste com as limitadas potencialidades dos modos de produção anteriores, pois naquele ela tanto pode ser *multiplicada quanto dividida infinitamente*. São as condições da acumulação de capital bem-sucedida que permitem esse processo, e é o avanço da divisão funcional do trabalho que o exige. Ao mesmo tempo, e por outro lado, a mesma flexibilidade horizontal também significa que a multiplicidade das jornadas de trabalho coexistentes e cooperantes podem ser arranjadas e supervisionadas *lado a lado* – por assim dizer, "sob o mesmo teto", ainda que esparramadas por muitos países – num padrão funcionalmente adequado e dinamicamente modificável. Este tipo de desenvolvimento se estende das oficinas relativamente primitivas do período manufatureiro inicial até a simultaneidade altamente complexa e difusa das imensas fábricas transnacionais de nossa época.

14.5.2
A estruturação *vertical*, contudo, é ainda mais importante para assegurar o desenvolvimento dinâmico do sistema capitalista, pois é precisamente a capacidade do capital de ordenar a multiplicidade das jornadas de trabalho também em um padrão *vertical/hierárquico* que constitui a *garantia* da aplicabilidade segura e da completa difusão do próprio princípio organizacional horizontal, junto com as potencialidades produtivas inerentes a ele. (Por exemplo, economias de escala, utilização de recursos espaço-temporais, materiais e intelectuais etc.)

É esta dimensão vertical que corresponde diretamente à *estrutura de comando do capital*, sem paralelo na história, cuja função é salvaguardar os interesses vitais do sistema dominante. O que quer dizer: os interesses em assegurar a expansão contínua da mais-valia com base na máxima *exploração* praticável da totalidade do trabalho (embora, claro, em conjunção com as *taxas diferenciais* de exploração em diferentes países e indústrias através dos tempos, conforme se tornem possíveis pelas relações de força prevalecentes na estrutura global do capital). Tais interesses devem ser assegurados graças ao funcionamento adequado da estrutura de comando do capital, qualquer que seja o escopo e a complexidade da organização horizontal (a fragmentação/divisão e simultânea reunificação funcional) do total das jornadas de trabalho capitalisticamente *utilizáveis*. (Estas últimas estão, claro, muito distantes de igualarem o total das jornadas de trabalho socialmente *disponíveis* que poderiam, sob um modo de controle sociometabólico muito diferente, ter uma utilização humanamente compensadora.)

Assim, permite-se ao fator estruturante horizontal avançar, em qualquer momento, apenas até o ponto em que deixe de ser devidamente controlável no interior do horizonte reprodutivo do capital pela dimensão vertical. Em outras palavras, pode avançar desde que os processos produtivos que se seguirem permaneçam *limitados* aos parâmetros (e limitações correspondentes) dos imperativos do capital, ou seja, enquanto não se tornarem "disfuncionais" ao sistema. (Devemos nos lembrar, nesse contexto, de que o presidente da Ford Corporation na Europa, senhor Bob Lutz, ameaçou a *liquidação* de algumas das principais plantas da companhia se "governos mal-educados" e "sindicatos intransigentes" – agindo de modo a restringir o total de dias de trabalho exploráveis – ousassem desafiar o *status quo*. Ele apresentava objeções a qualquer tentativa de interferir na determinação vertical/hierárquica capitalista, separando o que poderia ser concebido como tolerável daquilo que deveria ser excluído como absolutamente inadmissível, para prevenir a aparição de elementos disfuncionais na estrutura *global* da corporação transnacional americana em questão.

Aqui podemos também ver que, em última análise, não apenas o fator horizontal, mas também as inevitáveis determinações da dimensão vertical/hierárquica decidem o desdobramento e o avanço histórico – bem como desenvolvimentos ou subdesenvolvimentos deformados – do sistema do capital, tanto em suas partes como em sua totalidade.

As exigências de controle da ordenação vertical constituem sempre o momento *fundamental* na relação entre as duas dimensões, mesmo durante o longo período histórico da ascendência do capital, quando uma reciprocidade dialética entre os princípios estruturantes verticais e horizontais é bastante evidente. Esta reciprocidade dialética, cuja dimensão vertical é o seu *übergreifendes Moment*, traz consigo, no processo dos desenvolvimentos capitalistas, algumas estruturas de controle altamente adaptáveis, em uma escala monumental. (Testemunhamos, por exemplo, a mudança do sistema empresarial limitadamente paternalista para a estrutura de administração rapidamente expansível das companhias de capital aberto.) Mudanças desse tipo ocorrem em resposta às necessidades correntes da divisão de trabalho funcional/horizontal com suas vastas ramificações internacionais; ao mesmo tempo ficam absolutamente confinadas ao limite dos interesses vitais do capital impostos verticalmente.

Contudo, uma vez que a fase histórica da ascendência relativamente aproblemática do capital tenha ficado para trás, o *momento fundamental* se converte em uma *determinação direta unilateral* que, em última análise, é desagregadora do intercâmbio entre as duas dimensões. Desse modo, ele *impede* aquelas potencialidades produtivas positivas que, enquanto potencialidades necessariamente frustradas e reprimidas, aparecem no horizonte. Em um sentido mais importante, essa correlação marca claramente os *limites estruturais* insuperáveis do sistema do capital como um modo de produção e reprodução sociometabólica.

14.6 A homogeneização de todas as relações produtivas e distributivas

14.6.1

A *homogeneização*, historicamente única, de todas as relações produtivas e distributivas completa o círculo vicioso do capital e se torna uma condição *absoluta* da ordem sociometabólica controlada pelo capital. Sem ela o sistema do capital não poderia se reproduzir devido às clivagens e contradições que ele necessariamente gera no curso de sua articulação histórica.

Entre outras coisas, a *unidade* entre necessidade e produção – característica dos modos anteriores de intercâmbio metabólico com a natureza, na medida em que "a finalidade deles é o homem", já que orientam a si próprios para a produção de valor de uso – é totalmente rompida no sistema do capital. De fato, para ser mais preciso, este é caracterizado por uma *dupla ruptura*.

Primeiro, os produtores são radicalmente *separados* do material e dos instrumentos de sua atividade produtiva, tornando-lhes impossível produzir para o seu próprio uso, já que nem sequer parcialmente estão no controle do próprio processo de produção.

E, segundo, as mercadorias produzidas com base em tal separação e alienação não podem emergir diretamente do processo de produção como *valores de uso relacionados à necessidade*. Elas requerem a intervenção de um momento *estranho* para suas metamorfoses em valores de uso e para tornar possível a continuidade da produção e reprodução global do sistema do capital. Em outras palavras, já que a grande massa das mercadorias produzidas não pode constituir valores de uso para os seus *proprietários* (o número comparativamente insignificante de capitalistas), deve entrar na *relação de troca* do capital – por meio da qual pode funcionar como valor de uso para seus *não proprietários* (isto é, majoritariamente os trabalhadores) – para se realizar como *valor* em benefício da reprodução ampliada do capital.

Além disso, é uma determinação estruturante vital do sistema que o capital não possa se renovar sem apropriação do *trabalho excedente* da sociedade (isto é, sob o capitalismo, a *mais-valia* produzida pelo *trabalho vivo* mercantilizado com o qual o capital deve trocar a massa de mercadorias disponível, de modo a realizá-la como valor e começar de novo, em escala ampliada, o ciclo capitalista de produção e reprodução). Consequentemente um novo tipo de *unidade* deve ser gerada para ser capaz de *deslocar* as contradições dessa dupla ruptura (ainda que jamais possa *superá-las* completamente), ao mesmo tempo em que mantém a existência das clivagens estruturais.

Desconcertantemente, é essa dupla ruptura que serve como base material da unidade sem a qual o capital não pode funcionar. Seu primeiro momento – a separação radical dos trabalhadores dos meios e do material de sua atividade produtiva e da autorreprodução – priva-os de qualquer influência sobre as funções produtivas específicas que devem realizar no lugar de trabalho a eles designado, para não mencionar o modo pelo qual o processo global de reprodução é determinado e organizado. Ao mesmo tempo, o segundo momento – a necessidade de entrar na relação de troca do capital por uma questão de mera sobrevivência – prende firmemente o trabalhador ao sistema dominante, deixando-o totalmente à mercê do capital. Os fragmentos das mercadorias que os trabalhadores individuais produzem estão tanto além do controle deles (como resultado da alienação dos meios e materiais da produção) como, e ao mesmo tempo, são para eles inúteis, devido à sua forma fragmentária, mesmo se comparados às necessidades elementares dos trabalhadores isolados. Além disso, mesmo a singular e única posse real dos trabalhadores – sua força de trabalho – não pode se constituir em valor de uso para eles, mas apenas para o capital que a coloca em movimento. É assim que a dupla ruptura entre necessidade e produção se converte em uma unidade operacional escravizadora de trabalho imensamente poderosa, que afirma a si própria pelas injunções e determinações interconexas do processo de trabalho, por um lado, e pela relação de troca, por outro. Desse modo, o sistema do capital é capaz de operar – com grande dinamismo e eficácia ao longo da fase histórica de sua ascensão – graças à separação do trabalho vivo de suas condições objetivas de exercício, complementada pela subjugação de necessidade e valor de uso às determinações reificantes do valor de troca.

O propósito global e a força motivadora do sistema capitalista não pode conceber a produção de valores de uso orientada-para-a-necessidade, mas apenas a bem-sucedida *valorização/realização* e a constante *expansão* da massa de riqueza material acumulada. Na estrutura de tais determinações motivacionais que a tudo absorvem, a situação estrutural do valor de uso é de fato extremamente precária. Não apenas todos os valores de uso correspondentes às necessidades humanas devem constituir um momento estritamente *subordinado* na estratégia capitalista de valorização; eles também podem sofrer intervenções grotescas e, de fato, ser relegados a uma posição de importância secundária no processo de reprodução global – desde que sejam substituídos por variedades de desperdício institucionalizado – quando o aprofundamento da crise estrutural do capital demandar tais soluções, como veremos mais tarde.

Aqui, o ponto que deve ser sublinhado é que as determinações e contradições que distorcem e constrangem a estrutura da mercadoria não surgem em algum distante estágio avançado; elas são operantes desde o início. Pois o sistema do capital, paradoxalmente, só pode funcionar se impuser a validade absoluta de tais determinações e contradições, quaisquer que sejam suas implicações práticas, e também simultaneamente levá-las a um equilíbrio operacionalmente administrável.

Assim, por um lado este sistema deve assumir uma atitude *positiva/afirmativa* para com a reprodução das contradições existentes e relações conflitantes. Ou seja, o próprio modo de produção capitalista, como um processo metabólico historicamente limitado, não pode deixar de ser a corporificação material e o equilíbrio temporário do antagonismo estrutural irreconciliável entre trabalho e capital. Ao mesmo tempo, o capital deve também encontrar as *garantias* objetivas necessárias à coesão operativa/prática dos constituintes multifacetados e conflitantes de seu próprio sistema. Para ser capaz de funcionar, o capital deve *suspender* os antagonismos internos e tendências desagregadoras do seu modo de controle tanto quanto for viável sob as mutáveis circunstâncias históricas.

Os constantes avanços na performance produtiva necessária para a reprodução ampliada do capital seriam absolutamente inconcebíveis sem tais garantias. De fato, elas são tão importantes que a determinação de sua natureza e seu impacto não pode ser deixada à falibilidade das decisões subjetivas de administração e formas de controle. Antes, as garantias requeridas devem se tornar partes integrantes da articulação objetiva do sistema capitalista de produção como um todo intimamente interconexo.

Isso significa que todas as classes de pessoas ativas no interior da estrutura de determinações inter-relacionadas do capital são confrontadas por um conjunto de inescapáveis imperativos estruturais. Por isso – precisamente porque são *imperativos estruturais* objetivos – eles devem se refletir nas conceituações, assim como adequadamente implementados por meio de ações tanto da administração como do trabalho. Daí o papel vital da estrutura de mercadoria universalmente difundida e do "fetichismo da mercadoria" que dela emerge. Pois, no plano das tradicionais confrontações competitivas e "disputas trabalhistas", a estrutura de mercadoria desvia a atenção de uma alternativa *estratégica* viável ao sistema dominante e faz a disputa se centrar em questões econômicas *parciais*. Como resultado, o trabalho, mesmo quando bem-sucedido em suas demandas formuladas em tais termos – em uma fase expansionista do desenvolvimento –, permanece firmemente acorrentado ao círculo vicioso do sistema do capital.

14.6.2
No curso do desenvolvimento capitalista, o processo pelo qual as garantias necessárias são produzidas – e também *renovadas* – consiste na *homogeneização* dos mais minúsculos constituintes do sistema com um todo. Historicamente, esta homogeneização ocorre segundo as determinações materiais fundamentais do capital que correspondem a seus parâmetros exploratórios específicos – isto é, inerentemente econômicos. Em outras palavras, já que os parâmetros exploratórios deste sistema particular de produção e distribuição estão circunscritos de tal modo que a mais-valia deve ser extraída do trabalho vivo (e apropriada pelo capital orientado para a expansão) por um complexo conjunto de mecanismos *econômicos*, a homogeneização em questão deve também assumir, no curso de sua evolução histórica, um caráter essencialmente econômico.

A alienação dos meios e do material do trabalho vivo não seria capaz de constituir, por si própria, a condição suficiente para o funcionamento sem perturbação do processo metabólico capitalista. Deve ser complementada pela separação radical e permanente de *todas* as funções vitais de controle tanto do processo de trabalho como da distribuição do produto social do próprio trabalho.

Para realizar a tarefa de alinhar completamente o processo de trabalho às já alcançadas separação e alienação dos meios e do material de trabalho do trabalhador, o capital deve colocar em movimento um processo de homogeneização desumanizadora – dividindo o trabalho em seus menores elementos capitalisticamente utilizáveis e universalmente comensuráveis – pelo qual o trabalho vivo pode ser alocado para tarefas produtivas e controlado com sucesso segundo necessidades ditadas pela produção e pela troca de mercadorias.

Esta homogeneização de fato equivale tanto à *fragmentação* extrema como à completa *degradação*[17] do trabalho e seu portador, o trabalhador. O *mestre-diarista* do sistema de guildas era não apenas o proprietário dos meios e do material de sua atividade produtiva, mas também o possuidor (e claro o controlador) de uma multiplicidade de habilidades que ele próprio *unificou* em seu trabalho e *objetivou* em seu produto. No mais agudo contraste possível, o minúsculo fragmento com o qual o trabalhador assalariado está condenado a monotonamente contribuir para o trabalho total da sociedade está completamente subsumido e dominado pela ubíqua estrutura de mercadoria. Como mencionado antes, o modo limitante pelo qual é circunscrita a força de trabalho (e a atividade produtiva) homogeneizada e capitalisticamente alienada não pode constituir valor de uso para seus proprietários (os trabalhadores), mas apenas para seus não proprietários (isto é, os compradores em potencial: os capitalistas). Consequentemente, a atividade produtiva e os trabalhadores totalmente dela dependentes para seu sustento perderam até mesmo a aparência de autonomia. Apenas desafiando radicalmente o sistema como modo de controle em sua totalidade é que se pode divisar uma saída dessa situação de dependência estrutural.

Tal como a mercadoria, também a contribuição fragmentária do trabalhador assalariado é *comensurável* e *equalizável*, numa razão precisamente determinável, com as mercadorias oferecidas pelo capitalista no mercado. Como resultado, o trabalho mercantilizado e homogeneizado satisfaz a importantíssima condição de integrar (de um modo e em uma extensão que viabilize tal integração nos confins do sistema do capital) o momento *estranho* da *troca* com as exigências reprodutivas vitais do processo de *produção*.

Assim, apresentando o mais extremo de todos os paradoxos, é o próprio trabalho mercantilizado que auxilia a suspensão da contradição entre produção e troca, que ajuda a assegurar a necessária *continuidade de produção* – ao participar da *unidade peculiar* dos dois momentos objetivamente contraditórios e se submeter a ela. Esse modo de reprodução societária pode prosseguir sem distúrbios até que a crise da *acumulação malograda* e a *superprodução* rompam periodicamente todo o conjunto de relações e determinem a sua reconstituição sintonizada com as novas circunstâncias.

---

[17] Ver a respeito o estudo clássico de Harry Braverman, *Labor and Monopoly Capital: The Degradation of Work in the Twentieth Century* (Nova York, Monthly Review Press, 1974), assim como uma coletânea de ensaios sobre *Technology, the Labor Process and the Working Class* (Nova York, Monthly Review Press, 1976). A coletânea contém ensaios concebidos como observações críticas ao livro de Braverman. São eles: "The Working Class Has Two Sexes", por Rosalyn Baxandall, Elizabeth Ewen e Linda Gordon; "Work and Consciousness", por John e Barbara Ehrenreich; "Capitalist Efficiency and Socialist Efficiency", por David M. Gordon, "Division of Labor in the Computer Field", por Joan Greenbaum; "Marx as a Student of Technology", por Nathan Rosenberg; "Social Relations of Production and Consumption in the Human Service Occupations", por Gelvin Stevenson; "The Other Side of the Paycheck: Monopoly Capital and the Structure of Consumption", por Batya Weinbaum e Amy Bridges; e "Marx versus Smith on the Division of Labor", por Donald D. Weiss. O volume também contém uma breve resposta de Braverman.
Ver também "Special Issue Commemorating Harry Braverman's *Labour and Monopoly Capital*", com contribuições de John Bellamy Foster, Joan Greenbaum, Peter Meiksins, Bruce Nissen e Peter Seybold, *Monthly Review*, vol. 46, nº 6, novembro de 1994.

Desse modo, a destroçada *unidade de necessidade e produção* acima mencionada é "remendada", mesmo que de uma forma caracteristicamente perversa, de modo a se ajustar aos limites do processo metabólico do capital. O que agora conta como "necessidade" não é a necessidade humana dos produtores, mas os imperativos estruturais da própria valorização e reprodução do capital. Os *valores de uso* se legitimam em relação (e em estrita subordinação) ao último. Sendo assim, o trabalhador somente pode obter acesso a uma determinada classe e quantidade de valores de uso – correspondendo ela ou não às suas necessidades reais – enquanto o capital, com base na unidade reconstituída de necessidade (troca) e produção (reprodução), os *legitima* como viáveis e lucrativos no interior da estrutura da homogeneização corrente. Por essa via o trabalhador *internaliza* as necessidades e os imperativos do capital como seus próprios, como inseparáveis da relação de troca, e por isso aceita a imposição dos valores de uso *capitalisticamente viáveis* como se emanassem de suas próprias necessidades[18]. E, pior do que isso, simultaneamente o trabalhador também se acorrenta à sorte do sistema produtivo dominante pela *internalização* do que ele aceita serem suas próprias necessidades "legítimas". De tal modo que, no devido tempo, sob as condições do "capitalismo de consumidores" internalizado, o trabalhador, se ousar desafiar a ordem estabelecida, tem de fato muito mais a perder que seus *"grilhões externos"*.

Mas, o aspecto mais importante desse processo de homogeneização é que a desabonadora divisão e fragmentação do trabalho que o acompanha na estrutura da produção de mercadorias priva totalmente o trabalho vivo da *supervisão* e do *controle* do processo de trabalho da sociedade, junto com a sua dimensão distributiva.

Neste aspecto, a transformação do trabalho objetivado em capital, e com isso a institucionalização permanente dos meios e do material alienados do trabalho como propriedade do capital, deve ser considerada o *aspecto secundário* da dominação autoritária do capital sobre o trabalho. Isto é assim independentemente de sua importância, tanto historicamente, no violento processo da "acumulação (e expropriação) primitiva" capitalista, como em relação ao futuro. A questão fundamental é o *controle global* do processo de trabalho pelos produtores associados, e não simplesmente a questão de como subverter os *direitos de propriedade* estabelecidos: precisamente por isso é que devemos constantemente ter em mente que a "expropriação dos expropriadores" é apenas o pré-requisito necessário para as mudanças necessárias. A alienação reforçada institucionalmente dos meios e do material de trabalho do trabalhador constitui apenas a precondição material da articulação capitalista fragmentadora e homogeneizadora do processo de trabalho e da completa subjugação do trabalhador ao comando do capital como "trabalhador avulso", preso ao controle das funções produtivas *infinitesimais*, e sem qualquer controle sobre a distribuição do produto social total.

De fato nada é realizado por mudanças – mais ou menos facilmente reversíveis – apenas dos direitos de propriedade, como testemunha amplamente a história das "nacionalizações", "desnacionalizações" e "privatizações" no pós-guerra. Mudanças legalmente induzidas nas relações de propriedade não têm garantia de sucesso mesmo

---

[18] Comparar o mito apologético da "soberania do consumidor" com a realidade de tais transformações.

que abarquem a ampla maioria do capital privado, quanto mais se se limitarem à sua minoria falida. O que necessita ser radicalmente alterado é o modo pelo qual o "microcosmo" reificado da jornada de trabalho singular é utilizado e reproduzido, apesar de suas contradições internas, através do "macrocosmo" homogeneizado e equilibrado do sistema como um todo.

As relações capitalistas de propriedade representam não mais que o pré-requisito material e as garantias legalmente sancionadas à articulação substantiva desse complexo global de reprodução sociometabólica. É este complexo que necessita de uma reestruturação radical, de tal modo que um "macrocosmo" qualitativamente diferente e conscientemente controlado possa ser erigido a partir das autodeterminações autônomas de "microcosmos" qualitativamente diferentes. A relação de troca à qual o trabalho está submetido não é menos escravizante que a separação e a alienação das condições materiais de produção dos trabalhadores. Ao reproduzir as relações de troca estabelecidas em uma escala ampliada, o trabalho pode apenas multiplicar o poder da riqueza alienada sobre ele próprio. A triste história das cooperativas nos países capitalistas, apesar de suas genuínas aspirações socialistas no passado, é eloquente a esse respeito. Mas mesmo a estratégia de subverter as relações de propriedade do capitalismo privado pela "expropriação dos expropriadores" pode, sem a reestruturação radical das relações de troca herdadas, apenas arranhar a superfície, deixando o capital nas sociedades pós-capitalistas – ainda que numa forma alterada – no controle pleno do processo de reprodução. Desse modo, nada pode ser mais absurdo do que a tentativa de instituir a democracia socialista e a emancipação do trabalho a partir do fetichismo escravizador do "socialismo de mercado".

14.7 A maldição da interdependência: o círculo vicioso do "macrocosmo" e as células constitutivas do sistema do capital

14.7.1
Sendo assim, o desafio que deve ser enfrentado com respeito a todos os aspectos da relação entre produtividade e uso é este: como solapar o processo produtivo capitalista constantemente renovado pela homogeneização orientada para a quantidade e o valor de troca e substituí-lo pelo processo qualitativo orientado para a necessidade e o valor de uso?

Obviamente, as dificuldades envolvidas até mesmo na identificação das características principais das estratégias rivais capitalista e socialista, bem como suas implicações práticas para os desenvolvimentos futuros são desanimadoras. Pois o mesmo processo que deve ser considerado, do ponto de vista do capital, como a *bênção da homogeneização* se apresenta, do ponto de vista do trabalho, como a *maldição da interdependência* (e *dependência*). Uma maldição porque a homogeneidade da relação de valor capitalista se impõe praticamente como uma malha selvagem de determinações intimamente entrelaçadas. As partes desta malha (incluindo o trabalho mercantilizado) reforçam-se mutuamente e asseguram a viabilidade do todo, parecendo, desse modo, negar até mesmo a mais remota possibilidade de escape deste círculo vicioso.

Permanece aberta a brecha entre a homogeneização quantificante do sistema estabelecido e a antecipação de Marx anteriormente citada – segundo a qual, sob o socialismo, o uso não mais será determinado pelo tempo mínimo de produção mas, ao contrário, o tempo de produção devotado a um artigo será determinado pelo grau de sua utilidade substantiva. Dadas as características intrínsecas dos sistemas rivais do controle metabólico, a questão das alternativas define a si própria como a escolha entre "macrocosmos" mutuamente excludentes, cujas partes constituintes, até mesmo os menores elementos da jornada de trabalho singular e os momentos mais íntimos da vida cotidiana, são do mesmo modo mutuamente excludentes.

É por isso que não há possibilidade de *reforma* que leve a *transformações estruturais* do modo de produção capitalista; isso também explica por que todas as tentativas desse tipo, nos seus quase cem anos de história – do *Socialismo Evolucionário* de Bernstein às suas imitações do pós-guerra –, fracassaram em abrir qualquer fenda na ordem estabelecida. Falharam apesar de todas as promessas acerca da reconstrução *gradual*, apesar de *completa*, da ordem estabelecida no espírito do socialismo. A possibilidade de uma modificação sustentável inclusive das menores partes do sistema do capital implica a necessidade de ataques *duplos*, constantemente renovados, tanto às suas células constitutivas ou "microcosmos" (isto é, o modo pelo qual as jornadas de trabalho singulares são organizadas dentro das empresas produtivas particulares) como aos "macrocosmos" autorregulantes e aos limites estruturais autorrenovantes do capital em sua inteireza.

Naturalmente, o reconhecimento de que a estratégia do socialismo *gradualista/evolucionário* no interior dos parâmetros restritivos do capital não pode ser mais que uma contradição em termos não significa que a estratégia *revolucionária* de transformação socialista não necessite de apropriadas *mediações* materiais e institucionais. "Mediação" não deve ser confundida com "gradualismo" e "reformismo", mesmo que envolva medidas que apenas possam ser implementadas passo a passo. O que decide a questão é o modo pelo qual os passos parciais são integrados numa estratégia coerente global, cujo alvo não é apenas a melhoria do padrão de vida dos trabalhadores (que são estritamente conjunturais e, em todo caso, reversíveis), mas a reestruturação radical da *divisão de trabalho* estabelecida.

Isto se aplica às direções horizontal e vertical da divisão do trabalho, pois, sob o sistema do capital, a dimensão horizontal – que supostamente deve ser neutra segundo a "estrita funcionalidade" e a "racionalidade instrumental" postulada de seus princípios organizadores – é de fato necessariamente viciada pelos imperativos verticais de perpetuação da subordinação estrutural do trabalho. Até mesmo as alegadas determinações puramente funcionais, que, segundo se diz, emergem das considerações científicas e tecnológicas que se autojustificam, são de fato adotadas apenas quando se adequam ao teste real da legitimação operacional: seu papel em relação à natureza incorrigivelmente orientada-para-a-expansão do sistema do capital, desconsiderando até mesmo seu impacto potencialmente mais danoso sobre a força de trabalho. É por isso que a fábrica capitalista não pode ser simplesmente transplantada ao solo social da "nova forma histórica", ao contrário da crença de alguns pensadores socialistas, incluindo Lukács, de que "uma fábrica construída para propósitos capitalistas pode continuar produzindo sem problemas em uma sociedade socialista sem introduzir quaisquer mudanças substantivas, e *vice-versa*", como vimos acima. Sendo assim, as mediações socialistas necessárias se tornam viáveis apenas se empreendem a reconstituição radical da relação entre produtividade e uso em todos os seus aspectos, ativando a expansão criativa das necessidades e potencialidades humanas contra a sua atual subordinação aos imperativos reificantes do sistema reprodutivo estabelecido.

14.7.2

Os problemas da mediação, tal como aparecem no contexto da transformação socialista, serão discutidos mais tarde. Para concluir o presente capítulo, deve ser sublinhado que as tendências dominantes dos desenvolvimentos capitalistas hoje tornam ainda mais pronunciadas as incompatibilidades entre os dois sistemas alternativos de controle social. A unidade capitalista inerentemente problemática, ainda que no passado tenha sido altamente efetiva à sua maneira, de necessidade, uso e produção está hoje, ela própria, sob suspeita. O que está em questão aqui não é apenas a dissipação destrutiva das potencialidades produtivas do capital, sintonizada com as mais absurdas manifestações da queda da taxa de utilização, mas também o fato agravante de que tais práticas perdulárias não mais parecem realizar sua antiga função no processo de reprodução societária. A "destruição produtiva", uma vez celebrada por reputados economistas, perdeu seu poder produtivo, transformando-se num dreno espoliador do sociometabolismo básico do nosso lar planetário.

A importância desses desenvolvimentos não pode ser exagerada, pois em um passado não muito distante a dissipação produtiva de quantidades quase inimagináveis de forças produtivas e recursos podia ser transformada em vantagem para o capital com relativa facilidade, contribuindo assim positivamente para a resposta bem-sucedida do sistema aos imperativos estruturais de sua autorreprodução ampliada. Hoje, ao contrário, conflitos e contradições anteriormente desconhecidos rompem à superfície, e a prática, então quase universalmente aplaudida, da geração-de-desperdício institucionalizado (e a correspondente destruição de recursos materiais e humanos em escala proibitiva) não mais parece ser capaz de produzir os resultados que a poderiam legitimar. Na verdade, o modo como a produção-perdulária funciona hoje traz graves implicações para a própria viabilidade metabólica do sistema do capital, pois parece interferir sobre, e desarticular seriamente, o difícil equilíbrio de capital e trabalho que a unidade precariamente reconstituída entre necessidade e produção, discutida acima, salvaguardou no passado. Neste passado – não obstante todo desperdício –, o capital podia com sucesso "fornecer as mercadorias" como valores de uso diretamente consumíveis pelos trabalhadores individuais, com duas limitações. Primeiro, porque podia fazê-lo apenas nos privilegiados países do "capitalismo avançado", negando insensivelmente a satisfação das mais elementares necessidades ao povo trabalhador em todos os outros; segundo, porque mesmo no punhado de países privilegiados as mercadorias entregues não eram outras senão valores de uso grotescamente distorcidos (com frequência absolutamente artificiais), impostos praticamente à sociedade no interesse da autolegitimação do capital, tal como determinado pelas várias mudanças estruturais nas relações de troca dominantes.

Nas últimas décadas pudemos testemunhar mudanças significativas que redefiniram os parâmetros produtivos e distributivos do capitalismo do pós-guerra em sua inteireza. O fim da expansão imperturbada, que durou duas décadas e meia após a Segunda Guerra Mundial, trouxe com ela a necessidade de intensificar a taxa de exploração mesmo nos países capitalistas mais privilegiados, como vimos em vários contextos acima. Ao mesmo tempo, a situação de dois bilhões e meio de pessoas do "Terceiro Mundo" – um número vertiginoso, do qual mais de um bilhão tinha que sobreviver, em 1995, com menos de um dólar por dia, tal como agora reconhecido até pelo Secretariado das Nações Unidas – não melhorou nem mesmo com as estratégias barulhentas, mas pateticamente inadequadas, de "modernização" e "ajuda econômica". Hoje, sob o impacto de seus crescentes problemas e fracassos socioeconômicos, até o "núcleo" mais rico do sistema do capital global se recusa a alocar, com o propósito de aliviar a pobreza mundial, os miseráveis 0,7 por cento do PIB com os quais haviam se comprometido antes. Na verdade, massas cada vez maiores estão hoje condenadas a provar condições de abjeta miséria também nos países "capitalistas avançados", ainda que não nas mesmas extensão e intensidade suportadas pelo "Terceiro Mundo".

A conclusão é portanto inevitável: *"produção como finalidade da espécie humana"* desde que limitada à *"riqueza como a finalidade da produção"* – a estratégia da reprodução sociometabólica perseguida com sucesso pelo capital no seu período de dominância histórica – é um trágico fracasso para a humanidade mesmo nos seus próprios termos de referência. Quaisquer que sejam as "melhorias" que possam ser oferecidas no interior da estrutura do modo de controle do capital, elas devem ser submetidas aos limites e contradições da *"produção como finalidade da espécie humana"*, restrita à riqueza material alienada como a finalidade da produção. As melhorias definidas em tais termos podem, sob o nível historicamente alcançado de desenvolvimento global do capital excessivamente expandido, nos prometer apenas mais daquilo que já é excessivo, na quantidade atualmente disponível, por causa de suas consequências irreversivelmente destrutivas.

Após a Segunda Guerra Mundial, na euforia que dominou por um bom tempo após o estabelecimento das Nações Unidas e das várias agências econômicas internacionais inspiradas nos Acordos de Bretton Woods, as personificações do capital prometeram as iluminadas relações sociais e econômicas de um mundo radicalmente diferente, reiterando absurdamente, mesmo após a dramática implosão do sistema soviético, suas promessas de uma "Nova Ordem Mundial". Contudo, absolutamente nada frutificou das promessas solenes de uma "sociedade imparcial e justa para o benefício de todos". Ao contrário, dadas as premissas e os imperativos operacionais necessários do capital como um modo de controle, tudo o que o sistema poderia realizar seria transformar uma das suas crises periódicas mais ou menos temporárias e conjunturais em uma crise estrutural crônica, afetando diretamente, pela primeira vez na história, toda a humanidade. Da forma como se apresenta hoje, apenas uma reorientação qualitativa da reprodução sociometabólica pode apontar uma saída para a crise verdadeiramente global da humanidade. Uma reorientação da *produção de riqueza* inevitavelmente limitadora e perdulária na direção de uma *riqueza de produção* humanamente enriquecedora, com sua *taxa de utilização ótima* antinômica àquela perigosamente *decrescente*. Naturalmente, tal orientação implica mudanças absolutamente fundamentais em todos os domínios e em todos os níveis de produção socioeconômica e cultural, em uma estrutura de organização do trabalho radicalmente alterada/não hierárquica tanto no "macrocosmo" como nas células constitutivas de uma ordem social alternativa. Somente assim se poderá quebrar a "maldição da interdependência" e a perversa homogeneização que acompanha a divisão do trabalho horizontal e vertical sob o comando do capital: uma questão difícil a que deveremos retornar nos capítulos que restam.

Capítulo 15

A TAXA DE UTILIZAÇÃO DECRESCENTE NO CAPITALISMO

15.1 Da maximização da "vida útil das mercadorias" ao triunfo da produção generalizada do desperdício

15.1.1

Há um século e meio, Charles Babbage – notável pensador do início do século XIX[1], relativamente pouco conhecido e que tinha um profundo interesse pela economia política – escreveu elogiando os sadios princípios econômicos aplicados à conversão de "materiais de pouco valor" em produtos úteis e valiosos:

> As desgastadas panelas e utensílios de lata de nossas cozinhas, para além do alcance do ofício do latoeiro, não são completamente imprestáveis. Às vezes encontramos carroças cheias de velhas chaleiras de lata e antigos baldes de ferro para carvão atravessando nossas ruas. Eles ainda não completaram sua vida útil; as partes menos corroídas são cortadas em tiras, perfuradas com pequenos buracos e recobertas com um grosseiro verniz negro para uso do fabricante de baús, que protege com elas as arestas e ângulos de suas caixas – a sobra é repassada às indústrias químicas dos arredores da cidade, que a empregam, em combinação com ácido pirolenhoso, na fabricação de uma tintura negra utilizada pelos estampadores de algodão.[2]

---

[1] Charles Babbage foi um pensador de amplos horizontes e de fortes interesses práticos. Defendeu a exploração produtiva da energia das marés já na década de 1830; fundou a "ciência da *computação*" e até construiu o primeiro computador (mecânico), apesar da escala espantosamente grande que ele adotou para o empreendimento e que o impediu de terminá-lo. Em 1816 foi admitido como membro da Royal Society, instituição que criticou pela ingerência dos aristocratas em sua administração. Em 1831 auxiliou a fundação da British Association, como instituição alternativa, de amplas bases para o avanço da ciência. Apesar da postura ambígua do ramo editorial ("The Trade"), cujas práticas monopolistas Babbage denunciou vigorosamente em todas as edições subsequentes do livro, *On the Economy of Machinery and Manufactures* foi um grande sucesso: em 1832, 3 mil exemplares da primeira edição se esgotaram em poucos meses, aos quais se seguiram outros milhares.

[2] Charles Babbage, *On the Economy of Machinery and Manufacture*, 4ª ed., ampliada, Londres, Charles Knight, 1835, pp. 11-2.

Ler essa narrativa, hoje, é como ser lançado de volta a uma era pré-histórica para testemunhar, com um sorriso nos lábios, as patéticas práticas produtivas do homem das cavernas capitalista, embora o tempo que dele nos separa seja muito insignificante na escala da história humana. Nas quinze décadas que se passaram desde os dias de Babbage, a medida do progresso do "capitalismo avançado" tornou-se a eficácia com que o *desperdício* pode ser gerado e dissipado em escala monumental.

A tendência à geração de desperdício não é um "desvio" em relação ao "espírito do capitalismo" e em relação aos idealizados "sensatos princípios econômicos" – que deveriam supostamente estabelecer a superioridade permanente desse sistema produtivo –, e isso já transpira claramente de certas passagens do próprio livro de Babbage, embora as determinações subjacentes permaneçam veladas a seu autor.

Em primeiro lugar, ao mesmo tempo em que Babbage enumera aquelas que ele considera ser as três vantagens do maquinário e da manufatura capitalistas, quais sejam

(1) o acréscimo que elas geram à força humana;
(2) a economia de tempo humano que produzem; e
(3) a conversão de substâncias aparentemente comuns e sem valor em produtos valiosos[3],

ele logo admite que a importância da segunda supera todas as demais, inclusive os critérios pelos quais os materiais e instrumentos produtivos devem servir a propósitos úteis, em vez de serem descartados como imprestáveis. É assim que Babbage enfatiza o papel crucial do tempo: "tão extenso e importante é este efeito [isto é, a economia de tempo humano] que, se estivéssemos inclinados a fazer uma generalização, poderíamos englobar quase todas as vantagens sob essa única categoria"[4]. Porém, uma vez que Babbage – à semelhança de todos os outros grandes economistas políticos burgueses – só é capaz de enxergar o lado *positivo* de tais desenvolvimentos, ele não pode prestar atenção às implicações destrutivas da *tirania* capitalista *do tempo (mínimo)* necessário para a produção, ao qual todas as outras considerações devem ser subordinadas. A mesma tendência de quantificação universal que se revela, do ponto de vista do trabalho, como uma força que degrada o ser humano, transformando-o em "*carcaça do tempo*" (Marx), aparece, do ponto de vista do capital, como medida incontestavelmente objetiva e solução ideal para todas as possíveis disputas legítimas entre capital e trabalho:

> Seria, com efeito, de grande vantagem mútua para o trabalhador diligente e para o mestre-manufatureiro de toda profissão, se as máquinas empregadas pudessem registrar a quantidade de trabalho que eles realizam, assim como um motor a vapor registra o número de cursos do pistão. A introdução de tais dispositivos dá mais estímulo ao esforço honesto do que se pode prontamente imaginar, e elimina uma das fontes de discordância entre as partes, cujos verdadeiros interesses são sempre prejudicados por qualquer *estranhamento* entre elas.[5]

---

[3] Id., ibid., p. 6.
[4] Id., ibid., p. 8.
[5] Id., ibid., p. 297.

É devido a esta identificação com o "ponto de vista da economia política" que as observações críticas de Babbage só podem consistir em vislumbres isolados, e que suas implicações de longo alcance para o desenvolvimento futuro do sistema capitalista tenham de permanecer ocultas para ele.

É muito significativo que, após recomendar que as máquinas sejam construídas de acordo com o padrão mais elevado possível, Babbage observe que

> as máquinas destinadas à produção de qualquer mercadoria com grande demanda *quase nunca são completamente gastas*; novos desenvolvimentos, pelos quais as mesmas operações podem ser executadas mais depressa ou melhor, geralmente as superam *muito antes* deste tempo: com efeito, para que tal máquina melhorada seja *lucrativa*, costuma-se estimar que em cinco *anos* ela deva ter pago a si mesma, e que em *dez* seja superada por uma melhor.[6]

Além disso, ele também observa que "durante as grandes especulações no ramo de patentes, as melhorias sucediam-se tão rapidamente que máquinas que nunca haviam sido terminadas eram abandonadas nas mãos de seus inventores, porque novas melhorias superavam sua utilidade"[7]. Assim, parece que, para Babbage, as implicações negativas de tais fenômenos – por mais lastimáveis que sejam – podem ser seguramente rejeitadas como *aberrações,* uma vez que só surgem sob as condições não típicas (isto é, teoricamente não necessárias do ponto de vista do capital como um todo) da *"especulação".*

De modo similar, uma *tendência geral* da produção capitalista é vista como pertinente apenas a *circunstâncias especiais,* e que, portanto, encontra sua plena justificação no preço diferencial do trabalho:

> O efeito da competição de baratear os artigos manufaturados *às vezes* opera no sentido de torná-los *menos duráveis.* Quando tais artigos são enviados para consumo num lugar distante, e se quebram, muitas vezes ocorre que, sendo mais alto o preço do trabalho no lugar onde são usados do que naquele em que foram feitos, acaba ficando *mais caro consertar* o artigo velho do que *comprar um novo.*[8]

Assim, deve-se ignorar por completo o fato de que, em sua tendência geral, o modo capitalista de produção seja inimigo da *durabilidade* e que, portanto, no decorrer de seu desdobramento histórico, deve minar de toda maneira possível as práticas produtivas orientadas-para-a-durabilidade, inclusive solapando deliberadamente a qualidade. Ao contrário, as manifestações dessa tendência devem ser justificadas em função da necessidade de competição, da utilização racional dos recursos de trabalho – ambas tratadas como necessidades (ideais) inteiramente benéficas – e coisas do tipo. A possibilidade de que sérias consequências negativas possam surgir da *saturação* do mercado devido à permanência de certos produtos aparece na obra de Babbage por uma única vez, num contexto limitado:

> Se ele [um produto como o vidro laminado] fosse indestrutível, o preço diminuiria continuamente e, a menos que um aumento na demanda surgisse de novos usos ou de um maior número de consumidores, uma única manufatura, incontida pela

---

[6] Id., ibid., p. 285.
[7] Id., ibid., p. 286.
[8] Id., ibid., p. 292.

competição, seria finalmente levada a fechar as portas, expulsa do mercado pela permanência dos próprios produtos.⁹

Entretanto, a leitura positiva e sem reservas que o autor faz das tendências produtivas e distributivas do capital prevalece mais uma vez, sugerindo uma solução otimista a todos estes problemas:

Os artigos ficam velhos ou pela deterioração propriamente dita ou pelo desgaste de suas partes; por melhorias na maneira de construir; ou por modificações na forma e no estilo, exigidas pelo gosto variável da época. Nos dois últimos casos, sua utilidade quase não é diminuída; e, sendo menos procurados por aqueles que até então os haviam empregado, são vendidos a preço reduzido para uma classe da sociedade um tanto abaixo da de seus antigos possuidores. Muitos artigos de mobiliário, como mesas e cadeiras bem construídas, são, desse modo, encontrados nas salas daqueles que teriam sido absolutamente incapazes de comprá-los quando novos: ... Assim, o *gosto pelo luxo* se *propaga de cima a baixo na sociedade*; e, depois de um curto período, a quantidade daqueles que adquiriram *novos desejos* se torna suficiente para incitar o engenho do fabricante a reduzir o custo de satisfazê-los, pois ele mesmo se beneficia da maior escala da demanda.¹⁰

Naturalmente, em tal perspectiva, não se pode saber o que aconteceria quando se atingissem os limites do sistema capitalista e suas contradições não pudessem ser removidas pela "propagação do gosto pelo luxo de cima a baixo na sociedade". Na verdade, não se pode, de forma alguma, admitir a existência de verdadeiros antagonismos e contradições inconciliáveis, pois o sistema deve funcionar em benefício de todos, como demonstrado também pela propagação do gosto pelo luxo. Mesmo quando são reconhecidos, os conflitos devem ser conceituados como dificuldades temporárias que podem ser superadas pela aplicação dos métodos científico--tecnológicos e gerenciais-organizacionais adequados¹¹. Os avanços na produtividade são considerados a *priori* bons e desejáveis. Não se pode questionar as condições sob

---

⁹ Id., ibid., p. 150.
¹⁰ Id., ibid., pp. 148-9.
¹¹ Com razão, Babbage pode, oitenta anos antes de F. W. Taylor, ser considerado também o fundador da "ciência da administração". A diferença entre as suas visões é parcialmente explicável pelo estágio muito mais avançado da tecnologia capitalista na época de Taylor. Mais importante, todavia, é a atitude deles para com os sindicatos (ou *"combinações"*). Enquanto Babbage quer remover as restrições e proibições artificiais – mesmo estando plenamente convencido de que, em seu "novo sistema de manufatura", não haveria necessidade de combinações separadas de trabalhadores –, Taylor é rudemente antissindicalista.

Babbage insiste constantemente na importância da medida e da verificação precisas, tentando otimizar as vantagens produtivas da máquina mediante a superposição de seu poder de controle sobre a atividade humana. É assim que ele descreve o processo envolvido:

Uma grande vantagem que podemos derivar da máquina é a possibilidade de controle da desatenção, da ociosidade ou da desonestidade dos sujeitos humanos.(...) Talvez o mais útil aparelho desse tipo seja aquele que verifica a vigilância de um guarda-noturno. É um mecanismo ligado a um relógio colocado num cômodo inacessível ao guarda-noturno; mas ele recebe a ordem de puxar um cordão numa parte determinada de sua ronda uma vez a cada hora. O instrumento, convenientemente denominado *dedo-duro*, informa o proprietário se o indivíduo perdeu alguma hora, e qual, durante a noite (pp. 54-5).

Contudo, no geral, sua atitude em relação ao trabalho é a de um "capitalista esclarecido" que condena vigorosamente a dupla exploração do trabalho através do *truck system"* (que obriga os trabalhadores a comprar o que lhes é necessário na loja da fábrica, a preços exorbitantes) e advoga várias medidas – ainda que frequentemente ingênuas – para aliviar a grande penúria do desemprego abruptamente infligido aos

as quais tais avanços são obtidos, nem tampouco suas implicações potencialmente danosas, uma vez que eles constituem a estrutura e o padrão – capitalistas – de toda avaliação possível. Portanto, e sem nenhuma surpresa, a dimensão negativa de todas as tendências dominantes do desenvolvimento socioeconômico em curso deve permanecer velada mesmo para os melhores e mais honestos pensadores que as contemplem do ponto de vista da economia política e visualizem as dificuldades do sistema como prontamente resolvíveis pelo tipo de solução compatível com os parâmetros produtivos e distributivos do capital.

---

trabalhadores em épocas de superprodução. Demonstrando, sem querer, que as ilusões do "capitalismo popular participativo" são quase tão velhas quanto o próprio capitalismo, ele até mesmo avança a proposta completamente utópica de um "novo sistema de manufatura", recomendando suas virtudes nestes termos:

Creio que um tal sistema de conduzir as manufaturas aumentaria grandemente a força produtiva de qualquer país que o adotasse: e que o nosso próprio [país] possui, na maior inteligência e na melhor educação das classes trabalhadoras, muito maior facilidade para aplicá-lo do que outros países. O sistema começaria naturalmente em alguma cidade grande, mediante a união de alguns dos trabalhadores mais prudentes e ativos; se obtivessem êxito, seu exemplo seria seguido por outros. O pequeno capitalista, na sequência, se uniria a eles, e tais fábricas continuariam a aumentar até que a competição forçasse o grande capitalista a adotar o mesmo sistema; e, por fim, todas as faculdades de *cada* homem engajado na atividade manufatureira estariam concentradas em um objeto – a arte de produzir um bom artigo ao custo mais baixo possível... (p. VIII).

Convencido de que o conflito entre capital e trabalho é causa de muito desperdício e complicações desnecessárias, a principal razão pela qual ele deseja introduzir seu novo sistema – que começaria com um empreendimento cooperativo entre os melhores trabalhadores (que investem suas poupanças) e alguns pequenos capitalistas – é remover tais conflitos, argumentando que:

Uma opinião das mais errôneas e infelizes prevalece entre os trabalhadores em muitos países manufatureiros: a de que há divergências entre seus interesses e os de seus empregadores. As consequências disto são: que máquinas valiosas são às vezes deixadas sem cuidados, e até danificadas em segredo; que novas melhorias introduzidas pelo senhor não são testadas como deveriam; e que os talentos e observações dos trabalhadores não são dirigidos à melhoria dos processos nos quais são empregados (p. 250).

E é assim que ele resume os principais benefícios do seu sistema:

Os resultados de tais arranjos numa fábrica seriam,

1. Que cada pessoa nela engajada teria um interesse *direto* em sua prosperidade; já que os efeitos de qualquer sucesso ou fracasso produziriam quase imediatamente uma mudança correspondente em seus proventos semanais.

2. Que cada pessoa envolvida com a fábrica teria um interesse imediato em prevenir qualquer desperdício ou má administração em todos os departamentos.

3. Que os talentos de todos a ela vinculados seriam fortemente dirigidos à sua melhoria em cada departamento,

4. Só os trabalhadores de elevado caráter e qualificações poderiam ingressar em tais estabelecimentos;...

5. Quando qualquer circunstância produzisse uma saturação no mercado, mais habilidade seria direcionada à diminuição do custo de produção;...

6. Outra vantagem, de não pequena importância, seria a eliminação total de todas as causas, reais ou imaginárias, de combinações. O trabalhador e o capitalista estariam tão mesclados um ao outro – teriam um interesse comum tão *evidente*, e suas dificuldades e sofrimentos seriam tão mutuamente compreendidos que, em vez de se combinarem para oprimir uns aos outros, a única combinação que poderia existir seria uma fortíssima união *entre* os dois partidos para superar suas dificuldades comuns (pp. 257-8).

É claro que Babbage não é nem um pouco cego ao fato de que:

15.1.2

No curso da história, avanços na produtividade inevitavelmente alteram o padrão de consumo, bem como a maneira pela qual serão utilizados tanto os bens a serem consumidos como os instrumentos com os quais serão produzidos. Tais avanços, além do mais, afetam profundamente a própria natureza da atividade produtiva, determinando, ao mesmo tempo, a *proporção* segundo a qual o tempo disponível total de uma dada sociedade será distribuído entre a atividade necessária para o seu intercâmbio metabólico básico com a natureza e todas as outras funções e atividades nas quais se engajam os indivíduos da sociedade em questão.

A taxa de utilização decrescente está, em certo sentido, diretamente implícita nos avanços realizados pela própria produtividade. Ela se manifesta, em primeiro lugar, na *proporção variável* segundo a qual uma sociedade tem que alocar quantidades determinadas de seu tempo disponível total para a produção de bens de *consumo rápido* (por exemplo, produtos alimentícios), em contraponto aos que continuam

---

Será difícil convencer o grande capitalista a entrar em qualquer sistema que modifique a divisão dos lucros advindos do emprego do seu capital ao pôr em ação a habilidade e o trabalho; deve-se esperar, portanto, que qualquer alteração parta do *pequeno capitalista* ou da *classe superior dos trabalhadores,* que combinam as duas características (p. 254).

Na verdade, ele percebe que a diminuição da parte do lucro do capitalista, que ele prontamente admite ser a implicação necessária de seus argumentos que recomendam aos trabalhadores o novo sistema de manufatura, pode apresentar grandes obstáculos à adoção de seu esquema. Mas Babbage tenta superar essa dificuldade sugerindo um "efeito presumível" que (tomando-se desejo por realidade) seria capaz de resolver o problema:

Uma das dificuldades desse sistema é que os capitalistas, de início, teriam medo de nele embarcar, imaginando que os trabalhadores receberiam uma parte muito grande dos lucros; e é bem verdade que os trabalhadores teriam uma parcela maior do que a do presente; mas, ao mesmo tempo, presume-se que o efeito de todo o sistema seria que o total dos lucros do estabelecimento sendo muito ampliado, a proporção menor que caberia ao capital sob este sistema ainda assim seria maior, em valor real, do que a que lhe resultaria de sua parcela maior no sistema ora existente (p. 258).

F. W. Taylor copia as sugestões de Babbage ao insistir que, como resultado da adoção de sua abordagem, "a grande revolução que se dá na atitude mental dos dois partidos sob a administração científica é que ambos os lados tiram seus olhos da divisão do excedente como o assunto mais importante, e juntos dedicam sua atenção a aumentar o tamanho do excedente até que este se torne tão grande que não seja necessário disputar como dividi-lo" (cf. p. 88 de *Management Thinkers,* ed. por Anthony Tillett, Thomas Kempner e Gordon Wills, Harmondsworth, Penguin Books, 1970). A grande diferença é que Babbage oferece aos trabalhadores algum grau de controle, mediante a sua participação em um empreendimento "cooperativo" com os capitalistas, enquanto Taylor não concede nenhum.

Contudo, a irrealidade da utopia de Babbage não advém somente de sua incompreensão das raízes do antagonismo entre capital e trabalho e, portanto, de sua inconciliabilidade última. São igualmente importantes, a esse respeito, sua omissão em reconhecer a tendência para a concentração e a centralização do capital e o fato de que, no interior da estrutura capitalista, nenhum obstáculo durável pode ser posto no caminho de tais tendências. Ele até tenta imaginar uma exigência de um poder tecnológico utópico que combine com sua utopia econômica organizacional, divisando uma reversão potencial ao tipo doméstico de manufatura – tal como alguns fantasiam hoje, em relação a uma futura "economia doméstica" baseada na tecnologia dos computadores – como se a concentração de riqueza em andamento fosse devida simplesmente a fatores tecnológicos:

Se pudesse ser descoberto algum meio de transmitir energia a grandes distâncias, sem muita perda com a fricção e de, ao mesmo tempo, registrar a quantidade de energia utilizada em qualquer ponto determinado, provavelmente ocorreria uma mudança considerável em muitos departamentos do atual sistema de

utilizáveis (isto é, *reutilizáveis*) por um período de tempo maior: uma *proporção* que obviamente tende a se alterar a favor dos *últimos*. Sem essa alteração seria inconcebível um desenvolvimento sustentável e potencialmente emancipatório.

É, portanto, extremamente problemático afirmar que, ultrapassado certo ponto na história do "capitalismo avançado", este processo – intrínseco ao avanço produtivo em geral – seja completamente *revertido* da mais intrigante forma: em que a "*sociedade dos descartáveis*" encontre equilíbrio entre produção e consumo, necessário para a sua contínua reprodução, somente se ela puder "*consumir*" artificialmente e em grande velocidade (isto é, descartar prematuramente) imensas quantidades de mercadorias que anteriormente pertenciam à categoria de bens relativamente *duráveis*. Desse modo, a sociedade se mantém como um sistema produtivo manipulando até mesmo a aquisição dos chamados "*bens de consumo duráveis*" que necessariamente são lançados ao lixo (ou enviados a gigantescos ferros-velhos, como os "cemitérios de automóveis" etc.) muito antes de esgotada sua vida útil. Como veremos posteriormente, o "capitalismo avançado" também inventa um tipo de produção – centrado em torno do complexo industrial/militar – em relação ao qual o tradicional desafio do consumo (utilidade) só se aplica, se tanto, marginalmente. Ao mesmo tempo em que consomem destrutivamente, na sua produção, imensos recursos materiais e humanos, os produtos resultantes desse processo podem juntar-se às montanhas de mercadorias "consumidas" já no momento em que atravessam os portões das fábricas.

A *proporção* variável da atividade produtiva a ser dividida entre bens imediatamente "utilizados" e "reutilizáveis", a favor dos últimos, é uma característica intrínseca ao avanço produtivo. Nessa medida, a riqueza e o nível de desenvolvimento econômico de uma sociedade podem, até certo ponto, ser adequadamente mensurados por ela. Consequentemente, seria desejável, em princípio, que mais e mais recursos de uma sociedade fossem destinados à produção de bens *reutilizáveis* (e, naturalmente, genuinamente *utilizados* e *reutilizados*) – de moradias duráveis e esteticamente agradáveis a meios de transporte rápidos e confortáveis, ou ainda, de esculturas e pinturas a obras de arte literárias ou musicais etc. –, contanto que as necessidades básicas de *todos* os membros da sociedade fossem adequadamente satisfeitas.

A taxa decrescente de utilização dos bens e serviços socialmente produzidos, assim como das forças produtivas e dos instrumentos que devem ser empregados na sua produção, é um corolário dessa *proporção* primária que se altera a favor dos produtos mais duráveis. Aqui, entretanto, a questão se torna muito mais complexa,

---

manufatura. Então, algumas usinas centrais para a produção de energia poderiam ser erguidas em nossas grandes cidades; e cada trabalhador, comprando uma quantidade de energia suficiente para seus propósitos, poderia tê-la transmitida até sua própria casa; e, assim, caso se julgasse mais lucrativo, em alguns casos poderia efetuar-se uma transição de *volta do sistema das grandes fábricas para o da manufatura doméstica* (p. 290).

Como todos sabemos, a descoberta da eletricidade e o estabelecimento de redes de energia não só nacionais, mas até globalmente interconectadas – tanto de eletricidade como de gás – contribuíram em muito para a concentração e a centralização da indústria capitalista, ao invés de para sua descentralização ou volta à "manufatura doméstica", como esperava Babbage.

pois, ainda que a variação seja mais favorável ao dispêndio de uma quantidade crescente de recursos produtivos socialmente disponíveis em bens reutilizáveis (do que em gêneros absolutamente elementares necessários à reprodução físico/biológica dos indivíduos) e que isso seja efetivamente uma conquista inequivocamente positiva, o mesmo não pode ser dito sobre a taxa de utilização decrescente em sua variante capitalista. Esta última de maneira alguma é inerente ao avanço produtivo em si, uma vez que uma série de condições muito especiais precisa ser satisfeita – como, acima de tudo, a separação dos produtores dos meios e dos materiais de sua atividade produtiva e sua forçosa alienação das condições objetivas de sua autorreprodução – antes que ela possa ser plenamente ativada sob a dinâmica expansionista do capitalismo. Muito mais problemáticas são ainda, no plano da produção e do consumo, as complexas manifestações de taxa decrescente de utilização, em sua forma "capitalista avançada".

O desenvolvimento dos instrumentos de produção ilustra bem as diferenças. Por exemplo, o uso constante dos instrumentos de produção disponíveis está confinado a estágios extremamente primitivos do desenvolvimento histórico, quando as ferramentas são quase que literalmente a "extensão inorgânica do corpo" do produtor primitivo. À medida que as capacidades produtivas humanas – e suas objetivações tangíveis na forma de utensílios produtivos – se desenvolvem e também se tornam cumulativamente mais variadas, mudanças significativas ocorrem no que se refere à sua utilização no processo de trabalho. Por conseguinte, considerada sob a ótica de um estágio muito mais avançado, a especialização, manifesta na multiplicidade das diferentes ferramentas empregadas pelo artesão, que reúne uma gama de habilidades em uma só pessoa (por exemplo, o mestre-artesão), inevitavelmente significa que alguns dos instrumentos de produção (na realidade: até sua maioria) permaneçam sem uso no momento em que outros estão sendo usados por ele.

Este tipo de *"subutilização"* entretanto, é radicalmente diferente da que experimentamos sob as condições do capitalismo, pois o próprio mestre-artesão não está de maneira alguma ocioso quando usa a serra em vez do formão ou do martelo. Em contraste, o instrumento de produção capitalista – um maquinário produtivo crescentemente interdependente, articulado por meio da minuciosa divisão e reunificação do trabalho, de acordo com as determinações verticais e horizontais do processo de trabalho capitalista – é pela sua própria natureza um instrumento social que só pode ser produtivamente empregado em conjunto.

A articulação inerentemente social da maquinaria produtiva capitalista implica, como precondição para seu estado *saudável*, a *necessidade* de sua utilização *contínua*. Esta é uma exigência que deve ser satisfeita, caso se queira evitar a "reação em cadeia" das assim chamadas "disfunções temporárias", que resultam em consequências mais ou menos destrutivas. Consequentemente, a subutilização (ou não utilização) da maquinaria produtiva capitalista em determinadas condições socioeconômicas (por exemplo, crises periódicas: porém, como logo veremos, cada vez menos apenas nas circunstâncias de tais crises) é a manifestação de uma séria *doença social*. Isso contrasta fortemente com a inevitável normalidade do sistema artesanal do deslocamento de um segmento de processo individualmente coordenado do exercício de múltiplas habilidades para outro. Porque este está em plenas concordância e adequação com as características inerentes ao modo de produção dado e com o nível de desenvolvimento historicamente alcançado das habilidades e instrumentos produtivos socialmente acumulados.

Desse modo, uma análise do desenvolvimento histórico da produção em relação à taxa de utilização decrescente nos apresenta um quadro paradoxal, realmente contraditório. Por um longo período histórico, ela caminha lado a lado com a variação positiva da *proporção* entre bens utilizados e reutilizáveis; e, enquanto o faz, mantém-se *sem problemas* no que se refere à sua futura extensão, mas também muito limitado em seu alcance, ao confinar a maioria dos seus benefícios a uma parte extremamente limitada do todo social (provando assim ser *problemática* por causa de seu caráter necessariamente *limitado*). Em contraste, a tendência da taxa decrescente de utilização atinge seu pleno escopo apenas com a realização das potencialidades produtivas do capital, que prometem a supressão das contradições associadas ao caráter até então limitado da tendência. Contudo, a dinâmica do desenvolvimento capitalista não pode simplesmente remover as limitações anteriores à trajetória da taxa de utilização decrescente. Ela, simultaneamente, deve também tornar algumas das novas manifestações da taxa de utilização decrescente muito *problemáticas* desde o primeiro momento e *crescentemente* problemáticas com o passar do tempo. Como resultado da absurda reversão dos avanços produtivos em favor dos produtos de "consumo" rápido e da destrutiva dissipação de recursos, o "capitalismo avançado" impõe à humanidade o mais perverso tipo de existência que produz para o consumo imediato (*hand to mouth economy*): absolutamente injustificada com base nas limitações das forças produtivas e nas potencialidades da humanidade acumuladas no curso da história.

15.2 A relativização do luxo e da necessidade

15.2.1
Apesar de tudo, não se pode questionar que uma mudança qualitativa, e a princípio "civilizadora", ocorre em relação às várias manifestações produtivas da taxa de utilização decrescente através do desenvolvimento do capitalismo. Todos os tipos de limites foram abolidos quando a outrora inimaginável dinâmica do capital impôs-se a si própria, com eficácia irresistível, apesar de suas múltiplas contradições.

Uma das frentes mais importantes em que a batalha é travada (e vencida) se refere à legitimação do *"luxo"*. O tema – cujas teorizações remontam à época da Antiguidade clássica – é disputado com grande vigor a partir do final do século XVII, diante de uma oposição tanto ideológica como prática.

Sem dúvida, será necessário algum tempo até que *as plenas implicações* do papel do "luxo" na expansão da produção capitalista possam vir a primeiro plano. Não obstante, a avaliação positiva do "luxo" se faz presente desde um estágio muito primitivo dos desenvolvimentos capitalistas. É bem-vindo como fator vital de motivação (prometendo recompensas individuais para todos e, em particular, para os membros das classes dominantes) e também como esfera claramente vantajosa da expansão produtiva para o sistema como um todo. De fato, pode-se ver neste contexto que o "espírito do capitalismo" weberiano não é somente irrelevante para a compreensão da maneira pela qual o sistema capitalista de produção e distribuição funciona no século XX; é também profundamente desorientador no que diz respeito às suas tendências fundamentais de desenvolvimento desde o início.

A maneira de Weber teorizar tais questões adquire sua plausibilidade pela fusão sistemática entre *motivação* e *causalidade* e pela obliteração da segunda em favor da primeira. Tal método coloca obstáculos irremovíveis para a compreensão histórica. Pois, enquanto as *racionalizações subjetivas* de alguns capitalistas individuais podem se acomodar ao padrão weberiano – e, mesmo assim, só por um período de tempo relativamente curto –, as *determinações objetivas* do sistema capitalista, como *malha causal*, não podem se tornar inteligíveis sem que se ponha em foco a adoção *necessária* do *"luxo"* (isto é, sua *"reabilitação" prática*, qualquer que seja a retórica) como estrutura orientadora da expansão produtiva.

A atitude radicalmente nova em relação ao "luxo" é inerente ao modo pelo qual o capitalismo define sua relação com o *valor de uso* e o *valor de troca*, investindo contra os limites associados à produção orientada para o valor de uso, bem como contra a racionalização direta ou indireta do modo de produção e consumo severamente limitado que é inseparável dessa produção. Assim, a *reabilitação prática* do luxo representa um *imperativo estrutural objetivo* do sistema do capital na qualidade de novo regulador do sociometabolismo. As próprias práticas produtivas, que se modificaram espontaneamente, têm a *prioridade histórica* também sob este aspecto, e encontram suas expressões teóricas adequadas – que insistem na dinâmica produtiva e no caráter globalmente benéfico do "consumo de coisas supérfluas", até então moralmente condenado – paralelamente à consolidação do novo sistema.

É assim que Adam Ferguson – um dos maiores vultos do Iluminismo escocês (que não era, de modo algum, acrítico em relação ao caráter desumano e às contradições do sistema capitalista de produção e troca) – resume muitos séculos de controvérsia em torno do tema, preocupando-se particularmente com os debates do início do século XVIII. Ele se afina vigorosamente a favor do "luxo", que já em 1767 – época em que os caminhos do desenvolvimento socioeconômico ulterior, neste aspecto como em muitos outros, já estão firmemente traçados:

> Podemos propor que se pare o avanço das artes em qualquer estágio de seu progresso, e ainda incorrer na acusação de luxo por parte daqueles que não avançaram tanto. O arquiteto e o carpinteiro de Esparta estavam limitados ao uso do machado e do serrote; mas a casa espartana teria passado por um palácio na Trácia; e se a disputa se voltasse para o conhecimento do que é *fisicamente necessário* à preservação da vida humana, como o padrão do que seja *moralmente legal*, as escolas de física, bem como as de moral, provavelmente discordariam sobre o assunto, deixando cada indivíduo, tal como no presente, livre para encontrar alguma regra para si mesmo. A maioria dos casuístas considera o costume de sua própria era e condição como padrão para a humanidade. Se em uma era ou situação ele condena o uso de uma carruagem, em outra não censuraria menos o uso de sapatos; e a mesma pessoa que se pronuncia contra a primeira provavelmente não pouparia tampouco os segundos, se já não fossem conhecidos de eras anteriores à sua. O crítico nascido numa cabana e acostumado a dormir sobre palha não sugere que os homens voltem a buscar os bosques e cavernas como abrigo; ele admite o caráter razoável e a utilidade daquilo

que já lhe é familiar: e só percebe excesso e corrupção nos mais novos refinamentos da geração nascente.[12]

Assim, contra as pretensões do *absolutismo moral*, a questão do "luxo" precisa ser *relativizada* de modo a tornar possível a legitimação das práticas produtivas orientadas para o aumento da "riqueza da nação" por meio da vasta expansão na quantidade e na variedade das mercadorias consumíveis individualmente. É assim que a dinâmica produtiva recém-descoberta se torna o objetivo da humanidade e a multiplicação da riqueza se torna o objetivo da produção.

15.2.2

A relativização e a legitimação do luxo e o reconhecimento da produção de riqueza material – individualmente orientada – como objetivo da humanidade significam também, inevitavelmente, a *relativização dos valores*. O sistema produtivo, em cuja estrutura tais objetivos se realizam, baseia-se na concorrência e na afirmação e na justificação concomitantes de *interesses rivais* – bem como dos valores a eles associados – entre as partes litigantes que apresentam suas pretensões exclusivistas para a divisão do produto social.

Esta relativização do luxo e da necessidade, da destruição e da produção, do vício e da virtude – junto com os interesses e contradições subjacentes – é detalhadamente exposta, com o reconhecimento claro e desavergonhado do caráter explorador do sistema, na *Fábula das abelhas* de Bernard Mandeville, publicada mais de sessenta anos antes do seminal *Ensaio sobre a história da sociedade civil*, de Ferguson:

Multidões enchiam a fecunda colmeia;
Mas as mesmas multidões a faziam prosperar;
Milhões empenhavam-se para alimentar
A Vaidade e a Luxúria uns dos outros;
Enquanto outros milhões eram empregados
Para ver o feito por suas mãos destruído;
Contudo, mobiliaram metade do universo;
E ainda tinham mais Trabalho que Operários.
Alguns, de Bolsas grandes e poucas Dores,
Lançaram-se a Negócios de grande Proveito;
Alguns foram condenados à foice e à Picareta,
E a todos aqueles Ofícios duros e fadigosos
Em que os Desgraçados de bom grado suam todos os dias
Desgastando as Forças e os Membros para comer;

E todos aqueles que, na Inimizade,
Com manobras inequívocas, *astuciosamente*
Convertem para o próprio Uso o Trabalho
Do seu próximo, bondoso e imprudente, Vizinho
Foram chamados Velhacos; mas não se fale nesse Nome;

---

[12] Adam Ferguson, *An Essay on the History of Civil Society* (1767), publicado com uma introdução de Duncan Forbes, Edinburgh University Press, 1966, p. 245.

Os sérios Industriosos eram os Mesmos.
Todos os Ofícios e Lugares conheciam algumaTrapaça,
Não havia Vocação sem Fraude.[13]

Com efeito, nem mesmo aquela que tradicionalmente se considera o paradigma da virtude, a *Justiça*, escapa à sardônica caracterização de Mandeville como uma forma de vício, praticada em favor dos Ricos:

A própria Justiça, famosa pelo bom proceder,
Não perdera, por ser cega, o sentimento;
Não obstante, pensava-se que sua espada
Só atingia os Pobres e Desesperados:
Que, levados pela pura Necessidade,
Eram pendurados na árvore da desgraça
Por crimes que tal sorte não mereciam,
Não fosse *para proteger os Grandes* e os *Ricos*.[14]

Outras concepções da sociedade e da natureza humana – como a teoria moral de lorde Shaftesbury, categoricamente repudiada por Mandeville – postulavam a natural sociabilidade do homem e a busca do bem comum, escolhido pelos indivíduos que seguem os ditames da Razão e do Bom Senso. Admitiam também que a Virtude e o Vício – a primeira do lado do bem comum enquanto o segundo se alinhava contra ele – são realidades permanentes: as mesmas em todos os países e épocas. Em completa contraposição, Mandeville afirma em todos os seus escritos que

as coisas são *Boas ou Más* em referência a *alguma outra* coisa e de acordo com a Luz sob a qual são vistas e a Posição em que são colocadas. O que nos agrada é bom sob esse aspecto, e por esta Regra todo homem deseja o próprio bem com o melhor de suas Capacidades, com pequeno Respeito pelo Próximo... Quando as espigas de trigo se enchem na Primavera, e o País todo se regozija com o objeto prazeroso, o Fazendeiro Rico que guardou a Safra do Ano Passado à espera de melhor Mercado lamenta-se pela imagem e interiormente lamenta a perspectiva de uma Colheita abundante.[15]

---

[13] Bernard Mandeville, *The Fable of the Bees: Or Private Vices, Publick Benefits*. Publicado com uma introdução de Phillip Hart, Harmondsworth, Penguin Books, 1970, p. 64. Publicado pela primeira vez em 1705. A edição da Penguin contém vários outros escritos que Mandeville acrescentou a seu poema entre 1714 e 1724. São eles: "An Enquire into the Origin of Moral Virtue"; "An Essay on Charity, and Charity Schools"; "A Search into the Nature of Society", e "A Vindication of the Book and an Abusive Letter to Lord C". As citações seguintes foram retiradas de todas essas obras.

[14] Id., ibid., p. 67.

[15] Id. ibid., p. 369. Mandeville não hesita em colocar de lado também a moral religiosa em favor de uma visão "escandalosamente" secular do bem e do mal, definidos em termos de sua contribuição à riqueza da sociedade: "Religião é uma coisa, e Comércio é outra. Aquele que mais causa problemas a Milhares de seus Vizinhos, e que inventa as Manufaturas mais operosas é, certo ou errado, o melhor amigo da sociedade" (p. 358). Do mesmo modo, para ele, a "sociabilidade" não é uma característica dada beneficamente, implantada pela natureza no homem, mas o difícil resultado de determinações conflitantes, já que "a Sociabilidade do Homem surge apenas destas Duas coisas, a saber, a Multiplicidade de seus *Desejos* e a *contínua Oposição* com que ele se depara em suas tentativas de os satisfazer" (p. 347). Toda a

Ainda assim, essa concepção está longe de ser arbitrária, ocupada em glorificar a inconciliabilidade dos gostos e motivos subjetivos. Mandeville, pelo contrário, salienta que as relatividades identificadas repousam em uma *firme base material*. Com efeito, ele afirma reiteradamente que tais relatividades acham-se profundamente radicadas na objetividade reciprocamente fortalecida de uma dupla determinação: as *condições* e circunstâncias *sociais* mutáveis, por um lado, e a *natureza* (ou "natureza humana"), por outro. Coerentemente, a insuperável relatividade de Vício e Virtude, bem como a paradoxal, mas inevitável, dependência da vida humana em relação a ambos – embora, sobretudo, em relação aos "Vícios privados" – são explicadas, a seu ver, em função da "condição do Corpo Social e do Temperamento do Natural"[16].

Os vários aspectos da concepção de Mandeville, frequentemente formulados como aforismos e de modo satírico, constituem um todo coerente. Sua visão sobre a sociedade, a "sociabilidade", o Estado e o sistema legal, o "Corpo Político" e as formas de governo e sujeição que lhes são apropriadas, a atividade produtiva e a "Sociedade Civil" são complementadas por uma visão de natureza e "natureza humana" que se enquadra rigorosamente na estrutura global da reprodução social que ele descreve sem disfarçar a sua aprovação.

Com olhar aguçado, Mandeville é capaz de perceber todos os tipos de contradição, mas só na medida em que sejam compatíveis com a ordem socioeconômica dinamicamente em expansão que ele defende. Na verdade, ele atribui papel altamente positivo às contradições como "desdobramento natural" das questões humanas. Ao construir um modelo de sociedade e de natureza humana que seja uma alternativa às ideias desdenhosamente rejeitadas de lorde Shaftesbury e outros, ele tem de resolver uma dupla dificuldade.

Em primeiro lugar, como base "natural" da sociedade pontuada por contradições – com a qual ele, apesar de tudo, identifica-se plenamente –, ele é forçado a admitir que a própria natureza humana é intrinsecamente contraditória. Em suas palavras: "Esta Contradição na Estrutura do Homem é a Razão pela qual a Teoria da Virtude é tão bem compreendida, e sua prática tão rara de se encontrar"[17].

Em segundo lugar, porém, ele precisa sustentar que uma ordem social benéfica para todos pode surgir da base natural que traz consigo a necessária disjunção entre teoria e prática no que se refere aos indivíduos e à percepção que eles têm das suas próprias motivações. Mandeville descarta a segunda dificuldade pela afirmação da total insuficiência, na ordem da natureza, dos indivíduos humanos particulares.

---

concepção de Mandeville a este respeito é sumariada na seguinte passagem: "Eu me orgulho de ter demonstrado que nem as Qualidades Amigáveis e os Afetos bondosos que são Naturais ao homem, nem as reais Virtudes, que ele é capaz de adquirir pela Razão e a *Abnegação-de-si-mesmo*, são o fundamento da sociedade: mas aquilo que denominamos Mal neste Mundo, Moral assim como também Natural, é o grande Princípio que faz de nós Criaturas Sociáveis, a Base sólida, a Vida e o Apoio de todos os Negócios e todos os empregos, sem exceção: nele devemos buscar a verdadeira origem de todas as Artes e Ciências e, no momento em que cessar o Mal, a sociedade decairá, se é que não se dissolverá totalmente!" (p. 370).

[16] Id., ibid., p. 258.
[17] Id., ibid., p. 187.

Neste espírito dirige-se ao homem dizendo: "Animal assustadiço e caprichoso, os Deuses fizeram-te para a sociedade, e decidiram que milhões de vós, quando bem unidos, devíeis constituir o forte *Leviatã*. Um leão sozinho tem algum poder na criação, mas o que é um único *Homem*? Uma parte pequena e insignificante, *Átomo desprezível* de uma grande Besta"[18].

Desse modo, ele nos oferece uma concepção da ordem social em que as ubíquas contradições não só *não destroem* como de fato *reforçam* a coesão do sistema todo. Tudo aquilo que pode ser considerado defeituoso só o é, rigorosamente, no que diz respeito às *partes,* as quais, não obstante, e por mais paradoxal que isto seja – como ele mesmo admite –, somam um *todo* bem integrado e que funciona perfeitamente; tal como, mais tarde, na visão de Adam Smith, a "mão invisível" remedeia plenamente os cálculos falhos dos indivíduos. Segundo Mandeville, "as fraquezas dos homens frequentemente operam por *contrários* (...). Mas as vicissitudes da Fortuna são necessárias, e as mais lamentáveis não infligem maior dano à Sociedade que a morte de seus Membros Individuais. ... Os vários *Altos* e *Baixos* compõem uma Roda que, sempre girando, dá movimento à *máquina inteira*"[19]. É por isso que Mandeville pode cantar os louvores ao modo pelo qual as contradições das partes produzem a harmonia do todo:

Assim, as partes todas eram cheias de Vício,
Mas o Todo era um Paraíso;

Os Piores de toda a Multidão
Faziam algo para o Bem comum.
Isto era a Arte do Estado que conservava
O Todo, de que cada Parte se queixava:
Isto, como a Harmonia da Música,
Fazia concordar as dissonâncias, ao final;

A Raiz da pérfida Avareza,
Este Vício maldito, e de natureza ruim,
Era Escravo da *Prodigalidade,*
Este Nobre Pecado; ao passo que o *Luxo*
Dava emprego a um Milhão de Pobres.
E o odioso Orgulho, um Milhão mais.
A própria Inveja, e a Vaidade,
Eram Serviçais da Diligência;
Sua cara Loucura, o Capricho
Em Comida, Móveis e Vestuário,
Este Vício estranho e ridículo, se transformou
Na própria Roda que movimenta o comércio.
Suas Leis e Roupas eram igualmente
Objetos de *Mutabilidade;*

---

[18] Id., ibid., p. 197.
[19] Id., ibid., p. 257-8.

> Pois aquilo que era bem feito em um certo Tempo,
> Em meio ano tornava-se Crime;
> Contudo, enquanto alteravam assim suas Leis,
> Ainda encontrando e corrigindo Falhas,
> *Consertavam pela Inconstância*
> Deslizes que nenhuma Prudência poderia prever.
> Assim, o Vício alimentou a Engenhosidade,
> A qual, ao lado do Tempo e da Diligência,
> Levou as Comodidades da Vida,
> Seus reais Prazeres, Confortos e Facilidades,
> A uma Altura tal, que *os mesmos Pobres*
> Viviam melhor que os Ricos de outrora;
> E nada mais se poderia acrescentar.[20]

Assim, as características do sistema capitalista de produção e distribuição (da Prodigalidade ao Capricho, da Inconstância à Mutabilidade etc.) são situadas como Vícios/Virtudes inseparáveis da própria natureza humana, proporcionando, pela afirmação de seus "contrários", o combustível necessário ao movimento perpétuo da Roda que impele avante a "Máquina Toda" da Sociedade Civil e do Corpo Político; assim, o Luxo é francamente reabilitado e positivamente exaltado. Recebe no Todo um lugar de suprema importância, na medida em que as condições de produção e expansão do Luxo dão testemunho da verdade da proposição do autor, a saber, que os "Vícios Privados" resultam em "Benefícios Públicos".

Os "contrários" e contradições benéficos na concepção de Mandeville são aqueles que se encaixam facilmente nos interesses diversos dos capitais concorrentes, tanto na esfera da manufatura (governada pelos princípios de mutabilidade, prodigalidade e luxo) como na da agricultura; isto é exemplificado pelo fazendeiro rico que especula com o trigo do ano passado, deliberadamente não levado ao mercado, maldizendo o bom tempo e as perspectivas de uma colheita abundante que outros saúdam com alegria. Em contraposição, a competição mais básica da sociedade capitalista, aquela entre capital e trabalho – que tem o caráter de um antagonismo irreconciliável –, não pode ser reconhecida na estrutura categorial deste "egotismo iluminado". Assim como todos os outros clássicos da economia política, Mandeville também permanece totalmente cego ao crescente potencial explosivo desse antagonismo. No mesmo espírito de seus camaradas de armas ideológicos, também ele pressupõe que a posição subordinada dos Pobres no sistema produtivo estabelecido seja uma *condição permanente* da ordem social, intocada em sua substância por todas as mudanças possíveis (e admissíveis) das circunstâncias.

A este respeito, a busca de conhecimento dá lugar ao interesse em racionalizar a relação exploratória entre o capital e o trabalhador. Na verdade, Mandeville faz de tudo para demonstrar que o desperdício e a destruição, necessários e inseparáveis do sistema de produção estabelecido, beneficiam em primeiro lugar aos Pobres. Pois, mesmo que se eliminassem tão somente as perdas decorrentes dos naufrágios,

---

[20] Id., ibid., pp. 67-9.

isso ocorreria em detrimento de todos os demais Ramos de Negócios, e *destruiria os Pobres* de cada País que Exporte qualquer coisa nele criada ou manufaturada. Os Bens e Mercadorias que todo ano vão às Profundezas, que se estragam no Mar por ação da Água Salgada, do Calor, dos Vermes, que são destruídos pelo Fogo ou perdidos pelo mercador por obra de outros Acidentes, devido a Tempestades, Viagens Longas ou então à Negligência e à Cobiça dos Marujos; tais Bens, digo, e tais Mercadorias, são parte considerável do que todo Ano se envia para o estrangeiro pelo mundo inteiro, e devem ter empregado Multidões de Pobres antes de serem Embarcados. Cem Fardos de Tecido que se queimem ou afundem no Mediterrâneo são tão *benéficos aos pobres da Inglaterra* quanto o seriam se chegassem a salvo em Esmirna ou Alepo e cada metro de pano houvesse sido vendido a varejo nos domínios do Grande Senhor. O Mercador pode quebrar e, com ele, o fabricante de roupas, o tintureiro, o embalador e outros Comerciantes; as Pessoas Médias podem sofrer, mas os *Pobres que foram postos para produzi-los não podem jamais perder.*[21]

A contradição evidente, pela qual se supõe que os trabalhadores devam encontrar satisfação e realização em trabalhar *para outro é* resolvida postulando-se o caráter *voluntário* da escravidão assalariada. Eis como Mandeville o expõe:

Quanto Alvoroço tem de haver em várias Partes do Mundo antes que se possa produzir um Bom Tecido Escarlate ou Carmim, que multiplicidade de Negócios e Artífices devem ser empregados (...) Quando estamos plenamente familiarizados com toda a Variedade de Esforço e Trabalho, com as Dificuldades e Calamidades que precisam ser suportadas para que se atinja o Fim de que estou falando (...), Quando estamos familiarizados, digo, com as coisas que mencionei, e as consideramos com propriedade, é raramente impossível imaginar um Tirano tão desumano e carente de vergonha que, vendo as coisas pelo mesmo Ângulo, exigisse Serviços tão terríveis de seus Escravos Inocentes; (...) Mas se invertermos a Perspectiva e encararmos todos aqueles trabalhos como tantas outras *Ações voluntárias,* pertencentes a diversas Vocações e Ocupações, em que os Homens são educados para terem do que viver, e nas quais *cada um trabalha para si mesmo*, por mais que *pareça* Trabalhar para outros; se considerarmos que mesmo os marinheiros que enfrentam as maiores Dificuldades, assim que terminam uma Viagem, mesmo depois de um Naufrágio, procuram e solicitam emprego em outra; se considerarmos, digo, e examinarmos tais coisas sob outro Ponto de Vista, constataremos que o *trabalho dos pobres* está muito longe de ser um fardo e uma imposição a eles; que o ter *Emprego é uma Bênção* pela qual, em suas preces dirigidas aos Céus, eles imploram; e que garantir o emprego para a generalidade deles é a *Maior Preocupação de cada Legislatura.*[22]

Na visão de Mandeville, o Estado de uma "Nação grande e ativa"[23] – como a Inglaterra em expansão capitalista e colonialista – tem a responsabilidade de promover,

---

[21] Id., ibid., p. 365.

[22] Id., ibid., pp. 358-60.

[23] "A Frugalidade, como a Honestidade, uma virtude medíocre e à míngua, só *serve para Sociedades pequenas* de Homens bons e pacíficos, que se contentam em ser pobres para ser tranquilos; mas numa *grande nação ativa* logo ela atinge seu limite. Trata-se de uma *virtude ociosa e sonhadora que não emprega* ninguém, e portanto bastante *inútil num País comercial,* onde há grande número de pessoas que, de uma maneira ou de outra, *devem todas ser postas a trabalhar.* A Prodigalidade tem mil invenções que impedem as Pessoas de ficar sentadas, o que a Frugalidade jamais cogitaria; e, como isso deve *consumir uma riqueza prodigiosa,* então a Avareza novamente conhece inúmeros truques para angariá-la, os quais a Frugalidade desdenharia usar" (ibid, pp. 134-5).

com sua política, as verdadeiras virtudes do desenvolvimento produtivo[24]. Ao mesmo tempo, o caráter de classe do Estado e de suas leis é também revelado claramente por Mandeville no que diz respeito à tarefa de salvaguardar a propriedade privada a fim de assegurar o funcionamento adequado ao processo de reprodução material:

> O Comércio é o Principal, mas não único, Requisito para engrandecer uma Nação; há outras Coisas além dele de que se deve Cuidar, Devem-se *assegurar* o *Meum* e o *Tuum*[25].

Como convém a todas as concepções formuladas sob o ponto de vista do sistema capitalista, a ordem social e política recomendada por Mandeville é uma ordem de estrita hierarquia e sujeição, regida pelo disciplinado "Trabalhar para outros", através do qual aqueles que trabalham "encontram seus próprios Fins" graças a um "gerenciamento astuto":

> entendo por Sociedade um Corpo Político no qual o homem, quer submetido por Força Superior, quer atraído por Persuasão para fora de seu Estado Selvagem, torna-se uma *Criatura Disciplinada* que pode encontrar os seus *próprios fins* ao *trabalhar para outros;* e onde cada *Membro*, sob uma única *Liderança* ou outra *Forma de Governo*, torna-se Subserviente ao Todo, e todos, por um Gerenciamento astuto, são postos a Agir como um.[26]

Caracteristicamente, as considerações de como lidar com os "Pobres que trabalham" (os quais, afirma reiteradamente, encontram os próprios fins ao trabalhar para outros) são sempre subordinadas ao postulado da *permanência absoluta* de sua presente condição, coisa em que Mandeville, que sob outros aspectos é relativista, insiste com paternalismo e cinismo indisfarçados:

> Estabeleci como Máximas, das *quais não se deve jamais desviar*, que o Pobre deve ser *estritamente* mantido *a trabalhar* e que seria Prudente aliviar suas necessidades,

---

O contraste entre as referidas "grandes Nações ativas", que regulam a sua conduta com base nos "Vícios Privados", e as "Nações pequenas", que vivem de acordo com os preceitos da Virtude, é tema recorrente nos escritos de Mandeville. Seu critério orientador é sempre a conveniência das Virtudes (ou dos Vícios) à expansão produtiva. Em uma das passagens acerca das limitações das "Nações pequenas", ele afirma: "Poucas são as Virtudes que empregam qualquer Mão e, por isso, podem fazer Boa uma Nação pequena, mas jamais podem fazer uma Grande Nação" (p. 368). Ele rejeita desdenhosamente até mesmo a adoção "daquele *meio-termo* exageradamente elogiado, com o argumento de que as Virtudes calmas recomendadas nas características só servem para criar *zangões*, e poderiam qualificar um Homem para o Gozo estúpido de uma *Vida Monástica* ou, na melhor das hipóteses, a de um Juiz de Paz Provinciano; mas nunca o tornariam apto ao Trabalho e à Assiduidade nem o estimulariam a grandes Realizações e Empreendimentos perigosos" (p. 337).

[24] "A grande Arte de fazer uma Nação feliz, e o que chamamos florescente, consiste em *dar a todos uma Oportunidade de ser empregado*; para isto ser atingido, o primeiro cuidado do Governo será promover uma variedade tão grande de Manufaturas, Artes e Ofícios quanto o Engenho Humano possa inventar; e o segundo, encorajar a Agricultura e a Pesca em todos os seus ramos, para que a Terra inteira, assim como o homem, seja forçada à atividade: pois, assim como o primeiro é Máxima infalível para atrair grandes multidões de Pessoas a uma Nação, o último é o único Método de mantê-las. É *desta Política*, e não das frívolas Regulamentações acerca da Abundância e da Frugalidade (que sempre seguirão seu próprio curso, segundo as Circunstâncias do Povo), que se devem esperar a *grandeza* e a *Felicidade das Nações;* pois, quer o preço do ouro e da prata suba ou desça, as Alegrias de todas as sociedades dependerão sempre dos *Frutos da Terra e do Trabalho do Povo*, os quais, quando juntos, constituem um *tesouro* mais seguro, *mais real* e mais inexaurível *que o Ouro do Brasil ou a Prata de Potosi*"(ibid., pp. 211-2).

[25] Id., ibid., p. 142.

[26] Id., ibid., p. 350.

mas *Loucura satisfazê-las*; (...) Citei a *Ignorância* como Ingrediente necessário na Composição da Sociedade: por tudo que é manifesto eu jamais poderia ter pensado que o Luxo deveria *generalizar-se* por todas as partes de um Reino. Do mesmo modo, determinei que a *propriedade deva ser bem assegurada*. (...) nenhum luxo estrangeiro pode arruinar um País: o ápice do Luxo só é visto em nações muito populosas e, mesmo lá, somente em sua *parte superior*; e quanto maior esta for, ainda maior em proporção deve ser a *parte inferior*, a Base que sustenta tudo, a multidão dos *Pobres trabalhadores*.[27]

Segundo Mandeville, é da maior importância que o Pobre (aquele que "aguenta o sacrifício de tudo, a Parte mais vil e necessitada da Nação, o Povo escravo trabalhador"[28], seja sempre *"bem administrado"*[29] – isto é, firmemente controlado tanto no trabalho como na sociedade em geral, em uma estrutura em que "a propriedade fosse bem protegida"[30] – de tal modo que possa realizar a tarefa que lhe é designada, a saber, a produção e a expansão da riqueza da nação. "Pois, por mais excessivos que sejam a Abundância e o Luxo de uma Nação, *alguém precisa trabalhar.*"[31] Do mesmo modo, se os pobres são bem administrados, eles conferem à sociedade um duplo benefício: *trabalhando* assim como *consumindo*; ambos necessários à expansão da riqueza da nação. Pois "é do Interesse das Nações Ricas que a maior parte dos Pobres quase *nunca sejam ociosos,* e ainda *gastem continuamente o que ganham*"[32].

15.2.3

Apesar das limitações do ponto de vista social de Mandeville, suas percepções mostram o verdadeiro espírito motivador e os imperativos estruturais do capitalismo; e, entre elas, as conclusões quanto à natureza do "luxo" são particularmente importantes. Sendo um pensador verdadeiramente radical dentro dos limites de seu horizonte de classe, ele toma a questão de modo a colocar o foco sobre suas implicações práticas vitais:

Caso se considere *Luxo* (como a rigor se deve fazer) tudo o que não é *imediatamente necessário* para a subsistência do Homem como Criatura viva, então nada há mais para se encontrar no Mundo, nem mesmo entre os Selvagens nus: (...) Todos dirão que esta definição é demasiado rigorosa; sou da mesma Opinião, mas, se cedermos um Centímetro dessa Severidade, receio que não saberemos mais onde parar, (...) uma vez deixemos de chamar de Luxo aquilo que não é absolutamente necessário para conservar um Homem vivo, então não haverá *mais absolutamente nenhum luxo*, pois, se as *carências dos Homens* são inumeráveis, então o que deve *supri-las* não possui *nenhum limite.*[33]

De tal modo que muitas coisas, outrora vistas como invenções do Luxo, são hoje concedidas até àqueles que são tão miseravelmente pobres a ponto de se tornarem

---

[27] Id., ibid., pp. 256-7.
[28] Id., ibid., p. 145.
[29] Id., ibid., p. 209.
[30] Id., ibid.
[31] Id., ibid., p. 145.
[32] Id., ibid., p. 209.
[33] Id., ibid., pp. 136-7.

Objeto da Caridade pública; e não só: são tidas como tão *necessárias* que se pensa que nenhuma Criatura Humana deva delas carecer.[34]

Com suprema ironia, Mandeville mostra algo muito significativo quando aponta que as racionalizações do passado – condenando o Luxo e os Ricos e exaltando a Pobreza – mostravam uma reveladora disjunção entre "a Teoria e a Prática" em geral e, em particular, entre "as Palavras e a Vida" das pessoas que usualmente pregavam nobres sermões sobre a abstinência enquanto comprazíam-se, elas próprias, com as delícias da riqueza. Seus julgamentos agudamente satíricos soam irresistíveis quando confronta o próprio Sêneca, um dos moralistas mais reverenciados do passado:

> Eu poderia me vangloriar sobre *a Força* e o *Desprezo das Riquezas* tanto quanto o próprio *Sêneca*, e concordaria em escrever o dobro do que ele jamais escreveu em louvor da *Pobreza*, pela *décima parte de seus Bens.*[35]

Personalidades à parte, a ideologia do moralismo abstrato – enquanto promete aos pobres sua devida recompensa no "além" por seus sofrimentos no mundo real, no qual são forçados pela necessidade política e/ou econômica a ganhar a vida e "encontrar os próprios fins" no trabalho para outros – racionalizava um estado da sociedade em que a obtenção das *"superfluidades* luxuosas" de alguns (os quais, como justa retribuição, se diz que não poderiam passar pelo "buraco da agulha") significava ao mesmo tempo a negação das *necessidades* básicas à esmagadora maioria.

Não há dúvida de que o desenvolvimento das práticas produtivas e distributivas do sistema do capital traz grandes mudanças a este respeito, pelo menos para as "grandes nações ativas". Como não pode haver produção sem algum tipo de consumo, a expansão da produção capitalista necessita de uma distribuição mais ampla dos bens produzidos. Isso se acentua com o passar do tempo, particularmente por estar ligada a uma tendência complementar à *produção em massa* mediante o avanço da divisão do trabalho e o desenvolvimento do maquinário, cujos potenciais não podem ser adequadamente implementados, nem economicamente explorados, com base no confinamento de seus produtos ao número limitado de ricos. Embora seja um grande exagero dizer que, como resultado de tais desenvolvimentos, "Os próprios Pobres viviam melhor que os Ricos de outrora", ainda assim é verdade que um número muito maior de "pobres que trabalham" tornaram-se "úteis" – como produtores e como consumidores – e não precisaram ser eliminados por enforcamento como "andarilhos" e "vagabundos": o modo pelo qual, num passado não muito distante, foram liquidados às centenas de milhares (72 mil só sob Henrique VIII).

Deve-se reforçar o fato de que estamos falando de uma *tendência objetiva* de desenvolvimento, e não simplesmente de suas diversas conceituações pelos economistas políticos burgueses. As suas intermináveis controvérsias são, na realidade, expressões (e racionalizações) teóricas das contradições inerentes à própria tendência. Portanto, se Mandeville, Lauderdale e Malthus ficam do lado do "Luxo" enquanto Say, Ricardo e outros alinham-se com a "economia" e a "poupança", eles expressam apenas aspectos diferentes da mesma tendência – intrinsecamente

---

[34] Ibid., p. 188.
[35] Ibid., p. 174.

contraditória – de desenvolvimento. É totalmente arbitrário, portanto, atribuir a um dos lados o *status* elevado do "espírito do capitalismo", enquanto se ignora completamente o outro. Tanto mais porque a tendência esquecida é, na verdade, a historicamente dominante.

15.3 Tendências e contratendências do sistema do capital

15.3.1
Dada a natureza imanente do capital, caracterizada por Marx como a "contradição viva", cada tendência principal desse sistema de produção e distribuição só se faz inteligível se levamos plenamente em conta a *contratendência* específica à qual aquela está objetivamente ligada. Isso acontece mesmo quando, no relacionamento entre elas, um dos lados das interdeterminações contraditórias necessariamente predomina, de acordo com as circunstâncias sócio-históricas prevalecentes. Assim, a tendência do capital ao *monopólio* é contrabalançada pela *concorrência*; igualmente, a *centralização* pela *fragmentação*, a *internacionalização* pelos *particularismos nacionais* e *regionais*, o *equilíbrio* pela *quebra* do *equilíbrio* etc.

O mesmo vale para a lei tendencial da *taxa de utilização decrescente* que, como vimos acima, se afirma, no início, como a reabilitação do "LUXO" e da "PRODIGALIDADE" – junto com a expansão do círculo de consumo, que passa assim a abarcar também um número cada vez maior de "Pobres que trabalham"; a estes é proporcionada uma gama crescente de mercadorias à medida que o desenvolvimento das forças produtivas o torna tanto possível como necessário – sem, porém, deixar de lado a "FRUGALIDADE", a "ECONOMIA" e a "POUPANÇA" como momentos subalternos do capitalismo em sua ascensão. A mesma tendência, sob as condições do capitalismo plenamente desenvolvido, assume a forma de extrema PERDULARIDADE e DESTRUIÇÃO, mas é de novo contrabalançada – em vários graus – pelo imperativo de poupar, bem como pela inevitável necessidade de reconstituir o capital depois da periódica destruição de sua magnitude "superproduzida", no interesse da sobrevivência do sistema do capital.

Entretanto, duas importantes limitações são necessárias para uma avaliação adequada do modo pelo qual as tendências (e contratendências) dominantes do desenvolvimento capitalista desdobram-se na história e se afirmam estruturalmente. Primeira: uma vez que o funcionamento deste sistema, no decorrer de sua história, se caracteriza pela prevalência da lei do *desenvolvimento desigual*, as tendências mencionadas no último parágrafo podem se manifestar de maneira muito diversa nas diferentes partes do mundo, dependendo do nível mais ou menos avançado de desenvolvimento dos capitais *nacionais* dados, bem como da posição mais ou menos dominante destes últimos no interior da estrutura do capital *global*.

Assim, é possível que *um dos lados* da tendência/contratendência objetivamente interligados *predomine* em *um* país, ao passo que o outro lado prevaleça em um país diferente. Basta pensar nas extremas dificuldades, na "frugalidade" e no "aperto de cinto" a que foram submetidas as classes trabalhadoras brasileiras e mexicanas, entre outras, desde o esgotamento dos respectivos "milagres" de desenvolvimento expansionista. Enquanto isso, os Estados Unidos em particular, e os países de capitalismo avançado do Ocidente em geral, continuam a desperdiçar enormes quantidades de recursos sob a pressão da taxa da utilização decrescente. Não obstante, deve-se sublinhar, ao mesmo tempo, que só se pode falar da predominância de um dos lados interligados desta lei tendencial, já que – por mais absurdo que isto seja – mesmo no "mundo subdesenvolvido", os setores mais avançados do capitalismo não podem, no presente momento histórico, escapar aos imperativos da produção perdulária, dado o caráter globalmente interligado do sistema do capital.

15.3.2

A *segunda* limitação é igualmente importante. Ela se refere às determinações interiores das várias tendências, bem como ao peso relativo dessas tendências na totalidade dos desenvolvimentos capitalistas. Quaisquer que sejam suas transformações, mudanças de ênfase e variações em relação umas às outras ou em relação às suas contratendências específicas, em diferentes lugares e em épocas amplamente diferenciadas da história – isto é, aquelas que podemos considerar como suas características estritamente transitórias, identificáveis em função da *inter-relação conjuntural* entre as diversas forças e determinações das quais elas próprias constituem uma parte específica na situação sócio-histórica dada –, elas também possuem uma lógica imanente própria de acordo com a qual se desdobram através *da história* e, por isso, circunscrevem objetivamente os *limites* do desenvolvimento capitalista global.

Nesse sentido, enquanto a reciprocidade dialética das múltiplas interações tendenciais define as características de qualquer tendência ou contratendência particular *em relação* à configuração *global* das forças e determinações sociais dadas, não se pode falar de *relativismo* histórico e "equidistância de Deus" no espírito da historiografia pós-rankeana. Em cada caso, *um* dos lados (ou um dos aspectos principais) das várias tendências mencionadas acima afirma-se como *dominante* – isto é, na terminologia de Marx, constitui o *übergreifendes Moment* (o momento predominante) do complexo dialético em foco – através da *trajetória global* do desenvolvimento capitalista. É assim, apesar de (consideradas nos termos de sua própria história particular) essas tendências poderem apresentar grandes variações, e mesmo inversões completas, entre uma fase e outra da história capitalista global.

Assim, a longo prazo, o MONOPÓLIO tende a prevalecer sobre a CONCORRÊNCIA, à medida que o sistema do capital, como sistema de produção, avança historicamente em direção a seus limites estruturais últimos. Além disso, as primeiras manifestações *monopolistas* que caracterizaram as práticas da "construção de impérios" por parte das "grandes nações ativas" dão lugar, na hora oportuna – como um claro exemplo das possíveis inversões que mencionamos há pouco – ao predomínio de feroz *competição* (e das medidas antimonopolistas concomitantes do Estado capitalista) no período médio da expansão capitalista. Mas isto ocorre apenas para ser novamente revertido, com determinação espantosa no século XX, e particularmente nas últimas décadas, em favor de monopólios gigantescos[36], enquanto mantém, com completa hipocrisia, a retórica altissonante da competição como legitimação última do sistema da iniciativa privada.

---

[36] Cf. a penetrante análise de tais desenvolvimentos em Paul A. Baran e Paul M. Sweezy, *Monopoly Capital*, Nova York, Monthly Review Press, 1966 [ed.bras., *Capitalismo Monopolista*, Rio de Janeiro, Zahar, 1974]. Cf. também Sweezy, "The Resurgence of Financial Control: Fact or Fiction?", *Monthly Review*, vol. 23, n. 6 (nov. 1971), pp. 1-33.

Significativamente, até a prática da "desnacionalização" (ou "privatização") passou, sob este aspecto, por uma grande mudança no período do pós-guerra. De início, por exemplo, a classe dominante satisfez-se em devolver aos capitais privados concorrentes a indústria britânica do aço tão logo se resolveu, pelos fundos públicos de "nacionalização", sua bancarrota anterior. Logo depois, porém, todos os problemas recomeçaram, exigindo não apenas uma segunda rodada de "nacionalização" e intervenção estatal para absorver os prejuízos, mas também o reconhecimento simultâneo, muito embaraçoso do ponto de vista ideológico, de mais um importante fracasso capitalista. Compreende-se, portanto, que em anos recentes a *forma dominante* de "desnacionalização" tenha se tornado o estabelecimento de *monopólios privados de alcance nacional* – da British Telecom à British Gas and Electricity, bem como do fornecimento de água –, o que elimina cinicamente até a possibilidade de competição (e os riscos econômicos a ela inerentes) dentro dos limites legislativos controlados pelo Estado capitalista em questão.

Do mesmo modo, assim como no caso do monopólio e da competição, no que se refere ao desdobramento histórico da tendência de *centralização* versus a contratendência de *fragmentação*, o *übergreifendes Moment* é a primeira. Ademais, a tendência *internacionalizante* do capital predomina atualmente sobre os *particularismos* nacionais e regionais identificáveis, sob a forma do poder irresistivelmente crescente das corporações *transnacionais* em todos os países capitalistas principais, ainda que os antagonismos inerentes a essas relações não possam ser solucionados. E, o que não é menos importante, a perturbação e *a quebra do equilíbrio* termina por ser, ao fim, a tendência dominante do sistema do capital, e não sua tendência complementar ao equilíbrio. Isto acontece apesar das inúmeras teorias e medidas práticas dedicadas à tarefa de salvaguardar o equilíbrio no decorrer dos desenvolvimentos capitalistas do século XX. No final, o caráter predominante da tendência à quebra do equilíbrio (isto é, sua autoafirmação como *übergreifendes Moment*) evidencia-se em nossa época pelo "retorno cada vez menor" que o sistema recebe dos esforços cada vez maiores investidos na reconstituição – com o auxílio desavergonhado de intervenções estatais diretas – do equilíbrio periodicamente (mas com cada vez maior frequência) perdido, ao passo que, num passado mais remoto, a necessidade de reconstituição do equilíbrio parecia capaz de cuidar de si mesma.

A predominância de um lado sobre o outro é igualmente verdadeira em relação à nossa preocupação específica: a *taxa de utilização decrescente* assumiu, na atualidade, uma posição de domínio na estrutura capitalista do metabolismo socioeconômico, não obstante o fato de que, no presente, quantidades astronômicas de desperdício precisem ser produzidas para que se possa impor à sociedade algumas de suas manifestações mais desconcertantes. Ao mesmo tempo, como veremos abaixo, o imperativo de fornecer os fundos proibitivamente vastos e necessários à produção cada vez maior de desperdício afirma-se hoje, mesmo nos países capitalisticamente mais avançados, sob uma forma antes inimaginável: pela imposição de "*cortes*" e "*economias*" em cada área importante da reprodução social, da educação à saúde, para não mencionar as demandas elementares do sistema de seguridade social. Assim, é como se os governos dos diversos Estados capitalistas quisessem demonstrar todos os dias a verdade da proposição de Marx de que o capital é a "contradição viva".

15.4 Os limites da extração do excedente economicamente regulada

15.4.1

Mandeville oferece uma definição "rigorosa" do "Luxo", expressa em termos das necessidades físico-biológicas básicas que precisam ser satisfeitas para garantir a sobrevivência dos seres humanos vivos. Ao mesmo tempo, ele acrescenta com razão que, se abandonássemos essa definição de "Luxo" (isto é, tudo o que está acima das necessidades mais elementares) – o que, em sua visão, devemos fazer pois ela é "demasiado rigorosa" – *"não saberíamos mais onde parar"*.

Tal conclusão aponta para um *dilema prático* fundamental, *absolutamente insolúvel* na estrutura do sistema do capital. Ou seja, não como uma questão de conhecimento defeituoso (em princípio, corrigível), mas como resultado de determinações e contradições imanentes – o sistema realmente "não sabe onde parar".

O próprio Mandeville indica duas das principais dificuldades em jogo. A primeira é o modo paradoxal pelo qual o sistema produtivo capitalista avança trazendo consigo um aumento "das *Necessidades* da Vida sem qualquer *Necessidades*[37].

Em outras palavras, o problema é que, na estrutura desse sistema, não pode haver critérios objetivos quanto ao tipo de metas produtivas a serem adotadas e perseguidas, e quais outras poderiam, a longo prazo, revelar-se bastante problemáticas. Além disso, a ausência de tais critérios não é de modo algum acidental, pois, enquanto os limites do sistema do capital não forem atingidos, a questão de divisar uma alternativa ao "aumento das Necessidades da Vida sem qualquer Necessidade" parece ser totalmente desprovida de qualquer significado prático. Assim como aqueles que se identificam com o ponto de vista do capital não podem reconhecer a existência de limites estruturais objetivos ao sistema do capital em si (perceptíveis apenas do ponto de vista crítico de uma alternativa radical), preferindo supor que, com relação à viabilidade deste modo de produção, "só o céu é o limite", eles devem permanecer cegos às implicações negativas da questão. Isto é verdadeiro mesmo no caso daquele número relativamente reduzido de pensadores que levantam a questão – como o faz Mandeville – em um contexto limitado, caracterizando exclusivamente o comportamento de indivíduos particulares, cuja "falta de consideração" não pode ter reflexos negativos sobre o "todo digno de elogios" que emerge.

A segunda dificuldade apresentada por Mandeville é tratada por ele no mesmo espírito, de modo que suas implicações permanecem ocultas mesmo a esse pensador arguto e profundamente original. Significativamente, porém, a *ambiguidade* de seus termos de referência já fala bem alto por si mesma. Quando Mandeville afirma aprovadoramente que a consequência necessária do abandono da primeira e única definição rigorosa de Luxo é que *"não haverá mais absolutamente nenhum luxo"*, ele imediatamente evita a questão dos limites objetivos por meio da operação dúbia da passagem do *"é"* para o *"deve"* em suas reflexões; ou seja, quando conclui sua

---

[37] Mandeville, op. cit., p. 360.

argumentação afirmando que "se as necessidades do homem *são* inumeráveis, então aquilo que *deve* atendê-las *não possui limites*".

Naturalmente, da afirmação de que algo não *deve ter limites* não decorre de modo algum que esse algo *realmente não os tenha*. Mas, claro, reconhecer as limitações objetivas da realidade tornaria *ipso facto* a noção de "necessidades ilimitadas" extremamente problemática. É aqui que as determinações sociais/estruturais objetivas encontradas nas raízes de certo tipo de pensamento se tornam visíveis. Pois, na medida em que o ponto de vista do capital é incompatível com a aceitação de limites, a insensibilidade de Mandeville ao caráter altamente problemático das alegadas "incontáveis necessidades do Homem" está muito longe de ser acidental. Do mesmo modo, sua descrição entusiasmada e a legitimação positiva da nova relação entre carências supostamente ilimitadas ou ilimitáveis e sua satisfação torna-se plausível (e aceitável) mediante o postulado da correspondente ausência de limites da satisfação "fundada" no *deve-ser*. (O estado real das coisas é muito diferente, visto que as próprias "carências" nem são ilimitadas nem biologicamente fixadas, mas constantemente redimensionadas e condicionadas socialmente – isto é, limitadas ou estimuladas[38], conforme o caso – de acordo com as potencialidades e determinações produtivas do intercâmbio metabólico estabelecido com a natureza.)

Além disso, o fato de Mandeville estar disposto, como resposta a seus críticos, a introduzir uma condição *limitante* pela exclusão do "pobre que trabalha" da generosa difusão do "Luxo" absolutamente não elimina as dificuldades identificadas. Primeiro, porque ele afirma que alguns "luxos" – embora isto seja mais uma vez proclamado, de forma característica, sem especificar *quais* e *quantos* – podem ser legitimamente concedidos ao pobre que trabalha, tanto para os motivar a um trabalho mais duro como para estimular a bem-vinda expansão da produção e do comércio. E, segundo, já que se admite que o "luxo" é uma categoria irreme-

---

[38] Como sublinha Marx: "No interior da propriedade privada, ... cada indivíduo especula sobre o modo de criar no outro uma *nova* necessidade para obrigá-o a um novo sacrifício, para levá-lo a uma dependência, para desviá-lo para uma nova forma de *gozo* e, com isso, da ruína econômica. Cada qual trata de criar uma força social *estranha* sobre o outro, para encontrar assim satisfação para seu próprio carecimento egoísta. Com a massa dos objetos cresce, pois, o reino dos seres alheios aos quais os homens está submetido, e cada novo produto é uma nova *potência* do engano recíproco e da pilhagem recíproca. O homem se torna cada vez mais pobre enquanto homem, precisa cada vez mais do *dinheiro* para apossar-se do ser inimigo, e o poder do seu *dinheiro* diminui em relação inversa à massa da produção; isto é, seu carecimento (*Bedürftigkeit*) cresce quando o *poder* do dinheiro aumenta. – A necessidade (*Bedürfnis*) do dinheiro é assim a verdadeira necessidade produzida pela economia política e a única necessidade que ela produz. – A *quantidade* de dinheiro torna-se cada vez mais sua única propriedade dotada *de poder*. Assim como ele reduz todo o ser à sua abstração, assim se reduz em seu próprio movimento a ser *quantitativo*. *Excesso* e *intemperança* passam a ser sua única norma – Inclusive subjetivamente isto se mostra, em parte, no fato de que o aumento da produção e das necessidades se converte no escravo *engenhoso* e sempre *calculador* de apetites inumanos, afetados, antinaturais e imaginários... ." (K. Marx, *Economic and Philosophic Manuscripts of 1844*, Londres, Lawrence and Wishart, 1959, pp. 115-6. Grifos de Marx [ed. bras., *Manuscritos econômico-filosóficos* in Marx, coleção *Os Pensadores*, São Paulo, Abril Cultural, 1978, p. 16]).

diavelmente *histórica* – de modo que coisas consideradas "luxo" no passado são hoje "tidas como tão *necessárias* que pensamos que nenhuma criatura humana deve delas carecer" –, as limitações que Mandeville propõe em relação aos pobres ("deem-lhes algo, mas não muito") são completamente inúteis como princípio orientador viável. Como resultado da irreprimível dinâmica expansionista do capital (positivamente abraçada pelo próprio Mandeville), tudo aquilo que um dia parece ser "demais' se torna "muito pouco" em outra época; não por causa do esclarecimento crescente, mas porque o próprio sistema produtivo do capital é constrangido pelas limitações de consumo, e por isso necessita tirar do seu caminho os constrangimentos do "muito pouco".

15.4.2
A incapacidade de estabelecer limites significativos e praticamente observáveis é uma das características definidoras mais importantes dos desenvolvimentos capitalistas, com implicações de longo alcance para a viabilidade do sistema. A esse respeito, é altamente sintomático que, apesar das inúmeras tentativas, a economia política burguesa não possa fornecer uma definição adequada de "consumo produtivo e improdutivo" (nem de "trabalho produtivo e improdutivo"), uma vez que a incapacidade de tolerar limites no geral solapa a possibilidade de formular critérios objetivos limitantes neste particular.

Certamente, a "usura" e a "avareza" devem ser denunciadas, desde o primeiro momento, como improdutivas e parasitárias, uma vez que os interesses objetivos e os imperativos estruturais da expansão produtiva do capital exigem que todas as formas de capital sejam *"postas a trabalhar"*, assim como devem ser *"postos a trabalhar"* os "pobres" (os outrora inúteis "andarilhos" e "vagabundos"). Uma vez, porém, que tudo isso esteja afirmado e realizado na prática, não se pode especificar em qual atividade tanto o capital como o trabalho deverão agora ser efetivamente *"postos a trabalhar"* por meio do domínio do capital industrial – nem quais mercadorias resultantes do processo de trabalho podem ser consideradas mais ou menos aceitáveis. Do ponto de vista do capital, desde que sejam expansionistas, todos significam a mesma coisa.

É também esta a razão pela qual, num estágio histórico muito posterior no curso dos desenvolvimentos capitalistas, o *crescimento* como tal deve se tornar um valor em si mesmo (mais que isso, o paradigma de valor), sem examinar a natureza do crescimento proposto na situação dada e, muito menos, suas implicações humanas a longo prazo. Em vez disso, o que domina são tautologias, que convenientemente sustentam a si mesmas, definindo a *produtividade como crescimento* e o *crescimento como produtividade*. Não é uma simples questão de exigências lógicas elementares nem, muito menos, de ninharias teóricas. A dimensão prática do problema é que, assim como não pode estabelecer limites para si mesmo, o sistema do capital também não consegue diferenciar o *crescimento de uma criança* do *crescimento de um câncer*. Pois, nos termos das equações práticas redutoras do capital – bem como em suas tortuosas racionalizações teóricas –, os dois devem ser reduzidos ao mesmo denominador comum: a "produtividade das células".

Tal inadmissibilidade prática de limites no sistema do capital emerge do modo pelo qual a prevalecência da relação produtiva anterior com o *uso* é alterada de maneira fundamental no curso do desenvolvimento histórico. Como resultado, *"útil"* torna-se sinônimo de *"vendável"*, pelo que o cordão umbilical que liga o modo de produção capitalista à necessidade humana direta pode ser completamente cortado, sem que se perca a aparência de ligação. Simultaneamente, as formas de *troca* anteriormente praticadas –, até então diretamente relacionadas à necessidade humana, quaisquer que fossem suas limitações sob outros aspectos – são superadas pelo domínio do *valor de troca*, de tal modo que, depois disso, não se pode mais conceituar a troca em si a menos que seja definida em termos das transações formalmente equalizadas de mercadorias que ocorrem na estrutura estritamente quantificadora das relações-de-troca reificadas.

Nesta estrutura conceitual, a *"troca universal"* não pode significar outra coisa senão a adoção universal do valor de troca como princípio orientador prático exclusivo da produção material e intelectual. Uma noção diametralmente oposta ao significado marxiano do termo, definido de forma a colocar em pleno intercâmbio cooperativo – para além da regulação restritiva de relações de troca mercantis e exploradoras a que o trabalho é submetido – toda a gama de potencialidades criativas humanas, das habilidades produtivas materiais à ciência e à fruição enriquecedora de obras de arte. Assim, a identificação capitalista entre "troca" e "valor de troca" é falaciosa não somente em relação às formas de troca – limitadas, restritivas e, portanto, problemáticas – que podemos identificar no passado. Ela aparece como ainda mais falaciosa e arbitrária à luz de sua realização potencialmente ilimitada – socialmente criativa, além de satisfatória para o indivíduo – como *troca* verdadeiramente *universal* no futuro.

15.5 A taxa de utilização decrescente e o significado de "tempo disponível"

15.5.1
Como vimos no capítulo anterior, mesmo no sistema produtivo do artesanato urbano (onde o valor de troca já desempenha um papel importante) "o objetivo direto e principal dessa produção é a subsistência como artífice, como mestre-artesão, por conseguinte, como valor de uso e não riqueza, não valor de troca como valor de troca. A produção é sempre subordinada a um dado consumo, fornecimento à demanda, e se expande apenas lentamente"[39]. Assim, já que a produção é fortemente restringida pelas limitações da demanda, só podendo se expandir lentamente, a taxa de utilização de qualquer produto particular deve ser alta, e o número de pessoas atraídas para o círculo de consumo em expansão comparativamente baixo. Sob esse aspecto, qualquer avanço significativo pressupõe necessariamente a remoção do obstáculo primário à acumulação: o caráter *não aquisitivo* (ou não mercantil) da força

---

[39] Veja nota 8.

de trabalho. Ou seja, as corporações desconfiadamente protegeram seus domínios contra a interferência do comerciante que "podia comprar todo tipo de mercadoria, mas não o trabalho como mercadoria"[40].

Nestas circunstâncias, "em geral o trabalhador e seus meios de produção permaneciam estreitamente unidos, como o caracol e sua concha, e assim faltava a base principal da manufatura, *a separação do trabalhador de seus meios de produção e a conversão desses meios em capital*"[41]. Entretanto, uma vez realizada a separação forçada do trabalhador de seus meios de produção (e autorreprodução), foi aberto o caminho para um desenvolvimento incomparavelmente mais dinâmico. Dessa forma os objetivos da produção não mais estão diretamente atados (e subordinados) às limitações do consumo dado, mas podem antecipar-se significativamente a ele, estimulando, na forma de sua nova reciprocidade, tanto a produção como a "demanda conduzida pela oferta".

Apesar de tudo, esta arma (exclusiva do capital) é uma faca de dois gumes. A remoção dos antigos obstáculos ao consumo, assim como a adoção de um papel *ativo/estimulador* (e, com o passar do tempo, crescentemente *manipulador*) em relação à demanda, para o capital também significa simultaneamente a perda de sua capacidade de pôr limites aos seus próprios procedimentos produtivos (que nos sistemas de produção mais antigos, eram circunscritos pela demanda equivalente ao uso direto), sem com isso mergulhar na inatividade e na crise.

O capital não trata meramente como separados *valor de uso* (que corresponde diretamente à necessidade) e *valor de troca*, mas o faz de modo a subordinar radicalmente o primeiro ao último. Como já mencionado, na sua própria época e lugar, isto representou uma inovação radical que abriu horizontes antes inimagináveis para o desenvolvimento econômico. Uma inovação baseada na percepção prática de que qualquer mercadoria, num extremo da escala, pode estar constantemente em uso ou, no outro extremo das possíveis taxas de utilização, absolutamente nunca ser usada, sem perder com isso sua utilidade no que se refere às exigências expansionistas do modo de produção capitalista.

Como resultado, novas potencialidades produtivas se abrem ao capital, cujo sistema não sofrerá qualquer consequência se a relação de alguém com um dado produto for caracterizada pela taxa de utilização mínima ou máxima, pois essa taxa não afeta em absolutamente nada a única coisa que realmente importa do ponto de vista do capital, a saber: que uma certa quantidade de valor de troca foi realizada na mercadoria em questão através do próprio ato de venda independentemente de ser ela, na sequência, sujeita a uso constante, a pouco ou a nenhum uso (por exemplo a câmara fotográfica, que posso usar apenas uma vez por ano, nas férias, se tanto), conforme o caso. O capital define "útil" e "utilidade" em termos de *vendabilidade*: um imperativo que pode ser realizado sob a hegemonia e no domínio do próprio *valor de troca*.

---

[40] Marx, K. *Capital*, vol.1, p. 358-9 [ed. bras., *O Capital*, São Paulo, Abril Cultural, 1983, v. I/1, p. 282].
[41] Id., ibid., p. 359 [ed. bras., op. cit., p. 282].

Como Marx assinala, "o valor de troca de uma mercadoria não aumenta se o seu valor de uso for mais consumido e com maior proveito"[42]. O mesmo se aplica, entretanto, ao inverso. Se baixarmos o valor de uso de uma mercadoria, ou criarmos condições para que ela só possa ser consumida "parcialmente e com menos proveito", esta prática, não importa o quanto seja censurável de qualquer outro ponto de vista, tal como no caso anterior, não afetará seu valor de troca. Uma vez que a transação comercial tenha ocorrido, autoevidenciando a "utilidade" da mercadoria em questão por meio do seu ato de venda, nada mais há com que se preocupar do ponto de vista do capital. De fato, enquanto a demanda efetiva do mesmo tipo de utilização é reproduzida com sucesso, quanto menos uma dada mercadoria é realmente usada e reusada (em vez de rapidamente consumida, o que é perfeitamente aceitável para o sistema), melhor é do ponto de vista do capital: já que tal *subutilização* torna vendável outra peça de mercadoria.

Nesse sentido, o que é verdadeiramente vantajoso para a expansão do capital não é um incremento na taxa (ou no grau) com que uma mercadoria – por exemplo, uma camisa – é utilizada e sim, pelo contrário, o decréscimo de suas horas de uso diário. Enquanto tal decréscimo for acompanhado por uma expansão adequada do poder aquisitivo da sociedade, cria-se a demanda por outra camisa. Ou seja, em termos mais gerais, se a *taxa* de *utilização* de um determinado tipo de mercadoria pudesse ser *diminuída* de, digamos, 100% para 1%, mantida constante a demanda por seu uso, a multiplicação potencial do valor de troca seria correspondentemente centuplicada (isto é, assumiria a estonteante figura de 10.000%). De fato, essa tendência de reduzir a taxa de utilização real tem sido precisamente um dos principais meios pelos quais o capital conseguiu atingir seu crescimento verdadeiramente incomensurável no curso do desenvolvimento histórico.

Entretanto, do outro lado da equação socioeconômica capitalista, encontramos – como resultado da dinâmica interna e das contradições antagônicas do capital – uma aquisição a princípio altamente positiva se transformando em seu oposto diametral, sem solução imaginável na estrutura da produção de mercadorias.

Nas formações econômicas pré-capitalistas, quando "o trabalhador e seus meios de produção permaneciam estreitamente unidos, como o caracol à sua concha", o sistema produtivo tinha de se desenvolver – ou se manter limitado – em todas as suas dimensões fundamentais. Isto é o que, de fato, determina o sentido original de *"economia"* como *"economizar"*. Pois os meios de produção disponíveis circunscrevem, tanto no sentido positivo como negativo, o tipo de atividade produtiva que tem de ser buscado na sociedade dada, em relação direta com as necessidades de seus membros – sujeita à limitação prática resultante da posição mais ou menos estratégica ocupada pelas diferentes classes sociais na estrutura da sociedade. Portanto, mesmo que ocorra extração de excedente, *politicamente* imposta e executada – que é, de qualquer maneira, irremediavelmente ineficiente, se comparada à extração *economicamente* regulada da sociedade capitalista –, pode-se dizer que isso representa, em termos estritamente econômicos, um certo montante de desperdício. Sob o controle direto

---

[42] Id., ibid., p. 324 [ed. bras., op. cit., p. 254].

dos privilegiados (como testemunham seus monumentos, de pirâmides a palácios feudais), o processo de reprodução societária como um *todo* é ordenado pelo princípio da genuína economia, com relação tanto ao trabalho como aos recursos materiais empregados. Abarcando os vários tipos e habilidades de trabalho, seus materiais e instrumentos, e seus produtos, todos postos em relação direta com a *necessidade* e o *uso* e constituindo uma *unidade* estreitamente entrelaçada, as limitações do processo de trabalho acabam sendo também as limitações historicamente determinadas da sua capacidade para a produção de desperdício.

Tudo isto muda radicalmente com o surgimento do capitalismo. Por mais que, sob muitos aspectos, o sistema do capital seja flexível, ele não consegue simplesmente se reproduzir em base "estacionária", não importando quanta divagação teórica seja dedicada a tal desiderato, quando vêm à luz as contradições do modo de produção capitalista. Ao contrário, para provar seu "estado saudável", ele tem de estar bem longe do "estável" e do "estacionário", reproduzindo todos os seus componentes conflitantes numa escala sempre crescente. Pois, como Marx ilustra a questão,

>   se o capital aumenta de 100 para 1.000, então 1.000 é agora o ponto de partida, do qual o aumento tem de começar; sua decuplicação para 1.000 não significou nada; o lucro e a renda eles próprios se tornam capital por sua vez. O que apareceu como mais-valia agora aparece como uma simples pressuposição etc. como incluída na sua simples composição.[43]

O relacionamento prático do capital com a "economia" é necessariamente subordinado a tais determinações. Os imperativos da lucratividade em escala inexoravelmente crescente – como exemplificado na última citação – trazem consigo a desconcertante consequência de que, não importa quão "calculistas" e "racionais" ou "economicamente conscientes" os empreendimentos particulares possam (de fato, *devam*) ser, no interesse de sua própria sobrevivência no mercado, o sistema como um *todo* é absolutamente *perdulário*, e tem de continuar a sê-lo em proporções sempre crescentes.

Uma análise mais detalhada da economia praticada nos empreendimentos particulares desvenda o mistério de como e por que tal "economia" das partes poderia produzir a perdularidade do todo, revelando que a contradição entre as determinações "micro" e "macroeconômicas" do sistema do capital é apenas aparente neste aspecto. Na realidade, a "economia" do empreendimento particular é uma *pseudoeconomia*. Ela não é apenas *compatível* com o desperdício, mas representa o *modo necessário* de implementação – bem como a forma espontânea de legitimação – do desperdício nas células constitutivas (isto é, o "microcosmo") do sistema.

A ubíqua determinação operativa no sistema do capital é, e continuará a ser, o imperativo da *lucratividade*. É esta que deve sobrepujar todas as outras considerações, quaisquer que sejam as implicações. Nesse sentido, qualquer coisa que assegure a contínua lucratividade da empresa particular, *ipso facto*, também a qualifica como empreendimento *economicamente viável*. Consequentemente, não importa quão

---

[43] Marx, *Grundrisse*, p. 335.

absurdamente perdulário possa ser um procedimento produtivo particular; contanto que seu produto possa ser lucrativamente imposto ao mercado, ele deve ser saudado como manifestação correta e apropriada da "economia" capitalista. Assim, para dar um exemplo, temos uma situação em que 90% do material e dos recursos de trabalho necessários para produzir e distribuir uma mercadoria lucrativamente comercializável – digamos um produto cosmético: um creme facial – sigam, física ou figurativamente, diretamente para a lata de lixo da propaganda eletrônica como um tipo qualquer de embalagem (implicando, apesar de tudo, custos efetivamente reais de produção) e apenas 10% sejam dedicados ao preparado químico que supostamente deve conceder os benefícios reais ou imaginários do próprio creme ao comprador. As práticas obviamente perdulárias aqui envolvidas são plenamente justificadas desde que satisfaçam aos critérios capitalistas de "eficiência", "racionalidade" e "economia" em virtude da *lucratividade* comprovada da mercadoria em questão.

15.5.2
Estas práticas produtivas dúbias são inseparáveis da taxa de utilização decrescente, que só pode se tornar inteligível se relacionada com a separação forçada do "caracol de sua concha". Uma vez que a estreita relação do trabalhador com os meios de produção (não importa o quanto seja coerciva na origem) seja destruída pela alienação desses meios do sujeito do trabalho, as partes constituintes do processo de trabalho podem, e devem, seguir seu próprio curso de desenvolvimento auto--orientado, resultando finalmente nos tipos de manifestações absurdas com as quais estamos todos familiarizados.

Devemos ter em mente que a alienação dos meios de produção dos produtores é, simultaneamente, também a perversa *metamorfose* de tais meios de produção em *capital*. Consequentemente, a lógica à qual, de agora em diante, eles têm de se conformar não é outra senão a do capital como tal, necessariamente autoexpansivo (ou, caso contrário, em desaparecimento).

Nesse sentido, o desenvolvimento dos meios de produção não está mais diretamente ligado ao desenvolvimento das *necessidades* humanas (nem é impulsionado por elas, com maior ou menor vigor). Nem pode responder e se beneficiar diretamente das potencialidades emergentes do avanço do próprio conhecimento ligado à produção. Ao contrário, já que os meios de produção foram *convertidos em capital* (isto é, constituem os meios de produção da sociedade dada somente na medida em que possam se definir e provar a si mesmos, prática e economicamente, como *parte orgânica do capital*), eles têm de *se opor* às necessidades humanas, se a lógica do capital o exigir, sobrepondo às necessidades humanas existentes e potencialmente emergentes as assim chamadas *"necessidades da produção"*, que correspondem diretamente ao interesse de salvaguardar a expansão do capital. Da mesma forma, avanços no *"know-how"* científico podem ser agora transformados em meios de produção realmente empregados, não no terreno das (nem em resposta às) necessidades humanas, mas tão somente se seu procedimento favorecer aos interesses do sistema do capital. É por isso que, não apenas algumas linhas de pesquisa inerentemente produtivas não prosseguem, mas também uma grande parte de conhecimento já existente, junto com incontáveis inventos práticos, é "arquivada" ou inteiramente reprimida, sempre que conflite com os interesses do capital. De fato, dada a alienante metamorfose dos meios de produção em capital reificado, a maquinaria produtiva desse sistema pode e deve ser articulada de tal maneira que sirva antes a propósitos destrutivos do que a produtivos se assim o decretarem os imperativos da contínua autorreprodução do capital.

Assim sendo, no que diz respeito à sua lógica imanente, os meios de produção já não são *meios* genuínos, mas uma parte determinada do *capital* que se *autoimpõe*. Como "meios de produção", eles representam uma forma específica de capital. Entretanto, por constituírem apenas uma *parte* do capital em si, estão sujeitos às determinações intrínsecas desse sistema produtivo como um todo. Seu "desenvolvimento independente" só é realmente independente dos objetivos e necessidades dos produtores; ao passo que, para viabilizar-se, tal desenvolvimento é totalmente dependente de sua estreita conformidade à lei da contínua expansão do capital. Já que incorporam uma determinada *magnitude de capital*, os meios de produção devem crescer (ou perecer, se incapazes de crescer suficientemente) como determinado por esta própria magnitude, quer exista ou não uma autêntica justificação produtiva (mensurável pela necessidade) para o seu crescimento. A definição circular de *produtividade como crescimento* e *crescimento como produtividade* encontra sua explicação (e possível correção) na referência a esta perversa relação prática que bane os produtores (como "ricos indivíduos sociais" em potencial) junto com suas necessidades – cujo desenvolvimento e cuja satisfação sem obstáculos poderiam torná-los verdadeiramente ricos – das equações do capital, ao substituí-los por si mesmo como sua própria finalidade.

A dinâmica expansiva dos meios de produção é fundamentalmente determinada pela lógica do capital em si, e não pela particularidade de sua forma de existência como materiais e instrumentos de produção, o que implica sérias repercussões para a taxa de utilização decrescente. Elas se fazem evidentes não apenas no domínio da fábrica e da maquinaria, mas no funcionamento do sistema capitalista de produção e distribuição tomado como um todo.

Como já mencionado, o *capital autoexpansivo* deve mostrar um retorno lucrativo na *totalidade* de suas unidades adicionais, compondo assim não só o seu próprio poder, mas também as complicações (e contradições) que acompanham a necessidade de converter mais-valia em mero pressuposto do novo ciclo de expansão. E, assim, esse processo tem de continuar indefinidamente, independentemente da magnitude do capital já acumulado, que precisa ser considerado em *todas* as suas formas (inclusive os meios de produção) como nada mais do que mero ponto de partida do impulso renovado de expansão.

Assim, no exato momento em que nasce, é imediatamente proferida a sentença de morte da porção determinada do capital alocada para os meios de produção. Isto se deve ao imperativo de superar os meios de produção, enquanto historicamente constituídos (e, do mesmo modo, em sua capacidade contingentemente dada de capital, sempre irremediavelmente limitada), no curso da multiplicação inexorável do capital. Na sua gênese histórica, o sistema capitalista não pôde obter o impulso necessário para se desenvolver sem alienar pela força os meios de produção dos produtores e os converter em *capital*. Por sua vez, no seu modo atual de funcionamento, uma parte significativa de capital tem de constantemente *reconverter-se* em meios dados de produção, numa escala sempre crescente, de modo a se metamorfosear de novo em *capital*, numa escala ainda maior, para ser capaz de embarcar uma vez mais em seu ciclo de autorreprodução ampliada, e assim sucessivamente. Paradoxalmente, quanto maior a magnitude do capital dedicado aos meios de produção (como o deve ser, dada a equação entre o capital autoexpansivo, sob uma de suas formas de existência, e os instrumentos e materiais de produção), tanto maior a pressão para suplantá-la por uma magnitude sempre crescente de capital, destinada ao mesmo tipo de existência, à espera da execução da sentença de morte dada a si própria.

Além do mais, já que a dinâmica expansionista deve assumir, como resultado de tais imperativos, a forma da concentração e centralização de capital, as partes relativamente ineficientes do capital social total acabam inevitavelmente abandonadas à margem do caminho, à medida que prematuramente vão se tornando "excedentes sobre a demanda". Por se tornarem não lucrativas no seu padrão de funcionamento, essas partes terminam por ser *capitalisticamente inúteis*, ainda que pudessem contribuir bastante para a produção de produtos *socialmente úteis* em condições de uma articulação global de capital menos concentrada; e ainda mais se transferíssemos os ativos acumulados para além da estrutura do sistema de capital, para um sistema sociorreprodutivo não concorrencial racionalmente administrado pelos produtores associados.

Seguindo a lógica de suas determinações imanentes, a tendência inexorável à concentração e à centralização de capital – que surge originalmente tanto do antagonismo capital/trabalho como dos intercâmbios conflitantes de uma grande multiplicidade de capitais em competição – continua a prevalecer como antes, mesmo sob as condições arbitrárias de imposição monopolista e de "curto-circuito" e algumas das determinações internas do sistema, ativando e intensificando assim a tendência da taxa de utilização decrescente no próprio plano da utilização do capital. A tão idealizada categoria de "*economia de escala*" (que, no fundo, corresponde a pouco mais do que uma racionalização apologética do insaciável apetite canibalesco do grande capital em devorar seus irmãos e primos menores) expõe muito bem a crescente inviabilidade não apenas do pequeno, mas também do médio capital, em face da taxa de utilização decrescente do capital, que só os maiores complexos parecem suportar no presente momento crítico da história e, mesmo eles, de modo longe de satisfatório.

Basta que recordemos a esse respeito a atual situação da indústria automobilística. Não somente porque muitas fábricas de automóveis, de médias a grandes, desapareceram nas últimas três décadas em todo o mundo, dos Estados Unidos à Inglaterra, à França, à Itália e à Alemanha etc. Também porque firmas comparativamente grandes e subsidiadas pelo Estado, como a British Leyland (agora rebatizada como "The Rover Group", um preparativo para a "privatização" das partes rentáveis do "Grupo") e a Renault – tendo ambas encampado um bom número de companhias razoáveis e grandes em seus tempos de expansão, usando a mesma racionalização da "economia de escala" –, continuam a enfrentar importantes dificuldades sob a forma de aparente incapacidade crônica de se adaptar às exigências produtivas da sempre crescente "economia adequada de escala". Além disso, uma observação mais atenta revela que, na realidade, estamos aqui diante de um círculo vicioso, uma vez que a absorção da "capacidade excedente" de ontem (em nome da "economia de escala", que supostamente é ditada pela própria "racionalidade" e, como tal, frequentemente apresentada para justificar o financiamento público de pesadas perdas) amanhã se transforma na nova "capacidade excedente" subutilizada. E, claro, depois de amanhã deverá ser assimilada por uma corporação ainda maior, com sua pretensa "economia de escala", por fim, plenamente adequada; para recomeçar, no devido tempo, todo o processo de "racionalização de capacidade" gerador de capacidade excedente.

15.5.3
Considerada em relação à *produtividade* como tal, a separação forçada do "caracol de sua concha" não é de modo algum menos problemática. Desde que o capital usurpa todas as funções de controle do metabolismo socioeconômico, enquanto os próprios produtores são completamente excluídos do estabelecimento dos objetivos da produção em relação à sua necessidade, não pode ser dada outra direção para o desenvolvimento da própria produtividade senão a maximização do lucro.

O fato de que os meios de produção se convertem em capital e como tal devem ser valorizados em uma escala sempre crescente, acarreta o desenvolvimento da *tecnologia* como uma prática produtiva paradoxalmente auto-orientada. Paradoxal no sentido de que é tanto *autônoma* (à medida que é liberada pelo capital dos constrangimentos imediatos das necessidades humanas, e, desse modo, capacitada a perseguir, até certo ponto, sua própria linha de desenvolvimento), como *servilmente subordinada* aos ditames orientados para o lucro da lógica imanente do capital. Como resultado, a tecnologia pode avançar na realização de seus objetivos autoimpostos, independentemente das implicações negativas de tal orientação autônoma, tanto em relação à taxa de utilização decrescente – manifestada, por um lado, na *superprodução em massa de mercadorias* e, por outro, no *excesso acumulado de capacidade produtiva* – como em relação ao seu impacto sobre o trabalho vivo. Controles e limitações só podem ser trazidos à cena *post festum,* depois do dano infligido. Ao mesmo tempo, os corretivos viáveis dentro dos limites do capitalismo são bastante limitados, já que o impacto negativo da autonomia tecnológica – que, em situações de crise, parece contradizer os interesses vitais do sistema – está de fato completamente afinado com os ditames materiais do capital, inalteradamente orientados-para-o-lucro, mesmo que, do ponto de vista do capital, seja preferível manter ocultas as contradições subjacentes.

Dessa maneira, as contradições estão destinadas a irromper com dolorosa regularidade, quaisquer que sejam as fábulas otimistas do "*planejamento capitalista*". Uma ação terapêutica dentro da estrutura global do sistema do capital só é exequível sob a forma de um corretivo *post festum,* que preserve a lucratividade global do sistema, quaisquer que sejam os corretivos *parciais* preventivos e os métodos manipulatórios que possam ser divisados em contextos mais limitados. Sob esse aspecto, até mesmo o complexo militar/industrial, como corretivo "planejado", só pode ter um impacto limitado apesar de todo o seu tamanho imponente em um dado país numa determinada época histórica. No que se refere ao trabalho vivo, os imperativos materiais no domínio da tecnologia produtiva do capital em busca de lucro devem ser impostos de um modo ou de outro; se não dourando a pílula amarga, então por alguns meios mais drásticos. As periódicas explosões *"ludditas"* dos trabalhadores como respostas a tais imposições são manifestações extremas desta contradição. Mas, ainda que assuma uma forma bem menos agressiva, continua a ser uma contradição *antagônica*, não importa quanto esforço seja despendido para nos convencer de (ou desejar a) sua inexistência. Pois ela é necessariamente reproduzida a cada ciclo de conversão ampliada da maquinaria e da tecnologia produtivas em capital e *vice-versa*, em direta subordinação ao imperativo material da lucratividade.

As reivindicações e exigências dos trabalhadores, em seus confrontos constantemente renovados com o capital, só podem ser atendidas na medida em que se acomodem dentro desse quadro orientador. O próprio fato de que nem mesmo os melhores e mais honestos pensadores, ao conceituar, do ponto de vista do capital, os acontecimentos correntes, conseguirem reconhecer o caráter antagônico de tais confrontos realça agudamente a natureza problemática de todos os esforços práticos que, apesar de tudo, devem ser divisados para ser enfrentados.

Além do mais, dadas as condições sob as quais o antagonismo estrutural fundamental – mas, mesmo assim, como constatamos, aparente e absolutamente invisível para Mandeville e Babbage – da ordem social capitalista se impõe, ele só pode levar a resultados *contraditórios* para *ambos* os lados desse confronto inconciliável. O trabalho obtém concessões ao preço de ser forçado a constantemente reduzir o volume de *trabalho necessário* requerido para assegurar a continuidade do processo de reprodução capitalista. Todavia, não conquista o poder de tornar aceitável a legitimidade (e a necessidade) de organizar a produção de acordo com o princípio do *tempo disponível*: a longo prazo, única salvaguarda viável contra a sujeição à extrema penúria e à indignidade do *desemprego em massa*. E o capital, por outro lado, obtém êxito em transformar os ganhos do trabalho em sua própria autoexpansão lucrativa e dinâmica ao elevar incansavelmente a *produtividade* do trabalho; entretanto, não encontra solução adequada para as crescentes complicações e perigosas implicações do *desemprego crônico* e da *superprodução concomitante*, que prenunciam seu colapso final como modo socialmente viável de reprodução produtiva.

A própria ciência é mobilizada a serviço das exigências que emanam do mesmo antagonismo fundamental. Dessa maneira, sob as circunstâncias prevalecentes, a ciência é unilateralmente subordinada, na sua função primária, à necessidade vital do capital de converter em vantagens suas próprias concessões e os ganhos periódicos do trabalho. Assim, a atividade científica é praticamente orientada (e constantemente reorientada, quaisquer que sejam as ilusões da "ciência pura de desenvolvimento autônomo") em consonância com sua posição na estrutura da divisão capitalista do trabalho. Com isso, visa à dupla tarefa de, por um lado, inventar mais e mais *maquinaria* produtiva "eficaz em relação ao custo" (o que quer dizer, primordialmente, *economizadora de trabalho*), e, por outro, divisar os métodos e processos adequados para a *lucrativa produção em massa* de mercadorias. É assim que, na dinâmica global do processo de trabalho capitalista (em sua inseparabilidade do imperativo e da dinâmica correspondentes do processo de "valorização"), se torna possível sobrepor as determinações produtivas necessariamente economizadoras de trabalho que podem corresponder em escopo à magnitude sempre crescente do capital como o novo pressuposto e ponto de partida do ciclo de expansão orientado pelo lucro.

15.5.4

A taxa de utilização decrescente é a necessária confluência de todas essas determinações. Tanto a contribuição do trabalho para a redução produtiva do tempo de trabalho necessário como o imperativo objetivo do capital, de converter para seu uso ganhos do trabalho, trazem consigo a taxa de utilização decrescente em diversos planos; desde o modo de funcionamento do próprio trabalho vivo (assumindo com o passar do tempo a forma de desemprego crescente) até a superprodução/subutilização de mercadorias e o uso cada vez mais perdulário da maquinaria produtiva. A única saída concebível de tais contradições, do ponto de vista do trabalho – a saber, a adoção generalizada e a utilização criativa do *tempo disponível* como o princípio orientador da reprodução societária – é, naturalmente, um anátema para o capital, pois não pode ser adaptada à sua estrutura de valorização e de autorreprodução expansiva. Assim, o impulso para a multiplicação de riqueza reificada e pelo incremento concomitante em forças produtivas abstratas da sociedade não pode ser detido, quaisquer que sejam suas implicações para a taxa de utilização decrescente e para o desperdício associado na administração dos recursos materiais e humanos da sociedade.

Do ponto de vista do trabalho vivo, é perfeitamente possível divisar o tempo disponível como a condição que preenche algumas funções positivas na atividade de vida dos produtores associados (funções que só ele pode preencher), desde que a unidade perdida entre necessidade e produção seja reconstituída em um nível qualitativo superior a tudo que já tenha existido no relacionamento histórico entre o "caracol e sua concha". Todavia, em contraste total, o "tempo disponível", do ponto de vista do capital, é necessariamente percebido ou como algo a ser explorado no interesse da expansão do capital (desde a venda de ferramentas e materiais do tipo faça-você-mesmo à extrema comercialização de toda "atividade de lazer", seja ela sexo, culto religioso ou arte), ou como inútil "tempo desperdiçado", já que ele não pode ser explorado. É por isso que a tirania capitalista do *tempo mínimo* (permitido na produção) unido à taxa de utilização decrescente (tanto na esfera da produção como na do consumo) tem de prevalecer sem obstáculos, até que o sistema como um todo entre em colapso sob o peso de suas próprias contradições.

A esse respeito, as alternativas abertas ao capital são, de fato, bastante limitadas. De modo a adiar a "hora da verdade" com relação aos seus próprios limites, o sistema capitalista de produção e consumo pode continuar funcionando, enquanto:

(1) o círculo de consumo dado possa se expandir com sucesso, de modo que uma ampla e *crescente* força de trabalho possa conviver com os imperativos da produtividade ampliada, absorvendo os produtos disponíveis sem dificuldades; ou

(2) uma força de trabalho relativamente limitada ou *estacionária* – em termos práticos, a dos países capitalistas avançados – possa proporcionar uma demanda suficientemente dinâmica para corresponder à necessidade de expansão do capital gerada pelo sistema, tanto ampliando o âmbito como acelerando a taxa de seu consumo.

Estas não são, é claro, determinações filosóficas apriorísticas, mas possibilidades históricas reais. Como tais devem ser concretizadas (isto é, convertidas em realidades socioeconômicas tangíveis e, em última análise, limitantes/restritivas) através dos intercâmbios multifacetados que têm lugar na estrutura global da reprodução societária, na qual as várias tendências e contratendências do sistema do capital se afirmam.

Assim, considerando a primeira possibilidade, não é indiferente a forma particular de articulação real do sistema do capital, no que se refere ao relacionamento entre os centros "metropolitanos" do capital e o resto do mundo. Entretanto, uma vez que sejam criadas e se consolidem as relações estruturais objetivas com as quais estamos familiarizados, por meio da penetração capitalista e do domínio imperialista (ou neoimperialista) ocidental, subordinando o "Terceiro Mundo" aos interesses dos países capitalistas dominantes, a possibilidade de ampliar o círculo de consumo de modo a incluir nele a população mundial como um todo sofrerá um maciço impedimento.

Não surpreende, portanto, que as estratégias do pós-guerra, divisadas para a "modernização" do "Terceiro Mundo" no interior da estrutura do sistema do capital, nem sequer tenham conseguido arranhar a superfície dos problemas estruturais das sociedades envolvidas. Ao mesmo tempo, a dinâmica da expansão capitalista também teve que se retrair para os confins dos países dominantes ocidentais, apoiando-se primordialmente na segunda possibilidade mencionada acima, juntamente com a multiplicação do desperdício para além do crível nos limites do próprio "capitalismo avançado". Tentativas de redefinir o relacionamento entre o "Terceiro Mundo" e o Ocidente, no "autointeresse esclarecido" do último (por exemplo, por meio dos *Relatórios Brandt*), foram por isso privados de real credibilidade, e, assim, condenadas desde o início a desaparecer sem deixar traços. A dura realidade das condições prevalecentes não poderia deixar qualquer espaço para um efetivo esclarecimento, mas apenas para algumas intervenções "caridosas" por ocasião das emergências mais graves (como a fome na Etiópia). De fato, como regra geral, as teorias desenvolvimentistas de orientação ocidental e suas correspondentes práticas institucionais de intervenção "modernizadora" no "Terceiro Mundo" só podiam assumir posturas paternalistas e caritativas desesperadamente inadequadas. A ampliação substantiva do círculo de consumo historicamente constituído (e extremamente restrito) – sem a qual tão somente as migalhas da mesa dos países de capitalismo avançado poderiam ser "redistribuídas" – iria requerer uma mudança radical nas relações de poder de dependência e dominação estabelecidas. Todavia, o sistema global do capital, preso à dinâmica tendenciosa de sua articulação estrutural a favor do "norte", é objetivamente incompatível com tal mudança.

15.5.5

A *taxa de utilização decrescente* afeta negativamente todas as três dimensões fundamentais da produção e do consumo capitalistas, a saber:

1) bens e serviços;
2) instalações e maquinaria; e
3) a própria força de trabalho.

Com relação à primeira, a tendência é perceptível por meio da crescente velocidade da circulação e do *turnover* do capital que se tornam necessários, com o desdobramento do "capitalismo de consumo", para compensar – tanto quanto possível nessas circunstâncias – algumas das mais danosas tendências negativas do desenvolvimento econômico.

De início parece não haver problemas, uma vez que as necessidades de expansão da produção capitalista podem ser satisfeitas ou atraindo para a estrutura de consumo algo mais que o mero consumo básico, ou seja, novos grupos de pessoas, anteriormente excluídos, ou tornando disponíveis também para as classes trabalhadoras, pelo menos nos países capitalistas avançados, mercadorias anteriormente reservadas aos privilegiados, como, por exemplo, testemunha a larga difusão do automóvel, que, junto com a mudança de padrão da moradia, acarreta o afastamento dos trabalhadores de seu lugar de trabalho (em contraste com as cidades-oficinas vitorianas) para áreas suburbanas (mas, claro, não no "Terceiro Mundo", como testemunha a tragédia de Bhopal, causada pelas operações da transnacional americana Union Carbide).

Além de um certo ponto, entretanto, as mercadorias destinadas ao "alto consumo de massa" deixam de ser suficientes para manter longe da porta os lobos da crise de expansão da produção (devido à ausência de canais adequados à acumulação de capital). Torna-se, desse modo, necessário divisar meios que possam *reduzir* a taxa pela qual qualquer tipo particular de mercadoria é usada, *encurtando* deliberadamente sua vida útil, a fim de tornar possível o lançamento de um contínuo suprimento de mercadorias superproduzidas no vórtice da circulação que se acelera. A notória "obsolescência planejada" em relação aos "bens de consumo duráveis" produzidos em massa; a substituição, o abandono ou o aniquilamento deliberado de bens e serviços que oferecem um potencial de utilização intrinsecamente maior (por exemplo, o *transporte coletivo*) em favor daqueles cujas taxas de utilização tendem a ser muito menores, até mínima (como o automóvel particular) e que absorvem uma parte considerável do poder de compra da sociedade; a imposição artificial da capacidade produtiva quase que completamente inutilizável (por exemplo, o "superdesperdício" de um complexo computador usado como "processador de texto" num escritório onde uma simples máquina de escrever seria perfeitamente suficiente); o crescente desperdício resultante da introdução de tecnologia nova, contradizendo diretamente a alegada economia de recursos materiais (por exemplo, o "escritório informatizado sem papel", que consome cinco vezes mais papel do que antes); o "extermínio" deliberado das habilidades e dos serviços de manutenção, para compelir os clientes a comprar dispendiosos produtos ou componentes novos, quando os objetos descartados poderiam facilmente ser consertados (por exemplo, compelir as pessoas a comprar sistemas completos de silenciosos para carros ao preço de 160 libras, em lugar de um serviço de solda de 10 libras, que seria perfeitamente adequado ao propósito) etc. Tudo isso pertence a essa categoria, dominada pelos imperativos e determinações subjacentes para perdulariamente diminuir as taxas de utilização praticáveis.

Entretanto, apesar da cínica prática da "obsolescência embutida", assim como de todos os esforços manipulatórios de propaganda, que visam produzir a mesma "obsolescência prematura" por outras vias, não é muito fácil garantir – na escala necessária e com a consistência exigida para torná-la confiável do ponto de vista do capital orientado-para-a-expansão – a motivação para o descarte perdulário de bens perfeitamente utilizáveis, dadas as restrições econômicas dos consumidores individuais, mesmo nos países mais ricos, assim como as demandas conflitantes impostas sobre seus recursos. Desse modo, garantias muito mais seguras devem ser encontradas em escala suficientemente ampla, e numa forma diretamente institucionalizável, de modo que possa prosseguir sem obstáculos o incansável impulso do capital para a frente, combinado com sua tendência a reduzir a taxa de utilização.

Como veremos com algum detalhe no próximo capítulo, essa garantia é proporcionada ao capital pela emergência e consolidação patrocinada pelo Estado do "complexo militar/industrial", que *temporariamente* desloca várias das contradições mais importantes. Ele se apropria e dissipa recursos e fundos de capital excedentes aparentemente ilimitados, sem absolutamente nada acrescer aos problemas da realização e das pressões competitivas, como necessariamente o faria a expansão do capital orientada para o consumo real. Ao mesmo tempo, o astronômico perdularismo (que seria totalmente incompatível com os critérios em geral glorificados da eficiência econômica e da "boa economia doméstica") encontra sua justificativa e sua legitimação automáticas no apelo à ideologia do "interesse" e da "segurança nacional", sob a ação combinada dos poderes legislativo, judiciário e executivo, em uníssono com os complexos industriais/militares correspondentes. Dessa maneira, não somente deixam de ser imediatamente sentidas as consequências negativas da taxa de utilização decrescente, mas, ao contrário, graças à sustentação institucional direta, proporcionada pelo Estado em escala maciça e em praticamente todas as áreas de atividade econômica, essas consequências, por um período histórico determinado, podem ser convertidas em poderosas alavancas de expansão capitalista, anteriormente inimagináveis, como pudemos testemunhar nas décadas do pós-guerra.

Encontramos dificuldades e complicações similares, que afetam as exigências da expansão do capital, também no plano das fábricas e do maquinário. A taxa de utilização *decrescente* se manifesta aqui na forma de *subutilização crônica*, acoplada a uma pressão crescente que, para reagir à própria tendência, artificialmente *encurta o ciclo de amortização* dos mesmos. Assim, estamos hoje muito longe do diagnóstico de Charles Babbage, para quem o imperativo capitalista seria o de renovar o maquinário a cada *dez anos*. Nossa atual "sociedade descartável" frequentemente lança mão da desconcertante prática "produtiva" de sucatear maquinário totalmente novo após uso muito reduzido, ou mesmo sem inaugurá-lo, a fim de substituí-lo por algo "mais avançado" ou, sob as condições de uma "pressão depressiva" na economia, deixá-lo sem uso. Naturalmente, tal perdularismo absurdo no campo da utilização da capacidade produtiva não pode se tornar a regra geral. Não obstante, também a *regra geral* foi significativamente modificada no século XX, particularmente nas últimas quatro décadas, se comparada ao "ritmo moderado" com que se descartavam instalações industriais e maquinário perfeitamente utilizáveis na época de Babbage.

As práticas adotadas como resultado das tendências objetivas e das pressões do desenvolvimento do capitalismo moderno são apologeticamente racionalizadas por meio da conveniente ideologia da "inovação tecnológica" – pois quem, em sã consciência, ousaria questionar a necessidade da maternidade para a sobrevivência da humanidade? Isso, porém, não altera o fato de estarmos aqui diante de um problema estrutural fundamental de crescente gravidade. E, uma vez mais, temos que destacar a função do Estado como patrocinador direto, que fornece generosamente, até mesmo às mais ricas corporações multinacionais, os fundos necessários para a "renovação" e o "desenvolvimento de instalações", fundos que o idealizado "espírito empresarial" da competição privada não pode mais produzir lucrativamente. Isso sem mencionar o envolvimento permanente do Estado capitalista moderno na sustentação material (e subsidiada) do sistema da iniciativa privada através do financiamento e da organização, tanto da pesquisa de orientação tecnológica direta como da assim chamada "pesquisa básica".

Quanto ao terceiro aspecto do nosso problema, que se refere ao uso ou ao não uso da força de trabalho socialmente disponível, vem a ser a contradição potencialmente mais explosiva do capital. Pois – desafortunadamente do ponto de vista do capital – o trabalho não é apenas um "fator de produção", em seu aspecto de força de trabalho, mas também a "massa consumidora" tão vital para o ciclo normal da reprodução capitalista e da realização da mais-valia. É por isso que o capitalista individual gosta tanto da elevação do poder de compra do *trabalhador dos outros*. Realmente, sob condições adequadas, em princípio ele nem mesmo é contra a melhoria das condições materiais da classe trabalhadora como um todo; quer dizer, nos períodos em que tais melhorias não conflitem com as exigências da lucratividade, já que podem ser financiadas a partir do crescimento da produtividade da dinâmica da reprodução ampliada. Daqui a possibilidade, de fato a necessidade, de "economias de altos salários", ou variedades do "Estado de bem-estar social" nas circunstâncias da ininterrupta expansão do capital, como testemunhamos durante a fase relativamente longa de desenvolvimento do pós-guerra nos países de capitalismo avançado.

Entretanto, a taxa de utilização decrescente da força de trabalho (que se manifesta na forma de desemprego crescente) não pode ser revertida por fatores e medidas conjunturais. De forma desconcertante para o capital, não se pode tratar indefinidamente o trabalho como um mero "fator de produção", nem mesmo explorando ideologicamente a oposição fictícia entre trabalhador e consumidor, de modo a submeter o trabalhador em nome da mítica do "Consumidor", com maiúscula. Pois, em *última análise* (e apesar de todos os clichês apologéticos produzidos pela chamada "ciência econômica" sobre a proclamada "maximização das utilidades marginais" em base estritamente individualista), ambos são basicamente o mesmo. De fato, o estado saudável ou "disfuncional' da economia capitalista é, ao fim e ao cabo, determinado com fundamento nesta identidade estrutural (extremamente incômoda do ponto de vista do capital) entre trabalho e "massa consumidora", o que confere ao trabalho, em ambas as situações, uma posição estratégica objetiva no sistema como um todo, mesmo que as pessoas envolvidas não estejam ainda conscientes das potencialidades emancipadoras inerentes a esta posição.

As implicações práticas negativas desta identidade fundamental vêm à superfície com evidência e determinação irreprimíveis através do desdobramento tendencial da taxa de utilização decrescente. Além do mais, com relação ao trabalho essa tendência assume a forma de uma fastidiosa contradição. Pois, de um lado, encontramos o apetite *sempre crescente* do capital por "consumidores de massa" enquanto, de outro, a sua necessidade *sempre decrescente* de trabalho vivo.

É, de fato, a contradição antagônica e, por fim, explosiva dessas duas necessidades fundamentais, porém inconciliáveis, do capital que domina o discurso da moderna teoria econômica burguesa, oferecendo a "conciliação" imaginária da contradição em questão pela nova redação de seus termos de referência e pela redefinição da substância de seus componentes, com o propósito da racionalização ideológica. Consequentemente, a "ciência econômica" não só inventa "*o Consumidor*" como entidade independente, mas também invoca o capitalista como "*o Produtor*"[44], reduzindo ficticiamente o papel estratégico do trabalho a um mínimo irrelevante. Dessa maneira, a economia política burguesa do século XX simultaneamente reflete e legitima, de um modo caracteristicamente invertido, a mais antissocial e desumanizante tendência do capital para a expulsão brutal do trabalho vivo do processo de trabalho.

Evidentemente, enquanto a taxa de utilização decrescente pode produzir canais para a expansão do capital através da multiplicação, não importa quão perdulária, de bens e serviços, bem como pela aceleração da taxa de amortização de instalações e maquinário acima mencionada, a terceira e mais perigosa dimensão desta tendência – aquela que diretamente afeta o trabalho como o sujeito vivo do processo de trabalho – pode permanecer latente. De fato, a latência dessa terceira dimensão, conjugada com a exploração das outras duas (tanto em termos estritamente econômicos, como pelo envolvimento ativo das "políticas de consenso" nos países de capitalismo avançado) pode criar a ilusão da "integração" permanente do trabalho. Como resultado, os profundos problemas estruturais e as contradições do sistema socioeconômico existente podem ser conceituados como "disfunções temporárias" de caráter essencialmente *tecnológico*, de onde se poderia concluir que de fato eles seriam suscetíveis de *soluções tecnológicas* similares.

---

[44] Infelizmente, Immanuel Wallerstein mantém o mesmo uso, que é muito mais apropriado à estrutura ideológica apologética weberiana/parsoniana do que exigências conceituais de uma teoria socialista crítica. Por exemplo, "dizer que o *objetivo do produtor* é a acumulação de capital é dizer que ele tenderá a produzir tanto de um bem quanto possível e o oferecerá à venda com a maior margem de lucro" (Wallerstein, *Historical Capitalism*, Londres, Verso Editions, 1983, p. 20). Que isto não é apenas um descuido isolado e sem consequências é demonstrado pela ocorrência do mesmo uso surpreendente nas páginas 21, 22, 26, 29 e 50 do livro de Wallerstein.

Só quando o potencial das duas primeiras dimensões – tal como manifestas em relação a (1) bens e serviços; e (2) instalações e maquinário – para afastar as contradições inerentes à taxa de utilização decrescente não conseguir um efeito suficientemente abrangente, somente então será ativado o selvagem mecanismo de expulsão em quantidades maciças de trabalho vivo do processo de produção. Isto assume a forma de *desemprego em massa*, mesmo nos países mais avançados, independentemente de suas consequências para a posição da "massa consumidora", e das necessárias implicações da decadência da posição do consumidor na "espiral descendente" de desenvolvimento das economias envolvidas.

Sob tais circunstâncias, quando uma proporção sempre crescente de trabalho vivo se torna *força de trabalho supérflua* do ponto de vista do capital, a "ciência econômica" apologética subitamente descobre que a expulsão do trabalho é um problema estrutural, e começa a falar de *"desemprego estrutural"*. Só se esquece de acrescentar que, "simplesmente", desemprego em massa *é estrutural somente para o capital*, e não para o avanço do processo de produção em si. A culpa, ainda quando é reconhecida, é superficialmente lançada sobre os ombros do próprio "progresso tecnológico", ao qual, claro, ninguém em sã consciência pode se opor, exceto, talvez, em nome da utopia pessimista do pensamento liberal desencantado denominada "economia estável".

Assim, graças à mistificadora confluência de uma importante tendência social com seu cenário tecnológico, e graças à subordinação arbitrária da primeira ao segundo, os problemas inerentes ao impacto *cumulativo* das três dimensões em conjunto – que intensificam reciprocamente a força negativa de cada uma tomada isoladamente – nem sequer precisam ser considerados, muito menos efetivamente neutralizados no plano da prática social. É por isso que, como era de esperar, mesmo em tempos de desemprego em massa, que afetou as comunidades mineiras na Grã-Bretanha com uma selvageria ainda maior do que em outras áreas da produção industrial, a entidade normativa da indústria carvoeira "nacionalizada" (British Coal) teve que impor sua exigência socialmente *absurda*, porém *racional* do ponto de vista do capital(!) da implantação da *semana de seis dias*, em lugar da tradicional *semana de cinco dias*, para ser capaz de *alongar o tempo de exploração* de sua força de trabalho muito reduzida, em sintonia com o avanço, em todos os três planos da produção e do consumo acima discutidos, da taxa decrescente de utilização.

A única alternativa viável para tais práticas (a saber, buscar soluções na reorientação da produção social da tirania do tempo mínimo para a maximização do *"tempo disponível"*), obviamente exigiria a adoção de uma *contabilidade social* radicalmente diferente, em lugar da inexorável perseguição do lucro. Porém, é claro, a categoria *"tempo disponível"*, enquanto princípio orientador, que pode ser utilizado criativa e positivamente, do intercâmbio social, é totalmente incompatível com os interesses da ordem estabelecida.

Capítulo 16

A TAXA DE UTILIZAÇÃO DECRESCENTE E O ESTADO CAPITALISTA: ADMINISTRAÇÃO DA CRISE E AUTORREPRODUÇÃO DESTRUTIVA DO CAPITAL

16.1 A linha de menor resistência do capital

16.1.1

A taxa de utilização decrescente é uma das leis tendenciais mais importantes e abrangentes do desenvolvimento capitalista. Deve-se enfatizar que essa tendência (intimamente ligada aos imperativos da expansão do capital) cumpriu funções muito diferentes em fases distintas de tal desenvolvimento. Desse modo, o movimento que torna disponível ao trabalhador dois pares de sapatos, em vez de um, só pode ser considerado positivo, quaisquer que sejam as motivações e determinações ocultas da parte capitalista. De fato, tal expansão do consumo, em escala incomparável com os sistemas produtivos anteriores, é um dos aspectos mais significativos e uma conquista real da "vitória civilizadora da propriedade mobiliária". Para citar Marx:

> A despeito de todos os discursos "piedosos", ele [o capitalista] busca meios para impulsionar [os trabalhadores] ao consumo, procura dar aos seus produtos novos encantos, inspirar novas necessidades pela propaganda constante etc. É exatamente este aspecto da relação de capital e trabalho que é um momento essencialmente civilizador, e no qual se apoiam tanto a justificativa histórica como o poder contemporâneo do capital.[1]

Todavia, a emergência do complexo militar-industrial, baseado na mesma tendência, é uma questão completamente diferente. De fato, as manifestações destrutivas dessa lei tendencial – dificilmente visíveis na época de Marx – entraram em cena com ênfase dramática no século XX, particularmente nas últimas quatro ou cinco décadas. Por consequência, a antiga formulação socialista da superação da *escassez* por meio da produção de uma antes inimaginável *abundância* necessita também de um reexame radical à luz dos mesmos desdobramentos.

Evidentemente, Marx nem poderia sonhar com a emergência do complexo industrial-militar como agente todo-poderoso e efetivo do deslocamento das contradições internas do capital. Ele descreveu a dinâmica da autorreprodução ampliada

---

[1] Marx, *Grundrisse*, p. 287.

do capital – que, de seu ponto de vista, também geraria, a despeito das intenções conscientes dos capitalistas individuais, as condições materiais para uma transformação socialista – nos seguintes termos:

> A grande qualidade histórica do capital é criar este trabalho excedente, trabalho supérfluo do ponto de vista do mero valor de uso, da mera subsistência; e seu destino histórico [*Bestimmung*][2] é *realizado* tão logo tenha havido, de um lado, tal desenvolvimento das necessidades que o trabalho excedente, acima e além da necessidade, se tenha tornado uma *necessidade geral* que brota das próprias *necessidades individuais* – e, de outro lado, quando a severa disciplina do capital, atuando sobre sucessivas gerações [*Geschlechter*], tenha desenvolvido uma *industriosidade geral* como a propriedade geral da nova espécie [*Geschlecht*] – e, por fim, quando o desenvolvimento das forças produtivas do trabalho, que o capital incessantemente força avante na sua mania ilimitada por riqueza e pelas condições únicas em que esta mania pode ser realizada, *tenha florescido* até que a posse e a preservação da riqueza geral exijam menos tempo de trabalho da sociedade como um todo, e em que a sociedade trabalhadora se relacione *cientificamente* com o processo de sua reprodução progressiva, sua reprodução em uma *abundância cada vez maior*; portanto, onde cessa o trabalho no qual o ser humano faz algo que *pode ser feito* por uma *coisa*... O impulso incessante do capital para a forma geral de riqueza leva o trabalho para além dos limites de sua insignificância natural [*Naturbedürftigkeit*], e assim cria os elementos materiais de uma *individualidade rica*, tão *multifacetada na sua produção quanto no seu consumo*, e cujo trabalho, por isso, já não aparece mais como trabalho, mas como o *desenvolvimento pleno da própria atividade*, da qual *desapareceu a necessidade natural* em sua forma direta, porque é a *necessidade historicamente criada* que tomou o lugar daquela natural. É por isso que o capital é produtivo; isto é, uma relação essencial para o desenvolvimento das forças produtivas sociais. Ele deixa de existir como tal somente onde o desenvolvimento dessas próprias forças produtivas encontra sua barreira no próprio capital.[3]

Todavia, o problema é que o capital, na sua forma menos restrita – ou seja, sob as condições da produção generalizada de mercadorias, que circunscrevem e definem os limites do capitalismo –, põe em movimento não apenas grandes potenciais produtivos, mas também, simultaneamente, forças maciças tanto diversificadas como destrutivas. Consequentemente, por mais perturbador que isso possa soar aos socialistas, tais forças fornecem ao capital em crise novas margens de expansão e novas maneiras de sobrepujar as barreiras que encontra.

Dessa maneira, a dinâmica interna do avanço produtivo, baseada nas potencialidades objetivas da ciência e da tecnologia, é gravemente distorcida, na verdade fatidicamente desencaminhada, com a tendência à *perpetuação* das práticas capitalistas viáveis – por mais perdulárias e destrutivas – e com o *bloqueio* das abordagens alternativas que possam interferir nas exigências fetichistas do valor de troca em autoexpansão. Nesse

---

[2] A expressão "sua determinação histórica é realizada" seria uma tradução mais adequada da expressão de Marx do que "seu destino histórico está cumprido".
[3] Marx, *Grundrisse*, p. 325.

sentido, as "necessidades historicamente criadas", que substituem as naturais sob as pressões da produção generalizada de mercadorias, são extremamente problemáticas e devem por isso ser radicalmente questionadas, do ponto de vista da emancipação socialista proposta, na qual elas não só não preparam necessariamente, mas, ao contrário, à qual se opõem ativamente.

16.1.2

Podemos ver os dilemas envolvidos nesses desdobramentos no contexto do *consumo* crescente que, em tese, deveria ser inerentemente emancipador. Para citar Marx,

a produção de mais-valia relativa, isto é, a produção de mais-valia baseada no crescimento e no desenvolvimento das forças produtivas, *exige a produção de um novo consumo*; exige que o *círculo de consumo* no interior da circulação se amplie como o fez previamente o círculo de produção. Primeiro: ampliação quantitativa do consumo existente; segundo: criação de *novas necessidades* pela propagação das já existentes por um amplo círculo; terceiro: produção de novas necessidades e descoberta e criação de *novos valores* de uso.[4]

Entretanto, o resultado positivo dessa interação dialética entre produção e consumo está muito longe de estar assegurado, já que o impulso capitalista para a expansão da produção não está de modo algum necessariamente ligado à *necessidade humana* como tal, mas somente ao imperativo abstrato da "*realização*" do capital.

Naturalmente, isto é viável em mais de uma maneira. A primeira, e historicamente primária – bem como fundamentalmente positiva –, maneira de perseguir a autorrealização sempre crescente do capital por meio da interação dinâmica entre produção e consumo é assim descrita por Marx, em parte recordando Babbage:

Por exemplo, se, mediante a duplicação da força produtiva, um capital de 50 pode agora fazer o que um de 100 fazia antes, de modo a liberar um capital de 50 e o trabalho necessário correspondente a ele, então é necessário criar um novo ramo de produção qualitativamente diferente, *que satisfaça e faça surgir uma nova necessidade*. O valor da velha indústria é preservado pela criação do fundo para uma nova, na qual a relação entre capital e trabalho se põe sob uma nova forma. Daí a exploração de toda a natureza para descobrir novas qualidades úteis nas coisas; o intercâmbio universal de produtos de todos os climas e países estrangeiros; a nova preparação (artificial) dos objetos naturais, pela qual recebem novos valores de uso. A exploração da Terra em todas as direções, para descobrir novas coisas úteis assim como novas qualidades úteis das antigas; como novas qualidades das mesmas coisas na condição de matéria-prima; o desenvolvimento, portanto, das *ciências naturais* ao seu *ponto máximo*; do mesmo modo, o descobrimento, a criação e a satisfação de *novas necessidades que surgem da própria sociedade*; *o cultivo de todas as qualidades do ser social humano*, a produção do mesmo numa forma *tão rica* em *necessidades quanto possível*, porque rico em qualidades e relações – *a produção deste ser como o produto social mais completo e universal*, pois, com vistas à sua *gratificação multifacetada*, tem de ser capaz de muitos prazeres [*genussfaehig*], isto é, cultivado em elevado grau – tudo isso é do mesmo modo uma *condição de produção fundada no capital*. Essa criação

---

[4] Id., ibid, p. 408.

de novos ramos de produção, isto é, de tempo excedente qualitativamente novo, não é meramente a divisão do trabalho, mas antes a criação, separado de uma dada produção, de trabalho com um novo valor de uso; o desenvolvimento de um sistema em constante expansão e cada vez mais abrangente de diferentes formas de trabalho, diferentes formas de produção, às quais corresponde um *sistema de necessidades em constante expansão e cada vez mais rico.*

Assim, o capital cria a sociedade burguesa, assim como a apropriação universal da natureza e os próprios vínculos sociais dos membros da sociedade. Daí a grande influência civilizadora do capital; a produção por ele de um estágio social comparado ao qual todos os anteriores aparecem como meros desdobramentos locais da humanidade e como idolatria da natureza. Pela primeira vez a natureza se converte puramente em objeto para a humanidade, puramente uma questão de utilidade; cessa de ser reconhecida como um poder em si mesma: e a descoberta teórica de suas leis autônomas aparece meramente como um meio de subjugá-la às *necessidades humanas,* seja como objeto de consumo seja como meio de produção. De acordo com essa tendência, o capital avança para além das barreiras e preconceitos nacionais, para além da adoração da natureza e da satisfação tradicional, confinada, complacente e incrustada das necessidades presentes, e das reproduções dos velhos estilos de vida. É destrutivo para com tudo isso, e *constantemente o revoluciona,* pondo abaixo todas as barreiras que impeçam o desenvolvimento das forças de produção, a *expansão das necessidades,* o *desenvolvimento multifacetado da produção* e a exploração e o intercâmbio das forças naturais e mentais.[5]

Infelizmente, no entanto, não há garantia de que prevalecerá a potencialidade positiva que aponta na direção de uma transformação socialista. Pois, do ponto de vista do valor de troca em autoexpansão, a alternativa óbvia da linha de desenvolvimento aqui descrita por Marx é *abortá-la* bem antes que debilite irremediavelmente o poder de controle global do capital. Isto implica a necessidade, por parte do capital, de perseguir uma estratégia de "realização" que não só supere as limitações imediatas da demanda flutuante do mercado, mas ao mesmo tempo tenha êxito em se desembaraçar radicalmente dos *constrangimentos estruturais* do valor de uso como algo subordinado à necessidade humana e ao consumo real.

Uma vez que isto seja alcançado e que, portanto, a medida humanamente significativa de finalidades e objetivos legítimos seja recusada como um entrave intolerável ao "desenvolvimento", o caminho estará completamente aberto para *deslocar* muitas das contradições internas do capital. E isso pode perdurar por um período histórico muito longo, enquanto as novas válvulas de escape e modalidades de realização permanecerem livres, por um lado, das pressões de *saturação* e, por outro, das sérias dificuldades para assegurar os *recursos* necessários ao padrão de produção cancerigenamente crescente e cada vez mais perdulário.

Este tipo de mudança estrutural no ciclo de reprodução capitalista, não previsto por Marx, é realizado pelo deslocamento radical da *produção genuinamente orientada* para *o consumo destrutivo.*

---

[5] Id., ibid., p. 408-10.

Certamente, uma grande variedade de outras formas de produção perdulária foram também experimentadas com o mesmo propósito, e continuam a ser praticadas desde então, como vimos com referência à "obsolescência planejada" etc. Entretanto, elas demonstraram ser excessivamente limitadoras no curso dos desdobramentos capitalistas com relação aos imperativos estruturais do sistema. Assim, tornou-se necessário adotar a forma mais radical de desperdício – isto é, a destruição direta de vastas quantidades de riqueza acumulada e de recursos elaborados – como maneira dominante de se livrar do excesso de capital superproduzido.

A razão pela qual tal mudança é absolutamente viável, nos parâmetros do sistema de produção estabelecido, é que *consumo e destruição* vêm a ser *equivalentes funcionais do ponto de vista perverso do processo de "realização" capitalista*. Desse modo, questão de saber se prevalecerá o consumo normal – isto é, o consumo humano de valores de uso correspondentes às necessidades – ou o "consumo" por meio da destruição é decidida com base na maior adequação de um ou de outro para satisfazer os requisitos globais da autorreprodução do capital sob circunstâncias variáveis.

Mesmo nas piores circunstâncias, encontramos na prática uma combinação de ambos. No entanto, podemos perceber claramente uma tendência crescente a favor do último – a saber, do *pseudoconsumo destrutivo* – no curso dos desdobramentos capitalistas nos países ocidentais dominantes do século XX.

Foi Rosa Luxemburgo quem primeiro notou, antes da eclosão da Primeira Guerra Mundial, em 1913, as grandes vantagens da produção militarista para a acumulação e a expansão capitalistas. Ela caracterizou assim as determinações materiais subjacentes:

> Na forma de contratos governamentais para suprimentos militares, o poder de compra disperso dos consumidores é concentrado em grandes quantidades e, livre das *extravagâncias* e *flutuações subjetivas do consumo pessoal*, ele adquire quase *regularidade automática* e *crescimento rítmico*. O próprio capital basicamente controla este movimento rítmico e automático da produção militar por meio do legislativo e da imprensa, cuja função é moldar a assim chamada "opinião pública". É por isso que, de início, esta área particular da acumulação capitalista parece capaz de *expansão infinita*. Todos os outros esforços para expandir o mercado e estabelecer as bases operacionais do capital dependem largamente de fatores históricos, sociais e políticos, que estão além do controle do capital, ao passo que a produção para o militarismo representa um campo cuja *expansão progressiva e regular* parece primariamente determinada pelo *próprio capital*.[6]

Naturalmente, desde o tempo em que Rosa Luxemburgo escreveu, nesses termos, sobre a "produção militarista", temos testemunhado o surgimento e a consolidação do "complexo industrial-militar", que é um fenômeno qualitativamente diferente em seu relacionamento com o Estado. Contudo, as determinações materiais básicas permanecem as mesmas do ponto de vista do processo de realização capitalista; apenas a sua implementação assume agora uma forma consideravelmente mais avançada – isto

---

6   Rosa Luxemburgo, *The Accumulation of Capital*, Londres, Routledge, 1963, p. 466 [ed. bras., *A acumulação do capital*, São Paulo, Abril, 1984, vol. II, p. 97].

é, economicamente mais flexível e dinâmica, assim como ideologicamente menos transparente e, por isso, politicamente menos vulnerável.

16.1.3

Sob esse aspecto, assim como sob muitos outros, o capital segue a *linha de menor resistência*. Em outras palavras, se encontrar um *equivalente funcional* capitalisticamente mais viável ou fácil a uma linha de ação que suas próprias determinações materiais de outro modo predicariam ("de outro modo" significando a expansão da produção correspondendo ao desenvolvimento da "rica necessidade humana", como descrita por Marx), o capital deve optar por aquela que esteja mais obviamente de acordo com sua configuração estrutural global, mantendo o controle que já exerce, em vez de perseguir alguma estratégia alternativa que necessitaria o abandono de práticas bem estabelecidas.

Portanto, *em princípio*, enquanto for verdade que o desenvolvimento da produção capitalista "exige que o *círculo de consumo*, no interior da circulação, se *expanda* como o fez previamente o círculo produtivo"[7], um equivalente funcional preferível estará à disposição do capital na forma de *aceleração* da velocidade de circulação dentro do próprio círculo de consumo (aumentando o número de transações no círculo *já existente*), em vez de embarcar na aventura mais complicada e arriscada de alargar o próprio círculo.

Enquanto todo o resto permanecer igual, este é um caminho muito mais fácil do ponto de vista do capital. Primeiro, porque a expansão do círculo de consumo traz consigo a difícil tarefa econômica de estabelecer uma malha comercial mais elaborada, que se estenda por áreas anteriormente não alcançadas e inseguras. E, segundo, porque a operação de um círculo de consumo ampliado envolve a mudança nada desprezível do padrão de *distribuição* prevalecente, com todas as suas complicações ideológicas e políticas. (Ver, a esse respeito na Inglaterra, por exemplo, o agudo contraste entre o consumo restrito, tal como foi administrado pelo paternalismo vitoriano – conservador ou liberal – e o círculo de consumo fortemente ampliado da era do pós-guerra com sua *política de consenso*[8].)

Dessa maneira, somente quando o curso correspondente à "linha de menor resistência" for incapaz de atender por mais tempo aos requisitos do desenvolvimento capitalista, somente então são perseguidos os cursos alternativos, de modo a *deslocar* as contradições subjacentes e, assim, prevenir a ativação das potencialidades libertadoras inerentes à "socialização da produção" tão esperançosamente contemplada por Marx.

16.1.4

O mesmo vale para a relação entre a *mais-valia absoluta* e a *relativa*. Sem dúvida, olhando da perspectiva privilegiada do presente, parece óbvio que o dinamismo básico do desenvolvimento capitalista não pode ser explicado sem o seu mais sofisticado motor de

---

[7] Marx, *Grundrisse*, p. 408.

[8] Justamente por isso, uma importante pressão objetiva na direção oposta traz consigo o fim de políticas de consenso e a necessidade de legitimar os ataques às fundações materiais do "Estado de bem-estar social"; implicando, novamente, uma mudança do padrão de distribuição – entretanto, agora de um tipo restritivo – para uma base neoconservadora mais agressiva. Consequentemente, não é de modo algum acidental que as recentes racionalizações ideológicas dos ditames materiais do capital, com entusiasmo crescente, realizem um "retorno aos valores vitorianos" à medida que os sintomas de uma crise estrutural ganham intensidade.

exploração: a produção de mais-valia relativa. Diante desta, a extração de mais-valia absoluta deve parecer não só tosca, mas também perdulariamente ineficiente.

Contudo, duas considerações fundamentais são omitidas deste raciocínio, ambas cruciais para a compreensão da dinâmica do "subdesenvolvimento".

Primeiro, *historicamente* a expropriação desumana de mais-valia *absoluta,* mesmo em sua forma mais cruel[9], é o ponto de partida e o fundamento material necessário para a variante mais refinada (e também ideologicamente mais desconcertante) da exploração capitalista. Em outras palavras, a produção e a apropriação de mais-valia relativa em uma escala sempre crescente, visto ser ela um modo específico de *re*produção, necessariamente pressupõe, não apenas de forma analítico/conceitual, mas também em termos históricos reais, sua real constituição material – isto é, sua *produção* original – por meio do mecanismo de exploração comparativamente mais transparente da mais-valia absoluta.

Segundo, mesmo a uma distância considerável da fase histórica da "acumulação primitiva", o movimento para o predomínio da mais-valia relativa – e não se pode *jamais* falar de algo mais que de sua *predominância*, já que a prática da exploração do tipo "*sweat-shop*" permanece com o capitalismo mesmo em seu estágio mais "avançado", não importa quão "esclarecida" seja sua legislação trabalhista – decididamente não é o resultado de alguma "progressão natural", quaisquer que sejam as mistificações autocomplacentes das teorias desenvolvimentistas de "modernização" inspiradas pelo capitalismo. Ao contrário, esse movimento é o resultado de duras batalhas e confrontações extremas que, *eventualmente*, acabam por quebrar (neste terreno particular, sem necessariamente afetar os outros) a capacidade do capital para seguir a linha de menor resistência, *incorporando*[10] materialmente as concessões obtidas às práticas produtivas e às estruturas institucionais da sociedade capitalista.

---

[9] Ver a respeito a contundente discussão de Marx da "Assim chamada acumulação primitiva" na Parte VII de *O capital*, volume 1.

[10] Em oposição aos mitos do voluntarismo político, é importante salientar que estas concessões, junto com sua objetiva incorporação material e institucional, são factíveis no momento de sua aquisição porque também coincidem com os interesses das partes mais dinâmicas do capital social total. De fato, historicamente, estas últimas tendem a agir, sob tais circunstâncias, como a "ala reformista" da burguesia e, assim, como aliadas temporárias das classes trabalhadoras para assegurar legitimamente a difusão geral de condições de trabalho mais toleráveis. De fato, com a introdução de reformas uniformemente obrigatórias, a ala "ilustrada" da burguesia obtém para si própria consideráveis vantagens competitivas contra os elementos menos dinâmicos e adaptáveis de sua própria classe. Além do mais, se nestas circunstâncias a ala reformista representa os elementos mais avançados da burguesia, seus interesses parciais coincidem com os interesses gerais da classe como um todo numa fase altamente expansionista de seu desenvolvimento. Assim, o capital, como uma totalidade social, concede as "salvaguardas ilustradas" da legislação trabalhista, de acordo com o movimento em que predomina a mais-valia relativa, não apenas porque pode fazê-lo com segurança, mas, ainda mais, porque as novas práticas produtivas aumentam grandemente seu próprio poder e auxiliam na realização de suas potencialidades objetivas para um crescimento e uma expansão global inimagináveis anteriormente (isto é, nos limites da mais-valia absoluta).

Tudo isto é salientado não para negar a importância da política radical, mas para melhor identificar seus alvos estratégicos. No momento em que passa a predominar a mais-valia relativa, seguido de um longo período histórico, o confronto entre capital e trabalho pode ser – mistificadoramente – confinado à barganha sobre a distribuição das fatias disponíveis de um "bolo cada vez maior", sem que isso afete a viabilidade do capital como a *força de controle* global da sociedade. A situação se modifica radicalmente, contudo, no momento de uma crise *estrutural*, quando então o capital não *está* mais em posição de fazer concessões que possam, simultaneamente, transformar-se em vantagens para si próprio. Em tais momentos o confronto social se refere à questão do *controle* em si, e não meramente à participação relativa no produto social total que caberá às classes em luta.

Naturalmente, quando esse movimento se realiza efetivamente, sob a pressão de determinações políticas e econômicas de peso, *ipso facto* a própria linha de menor resistência do capital é significativamente redefinida. Dessa maneira, a incorporação objetiva das "concessões", por meio de um complexo mecanismo de *"feedback"*, num conjunto flexível de práticas produtivas dinâmica e institucionalmente asseguradas[11], amplia significativamente os limites de expansão do capital. O poderoso imperativo expansionista de tais desdobramentos favorece, nos países capitalistas dominantes, por determinados períodos de tempo, até mesmo a adoção oficial e a implementação bem-sucedida de estratégias econômicas de tipo keynesiano como denominadores comuns temporários de interesses de classe estruturalmente opostos e, por fim, inconciliáveis.

Mas, mesmo assim, a ameaça de colapsos e recessões, sob o rótulo de "monetarismo" ou qualquer outro, está sempre no pano de fundo, mesmo nas sociedades de capitalismo mais avançado, indicando a necessidade de intensificar também a taxa de exploração "metropolitana" nas circunstâncias de uma crise importante. (Em tais momentos as demandas de trabalho não podem mais ser contidas nos estreitos limites de contestação da distribuição relativa da mais-valia disponível: uma disputa sem esperança, do ponto de vista do trabalho, contra a necessária premissa de margens de lucro adequadas para assegurar o investimento e a expansão. Sendo assim, sob as condições de uma crise estrutural, *ganhos defensivos* – normalmente bem acomodados nas margens do lucro em expansão – não são mais viáveis, e o objetivo da confrontação social se modifica radicalmente para contestar a alternativa hegemônica entre capital e trabalho na qualidade de modos diametralmente opostos de controle da reprodução social.[12])

Além do mais, a contínua extorsão de mais-valia absoluta permanece um integrante insubstituível do próprio dinamismo expansionista ao longo da história dos desdobramentos capitalistas, incluindo suas fases menos problemáticas. Isto é claramente evidente na utilização de *sweat-shops*, trabalhadores imigrantes, *Gastarbeitern*, trabalhadores domiciliares etc., pelos países capitalistas avançados. Para não mencionar os imensos benefícios materiais que tais países continuam a alcançar pela extração de vastas quantidades de mais-valia do resto do mundo, na mais alta taxa de exploração praticável.

Quanto aos próprios países "subdesenvolvidos", suas estratégias de "modernização" são anuladas não só pela crônica insuficiência da "acumulação primitiva", mas também pela condição igualmente grave de serem eles incapazes de escapar da camisa de força da mais-valia absoluta como o poderoso regulador de seu

---

[11] As políticas de consenso da social-democracia, as respectivas formas de sindicalismo na Europa e os correspondentes historicamente muito diferentes mas, nas suas funções econômicas vitais, amplamente equivalentes na América do Norte e no Japão, eram componentes essenciais dos desdobramentos socioeconômicos de países capitalistas avançados no pós-guerra.

[12] Um exemplo óbvio da resposta capitalista a estas modificações é a decretação de leis antissindicalistas na Grã-Bretanha, tentando destruir os sindicatos combativos pela medida selvagem do sequestro total de seus fundos, como testemunhado nas disputas da União Nacional dos Mineradores e nos sindicatos dos gráficos (SOGAT e NGA). Tais medidas redefiniram brutalmente o significado das "disputas industriais", deixando sindicatos tradicionais – mesmo os liderados por representantes resolutos e com consciência de classe – em situação extremamente precária.

metabolismo socioeconômico. E já que eles não estão em posição de colonizar e saquear, nem de, em seguida, explorar sistematicamente e para sempre os países "avançados", a persistente inadequação da acumulação de capital, consorciada à preponderância da mais-valia absoluta, constitui um verdadeiro círculo vicioso para o seu desenvolvimento.

Nem tudo é tão simples como sugerem algumas tendenciosas teorias da dependência, pois é certamente verdadeiro que a circularidade paralisante das duas deficiências fundamentais há pouco mencionadas representa um poderoso fator socioeconômico, com todas as suas consequências *estruturalmente* retardadoras; ao mesmo tempo é também verdade que a situação do pós-guerra é totalmente ininteligível sem a total cumplicidade das classes dirigentes locais na produção e na preservação da estrutura deformada do subdesenvolvimento crônico.

Certamente, de acordo com a sua linha de menor resistência nas circunstâncias, a exploração neocolonial, muito protegida pela extração de mais-valia absoluta, serve perfeitamente aos interesses do "capital metropolitano" e seu apetite insaciável por superlucros facilmente repatriáveis. Entretanto, não se pode esquecer que a "modernização" neocolonial do sistema capitalista de produção, que mantém no "Terceiro Mundo" a reconhecida preponderância anacrônica da mais-valia absoluta, também vem a servir aos interesses do capital "subdesenvolvido" e à *sua* linha de menor resistência no estágio de desenvolvimento dado. É precisamente com base nesta identidade de interesses que as diferentes seções do capital global podem operar com êxito, em plena cumplicidade umas com as outras, as práticas econômicas mais antiquadas e abertamente exploradoras; em sua linha comum de menor resistência na estrutura global da produção capitalista.

16.1.5

Em nosso contexto, a importância desses desdobramentos – no que se refere tanto à manipulação bem-sucedida do "círculo de consumo" como à extorsão contínua de mais-valia absoluta – é que, como resultado, a margem de manobra do capital é consideravelmente *ampliada*, e a maturação de suas contradições internas *retardada*. O fato de o capital poder continuar a acumulação por meio da mais intensa exploração de mais-valia absoluta e relativa, e, ao mesmo tempo (ao contrário das expectativas de Marx, que possuíam bons fundamentos para o século XIX), estar longe de ser inexoravelmente pressionado a "ampliar a periferia da circulação"[13], indica que os limites para a expansão do capital estão significativamente ampliados e que as condições objetivas de saturação da estrutura global de operações lucrativas do capital significativamente redefinidas. Naturalmente, esta mudança, por sua vez, também significa que as tendências que apontam para a necessidade de uma alternativa socialista estão efetivamente *bloqueadas* enquanto prevalecerem as condições recém-criadas que permitem ao capital manter seu controle sobre o metabolismo socioeconômico graças à adequada reconfiguração da linha de menor resistência. Reconfiguração esta, é verdade, que dificilmente poderia ser mais contrastante com os imperativos iniciais de ampliação do círculo de consumo como tal.

---

[13] Marx, *Grundrisse*, p. 408.

Este é o ponto em que podemos ver claramente a significância vital da taxa de utilização decrescente no desenvolvimento capitalista no século XX. Pois, enquanto a taxa decrescente pode intensificar lucrativamente, ou melhor, multiplicar o número de transações no círculo já dado, não há razão alguma para se correr o risco de "ampliar a periferia da circulação". Consequentemente, vastas porções da população podem ser seguramente ignoradas pelos desdobramentos capitalistas, mesmo nos países "avançados", para não mencionar o resto do mundo mantido em subdesenvolvimento forçado. Além disso, a *complementaridade* da contínua extorsão de mais-valia absoluta com grandes ou pequenos avanços produtivos[14] assegura que, ao se tornar necessário ampliar o círculo de consumo nos países capitalistas ocidentais, o capital seja bem compensado por isso e não tenha que se defrontar com as consequências potencialmente mais destrutivas da taxa decrescente de lucro, já que elas são eficazmente deslocadas não apenas por práticas monopolistas, mas também pela operação da taxa de utilização decrescente combinada com o mecanismo brutal da exploração de mais-valia absoluta.

Além do mais, uma vez que a taxa de utilização decrescente abre novas possibilidades para a expansão do capital, ela adquire um papel muito especial no processo de realização do capitalismo "avançado". Em primeiro lugar, em virtude da sua capacidade de lidar com as pressões emergentes da interação entre produção e consumo, provocadas pelos limites restritivos dos contornos dados da circulação, ela funciona como *meio* insubstituível para realizar a necessária reprodução em escala *ampliada,* ao mesmo tempo em que contém artificialmente a tendência para aumentar o próprio círculo de consumo. Subsequentemente, no entanto, quanto maior a dependência do processo global de reprodução da taxa de utilização decrescente, mais esta se converte em um *fim em si mesma,* já que é tomada como a possibilidade de expansão *ilimitada* com base na premissa de que a própria taxa pode ser reduzida sem grandes impedimentos. Em termos ideais, formulados do ponto de vista do capital (no mesmo espírito com que, sob condições históricas bastante distintas, economistas políticos postulam a "concorrência perfeita" como o modo ideal de funcionamento do sistema), quanto mais o modo estabelecido de produção e consumo possa se aproximar da *taxa zero de uso,* tendo removido completamente o "transtorno disfuncional" – ou, nas palavras de Rosa Luxemburgo, "as extravagâncias e flutuações subjetivas" – do consumo real, maior o alcance automaticamente conferido por esta aproximação à produção contínua e à expansão ilimitada.

Não importa quão *absurda* possa ser tal suposição em suas implicações finais, as práticas produtivas a ela associadas proporcionam uma base operacional poderosa para os desdobramentos capitalistas em circunstâncias nas quais o curso alternativo de ação, divisado por Marx, só poderia intensificar as contradições do capital. Sendo assim, o objetivo e o princípio orientador da produção se tornam: como assegurar

---

[14] Realmente, como demonstra a tão decantada "transferência de tecnologia" capitalista para o "Terceiro Mundo", é possível combinar os mais altos níveis de produtividade com as mais altas taxas de exploração – totalmente inconcebíveis em empreendimentos equivalentes nos "países sedes" –, com cargas horárias das mais desumanas, coerentes com as piores práticas da extração de mais-valia absoluta, possibilitando aos "países metropolitanos" os níveis inimagináveis de superlucro associados e a rápida amortização do investimento de capital.

a *máxima* expansão possível (e a correspondente lucratividade) na base de uma taxa de utilização *mínima*, que mantenha a *continuidade* da reprodução ampliada.

Esse tipo de orientação se afirma espontaneamente, em primeiro lugar, como um imperativo objetivo e uma tendência da produção capitalista em empresas e setores industriais *particulares*, bem antes de ser conceituada em uma forma geral e implementada em escala *abrangente* por meio do envolvimento direto de vários órgãos do Estado. Naturalmente, a adoção de tal finalidade favorece a emergência e o crescente domínio daqueles tipos de empreendimentos econômicos que possam corresponder às exigências necessárias do processo produtivo em questão com o maior dinamismo e a maior eficácia. O resultado, sob o impacto dessas determinações, não é a *ampliação* dos contornos da circulação que se constitui em tendência inexorável do desenvolvimento do capitalista, mas, ao contrário, a *restrição artificial* do círculo de consumo e a *exclusão* dele das massas "desprivilegiadas" (isto é, a esmagadora maioria da humanidade), tanto nos países avançados como no "Terceiro Mundo", graças às perversas possibilidades produtivas abertas ao sistema capitalista pela taxa de utilização decrescente.

16.2 O significado do complexo militar-industrial

16.2.1
O instrumento disposto e capaz de romper o nó górdio de como combinar a máxima expansão possível com a taxa de utilização mínima apresentou-se ao capital na figura do complexo militar-industrial, após uma série de tentativas fracassadas em lidar com os problemas da superprodução de modo menos perdulário a partir da crise econômica mundial de 1929/33. Ainda que os primeiros passos para encontrar uma solução para a superprodução, por meio da produção militarista, tivessem sido dados já antes da Primeira Guerra Mundial, como vimos nas proféticas observações de Rosa Luxemburgo, sua adoção *geral* ocorreu somente após a Segunda Guerra Mundial.

Seguindo essa linha de orientação, as potências líderes do capitalismo ocidental tomaram o exemplo dos "milagres econômicos" pós-1933 de Hitler e o adaptaram às realidades sociopolíticas de suas instituições liberal-democráticas. Isso porque suas tentativas anteriores de ultrapassar a crise – pelas estratégias combinadas da enganadora "administração da demanda" (daí a ascensão à notoriedade da Madison Avenue) e de intervenções estatais do tipo "New Deal" – falharam miseravelmente em relação ao problema do desemprego em massa e da depressão até bem depois de as exigências expansionistas do esforço de guerra terem redefinido radicalmente toda a estrutura da atividade econômica.

Apesar de todas as autoglorificadoras mitologias keynesianas e neokeynesianas em contrário, o verdadeiro fundamento material da expansão foi o novo dinamismo do complexo militar-industrial já existente (mesmo que ainda distante da sua extensão completa) na época dos acordos de Bretton Woods, que apenas ajudaram a intensificá-lo. Dessa maneira, as várias estratégias do keynesianismo foram *complementares* à expansão desembaraçada do complexo militar-industrial, em vez de independentemente aplicáveis às condições verdadeiramente produtivas, viáveis também no socialismo. (Isto deveria, no mínimo, servir de advertência a todos aqueles que tentam divisar – em linhas neokeynesianas – estratégias "econômicas alternativas" para o futuro.)

Afinal de contas, a teoria keynesiana já estava completamente desenvolvida na sequência imediata da crise de 1929/33 e mesmo bem antes disso, em seus traços gerais. Apesar das excepcionais conexões do autor com o *establishment*, na ausência de um veículo material de implementação estatal adequadamente perdulário que fosse, ao mesmo tempo, dinâmico e ideologicamente respeitável, ela teve que permanecer como um grito no deserto.

Naturalmente, não pode haver qualquer *uniformidade* no que se refere à emergência e à consolidação do complexo militar-industrial nos países de capitalismo avançado. Não somente porque a lei do desenvolvimento desigual continua a ser aplicável exatamente como antes, mas também porque algumas condições extraeconômicas bastante especiais foram impostas a alguns deles, por algum tempo, pelos vitoriosos nos anos do pós-guerra. Assim, Japão e Alemanha, por exemplo, foram limitados, por seus respectivos tratados de paz, em suas possibilidades imediatas de rearmamento, com consequências inevitáveis para a reconstrução relativamente lenta e seletiva de suas indústrias militares.

Indubitavelmente, desde o início, o complexo militar-industrial norte-americano ocupou a posição esmagadoramente dominante, seguido pelos de Grã-Bretanha, França e Itália, de acordo com as suas possibilidades econômicas. Entretanto, não se deve ter a ilusão de que o desenvolvimento econômico do pós-guerra do Japão e da Alemanha nada tenha a ver com a sorte do complexo militar-industrial. Na realidade, estes países estão conectados a ele tanto no plano de suas economias nacionais como no da internacional. Para mencionar as formas mais importantes segundo as quais seu próprio desenvolvimento é dependente do papel do complexo militar-industrial no pós-guerra:

1º) Com o estabelecimento das novas alianças militares, praticamente todas as restrições do tratado de paz original são rapidamente removidas e, desta maneira, tanto o Japão como a Alemanha ficam habilitados a montar e expandir (praticamente tanto quanto queiram) seus próprios complexos militares-industriais, virtualmente em qualquer campo da produção militar, com a única exceção dos armamentos nucleares.

2º) Já que a indústria militar – sob hegemonia norte-americana – é um empreendimento internacional, o Japão e a Alemanha participaram, direta e indiretamente, do seu desenvolvimento no pós-guerra já em estágio bem inicial, sob formas variadas, da óptica à eletrônica e da química à metalurgia. Tal participação é da maior importância para o estabelecimento e/ou a modernização de ramos industriais inteiros, nos quais se fundam os "milagres" do desenvolvimento econômico japonês e alemão do pós-guerra. Além disso, encomendas militares diretas, altamente lucrativas, também jogam um importante papel. (Como Paul Sweezy assinalou recentemente em "Economic Reminiscences: Review of the Month", maio de 1995, p. 5: "a Guerra da Coreia representou uma virada não apenas para os Estados Unidos, mas também para a Alemanha e o Japão: os tão falados "milagres" alemão e japonês, ambos tiveram sua origem em uma onda de encomendas da Guerra da Coreia".)

3º) A estreita interligação entre as economias de todos os países capitalistas ocidentais e os Estados Unidos vem a ser o fator mais significativo para avaliar o verdadeiro peso e a importância do complexo militar-industrial para o contínuo funcionamento "saudável" do capital global. Isto ocorre porque a economia dos

Estados Unidos, de longe a mais extensa e dinâmica do mundo ocidental, é sustentada, ao longo de todo o período do pós-guerra, por orçamentos astronômicos de defesa (apesar da ameaçadora dívida interna e externa). Em sua capacidade para sustentar os níveis de produção existentes em seus próprios países, todas as sociedades capitalistas avançadas são profundamente dependentes do mercado em expansão dos Estados Unidos, o que, por sua vez, é absolutamente impensável sem assegurar os astronômicos orçamentos (e déficits) de defesa, sobre os quais tão fortemente se apoia a dinâmica expansionista do conjunto da economia americana.

Essas considerações – que também ajudam a explicar a atitude ocidental ante o problema da dívida americana – se aplicam não só ao Japão e à Alemanha, mas também a todos os outros países de capitalismo avançado. Dessa maneira, mesmo no caso de países em que a participação *direta* do complexo militar-industrial local na economia nacional é relativamente pequena (se comparada à dos Estados Unidos e à de alguns outros países), a contínua expansão produtiva das economias nacionais em questão não pode ser separada da importância global da produção militarista no que se refere à sua aparentemente incurável dependência da economia norte-americana e do preponderante complexo militar-industrial no seu interior.

16.2.2

A grande inovação do complexo militar-industrial para o desenvolvimento capitalista é obliterar efetivamente na prática a distinção literalmente vital entre *consumo* e *destruição*. Esta "inovação" oferece uma solução radical para uma contradição inerente ao valor que se autodefine como tal em todas as suas formas, apesar de só se tornar aguda nas condições do capitalismo contemporâneo,

Tal contradição emerge das várias *barreiras* objetivas à riqueza em autoexpansão que devem ser transcendidas a todo custo, para que o valor como uma força operacional independente se realize a si próprio de acordo com as determinações intrínsecas de sua natureza. Por isso na Roma imperial, como observou Marx, o valor alienado e independente, como riqueza orientada para o consumo,

> aparece como *desperdício ilimitado*, que tenta logicamente elevar o consumo a uma ilimitação imaginária pelo hábito de se *devorar saladas de pérolas* etc.[15]

O problema em questão é duplo. Em primeiro lugar diz respeito aos *recursos limitados* da sociedade e, portanto, à necessidade de *legitimar* sua alocação entre alternativas, não apenas exequíveis, mas que efetivamente competem entre si. E, segundo, tem a ver com a constituição do próprio *consumidor*; ou seja, com todas as *limitações* naturais, socioeconômicas e até culturais de *seus apetites*.

O complexo militar-industrial resolve com sucesso essas duas restrições fundamentais. Com relação à primeira dimensão, ao contemplar a antiga prática romana do "desperdício conspícuo" na forma do "devorar de saladas de pérolas", torna-se irresistível a conclusão de sua decadente gratuidade; enquanto, ao contrário, consegue-se legitimar como dever patriótico absolutamente inquestionável o verdadeiro desperdício ilimitado de "devorar" recursos equivalentes a bilhões de tais saladas

---

[15] Marx, *Grundrisse*, p. 270.

através dos anos, enquanto milhões incontáveis têm de suportar a inanição como o "destino" do qual não podem escapar.

Do mesmo modo, em relação ao segundo aspecto vital, o complexo militar-industrial remove com sucesso as restrições tradicionais do círculo de consumo definido pelas limitações do apetite dos consumidores. Nesse aspecto, ele corta o nó górdio altamente intricado do capitalismo "avançado" ao reestruturar o conjunto da produção e do consumo de maneira a remover, para todos os efeitos e propósitos, a necessidade do consumo real. Em outras palavras, aloca uma parte maciça e sempre crescente dos recursos materiais e humanos da sociedade a uma forma de produção parasitária e que se *autoconsome*, tão radicalmente divorciada e, na verdade, oposta à real necessidade humana e seu consumo correspondente que pode divisar como sua própria *racionalidade* e finalidade última até mesmo a total destruição da humanidade.

16.2.3

Nunca é demais enfatizar que o capital simplesmente não *topou por acaso* com soluções estruturalmente corporificadas na articulação institucional e nas práticas produtivas do complexo militar-industrial. Ao contrário, pode-se identificar aqui uma consistência e uma direção fatais no sentido de que as determinações e os imperativos, que culminaram nas "soluções" que acabamos de ver, vieram à tona, ainda que de forma muito diferente, num estágio bastante prematuro do desenvolvimento capitalista. O capitalismo como tal é construído sobre a contradição insolúvel entre valor de uso e valor de troca, estipulando a necessária e, em última análise, destrutiva subordinação do primeiro ao segundo. Tal contradição se manifesta desde o início também como um intratável problema de *legitimação,* para o qual os apologetas do iníquo sistema do "individualismo possessivo" do capital só podem oferecer soluções na forma de sofismas e mistificações. Isso acontece desde as cerebrais dedução e racionalização do uso explorador do dinheiro e o "consentimento tácito" pelo fundador do liberalismo, John Locke[16], até a fictícia "soberania do consumidor" da assim denominada "teoria da utilidade marginal".

De modo similar, as restrições que emergem das limitações práticas dos apetites dos consumidores são, tanto quanto possível, condenadas e ignoradas ao longo

---

[16] Anatole France definiu (e fustigou), com ironia, a liberdade e igualdade espúrias da sociedade liberal-democrática que proíbe a todos, "sem discriminação", de dormir debaixo das pontes, independente de quem na verdade precisa fazê-lo. A real ironia está no fato de que os apologistas da ordem social capitalista são sérios quando colocam essencialmente os mesmos critérios que Anatole France satirizou. Assim, para legitimar a sujeição total dos despossuídos ao sistema político, que serve os interesses das classes governantes, Locke tenta sustentar o seu conceito vago de *consentimento tácito,* alargando as noções de *propriedade* e *posse* a ponto de ser indiferente se "a posse da terra seja para todo o sempre dele e de seus herdeiros ou se se trata de um alojamento de somente uma semana; ou se apenas é simplesmente viajar pela rodovia; e, com efeito, atinge até mesmo o próprio ser de qualquer um dentro dos territórios daquele governo" (Locke, *Two Treatises of Civil Government,* Book II, § 119. [ed. bras. *Segundo tratado sobre o governo civil,* in Os Pensadores, São Paulo, Abril, 1978]).
Nas raízes desta descarada racionalização das relações de poder estabelecidas nós encontramos, em Locke, um sofisma igualmente apologético pelo qual ele tem sucesso em deduzir a justeza da distribuição desigual de riqueza. Sem dúvida, é necessário todo sofisma de que ele pode lançar mão para justificar o imenso abismo entre o ponto de partida – o reconhecimento de que "o trabalho, no princípio, deu um

de toda a história do capitalismo. Tentativas desse tipo, na realidade, crescem em intensidade paralela ao desdobramento das potencialidades produtivas do capital. Como vimos na obra de Mandeville, a "ética protestante do trabalho" e sua condenação do "luxo" jamais poderiam representar mais do que um dos lados da moeda. No momento em que atingimos a época da "obsolescência planejada", parece ser difícil acreditar que alguém pudesse ter dado, alguma vez, a menor atenção a tais regras de conduta.

Decerto, também sob esse aspecto, a oposição do capital às suas próprias limitações deve assumir uma forma contraditória. Daí a enérgica *aprovação* de salários maiores para os trabalhadores de *outros capitalistas* – os bem-vindos compradores do que se oferece à venda – ao lado da exortação às virtudes da contenção salarial em nome da "eficácia dos custos" e da "sobriedade econômica doméstica": racionalizações santificadoras dos interesses particulares dominantes travestidos de valores universais. E, já que a expansão do valor de troca é a preocupação fundamental dessa sociedade, toda forma de mistificação é usada para fazer de conta que a produção de uma quantidade sempre crescente de valor de troca, não importa quão obviamente perdulária, está plenamente de acordo com os melhores princípios da "racionalidade econômica" e corresponde eficazmente a alguma "demanda real".

Desse modo, evita-se a questão do *uso real*, e o mero ato da *transação comercial* se torna o único critério relevante do "consumo", fundindo desse modo caracteristicamente os conceitos de *uso* e *troca*. Assim, como antes testemunhamos a equivalência interesseira e absolutamente mistificadora do "*produtor*" com o *capitalista*, aqui somos apresentados à identificação tendenciosa do *comprador* com o assim chamado "*consumidor*", de modo a eliminar de cena o embaraçoso produtor real, o trabalhador.

Graças a esta última mistificação, resolvem-se convenientemente e de um só golpe dois delicados problemas. Primeiro, não é sequer posta a questão da existência ou não de algum consumo real – correspondente à necessidade humana – posterior ao passo preliminar necessário da transação "contratual", já que o próprio ato de transferir a mercadoria ao novo proprietário, em troca de dinheiro a ser reinvestido, completa o circuito da reprodução ampliada do capital. E, segundo, as mercadorias podem agora ser amontoadas sem qualquer dificuldade de justificação, uma vez que o próprio ato de compra pode, em princípio, "consumir" uma quantidade *ilimitada* de bens (sem realmente consumir *absolutamente nada*), tendo em vista o fato de não estar ligado aos apetites necessariamente limitados dos seres humanos reais.

Nesse sentido, não é de modo algum acidental que Locke tenha se preocupado tanto em efetuar uma rápida transição do *uso real* para o *pseudoconsumo* que emana

---

direito de propriedade" (Livro I, § 45) – e o objeto da apologia legitimadora (que pressupõe a sujeição total e a exploração do trabalho). Mas, da mesma maneira que a ficção do "consenso tácito" o ajudou a sair das dificuldades da legitimação política, justifica as relações de propriedade estabelecidas com a ajuda do postulado de um "consentimento comum" para o uso de dinheiro (ibid.) e de um "consentimento mútuo" (§ 47) sobre os benefícios gerais do dinheiro. Convenientemente, pode-se concluir daquele postulado que "está claro que o consentimento dos homens aceitou uma posse desproporcionada e desigual da terra" (§ 50).

do "uso de dinheiro por consentimento mútuo". Na visão de Locke, o uso real é estreito e está perdulariamente circunscrito aos constrangimentos da natureza, fatos que se evidenciam tanto na perecibilidade dos objetos a serem consumidos como nas limitações dos próprios apetites humanos. Segundo ele, o uso de dinheiro foi consentimento mútuo e o fundamento justificador do "amontoar" e "amealhar" riqueza, de modo que "um homem pode possuir", por direito e sem injúria, "mais do que ele próprio pode usar" recebendo "ouro e prata", que ele pode guardar longamente em sua posse sem que se degenerem pelo excedente[17]. De fato, pondo o carro na frente dos bois, Locke pode até mesmo representar falsamente as práticas artificiais e iníquas de acumular riquezas sociais e excluir outros de seus benefícios não como se fossem apenas plenamente conforme, mas diretamente originárias da própria natureza. Assim, ele argumenta: "Descubra-se algo que tenha o valor e o uso do dinheiro entre os vizinhos, e ver-se-á o mesmo homem começar imediatamente a amplificar o que possui"[18].

Sob esse aspecto, é verdadeiramente irônico o modo pelo qual o círculo se fechou, da época de Locke até o presente, e como a base original de justificação das práticas produtivas dominantes foram completamente subvertidas. O argumento principal de Locke (a favor do uso de dinheiro, justificando a acumulação grosseiramente iníqua de riqueza) era que, juntos, eles *eliminam* o *desperdício*, o que obviamente deve ser do interesse de cada membro singular da sociedade. Entretanto, na época em que o sistema de acumulação advogado por Locke alcança sua completa articulação, o desperdício deixou de ser um lamentável aspecto marginal desse sistema, e sim uma parte integrante e deliberadamente cultivada dele. Na verdade, o desperdício no sistema não está de maneira alguma restrito aos produtos perecíveis da natureza. Ao contrário, corre solto em todas as áreas de produção e consumo, destruindo completamente todas as justificativas (e racionalizações) que Locke pôde agrupar em suas deduções a favor do sistema. O que garantiria o uso econômico apropriado dos recursos disponíveis – a riqueza acumulável que se autoexpande com sucesso e que seria ativada pela "durabilidade" do dinheiro – acaba por ser o maior inimigo da própria durabilidade e o agente da perdularidade absoluta. Ironicamente, esse uso econômico apropriado enfim consegue "levar o consumo a uma carência imaginária de limites" ao inventar a perecibilidade instantânea até mesmo das substâncias materiais mais duráveis: ao "dar-lhes a forma" de instrumentos de guerra e destruição que são dissipadores/destrutivos dos recursos humanos ao extremo, mesmo que jamais sejam usados.

16.2.4

O complexo militar-industrial não só aperfeiçoa os meios pelos quais o capital pode agora lidar com todas essas flutuações e contradições estruturais, mas também dá um "salto quantitativo" no sentido de que o alcance e o tamanho absoluto de suas operações rentáveis se tornam incomparavelmente maiores do que poderia ser concebido

---

[17] Id., ibid., § 50 [ed. bras., op. cit.].
[18] Id., § 49. Sua descrição, no § 48, de uma ilha imaginária desprovida de objetos naturais "adequados para tomar o lugar do dinheiro" serve aos mesmos propósitos que os de inventar uma justificativa "natural" para as relações estabelecidas de desigualdade, criadas pelo homem e institucionalmente preservadas.

nos estágios anteriores dos desdobramentos capitalistas. Este salto quantitativo cria canais até então inimagináveis, na medida em que atenua qualitativamente a relação de forças a favor do capital por um período diretamente proporcional ao porte dos próprios canais produtivos recém-criados.

Se as mistificações e os artifícios dos estágios anteriores lembram os meios e métodos grosseiros do matreiro dono de quitanda (que, de qualquer maneira, podia ser desmascarado com relativa facilidade), seus equivalentes sob o "capitalismo avançado" somente são comparáveis a alguma falcatrua multinacional de proporções gigantescas que envolva a manipulação de somas astronômicas entre terminais de computador e o encobrimento até mesmo das mais fraudulentas transações[19], graças a uma trama institucional ideologicamente bem sustentada, na qual as atividades do defraudador, o pagador, o auditor, o legislador e o juiz coincidem em uma só finalidade.

Por conseguinte, se uma porção importante dos recursos disponíveis é abertamente alocada à produção do desperdício, igualizando a produção dos meios de destruição à produção e ponto final, tudo isso deve acontecer estritamente para o propósito elogiável de "oferecer empregos muito necessários". Nem é mais preciso considerar as dificuldades causadas pelo constrangimento dos apetites humanos e das rendas pessoais, pois o "consumidor" não é mais simplesmente o agregado disponível de indivíduos limitados. De fato, graças à importante transformação das estruturas produtivas dominantes da sociedade capitalista do pós-guerra, paralelamente ao correspondente realinhamento de sua relação com o Estado capitalista (tanto nos propósitos econômicos como para assegurar a necessária legitimação ideológico-política), a fusão mística entre produtor/comprador/consumidor de agora em diante é nada menos do que a própria "Nação".

Esta vem a ser outra inovação fundamental do complexo militar-industrial. Ou seja, a falsa representação anterior do *comprador* como *consumidor* permitiria apenas evitar a embaraçosa questão dos apetites humanos e a tradicional exigência de produzir bens de uso real correspondentes a tais apetites; nessa medida, ela jamais foi capaz de oferecer soluções para as limitações financeiras vinculadas à "soberania do consumidor" individual, frustrando assim as alienadas necessidades expansivas do próprio processo de realização capitalista. Somente a "Nação" poderia assegurar a satisfação da dupla exigência de proporcionar um cofre inexaurível que tornasse possível a autorreprodução ampliada do capital e um poço sem fundo capaz de tragar todo o desperdício resultante.

16.2.5

As consequências das mudanças e perversas inovações aqui examinadas são ainda mais perturbadoras quando se consideram as expectativas positivas citadas dos *Grundrisse*

---

[19] A este respeito, fala por si só a história de como este elefante branco tecnológico e permanentemente causador de prejuízos, o *Concorde* anglo-francês, foi, em ambos os lados do Canal da Mancha, imposto por governos cinicamente manipuladores a *seus* "soberanos" eleitores, prometendo de início que os custos totais não excederiam 165 milhões de libras esterlinas, mas, de fato, assumindo gastos *dez vezes* maiores, (e naturalmente ainda aumentados com cada ano de operação subsidiada). Para não mencionar os contratos de defesa, ainda mais lucrativos e "otimisticamente subestimados", que podem ser ocultados ao exame público pelo sigilo legalmente imposto, protegendo as práticas fraudulentas do complexo industrial-militar em nome do "interesse nacional".

(na seção 16.1.2). De fato, se adotarmos uma leitura otimista da exploração conceitual de Marx sobre as potencialidades produtivas do capital, provavelmente terminaremos com um quadro geral enormemente distorcido das tendências atuais de desenvolvimento. No curso do último século, particularmente no período do pós-guerra, a linha de menor resistência do capital foi forçosamente reconstituída de tal modo que a expansão dos contornos da circulação e o crescimento do valor de uso correspondente à necessidade humana não são mais requisitos necessários à reprodução ampliada. Pelo contrário, graças às transformações e aos ajustes estruturais em curso, *permanecendo inalteradas as outras coisas*[20], torna-se possível anular, ou pelo menos retomar em volumes significativos, as conquistas anteriores do trabalho de margens da mais-valia relativa, mesmo nos países de capitalismo avançado, sem subitamente ameaçar o próprio processo de realização. Além disso, não se deve esquecer que complexo militar-industrial *versus* Estado de bem-estar social não é meramente uma *contradição* gritante do capitalismo contemporâneo. É, simultaneamente, também uma *solução* eficaz, ainda que de modo algum permanente, para algumas das contradições do capital que se autorreproduzem na forma usual de seu deslocamento. A recente "combatividade" e os sucessos subsequentes da assim chamada "direita radical" – este legitimador ideológico arquiconservador e porta-estandarte político dos interesses da classe dominante – indicam tanto a urgência das determinações subjacentes como a capacidade da ordem dominante de seguir um curso que realmente reverte a tendência do pós-guerra de "ampliar os contornos da circulação" sem romper seriamente, pelo menos até o momento, o metabolismo socioeconômico do capitalismo ocidental.

Já que o capital, no que diz respeito a seus objetivos autoexpansivos de produção, é totalmente desprovido de um quadro de referência e de medida humanamente significativo, a passagem da produção *orientada-para-o-consumo* ao "consumo" pela *destruição* pode se dar sem qualquer dificuldade importante no campo da própria produção. Ao mesmo tempo, os obstáculos para a necessária racionalização político-ideológica e a legitimação de tais mudanças podem ser prontamente desmantelados pelos interesses privados dominantes e pelo Estado capitalista pela manipulação da "opinião pública" e pelo controle combinado dos meios de comunicação de massa.

Além do mais, o método de solucionar os problemas acumulados pela ativação dos mecanismos de destruição não é de modo algum algo radicalmente novo, que só aparece com o desenvolvimento recente do capitalismo. Pelo contrário, esta é precisamente a maneira pela qual o capital conseguiu se livrar, ao longo de sua história, das situações de crise: isto é, destruindo sem cerimônia unidades super-

---

[20] Sob este aspecto, é importante destacar a necessidade de limitações históricas, econômicas e políticas precisas, pois as proverbiais "outras coisas" nunca são realmente iguais. Ou seja, as tentativas de anulação das conquistas dos trabalhadores devem estar preparadas para alguns obstáculos maiores, tanto no plano da luta sociopolítica como em termos da dinâmica imanente das próprias determinações econômicas. Entretanto, uma avaliação mais detalhada desses temas não pertence a este contexto, cujo objetivo principal é sublinhar que, devido a algumas importantes mudanças estruturais no curso do desenvolvimento capitalista do século XX, tornou-se possível, *em princípio*, contemplar, *por enquanto*, até a reversão mais drástica das tendências anteriores, aqui discutidas, a favor do capital.

produzidas e não mais viáveis de capital, intensificando convenientemente tanto a concentração como a centralização do capital e reconstituindo a lucratividade do capital social total. A inovação do capitalismo "avançado" e de seu complexo militar-industrial é dada pela generalização da prática anterior – que atendia às exigências excepcionais e emergenciais das crises –, que se torna então o *modelo de normalidade* para a vida cotidiana de todo o sistema orientado no sentido da produção para a destruição como procedimento corrente, em conformidade com a lei tendencial da taxa de utilização descrescente, capaz de se aproximar, teoricamente, do *índice zero*.

Esta recém-descoberta normalidade do sistema capitalista o habilita a *deslocar* (mas não a *eliminar*) a contradição fundamental do capital desenvolvido: a superprodução. Graças à capacidade do complexo militar-industrial de *impor* suas necessidades à sociedade, a antiga ideia, que tomava desejo por realidade, da economia política burguesa – a aclamada identidade entre oferta e demanda – é, *por ora*, realizada manipuladoramente no interior de sua estrutura.

Marx corretamente censurou os economistas políticos que tentaram conjurar a contradição entre produção e consumo sugerindo que

> oferta e demanda são (...) idênticas, e deveriam, assim, necessariamente corresponder uma à outra. A oferta, nominalmente, é supostamente uma *demanda mensurada por seu próprio montante*.[21]

Contudo, o que os economistas políticos só puderam sonhar agora é implementado com sucesso *por decreto* do todo-poderoso complexo militar-industrial, agindo em uníssono com o Estado capitalista.

Assim, ambas, oferta e demanda, tornam-se cinicamente relativas de modo a possibilitar a *legitimação da oferta real pela "demanda" fictícia*. O resultado é que a oferta em questão (não importa quão perdulária, perigosa, indesejável e destrutiva) é forçosamente imposta à sociedade por critérios legais inquestionáveis e se torna a suprema "demanda da Nação". De fato, ela é verdadeira e efetivamente *"mensurada por seu próprio montante"*[22], e protegida, pelo Estado servil, contra as limitações dos mais elementares (mas absolutamente inconvenientes) critérios

---

[21] Marx, *Grundrisse*, p. 411.

[22] Um dos aspectos mais sinistros da capacidade do complexo militar-industrial no pós-guerra para "medir a si próprio pelo seu próprio montante" e transformar sua oferta letal em demanda correspondente foi a disseminação de ditaduras militares no "Terceiro Mundo", sob a tutela - e, frequentemente, sob a intervenção direta - das "grandes democracias liberais do ocidente", acima de tudo dos Estados Unidos. Longe de ser surpreendente ou paradoxal, isto revela uma conexão *necessária*, pois o complexo industrial-militar do capital desenvolvido necessita desesperadamente de canais econômico-militares, impossíveis de obter prontamente, por uma série de razões, dentro dos limites e das modalidades de legitimação de sua própria base doméstica. Assim, apesar da retórica dos "direitos humanos" e da "aliança para o progresso", somos aqui apresentados a uma relação de *complementaridade* essencial, na qual a oferta perniciosa do complexo industrial-militar "avançado" não consegue gerar internamente a "demanda efetiva" requerida numa escala sempre crescente. Entretanto, visto que a dinâmica do desdobramento socioeconômico e político – principalmente na América Latina, mas de maneira alguma somente lá, como mostram os distúrbios nas Filipinas e na Coreia do Sul – há de provavelmente solapar a estabilidade das ditaduras militares no "Terceiro Mundo", tais desdobramentos, por implicação, deverão ter severas repercussões na manutenção da viabilidade do complexo militar-industrial também nos países capitalistas "avançados".

capitalistas de "contabilidade racional de custos", graças ao aumento anual de orçamentos militares à prova de inflação, à custa de todos os serviços sociais e das necessidades humanas reais.

16.2.6

Graças a todas essas passagens e mudanças, o capital adquire uma nova maneira de administrar as determinações objetivas do desenvolvimento socioeconômico, incluindo suas próprias contradições no plano da interação crucial entre produção e consumo, minimizando, por todo um período histórico, até mesmo as mais severas implicações desta última na erupção de crises. Já que colocar em movimento e explorar "cientificamente" os mecanismos de destruição corresponde, em oposição direta à expansão do valor de uso humanamente significativo, à linha de menor resistência do capital, *nenhum* dos aspectos positivos teoricamente possíveis do desenvolvimento produtivo do capital esperados na citação anterior dos *Grundrisse* necessita ser desfrutado dentro dos limites produtivos dessa formação social.

Nesse sentido, a "severa disciplina do capital, agindo sobre sucessivas gerações", *nunca* poderá dar origem a uma situação na qual se possa caracterizar a sociedade como apropriada à "industriosidade geral". Nem, de fato, é provável que o capital produza um círculo de consumo cada vez mais rico que a tudo abarque, bem como um *desenvolvimento de necessidades* correspondente a este último, por meio do qual "o trabalho excedente acima e além da necessidade" possa se converter em uma "necessidade geral que se eleva das próprias necessidades individuais". Tais objetivos não só não podem ser alcançados dentro dos horizontes sociais do modo de produção capitalista, como, ao contrário, a tendência anterior à realização de suas precondições mais elementares sofre um grave retrocesso, mesmo nos países capitalistas mais "avançados", quando a linha de menor resistência do capital, em vez de englobar a totalidade da humanidade na busca efetiva da industriosidade geral e da produtividade genuína, começa a estipular a brutal ejeção de um número crescente de pessoas do processo de trabalho.

A mesma reversão se aplica ao desenvolvimento da ciência e à transformação das práticas produtivas de acordo com suas potencialidades inerentes, que supostamente deveriam favorecer a expansão do valor de uso e a interação dialética da progressiva expansão do valor de uso com o desdobramento das necessidades humanas. Como resultado das novas exigências e determinações do capital, a *ciência* é desviada de seus objetivos positivos, e a ela é designado o papel de ajudar a multiplicar as forças e modalidades da destruição, tanto diretamente, fazendo parte da folha de pagamento do complexo militar-industrial ubíqua e catastroficamente perdulário[23], como indiretamente, a serviço da "obsolescência planejada" e de outras engenhosas práticas manipuladoras, divisadas para manter os lobos da superprodução longe da porta das indústrias de consumo.

---

[23] Na Inglaterra, mais de 50% de toda pesquisa científica é controlada pelo complexo industrial-militar, enquanto nos Estados Unidos a cifra está para além dos 70%. E, em ambos os casos, a tendência é de aumento.

Da mesma maneira, as necessidades alienadas e as perversas exigências produtivas da autorrealização do capital não permitem a criação dos *"elementos materiais* da rica individualidade, universal na sua produção e no seu consumo", nem, de fato, o pleno desenvolvimento de necessidades e potencialidades humanas (que é primariamente um desafio sociocultural). Pelo contrário, as *necessidades artificiais* da destrutiva expansão do capital tendem a competir e, na frequente ocorrência de incompatibilidades, a suprimir com extrema insensibilidade até mesmo as mais elementares necessidades da inegável maioria da humanidade. É compreensível, portanto, que a produção de uma *"abundância constantemente maior"* se converta num sonho cada vez mais ilusório – a luz que constantemente se afasta no fim de um túnel que constantemente se alonga –, apesar do aumento assustador das forças *abstratamente* "produtivas" da sociedade, que estão condenadas a permanecer abstratas e estéreis, ainda mais, *contraprodutivas*, por causa de sua inserção social capitalista e sua dissipação destrutiva.

16.3 Das "grandes tempestades" a um *continuum* de depressão: administração da crise e autorreprodução destrutiva do capital

16.3.1
Talvez o aspecto mais significativo da bem-sucedida redefinição, por parte do capital, da linha de menor resistência de maior alcance (e, com isso, o deslocamento temporário de suas contradições) seja, se comparado com um passado não muito distante, o modo radicalmente novo de administrar crises. Aqui, novamente, é muito instrutiva uma citação dos *Grundrisse*, que discute a contradição entre *produção e consumo* (ou *produção e troca*) no capitalismo e a percepção unilateral dos problemas em pauta por parte dos economistas políticos burgueses, notadamente Ricardo e Sismondi:

> Evidentemente, o próprio Ricardo suspeita que o valor de troca de uma mercadoria não é um valor à parte da troca, e que só se confirma como valor na troca; mas ele considera acidentais as barreiras que por isso a produção encontra, como obstáculos que são superados. Concebe, desse modo, a superação de tais obstáculos como sendo da essência do capital, ainda que frequentemente ele se torne absurdo na exposição desta visão; enquanto isso Sismondi, ao contrário, enfatiza não somente o choque com as barreiras, mas a criação delas pelo próprio capital, e tem uma vaga intuição de que elas devam levar ao seu *colapso*. Ele, portanto, deseja estabelecer, do exterior, obstáculo à produção por meio dos costumes, leis etc., que, é claro, como barreiras meramente externas e artificiais, seriam necessariamente demolidas pelo capital. Por outro lado, Ricardo e toda sua escola jamais entenderam as verdadeiras *crises modernas*, nas quais esta contradição do capital *descarrega a si mesma em grandes tempestades*, que crescentemente o ameaçam como *fundamento da sociedade e da própria produção.*[24]

Com certeza, a situação aqui descrita por Marx é de uma contradição insuperável pela sociedade capitalista. Mas, em contraste com a caracterização adequada das fases anteriores de desenvolvimento, feita por Marx, a mudança dramática é que as crises capitalistas sob as novas condições – *desde que* os seus pré-requisitos materiais e político/ideológicos possam ser objetivamente reproduzidos – não precisam

---

[24] Marx, *Grundrisse*, p. 411.

assumir, de maneira alguma, a forma pela qual a contradição entre produção e troca "descarrega a si mesma em *grandes tempestades*".

É esta capacidade recém-descoberta pelo capital, de evitar tempestades nas circunstâncias atuais, que foi mal compreendida por Marcuse e outros como um remédio estrutural fundamental. Na visão deles, a natureza radicalmente alterada das condições predominantes é caracterizada pela "integração" das classes trabalhadoras e pelo triunfo do "capitalismo organizado" sobre as contradições do "capitalismo de crise"[25].

Na verdade, porém, o "capitalismo organizado" não é em nenhum sentido menos perturbado por crises do que o assim chamado "capitalismo de crise". Muito pelo contrário, a elaboração e o aperfeiçoamento dos métodos de "administração das crises" surgiram em resposta direta às pressões de uma crise em aprofundamento.

Também é absolutamente incorreto sugerir (como o faz Lucien Goldmann, seguindo os passos de Marcuse) que "chegamos a um ponto de flexão particular na evolução da sociedade ocidental, *um ponto marcado pela aparição de mecanismos econômicos autorregulados*"[26], já que o capitalismo, de fato, tem sido sempre regido pelos seus mecanismos autorregulados, historicamente específicos. Com efeito, o poder de autoafirmação de tais mecanismos é absolutamente *inseparável* da formação socioeconômica capitalista como tal e constitui uma de suas características definidoras mais importantes como forma específica de controle social.

Neste contexto, a inovação real dos desdobramentos do pós-guerra pode ser apontada com precisão na passagem do padrão tradicional de consumo para um tipo muito diferente, no qual predominam os interesses do complexo militar-industrial. O novo sistema é caracterizado, por um lado, pela subutilização institucionalizada tanto de forças produtivas como de produtos e, por outro, pela crescente, mais constante do que brusca, dissipação ou destruição dos resultados da superprodução, por meio da redefinição prática da relação oferta/demanda no próprio processo pro-

---

[25] Ver, por exemplo, o Prefácio de 1966 de Lucien Goldman a *The Human Sciences and Philosophy*, Jonathan Cape, London, 1969. [ed. bras., *Ciências Humanas e Filosofia*, São Paulo, DIFEL, 1986].

[26] Id., ibid 16. Quando escreveu este prefácio, Goldmann estava tão convencido da durabilidade do novo sistema baseado no "capitalismo organizado" que atribuiu significado positivo a alguns de seus traços mais problemáticos. Insistiu que "nossa crítica do *capitalismo organizado* (ou, para usar outro termo para a mesma coisa, da *sociedade de consumo, a* sociedade de *produção em massa*) não pretende conduzir ao passado ou questionar as realizações *positivas da sociedade moderna* (sua elevação do padrão de vida, seus *mecanismos reguladores* que permitem à sociedade *evitar crises particularmente severas* etc.)" (p. 19).

O problema desta linha de raciocínio é que as vagas categorias "sociedade moderna", "sociedade de consumo" e "sociedade de produção em massa" desviam a atenção do autor da dimensão mais importante das sociedades capitalistas avançadas, a saber, a posição preponderante do complexo industrial-militar no metabolismo socioeconômico, com seu desperdício catastrófico de recursos que prefigura a perspectiva da mais grave das crises estruturais. Assim, unilateralmente, o que na realidade é construído sobre a areia pode aparecer como realizações concretas, e o poder dos "mecanismos reguladores" para *evitar* (em contraste com o que poderia ser corretamente descrito como deslocar e adiar) "crises severas" é exagerado além de qualquer proporção.

dutivo convenientemente reestruturado. É precisamente esta importante mudança na relação entre produção e consumo que habilita o capital a se livrar, *por enquanto*, dos colapsos espetaculares do passado, como a dramática queda de Wall Street em 1929. Por esta via, no entanto, as crises do capital não são radicalmente superadas em nenhum sentido, mas meramente *"estendidas"*, tanto no sentido *temporal* como em sua localização *estrutural* na ordenação geral.

É preciso admitir que *enquanto* a relação atual entre os interesses dominantes e o Estado capitalista prevalecer e impuser com sucesso suas demandas à sociedade não haverá grandes tempestades a intervalos razoavelmente distantes, mas precipitações de frequência e intensidade crescentes por todos os lugares. Dessa maneira, a antiga *"anormalidade"* das crises – que antes se alternavam com períodos muito mais longos de crescimento ininterrupto e desenvolvimento produtivo – sob as condições atuais pode, em doses diárias menores, se tornar a *normalidade* do "capitalismo organizado". De fato, os picos das históricas e bem conhecidas *crises periódicas* do capital podem ser – *em princípio* – completamente substituídos por um padrão linear de movimento.

Seria, contudo, um grande erro interpretar a ausência de flutuações extremas ou de tempestades de súbita irrupção como evidência de um desenvolvimento saudável e sustentado, em vez da representação de um *continuum depressivo*, que exibe as características de uma crise *cumulativa*, *endêmica*, mais ou menos *permanente* e *crônica*, com a perspectiva última de uma *crise estrutural* cada vez mais profunda e acentuada.

16.3.2
Em última análise, a integração estrutural, institucionalmente protegida, e a difusão dos componentes objetivos da crise capitalista – que temos testemunhado já por algum tempo – não diminuem seu peso e sua severidade, não importa quão eficientes possam ser em sua função de deslocamento e "equalização".

Aperfeiçoar os mecanismos de "administração das crises" é uma parte essencial da bem-sucedida reconstituição, pelo capital, de sua linha de menor resistência, capacitando-o a confrontar seus limites inerentes e a deslocar com mais eficiência suas principais contradições nas atuais circunstâncias históricas. Do mesmo modo, não pode haver dúvida de que, para se contrapor às novas aquisições e poderosas inovações do capital, será necessária a articulação de novas estratégias por parte das forças socialistas, hoje completamente aturdidas pela capacidade de seu adversário de manter sob controle as determinantes e as manifestações tradicionais de suas próprias crises.

Não obstante o sucesso da sociedade de mercadorias, no pós-guerra, em superar *temporariamente* esses limites, bem como em tornar "difusas" e retirar o estopim das contradições, os limites do capital permanecem estruturalmente intranscendíveis e suas contradições *fundamentalmente explosivas*.

Mas os limites do capital não são estaticamente dados, e sim representam um desafio dinâmico tanto para o capital como para o trabalho. Na realidade, seus limites últimos se manifestam como os limites da reprodução ampliada, e pertence à natureza mais íntima do capital confrontá-los e dominá-los, num incansável impulso à frente, independente das consequências. Entretanto, como Marx energicamente sublinhou,

> não se deve depreender do fato de o capital definir cada um desses limites como uma *barreira* e em seguida ultrapassá-lo *idealmente* que ele o tenha *realmente* superado e, já que cada uma dessas barreiras contradiz o caráter do capital, sua produção se move em contradições que são constantemente superadas mas que são constantemente postas. Ainda mais. A *universalidade* pela qual ele luta irresistivelmente encontra *barreiras na própria natureza* que, em certo nível do seu desenvolvimento, farão com que se *reconheça* ser ele próprio a maior das barreiras a esta tendência, e por isso *o impulsionará para sua própria suspensão*.[27]

Ainda assim, são necessárias algumas palavras de advertência, não tanto com relação às expectativas otimistas desta última sentença, que pouco nos interessam diretamente neste contexto. Em todo caso, Rosa Luxemburgo colocou as coisas no seu devido lugar quando insistiu na dramática alternativa entre "*socialismo ou barbárie*". Ora, o capital só pode, na melhor das hipóteses, avançar até o ponto de nos apresentar a própria alternativa, mas não pode se propor a solucioná-la por sua própria supressão. Muito pelo contrário, já que a perigosa lógica interna do capital pode apenas forçá-lo a resolver a alternativa em seu próprio favor, pela destruição radical das perspectivas de um final socialista por intermédio de suas bárbaras determinações materiais.

O ponto em questão se refere à modalidade dominante pela qual o capitalismo contemporâneo, com a colaboração do Estado crescentemente intervencionista, pode impor seus imperativos estruturais (e crises decorrentes) à sociedade. Como vimos, o "capitalismo organizado" é mais profundamente afetado pelas crises do que o assim chamado "capitalismo de crise". Ainda assim, ele parece ser capaz de conviver naturalmente com dificuldades e emergências de magnitude anteriormente inimaginável. As barreiras que o capital "encontra na sua própria natureza", em relação à produção e ao consumo, não parecem afetar significativamente seu poder de autoexpansão. Da mesma forma, seu fracasso em efetivar, no plano da produção, "a universalidade para a qual tende irresistivelmente" não parece minar, nem mesmo nas regiões produtivamente mais subdesenvolvidas, seu poder universal de dominação social.

Para compreender essas desconcertantes características do capitalismo contemporâneo, é necessário traçar uma distinção vital entre *produção* e *autorreprodução*. A razão de esta distinção ser tão importante é que o capital não está, em absoluto, preocupado com a produção em si, mas somente com a *autorreprodução*. Do mesmo modo, o "irresistível impulso para a universalidade" do capital só tende à expansão global de sua autorreprodução, em oposição aos interesses da produção humanamente significativa e compensadora.

---

[27] Marx, *Grundrisse*, p. 410.

Naturalmente, sob determinadas circunstâncias históricas, a autorreprodução ampliada do capital e a produção genuína podem *coincidir* num sentido positivo, e enquanto isto ocorre o sistema capitalista pode cumprir seu "papel civilizador" de aumentar as forças produtivas da sociedade e estimular, até um ponto não só possível, mas também ditado por seus próprios interesses, a emergência da "industriosidade geral". Entretanto, as condições necessárias para a produção genuína, e aquelas da autorreprodução ampliada do capital, não só não precisam sempre coincidir como, pelo contrário, podem mesmo se opor diametralmente.

Em agudo contraste com a articulação social predominantemente produtiva do capital da época de Marx, o capitalismo contemporâneo atingiu um estágio em que a *disjunção radical* entre produção genuína e autorreprodução do capital não é mais uma remota possibilidade, mas uma realidade cruel com as mais devastadoras implicações para o futuro. Ou seja, as barreiras para a produção capitalista são, hoje, suplantadas pelo próprio capital de formas que asseguram inevitavelmente sua própria reprodução – em extensão já grande e em constante crescimento – como *autorreprodução destrutiva,* em oposição antagônica à *produção* genuína.

Nesse sentido, os limites do capital não podem mais ser conceituados como meros obstáculos materiais a um maior aumento da produtividade e da riqueza sociais, enfim como uma *trava* ao desenvolvimento, mas como um desafio direto à própria sobrevivência da humanidade. Em outro sentido, os limites do capital podem se voltar contra ele, como mecanismo controlador todo-poderoso do sociometabolismo, não quando seus interesses vierem a colidir com o interesse social geral de aumentar as forças da produção genuína – o primeiro impacto de tal colisão pôde ser sentido, de fato, há muito tempo –, mas somente quando o capital já não for mais capaz de assegurar, por quaisquer meios, as condições de sua *autorreprodução destrutiva,* causando assim o colapso do sociometabolismo global.

Como vimos antes, o capital é totalmente desprovido de medida e de um referencial humanamente significativos, enquanto seu impulso interno à autoexpansão é *a priori* incompatível com os conceitos de controle e limite, para não mencionar o de uma *autotranscendência* positiva. Por isso, ao invés de aceitar as restrições positivas necessárias no interesse da produção para a satisfação das necessidades humanas, corresponde à linha de menor resistência do capital levar as práticas materiais da *autorreprodução destrutiva ampliada* até o ponto em que levantem o espectro da destruição.

Houve tempo em que contemplar a produção da *abundância* e a superação da *escassez* era inteiramente compatível com os processos e aspirações capitalistas. Hoje em dia, no horizonte do "desenvolvimento" e da "modernização" capitalistas, tais objetivos aparecem somente nas racionalizações ideológicas dos mais cínicos apologistas do sistema estabelecido. Apenas este fato já nos diz muito sobre o verdadeiro significado da reconstituição estrutural do capital nas últimas décadas, em sua estreita conjunção com os ajustes correspondentes nas operações de apoio, diretas e indiretas, do Estado capitalista.

Na época de Mandeville, a grande preocupação, no que se referia ao papel do Estado, como vimos, era usar seu poder, no interior do país, de modo que a "propriedade fosse bem assegurada" e que "o pobre fosse estritamente posto a trabalhar"; internacionalmente, a intenção era sustentar as forças do capital em seu empreendimento de expansão colonial, no interesse da riqueza crescente das "grandes nações ativas".

Hoje a situação é radicalmente diferente. Não com relação aos objetivos de "garantir a propriedade" e "pôr o pobre estritamente a trabalhar": enquanto sobreviverem o modo de produção capitalista e seu Estado, eles têm de permanecer como propósitos permanentes do sistema. A diferença radical é visível no fato de que o Estado capitalista precisa agora assumir um papel intervencionista direto em *todos* os *planos* da vida social, promovendo e dirigindo ativamente o consumo destrutivo e a dissipação da riqueza social em escala monumental. Sem esta *intervenção direta* no processo sociometabólico, que age não mais apenas em situações de emergência mas em *base contínua,* torna-se impossível manter em funcionamento a extrema perdularidade do sistema capitalista contemporâneo.

Capítulo 17

FORMAS MUTANTES DO CONTROLE DO CAPITAL

17.1 O significado de capital na concepção marxiana

17.1.1
Para compreender e avaliar a abordagem de Marx da natureza do capital e da formação social dominada pelos imperativos da produção sempre-ampliada do capital, é necessário ter em mente os princípios metodológicos fundamentais que orientam suas análises. Eles são explicitados em uma passagem-chave dos *Grundrisse* como se segue:

A sociedade burguesa é a mais desenvolvida e a mais complexa organização histórica de produção. Por isso mesmo, as categorias que expressam suas relações, a compreensão da sua estrutura, e as relações de produção de todas as formações sociais que desapareceram, sobre cujas ruínas e componentes básicos ela se erigiu, cujas partes remanescentes ainda não conquistadas são carregadas adiante em seu bojo, e cujas meras nuanças desenvolveram dentro dela um significado explícito etc. *A anatomia humana contém a chave para a anatomia do macaco*. Os indícios de desenvolvimentos superiores entre as espécies animais subordinadas, contudo, pode ser compreendida *apenas depois de conhecido o desenvolvimento superior*. A economia burguesa, desse modo, fornece a chave para a antiga etc. Mas de modo algum à maneira daqueles economistas que misturam e confundem todas as diferenças históricas e *veem relações burguesas em todas as formas de sociedade*. Somente alguém já familiarizado com a renda da terra tem condições de compreender tributos, o dízimo etc. Além disso, uma vez que a sociedade burguesa é, ela própria, apenas uma forma *contraditória* de desenvolvimento, as relações derivadas de formas anteriores serão nela encontradas frequentemente apenas em uma forma atrofiada, ou mesmo travestida. Por exemplo, a propriedade *comunal*. Portanto, embora seja verdadeiro que as categorias da economia burguesa possuem uma verdade para todas as formas de sociedade, isto deve ser tomado *cum grano salis*. Podem contê-las em uma forma desenvolvida, atrofiada, caricaturada etc., mas sempre com uma diferença essencial. *A assim chamada apresentação histórica do desenvolvimento* baseia-se em geral no fato de que a última forma considera as anteriores como passos que a preparam, e, uma vez que apenas raramente e sob condições absolutamente específicas é capaz de *criticar a si mesma* – deixando de lado, claro, os períodos históricos que se apresentam como tempos de decadência –, sempre *concebe unilateralmente tais formas anteriores*. A religião cristã só teve condições de contribuir para uma compreensão objetiva das mitologias anteriores quando sua própria autocrítica foi realizada em certo grau, por assim dizer *dynamei*. Do mesmo modo, a economia burguesa alcançou uma compreensão das economias feudal, antiga e oriental apenas depois de se ter iniciado a autocrítica *da sociedade burguesa*. Na medida em que a economia burguesa nunca se identificou mitologicamente com o passado, sua crítica das economias anteriores, notadamente do feudalismo, com o qual ainda estava envolvida em luta direta, assemelhou-se à crítica que a cristandade fez do paganismo, ou também a do protestantismo contra o catolicismo.

Na sucessão das categorias econômicas, como em qualquer outra ciência histórica, social, não se deve esquecer que o seu objeto – aqui, a sociedade burguesa moderna – é sempre o que é dado, na mente assim como na realidade, e que desse modo essas *categorias* expressam *formas de existência, características de existência*, e frequentemente apenas aspectos isolados desta sociedade específica, deste objeto, e que portanto *esta sociedade não começa, de modo algum, no ponto em que se pode falar dela como tal; isto também vale para a ciência*. Deve-se ter isso em mente porque em breve será decisivo para a ordem e a sequência das categorias. ... *Capital* é o poder econômico *onipotente* da sociedade burguesa. Deve formar o *ponto de partida* assim como o *ponto de chegada*. ... Seria portanto inviável e incorreto permitir às categorias econômicas seguirem-se uma à outra na mesma sequência em que foram *historicamente* decisivas. Sua *sequência* é antes determinada pelas relações de uma com a outra na *sociedade* burguesa *moderna*, que é precisamente o *oposto* daquilo que parece ser sua ordem natural ou que corresponde ao desenvolvimento *histórico*. ... A pureza (especificidade abstrata) em que os povos comerciantes – fenícios, cartagineses – aparecem no mundo antigo é determinada precisamente pelo predomínio dos povos agrícolas. Capital, entendido como *capital-comercial*, ou *capital-dinheiro*, surge nesta abstração precisamente onde *capital não é ainda o elemento predominante* das sociedades. Lombardos, judeus assumem a mesma posição para com as sociedades agrícolas da Idade Média. ... A ordem obviamente deve ser: 1) os *determinantes gerais abstratos* que prevalecem em quase todas as formas de sociedade, mas no sentido acima explicado; 2) as categorias que compõem a *estrutura interna* da sociedade burguesa e na qual se apoiam as classes fundamentais. Capital, trabalho assalariado, propriedade fundiária. Suas relações internas. Cidade e campo. As três grandes classes sociais. Trocas entre elas. Circulação. Sistema de crédito (privado); 3) concentração da sociedade burguesa na forma do *Estado*. Vista em relação a si mesma. As classes "improdutivas". Impostos. Dívida estatal. Ordem pública. A população. As colônias. Emigração; 4) as relações *internacionais* de produção. Divisão internacional de trabalho. Troca internacional. Exportação e importação. Taxa de câmbio; 5) O *mercado mundial e crises*.[1]

Como sabemos, várias partes do projeto marxiano sumariadas acima não puderam ser realizadas por ele. Lastimavelmente, apenas os problemas enumerados em 2 foram trabalhados em detalhe nos livros publicados por Marx e nos manuscritos póstumos; mas, mesmo entre estes, a questão fundamental das relações de classe

---

[1] Marx, *Grundrisse*, pp. 105-9.

praticamente não foi tocada, já que o manuscrito do terceiro volume de *O capital* foi interrompido exatamente no início da discussão desse assunto. Não obstante, a abordagem de Marx do complexo de problemas a ser investigado em conjunto é suficientemente clara na passagem acima citada. Mostra as razões que o levaram a se concentrar nas categorias necessárias para compreender a estrutura interna da ordem social a partir da qual é preciso fazer a transição para um sistema qualitativamente diferente de reprodução societária, se a humanidade tivesse de sobreviver.

O importante princípio metodológico adotado por Marx – segundo o qual, na investigação das características definidoras essenciais da mais avançada forma de economia, a burguesa, a chave para a "anatomia do macaco" deve ser buscada na anatomia humana, e não o contrário, como tentaram fazer as abordagens alegadamente históricas, mas na verdade mais a-históricas – permitiu que ele colocasse no centro da sua análise o capital como o poder despótico da ordem sociometabólica existente. Essa escolha é feita para demonstrar tanto os aspectos *positivos* desse sistema reprodutivo, que faz o capital prevalecer como a força *onipotente* da sociedade, como os *negativos*, que estão destinados a levá-lo à desintegração. É por isso que o capital em sua *forma plenamente desenvolvida* deve constituir o *ponto de partida* e o *ponto de chegada*.

Naturalmente, a adoção desse curso de análise não significa que, na visão de Marx, os *antecedentes históricos* do sistema do capital não importem, ou que o *capital*, de algum modo, apareceu repentinamente com a formação *capitalista*, saltando das nuvens de mistério, tal como Palas Atena da cabeça de Zeus. Ao contrário, como Marx demonstra em vários contextos, todos os aspectos da forma plenamente desenvolvida do capital – incluindo a mercantilização da força de trabalho, que é o passo mais importante para alcançar a forma mais desenvolvida, a capitalista – apareceram em algum grau na história muito tempo antes da fase capitalista, em alguns casos, até milênios antes. Concentrar-se na forma plenamente desenvolvida é necessário para mostrar a tendência à dissolução do sistema e também como parte da crítica marxiana da economia política. Em relação à última, a *especificidade* histórica e a necessária *transitoriedade* do sistema do capital são apologeticamente negadas por todos aqueles que – do século XVIII até as teorias de Max Weber, Hayek e seus seguidores – usam os antecedentes históricos *parciais* e *esporádicos* do capital como um *sistema onipotente* para *eternizar* o modo *capitalista* de controle da reprodução sociometabólica da humanidade.

Como sempre, os apologistas do capital imputam a Marx seus próprios pecados, para, ao condená-lo injustamente, se absolverem desses pecados. Assim, deterministas econômicos que são, já que se identificam com o ponto de vista e os interesses do capital, eles o condenam por "determinismo econômico", justamente Marx que ousou expor o determinismo econômico autoexpansionista do sistema adorado por eles. Do mesmo modo, acusam Marx de colocar um "fim na história" em suas referências à futura ordem socialista – porque ele ousou demonstrar as contradições internas e tendências desagregadoras do sistema do capital ainda onipotente. Na realidade, são eles mesmos que colocam um fim na dinâmica histórica, quando "misturam e confundem todas as diferenças históricas e *veem relações burguesas em todas as formas de sociedade*". Pois, ao suprimir as *especificidades* dos antecedentes históricos parciais do sistema socioeconômico existente, terminam por liquidar completamente a dinâmica histórica, já que fazem o processo histórico culminar no presente capitalista congelado para sempre. Nessa visão, o presente não pode ser considerado historicamente específico e *transitório* precisamente porque é a esperada culminação e consumação final de toda história. Em completo contraste, Marx – que supostamente teria posto um fim na história – insiste na irreprimível dinâmica histórica quando enfatiza a especificidade tanto *dos antecedentes como da forma plenamente desenvolvida* de produção do capital, oferecendo assim uma visão do tempo histórico que é tão *aberta* na direção do futuro quanto na do *passado*.

Terminar a história no presente acaba por destruir até mesmo o caráter histórico dos eventos e processos que conduziram a ele, tornando-os algum tipo de *predestinação* que se destina a justificar a aceitação do presente, quer sob a forma de resignação (se o pensador em questão for capaz de reconhecer seus aspectos negativos e problemáticos), quer na forma de uma glorificação apologética mais ou menos inconsciente do existente. Também a esse respeito, tudo parece surgir na história primeiro como uma tragédia e depois como farsa. Desse modo, o término hegeliano da história segue com o reconhecimento e a confirmação resignada da "tragédia no reino do ético" pelo grande filósofo, como vimos antes. Em contraste, a autoidentificação acrítica de muitos dos pensadores do século XX com o *ponto de vista do capital onipotente* produz a absurda e insustentável celebração moralmente injustificável e autocontraditória dos termos econômicos da própria ordem sociorreprodutiva estabelecida que eles desejam perpetuar.

A dimensão combativa da crítica de Marx às tendências "eternizantes" da economia política e da filosofia burguesas é assim inseparável dos princípios metodológicos adotados por ele na precisa junção do desenvolvimento histórico em que concebeu sua obra. As "categorias de ser" (*Daseinsformen*) da sociedade capitalista desenvolvida são o necessário *"ponto de partida assim como o de chegada"* dessa abordagem. Nessa base conceitual, o conjunto da análise marxiana deveria ser levado à sua conclusão, em relação aos problemas enumerados nos pontos 4 e 5, pela demonstração da insolúvel crise estrutural do sistema, que ele esperava que se desdobraria pelos antagonismos que emanam da divisão internacional do trabalho e do mercado mundial. Essa é uma das razões principais pelas quais a ideia do "socialismo em um só país" não podia ser um ponto de partida para Marx. Além disso, na passagem citada acima, Marx também indicou que algumas das categorias a serem analisadas em *O capital*, como formas categoriais de relações derivadas das formas anteriores de desenvolvimento, são preservadas na ordem burguesa moderna numa "forma completamente atrofiada, travestida ou caricaturada" – "por exemplo, a propriedade comunal", em suas palavras, e mesmo o caráter atrofiado/travestido do trabalho social produtivamente avançado sob so domínio do capital. Consequentemente, dado o caráter *contraditório* da ordem capitalista avançada, firmemente salientada por Marx, são necessárias mudanças absolutamente fundamentais para tornar os poderes produtivos herdados adequados às finalidades dos produtores livremente associados na ordem sociometabólica alternativa imaginada por ele. Pois, sem a superação radical do caráter "atrofiado/travestido" e das determinações estruturais antagônicas da divisão social de trabalho anteriormente prevalecente, o poder do capital se reafirmaria e anularia todos os objetivos socialistas.

Na análise das relações produtivas e distributivas plenamente desenvolvidas do capital, os antecedentes históricos podiam ser corretamente tratados como momentos subordinados do presente, usando o princípio metodológico expresso em referência à "anatomia do macaco". Pois, sob uma ordem sociometabólica dada, todas as relações passadas e os antecedentes históricos que tivessem qualquer afinidade com a ordem agora efetivamente dominante já foram *subsumidos*, sob a forma de suas determinações subordinadas, quer em uma forma mais desenvolvida – isto é, positivamente incorporada –, quer em "forma atrofiada, travestida ou caricaturada". Não obstante, tudo isso muda radicalmente no caso da derrubada do sistema por uma *revolução política* de inspiração socialista.

Nesse ponto, quando muitas relações anteriormente consolidadas se tornam fluidas e emerge a *possibilidade* de se criarem estruturas alternativas por meio de uma *revolução social* sustentada, as formas capitalistas herdadas se recusam, com todas as suas forças, a assumir a condição do macaco. Mais que isso, na nova situação, mesmo os "macacos" outrora subservientes aliam-se ativamente ao poder anteriormente absoluto, temporariamente deslocado. De fato, na situação imediatamente pós-revolucionária, o capital e seus constituintes tornam-se, todos, dragões voadores, cuspindo fogo naqueles que tentam mudar a velha ordem, em cuja forma anterior os momentos subordinados estão também integrados firmemente e possuem as suas funções subsidiárias certamente, mas muito reais. E o mais importante de tudo, mesmo o trabalho social "atrofiado e travestido" – preso ao capital por sua existência ininterrupta na divisão de trabalho estabelecida – corre o perigo de se aliar a eles. E corre o perigo de fazê-lo, contra os seus próprios interesses realizáveis praticamente, a menos que, na estrutura de uma estratégia socialista radical, os produtores associados possam realmente assumir a posição de uma agência responsável pelo controle da ordem sociometabólica de transição, objetivando avançar *para além do capital* não apenas em suas formas diretamente herdadas mas, mais importante, também em suas formas pós-revolucionárias possíveis.

Esta é a situação que conhecemos da história do século XX, com seu impacto devastador sobre o projeto socialista. Naturalmente, Marx não poderia imaginar os tipos de desenvolvimento que produziram a desintegração que testemunhamos no passado recente e em outro nem tão recente. Ainda mais que, em sua visão, uma transformação socialista viável tinha que emergir – e somente poderia emergir – da crise estrutural do sistema do capital global, com sua divisão social do trabalho internacional antagônica e um mercado mundial profundamente problemático[2]. Contudo, à luz da nossa própria experiência histórica, a *autocrítica* da revolução socialista e seu desdobramento real – que encontramos em Marx apenas como um princípio

---

2   Na p. 887 dos *Grundrisse*, Marx faz uma crítica da equivocada concepção do economista americano Carey a respeito da natureza das "desarmonias" identificadas e deploradas:

O que Carey não percebeu é que estas "desarmonias do mercado mundial" são meramente as "expressões em última análise adequadas" das desarmonias que se fixaram como relações abstratas no interior das *categorias econômicas* ou que possuem uma existência *local* na *menor* das escalas.

Assim, na visão de Marx, a determinação estrutural inerentemente antagônica do sistema do capital penetra em todos os níveis, dos menores contextos locais à dimensão global mais abrangente, caracterizando desse modo tanto as "micro" estruturas quanto as "macro" relações de todo o sistema como ordem internacional. Isto é o que se expressa também nas "*Daseinsformen*" das categorias econômicas mais abstratas.

geral, mencionado brevemente em *O 18 Brumário de Luís Bonaparte* – devem ser parte integrante da compreensão da realidade contraditória do capital também em suas variedades pós-capitalistas. Compreensivelmente, a obra de Marx não poderia tratar dessa questão vital, já que ele não podia de maneira alguma levar em conta as especificidades históricas nas quais se deram os desconcertantes desenvolvimentos históricos que ao final conduziram à implosão do tipo soviético de sistema pós--capitalista do capital. A forma pela qual Marx caracterizou a ordem plenamente desenvolvida de capital como "sistema orgânico" que deverá ser superado como um *sistema orgânico*, já que suas partes constituintes sustentam-se reciprocamente – em vez de limitar a mudança apenas à sua dimensão jurídica, enquanto mantém intacta em seus muitos aspectos a relação-capital herdada –, ajuda a esclarecer os erros e constitui importante alerta para o futuro.

17.1.2

Podemos perceber a preocupação fundamental de Marx ao tentar combinar os princípios fundamentais de sua teoria com a crítica da economia política. Quanto aos economistas, ele os critica, pois, "eternizando" a ordem estabelecida, projetam a pré-história do capital no presente. E tiveram de fazê-lo para sustentar que o que é verdade para as fases anteriores do desenvolvimento do capital – "acumulação antes do trabalho e que não resultou dele" – também o é para o sistema do capital plenamente desenvolvido:

> Este ato do capital, independente do trabalho, não definido pelo trabalho, é então transferido da pré-história do capital para o presente, para um momento de sua realidade e de sua atividade presente, de sua autoformação. Disso deriva, por fim, o eterno direito do capital de fruir o trabalho alienado ou, antes, seu modo de apropriação é derivado das leis simples e "justas" da troca de equivalentes. ... [na realidade, no presente] o trabalhador constantemente cria um duplo fundo para o capitalista, ou na forma de capital. Uma parte deste fundo constantemente preenche as condições de sua própria existência e a outra preenche as condições para a existência do capital. Como vimos, no caso do capital excedente – e capital excedente com respeito à sua relação antediluviana com o trabalho –, todo *capital presente, real*, e cada um de seus elementos foram *apropriados* sem troca, sem um equivalente, um *trabalho alienado* objetificado, apropriado.[3]

A crítica necessária da economia política – em virtude da sua identificação eternizante com o ponto de vista do capital – é que leva Marx a se concentrar no estágio de desenvolvimento no qual a apropriação contínua do trabalho é a pressuposição da reprodução continuada do sistema. A acumulação primitiva do capital é, sob este aspecto, secundária, pois, quando as relações em questão se referirem à forma plenamente desenvolvida do sistema, as formas anteriores de acumulação terão sido radicalmente alteradas. Elas deverão ser enfrentadas na sua forma radicalmente alterada, caso se pretenda levantar a questão de uma ordem socioeconômica alternativa. Esta última deve ser uma alternativa viável ao sistema atualmente existente, e não a seus distantes ancestrais. Certamente, na sequência da revolução socialista, a constituição histórica do capital se torna, mais uma vez, altamente relevante, quando então fica dolorosamente

---

[3] Id., ibid., p. 504. Itálicos de Marx.

óbvio que o capital, assim como não teve condições de se erguer nem de afirmar repentinamente seu poder, também não pode ser consignado à história passada por uma negação repentina de seu ser, não importa o grau de radicalismo da intenção política de fazê-lo. Contudo, quando falamos da forma plenamente desenvolvida do sistema do capital, como Marx o faz em sua crítica da economia política, a ênfase deve ser colocada nas condições sob as quais a força de trabalho se torna uma mercadoria para o próprio trabalhador, e como resultado a produção se torna

> a produção de mercadorias em sua extensão *completa*, em *toda* a sua largura e comprimento. Só então *todos* os produtos serão convertidos em mercadorias ... a mercadoria como forma *necessária* do produto, e portanto a *alienação* do produto como a forma necessária de sua *apropriação* implica uma *divisão do trabalho social plenamente desenvolvida*, enquanto, por outro lado, é somente na base da produção capitalista, portanto também na divisão capitalista do trabalho no interior da oficina, que todos os produtos *necessariamente* assumem a *forma de mercadoria* e todos os produtores são necessariamente produtores de mercadoria. Consequentemente, somente com a chegada da produção capitalista o valor de *uso* é pela primeira vez mediado *genericamente* pelo valor de *troca*.[4]

Em certo sentido, estamos aqui falando de uma forma paradoxal de desenvolvimento, pois vemos a mercadoria como o *pressuposto* do capital – em sua formação histórica – aparecer também como seu *produto* no estágio plenamente desenvolvido da produção do capital. Para citar Marx:

> A mercadoria, como forma elementar de riqueza burguesa, foi nosso ponto de partida, o pressuposto do surgimento do capital. Por outro lado, as *mercadorias* agora aparecem como o *produto do capital*. Este curso circular adotado por nossa exposição, por um lado, corresponde ao *desenvolvimento histórico do capital*, do qual a *troca de mercadorias, o comércio de mercadorias*, é uma das *condições de emergência*; mas essa mesma condição é formada sobre a base oferecida por vários *diferentes estágios de produção* que têm todos em comum a situação em que a produção capitalista ou não existe absolutamente ou existe apenas esporadicamente. Por outro lado, a troca de mercadorias em seu desenvolvimento pleno e a *forma de mercadoria* como forma social universalmente necessária do produto surge pela primeira vez como *resultado do modo capitalista de produção*.[5]

A questão é que, sem entender a *perversa circularidade* do sistema do capital – mediante a qual o trabalho, sob a forma de trabalho *objetivado, alienado*, se torna capital e, como *capital personificado*, enfrenta e domina o trabalhador –, não há como escapar do círculo vicioso da autorreprodução ampliada do capital como o modo mais poderoso de controle sociometabólico jamais conhecido na história. Pois, o poder que domina o trabalhador é o poder circularmesnte transformado do próprio trabalho social, que assume uma forma "atrofiada, travestida" e se afirma na "situação *fetichizada* em que o *produto é o proprietário do produtor*"[6]. Em outras palavras, o "caráter social" etc., do trabalho do trabalhador o enfrenta, tanto "conceitualmente" como "de fato", não apenas

---

[4] Marx, *Economic Works: 1861-1864*, MECW, vol. 34, p. 359. Itálicos de Marx.
[5] Id., ibid., p. 355. Itálicos de Marx.
[6] Id., ibid., p. 109. Itálicos de Marx.

como alheio, mas hostil e antagônico, como também *objetivado* e *personificado* no capital[7]. Assim, para ser capaz de romper o círculo vicioso do capital, como forma de controle sociometabólico, é necessário enfrentar o fetichismo do sistema em sua forma plenamente desenvolvida. Uma tarefa que exige que se compreenda que

> o capital é apenas uma *coisa,* tal como o dinheiro o é. No capital, tal como no dinheiro, *relações sociais de produção definidas entre pessoas* são expressas *como a relação de coisas* com pessoas, ou conexões sociais definidas aparecem como *características sociais naturalmente pertencentes* a coisas ... O dinheiro não pode se tornar capital sem ser trocado por capacidade de trabalho como uma mercadoria vendida pelo próprio trabalhador. Por outro lado, o trabalho só pode aparecer como trabalho assalariado quando suas próprias condições objetivas o encontram como forças egoístas, como propriedade alheia, valor existente por si mesmo e apoiado em si próprio, em resumo, como capital. ... essas condições objetivas devem, do ponto de vista formal, enfrentar o trabalho como poderes estranhos, *independentes,* como valor – trabalho objetivado – para o qual o trabalho vivo não passa de um meio de sua própria preservação e expansão.[8]

A forma de dominação pela qual o capital – trabalho alienado e objetivado – comanda em sua autorreprodução circular sobre o trabalho é muito diferente das formas anteriores de dominação. Apesar disso,

> a relação-capital é uma *relação de compulsão,* cuja finalidade é extrair o trabalho excedente pelo prolongamento do tempo de trabalho – é uma relação de compulsão que não se apoia em quaisquer relações pessoais de dominação e dependência, mas surge simplesmente da diferença nas funções econômicas. Esta relação-capital, como relação de compulsão, é comum a [vários] modos de produção, mas o modo especificamente capitalista de produção também possui outros meios de extrair mais-valia [quando a mais-valia é criada apenas pelo *prolongamento do tempo de trabalho,* encontramos a produção da *mais-valia absoluta*]. Portanto, onde esta é a única forma de produção de mais-valia, temos a *subsunção formal do trabalho ao capital.*[9]

Os exemplos de Marx para ilustrar as formas pré-capitalistas de subsunção formal do trabalho ao capital são o *capital usurário* e o *capital mercantil*[10]. Em contraste, a especificidade histórica da forma de dominação capitalista plenamente desenvolvida é o que ele denomina de *"subsunção real do trabalho ao capital"*[11], caracterizada pela produção em larga escala envolvendo ciência e maquinaria e assegurando o predomínio da mais-valia *relativa,* em contraste com a prevalência da mais-valia *absoluta* sob as condições da subsunção formal do trabalho. Dominação da força de trabalho, de um modo ou de outro, é o que todas as formas de produção compartilham com a produção do capital, com exceção do sistema comunista primitivo fundado na propriedade *comunal,* que Marx considera "surgida naturalmente"[12]. Dado o fetichis-

---

[7] Id., ibid., p. 429.
[8] Id., ibid., p. 413. Itálicos de Marx.
[9] Id., ibid., p. 426. Itálicos de Marx.
[10] Ver id., ibid., p. 427 para o capital usurário e p. 428 para o capital mercantil.
[11] Id., ibid., p. 429.
[12] Como Marx coloca:
> A troca se inicia não entre indivíduos de uma comunidade, mas antes no ponto em que a comunidade termina – em sua fronteira, no ponto de contato entre diferentes comunidades. A propriedade comunal

mo do sistema do capital, cria-se a ilusão – e, sem dúvida, avidamente perpetuada com todos os poderes à sua disposição pela ideologia dominante – de que a relação entre capital e trabalho sob a ordem capitalista moderna não contém dominação. A realidade é muito diferente:

> Esta constante venda e compra da capacidade de trabalho, e o constante confronto entre o trabalhador e a mercadoria produzida pelo próprio trabalhador, como comprador de sua capacidade de trabalho e como capital constante, aparece apenas como a *forma mediadora* da subjugação do trabalho ao capital, a subjugação do trabalho vivo como simples meio de preservação e aumento do trabalho objetivo que alcançou uma posição independente diante dele. Esta perpetuação da relação do capital como comprador e o trabalhador como vendedor de trabalho é uma forma de mediação que é imanente a esse modo de produção; mas é uma forma que apenas se distingue em um sentido formal das outras, mais diretas, formas de escravização do trabalho e de *propriedade no trabalho* por parte do proprietário das condições de produção. Ela *dissimula* como uma mera *relação de dinheiro* a transação real e a dependência perpétua, que é constantemente renovada por esta mediação de compra e venda. Não apenas são as condições deste *comércio* constantemente reproduzidas; além disso, que um compre e que outro seja obrigado a vender, é o resultado do processo. A constante renovação dessa relação de *compra e venda* apenas faz a mediação da permanência da relação específica de dependência, dando a ela a *aparência* enganadora de uma transação, de um contrato entre *proprietários de mercadorias* que possuem direitos iguais e se confrontam de modo igualmente livre.[13]

Portanto, a forma historicamente específica de dominação e exploração do trabalho característica do sistema do capital se apoia, ao fim e ao cabo, sobre fundamentos com raízes muito profundas na história. Isto explica o fato de que emancipar o trabalho de sua subsunção real e formal ao capital é impensável sem desafiar e superar radicalmente a dominação e a exploração em geral que assumiram formas tão diferentes na história enquanto mantinham sua substância subjugante. Nenhuma surpresa, portanto, que o deslocamento jurídico dos capitalistas privados nas sociedades pós-revolucionárias de tipo soviético não pudesse sequer arranhar a superfície do problema. Na verdade, este problema complicou-se ainda devido a uma mudança na forma da extração diretamente econômica da mais-valia, sob o capitalismo, para a extração do trabalho excedente imposto e controlado politicamente sob o sistema do capital pós-capitalista. Pois, a extração diretamente econômica que predomina sob a variedade capitalista deste modo de reprodução sociometabólica é exercida, segundo Marx, "de uma maneira mais favorável à produção"[14]. Em larga extensão isto se deve

---

foi recentemente redescoberta como uma curiosidade eslava especial. Mas, de fato, a Índia nos oferece um quadro de exemplos das formas as mais diversas de tais comunidades econômicas, mais ou menos dissolvidas, mas ainda completamente reconhecíveis; e uma pesquisa mais completa na história a revelará como o ponto de partida de todos os povos civilizados. O sistema de produção fundado na troca privada é, para começar, a dissolução histórica deste *comunismo que surgiu naturalmente*. Contudo, toda uma série de sistemas econômicos se encontra entre o mundo moderno, onde o valor de troca domina a produção em toda a sua profundidade e extensão, e as formações sociais cujos fundamentos já estão formados pela dissolução da *propriedade comunal*.
Marx, *Grundrisse*, p. 882.

[13] Marx, *Economic Works: 1861-1864*, p. 465. Itálicos de Marx.

[14] Id., ibid., p. 123.

ao modo fetichizado de administrar a relação entre capital e trabalho, com sua tendência mistificadora de esconder a coerção implacavelmente dominante, que aparece como coisa normal e sob a aparência enganadora de contratos livremente acordados. Como veremos na seção 17.4, a tentativa fracassada da *perestroika* de Gorbachev tentou combinar os dois modos de extração exploradora do trabalho excedente, sob as projeções fantasiosas do "socialismo de mercado", pressupondo que sua dominação compartilhada do trabalho era por si mesma suficiente para compensar a ausência das condições objetivas da modalidade de compulsão fundamentalmente econômica praticada sob o capitalimo plenamente desenvolvido.

Dada a mitologia do "sistema de livre iniciativa", há uma tendência a esquecer que mesmo um modo de coerção econômica plenamente articulado tem à sua disposição as "forças de reserva" do Estado em caso de distúrbios importantes. Quanto às origens históricas desse sistema, oblitera-se sistematicamente da memória que mesmo o exercício direto das formas mais extremas de violência – a execução de muitos milhares de "vadios" e "vagabundos" produzidos pelos confinamentos forçados – foi essencial para assegurar as condições favoráveis para o desenvolvimento e a operação do capital. Pois, como Marx lembra,

> com o trabalho livre, o trabalho assalariado não está ainda completamente estabelecido. Os trabalhadores ainda têm apoio nas relações feudais; sua produção é ainda muito pequena; o capital portanto ainda é incapaz de reduzi-lo ao mínimo. Daí a determinação estatutária dos salários. Enquanto os salários ainda são regulados por estatutos, não se pode dizer que o capital tenha subsumido a produção a si mesmo como capital, nem que o trabalho assalariado tenha atingido o modo de existência a ele adequado. ... [Na Inglaterra] Salários novamente regulados em 1514, quase como no período anterior. Horas de trabalho novamente fixadas. Quem não trabalhar quando convocado, prisão. Portanto, ainda *trabalho compulsório* por trabalhadores livres pelos salários oferecidos. Eles devem primeiro ser *forçados* a trabalhar nas condições propostas pelo capital. Os sem-propriedade estão mais inclinados a se tornar vagabundos, ladrões e mendigos do que trabalhadores. Este último torna-se normal apenas no modo desenvolvido de produção do capital. Na pré-história do capital, coerção estatal para transformar os sem-propriedade em *trabalhadores* em condições vantajosas para o capital, as quais ainda não são impostas aos trabalhadores pela competição entre os capitalistas.[15]

A condição crucial para a existência e o funcionamento do capital é que ele seja capaz de exercer *comando sobre o trabalho*. Naturalmente, as modalidades pelas quais este comando pode e deve ser exercido estão sujeitas às mudanças históricas capazes de assumir as formas mais desconcertantes. Mas a *condição absoluta* do comando objetivado e alienado sobre o trabalho – exercido de modo indivisível pelo capital e por mais ninguém, sob quaisquer que sejam suas formas realmente existentes e possíveis – deve permanecer sempre. Sem ela, o capital deixaria de ser capital e desapareceria da cena histórica.

A forma pela qual o capital realmente atinge sua forma plenamente desenvolvida é um processo histórico muito longo e complicado. Como força todo-poderosa da reprodução sociometabólica, o capital resulta de constituintes que, em sua condição

---

[15] Id., *Grundrisse*, p. 736. Itálicos de Marx.

original, por necessidade, desempenham necessariamente um papel subordinado, mesmo que dinamicamente crescente em relação a outras forças e determinações reprodutivas da sociedade dada. No curso de seu desdobramento histórico, o capital progressivamente supera as resistências que encontra e adquire um "poder soberano" para dominar todas as facetas do processo de reprodução societária:

> o processo no qual dinheiro ou valor-para-si-mesmo originalmente se torna capital pressupõe a *acumulação primitiva* pelo proprietário do dinheiro ou das mercadorias, que ele alcançou ainda como um *não capitalista*, quer seja pela economia ou pelo seu próprio trabalho etc. Portanto, apesar de os pressupostos para a transformação do dinheiro em capital aparecerem como *pressupostos* dados e externos para a emergência do *capital*, tão logo se transforma em capital, o capital cria seus próprios pressupostos, a saber, a posse das condições reais para a criação de novos valores sem *troca* – pelo seu próprio processo de produção. Estes *pressupostos*, que originalmente aparecem como pré-requisitos de seu devir, e que portanto não poderiam surgir de sua *ação* como *capital*, agora aparecem como resultados de sua própria realização, como realidade, como originados por ele, não como *condições de sua emergência*, mas *como resultados de seu próprio ser.*[16]

É assim que o capital se torna verdadeiramente *causa sui* ("sua própria causa"), reproduzindo-se como um poder que deve ser transcendido em *todos* os seus aspectos devido precisamente ao seu poder autoconstituinte (e que, na ausência de uma alternativa viável, mesmo após uma grave derrota se reconstitui com sucesso) de *causa sui*. O capital deve ser superado na totalidade de suas relações, caso contrário o seu modo de reprodução sociometabólica, que a tudo domina, não poderá ser deslocado mesmo em relação a assuntos de relativamente menor importância. Isto porque o capital "não é uma simples relação, mas um *processo*, em cujos vários momentos sempre é capital. ... a troca não permaneceu inalterada com a colocação formal de valores de troca, mas avançou necessariamente para a sujeição da própria produção ao valor de troca"[17]. O que de fato está em jogo é o processo de autoconstituição circular do

---

[16] Marx, *Economic Works: 1861-1864*, p. 235. Itálicos de Marx. É assim que, em outro lugar, Marx descreve alguns aspectos vitais da formação original do capital:

> Inicialmente o capital vem da circulação e, além disso, seu ponto de partida é o dinheiro. Vimos que o dinheiro que entra em circulação e que ao mesmo tempo dela retorna para si mesmo é a última exigência, em que o dinheiro suspende a si mesmo. É ao mesmo tempo o primeiro conceito de capital, e a primeira forma na qual ele aparece. ... [D-M-M-D] *este movimento de comprar para vender, que compõe o aspecto formal do comércio, do capital enquanto capital mercantil*, é encontrado nas condições mais primitivas do desenvolvimento econômico; é o primeiro movimento pelo qual o valor de troca enquanto tal forma seu conteúdo – não é apenas a forma, mas também seu próprio conteúdo. Esta noção pode ocorrer no interior de um povo, ou entre povos para cujas produções o valor de troca de modo algum tenha ainda se tornado um pressuposto. O movimento apenas se apodera do excedente de sua produção diretamente útil, e se desenvolve apenas na sua margem. Tal como os judeus na velha sociedade polonesa ou na sociedade medieval em geral, povos completamente mercantis, como na Antiguidade (e, mais tarde, os lombardos), podem ocupar esta posição entre povos cujo modo de produção não está ainda determinado pelo valor de troca como pressuposto fundamental. Capital comercial é apenas capital circulante, e capital circulante é a primeira forma de capital, na qual ele *ainda não se tornou de modo algum o fundamento da produção*. Uma forma mais desenvolvida é *capital dinheiro*, e *juro dinheiro*, usura, cuja aparência independente pertence do mesmo modo a um estágio anterior. Finalmente, a forma M-D-D-M, na qual dinheiro e circulação em geral aparecem como meros meios para a *circulação de mercadorias*.

Marx, *Grundrisse*, p. 253. Itálicos de Marx.

[17] Id., ibid., pp. 258-9. Itálicos de Marx.

capital e autorreprodução ampliada em sua forma mais desenvolvida. Qualquer tentativa de ganhar controle sobre o capital tratando-o como uma "coisa material" ligada a uma "relação simples" com seu proprietário privado – em vez de instituir uma alternativa sustentável ao seu processo dinâmico, "em cujos vários momentos ele nunca deixa de ser capital" – pode apenas resultar em fracasso catastrófico. Nenhum mecanismo jurídico pode, por si só, remover o capital, como *comando* necessário *sobre o trabalho,* do processo sociometabólico sob as circunstâncias que prevaleceram historicamente durante tanto tempo e que inevitavelmente foram herdadas após a revolução. Não é possível restituir o poder alienado de comando sobre o trabalho ao próprio trabalho simplesmente atingindo as personificações do capital privado, isto ocorrerá apenas quando se substituir o "sistema orgânico" estabelecido como o controlador absolutamente abrangente e dominante da reprodução societária. Isto requer a autoemancipação substantiva do trabalho, ao contrário da ficção jurídica de emancipação tragicamente perseguida sob a dependência do fetichismo herdado do capital – na qualidade de "mecanismo" e entidade material capaz de "acumulação socialista" – sob os sistemas pós-capitalistas de tipo soviético. O fato de o próprio capital, que na visão de Marx terá de ser completamente superado, estar tão profundamente enraizado na história – cujas origens remontam pelo menos à Antiguidade grega e romana[18] – só pode acentuar o grande peso material desta simples verdade.

17.1.3
A relação-capital não poderia ser mais contraditória, pois é caracterizada por uma dupla cisão no lado do trabalho, e uma duplicação do lado do capital, parasitária da cisão do trabalho. E para tornar tudo isto ainda mais contraditório, as cisões na relação-

---

[18] Para citar Marx:

[os *cartagineses*] tinham desenvolvido capital sob a forma de *capital comercial*, e portanto fizeram valores de troca enquanto tais no [objeto] direto da produção, ou onde, como com os *romanos*, pela concentração da riqueza, particularmente da propriedade da terra, em poucas mãos, a produção era necessariamente dirigida não mais para o uso pelo próprio produtor, mas para o *valor de troca*, portanto possuía este aspecto de produção capitalista.
Marx, *Economic Works: 1861-1864*, p. 98. Itálicos de Marx.
E, mais adiante, na mesma obra ele argumenta que
As duas formas nas quais o capital aparece antes que ele tome controle da relação direta de produção – neste sentido se tornando capital produtivo – e portanto aparece como a relação que domina a produção, são o *capital comercial* e o *capital usurário (capital voltado para o juro)*. ... Por exemplo, na Índia o usurário ... Lá o trabalho não está ainda formalmente subsumido sob o capital. ELE NÃO EMPREGA O RYOT [camponês indiano – NT] COMO TRABALHADOR; não é um trabalhador assalariado mais que o usurário que o emprega como um capitalista industrial. ... Nós encontramos a mesma relação entre, por exemplo, os patrícios e os plebeus em Roma, ou os camponeses possuidores de pequenas parcelas de terra e os usurários. ... *Escravidão por débito* em distinção com *escravidão assalariada*. ... O que dissemos do capital do usurário é verdadeiro para o *capital comercial*. Pode igualmente ser *uma forma transicional para* a subsunção do trabalho ao capital (inicialmente sua subsunção formal). Este é o caso também se o *mercador* enquanto tal exerce o papel de MANUFATUREIRO. Ele adianta a matéria-prima. Ele aparece originalmente como o *comprador* dos produtos das indústrias independentes.
pp. 118-20. Letras maiúsculas e itálicos de Marx.
Quanto à posição na Grécia, Marx enfatiza que, apesar de a palavra capital não existir na Grécia antiga, a palavra *arkhais* é usada pelos gregos, correspondendo ao *principalis summa rei creditae*, isto é, o principal de um empréstimo (ver *Grundrisse*, p. 513).

-capital são articuladas – enquanto a relação for historicamente sustentável – por um inconciliável antagonismo estrutural. O que torna a relação-capital sustentável durante determinada época histórica é que, na ausência da alternativa sociometabólica requerida, capital e trabalho – e não o proprietário privado capitalista e suas posses materiais juridicamente salvaguardadas – estão inseparavelmente associados no processo de reprodução material, incapazes de sobreviver por si próprios sem a reprodução contínua de um e de outro, assim como de seu antagonismo estrutural. Entretanto, não *apesar* desta contraditoriedade, mas precisamente *por causa* dela, a relação-capital é constituída e mantida em existência, como um *sistema orgânico*, afirmando a si mesma como o *processo de reprodução ampliada do capital*, em cujos vários momentos "é sempre capital". É por isso que todas as tentativas passadas de eliminar o antagonismo estrutural do sistema – do "capitalismo do povo" até a acomodação e capitulação social-democrata – provaram ser não apenas fúteis mas absolutamente mal concebidas, e isto deverá se repetir no futuro. Enquanto seu processo dinâmico de reprodução for objetivamente sustentado, o capital nada tem a temer do conflito. Pelo contrário, ele viceja nos conflitos e contradições, mesmo entre a pluralidade de capitais, fortalecendo-se pela afirmação de seu poder e comando sobre o trabalho no transcurso da reprodução do profundo antagonismo estrutural sem efeito e seu sistema orgânico. De fato, é assim que o capital progride dos modestos inícios locais de sua aparição esporádica até o monstruoso poder global que hoje exerce sobre o trabalho. Uma vez que deixe de dominar e explorar implacavelmente o trabalho – como espera a noção ilusória do "trabalho participativo compartilhando poder com o capital", ao projetar uma forma "iluminada" do capital e seu dedicado "mercado social" como a estrutura de uma feliz relação futura –, o capital perde a capacidade de controlar completamente o processo sociometabólico.

Do lado do trabalho, a dupla cisão que nos interessa é visível nas seguintes situações:

(1) o *sujeito* real do processo de produção se objetiva na forma de trabalho alienado/capital, perdendo portanto seu caráter de sujeito, como a capacidade necessária para o *controle global* do processo de reprodução social, apesar de ser forçado a reter, de forma reveladoramente contraditória, a capacidade consciente de realizar as incontáveis tarefas produtivas *particulares* diretamente designadas pela personificação do capital;

(2) o trabalho social, absolutamente necessário para o avanço do processo de produção do capital, está cindido e seus fragmentos confrontam o capital tanto no domínio da produção como no da distribuição enquanto trabalhadores *isolados*. Esta relação predomina no interesse de manter o controle do capital social total sobre a totalidade do trabalho pelo modo historicamente praticável de competição – diretamente mediada econômica ou politicamente – entre a fragmentada multiplicidade do trabalho.

É por isso que, sob o domínio do capital, o processo de trabalho social só pode assumir um tipo *"atrofiado/travestido"*, não importa o grau de avanço da divisão social de trabalho horizontal e vertical estabelecida, que permanece necessariamente atrofiada/travestida – ainda que com complicações adicionais para a dominação continuada do capital – mesmo sob as suas variedades pós-capitalistas conhecidas. Podemos também ver neste contexto que a competição entre os fragmentos do trabalho é secundária, no sentido de ser subsidiária à administração do antagonismo estrutural fundamental entre capital e trabalho. É a forma costumeira pela qual este antagonismo se afirma e se reproduz com sucesso, servindo ao propósito da autorreprodução ampliada do capital. (Como vimos acima, as condições economicamente favoráveis para o capital não resultaram desde o início diretamente de seu processo de produção econômica. Precisavam ser politicamente impostas ao trabalho recalcitrante – "vadio" e "vagabundo" – pela forma mais selvagem de legislação estatal, instituída por "grandes reis", como Henrique VIII. O capital necessitou então de um enorme volume de ajuda econômica do Estado, e em nossa época – o que está longe de ser tranquilizador para a continuidade de sua dominação – mais uma vez ele necessita desesperadamente de ajuda política, na verdade, numa extensão muito maior que a de meros investimentos.) Se a competição entre a totalidade fragmentada do trabalho não fosse uma determinação secundária ou subsidiária, mas primária articulação e operação do sistema, estaria mantido o comando do capital sobre o trabalho em uma base permanente, graças ao fracasso necessário do trabalho na defesa dos seus interesses como a única alternativa viável à ordem reprodutiva estabelecida. Contudo, a fraqueza do trabalho internamente dilacerado e fragmentado, do qual o capital continuamente retira a sua força, é também, em última análise, a fraqueza do capital. Pois sem a divisão e a fragmentação internas do trabalho – as quais o capital pode fermentar e, por meio de suas formações estatais, até certo ponto intensificar legislativamente, mas sobre a qual não pode exercer controle absoluto – o domínio do capital sobre a sociedade não pode ser sustentado indefinidamente. A fragmentação e a competição características das formas de trabalho social "atrofiado/travestido" sob o domínio do capital não são apenas *capazes* de suspensão; caso se espere a sobrevivência da humanidade, elas deverão *forçosamente* ser suspensas. Não porque a pregação piedosa que emana das grotescas "comissões de justiça e equidade" do "novo trabalhismo" esteja destinada a conquistar os corações das personificações do capital com assento nas ainda mais grotescas "comissões de negócios", mas por causa do desdobramento em uma escala global dos antagonismos estruturais crescentemente devastadores do sistema do capital.

Do lado do capital, a duplicação contraditória – um processo parasitário da objetivação e da divisão alienadas do trabalho, como acima mencionado, e que portanto pode ser historicamente transcendido pela eliminação dos fundamentos de sua formação por meio da instituição de um modo de objetivação produtiva não fetichista – segue o mesmo padrão observado do lado do trabalho. Ela se manifesta, por um lado, como a questão da *subjetividade* peculiar do capital e, por outro, como a relação entre os constituintes particulares do capital e sua totalidade agregadora.

- Entendido como sujeito, o capital é um sujeito *usurpado*, não apenas *supérfluo*, mas também *danoso* e cada vez mais *destrutivo* pelas exigências de um processo racional de produção. Mesmo nas descrições clássicas dos mais entusiásticos defensores do sistema, a consciência atribuída a este sujeito está localizada *fora* da cabeça dos tomadores de decisão particulares. A correção de suas decisões é estipulada com base na condução da *"mão invisível"*, mas o corpo a qual esta mão está presa, junto com a sua cabeça infinitamente benevolente e superior – que a tudo abarca –, permanece um completo mistério. É assim que, para o benefício de todos, o modo moralmente acertado e economicamente correto de interação global pode não apenas ser *admitido* gratuitamente mas também isento, *a priori*, de todo escrutínio crítico mesmo diante dos maiores distúrbios possíveis, já que estes supostamente serão, feliz e necessariamente, resolvidos mais cedo ou mais tarde pelo dono da "mão invisível". A projeção deste esquema não é acidental, nem a aberração de um pensador particular. É uma concepção necessária enquanto a exigência da *racionalidade abrangente* for racionalmente incompatível com o sistema do capital, em contraste com sua alternativa viável baseada nas práticas produtivas autodeterminadas e sociometabólicas dos produtores livremente associados. Para atingir a racionalidade global, o capital não apenas teria que unificar harmoniosamente, sob algum místico denominador comum (talvez a "mão invisível" II), seus próprios conflitos constituintes – a inevitável pluralidade de capitais sem a qual o capital como tal é inconcebível –, despojando-se, desse modo, de seu próprio fundamento material e dinamismo produtivo realmente existentes. Ao mesmo tempo, o capital também deveria manter inalterada sua *dominação sobre o trabalho* dentro da estrutura do seu "estado estacionário" recentemente descoberto: uma projeção mais absurda que a outra.

- O cenário no qual supostamente se dá a interação racional – e a ação corretiva – dos sujeitos particulares do capital é o mercado idealizado. Assim, a irracionalidade do sistema como um todo deve ser simultaneamente reconhecida e negada. Deve-se reconhecer que as personificações particulares do capital não podem possuir a visão racional do todo, apenas a racionalidade parcial exigida para mover seus limitados empreendimentos produtivos; sem reconhecer esta circunstância não haveria qualquer necessidade para a ação corretiva da "mão invisível" e de seu mercado. Desse modo, a *aparência* de uma ordem reprodutiva racional é criada pela subordinação das decisões mais ou menos cegas dos sujeitos particulares do capital à coesão, orientada pelo mercado, supostamente racional da estrutura reprodutiva total. Contudo, o reconhecimento da racionalidade corretiva do mercado significa, ao mesmo tempo, admitir também a imperfeição de um sistema sujeito ao nobre trabalho de tal mecanismo de correção – nem de longe adequado. Uma deficiência que o próprio capital deve tentar superar, primeiramente pela sua tendência *monopolista*, que, por conseguinte, contradiz diretamente não apenas seu dinamismo interno, mas também a automitologia de sua "sociedade de mercado" universalmente benéfica.

Entretanto, dadas as condições sempre necessariamente específicas da confrontação antagônica do capital com o trabalho, que, sob as mutáveis condições locais e históricas, são agravadas pela lei do desenvolvimento desigual, os sujeitos particulares do capital jamais poderão ser plenamente agregados em um todo racional, não importa o quanto avance a tendência ao monopólio. Se o antagonismo estrutural com o trabalho não existisse, e se a existência duradoura do sistema do capital não dependesse da sua capacidade de reproduzi-lo com sucesso, não haveria qualquer necessidade das personificações do capital. Os imperativos estruturais objetivos do sistema prevaleceriam sem problemas com base na sua voluntária "aceitação racional" por uma força de trabalho não recalcitrante. O problema insuperável para o capital é que ele não tem nenhuma *maquinaria* automática à sua disposição – nem no domínio da produção, nem no campo da circulação – à qual o trabalho social, mesmo em sua forma fragmentada e "atrofiada/travestida", pudesse ser subordinado como simples apêndice, submetendo-se de livre e espontânea vontade à autoridade da "racionalidade" produtiva e distributiva corporificada em algum "mecanismo neutro". Não se deveria confundir a mitologia do mercado com a sua capacidade – realmente limitada – de realizar as funções que lhe foram atribuídas, e que são recusadas e negadas mesmo pelo monopolismo do capital sempre que convier ao sistema. A viabilidade do mercado está, de fato, sujeita a muitas contradições fundamentais, que incluem tanto as flutuações e a instabilidade devidas não apenas aos interesses conflitantes da pluralidade de capitais, como também ao impacto limitante das determinações autoassertivas do trabalho fragmentado. Quanto à esfera da produção, a situação não é muito melhor, pois embora na forma de maquinário produtivo avançado – obtido pela expropriação da ciência como conhecimento coletivo historicamente desenvolvido pela sociedade – o capital chegue bem perto de definir e tratar o trabalho como o "instrumento que fala" mencionado por Aristóteles, este é um modo de controlar o processo de trabalho muito mais instável do que o sistema original de trabalho escravo. Seu êxito depende, portanto, do fortalecimento – seja por meio da compulsão econômica direta seja pela força política – da submissão permanente do trabalho. Isto acontece porque a combinação sob a autoridade da maquinaria de produção mais avançada do capital.

> se torna tão subserviente a uma vontade alheia e se deixa levar por uma inteligência alheia ... quanto sua unidade material aparece subordinada à *unidade objetiva* da *maquinaria*, de capital fixo, o qual, como *monstro animado*, objetiva a ideia científica, e é de fato a coordenadora, não se relaciona de modo algum com o trabalhador individual como seu instrumento; ao contrário, é o próprio trabalhador que existe como um sinal individual de pontuação animado, como seu acessório isolado vivo. ... Portanto, tal como o trabalho se relaciona com o produto do seu trabalho como uma coisa estranha, também ele se relaciona com a combinação do trabalho como uma combinação estranha, e com seu próprio trabalho como uma expressão de sua vida que, apesar de pertencer a ele, lhe é estranha e imposta a ele ... O capital, portanto, é a existência do trabalho social – a combinação do trabalho como sujeito e objeto –, mas esta existência existe em si mesma independentemente, em contraposição com seus momentos reais – portanto ela própria uma existência *particular* separada deles. Por sua parte, o capital portanto aparece como o sujeito predominante e proprietário do *trabalho estranho*, e sua relação é, ela própria, uma contradição tão completa como aquela do trabalho assalariado.[19]

Assim, o problema real da relação sujeito-objeto que confronta o trabalho não é a asserção filosófica de uma mítica "identidade sujeito-objeto" hegeliana na história em geral. É a tarefa prática tangível de remover a contradição paralisante por meio da qual o sujeito real da produção é tratado pelo capital – a objetivação

---

[19] Id., ibid., pp. 470-1. Itálicos de Marx.

alienada do trabalho convertida no poder controlador e "sujeito predominante" do processo do trabalho – como objeto degradado do processo de reprodução societal e "acessório isolado vivo" da maquinaria produtiva do capital no presente estágio do desenvolvimento histórico. Esta contradição encontra sua contrapartida na determinação igualmente contraditória do próprio capital, da qual, ao contrário do trabalho, ele não pode se livrar. Nem é possível remover o antagonismo estrutural do sistema do capital, que compromete totalmente as alegações de ser ele não apenas racional, mas ainda o único sistema econômico verdadeiramente racional e eficiente. Na qualidade de personificações do capital – que devem responder ao desafio geral do antagonismo estrutural e às manifestações necessariamente específicas nas suas próprias situações –, os sujeitos particulares controladores não podem jamais ser agregados plenamente em um todo racionalmente sustentável. Eles são constituídos não apenas como uma *"consciência econômica"* abstrata e orientada-para-a-eficiência, mas simultaneamente também como uma *vontade combativa*. Sem esta última não seriam capazes de cumprir as funções a eles designadas, e portanto não teriam qualquer sentido do ponto de vista do capital. Sua racionalidade, na busca econômica pelo capital da autorreprodução ampliada em geral, assim como em relação ao sucesso econômico dos seus empreendimentos particulares, está estritamente circunscrita pela necessidade de reproduzir seu *comando sobre o trabalho* localmente e na sociedade em geral, o que deve tomar precedência sobre a denominada "racionalidade instrumental" do seu "cálculo econômico" idealizado, tão caro aos corações apologistas, passados e presentes, do sistema. Acreditar, como dizem, que as contradições do capital e do trabalho não existem, ou que nunca serão reconhecidas e que jamais sofrerão a ação daqueles que mais sentem seus impactos devastadores, exige que também se acredite que o povo nada mais é do que cegos idiotas para sempre hipnotizados pelas promessas da "circulação econômica" universalmente benéfica do capital, embora os fracassos monstruosos do sistema afetem diretamente a vida de bilhões de pessoas. A avaliação feita por Marx do desenvolvimento da consciência social é muito mais plausível, ao enfatizar que "o reconhecimento do produto como algo seu, e a consciência de que sua separação das condições de realização é uma injustiça – *uma relação imposta pela força* – é um enorme avanço da consciência, *ela própria o produto* do modo de produção capitalista e também o ANÚNCIO DO SEU DESTINO, tal como a consciência do escravo de que ele *não poderia ser a propriedade de outro* reduziu a escravidão a uma existência artificial, hesitante, e tornou impossível para ela continuar a prover as bases da produção"[20].

17.1.4

Nos capítulos restantes, aprofundaremos o exame desses problemas nos cenários adequados. O que temos de considerar neste ponto são as visões de Marx acerca deste fetichismo mistificador e a simultânea personificação no centro da relação-capital. Ele cita com aprovação a primeira caracterização do jovem Engels da personificação do capital e também do trabalho como inseparáveis da determinação mútua da relação-capital:

---

[20] Marx, *Economic Works: 1861-1864*, p. 246. Itálicos e maiúsculas de Marx.

A relação do industrial com os seus operários é ... puramente econômica. O industrial é "Capital", o operário, "Trabalho".[21]

E Marx, colocando em relevo a natureza peculiar e mesmo o caráter completamente fraudulento do mercado de trabalho imposto ao trabalhador, no qual podem ter lugar as transações requeridas para a operação da variedade capitalista do processo de reprodução do capital, acrescenta:

> Não é um simples comprador e um simples vendedor que se encaram um ao outro, são o *capitalista* e o *trabalhador*; são um capitalista e um trabalhador que se encaram na esfera da circulação, no mercado, como *comprador* e *vendedor*. A relação como *capitalista* e *trabalhador* é o pressuposto para as suas relações como comprador e vendedor.[22]

Veremos, na seção 17.4, que o total fracasso em compreender a diferença entre a transação direta de compra e venda e o tipo exigido para assegurar a dominação do capital sobre o trabalho na ordem especificamente capitalista (por meio da operação do mercado de trabalho) realça o absurdo das fantasias do "mercado socialista" e faz um escárnio das pretensões "socialistas" de Gorbachev. Mas, muito além de tais fracassos, as implicações potencialmente fatídicas de manter a relação-capital em qualquer das suas variedades pós-capitalistas factíveis representa um alerta também para o futuro. Assim como, nos séculos XVII e XVIII, o capital não caiu plenamente composto do céu, do mesmo modo é inconcebível que a relação-capital possa esvanecer-se serenamente na sequência de uma revolução política socialista que removesse os capitalistas privados dos países envolvidos.

Ainda que os capitalistas sejam afastados em alguns países, enquanto suas posições se mantêm inalteradas em outros, o problema não está na possibilidade de os capitalistas que continuam no controle do processo metabólico em outros lugares se unirem contra a revolução e sitiá-la. É muito pior que isso. A questão fundamental é, e permanece sendo, a *dinâmica interna* do processo de reprodução social do capital e o seu *comando sobre o trabalho*. Ao remover os capitalistas da estrutura de tomada de decisões de um país – isoladamente ou em muitos deles – o *comando sobre o trabalho* não é, *ipso facto*, restituído ao trabalho. O proprietário capitalista dos meios de produção funciona como a *personificação do capital*; sem o capital o capitalista não é nada: uma relação cuja recíproca obviamente não é verdadeira. Em outras palavras, seria absurdo sugerir que sem os proprietários capitalistas privados dos meios de produção o capital não é nada. Isto porque as personificações possíveis do capital não estão, de modo algum, confinadas à variedade capitalista privada; nem sequer na estrutura de um sistema

---

[21] Engels, *The Condition of the Working Class in England*, escrito em 1844-45. Ver MECW, vol. 4, p. 563.

Na mesma página, Engels descreve seu encontro em Manchester com um dos burgueses liberais "esclarecidos" que eram a favor da rejeição da *Corn Law*. Engels expressou sua indignação com as pavorosas condições das acomodações do povo trabalhador. "O homem escutou calmamente até o fim, e disse na esquina quando nos separamos: 'e mesmo assim, aqui eles ganham um monte de dinheiro; bom dia, senhor'." Após as linhas citadas por Marx, Engels continua: "E se o operador não for forçado a esta abstração, se ele insistir que não é Trabalho, mas um homem que possui, entre outras coisas, o atributo da força de trabalho, se ele estiver convencido de que não precisa se deixar vender e comprar no mercado, como a mercadoria 'Trabalho', a inteligência do burguês fica paralisada. Ele não pode compreender qualquer outra relação com os trabalhadores que não a de compra e venda; não vê neles seres humanos, mas mãos, como ele constantemente lhes joga na cara".

[22] Marx, *Economic Works: 1861-1864*, p. 422. Itálicos de Marx.

"capitalista avançado". Evidência disto foi o modo de funcionamento das "indústrias nacionalizadas" no período após a Segunda Guerra Mundial, as quais supostamente deveriam ser "possuídas e controladas publicamente", mas, com uma sujeição tão completa do trabalho ao comando do capital como em qualquer outro lugar da economia capitalista. Para tomar apenas um exemplo, o papel cruelmente agressivo exercido pela *National Coal Board* – Conselho Nacional do Carvão, na Grã-Bretanha – em completo conluio com o governo conservador da "direita radical" – contra os mineiros, durante sua greve de um ano, demonstrou claramente que a alteração das formas jurídicas de propriedade é a substituição de um tipo de personificação do capital por outro e não muda absolutamente em nada a sujeição do trabalho às determinações estruturais do sistema. Nem sequer se isso fosse feito em larga escala, em vez de mais seletivamente, nas indústrias falidas, como fizeram os governos social-democratas, iludindo a si próprios – ou apenas fingindo que estavam "conquistando os postos de comando mais elevados da economia". Enquanto o capital, sob qualquer forma, mantiver seu poder regulador substantivo sobre o sociometabolismo, a necessidade de encontrar uma forma de personificação do capital adequada às circunstâncias permanece inseparável dele. O capital como tal é inerente ao princípio de estruturação conflitante herdado que opera no processo de trabalho. Se, no curso de uma articulação prática viável do projeto socialista – que prevê o controle da reprodução sociometabólica por meio das autodeterminações autônomas dos produtores associados –, este princípio estruturador não for radicalmente superado, o capital há certamente de reafirmar seu poder e encontrar as novas formas de personificação necessárias para manter o trabalho sob o controle de uma "vontade alheia". Em qualquer de suas variedades viáveis apropriadas às circunstâncias, essa "vontade alheia" se torna absolutamente insubstituível na operação de um *sistema conflitante*, quando o comando do trabalho é objetivamente alienado do trabalho. Sem as suas novas personificações, o capital não poderia continuar a cumprir suas funções reprodutivas por tanto tempo sustentadas e profundamente engastadas. Sem elas, e na ausência de uma alternativa efetiva e total, controlada pelo próprio trabalho, que poderia desafiar de todos os modos o controle totalizante do capital, estaria comprometido todo o sociometabolismo.

Apesar de Marx não ter podido imaginar as condições históricas do século XX, sob as quais um novo tipo de personificação do capital tornou-se agudo, encontramos em seus escritos algumas advertências a respeito, ainda que nem sempre claramente expressas ou completamente articuladas. Para tomar um importante exemplo, sua crítica à ilusão de realizar o socialismo expulsando os capitalistas enquanto se mantém o capital como tal é explícita em muitos lugares de seus escritos, embora o problema não seja examinado na direção em que poderia indicar as formas alternativas viáveis ao domínio do capital e as modalidades correspondentes de personificação, sob circunstâncias históricas muito diferentes. Assim, nos *Grundrisse*, Marx sublinha que "a ideia sustentada por alguns socialistas de que *precisamos do capital mas não dos capitalistas* é completamente errada. Está posto, dentro do conceito de capital, que as *condições objetivas* de trabalho – sendo estas seus próprios produtos – assumem uma *personalidade* em relação a ele"[23].

---

[23] Marx, *Grundrisse*, p. 512.

A mesma crítica do *wishful thinking* socialista é mais plenamente explicitada em outro contexto quando Marx escreve:

> No primeiro ato, na troca entre capital e trabalho, o trabalho em si, existindo *para si*, aparece necessariamente como *o trabalhador*. Similarmente, no segundo processo, o capital em si é postulado como um valor existente para si, como valor egoísta, por assim dizer (algo a que o dinheiro poderia apenas aspirar). Mas o capital em seu ser-para-si é o capitalista. Claro, os socialistas às vezes dizem "nós precisamos do capital, mas não dos capitalistas". (Por exemplo, John Gray, *The Social System*, p. 36, e J. F. Bray, *Labour's Wrongs*, pp. 157-176.) Então o capital aparece como uma coisa pura, não como uma relação de produção que, refletida em si mesma, é precisamente o capitalista. Posso muito bem separar o capital de um dado indivíduo capitalista, e transferi-lo para outro. Mas, ao perder o capital, ele perde a qualidade de ser capitalista. Portanto, o capital é de fato separável de um indivíduo capitalista, mas não *do* capitalista que, como tal, controla *o* trabalhador.[24]

O capital em seu ser-para-si é a *personificação necessária do capital* que, dependendo das circunstâncias históricas específicas, pode ou não ser o proprietário capitalista privado dos meios de produção. O que decide a questão é a relação-capital na qual o controlador do trabalhador – que deve ser, sob a forma capitalista do domínio do capital, *o* capitalista e não um capitalista particular ou individual, este sendo subsidiário ao conceito de capital em si – enfrenta e domina *o* trabalhador. Em todas as formas concebíveis da relação-capital desenvolvida – incluindo as formas pós-capitalistas – as condições necessárias são:

(1) a *separação* e a *alienação* das *condições objetivas* do processo de trabalho do próprio trabalho;

(2) a *imposição* de tais condições *objetivadas* e *alienadas* sobre os trabalhadores como um poder separado que exerce *comando sobre o trabalho*;

(3) a *personificação do capital* como "*valor egoísta*" – com sua subjetividade usurpada e sua pseudopersonalidade – que persegue sua própria *autoexpansão*, com uma *vontade* própria (sem a qual não poderia ser "capital-para-si" como controlador do sociometabolismo); uma vontade, não no sentido do "capricho individual", mas no de definir como sua finalidade internalizada a realização dos imperativos expansionistas do capital em si (daqui a noção grotesca de "acumulação socialista", a ser realizada sob o comando inquestionável do burocrata de tipo soviético; também é importante sublinhar aqui que não é o burocrata que produz o perverso sistema do capital de tipo soviético, por mais que ele esteja implicado em sua desastrosa condução, mas, antes, a forma de capital pós-capitalista herdada e reconstituída faz emergir sua própria personificação na forma do burocrata como o equivalente pós-capitalista do antigo sistema do capital orientado-para-a-extração-econômica que deu origem ao capitalista privado); e

(4) a equivalente *personificação do trabalho* (isto é, a personificação dos trabalhadores como "trabalho" destinado a entrar numa relação de dependência ou contratual/econômica ou politicamente regulada com o tipo historicamente

---

[24] Id., ibid., p. 303. Itálicos de Marx.

prevalecente de capital), confinando a identidade do sujeito deste "trabalho" às suas funções produtivas fragmentárias – o que ocorre quando pensamos na categoria de "trabalho" como o trabalhador assalariado sob o capitalismo ou ainda como o "trabalhador socialista" cumpridor e supercumpridor de normas sob o sistema do capital pós-capitalista, com sua forma própria de divisão horizontal e vertical do trabalho.

Essas quatro condições básicas são constitutivas do "sistema orgânico" do capital e compatíveis com todos os tipos de transformações parciais sem que isso altere sua substância. O capital pode, portanto, mudar prontamente a *forma do seu domínio* enquanto estas quatro condições básicas não forem radicalmente superadas pela formação de um *sistema orgânico* alternativo, genuinamente socialista.

A *irreversibilidade* – que deve preocupar todos os socialistas, especialmente à luz das derrotas do século XX – não é somente uma questão de instituir garantias militares e políticas que sejam capazes de resistir aos ataques capitalistas coordenados. A defesa política da revolução socialista é, claro, sempre importante. Mas, na ausência de profundas transformações positivas na própria ordem sociometabólica, nenhuma força política ou militar sozinha é capaz de resistir ao poder restaurador interno e desintegrador do capital pós-capitalista, independentemente do vigor do Estado pós-capitalista em relação a seus adversários externos; uma verdade amplamente confirmada pela implosão do sistema soviético. A irreversibilidade depende primariamente da capacidade dos produtores associados de transformarem sua ordem sociorreprodutiva alternativa em um sistema verdadeiramente orgânico, cujas partes se sustentem reciprocamente. Uma vez que esse modo de reprodução sociometabólica seja operacional, o capital pode se opor a ele apenas como posição social e historicamente retrógrada, e no fundo totalmente insustentável. Tal situação é qualitativamente diferente daquela que testemunhamos no passado recente, quando o "capitalismo avançado" – apesar de suas maciças contradições – pôde atacar com sucesso o sistema do capital pós-capitalista de tipo soviético em seus próprios termos, afirmando sua superioridade com base no "cálculo econômico" que potencializa a acumulação e na "eficiência do mercado" correlata, contra os quais o sistema soviético, baseado no seu próprio tipo de sujeição e exploração do trabalho, não tinha qualquer defesa.

Em várias ocasiões, argumentei, mas não realcei suficientemente, que o objeto da crítica de Marx não era o *capitalismo,* mas o *capital*. Ele não estava preocupado em demonstrar as deficiências da *produção capitalista*, mas imbuído da grande tarefa histórica de livrar a humanidade das condições sob as quais a satisfação das necessidades humanas deve ser subordinada à *"produção do capital"*. Ou seja, livrar a humanidade das condições desumanizadoras sob as quais ganham legitimidade apenas aqueles valores de uso, não importa quão desesperadoramente necessários, que possam caber na camisa de força dos valores de troca lucrativamente produzidos pelo sistema. Ele tratou, com sarcasmo, todos aqueles que queriam "reformar" o sistema existente de *distribuição* enquanto mantinham fetichisticamente intacto o modo de *produção* do capital. Nesse sentido, ele insistiu que

> é profundamente absurdo quando, por exemplo, John Stuart Mills afirma: "As leis e condições da produção de riqueza compartilham o caráter de verdades físicas ...

Não ocorre o mesmo com a distribuição da riqueza. Esta é uma questão apenas de instituições humanas"[25]. As "leis e condições" da produção de riqueza e as leis da "distribuição da riqueza" são as mesmas leis sob formas diferentes, e ambas mudam, passam pelo mesmo processo histórico; como leis, são apenas momentos de um processo histórico. Não é necessário muito discernimento para compreender que onde, por exemplo, o trabalho livre ou o trabalho assalariado que emerge da dissolução da escravidão é o ponto de partida, as máquinas podem *surgir* apenas em antítese ao trabalho vivo, como propriedade alheia a ele, e como poder a ele hostil; isto é, elas o enfrentam como capital. Mas é do mesmo modo fácil se perceber que as máquinas não deixarão de ser agentes da produção social quando elas se tornarem, por exemplo, propriedade dos produtores associados. No primeiro caso, contudo, sua distribuição, isto é, o fato de *não pertencerem* ao trabalhador, é também uma condição do modo de produção baseado no trabalho assalariado. No segundo caso a distribuição alterada partiria de um fundamento *alterado* da produção, um novo fundamento primeiro criado pelo processo da história.[26]

Compreensivelmente, portanto, a distribuição vista sob essa luz não pode ser trazida nem um centímetro para mais perto do objetivo socialista proposto de dar "a cada um segundo sua contribuição na produção" – muito menos do princípio regulador mais avançado de "a cada um segundo suas necessidades" – sem uma transformação elementar de toda a produção e de todo o processo de reprodução societária. Além disso, não se pode esquecer que, na relação dialética entre produção e distribuição, a primeira tem primado relativo. Não é possível transformar a ordem sociorreprodutiva alternativa proposta em um sistema orgânico sem que haja unidade dialética entre produção e distribuição. A busca do valor de uma "sociedade mais equitativa" – a promessa vazia e, portanto irrealizável, da social-democracia – não faz sentido, porque o objetivo subjacente não é a conquista da *plena igualdade*, que deverá ser afirmada como princípio orientador tanto da produção como da distribuição, se há de se ter qualquer chance de sucesso. Isso porque todos os avanços no domínio da distribuição são mais cedo ou mais tarde necessariamente anulados se não forem plenamente complementados por uma transformação cada vez mais profunda na esfera produtiva. E, *vice-versa*, mudanças que visam estabelecer inter--relações socialistas na produção não levarão a lugar nenhum sem a correspondente reestruturação do sistema de distribuição herdado, profundamente iníquo.

As mudanças exigidas na produção e na distribuição equivalem à total erradicação do capital, como *comando sobre o trabalho,* do sociometabolismo – erradicação que, por sua vez, é inconcebível sem superar irreversivelmente a *objetivação alienada* do trabalho sob todos os seus aspectos, incluindo o Estado político – além do impe-

---

[25] John Stuart Mill, *Principles of Political Economy*, pp. 199-200. Na passagem da qual a citação de Marx é tirada lê-se assim:

> As leis e condições de Produção da riqueza compartilham o caráter das verdades físicas. Nada há de opcional ou arbitrário nelas. Tudo o que a humanidade produz deve ser produzido nos moldes e sob as condições impostas pela constituição das coisas externas, e pelas propriedades inerentes à sua própria estrutura corpórea e mental. ... O mesmo não se dá com a Distribuição da riqueza. Esta é uma questão apenas de instituições humanas. Uma vez que as coisas estejam neste patamar, a humanidade, individual ou coletivamente, pode fazer com elas o que desejar. Pode colocá-las à disposição de quem o desejar, em quaisquer termos possíveis.

[26] Marx, *Grundrisse*, p. 832. Itálicos de Marx.

dimento simultâneo da *personificação* tanto do capital como do trabalho no sentido mencionado acima. Submeter ao controle social as posses materiais dos capitalistas privados é uma parte relativamente fácil desse empreendimento. Pois "o próprio capitalista apenas mantém o poder como *personificação do capital*"[27]. Não importa o quanto sejam desconcertantes as formas pelas quais as personificações do capital controlam o processo objetivo de reprodução; elas o controlam *em favor do* próprio *capital*. Por isso, não devem ser concebidas, equivocadamente, como sujeitos do processo sociometabólico "em cujos vários momentos" o capital em si é o *sujeito em comando* real (por mais que perversamente reificado), permanecendo "sempre capital", mesmo em suas instâncias personificadas. Como Marx coloca em sua caracterização do processo autoexpansivo do capital:

> A reprodução e a *valorização*, isto é, *a expansão*, dessas *condições objetivas* são simultaneamente sua reprodução e sua nova produção como a riqueza de um sujeito estranho, indiferente à capacidade de trabalho e que a enfrenta independentemente. O reproduzido e novamente produzido é, não apenas o *ser* dessas condições objetivas do trabalho vivo, mas *seu ser como alheio* ao trabalhador, tal como confronta sua capacidade de trabalho vivo. As condições *objetivas* do trabalho ganham uma existência *subjetiva* contrária à capacidade de trabalho vivo – o *capital* dá origem ao *capitalista*.[28]

Para evitar que o capital dê origem ao capitalista – ou aos seus possíveis equivalentes sob diferentes condições sócio-históricas – é necessário livrar-se completamente do capital, ou seja, da autoperpetuante relação-capital. Em todo contexto em que trata destes problemas, Marx deixa claro que *a relação causal vai do capital ao capitalista*, e não o contrário. Ele deixa igualmente claro que apenas os produtores livremente associados podem superar as contradições subjacentes, pois a relação-capital está, ela própria, fundada na objetivação antagonicamente alienada do trabalho social. Ao mesmo tempo, a relação-capital permanece instável, não importa o grau de poder das forças reproduzidas e progressivamente ampliadas, precisamente por causa desse seu insuperável antagonismo estrutural. Esta é também a razão pela qual a relação-capital, em lugar da sua sociabilidade pervertida sob o comando de um poder separado de controle metabólico, pode ser radicalmente alterada pela reconstituição do processo de trabalho de acordo com seu caráter diretamente social.

O desenvolvimento pervertido do trabalho social, que contraditoriamente torna o trabalho tanto mais impotente quanto mais produtivamente avançado, é o resultado de uma transformação histórica alienante pela qual

> as condições objetivas do trabalho assumem uma independência colossal cada vez mais representada pela sua própria extensão, oposta ao trabalho vivo, e a riqueza social confronta o trabalho em porções cada vez mais poderosas como um poder estranho e dominante. A ênfase termina por ser colocada não no estado de ser *objetivado*, mas no estado de ser *alienado* ... na condição em que pertence o monstruoso poder objetivo que o próprio trabalho social erigiu oposto a si mesmo como um de seus

---

[27] Id., *Economic Works: 1861-1864*, p. 123. Itálicos de Marx.
[28] Id., ibid., p. 245. Itálicos de Marx.

momentos pertence não ao trabalhador mas às condições personificadas de produção, ou seja, ao capital.[29]

No "monstruoso poder objetivo" do capital, que representa as *"condições de produção personificadas"*, encontramos a dupla contradição 1) entre subjetividade e objetividade (ou seja, objetividade alienada que assume perversamente a forma de sujeito que comanda), e 2) entre o individual e o social. A segunda contradição assume uma forma particularmente desnorteante entre o pseudo-sujeito geral que a tudo domina (o próprio capital) e suas exemplificações particulares (isto é, as personificações individuais do capital). É particularmente desnorteante porque nas raízes da constituição histórica do capital como sujeito (condição usurpada, mas de efetivo comando) encontramos apenas a própria subjetividade alienada do trabalho social e o poder de controle potencialmente consciente sobre sua autoatividade. É este conjunto de contradições que condensa e reproduz a si mesmo na forma de *antagonismo estrutural* entre capital e trabalho sob determinadas circunstâncias históricas que, com o fim da ascensão histórica do capital, perde a sua mais forte justificação produtiva original e sua legitimidade. Não há maneira de aliviar ou remover as contradições do sistema "pouco a pouco", pois a dinâmica autoexpansiva do sistema do capital torna necessário também que suas contradições e seus antagonismos sejam renovados numa escala sempre crescente, assumindo proporções globais no curso do desenvolvimento histórico. (Não é por mero acaso que as duas guerras mundiais aconteceram no século XX e que uma terceira "grande guerra" só não ocorreu devido à certeza de que significaria autodestruição da humanidade se viesse a irromper[30].)

Este é o significado último da inexorável *globalização* do capital, que sobre tudo estende o "monstruoso poder objetivo" do sistema, sem ter contudo a menor capacidade de alterar – para não dizer eliminar completamente – a determinação interna concorrencial de sua própria natureza, desde os seus menores microcosmos constitutivos às relações sistêmicas mais abrangentes em escala global. E já que o antagonismo estrutural do sistema do capital é o que objetivamente o define, nas partes e no todo, nenhuma mudança substantiva é viável no interior da estrutura da ordem reprodutiva do capital. O antagonismo estrutural do sistema só pode ser removido pela superação radical da própria relação-capital que, como "sistema orgânico", domina completamente o sociometabolismo.

Ao contrário de todos os defensores do sistema do capital que se apoiam no argumento da "complexidade", e seu fundamento supostamente "natural" que corresponderia à necessidade de se dividir as funções produtivas do trabalho no curso do avanço histórico, a questão não é, de modo algum, a inevitável divisão horizontal social do trabalho nem a complexidade que dela emerge.

É, ao contrário, *dividir* os *elementos* associados do *próprio processo de produção, sua realização de uma posição independente,* de um *vis-à-vis* o outro, fato que se mantém tanto quanto sua personificação recíproca.[31]

---

[29] Id., *Grundrisse*, p. 831. Itálicos de Marx.

[30] Alguém uma vez perguntou a Einstein que tipo de armas seria utilizado na Terceira Guerra Mundial: uma questão a que ele sabiamente respondeu dizendo que não poderia prevê-lo, mas que podia garantir absolutamente que a Quarta seria realizada com machados de pedra.

[31] Id., *Economic Works: 1861-1864*, p. 423. Itálicos de Marx.

A alienada "personificação recíproca", característica do modo de o capital controlar o sociometabolismo em todas as suas formas historicamente conhecidas e possíveis, não é a consequência de se produzir com a ajuda de uma maquinaria produtivamente mais desenvolvida. É a *necessária alienação do controle* de todos os aspectos do processo de reprodução societária – inclusive o controle da maquinaria produtiva e da pesquisa científica – do trabalho social dentro da estrutura do "sistema orgânico" do capital. Nas teorias que deslocam a questão da alienação do controle do trabalho (e o consequente poder sobre ele) para um problema aparentemente neutro de "complexidade" encontramos uma óbvia mistificação ideológica sob o manto da "objetividade científica". Isto porque alegam que tal complexidade é devida à "divisão natural do trabalho", uma mudança característica e um "truque de mão" que sempre serve ao interesse da "eternização" das relações estabelecidas da reprodução sociometabólica. Mesmo assim, não é suficiente demonstrar os interesses ocultos em operação na produção de tais mistificações. Em termos positivos, a solução de todos estes problemas depende das exigências e determinações objetivas de uma alternativa prática viável ao *sistema orgânico* do capital.

A constituição histórica do sistema orgânico do capital – com amplas implicações para a constituição de outros sistemas análogos – é caracterizada por Marx nestes termos:

> Devemos ter em mente que as novas forças de produção e relações de produção não se desenvolveram a partir do *nada*, nem caíram do céu, nem do útero de uma ideia que se autopostulou; mas do interior de e em antítese ao desenvolvimento da produção existente e às relações de propriedade herdadas, tradicionais. Enquanto no sistema burguês completo toda relação econômica pressupõe cada uma das outras em sua forma econômico-burguesa, e tudo que é posto é portanto também um pressuposto, o mesmo acontece com todo sistema orgânico. Este mesmo sistema orgânico, como totalidade, tem seus pressupostos, e seu desenvolvimento para a sua totalidade consiste precisamente em subordinar todos os elementos da sociedade a si mesmo, ou em criar os órgãos de que ainda carece. Historicamente é assim que ele se torna uma totalidade. O processo de converter-se nessa totalidade forma um momento do seu processo, do seu desenvolvimento.[32]

Nesse sentido, o sistema do capital constitui um círculo vicioso, porque "tudo o que é *posto* nele é também um *pressuposto*". Para tornar realidade a tarefa histórica de um novo "postulado" – socialista – é necessário quebrar os "pressupostos" circulares do capital em todos os domínios, do controle do processo direto de produção nos empreendimentos particulares às práticas correlatas do Estado que a tudo abrangem. Em relação ao primeiro, é absolutamente necessário efetivar uma *unificação* real, e não meramente jurídica, dos "*elementos do processo de produção* historicamente *divididos*" como uma alternativa efetiva ao modo herdado de controle sociometabólico. Quanto às segundas, o processo de "fenecimento" do Estado é também uma questão de unificação progressiva. Nesse domínio, a *separação entre legalidade e administração estatal* necessariamente complementa e auxilia a reproduzir a *apropriação iníqua* do

---

[32] Id., *Grundrisse*, p. 278. Itálicos de Marx.

sistema do capital, baseado nas incuráveis iniquidades estruturais de um modo de produção que possui um comando separado/alienado sobre o trabalho.

Assim, a questão de se ir *para além do capital* depende da capacidade ou incapacidade de os produtores associados criarem um novo "sistema orgânico" – genuinamente socialista e sustentável: uma totalidade social coerente que não apenas quebre o círculo vicioso da totalidade orgânica autossustentada do capital mas que também coloque em seu lugar um desenvolvimento irreversivelmente aberto. A tragédia das sociedades pós-capitalistas de tipo soviético foi o fracasso na realização dessa difícil tarefa histórica, na medida em que seguiram a "linha de menor resistência" – ao propor o socialismo sem radicalmente superar os *pressupostos materiais* do sistema do capital. Pois, dado o poder restaurador ativo dos constituintes da "totalidade orgânica" anteriormente estabelecida, elementos que não foram objeto de mudanças, a adoção da "linha de menor resistência" faz com que se caia de volta, mais cedo ou mais tarde, nas determinações reprodutivas do "sistema orgânico" objetivamente constituído que se está tentando deixar para trás. Marginalizar os capitalistas privados como o tipo antigo de personificação do capital está muito longe de assegurar o sucesso da revolução socialista. Isto porque esta revolução não pode significar tão somente um ato político desesperado, mas uma "revolução social" constantemente renovada (ou "revolução permanente") dos produtores associados que deve "subordinar todos os elementos da sociedade a ela". Ao mesmo tempo deve criar, a partir do sistema orgânico herdado mas progressivamente reestruturado, "os órgãos de que ainda carece" – para ser capaz de se tornar seu próprio tipo qualitativamente diferente de totalidade orgânica e irreversível. Um novo sistema orgânico irreversível para o passado retrógrado, mas criativamente aberto para com o futuro. Este é o significado vital da distinção marxiana – explícita ou implícita – entre *capital* e *capitalismo* para o presente e para o futuro.

17.2 "Socialismo em um só país"

17.2.1

A questão acerca do que poderia constituir um fundamento seguro para o desenvolvimento socialista surgiu muito tempo antes da Revolução de Outubro. Como vimos antes, a resposta de Marx foi um resoluto não à ideia de se alcançar o socialismo em um único país, já que, dada a dinâmica global do capital, as condições sob as quais se poderia propor tal transformação são inseparáveis tanto da maturação das potencialidades produtivas do sistema como do desdobramento de suas contradições antagônicas dentro da estrutura do mercado mundial.

O critério de "universalidade", segundo o qual se teria de julgar a viabilidade da alternativa socialista, foi introduzido em *A ideologia alemã* e nunca seria abandonado por Marx e Engels. Por isso mesmo eles afirmaram que "os povos dominantes, todos de uma só vez e simultaneamente" teriam que embarcar na via para o socialismo como forma de assegurar um resultado positivo pressupondo o desenvolvimento universal das forças produtivas e o intercurso mundial a elas articulado³³. Fica, portanto, impossível sustentar a ideia – não apenas à luz do colapso catastrófico do sistema soviético, mas também à de qualquer escrutínio sério dos desenvolvimentos pós-revolucionários – de que a conhecida estratégia de Stalin do "socialismo em um só país" tivesse tido qualquer chance de ser realizada. Apologistas de Stalin – como Santiago Carrillo, que mais tarde liderou o *"euro-comunismo"* com a mesma cegueira com que serviu e justificou as políticas stalinistas mais desastrosas e tirânicas – continuaram a argumentar, mesmo no recente ano de 1974, que a "ideia de construir o socialismo em um só país era correta. Os comunistas estavam corretos sobre isso"³⁴. Santiago Carrillo relutantemente aceitou que Marx e Engels tão somente estavam corretos em dizer – uma tautologia patética que jamais professaram – "que a vitória *completa* do socialismo há de ser universal; isto é, que, enquanto continuarem a existir países capitalistas que são economicamente mais desenvolvidos, constituirão eles um obstáculo ao desenvolvimento do socialismo em outros países"³⁵.

Na verdade, o que sempre esteve e ainda hoje permanece em jogo, não é a questão do "subdesenvolvimento" ou do atraso socioeconômico, mas a da viabilidade ou irrealidade da *estratégia socialista* adotada. Independentemente do que aconteceu na sociedade soviética, esta questão é vital para todos os movimentos socialistas, mesmo nos países de capital mais desenvolvido. O "atraso asiático" e o cerco capitalista hostil podem explicar alguns aspectos das transformações soviéticas pós-revolucionárias, mas estão longe de ser uma explicação adequada. Do mesmo modo, é muito importante para o futuro que se considere que a ideia nutrida no passado por muitos socialistas da nova esquerda de que o "Estado democrático" do Ocidente forneceria as garantias de que os desastres do desenvolvimento pós-revolucionário de tipo soviético poderiam ser evitados pelos movimentos socialistas dos países "capitalistas avançados" não passa de ilusão autossustentada. A questão fundamental que não pode ser evitada é o *poder do capital* e a necessidade de superá-lo. O capital não entregará o poder aos representantes "democraticamente eleitos" de algum partido anticapitalista simplesmente porque assim o determina a etiqueta do comportamento democrático nos Estados que se definem como donos de "tradições democráticas".

A Revolução Russa irrompeu da primeira crise global do *capitalismo*, na fase final da Primeira Guerra Mundial. A guerra ofereceu soluções e vantagens temporárias a alguns dos participantes vitoriosos, por exemplo Grã-Bretanha e França, enquanto agravou enormemente as condições de outros, incluindo a Rússia czarista e a Alemanha. Importante neste contexto é que, no curso do desenvolvimento histórico, o capital alcançou um estágio no qual os processos anteriores de reprodução sociometabólica – o modo mais favorável e mais dinâmico de extrair mais-valia por meios prioritariamente econômicos – por meio dos quais ele originalmente triunfou provaram não ser mais suficientes para as exigências autoexpansivas do sistema. Marx caracterizou as condições mais favoráveis ao modo de controle sociometabólico do

---

[33] MECW, vol. 5, p. 49 [ed. bras., *A ideologia alemã*, op. cit., pp. 50-1].
[34] Santiago Carrillo, *Dialogue on Spain*, com Régis Debray e Max Gallo, Londres, Lawrence & Wishart, 1976, p. 133. Publicado, em primeiro lugar, na França em 1974.
[35] Id., ibid. Itálicos de Carrillo.

capital como aquelas nas quais "*o capital pode prosseguir de si mesmo como seu próprio pressuposto*", isto é, quando ele "deixa de necessitar de toda *ajuda estranha*"[36]. Sob este aspecto, o século XX assinala uma mudança importante, com o papel direto cada vez maior que o Estado precisou assumir para fornecer a "ajuda estranha", tão necessária aos constituintes econômico-reprodutivos do sistema do capital, chegando ao ponto de travar guerras de magnitude até então inimagináveis. Os conflitos abrangentes dos Estados mais poderosos que tentaram resolver, por meio de confrontos violentos, os problemas socioeconômicos subjacentes pela redefinição das relações de poder entre Estados marcaram o fim da irrecuperável fase do capital na qual a dimensão política do sistema era muito menos pronunciada que o papel dos processos diretamente econômicos.

Desde o início de tal mudança, os advogados da pureza capitalista proclamam regularmente suas crenças na "livre competição", e continuam a protestar contra a interferência estatal; apenas queixando-se regularmente, com grande desapontamento, que jamais ou muito insuficientemente atentam para suas sábias palavras. A última coisa que eles estariam dispostos a admitir é a existência de um fundamento causal objetivo para esse fato, apesar de todos os esforços das personificações ativas do capital na esfera política para tentar seguir fielmente seus conselhos. Pois os "mecanismos puros" de seu sistema idealizado são incapazes de cumprir suas funções reprodutivas na escala expansiva requerida. Consequentemente, o modo de controle sociometabólico do capital não pode prevalecer sob as condições presentes sem depender pesadamente da "ajuda estranha", politicamente administrada, que, na visão dos vários representantes da "direita radical", deveria ser considerada um anátema para o sistema. Assim, até mesmo um dos mais reverenciados ideólogos do monetarismo, Milton Friedman, teve que admitir que o balanço geral do seu campo é de "falência prática" (palavras suas), apesar da "mudança no clima das opiniões", evidente na "transição da derrota acachapante de Barry Goldwater em 1964 para a estrondosa vitória de Reagan em 1980 – dois homens com essencialmente o mesmo programa e a mesma mensagem"[37]. É assim que Milton Friedman considera um "fracasso prático" e desencorajador que "os desenvolvimentos desde 1962 no mundo da prática diferiram acentuadamente daqueles do mundo das ideias" (ou seja, sua própria obra):

> Os Estados Unidos, cuja situação conheço melhor e da qual trato em *Capitalism and Freedom,* está claramente mais distante de uma sociedade liberal em 1986 do que estava em 1962 [o ano em que foi publicado o célebre primeiro livro de Friedman]. Uma medida simples é a proporção de gastos do governo em relação à renda nacional. Todos os gastos da série de governos – federal, estadual e local – eram 43,8% da renda nacional em 1985, comparado aos 34,7% em 1962. Como um sinal a mais, a fração correspondente era de 15% em 1930 [ou seja, antes do New Deal de Roosevelt]. ... [Mesmo se levarmos em consideração os necessários ajustes técnicos] o sentido da

---

[36] Marx, *Economic Works: 1861-1864*, p. 258.
[37] Milton Friedman, "Has Liberalism Failed?", in Martin J. Anderson (ed.), *The Unfinished Agenda: Essays on the Political Economy of Government Policy in Honour of Arthur Seldon*, Londres, The Institute of Economic Affairs, 1986, p. 129.

mudança é claramente o mesmo. Nos 32 anos de 1930 a 1962, o governo norte-americano tomou de seus cidadãos os gastos de 21% da quantia que inicialmente estava sob o controle deles; nos próximos 23, tomou mais 9% do que restava. Esta dificilmente é uma história de alívio do controle governamental.[38]

Nove anos depois, em 1995, a situação é, do ponto de vista de Milton Friedman e de outros que pregam o mesmo sermão[39], ainda pior, apesar dos esforços continuados de todos os governos da "direita radical" nas décadas intermediárias em vários países "capitalistas avançados". As razões para o reconhecido "fracasso prático dos governos" são ainda mais profundas do que as teorias baseadas no conceito pseudoexplicador da misteriosa "mudança no clima da opinião", confusamente impotente para afetar a política numa base duradoura, pois os porta-vozes intelectuais da direita radical tiveram de admitir o fracasso contra o pano de fundo dos esforços governamentais conservadores ideologicamente impecáveis para harmonizar as políticas com o "clima que mudou". Conforme um de seus adeptos: "Tome um outro exemplo que, para mim pelo menos, é um *mistério*. No século XIX, um dos argumentos padrões em favor da democracia, como oposta aos governos despóticos, era que ela tendia a ser *responsável do ponto de vista fiscal*. Esta afirmação permanece verdadeira até cerca de 1960. ... A partir dos anos 60, a maior parte das democracias começa a administrar *grandes déficits em tempos de paz*"[40]. Na realidade, contudo, o crescente envolvimento direto e a "irresponsabilidade fiscal" do Estado capitalista não são de modo algum misteriosos, já que testemunhamos uma reversão significativa de algumas tendências

---

[38] Id., ibid., pp. 131-2. O livro mencionado por Friedman é de Milton e Rose Friedman, *Capitalism and Freedom*, Chicago, University of Chicago Press, 1962.

[39] Uma recente réplica quixotesca lamentando o mesmo desencorajador fracasso e se referindo a nós todos como "sendo apenas prisioneiros do Estado" é um livro de Alan Ducan e Dominic Hobson, *From Saturn's Children*, Londres, Sinclair-Stevenson, 1995. Alan Ducan é um membro conservador do Parlamento.

[40] Gordon Tullock, "Wanted: New Public-Choice Theories", in Martin J. Anderson (ed.), *The Unfinished Agenda*, p. 16. É assim que o autor caracteriza as "explicações teóricas existentes" ao que ele denomina "mistérios insolúveis":

Tanto quanto eu saiba, há três possíveis candidatas a tal teoria. Uma foi inventada por meu colega, professor James Buchanan, outra pelo congressista Richard Armey do Texas (um ex-professor de economia na Texas A&M University) e a última por mim mesmo ... Todas as três teorias estão baseadas no impacto das ideias sobre os governos. Armey o explica em termos do impacto venenoso do livro de Galbraith, *The Affluent Society*. Buchanan responsabiliza uma resposta muito tardia a outro livro, *The General Theory*, de John Maynard Keynes. Minha teoria é um pouco mais complicada e pressupõe que os políticos aprendam com a experiência ... Todas as três teorias, em essência, pressupõem que as mudanças *não foram do mundo real*, mas do comportamento, como resultado de mudanças *nas mentes dos que fazem política*. Obviamente tal hipótese é difícil de ser testada (pp. 17-8).

O problema não significa apenas que tais teorias sejam "difíceis de testar", mas que elas são absolutamente burlescas ao tentar explicar as monumentais mudanças objetivas pelo impacto misterioso de alguns livros sobre as "mentes dos que fazem política". Isso para não falar do impacto "tardio" de um deles, uma distância de aproximadamente três décadas no caso de Keynes, de tal modo a tornar o mistério ainda mais denso e culpá-lo das tendências monetaristas cada vez mais fortes. Subjacente a tais "hipóteses" encontramos, claro, a utopia de que as ideias da "direita radical", no momento apropriado, irão de modo similar afetar as "mentes dos que fazem política", e viveremos felizes para sempre. O que deve ser frustrante para aqueles que os consideram seriamente é ter que admitir que apesar da conquista das "mentes dos que fazem política" – como Ronald Reagan e Margaret Thatcher – a recomendada "responsabilidade fiscal" permanece um ideal tão ilusório quanto antes.

fundamentais de desenvolvimento no século XX, que resultaram em uma "hibridização" incurável do sistema do capital, o qual, no ápice de sua ascensão histórica, podia se reproduzir e estender dinamicamente seu poder por meio de processos principalmente econômicos. Os eventos históricos mais importantes do século testemunham, a esse respeito, mudanças de longo alcance, assim como um crônico fracasso em colocar sob controle os antagonismos do sistema.

Considerada nesse contexto, a "ruptura" russa "do elo mais fraco da cadeia" em 1917 foi um desenvolvimento histórico *sui generis*, no sentido de ter tentado, em um vasto território do planeta, uma solução pós-capitalista para a crise do *capitalismo* ao mesmo tempo em que permanecia nos confins estruturais do *sistema do capital*. Naturalmente há também outras vias, muito diferentes, para enfrentar a profunda crise do capitalismo, desde a Itália fascista de Mussolini em 1922 ao "New Deal" de Roosevelt na América do Norte dos anos 1930 e, claro, até a Alemanha de Hitler. Todos estes países permaneceram não apenas no interior dos parâmetros estruturais do capital mas também nos anos 1930, e, claro, na Alemanha, em contraste com a Rússia Soviética, continuaram firmes no campo capitalista. Ao mesmo tempo, é interessante observar que a característica comum a *todas* estas tentativas de enfrentar a crise capitalista no século XX foi a de que, não importa por quais diferentes vias, todas forneceram, sem uma única exceção, a intervenção estatal maciça como "*ajuda estranha*" exigida pelo sistema para a continuação da sua sobrevivência.

Conforme os apologistas do sistema na direita radical, a "irresponsabilidade fiscal do Estado capitalista contemporâneo não se deve a mudanças "no mundo real"[41], mas apenas a influências intelectuais perniciosas e mais ou menos facilmente corrigíveis, exercidas nas mentes dos que fazem a política por economistas equivocados. Este diagnóstico da situação é completamente enganoso, na medida em que Keynes, apontado como seu principal réu, apenas respondeu a um desenvolvimento histórico importante, mas alarmante, que ele pretendeu contra-arrestar – para assegurar a sobrevivência da ordem capitalista – com a ajuda das medidas recomendadas, argumentando que,

> nas condições do *laissez-faire* pode-se provar ser impossível evitar grandes flutuações no emprego sem uma mudança de longo prazo na psicologia dos mercados de investimento, cuja ocorrência seria inesperada por não existir razão que a justifique. Concluo, portanto, que o dever de ordenar o corrente volume de investimento não pode ser deixado com segurança em mãos privadas.[42]

Os interesses sociais, defendidos pela abordagem keynesiana, transparecem claramente em outra passagem de *The General Theory*:

> Consequentemente, apesar de que a ampliação das funções do governo, envolvido na tarefa de ajustar uma à outra a propensão ao consumo e a indução ao investimento, pode parecer a um comentarista do século XIX ou a um financista contemporâneo americano uma terrível usurpação do individualismo, eu a defendo, pelo contrário, como o único meio praticável de evitar a destruição das formas econômicas existentes como um todo e também como a condição de funcionamento bem-sucedido da iniciativa individual. ... Os sistemas estatais autoritários de hoje parecem resolver o problema

---

[41] Ver nota anterior.
[42] Keynes, *The General Theory of Employment, Interest, and Money*, p. 320.

do desemprego à custa da eficiência e da liberdade. É certo que o mundo não vai tolerar por muito mais tempo o desemprego que, fora alguns breves intervalos de excitamento, está associado – e em minha opinião inevitavelmente associado – com o individualismo capitalista dos dias atuais. Mas pode ser possível, por meio de uma análise correta do problema, curar a doença enquanto se mantém a eficiência e a liberdade.[43]

Ainda que contrária ao *laissez-faire*, mas longe de ser antiliberal, a solução keynesiana se propunha a tratar das crises capitalistas obviamente perturbadoras "no mundo real" de um modo que salvaguardaria o sistema pelo aumento – estritamente subsidiário e complementar – do envolvimento do Estado no processo de reprodução econômica, sem o qual o autor temia o pior para as "democracias financeiramente responsáveis". O problema é que os remédios keynesianos não apenas fracassaram em resolver o "problema do desemprego", também a solução projetada para várias das questões relacionadas provou ser ilusória. Contudo, o fracasso em solucionar, a longo prazo, o problema do desemprego não foi o destino apenas das recomendações keynesianas. Isto foi verdade para todas as vias que tentaram tratar a crise do capitalismo, o que inclui, no longo prazo, também as medidas adotadas pelo sistema russo pós-capitalista. As várias soluções tentadas podiam, por períodos mais longos ou mais curtos, segundo as suas circunstâncias sócio-históricas específicas, apenas aliviar temporariamente o desemprego de massa. Ao fim, os remédios keynesianos tiveram que ser rejeitados nos "países capitalistas avançados" do Ocidente, quando seus custos começaram a se tornar inadministráveis. Contudo, as soluções monetaristas alternativas, tentadas após a fase keynesiana com enorme zelo e grande entusiasmo político – tanto pelos governos trabalhistas como por seus rivais conservadores –, provaram ser um fracasso não menor do que as predecessoras. Elas também se caracterizavam pela incapacidade de se atacar as *causas*, tentando remediar a situação intervindo apenas no nível dos *efeitos* e *consequências*, o que poderia funcionar apenas conjunturalmente, por períodos muito limitados.

Keynes nunca ofereceu uma explicação teórica para as causas do "desemprego não mais tolerável" ligando-o às determinações historicamente específicas da economia capitalista. Por aceitar cegamente o ponto de vista do capital como o único regulador racionalmente possível da reprodução sociometabólica – a *causa sui* absoluta, exatamente como ela apareceu e aparece nos livros dos monetaristas –, Keynes se contentou com o sonho irreal de que a manipulação estatal-intervencionista dos *sintomas negativos* encontrados produzisse *remédios positivos permanentes*. Não havia necessidade de qualquer alteração das determinações antagônicas estruturais da ordem existente, reconhecidamente caracterizada pela "guerra de classe", na qual Keynes aberta e orgulhosamente declarou sua total lealdade à burguesia[44]. Argumentando a partir de tais premissas, a única "hipótese" explicativa possível para o problema

---

[43] Id., ibid., pp. 380-1.

[44] É assim que Keynes o coloca:
> Quando se trata da *luta de classe* enquanto tal, meu patriotismo pessoal e local, como o de todos, com exceção de alguns desagradavelmente zelosos, está associado à minha vizinhança. Eu posso ser influenciado pelo que *me* parece ser justiça e bom-senso; mas a *guerra de classe* me encontrará do lado da *burguesia* educada.
>
> Id., "Am I a Liberal?", in *Essays in Persuasion*, Nova York, Norton & Co. Inc., 1963, p. 324.

identificado do desemprego – uma hipótese que ao mesmo tempo cumpre o papel de uma justificação automática das "disfunções" e dos fracassos do sistema, já impossíveis de negar – era um rude *determinismo tecnológico*. Nenhum ser racional poderia questionar a força de tal explicação para o desemprego, que automaticamente eximia a própria ordem socioeconômica de toda a culpa e responsabilidade pela miséria do povo.

No *momento*, a própria rapidez das mudanças tecnológicas está incomodando e trazendo problemas de difícil solução. Os países que não estão na vanguarda do progresso estão sofrendo relativamente. Nós estamos sendo afetados por uma nova doença da qual alguns leitores podem ainda não ter ouvido o nome, mas da qual muito irão ouvir nos próximos anos – qual seja, o *desemprego tecnológico*. ... Mas esta é apenas uma *fase temporária de desajuste*. Tudo significa no longo prazo que a humanidade está resolvendo seu problema econômico.[45]

Sessenta e cinco anos depois (que incluem o período de maciça explosão-de--emprego da Guerra Mundial e as décadas de reconstrução do pós-guerra), em 1995, ainda segue conosco "a fase temporária de desajuste" e não há sinal do final feliz postulado, segundo o qual a humanidade "resolveria seus problemas econômicos". Contudo, os mesmos diagnóstico e prognóstico vazios são hoje oferecidos por neokeynesianos trabalhistas, por monetaristas antikeynesianos, assim como por representantes da direita radical que projetam a miraculosa ação reparadora dos problemas existentes pela "terceira onda". O fato de nos sessenta anos intermediários se ter realizado apenas o *oposto* das expectativas keynesianas, já que agora também os países "na vanguarda do progresso" estão sendo "afetados pela nova doença" do desemprego crônico, é propositalmente esquecido, como se não existisse ou fosse desimportante. Uma vez mais, a explicação pseudocausal da "*mudança tecnológica*" serve tanto para identificar o problema como para postular sua solução automática. Ao mesmo tempo, duas das falácias ideologicamente mais reveladoras de Keynes são perpetuadas. Primeiro, que o "problema *econômico* da humanidade" é passível de uma solução *tecnológica/econômica*, se não hoje, certamente nos primeiros anos do século XXI (com a ajuda especial de "computadores *laptop*"). E, segundo, que a *crescente produtividade do trabalho* é *ipso facto* a causa do desemprego, e não o poder determinador da *estrutura socioeconômica* dada, na qual qualquer avanço na produtividade do trabalho está destinado a ser primeiramente avaliado – isto é, empregado para realizar humanamente ou para restringir fetichistamente e desumanizar – conforme os valores e princípios ordenadores práticos inerentes ao modo de controle sociometabólico prevalecente.

Manipular os sintomas do desemprego sem confrontá-lo com suas causas era apenas um dos grandes problemas que a crise capitalista teve que enfrentar, de modo a fornecer a *"ajuda estranha"* de que o sistema necessitava grandemente. Houve outras áreas importantes sobre as quais o Estado, em uma tentativa de administrar a crise do capitalismo, teve que intervir com sua "ajuda estranha":

(1) o apoio direto para assegurar a *continuidade da produção* capitalista vital, sob as circunstâncias nas quais já se podia observar a tendência à deterioração,

---

[45] Id., "Economic Possibilities for Our Grandchildren", in *Essays in Persuasion*, p. 364. O itálico em "desemprego tecnológico" é de Keynes.

devido aos "caprichos do mercado" e à integração de empreendimentos produtivos em uma escala sempre crescente[46];

(2) facilitar a tendência inexorável ao desenvolvimento *monopolista*, oferecendo proteção aos principais interesses monopolistas, frequentemente sob o disfarce da regulamentação das fusões de acordo com a "livre competição" e segundo o "interesse nacional"; o papel subserviente e cínico desempenhado pela "política democrática" a serviço da grande empresa está refletido no desprezo geral indicado pelas atuais pesquisas de opinião com relação à política e aos políticos;

(3) reverter a tendência que caracterizou o sistema no pico da ascendência histórica do capital, quando vimos "a separação das *obras públicas* do *Estado*, e sua migração para o domínio das obras empreendidas pelo *próprio capital*" indicando "o grau no qual a comunidade real se constituiu na forma de capital"[47];

(4) fornecer os fundos absolutamente vitais para o funcionamento normal do processo sociometabólico desde que eles afetem diretamente a reprodução da força de trabalho – isto é, educação geral e serviços de saúde de um ou outro tipo pesadamente subsidiados pelo Estado – que as empresas capitalistas são incapazes de financiar por si próprias;

(5) envolver o Estado diretamente na reprodução ampliada do capital fixo sem o qual o sistema poderia entrar em colapso. Ou seja, "é na *produção de capital fixo que o capital se define como uma finalidade-em-si* e aparece ativo como capital, em uma *intensidade maior do que o faz na produção do capital circulante*. Portanto, também neste aspecto, a dimensão já possuída que a produção de capital ocupa na produção total é o padrão de medida *do desenvolvimento* da riqueza fundada no modo de produção do capital"[48];

(6) colocar à disposição das empresas capitalistas subsídios maciços diretos sob as mais variadas formas, que vão desde fundos de pesquisa até lucrativos contratos estatais, e da manutenção da "infraestrutura" aos modos mais gro-

---

[46] Como Marx coloca nos *Grundrisse*:

A máxima realização do capital, assim como a continuidade máxima do processo de produção, é o tempo de circulação posto como = 0; isto é, então, as condições sob as quais o capital produz, sua restrição pelo tempo de circulação, a necessidade de se ir através de diferentes fases de sua metamorfose, ficam suspensas. É a tendência necessária de o capital buscar igualar o tempo de circulação a 0; ou seja, de suspender a si mesmo, já que é apenas o próprio capital que põe o tempo de circulação enquanto um momento determinante do tempo de produção. É o mesmo que suspender a necessidade da troca, de dinheiro e da divisão do trabalho que neles se apoia, portanto do próprio capital (p. 629).

Os desenvolvimentos pós-capitalistas tinham, num primeiro momento, uma grande vantagem em relação ao desejoso objetivo de o capital realizar a si mesmo em 0 tempo de circulação. Neste aspecto a extração política e a alocação do trabalho excedente foram benéficas enquanto o consumo individual – e a produção industrial correspondente a ele – tinha que ser, e podia ser, mantido, num nível muito baixo. Num estágio posterior, contudo, a vantagem anterior transformou-se em um grande obstáculo para o desenvolvimento socioeconômico sustentado, sublinhando que a extração politicamente imposta do trabalho excedente não pode por si só oferecer uma solução duradoura para as pressões subjacentes quando a sociedade tem que enfrentar a crise estrutural do capital.

[47] Marx, *Grundrisse*, p. 531.
[48] Id., ibid., p. 710. Itálicos de Marx.

tescos de financiar práticas agrícolas de pseudomercado, como as da "política agrícola comum" europeia, por exemplo;

(7) resgatar – pela "nacionalização" – alguns dos principais empreendimentos capitalistas e até mesmo ramos inteiros da indústria quando elas se tornam falidas, fazendo-as retornar, no momento adequado, ao "setor privado competitivo" (com grande hipocrisia e cinismo político, na forma de monopólios e *quase* monopólios privados), uma vez que sua viabilidade econômica tenha sido garantida graças a pesados investimentos estatais, financiados por impostos gerais;

(8) administrar o sistema de *seguridade social* – o que geralmente exige enormes fundos, e agora cada vez mais sob a sombra da falência do Estado – não apenas como um tipo de salvaguarda contra explosões sociais, mas também para manter, por mais inadequada que seja a forma adotada, uma quantia significativa de poder de compra que de outro modo seria completamente perdida para o capital.

Todas as várias tentativas de administrar a crise do capitalismo no século XX tiveram que enfrentar esses problemas e fazer tudo o que estivesse ao seu alcance para oferecer a necessária "ajuda estranha", o que, de fato, torna o sistema muito diferente de sua forma alcançada no apogeu da ascensão histórica do capital. Naturalmente, o sistema soviético pós-capitalista produziu seu próprio modo de administrar esses problemas, que tiveram solução diferente nas reações à crise capitalista nas quais se permaneceu no interior dos parâmetros econômicos fundamentais de extração do trabalho excedente, mesmo quando as determinações políticas procuravam regular prioritariamente suas relações internas e externas. A situação, contudo, piorou muito nos anos 1970 quando tem início a crise estrutural global do sistema do capital em si, expondo a inadequação da "ajuda estranha" que o Estado poderia oferecer sob as circunstâncias da *crise sistêmica* que se aprofunda.

Significativamente, a viabilidade do sistema de tipo soviético se tornou não apenas muito problemática mas, como parte da crise estrutural geral, absolutamente impossível. Na situação pós-revolucionária, o sistema soviético, em sua oposição ao capitalismo, pôde por um longo tempo redefinir negativamente a si próprio. Ofereceu um modo de superar a crise do capitalismo ao assegurar o desenvolvimento industrial pela instituição de sua própria forma – pós-capitalista – de extração de trabalho excedente. A exaustão deste apego à reprodução ampliada do capital no interior de uma estrutura pós-capitalista diretamente administrada pelo Estado coincidiu com o desdobramento da crise estrutural do *sistema do capital* como um todo, trazendo com ele uma dramática implosão da ordem sociometabólica de tipo soviético. Na época do colapso soviético, este desenvolvimento foi saudado pelos defensores do capital como um retorno triunfante para todo o *status quo ante*. Agora, contudo, deve estar suficientemente claro que este triunfo foi uma ilusão de ótica, deformada em proporções cósmicas pela utopia capitalista, que precipitadamente anunciou uma nova era de expansão, em escala global, pela integração igualitária no sistema de todos os países pós-capitalistas subdesenvolvidos. Os porta-vozes do "capitalismo avançado" imediatamente prometeram maciça ajuda financeira "modernizadora" aos países do bloco oriental, chacoalhando até mesmo a cenoura de um generoso "novo Plano Marshall" ante os narizes dos crédulos.

Por um momento parecia que montanhas estavam em gestação, mas quando tudo terminou apenas pequenos e mirrados ratos vieram à luz. Assim como a longa e prometida "modernização" em benefício do "Terceiro Mundo" não se materializou no passado, do mesmo modo virtualmente nada resultou da propalada ajuda modernizadora mais recente. E não é de admirar, pois as próprias economias dos países "capitalistas avançados" necessitavam da "ajuda estranha" – em todo molde e toda forma que pudessem obtê-la – sem o que todo o sistema não poderia assegurar a continuação de sua viabilidade.

Ironicamente, portanto, em vez de representar um verdadeiro triunfo, a implosão da economia de tipo soviético apenas sublinhou a inviabilidade de se tentar resolver, de forma duradoura, a crise do sistema global do capital por meio de um maciço envolvimento direto do Estado no processo sociometabólico. Uma solução que até o colapso do "socialismo realmente existente" pareceu ser uma alternativa, apesar de muito problemática, ainda assim praticável. Tal como se deu antes, a necessidade da "ajuda estranha é agora ainda maior do que nunca, na medida em que afeta com problemas e desafios agudos todos os países, inclusive os de capitalismo mais avançado. De fato, a "ajuda estranha" a ser oferecida hoje tem uma natureza e uma magnitude tais que tornam impossível a sua acomodação aos limites do sistema de controle sociometabólico. Por isso a crise do *capitalismo* no século XX se converteu numa crise estrutural ou sistêmica do próprio *sistema do capital*. Assim, em vez de projetarmos uma expansão tranquila, que supostamente deveria fornecer uma solução potencial para a crise capitalista global, entramos numa fase de instabilidade sem precedentes, na qual o destino das antigas sociedades do "socialismo realmente existente" se deteriora com gravidade crescente.

17.2.2
Por longo tempo, o desenvolvimento pós-revolucionário soviético administrou com sucesso a crise capitalista, crise que constituiu seu ponto de partida necessário e lhe deu o ímpeto original. Para tanto, ele teve que fornecer, de forma muito diferente da que era praticada em termos estritamente capitalistas, a "ajuda estranha" exigida pela ordem sociometabólica em uma situação de extrema emergência, agravada pela intervenção capitalista internacional que alimentou e prolongou também a guerra civil interna. Desse modo, o regime pós-revolucionário precisou enfrentar não apenas a profunda crise do sistema herdado, mas também o estabelecimento de uma ordem reprodutiva alternativa – pós-capitalista – capaz de assegurar as condições de expansão socioeconômica em um ambiente global hostil.

Naquelas circunstâncias, mesmo que os líderes pós-revolucionários desejassem fazê-lo (o que, claro, eles não desejavam), não poderiam ter seguido a via capitalista, nem mesmo a via do "capitalismo de Estado", termo este que Lenin usou em primeira mão num contexto polêmico, contra os "comunistas de esquerda" que tinham levantado a questão:

Segundo os "comunistas de esquerda", sob o "desvio bolchevique para a direita a república soviética está ameaçada com a evolução para o capitalismo de Estado". Eles nos amedrontaram esta vez! E com que gosto estes "comunistas de esquerda" repetem esta revelação assombrosa em suas teses e em seus artigos. Não ocorreu a eles que capitalismo de Estado seria um *passo avante* se comparado com o presente estado de coisas em nossa República Soviética.[49]

Mais tarde Lenin admitiu que esta sua reflexão sobre o "capitalismo de Estado" foi orientada pela esperança de que, dentro da estrutura da nova política econômica, o governo pudesse "arrendar concessões"[50] a empresas capitalistas estrangeiras e locais, o que em sua visão legitimaria o uso do termo, já que concessões capitalistas permaneceriam estritamente sob controle do Estado soviético. Contudo, tal como Lenin também reconheceu mais tarde, "as concessões não se desenvolveram em nenhuma escala considerável"[51], e ele abandonou completamente o termo, transferindo seu interesse para as cooperativas e argumentando que "cooperação sob nossas condições quase sempre coincide plenamente com socialismo"[52]. Além disso, como já é de conhecimento geral, a nova política econômica foi mais tarde completamente abandonada, e o desenvolvimento subsequente da economia soviética não poderia ser, de modo algum, caracterizado como capitalista ou capitalista de Estado. Tal caracterização apenas desviaria a atenção dos problemas e contradições reais do sistema pós-capitalista de tipo soviético. Da mesma forma, caracterizar o sistema soviético como capitalista ou capitalista de Estado antes de seu colapso torna completamente misterioso o fato de que, sob o regime de Gorbachev e seus sucessores, se tentou desesperadamente restaurar o capitalismo, já que eles já o tinham, tal como se alega, desde os anos 1920; para não mencionar o fato de, até hoje, eles terem tido sucesso apenas parcial em sua iniciativa.

Foi o fracasso da desestalinização e o agravamento da crise do sistema soviético que resultaram na pressão crescente, entre os círculos dirigentes, pela restauração do capitalismo. Isso ocorreu nas circunstâncias em que o sistema do capital entrou em sua fase histórica de crise estrutural, tornando extremamente problemática a viabilidade de formas anteriormente conhecidas de "ajuda estranha" para resolver os problemas do sistema. Muito tempo antes de Gorbachev tentar a *perestroika* e falhar, eu mesmo tratei – sem esquecer de repetir que o tipo do sistema soviético permanecia sob a regra do capital – de caracterizar assim as diferenças principais entre capitalismo e formas pós-capitalistas de administração do metabolismo socioeconômico:

Capitalismo é aquela fase particular da produção do capital na qual:
1. *a produção para a troca* (e assim a mediação e dominação do valor de uso pelo valor de troca) é dominante;
2. *a própria força de trabalho,* tanto quanto qualquer outra coisa, é tratada como *mercadoria*;

---

[49] Lenin, "Left-Wing Childishness and the Petty-Bourgeois Mentality", *in Collected Works*, vol. 27, p. 334 [ed. port., *Obras escolhidas* em três tomos, Lisboa, Ed. Avante, 1979, Tomo II, p. 599; seguimos aqui a tradução do texto em inglês, visto haver diferença com o texto da edição portuguesa].
[50] Lenin, "On Co-operation", *in Collected Works*, vol. 33, p. 472 [ed. port., op. cit., Tomo III, p. 660].
[51] Id., ibid., p. 473 [ed. port., op. cit., Tomo III, p. 661].
[52] Id., ibid.

3. a motivação do *lucro* é a força reguladora fundamental da produção;
4. o mecanismo vital de formação da mais-valia, a separação radical entre meios de produção e produtores, assume uma *forma inerentemente econômica*;
5. a mais-valia economicamente extraída é *apropriada privadamente* pelos membros da classe capitalista; e
6. de acordo com seus *imperativos econômicos* de crescimento e expansão, a produção do capital tende à *integração global*, por intermédio do mercado internacional, como um sistema totalmente interdependente de dominação e subordinação econômica.

Falar de capitalismo nas sociedades pós-revolucionárias, nas quais se mantém apenas uma destas características definidoras essenciais – a de número quatro –, e até mesmo esta de forma *radicalmente alterada*, já que *a extração de trabalho excedente é regulada política e não economicamente*, implica o desprezo ou a confusão das condições objetivas do desenvolvimento, com sérias consequências para a possibilidade de entendimento da natureza real dos problemas em questão.

O capital mantém o seu domínio – longe de irrestrito – nas sociedades pós-revolucionárias principalmente por meio:
1. dos imperativos materiais que circunscrevem as possibilidades da totalidade do processo vital;
2. da divisão social do trabalho herdada, que, apesar das suas significativas modificações, contradiz "o desenvolvimento das livres individualidades";
3. da estrutura objetiva do aparato produtivo disponível (incluindo instalações e maquinaria) e da forma historicamente limitada ou desenvolvida do conhecimento científico, ambas originalmente produzidas na estrutura da produção de capital e sob as condições da divisão social do trabalho; e
4. dos vínculos e interconexões das sociedades pós-revolucionárias com o sistema global do capitalismo, quer estes assumam a forma de "competição pacífica" (intercâmbio comercial e cultural), quer assumam a forma de oposição potencialmente mortal (desde a corrida armamentista até maiores ou menores confrontações reais em áreas sujeitas a disputa).

Portanto, o problema é incomparavelmente mais complexo e abrangente do que sua caracterização convencional como imperativo da acumulação de capital, agora sob o novo nome de "acumulação socialista".[53]

É importante enfatizar que nossa preocupação aqui não é histórica, voltada às especificidades e limitações dos desenvolvimentos pós-revolucionários empreendidos sob os limites de um grande atraso socioeconômico; uma revolução que no topo da lista de suas condições internas desfavoráveis teve que enfrentar também o massacre promovido pelo mundo capitalista hostil. As imensas dificuldades de passar do domínio do capital para uma ordem socialista autorregulada devem ser enfrentadas mesmo pelo país economicamente mais desenvolvido. Isso porque em tal país, dado o grau muito mais elevado de concentração e centralização do capital, as pressões

---

[53] Mészáros, "Political Power and Dissent in Postrevolutionary Societies" (1977), pp. 912-3 do presente volume [ed. bras., "Poder Político e Dissidência nas Sociedades Pós-Revolucionárias", *Ensaio*, n° 14, São Paulo, Ed. Ensaio, 1985, pp. 44-5].

imediatas para manter a continuidade da produção – e portanto a viabilidade de um processo recém-instituído de reprodução sociometabólica – devem ser ainda maiores que em uma sociedade relativamente subdesenvolvida. Além do mais, não é possível evitar a necessidade de se passar do modo herdado, fundamentalmente econômico, de expropriar a mais-valia para uma forma viável de extração politicamente regulada do trabalho excedente na sequência de uma revolução socialista, não importa o nível de desenvolvimento econômico do país ou dos países envolvidos.

O poder do capital não pode ser superado no domínio material sob seu controle, por nenhum tipo de ação econômica espontânea, mesmo que o conhecimento econômico seja suficientemente desenvolvido e difundido na sociedade como um todo (o que está fora de questão, dada a novidade qualitativa das tarefas que devem ser empreendidas, e o fato de o conhecimento necessário a elas não poder ser legitimado pelo sistema do capital herdado e suas "personificações"). O primeiro passo vital exige uma mudança radical do modo de regular a produção e alocação do excedente econômico. Isto é possível em primeiro lugar apenas pelo processo político autônomo – e socialmente sustentável no curso da revolução que se desdobra – tanto nos países subdesenvolvidos como naqueles de capitalismo mais desenvolvido. Em todos os lugares, é necessária uma verdadeira "mudança de ventos" que permita tomar a rota que conduzirá ao novo "sistema orgânico". A regulação política adequada do intercâmbio socioeconômico é uma parte vital importante para este empreendimento, especialmente nas fases iniciais da difícil transição para uma ordem metabólica socialista autorreguladora. Como a formação do Estado moderno é um constituinte essencial do sistema orgânico do capital, mover-se em direção a uma alternativa socialista é inconcebível 1) sem se apoderar de todas as funções produtivas do velho Estado *vis-à-vis* o sistema do capital, aspecto negativo do empreendimento político pós-capitalista, e 2) sem uma articulação bem-sucedida das funções autônomas e positivamente reguladoras pelas quais os produtores associados podem colocar nas finalidades por eles mesmos escolhidas os frutos do seu trabalho excedente no curso da criação de um sistema orgânico socialista. Se o aspecto positivo da tarefa não for perseguido desde o início, não haverá qualquer esperança de se concluir com sucesso a revolução socialista. De fato, mais cedo ou mais tarde, mesmo as funções negativas assumidas de se "expropriar os expropriadores" estão destinadas a falhar. Sob este aspecto, a questão fundamental é a relação estrutural *antagônica* no interior do próprio processo de trabalho sob o domínio do capital. Este é o caso em todos os domínios e em todos os níveis do sociometabolismo, desde o "microcosmo" das iniciativas econômicas locais até as inter-relações reprodutivas mais abrangentes. Sob este aspecto, se a extração do trabalho excedente politicamente regulada não for de fato controlada pelos próprios produtores associados, mas por uma autoridade política imposta e acima deles, este tipo de relação inevitavelmente reproduziria o antagonismo incurável do velho processo de trabalho. É o que aconteceria mesmo que o tipo de personificação do capital que confronta o trabalho pós-revolucionário tivesse mudado de acordo com as novas circunstâncias sócio-históricas.

Um dos problemas mais difíceis neste aspecto é, segundo Lenin, "a importância da ditadura do proletariado na esfera econômica ... a ditadura dos trabalhadores nas relações econômicas"⁵⁴. Sua resposta inevitavelmente leva as marcas da situação histórica de atraso da Rússia, o que levou Lenin a primeiro admitir que "nós, o proletariado russo ... estamos atrás do país mais atrasado da Europa ocidental em relação ao nosso nível de cultura e ao grau de nossa preparação material e produtiva para a introdução do socialismo"⁵⁵. Desse modo, ele respondeu à sua própria questão sobre o "significado da ditadura do proletariado na esfera econômica" insistindo que

> o trabalho de aprender praticamente como construir uma *produção em larga escala* é a garantia de que estamos no rumo certo, a garantia de que os trabalhadores com consciência de classe na Rússia estão levando adiante a luta contra a *desintegração* e a desorganização *dos pequenos proprietários*, contra a indisciplina pequeno-burguesa – a garantia da vitória do comunismo.⁵⁶

Certamente, os perigos da "desintegração e da desorganização em pequenas propriedades" eram muito reais. Assim, em contraste com as tentações de seguir as demandas da "pequena propriedade", a adoção do objetivo econômico global de "construir a produção em larga escala" significava embarcar no curso necessário e correto. Contudo, se a produção em larga escala é sem dúvida um *pré-requisito material* necessário para o sucesso do desenvolvimento socialista, certamente não é "*a garantia da vitória do comunismo*". Os limites objetivos da situação histórica dada forçaram até mesmo Lenin a buscar garantias muito problemáticas. Ora, nem mesmo ele podia imaginar a possibilidade de uma contradição objetiva entre a ditadura do proletariado e o próprio proletariado. Assim, em algumas questões vitais, concernentes ao exercício do poder de Estado e sua relação com o proletariado, ele alterou radicalmente sua posição após a Revolução de Outubro, com consequências de longo prazo para a classe trabalhadora. Em contraste com as intenções pré-revolucionárias que afirmavam a identidade fundamental do "*povo todo em armas*"⁵⁷ com o poder do Estado, apareceu nos escritos de Lenin uma separação entre o poder do Estado e o "povo trabalhador", na qual o "*poder do Estado*" organiza em nível nacional a produção em larga escala nas terras e nas empresas *do Estado*, *distribui a força de trabalho* entre os vários ramos da economia e as várias empresas, e *distribui entre o povo trabalhador* grandes quantidades de artigos de consumo *pertencentes ao Estado*.⁵⁸ O fato de que *a distribuição da força de trabalho* fosse uma relação de *subordinação estrutural* não parecia preocupar Lenin, que tangenciou o assunto ao descrever simplesmente a nova forma de poder estatal separado como "o poder estatal proletário"⁵⁹. Assim, a própria contradição objetiva da ditadura do proletariado desapareceu do horizonte no exato momento em que emergiu como poder de Estado centralizado que determina sozinho a distribuição da força de trabalho.

---

54 Lenin, "Left-Wing Childishness and the Petty-Bourgeois Mentality", *in Collected Works*, vol. 27, p. 351 [ed. port., op. cit., p. 611].
55 Id., ibid., p. 345 [ed. port., op. cit., p. 603].
56 Id., ibid., p. 351[ed. port., op. cit., p. 611].
57 Id., "Letters from Afar", in *Collected Works*, vol. 23, p. 325 [ed. port., op. cit., p. 7].
58 Id., "Economics and Politics", in *Collected Works*, vol. 30, pp. 108-9.
59 Id., ibid., p. 108 [ed. port., op. cit., p. 203].

No nível mais genérico das relações de classe – correspondente à oposição polar entre o proletariado e a burguesia –, a contradição parecia não existir. O novo Estado tinha que assegurar sua própria base material e a distribuição centralizada da força de trabalho parecia ser o único princípio viável para atingir esse objetivo[60]. Na realidade, contudo, era o próprio "povo trabalhador", como força de trabalho, que precisava ser reduzido e distribuído: não apenas por imensas distâncias geográficas – com todas as inevitáveis revoltas e deslocamentos envolvidos em tais sistemas de distribuição impostos de forma centralizada –, mas também "verticalmente" em toda e cada localidade, segundo os ditames materiais das estruturas de produção herdadas, e dos ditames políticos inerentes ao princípio e aos órgãos de regulação recém-instituídos.

Estes problemas estavam intimamente ligados aos dilemas da revolução socialista "no elo mais fraco da cadeia". Lenin argumentou que "graças ao capitalismo tinha crescido o aparato material dos grandes bancos, sindicatos, estradas de ferro, e assim por diante", e "a imensa experiência dos *países avançados* acumulou um estoque de maravilhas da engenharia, cujo emprego está sendo impedido pelo capitalismo". Conclui que os bolcheviques (que, de fato, estavam confinados a um *país atrasado*) poderiam "lançar mão deste aparato e o colocar em movimento"[61]. Desse modo, as imensas dificuldades da transição de uma revolução particular para o sucesso irrevogável de uma revolução global (que está para além do controle de qualquer sujeito particular, independente de sua consciência de classe e disciplina) eram mais ou menos desconsideradas ao se postular, de forma voluntarista, que os bolcheviques seriam capazes de tomar o poder e "mantê-lo até o triunfo da revolução socialista mundial"[62]. Assim, apesar da defesa da viabilidade da revolução socialista no elo mais fraco da cadeia, o imperativo de uma revolução mundial como condição para o seu sucesso se reafirmou de forma bastante desconfortável: como uma tensão insolúvel no próprio núcleo da teoria. Mas o que se poderia dizer caso não ocorresse uma revolução mundial socialista e os bolcheviques fossem condenados a manter o poder indefinidamente? Lenin e seus camaradas revolucionários não estavam dispostos a considerar essa questão, que conflitava com alguns elementos de sua perspectiva. Tinham que afirmar a viabilidade de sua estratégia de uma forma que implicava necessariamente antecipar os desenvolvimentos revolucionários em áreas sobre as quais suas forças não tinham absolutamente nenhum controle. Em outras palavras, sua estratégia envolvia a contradição entre dois imperativos: primeiro, a necessidade de seguir sozinhos, como precondição histórica *imediata* para obterem sucesso (na sobrevivência isolada); e, segundo, o imperativo de triunfo da revolução socialista mundial como precondição estrutural *última* de sucesso de todo o empreendimento[63].

---

[60] O próprio Lenin reclamou amargamente, em seu discurso de avaliação da NEP, que os órgãos estatais recém-criados eram pesadamente condicionados pelo velho Estado czarista. Citei passagens relevantes do artigo referido na nota 3 deste capítulo.

[61] Lenin, "Can the Bolsheviks Retain Power?", in *Collected Works*, vol. 26, p. 130.

[62] Id., ibid.

[63] A última página se baseia na Seção 3 ("Poder político na sociedade de transição") do artigo citado na nota 53 deste capítulo.

Na sequência da Revolução de Outubro, enquanto pôde ser mantida a esperança de uma revolução global, a preocupação estratégica de Lenin era "segurar a posição" até a situação se tornar verdadeiramente favorável, graças à revolução nos países avançados, capacitando os bolcheviques a "lançar mão do aparato produtivo desenvolvido e colocá-lo em movimento". Isto explica por que a noção de "capitalismo de Estado" foi considerada por Lenin uma fase muito limitada, estritamente supervisionada pelo Estado. Após grandes desapontamentos, esta perspectiva teve que ser abandonada e uma definição mais positiva do socialismo em um só país devia ser dada. Foi assim que Lenin escreveu em 1923:

> Agora temos o direito de dizer que, para nós, o simples crescimento da cooperação se identifica ... com o crescimento do socialismo, e ao mesmo tempo vemo-nos obrigados a reconhecer a modificação radical de todo o nosso ponto de vista sobre o socialismo. Esta mudança radical consiste em que anteriormente colocávamos, e devíamos colocar, o centro de gravidade na luta política, na revolução, na conquista do poder etc. Mas agora o centro de gravidade desloca-se para o trabalho pacífico de organização "cultural".[64]

Esta mudança de ênfase foi utilizada mais tarde por Stalin para afirmar o desenvolvimento real do "socialismo em um só país", o que era absolutamente ilegítimo, na medida em que Lenin terminou o mesmo artigo com uma nota acauteladora, sublinhando que

> esta *revolução cultural* não será suficiente para tornar nosso país um país completamente socialista; mas ele apresenta imensas dificuldades de caráter puramente *cultural* (pois somos analfabetos) e *material* (pois para ser cultos devemos realizar um certo desenvolvimento dos meios de produção, devemos ter uma certa *base material*).[65]

Portanto, mesmo em suas reflexões mais positivas sobre a margem de ação emancipatória na Rússia pós-revolucionária, Lenin se recusou a "modificar radicalmente" a visão anterior de que o socialismo deveria ser "criado pela cooperação revolucionária de *todos* os países"[66].

Quaisquer que sejam as limitações e complicações das circunstâncias socioeconômicas, suas conclusões são, à luz da experiência histórica do século XX, inevitáveis mesmo para os países capitalistas industrialmente mais avançados. A *primeira* diz respeito à forma política requerida para se tentar quebrar o domínio do capital. Se ela é chamada de "ditadura do proletariado" ou por qualquer outro nome, permanece aguda a necessidade de se instituir uma forma de Estado transicional capaz não apenas de enfrentar e superar o poder do capital, mas também de progressivamente "fenecer" no momento devido, paralelamente à transferência das funções estatais tradicionais para o corpo social. Esta forma transicional de controle político não poderia, no mais agudo contraste com a tomada pós-revolucionária do poder, se converter em um órgão estatal separado, mais do que nunca fortalecido e centralizado, pelo qual

---

[64] Lenin, "On Co-operation", in *Collected Works*, vol. 33, p. 474 [ed. port., op. cit., Tomo III, p. 661].

[65] Id., ibid., [ed. port., op. cit., p. 662; há uma divergência entre a tradução portuguesa e a versão citada por Mészáros; como sempre nestes casos optamos por manter a versão utilizada pelo autor].

[66] Lenin, "Left-Wing Childishness and the Petty-Bourgeois Mentality", *in Collected Works*, vol. 27, p. 346. Itálicos de Lenin [ed. port., op. cit., Tomo II, p. 604].

o novo tipo de "personificação do capital" poderia se apropriar, para si próprio, das alavancas de controle das funções sociometabólicas e perpetuar a subordinação estrutural do trabalho aos imperativos reprodutivos do sistema do capital. A *segunda* conclusão está implícita na última citação de Lenin, na qual ele salienta que o sucesso ou o fracasso do socialismo depende da eficácia da *"revolução cultural"*, associada ao *"crescimento da cooperação"* mencionada na citação precedente.

É aqui que podemos ver como essas duas conclusões práticas se entrelaçam inseparavelmente nas perspectivas de qualquer país em busca de uma transformação socialista, não importando o seu grau de desenvolvimento ou subdesenvolvimento. A característica definidora essencial da forma política pós-revolucionária – para superar o poder do capital e cumprir seu papel na realização do socialismo – é sua orientação para o estabelecimento de um modo *global* de controle sociometabólico *não conflituoso*. Isto significa coordenar as "microestruturas" cooperativas ou células produtivas da sociedade em uma estrutura produtiva *global*, o que só será possível se a articulação institucional da forma política pós-revolucionária e as práticas sintonizadas com ela forem *não hierárquicas*. A estrutura de comando político geral incorrigivelmente hierárquica do capital se ergue do solo das determinações internas necessariamente conflituosas de seus constituintes reprodutivos, devido ao antagonismo estrutural entre capital e trabalho que o sistema político corporifica e consolida. O fracasso de todas as tentativas passadas de estabelecer "cooperativas" no solo material do capital foi, portanto, inevitável, dadas as determinações entrelaçadas do domínio material e político e o caráter hierárquico conflituoso de ambos. Mas, precisamente por esta razão, a forma política da sociedade pós-revolucionária pode cumprir seu papel transicional previsto, e "fenecer" no momento adequado, apenas se for articulada a um domínio material não conflituoso, cooperativo, que se desenvolva simultaneamente. E, *vice-versa*, a "revolução cultural" sublinhada por Lenin tem por objetivo necessário não apenas a eliminação do analfabetismo e o desenvolvimento de habilidades práticas e produtivas na mais ampla base possível. Ao mesmo tempo, o objetivo estratégico fundamental da revolução cultural defendida é o estabelecimento de um novo "microcosmo" reprodutivo material – não conflituoso e positivamente cooperativo – que possa harmoniosamente aderir à estrutura global da forma política pós-revolucionária não hierárquica e progressivamente se apossar das suas funções inevitavelmente separadas.

17.2.3
O lema do "socialismo em um só país" – adotado oficialmente pela Internacional Comunista como parte de seu próprio programa – foi imensamente danoso para o movimento socialista, não somente na Rússia, mas em todo o mundo. Levou não apenas à desesperadora deformação de todo traço teórico importante da transformação socialista originalmente prevista. Pior que isto, o país onde foi implementado tornou-se o modelo de socialismo "realmente existente"; um modelo que poderia ser usado como uma arma pelos adversários do socialismo contra seus partidários. Quanto à própria União Soviética, a questão não podia sequer ser resumida à mentira apresentada ao povo da "efetivação do socialismo em um só país". Após a passagem de algumas décadas seria necessário afirmar que o socialismo pleno já tinha sido realizado, e agora a fase mais elevada de desenvolvimento, o *comunismo*, –

cujo princípio orientador é: "de cada um segundo sua habilidade, para cada um de acordo com suas necessidades" – estava em processo de ser efetivada. Naturalmente, as personificações pós-capitalistas do capital só podiam pregar tal absurdo, com o maior *cinismo*, em um país onde até mesmo as necessidades mais básicas (de comida até roupa e moradia decente) estavam em falta para incontáveis milhões; enquanto isso, as personificações tratavam a si mesmas com generosidade sem limites, "segundo suas necessidades" (ou, antes, ganância), por meio da montagem de uma elaborada rede de lojas especiais, luxuosos *resorts*, casas de caça, *dachas* etc. Assim, não apenas o "socialismo" mas até mesmo o "comunismo" já tinha chegado para elas. Quando da implosão do sistema soviético, a precipitação com a qual os mesmos "líderes socialistas" abraçaram os princípios orientadores da "sociedade de mercado" capitalista confirma que a qualidade essencial para operar o sistema do capital profundamente iníquo em qualquer de suas variedades possíveis, fingindo atender ao interesse das massas populares, é um cinismo sem limites.

No período de seu exílio em Alma Ata, em 1928, Trotsky – ainda com esperança de reverter a tendência de acomodação stalinista na Internacional Comunista – tentou registrar corretamente os debates teóricos em um memorando endereçado ao VI Congresso do Comintern. Compreensivelmente este memorando foi suprimido por Stalin, porque nele Trotsky apontava a completa desfiguração das posições de Lenin no curso dos debates em andamento, incluindo a falsificação de suas próprias opiniões sustentadas no passado.

Em 1924, Stalin resumiu como se segue a opinião de Lenin acerca da construção do socialismo:

A derrubada do poder da burguesia e o estabelecimento de um governo proletário em um país não garante ainda a completa vitória do socialismo. A principal tarefa do socialismo – a organização da produção socialista – ainda está por vir. Pode esta tarefa ser completada, pode a vitória do socialismo em um só país ser alcançada, sem os esforços conjuntos do proletariado de vários países avançados? *Não, isto é impossível*. Para derrubar a burguesia, os esforços de um país são suficientes – a história da nossa revolução o demonstra. Para a vitória final do socialismo, para a organização da produção socialista, os esforços de um país apenas, particularmente de um país camponês como a Rússia, é insuficiente. Para isto são necessários os esforços dos proletários de vários países avançados. São esses, em linhas gerais, os traços característicos da teoria leninista da revolução proletária.

Deve-se reconhecer que os "traços característicos da teoria leninista" são aqui resumidos muito corretamente, mas nas edições posteriores do livro de Stalin esta passagem foi alterada para ser lida justamente no sentido oposto. Nesse sentido Stalin diria em novembro de 1926:

O partido sempre tomou como seu ponto de partida a ideia de que a vitória do socialismo em um só país significa a possibilidade de construir o socialismo naquele país, e sua tarefa pode ser completada com as forças de um país apenas.

Nós já sabemos que o partido nunca tomou isto como seu ponto de partida; ao contrário, "em muitas das nossas obras, em todos os nossos discursos, e em toda a nossa imprensa", como disse Lenin, o partido procedeu de forma oposta, que encontra sua expressão mais elevada no programa do PCUS[67].

O rolo compressor stalinista correu solto e, em abril de 1925, Stalin obteve, na 14ª Conferência do partido, aprovação oficial para a doutrina do "socialismo em um só país". De acordo com Isaac Deutscher, "Trotsky não contestou o dogma até 1926, quando ele já tinha ganho ampla aceitação"[68]. Deutscher explicou assim a vitória doutrinária de Stalin: "O traço verdadeiramente trágico da sociedade russa nos anos 1920 foi sua busca da estabilidade, uma busca que era a mais natural após suas experiências recentes. O futuro tinha pouca estabilidade em estoque para qualquer país, mas menos ainda para a Rússia. Contudo, o desejo de pelo menos uma longa pausa, muito longa, nos empreendimentos perigosos terminou por ser o motivo dominante da política russa. Socialismo em um só país, tal como era praticamente interpretado até nos últimos anos da década de 1920, trazia a promessa de estabilidade. Por outro lado, o próprio nome da teoria de Trotsky, 'revolução permanente', soava como um alerta ominoso para uma geração esgotada de que ela não tinha o direito de esperar Paz nem Calma durante sua vida"[69]. Apesar de ser verdade que, no confronto, o "objetivo imediato de Stalin era desacreditar Trotsky e provar pela enésima vez que Trotsky não era leninista"[70], Stalin também utilizou esta doutrina como justificação teórica e legitimação pseudoleninista de sua política de coletivização forçada. Assim, ele poderia alegar que a "extensão do socialismo" ao campo pela coletivização tinha posto um fim ao perigo da "*desintegração e desorganização da pequena propriedade, e da indisciplina pequeno-burguesa*", contra a qual Lenin fez o alerta citado acima. Contudo, a política de Stalin causou imensos danos ao desenvolvimento agrícola do país – para não mencionar seus custos humanos –, dos quais a economia russa não pôde se recuperar plenamente até o dia de hoje.

O cinismo com que a doutrina do "socialismo em um só país" era tratada pela elite política dirigente transpirou nas conversas que Trotsky teve, em 1926, em Berlim – onde ele passou algum tempo para tratamento médico –, com Eugene Varga. Deutscher relembra:

> Enquanto esteve na embaixada em Berlim, Trotsky passou muitas horas discutindo com Krestinsky, o embaixador, e E. Varga, principal economista do Comintern. O tema da discussão com Varga era o socialismo em um só país. Varga admitia que, como teoria econômica, a doutrina de Stalin nada valia, que o socialismo em um só país era uma fantasia, mas que não obstante tinha utilidade política como lema capaz de inspirar as massas atrasadas. Registrando a discussão em seus papéis particulares, Trotsky observou que Varga era "o Polonius do Comintern".[71]

---

[67] Trotsky, *The Third International After Lenin*, Nova York, Pioneer Publishers, 1957, pp. 35-6.
[68] Isaac Deutscher, *Stalin: A Political Biography*, Londres, Oxford University Press, 1967, p. 293 [ed. bras., *Stalin: a história de uma tirania*, Rio de Janeiro, Ed. Civilização Brasileira, 1970, p. 262].
[69] Id., ibid., p. 291 [ed. bras., op. cit., p. 261].
[70] Id., ibid., p. 282 [ed. bras., op. cit., p. 254].
[71] Deutscher, *The Prophet Unarmed: Trotsky 1921-1929*, Londres, Oxford University Press, 1970, p. 266 [ed. bras., *Trotsky, O profeta desarmado*, Rio de Janeiro, Ed. Civilização Brasileira, 1968, p. 286].

Assim, de um modo ou de outro, o "socialismo em um só país" se tornou a ortodoxia aceita por todo o movimento comunista. Perguntar *se* o sistema soviético poderia realizar o socialismo no interior da estrutura socioeconômica e com a política adotada tornou-se um tabu; a única questão legítima era *quanto tempo* seria necessário para realizar a transição completa e irreversível para o socialismo. Contudo, contra aqueles que argumentavam que o regime soviético de transição poderia se mover apenas em direção ao socialismo, Trotsky afirmou mais tarde – em 1936, ano do primeiro grande julgamento-*show* em Moscou – que "na realidade uma derrapada de volta ao capitalismo é inteiramente possível"[72]. Contudo, apesar de Trotsky ter afirmado em seguida que "uma definição mais completa será necessariamente complicada e difícil"[73], ele não elaborou teoricamente sua percepção sobre um possível retorno ao capitalismo pelo sistema stalinista. Continuou a descrever a União Soviética como um *Estado degenerado dos trabalhadores*, esperando que a solução viesse de uma revolução política por meio da qual "os trabalhadores derrubariam a burocracia"[74].

Um dos velhos bolcheviques no grupo de oposição de Trotsky, Christian Rakovsky – que também caiu vítima do terror stalinista –, caracterizou assim os objetivos e méritos do seu grupo: "A oposição manterá sempre, e contra o partido, um mérito que ninguém lhe poderá tomar: o fato de, ainda em tempo, ter feito soar o alarme acerca do terrível declínio do espírito ativo das classes trabalhadoras, e acerca de sua crescente indiferença para com o destino da ditadura do proletariado e do Estado soviético"[75]. Foi também ele quem formulou essas importantes perguntas:

... o que aconteceu ao espírito da atividade revolucionária do partido e do nosso proletariado? Para onde foi a iniciativa revolucionária deles? Para onde foram seus interesses ideológicos, seus valores revolucionários e seu orgulho proletário? É surpreendente que haja tanta apatia, fraqueza, pusilanimidade, oportunismo e tantas outras coisas que eu mesmo poderia acrescentar? Como é possível que aqueles que têm um passado revolucionário valoroso, cuja honestidade presente não pode ser colocada em dúvida, que deram provas de sua dedicação em mais de uma ocasião, possam ter se transformado em burocratas dignos de dó?[76]

Contudo, apesar das nobres intenções do autor, as soluções propostas estavam muito longe de responder aos desafios e de enfrentar a gravidade dos problemas identificados. Talvez os remédios imaginados tenham assumido apenas a forma de melhoria dos métodos de liderança política, junto com a tarefa de reeducar a classe trabalhadora, o que seria compreensível, já que o debate se desenrolou no domínio das confrontações políticas e com a participação de pessoas que por toda a vida adulta foram ativos líderes políticos. Rakovsky chegou até a afirmar que "não é apenas uma questão de mudança de pessoal, mas primeiramente uma mudança

---

[72] Trotsky, *The Revolution Betrayed*, Nova York, Pioneer Publishers, 1957, p. 255.
[73] Id., ibid.
[74] Id., ibid., p. 256.
[75] Christian Rakovsky, "The 'Professional Dangers' of Power" (1928), in *C. Rakovsky: Selected Writings on Opposition in the USSR 1923-30*, editado por Gus Fagan, Londres, Allison e Busby, 1980, p. 124.
[76] Id., ibid., p. 132.

de métodos"⁷⁷. E acrescentou: "É necessário reeducar as massas trabalhadoras e as massas do partido dentro da estrutura do partido e dos sindicatos. Este processo será longo e difícil, mas inevitável. Ele já começou"⁷⁸.

Como sabemos, nenhuma dessas esperanças se realizou no curso dos acontecimentos subsequentes. Nos diagnósticos feitos por Rakovsky e seus amigos, depositou-se muita ênfase no impacto psicológico corruptor dos privilégios que levaram à burocratização, o que parece ser uma forma de evitar o problema. Ao final, a sugestão não conseguiu responder à questão mais relevante de Rakovsky: "Como é possível que aqueles que têm um passado revolucionário valoroso, cuja honestidade presente não pode ser colocada em dúvida, que deram provas de sua dedicação em mais de uma ocasião, possam ter se transformado em burocratas dignos de dó?". Em sua tentativa de explicar os desenvolvimentos mais desnorteantes e desencorajadores, Rakovsky anunciou uma "diferenciação funcional" que "o poder introduziu no seio do proletariado" e disto concluiu que "a função modificou o próprio organismo; o que quer dizer que a *psicologia* dos que são encarregados das diversas tarefas de *direção* na administração e na economia do Estado mudou tanto que não apenas objetiva mas subjetivamente, não apenas material mas também moralmente, eles deixaram de ser parte desta mesma classe trabalhadora"⁷⁹. Esta perspectiva, que atacava corretamente algumas das manifestações da doença social pós-revolucionária, mas não suas causas profundamente enraizadas, desejava desfazer o dano advogando o retorno a uma moralidade política genuinamente revolucionária por meio de uma mudança dos métodos – bem como, claro, do pessoal – da liderança política, associada à educação da classe trabalhadora, uma tarefa concebida no mesmo espírito.

Tragicamente, as contradições eram muito mais profundas do que os problemas tratados por essas soluções. Elas surgiram da reprodução do caráter *conflituoso* e *hierárquico* da regra do capital numa nova forma pós-capitalista. O pessoal de controle imposto ao trabalho, e seus métodos cada vez mais tirânicos, contra a oposição dos antigos líderes revolucionários marginalizados (no fim, liquidados por Stalin), eram a decorrência do fatal aprisionamento do sistema soviético – apesar das intenções revolucionárias originais e dos correspondentes passos políticos iniciais dados para "expropriar os expropriadores" – no interior do sistema do capital como uma ordem de reprodução sociometabólica com sua própria lógica cruelmente autoexpansiva. Se a extração politicamente imposta do trabalho excedente retém seu caráter conflituoso e hierárquico – o que de fato acontece na medida em que o controle sobre o processo de trabalho não é exercido pelos próprios produtores associados –, então as condições objetivas do trabalho (as quais, sob o capitalismo, são personificadas nos expropriadores privados da mais-valia) terão que encontrar seu novo tipo de personificação do capital. "Corrupção psicológica" é a consequência, e não a causa original, de tais determinações primordialmente objetivas.

---

[77] Id., ibid., p. 135.

[78] Id., ibid., p. 136.

[79] Id., ibid., p. 130.

Para anular a psicologia da busca de privilégios – caracterizada como o "harém de motores" numa das referências de Rakovsky[80] – é necessário superar a subordinação estrutural do trabalho ao capital por meio do princípio plenamente cooperativo advogado por Lenin em 1923, infelizmente em vão. O trabalho, submetido aos imperativos materiais da expansão do capital, controlado por um poder imposto sobre o processo de trabalho também sob as formas conhecidas de extração política do trabalho excedente, permanece dominado pela alienação tanto no sentido de ser regido por um poder estranho de tomada de decisões como pelo fato de que os frutos do trabalho excedente são dele alienados. Assim, nas palavras de Marx, quando as condições objetivas para o exercício do trabalho não são responsabilidade do trabalho vivo, afirmando a si mesmas, ao contrário, como "valor existente para si mesmo e que sustenta a si mesmo, em suma, como capital ... estas condições objetivas devem, do ponto de vista formal, confrontar o trabalho como poderes estranhos, independentes, como valor – trabalho objetivado – do qual o trabalho vivo é simples meio de sua própria preservação e expansão"[81]. A psicologia da busca de privilégios e sua legitimação ideológica, corretamente deploradas por Rakovsky e seus camaradas, está fundada nestas determinações e relações de poder objetivas. Do mesmo modo, a aceitação dos imperativos alienantes e desumanizadores do sistema do capital pós-revolucionário e sua imposição com eficácia brutal ao corpo social foram os segredos do sucesso – de início absolutamente espantoso, para os velhos bolcheviques – de Stalin e seus partidários.

17.3 O fracasso da desestalinização e o colapso do "socialismo realmente existente"

17.3.1
Por razões muito óbvias, Stalin fez o que foi possível para confinar a validade da concepção marxiana de capital estritamente ao capitalismo, distorcendo assim grosseiramente o significado de sua obra. No interesse da apologia do capital pós-capitalista, era necessário negar enfaticamente que as categorias marxianas tivessem qualquer relevância para a compreensão crítica dos antagonismos alienantes e deficiências socioeconômicas da ordem estabelecida. Em seu último texto longo, apresentado como uma elaboração teórica dos problemas da economia política – e em particular da economia política "socialista" –, Stalin proclamou que:
> Eu acho que nós devemos também descartar alguns outros conceitos tirados de *O capital* – onde Marx se preocupou com uma análise do *capitalismo* – e artificialmente anexados às nossas relações socialistas. Eu me refiro a conceitos como, entre outros, trabalho "necessário" e "excedente", "produto necessário e excedente", tempo "necessário e excedente". Marx analisou o capitalismo para elucidar a mais-valia, fonte de exploração da classe trabalhadora – carente dos meios de produção –, para equipá-la com

---

[80] "Se o carro a motor existisse na época da Revolução Francesa, nós também teríamos o fator do 'harém de motores' que, conforme indicou o camarada Sosnovsky, teve um papel muito importante na formação da ideologia da nossa burocracia dos sovietes e do partido" (id., ibid., p. 128).

[81] Marx, *Economic Works: 1861-1864*, p. 413.

uma arma intelectual para a derrubada do capitalismo. É natural que Marx utilizasse conceitos (categorias) que correspondiam plenamente às *relações capitalistas*. Mas é estranho, para dizer o mínimo, utilizar estes conceitos agora, quando a classe trabalhadora não apenas não carece do poder e dos meios de produção, mas, pelo contrário, está de *posse do poder e do controle dos meios de produção*.[82]

Perseguindo a ficção da harmonia total, a intenção apologética se torna clara quando Stalin insiste que é "estranho falar agora de trabalho 'necessário' e 'excedente': como se, nas nossas condições, o trabalho fornecido pelos trabalhadores à sociedade para a extensão da produção, a promoção da educação e saúde pública, a organização da defesa etc., não seja tão necessário à classe trabalhadora, agora no poder, quanto o trabalho despendido para suprir as necessidades pessoais do trabalhador e sua família"[83]. Assim, com a ajuda da demagogia primitiva de Stalin, saudada como a revelação última da sabedoria socialista, desprezou-se convenientemente a questão crucial de *quem controla* a alocação da força de trabalho em relação tanto aos objetivos adotados da produção como à distribuição do produto social total. Ou seja, se a alocação é feita pelos próprios produtores associados, exercendo seu controle no interior da estrutura de um modo de produção e distribuição plenamente cooperativo, ou se pelas novas personificações do capital que implacavelmente impõem os imperativos do sistema por meio de uma maquinaria estatal autoritária. O envio de milhões de trabalhadores para os campos de trabalho forçado, necessário para manter o sistema existente no poder, foi também "tão necessário à classe trabalhadora" quanto os meios de consumo aos seus membros individuais (dos quais eles tinham muito pouco, especialmente nos campos de trabalho, onde milhões viriam a perecer), pois a classe trabalhadora deveria supostamente estar "de posse do poder e do controle dos meios de produção".

A categoria rejeitada de *trabalho excedente* não apenas existia na sociedade soviética como continuava a ser alocada com grande arbitrariedade política – e com imensa perdulariedade, devido à incontrolabilidade fundamental do trabalho recalcitrante. Mas isso, é óbvio, era absolutamente negado. Perseguiam-se todos os tipos de fantasias que depois tranquilizadoramente se decretavam como já realizadas, ou a caminho da plena realização. Depois de afirmar a plenitude e o sucesso do "socialismo em um só país", tornou-se necessário afirmar que a realização potencial do mais elevado estado de comunismo estava a ponto de ser completada. Assim, postularam a abolição da oposição entre cidade e campo, e mesmo entre trabalho físico e mental, removendo-as com a mesma varinha mágica – referência à derrubada jurídica do capitalismo – que fez desaparecer o antagonismo resultante da subordinação estrutural alienada do trabalho ao sistema hierárquico estabelecido. Foi assim que Stalin "defendeu" a sua tese:

> A base econômica da antítese entre trabalho mental e físico é a exploração dos trabalhadores físicos pelos trabalhadores mentais. Todos estamos familiarizados com o abismo que, sob o capitalismo, dividiu os trabalhadores físicos do pessoal administrativo. Sabemos que esse abismo deu origem a uma atitude hostil dos

---

[82] Stalin, "Economic Problems of Socialism in the U.S.S.R." (1952), in *The Essential Stalin: Major Theoretical Writings 1905-52*, editado por Bruce Franklin, Londres, Croom Helm, 1973, pp. 457-8.
[83] Id., ibid., p. 458.

trabalhadores para com os administradores, capatazes, engenheiros e outros membros do corpo técnico, a quem os trabalhadores consideravam seus inimigos. Naturalmente, com a abolição do capitalismo e do sistema de exploração, o antagonismo de interesses entre o trabalho físico e mental também está destinado a desaparecer. E ele de fato desapareceu em nosso atual sistema socialista. Hoje, os trabalhadores físicos e o pessoal administrativo não são inimigos, mas camaradas e amigos, membros de um único corpo de produtores que está vitalmente interessado no progresso e na melhoria da produção.[84]

Sendo assim, nada precisaria ser mudado na organização do processo de trabalho. Grandes avanços poderiam ser mostrados, sem que absolutamente nada mudasse. Era possível fingir que no "nosso atual sistema socialista" o controle do trabalho já era não hierárquico e puramente técnico, e as pessoas nele envolvidas eram "camaradas e amigos", constituindo um "único corpo de produtores". Em nenhum lugar foi mencionada a tirania política pela qual uma taxa imposta de extração de trabalho excedente era assegurada sob o sistema pós-capitalista de produção de capital. Não havia espaço para tais considerações na proclamada "economia política científica", pois na terra da fantasia stalinista os trabalhadores estavam "de posse do poder do Estado e do controle dos meios de produção". Nenhuma tarefa ou realização poderia ser considerada grande demais para o assim chamado "corpo único de produtores". O esquema stakhanovista, cinicamente utilizado pelo Estado para impor aos trabalhadores "normas" e métodos de trabalho exploradores, foi descrito como "emulação socialista", e projetava grandes coisas para o futuro. O contraste entre o passado pré-stakhanovista e o presente era assim caracterizado:

Antes de o movimento de emulação socialista assumir proporções de massa, o crescimento de nossa indústria avançou de forma muito irregular, e muitos camaradas chegaram mesmo a sugerir que a velocidade do desenvolvimento industrial deveria ser retardada. Isto era devido principalmente ao fato de que o nível cultural e técnico dos trabalhadores era muito baixo em relação ao do pessoal técnico e muito distante dele. Mas a situação mudou radicalmente quando o movimento de emulação socialista assumiu um caráter de massa. ... entre os trabalhadores, apareceram grupos inteiros de camaradas que tinham não apenas dominado o conhecimento técnico mínimo necessário mas foram ainda mais longe e se elevaram ao nível do pessoal técnico; começaram a corrigir técnicos e engenheiros, romper com as normas existentes quando antiquadas, introduzir normas novas e mais atualizadas, e assim por diante. O que nós teríamos se não apenas grupos isolados [não um "movimento de emulação de massa"!?], mas a maioria dos trabalhadores houvesse elevado seu nível técnico e cultural até o do pessoal da engenharia e dos técnicos? Nossa indústria teria se elevado a alturas inatingíveis em outros países.[85]

Uma perspectiva de desenvolvimento como esta certamente deve ter imposto medo mortal aos norte-americanos, assim como aos japoneses e alemães! Adotando como modelo esse discurso stalinista, cujo futuro desejosamente projetado está inseparavelmente fundido àquela descrição peculiar do presente, as estratégias mais

---

[84] Id., ibid., p. 465.
[85] Id., ibid., p. 466.

recentes de "vencer a competição pacífica com o capitalismo avançado", graças à proclamada superioridade do sistema estabelecido, mantiveram a mesma atitude voluntarista em relação aos fatos econômicos e relações sociais do "socialismo realmente existente", com consequências desastrosas para o futuro.

Houve ainda uma outra maneira pela qual o último texto longo de Stalin previu os desenvolvimentos subsequentes. Na primavera de 1952, quando "Problemas econômicos do socialismo na URSS" foi publicado, a economia soviética estava passando por graves dificuldades, após os anos relativamente calmos da reconstrução do pós-guerra, com sua alta taxa de crescimento. Movimentar a economia em permanente estado de emergência, o que caracterizou muitos anos do desenvolvimento econômico soviético, não mais poderia atender às exigências nem da produção militar, muito mais sofisticada – crescentemente orientada para a alta tecnologia –, nem da expansão da demanda de bens de consumo de qualidade minimamente tolerável. Durante os longos anos nos quais a economia soviética foi administrada por um estado de emergência artificialmente cultivado – fora os anos de guerra, quando a emergência era bastante real – a produtividade do trabalho era muito baixa, devido, em grau significativo, ao fato de uma proporção considerável da força de trabalho se encontrar presa nos campos de trabalho. Contudo, o trabalho recalcitrante era muito mais generalizado do que indica o número de presos nesses campos de trabalho forçado. Envolvia a enorme maioria da classe trabalhadora; em parte, devido ao modo antagônico de controle do processo de trabalho e, em parte, devido à baixíssima remuneração recebida pelos trabalhadores. Somente depois da morte de Stalin se puderam fazer tentativas de "liberalizar" o controle político direto do processo de trabalho, quando se imputaram, no discurso secreto de Khruschev, todos os fracassos e contradições do passado ao "culto de personalidade" de Stalin. Em contraste, o celebrado artigo de Stalin sobre os "Problemas econômicos do socialismo na URSS" tentou atacar as questões cronicamente negligenciadas da indústria de consumo, ainda que sem muita disposição e de forma um tanto confusa.

Dada a racionalização e a legitimação ideológicas do regime stalinista, a confusão do autor era devida à incapacidade congênita de perceber os desenvolvimentos pós-revolucionários na sua perspectiva histórica objetiva. Os limites nos quais operava o sistema do capital pós-capitalista soviético tinham que ser teorizados como não existentes ou, pior ainda, transubstanciados em realizações socialistas permanentes e exemplares. Após "quebrar o elo mais fraco da cadeia", a sociedade pós-revolucionária teve que encontrar suas próprias soluções para várias dimensões da crise capitalista da qual emergiu, permanecendo portanto dependente das condições objetivas que precisou negar. Mas este fato foi totalmente excluído do horizonte quando visto do prisma distorcido do "socialismo em um só país". Como mencionado na nota 46, dentro da estrutura das exigências e potencialidades de expansão da ordem socioeconômica pós-capitalista, nem a pressão para alcançar a "realização máxima do capital, e a máxima continuidade do processo de produção convertendo em zero o tempo de circulação", nem as dificuldades fundamentais de se manter uma proporcionalidade economicamente sustentável entre os departamentos A (a produção de meios de produção) e B (produção para o consumo direto da força de trabalho) puderam continuar existindo por muito tempo após a revolução. Nas circunstâncias significativamente alteradas após a Segunda Guerra Mundial, contudo, estes problemas reapareceram com grande intensidade, e não poderiam ser enfrentados com lemas vazios da mitologia stalinista, como a já mencionada "emulação socialista de massa" stakhanovista. Deste modo, Stalin proclamou "a lei do desenvolvimento equilibrado (proporcional) da economia nacional, que superou a lei da competição e anarquia da produção", afirmando que

> nesta mesma direção, também, opera nosso plano anual e quinquenal e nossa política econômica em geral, que está baseada nas *exigências* da *lei* do desenvolvimento equilibrado da economia nacional.[86]

O significado conferido aqui à "lei" era absolutamente confuso, pois, enquanto *competição* e *anarquia* eram *leis objetivas* de desenvolvimento, a proclamada "lei" do "desenvolvimento" proporcional ou "equilibrado da economia nacional" nada mais era que uma *exigência* e, sob o tipo soviético de sistema pós-capitalista de capital, uma exigência extremamente problemática e inviável. A desintegração do "socialismo realmente existente" teve muito a ver com este tipo de raciocínio econômico, que tentou administrar a economia com grande arbitrariedade, com base em leis absolutamente fictícias. No topo dele, Stalin desejava manter, sob todas as circunstâncias, o "primado da produção dos meios de produção", ao formular a questão retórica: "qual seria o efeito de cessar de se conferir primazia à produção dos meios de produção?" e respondendo-a com a seguinte declaração:

> O efeito seria destruir a possibilidade de expansão contínua de nossa economia nacional, porque a economia nacional não pode ser continuamente expandida sem se dar primazia à produção dos meios de produção.[87]

Jamais se perguntou se a "expansão contínua da economia nacional" poderia ser realmente sustentada fixando-a às estratégias e aos métodos adotados pela primazia para a produção de meios de produção. Admitiu-se simplesmente que, adotada esta conduta, o objetivo declarado de "expansão contínua" – cuja desejabilidade, absoluta e permanente, também era simplesmente presumida, e cujo progresso era medido pelos meios mais primitivos, como a quantidade da produção de ferro fundido em comparação com a dos Estados Unidos – estaria automaticamente assegurado; outra proposição totalmente irrealizável. A natureza antagônica do controle existente do processo de trabalho transforma a "proporcionalidade" em um *desiderato* vazio e a ideia associada de "expansão contínua da economia nacional" em um artifício propagandístico promissor, mas inviável. Os resultados projetados de desenvolvimento econômico são realizáveis no longo prazo apenas em uma estrutura socioeconômica genuinamente socialista, cujos objetivos produtivos não são definidos por um pequeno corpo estranho, mas por todos aqueles que têm que recorrer aos seus próprios recursos de modo a traduzi-los em realidade, avaliando a realização de seus objetivos escolhidos em uma base inerentemente *qualitativa*, como veremos nos Capítulos 19 e 20. Sem isto, a possibilidade de um desenvolvimento produtivo sustentado está destinada a se anular com o passar do tempo, como de fato ocorreu no sistema pós-capitalista tipo soviético, fossem quais fossem os sucessos antes alcançados sob as circunstâncias da emergência pós-revolucionária.

---

[86] Id., ibid., p. 461.
[87] Id., ibid., p. 462.

Ao tempo em que Stalin escreveu sua obra sobre "Problemas econômicos do socialismo na URSS", havia sérias dificuldades em fazer com que o objetivo da "proporcionalidade" correspondesse às expectativas. Assegurar a "contínua expansão" no interior de uma estrutura administrada num estado de emergência artificialmente estendido, dando primazia à produção extremamente perdulária de meios de produção, tornava-se cada vez menos viável. Outros meios tinham que ser tentados para dar um impulso à economia. Foi assim que Stalin terminou por dar sua bênção à busca de lucro nos empreendimentos econômicos soviéticos, apesar de – dadas as outras exigências reguladoras que ele desejava manter simultaneamente em operação –, também neste aspecto, apenas se poder falar, em larga medida, de um desejo. Ele declarou que

> a operação da lei do valor não está confinada à esfera da *circulação de mercadoria*. Também se estende à produção. ... De fato, *bens de consumo*, que são necessários para compensar a *força de trabalho* gasta no processo de produção, são produzidos e realizados em nosso país como *mercadorias* fabricadas sob a operação da *lei do valor*. É precisamente aqui que a lei do valor exerce sua influência na produção. Nesta conexão, tais coisas, como *contabilidade de custo e lucratividade*, custo de produção, preços etc. são de real importância em nossas empresas. Consequentemente, nossas empresas não podem, e não devem, funcionar sem levar em conta a lei do valor. E isto é bom? Não é mau. Nas presentes circunstâncias, de fato não é mau, já que treina nossos *executivos* a conduzir a produção em linhas racionais e lhes dá *disciplina*. Não é uma coisa ruim porque ensina nossos executivos a contabilizar magnitudes de produção, a contabilizá-las com precisão, e também a calcular precisamente o que é importante na produção... Não é mau porque ensina nossos executivos sistematicamente a melhorar os métodos de produção, a baixar os custos de produção, a praticar o controle contábil dos custos e a fazer suas empresas se pagarem. É uma boa escola prática que acelera o desenvolvimento do nosso *pessoal executivo* e seu crescimento em genuínos *líderes da produção socialista* no estágio atual de desenvolvimento.[88]

Muito do que foi aqui decretado era teoricamente infundado, pertencia ao reino da mera fantasia. Sob a lei do valor, o sistema soviético não poderia operar com base na produção e na circulação de mercadorias, acima de tudo porque não tinha um mercado adequado, e muito menos um mercado de trabalho. Muitas coisas podem ser reguladas numa economia de confiabilidade tolerável com a ajuda de um pseudomercado, mas certamente não a alocação e o controle firme da força de trabalho.

Apesar disso, mesmo que apenas na forma de um desiderato, a intervenção de Stalin fez surgir alguma coisa nova no horizonte de um período marcado pelo término da reconstrução do pós-guerra, no qual a economia soviética experimentava um sério declínio na produção. Foi a noção oficialmente sancionada de que, no futuro, muito maior atenção deveria ser dada à indústria de bens de consumo cronicamente negligenciada, "produzindo mercadorias para circulação", para "compensar a força de trabalho" com base na "contabilidade de custo" apropriada, adequada "lucrabilidade", "disciplina" etc. Naturalmente, a ideia socialista original, segundo a qual os próprios trabalhadores deveriam por si próprios decidir tanto seus objetivos

---

[88] Id., ibid., p. 459.

produtivos como o modo de operar a produção e a distribuição, não poderia se encaixar nessa concepção. Os trabalhadores existiam nela apenas como uma "força de trabalho" a ser compensada pelas mercadorias lucrativamente produzidas. Decisões sobre as tarefas produtivas imediatas deveriam ser deixadas para *"nossos executivos"* e para o *"pessoal executivo"* em geral, além de para os líderes partidários, claro, que permaneciam encarregados do processo de decisão geral num sistema que operava a extração politicamente imposta do trabalho excedente, em que pese a aversão de Stalin para com a categoria marxiana de trabalho excedente, entre muitas outras. O modo antagônico da reprodução sociometabólica prevalecente sob o sistema do capital pós-capitalista tinha que ser consagrado deste modo também para o futuro, quaisquer que fossem as variações e inovações na conduta do pessoal executivo e técnico que devessem ser consideradas no percurso. Quanto às afirmações autolegitimadoras do sistema "socialista pleno", esta questão poderia ser enfrentada com a mesma facilidade cínica de muitas outras questões no passado. Era necessário proclamar sobretudo que o propósito subjacente das mudanças recentemente defendidas na economia era "acelerar o desenvolvimento do *nosso pessoal executivo* e o seu crescimento em genuínos *líderes da produção socialista*". Se você acreditasse nisso, poderia acreditar em qualquer coisa. Mas, se você ainda se questionasse a respeito de como a divisão da sociedade em "força de trabalho" e "executivos socialistas" (assim como outros dos seus privilegiados equivalentes) poderia se reconciliar com a ideia de uma sociedade sem classes, e com o "comunismo logo ali na esquina", no qual desaparece a distinção entre trabalho físico e mental, esta questão também poderia ser descartada do mesmo modo, por definição. Assim foi que Stalin decretou, até mesmo jogando uma pitada de sal "autocrítica" sobre a questão, que

> a distinção essencial entre eles, a diferença em seus níveis cultural e técnico, certamente desaparecerá. Mas algumas distinções, ainda que inessenciais, permanecerão, acima de tudo porque as condições de trabalho do pessoal administrativo e as dos *trabalhadores* não são idênticas. Os camaradas que afirmam o contrário o fazem presumivelmente com base na formulação dada em algumas de minhas declarações, que falam da abolição da distinção entre indústria e agricultura, e entre trabalho físico e mental, sem qualquer reserva quanto ao fato de que o que se queria dizer é a abolição da distinção *essencial*, não de todas as distinções. Foi exatamente assim que os camaradas compreenderam minha formulação, *assumindo* que implicava a abolição de toda distinção. Mas isto indica que a formulação era imprecisa, insatisfatória. Deve ser descartada e substituída por outra formulação, uma que fale da abolição das distinções essenciais e da persistência de distinções inessenciais entre indústria e agricultura e entre trabalho mental e físico.[89]

Graças a essa "nova formulação", que poderia colocar dentro das categorias "essencial" e "inessencial" qualquer coisa necessária às mutáveis exigências da apologética social, os trabalhadores poderiam continuar para sempre "força de trabalho" (respeitosos às ordens recebidas e gratos pela sua "compensação" com mercadorias de consumo), e os administradores políticos e econômicos poderiam para sempre ser qualificados para a posição de "líderes da sociedade" e "líderes da produção so-

---

[89] Id., ibid., p. 467. O itálico de "essencial" é de Stalin.

cialista". Não haveria necessidade de alterar a subordinação estrutural do trabalho ao modo rudemente imposto de controle sociorreprodutivo hierárquico, porque a subordinação do trabalho – a "condição de trabalho dos trabalhadores" em comparação à dos "administradores" – era uma determinação "inessencial", e poderia ser corretamente considerada absolutamente permanente. A "única" questão que permanecia sem resposta em tudo isso era: qual seria o impacto, se é que haveria algum, de tal mágica verbal sobre o próprio antagonismo social que afetava profundamente o processo de trabalho sob o sistema do capital pós-capitalista de tipo soviético, com consequências devastadoras para todo o desiderato listado por Stalin em seu "testamento econômico-político"?!

17.3.2
Coube aos herdeiros de Stalin tentar responder a esta última questão. Não surpreendentemente, eles não puderam oferecer soluções viáveis aos desafios que tiveram de enfrentar, apesar de sua condenação política do autoritário "culto à personalidade" de Stalin. Ao anunciar o programa de "desestalinização", suas "boas intenções" tinham que falhar porque o diagnóstico da situação, e os remédios propostos em sintonia com ele, foram formulados essencialmente do mesmo ponto de vista que havia prevalecido no passado. Pois, como personificações do capital, a última coisa que eles poderiam considerar, ou questionar radicalmente, era a *subordinação estrutural do trabalho ao capital* no seu sistema e as inevitáveis consequências negativas de operar no interior de tal estrutura socioeconômica.

As quase quatro décadas de tentativas de reforma que vão da ascensão de Kruschev ao poder até a implosão final do sistema sob Gorbachev foram cheias de inconsistências e contradições, não apenas em relação à economia, mas também em termos políticos. Assim, no plano da política, não muito depois de denunciar Stalin em seu discurso secreto como um tirano monstruoso, Kruschev não hesitou em ordenar a supressão sangrenta do levante húngaro em outubro de 1956. E o fez apenas para ser emulado no mesmo espírito pelo novo chefe do partido – Brezhnev – que o depôs e colocou um fim brutal ao "socialismo com face humana" de Dubcek na Tcheco-Eslováquia, em agosto de 1968, após mais de doze anos de "democratização" e "desestalinização" abertamente declaradas. Quanto à economia, os líderes políticos da União Soviética na era pós-Stalin de um modo ou de outro sempre tentaram alcançar o impossível. Enquanto injetavam métodos *capitalistas* de contabilidade de custos e "lucratividade" em um sistema *pós-capitalista* incompatível com tais práticas, mantinham inalterado o modo *político* de imposição da extração autoritária centralizada do trabalho excedente instituído por Stalin. No final, quando perceberam que a solução por eles preferida era impraticável, optaram, caracteristicamente, pela restauração do capitalismo.

Ao longo de muitas décadas de tentativas reformistas, a contradição que permaneceu insolúvel tinha emergido do desejo fútil da liderança de resolver o *antagonismo social* profundamente assentado no sistema pós-capitalista soviético pela invenção de algum *mecanismo* neutro. As sugestões consideradas pela liderança política variaram desde a melhoria do instrumental técnico do planejamento central – graças à aplicação de ferramentas matemáticas advogadas pelos principais economistas – até a ideia de plena "mercadização". Mesmo esta última tinha que ser caracterizada, para fins de desenvolvimento econômico socialista, como o "mecanismo racional" perfeitamente adequado – de fato, na visão de muitos dos seus defensores, o "mecanismo racional" *ideal*. Debates acerca de ser ou não desejável e praticável introduzir melhorias técnicas no planejamento e no mecanismo de contabilidade social geral se iniciaram já no final dos anos 50[90], que atingiram maior proeminência nos anos 60[91]. A obstinada resistência do trabalho como a causa dos principais problemas não podia ser enfrentada ideologicamente, já que sua remoção requeria a impensável instituição de um modo radicalmente diferente de controle global do sistema sociometabólico de reprodução.

Montaram-se experiências práticas em regiões bem controladas, na perspectiva de explorar a possível adoção de um instrumento mais flexível para regular a relação entre as autoridades centrais de planejamento e os empreendimentos produtivos locais. A publicação do artigo de Liberman no *Pravda* no outono de 1962 não só foi precedida de uma reunião, em abril de 1962 – do Conselho Científico da Academia Soviética de Ciências, oficialmente encarregada do "planejamento científico", que teve que aprovar, como de fato o fez, as propostas de Liberman[92]. Mais importante é que o debate, realizado a portas fechadas na Academia, foi precedido pelas experiências de vários empreendimentos na região de Kharkov[93], com base nas quais a proposta de Liberman foi feita. O argumento político para todo o empreendimento também foi apontado no artigo de Nemchinov sobre a resolução do XXII Congresso do Partido: "realizar o grandioso programa de construir a *base material-técnica* do comunismo e da indústria mais avançada do mundo, com ajuda de '*novos instrumentos de regulação econômica*'"[94]. A esperança investida nos "novos instrumentos" tangenciou o milagroso: a solução permanente para o anseio da humanidade de obter felicidade e dinheiro, graças às expectativas de "máximos resultados com mínimo investimento"[95]. Nunca se permitiu à classe trabalhadora, como sujeito social coletivo, aparecer nesse discurso, o que deve ter aumentado muito os seus atrativos aos olhos dos líderes do partido. A ideia potencialmente problemática de antagonismo era afastada com a ajuda de uma varinha mágica, postulando que as reformas propostas

---

[90] A primeira reforma industrial importante foi decretada por Kruschev, já no final de 1957.

[91] O famoso artigo de E. Liberman, "Plano, lucro, prêmio", apareceu em *Pravda* em 9 de setembro de 1962, gerando um amplo debate que perdurou por anos. Centrado na questão de como melhorar os *mecanismos* de planejamento e controle, esse debate foi oficialmente abençoado por Kruschev e pelo partido, e continuou também após a queda de Kruschev em outubro de 1964.

[92] Como admite o acadêmico V. Nemchinov, diretor do Conselho Científico, em artigo publicado no *Pravda* no dia 21 de setembro de 1962. As contribuições principais para este debate, que continuaria em 1964, foi publicado na Itália em um volume: Liberman, Nemchinov, Trapeznikov e outros, *Piano e Profitto nell'economia sovietica*, aos cuidados de Lisa Foa, Roma, Editori Riuniti, 1965. O relato de Nemchinov da sessão de abril de 1962 do Conselho Científico da Academia soviética está na p. 31.

[93] De acordo com o acadêmico Nemchinov, a reunião de abril de 1962 decidiu "apoiar a iniciativa de Kharkov e estender as experiências na mesma direção, principalmente com referência à introdução de novos tipos de produtos e à adoção de modernos meios técnicos de produção" (v. Nemchinov, "Obiettivo pianificato e incentivo materiale (a proposito delle proposte di Liberman)", p. 31 do volume citado na nota anterior.

[94] Id., ibid., p. 30.

[95] Id., ibid. Para maior efeito, as últimas palavras foram italizadas pelo acadêmico Nemchinov.

"eliminariam o antagonismo entre os interesses dos empreendimentos particulares e da sociedade"[96]. Assim, entre os dois "sujeitos" legítimos, os interesses da classe trabalhadora – a classe que, afinal de contas, tinha que sustentar todo o fardo, tanto no estado não reformado da economia como no estado "melhorado" pelos "novos mecanismos racionais" repetidamente projetados – poderiam perfeitamente desaparecer do horizonte, até mesmo no contexto do "grandioso programa para construir a base material-técnica do comunismo".

Depois da queda de Kruschev, continuaram sem desânimo as tentativas para resolver por meios técnicos os problemas socioeconômicos crescentes do sistema soviético. Afinal de contas, nenhum líder de partido, de Stalin a Gorbachev – nem naturalmente suas contrapartidas "democráticas" no Ocidente – poderia se opor à promessa de uma oferta ilimitada de felicidade e dinheiro. Em 1965, algumas reformas econômicas foram de fato introduzidas na União Soviética, o que também estimulou uma discussão mais aberta sobre as dificuldades que persistiam sob Kruschev, mesmo que as conclusões dolorosamente óbvias, mas intragáveis, sobre o antagonismo social subjacente não pudessem ser expressas abertamente. Não obstante, o famoso projetista de avião, O. I. Antonov, informou, em livro publicado no ano de 1965, sobre a manifestação de indiferença – fronteiriça à hostilidade – de alguns grupos de trabalhadores. De acordo com um exemplo realçado por ele,

dois trabalhadores que foram empregados para descarregar rapidamente tijolos de caminhões, o fizeram lançando-os ao chão, normalmente quebrando uns trinta por cento deles. Os dois sabiam que suas ações eram tanto contra os interesses do país como contra o simples bom-senso, mas o trabalho deles era avaliado e pago com base num indicador de tempo. Portanto, eles seriam penalizados – na verdade, não seriam capazes de ganhar o suficiente para viver – se fossem organizar os tijolos cuidadosamente no chão. O modo de realizarem o trabalho era ruim para o país, mas, apesar disso, bom para o plano! Assim, eles agiam contra as suas consciências e inteligência, mas com um sentimento profundo de amargura contra os planejadores: "Vocês não querem que isto seja feito como aconselha o bom-senso; continuam pressionando apenas por cada vez maior rapidez! Bem, então, tomem seus tijolos! Bang! Bang!". Assim, por todo o país, cidadãos decentes e responsáveis, seres perfeitamente racionais, agem de modo perdulário, quase criminoso.[97]

Porém, mesmo aqui, a questão fundamental do antagonismo social permaneceu um tabu. O questionamento legítimo tinha que ser estritamente limitado à *inflexibilidade* do plano, deixando completamente fora de consideração a questão da *exclusão radical dos trabalhadores* do processo de planejamento. Dentro dos limites de tal discurso, a solução racional parecia ser: aloque uma certa quantia de tempo à função de "arrumar os tijolos no chão", e assim os trabalhadores felizmente reconciliariam suas "consciências e inteligência" com as exigências do plano. Por conseguinte, a economia florescerá, já que a deplorável perda de trinta por cento será eliminada, não importa sob qual prática de trabalho ela estivesse acontecendo. Certamente,

---

[96] Id., ibid., p. 29.
[97] Citado em Moshe Lewin, *Stalinism and the Seeds of Soviet Reform: The Debates of the 1960s*, Londres, Pluto Press, 1991, p. 148.

a busca destes objetivos quantitativos inflexíveis estava condenada. Porém, a única coisa que os pretensos reformadores poderiam oferecer como remédio apropriado – não simplesmente no caso de Antonov, mas, em geral, nas teorias dos economistas de orientação matemática – era a incorporação de uma gama satisfatória de "circuitos de retroalimentação" no plano central.

Assim, a questão da qualidade foi desesperadamente mal compreendida. Manter a determinação do plano por um corpo separado – superposto aos trabalhadores – significava inevitavelmente manter também a quantificação arbitrária de seus objetivos centralmente decretados, não importando quantos "circuitos de retroalimentação" flexíveis fossem incorporados aos dispositivos de controle. Ou seja, na estrutura de uma economia socialista, a qualidade diz respeito ao reconhecimento das necessidades humanas genuínas da força de trabalho que se autodetermina, junto com a seleção dos meios e formas de ação mais apropriados para a realização dos fins escolhidos. Isto se aplica às tarefas produtivas em termos tanto do dispêndio de habilidades/energias humanas como dos materiais gastos nos processos práticos pertinentes, assumindo assim responsabilidade não só pelas decisões locais, mas também pelo seu contexto social e sua viabilidade mais amplos, baseados na reciprocidade cooperativa com outras unidades sociometabólicas. A retroalimentação exigida é, portanto, parte integrante desse tipo de organização socirreprodutiva, que determina qualitativamente sua própria orientação com base na qual também o desperdício quantitativo pode ser eliminado ou reduzido a um mínimo absoluto. Em contraste, a ideia de alcançar uma taxa *ótima* de produção, conforme as exigências da eficiência de um "plano flexível" predeterminado, que também projeta o impacto corretivo de uma multiplicidade de "circuitos de retroalimentação" predeterminados de cima, no melhor dos casos, é a esperança vazia dos "absolutistas esclarecidos", se não for um absurdo completo. Pois, em termos "realistas", só uma infinidade de "circuitos de retroalimentação" poderia responder por todas as possíveis variações locais e eventualidades – para não mencionar a impossibilidade de se antecipar e reparar corretamente, graças a medidas técnico-corretivas, as imensas complicações que devem surgir do caráter conflituoso da relação existente entre o capital pós-capitalista e o trabalho, caso ela continue como antes. Tal sistema centralmente regulado de "circuitos de retroalimentação" poderia, em lugar de um plano próspero, resultar apenas em uma paralisia caótica, fazendo um escárnio completo das alegações de flexibilidade e realismo de todo o empreendimento de reforma.

Contudo, planejadores e economistas voltados para a reforma recusaram-se a abandonar a ideia da quadratura do círculo – eliminar os antagonismos sociais do sistema por dispositivos técnicos –, não no mundo da matemática pura, mas no das sociedades do "socialismo realmente existente". Eles foram levados pela sua convicção no poder irresistível dos "novos instrumentos e mecanismos" propostos, que inspiravam grandes esperanças em métodos econômicos matematicamente computadorizados, antecipando ótimos resultados. Como delirou um livro publicado em 1967, no quinquagésimo aniversário da Revolução Russa:

> O Instituto para Pesquisa Econômica da Gosplan e o Instituto Econômico da Academia de Ciências da URSS elaboraram o primeiro balanço intersetorial da produção e distribuição do produto social para 1970, que determina os ritmos e proporções ótimos do conjunto dos setores e da economia nacional. Os cientistas são apoiados

neste empreendimento por máquinas eletrônicas. O acadêmico Fedorenko declara que, na hora de decidir o plano quinquenal da economia nacional da Armênia, os computadores tiveram que achar a variante mais racional de emprego, aumento na produtividade do trabalho e a utilização mais completa de investimento. Eles realizaram brilhantemente esta tarefa em apenas dezesseis horas, enquanto um economista, equipado com uma máquina de calcular manual, teria levado 720 anos! Métodos matemáticos e calculadoras eletrônicas tornaram possível combinar muitas variantes do dinamismo e *modificações estruturais* no desenvolvimento da economia nacional em larga escala de tempo. Eles tornaram possível alcançar a melhor variante de desenvolvimento econômico. ... Desse modo, breve teremos um *modelo complexo* da *variante ótima* do plano econômico.[98]

Se a economia soviética realmente existente pudesse mostrar a mesma taxa de avanço, de 720 anos para dezesseis horas, tal como a produção de seu modelo eletrônico "complexo, mas ótimo", isto certamente faria a produção de ferro-gusa norte-americana desaparecer completamente da face da Terra, se comparada às realizações dos "novos mecanismos". Permaneceu, entretanto, uma dificuldade insignificante que transformou toda esta previsão em pó: se a alta velocidade de computadores podia oferecer todos os tipos de variações dinâmicas e "modificações estruturais" em relação aos dados alimentados, conforme as predeterminações da ordem estabelecida fielmente refletidas na modelagem dos próprios programas, a única modificação estrutural que deveria permanecer absolutamente fora de questão seria a *subordinação estrutural do trabalho* aos imperativos materiais e políticos do sistema do capital pós-capitalista de tipo soviético.

Neste esquema, os trabalhadores com interesses identificáveis só eram reconhecidos como consumidores individuais fragmentados para os quais poderiam ser concedidos alguns limitados incentivos materiais individuais. Esta era a base sobre a qual os economistas-reformadores postulariam a realização do princípio de acordo com o qual "o que é vantajoso para a sociedade deveria ser vantajoso para o empreendimento particular. E, vice-versa, o que não é vantajoso para a sociedade, não deve ser absolutamente vantajoso para qualquer empreendimento produtivo"[99]. Ou seja, "o trabalho é avaliado acima de tudo pela maneira como os consumidores compram os produtos e pelo único e exclusivo índice qualitativo de rentabilidade"[100]. Também Nemchinov, em outro de seus artigos muito influentes, elogiou "os interesses materiais individuais dos trabalhadores"[101], insistindo ao mesmo tempo que os "circuitos de retroalimentação" "deveriam ser regulados *a priori*"[102] pelas autoridades centrais de planejamento. Naturalmente, Nemchinov reproduziu submissamente o "princípio" segundo o qual, em uma economia administrada com base em processo de tomada de decisão do qual os trabalhadores eram estruturalmente excluídos, "tudo

---

[98] Touradjev, *Une économie dirigée*, Moscou, Editions de l'Agence Presse Novosti, 1967, pp. 142-3.
[99] E. Liberman, "Piano, profitto, premi", no volume citado na nota 92 deste capítulo, p. 24.
[100] "Artigo de E. Liberman para a *Novosti*", no mesmo volume, p. 166.
[101] V. Nemchinov, "Gestione economica socialista e pianificazione della produzione", no mesmo volume, p. 69.
[102] Id., ibid., p. 72.

que é útil e vantajoso para a economia nacional como um todo deveria também ser vantajoso para o empreendimento"[103]. Curiosamente, todavia, na mesma página ele afirmou também que o mecanismo de "circuitos de retroalimentação" centralmente predeterminados (defendido por ele e aceito pela liderança do partido) – que chamou também de "o sistema de planejamento baseado no cálculo econômico" – daria um fim às práticas indesejáveis de "voluntarismo econômico".

Tragicamente, porém, no período dos debates sobre "liberalização" e "democratização" da economia, a repressão aos trabalhadores recalcitrantes continuou como antes. E, mesmo que eles pudessem ser postos a trabalhar com maior eficiência econômica, graças à proposta de "eliminar o antagonismo" de interesses entre os empreendimentos particulares e a sociedade, não se poderia esperar qualquer mudança porque os empreendimentos particulares continuavam a ser administrados pela mesma base autoritária da sociedade. O antagonismo que precisava ser eliminado, mas não o poderia ser, era o contínuo antagonismo estrutural entre o capital pós-capitalista – imposto por suas personificações com implacáveis meios políticos e militares – e o trabalho. Assim, no ano dos célebres e muito romantizados debates do *Pravda* sobre a reforma econômica, testemunhou-se também o massacre de mais de cem trabalhadores que se manifestaram contra as degradantes condições de trabalho e os selvagens cortes em seus salários na cidade de Novocherkassk no sul da Rússia. E esta era a época da oficialmente proclamada "melhoria dos incentivos materiais individuais" dos trabalhadores como consumidores. Tais eventos só chegaram ao conhecimento público no final dos anos 80, mas claro que não eram desconhecidos dos líderes partidários, dos funcionários do planejamento e dos economistas proeminentes. Um dos manifestantes, Petr Siuda – que foi encarcerado e, em 1991, assassinado – comentou em 1988 sobre a repressão brutal dos trabalhadores que protestavam:

> A máscara do regime, que se declarava um governo popular e que afirmava que os empreendimentos pertenciam ao povo, foi rasgada. Os eventos mostraram que nossa sociedade é, na realidade, antagônica, que o Estado está acima do povo. Não é o Estado das pessoas, ele existe para proteger uma classe de exploradores – os burocratas do partido-Estado, cuja plataforma é o stalinismo. Diante dele, a classe dos explorados tem apenas os ideais da revolução como um tipo de chupeta tranquilizadora.[104]

Conflitos e explosões semelhantes aos acontecimentos de Novocherkassk demonstraram claramente que era necessário muito mais do que ajustar o processo de planejamento soviético aos dispositivos técnicos da era do computador, tardiamente descoberta. Devido a razões estruturais insuperáveis, porém, o significado de tais eventos não pôde ser levado em conta pelo pessoal do governo. Tudo teve

---

[103] Id., ibid., p. 73.
[104] David Mandel, *Rabotyagi: Perestroika and After Viewed from Below, Interviews with Workers in the Former Soviet Union*, Nova York, Monthly Review Press, 1994, p. 36. Como escreve David Mandel: "Na primavera de 1991 Petr foi assassinado em Novocherkassk, surrado e deixado para morrer na rua. Na sua pasta estavam documentos sobre os eventos de 1962. O assassinato permanece não solucionado, mas a entrevista [publicada no volume crítico também a Gorbachev e Yeltsin] deixa claro que fora, com toda a probabilidade, politicamente motivado" (p. 15).

que ser ajustado aos moldes dos "mecanismos melhorados", os únicos aceitáveis, por mais remotas que fossem suas ligações aos problemas cada vez mais urgentes do "socialismo realmente existente".

Quando se relê os debates acerca da reforma nos anos 60, fica-se impressionado com sua afinidade – nos temas principais e no irrealismo característico – ao programa da *perestroika* de Gorbachev. Algumas das "boas intenções antigas" são renovadas nos escritos do último secretário do Partido soviético e dos seus colaboradores "catastrofistas", cuja ênfase, até maior que no passado, os conduziu ao inferno de Dante tão seguramente quanto aos seus antecessores vinte anos antes. Transpira a gravidade da situação de um país que foi chamado a enfrentar suas contradições, mas que não pode mover um centímetro sequer para solucioná-las, principalmente se recordarmos que nas três décadas e meia de "desestalinização" programática nada pôde ser significativamente mudado na ordem econômica estabelecida.

Tal como antes, Gorbachev e seus seguidores depositaram grandes esperanças nos "mecanismos econômicos" e na ideia de prometer "incentivos materiais individuais" – que não tinham a menor condição de cumprir – para os trabalhadores na condição de consumidores. De fato, também a ideia de "democratização" ganhou proeminência à medida que a *Glasnost* se associava à *perestroika*. É interessante comparar os "Regulamentos dos Empreendimentos Estatais Socialistas", aprovados pelo Conselho de Ministros da URSS, em 4 de outubro de 1965, anunciando medidas para democratizar a organização interna e processos de tomada de decisão nos empreendimentos industriais[105], com os projetos similares de reforma de Gorbachev: nenhum dos dois produziu absolutamente nada. Apesar disso, Gorbachev podia ostentar, com as retóricas e o irrealismo habituais do secretário-geral do partido soviético, que

> ninguém irá tão longe quanto nós no desenvolvimento da democracia porque esta é a essência do sistema socialista. Nós estamos estendendo a democracia socialista para todas as esferas, inclusive a economia. Em nenhuma parte do Ocidente *os diretores* e capatazes são eleitos, em nenhuma parte do Ocidente assembleias de trabalhadores *endossam* os planos. E isto é o que constitui nossa democracia socialista.[106]

O fato de a eleição dos diretores – saídos de uma lista predeterminada – ter de ser aprovada (ou rejeitada) pelas autoridades centrais, e de caber aos trabalhadores apenas endossar o plano, mas de nenhuma maneira elaborá-lo, não parecia fazer a menor diferença para o presidente do Estado Soviético e secretário do Partido, mesmo que a proclamada "democratização socialista", como essência do sistema socialista, provocasse risadas sardônicas entre os trabalhadores. Ele fez um elogio à classe

---

[105] Ver regulamento nº 731 do Conselho de Ministros, especialmente os parágrafos 95-104, tal como publicado no volume *La réforme économique en URSS, Plan, stimulants, initiative,* Moscou, Edições da Agence Presse Novosti, 1965, pp. 178-9.

[106] Mikhail Gorbachev, *Democratization: The Essence of Perestroika, the Essence of Socialism,* uma reunião do Comitê Central do PCUS com os dirigentes da mídia de massas, instituições ideológicas e sindicatos de artistas, 8 de janeiro de 1988, Moscou, Novosti Press Agency Publishing House, 1988, p. 14.

trabalhadora, reconhecendo "o quanto ela tinha sido realista ao propor demandas que se originam da nova situação"[107], ou seja, reconhecendo que os trabalhadores estavam cansados de não obter nada mais tangível do que as retóricas da "democracia socialista". E ele, confiantemente, previu que "o nivelamento dos salários"[108] desapareceria definitivamente, abrindo no futuro grandes possibilidades para os "incentivos materiais individuais" dos trabalhadores como consumidores, ainda que a classe trabalhadora devesse manter seu "realismo" no presente.

Porém, o momento da verdade teria que chegar quando os problemas estruturais precisassem ser enfrentados. Daí, então, não seria mais suficiente postular soluções referentes ao "realismo" que a classe trabalhadora revelava ao aceitar tanto sua contínua subordinação estrutural como a restauração da propriedade privada capitalista, racionalizada ideologicamente como "os diferenciais justificáveis de renda" em contraste com o deletério "nivelamento dos salários". Assim, a pressão para impor o "novo realismo" precisava abandonar a retórica elegante e aparecer em sua nua fealdade. Alguns assuntos relativos à mudança do modo pré-*perestroika* de controlar a extração de trabalho excedente para o novo serão discutidos na próxima seção. No presente contexto, é necessário recordar que, quando chegou a hora da verdade, com as mudanças defendidas pelos "democratas" em nome do único percurso viável, os trabalhadores foram mais uma vez completamente excluídos da possibilidade de controlar o processo sociorreprodutivo. Em um artigo publicado na *New York Review of Books* bem antes da queda de Gorbachev, o então prefeito de Moscou, Gavril Popov, caracterizou assim a situação em 1990 e a necessidade de tratar autoritariamente as massas populares recalcitrantes.

> Claramente, não poderíamos ter subvertido o poderoso sistema totalitário sem a participação ativa de milhões de pessoas comuns. Mas agora precisamos criar uma sociedade com uma variedade diferente de propriedade, inclusive a propriedade privada; e esta será uma sociedade de desigualdade. Haverá contradição entre, de um lado, as políticas que conduzem à desnacionalização, à privatização e à desigualdade e, de outro, o caráter populista das forças colocadas em movimento para alcançar esses objetivos. As massas almejam justiça e igualdade econômica. E, quanto mais avança o processo de transformação, mais aguda e mais visível será a distância entre essas aspirações e as realidades econômicas. Temos que criar uma economia eficaz. Mas as massas de trabalhadores que participam da economia não estão preocupadas em organizar o trabalho para maior eficiência; elas estão pensando em ser consumidores e ter mais bens para consumir. ... o modelo de democracia completa que temos tentado seguir está destinado, em minha visão, a encontrar dificuldades sérias: primeiro por greves e, depois, pelas consequências de ceder às demandas do populismo da ala esquerda, que se estende desde os níveis mais baixos dos sovietes até os mais altos. Parece-me, desse modo, que temos que fazer um intenso esforço para encontrar mecanismos políticos novos e diferentes para provocar as transformações que devem acontecer se esperamos passar a uma sociedade nova. É absolutamente óbvio para mim que o modelo puramente democrático que temos seguido até agora está conduzindo a contradições que só podem se tornar mais severas no futuro. Os participantes da luta política em nossos países hoje

---

[107] Id., ibid., p. 7.
[108] Id., ibid., p. 11.

carecem dos elementos mais necessários para moldar uma sociedade viável: novas formas de propriedade. E para que as novas formas de propriedade e as novas forças políticas que as representem possam aparecer nós precisamos de tempo. Mas isso é precisamente o que não temos. Se não pudermos rapidamente desnacionalizar e privatizar a propriedade, seremos atacados por ondas de trabalhadores que lutam por seus próprios interesses, o que cindirá as forças da *perestroika* e porá em risco o seu futuro. A primeira conclusão desta minha análise é que temos que acelerar as mudanças nas formas de propriedade. A segunda é que precisamos buscar novos mecanismos e instituições de poder político que dependam menos do populismo. A euforia do período anterior, quando nós prevalecemos rápida e facilmente, não tem mais lugar no futuro.[109]

Portanto, era necessário remover ambiguidades para tornar possível a busca de soluções que escaparam aos "reformadores" durante os cinco anos que se seguiram à eleição de Gorbachev para o posto mais alto no Partido soviético e até hoje, passados outros cinco anos, para não mencionar as quatro décadas que decorreram desde os últimos anos de Stalin e as suas tentativas de reabilitar a produção de mercadorias nas indústrias de consumo, como vimos acima. Chega da besteira de deixar os trabalhadores perseguirem os seus interesses como consumidores por meio da "democratização socialista". A ênfase deve ser colocada no lugar apropriado: na "organização efetiva do trabalho", completamente em harmonia com a demanda de Stalin por "disciplina". Deus proíba qualquer espaço para que "ondas de trabalhadores lutem por seus próprios interesses". Como explicou um comentarista:

Ao mesmo tempo em que a União dos Mineiros Independentes foi fundada [em 1990], o movimento de autoadministração [dos trabalhadores] finalmente parecia estar decolando após anos de falsos começos. Ironicamente, ele surgiu em uma época na qual Gorbachev estava abandonando a concepção oficial original de reformas de mercado como uma renovação do socialismo (na prática, sempre esteve muito aquém disso), para promover a reforma de mercado como a restauração do capitalismo. Isto significou a privatização dos empreendimentos estatais e o abandono da ideia de autoadministração. Esta mudança refletiu-se em uma diretiva do governo para terminar com a eleição da administração por trabalhadores e na nova Lei de empreendimentos de 1990, a qual essencialmente aboliu os STKs [os conselhos coletivos de trabalhadores].[110]

Foi assim que a longa agonia do sistema stalinista, depois de quatro décadas de tentativas de reformas totalmente fracassadas, foi por fim consumada. O "Polonius do Comintern" (nas palavras de Trotsky) e economista doméstico de Stalin, Eugene Varga, resumiu com grande cinismo o problema subjacente, ao tentar transformar sua solução autoritária em uma "lei absoluta" de toda atividade econômica, como atividade externamente ordenada. Nesse sentido, ele escreveu que a "produção deve ser dirigida", citando uma frase de *O capital* de Marx segundo a qual "todo trabalho combinado em grande escala requer, mais ou menos, uma autoridade de direção, de modo a garantir o funcionamento harmonioso das atividades individuais"[111]. Mas esta é a continuação da oração de Marx:

---

[109] Gavril Popov, "Dangers of Democracy", *New York Review of Books*, 16 de agosto de 1990.

[110] David Mandel, op. cit., p. 12.

[111] Eugene Varga, *Politico-Economic Problems of Capitalism*, Moscou, Progress Publishers, 1968, p. 25.

e executa as funções gerais que decorrem do movimento do corpo produtivo total, em contraste com o movimento de seus órgãos autônomos. Um violinista isolado dirige a si mesmo, uma orquestra exige um maestro. Essa função de dirigir, superintender e mediar torna-se função do capital, tão logo o trabalho a ele subordinado torna-se cooperativo. Como função específica do capital, a função de dirigir assume características específicas. (...) O motivo que impulsiona e o objetivo que determina o processo de produção capitalista é a maior autovalorização possível do capital, isto é, a maior produção possível de mais-valia, portanto, a maior exploração possível da força de trabalho pelo capitalista. Com a massa dos trabalhadores ocupados ao mesmo tempo cresce também sua resistência e com isso necessariamente a pressão do capital para superar essa resistência. A direção do capitalista [a personificação do capital] não é só uma função específica surgida da natureza do processo social de trabalho e pertencente a ele, ela é ao mesmo tempo uma função de exploração de um processo social de trabalho e, portanto, condicionada pelo inevitável antagonismo entre o explorador e a matéria-prima de sua exploração.[112]

A verdadeira questão, era, portanto, o *incurável antagonismo* do comando do capital sobre o trabalho que prevaleceu não como uma harmonização ideal das atividades individuais, mas como seu contrário. Isto apesar do fato insustentável de as *funções gerais* do processo de trabalho, expropriadas pelo capital, "terem a sua origem no organismo combinado" do então irreprimível e irreversível *trabalho cooperativo*. Ainda que se tenha podido manter durante séculos a alienação do controle do trabalho recalcitrante e sua cruel imposição sobre ele, e que, na verdade, durante a longa fase de ascensão histórica do sistema do capital, essa alienação tenha até mesmo representado um avanço necessário, tudo isso terminou na erupção da crise crônica do capitalismo e nas várias tentativas pós-capitalistas de solucioná-la. Assim, o desafio histórico para o movimento do trabalho se apresentou como uma necessidade de solucionar o antagonismo do único modo que era possível: acabando com o comando alienante e desumanizador do capital sobre o trabalho pela real harmonização das funções gerais do processo de trabalho com suas exigências cooperativas absolutamente vitais. Isto foi e continua a ser o inevitável desafio histórico diante do qual o sistema pós-capitalista de tipo soviético necessariamente naufragou ao seguir a linha de menor resistência e perpetuar o sistema de comando separado e controle alienado do capital sobre o trabalho. Naufragou apesar das formas modificadas, mas desesperadoramente insustentáveis, da repressão aberta de Stalin, e seus concomitantes campos de trabalho, até as reformas socioeconômicas fracassadas de "desestalinização", inclusive a *perestroika* de Gorbachev.

Como todos sabemos, ou pelo menos deveríamos saber, Marx não se preocupou em afirmar a banalidade apologética de que "a produção deve ser dirigida". Pelo contrário, o seu projeto de vida foi dedicado a encontrar uma saída para a expropriação da função e do poder de direção pelo capital, defendendo como única alternativa viável o exercício autônomo de controle sociometabólico pelos próprios produtores

---

[112] Marx, Karl. *O capital*, vol. I, tomo I, São Paulo, Abril Cultural, 1983, p. 263. Ao contrário do que sugere a edição em inglês, que fala em "processo de produção do capital", a citada tradução para o português opta por "processo de produção capitalista".

associados. Isto significa *avançar radicalmente para além do capital, ou não chegar absolutamente a lugar algum*, como na verdade aconteceu – tanto com o socialismo democrático do Estado de bem-estar social do capitalismo ocidental como com todas as reformas permitidas pelas determinações autoritárias do sistema do capital pós-capitalista. Como a história trágica da era Stalin – que "por muitos anos ensinou aos trabalhadores que vinte minutos de atraso poderiam significar vinte anos de prisão"[113] –, as quatro longas décadas subsequentes demonstraram conclusivamente que as personificações do capital poderiam trocar de pele, mas não poderiam eliminar os antagonismos do sistema do capital, nem remover os dilemas que confrontavam o trabalho. Nem a desintegração dos partidos social-democratas e comunistas poderia realmente resolver a crise estrutural do "capitalismo avançado". Apesar das falsas aparências em contrário, hoje mais do que nunca, a dura alternativa de Marx acima mencionada confronta o trabalho como o antagonista estrutural do capital, clamando pela rearticulação radical do movimento socialista que, em suas formas conhecidas de articulação defensiva, não pode corresponder à magnitude do desafio histórico.

17.4 A tentativa de passar da extração política à econômica do trabalho excedente: *glasnost* e *perestroika* sem o povo

17.4.1

Em novembro de 1989, o *Soviet Weekly* publicou um artigo com o título "O adeus à visão primitiva de socialismo", escrito por um dos conselheiros do presidente Gorbachev, Oleg Bogomolov, membro do Parlamento e da direção do chamado, talvez em tom jocoso, "Instituto de Economia Socialista". A expressão "visão primitiva de socialismo" resumia com grande precisão a posição do autor, mesmo que não no sentido desejado. Sua conclusão acerca do estado do mundo e da realização histórica do projeto socialista:

> A teoria da convergência – na qual capitalismo e socialismo se aproximam enquanto progridem, e algum dia se fundirão num único sistema – já não parece tão primitiva quanto no passado. O Ocidente está se movendo para uma sociedade melhor, à qual se refere como "pós-industrial" e "baseada na informação". Nós geralmente nos referimos àquele tipo de sociedade como a *primeira fase do comunismo*.[114]

Desse modo, o conselheiro de confiança do presidente Gorbachev abraçou não só os valores implícitos nos devaneios "pós-industriais" de Daniel Bell, mas também o rude corolário explícito na afirmação de Robert Tucker, para quem o conceito de "comunismo de Marx se aplica melhor aos Estados Unidos de hoje, por exemplo, do que o seu conceito de capitalismo"[115].

Assim, por sua capitulação a algumas das teorias mais antigas no Ocidente capitalista, o assim denominado "Novo Pensamento" da União Soviética sob Gorbachev tentou definir sua peculiar nova orientação valorativa. Os ex-senhores propagandistas do sistema stalinista, que constantemente se referiam à "irreversibilidade" do seu "novo

---

[113] Petr Siuda, in David Mandel, *Rabotyagi*, p. 30.

[114] Oleg Bogomolov, "A Farewell to the Primitive View of Socialism", *Soviet Weekly*, 4 de novembro de 1989.

[115] R. C. Tucker, *Philosophy and Myth in Karl Marx*, Cambridge University Press, 1961, p. 235.

caminho", estavam ansiosos para demonstrar a Reagan, Thatcher, Bush e outros a solidez pétrea da sua conversão às virtudes da (ainda sem qualificação social) "economia de mercado". Como prova da sua boa-fé, eles apelaram para a ideia de consenso universal e para a, de agora em diante, inabalável convicção no predomínio efetivo dos "valores humanos universais" do mundo contemporâneo.

Naturalmente, tudo isso significou "uma pregação no deserto", pois não havia meio de dar provas da alegada posição de Gorbachev, que não a sua repetida proclamação. Por conseguinte, para encontrar autoconfiança nas suas negociações com a Casa Branca, bem como algum tipo de justificativa de sua posição para uso no cenário doméstico, os ideólogos da nova utopia soviética postularam a ficção de um sistema consensual de valor ocidental/oriental, materialmente bem fundado. Nesse espírito, o último "chefe ideológico" de Gorbachev, como foi oficialmente chamado, Vadim Medvedev, declarou – desprezando toda evidência histórica em contrário – que as relações capitalistas dinheiro-mercadoria e o mercado eram as corporificações instrumentais dos valores humanos universais e "uma importante realização da civilização humana"[116]. Insistiu que, por isso, a "abordagem de classe", nas políticas seguidas pelos que tomavam as decisões na *perestroika* deveria ser substituída pela "*abordagem humana universal*"[117].

Este enfoque dos valores – caracterizado pela convicção grotesca de que poderiam ser extraídos da estratosfera, sem qualquer referência à sua *fundação social* – foi adotado pelos líderes burocratas soviéticos em todas as dimensões da vida, da diplomacia internacional até as relações étnicas. Assim, o ministro do Exterior, que mais tarde cairia em desgraça, Alexander A. Bessmertnykh, anunciou o triunfo da "abordagem pragmática" sobre a "abordagem ideológica"[118], declarando que

> a essência do novo pensamento [em diplomacia internacional] é trazer para o primeiro plano não interesses egoístas, mas *interesses crescentemente altruístas*. Altruísmo deixa de ser um atributo da escola romântica de diplomacia. Tornou-se repentinamente um elemento do pensamento moderno.[119]

Desse modo, o antagonismo sócio-histórico entre capital e trabalho foi conciliado no postulado, que toma desejo por realidade, dos "interesses crescentemente altruístas". E isto é o que Bessmertnykh chamou de "uma visão realista da realidade"![120]

No mesmo espírito, o dono do merecido título de "presidente do Conselho Científico Interdepartamental de Estudos de Processos Étnicos do Presidium da Academia de Ciências da URSS", Julian Bromlei, resumiu a sua própria "visão realista da realidade das nações" em geral, e da União Soviética em particular, insistindo que o termo "povo soviético"

> reflete uma realidade, uma entidade estatal e territorial que tem características culturais comuns, tradições, valores e *autoconsciência unificada*. A história milenar da humanidade conheceu muitas de tais entidades; considere os *povos indianos e*

---

[116] Vadim Medvedev, "The Ideology of Perestroika", in *Perestroika Annual*, vol. 2, ed. by Abel Aganbegyan, Londres, Futura/Macdonald, 1989, p. 31.

[117] Id., ibid., p. 33.

[118] Alexander A. Bessmertnykh, "Foreign Policy A New Course", in *Perestroika Annual*, vol. 2, p. 49.

[119] Id., ibid., p. 50.

[120] Id., ibid., p. 49.

indonésios do presente no mundo em desenvolvimento, os povos da Suíça no Ocidente e os *povos iugoslavos* nos países socialistas. O povo soviético, portanto, é um *fenômeno natural* que difere de sociedades semelhantes principalmente em seus parâmetros socialistas e valores espirituais correspondentes. Claramente, nós deveríamos ter em mente que a *nação soviética* consiste em uma variedade de *grupos étnicos*.[121]

E assim, em nome dos princípios supostamente iluminadores e libertadores do novo pensamento, perpetua-se, mais na teoria que na prática, a ficção stalinista da "nação soviética" – que foi proclamada por Stalin com base na degradação das várias comunidades nacionais da União Soviética, entre outras a ucraniana, mas não a russa, ao *status* de meros grupos "étnicos", num procedimento totalmente arbitrário pelo qual o próprio Lenin atribuiu ao georgiano Stalin o título de "*gendarme* grão-russo". O denominador comum parece ser a imposição de valores materialmente infundados, mas tendenciosamente declarados – como "valores espirituais" ou qualquer outro nome – sobre a realidade sócio-histórica dada. As contradições dolorosamente evidentes desta última deveriam supostamente ser solucionadas pelos valores projetados, graças ao poder persuasivo da sua patente retidão, como decreta o "novo pensamento".

A recente fonte de todas estas ideias era, claro, o secretário geral do Partido e presidente do Estado Mikhail Gorbachev, segundo quem Clausewitz e as políticas de poder "pertencem agora às bibliotecas" porque

pela primeira vez na história fundar as políticas internacionais em normas morais e éticas comuns a toda a humanidade, assim como também em relações humanizantes entre Estados, tornou-se uma exigência vital.[122]

Já que ele se recusou a reconhecer a diferença bastante óbvia (e, neste caso, também a contradição notável) entre as "exigências" (ou "imperativos") e os interesses sociais realmente existentes, Gorbachev continuou a repetir o seu sermão moral sobre a prioridade dos "valores humanos universais"[123], enquanto os seus adversários afirmavam – no Golfo e em outros lugares – com agressividade brutal e escancarada a continuidade de sua feliz adesão aos princípios bem testados "de biblioteca" de Clausewitz.

Na verdade, "valores humanos universais" simplesmente não poderiam ser assumidos nas sociedades em que existem antagonismos destrutivos de classe. Esses valores teriam antes que ser criados pela superação dos antagonismos, tal como proposto pelo projeto socialista. Lamentavelmente, porém, Mikhail Gorbachev e os seus colaboradores aprenderam o ofício de político sob o stalinismo, razão pela qual não tiveram nenhum contato com o significado original do projeto socialista. Por isso, na sua defesa esperançosa das soluções universalmente aceitáveis, eles postularam os "valores humanos universais" como se já fossem dados, descartando, ao mesmo tempo, como vimos acima, a "abordagem de classe" a partir do cume imaginário da "supremacia da abordagem humana geral". Por conseguinte, acabaram por fundar os valores universais não existentes, que conciliariam todos os conflitos, na ficção

---

[121] Julian V. Bromlei, "Ethnic Relations and Perestroika", in *Perestroika Annual*, vol. 2, p. 118.
[122] Mikhail Gorbachev, *Perestroika: New Thinking for Our Country and the World*, Updated Edition, Londres, Fontana/Collins, 1988, p. 141.
[123] Id., ibid., p. 185.

dos "crescentes interesses cada vez mais altruístas", trazidos do útero do "novo pensamento" a este nosso problemático mundo.

Gorbachev continuou a proclamar que "é essencial elevar-se acima das diferenças ideológicas"[124], mas se recusou a investigar as condições de realização (se alguma existisse) de tal desejo. Seu livro sobre a *perestroika* consiste numa longa lista de desejos, embrulhados na costumeira retórica partidária do secretário geral. Ao mesmo tempo, o livro não fez nenhuma tentativa de traduzir em realidade os objetivos políticos desejados. Ironicamente, ao mesmo tempo em que corria sua maratona de esperança, o autor de *Perestroika* também proclamava que "na política real não pode haver esperança vazia"[125]. E ele o fez com a pretensa indiscutível autenticidade das suas próprias credenciais como político realista, em lugar de demonstrar a propriedade da ação escolhida. Ao dizer que "propusemos a política da *perestroika*, para a qual não havia *nenhuma alternativa*"[126], Gorbachev achou que, com base na autoridade patente da própria necessidade postulada, as questões relativas à *viabilidade* da *perestroika* seriam automaticamente resolvidas.

Infelizmente, como revela a experiência histórica, a esperança vazia voluntarista – geralmente associada ao apelo direto à autoridade dos imperativos morais – tende a predominar em épocas nas quais os objetivos políticos têm fundamentação pobre devido à fraqueza intrínseca daqueles que os defendem. Em tal discurso político, o apelo direto à moralidade é utilizado como um *substituto* imaginário de forças materiais e políticas identificáveis que garantiriam a realização dos objetivos desejados. Isto torna tal discurso político extremamente problemático, por mais altissonantes que sejam suas alegações morais "universais". Assim, quando o "chefe ideológico" de Gorbachev, fazendo eco ao seu secretário geral, insistiu no fato de que "fizemos nossa escolha... nossa sociedade embarcou na via correta, e o *tráfego de mão única* ao longo desta via está se tornando *irreversível*"[127], ele falhou ao não colocar algumas questões vitais acerca do *destino* e da *aceitabilidade* (ou não) "do tráfego irreversível de mão única". Assim, substituiu a análise séria dos terríveis erros do stalinismo nas sociedades pós-revolucionárias pela vacuidade de lemas morais sobre "a abordagem humana universal", levando à conclusão absurda de que o mercado capitalista seria a "*garantia de renovação do socialismo*"[128].

17.4.2
Como vimos na seção 17.3.1, vem desde os últimos anos de Stalin a ideia de impor à força de trabalho as consequências penosas da "disciplina" que acompanha a "contabilidade de custo e lucratividade", por meio da "produção de mercadoria e

---

[124] Id., ibid., p. 221.

[125] Id., ibid., p. 220.

[126] Id., ibid., p. 264. Em outro lugar do livro, Gorbachev escreveu: "Somos unânimes em nossa convicção de que a perestroika é indispensável e realmente *inevitável*, e que nós não temos *nenhuma outra opção*". Ibid., p. 67. Mas mesmo se esta proposição pudesse ser considerada verdadeira, a alegada ausência de uma alternativa de modo algum estabelece a viabilidade e sensatez do curso escolhido de ação. As alegações de "não alternativa" por políticos, como uma norma geral, se revelam nada mais que racionalizações de fracassos autoinduzidos.

[127] Vadim Medvedev, op. cit., p. 40.

[128] Id., ibid., p. 32.

circulação de bens de consumo" que, em contraste com sua realidade de só oprimir o trabalho, deveria supostamente se aplicar também aos "executivos" e aos "líderes da produção socialista". Nas três décadas que se seguiram à morte de Stalin, todas as tentativas de reforma visaram alcançar também os seus objetivos por alguma forma de "contabilidade de custos" e "mercadização", não apenas declarando a legitimidade do lucro, mas, de acordo com o conhecido economista Liberman, promovendo-o ao *status* de "único e exclusivo indicador de qualidade".

As tentativas, porém, foram sempre condenadas pelo fato de que uma vasta área da produção industrial soviética não tinha absolutamente nada a ver com *bens de consumo*. E mesmo que as reformas defendidas pudessem produzir as melhorias desejadas na "contabilidade de custo e lucratividade racional" – o que elas não poderiam, por uma variedade de razões –, a maior parte da economia continuaria em estado precário. Era ilusão de Liberman querer generalizar o experimento de Kharkov – baseado na indústria de *roupas,* eminentemente relacionada ao consumo – a toda a economia. O fato de, nem mesmo nos países capitalistas mais desenvolvidos do Ocidente, não se poder administrar parte muito significativa da economia, como a indústria de armamentos e seus fornecedores, com base na proclamada "contabilidade de custos" e na "disciplina de mercado", revela a pouca seriedade das fantasias de resolver os problemas da economia na União Soviética. Porém, a contradição fundamental da economia soviética – o *antagonismo* insuperável entre o capital pós-capitalista e o trabalho recalcitrante pós-revolucionário – não podia nem mesmo ser mencionada, muito menos enfrentada por medidas práticas viáveis. Por isso, restavam apenas as soluções manipuladoras cheias de esperança e seus equivalentes ideológicos, como declarar que a "busca disciplinada do lucro" era uma importante virtude socialista – a mais alta no campo da produção e circulação de mercadorias.

Porém, a diferença fundamental entre o caminho seguido por Mikhail Gorbachev e as tentativas anteriores de reforma era a disposição do político soviético favorito do Ocidente de ir "até o fim", isto é, de *restaurar completamente o capitalismo,* em nome "da contabilidade de custos" e da "disciplina de mercado". Isto explica por que a chamada "gorbymania" foi tão promovida no Ocidente. Em agudo contraste, as tentativas de reforma anteriores quiseram sempre conciliar os seus sonhos de revitalizar a economia soviética pela contabilidade de custos capitalista e produção e circulação de mercadorias orientadas para o lucro com a administração central do Estado do sistema sociorreprodutivo estabelecido, sob a autoridade inquestionável do partido: um sistema que denominavam socialista. Assim, antes da eleição de Gorbachev para a posição de secretário geral, não havia a menor possibilidade de se celebrar os Estados Unidos como a sociedade que tinha alcançado o "primeiro estágio do comunismo", nem de recomendar o mercado capitalista como "a garantia da renovação do socialismo".

Não foi por acidente que, desde o princípio, Gorbachev usava o mesmo refrão adotado pelos políticos ocidentais mais conservadores, como Margaret Thatcher: "não há alternativa". Ele continuou a repetir, de uma maneira ou de outra, que "somos unânimes em nossa convicção de que a *perestroika* é indispensável e realmente *inevitável*, e que *não temos nenhuma outra opção*"[129]. As políticas formuladas por Gorbachev e sua equipe oscilaram e eram frequentemente contraditórias entre si, mas a linha geral consistiu na instituição de "mecanismos de mercado" copiados do Ocidente e na submissão dos trabalhadores à correspondente "disciplina de mercado". Ainda na fase inicial da *perestroika*, Hillel Ticktin comentou corretamente que "a agenda oculta é quase certamente a introdução do mercado", acrescentando que "a solicitação [de Gorbachev] de maior e menor centralização, reiterada no Congresso [do Partido], na realidade significa algo diferente do que aparenta à primeira vista. Ele quer o mercado, mas tem que reter no centro o máximo de controle para evitar a desintegração do sistema antes que a alternativa esteja implantada[130].

É difícil julgar até que ponto os "arquitetos da *perestroika*" – de Yakovlev a Gorbachev e seus ansiosos subalternos – perceberam ou previram que a lógica objetiva do seu curso de ação seria a restauração do capitalismo. Não resta dúvida de que alguns deles tiveram a ilusão de que poderiam continuar a exercer um grande controle político central ao mesmo tempo em que passariam a um modo econômico de administrar a extração do trabalho excedente. Para eles, esta situação seria o meio material mais viável de "garantir" e justificar "racionalmente" a instituição para eles próprios, não apenas gratificações e inseguros privilégios partidários (então expostos à ameaça de mudanças políticas até mesmo no caso de Kruschev), mas também de possibilitar a aquisição de quantias substantivas de propriedade privada capitalista passível de transmissão por herança. Certamente anteciparam a introdução de mudanças naquele sentido em nome da ideologia de "*plena igualdade de todos os tipos de propriedade*" (incluindo a propriedade privada capitalista) que seria afiançada constitucionalmente pelo assim chamado "Estado sob o governo da lei". Gorbachev pontificou contra o mal do "*pagamento nivelado*" e alguns de seus economistas "teorizaram" que o diferencial de renda apropriado – economicamente racional e eficaz – deveria ser de 1 para 10, e até mesmo de 1 para 15. Ao mesmo tempo, a classe trabalhadora deveria apenas esperar, "do Estado da sociedade sob o governo da lei", uma disciplina de trabalho mais severa, sob a ameaça – e justificação ideológica simultânea – de "imperativos objetivos de mercado". No futuro previsível, a única certeza que a classe trabalhadora poderia ter era a necessidade do "economicamente racional" desemprego em massa.

Por volta de outubro de 1990, a afirmação de que "não pode haver nenhuma alternativa" foi claramente expressa em termos de uma capitulação do sistema soviético à "civilização mundial" do capitalismo global. A racionalização da política adotada pode ser lida da seguinte maneira nos documentos reformistas de Gorbachev:

---

[129] Gorbachev, *Perestroika*, p. 267.
[130] Hillel Ticktin, "The Political Economy of the Gorbachev Era", *Critique*, nº 17, 1986, pp. 122-4. Conferir também sua abrangente análise do sistema econômico soviético em *Origins of the Crisis in the USSR: Essays on the Political Economy of a Disintegrating System*, Nova York, M. E. Sharpe, Inc., 1992. "The Regency of the Proletariat in Crisis: A Job for Perestroika", de Bertell Ollman (em seu *Dialectical Investigations*, Nova York, Routledge, 1993, pp. 109-118), oferece uma avaliação sóbria da fracassada tentativa de reforma de Gorbachev.

Não há alternativa ao mercado. Só o mercado pode assegurar a satisfação das *necessidades do povo*, a *distribuição justa de riqueza*, direitos sociais e o fortalecimento da *liberdade e da democracia*. O mercado permite *unir organicamente* a economia soviética com a do mundo, e dará aos nossos cidadãos *acesso a todas as realizações da civilização mundial*. Serão buscados acordos de apoio financeiro e econômico para as reformas de mercado através de negociações com o Fundo Monetário Internacional, a Comunidade Europeia e governos estrangeiros. Todas as contas com os países do Comecon serão acertadas a preços vigentes no mundo em moeda corrente a partir de janeiro de 1991. A ajuda a países estrangeiros será reduzida e posta em bases comerciais.[131]

Compreensivelmente, no horizonte de tal política de reforma, em que pese todo o cinismo sobre as "necessidades do povo" e a "justa distribuição da riqueza" (a pior de todas as piadas), foi necessário tomar providências para redefinir a legitimidade da classe dominante, mesmo que, a princípio, com uma fraseologia cautelosa. Assim, um dos principais ideólogos da *perestroika*, Tatyana Zaslavskaya, argumentou que

> a criação de uma *classe empresarial* é claramente parte e parcela integrante de uma *economia de mercado* – mas de qual classe existente deverá ser criada esta nova classe? Esta é a questão.[132]

A pergunta retórica de Zaslavskaya era, na verdade, muito fácil de ser respondida. As personificações do capital de tipo soviético estavam em uma posição eminentemente vantajosa para se tornar a nova "classe empresarial", não apenas na Rússia, mas em toda a Europa Oriental, como de fato o fizeram rapidamente. Referindo-se à Polônia, o jornal *The Economist*, de Londres, reconheceu que "foram formadas várias companhias 'privadas', empregando trabalhadores e materiais da Ursus [fábrica estatal de tratores], *invariavelmente, de propriedade dos diretores da Ursus*"[133]. A pergunta realmente difícil de responder era se o curso adotado pela restauração capitalista iria funcionar do modo planejado. A "economia de mercado" idealizada não passou de um nome-código para menções à elogiada economia capitalista, tanto pela imprensa do Leste como pela ocidental. Quando foram realizados os movimentos exigidos pela restauração capitalista, o eufemismo se tornou redundante. Assim, *The Economist*, que por muito tempo também viciou-se na palavra-código "economia de mercado" ao se referir ao capitalismo no Leste, após as grandes mudanças passou a falar muito mais abertamente. Significativamente, em seu discurso não mais camuflado sobre a capitulação soviética à perspectiva de restauração capitalista – a concretização do que Gorbachev chamou "tornar a *perestroika* irreversível" –, dúvidas começaram a se infiltrar na perspectiva antes triunfalista:

> A tarefa que confronta as economias da Europa Oriental só agora está ficando clara. A transformação política da região, por mais extraordinária que tenha sido, era apenas o começo. Um desafio muito maior está à frente. Não se trata apenas de *construir o*

---

[131] John Rettie, "Only market can save Soviet economy", *The Guardian*, 17 de outubro de 1990.
[132] Tatyana Zaslavskaya, "Nineties nervous breakdown for democrats as things fall apart", *Soviet Weekly*, 10 de janeiro de 1991.
[133] "Eastern European factories: Unfinished business", *The Economist*, 10 de janeiro de 1990.

capitalismo, mas de construí-lo a partir dos destroços de um sistema econômico existente, e *ainda de algum modo em funcionamento*; manter o apoio a políticas que *seguramente farão a muitos, senão à maioria, mais pobres*, pelo menos durante algum tempo; e, pior de tudo, desapontar esperanças de uma recuperação rápida sem destruir a ambição por sucesso nos anos seguintes. ... *Construir o capitalismo deverá ser penoso*, acima de tudo porque o comunismo foi tão bom em encaminhar trabalhadores e capital a empregos absolutamente sem sentido. A rápida privatização *não pode nem mesmo assegurar que a transição terá sucesso*. O melhor que se pode dizer é isto: é a única abordagem cujo fracasso não está garantido.[134]

Em relação à própria União Soviética, o *The Economist* defendeu o "modelo chileno" de ditadura militar. Coerente com o seu cinismo e sua hipocrisia habituais, a defesa foi feita em nome da introdução, na União Soviética, do que denominava "economia liberal" argumentando que

> pode ser que um empurrão do presidente, apoiado onde necessário pelo *Exército* para assegurar suprimentos vitais ou *quebrar greves politicamente motivadas*, seja o único modo de seguir adiante. ... Poderia, apenas poderia, ser a virada da União Soviética para o que se chamaria "*a abordagem Pinochet da economia liberal*".[135]

O absurdo de tal perspectiva seria visível a qualquer pessoa sensata em pelo menos dois aspectos. Primeiro, porque o Chile estava completamente integrado ao sistema capitalista ocidental antes mesmo de o general Pinochet fazer sua aparição, com bênção e apoio ativo dos Estados Unidos, o que obviamente não era o caso da União Soviética. E a segunda diferença fundamental era o tamanho dos dois países. Mesmo que um Pinochet russo pudesse ser inventado, não só os "*Chicago boys*" de Milton Friedman, mas todos os *gangsters* de Chicago reunidos seriam incapazes de encolher a União Soviética até um tamanho adequado à subsunção sob próspera tutela americana, para não mencionar as "disfunções" perturbadoras da própria prosperidade capitalista ocidental. Porém, evidentemente, tais diferenças "insignificantes" não poderiam importar aos olhos nem dos escritores da linha de frente do *The Economist*, nem dos "democratas" e economistas da *perestroika*, sem dúvida alguma leitores ávidos daquele. Assim, Sergei Stankevich uniu-se ao coro da "economia liberal" recém-nascida e declarou que os "*democratas* devem finalmente perceber que o *domínio autoritário* é ruim, mas a ausência de poder é *ainda pior*. Consequentemente, eles têm que *apoiar um poder executivo mais forte*, ainda que sob certas condições"[136]. Naturalmente, o fato de nenhum poder autoritário dar um tostão furado para "certas condições" que os "democratas" julgam poder impor, como suas folhas de parreira e seu álibi, ao exercício "de um poder executivo mais forte", não poderia ter importância aos olhos dos "democratas" que optaram pelo poder autoritário. A mesma perspectiva foi expressa, mais desavergonhadamente ainda, em uma entrevista dada pelo economista democrata da *perestroika* Sergei Kugushev. À pergunta "Não seria incorreto introduzir um mercado sob a mira do fuzil?", ele deu a seguinte resposta:

---

[134] "From Marx to the market", *The Economist*, 11 de maio de 1991.

[135] *The Economist*, 22 de dezembro de 1990.

[136] Sergei Stankevich citado por *Moscow News*, de 6 de janeiro de 1991.

Os muitos casos de países que foram do totalitarismo para o mercado mostram que todas as vezes a reforma teve êxito devido a um governo muito severo, quando não ao uso de força militar. Há dois modos de introduzir um mercado: o modo alemão e japonês, e o modo latino-americano e do sul-sudeste asiático. No primeiro, a reforma foi efetivamente levada a cabo por uma administração de ocupação. Esta possibilidade não existe para nós. Nós só podemos ir às reformas de mercado através de um governo forte – um exemplo típico é o Chile. Basicamente, é um governo forte apoiado pelo exército, com a finalidade de assegurar o desenvolvimento econômico normal. Deveríamos dar uma olhada mais cuidadosa neste modelo, porque o considero o mais provável em nossa situação.[137]

Em todas estas projeções, perguntas verdadeiramente pertinentes – funcionará? poderá dar certo? por que não, se não puder? e o que deverá ser feito se não puder? – não só nunca foram respondidas como nem sequer foram seriamente feitas por aqueles que patrocinaram a *perestroika*. Nem mesmo depois de cinco longos anos de reformas fracassadas, quando as nuvens que se acumulavam no horizonte ficavam ainda mais escuras, e no momento em que nem mesmo os sermões de propaganda do *The Economist* poderiam oferecer mais que a duvidosa garantia negativa de que "a dolorosa construção do capitalismo" no Leste "não tem fracasso garantido". Dificilmente poderia ser maior o fosso entre esta perspectiva e o documento de reforma de Gorbachev, de outubro de 1990 – de acordo com o qual "apenas o mercado pode assegurar a satisfação das necessidades do povo, a distribuição justa de riqueza, os direitos sociais e o fortalecimento da liberdade e da democracia". Na verdade, tudo isso era um lamentável reflexo da visão "realista da realidade" adotada pelo presidente do Estado soviético e secretário geral do Partido; o homem que não só ficava feliz "em negociar com Margaret Thatcher", mas que também demonstrava a espesteza e a sensatez de sua avaliação associando seu nome à aventura do trapaceiro capitalista internacional Robert Maxwell para montar o "*Instituto Gorbachev-Maxwell de Minnesota*".

O resultado final das políticas perseguidas por Gorbachev e sua equipe foi a quebra da União Soviética, a implosão do sistema soviético do capital pós-capitalista e o fracasso absoluto da própria *perestroika*. Naqueles tempos loucos, a "mercadização" buscada por seus patrocinadores era celebrada e racionalizada como "a garantia da renovação do socialismo". Porém, com o desenrolar da lógica dos desenvolvimentos "reestruturadores", a tentativa de troca da extração política do trabalho excedente por seu modo de extração principalmente econômico colidiu com as contradições mais gritantes. Tais contradições não se limitavam ao fato desagradável de que a verdade da esperada "renovação do socialismo" se revelou como "a dolorosa construção do capitalismo". Elas também se manifestaram no modo pelo qual a legitimação do processo empreendido por Gorbachev precisou ser virada completamente de cabeça para baixo.

Na hora de anunciar, pela primeira vez, as pretendidas reformas "reestruturantes", o grande argumento "democrático" a favor do "socialismo de mercado" era que ele inevitavelmente reduziria o poder da arbitrariedade política,

---

[137] I. Savvateyeva, "A Chile wind blows through the Soviet economy", *Soviet Weekly*, 21 de fevereiro de 1991.

o autoritarismo, a burocracia etc. Porém, conforme passou o tempo, nenhum resultado positivo pôde ser mostrado e as consequências negativas das políticas da "*perestroika* de Gorbachev" avolumavam-se, afetando profundamente a enorme maioria da população soviética. Por isso mesmo é que o tom da racionalização ideológica e da legitimação da estratégia seguida tinha que ser radicalmente alterado. Assim, em vez de pôr um fim ao autoritarismo e à arbitrariedade burocráticos, instituindo "democracia e liberdade", com base nas fundações materiais seguras do "socialismo de mercado", a defesa das formas mais autoritárias de controle estatal ganhava impulso. Se foram defendidas sob o "modelo de economia liberal de Pinochet" ou com algum outro nome (os "novos mecanismos e instituições de poder político", de Gavril Popov, como um meio de derrotar as demandas da classe trabalhadora e oferecer uma garantia contra o "populismo de esquerda"), o objetivo sempre era o mesmo: adquirir os meios e formas institucionais pelos quais a restauração das relações capitalistas de mercado pudessem ser asseguradas e mantidas em operação. Foi assim que o círculo se fechou completamente. O "mecanismo de mercado", no princípio apresentado como o *meio* necessário ao nobre objetivo da prometida "renovação do socialismo" e "liberdade e democracia" para amplas massas do povo, haviam se transformado nos *fins-em-si* autojustificadores aos quais tudo teria que ser subordinado. Naturalmente, aos olhos das personificações do capital pós-capitalista realinhadas, nenhum preço poderia ser considerado muito alto para se chegar ao objetivo do qual eles seriam os reais beneficiários. Tanto melhor seria se a realização do fim desejado demandasse o aparecimento de um Pinochet russo – para ser apoiado não só pelo exército, mas igualmente pela elite governante no processo de autorredefinição como a "nova classe empresarial". Longe de edificante, o real significado da *perestroika* e do "socialismo de mercado" foi realizado não simplesmente sem o povo, mas enfaticamente contra ele.

17.4.3

Apesar de virar o projeto de reforma originalmente idealizado de cabeça para baixo, a iniciativa não funcionou. O fracasso da *perestroika* teve muito a ver com o modo arbitrário pelo qual as personificações soviéticas do capital, sob a liderança de Gorbachev, tentaram transplantar algumas das relações de controle sociometabólico das sociedades ocidentais avançadas para uma situação político-econômica que objetivamente resistia a elas. Como mencionado no capítulo 2, a implosão do sistema soviético do capital foi devido, acima de tudo, à contradição, por quase sete décadas, entre o papel do Estado de aumentar a socialização da produção por meio da força e de meios políticos e a necessidade do regime pós-Brezhnev de colocar o trabalho recalcitrante – mas coletivamente organizado e administrado pelo próprio Partido – sob o controle mais firme possível de um "mecanismo de mercado" *quase* automático dentro da estrutura da *perestroika*.

Nutrido pelas mitologias que prevalecem nos países capitalistas ocidentais, também no Leste o mercado foi por muito tempo confundido como um "mecanismo" neutro e facilmente transplantável, apesar de inexistirem na sociedade soviética seus pilares essenciais. Mas, quando finalmente se começou a perceber que a *perestroika* estava encontrando enorme resistência, a natureza dessa resistência foi mais uma vez erroneamente diagnosticada como algo que, se necessário fosse, poderia ser total e prontamente controlado por "mecanismos políticos" abertamente autoritários. As personificações pós-capitalistas do capital jamais quiseram admitir para si mesmas que o seu papel fundamental para a sociedade era impor sobre o trabalho os imperativos materiais de um *sistema do capital* objetivamente determinado. Transformaram em mito a sua própria "liderança", como uma determinação sem substância, divorciada de suas repugnantes funções de opressão sociometabólica do trabalho. Assim, quando embarcaram na *perestroika*, não perceberam que a reestruturação apropriada do sistema pós-capitalista estabelecido exigia muito mais do que uma vira-casaca política dos "líderes" – o que, de fato, eles fizeram invariavelmente e sem hesitação. E, ainda, exigia mais do que fazer o trabalho segui-los devotadamente como resultado dos benefícios prometidos do "socialismo de mercado" em sua inseparabilidade da "liberdade e democracia". Até mesmo quando começaram a discutir a necessidade de uma "classe empresarial", recusaram-se a admitir que seria necessário um grande terremoto para passar de uma extração política do trabalho excedente, havia muito estabelecida e ainda em funcionamento, para um sistema plenamente mercadizado controlado por eles, travestidos, então, de "classe empresarial".

No outono de 1990, o documento da reforma que explicitou a capitulação final de Mikhail Gorbachev à mercadização capitalista foi redigido por Stanislav Shatalin, principal economista do "sistema de comando administrativo" de Brezhnev, retoricamente denunciado por Gorbachev. Na realidade, os comentaristas não puderam então deixar de recordar: "É irônico que Shatalin ocupe tal cargo. Enquanto Leonid Brezhnev estava no poder, Shatalin deu uma importante contribuição acadêmica para o fortalecimento da economia planejada, ganhando o Prêmio de Estado da União Soviética, em 1968. Agora ele acredita que o monólito ministerial que envia ordens de produção para cada fábrica, de Volgograd a Vladivostok, deve ser destruído para que a economia se mova para os princípios de livre mercado"[138]. Caracteristicamente, o farol da "era da estagnação" assumiu um papel fundamental na elaboração da estratégia de Gorbachev de restauração do "livre mercado". Como informou um jornalista de Moscou:

> Shatalin pertence à corte de intelectuais soviéticos da qual Gorbachev sempre se vale para buscar conselhos. Para dois homens que agora se associam para atirar o comunismo à lata de lixo da história, Shatalin e Gorbachev têm uma relação surpreendentemente curta. Seu primeiro encontro foi no último outubro, em uma conferência sobre economia em Moscou na qual Shatalin, que se descreve como um convicto social-democrata, alega ter convertido Gorbachev do comunismo para a social-democracia. Desde então, a posição de Gorbachev ficou claramente mais radical.[139]

A ideia de transplantar os modos e meios da social-democracia ocidental – nos anos 90 nem mesmo suavemente reformista, ao contrário abertamente liberal-

---

[138] James Blitz, "Shatalin key to Soviet reforms", *The Sunday Times*, 16 de setembro de 1990.
[139] Id., ibid.

-burguesa – para a União Soviética, em meio à sua crise estrutural mais aguda, havia de ser natimorta. Isto porque nem a guinada política dos líderes, nem a transposição das políticas adotadas pelos partidos social-democratas ocidentais para uma situação econômica e política/institucional fundamentalmente diferente poderiam ser consideradas suficientes sequer para arranhar a superfície da crise experimentada pelo sistema pós-capitalista soviético. As condições para o sucesso de uma estratégia reformista social-democrata na União Soviética estavam totalmente ausentes e, mesmo cinco anos depois, em 1995, não havia absolutamente nenhum sinal de sua materialização. Desde a época de sua fundação no século XIX, os próprios partidos social-democratas ocidentais passaram por mudanças fundamentais até o ponto de se integrarem humildemente à estrutura parlamentar, aceitando suas limitações contra o trabalho e progressivamente abandonando as suas estratégias emancipatórias originais. Já em 1904, Rosa Luxemburgo resumiu profeticamente o significado da tendência reformista – e desastrosamente autodestrutiva – do desenvolvimento político da social-democracia, acentuando que sua liderança parlamentar "*deverá dissolver o setor ativo, com consciência de classe, do proletariado na massa amorfa de um 'eleitorado'*"[140]. Em outra obra ela também sublinhou que

> só por um exame de toda a assustadora seriedade, de toda a complexidade das tarefas envolvidas, só como resultado da capacidade de julgamento crítico por parte das massas, capacidade que foi sistematicamente liquidada pela social-democracia durante décadas sob vários pretextos, só então pode a capacidade genuína para a ação histórica nascer no proletariado alemão. ... Como discípulos em carne e osso do cretinismo parlamentar, esses social-democratas alemães buscaram aplicar à revolução a sabedoria doméstica do berçário parlamentar: para fazer qualquer coisa, você tem que ter primeiro uma maioria. O mesmo, dizem eles, se aplica à revolução: tornemo-nos primeiro uma "maioria". A verdadeira dialética das revoluções, contudo, nega esta sabedoria de toupeiras parlamentares: não chegar pela maioria às táticas revolucionárias, mas por táticas revolucionárias chegar à maioria – é assim que o percurso é feito.[141]

A estratégia marxiana original – que sofreu uma derrota histórica já quando da rejeição da *Crítica ao Programa de Gotha* de Marx pela social-democracia alemã – foi concebida como um meio de combater a *atomização* da classe trabalhadora e sua inevitável dominação, como multiplicidade fragmentada de indivíduos, pelo sistema autoperpetuante do capital. Falando da necessidade de unidade coletiva nas suas primeiras reflexões sobre o assunto, Marx enfatizou que a competição separou, até mesmo mais que os burgueses, os trabalhadores um do outro. Argumentou ainda que o poder organizado – isto é, o capital e sua formação estatal – que paira acima e contra os trabalhadores isolados

---

[140] Rosa Luxemburgo, "Organizational Questions of the Russian Social Democracy" (primeiro publicado em *Neue Zeit*, em 1904), traduzido sob o título "Leninism or Marxism", in R. Luxemburgo, *The Russian Revolution and Leninism or Marxism*, introdução de Bertram D. Wolfe, The University of Michigan Press, Ann Arbor, 1961, p. 98 [ed. bras., *Partido de massas ou partido de vanguarda?*, São Paulo, Ed. Stella, 1985, p. 28].

[141] "The Russian Revolution" (1918), in Luxemburgo, *The Russian Revolution and Leninism or Marxism*, p. 30 e p. 39.

que vivem em condições que diariamente reproduzem este isolamento só pode ser superado depois de longas lutas. Exigir o oposto seria equivalente a exigir que a competição não deveria existir nesta época particular da história, ou que os indivíduos deveriam banir das suas mentes as condições sobre as quais, em seu isolamento, não têm nenhum controle.[142]

Previa-se que o movimento socialista forneceria o contrapeso necessário ao capital, permitindo aos trabalhadores individuais escaparem do seu isolamento, que a situação objetiva nos seus locais de trabalho assim como sua subordinação contratual ao capital no mercado de trabalho continuavam a se perpetuar. Devemos nos recordar de que "no processo de produção do capital, o trabalho é uma totalidade cujas partes componentes individuais são estranhas entre si... elas são combinadas violentamente... subordinadas à unidade objetiva da maquinaria, do capital fixo... [e o trabalhador só existe] como uma marca de pontuação individual animada, como *acessório isolado vivo do capital*"[143]. A situação torna-se pior para os trabalhadores com o funcionamento do mercado de trabalho capitalista, pois eles têm que entrar, como trabalhadores individuais isolados, em uma relação contratual com as personificações do capital, compelidos – pela ameaça de perder seu sustento – a aceitar as condições preexistentes de trabalho na empresa para a qual são nomeados e as regras predeterminadas de disciplina do trabalho pela qual o autoritarismo do local de trabalho pode ser "legalmente" exercido. É assim que os dois pilares da variedade capitalista do sistema do capital (o *autoritarismo do local de trabalho* e a *tirania do mercado*) não apenas se complementam mutuamente, mas também criam a ilusão de liberdade individual. *Na teoria*, mas certamente jamais na realidade, os trabalhadores poderiam se recusar a concordar com as condições do contrato determinadas pelos ditames inescapáveis do mercado de trabalho. Na verdade,

> a relação-capital é uma *relação de compulsão*, cujo objetivo é extrair o trabalho excedente prolongando o tempo de trabalho – uma relação de compulsão que não se apoia em quaisquer relações pessoais de dominação e dependência, mas simplesmente emerge da diferença de funções econômicas[144].... Certamente, a própria *relação de produção* cria uma *nova relação de dominação e subordinação* (e esta também produz expressões políticas etc., de si mesma)[145].... A constante venda e compra de capacidade de trabalho, e a confrontação constante entre o trabalhador e a mercadoria produzida pelo próprio dono, como comprador da sua capacidade de trabalho e como capital constante, aparece apenas como a *forma mediadora* da sua submissão ao capital... Mascara como mera *relação de dinheiro* a real transação e a dependência perpétua que são constantemente renovadas por esta mediação de venda e compra. As condições deste *comércio* não são apenas constantemente reproduzidas; além disso, o que um compra, e o que o outro é obrigado a vender, é o resultado do processo. A renovação constante desta relação de *venda e compra* só medeia a permanência da relação específica de dependência,

---

[142] MECW, vol. 5, p. 75.
[143] Marx, *Grundrisse*, pp. 470-1.
[144] MECW, vol. 34, p. 426. Itálicos de Marx.
[145] Id., ibid., p. 431. Itálicos de Marx.

conferindo a ela a *aparência* enganosa de uma transação, um contrato entre *proprietários de mercadoria* que têm direitos iguais e que se confrontam de modo igualmente livre.[146]

Contra este fundo socioeconômico, dado o poder verdadeiramente isolador e mistificador do próprio processo de reprodução material, só a consciência socialista – desde que ela se apodere das massas trabalhadoras – pode produzir um modo alternativo viável de controle da reprodução sociometabólica. Assim, no projeto socialista original, a organização do trabalho fragmentado e atomizado e sua transformação em efetiva força coletiva com consciência de classe era – e continua a ser para nós até o fim do sistema do capital – uma tarefa histórica vital que a social-democracia reformista do Ocidente obviamente não conseguiu realizar. Muito pelo contrário, com a passagem do tempo, os partidos da Segunda Internacional contribuíram cada vez mais ativamente para preservar a fragmentação e a atomização do trabalho apropriando-se do papel de toda *oposição legítima e de toda reforma*. Todos os protestos deveriam acontecer estritamente dentro dos limites do "berçário parlamentar", sem perturbar a relação de forças existente entre capital e trabalho, desarmando e proscrevendo todo *protesto espontâneo da classe trabalhadora* e entregando *praticamente sem qualquer proteção* o trabalho à dominação livre do capital em nome do "eleitorado democrático".

Porém, é necessário sublinhar que nesta fatal involução da social-democracia ocidental – a partir de sua articulação original como força comprometida com a emancipação do trabalho, passando por forma intermediária de organização que ainda professa a instituição do socialismo, no tempo devido, por meio de reformas graduais, para finalmente se tornar um partido liberal burguês e o patrocinador da eterna dominação do capital e de sua "economia de mercado" que não poderia jamais ser transcendida – a estrutura reprodutiva material da ordem social existente ajudou fortemente a sustentar tal transformação. O mercado não era apenas o regulador efetivo da relação-capital nos países ocidentais globalmente dominantes em que a social-democracia floresceu (e que, efetivamente, só poderia florescer lá). Graças, também, ao seu domínio na hierarquia social global do capital, os países de capitalismo avançado puderam assegurar privilégios volumosos, cujos ganhos defensivos foram concedidos às suas respectivas classes trabalhadoras (ou, pelo menos, para algumas das suas seções) pela ação parlamentar reformista da social-democracia e pelos sindicatos a ela associados. O princípio orientador axiomático da social-democracia reformista foi o de jamais contestar o funcionamento tranquilo da relação-capital, aceitando assim a subordinação estrutural permanente do trabalho ao capital em troca de melhorias marginais no padrão de vida dos "eleitores" em áreas muito limitadas do planeta, sem jamais se questionar por quanto tempo seria possível garantir essas melhorias marginais. Não obstante, era muito poderoso o veículo material que sustentou a transformação da social-democracia, de seus compromissos emancipatórios originais para uma ação propugnando uma reforma socioeconômica mínima, a ser instituída e administrada pelo Estado de bem-estar social ocidental. Tal reforma foi impelida pela expansão global do sistema do capital que partiu do "pequeno canto europeu do mundo" até cobrir todo o planeta, sob a hegemonia de um punhado

---

[146] Id., ibid., p. 465. Itálicos de Marx.

de países "capitalistas avançados". Sob este aspecto, é muito significativo o fato de que o momento histórico da social-democracia reformista terminou com o fim da fase expansionista global do capital quando, no início da década de 1970, estourou a crise estrutural do sistema. Como resultado, tivemos que experimentar o começo da legislação antitrabalho pelos governos trabalhistas e a metamorfose dos partidos social-democratas – que até então ainda alegavam ao menos alguma lealdade à classe trabalhadora – em organizações políticas liberal-burguesas por toda a Europa ocidental.

Dessa forma, a estratégia marxiana original de se opor à fragmentação e à atomização do trabalho por meio de partidos socialistas internacionalmente orientados, que cumpririam a sua missão histórica no desenvolvimento da consciência de classe dos trabalhadores como "*consciência de massa*", tinha que entrar em colapso diante do sucesso da expansão global do capital e do poder mistificador da relação-capital que se reproduz diariamente de forma ampliada pelo mercado. É por isso que a "dissolução do setor ativo e dotado de consciência de classe do proletariado na massa amorfa de um eleitorado" pela ação da social-democracia reformista teve sucesso nos países de capitalismo avançado. Sob este aspecto, o notável contraexemplo foi o partido "social-democrata" de Lenin, completamente diferente, que conquistou o poder do Estado na Rússia. Mas o partido bolchevique não era uma exceção à regra geral de acomodação social-democrata que prevaleceu no Ocidente sob o impacto da livre expansão do capital. O país no qual Lenin teve sucesso seguindo uma estratégia muito diferente do reformismo social-democrata era de capitalismo muito subdesenvolvido, ocupava uma posição subordinada na ordem internacional do capital e se constituía "no elo mais fraco da corrente". Um país que, além do mais, foi desestabilizado internamente pela derrota humilhante na Primeira "Grande Guerra", em um século habilmente descrito por Gabriel Kolko como um "*Século de Guerra*"[147].

Naturalmente, o fato de a orientação radical original dos partidos social-democratas ter dado lugar a um reformismo trabalhista cada vez mais diluído (e, ao fim, totalmente abandonado) em todos os países de capitalismo avançado representa um grande desafio para o futuro do socialismo. Para tornar as coisas ainda piores, os partidos da Terceira Internacional – que foram formados para manter vivo o projeto socialista original de transformação revolucionária – também se

---

[147] O livro de Kolko oferece uma análise poderosa do impacto das guerras no desenvolvimento social do século XX. Para citar uma passagem dedicada ao fim do período de guerras:

A Primeira Guerra Mundial teve uma influência muito maior na estrutura social da Europa, na economia e na existência humana e demográfica que qualquer outro evento desde pelo menos a Revolução Francesa, e iniciou as mudanças objetivas que alterariam profundamente a consciência subjetiva e a política do continente europeu após 1917. Dados os efeitos muito desiguais da guerra, temos que considerar suas consequências em toda sua diversidade, variando desde as que foram catastróficas e decisivas, como no caso da Rússia, àquelas que foram somente muito importantes, como na Grã-Bretanha. Ainda assim, nenhuma nação europeia emergiu incólume da experiência, na medida em que as condições do período de guerra interagiram com muitos problemas sociais, econômicos e tensões, de há muito existentes na Europa, para acelerar as crises com as quais se defrontou a maioria de seus povos de maneira que teria parecido inconcebível antes de 1914.

Gabriel Kolko, *Century of War: Politics, Conflict, and Society since 1914*, Nova York, The New Press, 1994, p. 87.

submeteram completamente ao impacto das mesmas determinações, abraçando as posições do reformismo mais moderado ao qual, por décadas, eles tinham-se oposto duramente. Estes problemas serão vistos com algum detalhe no próximo capítulo. No presente contexto, nossa preocupação é compreender por que falhou a tentativa, pelos ideólogos da *perestroika*, de dar vida ao seu projeto de reforma, quando eles proclamaram a sua adesão à social-democracia, apesar da sua insistência publicamente repetida de que "apenas o mercado pode assegurar a satisfação das *necessidades do povo*, a *distribuição justa de riqueza, direitos sociais* e o fortalecimento de *liberdade e democracia*".

O artigo citado, no qual Shatalin confessou a sua conversão sem reservas à social-democracia, também nos informou que Moscou, ao mesmo tempo em que mantinha a retórica vazia da *perestroika* durante cinco anos, anunciava que "nós visamos tirar tudo do Estado para *dar ao povo*"[148]. Como se a social-democracia reformista houvesse alcançado qualquer coisa remotamente semelhante ao *desideratum* de "dar tudo para o povo", em qualquer lugar no mundo!

No outono de 1990, duas coisas estavam desesperadamente erradas com a fantasia social-democrata de mercado das propostas de reforma da *perestroika*. Primeiro, o tipo pós-capitalista soviético do sistema de capital era destituído de um verdadeiro mercado, e portanto não poderia regular a distribuição da força de trabalho por tarefas produtivas com base em relações contratuais de mercado. Segundo, mesmo que fosse possível, depois de vários anos – pelo esforço em comum do capital estrangeiro e da autoconversão bem-sucedida das personificações pós-revolucionárias do capital em capitalistas privados completamente prontos –, estabelecer um sistema de mercado que funcionasse toleravelmente na União Soviética, a ordem pós-capitalista assim "reestruturada" não teria garantia de acesso às vantagens que um punhado de países ocidentais privilegiados possuíam quando da fase expansionista global do capital, com base nas quais eles puderam adquirir a riqueza necessária para os fundos de seguridade social do Estado de bem-estar social (agora grandemente ameaçado em todos lugares).

Fora as relações comerciais com o Ocidente capitalista ao longo das décadas pós-revolucionárias, algum tipo de "*quase* mercado interno" existiu na União Soviética, na forma da "circulação de mercadorias", pela qual a força de trabalho era "compensada pelo esforço despendido no processo de produção", de acordo com o último texto de Stalin sobre economia política[149]. Contudo, isto estava muito distante de constituir realmente um mercado de trabalho. A característica definidora do mercado de trabalho é que as partes envolvidas na relação de troca não são simplesmente os "compradores e os vendedores" que poderiam, a princípio, alternar as suas posições e papéis, sendo às vezes compradores e outras vezes vendedores. Pelo contrário, elas são *personificações particulares* da relação-capital *estruturalmente enraizada* mas necessariamente particularizada – isto é, personificações *particulares* tanto do capital como do trabalho – que entram em uma relação contratual recíproca

---

[148] James Blitz, "Shatalin key to Soviet reforms", *The Sunday Times*, 16 de setembro de 1990.

[149] Cf. seção 17.3.1.

de transação comercial. Não havia nada comparável a isto no sistema do capital de tipo soviético. Além disso, devido às imensas exigências de trabalho do desenvolvimento industrial tanto anterior como sob Stalin e os seus sucessores, não existia o problema de desemprego na União Soviética, e o *direito ao trabalho* se tornou até mesmo constitucionalmente garantido nos anos 1930. A adoção de tal abordagem do trabalho seria inconcebível – e, claro, absolutamente intolerável – na ordem capitalista, pois o direito constitucional ao trabalho eliminaria a possibilidade de um "exército industrial de reserva", com todas as suas vantagens para o capital, anulando ao mesmo tempo o modo econômico herdado de alocar a força de trabalho no interior da estrutura do mercado de trabalho capitalista. Em outras palavras, se pudessem ser concedidas, e implementadas, garantias constitucionais de direito ao trabalho no sistema capitalista, isto arruinaria e, no final das contas, destruiria o mercado de trabalho, tornando assim completamente insustentável o modo especificamente capitalista – primordialmente econômico – de controlar a extração da mais-valia.

O modo *político* de extrair o trabalho excedente se tornou necessário no sistema do capital de tipo soviético porque era estruturalmente incompatível com as exigências objetivas de montar e manter em operação um mercado de trabalho pós-revolucionário. Foi isto que o tornou genuinamente pós-capitalista, já que nele o processo socioeconômico de reprodução não poderia ser regulado por uma *pluralidade de capitais privados* claramente identificáveis e efetivamente em funcionamento. O poder estatal foi conquistado em 1917 pelo Partido Bolchevique, que, após a revolução, não só permaneceu como controlador das funções estatais diretas como também se encarregou de supervisionar – em sua totalidade e em cada um dos detalhes – o processo reprodutivo material e cultural.

Isso criou uma relação capital-trabalho sem igual na sociedade pós-revolucionária. Por um lado, o novo tipo – soviético – de personificações do capital, sujeitas à autoridade absoluta do plano central consagrado em lei, não poderia, ao contrário de seus similares capitalistas, exercer individualmente sequer uma limitada autonomia na tomada de decisão sobre o controle do processo de reprodução. Isto era ainda mais paradoxal na medida em que os mesmos indivíduos simultaneamente também foram partícipes do máximo de arbitrariedade e voluntarismo característicos das decisões e ações da liderança do partido como entidade coletiva. Por outro lado, na relação-capital pós-revolucionária, o trabalho não poderia ser fragmentado e atomizado segundo o modelo do processo de trabalho capitalista, apesar de o partido stalinista ter tentado impor – graças inclusive a prisões e campos de trabalho forçado – a mais severa disciplina de trabalho, tornando os trabalhadores indivíduos criminalmente responsáveis por seu fracasso em corresponder à norma a eles imposta. Porém, a fragmentação e a atomização do trabalho características do capitalismo não puderam prevalecer sob o sistema do capital pós-revolucionário. Havia três razões principais para isto. Primeiro, o imenso empreendimento da industrialização – como também da coletivização e da industrialização forçadas – era inconcebível sem o mais elevado grau de socialização da produção, que inevitável e diretamente afetava a consciência da força de trabalho. Segundo, o fundamento da legitimação da "construção do socialismo" era a classe trabalhadora, e todo o discurso acerca "da ditadura do proletariado" e do papel de "liderança do partido" tinha que excluir de maneira bastante explícita a possibilidade de restauração capitalista e a sujeição do trabalho ao fetichismo alienante da mercadoria. Neste sentido, o próprio partido tinha que justificar suas credenciais e se legitimar com base na representação da classe do trabalho. E a terceira razão, que explica por que a severa disciplina autoritária à qual foram sujeitados os trabalhadores individuais não produziu o resultado desejado pela liderança do partido, foi a impossibilidade de se admitir que a recalcitrância do trabalho fosse uma questão de *antagonismo de classe*. Foi tratada pela ideologia do sistema como o trabalho do "inimigo" mítico, mantendo-se a mitologia complementar de uma classe trabalhadora unificada e, ao mesmo tempo, completamente dedicada à construção do socialismo – e, depois, do estágio mais alto de comunismo – em um só país. Porém, os trabalhadores sabiam muito bem que quando violavam as normas prescritas em uma escala de massa, produzindo em nível muito inferior ao que poderiam, por meio, por exemplo, de "operações tartarugas", produção para si próprios de pequenos artigos sem conhecimento dos supervisores etc., eles não estavam agindo em nome de um misterioso inimigo externo, mas no seu próprio interesse, solidários uns com os outros, tornando possível o seu comportamento recalcitrante até mesmo num sistema autoritário.

As características essenciais que definem todas as possíveis formas do sistema do capital são: *a mais elevada extração praticável do trabalho excedente por um poder de controle separado, em um processo de trabalho conduzido com base na subordinação estrutural hierárquica do trabalho aos imperativos materiais da produção orientada para a acumulação – "valor sustentando-se a si mesmo" (Marx)*[150] *– e para a contínua reprodução ampliada de riqueza acumulada*. As formas particulares de personificação do capital podem variar consideravelmente, contanto que as formas assumidas se moldem às exigências que emanam das características definidoras essenciais do sistema. Assim, no sistema de tipo soviético, no qual as funções controladoras do capital eram investidas no partido, e não em indivíduos particulares, nem mesmo nos que se encontravam nos altos escalões do partido (indivíduos que poderiam ser eliminados sem romper seriamente o sistema), os líderes eram personificações genuínas de capital apenas na sua capacidade coletiva. Isto tornou precária a posição pessoal de cada um, e muito problemática a viabilidade econômica de tal modo de exercer o controle – por assim dizer, "por procuração", e sem ativos permanentes de salva--guarda, ao contrário dos gerentes no sistema capitalista. Isto constituiu uma das grandes fraquezas do sistema soviético, do ponto de vista de suas personificações do capital. Do mesmo ponto de vista, a outra fraqueza importante foi a fragmentação e a atomização insuficientes do trabalho, o que somente poderia ser remediado pelo estabelecimento de um mercado de trabalho plenamente efetivo.

A *perestroika* de Gorbachev tentou remediar ambas as fraquezas. Tentou mudar o sistema de capital soviético passando da extração política do trabalho excedente a seu modo primordialmente econômico de controle pelo mercado, mesmo que fossem necessários alguns anos até que se pudesse identificar e anunciar abertamente os verdadeiros caráter e magnitude das mudanças exigidas. Até 1990, as óbvias implicações exploradoras da "privatização" tinham que ser abordadas de modo tortuoso. Desse

---

[150] MECW, vol. 34, p. 413.

modo, quando finalmente a antiga retórica de "Servir o povo e nada mais que o povo" teve que ser modificada, ela não foi, de modo algum, completamente abandonada, sendo que o porta-voz de Gorbachev, deputado e primeiro-ministro Leonid Abalkin, revelou que "a escolha já foi feita. Já não podemos continuar nos equilibrando entre dois barcos"[151]. Assim, ele tentou justificar o curso adotado dizendo que

> o povo tem que perceber que não há alternativa. Sem tal transição [para o "livre mercado"] o país não tem futuro como um grande poder. Se não caminharmos para um novo sistema, privaremos a nós mesmos e às nossas crianças dos benefícios de um grande poder, de ser um lugar onde as pessoas não estarão envergonhadas de viver. Nós temos que fazer sacrifícios, mas não há nenhuma opção.[152]

Isso significava dar às pessoas o prêmio de consolação de viver sob um "grande poder", para convencê-las a engolir, sem reclamar, a pílula amarga "sem opção" da "única escolha" disponível, já feita, à sua revelia, pelos seus líderes. Ao mesmo tempo, o porta-voz de Gorbachev "chegou quase a clamar por uma *nova classe empregadora*. Segundo ele, o conceito de 'exploração' era extremamente *emocional e sensível*"[153]. Abalkin ofereceu uma defesa indireta da exploração capitalista com base num argumento bastante peculiar, ao perguntar "se qualquer um que depende dos ganhos de outros para viver é automaticamente um explorador, o que dizer dos aposentados?"[154]. Como se os pensionistas jamais houvessem ganho as pensões para as quais trabalharam ao longo de toda a sua vida adulta! E para coroar a sua defesa do curso adotado, Abalkin também acrescentou que "os trabalhadores soviéticos devem ter sempre o direito de ser consultados e participar da tomada de decisão"[155]. Essas palavras foram ditas depois de indicar que "a escolha já foi feita", e que o papel do povo era "entender que não há alternativa". Em outras palavras, "a parte do povo na tomada de decisão" era "participar" aceitando "a escolha sem opção" feita em seu nome pelos líderes da *perestroika*.

Obviamente, contudo, as coisas não poderiam ser deixadas em tal estado de animação suspensa entre a lealdade retórica ao povo e as decisões realmente tomadas para estabelecer o "livre mercado". No passado, sob a autoridade do partido, a contradição entre o tipo de retórica bombasticamente forçada – que prometia o comunismo completamente realizado "para a geração mais jovem" – e a realidade dolorosa de sofrimento e escassez material sem fim, poderia ser *administrada*, contudo nunca resolvida. A força de trabalho era controlada pela maquinaria administrativa e pelas forças de segurança do Estado, juntamente com o pessoal de comando dos empreendimentos industriais e agrícolas particulares.

---

[151] Michael Binyon, "Gorbachev opts for the free market: Stock exchange for Moscow", *The Times*, 10 de abril de 1990.

[152] Id., ibid.

[153] Id., ibid.

[154] Id., ibid.

[155] Id., ibid.

Além disso, o controle era exercido também pelas denominadas "correias de transmissão" da política central – os sindicatos e outras organizações de massa, do Komsomol às organizações de mulheres – e pelas organizações de base do próprio partido nos locais de trabalho. Uma vez que Gorbachev e sua equipe decidiram que não havia nenhuma alternativa ao estabelecimento do "livre mercado", isto é, à restauração do capitalismo, as velhas formas de legitimar as decisões tomadas no centro – discuti-las e aprová-las localmente nas organizações do partido nos locais de trabalho e nas reuniões das "correias de transmissão" – tornaram-se uma ameaça potencial à *perestroika*, quando as pessoas começaram a votar contra a "falta de alternativa" às decisões tomadas por Gorbachev e companhia em nome da *glasnost* e da "democracia".

O maior problema foi representado, claro, pelo próprio partido. Naturalmente, não em relação ao topo de sua liderança, cujos membros, como personificações do capital pós-revolucionário, estavam ansiosos para se tornar proprietários individualmente autônomos de importantes ativos econômicos e centros de tomada de decisão na extração economicamente regulada de trabalho excedente. O problema era o partido como organização de massa hegemônica da sociedade soviética, com seu modo único de legitimar – em nome da classe trabalhadora e da ditadura do proletariado – a extração política de trabalho excedente. Era este o tipo de legitimação que era totalmente incompatível com a mercadização capitalista, na qual as massas do povo não têm poder algum de votação regular, nem mesmo no sentido de mera aprovação. Não haveria a menor chance de instituir o mercado de trabalho e, portanto, sujeitar a força de trabalho às "determinações de ferro" da "racionalidade econômica" enquanto permanecessem as imprevisíveis organizações do partido nos locais de trabalho, organizações que se tornaram mais imprevisíveis ainda, sob o impacto das reformas introduzidas na sequência imediata da *glasnost* e da *perestroika*. Na realidade, a crítica da "democracia" se tornou cada vez mais violenta à medida que os "democratas" argumentavam a favor da suspensão ou eliminação daquelas organizações. Como explicou um deles: "*A democracia nunca pode vir antes do mercado; ela é o resultado de um mercado*"[156].

Significativamente, para cortar este "nó górdio", na primavera de 1991, Boris Yeltsin começou a proibir o trabalho do Partido nas fábricas por meio de um decreto presidencial. Mas, claro, o problema era muito grande para ser controlado por esta prática de ataque no varejo. Segundo o gosto dos democratas da *perestroika*, algo muito mais drástico era necessário para solucionar o dilema entre "democracia" e "mercado". Os debates já estavam se agudizando em 1990, intensificando-se em 1991. Em um artigo bastante polêmico, o conselheiro militar de Gorbachev, que mais tarde misteriosamente se suicidaria, marechal Sergei Akhromeyev, atacou um dos camaleões políticos mais ágeis na época, conselheiro íntimo de Yeltsin, nestes termos:

---

[156] Sergei Kugushev, economista entrevistado *in* I. Savvateyeva, "A Chile wind blows through the Soviet economy", *Soviet Weekly*, 21 de fevereiro de 1991.

Meus parabéns para o dr. Arbatov: tendo fielmente servido a Nikita Kruschev, Leonid Brezhnev e Yuri Andropov, trabalhou em seguida com Mikhail Gorbachev; foi membro do Comitê Central do Partido Comunista durante vinte anos, trabalhando para promover a causa socialista; e agora, como assistente de Yeltsin, parece ter achado um líder cuja visão ele finalmente compartilha. Eu gostaria de saber se o dr. Arbatov vai permanecer no Partido Comunista.[157]

Akhromeyev não viveu o suficiente para obter a resposta à sua pergunta. Ocorre que o dr. Arbatov não teve que deixar o Partido, não porque ele quisesse, por qualquer razão, permanecer fiel a um dos seus compromissos do passado, mas porque nada restou para ele abandonar, já que o secretário geral do partido, Mikhail Gorbachev, dissolveu o Partido por decreto. Como comentou o historiador dissidente Roy Medvedev: "É suicídio político. Gorbachev foi eleito como líder do Partido Comunista Soviético. Dissolvendo o partido, ele removeu o chão debaixo dos seus próprios pés, tirando o fundamento de sua própria legitimidade como líder. Você pode imaginar Giulio Andreotti proscrevendo os democratas-cristãos italianos? Ele seria forçado a abdicar do governo no dia seguinte. Isto é o que acontecerá a Gorbachev"[158]. Não resta dúvida de que Gorbachev, ao se designar presidente da União Soviética, fez o que pensou ser suficiente para assegurar-se no topo do poder político, independentemente do que pudesse acontecer ao Partido. Porém, ele errou completamente seus cálculos por jamais imaginar a possibilidade de desagregação da própria União Soviética.

O que levou à ruptura foi o fracasso desastroso das políticas da *perestroika* de Gorbachev e o provável sucesso do clamor geral pela sua substituição como secretário geral. Paradoxalmente, ele só foi salvo naquele posto pelos decretos de Yeltsin contra as organizações do Partido nos locais de trabalho. Foi assim que Medvedev descreveu o desdobramento dos eventos:

> Eles o teriam despedido no Congresso de julho. Eu tenho informação para prová-lo. A secretaria do partido tinha recebido dúzias de resoluções de comitês regionais. Sessenta por cento deles queriam Gorbachev fora. Muitos estavam exigindo até mesmo a sua expulsão do Partido. Estava tão claro como a luz do dia que todo mundo tinha perdido a confiança nele. Mas então Yeltsin emitiu a sua proclamação de independência e todo mundo teve receio do que aconteceria. Ele começou a abolir o trabalho do Partido nas fábricas. Muitos dos chefes do Partido pensaram que Gorbachev, uma vez mais, seria o único em condição de salvar o bolo. Esta é a razão por que eles não se livraram dele imediatamente. Mas a tensão era extremamente alta.[159]

A ordem para a dissolução do Partido foi dada na sequência imediata do golpe no qual Gorbachev desempenhou um papel muito estranho. Quando o secretário do Partido de Moscou foi preso e interrogado, na frente das televisões, pelo seu envolvimento no "golpe" ele respondeu: "Qual golpe? Era uma charada". Seja como for, em relação às pessoas presas,

---

[157] Marshal Sergei Akhromeyev, "They are pulling us apart", *Soviet Weekly*, 28 de fevereiro de 1991.
[158] Roy Medvedev, "Walking out on history", *The Guardian*, 30 de agosto de 1991.
[159] Id., ibid.

circula em Moscou, por algum tempo, o boato de que o julgamento dos líderes do golpe será realizado a portas fechadas. ... Se o tribunal não revelar a verdade, toda a verdade, e nada mais que a verdade, sobre a "conspiração da liderança soviética", esta democracia infantil e a credibilidade dos dois presidentes – Gorbachev e Yeltsin – podem ser danificadas sem conserto. ... De acordo com uma versão, o círculo de funcionários do alto escalão que sabia da aproximação do golpe vai muito além dos poucos presos no Centro de Remanejamento 4 – e inclui o próprio Mikhail Gorbachev. ... Há provavelmente mais quebra-cabeças nos acontecimentos de agosto para os quais nós jamais obteremos respostas, nem mesmo num julgamento aberto. E há especulação de que três dos principais conspiradores do golpe podem não viver tanto tempo: pessoas dizem que um pode morrer de ataque de coração ou derrame, outro de cirrose no fígado, e que outro terá veneno contrabandeado para sua cela. Isto não é tão improvável quanto parece, dada a série de suicídios misteriosos[160] imediatamente depois do golpe.[161]

Naturalmente, "a verdade, toda a verdade, e nada mais que a verdade sobre a conspiração da liderança soviética" não foi revelada, nem o tal julgamento ocorreu. Previsivelmente, não poderia haver julgamento porque os acusados ameaçavam grandes revelações sobre os reais culpados que não foram acusados. Pode levar muito tempo, se é que chegará a ocorrer, até que se possa explicar o que aconteceu em Moscou em agosto de 1991. Tudo o que podemos perguntar agora é isto: o que foi de fato alcançado pelos eventos que se seguiram?

A mudança de guarda que deveria ocorrer entre a equipe de Gorbachev e os "democratas de Yeltsin" sublinhou o absurdo das alegações de "falta de alternativa" eternamente repetidas por Gorbachev, pois a fonte inspiradora dessa sabedoria foi, primeiro, posta de lado e, então, completamente aposentada, do mesmo modo que sua "nenhuma alternativa" gêmea na Inglaterra de Margaret Thatcher. Muito mais importante que isso fora, claro, a dissolução do Partido Soviético pelo decreto de seu secretário-geral, que removeu, assim, o principal obstáculo ao restabelecimento do capitalismo por meio de um mercado de produtos e trabalho. Porém, a remoção de ambiguidades pela dissolução da antiga forma de legitimar o sistema pós--revolucionário do capital, e a abertura da via para a conversão das personificações de tipo soviético do capital em capitalistas privados completamente prontos, não significa que o sucesso da restauração do capitalismo na antiga União Soviética esteja agora garantido. As reformas da *perestroika*, sem dúvida, falharam, tal como o sistema stalinista antes delas. Mas dois fracassos clamorosos não resultam em um sucesso. Até agora, pelo menos, doze anos depois da data em que Gorbachev recebeu, na Inglaterra de Margaret Thatcher, a bênção como o político soviético "com o qual nós podemos negociar", *nenhum* dos problemas sérios que afetam o sistema pós-capitalista soviético foi resolvido. Muito embora o desemprego catastrófico que

---

[160] Um dos mais misteriosos de todos esses "suicídios" foi a morte do marechal Sergei Akhromeyev que, em fevereiro de 1991, criticou duramente os "democratas", de Arbatov até Gavril Popov e Yeltsin, por seus esforços para desagregar a União Soviética.
[161] Georgi Ovcharenko, "Key trial for glasnost", *Soviet Weekly*, 17 de outubro de 1991.

necessariamente se seguirá à plena mercadização da produção de artigos e à operação do mercado de trabalho não esteja ainda visível no horizonte, em que pese o "sensato aconselhamento econômico" recebido constantemente do Ocidente, inclusive dos editores e redatores das manchetes do *The Economist* de Londres, a crise é hoje tão grande quanto antes. A única reestruturação com alguma chance de sucesso seria aquela que alterasse as determinações estruturais e o processo de trabalho conflituoso/antagônico do sistema reprodutivo pós-revolucionário. Porém, dado o fato de que os parâmetros da reforma da *perestroika* tinham por premissa a continuidade da dominação do capital pós-revolucionário, esta via estava obviamente fora de questão. *Perestroika* sem o povo e contra o povo tinha de falhar. Agora até mesmo o *The Economist* pode prometer apenas a "dolorosa contrução do capitalismo". Mas "a verdade, toda a verdade e nada mais que a verdade" a este respeito inclui a conclusão, longe de tranquilizadora, de que a dor esperada da construção do capitalismo reverberará bem além dos limites da antiga União Soviética.

Capítulo 18

ATUALIDADE HISTÓRICA DA OFENSIVA SOCIALISTA

A atual "crise do marxismo" se deve principalmente ao fato de que muitos dos seus representantes continuam a adotar uma postura *defensiva*, numa época em que, tendo acabado de virar uma página histórica importante, deveríamos nos engajar numa ofensiva socialista em sintonia com as condições objetivas. Paradoxalmente, os últimos 25 anos, que progressivamente manifestaram a crise estrutural do capital – e daí o início da necessária ofensiva socialista num sentido *histórico* –, também testemunharam a disposição de muitos marxistas, maior do que nunca, de buscarem novas alianças defensivas e se envolverem com todos os tipos de revisões e compromissos em grande escala, ainda que não tenham, realmente, nada para mostrar como resultado de tais estratégias fundamentalmente desorientadoras.

A desorientação em questão não é, de modo algum, simplesmente ideológica. Ao contrário, ela envolve todas as instituições de luta socialista que foram constituídas sob circunstâncias históricas defensivas e, por esse motivo, perseguem, sob o peso da sua própria inércia, modos de ação que correspondam diretamente ao seu caráter defensivo. E, já que a nova fase histórica inevitavelmente traz consigo o aguçamento do confronto social, deve-se esperar – mas não idealizar –, sob tais circunstâncias, uma maior reação defensiva das instituições (e estratégias) de luta da classe trabalhadora. Lamentavelmente, contudo, as estruturas e estratégias defensivas existentes consideram inquestionáveis seus próprios pressupostos e procuram soluções que permanecem ancoradas nas condições da velha, e agora superada, fase histórica.

Tudo isso deve ser enfatizado tão firmemente quanto possível a fim de evitar a ilusão das soluções fáceis. Não basta, portanto, argumentar a favor de uma nova orientação ideológico-política caso se mantenham tal como hoje as formas institucionais e organizacionais relevantes. Se, em sua resposta por inércia às circunstâncias históricas que já não são as mesmas, a desorientação corrente é a manifestação combinada dos fatores prático-institucional e ideológico, seria ingênuo esperar uma solução no que muitos gostam de descrever como "clarificação ideológica". De fato, enquanto os dois devem desenvolver-se juntos nessa reciprocidade dialética, o "*übergreifendes Moment*" (momento predominante) na conjuntura atual é a estrutura prático/institucional da estratégia socialista, que precisa reestruturar-se de acordo com as novas condições. Estes são os problemas que iremos tratar no presente capítulo.

18.1 A ofensiva necessária das instituições defensivas

18.1.1

Dizer que somos contemporâneos da nova fase histórica de ofensiva socialista não significa que, de agora em diante, o percurso seja tranquilo e a vitória próxima. A expressão "atualidade histórica" não sugere mais do que diz explicitamente: que a ofensiva socialista com que deparamos é um fato *histórico,* em contraste com nossa condição objetiva, que há não muito é dominada por determinações defensivas inevitáveis. Ainda que certamente *um dia* ("em última análise") as mudanças sociais hão de se infiltrar nos canais e nos modos de mediação política e ideológica prevalecentes, a consciência não as registra automaticamente, por mais importantes que sejam. Mas antes mesmo de alcançarmos "a última análise", a inércia da forma anterior de resposta – tal como articulada em determinadas estratégias e estruturas organizacionais – continua a dominar a maneira como as pessoas definem suas próprias alternativas e margens de ação. Nesse sentido, o discurso sobre a "consciência de classe" que reprova o proletariado pela "falta de combatividade" demonstra apenas sua própria vacuidade, pois os instrumentos e as estratégias de ação socialista permanecem estruturados defensivamente.

Devido à mudança da relação de forças e das circunstâncias, a atualidade histórica da ofensiva socialista corresponde, em primeiro lugar, ao desconfortável fato negativo de que algumas formas de ação anteriores ("as políticas de consenso", "a estratégia de pleno emprego", "a expansão do Estado de bem-estar social" etc.) estão objetivamente bloqueadas, o que impõe reajustes importantes na sociedade como um todo. Mas o fato de se estar partindo dessa "negatividade brutal" inicial não significa que os reajustamentos em questão serão positivos, mobilizando as forças socialistas num esforço consciente para se apresentarem como portadoras da ordem social alternativa capaz de substituir a sociedade em crise. Longe disso, como as mudanças exigidas são muito drásticas, em vez de prontamente aceitarmos o "salto para o desconhecido", é mais provável que se prefira seguir a "linha de menor resistência" ainda por um tempo considerável, mesmo que isso signifique derrotas significativas e grandes sacrifícios para as forças socialistas. Somente quando as opções da ordem predominante se esgotarem se poderá esperar por uma virada *espontânea* para uma solução radicalmente diferente. (O completo colapso da ordem social no curso de uma guerra perdida e os levantes revolucionários subsequentes, conhecidos da história passada, ilustram bem esta questão.)

Contudo, as dificuldades de uma resposta socialista adequada à nova situação histórica não mudam o caráter da própria situação, ainda que coloquem novamente em relevo o conflito potencial entre escalas de temporalidade – a estrutura histórica imediata e a geral de eventos e desenvolvimentos. É o caráter objetivo das novas condições históricas que *por fim* decide a questão, não importando quais sejam os atrasos e desvios que possam acompanhar as circunstâncias dadas. A verdade é que existe um *limite* além do qual acomodações forçadas e imposição de novos sacrifícios se tornam intoleráveis, *subjetivamente* para os indivíduos envolvidos e *objetivamente* para a continuação do funcionamento da estrutura socioeconômica ainda dominante. Nesse sentido, e em nenhum outro, a atualidade histórica da ofensiva socialista –

entendida como sinônimo do fim do sistema de melhorias relativas pela acomodação consensual – está destinada a impor-se a longo prazo, tanto na forma exigida da consciência social como em sua mediação estratégico-instrumental, mesmo que não possam existir garantias contra outras derrotas e decepções num curto prazo. Ainda que seja verdade – o que é bastante duvidoso – que os seres humanos tenham uma infinita capacidade para suportar qualquer imposição sobre eles, incluindo as piores condições possíveis, a capacidade de adaptação do sistema global do capital é hoje muito menor do que esta.

18.1.2
Veremos em um momento de que forma as potencialidades objetivas da ofensiva socialista são inerentes à crise estrutural do próprio capital. Agora o objetivo é acentuar uma contradição principal: a ausência de instrumentos políticos adequados que poderiam transformar esta potencialidade em *realidade*. Além disso, o que torna as coisas ainda piores é a continuidade do domínio das mitologias passadas sobre a autoconsciência das organizações envolvidas, descrevendo o partido leninista, por exemplo, como a instituição da ofensiva estratégica *par excellence*.

Certamente, todos os instrumentos e organizações do movimento da classe trabalhadora existiram para superar alguns dos obstáculos principais na via para a emancipação. Em primeira instância foram o resultado de explosões espontâneas e, como tal, representaram um *momento* de ataque. Mais tarde, como resultado de esforços conscientes, estruturas coordenadas emergiram tanto em países particulares como em escala internacional. Mas nenhuma delas poderia ir para além do horizonte de lutar por objetivos específicos, limitados, até mesmo se o seu objetivo *último* estratégico fosse uma transformação socialista radical de toda a sociedade. Não se deve esquecer que Lenin, brilhantemente – e realisticamente –, definiu os objetivos dos bolcheviques entre fevereiro e outubro de 1917 como assegurar "Paz, Terra e Pão" de modo a criar uma base social viável para a revolução. Mas, até mesmo em termos organizacionais básicos, o "Partido de Vanguarda" foi constituído de forma a poder se *defender* dos ataques cruéis de um Estado policial, sob as piores condições possíveis de clandestinidade, das quais inevitavelmente decorreu a imposição do segredo absoluto, de uma estrutura rígida de comando, de centralização etc. Se compararmos a estrutura autodefensivamente fechada deste partido de vanguarda com a ideia original de Marx de produzir "consciência comunista em escala de massa" – com a consequência necessária de uma estrutura organizacional inerentemente aberta –, teremos uma medida da diferença fundamental entre uma postura defensiva e uma ofensiva. Somente quando as condições objetivas implícitas em tal objetivo estão em processo de se desdobrar em escala global é possível imaginar realisticamente a articulação prática dos órgãos necessários da ofensiva socialista.

Na verdade, Lenin não teve nenhuma ilusão quanto a esta possibilidade, ainda que algumas interpretações tendam a descrever retrospectivamente os seus objetivos à luz de *uma esperança vazia*. Ele baseou a sua estratégia de quebrar "o elo mais fraco da corrente" numa interpretação da lei de desenvolvimento desigual, insistindo que revoluções *políticas* não podem em caso algum, nunca e em nenhuma condição, encobrir ou enfraquecer a palavra de ordem da revolução *socialista* ... que não pode ser encarada como um *só* ato, mas deve ser encarada como uma *época* de tempestuosas convulsões políticas e econômicas, de guerra civil, de revoluções e contrarrevoluções.[1]

Neste espírito, ele esperou que a revolução política de Outubro abrisse a "época de tempestuosas conclusões políticas e econômicas", que se manifestaria no mundo inteiro por toda uma série de revoluções, até que as condições de uma vitória socialista estivessem firmemente asseguradas. Quando a onda de motins revolucionários se esgotou sem resultados positivos importantes em outras partes, Lenin observou racionalmente que não se poderia devolver o poder aos czares, e continuou o trabalho de defender o que fosse possível naquelas circunstâncias. Ele originalmente esperava combinar o potencial político do "elo mais fraco" com as condições economicamente maduras dos países capitalistas "avançados". Foi o fracasso da revolução mundial que violentamente truncou a sua estratégia, impondo-lhe os constrangimentos deformadores de uma defesa desesperada.

Lenin sempre teve a consciência da diferença fundamental entre a revolução política e a social (à qual denominou socialista), mesmo quando foi irrevogavelmente forçado a defender a mera sobrevivência da revolução política, ao passo que Stalin ignorou esta distinção vital, fingindo que o *primeiro passo* na direção de uma vitória socialista já representava o próprio socialismo, que deveria simplesmente ser seguido pela entrada "na etapa superior do comunismo" em um país sitiado. Naturalmente, com tal mudança apologética de estratégia, na qual tudo tinha que ser cruelmente subordinado à defesa do stalinismo e simultaneamente saudado como a maior vitória possível para a revolução socialista em geral, desapareceu também a diferença real entre estruturas e desenvolvimentos defensivos e ofensivos. E, enquanto Lenin, na ausência da revolução mundial, entendeu a sua tarefa geral como uma *operação de manutenção* (a ser substituída no devido tempo pelos desenvolvimentos mundiais favoráveis), Stalin fez da miséria virtude. Ele transubstanciou a resposta política prevalecente aos constrangimentos particulares em um *ideal social* geral (e, portanto, compulsório), sobrepondo arbitrariamente a todos os processos sociais e econômicos a prática voluntarista de tentar resolver os problemas por meio de *ditames políticos* autoritários.

---

[1] Lenin, "On the Slogan for a United States of Europe", *Collected Works*, vol. 21, pp. 339-40 (escrito em agosto de 1915) [ed. port. *Obras escolhidas em três tomos*, op. cit, tomo I, p. 569]). Também vale mencionar que, neste contexto, segundo *The Times* (22 de julho de 1995), com base em um informe da AP de Moscou,

A Corte Suprema [russa] premiou, com 9.400 libras esterlinas, por danos, Valentin Varennikov, um participante do golpe soviético de 1991 que foi absolvido no ano passado das acusações de traição.

É significativo nesta pequena notícia que Varennikov tenha insistido na época do projetado mas, claro, jamais realizado, julgamento, que ele queria ser julgado publicamente por sua alegada participação no golpe falso e mal conduzido de Gorbachev, de modo a ser capaz de revelar o que realmente tinha acontecido e quem deu as ordens. Não poderia, portanto, ter sido mais apropriado que o "golpe que nunca existiu" fosse seguido por um "julgamento que nunca existiu", e que todo aquele assunto sórdido tivesse por conclusão o pagamento de uma grande soma de dinheiro – em termos de rublos russos uma verdadeira fortuna – a um acusado pela Corte Suprema do país, em vez de uma sentença de prisão.

Desse modo, pudemos testemunhar um grande afastamento das intenções originais, tanto em termos dos objetivos fundamentais como das formas institucionais e organizacionais correspondentes. A concepção global de Marx tinha como objetivo estratégico a revolução social abrangente, a partir da qual os homens deveriam mudar "de cima a baixo as condições da sua existência industrial e política, e por conseguinte toda a sua maneira de ser"[2]. Sendo assim, as formas e instrumentos da luta teriam que corresponder ao caráter essencialmente *positivo* do empreendimento como um todo, em vez de serem bloqueados na fase *negativa* de uma ação *defensiva*. Por isso Marx, ao se dirigir a um grupo de trabalhadores, lembrou-lhes que não deveriam se contentar com a negatividade "retardadora do movimento depressivo" quando a tarefa consistia em "alterar sua direção"; que eles não deveriam aplicar "paliativos" quando o problema era "curar a doença". E afirmou não ser suficiente engajar-se negativamente/defensivamente nas

inevitáveis *lutas de guerrilha* que incessantemente emergem dos eternos abusos do capital ou das flutuações do mercado.[3]

Contudo, quando precisou explicitar o lado *positivo* da equação, nas condições prevalecentes de subdesenvolvimento relativo do capital – ainda longe de suas verdadeiras barreiras e de sua crise estrutural –, Marx só pôde apontar o fato de que havia um processo de desenvolvimento objetivo em andamento, mas nenhuma mediação institucional e estratégica tangível para transformar aquele processo em vantagem duradoura. Como explicou ele, os trabalhadores "devem entender que, com todas as misérias que lhes impõe, o sistema atual engendra simultaneamente as *condições materiais* e as formas sociais necessárias para uma reconstrução econômica da sociedade"[4]. Assim, ele pôde indicar um aliado positivo nas condições materiais em amadurecimento da sociedade, mas não poderia ir mais longe que isso. Na mesma conferência, ele insistiu que a "guerra de guerrilha" é luta defensiva apenas contra os efeitos do sistema, oferecendo apenas a metáfora da "alavanca" a ser usada para uma mudança fundamental, não identificando de nenhuma maneira onde e como tal alavanca poderia ser inserida no centro estratégico do sistema a ser negado para poder produzir a transformação radical postulada.

Teria sido um milagre se fosse de outro modo, pois o movimento socialista, depois dos primeiros – mais ou menos espontâneos – ataques e explosões nascidos do desespero, encontrou-se na situação de fixar objetivos muito limitados, em resposta aos desafios colocados pelas confrontações nacionais particulares contra o pano de fundo da expansão global e do desenvolvimento dinâmico do capital. Sendo assim, a Primeira Internacional logo experimentou as primeiras grandes dificuldades que finalmente conduziriam à sua desintegração. E nenhuma mitologia retrospectiva poderia transformar a Comuna de Paris numa importante ofensiva socialista: não simplesmente porque foi brutalmente derrotada, mas principalmente devido ao fato, fortemente acentuado pelo próprio Marx, de que não era

---

[2] Marx, *The Poverty of Philosophy*, Londres, Lawrence & Wishart, s.d., p. 123.

[3] Marx, *Lohn, Preis, und Profit*, (Wages, Price and Profit), MEW, vol. 16, p. 153 [ed. bras. *Salário, preço e lucro*, op. cit., p. 337].

[4] Id., ibid., itálicos de Marx. [ed. bras., op. cit., p. 377].

em absoluto socialista[5]. Naturalmente, os debates relativos ao Programa de Gotha e à orientação estratégica do movimento da classe trabalhadora alemã seguiam as mesmas determinações defensivas. As condições objetivas para se imaginar a mera possibilidade de uma ofensiva hegemônica nem sequer estavam à vista e, na sua ausência, as severas limitações das formas organizacionais e estratégias possíveis também foram ocultas. Por isso Marx, depois de definir as condições necessárias de uma revolução socialista bem-sucedida em termos do "desenvolvimento positivo dos meios de produção", declarou sem hesitação, ainda em 1881:

> é minha convicção que a conjuntura crítica para uma nova Associação Internacional dos Trabalhadores ainda não chegou e por isso eu considero todos os congressos de trabalhadores, particularmente os congressos socialistas, na medida em que não estejam relacionados às condições *imediatas* desta ou daquela *nação particular*, como não somente inúteis, mas prejudiciais. Eles hão de sempre se diluir em inumeráveis banalidades gerais e vazias.[6]

Desnecessário dizer, a Segunda Internacional, neste particular, não trouxe qualquer melhoria. Ao contrário, pelo seu "economicismo" capitulou miseravelmente ante as determinações sociais/econômicas dominantes da condição defensiva global. Substituiu as exigências de uma estratégia ampla pela prática pedestre de "mudança gradual", traduzindo ao mesmo tempo sua capitulação defensiva na estrutura organizacional ossificada de uma "social-democracia" corruptamente casada com a manipulação parlamentar capitalista. Bem de acordo com isso, o período pós--guerra da expansão capitalista – saudado por muitos como a solução permanente das contradições do capital, e também da integração estrutural da classe trabalhadora – encontrou seus porta-vozes e administradores mais entusiastas neste movimento pseudossocialista de capitulação da social-democracia.

Ao contrário da Segunda Internacional – a qual, de certo modo, está conosco até hoje –, o momento histórico da Terceira Internacional foi relativamente breve. A onda revolucionária das fases finais da Primeira Guerra Mundial deu a ela um grande ímpeto original, mas mal se passaram doze meses depois de seu Congresso fundador para que Lenin tivesse de admitir que

> era evidente que o movimento revolucionário perderia inevitavelmente velocidade quando as nações assegurassem a paz.[7]

Significativamente, o mesmo discurso que reconheceu ter passado a onda revolucionária no Ocidente se concentra fortemente na questão de concessões econômicas aos países capitalistas, tendo aprovado uma citação de Keynes com relação à importância de matérias-primas russas para a reconstituição e a estabilização da economia global do capital e adotado conscientemente esta estratégia para o futuro

---

[5] "Tirando o fato que era apenas o levante de uma cidade em condições excepcionais, a maioria da Comuna não era, de modo algum, socialista nem o poderia ser. Com um pouco de bom-senso, porém, eles poderiam ter chegado a um acordo com Versalhes útil para toda a massa do povo – a única coisa que poderia ser alcançada na ocasião" (Marx, Carta a Domela Nieuwenhuis, 22 de fevereiro de 1881).

[6] Id., ibid.

[7] "Discurso pronunciado em uma reunião de ativistas da Organização de Moscou do PCR(b)", 6 de dezembro de 1920. Lenin, *Collected Works*, vol. 21, pp. 441-2.

imediato. Quando os estrategistas da "Ação de Março" alemã embarcaram na sua ofensiva voluntarista, as chances das determinações objetivas estavam fortemente viciadas contra qualquer ofensiva daquele tipo, impondo por muito tempo um tom trágico ao destino dos movimentos revolucionários socialistas.

O mundo do capital também resistiu com relativa facilidade à tempestade de sua "Grande Crise Econômica" de 1929-33 sem ter que enfrentar uma importante confrontação hegemônica com as forças socialistas, apesar do sofrimento das massas provocado por essa crise. O fato é que, por maior que fosse a crise, ela estava longe de ser uma crise *estrutural*, ao deixar um grande número de opções abertas para a sobrevivência continuada do capital, bem como para sua recuperação e sua reconstituição mais forte do que nunca em uma base economicamente mais saudável e mais ampla. Reconstruções políticas retrospectivas tendem a culpar personalidades e forças organizacionais por tal recuperação, particularmente com relação ao sucesso do fascismo. Contudo, por maior que fosse o peso relativo de tais fatores políticos, não se pode esquecer que eles devem ser avaliados contra o pano de fundo de uma fase histórica essencialmente defensiva. Não tem sentido reescrever a história com a ajuda de condicionantes contrafactuais, mesmo que eles se refiram à ascensão do fascismo ou qualquer outra coisa. O que realmente importa é que, concomitantemente à crise de 1929-33, o capital tinha a *opção do fascismo* (e soluções semelhantes), opção que já não possui hoje. E, objetivamente, isso faz uma grande diferença no que tange às possibilidades de ação defensiva e ofensiva.

18.1.3
Dado o modo pelo qual foram constituídos – como partes integrantes de uma estrutura institucional complexa –, os órgãos de luta socialista poderiam ganhar batalhas individuais, mas não a guerra contra o capital. Para isso seria necessária uma reestruturação fundamental, de forma que eles se complementassem e intensificassem a eficácia uns dos outros, em vez de debilitá-la pela "divisão do trabalho" imposta pela institucionalidade "circular" no interior da qual se originaram. Os dois pilares de ação da classe trabalhadora no Ocidente – partidos e sindicatos – estão, na realidade, inseparavelmente unidos a um terceiro membro do conjunto institucional global: o Parlamento, que forma o círculo da sociedade civil/Estado político e se torna aquele "círculo mágico" paralisante do qual parece não haver saída. Tratar os sindicatos, junto com outras (muito menos importantes) organizações setoriais, como se pertencessem, de alguma maneira, apenas à "sociedade civil", e que portanto poderiam ser usados contra o Estado político, para uma profunda transformação socialista, é um sonho romântico e irreal. Isto porque o círculo institucional do capital, na realidade, é feito das *totalizações recíprocas* da sociedade civil e do Estado político, que se interpenetram profundamente e se apoiam poderosamente um no outro. Por isso, seria necessário muito mais que a derrubada de um dos três pilares – o Parlamento, por exemplo – para produzir a mudança necessária.

O lado problemático da estrutura institucional prevalecente se revela eloquentemente em expressões como "consciência sindical", "burocracia partidária" e "cretinismo parlamentar", para citar apenas um nome em cada categoria. O Parlamento, em particular, tem sido objeto de uma crítica muito justificada, e até hoje não há teoria socialista satisfatória sobre o que fazer com ele após a conquista do poder: um fato que eloquentemente fala por si mesmo. Apesar de os clássicos do marxismo terem lutado contra "a indiferença à política" e a defesa igualmente sectária do "boicote ao Parlamento", eles não conseguiram imaginar um "estágio intermediário" (que, na verdade, poderia ser uma fase histórica muito longa). Um estágio que significativamente retivesse pelo menos algumas características importantes da estrutura parlamentar herdada, enquanto o longo processo de reestruturação radical fosse realizado na ampla escala necessária. Por exemplo, Marx implicitamente levantou esta possibilidade numa digressão surgida no contexto da mudança revolucionária associada ao uso de força como norma. Em um discurso importante mas pouco conhecido, foi assim que ele tentou resolver o problema:

O trabalhador vai algum dia ter que ganhar a supremacia política para organizar o trabalho segundo *novas linhas*: ele terá que derrotar a *política velha* que apoia *velhas instituições*...

Mas nós não temos, de modo algum, afirmado que esta meta seria alcançada por meios idênticos. Nós conhecemos as *concessões* que temos que fazer às *instituições, aos costumes e tradições* dos vários países; e não negamos que há países como os Estados Unidos, a Inglaterra, e eu acrescentaria a Holanda se conhecesse melhor suas instituições, onde os trabalhadores podem alcançar a sua meta através de *meios pacíficos*. Se isto é verdade, também temos de reconhecer que na maioria dos países continentais é a *força* que deverá ser a alavanca de revoluções; e à *força* que teremos algum dia que recorrer para estabelecer um reinado do trabalho.[8]

É discutível se o assunto em questão é simplesmente uma questão de "concessões" que devam ser feitas a algumas restrições herdadas: a importância do Parlamento é muito grande para ser tratada de passagem, ao lado de "costumes e tradições". Compreensivelmente, na concepção de Marx da política como *negação radical*, o Parlamento aparece geralmente em sua negatividade quase grotesca, resumida no *dictum* "Iludir os outros e iludir-se ao iludi-los – este é o extrato concentrado da *sabedoria parlamentar*! *Tant Mieux*!"[9] "Tanto melhor" ou "tanto pior"?

Como o Parlamento afeta profundamente todas as instituições da luta socialista que porventura estejam intimamente ligadas a ele, seguramente deve ser "tanto pior". E, se se acrescenta a consideração – levantada por Marx como uma possibilidade histórica séria, e não como um gesto vazio de propaganda fracionista de partido – de que a mudança revolucionária possa usar *meios pacíficos* como veículo, neste caso torna-se ainda mais imperativo reorientar radicalmente a "sabedoria parlamentar" para a retroalimentação de objetivos socialistas.

A experiência das sociedades do "socialismo real" mostra claramente que é impossível demolir apenas um dos três pilares da estrutura institucional herdada, porque, de uma maneira ou de outra, os dois que permanecem acabam por cair com ele. Quando pensamos na existência puramente nominal dos sindicatos nessas sociedades, bem como na experiência, da Polônia e na reemergência do limbo de um sindicalismo amargamente independente na forma do "Solidariedade", torna-se

---

[8] Anotações de um repórter sobre o discurso feito por Marx na reunião celebrada em Amsterdã em 8 de setembro de 1872 (cf. MEW, vol. 18, p. 160).

[9] Marx, Carta a N. F. Danielson, 19 de fevereiro de 1881 (MEW, vol. 35, p. 157, itálicos de Marx).

claro que equilibrar a sociedade no topo do único pilar remanescente é totalmente insustentável a longo prazo. Menos óbvio, entretanto, é o que acontece ao próprio partido na sequência da conquista de poder. O "partido de vanguarda" de Lenin reteve algumas características organizacionais constituídas na ilegalidade e na luta pela mera sobrevivência contra o Estado policial czarista. Mas, ao se tornar o governante inquestionável do novo Estado, deixou de ser um partido leninista e se tornou o *Partido-Estado*, impondo e também sofrendo todas as consequências que esta mudança necessariamente acarreta. Assim, fica extremamente difícil, senão impossível, a transferência do poder de um conjunto de indivíduos a outro (uma ocorrência comicamente comum na estrutura parlamentar), ou até mesmo uma mudança parcial na política quando se alteram as circunstâncias.

A natureza da estrutura institucional global também determina o caráter de suas partes constituintes e, vice-versa, os "microcosmos" particulares de um sistema sempre exibem as características essenciais do "macrocosmo" a que pertencem. Nesse sentido, qualquer mudança que ocorra em um componente particular só pode se tornar algo puramente efêmero, a menos que possa reverberar plenamente por todos os canais do complexo institucional total, dando assim início às mudanças exigidas no sistema inteiro de totalizações recíprocas e interdeterminações. Como insistiu Marx, não bastava ganhar "lutas de guerrilha", que poderiam ser neutralizadas e mesmo anuladas pelo poder de assimilação e integração do sistema dominante. O mesmo era verdade para o triunfo em *batalhas individuais* quando, em última instância, a questão era decidida nos termos das condições de ganhar a guerra.

Por isso a atualidade histórica da ofensiva socialista tem imenso significado. Pois, sob as novas condições da crise estrutural do capital, torna-se possível ganhar muito mais do que algumas grandes (mas, no final das contas terrivelmente isoladas) *batalhas*, como as revoluções russa, chinesa e cubana. Ao mesmo tempo, não existe meio de minimizar o caráter doloroso do processo envolvido, que requer importantes ajustes estratégicos e correspondentes mudanças institucionais e organizacionais radicais em todas as áreas e por todo o espectro do movimento socialista.

18.2 Das crises cíclicas à crise estrutural

18.2.1
Como mencionado antes, a crise do capital que experimentamos hoje é fundamentalmente uma crise estrutural. Assim, não há nada especial em associar-se capital a crise. Pelo contrário, crises de intensidade e duração variadas são o modo *natural* de existência do capital: são maneiras de progredir para além de suas barreiras imediatas e, desse modo, estender com dinamismo cruel sua esfera de operação e dominação. Nesse sentido, a última coisa que o capital poderia desejar seria uma superação *permanente* de todas as crises, mesmo que seus ideólogos e propagandistas frequentemente sonhem com (ou ainda, reivindiquem a realização de exatamente isso.

A novidade *histórica* da crise de hoje torna-se manifesta em quatro aspectos principais:

(1) seu *caráter* é *universal*, em lugar de restrito a uma esfera particular (por exemplo, financeira ou comercial, ou afetando este ou aquele ramo parti-

cular de produção, aplicando-se a este e não àquele tipo de trabalho, com sua gama específica de habilidades e graus de produtividade etc.);

(2) seu *alcance* é verdadeiramente *global* (no sentido mais literal e ameaçador do termo), em lugar de limitado a um conjunto particular de países (como foram todas as principais crises no passado);

(3) sua *escala de tempo* é extensa, contínua, se preferir, *permanente*, em lugar de limitada e cíclica, como foram todas as crises anteriores do capital;

(4) em contraste com as erupções e os colapsos mais espetaculares e dramáticos do passado, seu *modo* de se desdobrar poderia ser chamado de *rastejante*, desde que acrescentemos a ressalva de que nem sequer as convulsões mais veementes ou violentas poderiam ser excluídas no que se refere ao futuro: a saber, quando a complexa maquinaria agora ativamente empenhada na "administração da crise" e no "deslocamento" mais ou menos temporário das crescentes contradições perder sua energia.

Seria extremamente tolo negar que tal maquinaria existe e é poderosa, nem se deveria excluir ou minimizar a capacidade do capital de somar novos instrumentos ao seu já vasto arsenal de autodefesa contínua. Não obstante, o fato de que a maquinaria existente esteja sendo posta em jogo com frequência crescente e com eficácia decrescente é uma medida apropriada da severidade da crise estrutural que se aprofunda.

Aqui, temos que nos concentrar em alguns componentes da crise em andamento. Se, no período pós-guerra, tornou-se embaraçosamente antiquado falar de crise capitalista – mais um outro sinal da postura defensiva do movimento do trabalho já mencionado – isso foi devido não apenas à operação prática bem-sucedida da maquinaria que desloca (por difundir e por retirar a espoleta explosiva) as próprias contradições. Foi também devido à mistificação ideológica (do "fim da ideologia" ao "triunfo do capitalismo" organizado e à "integração da classe trabalhadora" etc.) que apresentou o *mecanismo de deslocamento* sob o disfarce de remédio estrutural e *solução permanente*.

Naturalmente, quando já não é mais possível ocultar as manifestações da crise, a mesma mistificação ideológica que ontem anunciava a solução final de todos os problemas sociais hoje atribui o seu reaparecimento a fatores puramente *tecnológicos*, despejando suas enfadonhas apologias sobre a "segunda revolução industrial", "o colapso do trabalho", a "revolução da informação" e os "descontentamentos culturais da sociedade pós-industrial".

Para apreciar a novidade histórica da crise estrutural do capital, precisamos localizá-la no contexto dos acontecimentos sociais, econômicos e políticos do século XX. Mas antes é necessário fazer algumas observações gerais sobre os critérios de uma crise estrutural, bem como sobre as formas nas quais podemos imaginar sua solução.

Em termos simples e gerais, uma crise estrutural afeta a *totalidade* de um complexo social em todas as relações com suas partes constituintes ou subcomplexos, como também a outros complexos aos quais é articulada. Diferentemente, uma crise não estrutural afeta apenas algumas partes do complexo em questão, e assim, não importa o grau de severidade em relação às partes afetadas, não pode pôr em risco a sobrevivência contínua da estrutura global.

Sendo assim, o deslocamento das contradições só é possível enquanto a crise for parcial, relativa e interiormente manejável pelo sistema, demandando apenas mudanças – mesmo que importantes – *no interior* do próprio sistema relativamente autônomo. Justamente por isso, uma crise estrutural põe em questão a própria existência do complexo global envolvido, postulando sua transcendência e sua substituição por algum complexo alternativo.

O mesmo contraste pode ser expresso em termos dos limites que qualquer complexo social particular venha a ter em sua imediaticidade, em qualquer momento determinado, se comparado àqueles além dos quais não pode concebivelmente ir. Assim, uma crise estrutural não está relacionada aos limites *imediatos* mas aos limites *últimos* de uma estrutura global. Os limites imediatos podem ser ampliados de três modos diferentes:

(a) modificação de algumas partes de um complexo em questão;
(b) mudança geral de todo o sistema ao qual os subcomplexos particulares pertencem; e
(c) alteração significativa da relação do complexo global com outros complexos fora dele.

Por conseguinte, quanto maior a complexidade de uma estrutura fundamental e das relações entre ela e outras com as quais é articulada, mais variadas e flexíveis serão suas possibilidades objetivas de ajuste e suas chances de sobrevivência até mesmo em condições extremamente severas de crise. Em outras palavras, contradições parciais e "disfunções", ainda que severas em si mesmas, podem ser deslocadas e tornadas difusas – dentro dos *limites últimos* ou *estruturais* do sistema – e neutralizadas, assimiladas, anuladas pelas forças ou tendências contrárias, que podem até mesmo ser transformadas em força que ativamente sustenta o sistema em questão. Daí o problema da acomodação reformista. Todavia, tudo isso deveria ser mantido em perspectiva, em contraste com as teorias grotescamente exageradas da "integração da classe trabalhadora" que estavam em voga havia não muito tempo. A integração inegável da liderança da maioria dos partidos e sindicatos da classe trabalhadora não deveria ser confundida com a hipostasiada – mas estruturalmente impossível – integração do trabalho como tal no sistema do capital.

Ao mesmo tempo, deve-se enfatizar que, quando as opções múltiplas de ajuste interno começam a ser esvaziadas, nem mesmo a "maldição da interdependência" (que tende a paralisar as forças de oposição) pode prevenir a desintegração estrutural final. Naturalmente, dado o caráter intrínseco das estruturas envolvidas, é inconcebível pensar em tal desintegração como um ato súbito a ser seguido por uma transformação igualmente veloz. A crise estrutural "rastejante" – que, entretanto, avança implacavelmente – só pode ser entendida como um processo contraditório de *ajustes recíprocos* (uma espécie de "guerra de atrito"), que só pode ser concluído após um longo e doloroso processo de *reestruturação radical* inevitavelmente ligado às suas próprias contradições.

18.2.2

No que se refere ao mundo do capital, as manifestações da crise estrutural podem ser identificadas em suas várias dimensões internas, bem como nas instituições políticas. Como acentuou Marx repetidamente, está na natureza do capital superar as barreiras que encontra:

> A tendência a criar o mercado mundial está presente diretamente no próprio conceito do capital. Todo limite aparece como uma barreira a ser superada. Inicialmente, para subjugar todo momento da produção em si à troca e para suspender a produção de valores de uso direto que não participam da troca... Mas o fato de que o capital define cada um destes limites como uma barreira e, consequentemente, avance idealmente para além dela não significa, de modo algum, que a tenha realmente superado, e, já que toda barreira contradiz seu caráter, sua produção se move em contradições que são constantemente superadas, mas da mesma maneira são constantemente repostas. Além disso, a universalidade que persegue irresistivelmente encontra barreiras em sua própria natureza, que, em certa fase de seu desenvolvimento, permite que ele se reconheça como sendo, ele próprio, a maior barreira a esta tendência, e consequentemente o impulsionará para sua própria suspensão.[10]

No curso do desenvolvimento histórico real, as três dimensões fundamentais do capital – produção, consumo e circulação/distribuição/realização – tendem a se fortalecer e a se ampliar por um longo tempo, provendo também a motivação interna necessária para a sua reprodução dinâmica recíproca em escala cada vez mais ampliada. Desse modo, em primeiro lugar, são superadas com sucesso as limitações *imediatas* de cada uma, graças à interação entre elas. (Por exemplo, a barreira imediata para a produção é positivamente superada pela expansão do consumo e vice-versa.) Assim, os limites parecem verdadeiramente ser meras barreiras a serem transcendidas, e as contradições imediatas não são apenas deslocadas, mas diretamente utilizadas como alavancas para o aumento exponencial no poder aparentemente ilimitado de autopropulsão do capital.

Realmente, não pode haver qualquer crise *estrutural* enquanto este mecanismo vital de autoexpansão (que simultaneamente é o mecanismo para transcender ou deslocar internamente as contradições) continuar funcionando. Pode haver todos os tipos de crises, de duração, frequência e severidade variadas, que afetam diretamente uma das três dimensões e *indiretamente*, até que o obstáculo seja removido, o sistema como um todo, sem, porém, colocar em questão os *limites últimos* da estrutura global. (Por exemplo, a crise de 1929-33 foi essencialmente uma "crise de realização", devido ao nível absurdamente baixo de produção e consumo se comparado ao período pós-guerra.)

Certamente, a crise estrutural não se origina por si só em alguma região misteriosa: reside dentro e emana das três dimensões internas acima mencionadas. Não obstante, as disfunções de cada uma, consideradas separadamente, devem ser distinguidas da crise fundamental do todo, que consiste no *bloqueio sistemático* das partes constituintes vitais.

---

[10] Marx, *Grundrisse*, pp. 408 e 410 (edição alemã: pp. 311 e 313-4).

É importante fazer esta distinção porque, dadas as interconexões objetivas e as determinações recíprocas em circunstâncias específicas, até mesmo um bloqueio temporário de *um* dos canais internos pode emperrar todo o sistema com relativa facilidade, criando desse modo a *aparência* de uma crise estrutural, quando surgem algumas estratégias voluntaristas resultantes da percepção equivocada de um bloqueio temporário como crise estrutural. Neste contexto vale lembrar a avaliação fatalmente otimista de Stalin da crise do final da década de 1920, de consequências devastadoras para as suas políticas tanto no plano interno como no plano internacional.

18.2.3

Outra concepção equivocada a ser abandonada é a de que a crise estrutural se refere a algumas condições *absolutas*. Não é assim. Certamente, todas a três dimensões fundamentais do funcionamento continuado do capital têm os seus limites absolutos que podem ser claramente identificados. (Por exemplo, os limites absolutos da produção podem ser expressos pelos meios e materiais de produção, os quais, por sua vez, podem ser melhor especificados como o colapso total do suprimento de certas matérias-primas fundamentais. Ainda como o colapso igualmente total – não apenas a "subutilização" – da maquinaria produtiva disponível decorrente, por exemplo, do abuso irresponsável e inconsequente dos recursos energéticos.) Mas, apesar de tais considerações não serem certamente irrelevantes, elas sofrem da carência de especificidades sociais (como testemunham muitos argumentos dos ambientalistas), que debilitam desnecessariamente as suas próprias armas críticas ao associá-las às expectativas do dia de um juízo final que *jamais* se materializará necessariamente.

- A crise estrutural do capital que começamos a experimentar nos anos 70 se relaciona, na realidade, a algo muito mais modesto que as tais condições absolutas. Significa simplesmente que a tripla dimensão interna da autoexpansão do capital exibe perturbações cada vez maiores. Ela não apenas tende a romper o processo normal de crescimento mas também pressagia uma falha na sua função vital de deslocar as contradições acumuladas do sistema.

- As dimensões internas e condições inerentes à autoexpansão do capital constituíram desde o início uma unidade *contraditória*, e de modo algum não problemática, na qual uma tinha que ser "subjugada" à outra (como Marx colocou: para "subjugar todo momento da produção em si à troca") de modo a fazer funcionar o complexo global. Ao mesmo tempo, enquanto a reprodução ampliada de cada uma pudesse continuar imperturbada – isto é, enquanto fosse possível cavar buracos cada vez maiores para encher com a terra assim obtida os buracos menores cavados anteriormente –, não só cada uma das dimensões internas contraditórias poderia ser fortalecida separadamente como elas também poderiam funcionar em uma harmonia "contrapontual".

- A situação muda radicalmente, porém, quando os interesses de cada uma deixam de coincidir com os das outras, até mesmo em última análise. A partir deste momento, as perturbações e "disfunções" antagônicas, ao invés de serem absorvidas/dissipadas/desconcentradas e desarmadas, tendem a se tornar *cumulativas* e, portanto, *estruturais*, trazendo com elas um perigoso bloqueio ao complexo mecanismo de *deslocamento das contradições*. Desse modo, aquilo com o que nos confrontamos não é mais simplesmente "disfuncional", mas potencialmente muito explosivo. Isto porque o capital nunca, jamais, *resolveu* sequer a menor de suas contradições.

• Nem poderia fazê-lo, na medida em que, por sua própria natureza e constituição inerente, o capital nelas *prospera* (até certo ponto, com relativa segurança). Seu modo normal de lidar com contradições é intensificá-las, transferi-las para um nível mais elevado, deslocá-las para um plano diferente, suprimi-las quando possível, e quando elas não puderem mais ser suprimidas exportá-las para uma esfera ou um país diferente. É por isso que o crescente bloqueio no deslocamento e na exportação das contradições internas do capital é potencialmente tão perigoso e explosivo.

Desnecessário dizer que esta crise estrutural não está confinada à esfera socioeconômica. Dadas as determinações inevitáveis do "círculo mágico" do capital referidas anteriormente, a profunda crise da "sociedade civil" reverbera ruidosamente em todo o espectro das instituições políticas. Nas condições socioeconômicas crescentemente instáveis, são necessárias novas "garantias políticas", muito mais poderosas, garantias que não podem ser oferecidas pelo Estado capitalista tal como se apresenta hoje. Assim, o desaparecimento ignominioso do Estado do bem-estar social expressa claramente a aceitação do fato de que *a crise estrutural de todas as instituições políticas* já vem fermentando sob a crosta da "política de consenso" há bem mais de duas décadas. O que precisa ser acentuado aqui é que as contradições subjacentes de modo algum se dissipam na crise das instituições *políticas*; ao contrário, afetam toda a sociedade de um modo nunca antes experimentado. Realmente, a crise estrutural do capital se revela como uma verdadeira *crise de dominação* em geral.

Quem acha que isto soa muito dramático deveria olhar à sua volta, em todas as direções. É possível encontrar qualquer esfera de atividade ou qualquer conjunto de relações humanas não afetado pela crise? Cento e quarenta anos atrás, Marx ainda podia falar sobre "a grande influência civilizadora do capital", enfatizando que, por meio dela,

> pela primeira vez, a natureza se torna puramente um objeto para a humanidade, puramente uma questão de utilidade; cessa de ser reconhecida como um poder em si mesma; e a descoberta teórica de suas leis autônomas aparece apenas como um ardil para submetê-la às necessidades humanas, como um objeto de consumo ou como meio de produção. De acordo com esta tendência, o capital ultrapassa as barreiras e os preconceitos nacionais, a adoração da natureza, assim como também todas as satisfações tradicionais, limitadas, complacentes, embutidas, das necessidades presentes e as reproduções dos velhos modos de vida.[11]

E para onde tudo isto conduz? O capital não pode ter outro objetivo que não sua própria autorreprodução, à qual tudo, da natureza a todas as necessidades e aspirações humanas, deve se subordinar absolutamente.

---

[11] Id., ibid., pp. 409-10 (edição alemã, p. 313).

Assim, a influência civilizadora encontra seu fim devastador no momento em que a implacável lógica interna da autorreprodução ampliada do capital encontra seu obstáculo nas necessidades humanas. Em 1981, o orçamento militar nos Estados Unidos chega a 300 bilhões de dólares, (e quem sabe quanto mais além disso, sob vários outros disfarces orçamentários), e isso desafia a compreensão humana. Ao mesmo tempo, os serviços sociais mais elementares são submetidos a duros cortes: uma medida verdadeira do "trabalho civilizador" do capital hoje. Contudo, até mesmo tais somas e cortes estão muito longe de ser suficientes para permitir ao capital seguir imperturbável o seu caminho: uma das provas mais evidentes da crise de dominação.

A devastação sistemática da natureza e a acumulação contínua do poder de destruição – para as quais se destina globalmente uma quantia superior a um trilhão de dólares por ano – indicam o lado material amedrontador da lógica absurda do desenvolvimento do capital. Ao mesmo tempo, ocorre a negação completa das necessidades elementares de incontáveis milhões de famintos: o lado esquecido e que sofre as consequências dos trilhões desperdiçados. O lado humano paralisante deste desenvolvimento é visível não só na obscenidade do "subdesenvolvimento" forçado, mas em todos os lugares, inclusive na maioria dos países de capitalismo avançado.

O sistema existente de dominação está em crise porque sua *raison d'être* e sua justificação históricas desapareceram, e já não podem mais ser reinventadas, por maior que seja a manipulação ou a pura repressão. Desse modo, ao manter milhões de excluídos e famintos, quando os trilhões desperdiçados poderiam alimentá-los mais de *cinquenta vezes*, põe em perspectiva o absurdo desse sistema de dominação.

O mesmo é verdade para tantas outras grandes questões humanas que começaram a mobilizar as pessoas há relativamente pouco tempo. Durante décadas, a literatura sociológica produziu simpáticos contos de fadas sobre o "conflito de gerações" (que, no verdadeiro espírito do "fim da ideologia", tentou transformar os graves sinais das contradições de classe em nobres vicissitudes de gerações atemporais); agora ela tem realmente sobre o que escrever. No entanto, os esquemas pré-fabricados de mistificação psicossociológica não se ajustam ao quadro real. Isso porque o assim chamado conflito de gerações, no momento em que foi apologeticamente circunscrito, já estava solucionado, na medida em que toda "rebelião da juventude" evoluía, no devido tempo, para a maturidade sensata dos pagamentos da hipoteca e da acumulação de uma poupança para a velhice, de modo a garantir uma existência cômoda até a sepultura, e mesmo para além dela, pela reprodução eterna das novas "gerações" do capital. Quaisquer que fossem as dificuldades apresentadas pela "natureza" – e a noção de "geração" supostamente deveria ser simplesmente uma categoria da natureza –, a autotranquilização vinha da ideia de que o capital, graças a Deus, seria, como de costume, a solução.

Porém, a verdade tornou-se o exato oposto, já que o capital não apenas não soluciona como ainda *gera* o conflito real de gerações em escala sempre crescente. Em todo país capitalista importante, nega-se oportunidade do trabalho para milhões de homens, obliterando sem cerimônia a lembrança não tão antiga das diferenças com a "cultura jovem", ao mesmo tempo em que espreme até a última gota de lucro das sobras de tal cultura. Ao mesmo tempo, alguns milhões de pessoas mais velhas são forçadas a se juntar às filas de doações aos necessitados, enquanto muitos milhões a mais estão sob a imensa pressão de uma "aposentadoria precoce", da qual a seção mais dinâmica do capital contemporâneo – o capital financeiro – pode sugar durante algum tempo ainda um pouco mais de lucro. Assim, o grupo etário da "geração útil" está encolhendo para uma faixa entre 25 e 50 anos, opondo-se *objetivamente* às "gerações indesejadas", condenadas pelo capital à inatividade obrigada e à perda da sua humanidade. E, então, já que agora a geração intermediária é comprimida entre "jovens" *e* "velhos" "inúteis" – até que ela própria se torne supérflua quando assim determinar o capital –, até mesmo os planos temporais destas contradições se tornam absolutamente confusos.

Tipicamente, as soluções propostas nem sequer arranham a superfície do problema, sublinhando, novamente, que estamos à frente de uma contradição interna insolúvel do próprio capital. O que está realmente em jogo é o papel do trabalho no universo do capital, uma vez que se tenha alcançado um nível muito alto de produtividade. Para resolver as contradições assim geradas, seria necessária uma importante reviravolta, que afetasse não apenas as próprias condições imediatas de trabalho, mas também todas as facetas da vida social, inclusive as mais íntimas. O capital, ao contrário, pode produzir somente as condições materiais necessárias para o desenvolvimento do indivíduo social autônomo, de modo a negá-las imediatamente. Também as nega materialmente quando ocorrem crises econômicas, bem como política e culturalmente quando é do interesse de sua própria e contínua sobrevivência como estrutura final de dominação.

Considerando que o capital só pode funcionar por meio de contradições, ele tanto cria como destrói a família; produz a geração jovem economicamente independente com sua "cultura jovem" e a arruína; gera as condições de uma velhice potencialmente confortável, com reservas sociais adequadas, para sacrificá-las aos interesses de sua infernal maquinaria de guerra. Seres humanos são, ao mesmo tempo, absolutamente necessários e totalmente supérfluos para o capital. Se não fosse pelo fato de que o capital necessita do trabalho vivo para sua autorreprodução ampliada, o pesadelo do holocausto da bomba de nêutrons certamente se tornaria realidade. Mas, já que tal "solução final" é negada ao capital, somos confrontados com as consequências desumanizadoras das suas contradições e com a crise crescente do sistema de dominação.

É possível que tal desumanização não seja tão óbvia quanto a que se reflete na luta cada vez mais intensa pela liberação das mulheres. Foram irreparavelmente destruídos os fundamentos econômicos da antiga justificação histórica da opressão das mulheres, e o próprio avanço produtivo do capital desempenhou aí um papel central. Mas, novamente, podemos perceber as contradições inerentes. Em um sentido – para seus próprios propósitos – o capital ajuda a liberar as mulheres para melhor poder explorá-las como membros de uma força de trabalho muito mais variada e convenientemente "flexível". Ao mesmo tempo, precisa manter a sua subordinação social em outro plano – para a reprodução sem problemas da força de trabalho e para a perpetuação da estrutura familiar predominante – a fim de salvaguardar sua própria dominação como senhor absoluto do próprio sociometabolismo.

Assim, evidencia-se claramente que os sucessos parciais podem se evaporar de um momento para o outro – as mulheres estão entre os primeiros a serem forçados ao desemprego ou a empregos parciais miseravelmente remunerados –, já que os interesses *globais* do capital predominam sobre os mais limitados. Dado o fato de que a questão real é o sistema existente de dominação e que os sucessos significativos da liberação feminina obrigatoriamente abrem nele profundas brechas, minando sua viabilidade, qualquer coisa que não possa ser mantida estritamente dentro dos limites fixados pela busca de lucro deve ser reprimida. Ao mesmo tempo, o importante envolvimento do capital na destruição de toda justificação econômica da opressão das mulheres torna impossível solucionar este problema por meio de um mecanismo *econômico*. (Na realidade, puramente em termos econômicos, o equilíbrio aponta frequentemente na direção oposta, contribuindo assim para o aguçamento desta contradição.)

Uma vez que a família é o verdadeiro microcosmo da sociedade – cumprindo, além de suas funções imediatas, a necessidade de assegurar a continuidade da propriedade, à qual se acrescenta o seu papel como a unidade básica de distribuição e sua capacidade de agir como a "correia de transmissão" da estrutura de valor predominante na sociedade –, a causa da liberação das mulheres afeta direta ou indiretamente a totalidade das relações sociais em toda a sua fragilidade.

Neste particular, o aparente impasse atual, sob a pressão imediata da crise econômica, é bastante enganador. Isso porque, considerando o fato de uma perspectiva de tempo mais longa, podemos observar uma mudança dramática, na medida em que a família de *três* gerações que tínhamos antes da última guerra se transformou efetivamente agora em uma família de *uma geração*: com todas as suas consequências altamente benéficas para a expansão da economia de consumo.

Mas nem mesmo isso é mais suficiente. Daí as pressões contraditórias por mudanças adicionais – ainda que, na realidade, tenham-se esgotado as possibilidades de tais mudanças enquanto se mantiver a atual estrutura familiar –, assim como pressões igualmente fortes para, no sentido oposto, restabelecer os velhos "valores da família" patriarcal, no interesse da sobrevivência continuada do capital. São a presença e a intensidade simultâneas de forças que pressionam irresistivelmente em direções opostas que fazem da atual crise estrutural do capital uma verdadeira crise de dominação.

18.2.4

Em comparação com tudo isso, a crise de 1929-33 evidentemente foi de um tipo muito diferente. Por mais severa e prolongada que tenha sido, ela afetou um número limitado de dimensões complexas e de mecanismos de autodefesa do capital, conforme o estado relativamente subdesenvolvido das suas potencialidades globais na ocasião. Mas, antes que essas potencialidades pudessem ser desenvolvidas completamente, alguns importantes anacronismos políticos precisaram ser eliminados, o que se percebeu durante a crise com brutal clareza e implicações de longo alcance.

Ao estourar a crise em 1929, o capital havia alcançado as fases finais de sua transição da "totalidade extensiva" para a incansável descoberta e exploração dos territórios escondidos da "totalidade intensiva", como resultado do grande impulso produtivo recebido durante a Primeira Guerra Mundial e durante o período de reconstrução do pós-guerra. Embora os diferentes países tenham sido afetados de formas diferentes (dependendo do grau relativo de desenvolvimento do capital e da sua situação como vencedores ou perdedores), as novas contradições emergiram essencialmente porque os avanços produtivos qualitativos do período já não podiam ser contidos nos limites das relações de poder historicamente antiquadas da "totalidade extensiva" predominante.

Ao final da década de 1870, Marx já havia observado que o capital nos Estados Unidos representava de longe a força mais dinâmica do sistema global: uma verdade que se tornou ainda mais evidente meio século depois, na década de 1920. Mas, apesar do papel vital que o capital americano desempenhou para se vencer a guerra, o *status quo* político da dominação global ainda em vigor (estabelecido muito tempo antes) condenava-o a ser quase um segundo violino do imperialismo britânico: anacronismo que, obviamente, não pôde ser tolerado indefinidamente.

Não surpreendentemente, portanto, o imperativo de um novo início se cristalizou durante a "Grande Crise Mundial". As pressões devastadoras dessa crise aparentemente sem fim tornaram abundantemente claro que o capital dos Estados Unidos tinha que remodelar todo o mundo do capital à sua própria imagem, mais dinâmica, e que não havia outra alternativa, caso se quisesse superar não somente as condições críticas imediatas, mas também a perspectiva de uma depressão crônica. Por isso, sob a intensa retórica do Discurso Inaugural de Roosevelt em 1933, a mensagem realmente significativa foi a perspectiva radicalmente nova do colonialismo *neocapitalista* sob a hegemonia americana. Nele se previram, não apenas as frustrações de Churchill durante a guerra como os acordos de Yalta, mas também, e acima de tudo, previu-se a absorção, para todos os fins e propósitos, dos impérios britânico e francês pelos interesses mais altos da "totalidade intensiva" do capital e a relegação das modalidades historicamente velhas de imperialismo e colonialismo à segunda divisão, o lugar que efetivamente lhes cabia.

A mitologia liberal gosta de se lembrar de Roosevelt como "homem do povo" e defensor incansável do "New Deal". Na verdade, porém, a sua reivindicação de fama histórica duradoura, mesmo que duvidosa, apoia-se no fato de ter sido um representante de visão ampla do dinamismo recém-encontrado do capital, em virtude do seu papel pioneiro de elaborar a estratégia global e de habilmente lançar as fundações práticas do neocolonialismo.

Isto significou um ataque em duas frentes para a construção de uma nova orientação verdadeiramente *global*. Como o imperativo de um novo início havia surgido com base no grande avanço produtivo e na crise criada por sua interrupção, a nova estratégia envolveu, em relação a seus termos de referência domésticos, a exploração plena de todos os territórios ocultos do "colonialismo interno": daí o "New Deal" e o desenvolvimento em bases mais seguras de uma economia de consumo em expansão. Ao mesmo tempo, a necessidade de assegurar e necessariamente proteger a expansão contínua da base econômica doméstica implicou a remoção cruel de todas as "barreiras artificiais" do colonialismo passado (e do capitalismo protecionista subdesenvolvido correspondente).

Esta estratégia neocolonialista de conquistar a "totalidade intensiva" representava também uma concepção verdadeiramente *global* ao tentar acertar as contas com a União Soviética, não só em seu próprio interesse, mas para estar em melhor posição para controlar os movimentos anticoloniais que emergiam.

Naturalmente, esperava-se que tudo isso tivesse sucesso sob a inquestionável hegemonia do capital dos Estados Unidos, que mais tarde propagandearia, com típica vulgaridade, sua arrogante autoconfiança ao insistir que o século XX era "o século americano". E, claro, devido ao dinamismo inerente à forma historicamente mais avançada de capital, a "nova ordem mundial" (e sua "nova ordem econômica") supostamente deveria surgir e permanecer conosco para sempre pela ação de forças e determinações puramente *econômicas*: assim afirmava a retórica, desde o primeiro Discurso Inaugural de Roosevelt até o "fim da ideologia".

Contudo, os fatos se expressaram de modo totalmente diferente, na medida em que puseram amargamente em relevo uma das maiores ironias da história, qual seja: embora houvesse um dinamismo econômico incomparável e um novo avanço produtivo de proporções potencialmente enormes nas raízes da estratégia rooseveltiana original, sua implementação real – longe de se satisfazer com mecanismos *econômicos*, tal como ocorre ainda hoje com o persistente mito da "modernização" – exigiu, para sua "decolagem", a guerra mais devastadora conhecida pelos homens, a Segunda Guerra Mundial, para não mencionar o aparecimento e a dominação do "complexo industrial-militar" em seu "percurso até a maturidade".

Se o capital americano teve muito mais que a simples iniciativa de todos estes desenvolvimentos – que ele na verdade dominou completamente do início ao fim, assegurando para si uma posição de vantagem esmagadora pela qual pôde contabilizar enormes défcts orçamentários pagos pelo resto do mundo –, eles afetaram e beneficiaram o "capital social total" (constituído como uma entidade global) em seu impulso para a autoexpansão e a dominação.

Com certeza, vários componentes nacionais da totalidade do capital sofreram derrotas imediatas humilhantes, mas só para se levantarem mais fortes das cinzas da desintegração temporária. Neste particular, os "milagres" alemão e japonês falam por si mesmos. Em outros casos, principalmente o do capital britânico, o impacto foi muito mais complicado, por uma variedade de razões, que se referem principalmente à luta de retaguarda contra a dissolução do Império britânico. Mas, mesmo nesses casos, não resta dúvida de que, ao final, um grau não desprezível de reestruturação dinâmica ocorreu sob o desafio americano.

Os resultados globais destas transformações foram uma significativa *racionalização do capital global* e o estabelecimento de uma estrutura de relações financeiras e econômicas com o Estado que foi, em geral, muito mais adequada ao deslocamento de muitas contradições do que a estrutura anteriormente existente.

18.2.5

Assim, a crise de 1929-33 não foi de modo algum uma crise estrutural do capital como formação global. Pelo contrário, forneceu estímulo e pressão necessários para o realinhamento de suas várias forças constituintes, conforme as relações de poder objetivamente alteradas, muito contribuindo, desse modo, para o desenvolvimento das tremendas potencialidades do capital inerentes à sua "totalidade intensiva".

Externamente isto significou:
(1) uma mudança dramática do imperialismo multicentrado, ultrapassado, militar e político perdulariamente intervencionista para um sistema de dominação global que, sob a hegemonia norte-americana, se torna muito mais dinâmico e economicamente muito mais viável e integrado;
(2) o estabelecimento do Sistema Monetário Internacional e de vários outros órgãos importantes de regulamentação das relações intercapitais incomparavelmente mais racionais do que havia à disposição da estrutura multicentrada;
(3) a exportação de capital em grande escala (e com ela a perpetuação mais efetiva da dependência e do "subdesenvolvimento" imposto) e o repatriamento seguro, em escala astronômica, de taxas de lucro totalmente inimagináveis nos países de origem; e
(4) a incorporação relativa, em graus variados, das economias de todas as sociedades pós-capitalistas na estrutura de intercâmbios capitalistas.

Por outro lado, *interiormente*, a história de sucesso do capital poderia ser descrita em termos de:
(1) uso de várias modalidades de intervenção estatal para a expansão do capital privado;
(2) transferência de indústrias privadas falidas, mas essenciais, para o setor público, e a sua utilização para novamente apoiar, através dos fundos estatais, as operações do capital privado, para serem novamente transformadas em monopólios ou quase monopólios privados depois de se terem tornado mais uma vez altamente lucrativas pela injeção de fundos volumosos financiados pela tributação geral;
(3) desenvolvimento e operação bem-sucedidos de uma economia de "pleno emprego" durante a guerra e por um período considerável depois dela;
(4) larga abertura de novos mercados e ramos de produção no plano da "economia de consumo" fortemente distendida, junto com o sucesso do capital em gerar e sustentar padrões extremamente perdulários de consumo, força motivadora vital de tal economia; e
(5) para coroar tudo isso, tanto no porte de seu peso econômico como na sua significação política, estabelecimento de um imenso "complexo industrial/militar" como controlador e beneficiário direto da fração mais importante da intervenção estatal: com isso, simultaneamente, o isolamento de bem mais de um terço da economia das desconfortáveis flutuações e incertezas do mercado.

Apesar de o valor intrínseco de todas estas realizações ser extremamente problemático (para dizer o mínimo), não pode haver dúvida quanto ao significado da autoexpansão dinâmica do capital e sua contínua sobrevivência. Precisamente por causa da sua importância central nos desenvolvimentos capitalistas do século XX, a severidade da crise estrutural de hoje é fortemente realçada pelo fato de várias das características mencionadas acima já não serem mais verdades, e de as tendências subjacentes apontarem na direção de sua completa reversão: a tendência a um novo policentrismo (pense-se no Japão e na Alemanha, por exemplo), com consequências potencialmente incalculáveis, a um persistente desemprego de massa (e suas implicações óbvias para a economia de consumo) e à desintegração ameaçadora do sistema monetário internacional e seus corolários. Seria tolice considerar permanentes as posições poderosamente fortificadas do complexo industrial-militar e sua capacidade de extrair e alocar para si mesmo, imperturbado, o excedente necessário para seu funcionamento contínuo na escala atual, ainda astronômica.

Algumas pessoas argumentam que, assim como conseguiu resolver seus problemas no passado, o capital o fará indefinidamente também no futuro. Poderiam acrescentar que, se a crise de 1929-33 impôs ao capital mudanças dramáticas, que vimos testemunhando desde então, a crise estrutural atual deverá produzir remédios duradouros e soluções permanentes. O problema deste raciocínio é que ele não conta com absolutamente nada para respaldar o *sonho inviável* de perseguir a "linha de menor resistência" quando isso não mais é possível.

Embora seja vazio e perigoso argumentar a partir de meras analogias com o passado, torna-se autocontraditório fazê-lo quando o assunto em questão é precisamente a crise estrutural e o colapso de alguns mecanismos e determinações até agora vitais, que se manifestam sob a forma da própria crise de controle e dominação estabelecida. Podem-se especificar as condições para uma solução da crise atual, como veremos mais adiante. Portanto, a menos que se possa demonstrar que as tendências contemporâneas de desenvolvimento do capital podem realmente satisfazer a estas condições, toda conversa sobre sua capacidade intrínseca de sempre resolver seus problemas será apenas um "assobiar no escuro" para afugentar o medo.

Outra linha de argumentação insiste que o capital tem à sua disposição uma imensa força repressiva que pode usar livremente, tanto quanto quiser, na resolução de seus crescentes problemas. Embora haja certas restrições – algumas até importantes – ao uso real, e potencial, de força bruta pelo capital, é inquestionável que a capacidade de destruição e repressão acumuladas é assustadora, e continua a se multiplicar. Mesmo assim, mantém-se a verdade de que nada se resolve, nem jamais foi resolvido, apenas pela força. Lendas em contrário – relativas ao nazismo e ao stalinismo, por exemplo – são frequentemente usadas para justificar a cumplicidade mais ou menos ativa de setores importantes da população supostamente impotentes.

Além disso, há uma consideração ainda mais importante que se refere às características inerentes ao próprio capital. O capital é uma força extremamente eficiente para mobilizar os complexos recursos produtivos de uma sociedade muito fragmentada. Não importa ao capital em quantas partes: seu grande recurso é precisamente a capacidade de lidar com a fragmentação. Porém, o capital definitivamente não é um sistema de *emergência* unificadora, nem poderia sê-lo a longo prazo, devido à sua própria constituição interna. Não é de modo algum acidental que formações estatais como as fascistas só sejam viáveis hoje na periferia do sistema do capital global, subordinadas a algum centro "metropolitano" liberal-democrático e dele dependentes.

Assim, por maior que seja o sucesso temporário das tentativas autoritárias de "punho de ferro" em atrasar ou adiar o "momento da verdade" – e as chances de tais sucessos no curto prazo não devem ser subestimadas –, num prazo mais longo elas podem somente agravar a crise. Os problemas estruturais descritos acima equivalem a um importante entrave no sistema global de produção e distribuição. Dada a sua condição de entrave, exigem remédios estruturais adequados, e não a sua multiplicação pelo adiamento e pela repressão forçados. Em outras palavras, estes problemas requerem uma intervenção positiva no próprio processo produtivo problemático para enfrentar suas contradições perigosamente crescentes, para removê-los à medida que o permita o ritmo da reestruturação real. Contra isto, é absurdo sugerir a possibilidade de o capital recorrer, enquanto isto ainda é possível, à dominação por meio de um estado de *emergência* completamente instável, portanto necessariamente *efêmero* como condição *permanente* de sua *normalidade* futura.

18.2.6
As condições para administrar a crise estrutural do capital estão diretamente articuladas a algumas importantes contradições que afetam tanto os problemas internos dos vários sistemas envolvidos como as relações entre eles. Resumidamente, tais problemas seriam:

(1) As contradições socioeconômicas internas do capital "avançado" que se manifestam no desenvolvimento cada vez mais desequilibrado sob o controle direto ou indireto do "complexo industrial-militar" e do sistema de corporações transnacionais;

(2) As contradições sociais, econômicas e políticas das sociedades pós-capitalistas, tanto isoladamente como em sua relação com as demais, que conduzem à sua desintegração e, desse modo, à intensificação da crise estrutural do sistema global do capital;

(3) As rivalidades, tensões e contradições crescentes entre os países capitalistas mais importantes, tanto no *interior* dos vários sistemas regionais como *entre* eles, colocando enorme tensão na estrutura institucional estabelecida (da Comunidade Europeia ao Sistema Monetário Internacional) e fazendo prever o espectro de uma devastadora guerra comercial;

(4) As dificuldades crescentes para manter o sistema neocolonial de dominação (do Irã à África, do Sudeste Asiático à Ásia Oriental, da América Central à do Sul), ao lado das contradições geradas dentro dos países "metropolitanos" pelas unidades de produção estabelecidas e administradas por capitais "expatriados".

Como podemos ver, em todas as quatro categorias – cada uma das quais corresponde a uma multiplicidade de contradições – a tendência é para a intensificação, e não para a diminuição, dos antagonismos existentes. Além disso, a severidade da crise é acentuada pelo efetivo confinamento da intervenção à esfera dos *efeitos*, tornando proibitivo atacar as suas *causas*, graças à "circularidade" do capital, mencionada acima, entre Estado político e sociedade civil, por meio da qual as relações de poder estabelecidas tendem a se reproduzir em todas as suas transformações superficiais.

Dois exemplos importantes ilustram conclusivamente este fato. O primeiro se refere ao complexo industrial-militar, o segundo à crônica insolubilidade dos problemas do "subdesenvolvimento".

Há muita esperança de criação de recursos para uma expansão econômica positiva e viável por meio da realocação de uma parte importante da despesa militar para medidas e propósitos sociais há muito imprescindíveis. Porém, a frustração permanente dessas esperanças resulta tanto do imenso peso econômico e do evidente poder estatal do complexo industrial-militar como do fato de que este complexo é antes manifestação e efeito do que causa das profundas contradições estruturais do capital "avançado". Naturalmente, uma vez que exista, continua *também* a funcionar como uma causa contribuinte – tanto maior quanto maior seu poder econômico e político –, mas não como a causa que as produz. Do ponto de vista do capital contemporâneo, se o complexo industrial-militar não existisse, teria que ser inventado. (Como mencionado antes, de certo modo o capital simplesmente "tropeçou" nesta solução durante a guerra, depois da tentativa um tanto ingênua de Roosevelt de *reculer pour mieux sauter* da plataforma do *New Deal*, que de fato resultou num avanço muito pequeno em meio a uma depressão que não se abateu.)

O complexo industrial-militar cumpre com grande eficiência duas funções vitais, deslocando temporariamente duas poderosas contradições do capital "superdesenvolvido".

A primeira, mencionada há pouco, é a transferência de uma porção significativa da economia das incontroláveis e traiçoeiras forças do mercado para as águas seguras do altamente lucrativo financiamento estatal. Ao mesmo tempo mantém intacta a mitologia da empresa privada economicamente superior e *eficiente nos custos*, graças à absolvição *a priori* da *perdularidade total* e da *falência estrutural* pela ideologia de fervor patriótico.

A segunda função não é menos importante: deslocar as contradições devidas à *taxa decrescente de utilização*[12] que se evidenciaram dramaticamente durante as últimas décadas de desenvolvimento nos países de capitalismo avançado.

É por isso que, enquanto não se encontrar uma alternativa estrutural para lidar com os fundamentos causais das contradições aqui mencionadas e que foram deslocadas com sucesso, a esperança de uma simples realocação dos recursos prodigiosos, agora investidos no complexo industrial-militar, fatalmente será anulada pelas determinações causais prevalecentes.

O mesmo é verdade para os problemas insolúveis do "subdesenvolvimento" forçado. Naturalmente, seria adequado que o "capital esclarecido" – uma verdadeira contradição em termos – estendesse a sua esfera de operação a todos os poros da sociedade "subdesenvolvida", ativando plenamente seus recursos materiais e humanos

---

[12] Estes problemas foram discutidos nos capítulos 15 e 16. O fato de o fim da Guerra Fria não ter permitido a distribuição dos "dividendos da paz", deixando o complexo industrial-militar em posição dominante nos países líderes capitalistas, acentua a importância destas arraigadas conexões econômicas.

no interesse de sua autoexpansão renovada. Daí os esforços das *Comissões Brandt* e de iniciativas semelhantes que conseguem expressar um grande número de verdades parciais enquanto deixam de perceber a verdade global: o mundo "subdesenvolvido" *já* está completamente integrado ao mundo do capital, e cumpre nele várias funções vitais. Assim, podemos novamente ver uma tentativa de aliviar os *efeitos* do modo dominante de integração deixando intactas as suas *determinações causais*.

Tais propostas irreais ignoram sistematicamente que é absolutamente impossível manter os pés nas duas canoas: manter a existência do sistema de produção absurdamente ampliado e "superdesenvolvido" do capital "avançado" (o qual depende necessariamente da continuação da dominação de um "vasto território" de subdesenvolvimento forçado) e, ao mesmo tempo, impelir o "Terceiro Mundo" a um alto nível de desenvolvimento capitalista (que apenas poderia reproduzir as contradições do capital ocidental "avançado", multiplicadas pelo imenso tamanho da população envolvida).

Os atuais gerentes do capital conhecem muito mais do que de fato aparentam – tal como o fizeram os próprios Edward Heath e Willie Brandt, quando ainda chefiavam os seus respectivos governos – e desconsideram esses relatórios com o "realismo" cínico que corresponde diretamente à agressiva reafirmação dos interesses norte-americanos dominantes:

> O secretário de Estado dos Estados Unidos disse hoje não ser realista falar de uma grande transferência de recursos dos países desenvolvidos para os países em desenvolvimento. A ênfase de Mr. Haig era utilizar as forças convencionais de mercado [sic!] para aliviar o sofrimento dos países mais pobres. Deveria haver "um sistema comercial mais aberto com regras melhoradas". A ajuda estrangeira deveria ser associada a "uma política nacional e um esforço próprio sensatos". Na visão dos Estados Unidos isto significa confiar em incentivos econômicos e na liberdade individual. "A supressão de incentivos econômicos acaba por suprimir o entusiasmo e a criatividade... Os governos que mais favoreceram as liberdades de seus povos também tiveram mais êxito em assegurar tanto a liberdade como a prosperidade".[13]

É realmente uma suprema ironia ouvir um representante paradigmático do complexo industrial-militar repressor cantar as virtudes infinitas das "forças de mercado convencionais" e da "liberdade individual". Infelizmente, porém, esta é também a indicação de que não há esperanças de melhorias na esfera dos efeitos, enquanto se permitir que os determinantes causais do mundo real do capital sigam o seu curso estabelecido, o qual reproduz *estruturalmente* os mesmos efeitos com gravidade cada vez maior e em escala sempre crescente.

Se a condição para solucionar a crise estrutural estiver associada à solução dos quatro conjuntos de contradições mencionadas acima, do ponto de vista da contínua expansão global e da dominação do capital, a perspectiva de um resultado positivo está longe de ser promissora. Pois é muito remota a possibilidade de sucesso até mesmo dos objetivos relativamente limitados, para não mencionar a solução duradoura das contradições de todas as quatro categorias em conjunto. O mais provável é, ao contrário, continuarmos afundando cada vez mais na crise estrutural, mesmo que ocorram alguns sucessos conjunturais, como aqueles resultantes de uma relativa "reversão positiva", no devido tempo, de determinantes meramente *cíclicos* da crise atual do capital.

---

[13] *The Times*, 22 de setembro de 1981.

18.3 A pluralidade de capitais e o significado do pluralismo socialista

18.3.1

Refletindo sobre os debates do Programa de Gotha, Engels fez sarcasticamente um comentário sobre o que considerou a influência deplorável de Wilhelm Liebknecht, o autor principal do Programa: "Da democracia burguesa ele trouxe e manteve uma verdadeira *mania de unificação*"[14]. Dezesseis anos antes, quando do planejado Congresso da Unidade, Marx fez uma observação semelhante sobre a questão da unificação, entretanto sem referências pessoais. Ele reconheceu que "o mero fato da unificação traz satisfação aos trabalhadores", mas na mesma sentença sublinhou que "é um engano acreditar que este sucesso momentâneo não será comprado a um preço muito alto"[15].

É importante lembrar esta atitude cética para com a "unidade" e a "unificação" para pôr em perspectiva a recente defesa do pluralismo. Seria absolutamente incorreto tratar deste problema como algo resultante de considerações puramente táticas ou dos limites práticos de uma relação desfavorável de forças que já não mais permite a adoção de políticas socialistas consistentes mas segue, ao contrário, uma estratégia de complicados compromissos.

Outra dimensão desta problemática é que por muitos anos o movimento da classe trabalhadora esteve sujeito a pressões de inspiração stalinista que tentaram impor a "unidade" para, no interesse do "Partido Líder", suprimir automaticamente a crítica. Aqueles que se autodesignavam porta-vozes de tal "unidade" nunca se deram ao trabalho de definir os objetivos socialistas tangíveis do *Gleichschaltung* (isto é, forçar em um molde) organizacional que defendiam, nem de avaliar as condições objetivas para formular estratégias socialistas coordenadas, junto com as imensas dificuldades para a sua realização.

Há algumas razões muito fortes para que Marx e Engels considerassem "unidade" e "unificação" conceitos bastante problemáticos: as divisões e contradições objetivas existentes nos vários componentes do movimento socialista. Devido às suas complexas ramificações internas e internacionais, tais divisões e contradições simplesmente não poderiam ser removidas por desejo nem por decreto; menos ainda do que o sonho da Convenção Francesa do século XVIII de abolir o pauperismo. Não foi necessário esperar pela erupção do conflito sino-soviético e pela guerra entre a China e o Vietnã para perceber que a simples proposta ou enunciado da "unidade das forças socialistas" não traz contribuição alguma para remover os seus problemas, desigualdades e antagonismos. A tarefa de desenvolver uma força suficientemente grande para desafiar com sucesso a força do capital em seu próprio terreno implicou, desde o início, a necessidade de construir sobre as fundações dadas, que mostram grande diversidade e conflito de interesses, determinados pela divisão social do trabalho herdada e pelas taxas diferenciais de exploração há muito tempo dominantes.

---

[14] Engels, Carta a A. Bebel, 1º.–2 de maio de 1891.
[15] Marx, Carta a Wilheim Bracke, 5 de maio de 1875.

Já que o problema era como constituir uma consciência de *massa* socialista com base nas fundações disponíveis, engajando-se simultaneamente nos confrontos inevitáveis para a realização das finalidades e objetivos *limitados*, tornou-se essencial encontrar uma maneira de preservar a integridade das perspectivas *últimas* sem perder contato com as demandas, determinações e potencialidades *imediatas* das condições historicamente determinadas. Para Bakunin e outros anarquistas, este problema não existia (assim como não preocupou a todas as espécies de voluntarismo subsequentes), já que eles não estavam interessados na produção de uma consciência de massa socialista. Eles simplesmente admitiam a convergência espontânea da "consciência instintiva das massas populares" com as suas próprias visões e estratégias.

Marx, em contraste, concebeu a questão organizacional como:
(1) permanecer fiel aos *princípios* socialistas, e
(2) desenhar *programas de ação* viáveis e flexíveis para as várias forças que compartilham os amplos objetivos comuns da luta.

Foi assim que ele resumiu na última carta citada a sua visão do Congresso da Unidade:

Os líderes lassalleanos vieram porque as circunstâncias os forçaram a vir. Se lhes tivessem dito com antecedência que não haveria *nenhuma barganha sobre princípios*, eles teriam que se contentar com um *programa de ação* ou um plano de organização para a ação comum. Em vez disso, alguém lhes permite chegar armados com mandatos, reconhece estes mandatos como válidos, e assim *se rende* incondicionalmente àqueles que precisam de ajuda.

Independente das circunstâncias específicas do Congresso de Gotha, o "alto preço" mencionado por Marx estava relacionado às concessões em torno de *princípios* com vistas a uma unidade ilusória, e não à possível e necessária *ação comum*.

Assim como naqueles dias, mais uma vez este é um assunto de suprema importância. Pois hoje – talvez mais que nunca, em vista das experiências amargas do passado recente, e do não tão recente – não é mais possível conceber as formas imprescindíveis de *ação comum* sem uma articulação estratégica consciente de um *pluralismo socialista* que não só reconhece as diferenças existentes, mas também a necessidade de uma adequada "divisão do trabalho" na estrutura geral de uma ofensiva socialista. Em oposição à falsa identificação da "unidade" como o único meio de patrocinar *princípios* socialistas (enquanto, na realidade, a perseguição irreal e a imposição de unidade trouxeram com elas as necessárias *concessões sobre princípios*), permanece válida a regra de Marx: não pode haver *barganha sobre princípios*.

Mas o anverso desta regra é igualmente válido, qual seja: a condição elementar para se realizar os princípios de uma transformação socialista (que, afinal de contas, envolve a totalidade dos "produtores associados" no empreendimento comum de mudar "de alto a baixo as condições da sua existência industrial e política e, por conseguinte, toda a sua maneira de ser") é a produção de uma *consciência de massa* socialista na única forma possível de *ação comum* que se autodesenvolve. E a última, claro, só pode resultar dos componentes verdadeiramente *autônomos* e *coordenados* (não hierarquicamente comandados e manipulados) de um movimento *inerentemente pluralista*.

Por muito tempo, no movimento socialista foi comum *subestimar* a capacidade da burguesia de alcançar unidade. Ao mesmo tempo, havia uma tendência correspondente para *superestimar* as possibilidades e a importância imediata da unidade da classe trabalhadora. Além disso, as mesmas concepções que avaliavam tão equivocadamente a unidade tinham também uma tendência para ver na conquista do poder a *solução* dos problemas que confrontam a revolução socialista, e não o *verdadeiro início* deles.

Naturalmente, se a revolução socialista é vista como de caráter primordialmente *político* – em lugar de uma revolução *social* multidimensional, e portanto necessariamente "permanente", como Marx a definiu –, a produção e a preservação da unidade superam tudo em importância. Porém, quando se reconhece que a conquista do poder é somente o *ponto de partida* para revelar as reais dificuldades e contradições desta transformação "de alto a baixo, de toda maneira de ser" dos produtores associados – dificuldades e contradições muitas das quais não podem sequer ser imaginadas antes de ser encontradas de fato no curso da própria transformação em andamento –, então a necessidade de estratégias genuinamente pluralistas se afirma como uma questão tanto de urgência imediata como de importância contínua.

Apesar de ser uma verdade abstrata que a unidade da classe dominante "só possa se revelar *vis-à-vis* ao proletariado"[16], ela também é bastante enganadora, pois, como no capitalismo tudo é subordinado à contradição fundamental entre capital e trabalho, a unidade burguesa inevitavelmente cumpre a função de fortalecer um lado desse antagonismo. Entretanto, a dificuldade está no fato de que o mesmo é verdade para o outro lado; e ainda mais verdadeiro, como veremos em um momento. Consequentemente, a verdade abstrata esconde uma distorção de grande importância, resultante de uma doce ilusão. Em outras palavras, nega ou ignora que há um fundamento devastadoramente *real* para a unidade da classe dominante: seu domínio *real* e o poder *tangível* (tanto material e econômico, como político e militar) que o acompanha.

Em contraste, a unidade proletária é um problema, uma tarefa, um desafio, até mesmo um imperativo em determinadas situações de emergência, mas não uma condição real espontânea da situação dada. Pode vir a ser por um período mais ou menos limitado e por um propósito determinado, mas nunca pode ser aceita, nem mesmo como uma condição não problemática que persiste depois de sua realização com sucesso em uma situação sócio-histórica específica. Pelo contrário, ela precisa ser constantemente *recriada* nas circunstâncias variáveis durante o todo tempo que os fundamentos objetivos da desigualdade (devido à divisão social hierárquica de trabalho herdada e a taxa diferencial de exploração mencionadas antes) permanecerem conosco em qualquer forma que seja, como fatalmente hão de permanecer por um período histórico de transição muito mais longo do que se poderia desejar.

18.3.2

A "mania burguesa da unidade" mencionada por Engels tem sólida fundação na ordem econômica dominante da sociedade e em seu fiador institucional, o Estado capitalista. As manipulações capitalistas da unidade formal (que, por vezes aparecem mascaradas de "consenso geral") significam nada mais que o selo de aprovação a um estado de coisas *de facto* já em vigor, oferecendo-lhe assim sua "legitimação" *a posteriori*.

---

[16] Lukács, "Tactics and Ethics" (1919), *Political Writings*, 1919-1929, Londres, NLB, 1972, p. 31.

O fato de uma classe estar no poder efetivo – não só político, graças à instrumentalidade repressiva do Estado, mas no sentido *positivo* de regular o próprio sociometabolismo fundamental – garante a ela uma poderosa base objetiva de autoidentidade unificadora muito antes de surgir uma aguda confrontação política com a classe adversária. E mesmo onde ocorram divisões internas na "sociedade civil" burguesa, devido à tendência objetiva irreprimível de concentração e centralização do capital, o lado vencedor é sempre o "unitário" – isto é, o grande capital. Seu poder certamente se multiplica, à medida que se acelera o ritmo de avanço em direção ao monopólio, e cria partes grotescamente desiguais em "competição" interna, competição idealizada no passado, mas agora cada vez mais flagrantemente predeterminada e automaticamente decidida. Daí o crescente *falso pluralismo* da ordem social do capital em todas as suas mutações contemporâneas.

Uma das mistificações político-ideológicas mais poderosas do capital é, na realidade, sua simulação de "pluralismo" por meio do qual tem sucesso em definir sem apelação os marcos de toda oposição admissível à sua própria dominação. Se na fase liberal-democrática do desenvolvimento capitalista a demanda por pluralismo ainda significava alguma coisa (mesmo que não muito mais que as possibilidades inerentes à "liberdade negativa" de John Stuart Mill), desde o começo da fase *monopolista* a margem para alternativas reais tem se tornado cada vez mais estreita, até o ponto de seu quase completo desaparecimento em tempos recentes. Se o pesadelo monetarista hoje encontra sua crua e inarticulada articulação na N.H.A. ("não há alternativa", como os Chefes de Estado insistem em repetir, como um disco riscado, a mensagem cínica da liberdade real do capital), isto pode apenas sublinhar a gravidade da crise estrutural. Além disso, também acentua as dificuldades de manter o disfarce da *tirania absoluta* do determinismo econômico do capital como "o bem maior para o maior número" e a apoteose das "forças do mercado tradicional e da liberdade individual".

Na verdade, desde o princípio o "pluralismo" foi um conceito extremamente problemático para o capital. Não só – nem mesmo primariamente – por causa de sua *tendência* para o monopólio, mas em razão da *pressuposição absoluta* do monopólio já no seu *início*, isto é, o monopólio da propriedade privada por poucos e a exclusão *a priori* da vasta maioria como pré-requisito prévio necessário do controle social pelo capital. (Vale a pena mencionar aqui que o monopólio estatal dos meios de produção retém esta pressuposição vital do sistema do capital e assim perpetua a dominação do capital em uma forma diferente.) Todas as regras subsequentes do jogo "pluralista" do capital foram decretadas com base neste fundamento monopolista absoluto: em seu próprio interesse, e a ser quebrado no interesse da continuidade de sua dominação, sempre que as circunstâncias assim o exigirem.

Admitiu-se desde o princípio como verdade autoevidente que "não pode haver alternativa" ao monopólio dos meios de produção, nem à livre dominação do avassalador determinismo econômico do capital. Se alguém – os seguidores de Marx, por exemplo – ousasse questionar as manifestações e implicações destrutivas de tal determinismo econômico, deveria ser condenado como perigoso "determinista econômico" do ponto de vista da liberdade unidimensional e unidirecional do capital. O significado do "pluralismo" do capital nunca foi mais que o simples reconhecimento da *pluralidade de capitais,* junto com a insistência simultânea no direito absoluto do capital total ao *monopólio*, tanto *tendencialmente* como *de fato*.

Assim, não só é impossível haver afinidade entre pluralismo socialista e pseudopluralismo capitalista (que não oferece e não pode oferecer uma margem maior de ação alternativa do que a determinada pelo egoísmo estreito de uma pluralidade de capitais em competição, e até mesmo isto só enquanto sua competição limitada permanecer viável); eles são, na realidade, diametralmente opostos um ao outro.

No plano político, o significado do pluralismo do capital é visível no ritual ridículo da "competição" pelo poder entre os democratas e os republicanos nos Estados Unidos, da mesma maneira que na manipulação bem-sucedida do poder político, em nome do capital, por um partido desprezível da Itália, os democratas cristãos, por bem mais de quatro décadas e meia sem interrupção. (É óbvio até mesmo a seus críticos capitalistas que a dominação do capital japonês esteja efetivamente associada a um curioso sistema de partido único, que habilmente explora as lealdades tradicionais de uma sociedade paternalista.) E nos casos um pouco mais complicados de Inglaterra e Alemanha (onde a social-democracia apregoa abertamente sua capacidade de melhor administrar uma "moderna" "economia mista" capitalista do que a alternativa conservadora, iludindo-se ao legitimar com tal nobre fundamento a reivindicação de ser "o partido natural de governo"), só a forma da mistificação "pluralista" é diferente, não sua substância. É por isso que o conservador Edward Heath e o social-democrata Willy Brandt fizeram, quando seus respectivos partidos estavam no governo, uma crítica dócil ao sistema. E é por isto que o sucessor de Willy Brandt, Helmut Schmidt, só conseguiu ver (e denunciar) como "desestabilização política" a simples possibilidade de um desafio socialista à dominação do capital.

Em todos estes casos, "pluralismo" significa *uma sistemática* privação política dos direitos civis do trabalho em sua confrontação com o capital, na forma mais adequada às circunstâncias locais. O "pluralismo" de governos que se alternam (quantos deles na Itália pós-guerra sem a menor mudança?) oferece o *álibi permanente* para rejeitar categoricamente qualquer mudança real e para impor cinicamente o imperativo segundo o qual "não pode haver alternativa" ao devastador determinismo econômico do capital. Além disso, as instituições do pseudopluralismo do capital não só fornecem as garantias políticas imediatas da continuidade de sua dominação. Elas também agem como escudo mistificador que automaticamente desvia toda a crítica de seu alvo real (qual seja, o círculo vicioso da autoexpansão destrutiva do capital ao qual tudo deve ser incontestavelmente subordinado) para a irrelevância personalizada de seus administradores que, de boa vontade, se esmeram em superar um ao outro na melhor lubrificação do mecanismo do sistema.

Assim, a possibilidade de mudança "consensual" é convenientemente banida para uma margem de ação fixada *a priori* pela premissa de que "não há alternativa" às exigências da autoexpansão do capital (mesmo a mais destrutiva), impondo desse modo com sucesso os ditames do tipo mais estreito de determinismo econômico como realização última da liberdade. Sempre que os governos são chutados por eleitores "soberanos" amargamente desiludidos pela "quebra de suas promessas", o alvo diversionário da oposição política consensual assegura que nunca sejam mencionadas a enorme responsabilidade e a duvidosa viabilidade da ordem socioeconômica a que eles servem e em nome da qual fazem e quebram tais promessas. Assim, enquanto governos "pluralistas" vêm e passam com frequência mistificadora, a dominação do capital permanece absolutamente intacta.

18.3.3
Em completo contraste, a condição elementar para o sucesso do projeto socialista é o pluralismo inerente a ele, e que parte do reconhecimento das diferenças e desigualdades existentes; não para preservá-las (que é uma necessidade de toda "unidade" fictícia e arbitrariamente imposta), mas para superá-las da única forma viável: assegurando o envolvimento ativo de todos os interessados.

Desnecessário dizer que este envolvimento é impossível sem a elaboração de estratégias e "mediações" específicas, que emergem das determinações particulares das necessidades e circunstâncias mutáveis, o que representa o maior desafio à teoria marxista contemporânea. A única e exclusiva perspectiva ampla que pode servir de estrutura de referência comum para a grande variedade de forças socialistas politicamente mais ou menos organizadas e conscientes é a *rejeição* do *slogan* onipresente de que "não há alternativa". E nem mesmo isto pode ser admitido como um dado não problemático. Não só por ser uma *negatividade* que necessita de sua articulação positiva para se tornar viável como estratégia mobilizadora, mas também por ser, em primeira instância, equivalente a nada mais que a mera afirmação de que "*deveria haver* uma alternativa". Ainda assim, a rejeição deste *slogan* continua a ser o ponto de partida necessário, pois aqueles que aceitam a sabedoria do "não há alternativa" – em nome do "triunfo do capitalismo organizado", ou da "integração da classe trabalhadora", ou ainda de qualquer outra coisa – dificilmente poderiam alegar *que* oferecem a perspectiva de uma transformação socialista, mesmo que às vezes, curiosamente, continuem a afirmá-lo.

Assim como o capital é estruturalmente incapaz de pluralismo (com a exceção de uma espécie muito limitada, que também tem se tornado cada vez mais restrita com o avanço da concentração e da centralização necessárias do capital), o empreendimento socialista é *estruturalmente irrealizável* sem uma articulação plena com os múltiplos projetos autônomos ("autoadministrados"), e, por isso, irrepreensivelmente pluralistas da *revolução social* em andamento.

O amplo princípio geral que rejeita o determinismo econômico do capital oferece não mais que um ponto de partida necessário em relação ao qual todos os grupos particulares (refletindo inevitavelmente uma multiplicidade de interesses e divisões determinados) têm que definir a sua posição sob a forma de objetivos e estratégias específicas interligados e, se as condições o permitirem, também coordenados, mas definitivamente não idênticos. O que está em jogo é a invenção de uma alternativa viável para um sistema global imensamente complexo que tem a seu favor a "maldição da interdependência" para resistir à mudança.

Isto é expresso com brutal clareza nas palavras do senhor Roy Denman, por muitos anos o principal negociador da CEE para relações de comércio internacionais:

Não há alternativa. As pessoas não são suficientemente *insanas* para desejar a *desintegração total de todo o sistema.* Contudo, os perigos são muito grandes, a situação é agora mais séria que em qualquer outro momento desde a última guerra.[17]

Assim, os porta-vozes do capital, até mesmo quando são forçados a reconhecer a severidade da crise, só encontram aquela segurança na "sanidade" existente que protege e impõe o sistema para o qual "não há alternativa". E, embora não seja muito tranquilizador depender de nada mais sólido que o último *fiat* de "sanidade" para defender a insanidade capitalista, continua a ser verdade que a única alternativa real à crise estrutural do capital que se aprofunda é *livrar-se completamente de todo o sistema.*

Ninguém pode sugerir seriamente que a "insanidade" apercebida pelo senhor Roy Denman – a "desintegração total de todo o sistema" e sua substituição por outro sistema viável – possa ser realizada por meio de pequenos grupos de pessoas fragmentadas, isoladas. Na realidade, não existe alternativa ao programa de Marx de constituir uma consciência socialista de massa pelo empreendimento prático de se engajar numa ação comum realmente possível e inerentemente pluralista.

Embora se torne dolorosamente óbvio que as alternativas do capital hoje se limitam cada vez mais a flutuações manipuladoras entre variedades de keynesianismo e monetarismo[18], com movimentos oscilatórios cada vez menos eficazes, perigosamente tendentes ao "repouso absoluto" de uma contínua depressão, a recusa socialista à falta de alternativa deve ser positivamente articulada com objetivos intermediários, cuja realização possa promover avanços estratégicos no sistema a ser substituído, mesmo que apenas parciais num primeiro momento.

O que decide o destino das várias forças socialistas na sua confrontação com o capital é o grau de sua capacidade de fazer mudanças tangíveis na vida cotidiana, hoje dominada por manifestações ubíquas das contradições subjacentes. Assim, não basta focalizar determinantes estruturais – mesmo que isto seja realizado com perspicácia,

---

[17] *The Sunday Times*, 21 de fevereiro de 1982. Podemos ver, novamente, o quanto se utiliza o imperativo desesperado de uma cega submissão ao determinismo econômico do capital para decretar o reconhecimento de que "não há alternativa" (uma vez mais, apenas uma outra "lei" burguesa "da natureza") como critério incontestável da "sanidade" e da liberdade.

[18] É profundamente enganoso representar estes dois como polaridades opostas, com a sugestão de que o segundo introduz algumas inovações importantes em relação ao primeiro. De fato, por muito tempo, cada variedade de keynesianismo foi uma aventura quixotesca que carregava *dentro de si* o seu Sancho Pança friedmanesco – na fase *"stop"* de sua política semafórica de *"stop-go"* – e *vice-versa*. Mas talvez um modo mais adequado de captar a sua verdadeira significação e o seu impacto seja reconhecê-los como um câncer nos intestinos um do outro, intensificando reciprocamente as consequências de suas ações separadas. O fato de que o câncer do monetarismo teve que emergir recentemente de forma particularmente funesta das entranhas keynesianas – apoiando abertamente com sua alegada visão "iluminada" a maioria das brutais ditaduras militares, do Chile a El Salvador, para não mencionar o todo-poderoso complexo industrial-militar norte-americano – só mostra que o desenvolvimento que se pretende não problemático (na verdade: desenvolvimento-modelo) já não se sustenta mais. Enquanto isso, lenta mas seguramente, aumenta a aceleração, na direção oposta, de mais uma oscilação do pêndulo: sem dúvida, em pouco tempo seremos apresentados à outra variante keynesiana de milagre, mesmo que por um período muito mais curto do que os "dias felizes" da expansão do pós-guerra. Nesse sentido, os apologistas do capital continuam a nos lembrar da frase de que verdadeiramente "não há alternativa". Mas esperar pela restauração da saúde do capital a seu estado vigoroso anterior pela ação de qualquer um dos dois, ou realmente dos dois juntos, é – ao lado do *fiat* de "sanidade" – outro notável exemplo da perigosa *doce ilusão* que domina nossa vida socioeconômica na atualidade.

de um ponto de vista adequado – se ao mesmo tempo as suas manifestações diretamente sentidas forem desprezadas porque suas implicações estratégicas socialistas não são visíveis aos interessados. O significado do pluralismo socialista – engajamento ativo em ação comum que não compromete, mas, ao contrário, constantemente renova os princípios socialistas que inspiram as questões globais – emerge precisamente da capacidade das forças participantes de *combinar,* num todo coerente com implicações socialistas *em última análise* inevitáveis, uma grande variedade de demandas e estratégias parciais que, em si e por si, não precisam ter absolutamente nada de *especificamente socialista.*

Nesse sentido, as demandas mais urgentes de nossa época, que correspondem diretamente às necessidades vitais de uma grande variedade de grupos sociais – empregos, educação, assistência médica, serviços sociais decentes, assim como as demandas inerentes à luta pela liberação das mulheres e contra a discriminação racial –, podem, sem uma única exceção, ser abraçadas sem restrições por qualquer liberal genuíno. Entretanto, é absolutamente diferente quando não são consideradas como questões singulares, isoladamente, mas em conjunto, como partes do complexo global que constantemente as reproduz como demandas não realizadas e sistematicamente irrealizáveis.

Desse modo, o que decide a questão é a sua *condição* de realização (quando definidas em sua pluralidade como demandas socialistas *conjuntas*), e não o seu caráter considerado separadamente. Por conseguinte, o que está em jogo não é a enganosa "politização" destas questões isoladas, pela qual poderiam cumprir uma função política direta numa estratégia socialista, mas a *efetividade* de afirmar e sustentar tais demandas "não socialistas", tão largamente automotivadoras no *front* mais amplo possível.

As preocupações imediatas da vida cotidiana, do cuidado médico à produção de grãos, não são diretamente traduzíveis nos princípios e valores gerais de um sistema social. (Até mesmo comparações só são pertinentes e efetivas quando houver carência em uma área como resultado das demandas mais ou menos injustificáveis de outra; exemplo disso são os cortes feitos hoje em serviços sociais vitais no interesse da indústria de guerra.) Qualquer tentativa de impor um controle político direto a tais movimentos, seguindo a tradição bastante infeliz do passado não tão distante, em vez de ajudar a fortalecer sua autonomia e sua eficácia, corre o risco de ser contraproducente (por melhores que sejam as intenções da "politização").

É um importante sinal das condições historicamente alteradas que estas demandas e as forças que existem por trás delas já não possam ser "incorporadas" ou "integradas" à dinâmica objetiva de autoexpansão do capital. Devido à sua insolubilidade crônica, bem como pelo seu poder motivador imediato, elas deverão definir a estrutura da confrontação social em futuro previsível. Naturalmente, independentemente de sua importância, as questões acima referidas são aqui mencionadas como *exemplos* que pertencem a um número muito maior de preocupações específicas por meio das quais devem ser mediadas as aspirações e estratégias socialistas hoje.

Outro tipo de demanda envolve um compromisso sociopolítico mais óbvio e direto, embora este conjunto tampouco possa ser caracterizado como especificamente socialista. Por exemplo, a luta que se intensifica para preservar a paz contra os interesses disfarçados do complexo industrial-militar, ou a necessidade de restringir o poder das transnacionais, ou ainda de estabelecer uma base de cooperação e troca que assegure as condições de desenvolvimento real no "Terceiro Mundo". Se está bastante óbvio que o capital não tem condições de atender a nenhuma destas demandas e, portanto, que seu controle sobre as forças por trás delas está diminuindo, também é verdade que o potencial liberador de sua perda de controle não pode ser realizado sem a articulação de estratégias socialistas adequadas e suas formas organizacionais correspondentes.

As demandas que manifestam diretamente a necessidade de uma alternativa socialista estão relacionadas à perdularidade inerente ao modo de funcionamento do capital. Paradoxalmente, o capital consegue impor à sociedade a "lei de ferro" de seu *determinismo econômico* sem absolutamente conhecer o significado de *economia*. Há quatro direções principais nas quais se manifesta, com consequências crescentemente danosas, a perdularidade necessária do capital à medida que se alcançam os limites últimos de seu potencial produtivo:

(1) a demanda incontrolável por *recursos* – isto é, a irreprimível tendência crescente do capital ao uso "intensivo de recursos", da qual o uso "intensivo de energia" é só um exemplo – sem consideração pelas consequências futuras sobre o ambiente, nem pelas necessidades das pessoas afetadas por suas assim denominadas "estratégias desenvolvimentistas";

(2) o uso cada vez mais *intensivo de capital* em seu processo de produção, inerente à concentração e à centralização necessárias de capital, que contribui grandemente para a produção do "subdesenvolvimento" não só na "periferia" mas também no centro de seu domínio "metropolitano", gerando desemprego maciço e devastando uma base industrial antes florescente e perfeitamente viável;

(3) o impulso crescente em direção *à multiplicação do valor de troca*, no princípio simplesmente *divorciado*, mas agora abertamente *oposto* ao "valor de uso" a serviço da *necessidade humana*, para manter intata a dominação do capital sobre a sociedade; e

(4) o pior tipo de desperdício: o desperdício de gente, pela produção em massa de "pessoas supérfluas" que, como resultado tanto dos avanços "produtivos" do capital como de suas dificuldades crescentes no "processo de realização", não podem mais se ajustar aos esquemas estreitos da produção de lucro e da multiplicação perdulária do valor de troca. (O fato de que a produção em massa de "tempo supérfluo" do número crescente de "pessoas supérfluas" seja o único tempo de vida das pessoas reais não pode ser, claro, objeto de preocupação para as dedicadas personificações do capital.)

18.3.4

Em relação a todas estas tendências e contradições do capital, as demandas de mudança só podem ser formuladas em termos de uma alternativa socialista global. É por isso que a renovação do marxismo se torna tão vital, pois, apesar das críticas acerca da "crise do marxismo", não há nenhuma teoria alternativa séria em condições de tratar desses problemas em toda sua complexidade e abrangência.

À parte os recentes críticos hostis de Marx (como os "novos filósofos franceses" e os seus colegas "pós-modernos"), que podem seguramente ser ignorados devido aos seus interesses ideológicos excessivamente óbvios e ao padrão intelectual correspondente, as várias reflexões críticas tendem a focalizar aspectos limitados da crise social corrente. Elas oferecem respostas e soluções que só são parcialmente aplicáveis, e evitam precisamente aquelas questões abrangentes que definem os horizontes estratégicos de qualquer alternativa viável.

Ao mesmo tempo que é necessário resistir à inclinação de alguns marxistas a desconsiderar este tipo de crítica como "populista" – pois, seguramente, deve haver um lugar importante para o "populismo" de inspiração socialista em uma estrutura genuinamente pluralista de ação comum –, o interesse em assuntos locais e formas de organização "enraizadas em seu meio", bem como a tarefa de entender as suas tradições históricas e "peculiaridades", está longe de ser suficiente. Deve ser complementado pelo enfrentamento de suas muitas e mais largas ramificações e ligações com a totalidade social, de forma que o seu impacto cumulativo fortaleça as chances da estratégia socialista, em vez de impulsioná-la na direção da fragmentação e da dispersão.

Se no passado a teoria marxista teve uma tendência a esquecer essas preocupações, preferindo se concentrar nos princípios gerais da alternativa socialista, isto se deveu em grande parte às condições historicamente *defensivas*. Enquanto prevaleceram tais condições, era compreensível, na verdade necessária ainda que problemática, a constante reafirmação da validade última das perspectivas globais – em desafiante desconsideração à tranquila autoexpansão do capital tida como, basicamente, irrelevante. Porém, nas condições alteradas da *ofensiva* necessária, a reafirmação abstrata e autotranquilizadora das perspectivas gerais – como uma declaração de fé – está completamente fora de lugar. Pois o dito de Marx "*Hic Rhodus, hic salta*" pede a integração da totalidade das demandas sociais, das preocupações "não socialistas" cotidianas mais imediatas até as que questionam abertamente a ordem social do capital em si, em uma alternativa estratégica teoricamente coerente e viável do ponto de vista instrumental e organizacional.

Assim, a verdadeira questão é como estabelecer firmemente uma direção global a ser seguida, ao mesmo tempo em que se reconhecem plenamente as circunstâncias limitadoras e o poder de imediaticidade que se opõem a atalhos ideais. A revolução social marxiana define o período de transição em termos de objetivos identificáveis, junto com as mediações teóricas, materiais e instrumentais necessárias para a sua realização. Nesse sentido, para relacionar alguns tópicos vitais, é necessário investigar como seria possível:

(1) produzir uma *mudança radical* e ao mesmo tempo salvaguardar a *continuidade* necessária do sociometabolismo (que pede a aplicação prática contínua do princípio metodológico marxiano relativo à reciprocidade dialética entre continuidade e descontinuidade);

(2) reestruturar "de alto a baixo" *todo* o edifício da sociedade, que simplesmente não pode ser derrubado com a finalidade de uma reconstrução total, como vimos na Parte II;

(3) passar da atual *fragmentação* das forças sociais à sua *coesão* no empreendimento criativo dos *produtores associados* (que implica o desenvolvimento bem-sucedido da *consciência de massa* socialista, resultado de se assumir *responsabilidade* pelas consequências das práticas produtivas e distributivas autoadministradas);
(4) realizar genuínas *autonomia* e *descentralização* dos poderes de decisão, em oposição à sua concentração e à sua centralização existentes, que não podem de modo algum funcionar sem "burocracia";
(5) transcender a divisão e a "inércia circular" entre sociedade civil e Estado político pela unificação das funções de trabalho e tomada de decisão;
(6) abolir o segredo de governo, predominante por toda parte, instituindo uma nova forma de *autogoverno aberto* pelas pessoas interessadas.

Muitos temas importantes da teoria marxista do século XX são partes integrantes da tentativa de se resolver estas questões de transição, assim como a reavaliação do papel dos sindicatos e partidos na estrutura do pluralismo socialista voltou a assumir sua importância fundamental. Alguns podem querer negar que tais assuntos sejam importantes hoje. Mas aqueles que não adotam esta perspectiva deveriam simplesmente concordar que um engajamento ativo pode ser o modo mais frutífero de enfrentar a "crise do marxismo".

18.4 A necessidade de se contrapor à força extraparlamentar do capital

18.4.1

A despeito de todos os protestos contrários da "direita radical", vivemos numa era em que, graças às dinâmicas internas de "hibridização" do controle sociometabólico estabelecido, a dimensão *política* é muito mais proeminente do que na fase clássica de ascendência histórica do capital. Naturalmente, o exame adequado deste problema não deve restringir-se às instituições diretamente políticas, como o Parlamento. Ele é muito mais amplo e mais profundo. De fato, as mudanças que temos testemunhado no funcionamento do próprio Parlamento – mudanças tendentes a privá-lo inclusive de suas limitadas funções autônomas do passado – não podem ser explicadas de modo circular pela mudança da máquina eleitoral e das práticas parlamentares correspondentes. Os porta-vozes da hipostasiada "absoluta soberania do Parlamento" e seus embates retóricos com seus colegas parlamentares sobre a miragem da "perda da soberania para Bruxelas" (por exemplo) estão longe da verdade. Procuram soluções para as deploradas mudanças onde elas não podem ser encontradas: nos limites do próprio domínio político parlamentar. Todavia, o problema é que os acontecimentos atuais, absolutamente perturbadores quando vistos de uma perspectiva política autorreferente, só podem ser entendidos dentro da estrutura abrangente dos processos de reprodução material e cultural, pois é ela que exige o cumprimento de determinadas, porém mutáveis, funções da esfera política no curso das transformações históricas e dos ajustes da autoafirmação da ordem sociometabólica dominante como um todo.

Como já vimos em vários contextos, o desenvolvimento do século XX foi caracterizado pela crescente influência de fatores "extraeconômicos". Em outras palavras, o século XX testemunhou a ascensão à proeminência de forças e procedimentos "extraeconômicos" que costumavam ser avaliados com grande ceticismo e rejeitados como estranhos à natureza do sistema do capital no momento de sua triunfal ascensão histórica. No início da crise estrutural do sistema ocorrida na década de 1970, os representantes da "direita radical" romperam com a forma keynesiana da intervenção consensual do Estado capitalista (dominante por um quarto de século depois da Segunda Guerra Mundial). Com isso, muitos políticos envolvidos esqueceram-se instantaneamente de que eles próprios estavam profundamente comprometidos com as práticas pecaminosas que agora denunciavam sonoramente. Esses políticos também se negaram a encarar o fato – não importa se com a ajuda da hipocrisia, do fingimento cínico ou se proveniente da ignorância genuína – de que o novo curso exigiria pelo menos uma intervenção do Estado nos processos socioeconômicos (agora, mais que nunca, em nome do *big business*) tão grande quanto na variante keynesiana. A única diferença era que, adicionada à generosa ajuda dada ao *big business* – desde enormes incentivos fiscais até práticas corruptas de "privatização"[19], desde abundantes fundos de pesquisa (especialmente em proveito do complexo militar-industrial) à facilitação mais ou menos aberta da tendência ao monopólio –, a "direita radical" precisou impor também uma série inteira de leis repressivas sobre o movimento dos trabalhadores. Ironicamente, as leis repressivas contra o trabalho tiveram que ser introduzidas "suavemente" por meio dos bons serviços dos "parlamentos democráticos", com a finalidade de negar à classe trabalhadora até mesmo os ganhos defensivos do passado, de acordo com as cada vez mais estreitas margens de acumulação do capital nas circunstâncias da crise estrutural em andamento.

Assim, para as perspectivas da emancipação do trabalho, a importância da luta política e da crítica radical do Estado – inclusive de suas "instituições democráticas", principalmente o Parlamento – nunca foi tão grande quanto na atual fase histórica de aparente "encolhimento dos limites do Estado". Como a angustiante

---

[19] "Imagine o governo, em sua sabedoria, montando um grupo de trabalho de peritos cuja tarefa seria inventar um sistema para dar má fama à privatização. O primeiro passo seria transferir o monopólio dos serviços públicos ao setor privado com um mínimo de competição e, pelos primeiros cinco anos, um regime de preços muito generoso. O segundo passo seria designar reguladores que, tendo permitido a esses serviços públicos amealhar uma enorme base de lucros, se inclinariam mais para os interesses dos acionistas que dos clientes ao decidir a estrutura de preços da indústria. O terceiro passo, vital, seria permitir aos diretores e presidentes destes serviços privatizados confirmarem que tais indústrias monopolistas negociam com dinheiro do Banco Imobiliário, pagando a si próprios enormes salários, opções em ações e aposentadorias privilegiadas. Não importa que muitas destas pessoas não tenham sequer um único osso empresarial nos seus corpos. Não importa que a maioria nunca sequer tenha assumido um risco em suas vidas. Elas parecem ser motivadas pelo lema do filme *Wall Street*, de 1980: 'A ambição é boa'. O governo, então, não teria nenhuma necessidade de um tal grupo de trabalho. O sistema já existente cumpre muito bem esta tarefa." Se alguém pensa que esta citação vem de uma publicação socialista nanica, se prepare para uma grande surpresa, pois ela foi retirada do artigo editorial – sob o título "Privatization is now a dirty word" (Privatização é agora um palavrão), que apareceu em 14 de agosto de 1994 no jornal conservador britânico de maior circulação, *The Sunday Times*. De fato, o artigo editorial termina com um lamento: "Este jornal apoia a privatização. Nós não temos nada com aqueles que criticam os ganhos financeiros que se concedem àqueles que exibem genuína iniciativa. Infelizmente, o governo fez tudo muito fácil para que o nome de privatização, respeitado no passado, fosse arrastado em infâmia".

situação de bilhões de pessoas se tornou dolorosamente óbvia, o sistema do capital, mesmo na sua forma mais avançada, esquece miseravelmente a espécie humana. O mesmo pode ser dito da dimensão política do controle sociometabólico. Até mesmo a forma mais avançada de Estado do sistema do capital – o Estado liberal--democrático, com sua representação parlamentar e suas garantias democráticas formais e institucionalizadas de "justiça e imparcialidade", bem como com suas apregoadas garantias contra o abuso de poder – fracassou em todas as promessas que a autolegitimavam.

A crise da política em todo o mundo, incluindo as democracias parlamentares dos países capitalistas mais avançados – que assume frequentemente a forma de uma compreensível amargura e de um resignado afastamento da atividade política das massas populares –, é parte integrante do agravamento da crise estrutural do sistema do capital. As alegações de "dar poderes ao povo" – seja a da ideologia do "capitalismo popular" (armado com uma porção de ações sem direito a voto) ou sob os *slogans* de "oportunidade igual" e "imparcialidade" num sistema de incorrigível desigualdade estrutural – são absurdas demais para serem levadas a sério mesmo pelos seus mais proeminentes propagandistas. Ao contrário, em vez da repetida promessa do "encolhimento dos limites do Estado", o futuro provavelmente trará maior imposição de determinações políticas regressivas sobre o dia a dia das massas populares. Por mais desencorajadoras que sejam suas formas institucionais dominantes e suas práticas de autoperpetuação, não há opção fora da política. Mas, precisamente por essa razão, a política é importante demais para ser deixada aos políticos; na verdade, uma democracia digna deste nome é importante demais para ser deixada às atuais democracias parlamentares viáveis do capital e à pequena margem de ação dos parlamentares, mesmo dos "grandes parlamentares".

Quando é concedido aos representantes da esquerda, o título de "grande parlamentar" é usado pelo sistema Conservador (com "c" minúsculo, incluindo a liderança da ala direita do Partido Trabalhista) como uma forma de autocongratulação e autoelogio. Tais personalidades políticas são tidas como "grandes parlamentares" porque, segundo a lenda, "aprenderam a dominar as regras do procedimento parlamentar" e, com a ajuda delas, "continuam a levantar os assuntos desconfortáveis". Entretanto, a verdade realmente desconfortável é que os assuntos assim levantados são invariavelmente ignorados ou declarados "fora da pauta" pelo próprio Parlamento. Dessa forma, os apologistas do sistema parlamentar substantivamente antissocialista podem demonstrar à "opinião pública democrática" que não existe outro caminho para lidar com os problemas da sociedade a não ser por meio da submissão do jogo parlamentar às leis e ao rigoroso cumprimento de seus procedimentos, os quais produzem "grandes parlamentares" também na esquerda política. *Futilidade* e *marginalização política* são os critérios para ser promovido ao alto posto de "grande parlamentar" na esquerda. Desse modo, alguns deles são admitidos no *hall da fama* para colocar o sistema da democracia parlamentar além e acima de toda "crítica legítima" concebível.

Na verdade, dada a marginalização política inseparável da aceitação das amarras parlamentares como a única estrutura legítima da ação política, a aceitação das regras internas do jogo parlamentar – mesmo se praticada com propósito radical –

só pode produzir o *autoencarceramento parlamentar* da esquerda. Ironicamente, do modo como funciona atualmente o sistema parlamentar, até mesmo pessoas com credenciais impecáveis da ala direita – mas com grandes ilusões sobre seu próprio papel na determinação do resultado dos debates políticos –, como Roy Hattersley, estão infelizes com o conformismo cego que os leva a aceitar as regras mais recentes do jogo parlamentar. Queixam-se, claro que totalmente em vão, de que a liderança do partido deveria prestar mais atenção aos princípios professados no passado. De fato, testemunhamos hoje a liquidação até dos mais brandos princípios sociais-democratas para assegurar uma "aliança eleitoral mais ampla". É assim que – em um artigo publicado no *Independent,* em 12 de agosto de 1995, sob o título "Roy Hattersley conta a Tony Blair onde ele tem errado" –, de modo manifesto, ele argumenta:

> Eu sou um crente apaixonado pelo novo trabalhismo, um antigo adversário da velha cláusula IV (que promete a posse comum dos meios de produção) e um herético que deseja cortar completamente os elos formais dos trabalhistas com os sindicatos. Mas entendo por que os membros do partido se preocupam com o fato de termos nos ocupado tanto com os problemas da classe média que começamos a ignorar as necessidades dos desfavorecidos e dos excluídos ... A ideologia é o que mantém os partidos estáveis e dignos de crédito, bem como honestos. A longo prazo, a estima do público pelo partido seria protegida por uma afirmação contundente de intenção fundamental. O socialismo – que é proclamado na nova cláusula IV – exige que a pedra fundamental seja a redistribuição de poder e riqueza. Se esse objetivo fosse reafirmado, muitos dos problemas desapareceriam.

O autor deste artigo parece preocupado com o fato de o Partido Trabalhista – do qual há não muito tempo Hattersley era o vice-líder na Câmara dos Deputados – ter falhado na "redistribuição de poder e riqueza", durante toda sua longa história. *The Times* é muito mais realista quando elogia Tony Blair dizendo que a ideologia do "novo trabalhismo", defendida pelo líder da oposição, carrega pouca relação com o socialismo do passado. É *"pragmático, amigo dos negócios"*[20].

18.4.2

O estreitamento da margem de acumulação lucrativa do capital afetou grandemente as perspectivas do movimento dos trabalhadores até mesmo na maioria dos países de capitalismo avançado. Não apenas piorou o padrão de vida da força de trabalho em emprego formal (para não mencionar as condições de milhões de pessoas desempregadas e subempregadas), mas, como mencionado na última seção, também reduziu as possibilidades da sua ação autodefensiva como resultado da legislação autoritária imposta às classes trabalhadoras pelos seus parlamentos supostamente democráticos.

Ainda hoje este processo não está completo. Não há um ano sequer em que as classes trabalhadoras não sejam confrontadas por novas medidas legislativas inventadas contra os seus órgãos de defesa e formas de ação tradicionais. Ao mesmo tempo,

---

[20] "Burden of opposition", *The Times,* 11 de agosto de 1995.

a própria forma parlamentar de representação se tornou extremamente problemática mesmo em seus próprios termos de referência.

Certa vez Hegel resumiu nos seguintes termos a justificação para a autonomia relativa dos representantes parlamentares – um argumento ainda usado para racionalizar o fato de os representantes parlamentares não se sentirem obrigados a prestar contas aos seus eleitores:

> a sua relação para com os seus eleitores não é a de agentes com uma comissão ou uma instrução específicas. Uma obstrução adicional para o serem é o fato de que a sua assembleia *deve ser* um *corpo vivo no qual todos os membros deliberam em comum e reciprocamente instruem e convencem um ao outro.*[21]

No funcionamento real dos parlamentos atuais nada corresponde à caracterização hegeliana, nem mesmo no grau limitado em que poderiam merecer aquela descrição. Quaisquer que tenham sido as perspectivas dos membros particulares do Parlamento, sobre as quais gostariam de "deliberar em comum e reciprocamente instruir e convencer um ao outro", não têm qualquer peso os argumentos que poderiam ser capazes de apresentar a seu favor, mesmo se defendidos com ênfase. De fato, o assim denominado "*three line whip*"* os compele a votar de acordo com as ordens da liderança do seu partido, sob pena de "perderem seus *whip*", o que significa ser "deseleito" como candidato ao Parlamento. Esta prática é adotada não apenas nos assuntos políticos mais importantes, mas até em debates sobre a pertinência ou não de se introduzir licenças para cachorros. E a este respeito não parece haver qualquer diferença entre os principais partidos políticos. Exemplo disso aconteceu quando o primeiro-ministro trabalhista Harold Wilson, "de centro esquerda", certa vez ameaçou brutalmente seus colegas dissidentes da esquerda do partido dizendo-lhes que, a menos que se comportassem, ele não iria "*renovar suas licenças para cachorro*".

Este é um dos problemas mais desafiadores para o futuro, pois ao longo do século XX testemunhamos a degradação da política parlamentar – no passado enraizada na pluralidade de capitais e na margem de ganhos relativos que poderiam caber também à classe trabalhadora, derivados da divergência correspondente de interesses – a uma espécie de *conspiração* contra o trabalho como antagonista do capital. Este tipo de conspiração tem lugar não tanto *entre* partidos, mas *no interior* de cada um deles. Entre eles isso acontece apenas no sentido da profana "política do consenso" destas últimas décadas, apesar da geração da névoa institucionalizada da "política de adversários" parlamentar. Porém, o aspecto mais importante é a constituição interna e o funcionamento dos próprios partidos, inclusive dos partidos parlamentares do trabalho. O modo como são constituídos e administrados exclui qualquer possibilidade de até mesmo se levantar a questão da mudança do controle sociometabólico estabelecido. Pelo contrário, toda atividade política par-

---

[21] Hegel, *The Philosophy of Right*, p. 201.

* "Whip" é chicote ou, também, um membro de um partido que, no parlamento, é responsável pela disciplina partidária, desde o comparecimento às votações e comissões até o voto de cada parlamentar nas questões em disputa; "three line" se refere ao ritual de controle que ocorre no interior do parlamento inglês (N.T.).

lamentar está condenada – tanto no governo como na oposição – à estabilização ou reestabilização do sistema do capital. Por isso, já há muito tempo a linha-mestra das políticas parlamentares tem sido como *desproteger* o trabalho (não aberta e formalmente, mas em termos substantivos), de modo a anular os ganhos obtidos pela instrumentalidade dos partidos e sindicatos anteriores da classe trabalhadora. A política de cambalhotas do Partido Trabalhista Britânico (que agora, respeitosamente, se chama "Novo Trabalhismo") e o similar "desengajamento" do Partido Comunista Italiano de todos os princípios e convicções anteriores são boas ilustrações de como o antagonista do capital vem sendo efetivamente desprotegido no curso desses desenvolvimentos.

O principal papel dos partidos social-democratas (sob uma variedade de nomes, incluindo os dos antigos partidos comunistas hoje rebatizados) limita-se atualmente à *entrega do trabalho ao capital* e a usar as pessoas como *forragem eleitoral* para os propósitos da legitimação espúria do *status quo* perpetuado sob o pretexto do processo eleitoral "aberto" e "plenamente democrático". Esta acomodação parlamentar não crítica dos partidos da classe trabalhadora nem sempre ocorreu, muito embora sempre tenha sido extremamente problemática a "observância estrita dos procedimentos parlamentares" aos quais se esperava que eles se submetessem quando adentrassem a arena eleitoral. Ou seja, o movimento dos trabalhadores, quando da sua criação, tinha objetivos muito mais amplos e incomparavelmente mais radicais do que os que poderiam ser realizados dentro da estrutura principal do órgão político criado pela burguesia em ascensão: o Parlamento. De fato, até mesmo o movimento da social-democracia alemã – que começou a ceder às pressões pela acomodação já no período de vida de Marx – continuou a prometer uma transformação social radical pela implementação de reformas estratégicas até capitular abertamente às demandas do expansionismo nacional burguês quando da irrupção da Primeira Guerra Mundial. Porém agora, com o fim da ascensão histórica do capital, praticamente inexiste margem de reforma em favor do trabalho. Assim, a corrente principal da "reforma" e da legislação parlamentares tem por objetivo não só o isolamento total de um punhado de parlamentares socialistas, mas a castração do movimento dos trabalhadores em geral.

Cada instituição singular do sistema está completamente envolvida neste empreendimento, em que pese a mitologia das "garantias democráticas" que supostamente deveriam ser oferecidas pela "divisão dos poderes": uma mitologia que infectou até mesmo alguns intelectuais bem conhecidos da esquerda. O que seria supostamente uma das principais garantias democráticas – o "Judiciário independente que nada teme" – continua a demonstrar, em toda ocasião possível, capacidade "independente" de impor as leis repressivas do "Parlamento democrático" contra o trabalho, em completa harmonia com os interesses e imperativos da ordem estabelecida. Seu comportamento durante a greve de um ano dos mineiros ingleses forneceu exemplos notáveis de "militância judiciária". Mas, claro, o Judiciário não precisa de uma confrontação social importante, como a revelada por esse exemplo, para cumprir o papel antidemocrático de acordo com a sua consciência de classe. Em todo assunto fundamental ele o faz dentro da normalidade. Assim, em um recente – e final, na lei local – julgamento, os senhores das leis britânicas atacaram os sindicatos mesmo em sua função básica de negociador de salário, minando dessa forma sua própria existência. Como informou o *Financial Times*:

> Ontem, os magistrados decretaram unanimemente que os empregadores estão legalmente autorizados a reter o aumento no pagamento de empregados que se recusarem a assinar contratos pessoais que abolem os seus direitos negociados pelos sindicatos.[22]

Este julgamento claramente marcado pela consciência de classe foi na realidade extensão retroativa de uma lei antissindicato instituída em 1993 pelo governo conservador na Inglaterra, ainda que tais procedimentos sejam normalmente falseados, com característica hipocrisia, como "esclarecimento legal politicamente independente". A hipocrisia de tais atos antidemocráticos só é superada pela "argumentação" que apela à credulidade dos suficientemente ingênuos para considerá-la seriamente. Assim,

> Lord Slynn argumentou que não havia evidência do fato de que a retenção do aumento de salário daqueles que permaneceram no sindicato visasse primariamente a evitar ou intimidar a adesão a ele, mesmo que o próprio *não reconhecimento* em si pudesse tornar o sindicato menos atraente para os membros ou sócios em potencial.[23]

Não cabe dúvida com relação às ginásticas e acrobacias mentais necessárias para produzir racionalizações como estas, que requerem a capacidade única de se colocar de ponta-cabeça para escrever longas sentenças da suprema corte, sem sequer se ruborizar. Ao mesmo tempo, tais atos da mais elevada instância judiciária democrática e independente também confirmam que a *"separação dos poderes"* sob a dominação do capital significa somente uma coisa: a *separação institucionalizada e legalmente imposta entre o poder e o trabalho e seu exercício contra os interesses do trabalho.* Por isso não pode haver esperança de se instituir mudanças estruturais significativas na estrutura sociopolítica estabelecida e bem defendida, mesmo que isso leve um milhão de anos. Esta é a razão pela qual continuam inevitáveis as frustrações permanentes e invariáveis derrotas dos socialistas genuínos, esperançosos de alcançar os seus objetivos por meio de reformas parlamentares. Longe de serem simples questões pessoais, os seus fracassos acentuam a sabedoria do grande poeta húngaro Attila József, que escreveu:

> *nem sequer os melhores truques do gato conseguirão pegar o rato simultaneamente fora e dentro da casa.*[24]

18.4.3

A crítica radical do sistema parlamentar não começou com Marx. Nós a encontramos expressa de forma poderosa, já no século XVIII, nos escritos de Rousseau. Partindo do pressuposto de que a soberania pertence ao povo e que, portanto, não pode ser legalmente alienada, Rousseau argumentou que, pelas mesmas razões, ela não pode ser transformada legitimamente em qualquer forma de abdicação representacional:

---

[22] Robert Taylor, "Blow for unions in derecognition case", *Financial Times*, 17 de março de 1995.

[23] Id., ibid.

[24] Attila József, *Eszmélet* ("Consciência" ou, mais precisamente, "Tomada de consciência").

Os representantes do povo não são, nem podem ser, seus representantes; não passam de seus comissários, nada podendo concluir definitivamente. É nula toda a lei que o povo não ratificar diretamente; em absoluto, não é lei. O povo inglês pensa ser livre e muito se engana, pois só o é durante a eleição dos membros do Parlamento; uma vez eleitos, ele é escravo, não é nada. Durante os breves momentos de sua liberdade, o uso que dela faz mostra que merece perdê-la.[25]

Rousseau fez ainda a importante observação de que, embora o poder Legislativo não possa ser divorciado do povo nem sequer pela representação parlamentar, as funções administrativas ou "executivas" devem ser consideradas sob uma luz muito diferente. Como explicou:

no poder Legislativo, o povo não [pode] ser representado, mas tal coisa pode e deve acontecer no poder Executivo, que não passa de força aplicada à lei.[26]

Rousseau tem sido sistematicamente falsificado e indevidamente utilizado pelos "ideólogos democratas", incluindo o "*jet set* socialista" por ter insistido em que "*liberdade não pode existir sem igualdade*"[27] – o que exclui até mesmo a melhor forma de representação, considerada por ele hierarquia necessariamente discriminatória/iníqua. Desse modo, ele propôs uma forma de exercício de poder político e administrativo muito mais praticável do que a que lhe é atribuída, ou de que é acusado. Significativamente, neste processo de falsificação tendenciosa, os dois princípios vitalmente importantes da teoria de Rousseau, adaptados adequadamente também pelos socialistas, foram desqualificados e abandonados. Contudo, a verdade é que, por um lado, o poder fundamental de tomar decisão nunca deveria ter sido divorciado das massas populares, como demonstrou conclusivamente a história de verdadeiro horror do sistema estatal soviético, administrado contra o povo pela burocracia stalinista em nome do socialismo da forma mais autoritária. Por outro lado, em todos os domínios do processo reprodutivo social, o cumprimento de funções administrativas e executivas específicas pode ser de fato *delegado* a membros da comunidade, contanto que seja realizado segundo regras definidas autonomamente e apropriadamente controladas em todas as fases da tomada de decisão substantiva pelos produtores associados.

Assim, as dificuldades não residem nos dois princípios básicos tais como formulados por Rousseau, mas no modo pelo qual devem ser relacionados ao controle político e material do processo sociometabólico pelo capital. Conforme os princípios da inalienabilidade do poder de determinar as regras (isto é, a "soberania" do trabalho não como uma classe particular mas como condição universal da sociedade) e da delegação de papéis e funções sob regras bem específicas, definidas, flexivelmente distribuídas e adequadamente supervisionadas, o estabelecimento de uma forma socialista de tomada de decisão exigiria invadir e reestruturar radicalmente os domínios materiais antagônicos do capital. Um processo que deveria ir bem além do princípio da soberania popular inalienável de Rousseau e seu corolário delegatório. Ou seja,

---

[25] Rousseau, *The Social Contract*, Everyman Edition, p. 78 [ed. bras., *O contrato social*, São Paulo, Abril Cultural, 1978, p. 108].

[26] Id., ibid., p. 79. [ed. bras., op. cit., p. 109].

[27] Id., ibid., p. 42. [ed. bras., op. cit., p. 66].

numa ordem socialista, o processo "legislativo" deveria ser fundido ao próprio processo de produção de tal modo que a necessária *divisão horizontal do trabalho* – discutida no capítulo 14 – fosse complementada em todos os níveis, do local ao global, por um sistema de *coordenação* autodeterminado do trabalho. Esta relação contrasta agudamente com a perniciosa *divisão vertical do trabalho* do capital, que é complementada pela "separação dos poderes" em um "sistema político democrático" alienado e inalteravelmente imposto às massas trabalhadoras. Ora, a divisão vertical de trabalho sob o comando do capital infecta incuravelmente todas as facetas da divisão horizontal do trabalho, das funções produtivas mais simples aos processos mais complexos da selva legislativa. E esta é uma selva legislativa cada vez mais densa não só porque suas regras e componentes institucionais se multiplicam ao infinito e mantêm sob forte controle o comportamento real ou potencialmente desafiador do trabalho, alertando para os pleitos limitados do trabalho e protegendo a dominação global do capital sobre a sociedade em geral. Em qualquer tempo particular do processo histórico em desdobramento – desde que tal conciliação seja de alguma maneira possível –, conciliam-se os interesses separados da pluralidade de capitais com a dinâmica incontrolável da totalidade do capital social que tende por último para sua autoafirmação como entidade global.

Em recente retomada da crítica de Rousseau da representação parlamentar, Hugo Chávez Frias, o líder de um movimento radical na Venezuela – o Movimiento Bolivariano Revolucionário (MBR-200) –, escreveu com respeito à crise crônica do sistema sociopolítico do país:

> Com o aparecimento dos partidos populistas, o sufrágio foi convertido em uma ferramenta para adormecer o povo venezuelano com o fim de escravizá-lo em nome da democracia. Durante décadas os partidos populistas basearam o seu discurso em inumeráveis promessas paternalistas criadas para dissolver a consciência popular. As mentiras políticas alienantes pintaram uma "terra prometida" a ser alcançada através de um jardim de rosas. A única coisa que os venezuelanos teriam que fazer seria ir às urnas eleitorais e esperar que tudo fosse resolvido sem o mínimo esforço popular. ... Assim, o ato de votar foi transformado no começo e no fim da democracia.[28]

Entre todas as personalidades públicas, incluindo todos os setores da sociedade, o autor destas linhas é o segundo em estima popular na Venezuela (atrás apenas de Rafael Caldera) e se encontra bem acima de todos os políticos aspirantes nos partidos. Se quisesse, poderia ganhar facilmente eleições para altos cargos, o que refuta o argumento habitual segundo o qual as pessoas que só criticam o sistema político existente assim o fazem porque não podem satisfazer as árduas exigências das eleições democráticas. De fato Hugo Chávez, ao escrever o discurso acima (1993), rejeita, por razões muito diferentes, o "canto de sereia" dos formadores da opinião política, que tentam pacificar as pessoas dizendo que não há necessidade de se preocuparem com a crise porque falta pouco tempo para "as próximas eleições". Ele assinala que, enquanto o conselho político habitual pede "um pouco mais de paciência" até que as eleições programadas se realizem em poucos meses, "a cada minuto centenas de crianças nascem na Venezuela com a saúde ameaçada por falta de comida e medicamentos, enquanto bilhões são roubados

---

[28] Hugo Chávez Frias, *Pueblo, Sufragio y Democracia*, Yara, Ediciones MBR-200, 1993, pp. 5-6.

da riqueza nacional, sangrando o que ainda resta do país. Não há razão que justifique qualquer crédito a uma classe política que demonstrou à sociedade não ter a menor vontade de instituir qualquer mudança. Não há nenhuma razão para baixar a guarda e arrefecer as lutas populares até novo aviso. Em troca, temos muitas razões para seguir pressionando o acelarador da máquina que move a história"[29]. Por esta razão, Chávez contrapõe ao sistema existente de representação parlamentar a ideia segundo a qual "o povo soberano deve se transformar no *objeto* e no *sujeito* do poder. Chegamos a um ponto de não retorno e não nos é permitido retroceder. Para os revolucionários esta opção não pode ser negociável"[30]. Quanto à estrutura institucional na qual este princípio deve ser realizado, ele a projeta no curso de uma mudança radical:

> O poder eleitoral do estado federal se tornará o componente político-jurídico pelo qual os cidadãos serão depositários da soberania popular, cujo exercício permanecerá daqui para frente realmente nas mãos do povo. O poder eleitoral será estendido a todo o sistema sociopolítico da nação, estabelecendo os canais para uma verdadeira distribuição policêntrica de poder, deslocando o poder do centro para a periferia, aumentando o poder efetivo da tomada de decisão e a autonomia das comunidades e municipalidades particulares. As Assembleias Eleitorais de cada municipalidade e estado elegerão Conselhos Eleitorais que possuirão um caráter permanente e funcionarão com independência absoluta dos partidos políticos. Eles serão capazes de estabelecer e dirigir os mecanismos mais diversos de democracia direta: assembleias populares, referendos, plebiscitos, iniciativas populares, vetos, revogação, etc. ... Assim, o conceito de democracia *participativa* será transformado em uma forma na qual a democracia baseada na soberania popular se constitui como a *protagonista* do poder. É precisamente nestas fronteiras que temos que traçar os limites de avanço da democracia bolivariana. Então nós deveremos estar muito perto do território da *utopia*.[31]

Se tais ideias podem ser transformadas em realidade ou deverão continuar sendo ideais utópicos é uma questão que não pode ser decidida nos limites da esfera política. Em si mesma, esta é uma necessidade de transformação radical que pressagia, desde o início, a perspectiva de "fenecimento do Estado". Na Venezuela, o país em que até *90 por cento da população* se rebela pela abstenção eleitoral contra o absurdo do voto"[32], contra as práticas políticas tradicionais e o uso apologético legitimador ao qual é submetido o "sistema democrático eleitoral", com a falsa pretensão de que o sistema está inquestionavelmente justificado pelo "mandato conferido pela maioria", nenhuma condenação do vazio paternalismo parlamentar pode ser considerada excessiva. Nem se pode argumentar seriamente que a elevada participação eleitoral seja a prova de um consenso popular democrático realmente existente. Afinal de contas, em algumas democracias ocidentais o ato de votar é compulsório e não acrescenta mais valor legitimador que as formas mais extremas de abstencionismo abertamente crítico ou resignadamente pessimista. Não obstante, a medida da validade da crítica radical ao sistema de representação parlamentar é o empreendimento estratégico de

---

[29] Id., ibid., p. 9.
[30] Id., ibid., p. 11.
[31] Id., ibid., pp. 8-11.
[32] Id., ibid., p. 9.

não só exercitar a "soberania do trabalho" em assembleias políticas, – não importa o quão *diretas* elas possam ser em relação à sua organização e a seu modo de tomada de decisão política –, mas na atividade de vida produtiva e distributiva autodeterminada dos indivíduos sociais em todo domínio singular e em todos os níveis do processo sociometabólico. Isto é o que traça a linha de demarcação entre a revolução socialista, que é socialista em sua *intenção* – como a Revolução de Outubro de 1917 –, e a *"revolução permanente"* de transformação socialista efetiva. Sem a transferência progressiva e total da tomada de decisões reprodutivas e distributivas materiais aos produtores associados não pode haver esperança para os membros da comunidade pós--revolucionária de se transformarem em *sujeitos* do poder.

18.4.4
Na segunda metade do século XX, ninguém argumentou mais convincentemente a favor de garantias legislativas contra o abuso do poder político e a violação dos direitos humanos que Norberto Bobbio. Consciente da desumanidade praticada, em nome do socialismo, pelo sistema do tipo soviético, combinou os melhores traços do liberalismo com as aspirações do socialismo democrático. Rejeitando firmemente a ideia da "democracia direta", ele advogou a instituição de garantias e melhorias dos direitos humanos por meio do sistema legislativo parlamentar[33]. Mas, significativamente, a melhoria das condições existentes, por meio de direitos formalmente garantidos, advogada por Bobbio, tem se tornado progressivamente mais dependente das mudanças das determinações e imperativos *materiais* do sistema do capital. Consequentemente, uma crítica radical desse sistema como ordem sociometabólica parece ser precondição necessária para avaliar as medidas legislativas com ele compatíveis.

Numa entrevista concedida em 1992, Bobbio enfatizou que, na nossa época, o direito à liberdade e ao trabalho, juntamente com os direitos individuais à previdência social, deve ser complementado com os direitos de as gerações atuais e futuras viverem num meio ambiente despoluído, com o direito de autorregular a procriação humana, de garantir sua privacidade contra todas as transgressões perpetradas pelo onipresente Estado controlador. E de garantir-se legalmente contra os sérios perigos que afetam cada vez mais o patrimônio genético[34]. Por mais que possamos concordar

---

[33] Ver Norberto Bobbio: *Política e cultura*, Einaudi, Torino, 1955. *De Hobbes a Marx*, Napoli, Morano Editore, 1965. *Saggi sulla scienza política in Italia*, Roma & Bari, Editori Laterza, 1971. *Quale Socialismo? Discussione di un'alternativa*, Torino, Einaudi, 1976. *Dalla struttura alla funzione: Nuovi studi di teoria del diritto*, Milão, Edizioni di Comunità, 1977; *The future of democracy: a defense of the rules of the game*, Oxford, Polity Press, 1987.

[34] Nas palavras de Bobbio: "Atualmente estão em primeiro plano não só os direitos à liberdade, ou o direito ao trabalho e à seguridade social, como também, por exemplo, o direito da humanidade atual, e ainda das gerações futuras, a viver num ambiente não contaminado, o direito à procriação autorregulada, o direito à privacidade diante da possibilidade que hoje tem o Estado de saber exatamente tudo o que fazemos. Além disso, queria assinalar a gravíssima ameaça à conservação do patrimônio genético gerada pelo progresso técnico da biologia, ameaça à qual não se poderá responder senão pelo estabelecimento de novos direitos", Bobbio, "Nuevas fronteras de la izquierda", in: *Leviatán*, nº 47, Madri, 1992, apud Lozano, Gabriel Vargas, *Más allá del derrumbe: Socialismo y democracia en la crisis de civilización contemporánea*, México & Madri, Siglo XXI Editores, 1994, p. 117. Atentar especialmente nos capítulos "Opciones después del derrumbe" e "El socialismo liberal" para os inteligentes comentários do autor sobre o trabalho de Bobbio.

com todas essas necessidades, é inquietantemente claro que somente por meio de um bem-sucedido confronto com os enormes interesses materiais e políticos contrários seria possível até mesmo a decretação parlamentar das garantias e dos direitos advogados – com exceção, talvez, do formal "direito à liberdade" que, para a maior parte da humanidade, é na prática esvaziado de todo conteúdo material pelo atual controle sociometabólico. Além disso, a decretação formal em si não pode oferecer garantias de sua implementação, como testemunham amplamente os inumeráveis princípios constitucional-democráticos solenemente proclamados e as incontáveis leis "que não pegam" que adornam as legislações. Pois elas "não pegam" precisamente porque podem, ou talvez pudessem, restringir o poder do capital. Num mundo de desemprego crônico, de constantes ataques até mesmo aos escassos vestígios do "Estado de bem-estar social" e do sistema de previdência social, vive-se sob a pressão de explorar tudo ao máximo, desde os recursos não renováveis até os avanços eticamente mais questionáveis feitos na biotecnologia e na informática, diretamente subordinados aos ditames da acumulação lucrativa do capital. Neste mundo, somente em sonho se poderia fazer oposição diametral a esses desenvolvimentos por meio dos bons ofícios de uma legislatura iluminada. Igualmente, seria milagre que um sistema de controle reprodutivo estruturalmente incapaz de planejar e impedir o impacto nocivo do seu próprio modo de operação pudesse codificar e respeitar, até mesmo no curtíssimo prazo, os direitos das *gerações futuras* em conflito com seus imperativos materiais. Naturalmente, essa circunstância não invalida o argumento do filósofo italiano, para quem a esquerda deveria lutar de todas as maneiras possíveis para tornar as pessoas conscientes dos méritos de tais necessidades como parte da sua crítica à ordem social vigente. Mas isso coloca imediatamente em relevo as desesperadoras limitações das instituições legislativas disponíveis para solucionar os profundos problemas reprodutivo-materiais identificados pelo próprio Bobbio.

A social-democracia, em sua longa história, primeiro perseguiu a alternativa de tentar introduzir grandes mudanças nas relações de classe predominantes graças à reforma parlamentar e, depois de poucas décadas de fracasso em levar adiante os objetivos da transformação socialista, terminou por renegá-los totalmente. De modo algum isso foi acidental ou simplesmente "traição pessoal" dos representantes da social--democracia parlamentar aos seus antigos princípios. O projeto de instituir o socialismo pelos meios parlamentares estava condenado desde o início, pois eles sonharam a realização do *impossível* e prometeram transformar gradualmente em ordem socialista – algo radicalmente diferente – um sistema de controle da reprodução social sobre o qual eles *não tinham, e nem poderiam ter, qualquer controle significativo dentro do Parlamento e por meio dele.*

Como vimos, o capital – por sua própria natureza e suas determinações internas – é *incontrolável*. Portanto, investir as energias de um movimento social na *tentativa de reformar* um sistema substantivamente *incontrolável* é um empreendimento muito mais infrutífero do que o trabalho de Sísifo, já que a simples viabilidade mesmo da reforma mais limitada é inconcebível sem a capacidade de exercer controle sobre aqueles aspectos ou dimensões do complexo social que estamos tentando reformar. Desde o princípio, isso foi o que condenou e tornou autocontraditório o empreendimento parlamentar social-democrata. Por décadas os partidos social-democratas continuaram a iludir a si próprios e a seus eleitores de que seriam capazes de instituir, "no devido tempo", por meio da legislação parlamentar, uma *reforma estrutural do incontrolável sistema do capital*.

O beco sem saída da social-democracia não foi de modo algum o caminho original do movimento socialista. Somente com o surgimento e a consolidação da Segunda Internacional, seguir o caminho da reforma e da acomodação parlamentar se tornou a orientação dominante nos partidos políticos da classe trabalhadora. Naturalmente, os apologistas cegos do abandono de todos os objetivos socialistas pelas orientações dos atuais líderes da social-democracia e dos partidos trabalhistas tentam retrospectivamente reescrever a história, sugerindo grotescamente que

> o original – e, para sua época, audacioso – *objetivo do socialismo* era *o capitalismo democrático*. Somente a partir da "década de 1840", quando *Marx e Engels roubaram o termo*, "socialismo" se tornou um projeto cuja ambição era destruir o capitalismo. A cláusula IV (da Constituição do Partido Trabalhista Britânico de setenta anos atrás) permanece um texto fundamentalmente marxista, apesar de sua linguagem vacilante e do desejo de seus autores de distanciar o Partido Trabalhista dos piores excessos da ditadura do proletariado de Lenin. Daí a importância da declaração de Blair (atual líder). Ele está desafiando seu partido a, finalmente, *enterrar o socialismo marxista*.[35]

Os fatos históricos, intencionalmente postos de lado pelos apologistas, dizem o contrário. A negação radical da ordem capitalista aconteceu bem antes de Marx e Engels terem posto seus olhos na Inglaterra. Pelo ângulo da classe trabalhadora, as perseguidas sociedades secretas comprometidas com a negação das incorrigíveis – portanto, irreformáveis e "não democratizáveis" – iniquidades da ordem estabelecida datam ainda da Revolução Francesa e suas conturbadas consequências. Na verdade, a primeira relação de Marx com as demandas intransigentes do socialismo anticapitalista radical aconteceu precisamente em tais sociedades secretas da classe trabalhadora durante sua permanência na França, ainda jovem, bem antes de começar a escrever seu seminal *Manuscrito econômico e filosófico de 1844*. Alguém que coloque seriamente no papel a proposição de que um movimento revolucionário histórico-mundial foi inventado por dois jovens intelectuais alemães exilados que "roubaram o termo socialismo" está completamente fora de contato com a realidade. Tão desmiolado quanto é quem pontifique, só porque sonha com isso, que ao substituir o duradouro compromisso com a propriedade pública na cláusula IV da Constituição do Partido Trabalhista pela declaração vazia e sem princípios do "novo trabalhismo" Tony Blair pudesse realmente "enterrar o socialismo marxista" – "se ele encontrar as palavras certas", como diz a desejosa projeção.

A perda de sentido do movimento da classe trabalhadora ocorreu na última terça parte do século XIX, e suas consequências negativas se evidenciaram com o sucesso parlamentar – e a acomodação – dos partidos social-democratas e trabalhistas. Por si só, tal sucesso pode ser considerado uma vitória de Pirro por seu impacto, a longo prazo, sobre a causa da emancipação do trabalho. O preço pago foi o fatal

---

[35] Peter Keller, "Blair can reinvent socialism – if he finds the right words", *The Sunday Times*, 9 de outubro de 1994.

enfraquecimento estrutural da potencialidade de luta do trabalho, causado pela aceitação das amarras parlamentares como a única forma legítima de contestar a dominação do capital. Em termos práticos, isso significou a divisão catastrófica do movimento nos denominados "*braço político*" e "*braço sindical*" do trabalho, com a ilusão de que o "braço político" poderia servir ou representar, codificando legislativamente, os interesses da classe trabalhadora organizada nas empresas industriais capitalistas pelos sindicatos de cada ramo do "braço sindical". Mas, com o passar do tempo, tudo aconteceu exatamente ao contrário. O "braço político", ao invés de fazer valer seu mandado político em estreita colaboração com o "braço sindical", utilizou as regras do jogo parlamentar com a finalidade de subordinar os sindicatos a seu favor e das determinações políticas finais do capital, impostas através do Parlamento. Assim, em vez de reforçar politicamente a capacidade de luta do "braço sindical" em suas disputas com as empresas, o "braço político" – em nome de sua própria exclusividade política – confinou os sindicatos às "*disputas estritamente econômicas do trabalho*". Dessa maneira, o que se supunha ser o "braço político do trabalho" terminou por desempenhar um papel crucial na ativa imposição ao trabalho – pela força da "legislação parlamentar de representação" – do interesse vital do capital: "*banir a ação sindical politicamente motivada*" como categoricamente inadmissível "numa sociedade democrática".

Tanto o reformismo como suas realizações necessariamente precárias foram resultados dessa articulação dividida do movimento trabalhador como "braço político" e "braço sindical". Dentro da estrutura de comando global do capital, como estrutura racional da legitimidade e da autoridade democráticas, a operação desse modelo dividido trouxe consigo a necessária aceitação e internalização das *coações objetivas materiais do capital*. Concomitantemente, o trabalhismo reformista manteve por um tempo a ideia contraditória de que os objetivos socialistas eram inteiramente compatíveis com as coações materiais do capital. Nesse espírito, Harold Wilson e outros líderes trabalhistas afirmaram que a conquista "dos altos escalões de comando da economia" tornará possível que "um dia" o socialismo se realize. Na verdade, "conquistar os altos escalões" revelou ser nada mais do que a nacionalização dos setores falidos da indústria capitalista, compensando generosamente seus antigos proprietários por seus bens inúteis: um processo que poderia, de qualquer forma, ser facilmente revertido por atos parlamentares de "privatização", uma vez que sua lucratividade para o capital tivesse sido assegurada por meio de generosos investimentos estatais, financiados por impostos extorquidos das pessoas comuns. Ironicamente, esse caminho, com suas curvas e oscilações autocontraditórias, conduziu da armadilha reformista do movimento do trabalho à completa desintegração do próprio reformismo social-democrata, por meio do qual não somente se renunciou aos já professados "objetivos últimos" socialistas, mas até mesmo às referências ao termo "socialismo", que passaram a ser evitadas como praga.

Outra ironia que sublinha a lógica perversa da acomodação parlamentar dentro dos limites antitrabalho da estrutura de comando político global do capital é o destino dos partidos "revolucionários" da Terceira Internacional. Aí se coloca nitidamente que determinações *estruturais* fundamentais estavam em atividade nas clamorosas derrotas sofridas pela esquerda institucionalizada no decorrer do século. E para piorar a situação essas derrotas aconteceram apesar das crises profundas da ordem socioeconômica e política em vigor. Nesse sentido, o "caminho italiano para o socialismo" e o subsequente "grande compromisso histórico" do Partido Comunista Italiano, no contexto das mesmas amarras da representação e da acomodação parlamentares, com uma idêntica divisão do movimento dos trabalhadores italiano entre o "braço político" e o "braço sindical", tal como visto nos países onde havia partidos social-democratas e trabalhistas, revelaram ser tão desastrosas para o movimento socialista quanto a desintegração das variantes social-democratas do reformismo.

Assim, diante da dolorosa experiência histórica à qual o trabalho tem sido sujeitado pelo fracasso dos partidos parlamentares tanto da Segunda como da Terceira Internacionais, não é muito difícil perceber que não existe esperança de uma efetiva rearticulação do radicalismo socialista sem que se superem as contradições que necessariamente nascem da fracassada divisão entre o "braço político" e o "braço sindical" do trabalho. Paradoxalmente, a separação e a compartimentalização reformistas dos "dois braços" do trabalho só podem resultar numa paralisante "acefalia" do movimento: ou seja, a mais ou menos consciente internalização da lógica do capital, tanto em termos do seu constrangimento material como também de seus princípios reguladores político-democráticos legislativamente protegidos. Isso porque a conformidade com as regras do sistema determina aprioristicamente em favor do capital o que pode e o que não pode ser "racionalmente disputado e contestado", não apenas no domínio político, mas ainda mais em relação à viabilidade de questionar e desafiar a estrutura estabelecida do processo de reprodução social. Assim, como resultado da divisão sintonizada com essas regras, o "braço político" perde o poder material por meio do qual o movimento dos trabalhadores poderia efetivamente opor-se à lógica do capital e à sua força de autoafirmação. Perde ainda o poder de lutar não apenas por concessões mínimas, que podem ser contidas e, se necessário, revertidas na moldura estrutural existente, mas pela instituição de uma ordem alternativa da reprodução social. Ao mesmo tempo, enquanto o "braço político" se tornou impotente por privar-se da força combativa material do trabalho produtivo – que é vitalmente importante para a continuação da reprodução do capital –, o "braço sindical" foi obrigado a abandonar inclusive a preocupação legítima não só com uma mudança estrutural maior, mas até mesmo com qualquer objetivo político. Ao contrário, foi constrangido a resignar-se com melhorias marginais. E mesmo a busca por tais melhorias marginais e parciais precisa ficar estritamente subordinada às mudanças *conjunturais* e às limitações das unidades *particulares* do capital com as quais as unidades locais do "braço sindical" são, por lei, autorizadas a entrar em "disputa econômica".

18.4.5

Aqui o problema insuperável é a natureza do poder sob a dominação do capital – problema que permanecerá caso não haja uma reorientação fundamental do objetivo estratégico da transformação socialista. Políticos reformistas, seja do tipo social-democrata, seja do daqueles que fantasiam o "caminho italiano para o socialismo" dentro dos limites paralisantes do capitalismo atualmente existente, nunca encararam este problema. De fato, não poderiam encará-lo porque, se o fizessem, poderiam expor o caráter irrealizável de suas estratégias autocontraditórias. Ao tentarem *reformar o incontrolável*, também pressupunham *um poder que não existia nem poderia existir* como alavanca para a prometida transformação da ordem social estabelecida. Tal alavanca não poderia existir pela simples razão de que *o poder do capital social total, como controlador do processo de reprodução sociometabólica, é indivisível*, apesar das mistificações perpetuadas pela ideologia burguesa sobre "a divisão de forças" na esfera política.

Compreensivelmente, portanto, as estratégias construídas sobre os dois pilares de 1) *reformar o incontrolável* e 2) *"conquistar os mais altos postos de comando"* do sistema estabelecido, por meio da alavanca de um *poder inexistente*, teriam que terminar com a derrota autoimposta da esquerda histórica. Como vimos acima, isso necessariamente se aplicou, *mutatis mutandis*, também às sociedades pós-revolucionárias "do socialismo realmente existente" de tipo soviético. Pois, as "personificações do capital" pós-revolucionárias das sociedades de tipo soviético, embora não funcionassem em e por meio de um ambiente parlamentar deixaram de enfrentar a *incontrolabilidade do capital* onde ela se afirmava maciçamente: isto é, como o regulador do processo de reprodução sociometabólica. Assim, dada sua incapacidade de identificar no nível sociometabólico o verdadeiro objeto de intervenção e reestruturação estratégicas, tentaram exercer o poder de forma extremamente voluntarista, numa tentativa de solucionar sua verdadeira *falta de poder* com respeito aos imperativos materiais objetivos e às necessidades expansionistas cegamente seguidas – porém cumpridas cada vez com menos eficiência – do sistema do capital pós-capitalista.

O fato de o capital, como um modo de reprodução sociometabólico, ser incontrolável – a verdadeira *causa sui* compatível com "melhorias e corretivos" dos *efeitos* e *consequências*, mas não da base causal do sistema, como já vimos em vários contextos – significa não somente que o capital é *irreformável*, mas também que *não pode compartilhar o poder*, mesmo no curto prazo, com forças que pretendam transcendê-lo como "objetivo final", não importa quão longo seja o prazo. Esta é a razão pela qual as estratégias de "reforma gradual" da social-democracia tinham que resultar em absolutamente nada em termos de potencial transformador socialista. Enquanto o capital permanecer como o regulador efetivo do sociometabolismo, a ideia de "luta igual" entre capital e trabalho está destinada a permanecer uma mistificação. Isso porque essa é uma ideia perpetuada e realçada pelos rituais de enfrentamento parlamentar dos "representantes do trabalho" com seus adversários legislativos: um enfrentamento "sem competição", cuja premissa autocontraditoriamente aceita é a permanência da posição material do capital. As limitadas disputas políticas no Parlamento, estritamente reguladas por instrumentos e instituições da "violência legítima" que se apoiam na estrutura global de comando político do capital, não podem ser um *enfrentamento contra o capital*, mas entre alguns dos seus *componentes* mais ou menos diferenciados. Os membros do Parlamento que professam sua submissão quer aos variados interesses empresariais, quer às seções do trabalhismo reformista, de boa vontade se submetem aos constrangimentos necessários à definição de seus objetivos legislativos de acordo com as regras autobeneficentes do "Estado constitucional" do capital social global. Ao mesmo tempo, os representantes do trabalho que tentam manter uma postura crítica radical ou são mantidos fora do Parlamento ou são totalmente marginalizados no seu interior. Em contraste com o sistema parlamentar, nas sociedades pós-capitalistas as "personificações do capital" funcionaram sob mistificação bem diferente, mas igualmente prejudicial. Tentaram tratar o capital ou como uma *entidade material* – o depositário neutro da "acumulação socialista" – ou como "mercado social", *mecanismo* igualmente *neutro*: ignorando que o capital, na verdade, é sempre uma *relação social*. Assim, mesmo que a nova legalidade do capital tivesse que assumir uma forma diferente, o *fetichismo do capital* dominou as sociedades pós-capitalistas da mesma forma que imperou sob o capitalismo.

A relação entre capital e trabalho não pode ser considerada *simétrica*, dada a *impossibilidade de equilibrar o poder em disputa* e muito menos de alterá-lo a *favor do trabalho*. O conceito de "equilíbrio de poder" como regulador da força sociopolítica interna pertence apenas ao mundo do capital, influenciando com "legítimo interesse" as inter-relações variáveis entre os menores e os maiores constituintes do capital social total articulado em qualquer ponto particular na história. A sempre crescente "selva legislativa", mencionada na seção 18.4.3, é o corolário necessário desse tipo de articulação estrutural do capital social como um todo. A essa articulação – sujeita às limitações práticas originadas da tendência monopolista do sistema – segue-se inevitavelmente também a luta que busca na arena legislativa alterar o equilíbrio *entre* os componentes particulares do capital. E isto inclui também as limitadas possibilidades de ação legislativa concedidas aos setores do trabalhismo reformista na periferia do equilíbrio, constantemente renovado e do mesmo modo superado, entre as cambiantes unidades do capital. (Um bom exemplo desse tipo de melhoria marginal orientada para o equilíbrio é a "iluminada" legislação "em favor do trabalho" de Sir Winston Churchill, em 1906, sobre os níveis do *salário mínimo*, bem como as últimas controvérsias na União Europeia, solicitando igual remuneração para os grupos de trabalhadores que se transfiram de um país-membro ao outro. Apesar da impecável descendência legislativa churchilliana, a derrubada completa da boa e velha "legislação sobre salário mínimo" pela "direita radical" sob Margaret Thatcher e seus sucessores demonstra a extrema precariedade daquelas "conquistas do trabalho" sob circunstâncias históricas significativamente alteradas, exatamente como a controvérsia atual esconde os interesses subjacentes de autoproteção do capital e a necessária fragilidade das medidas trabalhistas a eles associadas.)

Embora os interesses dos integrantes particulares do capital possam ser equilibrados com sucesso – ainda que de maneira estritamente temporária –, não pode haver equilíbrio entre os interesses e o poder respectivamente do capital e do trabalho. O trabalho ou é o *antagonista estrutural e a alternativa sistêmica ao capital* – e, nesse caso, "compartilhar a força" com o capital é uma autocontradição absurda – ou permanece a parte estruturalmente subordinada (o constantemente ameaçado "custo de produção") do processo de autorreprodução ampliada do capital e, como tal, *totalmente sem poder*. A força efetiva do trabalho na ordem socioeconômica existente é *parcial* e *negativa* como, por exemplo, a *arma da greve*. Por conseguinte, ele não pode ser mantido na sua negatividade indefinidamente, porque a premissa prática necessária de tal operação – como na extraordinária greve pacífica de um ano dos mineiros ingleses – é a continuação do funcionamento da ordem sociometabólica, cujas partes não em greve devem ser capazes de assumir a carga do trabalho temporariamente negado. A ideia de uma greve política geral é uma proposta radicalmente diferente. Para ser bem-sucedida, deve ter por objetivo uma mudança fundamental na própria ordem sociorreprodutiva, de outro modo seu impacto, como nas greves gerais do passado, fatalmente será em seguida anulado. Assim, o paradoxo do poder que desafia o movimento socialista é o fato de, mesmo na sua *parcialidade,* o exercício da força *negativa* do trabalho atualmente existente ser insustentável a longo prazo. Somente sua força *potencialmente* positiva é verdadeiramente sustentável porque, pela sua própria natureza, não se limita à busca de objetivos *parciais.* A condição de sua realização é a força positiva do trabalho, entendido como alternativa sistemática ao modo de controle do capital, que deve considerar a si próprio como o princípio estrutural radical do sociometabolismo como um todo. Assim, qualquer que seja a maneira com que o olhamos – quer em sua negatividade parcialmente contestadora, quer como a potencialidade positiva da completa transformação socialista –, torna-se claro que sob nenhuma circunstância pode alguém pensar no poder do trabalho compartilhado com o capital (ou ao contrário), apesar das ilusões tão bem conhecidas e das resultantes e inevitáveis derrotas do reformismo parlamentar.

Da relação assimétrica entre o capital e o trabalho também decorre que – em completa contradição com as práticas de representação associadas às relações internas da pluralidade do capital – o *trabalho não pode ser representado.* De certo modo, é verdade que o capital também *não pode ser representado,* mas existe uma diferença radical em relação à posição do trabalho. A ideia de o próprio capital ser representado no domínio parlamentar pode apenas projetar a ilusão do *poder compartilhado e equilibrado com o trabalho,* como encontramos nos inumeráveis contos de fadas da ideologia burguesa e reformista. Mas o postulado de "igualdade" e "imparcialidade", com base no qual nem o trabalho nem o capital estão diretamente representados no domínio legislativo, supostamente regulado por algum misterioso "processo próprio da lei", em sintonia com a ideia de Max Weber de que os "juristas" são os criadores autônomos do "Estado ocidental", não é nada mais que uma camuflagem mentirosa e interesseira das relações de poder existentes. A grande diferença é que o capital como um todo não é representado porque *não precisa de representação,* visto que já *está no controle completo do processo sociometabólico,* incluindo o controle efetivo – extraparlamentar – de sua própria estrutura de comando político, o Estado. O trabalho, de outro lado, *em princípio* não pode ser representado porque suas formas possíveis de "representação" – mesmo que fosse possível organizá-las na esfera política com base na "igualdade" e na "justiça", o que é impossível em vista das relações materiais e ideológicas de poder – teriam que ser completamente estéreis, pois não podem alterar as determinações estruturais extraparlamentares do modo fortemente arraigado de reprodução sociometabólica do capital.

Naturalmente, isso não significa que o sistema historicamente desenvolvido de representação parlamentar seja irrelevante para a afirmação das regras do capital sobre a sociedade. Nem se pode considerar o seu valor para o capital somente por sua indubitável força de mistificação ideológica. Longe disso, pois a representação parlamentar é capaz de realizar algumas funções vitais na ordem sociometabólica existente. Em parte, o papel regulador essencial do Parlamento consiste em legitimar (e, desse modo, também "internalizar") a imposição das severas regras da "legalidade constitucional" sobre o trabalho potencialmente recalcitrante. Mas o papel do Parlamento não está, de modo algum, limitado a isso. No seu desenvolvimento histórico, sujeitar o trabalho à autolegitimação da "legalidade constitucional" ficou em segundo plano em relação à sua função crucial, original e primeira, que consistiu e consiste em permitir *à pluralidade de capitais* encontrar, em todos os momentos do desdobramento da dinâmica do sistema, o necessário (mesmo que sempre temporário) *modus vivendi* e o *equilíbrio de poder entre seus componentes*. É assim que o capital social total pode afirmar suas regras na esfera política sob as condições da "democracia parlamentar".

Como vimos acima, o sistema do capital é constituído de componentes incorrigivelmente *centrífugos*, em cuja base se encontra a igualmente incorrigível ligação estrutural *conflitiva* comum a todos os seus componentes, desde o microcosmo até as maiores corporações transnacionais. O capital, como totalidade social, mantém a força centrífuga sob controle (e *deve* fazê-lo de uma forma adequada) por meio das regras universalmente dominantes e das determinações estruturais que objetivamente definem o próprio capital como um modo de controle sociometabólico. As determinações em questão são *internas* não apenas ao sistema como um todo, mas também a cada um de seus componentes. Em outras palavras, elas devem ser *compartilhadas* por todos os diversos componentes particulares do capital, não obstante os interesses conflitantes de uns *vis-à-vis* os outros. Sem compartilhá-los – o que simultaneamente também significa compartilhar o *vital interesse comum* de serem partes do sistema de controle da reprodução sociometabólica, do qual emerge a consciência de classe autocentrada das "personificações do capital" –, não poderiam operar entre si como uma pluralidade de capitais afirmando seus interesses particulares dentro das restrições estruturais globais e da autopreservação dinâmica do seu sistema em toda situação histórica dada. Eis como o capital em si, articulado como o modo de reprodução sociometabólica atualmente existente, pode manter sob controle a intransponível força centrífuga de suas partes constituintes. Não simplesmente *anulando* esta força – com o que o sistema do capital deixaria de ser um sistema viável *sui generis* –, mas *complementando-a* por meio dos imperativos da reprodução sistêmica global e, desse modo, apenas impedindo o impacto *desintegrador* das insuperáveis interações *de conflito*.

É assim que o Estado do sistema do capital alcança sua enorme importância, não somente como a estrutura reguladora global das contingentes relações *políticas*, mas também como um constituinte material essencial do sistema no seu todo, sem o qual o capital não poderia afirmar-se como a força controladora do modo estabelecido de reprodução sociometabólica. Dessa maneira, nas circunstâncias da "democracia constitucional", o sistema parlamentar é uma parte essencial na manutenção, sob um controle adequado, da força centrífuga da pluralidade do capital. Nesse processo, os interesses da multiplicidade dos capitais podem ser adequadamente representados, pois a representação dos mais diversos interesses do capital no Parlamento, sob o comando estrutural global político do capital, está completamente em sintonia com as determinações gerais do controle sociometabólico. Apesar do antagonismo estrutural entre o capital e o trabalho, que também afeta os constituintes particulares do capital, os conflitos entre a pluralidade dos capitais – sujeitos aos limites globais das determinações mencionadas acima – se compensam mutuamente. Eles *nunca* podem ser dirigidos contra o *sistema* do capital, sem o qual a pluralidade dos capitais divergentes não poderia sequer ser imaginada e muito menos existir. Assim, a força reguladora da representação parlamentar, até onde a pluralidade do capital diz respeito, é completamente adequada como *representação* genuína e também como *preservação* (ou "eternização") de um poder – a força de controle sociometabólica – *já existente*. Mas, precisamente por essa razão, o trabalho não pode, por princípio, ser representado, na medida em que seu interesse vital é a *transformação radical* da ordem sociorreprodutiva estabelecida, e não sua *preservação*: a única compatibilidade possível com a representação parlamentar sob a estrutura de comando político global do capital. É assim que na esfera política, sob todas as formas históricas conhecidas do sistema parlamentar, a relação assimétrica entre o capital e o trabalho anula os interesses emancipatórios do trabalho.

Há uma outra maneira pela qual a política parlamentar serve aos interesses do capital como sistema metabólico, assim como aos interesses de seus múltiplos constituintes. De acordo com a dinâmica mutável do desenvolvimento do capital social total, o Parlamento oferece a estrutura que permite deslocamentos de longo alcance na operação estratégica do sistema *vis-à-vis* o trabalho. Isso aconteceu nas décadas do pós-guerra com o movimento do "butskellismo" (ou "uma única nação conservadora" paternalista) até as estratégias selvagens da "direita radical" de Thatcher. Muito revelador nesse particular é o nítido contraste entre duas soluções parlamentares para a crise estrutural do capital, tal como percebidas e aconselhadas por diferentes seções do capital inglês em 1979. O primeiro dos quinze longos anos de dominação do Parlamento inglês pelo governo de Margaret Thatcher também testemunhou o eclipse da linha política anterior do Partido Conservador, resumido em uma nostálgica entrevista concedida em fevereiro de 1979 à rede de televisão BBC pelo antigo primeiro-ministro Harold Macmillan. Foi assim que "Super-Mac" – que mais tarde iria denunciar sarcasticamente como vulgares e míopes, por "vender a prata da família", as corruptas políticas de privatização do governo Thatcher – resumiu sua proposta de solução para a crise, já então evidente, tentando se manter em sintonia com o espírito do "consenso político" do Estado keynesiano orientado para o bem-estar social, seguido pelas seções dominantes do capital inglês por duas décadas e meia depois da Segunda Guerra Mundial:

> Talvez o caminho fosse colocar, de algum modo, todo mundo junto e dizer, "*Gente, tudo depende de nós*; vamos pôr mãos à obra e aumentar a produção total da *riqueza comercial*". Isto é o que queremos... Estou certo de que em nosso país as pessoas receberiam bem uma verdadeira liderança – "*garotos e garotas, vamos nos reunir* e construir aquele mundo maravilhoso que está ao nosso alcance"... Estou certo de que existem forças agora que, se pudéssemos ao menos *unir, quer no governo, quer em uma unidade das grandes organizações dos empregadores e sindicatos*, quer nas igrejas – todas as pessoas que formam a opinião –, diriam "Basta; nós precisamos *começar de novo*". É uma *questão de moral*; precisamos ter a determinação e precisamos recuperar a coragem.[36]

Poucos meses depois dessa entrevista, o Partido Conservador, sob a liderança de Margaret Thatcher, foi eleito para o governo. Em um curto período de tempo

---

[36] "Harold Macmillan at 85: An interview", *The Listener*, 8 de fevereiro de 1979, p. 209.

todos os membros parlamentares do Partido Conservador, a favor da "nação única", foram tachados de incapazes e brutalmente afastados da política, exatamente como o seriam mais tarde os membros da ala esquerda do Partido Trabalhista sob a liderança dos ex-esquerdistas Michael Foot e Neil Kinnock. A intenção não era mais estimular os "garotos e garotas" a se unir com o governo e com as "grandes organizações de empregadores e sindicatos", para a causa da "questão moral" de buscarem juntos "um novo começo" sob a forma do aumento da "produção de riqueza comercial". Longe disso, a *mudança de guarda* no Partido Conservador (e não apenas naquele partido) colocou como item principal na agenda política a opressão "constitucional" dos órgãos de defesa da classe trabalhadora. "Os garotos e garotas" no Parlamento – antigos colegas de Macmillan – ocupavam-se com leis punitivas antitrabalho e medidas industriais e financeiras concebidas e instituídas no mesmo espírito em favor do capital. E a mudança do domínio político de algumas seções do capital para outras mais agressivas não foi, de modo algum, um aperfeiçoamento exclusivamente inglês. Pelo contrário, o desdobramento estrutural da crise do sistema do capital provocou em todos os países "capitalistas avançados" medidas políticas, industriais e financeiras muito semelhantes, bem como as racionalizações ideológicas correspondentes.

Por mais difícil que seja acreditar no que os nossos olhos leem na passagem abaixo, temos que lhe dar a atenção devida como um exemplo típico originário da "direita radical" dos Estados Unidos. Sintetiza a "teoria econômica objetiva" de um importante *expert*/especulador financeiro e influente *lobista*, James Dale Davidson[37]. Em prol dos méritos "científicos" da linha antitrabalho, ele argumenta:

> Como investidor, você deve ser sempre cauteloso com as suposições corretas acerca das relações econômicas. Isso é especialmente verdadeiro num tópico como [surpresa, surpresa!] salários, quando súplicas e considerações políticas se transformam em obstáculos no caminho da verdade. A verdade é que quaisquer que sejam suas intenções, é tremendamente difícil para os empregadores nas sociedades de mercado "explorar" os trabalhadores. Isso é quase impossível quando os trabalhadores são livres para desenvolver seus talentos e movimentar-se de uma oportunidade para outra. [Isto é, na terra-do-nunca da utopia do "capitalista do povo".] Surpreendentemente [desta vez, uma surpresa real], é muito mais comum os trabalhadores explorarem os capitalistas. Em geral, essa é a função dos sindicatos dos trabalhadores. Eles aumentam o nível de salário acima do nível de mercado. O resultado é que os investidores recebem uma porção menor da renda da empresa do que receberiam se as coisas fossem diferentes. ... a existência de instituições democráticas durante períodos em que o aumento da tecnologia impulsiona a economia mais ou menos garante que os trabalhadores explorem os capitalistas.[38]

---

[37] James Dale Davidson é criador e presidente da "União Nacional dos Contribuintes", organização de direita "e a força dirigente da Convenção Constitucional para o equilíbrio do orçamento", de acordo com a publicidade enfática de seu livro citado a seguir. Seu sucesso em equilibrar o orçamento dos Estados Unidos também é uma boa medida da qualidade de suas teorias.

[38] James Dale Davidson e Sir (agora Lord) William e Rees-Mogg, *Blood in the streets: investment profits in a World Gone Mad*, Londres, Sidgwick & Jackson, 1988, pp. 156-7. O título do livro se refere a um famoso ditado do barão Nathan Rothschild: "A época de comprar é quando o sangue está correndo nas ruas".

De modo característico, a descrição das mudanças favoráveis ao capital nem sequer menciona a cruel intervenção dos "parlamentos democráticos", que solapa a limitada força defensiva dos sindicatos, por meio da debilitação em larga escala da força de trabalho e da concomitante criminalização da luta contra ela. Tudo é atribuído, com a costumeira objetividade científica, aos fatores *tecnológicos* estritos. Como se nem as forças políticas que o autor, na condição de *lobista,* tenta ansiosamente influenciar com todos os meios à sua disposição existissem. É assim que se supõe que as leis antissindicato do passado recente se tornam completamente irrelevantes para a compreensão desses desenvolvimentos. Dizem-nos que tão somente a tecnologia racionalmente inquestionável explica por que "*os sindicatos estão agora capengando* nas sociedades do Ocidente, pois a tecnologia está reduzindo as economias de escala. Isso explica por que os *diferenciais de renda estão novamente aumentando*, visto que trabalhadores não especializados são obrigados a procurar emprego com salários de liquidação"[39]. Na verdade, eles são "obrigados a encontrar emprego" *se puderem,* não com "salário de liquidação", mas frequentemente com salário bem abaixo do nível de subsistência, dado o impacto devastador do *desemprego crônico* nas idealizadas "economias de escala corretamente ajustadas" do sistema do capital contemporâneo. Evidentemente, tudo isso nada tem a ver com a selvageria das leis antissindicatos, nem com a desumanizante brutalidade do "desemprego estrutural". Na verdade, o próprio desemprego deve ser o artifício mais astuto já imaginado pelo trabalho para "explorar os capitalistas e investidores", pobres desamparados, obrigando-os a "receber uma porção menor da receita do que eles poderiam receber de outro modo"; "outro modo" que seria possível se os desempregados lhes permitissem fazer a economia funcionar sob as condições mais generosas de geração de renda do pleno emprego.

Mas, saindo do mundo da fantasia cuidadosamente construído pelos cínicos apologistas do capital para voltar à realidade, existem mais duas condições agravantes a ser consideradas aqui. A primeira é que a acomodação do trabalho às coações paralisantes da estrutura parlamentar no momento do aprofundamento da crise estrutural do capital faz com que ele seja gravemente afetado pelo impacto negativo das mudanças ocorridas na estrutura de poder do capital social total e pela pequena margem de ação que elas lhe podem oferecer, mesmo para os mais limitados ganhos defensivos. A atual submissão do trabalhismo reformista às forças radicalmente opostas aos interesses da classe trabalhadora demonstra que a fase histórica das estratégias defensivas já se esgotou. Paralelamente à transformação dos tradicionais partidos social-democratas e trabalhistas em mansos defensores da tímida – e, em seus próprios termos de referência, ineficaz – reforma socioeconômica e política do trabalhismo liberal, a social-democratização dos partidos comunistas do Ocidente oferece exemplos dolorosamente óbvios da derrota sofrida pela esquerda histórica em razão desses deslocamentos e mudanças no interior dos limites da acomodação parlamentar. Uma mudança irônica nessa infeliz, mas eloquente, história é o fato de que alguns proeminentes políticos da ala direita do Partido Trabalhista britânico se encontrem agora marginalizados por suas "inaceitavelmente francas opiniões

---

[39] Id, ibid., p. 157.

esquerdistas", que, dizem, prejudicam as perspectivas do "novo trabalhismo" no governo; tais opiniões são, de fato, inaceitáveis a tal ponto que eles próprios se sentem obrigados a anunciar sua retirada da política na próxima eleição geral, evitando assim a humilhação da "derrota eleitoral". À sua maneira, essa mudança histórica acentua, por meio da "preparação para governar" adotada pelos líderes do partido, o fato de não se poder tolerar nem mesmo as promessas não cumpridas da velha cláusula IV, pois sempre que o trabalhismo reformista assume o governo o capital continua no comando.

A segunda condição agravante é ainda mais séria, já que coloca em questão a própria sobrevivência da humanidade. A despeito da piora das condições socioeco-nômicas e até da eliminação da margem para ajustamentos menores a favor do trabalho – com o ativo envolvimento de medidas autoritárias legislativas e a cumplicidade de seu próprio partido –, o capital é incapaz de resolver suas crises estruturais e de reconstituir com sucesso as condições da sua dinâmica expansionista. Ao contrário, para permanecer no controle do sociometabolismo, ele é compelido a invadir territórios que não pode controlar nem utilizar para os fins da acumulação sustentável de capital. Além disso, para permanecer no comando da reprodução social, por maior que seja o custo para a humanidade, o capital deve minar até mesmo suas próprias instituições políticas, que no passado funcionaram como um corretivo parcial e como uma espécie de válvula de segurança. Nesse passado, ainda estava mais ou menos aberta a via do deslocamento expansionista das crescentes contradições do capital que se acumulavam. Hoje, pelo contrário, as opções do sistema do capital se estreitaram em todo o mundo, inclusive na esfera da política e da ação parlamentar corretiva. Essa redução das opções de recuperação da expansão traz consigo o imperativo de dominar diretamente também a política por um cruel "consenso político" entre o capital secular e o "novo trabalhismo", num complemento apropriado às tendências autoritárias da "nova ordem mundial" que não se restringe apenas ao Partido Trabalhista inglês. A consumação desse consenso cruel – longe de ser o último triunfo do capital, como afirmam as fantasias absurdas sobre o "fim da história conflitual" – antes prenuncia o perigo de um colapso maior, que afetaria não apenas um número limitado de elementos centrífugos do capital, não apenas um setor-chave como a finança internacional, por exemplo, mas o sistema global do capital na sua totalidade. Precisamente por causa desse perigo adquire relevância e urgência a necessidade de contrapor à força destrutiva extraparlamentar do capital a correta ação extraparlamentar de um movimento socialista radicalmente rearticulado.

18.4.6
Quando a fase histórica de conquistas defensivas estiver exaurida, o trabalho, na condição de antagonista estrutural do capital, só poderá fazer avançar sua causa – mesmo minimamente – na medida em que assumir uma postura ofensiva e, mesmo quando estiver lutando por objetivos mais limitados, encarar como seu objetivo a negação radical e a transformação positiva do modo de reprodução sociometabólica. Somente a adoção de uma estratégia global viável permite que os passos parciais se tornem cumulativos, em nítido contraste com todas as formas conhecidas do trabalhismo reformista que desapareceram sem deixar traços, como gotas de água nas areias do deserto.

No passado, as conquistas defensivas sempre estiveram estreitamente ligadas às fases de expansão do sistema do capital. Eram retiradas da margem de concessões de que dispunha o sistema, e que também podiam ser positivamente transformadas em vantagens para si próprio. Mesmo sob as mais favoráveis circunstâncias, elas não poderiam trazer a prometida realização "gradual" do socialismo. Devido à sua própria natureza, eram apenas *concessões conjunturais* realizadas sob condições favoráveis ao próprio capital e somente na qualidade de "glória reflexa" eram proveitosas também para o trabalho. Uma vez, porém, que a fase histórica das concessões expansionistas do capital ficou para trás, também a acompanha a capitulação total do trabalhismo reformista que testemunhamos nas últimas décadas. Sob as atuais condições, não apenas novos ganhos defensivos do trabalho estão fora de questão, como muitas das concessões do passado devem ser gradualmente extorquidas, dependendo este gradualismo apenas do potencial impacto desestabilizador na continuidade da autorreprodução do capital no caso de muitas serem retomadas num pequeno intervalo de tempo. É isto o que torna moderada a tendência à equalização da taxa diferencial de exploração nos países de capitalismo avançado, ao menos enquanto o capital social total dos países envolvidos tiver fôlego para compensar essas concessões por meio da dominação neocolonial sobre áreas do planeta que oferecem ao "capital metropolitano" graças à margem mais elevada de exploração praticável, uma margem de lucro bem mais alta. Contudo, mesmo esses fatores paliativos atuais deverão ser temporários e removidos com o desdobramento da crise estrutural do capital.

Alguns "realistas" insistem (com *slogans* como "acabou a festa") que os constrangimentos que afetam o sistema devem ser aceitos como permanentes, instando também a que aceitemos a permanência da subordinação estrutural do trabalho ao capital. Eles pensam que acabou a fase radical da militância do trabalho, acrescentando que no passado tudo não passou de uma grande ilusão romântica; isso para não mencionar os "teóricos" e "doutores vira-casacas" do "novo trabalhismo" que atribuem as aspirações revolucionárias passadas do movimento socialista às habilidades "literárias" dos jovens Marx e Engels.

A dificuldade daqueles que defendem a submissão permanente do trabalho ao capital é que eles são forçados a hipostasiar a permanência absoluta do sistema do capital. Isso só é possível desde que se escondam totalmente, inclusive deles próprios, os aspectos mais destrutivos do controle sociometabólico do capital, que não apenas são visíveis aos socialistas mas a todos aqueles que se disponham a fazer os cálculos ambientais mais elementares. No passado, a perspectiva estratégica do trabalhismo reformista não se angustiava com essas preocupações, e portanto a distinção entre o "domínio da sociedade sobre a riqueza" em vez do "domínio alienado da riqueza sobre a sociedade" não poderia ter absolutamente nenhum significado para ele. Porém, nos dias de hoje estes problemas não podem mais ser ignorados. Nem é possível identificar o trabalhismo reformista, que necessariamente se esvazia e se desintegra, com o próprio trabalho. Hoje já é óbvia a constatação de que a história do trabalhismo reformista se caracteriza por sua integração progressiva à estrutura de comando político do capital e pela sua *completa desintegração, por meio de sua ação capituladora mesmo como reformismo*.

Desse modo, os "realistas" que projetam a harmonia tranquila entre o capital e a força de trabalho social-democrata simplesmente ignoram a questão, pois somente o reformismo acomodado pode ser visto em tranquila harmonia com o capital, desde a supremacia histórica do sistema até sua fase de desenvolvimento destrutivo e desintegrador. Esta concepção também mostra uma singular incapacidade de enxergar que a própria classe do trabalho não tem como evitar o fato de ser a *antagonista estrutural do capital*, mesmo que em condições favoráveis à perspectiva reformista – aquelas em que as demandas da força de trabalho social-democrata podem ser adequadamente conciliadas e contidas nos limites do sistema e usadas para fins de sua expansão dinâmica acumuladora –, o capital conceda prontamente ganhos defensivos ao trabalho. Porém, tudo isso é radicalmente alterado quando, por qualquer razão, a via de expansão dinâmica sofre algum bloqueio. Do trabalho então se espera que limite suas aspirações – inclusive as que surgem diretamente de suas necessidades mais elementares – aos imperativos da "razão" do capital, pregada por seus próprios líderes reformistas como um "realismo necessário".

Sob essas condições alteradas, caso elas se prolonguem (como deve ocorrer devido à crise estrutural do sistema), o antagonista do capital é compelido a contemplar a viabilidade de uma ofensiva estratégica que vise à transformação radical da ordem sociometabólica estabelecida. Será compelido a fazê-lo mais cedo ou mais tarde, mesmo que o processo de reavaliação da orientação estratégica do movimento socialista seja muito difícil, pois deverá considerar (e aprender com) as experiências frustradas e as expectativas negadas; ainda que, esperamos, também da progressiva melhora da estrutura organizacional adequada e das medidas táticas pelas quais os objetivos estratégicos adotados podem ser alcançados.

Outro argumento frequentemente usado a favor da acomodação permanente alerta para o risco de um movimento revolucionário socialista ter de enfrentar medidas autoritárias extremas. Este argumento é respaldado pela ênfase que dá ao imenso poder destrutivo ao alcance do capital e ao inegável fato histórico de que nenhuma ordem jamais cede de boa vontade sua posição de comando na sociedade, utilizando, se necessário, a forma mais violenta de repressão para conservar seu domínio. A fraqueza deste argumento é dupla, apesar das circunstâncias factuais que parecem apoiá-lo.

Primeiro, desconsidera que a confrontação antagônica entre capital e trabalho não é um confronto político/militar no qual um dos antagonistas possa ser preso ou trucidado no campo de batalha. Se há grilhões nesta luta, estão aplicados ao trabalho, já que o único tipo de grilhões compatível com o sistema deve ser suficientemente "flexível" para habilitar a classe do trabalho a produzir e ser explorada. Nem se pode imaginar que o poder autoritário do capital seja usado exclusivamente contra um movimento revolucionário socialista. As medidas repressivas sobre o trabalho das duas últimas décadas – para não mencionar os muitos exemplos de emergências históricas passadas sob o sistema do capital que foram caracterizadas pelo uso da violência – fornecem uma indicação do que de pior poderá advir de futuras confrontações mais agudas. Mas esta não é uma questão do tipo ou isto ou aquilo, que ofereça alguma garantia de tratamento justo e benevolente no caso de submissão e acomodação deliberada do trabalho. O assunto depende da gravidade da crise e das circunstâncias nas quais os antagonismos se desdobrem. Por mais desagradável que esta verdade possa parecer aos socialistas, o grilhão mais pesado que o trabalho tem que suportar, enquanto o movimento não conseguir operar uma ruptura estratégica de transição para uma ordem sociometabólica radicalmente diferente, é o fato de continuar *atado ao capital* para a continuidade de sua sobrevivência. Mas isso é tão ou mais verdade para o capital, com a diferença qualitativa de que ao capital é impossível realizar uma ruptura para o estabelecimento de uma outra ordem social. Para o capital, realmente, "não há alternativa" – e nunca poderá haver – à sua dependência estrutural da exploração do trabalho. Este fato fixa limites bem demarcados à capacidade de o capital subjugar permanentemente o trabalho pela violência, forçando-o a usar contra a classe trabalhadora os "flexíveis" grilhões mencionados. A violência pode ser usada seletivamente, contra grupos limitados do trabalho, mas não contra a organização de um *movimento de massa* revolucionário. Por isso é tão importante o desenvolvimento da "consciência comunista de massa" (para usar a expressão de Marx), em contraste com a vulnerabilidade da orientação sectária estreita.

A segunda observação é igualmente importante porque se refere às determinações mais íntimas do sistema do capital como ordem sociometabólica necessariamente orientada para a expansão e dirigida para a acumulação. Ainda que o uso do poder por meio do equipamento repressivo possa, em situações de *emergência*, servir ao propósito de recompor as relações de poder a favor do capital, o fato é que ele é extremamente perdulário mesmo nos próprios termos de referência do sistema. É fundamental que se leve em conta ser impossível assegurar a expansão e a acumulação necessárias de capital com base na perpetuação da emergência economicamente perdulária, para não mencionar os perigos políticos associados a ela e que não são de forma alguma desprezíveis. A ideia de um "Big Brother" permanente que domina com sucesso o trabalho já é fantástica demais até mesmo para a ficção orwelliana, quanto mais para a realidade do modo de reprodução sociometabólica do capital, pois este estará necessariamente condenado ao desaparecimento se não puder assegurar permanentemente sua própria reprodução pela apropriação dos frutos do trabalho cada vez mais produtivo e a concomitante realização ampliada de valor, inconcebível sem um processo dinâmico de "consumo produtivo". Contudo, nem a melhora da produtividade do trabalho, com o necessário crescimento da socialização do processo de trabalho como sua condição prévia, nem a necessária expansão do "consumo produtivo" são compatíveis com a ideia de um estado permanente de emergência. Além disso, como argumentou corretamente Chomsky muitos anos atrás, o sistema de vigilância que acompanha a manutenção bem-sucedida de um domínio autoritário permanente envolve o absurdo (e, claro, o custo correspondente) da *regressão infinita* associada à obrigação de monitorar não apenas toda a população, mas também o próprio pessoal encarregado do monitoramento, além dos monitores dos monitores[40] etc. Devemos acrescentar ainda que a ideia da dominação permanente do capital pelo uso da violência tem como premissa necessária a *unidade* total do *capital global* contra

---

[40] Ver Noam Chomsky, "The responsability of Intellectuals", in *The Dissenting Academy*, Nova York, Theodore Roszak, Random House, 1967, e Harmondsworth, Penguin Books, 1969.

as forças de trabalho *nacionais* que estão efetivamente sob o controle das unidades particulares do capital na ordem global existente (que não é unificada). Este postulado vazio de unidade e uniformidade global do capital ignora arbitrariamente *a lei de desenvolvimento desigual*. Não só ela, mas também a evidência histórica de que o exercício da força em grande escala – por meio da guerra – nunca prescindiu de massas geralmente motivadas por séculos de rivalidades nacionais para poder impor violência contra seus iguais do lado dos inimigos. De fato, a articulação nacional do sistema global do capital, longe de ser um acidente histórico, foi incentivada pela necessidade de um grau mínimo de consenso que permitisse ao capital manter o controle sobre a força de trabalho. Caso contrário, as rivalidades intercapitalistas, inclusive as conflagrações internacionais mais abrangentes, passariam a ser riscos inadministráveis do ponto de vista do capital social total, anulando a lógica interna do sistema de intensificar ao máximo o conflito de interesses e fazer prevalecer os mais fortes no *bellum omnium contra omnes* hobbesiano. Pois, na ausência de um grau suficientemente alto de consenso entre capital e trabalho no mesmo país – geralmente presente em alto grau nos conflitos entre nações em toda situação de significativa disputa intercapitalista –, o próprio sistema do capital correria o perigo de ser vencido pelo trabalho, seu antagonista. (De fato, alguns socialistas radicais tentaram sem sucesso combater este consenso com o programa que conclamou os trabalhadores, quando da irrupção da Primeira Guerra Mundial, "a voltar suas armas contra as burguesias nacionais".) Em resumo, todos os argumentos a favor da manutenção da dominação permanente do capital pela imposição da violência em massa definem de modo autocontraditório suas condições de realização. Como foi mencionado na seção 18.2.5, é insana a ideia de projetar a dominação do capital, em sua confrontação direta com o trabalho, pela via de um estado de *emergência* completamente *instável*, e *necessariamente passageiro*, como *condição permanente* de sua *normalidade* futura. Certamente, ninguém duvida que o uso da violência pode *adiar*, por um período de tempo mais ou menos longo, o sucesso dos esforços positivos de emancipação do trabalho; mas não pode *evitar* o esgotamento das potencialidades produtivas do capital. Mais do que isso, ao contrário, o uso da violência em massa arruína as condições objetivas do domínio do capital, *apressando* seu esgotamento.

Como antagonista do capital, a grande dificuldade do trabalho é que, apesar de o único objetivo viável de sua luta transformadora ser o poder sociometabólico do capital – com seu controle estrutural/hierárquico, não simplesmente pessoal, mas objetivo, sobre a esfera produtiva material, do qual outras formas de "personificação" podem (e, sob as estratégias mal concebidas, com o tempo *devem*) nascer –, esse objetivo fundamental não pode ser alcançado sem a conquista do controle da esfera política. Além disso, essa dificuldade é intensificada pela tentação de se acreditar que, uma vez neutralizadas as instituições políticas do sistema capitalista herdado, o poder do capital estaria firmemente sob controle; uma crença fatal que só poderia acabar nas conhecidas derrotas históricas do passado.

Como vimos no capítulo 2, o sistema do capital é composto de elementos incorrigivelmente *centrífugos*, complementados pela dimensão *coesiva* do poder de controle da "mão invisível", e das funções legal e política do Estado moderno. O fracasso das sociedades pós-capitalistas está no fato de terem se oposto à determinação centrífuga do sistema herdado *sobrepondo* aos seus elementos particulares conflitantes a *estrutura de comando extremamente centralizada* de um Estado político autoritário. Elas, ao contrário, deveriam ter atacado o problema crucial de como *solucionar* – por meio da reestruturação interna e da instituição do *controle democrático substantivo* – o caráter contraditório e o correspondente modo centrífugo de funcionamento das unidades reprodutivas e distributivas particulares. Portanto, a simples remoção das personificações privadas capitalistas do capital não poderia cumprir esse papel, nem mesmo como um *primeiro passo* a caminho da prometida transformação socialista, pois a natureza contraditória e centrífuga do sistema herdado foi de fato mantida pela imposição da política de controle centralizada em prejuízo do trabalho. O sistema sociometabólico tornou-se, assim, mais incontrolável do que antes, devido à incapacidade de substituir produtivamente a "mão invisível" da antiga ordem reprodutiva pelo autoritarismo voluntarista das novas personificações "visíveis" do capital pós-capitalista. Inevitavelmente, isso provocou a crescente hostilidade dos castigados sujeitos do trabalho excedente politicamente extraído contra a ordem pós--revolucionária. O fato de a força de trabalho ter sido submetida a um cruel controle político e, às vezes, até à desumana disciplina dos campos de trabalho de massas não significou que as personificações do capital de tipo soviético estivessem no controle do sistema. A incontrolabilidade do sistema reprodutivo pós-capitalista se manifestou pela incapacidade crônica de alcançar os objetivos econômicos, escarnecendo das decantadas vantagens da "economia planejada". Isso selou seu destino, ao lhe privar de sua alegada legitimidade e fazer de seu colapso uma simples questão de tempo. Nos estágios finais de existência do sistema de tipo soviético, as personificações pós-revolucionárias do capital tentaram desesperadamente contrabandear a "mão invisível" para dentro de suas sociedades, rebatizando-a – para torná-la aceitável – de "socialismo de mercado"; isso apenas acentuou o fato de que, mesmo depois de sete décadas de "controle socialista", o sistema pós-capitalista permanecia irremediavelmente incontrolável, e absolutamente incapaz de produzir um controle democrático substantivo de suas unidades produtivas e distributivas.

É claro que a reconstituição e a substantiva democratização da esfera política são a condição necessária para uma intervenção sobre o controle sociometabólico do capital, pois o poder do capital não está, e nunca estará, limitado a estritas funções produtivas. Para controlá-las, o capital deve ser complementado pelo seu próprio modo de controle político. Isso significa que a estrutura material de comando do capital não pode afirmar-se sem a estrutura de comando político global do sistema. Assim, uma alternativa ao controle sociometabólico do capital deve abranger todos os aspectos complementares do processo de reprodução social, desde as funções estritamente produtivas e distributivas até as dimensões mais amplas da direção política. Como está no controle *real* de todos os aspectos vitais do sociometabolismo, o capital pode dar-se ao luxo de definir a esfera de legitimação política como questão estritamente *formal*, eliminando desse modo, *a priori*, a possibilidade de ser legitimamente contestado em sua esfera de ação *substantiva*. Ao se dobrar a tais determinações, o trabalho, como *real* antagonista do capital existente, pode apenas condenar-se à permanente impotência, pois a instituição de uma ordem sociometabólica alternativa só será viável pela articulação da *democracia substantiva,* definida como atividade autodeterminada dos produtores associados tanto na política como na produção material e cultural.

É característica singular do sistema do capital que, na sua normalidade, as funções materiais reprodutivas sejam executadas num compartimento separado, sob uma estrutura de comando substancialmente diferente da ampla estrutura de comando político do capital corporificada no Estado moderno. Essa separação e essa "disjunção", constituídas ao longo da supremacia histórica do capital dirigida para a autoexpansão do valor de troca, de modo algum são desvantajosas para o próprio sistema. Ao contrário, as personificações econômico/gerenciais do capital podem exercer sua autoridade sobre as unidades reprodutivas particulares, antecipando um *feedback* do mercado a ser convertido no devido tempo em ação corretiva, e o Estado cumpre suas funções complementares, em parte na esfera internacional do mercado mundial (inclusive a garantia dos interesses do capital em guerras se necessário for), em parte diante de uma força de trabalho potencial ou realmente recalcitrante. Assim, nos dois casos, o antagonista estrutural do capital é firmemente mantido sob controle pela compartimentação e pela radical alienação dos produtores do poder de tomar decisões – em todas as esferas – num sistema ajustado às necessidades da reprodução e da acumulação ampliada do capital.

Em completo contraste, um modo de controle reprodutivo alternativo – socialista – é inimaginável sem que ocorra a superação da disjunção e da alienação existentes. A condição necessária para realizar as funções da reprodução diretamente material de um sistema socialista é a restituição do poder de tomar decisões aos produtores associados – em todas as esferas de atividade e em todos os níveis de coordenação, desde os empreendimentos locais até o mais amplo intercâmbio internacional. O "fenecimento do Estado" não se refere a algo misterioso ou remoto, mas a um processo perfeitamente tangível que precisa ser iniciado ainda no presente. E na transição para a genuína sociedade socialista é necessária a progressiva reaquisição dos poderes alienados de decisão política pelos indivíduos. Sem a reaquisição desses poderes, é inimaginável o novo modo de controle político total da sociedade por seus indivíduos, assim como a operação cotidiana *não contraditória* e, portanto, *coesiva/planejável* das unidades produtivas e distributivas particulares pela autoadministração dos produtores associados.

A reconstituição da unidade das esferas de reprodução material e política é a característica definidora essencial do modo socialista de controle sociometabólico. A criação de suas mediações necessárias não pode ser deixada para um futuro distante, contrariando o que diz a teoria apologética do "nível mais alto do comunismo", pois, se não forem dados imediatamente os primeiros passos como parte orgânica da estratégia transformadora, eles nunca serão dados. Conservar a dimensão política sob uma autoridade separada, divorciada das funções reprodutivas materiais da força de trabalho significa manter a dependência e a subordinação estrutural do trabalho, e consequentemente impossibilitar a tomada de medidas subsequentes em direção a uma transformação socialista sustentável. Foi nesse sentido, tão revelador quanto fatal, que o sistema soviético, em vez de ativar o poder de decisão autônomo dos produtores, *reforçou* a disjunção entre as funções do Estado e a força de trabalho sob seu controle, *impondo*, sob o pretexto de "planejamento", as ordens de seu aparato político sobre os processos produtivos diretos. Nem mesmo a eternidade poderia transformar em sistema socialista autoadministrado uma ordem sociometabólica aprisionada por determinações estruturais tão irremediavelmente alienadas.

18.4.7

Nas circunstâncias do "capitalismo avançado" atualmente existente, a deterioração das condições da força de trabalho não poderá ser contestada – muito menos questionada a dolorosa submissão estrutural do trabalho – sem uma reestruturação fundamental do movimento socialista, para transformar sua atual postura defensiva em outra capaz de uma ação ofensiva. Ou seja, esgotaram-se não apenas o modo tradicional de controle político parlamentar, mas também a acomodação reformista do trabalho.

É importante ter em mente que se o trabalho quer conseguir alguma coisa nas atuais circunstâncias, uma renovação da forma parlamentar de legislação política é inevitável. Tal renovação só se tornará viável pela criação de um movimento *extraparlamentar* como *força vital condicionante* do próprio Parlamento e da estrutura legislativa de uma sociedade globalmente em transição. Considerando a situação atual, o trabalho, como antagonista do capital, é obrigado a defender seus interesses não apenas com uma, mas com as duas mãos atadas às costas. Uma delas é presa pelas forças abertamente hostis ao trabalho e a outra pelos seus próprios partidos e lideranças sindicais reformistas, que cumprem a função especial de personificações do capital no interior do próprio movimento do trabalho a serviço da acomodação total, de capitulação aos imperativos materiais "realistas" do sistema. O que sobra então na atual articulação limitadora do movimento de massas do trabalho, dar murro em ponta de faca, não pode sequer ser considerado uma arma estritamente defensiva; apesar de os porta-vozes do "novo trabalhismo", em suas "Comissões de Justiça", relacionarem as benfeitorias da "grande e boa" sociedade capitalista e proclamarem que a luta em curso está completamente de acordo com os critérios de "imparcialidade" e "justiça". Sob tais condições, cabe ao movimento dos trabalhadores decidir entre resignar-se a tais limites ou dar os passos necessários para desatar as próprias mãos, por mais difícil que venha a ser essa última linha de ação. Hoje, os líderes trabalhistas admitem abertamente, como Tony Blair no discurso de Derby, pronunciado por coincidência no dia 1º de abril. "O Partido Trabalhista é *o partido do empresariado e das indústrias modernas* na Inglaterra."[41] Isso representa a fase final da traição total a tudo que foi iniciado pela velha tradição social-democrata. Como podemos ler *The Times,* de Londres:

> Em sua famosa estratégia de "coquetéis de camarão" nos almoços da City [com o líder anterior, John Smith], o trabalhismo já abordou o empresariado antes. Mas a

---

[41] Philip Basset, "Labour shows it means to do business with business", *The Times*, 7 de abril de 1995. Blair fez esta confissão, de estar na chefia do partido das empresas inglesas, durante uma festa perante a Conferência Feminina Trabalhista em Derby, em 1º de abril de 1995.

nova comissão [sobre as "Políticas Públicas e o Empresariado Britânico", estruturada pelos trabalhistas segundo o modelo da sua "Comissão de Justiça"], especialmente no que diz respeito à sua relação com o partido, é diferente. "A ideia da ofensiva dos 'coquetéis de camarão' era provar que não queríamos brigar", afirma um dos colegas de Blair. "Agora estamos avançando um pouco mais: queremos mostrar que *podemos fazer negócios com o empresariado*."[42]

A única dúvida é saber se a classe do trabalho vai aceitar ser tratada como o trouxa de 1º de abril, e por quanto tempo a estratégia de capitulação ao grande empresariado poderá ser seguida depois da próxima vitória eleitoral de Pirro. Além de tudo isso, sabemos que Margaret Thatcher "negociou com Gorbachev", e *vice-versa*, no mesmo espírito do "não há alternativa" que hoje está sendo militantemente advogado pelo "novo trabalhismo" na qualidade de "partido do empresariado moderno". Da mesma forma que também sabemos o que, no final, ocorreu com Gorbachev, com a baronesa Thatcher e com suas glorificadas estratégias.

Na estrutura do sistema parlamentar, a disputa entre capital e trabalho nunca foi, nem poderia ser, "justa e igual". O capital não é em si uma *força parlamentar*, apesar de seus interesses poderem ser adequadamente representados no Parlamento, como mencionamos antes. O que necessária e antecipadamente decide contra o trabalho no confronto político com o capital, confinado ao Parlamento, é o inescapável fato de que o capital social total não pode deixar de ser uma força *extraparlamentar par excellence*. É o que acontece quando os representantes da pluralidade de capitais afirmam os interesses do seu sistema como um todo contra o trabalho, e quando acertam entre si, com a ajuda das "regras do jogo parlamentar", os aspectos legais e políticos de suas diferenças particulares.

Naturalmente, quando chega a hora de impor as determinações do capital aos governos parlamentares dos trabalhistas, não se pode tolerar a desobediência dos seus primeiros-ministros. Há aproximadamente dez anos, o senhor Campbell Adamson – um ex-diretor-geral da Confederação da Indústria Britânica – fez uma confissão indiscreta numa entrevista de televisão. Contou que havia realmente ameaçado Harold Wilson (então primeiro-ministro trabalhista do governo britânico) com uma *greve geral de investimentos* se não respondesse favoravelmente ao ultimato de sua Confederação. Adamson candidamente admitiu que sua ameaça era *inconstitucional* (em suas próprias palavras), acrescentando que "felizmente" não houve necessidade de prosseguir com aquela intenção, já que o "primeiro-ministro concordou com nossas demandas".

Portanto, a própria *constitucionalidade* é um joguete nas mãos dos representantes do capital, para ser rude e cinicamente utilizada como um artifício autolegitimador contra o trabalho. As personificações do capital, quando atropelam a "constitucionalidade democrática", não são, obviamente, mandadas para a Torre de Londres –

---

[42] Id., ibid., A "Comissão sobre Políticas Públicas e Negócios Britânicos", recentemente inaugurada pelo Partido Trabalhista, como nos informa o artigo de Phillip Bassett do *Times*, incluirá entre uma pletora de luminares: David Sainsbury, líder do grupo de supermercados (o conselheiro de Yeltsin), professor Richard Layard da London School of Economics, e Sir Christopher Harding, ex-presidente da British Nuclear Fuels e, por vinte anos, diretor da Hanson, um dos maiores contribuintes do Partido Conservador e mais ativos sustentáculos dos empresários".

como sem dúvida seriam por um semelhante ultraje ao rei na Alta Idade Média. Pelo contrário, são até mesmo elevadas à condição de Cavaleiros ou à Câmara dos Lordes, inclusive pelos governos trabalhistas. Os que pensam ser esta uma "peculiaridade dos ingleses" devem se lembrar do que aconteceu ao presidente – o guardião *ex officio* da Constituição americana – no tão falado caso "Irã-Contras". O Comitê do Congresso norte-americano que investigava o caso concluiu que a administração Reagan era culpada de "*subverter a lei e solapar a Constituição*". Obviamente, esse veredicto, em que pese a gravidade de suas implicações para o "domínio da lei" (jamais levada em consideração pelos Hayeks da vida), não teve a menor consequência para o "presidente Teflón", nem resultou na introdução de necessárias salvaguardas constitucionais para prevenir violações similares da Constituição americana no futuro.

Quando se trata dos representantes políticos do trabalho, a questão não se resume a simples casos de fracasso pessoal ou de cederem às tentações das gratificações oferecidas às suas posições privilegiadas. É muito mais grave do que isso. O problema é que, como chefes ou ministros de governo, eles supostamente deveriam ser capazes de controlar politicamente o sistema, mas nada fazem de semelhante, pois operam no interior da esfera política, predeterminada *a priori* a favor do capital pelas estruturas de poder existentes do seu modo de reprodução sociometabólico. Sem desafiar radicalmente e desalojar materialmente as estruturas profundamente enraizadas do modo de controle sociometabólico do capital, a *capitulação* ao poder do capital é apenas uma questão de tempo, normalmente numa velocidade que quase supera a da luz. Podemos pensar em Ramsay MacDonald, Bettino Craxi, Felipe Gonzáles, François Mitterand – ou mesmo em Nelson Mandela, o prisioneiro que se converteu no novo defensor da indústria bélica da África do Sul[43] – mas a história deprimente é sempre a mesma. Frequentemente a esperança de um "papel realista e responsável" supostamente apropriado de futuros ocupantes de cargos nos altos escalões ministeriais já é suficiente para produzir as mais inesperadas surpresas. Aneurin Bevan, o então ídolo da ala esquerda do Partido Trabalhista e o mais firme oponente da corrida nuclear na Inglaterra, não hesitou em se despojar dos seus princípios socialistas e insultar seus ex-camaradas da ala esquerda durante a conferência anual para a elaboração da política do partido, com a desculpa de que dele, como secretário do Exterior designado de um futuro governo trabalhista, não se deveria esperar "que entrasse nu no fórum de negociação internacional e se sentasse assim à mesa de conferência para defender os interesses do país", qual seja, a posição privilegiada do imperialismo britânico como membro do exclusivo "clube nuclear".

A classe trabalhadora foi um "apêndice tardio" ao sistema parlamentar burguês e foi sempre tratada por ele como tal depois de entrar em seus corredores, pois nunca pôde se comparar, mesmo que remotamente, com o poder do capital como o fundamento efetivo do sistema político parlamentar. Ainda que as regras formais e os

---

[43] "O presidente Mandela deu ontem um importante impulso à multimilionária e crescente indústria de armamentos da África do Sul oferecendo-lhe, pela primeira vez publicamente, sua bênção pessoal. ... O endosso público foi bem recebido pelos fabricantes de armas da África do Sul, que acreditam que o seu apoio os ajudará a assegurar transações futuras. Abba Omar, falando em nome da Armscor, a agência bélica estatal, disse: 'O presidente deu pela primeira vez inequivocamente o seu apoio à indústria de armamentos. Não é exagero dizer o quanto este seu selo de aprovação nos é importante'" (Inigo Gilmore, "Mandela applauds South Africa's rising arms trade", *The Times*, 23 de novembro de 1994).

custos materiais para entrar no Parlamento pudessem se tornar equitativos – o que, claro, é impossível diante da monstruosa desigualdade de riqueza entre as classes, assim como perante as vantagens ideológicas e educacionais gozadas pelas classes dominantes na condição de detentoras do controle material e cultural da "ideologia dominante" –, a situação não seria significativamente alterada. A questão fundamental diz respeito à relação entre a estrutura política parlamentar e o modo de reprodução sociometabólico existente totalmente dominado pelo capital.

Por outro lado, a disjunção entre economia e política, essencial ao desenvolvimento histórico do sistema do capital, colocou um desafio enorme, ainda não enfrentado pelo movimento dos trabalhadores. O fracasso da esquerda histórica está inextricavelmente associado a essa circunstância, já que a articulação defensiva do movimento socialista tanto *refletiu* diretamente tal disjunção como *se acomodou* a ela. O fato de a fatal aceitação de tais determinações estruturais não ter sido voluntária, muito menos de bom grado, mas uma *acomodação imposta*, não altera o fato de o trabalho ter caído na armadilha da margem desesperadamente estreita para uma ação autoemancipatória no interior da estrutura dada. Esta acomodação foi imposta ao trabalho como *precondição necessária* à autorização para entrar na esfera parlamentar da "emancipação política" e ter acesso às limitadas melhorias materiais reformistas, depois de as forças originalmente extraparlamentares de oposição radical terem aderido a tal via. O espaço para esse tipo de articulação reformista do movimento de massas do trabalho foi aberto "no pequeno canto do mundo europeu" com a sua "*hinterland*" global e imperialista, pela fase de expansão dinâmica – portanto capaz de "permissividade" – do desenvolvimento do capital, na segunda metade do século XIX, levando quase um século para esgotar-se. A separação paralisadora entre o "braço político" e o "braço sindical" do trabalho acima mencionada foi complemento apropriado e apoio a esse tipo de desenvolvimento, na medida em que ofereceu, de modo muito discriminatório, algumas vantagens materiais limitadas às classes trabalhadoras de alguns países privilegiados à custa da superexploração das massas do resto do mundo. A perspectiva de uma *radical mudança estrutural* – o socialismo alcançado por mudanças graduais – resultante da *aceitação* acrítica dos *incorrigíveis limites estruturais do sistema* foi, desde o começo, apenas uma ilusão, ainda que inicialmente alguns políticos reformistas e dirigentes sindicais acreditassem genuinamente nela. O fato é que, depois de inícios muito diferentes, o movimento socialista aceitou a separação entre o seu "braço político" e o "corpo sindical" que lhe possibilitava operar no interior da estrutura parlamentar criada pelas personificações do capital para defender e administrar os interesses do sistema do capital. Contudo, a vitória da estratégia reformista dentro do movimento socialista não foi de modo algum acidental ou a consequência de aberrações pessoais contingentes ou, ainda, de traições burocráticas. Foi, isto sim, o coroamento necessário da adaptação do movimento à estrutura política parlamentar preestabelecida e de sua acomodação à disjunção estrutural peculiar entre as características políticas e econômicas do sistema do capital. O sucesso da ofensiva socialista é inconcebível sem a recusa radical de tais determinações estruturais da ordem estabelecida e sem a reconstrução do movimento do trabalho na sua integridade, não apenas com seus "braços", mas também com a plena consciência de seus objetivos transformadores como alternativa estratégica necessária e viável ao sistema do capital.

18.4.8

O problema insolúvel da estrutura das instituições políticas atuais é a desigualdade fundamental entre capital e trabalho existente nas relações materiais de poder do conjunto da sociedade, que se afirma enquanto não se altera radicalmente o modo atual de reprodução metabólica. Nesse sentido, é importante citar uma passagem dos *Manuscritos econômicos de 1861-63*, de Marx:

> O trabalho produtivo – como produtor de valor – sempre enfrenta o capital como trabalho de trabalhadores *isolados*, seja qual for a combinação com que esses trabalhadores entram no processo de produção. Assim, enquanto o capital representa o poder produtivo social do trabalho para os trabalhadores, o trabalho produtivo sempre representa para o capital apenas o trabalhador *isolado*.[44]

Se amanhã, por um milagre, os parlamentos aprovassem unanimemente uma lei determinando, por exemplo, que a partir de depois de amanhã o poder social do trabalho produtivo fosse reconhecido pelo capital e que o trabalho produtivo não devesse ser mais representado *vis-à-vis* o capital como trabalho de trabalhadores isolados, o mundo não perceberia qualquer diferença. Nem poderia perceber, pois o capital, tal como é materialmente constituído – por meio do trabalho alienado e acumulado –, representa, *de fato* e *objetivamente*, o poder socioprodutivo do trabalho. É essa relação objetiva de dominação estrutural que encontra sua corporificação adequada também nas instituições políticas do sistema do capital. E é essa ainda a razão pela qual a pluralidade do capital pode ser adequadamente representada na estrutura da política parlamentar, enquanto o trabalho não. As relações de poder material existentes – incorrigivelmente iníquas – tornam a "representação" do trabalho *vazia* (como representação parlamentar *estritamente política* da classe *materialmente subordinada* do trabalho) ou *autocontraditória* (em termos tanto da representação eleitoral do trabalhador *isolado*, como da "participação democrática" do radical *antagonista estrutural* do capital, que, apesar de tudo, está alegremente predisposto a aceitar as migalhas das acomodações marginais reformistas). Nenhuma reforma política nos parâmetros do sistema existente permitiria sonhar em alterar essas relações de poder material.

O que torna as coisas ainda piores para os que buscam mudanças significativas no interior dos limites do sistema político estabelecido é que esse sistema pode reivindicar, a seu favor, genuína legitimidade constitucional para seu atual modo de funcionamento, com base na *inversão* historicamente constituída do atual estado de coisas. Ou seja, enquanto o capitalista não for apenas a "personificação do capital", mas também "a personificação do caráter *social* do trabalho, do *lugar de trabalho total* em si"[45], o sistema pode alegar que representa o poder produtivo, vitalmente necessário, da sociedade *vis-à-vis* os indivíduos, incorporando os interesses de todos, sendo, portanto, a base de continuidade das suas existências. Dessa forma, o capital se afirma diante da sociedade não apenas como poder *de facto*, mas também como poder *de jure* na sociedade, já que ele se apresenta como condição necessária e objetiva da reprodução societária e, portanto, como o fun-

---

[44] MECW, vol. 34, p. 460. Itálicos de Marx.
[45] Id. Ibid., p. 457. Itálicos de Marx.

damento constitucional de sua própria ordem política. A legitimidade constitucional do capital é historicamente baseada na expropriação direta dos produtores das condições de reprodução sociometabólica – os instrumentos e materiais do trabalho –, portanto a alegada "constitucionalidade" do capital (como a origem de todas as constituições) é inconstitucional; mas esta verdade intragável perde-se nas brumas do passado remoto. Historicamente, os *"poderes socioprodutivos* do trabalho, ou os *poderes produtivos do trabalho social*, primeiro se desenvolveram como o modo de produção especificamente capitalista, por isso aparecem como algo imanente à relação-capital e dela inseparável"[46]. O modo de reprodução sociometabólico do capital *se legitima e se eterniza* como sistema legitimamente inquestionável. Só se aceita como legítimo o questionamento de aspectos menores de uma estrutura global inalterável. Desaparece a verdadeira questão que habita o plano da reprodução socioeconômica – qual seja, o poder produtivo do trabalho efetivamente exercido e sua necessidade absoluta para assegurar a reprodução do próprio capital. Isso acontece, em parte, devido à ignorância da origem histórica não legitimável da acumulação primitiva do capital e à concomitante e geralmente violenta expropriação da propriedade como precondição do modo atual de funcionamento do sistema; e, em parte, devido à natureza mistificadora das relações produtivas estabelecidas. Ou seja,

> as *condições objetivas do trabalho* não aparecem como subsumidas ao trabalhador, ao invés disso, é ele que aparece subsumido àquelas. O CAPITAL EMPREGA O TRABALHO. Mesmo na sua simplicidade, essa relação é uma personificação de coisas e uma reificação de pessoas.[47]

Nada disso pode ser contestado e solucionado por uma reforma política parlamentar. Nem mesmo nas circunstâncias mais favoráveis, como as da avalanche de votos, em 1945, a favor do Partido Trabalhista da Inglaterra. Tal avalanche, no entanto, foi precedida pelo reflorescimento da crítica do sistema em razão dos sacrifícios impostos às massas populares durante a depressão que se abateu sobre o país durante a longa depressão do período entre guerras e a dura realidade da guerra que se seguiu. Seria absurdo esperar a abolição por decreto político da *"personificação de coisas e reificação de pessoas"*, assim como seria absurdo esperar a proclamação de tal reforma nos limites das instituições políticas do capital. O sistema do capital não pode funcionar sem a perversa inversão das relações entre pessoas e coisas: o poder reificado e alienado do capital que domina as massas. Da mesma forma, seria um milagre se os trabalhadores, que no processo de trabalho confrontam o capital como "trabalhadores isolados", pudessem reaver o controle dos poderes socioprodutivos do seu trabalho através de algum decreto político, ou mesmo por uma longa série de reformas parlamentares decretadas sob a ordem sociometabólica de controle do capital. Em tais questões, não há como evitar o conflito inconciliável em torno de objetivos materiais "mutuamente *excludentes*".

O capital não pode abdicar dos seus – usurpados – poderes socioprodutivos em favor do trabalho, nem pode *compartilhá-los* com ele, na medida em que eles constituem o poder global de controle da reprodução societária sob a forma da

---

[46] Id., ibid., p. 456. Itálicos de Marx.
[47] Id., ibid., p. 457. Maiúsculas e itálicos de Marx.

"dominação da riqueza sobre a sociedade". Por isso é impossível escapar, dentro do domínio do sociometabolismo fundamental, à severa lógica dos interesses "mutuamente excludentes". Ou a riqueza, sob a forma do capital, continua a comandar a sociedade humana, levando-a aos limites da autodestruição, ou a sociedade de produtores associados aprende a comandar a riqueza alienada e reificada usando os poderes produtivos resultantes do trabalho social autodeterminado de seus membros individuais. O capital é a *força extraparlamentar par excellence* que não pode ser politicamente limitada em seu poder de controle sociometabólico. Essa é a razão pela qual a única forma de representação política compatível com o modo de funcionamento do capital é aquela que *efetivamente nega* a possibilidade de contestar o seu *poder material*. E, justamente porque é a força extraparlamentar *par excellence*, o capital nada tem a temer das reformas decretadas no interior da estrutura política parlamentar. A questão vital, da qual tudo depende, é que "as *condições objetivas do trabalho* não aparecem como subsumidas ao trabalhador", mas, ao contrário, "este aparece subsumido àquelas", por isso mesmo nenhuma mudança significativa é viável sem que se volte a esta questão, tanto por meio de políticas capazes de desafiar o poder e os modos de ação extraparlamentar do capital como na esfera da reprodução material. Portanto, o único desafio que poderia, de modo sustentável, afetar o poder do capital seria aquele que simultaneamente assumisse as funções produtivas decisivas do sistema e adquirisse o controle sobre todas as esferas correspondentes de tomada de decisão política, em vez de ser limitado pelo confinamento circular da ação política legítima à legislação parlamentar.

Certamente, a castração da política socialista é perfeitamente compatível com as relações de poder do capital e com seu único modo viável de operação, *em todas as suas formas*. Já que "as condições objetivas do trabalho não aparecem como subsumidas ao trabalhador" – muito pelo contrário –, o trabalhador como trabalhador isolado no processo de trabalho pode legitimamente ser considerado como tal em outras importantes esferas do processo de reprodução e distribuição social. Na política, ele ou ela podem politicamente agir como eleitores (isolados) que tomam suas decisões estritamente sozinhos na privacidade da cabine de votação. E na esfera material do "consumo produtivo", da maior importância, que completa o ciclo da reprodução ampliada do capital eles podem novamente surgir como "consumidores soberanos" – estritamente individuais e isolados – que não mantêm qualquer relação com a sua classe. Ao contrário, agem desta vez consultando, não suas *consciências moral e política* na inviolabilidade da cabine eleitoral, como o fizeram na condição de "eleitores soberanos", mas sua *"consciência racional"* (ou "faculdade racional") para calcular e maximizar as "utilidades marginais privadas". O sistema pós-capitalista de tipo soviético manteve essa mesma relação, apesar da abolição da forma do capitalista privado como personificação do capital. O trabalhador permaneceu subsumido às condições objetivas do trabalho, ao controle autoritário do Estado gerido pelas personificações pós-capitalistas do capital. Na qualidade de trabalhadores isolados, que sob nenhuma circunstância poderiam organizar a si próprios *vis-à-vis* a autoridade controladora do processo de trabalho, poderiam ser premiados como indivíduos "stakhanovistas" exemplares (a serem emulados por outros) ou punidos e enviados aos milhares aos campos de trabalho como "sabotadores criminosos" e "agentes inimigos". Mas o trabalho em si não poderia adquirir legitimidade como agente coletivo do processo de trabalho, muito menos assumir o controle da reprodução sociometabólica como um todo. Embora, sob o planejamento autoritário, a ideia do "consumidor soberano" não pudesse ser mantida, a questão do consumo também era regulada numa base individual profundamente discriminatória – mesmo no caso de "stakhanovistas" e "trabalhadores exemplares". Foi mantida inclusive a ficção do "voto secreto", pela qual os "indivíduos socialistas" deveriam consultar suas "consciências moral e política" na privacidade da cabine de votação, e chegar às esperadas respostas unânimes que legitimavam o estado de coisas. Tudo isso de modo algum é surpreendente, pois diferenças substantivas do campo da política e no "consumo produtivo" só seriam viáveis caso se alterasse radicalmente o princípio estrutural do sistema do capital, que deve manter os trabalhadores – de um modo ou de outro – subsumidos às condições objetivas do seu próprio trabalho.

O poder extraparlamentar do capital só pode ser enfrentado pela força e pelo modo de ação extraparlamentares do trabalho. Isso é ainda mais importante se levarmos em conta a completa desintegração do reformismo parlamentar do movimento do trabalho, proclamado e seguido no passado, com o fito de fornecer o trabalho ao capital sob a forma de substância eleitoral fragmentada. Rosa Luxemburgo escreveu há muito tempo, profeticamente, que

o parlamentarismo é o viveiro de todas as atuais tendências oportunistas da social-democracia ocidental. ... fornece fundamento às ilusões do oportunismo atual, tais como a valoração exagerada das reformas sociais, a colaboração entre partidos e classes, a esperança de um desenvolvimento pacífico para o socialismo etc... Com o crescimento do movimento do trabalho, o parlamentarismo se transformou na mola impulsionadora dos carreiristas políticos. É por isso que tantos ambiciosos fracassados da burguesia afluem para os estandartes dos partidos socialistas ... [O objetivo é] *dissolver* o setor de classe ativo e consciente do proletariado na *massa amorfa de um "eleitorado"*.[48]

A dissolução, tratada por Rosa Luxemburgo como uma ameaça, foi completamente realizada em nossos dias, utilizando a noção de "eleitorado amorfo" como seu fundamento ideológico legitimador. Por esse processo, não apenas a social-democracia ocidental claramente reformista, mas também os afiliados anteriormente revolucionários da Terceira Internacional, transformaram a si próprios em partidos liberais burgueses, consumando dessa forma a capitulação do "braço político" do trabalho aos imperativos "racionais" e "realistas" do capital. Tudo isso veio a ocorrer de um modo muito mais fácil do que se poderia imaginar previamente, pois o processo de dissolução das estratégias defensivas do trabalho foi objetivamente auxiliado e sustentado pelas relações de poder material do sistema do capital, que, no processo de produção e consumo, pode apenas reconhecer o trabalhador e o consumidor isolado e, na esfera política, o eleitor equivalente ao trabalhador impotente. Essa é a razão pela qual a política "representacional", ao invés de efetivar a prometida "via

---

48 Rosa Luxemburgo, "Organizational questions of the 'Russian Social Democracy'", publicado sob o título "Leninism or Marxism?" in *The Russian Revolution and Leninism or Marxism?*, introdução de Bertram D. Wolfe, The University of Michigan Press, Ann Arbor, 1970, p. 98.

italiana para o socialismo" – teve finalmente que se degradar em todas as suas partes até o nível do exercício de relações públicas comuns, excretando de suas entranhas e catapultando para o ápice da política parlamentar criaturas "representativas", como o magnata da mídia Silvio Berlusconi, exatamente no país do, outrora, Partido Comunista de Gramsci.

Naturalmente, nos países de "capitalismo avançado", contra o pano de fundo do clamoroso malogro histórico do reformismo e da política representacional em geral, qualquer mudança é impensável sem a reconstituição radical do movimento do trabalho – na sua integridade e em escala internacional – como força extraparlamentar. A separação, que cava sua própria cova, entre o "braço político" e o "braço sindical" do trabalho comprova todo dia nada mais ser do que um anacronismo histórico irremediável. Isso ocorre em relação não apenas ao seu óbvio fracasso na arena política ao longo de todo o século, mas também devido à sua incapacidade de atrair para si as milhões de "pessoas supérfluas" *desempregadas*, expulsas do processo de trabalho a uma velocidade alarmante pelos imperativos desumanizadores do "capital produtivo". Ao definir suas estratégias como movimento político organizado, a força de trabalho ainda empregada não pode se dar ao luxo de desconsiderar por mais tempo as aflições profundas – assim como a grande força potencial – desses incontáveis milhões, mesmo porque amanhã o mesmo destino deve atingir crescentes parcelas da força de trabalho ainda empregada. Dado o papel facilitador e servil da política a favor do modo de controle sociometabólico do capital – ideologicamente racionalizado e justificado por *slogans* do tipo "aumento da produtividade", "vantagem competitiva", "disciplina de mercado", "globalização", "eficiência de custos", enfrentar o desafio dos "cinco pequenos tigres", ou qualquer outro –, muito pouco se pode esperar das instituições parlamentares como estão hoje articuladas. Somente uma intervenção radical na "economia" perdulária do processo reprodutivo material da ordem estabelecida pode retificar com sucesso a impotência do trabalho, desde que ela consiga afirmar-se contra os fatores mais desfavoráveis hoje dominantes pela ação articulada de um maciço movimento extraparlamentar. É isto que põe em relevo a atualidade histórica da ofensiva socialista.

Devemos enfatizar novamente que, como mencionamos na seção 18.1.1, a atualidade histórica da ofensiva socialista – dada a exaustão das concessões interesseiras que o capital podia fazer no passado a um movimento do trabalho defensivamente articulado – não significa que o sucesso esteja assegurado nem que sua realização esteja próxima. "*Histórica*", aqui, significa, por um lado, que a necessidade de instituir algumas mudanças fundamentais na organização e a orientação do movimento socialista se apresentou na agenda histórica; e, de outro lado, que o processo em questão se desdobra sob a pressão de determinações históricas poderosas, empurrando a função social do trabalho na direção de uma ofensiva estratégica prolongada caso queira realizar não apenas os seus objetivos potencialmente globais, mas também seus objetivos mais limitados. O percurso à frente é provavelmente muito árduo e, certamente, não tem atalhos nem pode ser evitado.

As *mediações* históricas necessárias, vistas como passos viáveis para a realização da ordem sociometabólica alternativa do trabalho são inerentes tanto à perseguição do objetivo – uma intervenção radical, não confinada à esfera política, que constitua uma contestação direta das estruturas materiais da própria relação-capital que subsume o trabalho às condições reificadas e alienadas de seu exercício, condenando o sujeito do processo de produção à total impotência dos trabalhadores isolados – como à forma de ação necessariamente extraparlamentar pela qual este objetivo pode ser progressivamente traduzido em realidade. Pois, dada a própria natureza deste empreendimento, para haver qualquer chance de sucesso, é necessário enfrentar e superar já nos *primeiros passos* – ainda que no início apenas em contextos limitados – a perniciosa disjunção entre economia e política, que serve apenas ao modo sociometabólico de controle do capital, assim como a separação entre os seus braços "político" e "sindical", que por si própria derrota o trabalho, como se comprovou com dolorosa contundência nos últimos cem anos.

Devemos também salientar que a negação prática materialmente efetiva das estruturas reprodutivas dominantes por meio de ação e organização extraparlamentar não implica a ausência de leis nem mesmo a rejeição apriorística do próprio Parlamento. Envolve, contudo, a contestação organizacionalmente sustentada dos limites cerceadores favoráveis ao capital, que as *tendenciosas* "regras do jogo" parlamentar impõem ao trabalho, como antagonista do capital. Naturalmente, mesmo numa genuína sociedade socialista do futuro, não se pode ignorar a questão da legislação nem agir como se fosse inexistente. O que decidirá a questão será a relação entre os produtores associados e as regras que eles definirão para si próprios graças a formas apropriadas de tomada de decisão. Certamente, Marx estava convencido de que, numa sociedade socialista desenvolvida, muitas das inevitáveis exigências de regulamentação exigidas poderiam ser atendidas por meio dos *costumes* e *tradições* estabelecidos pelas decisões autônomas e inter-relações espontâneas dos indivíduos que vivem e trabalham numa estrutura de sociedade não concorrencial. Sem isso, é inconcebível a supressão da política como esfera alienada, tornando impensável também o "fenecimento do Estado". Mas também é claro que, para o futuro previsível, muitas das exigências de regulamentação geral devem permanecer associadas a procedimentos legislativos formais. Por isso, "a sabedoria parlamentar de iludir os outros e iludir-se ao iludi-los", citada na seção 18.1.3, deve ser considerada "tanto pior" e não "tanto melhor".

Portanto, o papel do movimento extraparlamentar do trabalho é duplo. Em vez de auxiliar a reestabilizar o capital nas crises, como ocorreu em situações importantes do passado reformista, ele deve, por um lado, afirmar seus interesses estratégicos como alternativa sociometabólica pelo confronto e pela necessária negação, em termos práticos, das determinações estruturais da ordem estabelecida que se manifestam na relação-capital e na concomitante subordinação do trabalho no processo socioeconômico de reprodução material. Por outro lado, o poder político do capital dominante no Parlamento precisa e deve ser contestado por meio da pressão que as formas de ação extraparlamentar podem exercer sobre o Legislativo e o Executivo, como testemunhamos pelo impacto causado pelo movimento de "uma única questão" contra a taxação por cabeça, que desempenhou papel decisivo na queda de Margaret Thatcher do cimo da pirâmide política. Sem a contestação extraparlamentar estrategicamente orientada e sustentada, os partidos que se alternam no governo podem continuar a se oferecer *álibis* recíprocos para o fracasso estrutural do sistema em relação ao trabalho, confinando efetivamente o movimento do trabalho ao papel de um *apêndice* inconveniente, mas *marginalizado*, no sistema parlamentar do capital. Portanto, em relação tanto ao domínio reprodutivo material como ao político, a constituição de um movimento socialista extraparlamentar de *massas* estrategicamente viável – em conjunção com as formas tradicionais de organização política do trabalho, hoje desesperançadamente sem rumo e fortemente necessitadas do *apoio* e da *pressão radicalizantes de tais forças extraparlamentares* – *é uma precondição vital para a contraposição ao maciço poder extraparlamentar do capital.*

Capítulo 19

O SISTEMA COMUNAL E A LEI DO VALOR

19.1 A pretendida permanência da divisão do trabalho

19.1.1
Considerando que o objetivo da emancipação socialista é a radical transcendência da divisão social hierárquica do trabalho, é muito importante saber até que ponto as formas transicionais de mediação material podem assumir efetivamente a tarefa de organizar a estrutura metabólica da sociedade pós-revolucionária. Pois a incapacidade de retomar o controle progressivo das forças que continuam a reproduzir os parâmetros estruturais iníquos do poder hierárquico de decisão gerado no passado condena o projeto socialista, no mínimo, à estagnação, quando não à involução e ao retrocesso. De fato, se é evidente que a divisão social do trabalho não pode ser simplesmente abolida por um ato de governo, não importa o quanto seja bem-intencionado, é igualmente verdade que, no sentido mais profundo, o padrão de avaliação das realizações socialistas continua a ser a contribuição que as medidas e políticas adotadas possam dar à constituição e à consolidação de um modo de controle social global e de autoadministração *substantivamente* democráticos (isto é, verdadeiramente não hierárquicos em seu modo de operação em todas as esferas). Assim, não se pode exagerar a importância estratégica do ponto de vista de um pensador socialista sobre a divisão do trabalho.

A este respeito encontramos em *História e consciência de classe* de Lukács uma mistura infeliz de elementos desiguais. Por um lado, permanece a influência weberiana sobre o filósofo húngaro, que atribui o impacto negativo da divisão social do trabalho à "racionalização", à "abstração" e à "especialização" capitalistas. A respeito desta última tendência, ele diz que "a especialização das qualificações leva à destruição de toda e qualquer imagem da totalidade" (p. 103; ed. portuguesa, p. 119).

Porém, um grau muito alto de especialização é perfeitamente compatível com uma imagem adequada do todo, desde que o praticante das habilidades em questão não seja violentamente separado do poder de tomada de decisão, sem o qual é inconcebível a participação significativa dos indivíduos sociais na constituição da totalidade. O que transforma o trabalho vivo em "trabalho abstrato", sob o capitalismo, não é a *especialização* em si, mas a rigidez e o desumanizante confinamento das funções dos especialistas em tarefas de execução inquestionável. Isto decorre justamente do fato de *o trabalho* em si ser radicalmente excluído da *propriedade*, com base na qual – e conforme cujos imperativos estruturais objetivos – se tomam as decisões fundamentais e se combinam em um todo as funções parciais múltiplas do corpo social.

Em outro nível, em *História e consciência de classe*, Lukács é contundente na sua denúncia contra a divisão alienante do trabalho, quando invoca até mesmo o duvidoso argumento da "natureza humana" para defender sua posição:

> A divisão do trabalho, estranha à natureza do homem, faz os homens se ossificarem em sua atividade, faz deles autômatos nos seus trabalhos e os transforma em escravos de uma rotina (p. 335; ed. portuguesa, p. 343).

No mesmo espírito – apesar de mais um toque da mistificação weberiana na invocação da noção de "ação intencional" como fundamento de justificação para os fenômenos criticados – ele afirma na mesma página que

> as exigências da ação intencional também compelem o partido a introduzir a divisão do trabalho em um grau considerável, e isto inevitavelmente invoca os perigos de ossificação, burocratização e corrupção.

Há, assim, uma tensão interna insuperável na caracterização do problema feita por Lukács. Embora ele deixe clara sua atenção aos efeitos negativos e potencialmente perigosos da divisão social hierárquica do trabalho no modo real de funcionamento do próprio partido, ele reforça a sua justificativa para a manutenção da hierarquia acrescentando, à cláusula geral da "ação intencional", o juízo altamente problemático e não substanciado segundo o qual "enquanto a luta se desdobra é *inevitável* que haja uma hierarquia" (p. 336; ed. portuguesa, p. 344).

A utópica recomendação de Lukács, mencionada no capítulo 7, de que o "rearranjo" periódico da hierarquia do partido "deve se basear na adequação de certos talentos às exigências objetivas da fase particular da luta" (ibid.) não elimina a tensão estabelecida entre condenar a divisão do trabalho como "estranha à natureza do homem" e querer mantê-la até a luta ser completamente superada. Só expõe o autor de *História e consciência de classe* a ataques burocráticos por ter tão somente ousado levantar a questão.

19.1.2

Sob este aspecto, é ainda mais problemático o impacto dos desenvolvimentos históricos subsequentes sobre Lukács. Depois da eliminação prática das estruturas e formas institucionais (por exemplo, os Conselhos de Trabalhadores) que tornariam possível às sociedades pós-revolucionárias tentar realisticamente a implementação da proposta original de superação da divisão do trabalho, por meio de uma reavaliação teórica da experiência histórica que auxiliasse a superar a penosa herança do passado, a própria ideia dessa proposta se torna mais e mais abstrata, a ponto de fenecer completamente.

Assim, o livro do velho Lukács *O presente e o futuro da democratização* reproduz, na forma de uma aguda contradição, a mesma tensão que já se manifesta nos últimos ensaios de *História e consciência de classe*. Naquele trabalho de 1968, por um lado, o autor reafirma a sua convicção positiva da validade do passado histórico dos Conselhos de Trabalhadores (apesar da afirmação simultânea e repetida de pessimismo quanto ao período histórico que se descortina, no qual ele não vê qualquer possibilidade de reaparição de um "movimento de massa espontâneo" que corresponda a esta forma de autoadministração, desconsiderando os "entusiastas sonhadores"[1] que advogavam o contrário). Por outro lado, ele abandona completamente a ideia de superar a divisão de trabalho (ou seja, segundo Lukács, mesmo que de alguma maneira reaparecessem, os Conselhos de Trabalhadores não fariam qualquer diferença).

Para justificar a mudança de posição quanto a esta importante questão, Lukács alega, sem apresentar a mínima evidência em apoio desta alegação que o velho Marx – "em contraste com suas visões da juventude, nas quais a própria divisão do trabalho aparece como um princípio que deve ser transcendido no comunismo"[2] – só está interessado em podar os "efeitos opressivos" da divisão do trabalho. Contudo, Marx, até o fim de sua vida, permanece convicto de que a opressão exercida pela divisão do trabalho é absoluta e não pode ser eliminada pela poda de seus efeitos. Ironicamente, portanto, Lukács, que tantas vezes se opôs às fábulas da moda, enfatizando justamente a continuidade fundamental entre "o jovem Marx" e "o Marx maduro", termina, por razões exclusivamente suas, por reproduzi-las.

No verão de 1968 assistiu-se à obliteração forçada das esperanças e medidas da "Primavera de Praga" pela intervenção do exército de Brezhnev. Por isso mesmo é que, ao escrever sobre a democratização, Lukács não pôde saudar o movimento popular por trás da agitação na Tcheco-Eslováquia como um "movimento espontâneo de massa". Agiu da mesma forma em relação aos Conselhos de Trabalhadores que ressurgiram espontaneamente na Hungria em outubro de 1956, não os considerando um exemplo histórico de um movimento de massa promissor – nem mesmo de um que fosse sintomático e premonitório –, pois o que hoje o partido húngaro denomina "levante popular" foi, naquele momento, oficialmente condenado como uma "contrarrevolução" inspirada no imperialismo. (Apenas para registro, o movimento de massa espontâneo do "Solidariedade" na Polônia não estava ainda no horizonte histórico. Assim, Lukács não pode ser acusado de negligenciar seu impacto potencial.) É compreensível, portanto, que Lukács limite a sua própria perspectiva teórica a uma margem bastante estreita, pois faz uma avaliação pessimista das possíveis mediações práticas institucionalmente viáveis pelas quais as contradições do presente poderiam ser progressivamente superadas, assim como abandona a ideia marxiana da transcendência da divisão do trabalho como a direção estratégica conscientemente adotada e constantemente reafirmada pelos socialistas na época de transição. Com a premissa da manutenção indefinida das estruturas hierárquicas, ele divisa na "*divisão realista do trabalho entre o partido e o Estado*"[3] a saída para as dificuldades, argumentando ao mesmo tempo e no mesmo espírito que

> uma fábrica construída para propósitos capitalistas tranquilamente pode produzir sem mudanças significativas sob o socialismo, e vice-versa.[4]

---

[1] Lukács, *A demokratizálódás jelene és jövöje*, p. 172.

[2] Id., ibid., p. 155.

[3] Id., ibid., p. 194.

[4] Id., ibid., p. 181. Naturalmente, todo capitalista que se preze rejeitará o *vice-versa* desta afirmação.

Desta perspectiva, o papel das massas estaria limitado a dar, de baixo para cima, "sinais de resposta" que os responsáveis pelo Estado e pelo partido deveriam escutar. Quanto à questão da transição para o estágio mais elevado da sociedade socialista, na qual se espera que vigore o princípio norteador "para cada um de acordo com a sua necessidade", Lukács – aceitando uma das categorias mais problemáticas da sociologia positivista – vê o "*consumo de prestígio*" entre os obstáculos que evitam sua realização. Assim, ele argumenta que

> enquanto a satisfação das necessidades... assumir em grande parte a forma de *consumo de prestígio*, isto é, aquele que não está voltado em primeiro lugar para as verdadeiras necessidades existenciais, mas que, ao contrário, se converte em recurso na luta competitiva por prestígio e posição social mais elevados, o princípio comunista não pode ser realizado.[5]

As conexões causais diretas, se é que existem, entre "consumo de prestígio" e desenvolvimento industrial estão representadas de modo invertido na afirmação de Lukács de que "as bases econômicas do desenvolvimento sem precedente da indústria de consumo e dos denominados serviços se encontram na *competição por prestígio dos consumidores*"[6]. Por isso mesmo não se percebe a relevância deste discurso sobre o "consumo de prestígio" para os problemas das sociedades pós-capitalistas realmente existentes, que após tantos anos de existência, na época dessas reflexões de Lukács, não estavam preocupadas em se igualar à ostentação da família Jones, mas lutavam, acima de tudo, contra dificuldades bastante elementares como, por exemplo, a de oferecer a seus povos as necessidades básicas da vida e a de encurtar as intoleráveis filas para obter desde comida até moradia.

A única coisa que torna inteligível (mas de modo algum justificável) o uso desses argumentos peculiares é que, na ausência de uma análise historicamente concreta das *condições objetivas* e das contradições prevalecentes tanto na base socioeconômica como na estrutura política das sociedades pós-capitalistas, Lukács pôde novamente concentrar o fogo da sua crítica no "*fator subjetivo* defeituoso". E é característico que o autor de *O presente e o futuro da democratização* não proponha a retificação dos defeitos assim diagnosticados por meio de um ataque consciente e contínuo contra a divisão social hierárquica injusta do trabalho, realizável pela articulação das mediações materiais apropriadas com as garantias institucionais. Enquanto acusa de "sonhadores entusiastas" os que defendem fins muito mais modestos e objetivamente muito mais viáveis, Lukács espera que os indivíduos ouçam o seu apelo à consciência de que "pertencem à espécie" e a vaga noção de uma "vida cotidiana reformada" destes mesmos indivíduos.

19.1.3

O postulado teórico de Lukács, que afirma a livre intercambialidade das fábricas construídas para propósitos capitalistas e socialistas, cuja produção funcione sem problemas numa base materialmente "neutra", trata de forma fetichista os conceitos de tecnologia e "instrumentalidade pura". (Ele tende a fazer o mesmo em relação às denominadas "determinações econômicas puras", usadas no seu discurso acerca da missão do

---

[5] Id., ibid., p. 158.
[6] Id., ibid., p. 159.

"fator subjetivo" produtor de liberdade *vis-à-vis* sua contraimagem mecanicista.) Este postulado da neutralidade material/instrumental é tão sensato quanto a ideia de que o *hardware* de um computador pode funcionar sem o *software*. E até mesmo quando se chega a ter a *ilusão* de que isto poderia ser feito, já que o "sistema operacional" etc. não precisa ser carregado separadamente de um disquete ou disco rígido, o *software* relevante já estava gravado no *hardware*. Por isso, nenhum *software* pode ser considerado "neutro" (ou indiferente) aos propósitos para os quais foi inventado.

O mesmo vale para as fábricas construídas para propósitos capitalistas, que trazem as marcas indeléveis do "sistema operacional" – a divisão social hierárquica do trabalho – com o qual foram constituídas. Para ficar com a analogia do computador, um sistema estruturado em torno de uma CPU (Unidade de Processamento Central) é bastante inadequado para um sistema operacional divisado para Processadores Paralelos "descentralizados", e vice-versa. Portanto, um sistema produtivo que se proponha a ativar a participação plena dos produtores associados requer uma multiplicidade adequadamente coordenada de "Processadores Paralelos", além de um sistema operacional correspondente que seja radicalmente diferente da alternativa centralmente operada, quer seja a capitalista ou as famosas variedades pós-capitalistas de *economias dirigidas*, apresentadas enganosamente como "de *planejamento*".

Mais justificadamente, poder-se-ia discutir a neutralidade *relativa* de um instrumento de trabalho estritamente *isolado* como um martelo, um serrote ou um *chip* específico de memória. Mas mesmo neste caso os limites da neutralidade rapidamente se tornam evidentes, pois embora o ineficiente serrote não tenha sido – nem jamais poderia ser – completamente eliminado do sistema de produção capitalista, que demanda alta produtividade, seu uso foi, por necessidade, "marginalizado". Igualmente, é importante saber se o *chip* de memória é capaz de operar com 8 ou 64 bits, pois ele se torna absolutamente inútil fora do quadro de referência definido por tais características operacionais.

Nesse sentido, os limites da neutralidade instrumental em relação aos instrumentos particulares de trabalho são decididos pela sua capacidade ou não de se tornarem partes constitutivas de um sistema global coerente. Isto mostra quanta atenção ainda se deve prestar às determinações e aos limites no caso da fábrica capitalista, na medida em que esta não é um instrumento isolado, mas um *sistema* poderoso (um verdadeiro "microcosmo"), baseado no "despotismo do lugar de trabalho" (sua estrutura de comando hierárquica interna), em sua conexão orgânica com a "tirania do mercado" que une e integra as unidades produtivas particulares no interior do "macrocosmo" totalizante da estrutura reguladora capitalista.

Portanto, está longe de ser acidental que, nas sociedades pós-capitalistas, a retenção da divisão do trabalho – com sua estrutura de comando autoritária – conduzisse para a defesa do "socialismo de mercado" (defesa feita por muitos, mas não por Lukács, que, no espírito de *História e consciência de classe*, propõe soluções no plano do "fator subjetivo") para remediar a inconsistência e a contradição entre as unidades produtivas particulares e a estrutura sintetizante global dos sistemas socioeconômicos estabelecidos. Com a continuidade da divisão hierárquica do trabalho, a remoção dos *limites disciplinares internos* do capitalismo – que definem sua própria *racionalidade justificadora* em termos de bom *desempenho no mercado* – não pode ser enfrentada por meio do controle político autoritário, nem na sociedade como um todo, nem em suas unidades produtivas particulares. A combinação infeliz da tomada de decisão administrativa hierárquica no local de trabalho com o ressentimento arraigado de quem sofre as consequências desta forma de alienação "socialista" de sua própria capacidade de decisão só pode produzir, por um lado, a *"anarquia do lugar de trabalho"*, que aparece na forma de trabalho adicional além das horas normais, no desperdício de material e de tempo, na baixa motivação para aprender habilidades novas e mais desenvolvidas e no exercício negligente da habilidade produtiva até mesmo em seu mais baixo nível etc. Por outro lado, como corolário e remédio ilusório, aparece a intensificação contraproducente do controle burocrático centralizado do qual o sistema stalinista representa um exemplo histórico particularmente agudo e trágico.

Assim, as dificuldades e os fracassos dos sistemas socioeconômicos pós-capitalistas não são o resultado inevitável da *"complexidade" em si*, o argumento favorito de todos os que gostam de usar o arsenal de clichês weberianos para "provar" a impossibilidade de se instituir *a priori* relações produtivas verdadeiramente socialistas. As dificuldades e os fracassos são a consequência necessária da relação estrutural *conflitante* entre produção e controle, produtores "indisciplinados" e administração "socialista". A "complexidade", portanto, longe de ser *a priori* "inevitável", é produzida diretamente pelas contradições internas da organização e do controle pós-revolucionário das funções produtivas (e reprodutivas) da sociedade sob as circunstâncias históricas prevalecentes. Junto com o peso do passado, esta nova forma de relação estrutural antagônica entre produção e controle *cria* – no âmago do sociometabolismo fundamental das sociedades pós-capitalistas – não uma "inevitável complexidade", mas uma *complexidade incontrolável*.

É compreensível que Max Weber – inimigo declarado e jurado do socialismo – promovesse a "complexidade insuperável" ao *status* de "causa original", já que com tal premissa (que coloca o carro na frente dos bois "concluindo" que o carro não tem a menor possibilidade de se mover) anulava as chances de o projeto socialista superar o poder do capital. Mas aqueles que procuram soluções em uma base socialista têm que atacar os *verdadeiros fundamentos causais* da complexidade visivelmente incontrolável para, então, colocá-los sob o controle dos produtores associados.

Porém, o apelo moralista de Lukács ao senso de responsabilidade dos indivíduos – que está expresso em "O papel da moralidade na produção comunista" na alternativa absoluta entre o proletariado aceitar livremente a disciplina do trabalho em nome da alta produtividade ou transformar sua ditadura contra si mesmo – não representa solução para esses problemas, assim como não são soluções as várias tentativas autoritárias de impor de cima para baixo a disciplina sobre os produtores. De modos distintos e com base em motivações igualmente muito diferentes, todos eles, em vez de enfrentar as causas, operam no plano das consequências.

19.2 A lei do valor sob diferentes sistemas sociais

19.2.1
A divisão do trabalho não é, de modo algum, o único aspecto para o qual Lukács nos oferece uma interpretação muito problemática de Marx. O auge de seu distanciamento

da concepção marxiana da divisão do trabalho refere-se à "lei do valor" e suas manifestações sob diferentes sistemas socioeconômicos. Lukács cita a respeito uma passagem de *O capital* de Marx omitindo uma limitação muito importante. Nesta passagem, Marx, de fato, escreveu:

> *Só para fazer um paralelo com a produção de mercadorias*, pressupomos que a parte de cada produtor nos meios de subsistência seja determinada pelo seu tempo de trabalho.[7]

Lukács transforma o *paralelo* proposto por Marx em lei universalmente válida e permanente, característica de "todos os modos de produção"[8], inclusive *da fase mais elevada* da sociedade comunista. Isto é absolutamente injustificável, porque o "paralelo" de Marx é oferecido como mera ilustração de *um aspecto* do problema, a saber, aquele diretamente relacionado ao "fetichismo da mercadoria". Suas reflexões sobre essa questão visam demonstrar a *"transparência"* e a *"inteligibilidade"* direta do caráter social da produção e distribuição no socialismo, em oposição diametral ao sistema capitalista, que "vela" e falseia de forma fetichista "o caráter social do trabalho privado e as relações sociais entre os produtores individuais"[9]. Ao mesmo tempo, Marx oferece este paralelo limitado à produção de mercadorias na sociedade capitalista referindo-se às *quantidades* de tempo de trabalho em parte porque esse é o único idioma entendido pela economia política burguesa, em parte porque o modo quantitativo de medir o direito dos indivíduos sobre suas partes no produto social permanece pertinente na sociedade de transição, mas definitivamente não numa fase mais avançada do socialismo, como depreendemos das referências de Marx ao princípio que determina "a cada um de acordo com as suas necessidades", expresso em *A crítica ao Programa de Gotha*.

Isto não significa, porém, que ocorra, como alega Lukács, a permanência a-histórica da lei do valor. Pelo contrário, Marx deixou bem claro que

> a troca de trabalho vivo por trabalho objetivado – isto é, a colocação do trabalho social sob a forma da contradição entre capital e trabalho assalariado – é o desenvolvimento *último* da *relação-valor* e da produção que se apoia no valor. Sua pressuposição é – e permanece – a massa de tempo de trabalho direto, a quantidade de trabalho empregada, como fator determinante na produção de riqueza. Mas, à medida que a grande indústria se desenvolve, a criação da riqueza real depende cada vez menos do tempo de trabalho e da quantidade de trabalho empregada que do poder das forças postas em movimento durante o tempo de trabalho cuja "poderosa efetividade" está, ela própria, por sua vez, fora de toda a proporção com o tempo de trabalho diretamente gasto na sua produção, mas antes depende do estado geral da ciência e do progresso da tecnologia, ou da aplicação desta ciência na produção. ... Assim que o trabalho na forma direta deixa de ser a grande fonte da riqueza, o *tempo de trabalho deixa e tem que deixar de ser, sua medida*, e consequentemente o valor de troca tem que deixar de ser a medida do valor de uso.[10]

---

[7] Marx, *O capital*, vol. I, pp. 78-9 [ed. bras., op. cit., vol. I, p. 75].
[8] Lukács, *A demokratizálódás jelene és jövöje*, pp. 111-2.
[9] Marx, *O capital*, p. 76. [ed. bras., op. cit., p. 76].
[10] Id., *Grundrisse*, pp. 704-5.

Com base nisso podemos realmente compreender as consequências de longo alcance que advêm de uma teoria e de uma estratégia socialistas construídas com base na aceitação não crítica da ideia do *"socialismo em um só país"*. Mais ainda do que isso, de uma teoria conscientemente desenvolvida por seu autor como o necessário fundamento de todas as outras dimensões do conhecimento e da prática sociais: uma ontologia do ser social.

E é importante considerar que não foi somente durante a vigência do poder de Stalin, quando os dissidentes frequentemente pagavam com suas próprias vidas pela temeridade de divergir, que Lukács perseguiu essa problemática linha de argumentação. Na verdade, ele insiste até mesmo no seu livro abertamente antisstalinista, *Democratização*, que "só se pode duvidar do caráter *objetivamente socialista* do socialismo realmente existente do ponto de vista da *estupidez e das mentiras burguesas*"[11], razão pela qual suas ideias trazem consigo a necessidade de velar algumas linhas de demarcação vitais.

Interiorizar e racionalizar essas premissas problemáticas – premissas que deveriam ao menos ter sido submetidas a um escrutínio crítico, mesmo que o pensador concluísse, apesar de tudo, pela sua manutenção – impede a exploração de certas vias tanto na investigação das determinações causais que conduziram ao presente como em relação ao "que fazer?" para construir um futuro muito diferente.

Nessa perspectiva, concebida a partir da premissa do "socialismo em um só país", o fracasso em superar os problemas e as deficiências de um sistema pós-revolucionário bastante subdesenvolvido – pautado na necessidade urgente de uma "acumulação primitiva" (ou "acumulação socialista"), no desenvolvimento da tecnologia e da ciência e de sua aplicação no processo de produção – pode realmente criar a ilusão de que a *relação-valor*, com sua medida quantificável de *tempo de trabalho*, pode e deve se manter como a estrutura reguladora permanente da reprodução societária em todas as formas de produção, inclusive nas fases mais avançadas da sociedade socialista. Por conseguinte, a margem possível de ação é confinada a limites extremamente estreitos. Mudanças estruturais objetivas são declaradas desnecessárias, e, em desespero, exagera-se o papel do "fator subjetivo" agora separado, e mesmo absolutamente oposto, de modo não dialético, do seu solo material. No mesmo espírito que em *História e consciência de classe*, o fator subjetivo/ideal/ideológico é contraposto ao fator "puramente econômico". As mediações materiais necessárias desaparecem de vista ou assumem a forma de um postulado metodológico abstrato, como veremos em um momento. Compreensivelmente, portanto, nenhuma outra via permanece aberta ao autor a não ser o apelo moral direto à consciência dos indivíduos. Ele os exorta a reconhecer seu "pertencimento consciente à espécie". E, como resultado de uma "*sociabilidade cada vez mais pura*" que se desenvolve misteriosamente, Lukács postula que os indivíduos estão destinados a reconhecer esse "pertencimento", sem que, contudo, as condições materiais sejam indicadas e nem ao menos sejam percebidas, na medida em que afirma a permanência da divisão do trabalho e da sua relação-valor.

Marx, porém, enfrenta esses assuntos de uma ótica radicalmente diferente. Longe de aceitar a permanência da medida do tempo de trabalho, ele sublinha o papel do *tempo disponível* como a medida de riqueza nas condições de uma sociedade socialista avançada. Assim, ele coloca que

---

[11] Lukács, *A demokratizálódás jelene és jövöje*, p. 178.

a verdadeira riqueza é o poder produtivo desenvolvido por todos os indivíduos. Então, a medida de riqueza não é mais, *de modo algum*, o tempo de trabalho, e sim o *tempo disponível*. O tempo de trabalho como a medida do valor define a própria riqueza como fundada na pobreza, e o tempo disponível como existente na, e devido à, antítese ao tempo de trabalho excedente; ou postular todo o tempo de um indivíduo como tempo de trabalho e a sua *degradação*, então, a mero trabalhador, *subsunção ao trabalho*.[12]

De fato, Marx argumenta vigorosamente que nas condições do socialismo avançado testemunhamos a transformação do "tempo de trabalho necessário", de *medida* tirânica e degradante, a tempo que passa a ser *medido*, ele mesmo por critérios humanos *qualitativos*, "pelas *necessidades* do indivíduo social"[13]. Sua argumentação está em completa conformidade com uma ideia expressa de modo notável dez anos antes:

> Em uma sociedade futura, na qual os antagonismos de classe terão cessado, porque nela já não haverá nenhuma classe, o *uso* não será mais determinado pelo *tempo mínimo* de produção; mas o *tempo* de produção dedicado a um artigo será *determinado* pelo grau de sua *utilidade social.*[14]

A questão, portanto, é saber se as considerações de tempo desempenham um papel *determinante* na forma historicamente específica de sociometabolismo ou, pelo contrário, se o tempo de trabalho da sociedade – sua produção e sua alocação – é regulado e *determinado* pelos objetivos que os membros de uma sociedade socialista avançada estabeleceram para si próprios, na estrutura de um *plano* genuíno divisado por eles. Em outras palavras, a questão é se os indivíduos sociais poderão planejar no sentido genuíno, alocando o seu tempo – o tempo de vida com significado – entre uma gama inteira de atividades que correspondam às suas necessidades. Um procedimento que está totalmente em contradição com a caricatura de planejamento: a imposição burocrática, de cima para baixo, de um conjunto de ditames produtivos e distributivos regido pela necessidade de extrair – de modo iníquo – o trabalho excedente (e o equivalente tempo excedente) dos trabalhadores.

Compreensivelmente, portanto, é inconcebível realizar essa mudança vital na função social do tempo de trabalho – de determinante (que, nas palavras de Marx, reduz o trabalho vivo à "carcaça de tempo") a determinado – sem um avanço correspondente para a superação da divisão do trabalho. Enquanto o tempo dominar a sociedade sob a forma do imperativo da extração do tempo de trabalho excedente da maioria esmagadora, os governantes deste processo têm que realizar uma forma substancialmente diferente de existência, em conformidade com sua função de *personificações e de impositores do imperativo-tempo*. Ao mesmo tempo, a maioria oprimida de indivíduos é "*degradada à condição de meros trabalhadores, subsumidos ao trabalho*".

Só a plena e igual participação de todos em todos os níveis do processo de tomada de decisão pode progressivamente retirar a sociedade de transição, em sua

---

[12] Marx, *Grundrisse*, p. 708.
[13] Id., ibid.
[14] Id., *The Poverty of Philosophy*, MECW, vol. 6, p. 134.

trajetória para superar a divisão de trabalho e se emancipar da tirania do tempo, dessa condição contraditória e reprodutora de antagonismos. Lukács é, portanto, perfeitamente consistente quando retém não só a divisão de trabalho como também a relação-valor que a acompanha. Paradoxalmente, porém, essa consistência torna extremamente problemática a própria ideia de socialismo, e totalmente irreal a possibilidade de se alcançar sua fase avançada.

19.2.2
Voltemos a uma passagem significativa de *Ontologia do ser social* de Lukács para ver a diferença entre as suas ideias e as de Marx acerca desse tópico. A linha de argumentação de Lukács tende a eliminar a distinção qualitativa feita por Marx entre produção *social* e *comunal* (sendo esta "*gemeinschaftliche*" ou "não social *post festum*"*) e a subsumir a última à primeira. Em outras palavras, a abordagem de Lukács é caracterizada por uma tendência a subsumir o sistema comunal à forma de produção social que permanece sempre sujeita e dominada pelos limites da relação-valor.

Esta não é simplesmente uma imprecisão conceitual ou um deslize acidental na teoria de Lukács. Ele deve assim proceder para fundamentar o papel designado às "posições teleológicas individuais" orientadas pelo valor em todas as condições e circunstâncias históricas. Esse procedimento se observa não só na *Ontologia do ser social* mas em todos os seus escritos intimamente relacionados à *ontologia*, como, por exemplo, seu estudo sobre a *Democratização*.

Neste espírito, Lukács afirma que "mesmo a economia mais complicada é *resultante* de *posições teleológicas individuais* e suas realizações, ambas na forma de *alternativas*... [ainda que] os homens dificilmente possam acompanhar corretamente as consequências das suas próprias decisões". Em seguida, antecipando-se a uma objeção óbvia a esta proposição, Lukács coloca: "Como podem, portanto, posição ante o valor constituir valor econômico?" E a isto ele responde com uma confiança categórica: "Ora, o próprio valor é ainda *objetivamente* presente, e sua própria objetividade também determina – ainda que sem *certeza* completa no lado *objetivo*, ou *consciência* adequada no *subjetivo* – as posições teleológicas individuais que são orientadas pelo valor"[15].

Como a validade dessas afirmações não é de modo algum autoevidente, as limitações relativas aos lados objetivo e subjetivo suscitam mais perguntas do que respondem. É assim que Lukács tenta provar o seu ponto de vista com base na autoridade de Marx:

> a divisão social do trabalho que se torna sempre mais complexa dá origem a valores... a divisão do trabalho mediada e provocada pelo *valor de troca* produz o princípio de controle do tempo graças a um melhor uso subjetivo deste. Como observa Marx: "Economia de tempo, é a isso que toda a economia se reduz no final das contas. A sociedade, do mesmo modo, tem que distribuir seu tempo com o propósito de

---

[15] Lukács, *Toward the Ontology of Social Being: Labour*, Londres, Merlin Press, 1980, p. 83.

* "Não social post-festum" porque, ao contrário da sociedade capitalista, que possui o mercado como esfera de socialização, na sociedade comunista a socialização ocorre antes da produção – a saber diretamente e não por meio de "coisas" –, ou seja, "*ante festum*". (N.T.)

alcançar uma produção adequada para suas necessidades gerais; da mesma maneira que o indivíduo tem que distribuir corretamente o seu tempo seja para alcançar o conhecimento nas proporções apropriadas, seja para satisfazer as várias demandas de sua atividade. Assim, a economia de tempo, juntamente com a distribuição planejada do tempo de trabalho entre os vários ramos da produção, permanece a primeira lei econômica da produção *comunal*" [isto é, uma produção específica e cooperativamente social, "*gemeinschaftliche*", e não uma genericamente "*gesellschaftliche Produktion*"]. Aqui, Marx se refere a isto como lei de produção *social,* justamente porque os efeitos causais dos diferentes fenômenos envolvidos combinam-se para resultar em tal lei, reagindo assim sobre os *atos individuais* como um fator decisivo, de forma que os indivíduos, para não perecer, têm que se adaptar a essa lei. Porém, economia de tempo envolve imediatamente uma relação-valor. ... A orientação objetiva da lei econômica para a economia de tempo dá imediatamente origem ao que é a *divisão social de trabalho ótima* na ocasião, desse modo provocando a elevação do ser social a um nível mais elevado de sociabilidade que se torna cada vez mais pura.[16]

Como podemos ver, essa passagem dos *Grundrisse* contradiz diretamente a alegação de Lukács, para quem o princípio da "economia de tempo" é produto do *valor de troca*. Na visão de Marx, o princípio em questão tanto precede como sobrevive ao domínio do valor de troca, afirmando sua própria validade, ainda que de formas *qualitativamente* diferentes, sob *todas* as formas de produção, inclusive sob o sistema *comunal*. O merecimento desse nome não se deve somente ao fato de ser caracterizado pela *produção* comunal, mas também pelo *consumo* comunal ("*gemeinschaftliche Konsumption*"); isto é, nem coletivista abstrato nem orientado por valores individualistas.

Porém, a divergência de Lukács com a concepção marxiana é muito maior do que poderia indicar esse ponto particular. Para entender a natureza e a função teórica da má interpretação surpreendente que Lukács faz de Marx, devemos examinar mais de perto a passagem à qual ele se refere. Antes disso, porém, é necessário sublinhar a linha característica de argumentação pela qual Lukács – do mesmo modo que em *História e consciência de classe* – introduz limitações que o isentam da remoção de dúvidas e dificuldades que necessariamente precisa enfrentar em relação a algumas de suas categorias-chave. Em *História e consciência de classe* ele manteve, com a ajuda de tais limitações, que "a ação proletária consciente" se desdobra, *por definição*, no reino da liberdade, tranquilizando a si mesmo e aos seus leitores com base na postulação de uma força histórica que é revolucionária, mesmo que não o seja na realidade, é consciente até mesmo quando "completamente inconsciente". É desse modo que, desafiando as condições históricas desfavoráveis então dominantes, pode-se afirmar e reiterar com uma dedicação comovente, em *História e consciência de classe,* a "certeza da vitória proletária".

Desse mesmo modo, na *Ontologia do ser social* somos convidados a adotar uma perspectiva que assegura a "elevação do ser social a um nível cada vez mais alto de sociabilidade que se torna sempre mais pura", sociabilidade que emerge dos processos interativos "*paralelogrâmicos*" de indivíduos afinados com a "astúcia da

---

[16] Id., ibid., pp. 83-4.

Razão" hegeliana[17] e que, assim, "podem seguir corretamente as consequências das suas próprias decisões", envolvidos que estão na forma histórica "ótima" e sempre mais complexa de divisão social do trabalho. Não obstante, espera-se que a consequência positiva da ordem social mais elevada surja na forma da necessária "*resultante* de posições teleológicas individuais", embora não possamos encontrar qualquer certeza sobre sua realização no lado objetivo, nem realmente uma "consciência adequada" da "intenção objetiva" inerente às posições teleológicas individuais no lado subjetivo.

Nesta visão, é bastante problemática a ausência de mediação em dois aspectos fundamentais. Primeiro, porque não mostra as articulações que conduzem (ou poderiam conduzir) os indivíduos que se encontram no mais baixo nível de sociabilidade (em sociedades de classe antagonicamente divididas) para a mais elevada, na qual a consciência plena dos indivíduos de seu "pertencimento à espécie" é dito ser o princípio operativo. E, segundo, porque não indica a forma historicamente específica dos intercâmbios mediadores pelos quais os indivíduos podem de fato viver o seu "pertencimento à espécie", não importa quão elevado o nível de sociabilidade, conforme o grau dado de desenvolvimento da sua sociedade.

Por isso, significativamente, a leitura de Lukács dos *Grundrisse* altera radicalmente o significado original da ideia marxiana de produção e consumo *comunais,* assim como do uso correspondente do tempo em um sentido *qualitativo/liberador,* em contraste com a *imposição quantitativa* tirânica exercida sobre os produtores, que é inseparável da relação-valor. Para Marx, o uso qualitativo do tempo na forma comunal de intercâmbio reprodutivo representa o nível historicamente atingível e, nas fases mais avançadas do socialismo, o *único* e absoluto modo de *mediação* dos produtores associados.

O resultado de omitir as referências de Marx à reorientação radical do tempo em direção à *qualidade* reflete-se no discurso de Lukács acerca das posições teleológicas individuais, no qual se perde completamente a ideia de Marx sobre o novo significado de "economia de tempo". Diferentemente de Marx, que fala em alocar o tempo disponível total da sociedade com base em *decisões comunais conscientes*, Lukács interpreta a "economia de tempo" como uma *lei social genérica* que confronta e subjuga diretamente os indivíduos que "devem se adaptar a essa lei ou perecer". Contudo, dada a premissa do socialismo avançado postulada por Marx no contexto dessas reflexões, o perigo de perecer já não pode orientar, por sua esmagadora negatividade, a atividade de vida dos "ricos indivíduos sociais". Assim, no discurso de Lukács, não há como superar a oposição dualista entre "lei social" (que, para ele, se afirma atemporalmente até mesmo na produção e no consumo comunais) e a "posição teleológica individual". Na ausência de formas historicamente específicas de mediação material, a superação só pode ser tentada mediante a intervenção emancipatória do "lado subjetivo", através de alguma forma de apelo direto à consciência. Todas as recomendações para a possibilidade de intervenção no "lado objetivo" assumem a forma de *postulados metodológicos* e, assim, permanecem essencialmente na esfera do "fator subjetivo".

---

[17] Ver a discussão sobre a característica problemática desse modelo de interação individual e social no capítulo 12, "A astúcia da história em marcha à ré", anteriormente publicado em inglês em *Radical Philosophy*, n. 42, inverno/primavera de 1986, e depois em italiano em *Problemi del Socialismo*, ano XXIII, nº 23, 1982.

19.2.3
Na passagem citada de forma truncada por Lukács, Marx inicia a discussão sublinhando o contraste entre diferenciação quantitativa e diferenciação qualitativa de tempo, e afirmando com firmeza que a atividade produtiva do trabalho vivo – o trabalho de sujeitos trabalhadores particulares – simplesmente não pode ser comparado ao "tempo de trabalho geral, autoequivalente". Sob as condições de produção de mercadorias, "o tempo de trabalho, visto como sujeito, corresponde tão pouco ao tempo de trabalho geral que determina os valores de troca quanto os artigos e produtos particulares a ele correspondem como objeto"[18].

Marx dá destaque à diferença radical entre forma comunal e forma capitalista de reprodução social em resposta às reflexões de Adam Smith sobre o papel do dinheiro – como "mercadoria geral" – no sistema de produção e troca de mercadorias historicamente estabelecido e transcendível, mas eternizado pela economia política burguesa. Ele critica a ideia autocontraditória de Smith sobre "intercambiabilidade geral": uma noção totalmente enganosa nas condições da sociedade de mercado e sua relação-valor. E, de modo algum, seu postulado surge acidentalmente, mas a serviço da eternização do sistema dado. Além disso, esse postulado é necessariamente autocontraditório, pois, enquanto o problemático conceito de "intercambiabilidade geral" capitalista precisou ser elaborado em conformidade com as exigências de um sistema socioeconômico eternizado, ele só pôde ser definido nas condições em que a própria questão já não podia ser sequer levantada.

É assim que Marx discute a diferença fundamental entre os dois sistemas de produção e distribuição, enfocando nas raízes de cada um várias determinações vitalmente importantes. Para isso, reporta-se às formas agudamente contrastantes nas quais o intercâmbio reprodutivo dos indivíduos particulares é necessariamente mediado sob a "sociabilidade *post festum*" do capitalismo, por um lado, e, por outro, sob o sistema comunal verdadeiramente planejado:

O trabalho do indivíduo considerado no próprio ato de produção é o dinheiro com que ele compra diretamente o produto, o objeto da sua atividade *particular*; mas é um dinheiro particular que compra precisamente só este produto específico. Para ser diretamente dinheiro geral, teria que ser desde o início não um trabalho particular, mas trabalho geral, isto é, teria que ser posto como um *elo na produção geral*. Mas, com esta pressuposição, não é a *troca* que dá ao trabalho seu caráter geral, mas é antes seu pressuposto caráter *comunal* que determina a distribuição de produtos. O caráter comunal de produção faz, desde o início, do produto *um produto comunal, geral*. A troca que originalmente acontece na produção – que não é uma troca de valores de troca mas de *atividades*, determinada *por necessidades e propósitos comunais* – inclui desde o início a participação do indivíduo no mundo comunal de produtos. Com base em valores de troca, o trabalho só é posto como geral pela troca. Mas, neste fundamento [comunal], ele é postulado como tal *antes* da troca; isto é, a troca de produtos não é de maneira alguma o meio pelo qual a participação do indivíduo na produção geral é mediada. A mediação deve, claro, ocorrer. No primeiro caso, que procede da produção independente de

---

[18] Marx, *Grundrisse*, p. 170.

indivíduos – não importa quanto estas produções independentes se determinem e se modifiquem reciprocamente *post festum* – a mediação acontece pela troca de mercadorias, pelo valor de troca e pelo dinheiro; todas expressões de uma e mesma relação. No segundo caso, a própria pressuposição é mediada, isto é, em uma produção comunal, a *comunidade* é pressuposta como a base da produção. O trabalho do indivíduo é posto desde o início como trabalho social. Assim, qualquer que seja a forma material particular do produto que ele cria ou ajuda a criar, o que foi comprado com o seu trabalho não é um produto específico e particular, mas antes *uma porção especial da produção comunal*. Ele não tem, portanto, nenhum produto particular para trocar. O seu produto não é um valor de troca. O produto não tem que ser antes transposto a uma forma particular para atingir um caráter geral para o indivíduo. *Em vez de uma divisão de trabalho*, trabalho que necessariamente é criado no intercâmbio de valores de troca, aconteceria uma *organização do trabalho* cuja consequência seria a participação do indivíduo no *consumo comunal*. No primeiro caso, o caráter social de produção é posto apenas *post festum* com a elevação dos produtos a valores de troca e o intercâmbio destes valores de troca. No segundo caso, é *pressuposto* o caráter social da produção, e a participação no mundo de produtos, no consumo, não é mediada pela troca de produtos de trabalho ou de trabalhos mutuamente independentes. É mediada, antes, pelas *condições sociais de produção* no interior das quais o indivíduo é ativo. Aqueles que querem transformar diretamente o trabalho dos indivíduos em dinheiro (isto é, o seu produto também), em valor de troca realizado, querem portanto determinar diretamente o trabalho enquanto trabalho geral, isto é, negar precisamente as condições nas quais ele deve ser transformado em dinheiro e valores de troca, nas quais ele depende do intercâmbio privado. Esta demanda só pode ser satisfeita em condições nas quais já não pode ser feita. O trabalho com base em valores de troca pressupõe, precisamente, que nem o trabalho do indivíduo nem o seu produto sejam *diretamente gerais*; que o produto só atinge esta forma passando por uma mediação objetiva [*gegenständliche*], por meio de uma forma de dinheiro distinta de si mesmo.[19]

É óbvio, portanto, que as linhas de demarcação entre o sistema comunal e os sistemas dominados pela divisão do trabalho e a correspondente relação-valor não podem ser traçadas mais enfaticamente do que o são aqui. Isto torna ainda mais problemático o fato de Lukács usar as conclusões de Marx em defesa da sua própria projeção a--histórica para o futuro da divisão do trabalho, "sempre ótima", e de sua lei do valor. Dessa forma, Lukács oblitera a oposição diametral entre a *organização diretamente* geral do processo de trabalho comunal e aquelas em que o caráter social do trabalho só pode ser postulado *post festum*, pela intermediação do valor de troca. Realmente, é quase incompreensível que Lukács, normalmente muito atento às especificidades históricas encontradas, prossiga nessa linha a-histórica de raciocínio sobre esse conjunto de questões, mesmo depois de as diferenças *qualitativas* que separam os sistemas reprodutivos sociais terem sido claramente explicitadas na passagem citada dos *Grundrisse*.

---

[19] Id., ibid., pp. 171-2.

Naturalmente, essa não é uma simples questão de interesse teórico abstrato. Pelo contrário, o que de fato interessa é o princípio prático orientador vital das estratégias que apontam para uma reestruturação radical do processo de trabalho estabelecido e sua relação de troca. Em jogo estão as formas necessárias de *mediação*, formas pelas quais a divisão estrutural hierárquica do trabalho poderia dar lugar ao modo *diretamente social* de produção da "nova forma histórica". Em outras palavras, esse modo deve fixar os *parâmetros* e a *direção* que, segundo Marx, "*ao invés* de uma divisão do trabalho" (cujos imperativos materiais são impostos sem cerimônia sobre os sujeitos trabalhadores particulares), permitiriam a integração da atividade de vida conscientemente autocontrolada dos indivíduos sociais em um todo produtivamente viável e humanamente satisfatório.

De modo contrastante, a interpretação equivocada que Lukács faz de Marx combina o social genérico (incluindo a problemática sociabilidade *post festum* da produção capitalista de mercadorias) com o caráter *específico*, *desde o início* socialmente determinado e conscientemente organizado (isto é, genuinamente planejado), do sistema socialista de produção e consumo previsto. (Como veremos, Lukács adota esta categoria de sociabilidade genérica hipostasiada porque assim requer o seu discurso acerca do "triunfo" dos indivíduos "sobre seus próprios particularismos".) Mas, procedendo dessa maneira, ele impede que se compreenda a significação das mediações materiais necessárias que poderiam conduzir do domínio do capital perpetrado no interior da moldura da estrutural divisão do trabalho herdada ao sistema comunal de produção e consumo, no sentido dado por Marx. Sua linha de argumentação tanto remove a necessidade de tais mediações, transferindo-as para a esfera da *ética*, como, simultaneamente, exclui a possibilidade da sua articulação prática ao postular a manutenção da divisão do trabalho (e a relação-valor correspondente) mesmo na fase mais avançada da ordem socialista.

19.3 Mediação antagônica e comunal dos indivíduos

19.3.1
A ideia de que o projeto socialista oferece a solução para as contradições dos sistemas reprodutivos contemporâneos só pode ser verdadeiramente séria se se considerarem as características do sistema comunal definidas por Marx. Nessa medida, os obstáculos à realização do modo comunal de produção e consumo não podem, como Lukács tentou fazer em *História e consciência de classe,* ser removidos com base na hipóstase da "identidade entre o passado e o presente" durante a ditadura do proletariado; esses obstáculos não são removidos nem que se subscreva a ideia de "socialismo em um só país" e a da eternização da divisão do trabalho e sua relação-valor, racionalizadas de modo a garantir seus próprios termos de referência: a saber, a alegação de que a tarefa a ser cumprida é a criação de uma "divisão do trabalho realista entre o partido e o Estado".

Essa confusa interpretação da passagem citada dos *Grundrisse* de Marx, produzida por um pensador da estatura de Lukács, só pode ser entendida em relação às premissas práticas limitadoras mencionadas na última sentença, premissas que objetivamente impedem qualquer possibilidade de uma leitura rigorosa no sentido pretendido por Marx. Pelas mesmas razões, o autor da monumental *Ontologia do ser social* precisou substituir a investigação das mediações materiais tangíveis e possíveis das sociedades de transição realmente existentes, no seu movimento difícil e contraditório para o futuro, pela nobre, mas irreal, projeção da consciência dos indivíduos em relação ao seu "pertencimento à espécie". A sua concepção é *dualista* e, como vimos acima, só pode divisar a necessária mediação pela ética, tendo ele prometido, por muitos anos, a elaboração de um trabalho que, significativamente, ele nunca pôde escrever.

A relevância dos pontos de referência e dos princípios orientadores marxianos, que claramente identificamos na passagem citada acima, é hoje maior do que nunca se considerarmos a profunda crise de todos os três sistemas socioeconômicos do mundo contemporâneo. O fracasso da "modernização" no "Terceiro Mundo"; a reaparição do espectro de antagonismos explosivos no "Primeiro Mundo", além da grande probabilidade de que algum desastre importante em breve paralise as artérias financeiras do "capitalismo avançado"; e a implosão de quase todas as sociedades pós-capitalistas; todas estas circunstâncias realçam a verdade de que não pode haver solução *separada* dos problemas relacionados aos três sistemas. Isso significa que, apesar de todas as divisões, dependências estruturais e de todos os antagonismos existentes, os denominados "Três Mundos" constituem *um* mundo apenas, em qualquer sentido significativo do termo, devido às profundas e inextricáveis interconexões dos sistemas socioeconômicos e políticos em questão. Por conseguinte, qualquer perspectiva mais ampla de encontrar uma saída para o impasse existente em cada um dos sistemas só pode ser concebida no espírito do projeto socialista original, única possibilidade de enfrentar os problemas e contradições de todos os três sistemas.

Certamente, os pontos de referência e os princípios orientadores marxianos em questão precisam ser traduzidos em termos de *estratégias mediadoras* historicamente específicas – portanto, necessariamente cambiantes –, em qualquer conjuntura de desenvolvimento socioeconômico e político-cultural. Mas, precisamente porque sua própria natureza está inscrita apenas numa perspectiva geral mais ampla de transformação, sua validade não pode estar atada a uma conjuntura sócio-histórica limitada. A princípio, portanto, torna-se absolutamente irrelevante saber se a necessária ruptura em direção ao socialismo – não em um país só, nem em uma dúzia de países ou mais, mas *irreversivelmente* em *toda* a humanidade – precisará de algumas décadas ou de um tempo muito longo para ser alcançada.

A relevância dos princípios orientadores marxianos se afirma pelo fato inevitável de que sem eles o próprio trajeto se torna extremamente problemático porque perde a *direção*, com as consequências mais desorientadoras e desanimadoras. Pudemos testemunhar esse fato não somente no Leste, mas também na reversão total da orientação estratégica de alguns antigos partidos comunistas e socialistas da Europa Ocidental. A social-democratização desses partidos no Ocidente pertence ao mesmo processo pelo qual os líderes de alguns dos partidos trabalhistas e social-democratas abandonaram os antigos objetivos socialistas declarando, contraditoriamente, que a tarefa dos socialistas é a "melhor administração do capitalismo". Eles parecem não perceber que nem mesmo o pronto restabelecimento do capitalismo em todas as sociedades pós-revolucionárias seria suficiente para resolver uma única contradição estrutural do capital como modo de controle social de dominação das classes trabalhadoras. Removeria apenas a justificação autocomplacente e o *álibi* do "capitalismo avançado".

19.3.2

Não se pode simplesmente usar como desculpa conveniente a relevância e a ampla validade histórica dos princípios orientadores marxianos, nem a necessidade de sua articulação institucionalmente concreta segundo a margem de ação disponível aos sujeitos emancipatórios nas circunstâncias prevalecentes. O simples reconhecimento de que poderia decorrer um tempo muito longo até ocorrer a plena maturação histórica das condições antecipadas na ampla estrutura orientadora não é suficiente para definir os próprios princípios em termos de imperativos abstratos. Antes é necessária uma indicação precisa pelo menos do *tipo* de ação, explicitado no que se refere tanto às práticas produtivas materiais relevantes como às formas de intercâmbio institucional/organizacional humano, ação pela qual o modo comunal de reprodução social possa de fato provar sua viabilidade como alternativa prática para o modo existente.

Em outras palavras, os princípios orientadores não podem se limitar a proclamar (como negação categórica) as condições futuras da produção e do consumo comunais como a *contraimagem ideal* do presente, por mais agudas que sejam suas contradições e seus sintomas de crise. O outro lado desta equação – ou a *substância positiva* da negação socialista da sociabilidade *post festum* – só pode tornar-se crível se for tangível em termos das *mediações materiais* realmente possíveis entre os constrangimentos do presente e as potencialidades do futuro. Mediações materiais, porém, que sejam suficientemente concretas e adaptáveis pelos sujeitos sociais emancipadores, como, por exemplo, a estrutura estratégica fundada em princípios, mas flexível para a elaboração do seu programa historicamente específico de ação.

Aqui podemos ver o notável contraste entre os postulados gerais e projeções de Lukács, explicitados sob a forma de imperativos morais, tanto em *História e consciência de classe* como na *Ontologia do ser social*, e a caracterização que, nos *Grundrisse*, Marx faz da forma comunal de existência. Paradoxalmente, com o passar do tempo Lukács involui a esse respeito, na medida em que o caráter de imperativo moral se torna mais abstrato nos seus últimos trabalhos do que em *História e consciência de classe*. Como vimos anteriormente, na juventude, as questões relativas à missão histórica do proletariado e à realização da "personalidade total" do indivíduo são institucionalmente concretizadas por meio de soluções práticas no interior da estrutura pela realização da "missão moral" do partido. Em seu último trabalho, os mesmos postulados morais imperativos se apresentam sem qualquer corporificação histórica concreta.

De alguma forma isto é perfeitamente compreensível, pois à luz da experiência histórica pós-revolucionária e das amargas decepções de Lukács com a militância, o partido não mais poderia ser idealizado do modo como encontramos em *História e consciência de classe*. Porém, a relutante reavaliação de Lukács daquela concepção, propiciada pelo distanciamento de meio século, não conduz ao abandono da própria idealização. Pelo contrário, nos seus últimos trabalhos, o apelo aos imperativos morais está mais evidente do que em qualquer época anterior.

Vinte e cinco anos atrás, quando Lukács ainda sintetizava a sua visão final, para a qual a *Ontologia do ser social* seria a base necessária para a *Ética*, havia muito projetada por ele, escolhi, como epígrafe para o estudo *Lukács's Concept of Dialetic*, em que tentava delinear os esboços do seu desenvolvimento filosófico, um trecho de um dos seus mais importantes escritos de juventude, *A teoria do romance*: *der Zwiespalt von Sein und Sollen ist nicht aufgehoben*; (a ruptura entre "Ser" e "Dever" não está superada).

Na ocasião, argumentei que tal dualismo jamais seria superado por Lukács, mesmo considerando a preocupação, manifesta ao longo de toda a sua vida, de produzir uma solução para ele que tinha de permanecer uma evasiva à estrutura antinômica do pensamento filosófico alemão clássico. Assim, o papel designado ao "dever" em seus últimos trabalhos não surpreende; o que surpreende é a intensidade com que o imperativo moral é elevado ao primeiro plano de suas reflexões.

De modo característico, em *O presente e o futuro da democratização* e na *Ontologia do ser social*, o filósofo húngaro fundamenta a oposição materialmente não mediada entre os polos da individualidade particular e a humanidade em geral. Como vimos, Lukács foge desse dualismo ao afirmar que somente a idealidade da consciência moral ética (que, na tradição da filosofia alemã clássica, é por ele diferenciada da moralidade puramente subjetiva) poderia prover a mediação necessária entre os dois polos. Ao mesmo tempo, a conexão orgânica, firmemente assegurada na juventude, entre a "personalidade total" do indivíduo e a sua dedicação à causa do socialismo pela ação disciplinada (no interior da estrutura do partido) é reafirmada nos seus últimos trabalhos com ênfase ainda maior, ainda que aí não haja qualquer referência a um sujeito coletivo historicamente concreto nem à sua articulação institucional/organizacional. Sob este aspecto, é interessante lembrar que Lukács, na *Ontologia do ser social*, reformula a conexão orgânica eticamente pertinente em termos da correlação necessária entre a personalidade-a-ser-feita dos indivíduos particulares e a "grande causa" pela qual se torna possível para eles triunfar sobre seu próprio particularismo limitado (contanto que se dediquem completamente a alguma grande causa), participando assim no processo de desenvolvimento da humanidade que realiza a "humanidade-para-si".

Em outras palavras, isto quer dizer que, na ausência de qualquer tentativa de conceituar as condições materiais de mediação na era de transição a partir das condições sociais e históricas concretas, em seus últimos trabalhos de síntese, o papel que designa à ética é o mesmo que, em *História e consciência de classe*, ele designa à consciência de classe proletária e sua "encarnação ativa", o partido. Dessa maneira, nos livros que escreveu na última década da sua vida, (inclusive no fragmentário, porém magistral trabalho sobre a estética), Lukács reformula o velho dualismo entre "Ser" e "Dever" evocando o espírito que substancialmente emana das ideias formuladas na sequência da Revolução de Outubro e da breve República dos Conselhos húngara, ainda que de uma forma distante.

Se, em *História e consciência de classe*, o partido vem idealizado e caracterizado como a "mediação concreta entre o homem e a história", nos últimos trabalhos apenas a ética pode assumir função equivalente, por meio do seu papel ideal de mediação entre o particularismo limitado dos indivíduos e a "humanidade-para-si". A tarefa de identificar as mediações materiais historicamente possíveis e socialmente específicas entre o presente e o futuro é contornada por uma solução hipostasiada dos dilemas que devem ser enfrentados pelos indivíduos nas complicadas vicissitudes da vida cotidiana. Tal solução substitui aquelas mediações materiais pelo imperativo de uma mediação ideal do dualismo praticamente insuperável dos dois polos na consciência dos indivíduos, ou seja, pela intervenção autoemancipatória da sua consciência moral. Nesta perspectiva, Lukács postula que os indivíduos, em resposta aos desafios particulares que são chamados a enfrentar em suas vidas cotidianas, tomarão consciência das responsabilidades decorrentes do "seu pertencimento à espécie" e as abraçarão positivamente. No entanto, ele não faz qualquer menção à forma pela qual essa radical mudança motivacional poderia ocorrer em relação ao "socialismo realmente existente".

Assim, *"Der Zwiespalt von Sein und Sollen ist nicht aufgehoben"* e, evidentemente, dentro de tais horizontes tal ruptura não pode realmente acontecer. Mas o aspecto mais irreal da solução proposta por Lukács para a dicotomia entre "Ser" e "Dever" é a realização hipostasiada da "humanidade-para-si" em, e por, um modo de existência que concilia os indivíduos à permanência da divisão de trabalho. Curiosamente, espera-se que eles encontrem sua realização no elitismo olímpico de Goethe, para quem "mesmo *o homem mais insignificante* pode ser um homem completo"[20]. Tal visão entra em contradição aberta com o significado da luta marxiana contra a divisão social hierárquica do trabalho, cujo objetivo é precisamente achar um modo de superar a "insignificância" *estruturalmente imposta* aos indivíduos "degradados a meros trabalhadores, subsumidos ao trabalho".

19.3.3

É muito importante entender o contraste entre a interpretação de Lukács a respeito da mediação pela idealidade da ética (que o induz a ler equivocadamente os *Grundrisse*) e a abordagem marxiana sobre a diferença fundamental entre o modo comunal de troca sociometabólica e as formas anteriores de sociabilidade, diferença que sinaliza diretamente para as inevitáveis formas de mediação emancipatória.

Numa passagem da seção 19.1.2, mencionamos que Lukács negligencia a oposição acentuada entre a sociabilidade *post festum* – da qual os indivíduos só participam por intermédio da divisão do trabalho e da correspondente relação-valor – e o modo comunal de intercâmbio reprodutivo, caracterizado por Marx como *diretamente social* em sua determinação mais íntima, isto é, "social *desde o início*". A negligência é inevitável para o autor da *Ontologia do ser social*, na medida em que seu discurso filosófico, em contraposição à sociabilidade que emerge espontaneamente, orienta-se por um modelo de sociabilidade eticamente definido, que atribui um papel fundamental à "decisão entre as alternativas" apresentadas, dando fundação ontológica ao apelo que faz à consciência moral dos indivíduos.

Segundo Lukács, o caráter único dessa sociabilidade ética é produzido *na consciência* dos indivíduos pela intervenção direta da *consciência ética autoemancipatória*. A formulação desse modelo moralmente concebido de sociabilidade torna necessária a defesa da permanência da divisão do trabalho e sua "lei do valor". De acordo com ele, essa divisão coloca diretamente aos indivíduos, como indivíduos separados, o imperativo de escolher entre alternativas, e apenas a sua cons-

---

[20] Citado em Lukács, *Ontology of Social Being*, vol. 2, p. 731 (edição húngara, Budapeste, Magvető Kiadó, 1976).

ciência ética ascendente pode lhes permitir tomar as decisões certas e adequadas à verdadeira sociabilidade, no espírito do reconhecimento consciente do seu pertencimento à espécie.

Para Marx, ao contrário, a verdadeira sociabilidade não é uma camisa de força (como é o papel social atribuído aos indivíduos por meio da divisão do trabalho). Na concepção marxiana, a verdadeira sociabilidade corresponde ao seu ser objetiva e livremente constituído nas condições comunais completamente desenvolvidas. Não é, portanto, produzida *na consciência, muito menos* na consciência individual particular, que sofre a pressão do imperativo: "reconheça, como indivíduo, as implicações morais de seu pertencimento à espécie ou pereça". Assim, a sociabilidade só pode ser produzida *na* própria *realidade* ou, mais precisamente, no intercurso material e cultural da existência social *comunal* dos indivíduos, que não admite ser conceituado em termos individuais, nem realmente ser apreendido com base na abstração das necessidades historicamente variáveis e em expansão dos indivíduos sociais.

A relação produtiva entre os sujeitos trabalhadores particulares deve ser necessariamente *mediada* em toda forma concebível de sociedade. Sem isto, a "totalidade agregadora" dos indivíduos ativos, qualquer que fosse o momento particular da história, jamais poderia se efetivar em um todo social sustentável. De fato, a especificidade histórica das formas determinadas de mediação tem uma importância seminal, na medida em que os indivíduos, por meio dos agrupamentos intermediários historicamente determinados e seus equivalentes institucionais, articulam-se respectivamente em um todo social mais ou menos densamente entrelaçado. É precisamente a especificidade mediadora inevitável das inter-relações reprodutivas dos indivíduos que acaba por definir, pela determinação mais ou menos direta das condições operacionais prevalecentes de produção e consumo, o caráter fundamental dos vários modos de intercurso social historicamente contrastantes.

De acordo com Marx, sob a divisão de trabalho que prevalece na sociedade de mercado, os indivíduos são mediados reciprocamente e combinados em um todo social *estruturado* de forma *antagônica* pelo sistema capitalista de produção e troca de mercadorias. Este último, por sua vez, é governado pela necessidade de uma permanente ampliação do valor de troca, imperativo que subordina todas as demais dimensões da sociedade capitalista, das necessidades mais íntimas e mais básicas dos indivíduos às várias atividades materiais produtivas e culturais nas quais eles se engajam.

O sistema comunal divisado por Marx está em completa contradição com essa forma de mediação social antagonista que não pode senão se impor cruelmente aos indivíduos pela relação-valor.

As principais características do modo comunal de intercâmbio, enumeradas na passagem citada na seção 19.2.3 dos *Grundrisse* de Marx, são as seguintes:
- a determinação da atividade de vida dos sujeitos trabalhadores como um elo necessário e individualmente significativo na produção diretamente geral, e na sua correspondente participação direta no mundo de produtos disponíveis;
- a determinação do próprio produto social como produto inerentemente comunal, produto geral desde o início, em relação às necessidades e aos

propósitos comunais, com base na parte especial que os indivíduos particulares adquirem da produção comunal em andamento;
- a plena participação dos membros da sociedade no próprio consumo comunal: circunstância extremamente importante devido à inter-relação dialética entre produção e consumo, com base na qual o último é correta e positivamente caracterizado no sistema comunal como "consumo *produtivo*";
- a *organização* planejada do trabalho (em vez de sua alienante *divisão*, determinada pelos imperativos autoafirmadores do valor de troca na sociedade de mercado, de tal modo que a atividade produtiva dos trabalhadores particulares seja mediada não de forma reificada-objetivada por meio da troca de mercadorias, mas pelas condições intrinsecamente sociais do próprio modo de produção dado no interior do qual os indivíduos são ativos.

Estas características tornam absolutamente claro que a questão-chave é se estabelecer um *modo* historicamente *novo de mediar* a troca metabólica da humanidade com a natureza e das cada vez mais autodeterminadas atividades produtivas dos indivíduos sociais entre si.

Ao mesmo tempo, fica igualmente claro que não se trata de projetar sobre a realidade dada um conjunto de imperativos morais, por mais nobre que seja em sua aspiração, como contraimagem do existente. Pelo contrário, o que está diretamente em jogo é a articulação de práticas materiais absolutamente tangíveis e as correspondentes formas institucionais. Em outras palavras, a viabilidade histórica do sistema comunal, defendido por Marx como alternativa autossustentada e positiva para a divisão antagonista do trabalho e sua relação-valor, só pode ser estabelecida se as condições de sua realização forem expressas em termos de tarefas concretas e seus correspondentes instrumentos. Essa definição de Marx corresponde à sua crítica permanente da posição utópica do futuro socialista, que funciona como um ideal abstrato ao qual a realidade tem que se adequar.

19.4 A natureza da troca nas relações sociais comunais

19.4.1

O aspecto mais importante dessa questão se refere à natureza da *troca* no sistema comunal de produção e consumo. Não é nenhum exagero afirmar que esse aspecto representa o "ponto de Arquimedes" de todo o complexo de estratégias mediadoras e modos de ação, praticamente necessários e possíveis, no qual se apoia a articulação de uma ordem socialista irreversível. Ou seja, a necessidade de instituir um tipo radicalmente novo de relação de troca surge no projeto socialista não como um princípio regulador abstrato e remoto, mas como um tópico de grande urgência prática.

Assim, a relevância da nova forma de troca – de tipo comunal – não é uma questão característica de uma ordem social distante, na qual a plena "humanidade--para-si", tendo por referência as implicações ideais do seu pertencimento à espécie, se encontra em completa harmonia com a totalidade de indivíduos que tomam as suas decisões entre alternativas conforme as demandas internas da sua consciência moral. Pelo contrário, quaisquer que sejam suas implicações para o futuro distante, hoje o significado da troca de tipo comunal consiste em sua aplicação mais ou menos direta sobre os problemas e contradições – e sobre as dificuldades práticas quase proibitivas – contra os quais a sociedade *de transição*, em sua dolorosa realidade cotidiana, precisa lutar para se desembaraçar do poder do capital e da concomitante divisão hierárquica do trabalho.

Contudo, a relação de troca comunal discutida por Marx é *qualitativamente* diferente das formas de troca que conhecemos. De fato, devido aos interesses ideológicos ocultos que tentam eternizar a estrutura da ordem social estabelecida, o conceito de troca se tornou sinônimo de *troca capitalista de mercadorias*. Em todo discurso teórico dominante do século XX – de Max Weber a Talcott Parsons, incluindo seus seguidores mais ou menos distantes –, a "troca" também é a-historicamente projetada para um passado muito distante, de forma que os defensores da sociedade de mercado possam argumentar que não pode haver qualquer alternativa, muito menos socialista, ao modo de produção e consumo encarnado na ordem socioeconômica capitalista. Max Weber, por exemplo, tendenciosamente distingue o "capitalismo moderno" das chamadas "antigas formas capitalistas"[21], montando assim um círculo fechado e ideologicamente conveniente.

Não obstante o fato contingente de que a relação de troca de mercadorias por nós experimentada tenha adquirido sua posição dominante no curso da história moderna, a questão da troca não pode limitar-se ao sistema capitalista de troca de mercadorias (seja "moderno" seja "antigo") sem que sua lógica seja violada. É absolutamente falacioso restringir a categoria de troca até mesmo para o conceito mais generalizável de troca de *produtos*, aquele que inclui as formas que não podem se ajustar na variedade capitalista, orientada para o lucro. E ainda mais problemático é aceitar a restrição tendenciosa desta categoria fundamental de reprodução da sociedade à troca de *mercadorias* tão somente porque as condições de produção de mercadorias generalizaram-se por toda a sociedade capitalista.

O verdadeiro significado do termo "troca" remete, por um lado, ao intercâmbio metabólico da humanidade com a natureza e, por outro, às relações de troca dos indivíduos particulares entre si, independentemente das formas históricas específicas, necessárias para a realização dos objetivos divisados. Nesse sentido, as categorias de troca e de *mediação* são inseparáveis, indicando claramente com isso o caráter *processual* do que está realmente em debate. Em contraste, o papel designado aos *produtos* pode constituir apenas um momento subordinado nesse complexo de problemas. Isto para não mencionar o caso especial das *mercadorias* legitimadas no capitalismo, produzidas sob o imperativo do lucro no interior da estrutura do valor de troca sempre-em-expansão.

Na modalidade capitalista de troca metabólica com a natureza, a *objetivação* das forças humanas assume necessariamente a forma de alienação, subsumindo a própria atividade produtiva ao poder de uma *objetividade reificada*, o capital. Por isso mesmo a "troca" pode e deve ser reduzida à sua dimensão material fetichizada e decretada como idêntica à forma de mercadoria eternizada. Contudo, a primazia desse assunto pertence seguramente ao lado ativo/produtivo, independente de quão

---

[21] Ver seção 6.2.

profundamente o fetichismo da mercadoria esconde essa circunstância. Pois antes mesmo de entrar no mercado e gerar lucro a mercadoria capitalista deve ser produzida pelo intercâmbio e pela troca de uma grande multiplicidade de atividades.

Na discussão do sistema comunal, a radical mudança categorial introduzida por Marx não se refere à troca em sua inseparabilidade da condição *absoluta* de mediação entre humanidade e natureza, por um lado, e entre os próprios indivíduos, por outro. Antes, refere-se à forma *historicamente única* na qual a troca mediadora preenche suas funções nas condições comunais de intercurso social, quando a produção é organizada, desde o início, como diretamente social.

Em contraste notável com a produção de mercadorias e sua relação fetichista de troca, o caráter historicamente novo do sistema comunal se define por uma orientação prática voltada para a *troca de atividades* e não simplesmente de *produtos*. A alocação de produtos, certamente, decorre da própria atividade produtiva comunalmente organizada, e espera-se que corresponda ao seu caráter diretamente social. Porém, o importante no presente contexto é que na relação de troca de tipo comunal a primazia caiba à autodeterminação e à correspondente organização das próprias *atividades* nas quais os indivíduos se engajam, conforme as suas necessidades como seres humanos ativos. Neste tipo de relação de troca, os produtos constituem o momento subordinado, tornando possível alocar, de modo radicalmente diferente, o tempo disponível total da sociedade, em lugar de ser predeterminado e totalmente constrangido pela predominância dos objetivos produtivos materiais, sejam eles mercadorias ou produtos não mercantilizados.

É compreensível a dificuldade de conceituar a relação de troca nestes termos, pois o fetichismo da mercadoria prevalece de tal modo sob o domínio do capital que as *mercadorias* se sobrepõem à *necessidade*, mensurando e legitimando (ou não) a necessidade. Este é o horizonte normativo a que nos acostumamos em nossa vida cotidiana. A alternativa seria submeter os produtos a alguns critérios significativos de avaliação baseados na necessidade, e acima de tudo de acordo com a necessidade básica de uma vida ativa humanamente realizada. Porém, essa última consideração nem sequer adentra a estrutura capitalista de contabilidade de custos, porque a organização e o exercício da atividade humanamente plena são uma preocupação inerentemente *qualitativa* (cujos juízes são os próprios *indivíduos*, em vez da idealizada "mão invisível"). Em tal estrutura, portanto, não se pode esperar que os indivíduos pensem em suas atividades como legítimas representantes da categoria de necessidade. E muito menos se espera que encarem a possibilidade de adotar as medidas práticas necessárias que possam remodelar qualitativamente o intercurso socioprodutivo em harmonia com os objetivos que, como produtores associados, estabelecem entre si para satisfazer e desenvolver ainda mais suas necessidades e realizar suas aspirações.

A caracterização marxiana da relação de troca comunal pressupõe seu envolvimento não com "uma troca de valores de troca, mas de *atividades* determinadas pelas necessidades e pelos propósitos comunais", apontando para uma reorientação fundamental do processo de reprodução social estabelecido há muito tempo. Ao mesmo tempo sinaliza para a emancipação progressiva dos indivíduos sociais dos constrangimentos estruturalmente impostos da divisão do trabalho e de sua lei do valor quantitativamente autoimposta.

19.4.2

Na época histórica de transição, a relevância direta dessa reorientação radical da relação de troca para o projeto socialista se apresenta sob dois aspectos principais:

- Primeiro, a passagem categorial da troca de produtos (sob o capitalismo, de produtos mercantilizados) para a troca mediadora de atividades produtivas baseada numa medida viável – a necessidade –, na ausência de critérios ou constrangimentos efetivamente limitadores (que não a própria crise estrutural), oferece uma saída às contradições destrutivas da objetivação reificada, quando a autoexpansão inexorável do valor de troca sai do controle.

- E, para além das contradições da ordem capitalista, o segundo aspecto se refere diretamente às perspectivas do próprio empreendimento emancipatório. Nele, a urgência da reestruturação comunal das práticas produtivas estabelecidas emerge de uma circunstância séria, sem a qual o empreendimento socialista não pode sequer começar a realizar seus objetivos fundamentais. Tal circunstância exige que se realize, ao mesmo tempo e com sucesso, a conversão da troca de produtos, burocraticamente *comandada de cima*, em troca de atividades produtivas genuinamente *planejadas* e *autoadministradas*. Isso significa que é preciso mudar completamente a forma de reprodução social orientada para, e estritamente subordinada a, a realização de objetivos materiais preestabelecidos, tal como praticada por séculos e profundamente enraizada nas estruturas produtivas e nos complexos instrumentais que a sociedade pós-capitalista herdou do passado.

São bastante graves os problemas que as sociedades de transição necessariamente enfrentam no processo de mudar o velho modo de reprodução societária, ou seja, no esforço de reestruturar os complexos institucionais e instrumentais herdados. Tais problemas, entretanto, tornam-se inteligíveis à luz da distinção marxiana entre a troca de tipo comunal e as relações de troca dominantes dos últimos séculos. Entre todos, o problema mais grave advém da produção orientada para, e determinada pela, troca de produtos – seja sob o capitalismo, seja sob as sociedades pós-capitalistas –, radicalmente incompatível com um verdadeiro *planejamento*.

Esta condição é, na verdade, agravada nas economias pós-revolucionárias – de tipo dirigido. O modo capitalista de produção é pelo menos capaz de operar um substituto (não importa quão problemático) capaz de, dentro de seus próprios termos de referência, contribuir para a gestão parcimoniosa dos recursos materiais e humanos do trabalho. Isto pode ser feito, por meio do *mercado*, na forma de um *feedback post festum*, que realiza ajustes viáveis na operação dos empreendimentos produtivos afetados, até que surja uma próxima rodada de problemas, de modo a reativar o mesmo tipo de mecanismo corretivo.

Em contraste, a economia de tipo dirigido instituída por Stalin representa um caso paradigmático da máxima "ficar com os pés em duas canoas". Ou seja, ao estender seu controle autoritário sobre a troca de produtos, ele priva o sistema reprodutivo até mesmo de um limitado mecanismo de *feedback*, ao mesmo tempo em que impede a criação de condições de um *planejamento* genuíno para a transição necessária da *divisão do trabalho* orientada-pelo-produto e sua relação de troca para a *organização* comunal *do trabalho* que visa à *troca de atividades*. É assim que, como uma amarga ironia da história, depois de setenta anos de economia dirigida, o *feedback* do mercado capitalista, mesmo como mecanismo limitado, pode reemergir como o ideal do "socialismo de mercado", visto como a solução dos problemas e contradições encontrados na sociedade pós-revolucionária por meio da expulsão de milhões de trabalhadores do processo de trabalho por razões de "eficiência de custos".

A verdadeira dificuldade é que, para tornar viável a alternativa pós-capitalista ao seu antecessor histórico, não basta que se substitua o sistema de mercadorias alocadas-pelo-mercado pela produção centralmente controlada e a distribuição burocrática/iníqua de bens e serviços. É compreensível que, na sequência imediata da revolução, se adotem práticas que, fundadas na linha de menor resistência, deixam intacta, em seus parâmetros estruturais, a divisão do trabalho herdada mesmo que tenha ocorrido uma mudança de pessoal. Ao mesmo tempo, porém, cria-se um círculo vicioso ao seguir a linha de menor resistência. Ou seja, enquanto, por um lado, a sociedade pós-capitalista reviver a divisão estrutural do trabalho e sua relação de troca orientada para produtos (mesmo que não mercantilizada), ela apenas poderá dar origem a uma economia dirigida e controlada burocraticamente, e este tipo de controle, por outro lado, apenas reforça a divisão estrutural hierárquica do trabalho e a forma correspondente de distribuição.

Não admira, portanto, que o sistema de "planejamento" da economia dirigida – voltado para a produção e a alocação de recursos centralmente controladas – seja, na verdade, um "planejamento" *post festum* bastante defeituoso e só em ficção um genuíno processo de planejamento social. Os objetivos planejados, arbitrariamente (ou "voluntariamente") preestabelecidos, não podem ser simplesmente impostos a um corpo social recalcitrante. De fato, os planos arbitrariamente proclamados pela economia dirigida são, em regra, forçosamente revisados (sem que se admita publicamente) como resultado dos fracassos encontrados. E o fato de que tais revisões acontecem sem o auxílio do mecanismo de *feedback* capitalista de mercado não oblitera a semelhança estrutural das características fundamentais dos dois sistemas de "planejamento" que, à superfície, parecem diametralmente opostos. E, ainda que sejam distintos, as características substantivas comuns dos dois sistemas são:

- 1) o caráter *post festum* dos seus corretivos, e
- 2) a imposição arbitrária dos corretivos possíveis (em um caso, pela "mão invisível" do mercado totalizante[22]; no outro caso, pelas autoridades estatais burocráticas).

Aqui podemos observar que a caracterização lukacsiana do sistema de planejamento stalinista como um sistema "manipulador" não é muito útil, porque substitui pela vaga generalidade da "manipulação" (aplicável a quase qualquer coisa) as características tangíveis de um modo autoritário de controle reprodutivo que, alinhado com seu antecessor histórico, perpetua a divisão do trabalho. E precisa-

---

[22] Não importa o quanto possa ser idealizada, a economia de mercado capitalista também é um tipo de "economia dirigida", mesmo que sua estrutura de comando seja mais complicada – e também mais

mente porque Lukács é absolutamente acrítico em relação à divisão do trabalho ele busca respostas como a "manipulação", que considera corrigível pela aplicação da abordagem metodológica correta.

Na verdade, porém, a manutenção da divisão social hierárquica do trabalho pela economia dirigida pós-capitalista traz consigo a dupla determinação de seu processo de planejamento acima mencionado. Ao mesmo tempo, a *afinidade estrutural* identificável entre os dois duvidosos sistemas de planejamento, tanto em sua temporalidade *post festum* como no modo autoritário de operação, ajuda a explicar por que a adoção da linha de menor resistência fatalmente conduz das práticas reprodutivas capitalistas herdadas (nas quais o trabalho vivo é por necessidade subordinado aos objetivos mercantis projetados) à submissão autoritária do trabalho aos imperativos materiais preestabelecidos da economia dirigida (stalinista).

19.4.3

A passagem da relação de troca mediadora, orientada pelo produto ou pela mercadoria, ao sistema comunal, baseado na troca de atividades, requer uma democratização radical da sociedade em todos os aspectos.

Os estágios intermediários deveriam transformar as práticas reprodutivas autoritárias (e estruturas correspondentes) do sistema herdado de troca de mercadorias em uma organização do trabalho genuinamente planejada *de baixo para cima*, baseada na esperada *troca de atividades*. Isso, porém, não é possível sem uma democratização profunda do modo pós-capitalista de tomada de decisão. Pois, apesar de o sistema de direção burocrática conseguir manter o controle sobre uma sociedade cujo processo de reprodução seja administrado em uma base orientada-para-o-produto (a que se subordina o trabalho vivo), mesmo quando se abandona a produção de *mercadorias* como tal, este sistema se mostra totalmente impotente para planejar a produção e as adequadas coordenação e realização das atividades produtivas. E, como testemunha a grande tragédia histórica stalinista do "socialismo em um só país", a sanção última do sistema de tipo dirigido – a ameaça de, ou a real, instituição dos campos de trabalho – só pode ser negativa para a produtividade do trabalho.

Conforme Marx, a produção de tipo comunal e a troca de atividades fundamentam-se na substituição da "divisão do trabalho" (uma tirânica predeterminação para se atingir as metas materiais projetadas) por um princípio operativo baseado na "*organização do trabalho*" planejada segundo as necessidades e aspirações dos sujeitos trabalhadores envolvidos. Por isso mesmo é que só pode ser trazida à existência pelos indivíduos interessados, porque concerne a eles produzir e exercer seus próprios conhecimentos no trabalho, até o máximo de suas habilidades, no contexto de uma *autoadministração* societária corretamente mediada e coordenada.

---

impessoal – que a do sistema pós-capitalista. Porém, a verdade sobre a economia de mercado da sociedade de mercadorias – que supostamente é operada com base na "soberania do consumidor" individual – evidencia-se em toda situação de crise. Invariavelmente, então, nos dizem que "não há *nenhuma alternativa*" à implementação dos imperativos do sistema estabelecido.

Por essa razão, o objetivo de Lukács de instituir "uma divisão realista de trabalho entre o partido e o Estado" está muito distante da estrutura teórica marxiana que ele sinceramente acreditou defender em *O presente e o futuro da democratização*. De acordo com Marx, a tarefa não é a reconciliação da sociedade pós-capitalista com os imperativos estruturais da divisão do trabalho. Ao contrário, é a superação progressiva desta divisão por uma organização consciente do trabalho, planejada pelos indivíduos trabalhadores ativos que se reapropriam de todas as funções controladoras ainda exercidas pelo partido e pelo Estado sob a divisão (pós-revolucionária) do trabalho. Só desse modo podem eles se emancipar da tirania do tempo e da lei do valor que a tudo quantifica e nivela.

19.5 Novo significado da economia de tempo: a regulamentação do processo de trabalho comunal orientada pela qualidade

19.5.1

O último ponto a ser discutido no presente contexto resulta diretamente da contraposição marxiana entre a organização comunal do trabalho conscientemente planejado e a divisão herdada do trabalho, herança que inevitavelmente carrega o fato de ser predeterminada pelos imperativos "racionais" do valor de troca sempre-em-expansão. Esta questão se refere à dimensão *qualitativa* da "economia de tempo" e, como tal, só pode ser levantada nas novas circunstâncias históricas, quando a regulamentação do processo sociometabólico deixa de depender da lei antes prevalecente do "tempo mínimo".

Nesse sentido, a reorientação das práticas de trabalho representa, novamente, uma verdadeira mudança categorial, tal como representou a oposição anteriormente vista entre as relações de troca orientadas pela mercadoria ou pelo produto e a troca comunal de atividades. Agora examinaremos mais de perto este problema. Mas, antes, é necessário que citemos, na íntegra, uma passagem dos *Grundrisse* de Marx usada de maneira seletiva por Lukács na *Ontologia do ser social*:

> Com base na produção *comunal*, a determinação do *tempo* permanece essencial. Quanto menos tempo a sociedade exigir para produzir trigo, gado etc., mais tempo ganhará para outra produção, material ou mental. Assim como no caso de um indivíduo, a multiplicidade de seu desenvolvimento, seu prazer e sua atividade dependem de uma *economia de tempo*. Economia de tempo, a isto se reduz toda a economia no final das contas. Do mesmo modo, a sociedade tem que distribuir seu tempo com o propósito de alcançar uma produção adequada para suas necessidades globais; da mesma maneira que o indivíduo tem que distribuir o seu tempo corretamente para alcançar o conhecimento em proporções adequadas ou para satisfazer as várias demandas na sua atividade. Assim, economia de tempo, paralelamente à *distribuição planejada do tempo de trabalho* entre os vários ramos da produção, permanece sendo a primeira lei econômica na base da *produção comunal*. Lá ela se torna lei em um *grau* ainda *mais alto*. Porém, isto é *essencialmente diferente* de uma mensuração de valores de troca (trabalho ou produtos) pelo *tempo de trabalho*. O trabalho de indivíduos no mesmo ramo de trabalho, e os vários tipos de trabalho, são diferentes um do outro não só quantitativa mas também

qualitativamente. O que pressupõe uma diferença meramente *quantitativa* entre coisas? A identidade das suas *qualidades*. Consequentemente a medida quantitativa de trabalhos pressupõe a equivalência, a identidade das suas qualidades.[23]

Como podemos ver, na visão de Marx, "a distribuição planejada do tempo de trabalho" é a característica mais marcante da regulamentação do processo de trabalho comunal. Além disso, uma distribuição genuinamente planejada do tempo disponível total da sociedade é uma característica bastante particular do modo comunal de produção e troca. Ou seja, nas condições em que prevalece a divisão capitalista do trabalho, a estrutura antagônica de produção e distribuição impõe à sociedade a lei do valor como uma determinação cega. Dada a divisão do trabalho e a relação concorrencial irreconciliável entre controle e execução (capital e trabalho), os produtos que emergem das unidades particulares de produção devem ser primeiro "elevados a, e trocados como, valores de troca", antes que se possa sequer imaginar a multiplicidade caótica de inter-relações socioeconômicas como um complexo social integrado. Em outras palavras, nas condições em que prevalece a divisão capitalista do trabalho, só a lei do valor pode regular, às cegas e "pelas costas" dos sujeitos humanos envolvidos, a troca metabólica da sociedade com a natureza, por um lado, e a aglutinação instável dos indivíduos em um todo social estruturado de forma antagonista, por outro. Assim, a sociabilidade *post festum* do sistema de mercadorias, regida pela lei do valor, não pode sequer ser mencionada, muito menos identificada, no mesmo patamar da sociabilidade comunal.

Marx argumenta corretamente que nenhuma sociedade pode funcionar sem considerar adequadamente a "economia de tempo". Porém, o fato de tal consideração ser *imposta* à sociedade por um mecanismo que se afirma traiçoeiramente sobre os produtores (como os imperativos objetivos da relação de troca capitalista) é muito diferente de os indivíduos sociais ativos no sistema comunal de produção e distribuição determinarem por si próprios a forma de alocar o *tempo disponível* total da sua sociedade para a satisfação das suas próprias necessidades e aspirações.

Nestes dois casos, o termo "lei" tem significado muito diferente. Quando a lei é imposta por um mecanismo cegamente autoafirmativo, Marx a identifica como análoga à lei natural, modo pelo qual ele gosta de caracterizar o sistema capitalista. Mas há também outro sentido para "lei", sentido que corresponde a uma estrutura reguladora ou procedimento criado pela ação humana visando seus objetivos escolhidos. Este segundo significado – "a lei que damos a nós mesmos" – é que vem a ser relevante no contexto do uso econômico do tempo para as condições do sistema comunal. Neste sentido, Marx insiste no fato de que este tipo de regulamentação do tempo disponível da sociedade é "*essencialmente diferente* de uma medida de valores de troca (trabalho ou produtos) por tempo de trabalho".

Tal raciocínio está completamente de acordo com a condenação que Marx faz da preponderância desumanizadora da quantidade sobre o trabalho sob as condições da indústria capitalista, anteriormente citada.

---

[23] Marx, *Grundrisse*, p. 172-3.

Se a mera *quantidade* de trabalho funciona como uma medida de valor independente da *qualidade*, pode-se pressupor que... o trabalho tenha sido igualado pela *subordinação do homem à máquina* ou pela extrema *divisão do trabalho*; tais *homens são anulados pelo seu trabalho*; ... *Tempo é tudo, o homem não é nada*; ele é no máximo *a carcaça do tempo*. Qualidade já não mais importa. A *quantidade* sozinha decide tudo; hora a hora; dia a dia.[24]

Assim, de acordo com Marx, não há qualquer possibilidade de emancipar a sociedade da dominação do capital sem realizar a difícil tarefa de superar a divisão do trabalho. Tarefa que, por sua vez, não pode ser concebida, nem realizada, sem uma reestruturação consciente, total e *qualitativa* do processo de trabalho, de modo que os seres humanos deixem de ser "carcaças do tempo", papel designado para eles pelo sistema do capital, incluindo as sociedades pós-capitalistas. É por isso que o "velho Marx", dos *Grundrisse* e de *O capital*, jamais abandonou a posição assumida em seus escritos anteriores acerca dessas questões.

19.5.2
Existe no discurso ideológico hoje dominante a tendência mistificadora de identificar a troca em si com a *troca de mercadorias*. Ao mesmo tempo, fazem-se tentativas igualmente desorientadoras de estabelecer uma necessária correlação entre a economia de tempo e o *mercado*. Por uma variedade de razões, isto é totalmente injustificável.

- Primeiro, porque esta associação impede a possibilidade de operar um sistema racional de distribuição dos recursos humanos e materiais disponíveis fora do caótico e, de muitas formas, inclusive em seus próprios termos de referência, perdulário mecanismo distributivo e corretivo do mercado.
- Segundo, porque a alocação de tempo determinada-pelo-mercado só pode operar com base na imposição da exigência de *tempo mínimo*, decidindo desse modo primitivo não apenas o sucesso ou o fracasso de mercadorias em competição, mas toda a modalidade da troca metabólica da sociedade com a natureza, e a legitimação ou negação brutal das necessidades de seus membros. A administração do tempo de trabalho orientada-pelo--mercado é absolutamente incapaz de tratar a difícil questão do tempo total disponível do corpo social, inclusive aquela porção que não pode ser explorada com sucesso no interior de sua estrutura reificadora, para os propósitos da produção lucrativa de mercadorias.
- Terceiro, porque o desenvolvimento dos poderes produtivos da sociedade, assumindo a forma de ciência e tecnologia, ou seja, a objetivação cumulativa, ao longo de séculos, de trabalho vivo e da mente coletiva sob a forma de conhecimento (vantajosa ou destrutivamente) utilizável e de seus instrumentos, torna obsoletos os limites do tempo mínimo diretamente explorável; além disso, esse desenvolvimento também cria o perigo de um desarranjo total do sociometabolismo ativando, através

---

[24] Id., *The Poverty of Philosophy*, pp. 125-7.

do mecanismo "corretivo" irracional do mercado capitalista orientado-
-para-o-lucro, a perspectiva desoladora de um incorrigível *"desemprego
estrutural"*.
- Quarto, porque o desenvolvimento do capitalismo torna a própria noção
de "economia de tempo" – mesmo nos termos mais estreitos – absolutamente problemática. Inevitavelmente, sob o domínio do capital, essa
mudança assume a forma de uma contradição extrema, pois o sistema
capitalista de contabilidade de custos *nunca* renuncia completamente à
imposição do tempo mínimo sobre o processo de produção. Apesar de
todos os perigos implícitos no crescimento do desemprego estrutural,
é preciso manter a máxima exploração possível da força de trabalho que
permanece em emprego ativo. Ao mesmo tempo, porém, o impulso
para economizar (característica da fase ascendente do desenvolvimento
capitalista) é, em conformidade com o imperativo de diminuir a taxa
de utilização, deslocado progressivamente pela tendência sempre-crescente
à *perdularidade*, que se afirma não só em relação aos bens, serviços e à
maquinaria produtiva mas também à força de trabalho total da sociedade. Assim, a imposição cruel da economia de tempo sobre a força de
trabalho ativa segue de mãos dadas com o desprezo total do sistema do
capital por todos aqueles que – não importa o tamanho de seu número –
sofrem a indignidade da *inatividade imposta* como seu "destino", que
convém ao caráter absurdamente perdulário da contabilidade de lucro
predominante.
- E, quinto, porque a tendência crescente à articulação transnacional do
capital e à centralização monopolista torna o próprio mercado (como hoje
sabemos) uma estrutura totalmente problemática e, em última análise, ameaçada. Esta tendência traz consigo implicações muito sérias para a posição
do trabalho e de suas organizações defensivas tradicionais, originalmente
constituídas no interior da estrutura da sociedade de mercado capitalista
nacionalmente centrada. Nas duas últimas décadas, em todos os países de
capitalismo avançado, muitos ataques foram desferidos contra a posição
institucional do trabalho, posição até então legalmente salvaguardada.
Esses ataques, resultantes de tensões subjacentes e da necessidade de
importantes reajustes, foram, algumas vezes, dirigidos por governos trabalhistas. Esse foi o caso da administração de Harold Wilson, na Inglaterra,
que fez uma tentativa fracassada de castrar os sindicatos britânicos por
meio da elaboração de um projeto legislativo chamado "Em Lugar do
Conflito", projeto implementado na íntegra por governos conservadores
subsequentes. Como vimos acima, o autoritarismo implícito nesses desenvolvimentos representa uma deslavada tentativa de "retomar" os ganhos
obtidos pelo trabalho no último século e um meio de conciliar tal estratégia com as necessidades expansivas da sociedade de consumo capitalista.
Além disso, teve o desígnio de impor à força de trabalho "metropolitana"
a reprodução da disciplina de trabalho que o capital transnacional operou
no "Terceiro Mundo". Assim, longe de significar um avanço real, a "eco-

nomia de tempo", extraída a fórceps das várias seções da força de trabalho global, é o equivalente de uma intensificação global da taxa de exploração nas condições do "capitalismo avançado".

Sob todos esses aspectos, a economia de tempo, em sua modalidade rudemente *quantificante*, impõe-se à sociedade de mercado como uma lei econômica cega, mesmo que isso só possa acontecer de uma forma contraditória e antagônica. Considerações *qualitativas* são radicalmente incompatíveis com essa operação da lei econômica de valor inerente à divisão capitalista do trabalho, na medida em que a lei do valor, ao regular a relação de troca na sociedade de mercado, se afirma como um *mecanismo que nivela pela média* e que domina, categoricamente, pela intervenção de sua "mão invisível", todos os potenciais afastamentos "erráticos" dos imperativos materiais subjacentes ao sistema do capital.

Diferentemente, a "lei econômica" discutida por Marx no contexto do sistema comunal de produção e distribuição é caracterizada como um regulador inerentemente *qualitativo*.

Não poderia ser de outro modo, com referência ao conceito-chave com base no qual o sociometabolismo desse novo sistema reprodutivo torna-se inteligível, a saber, o *tempo disponível total* da sociedade. Se a riqueza da ordem social na sociedade comunal for medida pelo tempo disponível total, e não pelos *produtos* quantificados obtidos de maneira fetichista pela imposição do tempo mínimo sobre os indivíduos que trabalham, neste caso, o conceito de "lei econômica", mencionado por Marx, adquire um significado qualitativamente diferente do da lei do valor que prevalece na relação de troca da sociedade de mercado. A "lei que damos a nós mesmos" para regular os intercâmbios reprodutivos de um sistema verdadeiramente cooperativo não pode, de modo algum, ser comparável ao mecanismo que se autoimpõe pela lei natural, lei que não leva em conta as necessidades, os desejos e as aspirações dos indivíduos humanos. Em contraste, a adoção de um regulador econômico genuíno (oposto ao regulador "econômico" orientado-para-o-lucro e totalmente perdulário) do sociometabolismo pelos produtores associados tem o objetivo de indicar que

(1) uma vez que a viabilidade das próprias atividades nas quais os indivíduos se engajam já não é mais julgada com base em estreitos critérios "econômicos" (isto é, orientados-para-o-lucro), novas áreas de atividade ("atividade livre") são abertas graças à multiplicação do "tempo disponível total da sociedade" destinado a fins produtivos em um sistema orientado para a *troca de atividades*; só desse modo será possível alcançar a satisfação de necessidades que não podem ser reconhecidas da perspectiva, e sob a pressão, do constrangimento quase mecânico do *tempo mínimo* (que deve sempre permanecer o princípio regulador da produção orientada-para-a--mercadoria);

(2) em conjunção íntima com o ponto anterior, portanto, em vez de os próprios objetivos e prioridades serem determinados com base no que possa ser obtido pela utilização do tempo prontamente explorável dos produtores, torna-se possível, graças à enorme ampliação e redefinição

do *tempo disponível* da sociedade, alocar o tempo para a produção de bens e serviços em uma base *qualitativa*, determinada por *prioridades* conscientemente adotadas, independente dos "homens-horas" exigidos para a realização dos objetivos escolhidos. Esta mudança qualitativa não pode ser simplesmente o resultado de um aumento em produtividade, que o próprio sistema do capital é perfeitamente capaz de atingir nos seus próprios termos de referência. A possibilidade de regular a produção sem os impróprios constrangimentos do tempo, em harmonia com prioridades conscientemente escolhidas, emerge positivamente das antes inacessíveis "esferas do tempo", isto é, do domínio de recursos humanos não lucrativos em termos capitalistas e, então, necessariamente não utilizados. É assim que o tempo disponível total dos produtores associados pode ser qualitativamente redefinido. Em sua nova modalidade, sob o sistema comunal de produção e consumo, o tempo disponível total torna-se passível de ser gasto em atividades múltiplas que possivelmente não poderiam entrar nas equações econômicas antes impostas, por mais aguda que fosse a necessidade. Só segundo tais parâmetros é possível também divisar uma redefinição radical da *utilidade* – não apenas materialmente limitante, mas também alienante e reificante sob o sistema do capital – no sentido expresso por Marx em *A miséria da filosofia* acima citada, segundo o qual o tempo de produção dedicado a um artigo é determinado pelo grau de sua utilidade social, não cabendo à tirania do tempo mínimo ter a palavra final na questão da utilidade social – o que seria considerado de grande bom-senso por todos os indivíduos que trabalham se estes já não tivessem interiorizado os ditames da contabilidade de custos capitalista.

Com toda certeza, é absolutamente inconcebível a reorientação do processo de trabalho no espírito dessas considerações qualitativas sem que as mediações materiais da sociedade em transição superem progressivamente a divisão do trabalho e sua lei do valor. E, se nas estratégias emancipatórias propostas a divisão do trabalho e a lei do valor não forem radicalmente questionadas, consequências muito sérias decorrerão de um tal afastamento do projeto socialista original. Neste caso não pode haver nenhum espaço para uma visão do processo comunal de trabalho, tal como caracterizado por Marx, no qual a *qualidade* – e as *necessidades* humanas correspondentes – desempenha o papel decisivo, e a alocação quantitativa de tempo deixa de ser o *determinante* incontrolável e massacrante do processo sociometabólico. Portanto, não é de modo algum surpreendente que Lukács extirpe, da passagem por ele citada dos *Grundrisse*, as referências cruciais de Marx quanto à qualidade e à avaliação do tempo como "essencialmente diferente da medida de valores de troca"; no lugar, usa citações truncadas em defesa das suas próprias ideias relativas à permanência da divisão do trabalho e de sua lei do valor.

19.5.3
No que diz respeito a Lukács, as considerações marxianas acerca da qualidade (sem a qual obras de arte exemplares, ou ações moralmente exemplares, ambas defendidas por ele, seriam inconcebíveis) são corretas e apropriadas em relação ao "reino da liberdade" que se encontra para além da "esfera da necessidade". Para Marx,

diferentemente, elas devem ser parte integrante das medidas materiais mediadoras de que a sociedade precisa para reestruturar, sob todos os seus aspectos, o próprio processo de trabalho pós-capitalista, desde que se queira ter qualquer esperança de emancipar os indivíduos sociais da dominação do capital e sua concomitante divisão hierárquica do trabalho.

Marx imagina um mundo de *"abundância"* como a base material da sociedade emancipada, isto é, condições sob as quais a luta para a apropriação necessariamente iníqua de recursos escassos já não mais determina a atividade-de-vida dos indivíduos. Referindo-se ao desenvolvimento universal das forças produtivas e à possibilidade de relações humanas sobre esta base, Marx argumenta que

> este desenvolvimento das forças produtivas (que ao mesmo tempo implica a existência empírica real dos homens no seu ser histórico mundial, e não local) é uma premissa prática absolutamente necessária, porque sem ela a *carência* simplesmente se generaliza, e com a privação começaria novamente *a luta pelas necessidades*, e necessariamente se restauraria todo o imundo negócio antigo; e, além disso, porque só com este desenvolvimento universal das forças produtivas se estabelece um relacionamento universal entre homens, ... tornando *cada nação dependente das revoluções das outras* e, finalmente, coloca indivíduos mundiais-históricos, empiricamente universais, no lugar dos indivíduos locais. Sem isto, 1) o comunismo só poderia existir como um fenômeno local; 2) as próprias forças de intercurso não teriam podido se desenvolver como universais, portanto como poderes insuportáveis: elas teriam continuado a ser "condições" caseiras, cercadas de superstição; e 3) cada extensão do intercurso aboliria o comunismo local. Empiricamente, *o comunismo apenas é possível como o ato dos povos dominantes, "todos de uma vez" e simultaneamente*, o que pressupõe o *desenvolvimento universal das forças produtivas* e o *intercurso mundial* associado a elas.[25]

---

[25] MECW, vol. 5, p. 49 [edição brasileira tem uma versão ligeiramente distinta; cf. *A Ideologia Alemã*, op. cit., pp. 50-1. É assim que os editores da MECW comentam a ideia de Marx sobre o fato de que a realização de uma sociedade comunista só é possível em condições globais:

> A conclusão de que a revolução proletária só poderia ser levada a cabo em todos os países capitalistas avançados simultaneamente e, consequentemente, de que a vitória da revolução em um único país seria impossível foi expressa ainda mais definitivamente em "Princípios do comunismo" escrito por Engels em 1847. Nos seus trabalhos posteriores, porém, Marx e Engels expressaram esta ideia de um modo menos definitivo e enfatizaram que a revolução proletária deveria ser considerada um processo comparativamente longo e complicado que poderia se desenvolver primeiro em países capitalistas individuais. Nas novas condições históricas, V. I. Lenin chegou à conclusão, baseada nas circunstâncias específicas do funcionamento da lei de desenvolvimento econômico e político desigual no capitalismo na época do imperialismo, de que a revolução socialista poderia ser inicialmente vitoriosa até mesmo em um único país. Esta tese foi apresentada pela primeira vez no seu artigo "Sobre o Slogan de um Estados Unidos da Europa" (1915).

Esta é uma completa – entretanto de modo algum acidental – incompreensão da afirmação de Marx. Na passagem em questão, Marx não se refere absolutamente à possível vitória da *revolução proletária* em uma área limitada, mas aos pré-requisitos produtivos globais para se instituir o *comunismo* como um *sistema socioeconômico* radicalmente novo. Porém, uma vez que o *slogan* stalinista do "socialismo em um só país" se transforma na sabedoria compulsória à qual devem ser subordinadas todas as considerações teóricas, é obliterada a diferença entre a subversão vitoriosa da burguesia e as condições materiais e políticas/culturais de uma transformação socialista bem-sucedida e os critérios postos por Marx (critérios que nem ele, nem Engels, nem Lenin, cuja autoridade é invocada pelos Editores da MECW, jamais revisaram ou abandonaram) devem ser lançados ao mar.

Assim, de acordo com Marx, o "socialismo em um só país" é uma impossibilidade; também não é possível estabelecer uma ordem socialista sem que se supere a privação, a carência e a escassez por um sistema socioeconômico altamente produtivo, capaz de satisfazer as necessidades de *todos* os seus membros.

Porém, é absolutamente inconcebível superar a escassez – e todo aquele imundo "negócio antigo" que a acompanha – dentro dos limites da lei do valor e a correspondente predominância da quantidade. Sem a adoção consciente da qualidade, no sentido dado por Marx, como a medida capaz de fixar limites significativos, tudo resultaria em nada mais que uma busca potencialmente mais perdulária de riqueza e o progresso irreversível para a "nova forma histórica" apenas seria projetado como um sonho.

A realização verdadeira da sociedade de abundância requer a reorientação do processo reprodutivo social de tal modo que os bens e serviços comunalmente produzidos possam ser plenamente compartilhados – e não desperdiçados de modo individualista – por todos aqueles que participam da produção e do consumo diretamente social. Sem esse tipo de autorregulação consciente, os recursos e produtos, até mesmo da sociedade mais rica, permaneceriam prisioneiros do círculo vicioso da *escassez que se autorrenova e se autoimpõe* até mesmo em termos dos apetites desenfreados de grupos relativamente limitados de pessoas, para não dizer em relação à totalidade dos indivíduos.

Naturalmente, a plena realização dessa visão marxiana requer a articulação historicamente possível das mediações materiais necessárias no seu contexto global, que leve da divisão do trabalho sob o domínio do capital (em qualquer forma) até um tipo novo de existência comunal que só pode resultar do processo de reestruturação progressiva empreendido pelas sociedades de transição historicamente emergentes. Não obstante, ainda que a *plena* realização dessa visão – que postula a necessidade de uma transformação *global* – levasse um tempo muito longo para ocorrer, os passos

---

De fato, as ideias de Lenin sobre o assunto, mesmo como expressas em 1915 no artigo "Sobre o Slogan de um Estados Unidos da Europa", de modo algum contradizem as visões de Marx sobre os pré-requisitos globais para a vitória do comunismo como um sistema socioeconômico. Pelo contrário, ele declara inequivocamente que

Os Estados Unidos do Mundo (e não apenas da Europa) são a forma estatal da unificação e da liberdade das nações que nós associamos com o socialismo – até à época na qual a vitória completa do comunismo provoque o desaparecimento total do Estado, inclusive o democrático. ... A *forma política* de uma sociedade na qual o proletariado sai vitorioso perante a burguesia será uma *república democrática*, que concentrará cada vez mais as forças do proletariado de uma determinada nação ou nações na luta contra os Estados que ainda não passaram ao socialismo. A abolição das classes é impossível sem uma ditadura da classe oprimida, do proletariado. Uma *união livre de nações no socialismo* é impossível sem uma luta mais ou menos prolongada e persistente das *repúblicas socialistas* contra os Estados atrasados (Lenin, *Collected Works*, vol. 21, pp. 342-3 [ed. bras. *Obras escolhidas*, São Paulo, Alfa-Ômega, 1979, vol. 1, pp. 571-2].

Lenin, portanto, reitera vigorosamente o caráter global do empreendimento socialista. Ao mesmo tempo, ele sublinha ansiosamente, visando combater as estratégias políticas desmobilizadoras, que uma *ruptura* para a transformação socialista global possa ocorrer "em vários ou até mesmo em um único país". Mas uma "ruptura", na forma de uma revolução política bem-sucedida que *aponta* para o estabelecimento do socialismo está, por si só, muito distante de ser de fato a realização de uma ordem sociorreprodutiva comunista regulada em sua vida cotidiana pelo princípio "a cada um de acordo com as suas necessidades".

práticos necessários para avançar na direção desejada podem ser dados por qualquer sociedade pós-revolucionária, até mesmo em uma situação relativamente limitada, sem esperar pela reversão radical das relações de poder existentes entre capital e trabalho em uma escala global.

A retenção da perspectiva global, como explicitada por Marx na última citação, é necessária para a estrutura orientadora dos passos práticos e estratégias pelos quais as sociedades particulares de transição devem tentar realizar os seus possíveis objetivos mediadores. Ao mesmo tempo, entretanto, pode ser praticável no "aqui e agora" a instituição progressiva da mudança necessária a uma determinação qualitativa dos objetivos produtivos e procedimentos distributivos das sociedades de transição, por meio de uma reavaliação radical das taxas prevalecentes de utilização adotadas no passado sob os constrangimentos da lei do valor. Os termos de referência específicos dessa mudança podem ser explicitados como objetivos materiais e culturais tangíveis, prometendo não apenas um modesto avanço na direção da ainda distante sociedade comunal global, mas também uma melhoria, "aqui e agora", muito mais realista no padrão de vida dos indivíduos. Isto é bem mais do que o que poderia ser obtido com o remendo das estruturas herdadas da divisão do trabalho.

As premissas adotadas por Lukács – mencionadas anteriormente como o "socialismo em um só país" e a permanência da divisão do trabalho com base na qual ele advoga a instituição de uma "divisão de trabalho realista entre o partido e o Estado" – oferecem uma perspectiva muito diferente para resolver os problemas encontrados, aparentemente crônicos. Contudo, uma vez que aceitemos os constrangimentos estruturais que inevitavelmente acompanham tais premissas – o fato de terem sido resultado das grandes decepções históricas das décadas revolucionárias – só os imperativos morais de um discurso ético abstrato postulados por Lukács permanecem como nossa esperança tênue e absolutamente vazia de substância material de superar as contradições do presente.

Capítulo 20

A LINHA DE MENOR RESISTÊNCIA E A ALTERNATIVA SOCIALISTA

Por muito tempo – mas especialmente durante a década seguinte à Segunda Guerra Mundial –, a esquerda comunista considerava que, depois da "vitória do socialismo" na maior parte do mundo, todos certamente viveríamos em uma ordem socialista irreversível. Esta visão representava um terrível empobrecimento do projeto marxiano, pois o que se entendia por "vitória do socialismo" era apenas *a derrubada política do capitalismo*, nos moldes da Revolução Russa. A versão mais macabra e grotesca desse reducionismo voluntarista está expressa na já mencionada projeção insana feita pelo preferido de Stalin para sua sucessão, Malenkov, segundo o qual, "após a Terceira Guerra Mundial", conforme o que aconteceu depois da Primeira e da Segunda, as pessoas do mundo inteiro pertenceriam ao "campo socialista". A "inevitabilidade histórica" que supostamente assim se desdobraria deveria assinalar o começo de uma fase superior do desenvolvimento histórico, saudada como tal pelas personificações do capital pós-capitalista, completamente cegos para o fato de que, na verdade, nas circunstâncias projetadas, nada restaria sequer para acender a fogueira de um acampamento pré-histórico.

Afirmou-se frequentemente que a ordem capitalista e, claro, a classe de seus guardiães capitalistas privados conscientes não deixariam o cenário histórico sem luta. Este prognóstico era sem dúvida correto, apesar de subestimar muito as dificuldades e contradições que devem ser enfrentadas após uma bem-sucedida revolução política. Isso porque os obstáculos mais intransponíveis não foram erigidos pelas personificações do capital, mas pelos imperativos do próprio sistema do capital que, conforme a mudança das condições históricas, produzem e reproduzem os diferentes tipos de personificações necessárias ao capital. A acomodação dos representantes do trabalho à *linha de menor resistência*, que historicamente experimentamos com grande custo para o movimento socialista, é inseparável dessa perversa determinação *sistêmica* e da margem de ação transformadora. Este é o ponto a ser desafiado, se houver qualquer esperança de sucesso na rota originalmente divisada para a emancipação socialista. Ou seja, à luz das decepções históricas do século XX, seguir a linha de menor resistência só pode resultar na revitalização do capital em crise e na autoparalisia de sua alternativa histórica.

De modos distintos, mas complementares, tanto os partidos social-democratas/reformistas como os stalinistas – inclusive os "desestalinizados" – do movimento dos trabalhadores seguiram a linha de menor resistência, provocando um colapso igualmente desastroso na sua esfera de atuação, mesmo em seus próprios termos de referência. As raízes desse fracasso histórico são comuns, na medida em que a orientação estratégica de ambas as alas do movimento dos trabalhadores não desafiou as determinações sistêmicas do modo de controle sociometabólico do capital. O reformismo social-democrata falhou porque quis reformar o capitalismo aceitando acriticamente seus limites estruturais. Assim, de um modo autocontraditório, ele pretendeu instituir uma transformação reformista no capitalismo, cuja intenção, no princípio, era transformá-lo, com o tempo, em socialismo, sem mudar sua substância capitalista. Igualmente, o sistema socioeconômico pós-revolucionário, como vimos anteriormente, permaneceu prisioneiro das amarras estruturais alienantes do capital em si, embora tivesse instituído um modo pós-capitalista de extrair o trabalho excedente a uma taxa imposta por meios políticos diretos, criando um novo tipo de imposição do imperativo-de-tempo, que serve ao sistema do capital em todas as suas formas historicamente viáveis. Também por isso todas as tentativas de reforma pós-Stalin, inclusive a assim chamada *perestroika* de Gorbachev, forçosamente falharam. A autocontradição dessas tentativas de reforma pós-revolucionárias foi tão aguda quanto a que caracterizou suas contrapartidas social-democratas no Ocidente, pois tentaram "reestruturar" a ordem existente sem nada mudar em sua estrutura de comando hierárquica e exploradora. Foi, portanto, absolutamente normal que a forma pela qual tanto os partidos da ala reformista como os dos ex-comunistas do movimento dos trabalhadores "voltaram ao ninho antigo" tenha obliterado todas as suas diferenças originais. Significativamente, eles encontraram o seu denominador comum no fato de se terem tornado partidos liberais burgueses – no Leste e no Ocidente, como demonstram os antigos partidos comunistas italiano e francês –, baseados no propósito comum de abraçar o capitalismo e sua "sociedade de mercado" como o horizonte inquestionável da vida social.

Contudo, esta situação não pode ser considerada o fim da jornada. A capitulação dos partidos tradicionais da esquerda – que seguiram o beco sem saída da linha de menor resistência durante a maior parte das suas existências – não resolveu uma única contradição do sistema do capital. Pelo contrário, a acomodação cada vez mais comprometedora e a capitulação final, não só do reformismo trabalhista, mas também dos partidos políticos outrora radicais, são a manifestação do aprofundamento das contradições do sistema. Estas contradições reduziram progressivamente e finalmente eliminaram – no interesse da preservação do modo de controle do capital sob as condições da crise estrutural do sistema – a margem de oposição e a conquista de ganhos, ainda que limitados, para o trabalho. Não obstante, é tolice acreditar que a classe trabalhadora vá simplesmente resignar-se à pilhagem de suas conquistas passadas devido à capitulação de seus próprios partidos aos interesses travestidos da ordem estabelecida. Com base nos conflitos que resultaram do fato de os antigos partidos de esquerda na Inglaterra, na França e na Itália "terem ido longe no caminho da rendição"[1], Daniel Singer observou corretamente que, no

---

[1] Daniel Singer, "Moment of truth for social democracy?", *Monthly Review*, junho de 1995, p. 28.

futuro, a insistência neste curso provavelmente encontrará resistência crescente. Assim, "a reação apaixonada e poderosa ao primeiro ataque frontal ao Estado de bem-estar social – o ataque contra as pensões na Itália – sugere que a tarefa [dos que seguem o curso de rendição] não será fácil"[2]. A Itália respondeu às investidas contra o direito de aposentadoria dos trabalhadores, investidas que têm a cumplicidade reveladora dos partidos de "esquerda", com "uma série de greves e a maior manifestação pública da história de Roma"[3].

Ao mesmo tempo, no momento em que os partidos políticos tradicionais do movimento dos trabalhadores dão as costas ao seu próprio passado e defendem claramente a ordem vigente, a ativação dos limites absolutos do capital ameaça a própria sobrevivência da humanidade. Obviamente, isto torna muito difícil o projeto de emancipação socialista, na medida em que a resistência consciente da classe formada pelas personificações do capital contra todas as tentativas de introduzir mudanças significativas, fortalecida pela inércia assustadora da própria ordem sociorreprodutiva estabelecida, é muito agravada pela urgência no tempo e pelas catastróficas perspectivas do futuro, a menos que as forças destrutivas sejam enfrentadas com sucesso. Neste sentido, o único ponto a ser considerado garantido com relação a um futuro não muito distante é que a necessidade da investidura de uma alternativa socialista em escala global há de surgir em circunstâncias históricas muito dolorosas, quando o modo de controle sociometabólico do capital já não puder mais cumprir as suas funções reprodutivas primárias.

Assim sendo, o desafio vislumbrado para os socialistas deverá se apresentar como a necessidade de juntar os pedaços e construir uma nova ordem sociometabólica viável a partir das ruínas da velha. Assim, não passa de pura fantasia a ideia defendida por alguns antigos socialistas, para quem a via para a mudança radical será aberta por uma grande vitória eleitoral do movimento dos trabalhadores, a ser aceita com boa vontade pelas forças repressivas políticas e materiais do capital como um mandato claro para a transformação socialista.

Por fim, o que realmente decide estas questões é a *dinâmica interna de desenvolvimento* que envolve todo o sistema do capital e que, no último terço do século XIX, deu-lhe uma sobrevida tal que estendeu por um século sua viabilidade reprodutiva, até o início da crise estrutural do sistema. Porém, essas condições, no que se refere à ordem global do capital, mudaram fundamentalmente para pior. Ou seja, a dinâmica interna favorável do desenvolvimento anterior tornou-se insustentável precisamente por causa da premissa objetiva necessária desse modo de controle sociometabólico perdulariamente orientado-para-a-expansão e dirigido-à-acumulação. E, no longo prazo, este defeito da *dinâmica interna* não pode ser compensado *pelos dispositivos corretivos externos* da macaquice teórica e suas práticas correspondentes.

Apesar do recente triunfalismo simplista, não pode haver dúvida sobre a atual gravidade da crise estrutural que afeta o modo de controle do capital em suas raízes; nem sobre os perigos para a sobrevivência de humanidade que emanam de uma crise estrutural sem precedentes históricos. A escala de tempo em que a destrutividade

---

[2] Id., ibid., p. 29.
[3] Também cf. id., *Is Socialism Doomed? The Meaning of Mitterrand*, Oxford University Press, 1988.

irreversível do capital poderá resultar em catástrofe já não pode ser complacentemente medida em séculos, ao fim dos quais os apologistas do sistema poderão postular – como fizeram invariável e gratuitamente no passado e ainda fazem hoje – a feliz resolução dos problemas existentes. Portanto, a rearticulação do movimento socialista como alternativa hegemônica à velha ordem reprodutiva mistificadora e exploradora do capital – alternativa inconcebível na linha de menor resistência – tanto é oportuna como, literalmente, de vital importância.

20.1 Mito e realidade do mercado

20.1.1
Uma das mistificações mais efetivas do sistema do capital, fundamento sobre o qual seus defensores erigem as alegações de sua inquestionável validade, é a representação enormemente falsa do mercado.

É bastante compreensível que as várias tendências da economia política burguesa glorifiquem tal mercado, pois, a partir da alegada "naturalidade" das relações de troca capitalistas arbitrariamente projetadas no passado a serviço do sistema que querem eternizar, essas tendências constroem um círculo vicioso do qual não se pode sair. Uma vez que nenhuma ordem sociorreprodutiva desenvolvida pode funcionar sem alguma forma de troca, o truque pelo qual a relação de troca *em si* resulta tendenciosa e circularmente definida de modo a anunciar, desde tempos imemoriais, sua variedade capitalista, torna forçosa a conclusão de que não pode haver alternativa ao domínio do capital no controle da reprodução sociometabólica em geral. Contudo, é absolutamente incompreensível que mesmo alguém que se apresente apenas como simpatizante da causa socialista, não como militante verdadeiramente comprometido, aceite os horizontes do círculo vicioso no qual o capital necessariamente mantém sua opressão sobre o trabalho e conduz a humanidade para a autodestruição. Mesmo assim, como demonstraram as desastrosas vicissitudes do assim chamado "socialismo de mercado", a implosão do sistema pós-capitalista de tipo soviético resultou diretamente da total cegueira dos defensores do "socialismo de mercado" com relação à natureza das relações de troca que quiseram impor à força de trabalho. De fato, outra passagem dessa fábula estonteante foi o fato de colocarem seus argumentos – rapidamente esvaziados – a favor da instituição de um "mercado social" em nome da criação de uma *garantia real para o socialismo e a democracia*", por oposição à "economia dirigida". Tanto quanto os "economistas dirigentes" de antes, a quem gostavam de insultar, os defensores do "socialismo de mercado" deliberadamente desconsideraram que o seu antepassado intelectual na tentativa de impor a "disciplina" para maior "eficiência econômica" por meio da troca de mercadorias e do controle das relações de mercado foi ninguém menos que o venerado "*grande Stalin*", como já vimos.

Naturalmente, adotar "o mercado" como regulador do intercâmbio socioeconômico trouxe implicações de longo alcance às sociedades pós-capitalistas envolvidas, conduzindo – no princípio timidamente, mas, logo, de forma aberta – à defesa da restauração capitalista. Assim, entrevistado apenas alguns meses depois da assim chamada "Revolução de Veludo", Vaclav Klaus se pronuncia a favor de

"Uma economia de mercado sem qualquer adjetivo". É isto que o senhor Vaclav Klaus diz ser necessário para a Tcheco-Eslováquia, onde, desde o começo de dezembro, ele é ministro das Finanças. Ele recusa a "economia de mercado social", uma frase que tem sido comum em toda a Europa Oriental. Este economista de 48 anos, de voz macia, porém sorridentemente confiante, acredita que meias medidas são piores que as inúteis. Para introduzir o mercado rapidamente, o senhor Klaus e o seu ministério estão preparando uma série de novas leis para permitir mercados financeiros no estilo ocidental. ... O senhor Klaus e os delegados tchecos, seus companheiros em Davos, estão ansiosos para se distanciar das reformas de 1968. Ao mesmo tempo, anseiam por ganhar familiaridade com o mundo dos negócios ocidentais. Capital de investimento e não ajuda é o que buscam, e eles parecem não se importar que venha através de *joint ventures*, de novos investimentos ou de compras diretas de empresas tchecas. Como um bom seguidor de Friedman, o senhor Klaus não mostra o menor interesse em ditar o resultado das forças de mercado: o seu papel é manter os preços estáveis enquanto o mundo dos negócios faz o seu trabalho.[4]

O senso de realismo cínico do ministro de Finanças tcheco, senso pelo qual ele foi rapidamente recompensado com a pasta de primeiro-ministro do seu país, contrasta favoravelmente com o zelo propagandista criador de mitos sobre o mercado de *The Economist*. Os articulistas líderes do semanário de Londres misturam puros interesses de classe, a serem afirmados contra a força de trabalho ocidental, com a pregação bajuladora do que o mercado deveria fazer para ajudar "os pobres trabalhadores da Europa oriental". É assim que eles apresentaram a sua curiosa argumentação que mistura retóricas hipócritas de um "coração bondoso" à ferocidade antitrabalho:

A Comunidade [europeia] deveria dar liberdade completa para os tchecos, os húngaros e os poloneses, não só para vir e visitar (eles já não carecem de visto para a maioria dos países da CE), mas para vir e trabalhar. Permitir que os europeus orientais trabalhem no Ocidente ajudaria a *manter baixos os custos dos salários da CE*, e também seria um bom modo de educar os ex-comunistas para os modos capitalistas e ajudá-los a *acumular as poupanças necessárias* para *reconstruir as suas economias*.[5]

Qualquer iniciante do estudo da matemática que fizesse assim as suas contas certamente seria, com toda justiça, reprovado nos exames. Os principais editores e colaboradores de *The Economist*, porém, que obtêm grandes lucros para pontificar sobre a economia mundial com base em um tal nível de habilidade aritmética e econômica, saem-se bem com fantasias e projeções as mais absurdas, só porque os seus exercícios de propaganda são concebidos do ponto de vista da agressiva consciência de classe burguesa. Assim, espera-se que acreditemos que os salários miseravelmente baixos que os trabalhadores europeus orientais receberiam no Ocidente, para dar sentido ao desejo de *The Economist* de "manter baixos os custos dos salários da CE",

---

[4] "Financial reform in Czechoslovakia: A conversation with Vaclav Klaus," *The Economist*, 10 de fevereiro de 1990.
[5] "Open up", *The Economist*, 3 de agosto de 1991.

seriam mais que suficientes, não só para sustentá-los em albergues ocidentais, mas também para manter as famílias que ficaram na sua terra e "acumular as poupanças necessárias para reconstruir suas economias". Não se menciona, porém, o fato de que o número de desempregados em países da OCDE está bem acima dos 40 milhões. Mas, para se ter um quadro verdadeiro e corrigir as estatísticas governamentais cinicamente falsificadas, a estes 40 milhões devem ser somados outros tantos milhões de pessoas que só conseguem empregos de tempo parcial e temporário. Somente com assombro se pode imaginar onde é que esses incontáveis milhões de trabalhadores da Europa oriental (que, na visão de *The Economist*, deveriam ficar desempregados em nome da causa da "reconstrução das suas economias") encontrariam trabalho no Ocidente, se nem mesmo a sua própria força de trabalho local consegue encontrá-lo. Em todo caso, não há necessidade do "bom modo de educar os ex-comunistas para os modos do capitalismo", mesmo porque, pelo andar da carruagem, os trabalhadores europeus orientais já estão recebendo esta "boa educação", de forma pronunciada, em seus próprios países.

A realidade do mercado é, evidentemente muito diferente de suas imagens míticas. Todos aqueles que, nas sociedades pós-capitalistas, chegaram a acreditar no conto de fadas de um mercado benevolente desapontaram-se rapidamente. O violento protesto suscitado pela tentativa de acesso russo aos mercados pesqueiros da CE oferece uma boa ilustração do que o mercado capitalista realmente significou para o Leste. Quando as traineiras russas descarregaram seu pescado no mercado de peixe de Grimsby, na Inglaterra do norte, os supostos "companheiros de negócio" jogaram óleo diesel sobre ele a fim de torná-lo invendável. Medidas semelhantes foram aplicadas às tentativas de importação de carne e produtos agrícolas da Europa oriental por países de CE, incluindo aí até mesmo as minúsculas quantidades de framboesas da Polônia. Mas tais conflitos não se esgotam em confrontos entre a CE e os antigos países pós-capitalistas do Leste; com frequência crescente, eles estouram também entre os membros da "União Europeia", apesar de seu elegante novo nome. Basta pensar na "guerra dos carneiros" entre França e Inglaterra, na "guerra do peixe" entre Inglaterra, Espanha, França e Portugal, e na "guerra do vinho e do tomate" entre França e Itália. Na verdade, muito mais seriamente, os antagonismos aparecem em uma escala incomparavelmente maior entre Estados Unidos e Japão e entre Estados Unidos e União Europeia. O primeiro conflito assume muitas formas diferentes e, apesar de todas as tentativas de acordo, recusa-se a desaparecer. Quanto às contradições entre Estados Unidos e União Europeia, o Airbus e as negociações do GATT foram alguns exemplos claros no passado recente, às vezes expostos com franqueza brutal nas palavras de porta-vozes oficiais. Assim, em 9 de junho de 1991, no "Money Programme" da BBC 2, o funcionário mais qualificado da divisão de linhas aéreas comerciais do Departamento de Comércio americano mostrou-se preocupado com os conflitos que cercam o projeto do Airbus europeu, declarando o seguinte: "Em nossa experiência, uma guerra de comércio curta e bem travada pode gerar uma longa e próspera paz comercial", querendo dizer, é claro, "em termos americanos". Na época das negociações do GATT, o principal negociador dos Estados Unidos, a senhora Carla Hills Colinas – o Mickey Kantor do presidente Bush –, declarou de forma até mesmo mais ameaçadora: "Estamos determinados a abrir as portas para defender nossos interesses empresariais. Se pudermos, faremos isto por meio de negociações, mas se não pudermos vamos usar *pés-de-cabra*". Ninguém poderia ser mais claro.

Em contraste com sua mitologia, a realidade do mercado significa relações de poder mais ou menos nuas e conflitos, ao final, inconciliáveis. Isso só pode se agravar com a concentração e a centralização do capital atualmente em curso e com a tendência inexorável para o desenvolvimento monopolista e *quase* monopolista. As apostas estão se tornando constantemente mais altas e a posição dos "jogadores menores" piora a cada dia. Graças à sua posição monopolista na Inglaterra, a British Telecom – uma companhia gigantesca – tem vendas anuais no valor de mais de 13 bilhões e um lucro acima de 3 bilhões de libras esterlinas. Mesmo assim, foi derrotada na disputa pelo enorme contrato de prestação de serviços à gigantesca companhia anglo-holandesa UNILEVER. O "gigante" americano AT&T – companhia ainda maior que a Telecom britânica – ganhou o contrato, o que ilustra o volume imenso de recursos necessários para os competidores que pretendam participar desse jogo com chances de sucesso. Algo muito maior do que os insignificantes fundos econômicos supostamente derivados dos salários recebidos pelos *Gastarbeitern* dos antigos países pós-capitalistas, que, conforme o conto de fadas de *The Economist* de Londres sobre "reconstruir as economias da Europa Oriental", cortariam os custos e seriam generosamente repatriados, a ponto de se tornarem "competidores saudáveis" no sistema do capital global.

20.1.2

No século XX, poucas pessoas denunciaram o "mercado autorregulador" com maior paixão que Karl Polányi. Em uma passagem eloquente de seu livro *A grande transformação*, ele argumentou que

> Certamente, permitir que o mecanismo de mercado seja o único diretor do destino dos seres humanos e do seu ambiente natural, de fato até mesmo do volume e do uso do seu poder aquisitivo, resultaria na demolição da sociedade. A mercadoria chamada "força de trabalho" não pode ser jogada de um lado para o outro, não pode ser usada indiscriminadamente, nem mesmo deixada sem uso, sem também afetar o indivíduo humano que vem a ser o portador desta mercadoria peculiar. Ao dispor da força de trabalho de um homem, o sistema dispõe também da entidade física, psicológica e moral do "homem" fixado àquele rótulo. Roubado da cobertura protetora das instituições culturais, os seres humanos pereceriam sob os efeitos da exposição social; morreriam como vítimas do agudo deslocamento social por meio de vício, perversão, crime e fome. A natureza seria reduzida a seus elementos, o ambiente que nos cerca e as paisagens seriam destruídos, rios poluídos, a segurança militar posta em risco, destruída a capacidade de produzir alimentos e matérias-primas. Finalmente, a administração do poder aquisitivo pelo mercado periodicamente liquidaria empreendimentos empresariais, pois a escassez e a sobra de dinheiro provariam ser tão desastrosas para os negócios quanto as inundações e secas na sociedade primitiva. Evidentemente, trabalho, terra e mercados de moeda são essenciais a uma economia de mercado. Mas nenhuma sociedade poderia resistir aos efeitos de um tal sistema de ficções cruas, mesmo por um período muito curto de tempo, a menos que sua substância natural e humana, como também sua organização empresarial, fossem protegidas contra as devastações deste moinho satânico.[6]

---

[6] Karl Polányi, *The Great Transformation*, Boston, Beacon Press, 1957, p. 73.

A grande transformação foi publicado pela primeira vez em 1944, no momento em que a derrota do fascismo era certa. O fato alimentou as grandes esperanças do autor nas mudanças em curso, que acrescentou a uma edição posterior do seu livro, num espírito otimista, que

> em todos os países o controle do dinheiro está sendo tomado do mercado nesses nossos dias. ... Do ponto de vista da realidade humana, o que se restabelece pelo desestabelecimento da ficção da mercadoria se distribui em todas as direções da bússola social. Com efeito, a desintegração de uma economia de mercado uniforme já está dando origem a uma variedade de novas sociedades. Ao mesmo tempo, o fim da sociedade de mercado de modo algum significa a ausência de mercados. Estes continuam, de vários modos, a assegurar a liberdade do consumidor, a indicar a mudança de demanda, a influenciar a renda dos produtores, e a servir como um instrumento de contabilidade, ao mesmo tempo em que deixam completamente de ser um órgão de autorregulação econômica. ... Das ruínas do Velho Mundo, alicerces do Novo, podem-se ver surgir a colaboração econômica de governos e a liberdade para organizar à vontade a vida nacional. Sob o sistema restritivo do livre comércio não se poderia conceber nenhuma destas possibilidades, excluindo-se assim uma variedade de métodos de cooperação entre nações. Enquanto, sob a economia de mercado e o padrão ouro, a ideia de federação era acertadamente vista como um pesadelo de centralização e uniformidade, o fim da economia de mercado pode muito bem significar a cooperação efetiva com liberdade doméstica nacional.[7]

Por mais nobre que tenha sido a intenção, seu prognóstico provou ser extremamente prematuro[8]. Ou seja, o monstruoso "moinho satânico" do qual o autor de *A grande transformação* esperava ver salva a humanidade era, na realidade, o próprio *sistema do capital*, do qual o "mercado autorregulador" foi somente um momento passageiro e subordinado, mas que, se necessário, seria passível de grandes alterações. Este sistema reprodutivo orientado-para-a-expansão e dirigido para a acumulação, mergulhando numa crise cada vez mais profunda, não apenas escravizou a humanidade em seu "moinho satânico" como ainda ameaçou-a diretamente com a destruição. Os corretivos para essa crise, discutidos anteriormente, foram introduzidos pelos diferentes tipos de personificação do capital, mas não alcançaram sucesso, tornando desse modo ainda mais agudo o risco de destruição da humanidade, risco que Polányi temia e apaixonadamente condenou. Ele insistiu repetidamente que "uma sociedade industrial tem recursos para ser livre" e que "tal sociedade possui os recursos para ser tanto justa como livre"[9]. A dificuldade está, entretanto, no fato de que a sociedade industrial do sistema do capital, em qualquer uma de suas variedades historicamente possíveis, não

---

[7] Id., ibid., pp. 252-4. Estas passagens, citadas no capítulo final do livro de Polányi, não estão presentes na edição inglesa – publicada com o título *Origins of Our Time: The Great Transformation*, Londres, Victor Gollancz Ltd., 1945, isto é, um ano depois da primeira edição americana – a qual contém "uma ampliação do último capítulo", de acordo com o "Prefácio do autor para a edição revisada".

[8] Isto foi reconhecido em um artigo recentemente publicado pela filha de Karl Polányi, a destacada economista Kari Polányi Levitt, que escreveu que o pai "foi precipitado ao descartar a 'economia de mercado' e a 'sociedade de mercado' do cenário da história". Cf. "Toward alternatives: re-reading *The Great Transformation*", *Monthly Review*, junho de 1955, p. 10.

[9] Karl Polányi, op. cit., p. 256.

dispõe dos meios de ser justa nem livre. O mercado mais ou menos autorregulador é tão somente um componente essencial daquela variedade de sistema do capital na qual o trabalho excedente é extraído majoritariamente por meios econômicos, mas não daquela em que a extração do trabalho excedente é controlada principalmente por formas políticas de imposição. Porém, como testemunha a história agitada do século XX, o sistema politicamente regulado não conseguiu oferecer uma segurança maior à sobrevivência da humanidade do que quaisquer das variedades capitalistas. Por isso, a implosão das sociedades pós-capitalistas sublinhou a necessidade de uma verdadeira mudança de época que deixe para trás a fase histórica do sistema do capital, que já se arrasta há tanto tempo, quer este se imponha pelas relações de troca do mercado capitalista quer por qualquer outra forma.

20.1.3

O artifício mais utilizado pelos apologistas do mercado capitalista é uni-lo à postulada "motivação do lucro", considerada como implantada pela natureza nos seres humanos. Desse modo, afirmam estabelecer duas verdades axiomáticas e as condições inalteráveis que lhes correspondem. Primeiro, as instituições econômicas que se apoiam na "motivação do lucro" são *naturais*, constituem o fundamento objetivo vital; por isso, a estrutura da atividade reprodutiva só poderia ser alterada pela violação da própria natureza e, nessa medida, estaria necessariamente condenada ao fracasso. E, segundo, a conformidade exigida para com a sua postulada "natureza" define e circunscreve o horizonte da *"racionalidade econômica"* que subordina a si aquilo que pode ou não pode ser tido por legítimas aspirações humanas. Ou seja, de posse da sua "faculdade racional" humana, o que também se exprime retoricamente por "em seu juízo perfeito" – ninguém deveria entrar em choque com a autoridade da própria natureza.

A evidência histórica refuta esta avaliação fictícia da *natureza*, assim como a noção bastarda de *racionalidade* que dela deriva; o fato, porém, não possui absolutamente nenhum peso para aqueles cujos interesses ocultos determinam a apologia do sistema do capital a qualquer preço. Igualmente incompreendido é o argumento de que a fatal subordinação do comportamento humano à busca da "racionalidade econômica" – correspondente direta da "motivação do lucro" – está destinada a destruir as condições elementares de reprodução sociometabólica. E mesmo que se admita que problemas possam ocorrer no futuro – o que quase nunca é admitido, devido à temporalidade de curtíssimo prazo compatível com o ponto de vista do capital, assim como à falsa dedução, frequentemente repetida, de que "as dificuldades encontradas sempre se resolveram no passado, e portanto irão se resolver no futuro" – qualquer exame crítico da ordem vigente é, ao final, cegamente abandonado. O argumento apologético usado para descartar nossas preocupações vitais diz que "a ameaça puramente hipotética" das consequências destrutivas que surgem da interferência contínua e em vasta escala com a natureza será superada pela imperativa regulação do intercâmbio socioeconômico conforme as determinações da "natureza humana" e sua correspondente, e agora bem-sucedida, "racionalidade econômica".

Todavia, um exame mais acurado da hipostática "motivação do lucro" revela que não só sua dimensão histórica é obliterada, privando-a inclusive de uma validade histórica bastante limitada, como também a relação real entre lucro e atividade produtiva é completamente invertida por seus advogados. Ou seja, mesmo na variedade capitalista do sistema do capital, em que o lucro representa um papel importante, a *determinação primária* não é o lucro – para não falar da "motivação do lucro" do capitalista individual – mas o *imperativo expansionista* do sistema que não pode se reproduzir com sucesso a menos que possa fazê-lo em escala constantemente ampliada. Assim, o aparecimento da "motivação do lucro" é uma consequência das determinações internas do sistema, e não a sua causa determinante, mesmo que uma reciprocidade dialética prevaleça por um período de tempo em que a busca individual de lucro esteja em operação. Em outras palavras, como o sistema do capital deve ser sempre *orientado-para-a-expansão e dirigido-para-a-acumulação* – em *circunstâncias históricas específicas*, quando, para o sistema reprodutivo socioeconômico do capital em todas suas variedades conhecidas e possíveis, a *personificação do capital* absolutamente necessária assume a forma do capitalista privado –, o imperativo de *acumulação e expansão* (a real força motriz do sistema) pode ser representado, do ponto de vista dos capitalistas individuais, como a sua motivação para o "lucro pessoal", isto é, como a "motivação do lucro". Mas é um absurdo que disso se deduza, como fez, por exemplo, Max Weber na sua tentativa transparente de refutar Marx, que a ordem estabelecida de controle sociometabólico tenha surgido do "misterioso espírito do protestantismo", que convenientemente se metamorfoseou no "espírito empresarial" orientado-para-o-lucro. Na verdade, Weber fez tal dedução virando pelo avesso a teoria marxiana e criando a ficção da formação do "capitalismo moderno", contra o pano de fundo aceito das "antigas formas capitalistas".

A função desse tipo de apologética do capital é eliminar – como Weber e seus seguidores tentam fazer – a dimensão histórica até mesmo de onde ela esteja claramente evidente. Ora, as imensas transformações históricas provocadas pelos desenvolvimentos capitalistas não podem ser negadas e, do ponto de vista do capital vitorioso, nem precisam sê-lo, uma vez que são essas transformações que conduzem ao presente. Do mesmo ponto de vista, porém, o que é necessário negar categoricamente, não importa o quanto sejam desumanas, escravizadoras (segundo Weber, permanentemente impositoras de "jaulas de ferro") e potencialmente catastróficas as condições da continuidade da dominação do capital, é que tudo isso possa ser diferente no futuro. Assim, o *sujeito humano* envolvido em todas as transformações históricas deve ser eliminado do cenário com a ajuda da mais pura mistificação, atribuindo a mudança testemunhada no passado ao "espírito do capitalismo", gratuita e circularmente hipostasiado. Desse modo, o tratamento dado à origem histórica do capitalismo se assemelha ao famoso truque de cartas: "Agora você vê, agora você não vê". Você vê por um breve momento que o protestantismo – um fenômeno obviamente histórico – é identificado ao "espírito do capitalismo". Mas aqui vem o truque de cartas, pois, no momento em que se olha para o protestantismo, do outro lado da equação estipulada, aceitando sua identidade com o espírito do capitalismo, a avaliação de toda a questão já começa a perder as conotações históricas. E, significativamente, no próximo passo – quando se poderia fazer a pergunta verdadeiramente pertinente acerca da possível transcendência do capital –, desaparece completamente o caráter histórico da relação em questão. Ora, quem, "em seu juízo perfeito", ousaria falsificar o "espírito divino e eterno do protestantismo", transfigurado no "espírito do capitalismo", e degradá-lo até o nível "meramente histórico"? Além disso, enquanto os crédulos espectadores fixam os olhos nas cartas competentemente manipuladas pelo ilusionista, distraídos pela destreza dos seus movimentos bem executados, eles não percebem que a autoproclamada e idealizada "racionalidade econômica" capitalista – que supostamente deveria estabelecer *a priori* a superioridade deste sistema sobre todas as alternativas concebíveis – está baseada em nada mais concreto do que puro misticismo, concebido para esconder e justificar a irracionalidade inevitavelmente incontrolável e destrutiva da ordem sociometabólica do capital, mesmo que isto signifique a aceitação da eterna "jaula de ferro" de Weber.

Na verdade, o imperativo da expansão dirigida-para-a-acumulação pode ser satisfeito em circunstâncias socioeconômicas diferentes, não apenas sem a subjetiva *"motivação do lucro"*, mas até mesmo sem a exigência objetiva de *lucro*, que vem a ser uma necessidade absoluta apenas na variedade *capitalista* do sistema do capital. A exigência de *acumulação* não deveria ser confundida com a necessidade de *lucro*. Como testemunhamos no século XX, durante várias décadas de desenvolvimento econômico de tipo soviético, asseguraram-se níveis altos de acumulação do capital por meio da extração politicamente controlada de trabalho excedente, sem qualquer semelhança com a necessidade da orientação para o lucro característica do sistema capitalista. Isso para não mencionar o "espírito empresarial" e o "espírito de bucaneiros" das pessoas no comando, que supostamente deveriam ser impulsionadas pela força subjetiva da "motivação do lucro". Só quando Stalin, cheio de esperanças, iniciou a passagem ao que mais tarde ficou conhecido como "socialismo de mercado" – mas que continuou até as fracassadas reformas de Gorbachev – e estipulou a adoção de relações mercantis na indústria de consumo, foi levantada a questão do lucro, justificada na ideia grotesca de que se poderia aumentar a motivação de "nossos executivos empresariais" sem que a eles fosse transferida a propriedade estatal. Com relação ao futuro, é muito possível esperar uma reversão profunda dos eventos por meio dos quais o sistema do capital, em crise profunda – cuja administração exija uma intervenção estatal cada vez maior –, seja forçado a adotar um (ou vários) modo de reprodução no qual se reduza significativamente o espaço para a função controladora da "motivação do lucro" pessoal. Isto significa que não só os futuros sistemas pós-capitalistas mas até mesmo uma ordem socioeconômica capitalista estatal consistente, surgida nas condições de um grau extremamente elevado de monopólio e de acirramento dos antagonismos entre capital e trabalho, poderão – e, sob a pressão de geração de lucro grandemente deteriorada, deverão – abrir mão da função de controle do lucro pessoal geralmente arbitrária e totalmente perdulária.

Para colocar esses assuntos na perspectiva adequada, dentro da estrutura das determinações objetivas fundamentais do modo estabelecido de reprodução sociometabólica, é necessário recordar a relação entre o capital e suas personificações. A ideia interesseira segundo a qual a riqueza social produzida no mercado competitivo por meio das virtudes da ética protestante e pela "poupança" acumulada e realocação do lucro pessoal com a finalidade de reprodução ampliada no interesse de todos não passa, na melhor das hipóteses, de uma piada sem graça.

Ricardo sabia muito bem, e era suficientemente honesto para admiti-lo, que não importa o quanto fossem eficientes e competitivos os capitalistas particulares em seus enfrentamentos no mercado, os seus lucros, mais altos ou mais baixos, como unidades empresariais, seriam regulados pela estrutura geral de rentabilidade do capital total (que se faz valer pela taxa média ou "taxa geral de lucro"), a partir de determinações objetivas – que fazem o sistema exibir a taxa geral decrescente de lucro – e não por motivos subjetivos. Como ele mesmo observou:

> Uma queda na taxa geral de lucros não é de forma alguma incompatível com um aumento parcial dos lucros numa atividade particular. É através da desigualdade de lucros que o capital se movimenta de uma atividade para outra. ... Pode também acontecer que uma atividade de comércio exterior, a colonial, receba, por algum tempo, um estímulo extraordinário, mas a aceitação deste fato não invalida a teoria de que os lucros dependem de salários altos ou baixos.[10]

Dada sua avaliação muito mais sutil da capacidade de as limitações impostas pela competição de mercado entre capitalistas individuais afetarem mais que marginalmente, numa ou noutra direção, a taxa decrescente de lucros, Ricardo contestou vigorosamente Adam Smith, que, a seu ver, "atribui constantemente a diminuição dos lucros à acumulação do capital e à competição dela resultante"[11]. Assim, Ricardo atribuía uma utilidade muito pequena à motivação de lucro dos capitalistas individuais como a qualidade que assegura o contínuo dinamismo e a saúde permanente do sistema do capital.

Também são cultivadas as mitologias da "livre competição" orientada-para-o--lucro, dentro da estrutura de um mercado universalmente benéfico, como prova da única e exclusiva "sociedade livre" possível. A realidade é muito mais prosaica, pois

> a livre competição é a relação do capital consigo mesmo como outro capital, isto é, a conduta real do capital como capital. ... *Não são os indivíduos* que são libertados pela livre competição; ao contrário, é o *capital* que se torna livre. ... Livre competição é o real desenvolvimento do capital. Por meio dela, o que corresponde à natureza do capital é postulado como necessidade externa para o capital individual; o que corresponde ao conceito do capital é postulado como necessidade externa pelo modo de produção fundado no capital. ... A predominância do capital é o pressuposto da livre competição, da mesma maneira que o despotismo dos Césares romanos era o pressuposto da "lei privada" do romano livre. Enquanto ainda é fraco, o capital se apoia nas muletas dos modos passados de produção, ou daqueles que serão ultrapassados com sua ascensão. Assim que se sinta forte, joga fora as muletas e se move conforme suas próprias leis. Assim que comece a perceber a si próprio e a ficar consciente de si mesmo como um *obstáculo para o desenvolvimento*, busca refúgio nas formas que, apesar de *restringir a livre competição*, parecem tornar *mais perfeito o domínio do capital*, mas que são ao mesmo tempo os *arautos de sua dissolução* e da dissolução do modo de produção que nele repousa. A competição somente expressa como realidade, postula como uma necessidade externa, aquilo que está dentro da *natureza do capital*; competição é nada além do modo pelo qual os muitos capitais forçam os determinantes intrínsecos do capital uns sobre os outros e sobre si próprios. ... [Livre competição] é nada mais que o desenvolvimento livre em uma *base limitada – a*

---

[10] David Ricardo, *Principles of Political Economy and Taxation* (1817 e 1821), Penguin Books, 1971, pp. 138-9 [ed. bras. *Princípios de economia política e tributação*, São Paulo, Abril Cultural, 1982, p. 96].

[11] Id., ibid., p. 290 [ed. bras., op. cit., p. 197].

base do domínio do capital. Portanto, este tipo de liberdade individual é, ao mesmo tempo, a suspensão mais completa de toda a liberdade individual, e a mais completa *subjugação* da *individualidade* às condições sociais que assumem a forma de poderes objetivos, até mesmo de *objetos dominadores* – de coisas independentes das relações entre os próprios indivíduos.[12]

Não importa o quanto sejam fortes as ilusões, nem o quanto sejam mistificadores os interesses materiais e ideológicos travestidos e associados às tendências de desenvolvimento, a lógica objetiva desses desdobramentos é inexorável. A partir de sua fase de ascensão, quando então pode jogar fora as muletas, o sistema do capital se move num curso de desenvolvimento no qual novas muletas são ainda mais urgentes e necessárias, contradizendo assim diretamente tanto o dinamismo objetivo como a justificação ideológica do domínio do capital, o que está de acordo com a natureza do capital como "contradição viva":

A influência que os *capitais individuais* exercem uns sobre os outros tem precisamente o efeito de serem eles forçados a se conduzir a si próprios *como capital*; a influência *aparentemente independente* dos indivíduos – e as suas *colisões caóticas* – é precisamente o postulado da *lei geral que os governa*. O mercado ganha aqui ainda uma outra significação. A influência dos capitais individuais uns sobre os outros torna-se assim precisamente a sua definição como *seres gerais*, e a suspensão da aparência de independência e da sobrevivência independente dos indivíduos. Esta suspensão ocorre ainda mais no crédito. E a forma mais extrema para a qual a suspensão evolui – que é, porém, ao mesmo tempo, o *postulado último do capital* na forma a ele adequada – é o *capital acionário*.[13]

Na medida em que ocorre num estágio de desenvolvimento em que o capital financeiro e o monopolista correm à solta, a idealização grotesca do "espírito do capitalismo" se consuma fazendo escárnio absoluto da "livre competição" e da "livre individualidade". E isto nem é tudo, pois a natureza e a lógica do capital oferecem tão somente a perspectiva de uma implacável ordem corporativa da qual a Alemanha de Hitler já nos deu seu antecedente tangível. Dada a natureza do capital e o modo como transformou no oposto suas tendências libertadoras originais, a menos que um movimento socialista radicalmente rearticulado acabe com a dominação do capital e se afirme como a alternativa hegemônica ao atual modo de reprodução sociometabólica, a lógica desastrosa deste sistema está destinada a prevalecer.

20.1.4

As "caóticas colisões" dos capitais individuais que competem livremente, mencionadas por Marx, são agora severamente restringidas pelas muletas necessárias ao sistema do capital em crise estrutural. Com base, pois, no que caracterizou sua fase clássica de desenvolvimento, o sistema não poderia sobreviver um dia sequer, não poderia afirmar sua dominação em uma base contínua. Contudo, como se nada houvesse acontecido no último século e meio na forma pela qual prevalece na sociedade o domínio do capital, os apologistas do capital continuam a criar mitos

---

[12] Marx, *Grundrisse*, pp. 650-2.
[13] Id., ibid., pp. 657-8.

e idealizar condições inexistentes de intercâmbios individuais espontâneos dentro da estrutura do mercado. Hayek, por exemplo, usa a pretensa objetividade do "mecanismo de preço" e do "mecanismo de mercado" com a finalidade cínica de racionalização e justificação pseudomoral da ordem reprodutiva profundamente iníqua do capital. Ele escreve que

> você tem que permitir que preços sejam determinados de modo a dizer às pessoas onde elas podem dar a melhor contribuição ao resto da sociedade – e infelizmente a capacidade de dar boas contribuições aos nossos semelhantes não é distribuída de acordo com qualquer princípio de justiça. As pessoas estão em uma posição muito desigual para fazer contribuições às carências dos seus semelhantes e têm que escolher entre oportunidades muito diferentes. Portanto, para permitir-lhes que *se adaptem* a uma *estrutura que não conhecem* (e cujos determinantes não conhecem), temos que permitir que *os mecanismos espontâneos do mercado* lhes informem o que *deveriam fazer*. ... Nossa acepção moderna é que preços são os sinais que informam às pessoas o que *deveriam fazer* para *se ajustar* ao resto *do sistema*.[14]

No discurso de Hayek, a única coisa que importa é afirmar e reafirmar constantemente que as pessoas precisam – incontestavelmente – *submeter-se* aos imperativos da ordem estrutural existente, ainda que admita que os princípios advogados por ele "nunca tenham sido racionalmente justificados"[15]. A finalidade apologética de todo o exercício se revela quando ele repete continuamente que as pessoas devem estar "dispostas a se *submeter à disciplina* constituída pela moral comercial"[16], sem nos revelar o segredo que faz com que a "moral comercial" da impiedosa dominação do capital sobre a imensa maioria da humanidade – que o próprio Hayek subscreve, apesar de reconhecer que é oposta a qualquer princípio de justiça – mereça o nome de "moral". O "mecanismo espontâneo do mercado", idealizado mas inexistente, é utilizado por Hayek tão somente como um *artifício ideológico,* em nome do qual ele tenta desqualificar grosseiramente o projeto socialista de controle do sociometabolismo pela autorregulação consciente de intercâmbios produtivos e distributivos pelos produtores associados. Nesse sentido, ele escreve, em "The Moral Imperative of the Market":

> Encontramo-nos agora na situação paradoxal em que, apesar de vivermos em um mundo no qual uma população grande e crescente só se mantém viva graças à prevalência do sistema de mercado, a vasta maioria das pessoas (eu não exagero) já não acredita no mercado. É uma questão crucial para a preservação futura da civilização e que deve ser enfrentada antes que argumentos socialistas nos levem de volta a uma moralidade primitiva. Temos que *suprimir* novamente esses sentimentos inatos, que brotaram em nós desde que deixamos de aprender a *rígida disciplina do mercado,* antes que eles destruam nossa capacidade de alimentar a população através deste *sistema coordenador que é o mercado.* Caso contrário, o colapso do capitalismo assegurará que uma parte muito grande da população do mundo morrerá porque nós não pudemos alimentá-la.[17]

---

14 Hayek, "The Moral Imperative of the Market", in Martin J. Anderson (ed.), *The Unfinished Agenda,* pp. 146-7.
15 Id., ibid., p. 148.
16 Id., ibid., p. 149.
17 Id., ibid., p. 148.

Como vimos nas seções 4.3.1 e 4.3.2, Hayek insiste em se referir ao tamanho da população mundial como a "prova" supostamente "irrefutável" do caráter insubstituível do mercado capitalista. Todavia, todo seu argumento repousa num duplo absurdo: 1) o de que o sistema do capital, cegamente autoexpansivo e perdulário, pode oferecer e, de fato, garantir indefinidamente o sustento da população crescente do mundo (a certeza fatal é que não pode fazê-lo hoje, muito menos amanhã); e 2) o de que o desígnio humano consciente é por definição incapaz de regular o "mecanismo espontâneo" do processo sociometabólico, inclusive o tamanho da população (só porque assim determinam a apologética do capital e o ódio de Hayek ao projeto socialista marxiano).

Os escritos acríticos dos defensores do capital geralmente nos permitem pensar a história, por um breve momento, no contexto da consolidação do capitalismo. É quando dizem que "a moral comercial ou mercantil, em meados do século passado, passou a governar a economia mundial"[18]. Mas que evidentemente é impossível haver qualquer mudança histórica no futuro. Dessa forma, ou nos "submetemos" às "estruturas existentes" que não entendemos, nem podemos entender, "ajustando-nos ao resto do sistema" e conformando-nos ao "imperativo moral do mercado", ou a "civilização" humana "será destruída" pela "presunção dos socialistas" que tentam interferir no que é absolutamente inalterável. Ao mesmo tempo, a realidade do mercado é totalmente falseada pelo pretenso "imperativo moral do mercado", invocado para remover qualquer ideia da possibilidade de alteração histórica desta instituição, de forma que as pessoas na ponta da cadeia das relações estabelecidas de dominação aceitem a *tirania do mercado* – sua "rígida disciplina", à qual o trabalho deve inquestionavelmente se *submeter* – como o seu *dever moral*. E, para adoçar um pouco a pílula amarga, finge-se também que o mercado capitalista seja um "*sistema neutro de coordenação*" para o qual, em sã consciência, não há alternativa.

Sob a fachada desta racionalização apologética encontramos uma notável contradição, pois, se é verdade que o mercado capitalista é um sistema coordenador neutro, universalmente benéfico e um conjunto de "mecanismos espontâneos" que funcionam tão bem, como alega Hayek, neste caso, "o que a bota faz na mesa?", como diz um provérbio húngaro. Quer dizer, se a natureza do mercado é como a descreve Hayek e outros apologistas, qual a razão de se projetar e impor uma concordância rígida às determinações espontâneas do mercado como um "*imperativo moral*" que "*deve ser obedecido*" até mesmo pelos dissidentes socialistas? Qual poderia ser o papel deste "argumento" senão camuflar a ânsia do autor em desqualificar os socialistas "primitivos" – que são "primitivos" segundo a definição de Hayek – como incapazes da "moralidade moderna"? Importante é que isso é feito sem que absolutamente se acrescente qualquer coisa aos alegados méritos incontestáveis do mercado, estabelecido, por motivo de apologética social, como fundamento *instrumental* neutro pela estipulação de sua "função coordenadora" não excepcional e pela definição de sua natureza como um "*mecanismo* espontâneo".

Na realidade, nada poderia estar mais distante da verdade do que descrever o mercado como um "sistema coordenador" e um "mecanismo espontâneo" neutro. O

---

[18] Id., ibid., p. 147.

mercado que os apologistas do capital tentam idealizar não é, de nenhuma maneira, capaz de se autorreferenciar e de emitir uma disposição neutra para com o seu ambiente social. Longe disso, é parte integrante das relações de exploração de um sistema sociorreprodutivo no qual o trabalho excedente é extraído por meios principalmente econômicos. O desenvolvimento espontâneo do mercado, até o ponto de abarcar os processos reprodutivos das várias economias nacionais, é um completo mito. Como Polányi justamente acentuou, "a história revela que o aparecimento de mercados nacionais não foi, de forma alguma, o resultado da emancipação gradual e espontânea da esfera econômica do controle governamental. Pelo contrário, o mercado foi o resultado de uma intervenção consciente e frequentemente violenta por parte do governo, que impôs a organização de mercado à sociedade com finalidades não econômicas"[19]. Quanto ao "funcionamento espontâneo" do mercado, até mesmo no auge do capitalismo do *laissez-faire*, sua operação estava, na realidade, sujeita às pesadas restrições, que vimos no capítulo 2, relativas à ação corretiva do Estado tornada necessária pelos defeitos estruturais de controle tanto da esfera produtiva como das relações distributivas no sistema do capital. Isto explica não só por que o aparecimento e a consolidação dos mercados nacionais são inconcebíveis sem grandes envolvimentos do Estado como o fato de que a dominação estrutural das relações de mercado internacionais é limitada a um mero punhado de potências econômicas. Tal limite refere-se precisamente àquelas economias cujo poder estatal pode tanto sustentar ativamente a dinâmica interna da expansão do capital como afirmar os interesses dos respectivos sistemas econômicos – inicialmente, através de meios não econômicos violentos até que possa usar seu próprio domínio econômico na forma de "sanções econômicas" punitivas para o mesmo propósito – na luta internacional dos capitais nacionais pelo poder.

Naturalmente, só um lunático – ou um apologista como Hayek – poderia sugerir que os intercâmbios necessariamente antagônicos dentro da estrutura do sistema do capital global pudessem, sem perigo, ser deixados ao "sistema coordenador espontâneo" do "mecanismo de mercado". O mercado em questão não é um "mecanismo coordenador espontâneo", mas um componente do sistema globalmente imposto pelos poderes dominantes das implacáveis *relações de poder*, e por eles distorcido em seu próprio favor com todos os meios à sua disposição. No curso do desenvolvimento histórico, o colonialismo inicial cedeu lugar à dominação imperialista por alguns países e esta, por sua vez, depois de duas – longe de "espontâneas" – guerras mundiais, metamorfoseou-se na ordem existente do "neocolonialismo" e do "imperialismo neocolonialista": mantendo sempre o imperativo da dominação estrutural antagônica como a característica definidora do sistema do capital, tanto no plano interno como no internacional. Sob a fachada ideológica das relações de mercado objetivas e mutuamente benéficas, encontramos o duro poder ativador do imperialismo material e cultural, como recentemente demonstrado pelas negociações do GATT. Para citar Daniel Singer:

> Durante as polêmicas de 1993, Regis Debray citou as palavras de um executivo da Time Warner em um canal de televisão francês: "Vocês franceses são os melhores

---

[19] Polányi, *The Great Transformation*, p. 250.

a fazer queijo e vinho, ou mesmo moda. Filmar é nossa especialidade. Assim, nos deixem prosseguir fazendo filmes e vocês continuem com os queijos". Debray resumiu, ironicamente: "Deixem-nos moldar as mentes e vocês ficam com os estômagos". Não tão rápido. Nossos estômagos coletivos são financeiramente muito preciosos para serem deixados aos franceses, como foi demonstrado nas amargas batalhas no GATT acerca da agricultura. Mas o controle da mente, o monopólio da imagem, é sempre mais importante.[20]

Se os franceses – um dos poucos poderes seletos do imperialismo pós-colonial – podem ser tratados desse modo, não é muito difícil imaginar que posição será concedida aos países que se encontram em posições ainda mais abaixo (para não mencionar a mais baixa) na escala que corresponde à ordem global da hierarquia de poder do capital. Só os crédulos líderes políticos da antiga União Soviética e da Europa oriental, guiados pelos seus igualmente crédulos conselheiros econômicos, poderiam levar a sério as fantasias apologéticas do capital de Hayek sobre o mercado e sua "sinalização objetiva dos preços". Eles projetaram um impacto milagrosamente benéfico do "mecanismo de mercado" para as economias dos seus países, fazendo as pessoas pagarem caro por sua tentativa desastrosa de abraçar, primeiro, a miragem do "socialismo de mercado" e, em seguida, a dura realidade do capitalismo dependente.

Para entender a realidade do mercado atual, é necessário que se tenha constantemente em mente sua grande dependência do Estado, já que pesadas esferas da atividade econômica são absolutamente inviáveis no sistema do capital contemporâneo sem o apoio direto do Estado em uma escala fenomenal. Isso fica claro no caso do complexo militar-industrial, que constitui um setor de máxima importância nas economias dos países capitalistas dominantes. Mas, por mais vital que a produção bélica possa ser para a saúde do "capitalismo avançado", a questão não para aqui. A denominada "política agrícola comum" da União Europeia – com a contrapartida igualmente generosa dos subsídios estatais na agricultura dos Estados Unidos – é uma ilustração também reveladora das altas apostas econômicas envolvidas no "azeitamento" consciente do "sistema coordenador espontâneo" do mercado. Tais medidas são o contrário da grotesca e absolutamente cínica projeção propagandista de Hayek, ou seja, a de "permitir que os preços sejam determinados de modo a informar às pessoas onde elas podem dar melhor contribuição ao resto da sociedade". Na Inglaterra, por exemplo, a contribuição dada pela agricultura é de um vil 1,5 por cento do Produto Interno Bruto, mas os subsídios estatais transferidos aos fazendeiros são proporcionalmente astronômicos; só os criadores de ovelhas – uma parte menor do subsídio estatal global – recebem um subsídio anual de mais de 370 milhões de libras esterlinas. De modo igualmente generoso, são tratados, às expensas dos contribuintes, projetos como o do Airbus europeu; e os protestos dos Estados Unidos contra esses subsídios são hipócritas, já que as gigantescas corporações produtoras de aviões, Boeing e Lockheed, recebem também nos Estados Unidos imensos subsídios na forma de contratos militares e pesquisa financiada pelo Estado.

---

[20] Daniel Singer, "Europe in Search of a Future", *The Socialist Register,* ed. por Leo Panitch, Londres, Merlin Press, 1995, p. 119.

Naturalmente, o papel do Estado de sustentar diretamente os "mecanismos" longe de "espontâneos" do mercado capitalista de modo algum se esgota no cumprimento, à custa do povo trabalhador, da função de ama de leite. Ele é igualmente importante para facilitar e proteger a concentração e a centralização monopolistas do capital, bem como para impor leis gerais, promulgadas para evitar a articulação de uma alternativa hegemônica do trabalho ao sistema do capital. Dada a insuperável relação estrutural conflitante existente do processo de trabalho, afetando tanto a esfera da produção como a da distribuição, os chamados "mecanismos espontâneo do mercado" não poderiam de forma alguma funcionar sem a proteção legalmente assegurada da estrutura exploradora do sistema do capital, do qual o mercado sempre foi, e permanece sendo, uma parte subordinada. Cabe ao Estado o papel de facilitar o estabelecimento de monopólios e quase monopólios, bem como de ignorar ou justificar abertamente as práticas transparentemente monopolistas dos cartéis dominantes que assumem proporções escandalosas, enquanto mantém, cinicamente para o consumo público, a mitologia da "livre competição". Para tomar só um exemplo, fomos informados do fato escandaloso de que a Tate & Lyle e a Silver Spoon controlam juntas mais de 95 por cento da produção e distribuição de açúcar na Inglaterra, mas nada é feito para reparar a situação. Frequentemente também se evidencia a conexão com práticas políticas corruptas, o que, ainda assim, não faz diferença. Houve um grande escândalo em torno do fornecimento, pelas companhias de Lord Hanson, de concreto com preços fantasticamente acima do mercado a projetos de construção financiados pelo governo – de grandes estradas, vias públicas, pontes etc. Acontece que (eles diriam, por "pura coincidência") Lord Hanson – o dirigente de um gigantesco conglomerado – foi por muito tempo um dos maiores financiadores do Partido Conservador britânico. E, agora que o "novo trabalhismo" aparece como vencedor certo da próxima eleição geral, um dos proeminentes homens de negócios indicado para a "Comissão sobre a Política Pública e os Negócios Britânicos" não é outro senão o senhor Christopher Harding, "por 20 anos diretor da Hanson, um dos maiores doadores e dos mais ativos apoiadores empresariais do Partido Conservador"[21]. Mas isto talvez ainda seja apenas outra "pura coincidência".

As "*privatizações*", anunciadas com o zelo ideológico hipócrita da "livre competição" – mas implementadas na prática com o cínico senso da realidade capitalista – pelos "Companions of Honour" de Hayek, geraram na Inglaterra gigantescos monopólios e quase monopólios privados capazes de acumular lucros astronômicos. Talvez a única área das relações de mercado atual na qual as práticas de subsídio estatal direto e os vários graus de monopólio não escarnecem das reivindicações vinculadas ao mercado idealizado como o exclusivo e único "sistema coordenador espontâneo viável" seja a "economia de consumo" de butiques, carros usados e quiosques de esquina. Mas quem poderia argumentar seriamente que a entusiástica saudação da "cada vez mais globalizada economia mundial" pode ser mantida sobre tal base material?

---

[21] Cf. o artigo de Philip Bassett, no *Times*, citado na nota 41 do capítulo 18.

20.1.5

Seria maravilhoso para a eternização do modo estabelecido de controle sociometabólico que o mercado fosse verdadeiramente um "mecanismo espontâneo", capaz de regular o sistema do capital por sua "ação de coordenação" neutra e automática. Neste caso não haveria necessidade de um comando estranho ao trabalho na forma das *personificações do capital*, já que o próprio mecanismo espontâneo e automático cumpriria as funções de controle necessárias tanto sobre o processo de trabalho como sobre a distribuição de seus produtos. Naturalmente, tal projeto, convenientemente livre-de-conflito, implicaria também que o trabalho não tivesse qualquer motivo para contestar a ordem estabelecida, já que a operação do sistema seria autoevidentemente natural e inalterável.

Porém, o que expõe a real natureza dos esquemas ideológicos favoráveis à apologética do capital é o fato de se autoevidenciarem os vários tipos de personificação do capital, enquanto inexistem completamente todas as anunciadas evidências do funcionamento espontâneo e do caráter natural da ordem vigente – ordem que, pelo contrário, é violentamente imposta à sociedade pelo poder combinado da compulsão econômica e do Estado. Ora, todas as formas conhecidas e possíveis do sistema do capital seriam inconcebíveis como formas de controle sociometabólico sem a execução do imperativo-de-tempo do sistema constituído como uma subjetividade separada e estranha que se opõe diretamente ao trabalho. Nessa medida, elas têm forçosamente de ser *conflitantes* e, em última análise, insustentáveis. Por isso, a remoção da consciência dos conflitos deve ser (e é) o objetivo ideológico principal da racionalização e da justificação do domínio contínuo do capital. Para tanto, ou ela assume a forma de uma ficção que projeta constantemente o modo de controle do capital e seu "sistema coordenador espontâneo" como representante da ordem natural e do mecanismo perfeito de todas as formas concebíveis de reprodução socioeconômica, ou, ainda, assume a forma equivalente da ficção stalinista de acordo com a qual há uma identidade total entre os interesses das personificações pós-capitalistas do capital (os burocratas de partido ou "executivos empresariais") e a força de trabalho.

Compreensivelmente, os ideólogos do "capitalismo avançado" se perdem quando precisam explicar a obstinada persistência do conflito social. A projeção do mercado como um "mecanismo espontâneo" socialmente neutro e idealmente racional constitui tanto a manifestação do pensamento dos beneficiários do capital, que confundem seus desejos com a realidade, e que ainda imaginam uma ordem inquestionável (imediatamente contraditada pela vaga intuição da sua própria superfluidade caso seu esquema correspondesse à realidade), como a incorporação ideológica de um interesse de classe transparente e "inquestionável" que, a despeito de sua autocontradição, exclui categoricamente a racionalidade do conflito e da contestação. Portanto, se a irrupção periódica de antagonismos mais ou menos severos é uma realidade a ser aceita, os ideólogos só podem fazê-lo por meio das mais absurdas hipóteses de *irracionalidade* imputadas aos seus adversários para conciliar a pretensa naturalidade autoevidente do seu sistema com seu "mecanismo coordenador espontâneo", para que inexista a mínima possibilidade de contestação de tal mundo ideal. Neste espírito, Hayek insiste que "os socialistas foram movidos, por um desenvolvimento muito peculiar, a reavivar *certos instintos primitivos e sentimentos* que, no curso de centenas de anos, tinham sido praticamente suprimidos pela moral comercial e mercantil"[22].

Contudo, o que realmente se evidencia não é a naturalidade do sistema do capital idealizado, e, pela sua mais íntima determinação conflitante, inevitavelmente contestado, mas o evidente interesse ideológico que se encontra na raiz dos argumentos não críticos e enganadores dispostos a seu favor. A caracterização do mercado feita por Hayek e seus seguidores não tem qualquer componente descritivo objetivo e toda ela consiste na rejeição apriorística da *racionalidade e da legitimidade da contestação do sistema*, do qual se diz estar totalmente desembaraçado de controvérsias em virtude de ser o "sistema coordenador espontâneo" ideal.

A "incontestabilidade racional" não é explicada como uma variedade *histórica* das mais questionáveis e explosivas de coordenação e controle produtivo e distributivo. Sua conclusão a respeito é *circularmente pressuposta* pela caracterização arbitrária de um sistema de *antagonismos estruturais* inconciliáveis – sustentável apenas enquanto puder ser imposta a dominação hierárquica e a exploração do trabalho – como a *própria coordenação racional*. Este procedimento arbitrário e logicamente circular isenta Hayek e seus irmãos de fé da "direita radical" da difícil tarefa de sequer tentar uma justificativa objetiva para o modo específico de controle sociometabólico recomendado por eles, historicamente produzido e, em princípio, historicamente alterável. Ao mesmo tempo, também suprime – apenas pela definição idealizada – a consciência dos antagonismos estruturais que se encontram no coração do seu estimado sistema. Por fim, a única parte de todo o discurso à qual se pode conferir algum significado – mas nunca um significado sustentável pelos fatos – é a declaração peremptória de que as pessoas deveriam resistir às tentações dos "instintos primitivos e sentimentos" imputados aos socialistas para submeter-se à *"rígida disciplina do mercado"* como o seu *"dever moral"*. Não é preciso dizer que este não é um argumento racional, mas o pior tipo de demagogia social.

Significativamente, é aqui que Hayek e Stalin – e, nos passos de Stalin, as personificações pós-capitalistas do "socialismo de mercado" – encontram o seu denominador comum. Ou seja, Stalin também esperou que os benefícios da "rígida disciplina" emergissem do "mecanismo de mercado" e da atuação contínua da lei do valor, como ele colocou, "não apenas na circulação, mas também na esfera da produção". Esta afinidade substantiva entre os diferentes tipos de personificação do capital também explica por que antigos stalinistas responsáveis pela economia pós-capitalista e por seu "sistema de planejamento", na União Soviética e em outras partes da Europa oriental, abraçaram pronta e entusiasticamente, quando da malograda tentativa de reforma de Gorbachev, o credo de Hayek e Milton Friedman. Para surpresa tão somente dos ingênuos que levavam a sério a ideia do "socialismo realmente existente", as personificações pós-capitalistas, sem se distinguir dos seus primos capitalistas privados, começaram rapidamente a pregar as virtudes da "rígida disciplina" em nome da "democratização garantida". Recomendaram, assim, a continuação do domínio do capital por meio de uma reestruturação idealizada da

---

[22] Hayek, art. cit., p. 147.

"ordem democrática", inovando com isso o antigo autoritarismo do local de trabalho que, mantido durante todas as décadas pós-revolucionárias, passaria a ser então complementado pela tirania do mercado.

No atual mundo capitalista, os argumentos a favor do mercado revelam a sua função ideológica apologética, na medida em que fazem uma total inversão da situação real. Pretende-se que "*o mercado demande*" – no serviço de saúde, no sistema educacional etc. – "disciplina", "eficiência", "crescente economia" e outras coisas do gênero e que, portanto, o mercado "demanda *cortes*" em todas as esferas dos serviços de assistência social. Na realidade, as relações são exatamente o contrário disso, já que é a *crise estrutural* profunda do sistema do capital global que exige e impõe cortes em uma escala sempre crescente, crise que sinaliza inclusive a necessidade de se destruir até mesmo o sistema de *aposentadoria*; e, claro, isso está acontecendo não apenas na Itália, mas em todo Estado de bem-estar social do "capitalismo avançado". Neste mundo que coloca de cabeça para baixo os limites e as contradições dificilmente administráveis do capital, sua racionalidade é construída com base na falsificação dos *efeitos* indesejáveis como se eles constituíssem a *causa* original subjacente dos problemas crescentes. As *causas reais* das inegáveis dificuldades são, então, concebidas como os *efeitos evitáveis* das ações "indisciplinadas", "ineficientes", "de roubo" etc. de indivíduos passíveis de punição e que devem ser induzidos a aceitar a "rígida disciplina" do mercado como o seu "dever moral".

Todas as vezes que tentam justificar o seu cruel desprezo pelo sofrimento humano, os políticos repetem o clichê: "Não desperdicem nisso o seu dinheiro". Mas onde estaria o dinheiro que se poderia "desperdiçar"? É engolido pelo apetite insaciável dos monopólios, dos quase monopólios e dos demais poderosos interesses capitalistas. O sistema do capital em crise estrutural não consegue mais produzir os recursos necessários para manter a própria existência, muito menos para expandir, de acordo com a necessidade crescente, o Estado de bem-estar social, que há não muito tempo chegou a constituir sua finalidade justificadora. Por isso é preciso inventar todo tipo de artifício enganoso de pseudomercado, a exemplo do que se fez no sistema educacional (a transformação intelectualmente prejudicial dos departamentos universitários em "unidades orçamentárias") e no serviço de saúde (por exemplo, o cínico artifício escravizador do chamado "mercado interno"), de modo que se possa impor à força de trabalho, em todos os lugares, as condições de exploração crescente e "disciplina". Isso em nome da autojustificação pré-fabricada de que tudo é corretamente prescrito pela única e exclusiva ordem produtiva e distributiva racional para a qual "não pode haver alternativa".

20.2 Para além do capital: o objetivo real da transformação socialista

20.2.1
Sempre foram grandes as tentações de conceber a transição para a ordem reprodutiva socialista seguindo a linha de menor resistência. Vimos na seção 13.6 que Marx advertiu os trabalhadores contra a ilusão de que a busca de "um salário justo por um dia justo de trabalho" poderia conduzir na direção da transformação

almejada, dizendo-lhes que, ao contrário, "deveriam inscrever na sua bandeira o *slogan* revolucionário: 'Abolição do sistema de salários'"[23].

Embora seja verdade que o ataque deve ser desferido contra a estrutura causal da extração do trabalho excedente pelo capital, e não apenas contra alguns de seus efeitos injustos e temporariamente removíveis, o próprio sistema de salários, no sentido estrito, não pode ser "abolido" nem mesmo pelo decreto revolucionário mais consistente, assim como é impossível abolir o capital e o Estado. Todos eles têm que ser trabalhosamente superados e transcendidos no curso da reestruturação radical da ordem sociometabólica estabelecida como um "todo orgânico", isto é, como um "sistema orgânico" circularmente autossustentado e cujos componentes tendem a se reforçar reciprocamente.

Assim, a exigência de transcendência radical tem implicações de longo alcance não só para todas as dimensões produtivas e distributivas de ordem material e cultural da divisão social hierárquica do trabalho há muito estabelecida, mas também para a estrutura totalizante de comando político herdada do capital e corporificada, após a revolução, no Estado pós-capitalista. Neste sentido, ir *para além do capital* significa superar o modo de controle do capital como *sistema orgânico*: uma tarefa só possível como empreendimento global.

Os componentes inseparavelmente entrelaçados do sistema orgânico do capital – em suas variedades capitalista e pós-capitalista – são:

- *CAPITAL*, representando não só as condições materiais alienadas de produção, mas, também – na qualidade de *personificação* dos imperativos materiais do capital, inclusive o imperativo-tempo discutido anteriormente –, a subjetividade que comanda e se opõe ao trabalho;
- *TRABALHO*, estruturalmente privado do controle das condições necessárias de produção, reproduzindo o capital em uma escala ampliada, ao mesmo tempo em que, como sujeito real da produção e *personificação* do trabalho, *confronta defensivamente* o capital; e
- *ESTADO*, como a estrutura global de comando político do sistema *antagônico* do capital que oferece a garantia final para a *contenção* dos antagonismos inconciliáveis e para a submissão do trabalho, já que o trabalho retém o poder potencialmente explosivo da resistência, apesar da compulsão econômica inigualável do sistema.

O principal impedimento para embarcar na realização do projeto socialista, assim como a alavanca estratégica a ser firmemente controlada para quebrar o círculo vicioso do sistema orgânico do capital, não é o poder repressivo do Estado – que pode ser derrubado em circunstâncias favoráveis –, mas a *postura defensiva ou ofensiva* do trabalho para com o capital. De fato, como as evidências históricas do século XX demonstraram, os sistemas pós-capitalistas se concretizaram com a derrubada dos seus respectivos Estados capitalistas; mas ainda assim eles permaneceram sob o domínio do capital, porque o trabalho pós-capitalista manteve sua postura defensiva e reativa no processo de controle da ordem socioeconômica e política pós-revolucionária.

---

[23] Marx, "Value, Price, and Profit", em MECW, vol. 20, p. 149 [ed. bras., *Salário, preço e lucro*, op. cit., p. 378].

A articulação fatalmente defensiva da esquerda histórica, discutida no capítulo 18, que resultou na desintegração catastrófica não só da sua ala reformista social-democrata como também de suas organizações que, no passado, foram programaticamente revolucionárias, foi o corolário necessário da confrontação estruturalmente defensiva do trabalho diante de seu adversário dentro do sistema orgânico estabelecido. Pois, apesar do inconciliável antagonismo estrutural entre capital e trabalho – que é *contido* com êxito, exceto nas raras circunstâncias de crises agudas –, os componentes do sistema tendem a rotineiramente reforçar-se mutuamente, no interesse do funcionamento normal da ordem reprodutiva estabelecida, da qual também o trabalho depende para seu sustento. As premissas práticas necessárias da reprodução ampliada demarcam os limites daquilo que pode ser contestado e obtido – e por quanto tempo histórico – dentro dos parâmetros estruturais do sistema do capital. Isto vale não só para o caráter definitivamente ilusório do *slogan* "um salário justo por um dia justo de trabalho", mas também para todos os ganhos materiais e políticos concedidos à classe trabalhadora. Tanto a margem de ação da política "democrática" como as "regras do jogo parlamentar" são determinadas pelas mesmas premissas práticas do sistema, que regulam o intercâmbio social por meio de uma rígida subordinação ao seu imperativo expansionista e à necessidade de conter o antagonismo entre capital e trabalho. No momento em que comecem a entrar em conflito com os imperativos práticos necessários do sistema do capital, os ganhos relativos do trabalho devem ser retirados para assegurar – a qualquer custo político, incluindo a legislação antitrabalho das "democracias capitalistas avançadas" – a viabilidade contínua do modo de reprodução sociometabólica estabelecido. Pressionados pela irrupção da crise estrutural do capital, os partidos tradicionais do movimento socialista – social-democratas e comunistas – desabaram e se transformaram em partidos liberais burgueses, aceitando abertamente os constrangimentos insuperáveis do sistema como o horizonte absoluto de todo avanço social possível. Este fato só pode surpreender aos que desprezaram absolutamente a questão dos limites, e que nutriram grandes ilusões sobre a margem de possíveis ganhos para o trabalho.

A questão da *ofensiva estratégica* não se reduz à necessidade de *ação política*, apesar de esta ser uma parte *necessária* – mas longe de *suficiente* – da transformação socialista. Interpretações da ideia de Marx sobre o proletariado tornar-se uma *"classe-para-si"* simplificaram demais a questão ao sugerir que significava a busca da ação política radical. Na verdade, esta era uma concepção falsa e estrategicamente desorientadora, na medida em que mesmo a confrontação política mais aguda entre capital e trabalho ainda pode ser a luta de "classe contra classe", isto é, a ação política do proletariado como uma *"classe-em-si"* que defensivamente confronta o capital – outra "classe-em-si" –, luta que permanece, assim, dentro dos parâmetros da ordem socioeconômica estruturalmente dominada pelo próprio capital. Durante o último século e meio, a história das confrontações políticas entre capital e trabalho evoca eloquentemente a questão, demonstrando a dolorosa insuficiência da *articulação defensiva* do movimento socialista – do seu início aos dias presentes – para o projeto emancipatório que assumiu.

O que decide a questão é a relação entre os objetivos visados pelo trabalho e os parâmetros estruturais da ordem socioeconômica estabelecida. Nesse sentido, quaisquer concessões obtidas pelo trabalho que sejam compatíveis e contidas pelo sistema do capital orientado-para-a-expansão e dirigido-para-a-acumulação são, justamente por isso, impróprias para alterar a postura defensiva e a posição estruturalmente subordinada do antagonista do capital. Este é o caso, independentemente da violência dos embates e confrontações periódicos – incluindo até mesmo uma greve geral mais dramática –, por meio dos quais o trabalho obtém os ganhos que o capital finalmente decidir conceder. As concessões dadas ao trabalho pelo "Estado de bem-estar social" não debilitaram em absolutamente nada o capital. Muito pelo contrário, contribuíram significativamente para a dinâmica expansionista do sistema por um período contínuo de duas décadas e meia após a Segunda Guerra Mundial. Nem tais concessões alteraram a relação de forças em favor do trabalho; na verdade, debilitaram a sua combatividade, reforçando as mistificações do reformismo. Naturalmente, isso não significa que se possa deixar de defender os ganhos defensivos do passado, especialmente quando o capital, sob a pressão de uma crise estrutural que se aprofunda, é forçado a tentar revogá-los. Significa, entretanto, que as ilusões associadas às concessões, ao longo da história da social-democracia reformista, devem ser expostas pelo que realmente são, e não pela fantasia sobre a viabilidade do trabalho a partir da "alternativa econômica estratégica" neokeynesiana. Tal alternativa não apenas é totalmente irreal nas circunstâncias da crise estrutural do capital, mas, se por algum milagre pudesse ser implementada, nem mesmo chegaria a constituir uma alternativa.

A alternativa hegemônica do trabalho ao domínio pelo capital é inconcebível sem a *erradicação completa do capital do processo sociometabólico*. Por isso, a derrubada do capitalismo pode apenas arranhar a superfície do problema. Um bom indicador das inadequações para a realização do projeto socialista é o *slogan* de que tudo pode ser *derrubado*, inclusive o Estado e – pela "expropriação dos expropriadores" – as personificações capitalistas do capital. A negação radical do Estado capitalista e igualmente negativa "expropriação dos expropriadores" sempre foram consideradas por Marx apenas o primeiro passo necessário na direção da transformação socialista exigida. Ele insistiu que até mesmo a negação mais radical permanece na dependência do objeto de sua negação. E as implicações deste julgamento são cruciais para a autoadministração dos produtores associados divisada como a alternativa hegemônica à ordem social do capital, pois a realização de tal ordem pode apenas ser um empreendimento *inerentemente* positivo. Por isso, a revolução socialista, não importa o quanto seja radical em intenção, não pode ser concebida como um ato único. Como vimos em *O 18 Brumário,* Marx descreveu a *revolução social* como um ato contínuo, consistentemente *autocrítico*, ou seja, como uma *revolução permanente* capaz de prover e constantemente melhorar o modo de controle *positivamente autodeterminado* da ordem socialista. Não é portanto surpreendente que os apologistas da ordem estabelecida e os que, sem criatividade, idealizam o mercado tenham que recorrer à caricatura mais grotesca do projeto marxiano, caracterizando-o como a defesa "*da idade de ouro do Estado de equilíbrio comunista*"[24].

---

[24] Alec Nove, *The Economics of Feasible Socialism*, Londres, George Allen & Unwin Ltd., 1985, p. 15. Na mesma página, o autor, condescendentemente, pontifica que "se sente que a 'sociedade ideal' da imagi-

Portanto, o objetivo real da transformação socialista – que ultrapassa a negação do Estado e das personificações do capital – só pode ser o estabelecimento de uma ordem sociometabólica alternativa autossustentada. Uma ordem da qual o capital – com todos os seus corolários, inclusive o denominado "mecanismo do mercado", que na realidade não poderia ser outra coisa que não um "mecanismo" – tenha sido irreversivelmente removido. E isso significa que a remoção não se dá apenas na forma da inevitável transcendência crítica, mas, muito mais importante, pela *apropriação positiva* e pela *melhoria contínua* das funções vitais de intercâmbio metabólico com a natureza e entre os membros da sociedade pelos próprios indivíduos que se autodeterminam. Compreensivelmente, a articulação defensiva do movimento socialista impossibilita a realização do objetivo da alternativa hegemônica do trabalho à ordem estabelecida. Ou seja, todos os termos de referência de sua confrontação particular com o capital cuja finalidade seja apenas manter o *status quo*, ou ainda obter para o trabalho uma fatia mínima da melhoria dada pela riqueza social, estão estritamente circunscritos pelos limites de viabilidade da ordem governante e, consequentemente, pela lógica destrutiva de seus imperativos materiais expansionistas. Isto explica por que os castelos de areia da social-democracia reformista viraram poeira, um acontecimento tão dramático quanto as falsas promessas do sistema implodido do capital pós-capitalista de tipo soviético. Enquanto permaneceram cativas das suas diferentes posturas defensivas – responsáveis por suas derrotas – em relação à ordem sociometabólica do capital, as duas alas da esquerda histórica não desafiaram o domínio do capital, buscando, quando da sua origem, e de forma autocontraditória, melhorias sustentáveis e ganhos em favor do trabalho.

Hoje, à luz da experiência histórica do século XX e do fracasso de todas as tentativas passadas de superar os constrangimentos desumanizadores e as contradições do capitalismo, o significado da negação radical só pode ser definido como um momento subordinado do projeto positivo da alternativa hegemônica do trabalho ao capital no sentido discutido acima. A rearticulação do movimento socialista, como uma ofensiva estratégica para se ir além do capital, é, nesse sentido, também uma condição prévia e necessária para que sucessos parciais, no devido tempo, possam se tornar cumulativos dentro da estrutura da estratégia correta. Sem a finalidade apropriada da ofensiva estratégica – orientada para a ordem socialista como uma alternativa hegemônica à existente – o próprio percurso ficará sem orientação. E, certamente, não mais poderemos dispor do luxo de vagar por

---

nação romântica de Marx não é apenas irreal, mas também monótona, com pequena atração tanto para os trabalhadores como para os intelectuais". O fato de a visão de Nove estar possuída pelo sentimento de tédio deveria supostamente resolver de modo conclusivo a questão. Ao mesmo tempo, como de costume, demonstra a sua incompreensão total da posição de Marx, pois, na sua ânsia ideológica antimarxista, Nove admite, circularmente, a permanência absoluta da divisão entre trabalho mental e físico – o oposto do que é afirmado por Marx em sua referência à sociedade da "nova forma histórica" – para poder concluir a sua "refutação de Marx" com a afirmação arbitrária (só Deus sabe com base em que evidência, além de em seu próprio sentimento de tédio) de que os "trabalhadores e os intelectuais" achariam tediosa a vida "na sociedade ideal". Este tipo de circularidade, ideologicamente incentivada, caracteriza os "argumentos" de Nove, do princípio ao fim, em *The Economics of Feasible Socialism*.

outro século e meio tentando produzir mudanças estruturais nos confins estruturais paralisantes do sistema do capital.

Aqueles que pensaram que a alternativa hegemônica socialista "é irreal" – e, sem qualquer interesse disfarçado, defenderam a todo custo a ordem estabelecida – deveriam se perguntar: é realmente possível e logicamente sustentável projetar a permanência de um sistema sociometabólico de reprodução baseado nos imperativos materiais fetichistas da lógica destrutiva do capital? Os resignados a suportar a inércia do "realismo" do capital que se autoperpetua podem seriamente continuar defendendo que *a incontrolabilidade destrutiva do capital* não está lançando perspectivas cada vez mais sombrias no horizonte de sobrevivência humana? Agora, até mesmo os defensores mais acríticos da ordem vigente são obrigados a reconhecer que os problemas mais sérios ainda estão diante de nós. A "única" diferença é que, confundindo desejo com realidade, eles esperam do poder repressivo do capital a solução definitiva para todos esses problemas. Na verdade, porém, mais *irreal* não é a alternativa hegemônica socialista ao domínio do capital em todas as suas formas historicamente conhecidas e ainda possíveis, mas a projeção gratuita de que a humanidade pode sobreviver por muito mais tempo ainda dentro dos limites estruturais necessariamente destrutivos do modo estabelecido de reprodução sociometabólica.

20.2.2
Uma das objeções pré-fabricadas à possibilidade de se construir uma ordem socialista é a noção de "*complexidade*", sacada com monótona repetição em toda oportunidade. O número dos *mercadores da complexidade* é enorme, mas os seus esforços resumem-se uniformemente ao anúncio de que encontraram uma nova "pedra filosofal", aclamada como muito mais preciosa do que o método de produzir ouro dos velhos alquimistas, porque promete livrar-se, "irrefutavelmente", do socialismo.

A nova pedra filosofal é esculpida a partir do truísmo de que "a sociedade de mercado moderna" é composta de um número muito maior de membros do que os pequenos grupos de nossos antepassados distantes. Porém, Hayek e outros só tiram diretamente desta profundeza a conclusão ideológica transparente de que a ideia de *solidariedade* é totalmente ilusória em nossos tempos.

O socialismo é claramente o inimigo a ser derrotado com ajuda de tais "argumentos". De acordo com Hayek, deve-se desacreditar e abandonar o absurdo da posição socialista porque "uma saudade atávica da vida do nobre selvagem é a fonte principal da tradição coletivista"[25]. Aqueles que se sentem tentados pelos "instintos atávicos do coletivismo" seriam trazidos de volta ao bom-senso por Hayek, com referência à "ideia de solidariedade que ainda prevalece"[26]. Desse modo:

> A concordância em torno de um propósito comum entre um grupo de pessoas conhecidas é claramente uma ideia que não pode ser aplicada a uma grande sociedade que inclui pessoas que não se conhecem. A sociedade moderna e a economia moderna cresceram pelo reconhecimento de que esta ideia, que era fundamental à vida em um pequeno grupo – uma sociedade face a face – é simplesmente inaplicável a grandes

---
[25] Hayek, *The Fatal Conceit*, p. 19.
[26] Id., "The Moral Imperative of the Market", p. 146.

grupos. A base essencial do desenvolvimento da civilização moderna é permitir às pessoas perseguirem os próprios fins com base no seu próprio conhecimento sem terem que se atar às finalidades de outras pessoas.[27]

Naturalmente, isto é só o prelúdio. Em seguida vem o princípio que incute o medo de Deus em qualquer socialista que desejasse mudar a ordem existente. Decreta que a "limitação de nossos poderes necessariamente cresce com a complexidade da estrutura que desejamos construir"[28]. E, se quisermos saber por que os seres humanos devem reduzir os seus poderes devido à complexidade, obteremos a resposta no elogio lírico da "ordem de mercado" capitalista:

> Algumas pessoas são tão preocupadas com alguns dos efeitos da ordem de mercado que se esquecem do quanto é improvável e até mesmo *maravilhoso* encontrar tal ordem prevalecendo na maior parte do mundo moderno, um mundo no qual temos milhares de milhões de pessoas trabalhando em um ambiente *constantemente variável*, provendo meios de subsistência para outros que são na maioria desconhecidos por elas e, ao mesmo tempo, tendo satisfeitas as suas próprias expectativas de que receberão bens e serviços produzidos por pessoas igualmente desconhecidas. Até mesmo *no pior dos tempos* algo como nove entre dez pessoas terão as suas *expectativas confirmadas*.[29]

Já que Hayek escreve sobre uma "ordem de mercado" que "não conhecemos nem podemos conhecer", e cuja complexidade "não podemos controlar" nem deveríamos tentá-lo, é compreensível que aqui ele cometa alguns deslizes. Por "ambiente constantemente variável" ele quer dizer uma ordem estrutural de dominação e subordinação que *nunca é variável*, e portanto "tão somente" a maioria esmagadora da humanidade poderia não a achar tão maravilhosa. Quanto à última sentença, o que ela realmente quer dizer, uma vez que retifiquemos o deslize "subconsciente" de Hayek, é que até mesmo no *melhor dos tempos* – em vista das incorrigíveis determinações estruturais do sistema do capital – mais que *nove entre dez pessoas* não podem ter as suas expectativas confirmadas na "maravilhosa" e "inalteravelmente complexa ordem do mercado". Mas quem, em sã consciência, poderia colocar em questão "o poder superior de auto-ordenação do sistema de mercado"?[30] Apenas Marx e os socialistas que não entendem os "processos de mercado que se autodirecionam"[31].

Naturalmente, como em todos os exemplos deste tipo de "refutação" do projeto marxiano de intervenção consciente sobre a ordem sociometabólica estabelecida – projeto elaborado por Marx com a finalidade de colocar sob controle suas práticas reprodutivas destrutivas e exploradoras, com base em uma compreensão apropriada de como opera a dominação estrutural da sociedade pelo capital e por quais alavancas estratégicas se poderia alterá-la –, Hayek também oferece uma imagem caricatural da posição socialista. Proclama que a "economia marxista ainda hoje está tentando explicar ordens *altamente complexas* de interação em termos de efeitos causais sin-

---

[27] Id., ibid.
[28] Id., *The Fatal Conceit*, p. 83.
[29] Id., ibid., p. 84.
[30] Id., ibid., p. 146.
[31] Id., ibid., p. 148.

gulares como se fossem fenômenos mecânicos, quando deveriam ser vistas como protótipos desses processos de auto-ordenação que nos dão acesso à explicação de fenômenos altamente complexos"[32]. Desnecessário dizer que *nunca* obtemos de Hayek e dos seus seguidores *qualquer* explicação de como operam os "fenômenos complexos" "da complexa ordem de mercado". De fato, a sua inexplicabilidade racional, seja por "efeitos causais singulares" – falsamente atribuídos a Marx – ou por qualquer número deles, é afirmada repetidamente pela proclamação dogmática de que, ao contrário, "a criação de riqueza ... não pode ser explicada por uma cadeia de causas e efeitos"[33]. Tal decreto exorciza, com o estigma de "racionalismo", característica conhecida de "intelectuais socialistas", todas as tentativas de oferecer alguma explicação. Sendo assim, só precisamos saber que a "ordem de mercado" é *complexa*, e que é *maravilhosa*. Só os intelectuais socialistas criadores de problemas não se satisfazem com esta explicação.

Assim, como clímax da profundidade hayekiana, recebemos uma "profunda explicação psicológica" correspondente sobre os intelectuais que obstinadamente se recusam a aceitar o valor explicativo revolucionário da recusa de Hayek de considerar até mesmo a possibilidade de uma avaliação racional da "ordem de mercado" (o termo "capitalismo" é rejeitado por Hayek, por sugerir, emotiva e enganadoramente, "um choque de interesses que realmente não existe"[34], uma "explicação" ainda mais objetiva e convincente que a anterior):

> tais pessoas [isto é, os intelectuais] são tentadas a entender animisticamente as estruturas mais complexas como resultado de um desígnio e a suspeitar de alguma manipulação secreta e desonesta – alguma conspiração, como de uma "classe dominante" – que possa estar por trás deste "desígnio", cujos criadores não são encontrados em parte alguma. Isto, por sua vez, ajuda a reforçar a sua relutância inicial em renunciar ao controle dos seus próprios produtos em favor de uma ordem de mercado. Pois, geralmente, para os intelectuais, o sentimento de serem meros instrumentos de forças ocultas, ainda que impessoais, do mercado lhes parece quase uma humilhação pessoal.[35]

Esta psicologia inestimável é complementada por uma lógica segundo a qual as relações de propriedade estabelecidas – "Eu geralmente prefiro o termo, menos habitual mas mais preciso, 'propriedade não comum' à expressão mais comum 'propriedade privada'"[36] – são contestadas pelo trabalho apenas porque "os intelectuais, pensando em termos de processos causais limitados que aprenderam a interpretar em áreas como a física, acharam fácil convencer os trabalhadores manuais de que decisões personalistas de donos individuais do capital – em lugar

---

[32] Id., ibid., pp. 149-50.
[33] Id., ibid., p. 111.
[34] Id., ibid., p. 99.
[35] Id., ibid., p. 82. No mesmo espírito, Hayek afirma (p. 119) que "uma ética anticapitalista continua a se desenvolver com base em erros". Por isso, deve-se atribuir a responsabilidade aos intelectuais socialistas que imaginam que "sua razão pode lhes dizer como organizar esforços humanos para servir melhor aos seus desejos inatos, constituindo eles próprios uma séria ameaça à civilização".
[36] Id., ibid., p. 110.

do *próprio processo de mercado* – foram tomadas porque eles se aproveitaram de oportunidades muito dispersas e fatos relevantes constantemente variáveis"[37]. À luz deste confuso *non-sequitur* lógico, a atitude apropriada aos intelectuais seria aceitar que os fatos objetivos em nome dos quais eles enganam e incitam os trabalhadores manuais contra a "propriedade" (capitalista) "não comum" simplesmente não existem e não estão disponíveis a quem quer que seja[38]. Ou seja, os intelectuais deveriam instruí-los para o fato de que aquilo que parece repreensível e contestável, na verdade, não o é, porque tudo é devido à complexidade do "próprio processo do mercado" estritamente impessoal e, para os trabalhadores, generoso, ao qual eles deveriam ser gratos já que devem a ele a sua própria existência, como vimos Hayek defender anteriormente.

Já que a complexidade inalterável do próprio processo de mercado é responsável por tudo, e que a ordem de mercado é não apenas insubstituível mas também "maravilhosa"[39], não se põe a questão de justificar o domínio estrutural do capital e a exploração do trabalho. O propósito de todo esse exercício é usar a noção de complexidade para praticamente proibir "que se mexa" não só no sistema estabelecido de reprodução socioeconômica, mas que nem se tente *pensar* na possibilidade de qualquer alteração "da ordem complexa do mercado". Apesar de falsamente acusar Marx e os seus seguidores de "reducionismo monocausal", na realidade o culpado é o próprio Hayek, pois é ele quem tenta esconder a forma mais crua de reducionismo material sob a glorificação irracionalista da impenetrável "complexidade". Para isso, projeta a imagem de um mundo no qual não existe espaço para a vontade humana nem para a ação consciente, devido à sua constituição como "uma estrutura que se automantém"[40], e que é arbitrariamente hipostasiada, em nome de analogias vagas e referências sumárias à complexidade da biologia e da química.

Sob o disfarce de sua fraude pseudocientífica, Hayek aplica o seu reducionismo no interesse da defesa cega dos antagonismos inconciliáveis do sistema (capitalista) de "propriedade não comum". Contudo, até mesmo o exame mais superficial da relação entre a sua "maravilhosa ordem de mercado" e o correspondente cenário político revela que a "ordem econômica ampliada" (o termo preferido de Hayek para o domínio do capital) vigente, com sua ofuscante "propriedade não comum" – longe de constituir uma "*estrutura que se autossustenta*" –, não pode ser sustentada, nem mesmo por um único ano, para não dizer até o fim dos tempos, como sugere ele, sem o envolvimento ativo do Estado na defesa do domínio do capital. Também não existe a menor possibilidade de se conferir algum sentido à operação bem-sucedida do sistema do capital, mesmo que por apenas um dia e em termos puramente materiais, não importa o grau de complexidade supostamente assumido pela "ordem de mercado", com base na falsa analogia de sua "estrutura que se automantém" com estruturas de organismos biológicos.

Uma explicação plausível – e não a apologia pré-fabricada da "não alternativa" – para a operação bem-sucedida do sistema do capital, incluindo aí os seus limites, só

---

[37] Id., ibid., p. 78.
[38] Id., ibid.
[39] Vimos que, em *Fatal Conceit,* Hayek declarou que "a questão da justificação é uma falsa questão" (p. 68).
[40] Id., ibid., p. 144.

será possível se tentarmos entender o modo pelo qual ele é realmente constituído. Isto significa compreender a (longe de "monocausal") *relação dialética* entre os imperativos materiais objetivos e determinações do capital, como modo de controle sociometabólico – incluindo seus insuperáveis antagonismos estruturais –, e suas *personificações* necessárias, ao tempo em que elas conscientemente perseguem os seus objetivos, conforme a sua posição e o seu papel na estrutura de comando material e político da ordem estabelecida. Isto porque as personificações historicamente características do capital – a necessária *subjetividade reguladora específica-do-sistema* em todas as suas variações conhecidas e possíveis – são criadas em grande parte pela necessidade vital de administrar e conter os antagonismos insuperáveis da ordem estabelecida, no interesse de afirmar o comando do capital sobre o trabalho no processo de reprodução societária; uma função que nenhum "mecanismo de mercado que se auto-ordena" poderia concebivelmente realizar por si próprio.

Ao contrário da explicação dialética de Marx, a rejeição ansiosa, apologética do capital e apriorística da ideia socialista de planejamento racional transforma Hayek em um reducionista material grosseiro e no idealizador zeloso da – inexistente – "estrutura que se automantém" "da ordem de mercado infinitamente complexa"; um apologista que é forçado a eliminar do horizonte até mesmo a mais remota possibilidade de uma intervenção humana consciente. Incrivelmente, Hayek está convencido de que pode expor os "erros" e a "presunção fatal" dos socialistas, e assim derrotá-los para sempre (assim como, seguindo seus passos, sua *Companion of Honour*, Margaret Thatcher, afirmou ter "se livrado do socialismo definitivamente"). Dessa forma, Hayek não hesita em defender a proposição de que – só porque *tudo* não pode ser prontamente conhecido por um indivíduo ou por uma dada coletividade – é inconcebível *qualquer* avaliação racional das condições de um projeto e de uma ação estratégicos bem-sucedidos na esfera da reprodução sociometabólica. Ainda mais surpreendente do que este raciocínio obviamente falacioso, é a *autocomplacência* cega com que os mercadores da complexidade, como Hayek, acreditam que a "estrutura que se automantém", da "insubstituível ordem econômica" "infinitamente complexa", "auto-ordenada", "autodirigida" e "autorregulada"[41] – a qual, com a autoridade misteriosa de um bucaneiro intergaláctico, é declarada ser (tão sensatamente quanto a evidência oferecida pelo autor em defesa do restante da sua teoria) "a estrutura mais complexa do universo"[42] – está destinada a continuar para sempre livre dos problemas e contradições mais sérios. O problema é que nem mesmo a aceitação tola de que "somos constrangidos a preservar o capitalismo devido à sua superior capacidade de utilizar o conhecimento disperso"[43] implica que sejamos *capazes* de preservá-lo permanentemente. É possível sugerir seriamente que "a mais complexa estrutura no universo" – aquela que, no planeta Terra, é restringida tanto pelos seus antagonismos sociais internos como pela impossibilidade de afirmar indefinidamente seu incontrolável e crescentemente destrutivo impulso autoexpansionista no interior de um "universo *finito*" – continuará eternamente livre de problemas para a huma-

---

[41] Id., ibid., p. 9.
[42] "Niente meno", isto é, "Nada menos" – como dizem os italianos. Id., ibid., p. 127.
[43] Id., ibid., p. 8.

nidade (inclusive para os donos da "propriedade não comum"), de forma a se ajustar à conveniência da ordem estabelecida? Mesmo assim, sem esta premissa, cegamente autocomplacente e caracteristicamente não mencionada, a alegada "obrigatoriedade de se preservar o capitalismo" não faria absolutamente qualquer sentido nem mesmo nos termos da lógica apologética do capital de Hayek.

Outro modo de jogar o coringa da "complexidade" é provocar nas pessoas o medo de que qualquer tentativa de substituir o mercado pelo planejamento socialista há de terminar – por definição, devido ao decreto dos que não querem ver qualquer alternativa ao mercado – num sistema autoritário de fantástica complexidade burocrática, e no generoso esquecimento simultâneo do caos combinado com a complexidade burocrática da ordem estabelecida. Neste sentido somos informados de que

A "nova esquerda" [significando, no vocabulário do autor, tanto os críticos socialistas radicais do mercado capitalista como os do sistema soviético], ao atacar o mercado, logicamente se coloca na posição de advogar a substituição, em questões microeconômicas, da mão oculta pela visível. Eles ainda não deram nenhuma resposta ao contra-ataque bastante óbvio; a mão visível só pode operar na forma de uma *máquina administrativa altamente complexa*, que tem de gerar seguramente a maioria das distorções *burocrático-centralistas* da experiência soviética. Quem mais senão o centro, em uma *sociedade industrial moderna*, poderia decidir entre fins, meios e usos alternativos se não existisse *algum mecanismo de mercado e preço*? A resposta habitual é denunciar a União Soviética como não socialista, e afirmar as virtudes da democracia e do controle dos trabalhadores. A autoadministração dos trabalhadores *a la Iugoslávia*, porém, só é concebível em um ambiente de mercado. Sem um mercado o comitê eleito teria que receber instruções dos planejadores centrais, os quais terão sozinhos a informação necessária sobre os fins e meios.[44]

Como sempre, somos apresentados a suposições arbitrárias, feitas com a finalidade de deduzir as conclusões circulares desejadas. Primeiro, que a "mão visível" pode operar apenas "na forma de uma máquina administrativa altamente complexa" e que, portanto, sua operação está destinada a ser inevitavelmente "burocrático-centralista". Segundo, que o controle e a autoadministração dos trabalhadores só pode ser concebido "*a la* Iugoslávia", ignorando a natureza decapitada e a bem conhecida restrição autoritária das formas iugoslavas de "autoadministração", ainda que estes defeitos tenham sido repetidamente apontados pelos críticos radicais do sistema. E, terceiro, que a autoadministração dos trabalhadores é "apenas concebível em um ambiente" de mercado, porque as informações exigidas para sua operação ou são oferecidas pelo mecanismo de mercado e preço ou devem ser ditadas pelos planejadores centrais. Naturalmente, de tais suposições arbitrárias, mas altamente tendenciosas, pode-se deduzir a conclusão, com circularidade triunfante, de que não pode haver alterna-

---

[44] Alec Nove, *Efficiency Criteria for Nationalised Industries*, Londres, George Allen & Unwin Ltd., 1973, p. 140.

tiva ao mercado "em uma sociedade industrial moderna". Mas deveria a ameaça apologética e falaciosa da "absolutamente inevitável complexidade burocrática" distrair a atenção sobre a incontrolabilidade fatal realmente existente do sistema do capital, com todas as suas implicações assustadoras prontas para acontecer amanhã, para não falar do futuro distante? Quem poderia ser persuadido pelas "conclusões" pré-fabricadas do autor citado? Só aqueles que, como ele, admitem como real o caráter insubstituível do mercado capitalista.

Importante é ter em mente que a verdadeira questão não é a complexidade em si, esteja esse argumento relacionado com a complexidade interessadamente inflada ou com a complexidade real, mas se as tendências socioeconômicas de desenvolvimento descritas como complexas são ou não *controláveis*. Não existe o que se poderia descrever como uma "sociedade industrial moderna" simples, nem jamais poderá existir. Em qualquer sociedade, o tipo e o grau de complexidade das práticas produtivas e distributivas são determinados pelo modo histórico e socialmente específico de controlar seu intercâmbio metabólico com a natureza e entre os próprios indivíduos, dependendo também da natureza das unidades maiores sob as quais os indivíduos particulares são subsumidos sem cerimônia ou agrupados de forma potencialmente livre. Como sabemos a partir de estudos sérios de antropologia social, a noção de que sociedades primitivas de tipo comunal são "simples" porque regulam os seus intercâmbios sociometabólicos com base em um grau muito alto de solidariedade entre os membros nada mais é do que uma representação falsa, paternalista e a-histórica. Tal noção surge da necessidade de projetar como ideais as características da ordem reprodutiva do capital, e de proclamar como "primitivamente simples" tudo aquilo que não se conforme com esta medida a-historicamente proclamada. Além disso, como vimos pelas teorizações de Hayek – sendo que o mesmo ponto se aplica a todos os que constroem as suas teorias em harmonia com os interesses ocultos da ordem estabelecida –, a oposição interesseira entre simples e complexo é inventada com o fundamento mecânico grosseiro de criar um fetiche dos números, como se esses números não pudessem significar algo qualitativamente diferente em situações ou relações estruturais diferentes. Este fetiche mecânico do número se destina a excluir dogmaticamente de a possibilidade da solidariedade emergir – até mesmo a possibilidade de ela ser "logicamente concebida" – e ter impacto significativo em qualquer "grande sociedade industrial". Entretanto, devemos perguntar: quão pequenos deverão ser os números em questão para permitir tal qualificação? Eles deveriam chegar a 50, ou 100, ou talvez no limite extremo até a 1.000? Ora, sabemos bem pela experiência histórica tão recente da Segunda Guerra Mundial que, em determinadas circunstâncias, não só *milhões* mas *centenas de milhões* de indivíduos são capazes de agir solidariamente uns com os outros. Portanto, se sob a ameaça de um inimigo, tal como a Alemanha nazista de Hitler, a busca racional de um objetivo comum, que requer solidariedade e sacrifício pessoal para a realização do propósito compartilhado, é possível. Por que, então, a solidariedade seria "inconcebível" quando as questões em jogo são ainda maiores, pressagiando a destruição total da humanidade se o sistema do capital não for posto sob controle duradouro pela vontade humana racional e pela solidariedade correspondente? Só porque assim o decretou o interesse cegamente autocomplacente dos apologistas do capital. Mas, para tomar um exemplo ainda mais recente, a solidariedade dos mineiros britânicos – positivamente demonstrada na sua greve que durou um ano entre 1984-85 – foi, por fim, derrotada não pela "complexidade de uma grande sociedade industrial". Pelo contrário, só foi subjugada pelo poder econômico plenamente mobilizado e pela força repressiva do Estado capitalista, cruelmente aplicada pelos defensores da ordem governante conscientes de sua própria classe contra o "inimigo interno", nas palavras reveladoras de Margaret Thatcher.

A oposição entre "complexidade" e "simplicidade" é falsa e tendenciosamente concebida, assim como é falsa a oposição entre "crescimento e não crescimento". Elas são inventadas com o duplo propósito de fazer a defesa automática, e por atacado, do existente, e ao mesmo tempo desqualificar aprioristicamente qualquer tentativa de alterar as relações socioeconômicas prevalecentes. Se concordarmos em entrar na estrutura de tal discurso – que opera com justificações arbitrárias e abrangentes da ordem reprodutiva dominante, como "complexidade", "crescimento", "indústria moderna de larga escala", "tecnologia" etc. – estaremos fadados a ficar prisioneiros de suas falsas alternativas. Seremos então bombasticamente forçados a escolher entre a *"sancta simplicitas"* e a "complexidade inalterável", a *"era de ouro do estado de equilíbrio estável comunista"* e o crescimento capitalista, a *"idolatria de pequeno grupo"* e a "sociedade industrial de grande escala", as ilusões do *"nobre selvagem de Rousseau"* e a "tecnologia moderna" etc.; naturalmente, o segundo termo sempre representa a "opção sensata de nenhuma-alternativa", enquanto o primeiro, a ilusão romântica que deve ser ridicularizada. Desse modo, somos manobrados para uma posição em que ou aceitamos ser ridicularizados, ou devemos concluir de modo "realista" ser impossível haver alternativa estrutural à ordem estabelecida. E, enquanto desperdiçamos nosso tempo com a falsa alternativa da "complexidade inalterável" ou da *"sancta simplicitas"*[45], a incontrolabilidade cada vez maior do capital não é sequer mencionada.

Naturalmente, é inconcebível remover toda a complexidade de um modo de controle sociometabólico que tudo abrange. Porém, não haveria razão para fazê-lo se o sujeito social que realiza as funções vitais da reprodução societária pudesse controlar positivamente os processos produtivos e distributivos dos quais dependem o desenvolvimento e a autorrealização dos indivíduos da sociedade em questão.

No que se refere ao projeto socialista, é importante submeter a "complexidade inalterável" da ordem metabólica do capital a uma crítica radical, pois isto ajuda a remover a incontrolabilidade do sistema, com suas óbvias implicações destrutivas. A este respeito, as determinações fundamentais – historicamente criadas e específicas do sistema – que podem ser perseguidas prometem mudanças de longo alcance sob um modo socialista de controle sociometabólico. Elas exigem:

- superar a relação *antagônica/conflitante* na qual se executa o processo de trabalho sob a dominação estrutural hierárquica do trabalho pelo capital em todas as suas formas conhecidas e possíveis. Só desse modo é possível remover as – perdulárias, complexas e burocráticas – instituições e funções de controle (incluindo, em última análise, o Estado como a estrutura de

---

[45] Cf. "The Legacy of Marx, *Sancta Simplicitas*", in Alec Nove, *The Economics of Feasible Socialism*, pp. 32-9.

comando totalizante do capital), sem as quais esse modo de controle sociometabólico não poderia sobreviver. A nada "inalterável complexidade" aqui referida não resulta das funções reprodutivas *primárias* essenciais da sociedade em si. Pelo contrário, é gerada pelas perversas *mediações de segunda ordem* da ordem estabelecida, isto é, pela própria necessidade de autopreservação do capital e de comando estruturalmente imposto sobre o trabalho. Desde que o controle da produção e da distribuição esteja alienado do trabalho, o exercício separado de controle deve ser protegido pela *expropriação do conhecimento* exigido para as funções reprodutivas societárias. Ao mesmo tempo, devem ser também criadas garantias institucionais pelas quais se pode impor o controle alienado do processo de trabalho como um todo – incluindo sua dimensão que envolve conhecimento privilegiado –, até mesmo, se necessário, pela força das armas. Inevitavelmente, tanto a expropriação e o desenvolvimento e a aplicação em separado do conhecimento como o exercício bem-sucedido do controle alienado das funções produtivas e distributivas da sociedade necessitam da imposição de *camadas múltiplas de complexidade* que não só podem ser removidas sem *prejuízo da sociedade* como *intensificam positivamente* seu potencial de desenvolvimento. Isto é absolutamente possível, contanto que a determinação antagônica/conflitante do processo de trabalho e a inevitável recalcitrância do trabalho sejam superadas, removendo o pesadelo das camadas de complexidade inseparáveis de um sistema que não pode funcionar sem impor seu comando separado sobre o trabalho, mesmo que isso signifique viciar todos os aspectos do sociometabolismo, dos microcosmos produtivos e distributivos até as estruturas reprodutivas societárias mais abrangentes.

- A transcendência do *fetichismo da mercadoria* – necessariamente herdado do passado por todas as sociedades pós-capitalistas – é inconcebível sem que progressivamente se supere a determinação conflitante do processo de trabalho. Na sociedade capitalista, o controle antagônico/conflitante do sociometabolismo é inseparável do fetichismo da mercadoria – o alienado e mistificador "poder das coisas" – que impõe os imperativos materiais da ordem orientada-para-a-expansão do capital sobre *todos* os membros da sociedade, incluindo as personificações do capital. Assim, o que está realmente em jogo não é apenas a "complexidade", que poderia ser suscetível, em princípio, de controle racional, mesmo quando seja de um grau muito elevado; mas o *tipo* de complexidade que *exclui a possibilidade de controle*, se controle significar interferência, ainda que mínima, sobre os parâmetros estruturais e os cegos imperativos materiais expansionistas do sistema do capital. A idealização apologética do "mudar pouco a pouco" (defendida por Popper, Hayek e outros que compartilham os mesmos interesses travestidos) indica a intocabilidade do molde estrutural fetichista como um todo, e a legitimação apenas daquelas medidas de "melhorias" que se conformam à lógica perversa dos ditames materiais incontroláveis. Contudo, o ataque da ordem pós-capitalista ao fetichismo da mercadoria – para tornar as funções societárias produtivas e distributivas da sociedade *transparentes* e racionalmente modificáveis – está destinado a falhar a menos que seja complementado conscientemente por medidas que previnam o aparecimento de um tipo novo de personificação do capital, encarregada da extração politicamente regulada do trabalho excedente. A continuação, pois, de um comando separado sobre o trabalho, mesmo que assuma uma forma muito diferente de sua variedade capitalista, reproduz a determinação antagônica e conflitante das funções sociometabólicas, tal como são executadas. E, uma vez que prevaleça o comando antagônico sobre o trabalho – seja para a extração econômica, seja para a extração politicamente regulada do trabalho excedente –, ele se fará acompanhar da necessidade de camadas múltiplas de complexidade perdulária. Dada a extração politicamente imposta do trabalho excedente na ordem pós--capitalista de tipo soviético, dificilmente será possível remover progressivamente o fetichismo da mercadoria herdado. Realmente, à luz da experiência stalinista, ficou bastante claro que, como o controle político direto do processo de trabalho pelas novas personificações encontra dificuldades importantes, e isso se observa desde a antecipação de Stalin da esperança vazia na solução do "socialismo de mercado" até sua consumação final com a peculiar restauração do capitalismo por Gorbachev e os seus sucessores. Nessa medida, até mesmo a necessidade de restabelecer o velho fetichismo da mercadoria reaparece ainda mais forte.

Assim, a chave para que ocorram mudanças significativas na complexidade da reprodução sociometabólica é a superação radical da determinação antagônica/conflitante do processo de trabalho, tanto se tivermos em mente a extração de trabalho excedente primordialmente econômica do capitalismo como a forma politicamente dirigida do pós-capitalismo. Nenhum socialista poderia nem desejaria defender o estabelecimento de uma ordem sociometabólica que não satisfizesse as necessidades dos indivíduos como resultado da abordagem simplista das tarefas e dificuldades encontradas. O teste a ser aplicado aqui é se a complexidade em questão está a serviço da, ou contra a, necessidade humana genuína. O que faz a complexidade do modo de reprodução do capital profundamente censurável é sua perniciosidade interesseira, pois a premissa operacional fundamental do sistema do capital é *sua própria* reprodução em escala cada vez mais ampliada, a qualquer custo. Isto é o que torna necessária a imposição de uma *complexidade totalmente injustificável*, que surge da necessidade parasitária de o sistema do capital reter o controle sobre os indivíduos – o "domínio alienante da riqueza sobre a sociedade" –, geralmente negligenciando e mesmo excluindo a necessidade humana mais elementar. E não há nada que se possa fazer sobre esta "complexidade" interesseira sem se ir para além do capital. Ou seja, se a necessidade da reprodução ampliada do sistema é considerada uma premissa operacional necessária e garantia de todas as práticas produtivas e distributivas e, portanto, a condição prévia inalterável pela qual devem ser julgadas a legitimidade e a viabilidade da necessidade humana, também terá que se aceitar a complexidade perniciosa pela qual se impõe a dominação estrutural hierárquica do capital sobre o trabalho.

Superando-se progressivamente a determinação antagônica e conflitante do processo de trabalho, podem ser feitas mudanças qualitativas que reduzam grandemente e, num prazo mais longo, eliminem completamente a complexidade escravizadora exigida pelas incontroláveis mediações de segunda ordem do capital, opostas à necessidade humana. É impossível divisar uma ordem reprodutiva socialista viável mantendo-se as formas existentes e as camadas de complexidades mistificadoras do sistema do capital. A ideia de que "a *microeconomia*" poderia e deveria ser, com segurança, entregue à fetichizada e desumanizadora tirania do mercado, regulando adequadamente, ao mesmo tempo, a "macroenconomia", sob o *slogan* de um "*socialismo de mercado*" fictício, é totalmente incoerente como concepção e totalmente desastrosa como política prática, seja "*a la Iugoslávia*" ou "*a la Gorbachev*" ou de qualquer outra forma. A aceitação de tais ideias absurdas e de seus corolários mais ou menos distantes, em nome da "*complexidade inalterável*", significa apenas a renúncia total à possibilidade de que os seres humanos possam, um dia, controlar a *incontrolabilidade* suicida do sistema do capital.

20.2.3
No curso do desenvolvimento histórico, o movimento que trocou a concepção "*nulle terre sans Seigneur*" por "*l'argent n'a pas de maître*" é um divisor de águas. Contudo, dizer isso ainda não é suficiente quando se trata de expressar o movimento do modo estabelecido de controle reprodutivo para uma ordem sociometabólica que tenha erradicado com sucesso o capital do processo de trabalho. Seria muito mais adequado descrevê-lo como uma real *mudança de época*, pois o projeto socialista clama pela superação radical da dominação estrutural do trabalho. Como a história nos mostra, a dominação estrutural do trabalho, de uma forma ou de outra, é característica de todas as sociedades de classe. Por isso, a expressão não é suficiente para descrever a mudança qualitativa e sem precedente que envolve a apropriação positiva – para além da dominação do capital – das funções alienadas de controle da troca metabólica da humanidade com a natureza e dos intercâmbios produtivos e distributivos vitais dos indivíduos sociais entre si. Porque até as águas do Mar Negro se intercomunicam com as do distante Oceano Pacífico.

A mudança de época em questão significa não apenas superar o domínio do capital na ordem existente, mas também assegurar que tal mudança seja *irreversível*. Em outras palavras, significa tornar impossível a reaparição do comando do capital sobre o trabalho – e, claro, das personificações necessárias do capital que o impõem – pela regulamentação das relações produtivas e distributivas da sociedade pela institucionalização e pela consolidação da atividade autodeterminada dos produtores associados. Isto só pode ser alcançado

(1) devolvendo as condições objetivas (isto é, o material e os meios) de produção como propriedade genuína ou substantiva aos próprios produtores, em contraste com a vaga definição jurídica, historicamente experimentada, de "propriedade coletiva" que permaneceu sob o controle de uma autoridade estatal separada;

(2) exercendo rígido controle, no período de transição, sobre as personificações do capital herdadas do passado. Isto não significa simplesmente adquirir controle sobre as personificações do capital como indivíduos particulares,

pois, como sabemos, é possível mudá-los sem que se altere significativamente o próprio sistema. A questão é a instituição efetiva da supervisão social sobre um conjunto determinado de funções de controle, as quais, no sistema herdado, são atribuídas a vários indivíduos estrategicamente colocados. Como a desanimadora experiência histórica das sociedades pós-capitalistas claramente demonstrou, a transição para um modo socialista de reprodução é inconcebível sem o exercício rígido deste tipo de supervisão sobre as personificações do capital por meio de formas apropriadas de autoadministração. O propósito de tal supervisão é duplo: a) a prevenção do abuso de poder para fins incompatíveis com os objetivos socialistas globais, e b) a transferência progressiva das funções de controle ao corpo social, funções, bem entendido, que – em vista da natureza do sistema herdado – não podem ser diretamente exercidas pelos vários coletivos de trabalho por um período de transição mais ou menos limitado;

(3) com a prevenção consciente da possibilidade de que, com o passar do tempo, tipos novos de personificação – para as exigências estratégicas de direção – possam reemergir, em conjunção com uma forma separada e alienável de controle sobre as alavancas estratégicas da reprodução sociometabólica. Aqui é importante recordar a repetida identificação apologética – e totalmente falaciosa – da necessidade de uma "vontade dirigente" com as formas *alienadas* de controle e *comando do trabalho* experimentadas historicamente; como se fosse inconcebível que as relações produtivas e distributivas dos indivíduos pudessem ser reguladas de modo *substantivamente democrático* pelos próprios indivíduos. Nesta questão, evidentemente, encontramos uma identidade total entre os economistas favoritos de Stalin, como Varga, citado anteriormente, e os apologistas "liberais" ocidentais do autoritarismo do capital no local de trabalho e da tirania do mercado, apropriadamente complementados pela adesão ansiosa dos defensores do "socialismo de mercado". Uma vez que a definição autoritária de uma "vontade dirigente" estranha é considerada como algum tipo de lei natural, a subordinação estrutural permanente do trabalho "decorre" dela.

Um dos problemas mais difíceis (evitados) e que nem sequer os maiores pensadores da burguesia ascendente conseguiram resolver diz respeito à "vontade dirigente" em seu sentido mais amplo. A razão pela qual eles tiveram que combinar, em suas explicações, racionalidade com completo mistério foi o fato de não conseguirem solucionar a contradição inseparável do capital do ponto de vista que haviam adotado. O capital, pois, se afirma simultaneamente como uma *multiplicidade de capitais*, que permanecem em conflito entre si (donde os ideais e a ideologia do individualismo possessivo e competitivo) e com a sua força de trabalho, e como o *totalizador* cujas leis têm que predominar, a todo custo, contra o trabalho em geral e sobre os seus próprios componentes plurais. A "mão invisível" de Adam Smith, o "espírito comercial" de Kant e o "espírito do mundo" de Hegel foram heroicas tentativas de contornar esta contradição, permanecendo porém no interior dos parâmetros conceituais limitadores do ponto de vista por eles adotado. Apesar das distorções características "do ponto de vista da economia política", essas visões representam percepções reais pelo menos da natureza do dilema que os grandes pensadores escoceses e alemães tentaram solucionar. Pois elas ofereceram a ideia de algum tipo de motor "coletivo", se bem que só o tenham podido fazer na forma de uma subjetividade *supraindividual* benevolente, situada no interior de uma estrutura *individualista* de explicação, como vimos no capítulo 3. "Aperfeiçoamentos" posteriores dessas soluções – pelas primeiras versões da teoria da "utilidade marginal" e seus descendentes – levaram a uma completa mistificação, e foram normalmente articulados com os postulados mecanicistas mais rudes de algum autômato controlador. A subjetividade reguladora do modo de reprodução do capital específica do sistema foi – assim como todas as suas embaraçosas implicações – convenientemente obliterada.

Nas raízes das teorias apologéticas da "revolução marginal" encontramos o problema de não se poder aceitar como existentes as *leis objetivas* do sistema do capital – que obedece a uma lógica própria e tende a uma insolúvel crise estrutural final. Assim, deve-se admitir gratuitamente os mistérios das "infinitas escolhas subjetivas" dos consumidores como o único regulador eficaz concebível. Esta explicação tem uma dupla função. Primeiro, elimina tendenciosamente a possibilidade de qualquer alternativa *racional* à ordem reprodutiva estabelecida, para que não seja possível contemplar qualquer "desígnio racional" que controle o processo sociometabólico como um todo, porque isto operaria contra a ideia das infinitas escolhas individuais que maximizariam a utilidade. E, segundo, postulando este tipo de mecanismo regulador individualista absolutamente incontrolável como uma hipótese explicativa, exclui-se a ideia de levantar a questão da *responsabilidade* (e culpa potencial) *ante* a *subjetividade específica-do-sistema* realmente existente, ou seja, as personificações do capital.

É impossível controlar o modo estabelecido de reprodução societária sem entender a relação entre os fatores objetivos e subjetivos pelos quais o capital afirma seu domínio. Postulados de escolhas subjetivas infinitas como reguladoras do sistema – dentro da estrutura do "mecanismo de mercado" – não são explicações teóricas, mas simples cortinas de fumaça. Eles dissolvem a linha de demarcação entre o objetivo e o subjetivo e tornam impossível a compreensão de ambos. A verdade é que nenhum controle sociometabólico pode funcionar somente por meio de leis objetivas, pela exclusão da subjetividade humana ou, *vice-versa*, nenhum sistema de reprodução metabólica sustentável é inteligível apenas com base em escolhas subjetivas auto-orientadas, que "maximizam a utilidade".

É necessário entender os imperativos materiais e estruturais objetivos e leis totalizadoras do sistema do capital para poder apreender a relação dialética entre a *subjetividade de comando e controle* historicamente específica – as personificações do capital – e a necessidade sistêmica de antecipações racionalmente coerentes e ações corretivas em termos das quais as personificações particulares do capital têm que cumprir o seu papel no sistema. Nesse sentido, o desprezo demagógico de Hayek por toda conversa sobre "as decisões personalistas dos proprietários individuais do capital" não passa de um despiste. Nenhuma análise socialista séria dos antagonismos do sistema do capital se preocupa com as "decisões personalistas dos capitalistas individuais" *em si*. Este aspecto é absolutamente irrelevante à avaliação objetiva do que está realmente em jogo e da forma como se poderiam superar no futuro os antagonismos do sistema. Os capitalistas particulares podem ou não ser individualmente personalistas. Se o forem, a probabilidade é que eles não permaneçam capitalistas prósperos por muito tempo. Isto não acontece pela intervenção de algum misterioso castigo moral por terem gananciosamente adquirido e egoisticamente dissipado os seus lucros, mas porque, em conformidade com o *imperativo expansionista* do seu sistema, se o fizessem não levariam a cabo a sua função de personificações do capital. O que importa aqui não é a mesquinharia dos capitalistas particulares que maltratam os trabalhadores por causa da sua ganância cega e egoísta, mas a subordinação estrutural e a exploração do trabalho – até mesmo pelos mais esclarecidos e caridosos capitalistas – tal como determinadas pelos ditames materiais incorrigíveis do sistema.

O domínio do capital e suas personificações – como subjetividade específica-do--sistema no comando sobre o trabalho – mantêm-se e caem juntos. A mudança de época requerida para se mover para além do capital está relacionada à questão do controle e à radical superação, pelos próprios produtores individuais associados, do sistema alienado de comando sobre o trabalho. Só os liberais e social-democratas mais superficiais poderiam restringir a questão da emancipação à crítica piedosa do "personalismo". Uma crítica que nunca produziu – nem poderia jamais produzir – nada além de sermões vazios. Pois o capital sempre foi e continua a ser um modo necessariamente incontrolado e incontrolável de controle sociometabólico que precisa subjugar tudo o que estiver no caminho de sua autoexpansão. Esta lógica não poderá ser efetivamente desafiada enquanto o dinamismo da expansão do capital puder "cumprir o que promete", tornando perversamente palatável as enormes desumanidade e destrutividade que acompanham tal cumprimento. A grande diferença hoje é que a *irrestringibilidade* do capital percorreu seu curso histórico, tornando a *incontrolabilidade* do sistema uma ameaça grande demais para ser ignorada pelo outro lado. Isto é o que confere ao projeto socialista marxiano maior relevância hoje do que nunca antes, pois apenas a busca do verdadeiro objetivo da transformação socialista – ir para além do capital – torna possível enfrentar, com alguma chance de sucesso duradouro, até mesmo os perigos mais imediatos.

20.3 Para além da economia dirigida: o significado de contabilidade socialista

20.3.1
Dizer que a irrestringibilidade do capital percorreu seu curso histórico significa que o próprio sistema tornou-se inviável como controlador de uma reprodução sociometabólica sustentável. Não se trata aqui de considerar o futuro a longo prazo. Os limites são visíveis em nossa proximidade imediata, tal como o são os perigos que acompanham a incapacidade ou a recusa – e, no caso do capital, ambas coincidem – de exercer controle. Pois, hoje, até mesmo os defensores mais ansiosos da ordem estabelecida, com enormes interesses ocultos a defender, admitem sem discussão que algumas restrições devem ser adotadas (pelo menos em algumas áreas de atividade econômica, como exploração de matérias-primas e recursos energéticos, sem esquecer o "controle da população"), ainda que sejam incapazes de oferecer

soluções práticas que não a prescrição geral de que tudo deve permanecer dentro dos parâmetros estruturais do seu sistema. Costumavam argumentar, de modo confiantemente circular, que a própria dinâmica expansionista sempre redefinia e estendia exitosamente os limites. Hoje, tal argumento é obviamente insustentável. Porém, apesar de reconhecerem a necessidade de restrições, não dão qualquer indicação de como o sistema do capital poderia funcionar nessa base – isto é, o *que* se poderia restringir nele, nem *quem* deveria assumir o controle do processo de restrição que visa controlar o imperativo material de expansão –, mantendo ao mesmo tempo a sua viabilidade como um modo de reprodução sociometabólica totalizadora. De fato, as possibilidades da operação restritiva do capital aparecem nos escritos dos seus ideólogos como o pesadelo do "estado estacionário" da reprodução econômica, ou como algo a ser exorcizado com um insulto gratuito contra Marx, atribuindo a ele, como vimos, a defesa irresponsável de "um rígido estado de equilíbrio comunista".

Naturalmente, a questão da restrição não pode ser separada das características objetivas e das determinações estruturais do sistema em relação ao qual surge a necessidade de restrição. Nesse sentido, esperar que o capital limite a si próprio não é nada menos que esperar um milagre, pois o capital só poderia adotar a autorrestrição como uma característica significativa de seu modo de operação se deixasse de ser capital. Como Marx apontou:

> Se o capital aumenta de 100 para 1.000, então 1.000 é agora o ponto de partida do qual o aumento tem que começar; a multiplicação décupla, por 1.000 por cento, conta para nada; lucro e juros eles próprios se transformam, por sua vez, em capital. O que apareceu como valor-excedente aparece agora como simples pressuposição etc., como incluído em sua composição simples.[46]

Assim, a necessidade de restrição – até mesmo quando está em jogo nada menos que a sobrevivência humana – é diametralmente contradita pelas determinações mais íntimas do sistema do capital. O modo de reprodução do capital, pois, entraria rapidamente em colapso se fosse compelido a operar dentro de limites firmemente circunscritos, ao invés de constantemente ampliáveis. Sob este aspecto, nenhum remédio parcial é concebível, certamente nenhum que pudesse ser ministrado pelas personificações do capital em qualquer uma das suas corporificações realmente possíveis. Por isso, é necessário planejar a instituição de mudanças sistêmicas qualitativas em uma época na qual os perigos resultantes da incontrolabilidade do capital se intensificam devido à irrestringibilidade estrutural do sistema.

O capital é o modo de controle mais amplamente alienado da história, com sua estrutura de comando autoincluída, pois tem que operar pela estrita subordinação dos produtores – em todos os aspectos – a um sistema de tomada de decisão radicalmente divorciado deles. Esta é uma condição irremediável, devido ao caráter totalizador – e, em suas implicações objetivas, globalmente expansionista desde o início – do sistema que não pode compartilhar o poder, nem mesmo em grau mínimo, com o trabalho. Desse modo, o processo de controle alienado deve ser definido objetivamente como a *lógica* inexorável *do capital*, que, por sua

---

[46] Marx, *Grundrisse*, p. 335.

vez, impõe a definição do pessoal de controle como a *personificação do capital em comando sobre o trabalho*. A *identidade-de-grupo diferenciada* das personificações do capital é o corolário necessário da lógica objetiva do capital, correspondendo à característica-chave que define o sistema como uma estrutura de comando separada, alienada. Por isso não pode haver reforma do sistema do capital, incluindo aí a ficção científica dos clones de "capitalistas caridosos ilustrados", nem, de fato, sua mudança radical por meio da metamorfose pós-capitalista das personificações do sistema herdado em controladores políticos que operem hierarquicamente a extração de trabalho excedente. O capital – através de quaisquer formas historicamente diferentes de personificação pelas quais poderia ser operacionalizado – não pode deixar de ser um *sistema de comando* hierárquico, nem sua economia deixar de ser uma *economia dirigida*.

Quando Gorbachev e seus seguidores denunciaram a "economia dirigida" soviética, muitas pessoas reagiram com expectativas positivas. Pois, antes que estas altas autoridades das personificações do capital pós-capitalista soviético tão dramaticamente mudassem seu tom, elas realmente operaram e impuseram durante décadas as regras de um sistema de comando repressivo. Na verdade, a sua caracterização das questões em jogo era profundamente enganadora e o modo de solucioná-las estava, na realidade, baseado nas ilusões mais absurdas sobre o potencial democrático da "sociedade de mercado". Os mais altos funcionários do partido e do Estado encarregados do sistema soviético ignoraram propositalmente que a economia capitalista ocidental, da qual eles emprestaram os modelos para a *perestroika*, também era uma economia dirigida. Foi assim que se propôs, com toda seriedade, que a restauração da propriedade privada capitalista, associada a um "mecanismo econômico" modificado e a "técnicas de administração", "*asseguraria o progresso democrático social do país*"[47]. O principal ideólogo soviético e membro do Politburo do partido, Vadim Medvedev, colocou a questão da seguinte forma:

> era impossível quebrar o vício férreo do sistema de administrar-e-comandar, que impede o progresso econômico, sem reforma política. O pensamento crítico subsequente conduziu-nos, mais adiante, à compreensão da necessidade de *reorganização das relações de propriedade*. ... Sem mudanças drásticas nas relações de produção, *técnicas de administração econômicas novas* são rejeitadas como algo estranho. ... O círculo vicioso só pode ser quebrado por uma reforma das *relações de propriedade*, pela admissão de uma variedade de formas de propriedade. O partido optou por esta abordagem, bancando não apenas uma ou duas formas "avançadas" ou "mais socialistas", mas todo o conjunto de formas iguais de propriedade. ... A *perestroika* abriu amplas oportunidades para cooperativas, contratos de arrendamento, vários outros contratos, produção doméstica e atividades de trabalho individuais. *Companhias de capital aberto* não são, de forma alguma, contrárias aos princípios econômicos socialistas. ... Nós consideramos uma reorganização de longo alcance das relações de propriedade e a diversidade e igualdade de todas as suas formas como uma *garantia da renovação do socialismo*.[48]

---

[47] Vadim A. Medvedev, "The Ideology of Perestroika", em A. Aganbegyan, op. cit., p. 27.
[48] Id., ibid., p. 29-32.

Naturalmente, independentemente da forma assumida, a natureza profundamente antidemocrática da estrutura de comando em que as personificações do capital mantêm controle sobre o trabalho, com autoridade para impor os imperativos materiais do seu sistema, não apresenta qualquer problema para elas. É por isso que elas deslizam com tanta facilidade de uma forma para a outra. Isto é verdade para os que descobrem, na restauração da propriedade privada capitalista, tanto a "igualdade" entre os gigantescos monopólios de companhias de capital aberto e a "produção doméstica" e a "atividade de trabalho individual" do sapateiro local, como também a "garantia de renovação do socialismo". Da mesma maneira, as personificações do capital que operam na "democrática economia de mercado" ocidental, apesar de suas "convicções liberais" ruidosamente proclamadas, não veem qualquer dificuldade em transformar periodicamente as suas sociedades em ditaduras brutais em períodos de crises econômicas importantes e inquietação do trabalho. Além disso, mesmo quando falam em democracia, restringem sua esfera de operação à "livre escolha política" de se abdicar do poder de decidir em favor dos representantes de partidos firmemente inseridos na estrutura de comando político do capital. Para tanto, essa estrutura deve estar associada à premissa absolutamente inquestionável da "livre escolha econômica" dos consumidores no mercado capitalista, que é arrancada dos escassos recursos dos trabalhadores, para não mencionar o fato de ser negada a eles toda e qualquer interferência nas decisões relativas à esfera da produção e às suas condições de trabalho.

Contudo, até mesmo nesta definição vazia de democracia e liberdade, em contraste com o autoritarismo substantivo da estrutura de comando do capital nos domínios da economia e da política, o sistema necessita da aparência de escolha e a observância das "regras do jogo" adequadas à criação da ilusão de democracia. Assim, depois da euforia de "assistir à despedida do socialismo" e, com isso, chegar triunfalmente ao "fim da história", foi necessário introduzir limitações, de modo sub-reptício, na questão da "livre escolha política", já que não havia mais uma "esquerda" que pudesse, com segurança, ser escolhida para a finalidade de realizar a abdicação política do trabalho e a pacificação das potencialmente incontroláveis massas de pessoas. Compreensivelmente, portanto, os principais órgãos ideológicos da ordem estabelecida, como *The Economist*, de Londres, tiveram que mudar seu tom e cantar a sua velha ladainha de modo peculiar:

> a morte do comunismo deixa um vazio que precisa ser preenchido depressa. ... os pobres ainda estão conosco: em números crescentes em grande parte do hemisfério sul, em bolsões de desespero na América do Norte e na Europa ocidental. Fazer algo para os desafortunados é a atividade principal da esquerda política. ... Seus bisnetos estarão melhores em 2092 se você agir em nome da compaixão em 1992. Este é o ponto de partida para que ocorra algo de novo na esquerda. Uma nova esquerda é urgentemente necessária. O fim do comunismo deixou o mundo, por assim dizer, sobre uma perna só. A caminhada à frente não pode ser retomada até que a outra perna esteja novamente saudável e em operação.[49]

Contudo, misericordiosamente, o tempo histórico ainda não está completamente morto. A magnanimidade de *The Economist* nos permite adiar "o fim da

---

[49] *The Economist*, 31 de dezembro de 1991, pp. 11-2.

história", pelo menos até que o mundo recupere sua perna perdida, quando então poderemos, felizes, retomar nossa marcha à frente na ainda problemática "Nova Ordem Mundial".

É muito hilária essa imagem do mundo que salta sobre uma só perna em direção aos portões do milênio liberal-capitalista enquanto sua outra perna cresce lentamente do coto que sobrou da social-democracia. Poderíamos até rir disto se as condições não fossem tão desesperadoramente sérias para a esmagadora maioria da humanidade. Aqui, novamente, podemos ver o abismo que separa a fase ascendente do desenvolvimento capitalista de sua realidade atual. Pois, na época do Iluminismo, os porta-vozes da ordem burguesa acreditaram honestamente que o "interesse pessoal esclarecido" traria seus benefícios abundantes para toda a humanidade, eliminando completamente a pobreza da face da Terra. Acreditavam nisso porque as contradições internas do sistema do capital não tinham ainda revelado o seu desdobramento necessário na forma da *dissipação destrutiva de riqueza*. Isto estava reservado para o futuro da raça humana, quando a autoexpansão contínua do capital não pudesse mais ser assegurada por qualquer outro modo além do escárnio dos ideais, no início honestamente patrocinados, de "Liberdade, Fraternidade, Igualdade". Agora, toda conversa sobre o "interesse pessoal esclarecido" não vai além de uma camuflagem cínica do fato de que a maioria oprimida das pessoas é categoricamente excluída de seu exercício pela hierarquia estrutural do capital e seu sistema de comando autoritário. Elas só têm que ficar contentes com o decreto de *The Economist,* segundo o qual é da natureza do *"destino humano"* que "os pobres sempre estejam entre nós"[50]. O sermão continua dizendo que "faz sentido resgatar o pobre [que 'sempre estará conosco'], porque é provável que então o mundo seja um lugar mais seguro"[51]. Mas os porta-vozes do capital se apressam em decretar outras das suas leis do "destino humano", dizendo que "o mundo nunca estará completamente livre de ditadores"[52]. O "interesse pessoal esclarecido" e a "compaixão" de *The Economist* resumem-se a isso, e seu apelo pela criação de uma nova "esquerda de fachada" – como o "novo trabalhismo" na Inglaterra – está em conformidade perfeita com os ditames materiais da "democrática" economia dirigida do capital, numa época em que o sistema consumou completamente sua ascensão histórica.

20.3.2

É obsceno chamar de "livre e democrático" um sistema econômico que tem como sua condição material prévia a alienação absoluta das condições de produção dos produtores, e, para seu modo de operação, a imposição permanente de uma estrutura de comando autoritária – tanto nos locais de trabalho como na sociedade em geral – por meio da qual a extração contínua de trabalho excedente é assegurada com a finalidade da reprodução ampliada do capital. Sobre a proposição segundo a qual a restauração das relações de propriedade capitalista constitui a "garantia para a renovação do socialismo", ela só pode provar algo que os gregos descobriram milhares anos atrás: que os deuses antes enlouquecem aqueles a quem querem destruir.

---

[50] Ibid., p. 12.
[51] Ibid.
[52] Ibid.

A economia dirigida capitalista representa a mais sofisticada – e também a mais mistificadora – variedade invasiva de reprodução sociometabólica. A dominação exploradora do capital sobre o trabalho "é distinta apenas em um sentido formal, de outros modos, mais diretos, de *escravização* e propriedade do trabalho por parte do dono das condições de produção. Tal dominação assume aparência de uma mera relação de dinheiro em lugar da real transação e da *dependência perpétua* que são constantemente renovadas pela relação de compra e venda. Não são apenas as condições deste comércio que são constantemente reproduzidas; o que um usa para comprar e o que o outro é *obrigado* a vender são também resultado do próprio processo. A renovação constante desta relação de compra e venda torna possível *a permanência da relação específica de dependência*, conferindo a *aparência enganosa* de uma transação, de um *contrato* entre donos de mercadorias que têm *direitos iguais* e se confrontam *igualmente livres*"[53].

Apesar de tudo, pode-se argumentar que a economia dirigida de tipo capitalista representa, em certo sentido, o ápice insuperável de todas as formas de desenvolvimento econômico na história baseadas em determinações estruturais antagônicas. Muito embora o modo de produção capitalista compartilhe sua compulsão pela imposição cruel do trabalho excedente com os modos anteriores de reprodução societária exploradora, o capital exerce melhor tal compulsão, "em uma forma mais favorável à produção"[54]. É superior aos outros sistemas em virtude de seu incomparável dinamismo interno e sua expansibilidade global e graças à perfeição da sua modalidade – e maximização da quantidade – de extração de trabalho excedente, com perdas *relativamente* pequenas de recursos em meios extraeconômicos de imposição. Isto porque a mistificadora e "falaciosa aparência de um contrato livremente acertado entre partes com direitos iguais" cumpre muitas das funções necessárias de imposição, criando a ilusão de relações "consensuais" e "democráticas", sob as condições realmente existentes nas quais o trabalho é "obrigado", isto é, economicamente compelido – a se submeter aos imperativos da economia dirigida do capital e aceitar seu "destino humano" na "jaula de ferro" (Weber) da chamada "sociedade industrial moderna".

Este modo de reprodução sociometabólica na qual trabalho objetivado e alienado – assumindo a forma de capital, com sua própria lógica e inércia material – rege o trabalho "tem sentido" tão somente enquanto tiver sentido a incomparável dinâmica de expansão do sistema. A questão, não obstante, permanece: para quem, a que preço e que tipo de consciência julga, ou é capaz de julgar, se a autoexpansão inexorável do capital "tem ou não sentido"? Este não pode ser o pseudossujeito coletivo, o capital. Em sua substância, pois, o capital é nada mais que *"a objetivação do trabalho alienado, valor que confronta independentemente a capacidade de trabalho"*[55]. Na medida em que o capital pode e consegue adquirir consciência e vontade por meio de suas personificações, ele pode somente fazer julgamentos preconceituosos, fatalmente distorcidos em seu favor. Pré-julgamentos alterados

---

[53] MECW, vol. 34, p. 465.
[54] Ibid., p. 457.
[55] Ibid., p. 423.

ocorrem tanto no interesse do capital em geral, como totalizador do intercâmbio sociometabólico, como a favor de interesses parciais da pluralidade de capitais e das personificações particulares do capital. O veredito requerido, portanto, não pode basear-se nos interesses de todos os membros de uma sociedade historicamente dada (inclusive dos trabalhadores particulares), muito menos nos interesses do trabalho como uma classe cuja alternativa hegemônica ao existente contradiz diametralmente a ordem dada. E evidentemente a base de julgamento não pode ser a consideração dos interesses da humanidade, nem mesmo quando a própria sobrevivência da humanidade está em jogo. Assim, a determinação sobre o que "tem sentido" só pode ser feita com base nas relações de poder prevalecentes, conforme os ditames materiais da contínua autoexpansão do capital. Os interesses da classe burguesa e a inércia material das estruturas reprodutivas dadas atuam todos na mesma direção. As negações – moldadas pelas formas anteriores de protesto do trabalho e suas conceituações intelectuais – permanecem problemáticas e "utópicas" até que se alcance uma fase de desenvolvimento socioeconômico na qual possa ser postulada a viabilidade da alternativa hegemônica do trabalho ao modo estabelecido de controle. Sob tais condições, ao trabalho será possível propor a negação da ordem estabelecida não como uma contraimagem ideal do sistema de comando antagônico do capital, e portanto necessariamente um sistema violentamente imposto e autoritário, mas como um modo de tomada de decisão *materialmente sustentável*, assim como democrático em um sentido *substantivo*, em todas as relações produtivas e distributivas.

É óbvio que, quando a dissipação destrutiva dos recursos naturais e da riqueza social se torna a condição objetiva da reprodução ampliada do capital, a "dominação contínua da riqueza sobre a sociedade" já não pode fazer sentido do ponto de vista da reprodução societária sustentável. Realmente, quanto maior a dinâmica interna do impulso do capital para a reprodução ampliada – que nas fases anteriores de desenvolvimento representava um recurso positivo vital –, cuja destrutividade, em uma escala antes absolutamente inimaginável, torna-se uma parte integrante de todo o processo, mais irracional se torna defendê-la. O problema, porém, é que, apesar de sua ameaçadora irracionalidade, o modo estabelecido de reprodução ampliada continua, tanto quanto antes, a "ter sentido" do ponto de vista do próprio capital. Ou seja, o capital, como *causa sui*, não pode reconhecer – menos ainda permitir – qualquer alternativa a seu próprio modo de operação, que é incorrigivelmente orientado-para-a-expansão. Assim, as equações do capital não se alteram, nem mesmo quando o "valor que confronta independentemente a capacidade de trabalho" se torna simultaneamente um *antivalor que confronta toda a humanidade*, pressagiando a *destruição do sociometabolismo em si*. O fato pode apenas agravar o autoritarismo de seu sistema de comando, pois a *racionalidade auto-orientada* da reprodução ampliada do capital, como *causa sui*, tem que eliminar – sempre que necessário, até mesmo pela aplicação das formas mais tirânicas de repressão política – todas as formas alternativas de racionalidade. A história ofereceu evidências de metamorfoses do capital "democrático" em formas extremas de autoritarismo em épocas marcadas por crises importantes, o que não tranquiliza quanto à possibilidade de que este fato volte a ocorrer no futuro.

Certamente, em tais circunstâncias, a dominação continuada do modo de produção da riqueza do capital sobre a sociedade contém um importante momento *regressivo,* até mesmo do ponto de vista do próprio capital, que ameaça a sobrevivência humana. A introdução de fatores políticos cada vez mais poderosos até no modo normal de operação do sistema do capital (de que há plena evidência no século XX), associada à imposição direta de medidas políticas e militares repressivas em condições de emergência, altera significativamente a vantagem histórica do capitalismo anteriormente mencionada. A saber, que sua compulsão é exercida sobre o trabalho "em uma forma mais favorável à produção", pois o emprego regressivo de um controle político direto tende a arruinar a estabilidade consensual enganosa do sistema, liberando várias complicações e contradições, inclusive a "crise da política democrática". Não obstante, este tipo de regressão não representa um problema insolúvel para o capital quando a sobrevivência continuada do sistema estiver em jogo. O limite permanece aquele que o capital compartilha com as formas antagônicas anteriores de reprodução sociometabólica, ou seja, a *dominação do trabalho* e a *compulsão para a exploração* que devem *necessariamente* ser exercidas para *extrair o trabalho excedente.* O sistema do capital e seu modo de operação, originados historicamente sobre tal base material, nunca poderiam ser imaginados, sobre qualquer outra base que não fosse o modo de controle do capital – para não mencionar sua implementação como a ficção do "capitalismo do povo". É isto o que liga o Oceano Pacífico ao Mar Negro.

Ao descrever o potencial inerente às realizações produtivas da ascendência histórica do capital, Marx argumenta que "ele cria as reais condições para um novo modo de produção que supera a forma antagônica do modo capitalista de produção, pondo assim a *base material* para um processo de vida social reformulado e, com ele, uma *nova formação social.* ... [Pois] as condições materiais para sua dissolução são produzidas no seu interior, *removendo sua justificação histórica* como uma forma necessária de desenvolvimento econômico, de produção da riqueza social"[56]. Porém ele deixa claro em outra passagem que o processo de transformação desta potencialidade em realidade não é fácil, pois envolve o reconhecimento de que as barreiras insuperáveis do capital não são os limites absolutos de todo desenvolvimento produtivo, como também a habilidade para agir com plena consciência das potencialidades positivas objetivamente disponíveis para além dos antagonismos do sistema do capital. Para citar Marx:

> A barreira para o *capital* é que todo este desenvolvimento procede de modo contraditório, e que o funcionamento das forças produtivas, da riqueza geral, do conhecimento etc., aparece de tal modo que o indivíduo trabalhador *aliena a si mesmo* [*sich entäussert*]; ele se relaciona com as condições externas postas a ele pelo seu trabalho como aquelas que não pertencem a *ele próprio,* mas como uma *riqueza estranha* e como sua própria pobreza. Mas esta forma antitética é ela própria efêmera e produz as reais condições de sua própria superação. O resultado é: o desenvolvimento *tendencial* e *potencialmente* geral das forças de produção – da riqueza em si – como uma base; do mesmo modo, a

---

[56] Ibid., p. 466.

universalidade do intercâmbio, consequentemente, do mercado mundial como uma base. A base como a *possibilidade* do desenvolvimento universal do indivíduo, e o real desenvolvimento dos indivíduos a partir desta base como uma suspensão constante de sua barreira, que é *reconhecida como uma barreira* e não considerada um *limite sagrado*. Não uma universalidade ideal ou imaginada do indivíduo, mas a universalidade das suas relações reais e ideais. Consequentemente, também a *compreensão* da sua própria história como um *processo*, e o *reconhecimento* da natureza (igualmente presente como poder prático sobre a natureza) como o seu corpo real. O próprio processo de desenvolvimento postulado e conhecido como a pressuposição do mesmo. Para isto, porém, é necessário que acima de tudo o *desenvolvimento pleno* das forças de produção se torne a *condição de produção*; e não que as *condições específicas de produção* sejam postuladas como um *limite* para o desenvolvimento das forças produtivas.[57]

Assim, o resultado positivo não depende de reconhecerem os intelectuais que a justificação histórica do sistema do capital está superada, mas da força material de um sujeito social consciente capaz de erradicar o capital do processo sociometabólico, superando desse modo a dominação da "riqueza estranha" sobre a sociedade. Se tal sujeito provar ser inferior à tarefa, não pode haver esperança para o projeto socialista. Mas, neste caso, não haverá esperança de sobrevivência para a humanidade.

Como sabemos, na época de Marx o sistema do capital estava longe de subsumir, sob sua própria estrutura reprodutiva, todos os países do planeta. Estava, ainda, muito distante a fase de desenvolvimento em que a dissipação destrutiva de recursos naturais e riqueza social tornar-se-ia uma condição objetiva da reprodução ampliada do capital. Igualmente, o desenvolvimento dos instrumentos de destruição ainda estava muito distante do ponto em que poderia ameaçar diretamente, e em todos os lugares, a vida humana, em agudo contraste com nossas atuais perigosas condições de existência. Sendo assim, os perigos que surgem destes dois desenvolvimentos não poderiam entrar no horizonte de Marx em sua esmagadora realidade material. Era inconcebível para Marx a possibilidade de que a maquinaria de guerra infernal do capital pudesse destruir a raça humana em questão de horas, senão de minutos. As sérias ameaças à existência humana poderiam ser visíveis a ele apenas na forma de algumas implicações conceituais e teóricas da lógica incontrolável do capital, no sentido indicado pela citação de *A ideologia alemã* referente à nota 2 do Capítulo 1. O mesmo vale para o mercado mundial e os antagonismos potencialmente letais que surgem dele. Como acentuou Marx, "a tendência a criar o *mercado mundial* está dada diretamente no *próprio conceito de capital*"[58]. Porém, tivemos que esperar pela ocupação e pela dominação reprodutiva de todos os pequenos cantos do mundo pelas principais potências capitalistas, conduzindo à conflagração de duas guerras mundiais, antes que as implicações destrutivas da incontrolabilidade do capital pudessem ser avaliadas em sua pesada materialidade. E ainda estamos longe do fim deste processo. O muito que se falou sobre "globalização" – assumindo a forma de uma integração aparentemente irresistível dos processos produtivo e de troca do sistema do capital no mundo inteiro – pressagia novos antagonismos e destruição potencial.

---

[57] Marx, *Grundrisse*, pp. 541-2.
[58] Id., ibid., p. 408.

Em relação a todos esses desenvolvimentos, é dolorosamente óbvio que a articulação necessariamente autoritária da economia dirigida do capital, com todos os seus corolários políticos, só pode se tornar mais pronunciada no futuro previsível. Lamentavelmente, o reconhecimento dos perigos não é o bastante. O modo de controle sociometabólico do capital estabelecido tem duas vantagens principais, apesar de suas contradições. A primeira é a *inércia* maciça das estruturas prevalecentes que empurra tudo no sentido da "linha de menor resistência". A segunda é que o único sujeito social capaz de assumir o desafio, o trabalho em sua "imediaticidade" (isto é, em seu modo estabelecido de reprodução), também está inserido no círculo vicioso da "linha de menor resistência", subsumido e dominado pelas relações produtivas e distributivas do sistema do capital. Não deveríamos nos esquecer de que o trabalho, em sua imediaticidade, incluindo sua confrontação direta com o capital, assume necessariamente a forma de consciência como "personificação do trabalho". Desse modo, entra em conflito com a "personificação do capital", limitando-se aos objetivos que podem ser contidos pelos parâmetros estruturais do sistema do capital. Vimos as consequências trágicas desta postura na derrota clamorosa da esquerda histórica. Por isso precisamos urgentemente da rearticulação radical do movimento socialista, sem o que pode, de fato, ocorrer a "não alternativa" à destrutiva economia dirigida do capital e a quaisquer dispositivos autoritários que possam ser exigidos para impô-la a todo custo à sociedade, até que o sistema como um todo entre em colapso sob o peso de sua própria inércia mortal.

20.3.3

O movimento socialista não terá a menor chance de sucesso contra o capital caso se limite a levantar apenas demandas parciais. Tais demandas têm sempre que provar a sua viabilidade no interior dos limites e determinações reguladoras preestabelecidos do sistema do capital. As partes só fazem sentido se puderem ser relacionadas ao todo ao qual pertencem objetivamente. Desse modo, é apenas nos termos de referências globais da alternativa hegemônica socialista à dominação do capital que a validade dos objetivos parciais estrategicamente escolhidos pode ser adequadamente julgada. E o critério de avaliação deve ser a capacidade desses objetivos parciais se converterem (ou não) em realizações *cumulativas e duradouras* no empreendimento hegemônico de transformação radical. Portanto, não surpreendentemente, o *slogan* reformista bernsteiniano, que proclamou que "a finalidade é nada, o movimento é tudo" – fetichizando os objetivos parciais mais limitados do "movimento" e rejeitando, ao mesmo tempo, o objetivo socialista global – só poderia conduzir o movimento socialista ao beco sem saída da capitulação.

Um das questões mais importantes de qualquer estratégia socialista se refere à *contabilidade* usada para orientar e avaliar os passos e medidas particulares que devem ser adotados no curso da transição da ordem estabelecida para uma outra radicalmente diferente. Pois, se até mesmo a fase histórica de ascendência do capital pode criar algumas condições materiais favoráveis que apontam na direção de "uma vida social reformulada", como argumentou Marx, as vantagens materiais potenciais em questão se tornam totalmente ameaçadas quando a ascendência histórica do sistema terminou e o capital só pode continuar a se impor à sociedade ao custo de minar suas próprias realizações anteriores. A incorporação estrutural da produção de desperdício na dinâmica expansionista da produção atual do capital é um exemplo muito bom de como as expectativas otimistas justificáveis de Marx desandaram sob a pressão do aprofundamento das contradições do sistema do capital. Por isso, é vital que adotemos uma estrutura de contabilidade muito diferente daquela a que nos acostumamos, ou seja, uma nova estrutura de contabilidade que possa avaliar com segurança tanto a direção geral da estratégia emancipatória socialista como seus objetivos mediadores particulares.

Em princípio, "*contabilidade*" – frequentemente reduzida a seu aspecto mais óbvio de "*guarda-livros*" – e "*administração*" poderiam ser considerados momentos essenciais (alguns poderiam dizer absolutos) de todos os modos presente e futuro de reprodução sociometabólica. Isto é verdade no sentido de que nenhum sistema reprodutivo social pode funcionar de um modo sustentável sem ativar seus recursos materiais e humanos e sem controlar a sua distribuição e o seu desenvolvimento conforme algum princípio de "economia".

Porém, apesar da automitificação "dos princípios racionais de alocação" e dos "valores instrumentais", não existe aqui a questão da "neutralidade". As ideias resultantes de avaliações "sem influência de valores" ou "neutras com relação a valores" das questões em jogo, e as ações baseadas em conclusões assim obtidas, pertencem às fantasias apologéticas da ordem estabelecida. Em muitas ocasiões, vimos que as anunciadas "conclusões racionais" são, desde o início, normalmente aceitas, acrítica e circularmente, por aqueles que se identificam com o ponto de vista do capital, de modo a permitir-lhes chegar à "prova conclusiva", ideologicamente desejada, da superioridade do seu sistema.

Contudo, assim que examinamos um pouco mais de perto o supostamente neutro "livro-caixa" do capital, do qual se diz ser baseado em "pura racionalidade instrumental", fica claro que tal contabilidade é *contabilidade social fortemente carregada de valores*. Como Marx corretamente observou, "o capitalista como tal só possui poder como personificação do capital. É por isso que na contabilidade com dupla entrada ele figura constantemente duas vezes, isto é, como DEVEDOR ao seu próprio CAPITAL"[59]. Caracteristicamente, Max Weber designou um papel fundamental à "descoberta da contabilidade de partida dobrada" na sua tendenciosa representação da ordem capitalista como o paradigma de racionalidade. Ele pôde assim ignorar a primazia das *relações materiais de poder*, desconsiderando completamente a real natureza da subjetividade específica do sistema do capital – a personificação do capital – e sua contabilidade de partida dobrada, determinada pelo sistema e nada racional.

As mesmas considerações se aplicam à *administração*, que é inconcebível sem a moldura social – que, sob a dominação do capital, é uma necessária moldura sócio-hierárquica profundamente injusta e estruturalmente predeterminada e garantida – pela qual podem os princípios globais de regulação societária ser *ordenados* e então implementados ou *impostos*. Até mesmo os "princípios puramente formais" do regulamento de trânsito, que Hayek falaciosamente quis generalizar e usar, com típica ânsia ideológica, na defesa acrítica do capital e da sua formação estatal, se apoiam

---

[59] MECW, vol. 34, p. 457.

em uma rede social hierárquica de representação e imposição. Isso sem mencionar as "decisões administrativas racionais" de construir (ou não) as próprias estradas nas quais o tráfego pode ser então "racionalmente regulado". O modo pelo qual se casam os argumentos sobre a "insuperável complexidade da sociedade industrial moderna" e a também insuperável "administração racional" do sistema do capital – incluir as alegações relativas à "contabilidade racionalmente eficaz" e universalmente benéfica do capital – explicita claramente a intenção apologética dos mercadores da complexidade e fabricantes do mito da racionalidade capitalista "valorativamente neutra".

Naturalmente, a questão da administração racional é importante na teoria socialista, já que sua realização prática é vital para o projeto socialista. Tal questão é inseparável da necessidade de se superar a hierarquia estrutural herdada do sistema do capital – sem que se imponha aos indivíduos sociais um tipo novo de hierarquia sob a predominância das personificações pós-capitalistas do capital. Assim, o desafio fundamental, sob este aspecto, refere-se à necessidade de descartar o *comando separado sobre o trabalho*: um sistema de comando alienado profundamente embutido na esfera da produção, que também deve ser acompanhado por uma estrutura de comando separada na área de administração. Não pode haver administração socialista – que mereça ser caracterizada como um sistema verdadeiramente racional de administração – enquanto as premissas práticas de representação e execução de regras forem definidas pelas demandas viciadas do comando separado sobre o trabalho e associadas a qualquer forma particular de extração forçada de trabalho excedente. Além disso, muitas das regras, desarrazoada e conflitantemente promulgadas e impostas com tanto desperdício, são dispensáveis se a necessidade pela regulamentação emergir diretamente dos indivíduos envolvidos. Isto não poderia contrastar mais agudamente com a experiência histórica do século XX, na qual as regras para os sistemas de comando pós-capitalistas impuseram continuamente o imperativo de tempo do capital a um corpo social recalcitrante – a absoluta maioria do povo trabalhador. Ou seja, as personificações pós-capitalistas do capital só conseguiram exercer o controle alienado do capital pós-capitalista da extração do trabalho excedente porque estavam em plena harmonia com os imperativos alienantes do sistema.

A *realização* prática dos princípios da *contabilidade socialista* é um componente necessário e integrante da ordem socialista originalmente divisada. Só pela realização prática de tais princípios pode ser assegurada a base material sem a qual não é possível a regulamentação racional contínua dos intercâmbios produtivos e distributivos dos indivíduos sociais. Em que pesem os mitos da eficácia racional e da economia ideal do capital, o sistema do capital *nunca* foi – nem jamais poderia ser – verdadeiramente econômico no uso dos recursos materiais e humanos. O que criou a aparência enganosa da economia racional insuperável foi a capacidade do sistema de maximizar a extração de trabalho excedente, pois o capital, em seu impulso para expandir e acumular, funcionou como a *bomba de sucção* mais poderosa da história com a finalidade de extrair implacavelmente o trabalho excedente e a mais-valia do trabalho vivo.

Mas esta característica, apesar de sua importância no curso do desenvolvimento histórico, não deve ser confundida com economia real, que *depende do uso das riquezas sociais criadas pelos produtores*. A economia do sistema do capital se assemelha à *indústria britânica de água* que – de modo absolutamente increritável – luta contra severa escassez durante todo o verão ameno de um país que se beneficia de grande abundância de chuvas. O mistério é resolvido pelo simples fato de que até um terço da água extraída pelo sistema de bombeamento britânico é irresponsavelmente desperdiçado pelos vazamentos da própria rede de distribuição. E além de tudo isso os administradores da extração privatizada de água, obscenamente bem pagos, argumentam, de modo verdadeiramente capitalista, que é "muito mais econômico" deixar que os canos desperdicem toda aquela água do que reparar ou renovar a própria rede de distribuição defeituosa; uma política seguida, dizem eles, "estritamente no interesse dos consumidores". De forma semelhante, o poderoso sistema de bombeamento do capital como um todo ocultou, ao longo da história, seu desperdício de imensos recursos sob os resultados espetaculares *da expansão desimpedida do capital*. A "hora da verdade" só chega quando a necessidade de expansão encontra obstáculos significativos, como os que experimentamos em nossa época. O fato de que, em tais circunstâncias, as dificuldades da expansão lucrativa do capital assumam a forma de escassez especulativa e movimentos aventureiros do capital, negando da forma mais cruel a satisfação das necessidades elementares de incontáveis milhões de pessoas, apenas sublinha que o capital é, nas palavras de Marx, a "contradição viva".

20.3.4

Em contraste com a falsa economia do capital – ditada pela expansão e não orientada pela necessidade –, o sistema socialista de contabilidade deve ser econômico em sentido substantivo. Ou seja, sua principal força determinante, conscientemente avaliada, é constituída pelo trabalho, reconhecido não como abstrata "capacidade de trabalho" mas como indivíduos humanos vivos. Por outro lado, o capital só se relaciona com a maioria esmagadora de seres humanos reduzindo-os a "capacidade de trabalho" explorável, posta em uso em sua forma reificada – como um "fator material de produção" – com a finalidade de extrair o trabalho excedente.

Por isso, o princípio dominante da contabilidade social do capital orientado-para-a-expansão deve ser a *quantificação* em todas e em cada relação das esferas de atividade, até mesmo quando se emprega o termo "qualidade". Hegel falou sobre a transformação dialética da *quantidade em qualidade*. Nas relações capitalistas de valor, a transformação ocorre exatamente do modo oposto. Nelas, todas as qualidades devem ser transformadas em quantidade, de modo que se tornem grãos moídos pelos "moinhos satânicos" do capital.

Certamente, o controle de qualidade tem um papel importante na produção capitalista bem-sucedida. Mas a "qualidade" é aqui representada pelas estatísticas quantificadas de desempenho do produto, tanto se pensarmos em um carro como nas cifras do MTBF[60] de componentes de computador e nos equipamentos de som etc. As mais variadas qualidades do valor de uso devem ser subsumidas a quantidades determinadas de valor de troca, antes que possam adquirir legitimidade própria para serem produzidas; e devem constantemente provar a sua viabilidade – não em relação às necessidades humanas qualitativamente diferentes, mas sob os critérios

---

[60] MTBF representa Tempo Médio entre Falhas.

estritamente quantitativos da troca de mercadorias. Além disso, a quantificação também predomina sob o conhecido sistema do capital pós-capitalista. Ou seja, ainda que a lucratividade fique em segundo plano, reaparecendo apenas nas imagens esperançosas do *"socialismo de mercado"* stalinista e "desestalinizado", o próprio imperativo expansionista permanece tão poderoso quanto antes, sendo imposto à sociedade de um modo autoritário pelo fetiche da quantidade representado pela realização compulsória do planejado e pela idealização da quantificação "socialista" como a "super-realização" (fictícia) do plano.

As falsas alternativas representadas por "complexidade inalterável ou simplicidade romântica", por "crescimento ou não crescimento" etc., surgem da incapacidade dos ideólogos do sistema do capital de perceber a dimensão *qualitativa* das questões em jogo. O fetiche da quantidade deve prevalecer nas concepções teóricas articuladas do ponto de vista do capital porque a quantidade comanda todas as relações no sistema do capital realmente existente. Mas isso não é tudo, pois reconhecer a validade da preocupação genuína com a qualidade, segundo uma linha radicalmente diferente daquela que encontramos nos processos quantificados de "controle de qualidade" da produção capitalista, abriria um perigoso "espaço teórico". Perigoso porque admitir a legitimidade da preocupação com a qualidade em sentido substantivo resultaria forçosamente no reconhecimento, no mínimo implícito, da possibilidade de uma alternativa para o próprio sistema existente, sistema que é incompatível com a qualidade baseada em necessidades humanas e orientada para a produção de valores de uso. Por isso, preferem falsear os argumentos do adversário socialista, a ponto de assumir a forma mais absurda, como a realizada contra Marx, descrito na grotesca caricatura de um simples defensor "da era de ouro do equilíbrio comunista permanente".

A *qualidade* como o princípio fundamental da contabilidade socialista é também relevante porque somente por ele é possível conferir significado não fetichizado à *quantidade*. A definição bem conhecida do princípio que regula a parte dos indivíduos na riqueza total produzida em uma sociedade socialista avançada – "a cada um de acordo com a sua necessidade" – baseia-se em considerações inerentemente qualitativas. A busca da quantidade na produção, não importa o quanto possam ser espetaculares seus resultados ao longo de alguns séculos, é totalmente insustentável como o princípio regulador da reprodução sociometabólica em uma escala de tempo incomensuravelmente mais longa. Só uma contabilidade substantivamente orientada para a qualidade pode ser viável nesta escala, o que também vale para o projeto socialista. Do mesmo modo, a *produção e a distribuição* devem ser reguladas com base na *qualidade substantiva diretamente relacionada à necessidade*, e no reconhecimento racional e na implementação não conflitante de suas implicações para a necessidade de uma *genuína economia* (que também significa eliminar firmemente a aceitação de critérios impostos pelo mercado e a predominância de qualquer "mecanismo autorregulador"), tal como contido no princípio socialista. De outra forma, "o processo de vida social reconfigurado" e a "nova formação social" correspondente, antecipados no projeto marxiano, não podem ser considerados historicamente viáveis.

Assim, o princípio socialista referente à relação entre os indivíduos e *sua* sociedade, que visa tornar possível aos produtores associados realizarem as suas aspirações como indivíduos sociais autodeterminados, significa não apenas transcender as relações hierárquicas injustas e exploradoras do passado. É também uma "prática" vital "para assegurar" um futuro sustentável, por causa de sua firme orientação para a qualidade. Somente dessa forma a exigência necessária de contabilidade pode ser harmonizada com as aspirações dos indivíduos sociais. Nem a contabilidade sustentável nem a harmonização da relação entre os indivíduos e a sociedade são concebíveis se se basearem na busca da quantidade, pois neste caso o ponto de partida é sempre a *quantidade disponível* e as *confrontações* necessárias sobre sua distribuição – indecentemente prejudicada em favor dos privilegiados na hierarquia social e desperdiçada nas exigências parasitárias de manutenção de tal sistema na produção e na distribuição –, não importando o tamanho da quantidade dada. Isso é permanente em um sistema que prospera não pela diminuição da "escassez" mas pela sua reprodução, justificando em parte a alegação de ser esse modo de controle alienado sobre a produção e a distribuição o único "alocador racional viável de recursos escassos".

É importante lembrar aqui da outra metade do princípio regulador socialista. Pois as duas metades *juntas* constituem também o princípio orientador da contabilidade socialista. A primeira metade é normal e reveladoramente esquecida. Porém, sem a parte negligenciada, é impossível tratar seriamente a segunda metade. Na realidade, esta é a razão por que os adversários do socialismo gostam tanto de citar a distribuição, de modo a descartá-la imediatamente. A oração completa é esta: *"De cada um de acordo com a sua capacidade, para cada um de acordo com a sua necessidade"*. É aqui que podemos ver, novamente, a inter-relação dialética entre produção e distribuição. Isso significa que se os indivíduos não puderem contribuir para a produção da riqueza social de acordo com a sua *capacidade* – baseada no *desenvolvimento pleno das potencialidades criativas dos indivíduos sociais* – não haverá a possibilidade de satisfazer as exigências da distribuição, isto é, a satisfação das necessidades dos indivíduos. A conexão entre as necessidades dos indivíduos e a qualidade é, ou pelo menos deveria ser, óbvia. A inseparabilidade entre necessidade e qualidade é que acabou por derrotar todas as tentativas utilitaristas de inventar fórmulas para a "quantificação do prazer". Só os místicos da "teoria da utilidade marginal" puderam continuar, apesar de tudo, os seus esforços apologéticos para a quadratura desse círculo.

O princípio socialista de distribuição – que recusa sujeitar as necessidades dos indivíduos à tirania do mercado ou ao autoritarismo de alguém julgando acerca de quais deveriam ser suas "necessidades legítimas" – apresenta o desafio de reconhecer que a condição de sua realização é a regulamentação da produção, pelos próprios indivíduos associados, na mesma base qualitativa, em relação direta e conscientemente reconhecida com a necessidade. Se a "capacidade de trabalho" for subsumida às determinações quantitativas (já que não existem outras) de uma estrutura de comando separada – operacionalizada pela mediação do mercado ou por um sistema de controle estatal direto – fracassa miseravelmente toda e qualquer tentativa de ativar recursos humanos e de satisfazer as necessidades dos indivíduos. Nas condições da contabilidade do capital, não importando o nível de competência dos contadores da "contabilidade de partida dobrada" que controlam os empreendimentos industriais e comerciais, permanecem inutilizados a maior parte dos recursos humanos existentes e a potencialidade incomparavelmente maior daqueles a serem desenvolvidos – por absoluta impossibilidade de desenvolvimento sob a contabilidade quantificadora do sistema do capital orientado-para-a-expansão e dirigido-para-a-acumulação –, pois a criatividade é forçosamente pouco desenvolvida apesar do grau *máximo de exploração da "capacidade de trabalho"*. Não podem ser usados de uma forma que recompense os indivíduos e seja socialmente sustentável por não se ajustarem às determinações quantitativas da *extração de trabalho excedente*, sob o imperativo alienante e desumanizador do tempo mínimo. A medida real de riqueza – o *tempo disponível* total (que não deve ser confundido com ociosidade) à disposição de uma dada sociedade em sua potencialidade e em sua abundância *qualitativas* – não se ajusta à contabilidade do capital, mesmo porque a "racionalidade econômica" perdulária e sem sentido ou se utiliza, em seus processos de controle, da contabilidade de dupla entrada ou da sofisticação matemática computadorizada de programação linear e equações simultâneas.

Nunca é demais acentuar que a regulação dos intercâmbios societários, de acordo com ambas as metas do princípio socialista citado acima, não é simplesmente a proclamação da equidade moralmente recomendável. Esta possui suas origens na Revolução Francesa, na Sociedade dos Iguais de Babeuf, que pagou com a vida pela ousadia de desafiar milhares de anos de hierarquia e subordinação. Na primeira formulação do princípio de Babeuf, ainda estavam ausentes as condições materiais necessárias para traduzi-lo em prática social, razão por que durante muito tempo ele soou como um princípio moral abstrato. Embora hoje a situação seja radicalmente diferente, permanece verdadeiro, em sua formulação marxiana, o princípio de satisfazer às exigências de relações humanas verdadeiramente equitativas – que não podem, de forma alguma, ser niveladas por baixo ou pela média. A necessidade de sua realização emerge agora da *necessidade* de tornar sustentável o modo de ativar e administrar os recursos materiais e humanos da reprodução sociometabólica, nas condições em que eles se tornam crescentemente ameaçados. Assim, coincidem a moral recomendável do princípio regulador socialista e a capacidade de sustentar *indefinidamente* as relações produtivas e distributivas dos indivíduos sob os critérios qualitativos da contabilidade socialista, mesmo que leve algum tempo antes que se explicite a *viabilidade prática* – e a *necessidade* – de se adotar esse modo de controle.

20.3.5
Para tomar um exemplo tópico, examinemos a importância direta da contabilidade socialista em uma área particularmente importante, referente à falsa alternativa entre "crescimento ou não crescimento". Tal contabilidade é importante não apenas como alternativa teoricamente possível para a "contabilidade econômica" perdulária do capital, mas também como meio já praticável de quebrar a falsa alternativa ditada pelo imperativo expansionista do sistema. No interior dos limites incuravelmente quanti-

tativos da contabilidade do capital, a questão só pode ser concebida como a adoção do "não crescimento" como a única pseudoalternativa ao padrão perigosamente esbanjador de crescimento do sistema existente. Se adotada, esta pseudoalternativa congelaria as relações terrivelmente iníquas de poder existentes, que condenam a maioria esmagadora da humanidade à miséria permanente. Nem haveria absolutamente qualquer esperança de que este curso de ação pudesse ser seguido pelas economias "subdesenvolvidas" dos antigos territórios coloniais. Se considerarmos apenas três países na América Latina – Argentina, Brasil e México – e dois na Ásia – China e Índia –, veremos que a dinâmica do seu desenvolvimento industrial afeta as vidas de seus mais de *dois e meio bilhões* de habitantes e, indiretamente, também do restante da população mundial. Se as exigências da contabilidade do capital estabelecessem as regras de desenvolvimento expansionista mesmo que só nos cinco países mencionados – aos quais, obviamente, em qualquer avaliação realista, o resto do mundo "subdesenvolvido" teria que ser somado – as perspectivas futuras de um desenvolvimento contínuo, ou até mesmo da mera sobrevivência no planeta, tornar-se-iam desastrosas.

Assim, sob este aspecto, a única alternativa real é a redefinição radical do problema em uma base *qualitativa*. Em capítulos anteriores, vimos que a taxa de utilização decrescente é uma tendência objetiva do sistema do capital, com consequências extremamente problemáticas e, em última análise, insustentáveis para o sociometabolismo. É exatamente este o ponto que precisa de uma ação corretiva fundamental, inconcebível se baseada no fetiche da quantidade e na contabilidade do capital. Com base nos critérios qualitativos da contabilidade socialista, porém, não há qualquer dificuldade em visualizar uma forma de *crescimento da utilização* sem consequências intoleráveis para as condições de reprodução sociometabólica. Afinal de contas, uso ou utilização, é isso o que realmente importa na satisfação da necessidade humana, não o direito legal a propriedades pouco ou não usadas. De fato, a preocupação estratégica com *o aumento da taxa de utilização* a um *nível ótimo* deve se tornar um princípio orientador fundamental da reprodução sociometabólica sustentável em futuro não muito distante. Naturalmente, esse modo de orientar a reprodução societária tem implicações de longo alcance para os intercâmbios humanos, tal como discutido em relação à produção e ao consumo comunais no capítulo 19. Importante acentuar aqui é que a reorientação radical da produção para o valor de uso, assim como a troca socialmente viável de atividades (e não de mercadorias ou produtos não mercantilizados), racionalmente planejada pelos próprios indivíduos associados, só é possível em termos das determinações *qualitativas* da contabilidade socialista. Em outras palavras, esse mecanismo só funcionará se a produção de valores de uso resultar diretamente da atividade de vida autodeterminada dos indivíduos sociais e, desse modo, impuser um limite racional de modo não conflitante aos objetivos da produção. Sob tais circunstâncias, o princípio orientador geral da qualidade – na escolha das atividades dos indivíduos com base em suas potencialidades criativas e necessidades, e na regulamentação dos intercâmbios individuais e comunais na produção e na distribuição – pode ser coerentemente aplicado. Sua aplicação seria o resultado da superação das contradições entre produção e controle, produção e consumo e produção e circulação[61], ultrapassando assim a *organização quantitativa* que resulta da necessidade de o sistema antagônico do capital limitar suas contradições pelo poder de uma estrutura alienada de comando.

Outra dimensão do mesmo problema é a necessidade de superar a *escassez* em um sentido racionalmente sustentável. Também aqui o fetiche da quantidade estabelecido pela contabilidade do capital prova ser o gerador de sua própria derrota. A conversão necessária – e a subordinação – de todas as qualidades do valor de uso em quantidades determinadas de valor de troca conduz à reprodução eterna da escassez, apesar da imensa expansão dos poderes produtivos (e distributivos) da sociedade. Enquanto os apetites naturais são limitados, o apetite do capital para a expansão, assim como o impulso de suas personificações para a acumulação de riqueza sob o imperativo da expansão do capital, são ilimitados. Por isso a escassez não deve ser simplesmente reproduzida, mas reproduzida com ímpeto e em escala sempre crescentes. Desse fato historicamente contingente – que vem a ser também a necessidade insuperável do capital –, os apologistas do sistema "concluem", novamente de maneira falaciosa, assumindo o ponto de partida como conclusão, que "o problema da humanidade significa escassez". Na verdade, essa necessidade, que deveria ser sustentada sem as muletas das suas suposições arbitrárias, é aceita porque se deve mergulhar cada vez mais fundo na escassez das premissas práticas e dos imperativos operacionais de seu sistema. Naturalmente, dessa "conclusão" pressuposta e a-histórica, que torna o "destino humano" inseparável da escassez absoluta, segue-se que a preocupação socialista em superar a escassez só pode merecer derrisão.

As acusações de que o projeto socialista marxiano teria criado uma simples ideia utópica de abundância não poderiam estar mais longe da verdade. Marx sabia muito bem que "escassez" e "abundância" – bem como todas as outras questões que surgem no mundo social – devem ser relacionadas ao seu contexto histórico e aos poderes produtivos à disposição dos indivíduos, por meio dos quais as dificuldades com que se defrontam podem ser solucionadas. Independentemente da atitude positiva ou negativa dos juízes para com a supressão da escassez, fica totalmente sem sentido proferir julgamentos sobre "escassez" e "abundância" na sua generalidade abstrata. O mesmo vale para *utilidade* e *necessidade*; daí o fracasso do *utilitarismo* em tentar encontrar soluções abstrato-genéricas para problemas inerentemente sociais e históricos; fracasso que necessariamente é devido à relação acrítica dos filósofos utilitaristas com a ordem liberal capitalista "eternizada". A "utilidade" em relação à formação social historicamente específica do capital é radicalmente diferente do seu significado em relação às historicamente variáveis gama e qualidade das necessidades humanas. Tais necessidades não podem ser discutidas sensatamente sem que se coloque, no centro das atenções, a questão da *qualidade*. Em completo contraste, o interesse do capital pela utilidade exclui categoricamente toda consideração sobre a qualidade como necessidade humana, com consequências devastadoras também para a questão da escassez. Ou seja,

---

[61] Acerca destes assuntos ver capítulo 2.

a *única utilidade* possível de um objeto para o *capital* só pode ser a de *preservá-lo* ou *ampliá-lo*. ... o valor, tendo ficado independente como tal – ou a forma geral de riqueza [dinheiro] –, é incapaz de qualquer outro movimento que não o *quantitativo*. De acordo com seu conceito, é a quintessência de todos os valores de uso ... valor que insiste em si mesmo como valor *se preserva pelo aumento*; e só se *preserva* precisamente assim por *empenhar-se constantemente em avançar para além de sua barreira quantitativa*... Assim, o crescimento da riqueza é um fim em si mesmo. A atividade que determina a meta do capital só pode ser a de se tornar mais rico, isto é, de *ampliar*, de aumentar a si próprio. ... Fixado como riqueza, como a forma geral de riqueza, como valor que conta como valor, esse é então o impulso *constante para se ir para além de seu limite quantitativo: um processo sem fim*. Sua própria animação consiste exclusivamente nisso; ele se preserva como um valor de troca autovalidado que se distingue de um valor de uso apenas por *se multiplicar constantemente*.[62]

Assim, se o modo de reprodução sociometabólica do capital pudesse ser sustentado materialmente em uma base permanente – o que é, por várias razões, inconcebível –, a *escassez nunca* poderia ser superada no interior da estrutura do processo infinito do capital que "*constantemente se dirige para além de sua barreira quantitativa*", orientando-se para sua própria multiplicação, enquanto ignora a dimensão qualitativa da relação entre valor de uso e necessidade humana. Porém, a situação real é muito pior; e não só pela inexistência de um mundo de recursos materiais infinitos. Na ausência total de critérios reguladores que possam desenvolver positivamente as necessidades humanas, a lógica infernal e o impulso infinito do capital para a autoexpansão quantitativa conduz inevitavelmente a consequências destrutivas. A destrutividade da dinâmica interna do capital afeta não só o ambiente natural, mas cada faceta da reprodução sociometabólica. "A crescente incompatibilidade entre o desenvolvimento produtivo da sociedade e as relações de produção até agora existentes se expressam em *amargas contradições, crises, espasmos*. A destruição violenta do capital não advém de relações *externas* a ele, mas, ao contrário, é a condição de sua *autopreservação*"[63]. É assim que atingimos a fase histórica na qual a lógica autocontraditória da autopreservação destrutiva do capital impõe um nível e uma gama antes absolutamente inimagináveis de produção destrutiva. Não há meios de fugir a essa regra. Até mesmo partes importantes dos próprios componentes produtivos do capital devem ser periodicamente destruídas, de modo que, em sua forma reconstituída, o capital "reconduza ao ponto de onde ele seja capaz de seguir adiante empregando completamente seus poderes produtivos *sem cometer suicídio*"[64]. Pois, nos termos da lógica do capital, exterminar a humanidade é muito preferível a permitir que se questione a *causa sui* desse modo de reprodução. Na medida em que a dissipação veloz e destrutiva dos recursos materiais e humanos, e também dos produtos do trabalho, adquire uma conotação perversamente *positiva* no sistema do capital em crise estrutural, representando as "condições de sua *autopreservação*", a alternativa socialista que visa a superar a escassez deve ser um anátema para os ideólogos da ordem prevalecente.

---

[62] Marx, *Grundrisse*, p. 270.
[63] Id., ibid., p. 749.
[64] Id., ibid., p. 750.

A estrutura de contabilidade socialista é a única capaz de contemplar a superação da escassez; isto significa tanto a afirmação consistente de critérios *qualitativos* na avaliação dos recursos materiais e humanos da sociedade como a regulamentação dos intercâmbios produtivos e distributivos dos indivíduos – com base na troca de atividades –, segundo o princípio "de cada um de acordo com a sua capacidade, para cada um de acordo com a sua necessidade". A estrada a ser seguida é, até certo ponto, a mesma a ser percorrida para corrigir a taxa absurdamente perdulária de utilização predominante hoje nos países "capitalistas avançados", e para *reverter* sua tendência de queda em todos os lugares que estiverem sob as pressões destrutivas do sistema do capital. Porém, o desafio de superar a escassez é mais amplo porque a otimização de uma determinada gama de utilização e a reversão da própria tendência decrescente deixam ainda de atingir vastas áreas de consumo existentes não suscetíveis a mudanças importantes por essa via. Para tomar um só exemplo, é humilhante se dar conta de que o automóvel, apesar de sua taxa de utilização extremamente baixa, traz sérios danos à saúde pública, torna as condições de tráfego nas cidades grandes absolutamente intoleráveis, para não mencionar o impacto causado por programas de construções de estradas em muitos centros históricos de cidades e em belas áreas naturais. É óbvio, portanto, que apenas uma solução radicalmente diferente poderia ser contemplada racionalmente, como o transporte público grátis e o mais econômico possível em seu desgaste do solo etc., eliminando completamente, antes que seja tarde demais, o automóvel de uso privado. Isso significa também que a provisão para um uso mais adequado dos carros deveria ser feita estritamente, com base na necessidade, com o uso de uma frota pública. Porém, é igualmente óbvio que esse tipo de racionalização das necessidades de transporte dos indivíduos – embora já faça sentido mesmo hoje – só é possível em uma fase mais avançada do desenvolvimento socialista, pois entraria em conflito não só com os volumosos interesses capitalistas na sociedade contemporânea, mas também com o imperativo de encontrar emprego produtivo para o trabalho. Isso, por sua vez, só se tornaria possível por meio de uma reestruturação radical das áreas de produção existentes na sua totalidade, ou, pelo menos, na sua maior parte.

Superar a escassez é, portanto, um projeto de longo prazo, já que sua implantação só é possível em uma sociedade socialista, cujos princípios da contabilidade, orientados-pela-qualidade, sejam plenamente operacionais, permitindo à humanidade, desse modo, reger seus interesses com base numa economia verdadeira. Essa visão está em total contradição com o conceito inadequado de "abundância" que os apologistas da ordem existente agora atribuem à ideia socialista. Eles o fazem para poder proclamar a impossibilidade *a priori* do socialismo, sendo que eles próprios aclamaram, no mesmo espírito apologético-do-capital, a realização iminente da abundância no auge da expansão do pós-guerra[65]. Naturalmente, a "abundância" indefinida não exclui a possibilidade de desperdício. De fato, no século XX, os apologistas do sistema do capital – incluindo Keynes[66] – projetaram a produção da "abundância sem fronteiras". As práticas já claramente visíveis da assustadora pro-

---

[65] Até mesmo alguns pensadores socialistas ficaram cativados, na ocasião, por esta perspectiva. Cf. "Premature Theorization of the End of Scarcity" in *The Power of Ideology*, pp. 63-5 [ed. bras., *O poder de ideologia*, São Paulo, Ed. Ensaio, 1996, pp. 91-4].

[66] Keynes chegou até mesmo a datar a sua fantasia de alcançar o milênio capitalista com abundância ilimitada. Ele projetou – "Economic Possibilities for our Grandchildren" (1930) – que, ao redor de

dução de desperdício – que contradizia diretamente a possibilidade de se alcançar a abundância – não lhes dava quaisquer motivos para alimentar essa ideia. Nada poderia ser mais distante da ideia socialista marxiana que este tipo de "abundância". A concepção socialista de superação da escassez tem por premissa prática a necessária realização da *economia verdadeira* no interior da estrutura de contabilidade socialista, e, portanto, a *exclusão consciente do desperdício*. Ou seja, a produção de desperdício não atinge apenas os recursos materiais, mas também os seres humanos que dissipam suas vidas naquele tipo de produção. Só uma sociedade na qual não exista uma estrutura alienada de comando que imponha aos indivíduos o desperdício de suas vidas, porque os próprios produtores associados estão no controle completo dos seus intercâmbios produtivos e distributivos, pode contemplar a produção da abundância e a superação da privação material e intelectual de seus membros.

No período de transição à nossa frente não se pode exagerar a importância de inverter a taxa de utilização decrescente. Em parte, porque é impossível escapar do círculo vicioso criado pelas opções de "crescimento ou não crescimento" sem se concentrar no objetivo viável do aumento da utilização baseado no aumento da produção de valores de uso livre da camisa de força dos valores de troca. Mas também é importante por que o objetivo de aumentar a taxa de utilização é significativamente compatível com as relações de troca existentes e as determinações estritamente quantitativas que surgem da natureza do dinheiro e do mercado. A "taxa de utilização" é um conceito primariamente qualitativo, mas tem também uma dimensão quantitativa que pode, até certo ponto, se ajustar à modalidade de troca agora dominante. Mas isso acontece até um ponto bastante limitado porque, além dele, deparamos com a radical incompatibilidade da contabilidade socialista com as determinações operativas do capital, incluindo o mercado e o dinheiro. É aqui que os caminhos necessariamente se separam, pois os progressos adicionais requerem a adoção de um modo de vida muito diferente, baseado na produção e no consumo comunais, que terão consequências importantes para as necessidades dos indivíduos de moradia, transporte, construção de tipos muito diferentes de vilas e cidades, de locais de trabalho e desenvolvimento cultural, além da redefinição de sua relação com a zona rural, e de muitos outros aspectos da vida diária.

Assim, é inconcebível superar a escassez sem substituir radicalmente as relações de troca existentes e as suas mediações, incluindo aí o mercado com todos os seus corolários. A proposição de bom-senso segundo a qual nenhuma mulher pode estar "ligeiramente grávida" é válida tanto para essa consideração como para seu contexto original. Os que imaginam que o socialismo pode ser combinado com o "mecanismo de mercado" ou são muito ingênuos ou (como Alec Nove) são defensores da restauração e da vida eterna do capitalismo, apelidado de "socialismo possível". O seu incoerente princípio teórico orienta-se pelo lema: "Deixe-nos ter um pouco disto e um pouco daquilo". Ou eles ignoram as incompatibilidades objetivas entre

---

2030, o único problema ainda sem solução seria o de como matar o tempo ocioso. Isto é um duplo absurdo, pois 1) sem a plena e contínua ativação dos potenciais criativos do *tempo disponível total* dos indivíduos não pode haver nenhuma esperança de superar a escassez mesmo na sociedade economicamente mais avançada; e 2) se a escassez pode ser superada pelo uso criativo do tempo disponível total, isto certamente não pode ser alcançado no sistema do capital, sob o imperativo da autopreservação cronicamente perdulária do capital.

as relações de troca capitalistas e socialistas, ou estão perfeitamente felizes em idealizar a submissão permanente do trabalho à estrutura alienada de comando e aos imperativos materiais desumanizantes do sistema do capital.

Novamente devemos recordar a relação dialética inevitável entre produção e controle, produção e distribuição e produção e circulação, que contêm, também, a dialética entre produção e consumo. O círculo vicioso da relação-capital é composto de muitos circuitos, todos entrelaçados e mutuamente reforçadores. A questão da superação da escassez não pode ser reduzida à do consumo individual, pois todo ato de produção é simultaneamente também um ato de consumo, com consequências de longo alcance. Vai depender da totalidade das relações reprodutivas da sociedade, isto é, da estrutura de controle sociometabólico estabelecida, se o consumo inevitável de material e energia humanos durante o processo de produção resulta em um consumo inerentemente produtivo ou destrutivo e em que medida. Por isso é inconcebível alcançar os objetivos socialistas sem que se vá para além do capital, ou seja, sem uma reestruturação radical da totalidade de relações reprodutivas existentes. Todos os circuitos da relação-capital, sem uma única exceção, reforçam a perversa dialética do sistema do capital incuravelmente perdulário. Por conseguinte, a superação da escassez não é possível sem uma substituição de todos esses circuitos pela articulação positiva de um novo conjunto de inter-relações entre produção e consumo no mais amplo sentido dialético. Sem dúvida, esse processo levará tempo, talvez um tempo muito longo. Não obstante, os princípios de contabilidade socialista são válidos e necessários desde o princípio do percurso, pois, sem eles, são muito grandes os perigos de se chegar novamente no beco sem saída do passado pós-capitalista.

20.4 Para além das ilusões da mercadização: o papel dos incentivos em um sistema genuinamente planejado

20.4.1

O "socialismo de mercado", sob uma variedade de denominações (inventadas para esconder sua natureza capitalista), teve duas linhagens. Na sequência histórica, a primeira linhagem foi a social-democracia reformista, e a segunda o stalinismo. O seu denominador comum foi sempre a subordinação estrutural do trabalho ao capital – e às personificações do capital nas suas variantes capitalista ou pós-capitalista. Não surpreende, portanto, que no final elas tenham convergido completamente, contribuindo significativamente para a desintegração do sistema do capital pós--capitalista de tipo soviético.

De Bernstein a Kautsky, foram descartados os objetivos socialistas mais radicais e a acomodação ao mercado capitalista se tornou a regra absoluta. Em versões posteriores – inclusive a "via sueca para o socialismo", que só poderia conduzir, como todas as outras, ao fortalecimento do capitalismo pelo subsídio estatal de seus setores falidos –, a fraseologia da "economia mista" foi frequentemente usada para prometer a realização dos objetivos socialistas durante algum tempo; isso ocorreu até que a crise estrutural do sistema do capital tornasse mais sábio abandonar inclusive os objetivos limitados da seguridade social. Normalmente, as "nacionalizações" consistiram em salvar algumas importantes indústrias falidas, de modo a tornar mais viável o mercado capitalista como um todo. Sob o governo de Harold Wilson, na Inglaterra, muito se falou sobre a "economia mista" e sobre "a conquista dos postos estratégicos mais altos da economia", mas tudo não passou de oca verborragia. A realidade foi mais bem ilustrada por um debate parlamentar no qual um membro trabalhista do parlamento, Edward Garrett, fez a seguinte pergunta ao ministro de Estado para a Indústria, o também trabalhista Gerald Kaufman: "O objetivo principal do NEB [Conselho de Empresas Nacionais] foi expandir a propriedade pública até a lucrativa indústria manufatureira, em vez de salvar empresas falidas. Quando isto deverá acontecer?". O tema foi tratado da seguinte maneira:

> Senhor Kaufman – Gradualmente. (seguem-se risadas conservadoras) Isso já começou. O NEB já adquiriu participação na Brown Boveri em Kent e na International Computers.
> Senhor Michael Grylls (conservador) – Está ele alegando ser a Brown Boveri, de Kent, um investimento próspero? Se não, qual é o investimento mais bem-sucedido e lucrativo feito pela NEB até agora?
> Senhor Kaufman – Ele está falando sobre uma companhia na qual o empreendimento privado foi totalmente malsucedido e no qual uma operação de resgate teve que ser aplicada. O NEB ofereceu os recursos necessários para tornar tal empreendimento lucrativo, como ele o será.[67]

Primeiro, o senhor Kaufman fingiu para os trabalhistas do Parlamento que a Brown Boveri, de Kent, não fora uma operação de resgate. Para seu desapontamento, o senhor Grylls, conservador, sabia que isso não era verdade e, naturalmente, a segunda metade da sua questão, relativa aos "investimentos lucrativos e bem-sucedidos do NEB", não pôde ser respondida porque não havia nenhum. Essa era a verdade oculta por detrás do *slogan* "conquistar os elevados postos de comando da economia". Sendo assim, não surpreende o fracasso experimentado pela versão britânica de extrair o socialismo dos esforços para melhorar o mercado capitalista. Uma teorização social-democrata do "socialismo de mercado", *A economia do socialismo possível* (1983), inspirada, ela própria, em algumas reflexões stalinistas anteriores sobre o assunto, foi bastante influente entre os teóricos da *perestroika*. Caracteristicamente, seu autor – Alec Nove, que em suas próprias palavras foi "criado em um ambiente social-democrata, filho de um menchevique"[68] – tomou o partido de Stalin contra Marx, descartando toda a visão marxiana de socialismo com este "argumento": "E se a visão for irrealizável, contraditória? Faz sentido 'culpar' Stalin e os seus sucessores por não terem alcançado o que não se pode alcançar no mundo real? ... As ideias de Marx sobre o socialismo são gravemente defeituosas e enganadoras"[69]. O defeito imperdoável das ideias marxianas, na visão de Nove, é a temeridade em sugerir o estabelecimento de uma sociedade na qual o trabalho não seja dominado e explorado. São lamentáveis suas "provas" acerca da impossibilidade de realização da visão marxiana. Nove imagina provar a impossibilidade de se superar a escassez e de se eliminar as iniquidades afirmando peremptoriamente a impossibilidade de se obter uma informação imparcial:

---

[67] "Takeover of profitable sectors has begun", *The Times*, 28 de junho de 1976. Como transparece no próprio relatório, o título deste artigo é tão enganador quanto o ministro de Estado para a Indústria na resposta que deu ao seu colega.

[68] Alec Nove, *The Economics of Feasible Socialism*, p. ix.

[69] Id., ibid., pp. ix-x.

Não há dúvida que qualquer de nós, seja ou não da "nova esquerda", ao solicitar uma concessão de dinheiro para realizar pesquisa ou viagem, enfatizaria (e bastante) o valor de tudo que estamos fazendo para a sociedade, e apresentaria os fatos com – permita-nos dizer – as colorações necessárias. Como já foi acentuado, em uma sociedade imensamente complicada, nós *simplesmente não poderemos saber* quem está sendo privado para nosso benefício, caso nosso pleito obtenha sucesso. Neste caso, como em qualquer outro, há, evidentemente, graus de desonestidade e encobrimento de fatos. Mas esperar dos interessados nos resultados da informação fornecida que ofereçam informação imparcial é viver numa terra de fantasias. Não seria este o caso se os recursos fossem ilimitados; mas a situação em que estamos não é essa.[70]

Mas sabemos muito bem que a verdadeira questão não é identificar qual indivíduo particular foi prejudicado pelo sistema de concessões de dinheiro, cujo autor é um beneficiário, mas todo o sistema de iniquidades do qual o indivíduo é uma parte. Coerentes com sua vocação apologética, as argumentações circulares de Nove tomam como *inalteráveis* a "sociedade imensamente complicada", a "hierarquia necessária", e assemelhados, ou seja, aquilo que ele deseja declarar *imutável* em sua conclusão. Se assim fosse, teríamos que excluir a possibilidade de uma tomada de decisão e controle democráticos, e, nesse caso, deveríamos deixar de nos preocupar com a desigualdade substantiva, já que não há como determinar o indivíduo específico que foi prejudicado pelo fato de a pessoa do exemplo de Nove ter conseguido a concessão. E, já que a superação da escassez relaciona-se à confiabilidade da informação, de agora em diante poderíamos esquecer também esse problema. O sistema de hierarquias existente, e a escassez concomitante que ele impõe de forma iníqua àqueles que se encontram em posição subordinada, pode continuar para sempre funcionando como antes, graças às evidências da conclusão provida pela solicitação bem-sucedida para concessões de viagem e pesquisa, do exemplo acima.

A mesma lógica caracteriza a defesa da exclusão da maioria esmagadora dos seres humanos do exercício dos seus, hoje reprimidos, poderes de decisão. Com base em uma afirmação tirada do ar, nos dizem que "em resumo[?!], parece que *a maioria dos seres humanos continua preferindo evitar a responsabilidade* e se sente feliz em aceitar (designar, eleger) outros que a assumam. Quantos professores universitários desejariam ser pró-reitores?"[71]. Se, depois de lerem toda esta profundidade, os socialistas marxianos não abandonarem o seu modo de pensar "gravemente defeituoso e enganador", eles nunca o farão, pois, obviamente, "a maior parte dos seres humanos" se encontra na atual posição em relação ao exercício efetivo de poder porque "preferem evitar a responsabilidade". A prova de que locais de aprendizado, como as universidades, só podem ser administrados hierarquicamente é que, se tomarmos como inalterável este tipo de sistema, "o resultado final será que" poucos professores universitários – esqueçamos os mortais inferiores – desejariam ser pró-reitores. Esta prova se coaduna perfeitamente com a anterior e merece outra bolsa de pesquisa. Resta apenas uma única dúvida importuna: quem é "que vive na terra da fantasia"?

---

70 Id., ibid., p. 20. Itálicos de Nove.
71 Id., ibid., p. 215.

Esta dúvida é reforçada quando lemos que "a ênfase exagerada de Marx no esforço humano e a *sua subestimação do valor de uso* deveriam ser corrigidas"[72]. É bem conhecido que Marx conferiu a maior importância à produção de valor de uso, contemplando uma mudança fundamental na "nova ordem histórica" precisamente por desembaraçar o valor de uso de sua subordinação ao valor de troca, e da dominação fetichista por ele. Se alguém argumentasse que Marx *enfatiza exageradamente o valor de uso*, estaria convidando para um debate sério. O que não teria sentido neste caso, pois quem o acusa de "subestimar o valor de uso" só demonstra que sua rejeição a Marx – como um pensador "seriamente defeituoso e enganador", "contraditório", "utópico", de "imaginação romântica" etc. – resulta da ânsia apologética e da hostilidade ideológica do capital, e deixa claro não ter sequer entendido a sua obra.

Todo o propósito da defesa feita por Nove do "socialismo de mercado" é insistir na subordinação permanente do trabalho como uma questão de necessidade inalterável. Ele nos afirma que

está claro que alguém (alguma instituição) tem que dizer aos produtores o que os usuários exigem. Se este alguém não é o mecanismo impessoal de mercado, só pode ser um superior hierárquico. Há ligações horizontais (mercado) e há ligações verticais (hierarquia). Que outra dimensão haveria?[73]

Jamais ele esclarece por que alguém deveria arbitrariamente identificar, por definição, as "ligações horizontais" com o mercado, e, ao mesmo tempo, declarar que a coordenação da reprodução societária global deva ser identificada – novamente, por definição – com "ligações verticais (hierarquia)". A pergunta retórica "Que outras dimensões haveria?" supostamente eliminaria todas as demais perguntas. Uma inspeção mais cuidadosa da defesa de Nove do "socialismo possível" evidencia um contraste com a visão comum da *tridimensionalidade* do mundo; para ele, até mesmo *duas dimensões* seriam consideradas um luxo impossível de sustentar, pois o mercado realmente existente e possível está muito longe de ser uma estrutura que coordena idealmente as *"ligações horizontais"*. O mercado é *hierárquico* do começo ao fim e favorece, em suas relações materiais de poder, o forte contra o fraco, apesar da fantasia sobre a "igualdade de todos os tipos de propriedade", do sapateiro local e do mais simples camponês da economia doméstica até a gigantesca corporação transnacional. De fato, a *hierarquia vertical* é a verdadeira dimensão definidora do sistema do capital em todas as suas variedades historicamente conhecidas e possíveis – capitalista ou pós-capitalista –, sem a qual não pode impor a necessária dominação estrutural sobre o trabalho. Era esperável, portanto, que os ex-funcionários do partido stalinista e teóricos da *perestroika* respondessem com ansiosa aprovação aos axiomas apologéticos de Nove sobre a exclusiva e única dimensão verdadeiramente essencial do seu "mundo real".

O valor de *A economia do socialismo possível* de Nove como previsão tem tanto sentido quanto seus dogmas teóricos, pois é assim que ele representou a futura sociedade "socialista possível", no espírito do stalinismo social-democratizado:

---

[72] Id., ibid., p. 211.
[73] Id., ibid., p. 226.

Está claro[?!] que o papel do Estado será muito grande, como proprietário, como planejador, como encarregado de impor prioridades sociais e econômicas. A suposição de uma democracia torna essa tarefa mais difícil, não mais fácil, já que uma variedade de objetivos inconsistentes virá refletida nos partidos políticos e nas propagandas que estes empreenderão. Espera-se que um eleitorado educado e maduro apoie governos que mantenham a economia em equilíbrio, evitando excesso inflacionário e desemprego, permitindo ao mercado funcionar sem deixá-lo escapar ao controle. O perigo que se prevê não está em nenhuma reivindicação para "restaurar o capitalismo". Não houve nenhum movimento de massa desse tipo, nem mesmo em países onde o sistema de tipo soviético era intensamente impopular – por exemplo, Polônia ou Tcheco-Eslováquia.[74]

E este era o tipo de análise que deveria supostamente provar seu realismo e sua superioridade teórica sobre a visão "contraditória, irrealizável, seriamente defeituosa e enganadora" de Marx. Infelizmente para o autor de *A economia do socialismo possível*, nenhum dos itens de sua lista de desejos sem base (encontrada não só na última passagem citada, mas em todo o seu livro) foi realizado no Leste pelos proponentes do "socialismo de mercado". Muito pelo contrário. A incompatibilidade entre o mercado defendido e os objetivos "socialistas" – reduzidos ao ponto de propor apenas a manutenção de uns poucos serviços de segurança social e a minimização do desemprego – afirmou-se com selvageria brutal, e, para esse propósito, contou com a ajuda do Fundo Monetário Internacional e do Banco Mundial. Em vez de se beneficiar das promessas de melhoria das condições econômicas, o povo trabalhador, de toda parte da Europa oriental, terminou por deparar com desemprego e inflação maciços. A fantasia do "socialismo de mercado" esvaziou-se totalmente no momento em que ele foi adotado pela União Soviética e por toda a Europa oriental. Wlodzimierz Brus, outro antigo defensor do "socialismo de mercado" (e um dos gurus de Nove), admitiu que "o colapso do poder comunista na Europa oriental, em 1989, provocou a renúncia ao socialismo de mercado como um objetivo de transformação sistêmica; o objetivo passou a ser – mais ou menos explicitamente – *um retorno para a economia capitalista*"[75]. E nem mesmo esta mudança aconteceu segundo o esquema projetado por Nove. Não houve sequer a necessidade de "votação para restabelecer o capitalismo", e o secretário geral do partido soviético, junto com seus colegas, fez o melhor que pôde para alcançar aquele objetivo, como vimos no Capítulo 16, e o presidente "democrático" da República Russa completou a tarefa ordenando que um regimento de tanques explodisse o Parlamento. Assim terminou para a União Soviética uma fase de desenvolvimento socioeconômico que começou em 1952, com a bênção de Stalin.

20.4.2

Como vimos acima, a segunda linhagem do "socialismo de mercado" – que costumava condenar o reformismo social-democrata muito antes de adotar a mesma

---

[74] Id., ibid., p. 229.
[75] Wlodzimierz Brus, "Market Socialism", in Tom Bottomore (ed.), *A Dictionary of Marxist Thought*, Blackwell, Oxford, 1991, p. 339.

posição – descende diretamente de Stalin. Stalin rejeitou todas as categorias marxianas fundamentais, acima de tudo as referências embaraçosas ao "trabalho excedente" que o seu sistema extraía da força de trabalho com autoritarismo brutal, fez a defesa das relações mercantis e do lucro, e insistiu numa maior disciplina a ser exercida por "nossos executivos empresariais" com ajuda da mercadização e dos critérios de rentabilidade. Com isso, abriu caminho para um desenvolvimento cuja lógica objetiva apontava na direção da restauração capitalista, e não em direção ao socialismo.

A ligação íntima com Stalin da reforma econômica proposta pelo "socialismo de mercado" nas sociedades pós-capitalistas em geral foi mantida em silêncio pelos seus praticantes. De fato, com a passagem do tempo, os funcionários de alto escalão do sistema de planejamento centralizado alegaram credenciais antistalinistas, apesar de estarem envolvidos até o pescoço na direção e na administração da "economia dirigida". Décadas após a morte de Stalin, eles continuaram idealizando a ficção da sua "economia socialista", proclamando que "parece óbvio[?!] que uma economia socialista planejada provê condições prévias básicas muito mais favoráveis para o progresso tecnológico do que aquelas oferecidas por uma economia capitalista"[76]. O autor destas linhas, o economista polonês Wlodzimierz Brus, disse que até mesmo o "historicista Marx" sustentou a natureza progressista das relações mercantis "em certas circunstâncias"[77]. O propósito desta caracterização curiosa emerge, algumas páginas adiante, quando Brus declara que, "em dadas circunstâncias socieconômicas, *um aumento no alcance e na importância das relações mercantis* pode, por várias razões, *facilitar grandemente o desenvolvimento de uma sociedade socialista*"[78]. Na verdade, Marx falou de tais ideias com desprezo indisfarçado, insistindo que "não pode haver *nada mais errôneo e absurdo* do que postular o controle, pelos indivíduos unidos, da sua produção total com base no *valor de troca*, do dinheiro"[79].

A natureza apologética da ideia do "socialismo de mercado" no Leste estava bastante evidente na tentativa de combinar o sistema de planejamento autoritário com a rentabilidade e as relações mercantis sancionadas por Stalin. Nesse sentido, Brus, antes de ver a radiante luz capitalista na estrada para Damasco (ou seria Chicago?), afirmou no mesmo livro que "o balanço global da experiência de vinte anos da economia socialista planejada na Polônia é evidentemente favorável"[80]. Esta abordagem apologética não foi aplicada apenas retrospectivamente, para justificar as piores décadas de repressão stalinista, mas também em relação ao futuro, operando com os conceitos de "modernidade", "complexidade", "mecanismo" e "especialização funcional". Nesse sentido, ele nos afirma que

---

[76] W. Brus, *The Economics and Politics of Socialism: Collected Essays*, com prefácio de Maurice Dobb, Londres, Routledge & Kegan Paul, 1973, p. 21.
[77] Id., ibid., p. 46.
[78] Id., ibid., p. 49.
[79] Marx, *Grundrisse*, pp. 158-9.
[80] Brus, op. cit., p. 1.

hoje em dia percebemos mais prontamente que o crescimento do aparelho de administração econômica (burocratização, no significado habitual do termo) não é resultado somente, nem mesmo principalmente, de incompetência, mas resultado de uma moderna *organização* das forças produtivas, o preço que a *sociedade tem que pagar* pelo controle de processos que até então haviam sido espontâneos. A profecia de que a administração econômica ficaria tão simplificada de modo que a administração direta tornar-se-ia possível sem a *divisão permanente do trabalho* não foi cumprida. Pelo contrário, o *mecanismo* de administração tornou-se crescentemente *complicado* e aumentou a importância de *especialistas* em vários ramos da vida econômica.[81]

Nesta descrição da ordem dominante não existem, nem poderiam existir, antagonismos sociais. A divisão de trabalho hierárquica e exploradora simplesmente não poderia ser percebida pelas lentes da matriz conceitual da "organização moderna das forças produtivas", do "mecanismo crescentemente complicado de administração" e de "especialistas absolutamente necessários". A burocratização e a divisão do trabalho tiveram que ser consideradas permanentes e em completa harmonia com a racionalidade instrumental, já que foram representadas como "o preço que a sociedade tem que pagar" por um controle moderno dos processos reprodutivos, sem que nunca se mencionasse qual classe seria, de fato, compelida a "pagar o preço" em nome da "sociedade". A mercadização defendida no livro prometia melhorias pela implantação de *"novas técnicas de administração"* e de *"modernas técnicas de informação"*[82], tratando o próprio mercado não como uma relação social a serviço da extração de trabalho excedente, mas como um "mecanismo" dócil[83]. Isto serviu para um duplo propósito apologético. Por um lado, foi usado para ocultar o papel social explorador do mercado, descrevendo-o, ao contrário, como um instrumento de benefício universal; por outro, serviu para confirmar a ficção de que o sistema autoritário de comando existente era um "mecanismo" puro. Desse modo, somos informados de que, "em algumas circunstâncias, um *mecanismo de mercado* regulado é (ou pelo menos parece ser) uma forma mais adequada a uma economia planejada do que um *mecanismo de comando*"[84]. Caso alguém nutrisse ilusões acerca do potencial democrático da mercadização projetada no controle de produção, ficaria rapidamente desapontado, mesmo porque o sistema centralizado de comando manteve sua primazia absoluta. O autor insistiu que "transferir o controle de alguns recursos sociais para um nível econômico mais baixo poderia conduzir a uma dissipação de esforços e a uma subestimação das preferências da sociedade como um todo"[85].

Uma das proposições mais surpreendentes desse livro era a de que "possibilidades de incentivos econômicos, abertas pelo maior uso do mecanismo de

---

[81] Id., ibid., p. 98.
[82] Id., ibid., p. 16.
[83] Id., ibid., p. 28.
[84] Id., ibid., p. 35.
[85] Id., ibid., p. 29.

mercado"⁸⁶, resultariam no crescimento da *consciência socialista*. Esse argumento foi assim desenvolvido: "*se,* por este meio [isto é, de incentivos econômicos dirigidos pelo mercado], *se fortalecesse realmente* a conexão entre interesses individuais (e coletivos) e interesses sociais, não apenas se *aumentaria* a eficiência econômica a curto prazo como, mais importante, *seriam gerados* efeitos educacionais, fornecendo um impulso muito mais poderoso para *o crescimento da consciência socialista* do que o derivado do didatismo verbal"⁸⁷. Concedamos que o "didatismo verbal" não produz consciência socialista; isso confere algum sentido a esta embromada sentença? Como um provérbio inglês sabiamente coloca, "se porcos tivessem asas eles voariam". Entretanto, eles não têm asas e precisam de cochos no chão para se alimentar. Esse tipo de argumento desenvolvido pelos "socialistas de mercado" pode ter agradado a alguns chefes de partido, mas está muito aquém da realidade – apesar das alegações dos teóricos do "socialismo possível" de que as suas soluções corresponderiam a um ponto de vista superior "no mundo real". Na verdade, os "efeitos educacionais" projetados trabalharam na direção *oposta*, ampliando o crescimento de privilégios discriminatórios e o divisionismo social, nunca a "consciência socialista". Dez anos antes da implosão das sociedades pós--capitalistas, um diário do governo húngaro socialista de mercado reproduziu com orgulho – em um artigo intitulado "Família de dois carros" – as palavras de um alto funcionário de uma cooperativa agrícola: "Nós temos que ter dois carros, caso contrário não poderíamos nos locomover pela vasta área da cooperativa. Eu dirijo o 1200, minha esposa o 1500"⁸⁸. Isto era apresentado como o estilo futuro de todos. Porém, os porcos recusaram-se a criar asas na Polônia, na Rússia e na Hungria. O resto da história é bem conhecido.

Mas, se por algum milagre, os recursos materiais dos países pós-capitalistas pudessem ter sido extraídos com a mesma facilidade com que foram projetados pelos pilares da teoria sobre o paraíso "socialista de mercado", qual teria sido a vantagem? Nos Estados Unidos, a "família de mais de dois carros" é uma realidade; naquele país, existem 700 carros para cada 1.000 pessoas. Apliquemos esse número apenas para a China e a Índia – isto é, um bilhão e meio de poluidores devorando petróleo – e os pulmões de todos neste planeta estariam em sério perigo. Os apologistas têm sempre todo o direito de adotar uma "postura positiva" em relação a tais problemas, dando boas-vindas à generalização das estatísticas dos Estados Unidos para toda a população mundial. Isso resolveria dois problemas insolúveis de um só golpe. Primeiro, os engarrafamentos resultantes, com pessoas forçadas a se arrastar ao longo de horas, diariamente sentadas nos seus carros, solucionariam o grande dilema de Keynes de como matar o tempo ocioso depois de 2030. E, segundo, o problema do desemprego crônico, pois as pessoas que desfrutam as bênçãos da "família de mais de dois carros" morreriam sufocadas muito antes de terem se tornado supérfluas.

Antes de abraçar abertamente o capitalismo, os "socialistas de mercado" do Leste gostavam de censurar, em nome da *"continuidade",* todos os que argumentavam

---

[86] Id., ibid., p. 49.
[87] Id., ibid., p. 50.
[88] "Két autós chalád" (A família de dois carros), *Magyar Hirek*, 16 de junho de 1979, p. 6.

em favor de uma *transformação radical* do sistema stalinista. Nesse sentido, Brus afirmou que a mudança deveria ser buscada *"não através de uma 'segunda revolução socioeconômica', mas no trabalho pelo desenvolvimento adicional da revolução que já ocorreu"*[89]. Isto não foi, de modo algum, surpreendente, pois o "socialismo de mercado" cresceu organicamente a partir da crise do stalinismo. O colapso da racionalização stalinista de um estado permanente de emergência e a total inadequação da produtividade do trabalho às novas circunstâncias haviam resultado, ainda durante Stalin, nas tentativas apressadas de salvar o sistema do capital pós-capitalista por meio de reformas mercadizantes. Após 1953, tais reformas puderam ser expandidas precisamente porque representaram a "linha de menor resistência" na substantiva área comum do sistema do capital, para o qual *"não"* poderia realmente haver *"alternativa"* à máxima extração de trabalho excedente, controlada por alguma forma alienada de estrutura hierárquica de comando. O fato de as duas linhagens do "socialismo de mercado" convergirem e, no fim, se fundirem completamente, como stalinismo social-democratizado, encontrando o seu denominador comum na defesa aberta da restauração capitalista sob o controle de um Estado forte, só poderia surpreender àqueles que nutriram ilusões sobre a compatibilidade da exploração orientada pelo mercado com os objetivos do socialismo.

20.4.3

O abismo entre o projeto socialista e o "socialismo de mercado" dos apologistas do capital também é claramente visível em um trabalho muito posterior de Brus, no qual ele discute que

a busca coerente do socialismo de mercado – *mercados de capital e de trabalho, reestruturação da propriedade,* pluralismo político – deve ser considerada, como *a perda de nitidez* da distinção habitual entre capitalismo e socialismo, negando desse modo ao socialismo o caráter de um sistema destinado a ser o sucessor do capitalismo (Brus e Laski,1989). Isto não é necessariamente equivalente ao abandono dos *objetivos básicos da política socialista* – *pleno emprego, igualdade de oportunidade, previdência social* – nem à *intervenção do governo como o método para alcançá-los.* Trata-se, porém, de abandonar o conceito de *socialismo como um grande desígnio...* em outras palavras, o abandono da filosofia da fratura revolucionária em favor da continuidade na mudança.[90]

Em que pese a "fraseologia pós-moderna" do "socialismo como um grande desígnio", estamos de volta à estratégia autocontraditória de Bernstein (e Popper) do "pouco a pouco", a ser seguida no âmbito dos mutiladores limites estruturais do capitalismo. É óbvio que na ideologia daqueles que contestam o "grande desígnio", não há objeção alguma ao capitalismo como o "grande desígnio" eternizado da única ordem social apropriada. Estranhamente, entretanto, Brus não abandona a ideia de ensinar os porcos a criar asas e voar, enquanto espera pela realização dos "objetivos básicos da política socialista" por meio do "método" do intervencionismo benigno do Estado capitalista – como esperou, no passado, que fossem atingidos pelos "mecanismos", "técnicas" e "instrumentos", em lugar da realidade das relações sociais de poder.

---

[89] Brus, op. cit., p.96.
[90] Id., "Market Socialism" (1991), op. cit., p. 339. A passagem se refere a W. Brus e Kazimierz Laski, *From Marx to the Market: Socialism in Search of an Economic System*, Oxford, Clarendon, 1989.

A defesa dos "mercados de capital e de trabalho e da reestruturação da propriedade" não significa apenas a "perda de nitidez" da distinção entre capitalismo e socialismo, mas o abandono completo até mesmo da mais remota possibilidade de realizar os objetivos socialistas. Os denominados "objetivos básicos da política socialista" em nada se parecem com aqueles. "Pleno emprego", "igualdade de oportunidade" e "políticas sociais" são, na realidade, objetivos hoje irrealizáveis do capitalismo de bem-estar social do pós-guerra, que foram adotados, mas nunca realizados, pelos governos "butskellianos" de um punhado de países capitalistas privilegiados. Tais objetivos foram considerados políticos e, sob a pressão da crise estrutural do capital, abandonados, em todos os lugares, pelas organizações políticas parlamentares, incluindo-se os partidos da social-democracia reformista e os antigos partidos comunistas. Assim, os denominados "objetivos políticos socialistas" são hoje, na melhor das hipóteses, vagos *desejos*, totalmente fora do alcance dos movimentos políticos tradicionais, demonstrando, mais uma vez, como são profundamente arraigadas as borradas fantasias do socialismo de mercado no "mundo real".

Mas, mesmo que as atuais condições materiais não estivessem em conflito com a manutenção dos objetivos de bem-estar da expansão capitalista do pós-guerra, a sua busca ainda estaria a uma distância astronômica dos objetivos emancipadores socialistas genuínos. Ao projeto socialista não interessa o "pleno emprego" da força de trabalho explorável (que, sob todas as formas possíveis do sistema do capital, é sempre explorada), mas a garantia de *trabalho pleno de significado* para todos os membros da sociedade pelos próprios produtores associados; nem as promessas vazias de "igual oportunidade", necessariamente anuladas no momento mesmo da sua formulação, pelas estruturas hierárquicas realmente existentes de dominação, mas a *igualdade substantiva* de todos os indivíduos; nem a "assistência social" oferecida ao pobre comprovadamente submisso pelo "Estado de bem-estar social" liberal/capitalista, mas a *distribuição social autodeterminada de riqueza* – material e cultural – "a cada um de acordo com a sua necessidade"; nem a eternização da "intervenção do governo", mas a criação das condições políticas e materiais necessárias pelas quais se pode assegurar o *fenecimento do Estado*.

Naturalmente, enquanto prevalecerem as desumanidades do capitalismo, sempre haverá indivíduos liberais que – sem qualquer conexão com as desacreditadas e, depois da implosão do sistema soviético, esvaziadas teorias do "socialismo de mercado" – condenarão os males percebidos nas suas sociedades e tentarão encontrar algo melhor nos limites da ordem existente. Porém, a natureza problemática e os sérios limites de tal empreendimento são rapidamente esclarecidos. Harry Magdoff comentou, a respeito de um volume publicado, em 1994, nos Estados Unidos[91]:

> Minha impressão geral dos ensaios do livro é que, apesar dos protestos em contrário, os autores têm a visão de um capitalismo regulado, agradável, humanitário. Heilbroner resume isto bem no seu prefácio: "O socialismo constitui, portanto, um tipo de experiência contínua para descobrir arranjos que poderiam consertar os danos causados pela ordem social existente". Em geral, os ensaios estão intimamente

---

[91] Cf. Frank Roosevelt e David Belkin (eds.), *Why Market Socialism?*, Nova York, M.E. Sharpe, Armonk, 1994.

relacionados a assuntos condizentes com a sociedade capitalista: como atingir um melhor crescimento, começar novos empreendimentos, melhorar a eficiência, encorajar a inovação e a competição. À parte o fato de ser este o único modo para criar trabalho em uma sociedade capitalista, o povo dos Estados Unidos precisa de crescimento mais rápido? São necessários empreendimentos mais lucrativos? Para fazer o quê? Produzir mais carros, metais ferrosos, plásticos, papel, oferecer os serviços de advogados, cobradores, corretores de imóveis e corretores das bolsas de valores? Por que precisamos de maior eficiência? Eficiência para que e aferida por quais padrões? Por que não menos eficiência? Jornadas de trabalho mais curtas, semanas de trabalho mais curtas, férias mais longas, tempo de relaxamento durante estúpidas rotinas de trabalho? Nós somos um país rico, com potencial enorme para melhorar a qualidade de vida de *todas* as pessoas, contanto que o padrão de vida da classe média superior não seja considerado o ideal. As inovações necessárias não são mais dispositivos nem mais vias de informação, mas o enriquecimento da educação, da assistência médica, espaço para os desejos criativos florescerem – e seguramente não são maiores vantagens para iniciativas viáveis no mercado.[92]

Com o fim da fase expansionista do pós-guerra, houve um tempo em que algumas das principais figuras políticas da classe governante – como o primeiro-ministro britânico Edward Heath – ainda podiam se referir criticamente à *"face inaceitável do capitalismo"*. São tempos que hoje parecem pertencer a um passado muito remoto, que parece nem mesmo ter existido. Na verdade, hoje, o capitalismo já não consegue ocultar a sua face selvagem, nem torná-la aceitável em nome das "duras condições da eficiência competitiva" (os "cinco pequenos tigres" etc.) e outras racionalizações ideológicas para domesticar o trabalho, impostas por medidas legislativas contra o trabalho. É por isso que as chances de haver um "capitalismo mais regulado, humanitário" são hoje realmente muito tênues, para não mencionar a possibilidade de se extrair dos imperativos expansionistas materiais da autopreservação destrutiva do capital alguma forma de "socialismo iluminado de mercado".

20.4.4
As ilusões da mercadização são geralmente usadas também como substitutos pré-fabricados da preocupação genuína com *incentivos*. Ou seja, nenhuma ordem reprodutiva social pode funcionar sem seu próprio modo de motivar e controlar os indivíduos engajados na atividade produtiva. Se as condições materiais evitarem que a reprodução societária seja controlada pelos próprios indivíduos produtores, alguma forma de sistema de controle alienado deverá assumir as funções de coordenação global, pois as dimensões individuais e coletivas de intercâmbio reprodutivo são inevitavelmente entrelaçadas em qualquer ordem sociometabólica.

Nesse sentido, seria totalmente antidialético contrapor o controle social global à motivação (positiva e negativa) individual, como fez Margaret Thatcher ao cometer o absurdo de proclamar – no rastro do seu guru, e *Companion of Honour*, F. A. Hayek, que considerou o termo "social" uma "palavra equivocada" em "nossa

---

[92] Harry Magdoff, "A Note on 'Market Socialism'", *Monthly Review*, maio de 1995, pp. 16-7. O itálico em "todas" é de Magdoff.

linguagem envenenada"⁹³ – que "não existe essa coisa chamada sociedade". Ora, até mesmo em uma sociedade escravista a ameaça ou aplicação de castigos mais extremos operam como uma forma de motivação, por mais desumana, sobre os indivíduos dominados do sistema. O mesmo vale para a ordem capitalista, que, apesar da mitologia da "soberania do consumidor individual", não pode separar os incentivos dados aos indivíduos das determinações globais e funções controladoras desse sistema social.

Do mesmo modo, a dinâmica de uma ordem reprodutiva socialista, controlada por indivíduos autodeterminados, é inconcebível sem que seu próprio sistema de incentivos sirva às suas finalidades fundamentais; sistema que combine positivamente a dimensão motivadora individual com as exigências sistêmicas do controle sociometabólico global. Isto significa uma orientação qualitativamente diferente da que é imposta a todos os indivíduos pelo sistema do capital, que, por sua vez, subordina os incentivos diretamente aos seus imperativos materiais expansionistas. Desse modo, sempre prevalece a "dominação da riqueza sobre a sociedade", em agudo contraste com a visão socialista da relação dos indivíduos com a produção e a distribuição da riqueza social. Sob a dominação do capital, em todas as suas formas historicamente conhecidas e possíveis, os "incentivos materiais" são legitimados do ponto de vista e no interesse da "eficiência econômica". Isto também vale para o controle stalinista da extração política de trabalho excedente, tanto antes como depois da mudança, oficialmente abençoada, para as "relações de mercadoria" na produção de bens de consumo. Desde a proclamação e a prática crescente do "socialismo de mercado", deu-se igualmente ênfase aos "*incentivos para a adaptabilidade* às mudanças técnicas"⁹⁴ que propiciassem maior produção e "melhoria da eficiência econômica a curto prazo"⁹⁵. Para tanto, a operação dos incentivos materiais individuais atrelava o *sistema de bônus* (incluindo a participação de empregados nos lucros através do "fundo da empresa") às melhorias reais na taxa de crescimento⁹⁶. Compreensivelmente, portanto, a ideia de quebrar *a dominação da riqueza sobre a sociedade* através do "mecanismo" de "mercado" "regulado" de modo socialista foi sempre um ponto de partida falso, mesmo se desconsiderarmos a incerteza e a incoerência da noção esperançosamente projetada de "regulamentação", a qual, para ter sucesso, teria de excluir a ação do mercado. É por isso que Marx insistiu, corretamente, que nada poderia ser mais absurdo que "postular o controle, pelos indivíduos unidos, da sua produção total, com base no valor de troca, no dinheiro". Isto contradiria nitidamente não apenas a orientação socialista da "nova formação social" como um todo; também tornaria simultaneamente impossível a automotivação socialista dos indivíduos, já que se imporia para sempre sobre eles a camisa de força representada pela busca iníqua do valor de troca e do dinheiro.

Um sistema de incentivos apropriado ao "novo processo de vida social" de uma sociedade socialista só pode surgir da dialética de produção, distribuição e consumo.

---

⁹³ Cf. Hayek, *The Fatal Conceit*, pp. 106-19.
⁹⁴ Brus, *The Economics and Politics of Socialism*, p. 21.
⁹⁵ Id., ibid., p. 50.
⁹⁶ Id., ibid., p. 28.

Sob o sistema do capital encontramos uma *dialética truncada*, pois a alienação dos meios de produção dos produtores, e a imposição de um modo separado de controle, cria um *curto-circuito*. A operação deste curto-circuito – no qual o capital e suas personificações usurpam o poder de controle desapropriando as condições materiais de produção – só é compatível com a predeterminação fetichizada do próprio processo de produção em andamento, e do modo pelo qual os indivíduos são levados a *interiorizar* seus possíveis fins e objetivos motivadores, orientados para a aquisição de produtos ou produtos mercantilizados, subordinados ao impulso expansionista do sistema. A satisfação das necessidades dos indivíduos só pode surgir *post festum*, de acordo com o caráter *post festum* da própria produção, na proporção em que *necessidades legitimadas e reconhecidas post festum* podem se acomodar no curto-circuito reprodutivo da dialética truncada do capital. Desse modo, ocorre uma fatal distorção no processo de distribuição, que funciona pela expropriação de componentes absolutamente necessários para pôr em movimento o processo de trabalho – o material e os meios de produção –, desapropriando assim o poder de controle sobre o sociometabolismo como um todo. O fato acaba por distorcer também tanto a produção como o consumo. Os três setores sofrem uma distorção incorrigível justamente para poder servir tanto ao imperativo estrutural de expansão como à retenção de controle pela estrutura alienada de comando da hierarquia estrutural estabelecida. As ilusões de "variedade" e "diversidade" no consumo são cultivadas artificialmente no interesse da autolegitimação do sistema. Nada poderia estar mais distante da verdade, pois a necessidade de induzir a fictícia "soberania dos consumidores" e ajustar suas reconhecidas necessidades *post festum* aos *encaixes preestabelecidos* da produção, sob o domínio do capital, representa o máximo do *conformismo*.

Assim, também sob este aspecto, o objetivo da transformação socialista não pode se limitar à derrubada das personificações capitalistas privadas do capital, nem à tentativa autocontraditória de adaptar o "novo processo de vida social" aos constrangimentos estruturais deformadores dos "mercados de capital e trabalho". O objetivo da transformação socialista deve ser o de avançar para além do capital. No contexto dos incentivos, a alternativa hegemônica socialista ao domínio do capital significa superar radicalmente a dialética truncada do sistema na inter--relação vital de produção, distribuição e consumo. Sem isso, fica impossível realizar o objetivo socialista de transformar o trabalho na "necessidade primeira da vida". Para citar Marx:

> Em uma fase mais elevada da sociedade comunista, na qual se superou a *subordinação escravizante do indivíduo à divisão do trabalho*, e, com ela, o desaparecimento também da antítese entre *trabalho mental e físico*; depois de o trabalho ter se tornado não só meio de vida, mas *necessidade primeira da vida*; depois que também as forças produtivas aumentem com o *desenvolvimento em todos os aspectos do indivíduo*, e todos os fluxos de *riqueza cooperativa* emanem mais abundantemente – só então poderá ser ultrapassado em sua totalidade o horizonte estreito do direito burguês e a sociedade poderá inscrever em suas bandeiras: *De cada um de acordo com a sua capacidade, para cada um de acordo com as suas necessidades!*[97]

---

[97] Marx, *Critique of the Gotha Programme*, in Marx e Engels, *Selected Works*, vol. 2, p. 23 [ed. bras. *Crítica ao Programa de Gotha*, Textos 1, São Paulo, Ed. Sociais, 1977, p. 233].

Nas palavras do "velho Marx", emancipar os indivíduos da sua "subordinação escravizante à divisão do trabalho" equivale à reconstituição radical da dialética de produção, distribuição e consumo, na medida em que resulta do controle genuinamente social dos meios de produção, em vez do seu controle pelo capitalista ou pelas personificações pós-capitalistas do capital, em uma estrutura alienada de comando. Só desse modo é possível dar início à transformação criativa da produção, do consumo, além da distribuição autodeterminada dos indivíduos – cooperativamente associados e em desenvolvimento pleno – entre os diferentes ramos de atividade produtiva, de acordo com as suas inclinações e necessidades pessoais. O enfoque é absolutamente contrário ao tratamento dado pelo sistema do capital, sob o qual a "capacidade de trabalho" é abstrata e mero fator material de produção "eficientemente alocado" a partir de cima.

Só nessa estrutura é possível superar a falsa oposição entre *incentivos individuais e sociais*, de um lado, e, de outro, incentivos *materiais e não materiais* (*culturais e morais*). A separação e a alienação do controle dos produtores trazem juntas a fragmentação da força de trabalho, cujos membros só adquirem legitimidade como indivíduos isolados e, do mesmo modo, como consumidores individuais isolados no mercado, *vis-à-vis* ao capital. Desse modo, também a questão dos incentivos deve ser limitada ao plano estritamente individual. E, dada a necessária subordinação das necessidades dos indivíduos aos imperativos materiais do sistema, uma falsa oposição deve também ser estabelecida entre incentivos materiais e não materiais (acima de tudo morais). É assim que a questão dos incentivos no "mundo real" do capital reduz-se ao tratamento habitual de "incentivos materiais individuais". Como vimos acima, na teoria de Hayek, a *solidariedade* – um incentivo moral coletivo *par excellence* – é completamente banida "do complexo mundo moderno". Em outras teorias, menos abertamente apologéticas, os incentivos morais ou são convertidos nos reflexos estritamente individualistas dos "demônios privados", como em Max Weber[98], ou transferidos a uma esfera religiosa/moral separada, compondo uma legítima oração idealista, que, se ainda não foi banida completamente do "mundo moderno", mantém uma ligação muito tênue com o processo sociometabólico real. Sob este aspecto, o modo stalinista de controle do sistema pós-capitalista do capital não é substancialmente diferente. Apesar de elogiar hipocritamente os incentivos morais, *prescreve arbitrariamente* aos indivíduos o conteúdo permissível dos seus ideais e valores, excluindo a possibilidade de se criar uma *solidariedade* criticamente autoconsciente que emerja da força de trabalho coletivo sob seu controle autoritário. Na verdade, a possibilidade de que a solidariedade do trabalho conteste a extração política do *trabalho excedente* – que, na visão de Stalin, absolutamente não existe, assim como a exploração capitalista inexiste para os apologistas do capital – deve ser condenada com a mesma finalidade dogmática que Hayek utiliza para rejeitar a contestação da extração economicamente regulada e imposta de trabalho excedente.

O sistema socialista de incentivos está baseado na *primazia das necessidades* sobre os objetivos da produção, libertando-se assim da tirania do valor de troca.

---

[98] Para Max Weber existiu, no passado, o misterioso e geral "espírito do protestantismo" – não só o "demônio privado" – que criou o capitalismo. Na sua concepção, o capitalismo é eterno e, nessa medida, a alternativa socialista deve ser tratada de um modo muito diferente, e descartada de forma a mais categórica.

Isto só é possível em um sistema reprodutivo no qual: 1) o controle da produção é completamente exercido pelos próprios indivíduos produtores, excluindo assim a imposição de objetivos de produção preestabelecidos sobre a sua atividade; e 2) o caráter social do trabalho é afirmado diretamente, não *post festum*, permitindo que os indivíduos *planejem* seus intercâmbios produtivos e distributivos no sentido verdadeiramente significativo do termo. O sujeito social da produção é constituído de indivíduos particulares que apenas podem se reproduzir com sucesso em sociedade como *indivíduos sociais*, até mesmo quando estão à mercê da estrutura e dos modos de controle reprodutivos fetichizados. Mas precisamente porque, sob a dominação do capital, não se pode afirmar diretamente o caráter social da produção os indivíduos devem ser subsumidos às estruturas de poder que se relacionam entre si antagonicamente, determinando de maneira estreita a natureza e a margem dos incentivos materiais individuais compatíveis com elas. Sendo assim, as necessidades dos indivíduos, e os valores de uso que potencialmente lhes corresponderiam, ocupam uma posição subordinada na estrutura reprodutiva do sistema do capital. Só as duas importantes condições mencionadas no início deste parágrafo podem garantir a primazia das necessidades humanas e estabelecer um sistema de incentivos com fundamentos qualitativamente diferentes.

Para os indivíduos, nenhum incentivo poderia ser maior, em qualquer ordem social, do que a capacidade de controlar as suas próprias condições de vida. Naturalmente, por razões com as quais estamos familiarizados, isto é totalmente negado a eles sob a dominação do capital. Daí resultam os falsos opostos que visam racionalizar e legitimar a exclusão de incentivos não individuais e não materiais. Ainda assim, já que o processo de vida social realmente existente – do qual os indivíduos não podem se separar – é um processo social interpessoal, a capacidade de controlar as condições de vida, como um incentivo, é inseparavelmente individual e coletivo-social por sua determinação mais íntima. Ao mesmo tempo, também é um incentivo material e não material ou moral, pois, pelo envolvimento real dos produtores associados no controle do processo reprodutivo social é possível esperar, não somente a remoção da sua recalcitrância e da sua hostilidade para com o comando alienado do capital sobre o trabalho, mas, em um sentido positivo, contemplar também a ativação das potencialidades criativas reprimidas dos indivíduos, trazendo importantes benefícios materiais para a sociedade em geral e para os indivíduos em particular. É óbvio que a importância desse incentivo – possível somente como regulador do "novo processo de vida social" – é incomensuravelmente maior do que se for caracterizado sob o nome de "incentivos materiais individuais". Contudo, já que a questão do *controle* é praticamente prejulgada, sendo um tabu absoluto sob a dominação do capital, é ela, precisamente, o mais vital dos incentivos para o processo de vida dos indivíduos, vistos como indivíduos autônomos autodeterminados – e que, por isso mesmo, não pode aparecer, nem sequer por um momento passageiro, no horizonte dos ideólogos do sistema. Pelo contrário, os incentivos materiais individuais devem sempre ser concebidos e implementados de modo a *dividir* e ativamente lançar os indivíduos uns contra os outros, facilitando assim a imposição e a administração sem problemas da estrutura alienada de comando do capital.

Outra dimensão de nosso problema se refere à partilha judiciosa da riqueza social disponível para distribuição entre fundos públicos e consumo privado. Isto é particularmente importante no período de transição. Deve-se, novamente, resistir à mitologia da mercadização, pois, como política, a legitimação do consumo privado determinado pelo mercado é cega e danosa não só para a sociedade em geral mas também para os indivíduos. Os fundos de consumo privado – para comida e vestuário etc. – não podem por si só atender às necessidades das pessoas, muito menos se forem determinados pelo mercado, isto é, se forem extremamente discriminatórios. As necessidades urgentes dos indivíduos – de educação, serviços médicos, transporte público, cuidados com os idosos e outras, para não mencionar a carência desesperadora de serviços públicos e de saúde para os numerosos grupos médica e socialmente desprotegidos – só podem ser atendidas por fundos públicos. Uma vez que as necessidades básicas dos indivíduos tenham sido satisfeitas pelos fundos privados de consumo, a expansão dos fundos públicos adquire uma importância sempre crescente. A proporção entre os dois tipos de fundos deve ser, então, regulada pelas decisões conscientes dos próprios produtores associados. A atribuição de uma proporção cada vez maior da riqueza social em favor dos fundos públicos pode se tornar, na realidade, uma medida de avanço da sociedade em questão, e não de retrocesso. Sob este aspecto, permanece crucial também o próprio processo de tomada de decisão, que, se não receber dos próprios produtores associados um caráter substantivamente democrático, não permitirá à sociedade a saída do círculo vicioso criado pelas relações de distribuição conflitantemente reguladas – principalmente quando "desreguladas" pela estrutura do mercado.

20.5 Para além do impasse conflitante: da irresponsabilidade institucionalizada à democrática tomada de decisão por baixo

20.5.1
Em sua crítica aos escritos em que Bernstein condenou a "falta de disciplina" dos trabalhadores nas suas cooperativas – um tema recorrente nas fantasias social-democratas e "socialistas de mercado" sobre a possibilidade de reforma da ordem capitalista –, Rosa Luxemburgo argumentou que

a dominação do capital sobre o processo de produção se expressa das seguintes maneiras. O trabalho é intensificado. A jornada de trabalho é estendida ou encurtada, de acordo com a situação do mercado. E, dependendo das exigências do mercado, o trabalho ou é empregado ou jogado de volta à rua. Em outras palavras, são utilizados todos os métodos que permitem a uma empresa enfrentar seus competidores no mercado. Os trabalhadores que formam uma cooperativa na esfera da produção se confrontam, assim, com a contraditória necessidade de governar a si próprios com o mais extremo absolutismo. São obrigados a assumir o papel do empresário capitalista contra si próprios – uma contradição que responde pelo *fracasso das cooperativas de produção,* que, ou se tornam puros empreendimentos capitalistas ou, se os interesses dos trabalhadores continuarem predominando, terminam por se dissolver. O próprio Bernstein observou estes fatos. Mas é evidente que ele não os entendeu. Pois, junto com a senhora Potter-Webb, ele explica o fracasso das cooperativas de produção na Inglaterra pela *sua falta de "disciplina"*. Mas o que é tão superficial e claramente chamado aqui de "disciplina" nada mais é que o *regime absolutista* natural *do capitalismo*, que, claro, os trabalhadores não podem com sucesso usar contra si próprios.[99]

Sob o capitalismo, a disciplina é impiedosamente imposta ao trabalho pelo *autoritarismo do local de trabalho* e pela *tirania do mercado* (incluindo, claro, o mercado de trabalho). O impulso de impor emana dos imperativos expansionistas de produção do capital, e deve prevalecer a todo custo, não importa o quanto sejam desumanas e deformadoras as consequências. Em suas propostas de reforma, Bernstein e seus seguidores quiseram realizar os seus objetivos "socialistas" – cada vez menores e no fim totalmente imperceptíveis – sem mudar a moldura estrutural do sistema. Compreensivelmente, portanto, eles tiveram que dar entusiásticas boas-vindas à necessidade de disciplina do capital como, também, ao autoritarismo do local de trabalho e à tirania do mercado pelos quais a disciplina poderia ser imposta ao trabalho.

O modo de controle sociometabólico do capital, por sua natureza mais íntima, não pode ser diferente de um modo *alienado* de controle e, portanto, independe de ser a extração do trabalho excedente econômica ou politicamente regulada. Nenhuma surpresa, portanto, que Stalin – e também os seus partidários do Ocidente – fosse alérgico ao termo *"alienação"*, e tenha tentado confiná-lo, apesar de volumosa evidência em contrário, à "fase idealista" de desenvolvimento do jovem Marx. Contudo, sem que nos lembremos constantemente da natureza incorrigivelmente alienada do sistema do capital, não poderemos entender o que precisa ser radicalmente superado no curso da transformação socialista. Ou seja, a alternativa hegemônica do trabalho – o objeto da estratégia socialista – não tem nada a ver com as reformas acomodatícias, inventadas para "fazer o capitalismo trabalhar melhor", como aconselham às pessoas os políticos e partidos trabalhistas e do "novo trabalhismo" dos nossos dias. Trata-se, pois, do estabelecimento de um modo radicalmente diferente de reprodução sociometabólica que consigna irreversivelmente ao passado as determinações coercitivas e exploradoras da alienada ordem do capital. Para citar uma importante passagem dos *Grundrisse*:

> Na realidade, no processo de produção do capital ... o trabalho é uma *totalidade* – uma combinação de trabalhos – cujas *partes componentes individuais são estranhas uma à outra*, de forma que o processo global como uma totalidade não é o trabalho do trabalhador individual, e, mais que isso, apenas é o trabalho reunido dos diferentes trabalhadores [*violentamente*] *combinados*, e não [voluntariamente] combinados uns com os outros. A combinação deste trabalho aparece tão só como *subserviente* e conduzida por uma *vontade e uma inteligência estranhas* – tendo a sua *unidade viva* em algum outro

---

[99] Rosa Luxemburgo, *Reform or Revolution?*, Nova York, Pathfinder Press, 1970, pp. 41-2 [na tradução demos preferência às versões em português dos textos citados; apenas em último caso optamos por traduzir diretamente do inglês para o português. Como vimos nos capítulos anteriores, dada a discordância entre o texto da tradução para o português e as citações de Mészáros nas passagens citadas de *História e consciência de classe*, apenas assinalamos as páginas da edição portuguesa e traduzimos diretamente do texto em inglês. O mesmo procedimento, e pelo mesmo motivo, seguiremos com esta obra de Rosa Luxemburgo, fazendo referência à página da edição brasileira de *Reforma ou Revolução?*, trad. de Lívio Xavier, São Paulo, Ed. Elipse, s.d., p. 8]

lugar – quanto a sua unidade material aparece como subordinada à *unidade objetiva* da *maquinaria*, do capital fixo que, como *monstro vivo*, objetiva a ideia científica e é de fato o coordenador, não se relaciona de forma alguma com o trabalhador individual como o seu instrumento; o qual, ao contrário, em si próprio, existe como uma marca de pontuação individual animada, como seu acessório isolado vivo. ... Consequentemente, assim como o trabalhador se relaciona com o produto do seu trabalho como *algo estranho*, ele se relaciona com a combinação do trabalho como uma *combinação estranha*, como também com o seu próprio trabalho como uma expressão da sua vida que, embora lhe pertença, *é alheio a ele e dele é roubado*. ... *Capital*, portanto, é a existência do trabalho social – a combinação do trabalho *como sujeito e também como objeto* –, mas *esta existência existe independentemente e oposta a seus momentos reais* – consequentemente, ela própria é uma existência particular isolada deles. Por sua parte, o capital aparece, então, como o *sujeito predominante* e dono do *trabalho alienado*, e sua relação é ela própria uma *contradição* tão completa como o é a do trabalho assalariado.[100]

Também neste contexto é claramente visível que a contradição da qual Marx fala não pode ser superada sem que se avance para além do capital não como uma entidade jurídica, mas como uma ordem sociometabólica. É por isso que o tipo soviético de sistema do capital redundou em fracasso. Seu modo de exercer a disciplina sobre o trabalho só poderia funcionar tornando o trabalho *"subserviente"* e conduzido por uma *"vontade e uma inteligência estranhas"*. A determinação antagonista do processo de trabalho, diretamente controlado pelas personificações pós-capitalistas do capital, continuou a prevalecer a plena força, ainda que a impiedosa imposição de extração do trabalho excedente fosse regulada politicamente, e não pela intermediação do mercado capitalista. O trabalhador só "se relaciona com o produto do seu trabalho como *algo estranho*, ele se relaciona com a combinação do trabalho como uma *combinação estranha*, como também com o seu próprio trabalho como uma expressão da sua vida que, embora lhe pertença, *é alheio a ele e dele é roubado*". Mesmo na ausência do mercado, a "disciplina do trabalho" do capital tinha que ser observada em todos lugares, sob pena de castigo. E, finalmente, os campos de trabalho forçado, para os quais foram enviadas massas de trabalhadores, sob Stalin (e não apenas sob ele), impuseram o autoritarismo do local de trabalho da forma mais brutal, transformando em escárnio completo as afirmações de que a alienação havia sido superada na sociedade "socialista" pós-revolucionária.

Uma vez que a imposição política extrema da disciplina do trabalho provou ser contraprodutiva, a legitimação do "socialismo de mercado" pareceu às personificações stalinistas do capital ser a saída das dificuldades. Contudo, a lógica objetiva das suas tentativas de reforma apontou para a restauração completa do capitalismo, ainda que se tivessem de passar três décadas até que se pudesse defender abertamente que o caminho para o futuro teria que ser, como vimos acima, "a busca coerente do socialismo de mercado" – mercados de capital e trabalho e *"reestruturação da propriedade"*, isto é, a restauração jurídica do sistema capitalista privado. Portanto, a legitimação das relações mercantis na produção de bens de consumo, assim como o

---

[100] Marx, *Grundrisse*, pp. 470-1.

mercado correspondente e a contabilidade-de-lucro, para ajudar a impor disciplina não era, como Stalin imaginava, suficiente. Não era possível parar a meio caminho nesse processo de restauração.

O estabelecimento do mercado de trabalho provou ser particularmente difícil, o que não seria surpreendente, já que o mercado de trabalho é um tipo bastante peculiar de mercado também sob o capitalismo. Uma transação no mercado de trabalho não é uma relação direta de compra e venda – diferentemente da aquisição e venda de produtos de consumo –, mas uma *relação hierárquica de poder estruturalmente predeterminada*. A ficção do "contrato entre partes livres e iguais" oculta o fato de que os trabalhadores individuais contratantes não entram na relação como "indivíduos soberanos" que poderiam "fazer compras em vários lugares" – que, no modelo do mercado de capitais de uma "economia globalizada", poderia ser em Nova York ou em Nova Delhi, em Londres ou na Cidade de México. Esses indivíduos entram na relação como personificações individuais do trabalho duramente constrangidas que confrontam as personificações do capital preponderantemente favorecidas. Os sindicatos defensores do trabalho tentam remediar esse estado de coisas, com muito poucas chances de sucesso; e, mesmo isso, somente quando a legislação autoritária antitrabalho não paralisa os seus esforços, ou o crônico desemprego em massa não desfere o *nocaute* final. Assim, considerando que a *mobilidade do capital* é inegável e constitui uma fonte importante de seu poder sobre o trabalho, a "mobilidade do trabalho" é, em comparação, virtualmente não existente, na medida em que existe sob o capitalismo – em graus diferentes e em fases diferentes do desenvolvimento do sistema – servindo principalmente à dominação do capital autoexpansionista sobre o trabalho.

O caráter peculiar do mercado de trabalho sob o capitalismo foi, em primeiro lugar, uma grande ajuda para o sistema do capital pós-capitalista. Ou seja, o modo stalinista de regulamentação "mimetiza" algumas das importantes características definidoras do mercado de trabalho herdado. Até certo ponto, isto poderia funcionar bastante bem, já que o Estado e as personificações pós-capitalistas do capital cumpriram as funções deles exigidas como parte estruturalmente dominante da relação pseudocontratual. Eles poderiam alocar e dirigir a "força de trabalho" – em teoria, estritamente em nome dos trabalhadores, imitando, nesse sentido, os fictícios "contratos livres" e a autodeterminação dos trabalhadores. E onde fosse necessário exerceria, ao mesmo tempo (como o capital sempre o faz), o sistema de comando separado e alienado sobre os trabalhadores individuais tanto quanto sobre a totalidade do trabalho como classe.

Faltava, porém, uma característica essencial do mercado de trabalho capitalista, a que desenvolve a disciplina, o que provou ser uma razão importante para a implosão do tipo soviético de sistema do capital, pois, sob o capitalismo, não é apenas a totalidade do trabalho que é subsumida ao capital; simultaneamente, determinados grupos de trabalhadores também se relacionam diretamente com uma pluralidade de capitais, e são por eles dominados. Sob o capitalismo, o capital, com suas determinações estruturais, é articulado como uma multiplicidade de capitais, apesar da crescente – mas nunca completamente realizável – tendência para o monopólio. Capitais diversos controlam grupos particulares do trabalho sob seu comando por meio tanto do autoritarismo mais óbvio do local de trabalho como da sua, mais ou menos favorável, posição no mercado nacional e internacional. Também a natureza e as correspondentes limitações rígidas do *"pluralismo político"* no sistema capitalista – a "democracia multipartidária" da estrutura parlamentar sob o comando das forças parlamentares e extraparlamentares do capital – são determinadas por essa pesada base socioeconômica. Se não reconhecer essa substantiva relação, todas as referências ao "pluralismo político" idealizado – seja pelas manchetes do *The Economist*, de Londres, seja pelos escritos teóricos dos "socialistas de mercado" – estarão realizando propaganda política disfarçada em favor da restauração do capitalismo. Todos os quatro objetivos políticos defendidos na política de "busca coerente do socialismo de mercado" – *"mercados de capitais, mercados de trabalho, reestruturação da propriedade, e pluralismo político"* – promoveram ativamente a restauração capitalista, pois o único "pluralismo político" aceitável para as personificações pós-capitalistas do capital seria o que assegurasse a continuidade de seu comando sobre o trabalho.

A atração principal que a mercadização exerce sobre as personificações pós-capitalistas do capital – de Stalin, nos seus últimos anos de poder, até Gorbachev e companhia, na União Soviética e na Europa oriental – era o desejo de fortalecer seu domínio sobre o trabalho intensificando a disciplina do trabalho nas novas circunstâncias. Esperava-se que a adoção do mercado atingisse esta finalidade, na medida em que o autoritarismo do local de trabalho herdado – por meio do qual se impunham politicamente, sem dificuldades insolúveis sob Stalin e depois dele – seria complementado e grandemente fortalecido pela *tirania do mercado*. Devido às exigências de um tipo mais intensivo de produção no país e às ligações cada vez mais íntimas das suas economias com o mercado mundial, as personificações pós-capitalistas projetaram seu sucesso na combinação da extração política de trabalho excedente com o (grotesco e falsamente concebido) "mecanismo de mercado", esperando extrair dessa forma a desejada produtividade mais elevada de uma força de trabalho menos obstinada.

Porém, a nova fórmula não funcionou, pois a dimensão inexistente do mercado de trabalho capitalista no sistema pós-revolucionário revelou sua importância precisamente na ocasião em que os "socialistas de mercado" tentaram tornar plenamente operacional um verdadeiro mercado de trabalho na União Soviética e na Europa oriental. Sob o sistema capitalista, os trabalhadores são presos às condições contratuais das companhias para as quais trabalham de modo a serem induzidos a *internalizar* a exposição das companhias às vicissitudes do mercado nacional e mundial. É bastante conhecido que, pela competição, "o que corresponde à natureza do capital é postulado como *necessidade externa* ao *capital individual*... A *compulsão recíproca* que os capitais particulares exercem uns sobre os outros, sobre o trabalho etc. (a competição entre os trabalhadores é apenas outra forma da competição entre os capitais) *é o desenvolvimento livre, e ao mesmo tempo real, de riqueza como capital*"[101]. Os trabalhadores são forçados a participar (sofrendo as suas consequências) da "necessidade externa" de competição que afeta os empreendimentos capitalistas particulares no mercado e lhes oferece todo tipo de desculpa *vis-à-vis* sua força de trabalho. É assim que surge a situação em que com

---

[101] Id., ibid., p. 651.

todo o desconcerto que isto ocasiona, os trabalhadores não só precisam aceitar "*restrições salariais*" e "*congelamento de salários*", mas até mesmo *cortes de salário e demissões temporárias voluntárias* para salvar da falência as empresas que os dominam e exploram. Naturalmente, este é o único tipo de "solidariedade" que, no "mundo moderno", até mesmo Hayek entusiasticamente aplaudiria.

Era este o tipo de disciplina induzida pelo mercado que as personificações pós-capitalistas do capital, de Stalin a Gorbachev, estavam buscando. Stalin antecipava melhorias na disciplina econômica a partir da pressão pela rentabilidade nos empreendimentos, e Gorbachev saudava o senso de realismo dos trabalhadores em conter as suas demandas sob a "nova situação" da *perestroika* mercadizante. A última coisa que as personificações pós-capitalistas do capital poderiam desejar era a solidariedade efetiva entre os empreendimentos locais e os seus trabalhadores. A disciplina induzida pelo mercado, como um momento subordinado do modo estabelecido de extração politicamente imposta de trabalho excedente, deveria supostamente fortalecer o domínio da autoridade central, não o debilitar. O "único e exclusivo índice qualitativo de lucratividade", elogiado por Liberman e Nemchinov, veio acompanhado das reafirmações tranquilizadoras de que os "circuitos de retroalimentação" matemáticos propostos pelo processo de planejamento mercadizado poderiam ser determinados *com antecedência* pelos órgãos *centrais* de planejamento. Esperava-se que, ao impor aos trabalhadores nos empreendimentos particulares a necessidade de "eficiência econômica" local e contabilidade-de-lucro, o mercado (ou pseudomercado) reforçasse a subordinação inquestionável do trabalho ao capital pós-capitalista – semelhante ao tipo de solidariedade subserviente do trabalho com o capital nos bons livros de Hayek – e assim melhorasse a viabilidade do modo pós--capitalista de controle sociometabólico centralizado. Stalin, nos seus últimos anos, quis fortalecer os órgãos centrais de controle, combinando as suas "relações mercantis socialistas" com o "movimento" stakhanovista "de emulação socialista" centralmente orquestrado; seu objetivo era exercer uma pressão política direta sobre o trabalho para impor-lhe padrões mais elevados. Por sua vez, Gorbachev gostava de pregar a necessidade de "sacrifícios" pelos trabalhadores antes que eles pudessem adquirir os benefícios econômicos prometidos pelas reformas de mercado.

Ainda assim, as condições objetivas demonstraram o caráter absurdo do sonhado projeto de combinar a extração política de trabalho excedente com o mercado, e de prever o estabelecimento de um verdadeiro mercado de trabalho sem a restauração do capitalismo. Sob o sistema capitalista, a internalização pelo trabalho das consequências dolorosas da "necessidade externa" de competição que afeta os empreendimentos particulares no mercado funciona, na verdade, porque a ameaça de consequências negativas é muito real. Sob o sistema soviético, ao contrário, faltava absolutamente a possibilidade de internalização. Pois, dado o modo pelo qual o sistema pós-capitalista foi constituído, a recalcitrância do trabalho foi dirigida contra a autoridade real – a estrutura de comando político global do capital tal como encarnada no Estado – e não contra os gerentes locais, que, às vezes, poderiam até mesmo conspirar com os trabalhadores (naturalmente no seu próprio interesse) para burlar as autoridades centrais. Para conferir sentido à defesa do estabelecimento de um verdadeiro mercado de trabalho era necessário: 1) abolir o direito constitucional dos trabalhadores ao emprego, e 2) introduzir reformas pelas quais os empreendimentos "menos eficientes" pudessem ir (e, sob a proposta de competição de mercado, realmente iriam) à falência. Não surpreendentemente, portanto, à medida que ganhava impulso o "movimento pela reforma", a *draconiana legislação de falência*" figurasse cada vez mais proeminentemente na lista de prioridades do "socialismo de mercado", em conjunção íntima com demandas para o estabelecimento de "mercados de capital e trabalho, reestruturação da propriedade e pluralismo político", isto é, todas as quatro exigências necessárias para a restauração do capitalismo.

É assim que a *tirania do mercado* – a dimensão da disciplina diretamente relacionada ao mercado, à qual o trabalho deve ser sujeitado sob a variedade capitalista do sistema do capital – teve que ser introduzida no tipo soviético de sistema do capital, ironicamente contribuindo de modo ativo para sua desintegração. Devido à natureza incorrigivelmente conflitante do processo de trabalho pós-capitalista e à alienada estrutura de comando econômica e política exigida para seu controle, a "melhora da disciplina do trabalho", prevista nas reformas de mercado, só poderia ser realizada – ao contrário das fantasias de se combinar a "democracia socialista" com a "eficiência econômica" de um "mercado social" iluminado e caridoso – na fusão do autoritarismo bem entrincheirado do local de trabalho com a tirania selvagem produtora de desemprego do mercado, graças, em grande medida, ao mercado de trabalho reconstituído de modo capitalista.

20.5.2

Seguramente, no "novo processo de vida social" de uma sociedade socialista, a *disciplina* não é menos, mas muito mais importante. E com uma diferença qualitativa. A única disciplina praticável em todas as formas possíveis do sistema do capital – devido à *determinação estrutural* incorrigível *conflitante* de seu processo de trabalho – é a disciplina *externa*, imposta de uma maneira ou de outra sobre a força de trabalho. Em contraste, a alternativa socialista envolve a disciplina *internamente* motivada dos produtores individuais associados. E isso só é possível se o antagonismo estrutural entre capital e trabalho e o impasse conflitante dele resultante forem substituídos pelos processos reprodutivos positivos da alternativa hegemônica socialista à ordem sociometabólica estabelecida. Disciplina, neste sentido positivo, significa a dedicação autônoma dos indivíduos às tarefas que enfrentam, não por meio de algum comando externo a eles – nem sequer como resultado de exortações morais que de muitas formas se assemelham a comandos externos – mas porque eles *de fato* internalizaram as tarefas pelas suas deliberações e ações autodeterminadas, definindo para si próprios tanto os objetivos a serem perseguidos como os modos e os meios pelos quais eles podem ser realizados.

A questão da disciplina se apresenta sob dois aspectos principais. A primeira diz respeito à natureza das tarefas a serem executadas e, nesse sentido, à adequação das *habilidades* humanas que exigem exercício cuidadoso para uma conclusão bem-sucedida das tarefas determinadas. O segundo aspecto relaciona-se diretamente à *intensidade* com que os indivíduos – que possuem as habilidades exigidas – se empenhem (uma questão de energia disponível) e se proponham (principalmente uma questão de atitude) a executar o trabalho por eles assumido. Evidentemente, portanto, existe uma enorme diferença entre os indivíduos trabalharem sob a pressão da compulsão política e econômica ou se dedicarem por deliberação consciente a aprender e a aplicar as habilidades exigidas, trabalhando com uma intensidade e um cuidado que nenhuma autoridade supervisora separada – para não mencionar uma autoridade alienada e hostil – pode lhes impor. Nos limites do sistema do capital as únicas soluções possíveis para estas exigências são: 1) *fragmentar profundamente as tarefas e as habilidades de trabalho, expurgando* assim a *habilidade* da força de trabalho, de forma a minimizar, e até anular, o poder de controle dos trabalhadores e se lhe possam designar as tarefas fragmentadas a alguma maquinaria à qual os trabalhadores se fixem como meros apêndices. Ao mesmo tempo, 2) a questão da intensidade pode ser em parte administrada por meio de dispositivos instrumentais, como a linha de montagem veloz, que – junto com a maioria dos métodos e técnicas organizacionais industriais exploradores, como o taylorismo – força os trabalhadores a aplicar suas energias até a exaustão (acelerada pela extrema monotonia das detalhistas tarefas executadas); e, em parte, pela compulsão econômica e/ou política imposta ao trabalho, sob o domínio do capital, pela regulamentação da extração de trabalho excedente.

Houve um período em que o modo pelo qual o capital administrava o processo de trabalho e impunha sua disciplina férrea ao trabalho representou um avanço histórico, e como tal "tinha sentido". Hoje, a situação é radicalmente diferente, pois, num momento em que a expansão do capital é inseparável da reprodução e da autopreservação *destrutivas* do sistema, é cruel levar adiante, com a maior intensidade praticável, um tipo deformado de produção. Dessa forma, a disciplina externa do capital não só não faz mais sentido como ainda representa o triunfo devastador da *não razão*, da mesma maneira que a insensata expansão do valor de troca, à custa de necessidades humanas vitais, representa o triunfo incapacitante do *antivalor*.

Desde a ascendência histórica do sistema do capital, houve duas graves razões para que o processo de desenvolvimento produtivo nessa base socioeconômica não se tornasse mais positivo. Primeiro, porque todas as possíveis realizações tiveram que ser ajustadas aos limites da estrutura orientada-para-a-expansão e dirigida-para-a--acumulação do capital, que determinou de maneira estreita, totalmente indiferente às consequências humanas e ecológicas desde o "primeiríssimo dia", o que poderia e o que não poderia ser perseguido como objetivos produtivos com a "eficiência econômica" requerida. E, segundo, dada a determinação *centrífuga* do sistema do capital (discutida no capítulo 2), da qual deriva a contradição insolúvel entre produção e controle, dos menores microcosmos reprodutivos às relações produtivas e distributivas mais abrangentes, era inconcebível corrigir a estrutura *conflitante* que traz consigo desperdício ilimitado e, no final, incontrolabilidade. Se é verdade que, no interior do sistema do capital, "os indivíduos são *subsumidos* à produção social que existe *fora* deles, como os seus *destinos*"[102], deve ser uma verdade igualmente desconcertante para os defensores do capital que o "destino" do seu sistema seja o de nunca conseguir superar os antagonismos de suas determinações estruturais e o constantemente reproduzido impasse *conflitante* de seu processo de controle sociometabólico. Ou seja, sob determinadas condições históricas, o trabalho pode ser dominado, explorado

---

[102] Id., ibid., p. 158.

e, por um período mais ou menos longo, até mesmo violentamente reprimido pelo poder do capital, mas nunca integrado de forma definitivamente submissa, como uma classe, à ordem reprodutiva incorrigivelmente conflitante do capital.

Os "socialistas de mercado" falharam desastrosamente ao projetarem o capital e seu benevolente "mercado social" sem estabelecer qualquer semelhança com as relações do capital realmente existentes, irremediavelmente antagônicas. Nas pegadas de Margaret Thatcher, que recitou as palavras de São Francisco de Assis após a sua vitória eleitoral, os mestres políticos e propagandistas do socialismo de mercado também fingiram seguir São Francisco no papel de pregar para os pássaros. Com uma diferença grande, porém, porque enquanto um dos santos mais radicais da história se dirigia a pássaros vivos, em seu hábitat natural, eles fizeram os seus sermões para uma fila de pássaros empalhados, gritando em êxtase: "Que maravilha! É um grande milagre! Os pássaros de rapina nunca mais irão matar os pássaros que cantam! Todos eles estão agora sentados pacificamente um ao lado do outro outro!". Graças, portanto, aos métodos avançados de encantamento dos pássaros imaginários "no mundo moderno" é que, rompendo assim todas as conexões com o mercado realmente existente, passou a existir o "mercado social" iluminado, verdadeiramente compassivo e universalmente benéfico, nas novas "sociedades de mercado". Até mesmo Hobbes, havia a esperança, agora poderia descansar em paz. Pois, de acordo com a visão do mundo recentemente proclamada, o *bellum omnium contra omnes* finalmente se encerrou no milênio "pós-histórico".

Contudo, o sistema do capital realmente existente vem reafirmando como nunca seus imperativos e antagonismos materiais. Tanto é assim que não há um minúsculo ponto sequer do planeta que, sob o domínio do capital, deixe de evidenciar as contradições do sistema, sejam elas expressão do desencanto crescente com a política ou a recusa persistente do ectoplasma do "fator sentir-se bem" de se materializar no domínio da economia, sejam as conflagrações militares sérias que despontam em diferentes partes do mundo. A feliz Nova Ordem Mundial supostamente deveria ter chegado com a implosão do sistema soviético e a capitulação da Rússia de Gorbachev. Mas, até mesmo aqui, a euforia está fora de lugar. Cedo ou tarde o significado de um provérbio húngaro – *"Eu prendi o turco, mas ele não me solta!"* – tornar-se-á claro para todo o mundo.

O sistema socioreprodutivo que seja incapaz de considerar as consequências de seu avanço, exceto em uma escala míope e dentro de lapsos muito breves, só pode ser descrito como um sistema de irresponsabilidade institucionalizada. Ainda que continue a garantir os objetivos almejados, a disciplina externa imposta aos produtores para realizar o autoexpansionismo desse sistema agrava a situação. Independentemente das consequências, tal disciplina não apenas estimula o trabalho como elimina a possibilidade de sujeitar a um exame crítico consciente os objetivos ditados e impostos de cima pelo sistema, evitando a avaliação da sua viabilidade – e, portanto, se são ou não desejáveis – na escala global necessária e em um horizonte de tempo apropriadamente longo. A ordem sociometabólica que regula seus processos reprodutivos em tal base é, portanto, não só irresponsável como a mais perigosa a longo prazo.

A irresponsabilidade institucionalizada que acompanha as determinações estruturais conflitantes do sistema do capital só será superada se houver uma mudança da própria estrutura enquanto tal. E isso só será possível pela articulação positiva da alternativa hegemônica socialista à totalidade autossustentada do capital como sistema orgânico. Os objetivos produtivos da alternativa socialista não podem ser definidos, nem sequer realizados, sem combater o valor de troca autoexpansivo, adotando em seu lugar, como princípio orientador da reprodução da sociedade, o desenvolvimento positivo e a satisfação das necessidades humanas, incluindo, em um lugar proeminente, a necessidade do trabalho "como a primeira necessidade vital". A disciplina interna do trabalho, contraposta aos movimentos repetitivos externamente impostos pelo capital, também exige um fundamento econômico muito diferente, em termos de sua relação com o tempo de trabalho. A expropriação de não importa quanto *trabalho excedente* e *mais-valia* pelo capital, correspondendo a quantidades e a intensidades cada vez maiores de tempo de trabalho excedente, seria um fundamento verdadeiramente miserável para as exigências de um processo de trabalho socialista que visa a produção e a satisfação das "ricas necessidades humanas". Será necessária então uma relação qualitativamente diferente para a atividade de vida dos indivíduos, possível somente se o *tempo disponível* estiver livremente à disposição dos fins conscientemente escolhidos pelos próprios produtores associados. Relação contrária, portanto, àquela que lhes extrai violentamente tudo o que possa ser utilizado por um modo alienado de controle sociometabólico, em seus próprios fins autoexpansionistas, com "eficiência econômica". É óbvio, porém, que não haverá razão alguma para motivá-los, interna e positivamente, no sentido de investir seu tempo disponível no conjunto das suas práticas produtivas e distributivas se eles não detiverem o controle completo da sua atividade de vida.

Naturalmente, o sistema conflitante existente de irresponsabilidade institucionalizada não pode ser superado sem o estabelecimento de um processo de tomada de decisão substantivamente democrático, o que, por sua vez, é inconcebível sem um genuíno processo de planejamento. Neste contexto, deve ser rejeitada uma outra falsa oposição: a oposição supostamente insuperável entre "planejamento central" e "escolha individual", normalmente promovida a serviço dos apologetas do capital e da idolatria do mercado. Ou seja, "escolha individual" e "autonomia local" nada significam se as escolhas "autônomas" feitas pelos indivíduos ou grupos de indivíduos em nível local forem anuladas pelos imperativos materiais do sistema do capital e pelas diretivas autoritárias de sua estrutura de comando político total. Aqui, a fonte de dificuldade é apresentada pela ordem sociometabólica estabelecida, que é conflitante em sua totalidade e em suas menores partes constitutivas. Só no reino da ficção se consegue o predomínio das escolhas individuais substantivas e a autonomia local enquanto se mantêm intactas as determinações estruturais conflitantes do sistema do capital como um todo. Somente graças a uma radical reestruturação – e substantiva democratização – das *células constitutivas* da ordem dada será possível inventar uma alternativa viável, na medida em que a estrutura antagônica/conflitante abrangente incorpora os microcosmos conflitantes, bem como se reflete sobre eles, moldando-os conforme as exigências sistêmicas gerais. Com exceção de períodos muito limitados da sua história, nos quais se deflagraram guerras importantes e outras situações de extrema emergência, "os sistemas centrais de planejamento" provaram ser um absoluto fracasso justamente porque não conseguiram prevalecer (nem mesmo quando utilizaram os meios mais violentos de imposição) sobre os elementos recalcitrantes do seu microcosmo conflitante. Além disso, quando tentaram "reformar" a si próprios, só puderam imaginar a forma da "descentralização" que, determinada de cima e priorizando o centralismo autoritário, preservou virtualmente intactas as contradições desse círculo vicioso. Ou seja, dada a *estrutura conflitante* da divisão social hierárquica do trabalho do capital, a dimensão *coesiva* deve ser imposta *de cima* às partes constitutivas de seu sistema incorrigivelmente *centrífugo*. Consequentemente, é falsa a oposição entre "central" e "local", já que tudo deve ser impiedosamente *subsumido* – apesar das retóricas "soberania do consumidor individual" e "autonomia local" – aos imperativos estruturais hierárquicos do sistema do capital. Sem isso, o modo antagônico/conflitante da reprodução do capital não poderia funcionar sequer por um dia, muito menos sobreviver por um longo período histórico.

A verdadeira questão, portanto, é a relação dialética entre o *todo* e suas *partes*. Sob o sistema do capital, os escalões do topo de sua estrutura de comando, com a sua perversa centralidade, usurpam o lugar do todo e dominam as partes, impondo a sua *parcialidade* como o *"interesse do todo"*. É assim que a totalidade autossustentada do capital pode se afirmar, provocando um curto-circuito não dialético na relação parte/todo, como um sistema orgânico. A alternativa hegemônica socialista, portanto, envolve a reconstituição da dialética objetiva das partes e do todo, das menores células constitutivas até as relações produtivas e distributivas mais abrangentes, de um modo não conflitante. O sucesso do planejamento depende da coordenação das suas atividades produtivas e distributivas livremente consentida por aqueles que executam os objetivos conscientemente divisados. Portanto, o planejamento genuíno é inconcebível sem uma substantiva tomada de decisão democrática desde baixo, pela qual tanto a coordenação lateral como a integração abrangente de práticas reprodutivas se tornam possíveis. E vice-versa, pois, sem o exercício conscientemente planejado e amplamente coordenado das suas energias e habilidades criativas todo discurso sobre a tomada de decisão democrática dos indivíduos não possui qualquer substância. Apenas juntos os dois poderão definir as exigências elementares da alternativa hegemônica socialista à ordem sociometabólica do capital.

PARTE IV

ENSAIOS SOBRE TEMAS RELACIONADOS

Capítulo 21

A NECESSIDADE DO CONTROLE SOCIAL*

Nas páginas finais, profundamente comoventes, de uma de suas últimas obras, Isaac Deutscher escreveu:
A base tecnológica da sociedade moderna, sua estrutura e seus conflitos têm caráter internacional ou mesmo universal; tendem a soluções internacionais ou universais. E há perigos sem precedentes pondo em risco nossa existência biológica. Estes, acima de tudo, chamam pela unificação da humanidade, que não pode ser alcançada sem um princípio integrador de organização social. ... O impasse ideológico atual e o *status quo* social dificilmente poderiam servir de base para a solução dos problemas de nossa época, ou sequer para a sobrevivência da humanidade. Evidentemente, seria um desastre fatal se as superpotências nucleares viessem a encarar o *status quo* social como seu mero entretenimento, ou se qualquer uma delas tentasse alterá-lo pela força das armas. Nesse sentido a coexistência pacífica Leste-Oeste é uma necessidade histórica suprema. Mas o *status quo* social não pode ser perpetuado. Karl Marx, comentando os impasses nas lutas de classe do passado, observou que elas normalmente acabam "na ruína comum das classes em conflito". Um impasse indefinidamente prolongado e garantido através de um equilíbrio nuclear permanente por certo levará as classes em conflito e as nações à sua ruína comum e fatal. A humanidade necessita de unidade para sua simples sobrevivência; onde poderá encontrá-la se não no socialismo?[1]

Isaac Deutscher concluiu seu trabalho sublinhando enfaticamente "*de nostra re agitur*": tudo isto nos diz respeito. Por essa razão parece-me adequado, nesta ocasião, abordar alguns dos problemas vitais nos quais concentrava seu interesse ao final de sua vida.

---

* *The Necessity of Social Control*, primeira conferência *Isaac Deutscher Memorial*, proferida na London Scholl of Economics and Political Science em 26 de janeiro de 1971. Publicada sob o mesmo título, na Inglaterra, pela Merlin Press, Londres, 1971.

[1] Isaac Deutscher, *The Unfinished Revolution*, Oxford University Press, 1967, pp. 110-4.

Sobretudo porque o *status quo* em questão é historicamente singular: envolve inevitavelmente *toda* a humanidade. Como todos sabemos pela história, jamais um *status quo* durou indefinidamente; nem mesmo o mais parcial e localizado. A permanência de um *status quo* global, dadas as imensas forças dinâmicas, necessariamente expansivas, que envolve, é uma contradição em termos: um absurdo que deveria ser visível até mesmo para o mais míope especialista em teoria dos jogos. Num mundo constituído por uma multiplicidade de sistemas sociais conflitantes e em mútua interação em constraste com o mundo fantasioso das escaladas e desescaladas dos tabuleiros de xadrez o precário *status quo* global caminha *por certo* para a ruptura. A questão não é "se haverá ruptura ou não", mas "através de que meios". Ele se romperá através de meios militares devastadores ou haverá válvulas sociais adequadas para o alívio das crescentes tensões sociais, que hoje estão em evidência mesmo nos cantos mais remotos de nosso espaço social global? A resposta dependerá de nosso sucesso ou fracasso na criação dos necessários movimentos estratégicos, e instrumentos capazes de assegurar uma efetiva transição para uma sociedade socialista, na qual a "humanidade possa encontrar a unidade que necessita para a sua simples sobrevivência".

21.1 Os condicionais contrafactuais da ideologia apologética

O que hoje estamos vivenciando não é apenas uma crescente polarização – inerente à crise estrutural global do capitalismo atual – mas, igualmente, o que multiplica os riscos de explosão, o colapso de uma série de válvulas de segurança que cumpriam um papel vital na perpetuação da *sociedade de mercado*.

Foi bastante dramática a mudança que solapou o poder da política de consenso, da limitada institucionalização e integração do protesto social, da expressão, da exportação fácil da violência interna, por meio de sua transferência ao plano dos conflitos internacionais mistificantes etc. No entanto, há muito pouco, o crescimento sem barreiras e a multiplicação do poder do capital, a irresistível extensão de seu domínio a todos os aspectos da vida humana eram fatos proclamados com toda a segurança e amplamente aceitos. O funcionamento não problemático e sem distúrbios das estruturas capitalistas de poder era tomado como certo, e declarado como feição permanente da própria vida humana, e os que ousavam pôr em dúvida a justeza de tais declarações de fé eram imediatamente desqualificados pelos eternos guardiães da hegemonia burguesa da cultura como "ideólogos perdidos", ou algo pior.

Mas onde estão agora os dias em que era possível falar, a respeito de Marx e dos movimentos sociais associados a seu nome, como fez um dos principais teóricos e conselheiros do presidente Kennedy, nos termos que seguem:

"Ele [Marx] aplicou sua caixa de ferramentas àquilo que podia apreender de *um* caso histórico: o caso do deslanche britânico e de seu caminho à maturidade, ... como intelectual paroquial que era da Europa Ocidental, os desenvolvimentos futuros na Ásia e na África permaneceram em larga medida fora de seu alcance, sendo tratados quase inteiramente no contexto dos interesses britânicos e não em termos de seus próprios problemas de *modernização* ... Marx criou ... *um guia monstruoso de administração pública*. [O comunismo] é uma espécie de doença capaz de acometer uma sociedade de transição, caso ela não obtenha sucesso em organizar efetivamente aqueles elementos que, em seu interior, estão preparados para assumir o trabalho de modernização. [Em oposição à abordagem marxista, a meta é criar], em associação com os políticos não comunistas e os povos das áreas de desenvolvimento recente [isto é, os territórios do neocolonialismo] uma *parceria* que *os auxiliará* em seu crescimento sustentado sobre uma base política e social que preserva as possibilidades de um progressivo desenvolvimento democrático.²

Estas linhas foram escritas há pouco mais de uma década, porém soam hoje como uma argumentação pré-histórica, muito embora – ou talvez por isso mesmo – seu autor seja o professor de História Econômica no Massachussets Institute of Technology.

Nesta curta década fomos providos pela ampla e trágica oportunidade de ver na prática, no Vietnã e no Camboja, assim como em outros países, o significado real do programa de "parceria" destinado a "auxiliar os políticos das áreas de desenvolvimento recente", e os resultados desastrosos dessa parceria³, sob a orientação intelectual de "Assessores Especializados", entre os quais se inclui um número considerável de Walt Rostows: homens que tiveram a insolência cínica de chamar a obra de Marx de *"guia monstruoso de administração pública"*. Inflados pela "arrogância do poder militar", eles "provaram", utilizando tautologias intercaladas com "deduções" retrospectivas, que o estágio norte-americano de crescimento econômico é imune a todas as crises⁴, e argumentaram, com a ajuda de condicionais contrafactuais, que a ruptura na cadeia do imperialismo foi meramente uma desventura infeliz que, a rigor, jamais deveria ter ocorrido:

*Se a Primeira Guerra Mundial não houvesse ocorrido – ou ocorrido uma década mais tarde –, a Rússia teria quase certamente realizado com êxito uma transição para a modernização e se tornado invulnerável ao comunismo.*⁵

---

² W. W. Rostow, *The Stages of Economic Growth: A Non-Communist Manifesto*, Cambridge University Press, 1960, pp. 157-164.

³ Frequentemente se esquece que o presidente Kennedy foi responsável direto pela escalada norte-americana no Vietnã, inaugurando dessa forma toda uma série de políticas desastrosas concebidas com base em "teorias" do tipo acima citado.

⁴ Pode-se apreciar abaixo um exemplo característico das apologias tautológicas baseadas numa reconstrução retrospectiva do passado à luz de um presente idealizado do capitalismo norte-americano:
A estagnação relativa entre as duas guerras mundiais na Europa ocidental não foi devida a uma taxa decrescente de lucro a longo prazo, mas ao *fracasso* da Europa ocidental em criar condições para que suas sociedades nacionais ingressassem rapidamente na era do alto consumo de massa, gerando desse modo novos setores de ponta. Esse *fracasso*, por seu turno, foi devido sobretudo ao *fracasso* em criar inicialmente o pleno emprego no contexto dos termos do comércio do pós-20. Similarmente, a prolongada depressão nos Estados Unidos nos anos 30 não foi devida a taxas decrescentes de lucro a longo prazo, mas ao *fracasso* em criar condições iniciais renovadas de pleno emprego através de políticas governamentais que *teriam permitido* aos novos setores de ponta da habitação, da indústria automobilística, de bens de consumo duráveis e de serviços impulsionar a economia para além de 1929. Rostow, op. cit., p. 155.
Então, os *"fracassos"* (crises e recessões) são explicados pelos "fracassos" em gerar condições que "teriam permitido" evitar esses "fracassos" infelizes, produzindo o atual padrão de "alto consumo" capitalista, que evidentemente é o insuperável paradigma de tudo. Não somos informados, todavia, de como esses desafortunados fracassos-que-explicam-fracassos surgiram. Porém, como o objetivo de todo o exercício é a propagação do "objetivo" e "não paroquial" *Manifesto não comunista* de Rostow, como salvação definitiva do capitalismo mundial dominado pelos Estados Unidos, por implicação podemos admitir que os "fracassos" em questão devem ser devidos à ausência desse tipo de sabedoria econômico-política, tautológica-retrospectiva. Por meio de que *"fracassos"* ele explicaria o crescente desemprego atual e os sintomas associados de sérios distúrbios estruturais nos Estados Unidos, assim como em outras partes do mundo capitalista de "alto consumo de massa", "habitação" etc., permanece infelizmente um mistério para nós, posto que não há "novos setores de ponta" à vista, cuja criação "teria permitido" evitar os fracassos atuais.

⁵ Rostow, op. cit., p. 163.

Poderíamos ser tentados a exultar diante de tal nível de poder intelectual de nossos adversários, se não fosse apavorante contemplar a força bruta que exercem, em decorrência de sua submissão voluntária às instituições alienadas que demandam "teorias" deste tipo, bem como prosseguem, imperturbáveis, nem mesmo pela possibilidade de uma dúvida ocasional, em sua cega rota de colisão. As construções vazias, que atendem a essa demanda de racionalização, assentam-se sobre pilares de premissas totalmente falsas – e frequentemente autocontraditórias – como por exemplo as seguintes:

1. "o socialismo é uma doença misteriosa – ainda que de fácil prevenção – que o acometerá, a menos que você siga a prescrição científica da modernização norte-americana";
2. "fatos em sentido contrário são meramente o resultado de desventuras misteriosas – ainda que de fácil prevenção; tais fatos (por exemplo, a Revolução Russa de 1917) são destituídos de uma verdadeira base causal e de uma significação sócio-histórica mais ampla";
3. "as atuais manifestações de agitação social resultam meramente da combinação das aspirações soviéticas nas sociedades em questão: portanto, trata-se de dar xeque-mate à primeira por meio de generoso suprimento às últimas".

"Teorias" assentadas em tais bases limitam-se a ser a mais crua justificativa ideológica do agressivo expansionismo e intervencionismo norte-americano. Por isso estas cínicas ideologias da racionalização têm de ser falsamente representadas como "ciência social e política objetiva", e a posição daqueles que percebem as intenções subjacentes à torpe defesa "do auxílio aos políticos das áreas de desenvolvimento recente" – na forma de massivas intervenções militares da "Grande Parceria Norte-americana" – deve ser denunciada como a de "ideólogos do século XIX".

O momento da verdade chega, porém, quando as "desventuras" da explosão social ocorrem mais misteriosamente ainda do que nas "áreas de desenvolvimento recente", no verdadeiro país da "suprema modernização" e de nível mais alto que o do "alto consumo de massa": nomeadamente os Estados Unidos. Assim, não é apenas o modelo de crescimento e modernização sem transtorno que se despedaça, mas, ironicamente, é também o *slogan* do "crescimento sustentado sobre uma base política e social que preserva as possibilidades de um progressivo desenvolvimento democrático" que dá, ideologicamente, um tiro pela culatra, numa época em que se multiplicam os protestos contra a violação das liberdades básicas e a privação dos direitos políticos das massas. Não é preciso dizer que não estamos nos referindo a um futuro remoto, hipotético, mas aos dias atuais. Importa no entanto enfatizar que o dramático colapso dessas racionalizações pseudocientíficas da força bruta demarca o fim de uma era: não a era do "fim da ideologia", mas a do fim do quase completo *monopólio* da cultura e da política pela ideologia antimarxista, que se autoproclamava com sucesso, até recentemente, como a supressão final de toda ideologia.

21.2 Capitalismo e destruição ecológica

Uma década atrás os Walt Rostow deste mundo ainda vaticinavam confiantemente a adoção *universal* do padrão norte-americano de "alto consumo de massa" no intervalo de apenas um século. Eles não podiam ser importunados com cálculos elementares, mas evidentemente necessários, que lhes demonstrariam que a eventual universalização do referido padrão – para não mencionar a tolice que este ideal representa em termos econômicos e sociopolíticos – determinaria a exaustão dos recursos ecológicos de nosso planeta muito antes do final daquele século. Afinal, naqueles dias, os figurões políticos e seus assessores não viajavam no carro-chefe da ecologia, mas nas cápsulas espaciais esterilizadas da fantasia astronáutica e militar. Aqueles dias em que nada parecia demasiado grande, demasiado distante ou demasiado difícil para os que acreditavam – ou queriam nos fazer acreditar – na religião da onipotência tecnológica e de uma Odisseia no Espaço na virada da esquina.

Muitas coisas mudaram nesta curta década. A arrogância do poder militar sofreu algumas sérias derrotas, não apenas no Vietnã mas também em Cuba e em outras partes do "hemisfério americano". As relações de força em nível internacional apresentaram algumas modificações significativas, em primeiro lugar com o enorme desenvolvimento da China e do Japão, expondo ao ridículo as belas projeções lineares dos especialistas em escaladas que, agora, têm que inventar tanto um tipo de jogo inteiramente novo, que admita múltiplos enxadristas, como também, na ausência de jogadores reais, a espécie de criaturas que aceita participar de tal jogo. A sociedade "afluente" transformou-se na sociedade de *efluência* asfixiante, e a alegada onipotência tecnológica nem sequer foi capaz de debelar a invasão dos ratos nas deprimentes favelas dos guetos negros. Nem mesmo a religião da Odisseia no Espaço sentiu-se melhor, em que pese os investimentos astronômicos que exigiu: recentemente, até mesmo o erudito Dr. Werner von Braun foi compelido a combinar a última versão de sua irresistível "paixão pelas estrelas" com a prosaica plataforma da poluição (até o momento, ao que parece, sem sucesso).

"O Deus que falhou", na imagem da onipotência tecnológica, é agora recomposto e novamente apresentado sob o disfarce do "interesse ecológico" universal. Há dez anos a ecologia podia ser tranquilamente ignorada ou desqualificada como totalmente irrelevante. Atualmente, ela é obrigada a ser grotescamente desfigurada e exagerada unilateralmente para que as pessoas – suficientemente impressionadas com o tom cataclísmico dos sermões ecológicos – possam ser, com sucesso, desviadas dos candentes problemas sociais e políticos. Africanos, asiáticos e latino-americanos (especialmente estes últimos) não devem se multiplicar como lhes aprouver – nem mesmo de acordo com a vontade de Deus, caso sejam católicos apostólicos romanos –, dado que o desequilíbrio demográfico poderia resultar em "tensões ecológicas intoleráveis". Em termos claros, poderia até pôr em perigo a relação social de forças prevalecente. Analogamente, as pessoas deveriam esquecer tudo sobre as cifras astronômicas despendidas em armamentos e aceitar cortes consideráveis em seu padrão de vida, de modo a viabilizar os custos da "recuperação do meio ambiente": isto é, em palavras simples, os custos necessários à manutenção do atual sistema de expansão da produção de supérfluos. Para não mencionar a vantagem adicional que constitui o fato de se compelir a população em geral a custear, sob o pretexto da "sobrevivência da espécie humana", na sobrevivência de um sistema socioeconômico que se defronta agora com deficiências derivadas da crescente competição internacional e de uma mudança crescente na sua própria estrutura de produção, em favor dos setores parasitários.

O fato de que o capitalismo lida dessa forma – ou seja, a seu modo – com a ecologia não deveria provocar a mínima surpresa: seria quase um milagre isso não ocorrer. No entanto, a manipulação desta questão em benefício do "moderno Estado industrial" – para empregar uma bela frase do professor Galbraith – não significa que possamos ignorá-la. O problema é suficientemente concreto, independentemente do uso que dele se faça nos dias atuais.

Na verdade, o problema da ecologia é real já há algum tempo, ainda que, evidentemente, por razões inerentes à necessidade do crescimento capitalista, poucos tenham dado alguma atenção a ele. Marx, entretanto – e isto soará estranho apenas para os que inúmeras vezes o sepultaram como um "ideólogo irremediavelmente irrelevante com a marca do século XIX" –, abordou esta questão dentro das dimensões de seu verdadeiro significado socioeconômico, e isto há mais de 125 anos.

Criticando a retórica idealista e abstrata com a qual Feuerbach determinava a relação entre o homem e a natureza, Marx escreveu:

> Feuerbach ... sempre se refugia na natureza exterior, na natureza ainda não dominada pelos homens. Mas, com cada nova invenção, com cada progresso da indústria, uma nova parte é arrancada deste terreno e o solo sobre o qual crescem os exemplos de tais proposições feurbachianas se reduz cada vez mais. A "essência" do peixe é a sua "existência", a água – para retomar apenas uma das proposições de Feuerbach. A "existência" do peixe de água corrente é a água do rio. Contudo, esta água deixa de ser sua "essência", deixa de ser um meio adequado de existência, tão logo o rio sofra a influência da indústria, tão logo seja poluído por corantes e outros dejetos, tão logo seja navegado por navios a vapor, ou tão logo suas águas sejam dirigidas para canais onde simples drenagens podem privar o peixe de seu meio de existência.[6]

Foi assim que Marx abordou a questão no início dos anos 40 do século XIX. Torna-se desnecessário acrescentar que ele rejeitava categoricamente a alegação de que tais formas de desenvolvimento eram inevitavelmente inerentes à "essência humana" e que, consequentemente, o problema consistia em saber como poderíamos nos *adaptar*[7] a estas formas no cotidiano. Marx compreendeu perfeitamente, já naquela altura, que uma reestruturação radical do modo prevalecente de intercâmbio e controle humano é o pré-requisito necessário para um controle efetivo das forças da natureza, que são postas em movimento de forma cega e fatalmente autodestrutiva precisamente em virtude do modo prevalecente, alienado e reificado de intercâmbio e controle humanos. Causa, portanto, pouca surpresa o diagnóstico profético de

---

[6] Marx, *The German Ideology*, pp. 55-6.
[7] Id., ibid., p. 56.

Marx ser considerado pelos atuais apologistas do sistema de controle estabelecido nada mais do que um "anacronismo paroquial".

Afirmar que os custos da despoluição de nosso meio ambiente devem ser cobertos, em última análise, pela comunidade é ao mesmo tempo um óbvio lugar-comum e um subterfúgio típico, ainda que os políticos que pregam sermões sobre esta questão acreditem haver descoberto a pedra filosofal. *Obviamente*, é sempre a comunidade dos produtores que cobre os custos de tudo. Mas o fato de *dever* sempre arcar com os custos não implica de modo algum que sempre o *possa* fazer. Certamente, dado o modo prevalecente de controle social alienado, podemos estar certos de que a comunidade *não será capaz* de arcar com tais custos.

Além disso, sugerir que os custos já proibitivos devam ser cobertos por "um fundo deliberadamente criado para tal finalidade com uma parte dos recursos derivados do crescimento econômico excedente" – numa época de crescimento zero, ao qual se juntam desemprego e inflação crescentes – é ainda pior do que a retórica vazia de Feuerbach. Isso para não mencionar os problemas adicionais necessariamente inerentes ao crescente desenvolvimento capitalista.

Por outro lado, acrescentar que "desta vez o crescimento será controlado" é fugir completamente à questão, pois o que está em causa não é *se* produzimos ou *não* sob alguma forma de controle, mas sob que tipo de controle; dado que as condições atuais foram produzidas sob o "férreo controle" do capital que nossos políticos pretendem perpetuar como força reguladora fundamental de nossas vidas.

E, finalmente, argumentar que "ciência e tecnologia podem solucionar todos os nossos problemas a longo prazo" é muito pior do que acreditar em bruxas, já que tendenciosamente omite o devastador enraizamento social da ciência e da tecnologia atuais. Também nesse sentido, a questão central não se restringe a saber *se* empregamos *ou não* a ciência e a tecnologia com a finalidade de resolver nossos problemas – posto que é óbvio que devemos fazê-lo –, mas se seremos *capazes* ou não de *redirecioná-las radicalmente*, uma vez que hoje ambas estão estreitamente determinadas e circunscritas pela necessidade da perpetuação do processo de maximização dos lucros.

São estas as principais razões pelas quais só se pode ser bastante cético em relação à presente institucionalização desses problemas. Montanhas pariram um rato: as superinstituições de controle ecológico exibem resultados bem mais modestos do que a retórica de sua autojustificação, ou seja, Ministérios para Proteção das Amenidades da Classe Média.

21.3 A crise de dominação

Enquanto isso, nesse plano como em vários outros, os problemas se acumulam e as contradições tornam-se cada vez mais explosivas. A tendência objetiva inerente à natureza do capital – seu crescimento dentro de um sistema global conjugado com sua concentração e sua sempre crescente articulação com a ciência e a tecnologia –

abala e torna anacrônica a subordinação socioestrutural do trabalho ao capital[8]. De certo, já podemos testemunhar que as formas tradicionais de enraizamento hierárquico-estrutural da divisão funcional do trabalho tendem a se desintegrar, sob o impacto da concentração do capital e da socialização do trabalho sempre crescentes. Posso apenas mencionar aqui uns poucos indicadores desta notável mudança:

1. A progressiva vulnerabilidade da organização industrial contemporânea, quando comparada à organização fabril do século XIX. (As greves ditas "selvagens" são inconcebíveis sem os processos econômicos e tecnológicos subjacentes, que tanto induzem como possibilitam a um "punhado" de trabalhadores paralisar até mesmo todo um ramo industrial, com imensas repercussões potenciais.)

2. A inter-relação econômica dos vários ramos da indústria, como um sistema estreitamente ajustado de partes interdependentes, com o imperativo crescente de assegurar a *continuidade da produção* no sistema como um todo. (Quanto mais o sistema é submetido a tensão no que tange ao seu ciclo de reprodução, maior é o imperativo de continuidade, e todo distúrbio conduz a mais estiramento, bem como a um permanente receio de interrupção, ainda que temporária, da continuidade.) Há cada vez menos "ramos periféricos", uma vez que as repercussões das complicações industriais são rapidamente transferidas, na forma de reações em cadeia, de um ponto qualquer do sistema a todas as suas partes. Consequentemente, não pode mais haver "indústrias sem problemas". A idade da empresa paternalista foi irreversivelmente superada pelo domínio dos "oligopólios" e "superconglomerados".

3. O montante crescente de "tempo socialmente supérfluo" (ou "tempo disponível")[9], habitualmente denominado "lazer", torna cada vez mais absurdo, e mesmo impossível na prática, manter um amplo segmento da população em estado de apática ignorância, divorciado de suas próprias capacidades intelectuais. Sob o impacto de um dado número de importantes fatores socioeconômicos, a antiga mística do elitismo intelectual já desapareceu para sempre. Da mesma forma, paralelamente ao crescente desemprego de intelectuais – tanto potencial como efetivo – como também ao agravamento da clivagem entre aquilo para que supostamente se foi educado e as oportunidades reais de emprego, tornou-se cada vez mais difícil manter a subordinação tradicionalmente inquestionável da grande maioria dos intelectuais à autoridade do capital.

4. O trabalhador como consumidor ocupa uma posição de crescente importância para a manutenção do curso tranquilo da produção capitalista. Todavia, permanece completamente excluído do controle tanto da produ-

---

[8] Discuti vários problemas correlatos em minha contribuição para *Aspects of History and Class Consciousness*, ensaios de Tom Bottomore, David Daiches, Lucien Goldmann, Arnold Hauser, E. J. Hobsbawn, István Mészáros, Ralph Miliband, Rudolf Schlesinger, Anthony Thorlby, ed. I. Mészáros, Londres, Routledge & Kegan Paul, 1971.

[9] Ver Marx, *Grundisse der Kritik der politischen Ökonomie*, Berlim, 1953, pp. 593-4.

ção como da distribuição – como se nada houvesse ocorrido na esfera da economia durante o último ou os dois últimos séculos. Trata-se de uma contradição que introduz complicações adicionais no sistema produtivo vigente, baseado numa divisão socialmente estratificada do trabalho.

5. O efetivo estabelecimento do capitalismo como um sistema mundial economicamente articulado contribui para a erosão e a desintegração das estruturas tradicionais parciais de estratificação e controle social e político historicamente formadas e variáveis de local para local, sem ser capaz de produzir um sistema unificado de controle em escala mundial. (Enquanto prevalecer o poder do capital, o "governo mundial" está fadado a permanecer um devaneio futurológico.) A "crise de hegemonia ou do Estado em todas as esferas" (Gramsci) tornou-se um fenômeno verdadeiramente internacional.

Em última análise, todos estes pontos remetem à questão do *controle social*.

No decurso do desenvolvimento humano, a função do controle social foi alienada do corpo social e transferida para o capital, que adquiriu assim o poder de aglutinar os indivíduos num padrão hierárquico estrutural e funcional, segundo o critério de maior ou menor participação no controle da produção e da distribuição. Ironicamente, porém, a tendência objetiva inerente ao desenvolvimento do capital em todas as esferas – da fragmentação mecânica do processo de trabalho à criação de sistemas automatizados, da acumulação local de capital à sua concentração na forma de um sistema mundial em contínua expansão, da divisão parcial e local do trabalho à vasta divisão internacional do trabalho, do consumo limitado ao consumo de massa artificialmente estimulado e manipulado, a serviço de um ciclo de reprodução cada vez mais acelerado da sociedade de mercado, e do "tempo livre" restrito a poucos privilegiados à produção em massa de uma bomba social, na forma de "lazer", em escala universal – traz consigo resultados diametralmente opostos ao interesse do capital. Pois, neste processo de expansão e concentração, o poder de controle conferido ao capital vem sendo *de fato* retransferido ao corpo social como um todo, mesmo se de uma forma necessariamente irracional, graças à irracionalidade inerente ao próprio capital.

Que o deslocamento objetivo do controle seja descrito, do ponto de vista do capital, como "manter a nação como refém" não muda em nada o próprio fato. Pois o capitalismo do século passado não podia ser "mantido como refém", nem mesmo por um exército dos assim chamados "agitadores", e muito menos por um "punhado" deles.

Aqui estamos diante da emergência de uma contradição fundamental: a contradição entre uma perda efetiva de controle e a forma vigente de controle, o capital, que pela sua própria natureza *somente* pode ser controle, dado que é constituído mediante uma objetivação alienada da função de controle, como um corpo reificado separado e em oposição ao próprio corpo social. Não surpreende, portanto, que nos últimos anos a ideia de *controle dos trabalhadores* tenha ganho importância em muitas partes do mundo.

O *status quo* social de pouco tempo atrás vem se desintegrando rápida e dramaticamente diante de nossos próprios olhos – basta querer ver. A distância entre a "Cabana do Pai Tomás" e os bairros sitiados da militância negra é *astronômica*. Igualmente o são as distâncias entre a deprimente apatia da classe trabalhadora do pós-guerra e a militância crescente em escala mundial dos dias de hoje – admitida mesmo oficialmente; entre a "participação" benevolamente concedida pelo presidente e as lutas nas ruas de Paris; entre o movimento sindicalista italiano seriamente dividido e de limitada orientação salarial e a unidade necessária para a organização de uma greve política geral, ou, ainda, entre o domínio monolítico e indisputável do stalinismo e a importante irrupção da maciça dissidência popular na Polônia, na Hungria, na Tcheco-Eslováquia e, recentemente, novamente na Polônia. Mesmo assim, não foi necessário nada comparável a anos-luz – ou mesmo a minutos-luz – para percorrer estas distâncias astronômicas.

Há não muito tempo, a ideologia "científica" da "engenharia social" gradualista – em oposição ao "holismo religioso" da mudança revolucionária e do socialismo – desfrutava uma posição quase completamente monopolista, não apenas nas instituições educacionais e culturais mas também nas antecâmaras do poder político. Mas, valha-me Deus, o que presenciamos hoje? O anúncio dramático da necessidade de uma "grande revolução" por ninguém menos do que o próprio presidente Nixon, na sua recente mensagem à Nação ("State of Union"), logo seguido pela advertência do xá da Pérsia, anunciando estar disposto a liderar a "rebelião dos pobres contra os ricos".

E até o senhor Wilson, que misteriosamente perdeu de seu vocabulário a palavra "socialismo", no mesmo minuto em que entrou na residência ministerial pela porta da frente – e ela não pôde ser encontrada, muito embora toda a sua equipe de especialistas e conselheiros, e também seus colegas de gabinete, tentassem durante quase seis anos achá-la através das poderosas lentes da "modernização pragmática", gratuitamente distribuídas –, reencontrou misteriosamente a palavra tão logo deixou o cargo, saindo da residência ministerial pela porta dos fundos. De fato, em um de seus pronunciamentos públicos ele chegou a arriscar uma piada sobre a "caça do Pentágono aos comunistas até debaixo d'água", muito embora tenha esquecido no mesmo instante, graças a uma repentina amnésia (que ele próprio fora à pesca de comunistas, não há tanto tempo).

O presidente Nixon: um novo *revolucionário*; o xá da Pérsia: *líder da rebelião mundial* dos destituídos; e o senhor Wilson: um indomável *cruzado contra as cruzadas anticomunistas do Pentágono*. Procuro imaginar o que pode vir em seguida. (Não precisei imaginar por muito tempo: alguns dias após proferir esta palestra, o senhor Heath – outro "modernizador pragmático" de alta reputação – apressou-se a adicionar, no mais verdadeiro espírito da política de consenso, o seu nome à nossa ilustre lista: como um vigoroso *campeão da nacionalização*.)

Contudo, até metamorfoses deste tipo são um indicativo de poderosas pressões, cuja natureza simplesmente não pode ser compreendida por meio da personificação mistificadora dos problemas, como a que se expressa em conceitos vazios do tipo "superação da falta de credibilidade", "construção de uma nova imagem" etc. A hipótese de que os políticos não cumprem suas promessas porque são "corruptos" e porque lhes "falta integridade" na melhor das hipóteses apenas evita a questão. Por outro lado, acrescentar que os políticos mudam seus *slogans* e lemas porque "necessitam mudar de imagem" é a mais vazia de toda a série de tautologias produzidas pela onda da "ciência política" funcionalista e behaviorista do pós-guerra. Conceitos deste tipo nada mais significam do que racionalizações, pretensiosamente infladas, da prática de autopromoção empregada pelos meios de comunicação com o objetivo de vender seus serviços aos políticos mais crédulos. Como o próprio senhor Wilson pode testemunhar: a simples e estrita verdade quantificável é que o "lapso de credibilidade" entre este tipo de estimativa "científica" eleitoral e o trágico resultado final é exatamente igual à distância entre as portas da frente e dos fundos da residência ministerial, tanto em espaço como em tempo.

Se hoje o tom da política tradicional modifica-se, isso se deve ao fato de que as contradições objetivas da situação atual já não podem ser contidas, seja por meio do puro poder e da força bruta, seja pelo suave estrangulamento promovido pela política de consenso. Na verdade, estamos diante de uma crise sem precedentes do controle social em escala mundial e não diante de sua solução. Seria uma grande irresponsabilidade se nos tranquilizássemos numa espécie de estado de euforia, contemplando uma "revolução socialista mundial na virada da esquina".

O poder do capital, em suas várias formas de manifestação, embora longe de ter se esgotado, não mais consegue se expandir. O capital – uma vez que opera sobre a base da míope racionalidade do estreito interesse individual, do *bellum omnium contra omnes*: a guerra de todos contra todos – é um modo de controle, por princípio, incapaz de prover a racionalidade abrangente de um adequado controle social. E é precisamente a necessidade deste que demonstra cada vez mais sua dramática urgência.

A consciência dos limites do capital tem estado ausente em todas as formas de racionalização de suas necessidades reificadas, e não apenas nas versões mais recentes de ideologia capitalista. Paradoxalmente, contudo, o capital é agora compelido a tomar conhecimento de alguns destes limites, ainda que, evidentemente, de uma forma necessariamente alienada. Pelo menos agora os limites *absolutos* da existência humana – tanto no plano militar como no ecológico – têm de ser avaliados, não importa quão distorcidos e mistificadores sejam os dispositivos de aferição da contabilidade socioeconômica capitalista. Diante dos riscos de uma aniquilação nuclear, por um lado e, por outro, de uma destruição irreversível do meio ambiente, tornou-se imperativo criar alternativas práticas e soluções cujo fracasso acaba sendo inevitável em virtude dos próprios limites do capital, os quais agora colidem com os limites da própria existência humana.

Seria desnecessário dizer que os limites do capital vêm acompanhados por uma concepção que procura extrair lucro até mesmo destas questões vitais para a existência humana. As insensatas – porém, é claro, "racionais" do ponto de vista do capital – teorias (e práticas a elas associadas) da "crescente" indústria de guerra, segundo as quais a corrida armamentista é a melhor maneira de se evitar a guerra, têm dominado o "pensamento estratégico" nos últimos anos. E recentemente poderíamos observar a proliferação de empresas parasitárias – das menores às maiores – que tentam lucrar do nosso crescente esclarecimento sobre os perigos ecológicos. (Para não mencionar as operações político-ideológicas associadas a estas mesmas questões[10].)

De toda forma, estas mesmas manipulações não resolvem os problemas em questão, contribuindo somente para seu agravamento. O capitalismo e a racionalidade do planejamento social abrangente são radicalmente incompatíveis.

Atualmente, contudo, presenciamos a emergência de uma contradição fundamental, com gravíssimas implicações para o futuro do capitalismo: pela primeira vez na história humana, a dominação e a expansão sem obstáculos das estruturas e mecanismos capitalistas, inerentemente irracionais, de controle social estão encontrando sérias resistências, na forma de pressões resultantes dos imperativos elementares da simples sobrevivência. E desde que os problemas são tão inevitáveis quanto são agudas as contradições entre a necessidade de um controle social adequado e os estreitos limites da contabilidade capitalista, o necessário insucesso dos programas de manipulação imprevidente atua – numa situação que requer esforços de amplo alcance, conscientemente coordenados em grande escala – como *catalisador* para o desenvolvimento de alternativas socialistas.

E esta lista de problemas está longe de esgotar a soma total das crescentes dificuldades. A produção em massa de tempo disponível, mencionada anteriormente, vem acompanhada hoje não apenas por um conhecimento em expansão, mas também por uma consciência mais aguda das contradições inerentes aos fracassos demonstrados na prática, assim como pelo desenvolvimento de novos modos e meios de comunicação, *capazes* de uma difusão efetiva das amplas evidências que atestam a emergência daquelas contradições[11].

Simultaneamente, algumas das instituições mais fundamentais da sociedade são atingidas por uma crise nunca antes sequer imaginadas.

---

[10] É assim que a "Voz da América" inicia "O homem e sua sobrevivência", seu programa de entrevistas com intelectuais:
A ordem de importância das grandes tarefas foi modificada. Hoje o choque de *interesses nacionais* ou a luta pelo *poder político* não mais ocupam o primeiro *plano*; nem sequer, na verdade, a eliminação da *injustiça social*. Agora o assunto relevante consiste em saber se a humanidade conseguirá assegurar as condições de sua sobrevivência em um mundo que ela própria transformou ... Não surpreende o fato de que o presidente dos Estados Unidos tenha despendido dois terços de seu último discurso à nação ("State of Union") com a questão da despoluição do meio ambiente. O que aconteceria, no entanto, se o homem, em lugar de pensar em sua própria sobrevivência, *desperdiçasse suas energias lutando pelas verdades relativas das várias ideologias e sistemas sociopolíticos?* Quais são os primeiros passos que a humanidade deve dar para *reformar a si própria e ao mundo?*
Qualquer comentário adicional seria redundante, graças à transparência destas linhas.

[11] Uma capacidade até aqui efetivamente paralisada pelos guardiães da ordem dominante. Para uma profunda análise das potencialidades dinâmicas da *mass media*, ver Hans Magnus Enzensberger: "Constituents of a theory of the media", *New Left Review*, nº 64 (nov-dec. 1970), pp. 13-36.

O poder da religião no Ocidente evaporou-se quase que completamente há muito tempo, mas este fato tem sido mascarado pela persistência de seus rituais e, sobretudo, pelo funcionamento efetivo de religiões-substitutas, desde o culto abstrato da "frugalidade" no passado mais remoto até a religião da "soberania do consumidor", da "onipotência tecnológica" e outras semelhantes, mais recentemente.

A crise estrutural da educação tem estado em evidência há já um número de anos nada desprezível. E aprofunda-se a cada dia, ainda que esta intensificação não assuma a forma de confrontações espetaculares.

E a mais importante de todas as crises: a virtual *desintegração* da família atual – esta célula da sociedade de classes – lança um desafio para o qual não são concebíveis respostas formais e institucionais, seja na forma de "alteração da lei de tolerância", seja numa forma mais cruelmente repressiva. A crise desta instituição assume muitas formas de manifestação, desde os cultos *hippies* à disseminação do uso de drogas; do "Movimento de Libertação Feminina" ao estabelecimento de enclaves utópicos de vida comunitária; e do "conflito de gerações", largamente difundido, às manifestações mais disciplinadas e militantes deste conflito em ação organizada. Aqueles que, no passado, desprezaram estas questões melhor fariam se refletissem de novo sobre elas. Pois, qualquer que seja hoje seu peso no contexto global, elas são potencialmente, e sem uma única exceção, da maior relevância.

Igualmente significativo é o modo pelo qual a persistência obstinada do *wishful thinking* falseia a identificação das várias formas de crise.

Não apenas ignora as manifestações de conflito até o último instante como também deturpa seu significado após sua ocorrência. Quando os conflitos já não podem ser ocultados, são tratados meramente como *efeitos* divorciados de suas *causas*. (Devemos lembrar das hipóteses absurdas de "misteriosas doenças" e de "eventos desprovidos de qualquer fundamento" anteriormente mencionadas.)

Caracteristicamente, encontra-se no rodapé de um recente livro de economia o apelo à "redução dos investimentos industriais em favor do replanejamento em larga escala de nossas cidades e da restauração e embelezamento de muitos de nossos povoados, vilas e locais de lazer":

> O recente colapso no fornecimento de energia elétrica na cidade de Nova York, ainda que deplorável sob o aspecto da eficiência, rompeu com a monotonia da vida cotidiana de milhões de nova-iorquinos. As pessoas usufruíram o choque de voltar a dispor unicamente de seus recursos inatos e a depender, assim de repente, umas das outras. Por algumas horas, as pessoas se viram livres da rotina e foram aproximadas pela escuridão. Vizinhos que viviam como estranhos passaram a conversar e sentiam prazer em se ajudar mutuamente. Havia espaço para a gentileza. O defeito no sistema de eletricidade foi reparado. O gênio da eletricidade retornou a cada lar. E, da mesma forma que a escuridão havia lançado as pessoas umas nos braços das outras, a *áspera luz voltou a dispersá-las*. No entanto, ouviu-se alguém dizer: "Isto deveria ocorrer pelo menos uma vez por mês".[12]

---

[12] E. J. Mishan, *The Cost of Economic Growth*, Penguin Books, 1969, p. 225.

Uma única coisa não se pode entender: por que não "pelo menos uma vez por semana"? Sem dúvida, a enorme economia de energia daí decorrente seria mais do que suficiente para cobrir os custos "do replanejamento em larga escala de nossas cidades, e da restauração e embelezamento de muitos de nossos povoados, vilas e locais de lazer". Isso para não mencionar os supremos benefícios inerentes à prática de recém-descoberta virtude da fraternidade-dos-corredores-escuros-dos-arranha-céus, se repetida semanalmente. Pois, aparentemente, não é o modo das relações sociais que "afasta" as pessoas, mas a eficiência tecnológica e a monotonia da "áspera luz". Então, a solução óbvia é fornecer menos "luz áspera" às pessoas, e todos os problemas indesejáveis desaparecerão para sempre. O fato de a produção de "luz áspera" ser uma necessidade social, que não pode ser substituída nem mesmo pela duração de rituais periódicos à luz suave de velas, é uma consideração evidentemente incapaz de desviar a atenção de nossos campeões em sonhos românticos.

Dito de outro modo: esta abordagem do *wishful thinking* caracteriza-se pela eliminação sumária de todas aquelas expectativas que o sistema não pode satisfazer. Os representantes desta abordagem insistem, como uma infalível tautologia, que tais expectativas não são a manifestação de contradições socioeconômicas, mas meros *efeitos* de "expectativas em ascensão". Assim, não apenas o desafio de enfrentar os *fundamentos causais* das expectativas frustradas é sistematicamente evitado, mas simultaneamente essa própria evasiva passa a ser muito convenientemente "justificada", ou seja, racionalizada.

Ora, o fato é que nos defrontamos aqui com uma contradição interna de um sistema de produção e controle: um sistema que não pode evitar o aumento das expectativas, mesmo ante a ameaça de um completo colapso de sua capacidade em satisfazê-las. E é justamente nestes momentos de colapso que soluções quixotescas e substitutivos são propostos com tanta paixão "humanitária". Até ou antes que tais momentos de crise e colapso se apresentem, ninguém em sã consciência questiona a sábia superioridade da "eficiência de custos", do "espírito empresarial", da "eficiência tecnológica", das "razões econômicas" e outras semelhantes. Porém, tão logo o sistema é incapaz de fornecer os bens que momentos antes anunciava ruidosamente – apontando confiadamente, antes da irrupção de distúrbios estruturais, sua capacidade de suprir expectativas em progressão como demonstração autoevidente de sua superioridade sobre todos os modos alternativos possíveis da produção e controle social –, seus apologistas imediatamente mudam da pregação sobre a "eficiência de custos" e as "razões econômicas" para o sermão sobre a necessidade da "autorrenúncia" e do "idealismo", imperturbáveis não apenas quanto à sua brusca mudança de rumo mas também em relação ao irrealismo retórico de suas "soluções" desejáveis.

Dessa forma, para além do horizonte da "obsolescência artificial", somos subitamente expostos a "teorias" que defendem o planejamento de cortes artificiais no fornecimento de energia, a produção de escassez artificial material, mas também como antídoto ao excesso de "tempo livre" que envolve o perigo de um desenvolvimento da consciência social; da solidariedade espacial e do suspense artificialmente manipulado etc. Na verdade, numa época em que o desemprego cresce perigosamente, há ainda entre nós "teóricos" antediluvianos, que esperam enfrentar as dificuldades resultantes da total ausência de sentido de uma existência saturada de *commodities*, defendendo seriamente a produção de desemprego artificial e miséria, coroando tudo isto com discursos nostálgicos acerca de religiões perdidas e da necessidade de uma novíssima religião artificial. Só não revelam como irão projetar, ao mesmo tempo, um ser artificial que será sistematicamente incapaz de perceber a grotesca artificialidade de todos esses artificialismos.

Houve uma época em que era conveniente, ao desenvolvimento do capitalismo, soltar da lâmpada o gênio que implacavelmente converte todas as coisas em mercadorias, muito embora esta façanha implicasse necessariamente o grande debilitamento e a definitiva desintegração das instituições religiosas, políticas e educacionais, que eram vitais para o mecanismo de controle da sociedade de classes. Hoje, contudo, o *status quo* estaria mais bem servido pela restauração de todas essas debilitadas e desintegrantes instituições de controle. De acordo com nossos críticos românticos, tudo estaria na mais perfeita ordem caso o gênio pudesse ser persuadido a retornar à sua lâmpada. O problema consiste, no entanto, em que ele não tem qualquer intenção de fazê-lo. Assim, nada mais resta aos nossos românticos exceto se lamentar da perversidade do gênio e da insensatez dos seres humanos que o libertaram.

21.4 Da "tolerância repressiva" à defesa liberal da repressão

Quando um sistema não consegue enfrentar manifestações de dissenso e, ao mesmo tempo, é incapaz de lidar com suas causas, surgem na cena, nestes períodos da história, não só figuras e soluções ilusórias, mas também os "realistas" da rejeição repressiva de toda crítica. Em 1957, um jovem e talentoso escritor alemão, Conrad Rheinhold, como resíduo do Vigésimo Congresso, teve que abandonar a Alemanha Oriental, onde dirigia um teatro político. Depois de alguma vivência na Alemanha Ocidental, foi-lhe solicitado, numa entrevista publicada na revista *Der Spegiel*[13], que apontasse a principal diferença entre sua antiga e sua nova situação. Esta foi sua resposta: "*Im Osten soll das Kabarett die Gesellshaft ändern, darf aber nichts sagem; im Westerm Kann es alles sagem, darf aber nichts ändern*" ("No Leste espera-se que o teatro político mude a sociedade, mas não é permitido falar sobre nada; no Ocidente, é permitido falar sobre tudo que se queira, mas não é permitido mudar absolutamente nada").

O exemplo ilustra muito bem o dilema do controle social. O reverso da medalha da "tolerância repressiva" é a "tolerância *reprimida*". Ambas demarcam os limites de sistemas sociais que são incapazes de satisfazer a necessidade de mudança social num determinado período histórico.

Quando Marx morreu, em 1883, o fato foi notificado pelo *The Times* com certo atraso[14]. E não é surpreendente que o jornal londrino tivesse que ser informado de Paris que Marx havia morrido em Londres. Isto ilustra de novo muito

---

[13] 6 de novembro de 1957.
[14] No dia 17 de março de 1883, o jornal londrino *Times* publicou a seguinte notícia:
Nosso correspondente em Paris informa a morte do Dr. Karl Marx, ocorrida na quarta-feira passada em Londres. Nasceu em Colônia em 1818. Com a idade de 25 anos foi obrigado a deixar sua terra natal e a refugiar-se na França, em razão das opiniões radicais expressas em um jornal do qual era editor. Na França dedicou-se ao estudo de filosofia e política, e tornou-se tão incômodo ao governo prussiano devido aos seus escritos que foi expulso da França e morou por alguns anos na Bélgica. Em 1847 participou do Congresso dos Trabalhadores em Londres, e foi um dos autores do "Manifesto do Partido Comunista". Retornou a Paris após a revolução de 1848, indo em seguida para sua cidade natal, Colônia, de onde foi novamente expulso devido aos seus escritos revolucionários, e após haver escapado da prisão em Paris fixou residência em Londres.

bem o nosso dilema. Pois é fácil ser liberal quando mesmo um Marx pode ser totalmente ignorado, já que sua voz não pode ser ouvida onde ele vive, graças ao vácuo político e ideológico que o circunda. Mas o que acontece quando o vácuo político é deslocado pela crescente pressão das contradições sociais em constante ampliação? Não serão, nesse caso, as frustrações geradas pelo necessário fracasso de apenas atentar para as manifestações superficiais dos problemas socioeconômicos, em lugar de enfrentar suas causas – será que esse fracasso não irá se refugiar atrás de uma demonstração de força, mesmo que isso signifique uma violação dos próprios valores liberais em cujo nome a violação é agora cometida? O caso recente de outro jovem refugiado da Alemanha Oriental – desta vez não se trata de um escritor de teatro político, mas de alguém profundamente preocupado com a degradação da política ao nível dos cabarés vulgares: Rudi Dutshke – sugere uma resposta bastante inquietante à nossa pergunta.

O problema não se reduz a uma questão de "aberração pessoal" ou de "teimosia política", como alguns comentadores observaram. Infelizmente, o problema é muito mais grave: trata-se de uma tentativa ameaçadora de colocar os órgãos políticos de controle em sintonia com as necessidades da articulação atual da economia capitalista, ainda quando tal ajustamento exija uma transição "liberal" da "tolerância repressiva" à "intolerância repressiva". Os que continuam a nutrir ilusões sobre esses assuntos deveriam ler um pouco mais atentamente seu jornal supostamente "imparcial", a fim de compreender o sentido cuidadosamente urdido de trechos como o que se segue:

> Quanto mais a universidade liberal é pressionada, tanto menos ela é *capaz* de ser compreensiva, mais *rigorosamente* ela terá que fixar seus limites e maior será a probabilidade da exclusão de *pontos de vista intolerantes*. O paradoxo da *sociedade tolerante* consiste em que não pode ser defendida apenas por métodos *tolerantes*, da mesma forma que a *sociedade pacífica* não pode ser defendida exclusivamente por métodos pacíficos.[15]

Como podemos observar, os mitos vazios da "sociedade tolerante" e da "sociedade pacífica" são empregados para representar a sociedade do *bellum omnium contra omnes*, desprezando os métodos dolorosamente óbvios pelos quais a "sociedade pacífica" do capitalismo norte-americano demonstra seu verdadeiro caráter, através de bombardeios maciços, da carnificina geral e dos massacres no Vietnã, e ainda pelo assassinato de seus próprios jovens na frente da "universidade liberal" – no Estado de Kent e em outros locais –, quando ousam organizar atos de protesto contra as inomináveis desumanidades desta sociedade "tolerante" e pacífica".

A partir desta data foi um dos líderes do Partido Socialista na Europa, e em 1866 tornou-se seu líder inconteste. Escreveu panfletos sobre vários temas, mas sua obra principal foi *O capital*, um ataque ao sistema capitalista como um todo. Há algum tempo estava com a saúde debilitada.

O que é extraordinário neste texto não é apenas a sua procedência de Paris, mas também a forma pela qual é revelada a solidariedade da classe do capital internacional, através das reações articuladas dos governos (o governo prussiano é incomodado – então – o governo francês age) à "inconveniência" do homem que ousou escrever "um ataque ao sistema capitalista como um todo".

[15] Editorial, *The Times*, 17 de outubro de 1970.

Ademais, nesses trechos de sabedoria editorial poderemos também observar, se estivermos dispostos a isso, não apenas o reconhecimento não intencional do fato de que esta sociedade "liberal" e "tolerante" "tolerará" somente até o ponto em que for capaz – isto é, até o ponto para além do qual o protesto começa a se tornar efetivo e a se transformar num verdadeiro desafio social à perpetuação da sociedade de tolerância repressiva –, mas também a hipocrisia sofisticada por meio da qual a defesa da *intolerância crua* ("rigorosa") e *institucionalizada* ("exclusão") alcança representar a si própria como uma defesa liberal da sociedade contra "os pontos de vista intolerantes".

Similarmente, a defesa da intolerância institucionalizada é ampliada à prescrição de "soluções" para as lutas sindicais. Outra manchete do *Times* – sugestivamente intitulada: *Uma Linha de Combate para os 10%*[16] –, após admitir que "Ninguém sabe ao certo qual é o mecanismo que causa uma espiral inflacionária" e depois de murmurar qualquer coisa sobre a fatalidade de determinado tipo de "regime autoritário" que ocorre em países com altos índices de inflação, termina por advogar medidas "*ruidosamente autoritárias*".

O que pode ser feito para reverter a atual tendência inflacionária? A primeira e imediata resposta é que o país deveria reconhecer a correção de uma *postura firme*. Qualquer pessoa, nas atuais *circunstâncias*, que reivindique mais que 10% estará contribuindo para um processo de autodestruição. Qualquer um que entre em greve porque não aceita 15% merece ser *repelido* com toda a força da sociedade, com *todo o poder do governo*.[17] ... *A primeira e a mais simples coisa a fazer consiste em começar derrotando as greves*[!!!]. As autoridades locais deveriam receber total apoio [incluindo tropas?], ao se recusarem a oferecer qualquer proposta, *mesmo no caso da greve se prolongar por meses*.

Pode-se ver, então, que a aparente preocupação com a ameaça (fictícia) de "algum tipo de regime autoritário" – que simplesmente se afirma estar inevitavelmente ligado a níveis elevados de inflação – é apenas um pretexto para encobrir a *real* preocupação em proteger os interesses do capital, não importando quão graves possam ser as implicações políticas de "uma postura firme" contra "greves que se prolongam durante meses". Formular, assim, as mais elevadas prioridades em termos de "derrotar as greves" é e não deixa de ser uma *postura autoritária*, mesmo quando a política baseada em tais medidas é defendida por editoriais que são capazes de assumir posições liberais em relação a assuntos mais periféricos.

A passagem de defesa da intolerância institucionalizada, na forma de "derrotar as greves com todo o poder do governo", à legitimação de tais práticas, por

---

[16] 20 de outubro de 1970.
[17] Os comentários de Marx sobre as instruções da censura prussiana esclarecem esse modo "liberal" de argumentar:
"Nada que se oponha à religião cristã em geral ou a uma doutrina em particular, de maneira frívola e hostil será tolerado." A coisa é colocada inteligentemente: *frívola, hostil*. O adjetivo "frívolo" apela para o senso de propriedade do cidadão e é o termo exotérico na *visão pública*; mas o adjetivo "hostil" é sussurrado no *ouvido do censor* e *transforma-se* na interpretação legal da frivolidade.
Em nossa citação os respectivos termos são, evidentemente, "a influência da sociedade" e "todo poder do governo".

meio de *leis antissindicais* é, claramente, apenas o passo lógico seguinte. De fato, a experiência da política de consenso é particularmente reveladora a este respeito[18]. Neste sentido, a denúncia do projeto de lei *Tory* feita pela senhora Castle não é apenas inócua e tardia. Esta denúncia padece também de amnésia, posto que pretende esquecer o desastroso projeto de lei trabalhista, gêmeo do projeto de lei conservador e cuja maternidade a autora certamente não podia negar. E quando a senhora Castle escreve sobre "A carta dos maus patrões"[19] não faz mais do que acentuar as ilusões teimosas dos políticos "pragmáticos", que apesar de sua experiência passada ainda imaginam que serão reeleitos a fim de inscrever nos anais "A carta do bom patrão".

De um ponto de vista socialista, os patrões não são "bons" nem "maus". Apenas são *patrões*. E *isto* já é suficientemente mau: de fato, não poderia ser pior. Esta é a razão pela qual se torna vital ultrapassar os limites paralisantes da política de consenso, que se recusa a reconhecer essa verdade elementar e faz com que a população de um modo geral sofra com as desastrosas consequências de seus crescentes fracassos.

21.5 "Guerra, se falham os métodos 'normais' de expansão"

Sob o impacto devastador de uma taxa de lucro declinante, a margem de manobra da ação política tradicional tem sido reduzida à função de executar servilmente os ditames postos pelas necessidades mais urgentes e imediatas de expansão do capital, mesmo quando tais operações são invariavelmente desvirtuadas e apresentadas como sendo de "interesse nacional" por ambas as partes do consenso "nacional"[20]. E a revelação de como as decisões políticas estão diretamente subordinadas aos ditames do capital monopolista – que exclui, sem cerimônia, a vasta maioria dos representantes eleitos da definição de todas as questões relevantes – é feita de maneiras absolutamente inesperadas, por eventos embaraçosos como as renúncias, que ganham manchetes, de pessoas supostamente decisivas nas tomadas de decisões: certos membros do mais exclusivo "*inner cabinets*" (restrito a uns poucos ministros), que protestam contra o

---

[18] Como os editores do *Trade Union Register* corretamente enfatizam:
As semelhanças entre os dois documentos (isto é, o *Tory Fair Deal at Work* e o trabalhista *In Place of Strife*) são consideráveis, e certamente mais substanciais que suas diferenças. Este consenso reflete toda a tendência, nos círculos políticos ortodoxos, em assumir que os trabalhadores (não necessariamente os sindicatos) possuem demasiada liberdade e poder na execução de atos de greve e outras formas de pressão coletiva industrial, e de que é legítimo o Estado legislar com vistas a restringir e limitar essas liberdades e poderes. Considerando o enorme crescimento recente da autoridade e da influência do próprio Estado, e da ampla irresponsabilidade das empresas privadas e comerciais, contra os quais as forças independentes do trabalho organizado constituem sozinhas a única garantia das liberdades civis e políticas fundamentais, a concepção consensual prevalecente nos partidos políticos do centro e da direita requer a mais vigorosa e ampla oposição do movimento dos trabalhadores.
Trade Union Register 1970, Londres, Merlin Press, 1970, p. 276.

[19] Barbara Castle, "The Bad Bosses' Charter", *New Statesman*, 16 de outubro de 1970.

[20] Quando o senhor Heath nacionalizou a Rolls Royce (após suas reiteradas denúncias das medidas de nacionalização como sendo um "*doctrinaire socialist nonsense*"), tudo o que realizou não foi mais, evidentemente, do que a "nacionalização" da falência capitalista num setor importante da produção de *commodities*. O fato, porém, de que a causa imediata dessa medida tenha sido um contrato negociado

fato de que não puderam se pronunciar quanto às decisões relativas às questões mais importantes de seus próprios ministérios, e muito menos quanto àquelas relativas à política nacional como um todo.

Ainda mais reveladora é a ascensão meteórica dos representantes autodesignados das grandes empresas e dos grupos financeiros aos mais elevados postos políticos do executivo. Dado o papel vital desempenhado pelo Estado na manutenção, com todos os meios ao seu alcance, do sistema de produção capitalista – numa época de já enorme, embora ainda em expansão, concentração de capital –, são de tal modo grandes os interesses em jogo que as formas tradicionais de controle indireto (econômico) das decisões são obrigadas a ceder lugar a um controle *direto* dos "postos de comando" da política pelos porta-vozes do capital monopolista. Em contraste com essas manifestações dos desdobramentos econômico e político atuais, que no passado recente e ainda hoje testemunhamos, a mitologia de realizar ideias socialistas através da conquista "pragmática" do controle "dos postos de comando da administração associada" deve soar, na verdade, particularmente falsa.

Portanto, a política – que nada é se não for a aplicação consciente de medidas estratégicas capazes de afetar profundamente o desenvolvimento social como um todo – é transformada em mero instrumento de grosseira manipulação completamente desprovido de qualquer plano global e de uma finalidade própria. A política fica condenada a seguir um padrão de movimento reativo tardio e de curto prazo, em resposta às crises desconcertantes que necessariamente irrompem, numa frequência crescente, na base econômico-social da produção autossaturante de "*commodities*" e da acumulação do capital que se autoinvalida.

Consequentemente, a crise que enfrentamos não se reduz simplesmente a uma crise política, mas trata-se da crise estrutural geral das instituições capitalistas de controle social na sua totalidade. Aqui cabe assinalar que as instituições do capitalismo são inerentemente violentas e agressivas: elas são edificadas sobre a premissa fundamental que prescreve a "guerra, se falham os métodos "normais" de expansão". (Ademais, a *destruição* periódica – por quaisquer meios, incluindo os mais violentos – do capital excedente é uma necessidade inerente ao funcionamento "*normal*" desse sistema: a condição vital para sua *recuperação* das crises e depressões.) A cega "lei natural" do mecanismo de mercado traz consigo o inelutável resultado de que os graves problemas sociais necessariamente associados à produção e à concentração do capital jamais são *solucionados*, mas apenas *adiados* e de fato transferidos ao plano *militar*, dado que o adiamento não pode se dar indefinidamente. Assim, o "sentido" das instituições hierarquicamente estruturadas do capitalismo é dado na sua referência máxima ao "combate" violento dessas

---

pelo governo trabalhista anterior (visando equilibrar as enormes perdas privadas de recursos públicos), apenas expõe com maior clareza a rendição de ambos os partidos aos ditames da estrutura capitalista de produção existente. Estes ditames prescrevem a transferência de ramos não lucrativos da indústria para o setor "público" (ou seja, controlado pela burocracia do Estado), de forma que possam se converter em subsídios adicionais a serviço do capital monopolista. Ainda bem que esse ato particular de "nacionalização" foi realizado por um governo conservador – o que o torna um evento menos mistificador. Pois, caso houvesse sido implementado por um governo trabalhista, teria sido amplamente saudado como um grande marco do "socialismo pragmático".

questões na arena internacional, uma vez que as unidades socioeconômicas – de acordo com a lógica interna de seu desenvolvimento – crescem cada vez mais e seus problemas e contradições tornam-se sempre mais intensos e graves. Crescimento e expansão são necessidades imanentes do sistema de produção capitalista, e quando os limites locais são atingidos não resta outra saída a não ser reajustar violentamente a relação dominante de forças.

Contudo, o sistema capitalista de nossa época foi privado da sanção máxima de que dispunha: a guerra total contra seus inimigos reais ou potenciais. Já não é possível exportar a violência interna na escala maciça requerida. (Tentativas neste sentido em escala limitada como, por exemplo, a Guerra do Vietnã não só não constituem substitutos válidos para o antigo mecanismo mas também aceleram as inevitáveis explosões internas ao agravar as condições inerentes ao sistema.) Tampouco é possível prosseguir indefinidamente com as mistificações ideológicas que representavam o desafio *interno* do socialismo: a única solução possível para a crise atual do controle social, tomada como uma confrontação *externa*, uma "subversão" dirigida do exterior por um inimigo "monolítico". Pela primeira vez na história, o capitalismo confronta-se globalmente com seus próprios problemas, que não podem ser "adiados" por muito mais tempo nem, tampouco, transferidos para o plano militar a fim de serem "exportados" como guerra generalizada.

No que se refere ao futuro desenvolvimento do capitalismo, torna-se um ponto da maior relevância impedir que uma terceira guerra mundial possa se constituir numa solução para a grave crise estrutural da sociedade. As enormes implicações da neutralização desta via para a superação da crise podem ser compreendidas quando se recorda que as "Grandes Guerras" no passado:

1. "desmaterializaram" automaticamente o sistema capitalista de incentivos (determinando um deslocamento dos "incentivos econômicos" para a "autorrenúncia" e o "idealismo", tão caros a alguns dos recentes defensores e apologistas do sistema em dificuldades), ajustando simultaneamente, dessa forma, o mecanismo de "interiorização" por meio do qual a legitimação permanente da ordem vigente é realizada com sucesso;
2. repentinamente, impuseram às massas um padrão de vida radicalmente mais baixo, aceito voluntariamente dadas as circunstâncias de um estado de emergência;
3. com idêntica rapidez ampliaram radicalmente a margem de lucro, anteriormente deprimida;
4. introduziram um elemento vital de racionalização e coordenação no sistema como um todo (racionalização que, graças às circunstâncias excepcionais, não ficou circunscrita aos estreitos limites de todas as racionalizações, que respondem diretamente às necessidades exclusivas de produção e expansão do capital);

e, por último, mas não menos importante:

5. forneceram um imenso impulso tecnológico à economia como um todo de forma generalizada.

Os atuais gastos militares, ainda que fabulosos, simplesmente não podem ser comparados com esse conjunto de fatores, tanto econômicos como ideológicos, sem os quais o sistema capitalista mundial provavelmente não sobreviveria. Tanto assim que a demanda atual gerada pelos gastos militares – que é imposta à sociedade em condições de "tempo de paz" e não sob os de uma "emergência nacional" – não impede a intensificação das contradições da produção do capital. Isto se manifesta de modo evidente nas falências espetaculares das empresas cuja sobrevivência depende de vultosos contratos militares (Lockheed e Rolls Royce, por exemplo).

Contudo, nem mesmo a mais espetacular das falências poderia ilustrar adequadamente quanto a questão é fundamental. Isso porque o problema diz respeito à estrutura da produção capitalista atual como um todo e não simplesmente a um dos seus ramos. Nem seria sensato contar com o Estado para a solução do problema, independentemente do volume de recursos públicos que é desperdiçado no curso das suas reveladoras operações de resgate.

Na verdade, foi a tendência às crescentes intervenções do Estado, a serviço da expansão do capital, em assuntos econômicos que, em primeiro lugar, conduziu ao atual estado de coisas. O resultado de tais intervenções foi não apenas o crescimento canceroso de setores não produtivos da indústria no interior da estrutura global da produção do capital, mas – igualmente importante – a grave distorção da *estrutura capitalista de custos* sob o impacto de contratos realizados sob a justificativa ideológica de que eram "vitais para o interesse nacional". E, uma vez que o capitalismo atual constitui um *sistema fortemente interdependente*, as consequências devastadoras dessa distorção estrutural emergem em numerosos setores e ramos da indústria, e não apenas naqueles *diretamente* envolvidos na execução dos contratos militares. Os fatos notórios de que os custos originais previstos nestes contratos "inflam" descontroladamente e de que as comissões designadas pelos governos para "investigar" o problema não produzem resultados (isto é, outros resultados que não o encobrimento de operações passadas, conjugado com generosas justificativas para futuros dispêndios) encontram sua explicação nas necessidades imanentes dessa estrutura distorcida da produção e da contabilidade capitalistas, com as mais graves implicações para o futuro.

Portanto, o poder de intervenção do Estado na economia – não há muito tempo amplamente aceito como remédio milagroso para todos os possíveis males e problemas da "sociedade industrial moderna" – limita-se estritamente a acelerar a maturação dessas contradições. Quanto maiores as doses ministradas ao paciente convalescente, maior sua dependência do remédio milagroso, ou melhor, mais graves os sintomas descritos acima como distorção estrutural de todo o sistema capitalista de custos; sintomas que prenunciam ameaçadoramente uma paralisação e um colapso definitivos dos mecanismos de produção e expansão do capital. E o fato de que o suposto remédio se revela, posteriormente, um indutor de novas crises demonstra claramente que não se trata de uma "disfunção passageira", mas de uma contradição fundamental e dinâmica da totalidade da estrutura da produção do capital em sua fase histórica de desintegração.

21.6 A emergência do desemprego crônico

Igualmente relevante é o novo padrão de desemprego que vem se delineando. Isto porque nas décadas recentes o desemprego, nos países capitalistas altamente desenvolvidos, limitava-se em grande parte "aos bolsões de subdesenvolvimento"; e as milhões de pessoas afetadas por ele costumavam ser otimisticamente ignoradas, no grande estilo de autocomplacência neocapitalista, como representando os "custos inevitáveis da modernização" sem que houvesse muita preocupação – se é que havia alguma – pelas repercussões socioeconômicas da própria tendência.

Na medida em que a transformação predominante se dava na substituição do trabalho *não qualificado* pelo qualificado, envolvendo grandes dispêndios de capital para o desenvolvimento industrial, o assunto podia ser ignorado com relativa segurança, dada a atmosfera de euforia provocada pela "expansão". Em tais circunstâncias, a miséria necessariamente associada a todos os tipos de desemprego – inclusive aquele produzido no interesse da "modernização"– podia ser capitalisticamente justificada em nome de um brilhante futuro de consumo para todos. Naqueles dias, as milhões de pessoas desafortunadas, patéticas e "desprivilegiadas" podiam ser facilmente relegadas à periferia da sociedade. Isoladas, como um fenômeno social da "Grande Sociedade" afluente, elas deveriam responsabilizar exclusivamente a sua própria "inutilidade" (falta de qualificação profissional, "preguiça" etc.) pelos seus apuros e resignar-se a consumir os restos do farto banquete neocapitalista, magnanimamente servidos sob a forma de "benefícios"-desemprego e de cupons para o consumo dos excedentes invendáveis de alimentos. (Não devemos esquecer que naquela época alguns dos mais proeminentes economistas defendiam seriamente programas que teriam institucionalizado – em nome do "progresso técnico" e da "minimização de custos" – a condenação permanente de grande proporção da força de trabalho a uma existência brutalmente desumanizada, na forma de inatividade compulsória e da total dependência da "caridade social".)

No entanto, foi sistematicamente ignorado o fato de que a tendência da "modernização" capitalista e o deslocamento de uma grande quantidade de trabalho não qualificado, em favor de uma quantidade bem menor de trabalho qualificado, implicavam em última análise a *reversão* da própria tendência: ou seja, o colapso da "modernização" articulado a um desemprego maciço. Este fato da maior gravidade simplesmente *tinha* de ser ignorado, posto que seu reconhecimento é radicalmente incompatível com a contínua aceitação das perspectivas capitalistas do controle social. Pois a contradição dinâmica subjacente que conduz a uma drástica reversão da tendência de modo algum é inerente à *tecnologia* empregada, mas à cega subordinação *tanto do trabalho como da tecnologia* aos devastadores e estreitos limites do capital como árbitro supremo do desenvolvimento e do controle sociais.

Reconhecer, porém, o caráter socialmente determinado da tecnologia em questão teria sido o mesmo que admitir as limitações socioeconômicas das aplicações capitalistas da tecnologia. Esta é a razão pela qual os apologistas das relações capitalistas de produção tiveram que teorizar sobre o "crescimento", o "desenvolvimento" e a "modernização" *enquanto tais*, em vez de investigar os modestos *limites* do crescimento e do desenvolvimento *capitalistas*. Razão pela qual também foram obrigados a discorrer sobre a sociedade "afluente", "industrial-moderna" ou mesmo "pós-industrial" (!) e de "consumo" *enquanto tais*, em lugar de analisar a afluência artificial e contraditória da *sociedade de consumo produtora de desperdício* que depende, para seu ciclo de reprodução "industrial-moderno", não apenas da mais cínica manipulação da demanda dos consumidores, mas também da mais desumana exploração dos "despossuídos".

Muito embora, no que concerne à *tecnologia propriamente dita*, não haja, em princípio, razão para que a tendência de modernização e a transferência do trabalho não qualificado para o trabalho qualificado não possam prosseguir indefinidamente, há de fato uma excelente razão por que essa tendência tenha de se reverter sob as relações capitalistas de produção: os critérios desastrosamente restritivos da lucratividade e da expansão do *valor de troca* aos quais tal "modernização" está necessariamente subordinada. Assim, o novo padrão emergente de desemprego como uma tendência socioeconômica adquire o caráter de um indicador do aprofundamento da crise estrutural do capitalismo atual.

Como resultado dessa tendência, o problema não mais se restringe à difícil situação dos trabalhadores não qualificados, mas atinge também um grande número de trabalhadores *altamente qualificados*, que agora disputam, somando-se ao estoque anterior de desempregados, os escassos – e cada vez mais raros – empregos disponíveis. Da mesma forma, a tendência da amputação "racionalizadora" não está mais limitada aos "ramos periféricos de uma indústria obsoleta", mas abarca alguns dos mais *desenvolvidos* e modernizados setores da produção – da indústria naval e aeronáutica à eletrônica, e da indústria mecânica à tecnologia espacial.

Portanto, não estamos mais diante dos subprodutos "normais" e voluntariamente aceitos do "crescimento e do desenvolvimento", mas de seu movimento em direção a um colapso; nem tampouco diante de problemas periféricos dos "bolsões de subdesenvolvimento", mas diante de uma contradição fundamental do modo de produção capitalista como um todo, que transforma até mesmo as últimas conquistas do "desenvolvimento", da "racionalização" e da "modernização" em fardos paralisantes de subdesenvolvimento crônico. E o mais importante de tudo é que quem sofre todas as consequências dessa situação não é mais a multidão socialmente impotente, apática e fragmentada das pessoas "desprivilegiadas", mas *todas* as categorias de trabalhadores qualificados e não qualificados: ou seja, obviamente, a *totalidade da força de trabalho* da sociedade.

Desnecessário dizer que delineamos aqui uma *tendência* importante do desenvolvimento social e não algum determinismo mecânico que anuncia o colapso imediato do capitalismo mundial. Contudo, muito embora o estoque de contramedidas manipuladoras esteja longe de ter se exaurido, nenhuma dessas medidas é capaz de suprimir a própria tendência a longo prazo. Qualquer que seja o grau de sucesso das medidas que surjam, ou que sejam compatíveis com os requisitos e limitações básicos do modo de produção capitalista, o fato crucial é, e persiste sendo, que, sob as circunstâncias e condições atuais da produção do capital, a totalidade da força de trabalho se envolve numa confrontação cada vez mais intensa com o capital monopolista – o que traz consigo profundas consequências para o desenvolvimento da consciência social.

21.7 A intensificação da taxa de exploração

Neste ponto podemos ver novamente a importância vital de bloquear o caminho para possíveis soluções para a crise estrutural do capitalismo por meio do deslocamento violento de seus problemas na forma de uma nova guerra mundial. Sob as novas circunstâncias, alguns dos mais poderosos instrumentos de mistificação – graças aos quais o capital conseguiu exercer, no passado, seu controle ideológico paralisador sobre o trabalho – tornaram-se ameaçadoramente debilitados e tendem ao completo colapso. Pois agora as imensas tensões geradas no interior do sistema de produção do capital não podem ser exportadas numa escala adequadamente maciça à custa de outros países, e desse modo o antagonismo social básico entre capital e trabalho, que se situa nas raízes de tais tensões, não pode ser contido indefinidamente: *as contradições têm de ser combatidas no lugar onde realmente são geradas.*

O capital, quando alcança um ponto de saturação em seu próprio espaço e não consegue simultaneamente encontrar canais para nova expansão, na forma de imperialismo e neocolonialismo, não tem alternativa a não ser deixar que sua própria força de trabalho local sofra as graves consequências da deterioração da taxa de lucro. De fato as classes trabalhadoras de algumas das mais desenvolvidas sociedades "pós-industriais" estão experimentando uma amostra da real perniciosidade do capital "liberal".

A interação de vários fatores importantes – do dramático desenvolvimento das forças de produção à interposição de imensos obstáculos à livre expansão internacional do capital monopolista – expôs e debilitou o mecanismo tradicional do "caixa dois", que no passado habilitou o capital a se conformar internamente às regras do "liberalismo", enquanto praticava e perpetuava as formas mais brutais de autoritarismo no exterior. Expõe-se, assim, a natureza real das relações capitalistas de produção: a implacável dominação pelo capital evidenciando-se cada vez mais como um fenômeno *global*.

Na verdade, não poderia ser de outra forma. Enquanto os problemas do trabalho são meramente avaliados em termos parciais (ou seja, como questões locais de grupos fragmentados, estratificados e divididos de trabalhadores), eles permanecem um mistério para a teoria, e nada além de causa da crônica frustração na prática social politicamente orientada.

A compreensão do desenvolvimento e da autorreprodução do modo de produção capitalista é completamente impossível sem o conceito de capital social *total*, que por si só é capaz de explicar muitos mistérios da sociedade de mercado – desde a "taxa média de lucro" até as leis que governam a expansão e a concentração do capital. Do mesmo modo, é completamente impossível compreender os múltiplos e agudos problemas do trabalho, nacionalmente diferenciado e socialmente estratificado, sem que se tenha sempre presente o quadro analítico apropriado: a saber, o irreconciliável antagonismo entre o capital social *total* e a *totalidade* do trabalho.

Esse antagonismo fundamental, desnecessário dizer, é inevitavelmente modificado em função:

a) de circunstâncias socioeconômicas locais;
b) da posição relativa de cada país na estrutura global da produção do capital;
c) da maturidade relativa do desenvolvimento sócio-histórico global. De fato, em diferentes períodos o sistema como um todo revela a ação de um complexo conjunto de diferenças objetivas de interesse em *ambos* os lados do antagonismo social. A realidade objetiva de diferentes *taxas de exploração* – tanto no interior de dado país como no sistema mundial do capital monopolista – é tão inquestionável como o são as diferenças objetivas nas *taxas de lucros* em qualquer período em particular, e a ignorância de tais diferenças só pode resultar numa retórica altissonante, em lugar de estratégias revolucionárias. De todo modo, a realidade das diferentes taxas de exploração e de lucro não altera em nada a própria lei fundamental: isto é, a crescente *equalização* das taxas diferenciais de exploração como *tendência* geral do desenvolvimento do capital mundial.

Decerto, essa lei de equalização é uma tendência de longo prazo no que tange ao sistema global do capital. Contudo, as modificações do sistema como um todo também aparecem, inevitavelmente já no curto prazo, como "distúrbios" de uma economia particular, quando ela é negativamente afetada pelas repercussões das mudanças que necessariamente ocorrem na estrutura global do capital social.

A dialética de tais mudanças e modificações é extremamente complexa e não pode ser aqui desenvolvida. Por ora, basta salientar que "capital social total" não deve ser confundido com o "capital nacional total". Quando este último sofre os efeitos de um enfraquecimento relativo de sua posição no sistema global, tenta inevitavelmente compensar suas perdas com o aumento de sua taxa de exploração específica sobre a força de trabalho diretamente sob seu controle – de outro modo terá sua competitividade ainda mais comprometida na estrutura global do "capital social total". Sob o sistema de controle social capitalista, não pode haver outra forma de escapar de tais "distúrbios e disfunções de curto prazo" a não ser pela intensificação das taxas específicas de exploração, o que só pode conduzir, tanto em termos locais como globais, a uma explosiva intensificação do antagonismo social fundamental a longo prazo.

Aqueles que pregam a "integração" da classe trabalhadora – pintando o "capitalismo organizado" como um sistema que obtêve sucesso na dominação radical de suas contradições sociais – identificaram irremediavelmente mal o sucesso manipulador das taxas diferenciais de exploração (que prevaleceram na fase histórica relativamente "livre de distúrbios" da reconstrução e expansão do pós-guerra), como um *remédio estrutural* básico.

Na realidade não era nada disso. A frequência sempre crescente com que os "distúrbios e disfunções temporárias" aparecem em todas as esferas de nossa existência social e o completo fracasso das medidas e instrumentos manipulatórios concebidos para enfrentá-los são uma clara evidência de que a crise estrutural do modo capitalista do controle social assumiu proporções generalizadas.

21.8 "Corretivos" do capital e controle socialista

O fracasso evidente das instituições existentes e de seus guardiães ao enfrentar nossos problemas só pode intensificar a explosiva ameaça de um impasse. E isto nos faz retornar ao nosso ponto de partida: o imperativo de um controle social adequado de que a "humanidade necessita para sua simples sobrevivência".

Reconhecer essa necessidade não é o mesmo que um convite à indulgência para com a produção de programas "praticáveis" de reajustamento socioeconômico. Aqueles que geralmente estabelecem o critério de "praticabilidade" como "medida de seriedade" da crítica social omitem hipocritamente o fato de que sua medida real é o modo de produção capitalista, em cujos termos a praticabilidade de todos os programas de ação deve ser avaliada.

Praticável em *relação a quê?* – esta é a questão. Pois, se os critérios da produção do capital constituem a base "neutra" de toda avaliação, então evidentemente nenhum programa socialista pode resistir ao teste dessa abordagem "livre de valores", "não ideológica" e "objetiva". Esta é a razão por que Marx, que insiste que os homens devem modificar "*de cima a baixo* as condições de sua existência industrial e política e, consequentemente, *todo o seu modo de se*r"[21], tem de ser condenado como um "ideólogo irremediavelmente 'impraticável'". Pois como poderiam os homens mudar de cima a baixo as condições de sua existência se a conformidade às condições de produção do capital permanece sendo a premissa necessária de toda mudança admissível?

E, no entanto, quando a própria existência da humanidade está em jogo, como de fato está neste ponto de uma crise sem precedentes na história humana, o único programa realmente praticável – em agudo contraste com a praticabilidade contraproducente de medidas manipulatórias que apenas agravam a crise – é o programa marxiano de reestruturação radical, "*de cima a baixo*", da totalidade das instituições sociais, das condições industriais, políticas e ideológicas da existência atual, de "toda a maneira de ser" de homens reprimidos pelas condições alienadas e reificadas da sociedade de mercado. Excetuada a realização de tal "impraticabilidade" não há saída para a crise cada vez mais profunda da existência humana.

A demanda por programas "praticáveis" é a manifestação do desejo de integrar os elementos "construtivos" da crítica social; um desejo ao qual se soma a determinação de conceber contramedidas cruelmente efetivas contra aqueles elementos que resistem à integração e são, portanto, *a priori* definidos como "destrutivos". Mas ainda que não fosse assim: programas e instrumentos de ação sociopolíticos verdadeiramente adequados só podem ser elaborados pela própria prática social crítica e autocrítica no curso de seu efetivo desenvolvimento.

Assim, as instituições socialistas de controle social não podem ser definidas *em detalhe* antes da sua articulação prática. Neste momento de transição histórica, as questões relevantes dizem respeito ao seu caráter geral e à sua direção: ambos determinados, em primeiro lugar, pelo modo e pelas instituições de controle

---

[21] Marx, *The Poverty of Philosophy*, Londres, Lawrence & Wishart, n.d., p. 123.

predominantes, em relação aos quais devem constituir uma alternativa radical. Neste sentido, as características centrais do novo modo de controle social podem ser concretamente identificadas – no grau em que isso se torne necessário para a elaboração e a implementação de estratégias sociais flexíveis – pela apreensão das funções básicas e das contradições inerentes ao sistema de controle social em desintegração[22].

Aqui, devemos nos limitar apenas a mencionar os aspectos mais importantes – entre os quais, em primeiro lugar, a relação entre política e economia. Como se sabe, os críticos burgueses de Marx nunca deixaram de o acusar de "determinismo econômico". Porém, nada poderia estar mais distante da verdade. Isto porque o programa marxiano é formulado exatamente como a *emancipação* da ação humana do poder das implacáveis determinação econômicas.

Quando Marx demonstrou que a força bruta do determinismo econômico, desencadeada pelas desumanizadoras necessidades da produção do capital, impera sobre todos os aspectos da vida humana, demonstrando ao mesmo tempo o caráter inerentemente *histórico* – ou seja, necessariamente *transitório* – do modo de reprodução predominante, ele tocou a ferida da ideologia burguesa: o vazio de sua crença metafísica na "lei natural" da permanência das relações de produção vigentes. E, ao revelar as contradições inerentes a esse modo de reprodução, ele demonstrou a necessária *ruptura* de seu objetivo determinismo econômico. Tal ruptura, todavia, teve de se consumar pela expansão aos seus limites extremos, submetendo absolutamente tudo – incluindo a suposta autonomia do poder de deliberação política – ao seu próprio mecanismo de controle estrito.

Ironicamente, porém, quando isso é alcançado (como resultado de um crescente apetite por "corretivos", concebidos para assegurar ilimitada expansão do poder do capital), o capital monopolista é compelido a assumir também o controle direto de áreas que é estruturalmente incapaz de controlar. Assim, além de um certo limite, quanto mais ele controla (diretamente), menos controla (efetivamente), enfraquecendo e finalmente destruindo até mesmo os mecanismos de "correção". A completa e, agora, patente subordinação da política aos ditames mais imediatos do determinismo econômico da produção do capital é um aspecto vital dessa problemática. Esta é a razão por que o caminho para o estabelecimento de novas instituições de controle social deve passar por uma radical *emancipação da política do poder do capital*.

Outra contradição básica do sistema capitalista de controle é que este não pode separar "avanço" de *destruição*, nem "progresso" de *desperdício* – ainda que as re-

---

[22] Ele se encontra em processo de desintegração precisamente porque – devido às suas contradições inerentes – é incapaz de cumprir as funções vitais que supostamente deve realizar na totalidade do intercurso social.

sultantes sejam catastróficas. Quanto mais o sistema destrava os poderes da produtividade, mais ele libera os poderes de destruição; e quanto mais dilata o volume da produção tanto mais tem de sepultar tudo sob montanhas de lixo asfixiante. O conceito de *economia* é radicalmente incompatível com a "economia" da produção do capital, que necessariamente causa um duplo malefício, primeiro por usar com desperdício voraz os *limitados recursos* do nosso planeta, o que é posteriormente agravado pela *poluição e pelo envenenamento do meio ambiente humano*, decorrentes da produção em massa de lixo e efluentes.

Ironicamente, porém, mais uma vez, o sistema entra em colapso no momento de seu supremo poder; pois sua máxima ampliação inevitavelmente gera a necessidade vital de limites e *controle consciente*, com os quais a produção do capital é estruturalmente incompatível. Por isso o estabelecimento do novo modo de controle social é inseparável da realização dos princípios de uma *economia socialista*, centrada numa *significativa economia da atividade produtiva*, pedra angular de uma rica realização humana numa sociedade emancipada das instituições de controle alienadas e reificadas.

O último ponto a enfatizar é a determinação necessariamente global do sistema alternativo de controle social, em confrontação com o sistema global do capital enquanto modo de controle. No mundo tal como tem sido – e continua a ser – transformado pelo imenso poder do capital, as instituições sociais constituem um sistema estreitamente articulado. Por isso não há qualquer esperança de sucessos *parciais* isolados, mas somente de sucessos *globais* – por mais paradoxal que isto possa soar. De fato, o critério crucial para a avaliação de medidas parciais é se são ou não capazes de operar como *"pontos de Arquimedes"*, ou seja, como alavancas estratégicas para uma reestruturação radical do sistema global de controle social. Por isso Marx falou da necessidade vital de mudar, "de cima a baixo", as condições de existência *como um todo*, sem o que todos os esforços direcionados à emancipação socialista da humanidade estão destinados ao fracasso. Tal programa, desnecessário dizer, envolve as "microestruturas" (como a família) tanto quanto as instituições mais abrangentes (as "macroestruturas") da vida política e econômica. Na verdade, como Marx indicou, nada menos do que uma transformação radical de "toda a nossa maneira de ser" pode produzir um adequado sistema de controle social.

Sem dúvida, seu estabelecimento levará tempo e irá requerer o mais ativo envolvimento de toda a comunidade de produtores, ativando as energias criativas reprimidas dos vários grupos sociais a respeito de questões incomparavelmente mais relevantes do que decidir a cor dos postes locais às quais está confinado hoje em dia seu "poder" de decisão.

O estabelecimento deste controle social irá requerer igualmente o consciente cultivo – não em indivíduos isolados, mas em toda a comunidade de produtores, qualquer que seja sua ocupação – de uma intransigente consciência crítica, associada a um intenso compromisso com os valores de uma humanidade socialista, que guiou o trabalho de Isaac Deutscher a uma rica realização.

Nossa homenagem não significa, portanto, uma recordação do passado, mas um desafio persistente para fazer face às exigências inerentes à nossa própria parcela de uma tarefa comum.

É com espírito que desejo dedicar a minha conferência à memória de Isaac Deutscher.

Capítulo 22

PODER POLÍTICO E DISSIDÊNCIA NAS SOCIEDADES PÓS-REVOLUCIONÁRIAS

22.1 Não haverá mais poder político propriamente dito

A questão do poder político em sociedades pós-revolucionárias é e continua a ser uma das mais desprezadas da teoria marxista. Marx formulou o princípio da abolição do "poder político propriamente dito" em termos inequívocos: "A organização dos elementos revolucionários como uma classe supõe a existência de todas as forças produtivas possíveis de serem desenvolvidas no seio da velha sociedade. Quer isto dizer que, depois da queda da velha sociedade, haverá uma nova dominação de classe culminando em um *novo poder político*? Não. A condição para a emancipação da classe trabalhadora é a abolição de todas as classes, assim como a liberação do Terceiro Estado, da ordem burguesa, foi a abolição de todos os estados e de todas as ordens. A classe trabalhadora, no curso do seu desenvolvimento, substituirá a velha sociedade civil por uma associação que exclui as classes e seus antagonismos, e *não haverá poder político propriamente dito*, uma vez que o poder político é precisamente a expressão oficial do antagonismo na sociedade civil"[1]. Marx foi ainda mais categórico: "Quando o proletariado é vitorioso, isto não significa que se torna o polo absoluto da sociedade, pois é *vitorioso apenas ao abolir-se a si mesmo e a seu oposto*. Então, o proletariado desaparece assim como o oposto que o determina, a propriedade privada"[2].

Mas o que acontece com o poder político nas sociedades pós-revolucionárias quando o proletariado não desaparece? O que acontece com a propriedade privada ou com o capital, quando a propriedade privada dos meios de produção é abolida, enquanto o proletariado continua a existir e a dominar toda a sociedade – inclusive a si mesmo – sob o novo poder político chamado de "ditadura do proletariado"? De acordo com os princípios de Marx, os dois polos de uma oposição ou põem-se de pé ou caem juntos; ou seja: o proletariado não pode ser verdadeiramente vito-

---

[1] Marx, *The Poverty of Philosophy*, in Karl Marx e Friedrich Engels, *Collected Works*, vol. 6 (Londres, 1976), p. 211-2.
[2] Id., *The Holy Family*, in Marx e Engels, *Collected Works*, vol. 4, Londres, p. 36.

rioso sem que produza sua própria abolição. Do mesmo modo, não pode abolir totalmente o seu oposto sem, ao mesmo tempo, abolir-se a si mesmo, enquanto classe que necessita da nova política – a ditadura do proletariado – para que possa tomar e manter o poder.

Seria mero sofisma tentar sair destas dificuldades sugerindo que o novo poder político não é "poder propriamente dito" ou, em outras palavras, que não é a manifestação de profundos antagonismos objetivos. Até mesmo porque a existência desses antagonismos é dolorosamente evidente em todas as partes e a severidade das medidas concebidas para evitar que venham à tona – sem nenhuma garantia de sucesso – fornece uma óbvia refutação de todo tipo de sofisma evasivo.

Nem é possível levar a sério, mesmo momentaneamente, a sugestão autojustificadora de que o poder político do Estado pós-revolucionário é mantido – de fato, intensificado – em função de uma determinação puramente *internacional*, em que a repressão política é aplicada como uma consequência necessária do "cerco" e como a única forma possível para a defesa das realizações da revolução contra a agressão e o seu complemento: a subversão interna. Como a história recente testemunha de forma eloquente, "o inimigo interno e externo" como explicação da natureza do poder político nas sociedades pós-revolucionárias é uma doutrina perigosa que substitui a parte pelo todo, transformando uma determinação parcial em grosseira justificativa *a priori* do injustificável – a violação institucionalizada dos direitos e valores socialistas mais elementares.

A tarefa, claramente, é uma investigação – sem preconcepções apologéticas – dos antagonismos políticos específicos que vieram à tona nas sociedades pós-revolucionárias, junto com as bases materiais indiretamente identificadas com o princípio de Marx relativo à abolição simultânea de *ambos os lados* do velho antagonismo socioeconômico como condição necessária para a vitória proletária. Isto não significa que tenhamos, de saída, que nos comprometer com qualquer teoria de uma "nova classe", já que postular uma "nova classe" é apenas um outro tipo de preconcepção que não explica nada – preconcepção que, ao contrário, necessita de explicação ela mesma.

Nem o abrangente termo mágico "burocratismo" – que cobre quase tudo, inclusive a avaliação de sistemas sociais qualitativamente diferentes, abordados de pontos de vista opostos, de Max Weber a alguns seguidores de Trotsky – oferece uma explicação significativa sobre a natureza do poder político nas sociedades pós-revolucionárias, já que aponta apenas para algumas aparências óbvias, enquanto deixa de lado as suas causas. Em outras palavras, apresenta o *efeito* de uma determinação causal de longo prazo como se fosse em si uma *explicação causal*.

Da mesma maneira, a hipótese do "capitalismo de Estado" não serve: não só porque confunde os problemas com algumas tendências contemporâneas do desenvolvimento das sociedades capitalistas mais avançadas (tendências, aliás, muito brevemente tratadas pelo próprio Marx), mas também porque tem de omitir de sua análise algumas características objetivas altamente significativas das sociedades pós-

-revolucionárias para poder tornar plausível a aplicação deste rótulo problemático. Rótulos, por mais tentadores que sejam, não resolvem problemas teóricos complexos: apenas os escamoteiam, dando a ilusão de uma solução.

Da mesma forma, seria ingênuo pensar que possamos deixar esses problemas de lado, declarando apenas que a ditadura do proletariado como forma política pertence ao passado, enquanto o futuro e o presente devem ser pensados de acordo com o princípio do pluralismo – que, por sua vez, necessariamente, implica uma concepção da divisão do poder como um "compromisso histórico". Ainda assim, mesmo que aceitemos a pragmática viabilidade e a validade histórica relativa desta concepção, a questão de como constituir e exercer um poder político que contribua ativamente para a transformação socialista da sociedade, em vez de adiar indefinitivamente sua realização, permanece tão sem resposta quanto antes.

Há alguns sérios dilemas a serem resolvidos. No contexto da nova concepção de pluralismo, seria possível escapar ao bem conhecido destino histórico da social-democracia, que se resignou à ilusão de "dividir o poder" com a burguesia enquanto, de fato, ajudava a perpetuar o domínio do capital sobre a sociedade? Se não é possível – isto é, se a forma política do pluralismo em si, por sua própria natureza, é uma submissão às formas vigentes de dominação de classe, como pensam alguns –, então por que estariam socialistas sérios interessados em dedicar atenção a tal coisa? No entanto, por outro lado, se a ideia do pluralismo é defendida na perspectiva de uma transformação socialista genuína, deve ser explicado como é possível avançar de *poder dividido* a *poder socialista*, sem que se recaia nas conhecidas contradições do poder político nas sociedades pós-revolucionárias, cuja manifestação temos testemunhado em tantas ocasiões.

São estes os fatos que dão importância a toda esta discussão. A questão do poder político em sociedades pós-revolucionárias não é apenas um tema acadêmico, nem pode ser abandonado a interesses de propaganda política conservadora e descartado pela esquerda como tal. Diferentemente do ocorrido em 1956 – quando estas contradições irromperam de forma tão clamorosa e trágica –, não é mais possível a qualquer setor da esquerda virar as costas para tais fatos; enfrentar as questões colocadas tornou-se uma condição essencial para o avanço do movimento da classe trabalhadora em seu conjunto, que tem condições de, em alguns países, vir a ser chamada a assumir a responsabilidade de dividir o poder em meio a uma crescente crise estrutural.

22.2 O ideal e a "força da circunstância"

Se há necessidade de retornar às fontes e princípios originais para examinar tanto as conjunturas de sua formulação como todas as implicações necessárias para as condições e circunstâncias presentes, é precisamente sobre tais questões que ela se faz sentir. No entanto, uma vez que admitamos isto e tentemos proceder coerentemente, deparamo-nos imediatamente com grandes dificuldades. Isso porque a definição original de Marx, do poder político como manifestação de antagonismo de classe, opõe a realidade da sociedade de classes ao socialismo plenamente realizado, no qual não pode haver espaço para distintos órgãos do poder político, uma vez que "o processo de vida social ... se torna produto de homens *livremente* associados e se coloca sob seu controle consciente e planejado"[3].

Entretanto, tente-se substituir o plano conscientemente concebido pela totalidade dos produtores individuais por um plano imposto a eles e, então, o conceito de homens *livremente* associados deve ser descartado e substituído pelo de associação *forçada*, tendo-se ainda, inevitavelmente, que conceber o exercício do poder político como separado e oposto à sociedade de produtores, os quais devem ser obrigados a aceitar e implementar propósitos e objetivos que não partiram de suas deliberações conscientes mas que, ao contrário, negam a própria ideia de associação livre e deliberação consciente. Ou, ao contrário, tente-se eliminar o conceito de "indivíduos livremente associados" – pior ainda, declare-se arbitrariamente, ao estilo de qualquer forma de stalinismo, que tais conceitos são puros remanescentes "ideológicos" do "individualismo burguês moralizante", mesmo que isto signifique que uma parcela significativa da obra de Marx, embora sorrateiramente, deva também ser eliminada sob o mesmo rótulo – e não haverá forma de conceber ou visualizar (muito menos de praticar) a concepção e a implementação do planejamento social, exceto como uma imposição vinda de cima.

Assim, somos testemunhas da completa transformação do ideal de Marx em uma realidade que substitui a atividade autodeterminante de indivíduos livremente associados pela associação forçada de homens governados por uma força política que lhes é alheia. Ao mesmo tempo, o conceito de Marx de plano *social* consciente (o qual se espera que regule, pela participação integral dos indivíduos livremente associados, a totalidade dos processos vitais da sociedade) sofre a mais grave redução, tornando-se um mero plano *econômico*, unilateral, tecnocraticamente preconcebido e frequentemente inexequível, constrangendo assim a sociedade, sob nova forma, às mesmas determinações econômicas cuja superação constitui o quadro de referência do socialismo científico desde o momento de sua concepção.

Outrossim, uma vez que os dois elementos constituintes básicos de uma unidade dialética, a associação de produtores e a força reguladora do plano, se encontram divorciados e opostos um ao outro, a "força da circunstância" – que é consequência necessária dessa separação e não a sua causa, quaisquer que sejam os historicamente mutáveis determinantes sociais em operação – torna-se uma causa injustificada; torna-se, na verdade, a "causa inevitável". E, desde que a "causa inevitável" é também justificativa de si mesma, a transformação é levada mais adiante, apresentando-se como a única forma possível de realização dos ideais de Marx: como o *modelo* insuperável de todo o possível desenvolvimento socialista. Daí, uma vez que a forma vigente de exercício de poder deve ser mantida e, consequentemente, tudo deve permanecer como está, a problemática de "força da circunstância" é utilizada como argumento para demonstrar categoricamente *que não poderia ser diferente* e assim está *certo* que tudo deva ser como é. Em outras palavras, o ideal de Marx é transformado em uma

---

[3] *O capital*, vol. 1, Londres, Penguin/NLR Edições, 1976, p. 173.

realidade altamente problemática, que, por sua vez, é reconvertida em modelo e ideal totalmente inatingíveis a partir do recurso ambíguo à "força da circunstância", tanto como causa inevitável quanto como justificativa normativa, quando, na verdade, deveria ser criticamente examinada e questionada em ambos os aspectos.

Sem dúvida, esta dupla distorção não é produto de uma teoria unilateral, apesar de representar uma capitulação apologética da teoria à "força da circunstância", a qual, por sua vez, passa a existir como resultado de determinações sociais imensamente complexas e contraditórias, inclusive a contribuição oriunda da falência teórica como fator significativo para o processo como um todo. No entanto, uma vez estabelecido o processo e imposta por lei a apologia do ideal distorcido, condenando-se como "heresia" e "subversão" todas as vozes de dissidência, a reflexão crítica consequentemente assume a forma de amarga e autoflagelante ironia. Tal como na resposta dada pela mítica "Rádio Yerevan"* à pergunta feita por um ouvinte anônimo que indaga: "É verdade que há socialismo no nosso país?"; a resposta é dada de maneira indireta: "O que você pergunta, camarada, é se é verdade que luxuosos carros americanos serão distribuídos este sábado à tarde na Praça Vermelha. É perfeitamente verdade, com três observações: não serão americanos, mas sim russos; não serão carros, mas sim bicicletas; e não serão distribuídos, mas sim confiscados". Embora isto soe cinicamente niilista, quem pode deixar de perceber a voz da impotência protestando em vão contra a sistemática frustração e violação dos ideais do socialismo?

Admitamos: os problemas do poder político nas sociedades pós-revolucionárias não podem ser solucionados pela simples reiteração de um ideal na sua formulação original, uma vez que, pela sua própria natureza, estes problemas pertencem ao período de *transição*, que impõe suas penosas especificidades a todos nós. Por fim, há uma moral para nós também na história da "Rádio Yerevan": é que não deveríamos jamais aceitar "observações" que obliteram o ideal em si e o transformam no seu oposto. Ignorar a "força da circunstância" seria o mesmo que viver num mundo de fantasias. No entanto, independentemente das circunstâncias, o ideal permanece válido como o compasso vital que assegura a direção certa na jornada e como o necessário corretivo para o poder de *vis major* que tende a predominar sobre tudo.

22.3 Poder político na sociedade de transição

Seria possível identificar as necessárias especificidades sócio-históricas que expressem o espírito das formulações originais de Marx nas realidades concretas de uma complexa transição histórica de uma formação social a outra? Como é possível conceber esta transição numa forma política que não se torne a sua própria autoperpetuação, contradizendo assim e tornando nula a própria ideia de uma transição que, por si só, pode justificar a contínua, mas em princípio decrescente, importância da forma política? É possível haver tais especificidades sem liquidar com o quadro teórico de Marx e com suas implicações para nosso problema?

---

* "Rádio Yerevan": entidade mítica, personagem de piadas políticas sobre os meios oficiais de comunicação das sociedades pós-revolucionárias contemporâneas, porta-voz oficial do partido (N. do T.).

Como vimos, as definições originais de Marx concebiam poder político como manifestação direta do antagonismo de classe associado a seu contrário: a abolição do poder político propriamente dito numa sociedade socialista plenamente desenvolvida. Mas o que acontece enquanto isso? É possível remover um poder político fortemente centralizado sem que se precise recorrer ao exercício de um sistema político plenamente articulado?

Se não, como é possível conceber uma mudança de rumo "a meio caminho", isto é, a transformação radical de um sistema *autossuficiente* de poder político que controla o todo da sociedade em um órgão *autossuperável*, que transfira completamente as múltiplas funções de controle político para o próprio corpo social, permitindo assim a emergência daquela livre associação de homens e mulheres sem a qual o processo vital da sociedade permanece sob a dominação de forças estranhas, em vez de ser conscientemente regulado pelos indivíduos sociais nele envolvidos, de acordo com os ideais de autodeterminação e autorrealização? E, finalmente, se as formas transitórias de poder político teimosamente se recusarem a dar mostras de que estão se "diluindo", como se poderia avaliar as contradições envolvidas: como a falência de um marxismo "utópico" ou como a manifestação historicamente determinada de antagonismos objetivos cuja elucidação está prevista no interior do projeto original de Marx?

A afirmação de Marx sobre a superação do poder político em sociedades socialistas vem acompanhada de duas importantes considerações. Primeira: que a livre associação de indivíduos sociais que regulam conscientemente a sua autoatividade vital de acordo com um plano estabelecido não é possível sem a necessária "base material, ou uma série de condições materiais de existência, as quais, por sua vez, são o produto natural e *espontâneo* de um *longo* e *tortuoso* desenvolvimento histórico"[4]. A emancipação do trabalho do jugo do capital é possível apenas se as *condições objetivas da sua emancipação* forem satisfeitas, com o que "o processo direto material da produção é despido de sua forma de *penúria* e *antítese*", dando lugar ao "livre desenvolvimento das individualidades"[5]. Por implicação, sempre que "penúria e antítese" permaneçam características da base material da sociedade, a forma política deve sofrer suas consequências e o "livre desenvolvimento das individualidades" é prejudicado e adiado.

A segunda consideração vincula-se estreitamente à primeira. Já que superar as condições de "penúria e antítese" necessariamente implica o mais elevado desenvolvimento das forças produtivas, a revolução vitoriosa devia ser concebida por Marx nos países capitalistas avançados e não na periferia do desenvolvimento do mundo capitalista (apesar de ele ter aventado a possibilidade de revoluções fora dos centros socioeconomicamente mais dinâmicos, sem ter, no entanto, entrado na discussão das

---

[4] Id., ibid.
[5] Id., *Grundrisse*, Londres, Penguin, 1973, p. 706.

compulsórias implicações de tais possibilidades). Na medida em que o objetivo de sua análise era o poder do capital como sistema mundial, Marx tinha que contemplar uma ruptura, sob o impacto de uma profunda crise estrutural, na forma de revoluções mais ou menos simultâneas nos principais países capitalistas.

Quanto ao problema do poder político no período de transição, Marx introduziu o conceito de "ditadura do proletariado"; e em um de seus trabalhos posteriores, *A Crítica do Programa de Gotha*, ele reportou-se a alguns problemas adicionais da sociedade em transição que se manifestam na esfera político-legal. Se, é bem verdade, estes elementos de sua teoria certamente não constituem um sistema (o seguimento de *O capital*, que deveria explorar de forma sistemática as implicações políticas da teoria global de Marx, não foi sequer esboçado e muito menos desenvolvido), constituem outrossim importantes indicações e devem ser complementados por alguns outros elementos de sua teoria (principalmente a avaliação da relação entre indivíduo e classe e da interdependência estrutural entre capital e trabalho), que têm significativa importância em relação aos problemas estritamente políticos, como veremos adiante.

Foi Lenin, como sabemos, quem desenvolveu a estratégia da revolução "no elo mais fraco da corrente", insistindo em que a ditadura do proletariado deveria ser considerada a única forma pública viável para todo o período de transição que antecede o mais elevado estágio do comunismo, no qual, finalmente, se torna possível implementar o princípio da liberdade. A modificação mais significativa de sua análise, em relação a Marx, consistiu em pensar que a "base material" e a superação da "penúria" estariam realizadas sob a ditadura do proletariado em um país que arranca de um nível de desenvolvimento extremamente baixo. Ainda assim, Lenin não via problemas ao sugerir, em dezembro de 1918, que o novo Estado será "*democrático* para o proletariado e para o despossuído em geral e *ditatorial* apenas contra a burguesia"[6].

Havia um erro curioso no seu raciocínio, frequentemente impecável. Ele argumentava que, "graças ao capitalismo, o aparato material dos grandes bancos, sindicatos, estradas de ferro, além de outros, cresceu", e "a imensa experiência dos *países avançados* acumulou um estoque de maravilhas da engenharia cujo uso está sendo obstruído pelo capitalismo", concluindo que os bolcheviques (que, de fato, estavam confinados em um *país atrasado*) podem "apoderar-se desse aparato e colocá-lo em movimento"[7]. Assim, a imensa dificuldade da transição de uma revolução particular ao sucesso irrevogável de uma revolução global (sucesso que está além do controle de qualquer agente particular, ainda que tenha disciplina e consciência de classe) foi mais ou menos deixada de lado pela postulação voluntária de que os bolcheviques eram capazes de tomar o poder e de "retê-lo até o triunfo da revolução socialista do mundo"[8].

---

[6] Parte de uma seção agregada à 2ª edição de *The State and Revolution*; ver Lenin, *Collected Works*, Londres, Lawrence & Wishart, vol. 25, p. 412.

[7] Id., ibid., vol. 26, p. 130.

[8] Id., ibid.

Assim, enquanto a viabilidade de uma revolução socialista no elo mais fraco da corrente era defendida, o imperativo de uma revolução mundial como condição do sucesso da primeira era reafirmado da forma mais instável: como uma tensão insolúvel no próprio interior da teoria. Mas o que se poderia dizer caso uma revolução socialista mundial não ocorresse e os bolcheviques se vissem obrigados a reter o poder indefinidamente? Lenin e seus camaradas revolucionários não estavam dispostos a considerar esta pergunta, uma vez que conflitava com certos elementos de sua visão. Eles tinham que proclamar a viabilidade de sua estratégia de uma forma que, necessariamente, implicava a antecipação de desenvolvimentos revolucionários em áreas sobre as quais suas forças não tinham nenhum controle. Em outras palavras, a sua estratégia continha a contradição entre dois imperativos: primeiro, a necessidade de seguir adiante sozinhos como precondição (histórica) *imediata* de sucesso (de, pelo menos, tentá-lo); segundo, o imperativo do triunfo da revolução socialista mundial como precondição (estrutural) *última* de todo o esforço.

Compreende-se, portanto, que, quando a efetiva conquista do poder em outubro de 1917 criou uma nova situação, Lenin exclamasse com um suspiro de alívio: "É mais agradável e útil passar pela 'experiência da revolução' do que escrever sobre ela"[9]. E ainda: "A revolução de 25 de outubro deslocou o problema levantado neste panfleto da esfera da teoria para a esfera da prática. Este problema deve ser resolvido com atos e não com palavras"[10]. Mas ele não disse como poderiam os atos por si mesmos resolver o dilema relativo às graves dificuldades de construir a necessária "base material" que constitui o pré-requisito de uma transformação socialista bem-sucedida sem as "palavras" – isto é, sem uma teoria coerente que avaliasse sobriamente os enormes perigos potenciais aí contidos e indicasse, ao mesmo tempo, se possível, as possibilidades de sua solução. Lenin simplesmente não pôde visualizar a possibilidade de uma contradição objetiva entre a ditadura do proletariado e o próprio proletariado.

Se em março e abril de 1917 Lenin ainda defendia "um Estado *sem* exército mobilizado, *sem* uma polícia oposta às pessoas, *sem* funcionários acima do povo"[11], e propunha "organizar e armar todos os segmentos da população pobres e explorados para que estes *por si mesmos* tomassem diretamente em suas próprias mãos os órgãos do poder do Estado, para que *eles mesmos possam constituir* estes órgãos do poder do Estado"[12], uma mudança significativa tornou-se evidente na sua orientação após a tomada do poder. Os principais temas de *O Estado e a Revolução* passam mais e mais para os bastidores de seu pensamento. Referências positivas relativas à Comuna de Paris (como exemplo de envolvimento direto de "todos os segmentos

---

[9] Id., ibid., vol. 25, p. 412.
[10] Id., ibid., vol. 26, p. 89.
[11] Id., ibid., vol. 24, p. 49 (grifos de Lenin).
[12] Id., ibid., vol. 23, p. 326 (grifos de Lenin).

da população pobres e explorados" no exercício do poder) desapareceram de seus discursos e escritos; e o acento foi colocado na "necessidade de uma *autoridade central*, de ditadura e de uma vontade conjunta de assegurar que a vanguarda do proletariado cerrasse *suas fileiras*, desenvolvesse o Estado e o colocasse sobre nova base, enquanto *retinha firmemente as rédeas do poder*"[13].

Assim, em contraste com as intenções originais que afirmavam a identidade fundamental entre "*todo o povo armado*"[14] e o poder do Estado, aparece uma separação deste último em relação aos "trabalhadores", pela qual o "*poder do Estado* está em organizar a produção em *larga escala*, em solos de *propriedade do Estado*, e em escala nacional em empresas de *propriedade do Estado*, está na distribuição da força de trabalho entre os vários ramos da economia e várias empresas, e está na distribuição entre os trabalhadores de grande quantidade de artigos de consumo *pertencentes ao Estado*"[15]. O fato de o relacionamento dos trabalhadores com o poder do Estado, manifestado como *distribuição central da força de trabalho*, ser um relacionamento de subordinação estrutural parece não ter sido problema para Lenin, que evitou a questão ao simplesmente descrever a nova forma de poder do Estado como "poder estatal proletário"[16]. Assim, a contradição objetiva entre a ditadura do proletariado e o próprio proletariado desaparece do seu horizonte ao mesmo tempo em que vem à tona o poder centralizado do Estado que determina por si só a distribuição da força de trabalho.

No nível mais geral das relações de classe – correspondente à oposição polarizada entre proletariado e burguesia –, a contradição não parecia existir. O novo Estado tinha que assegurar sua própria base material e a distribuição centralizada da força de trabalho parecia ser o único princípio viável para assegurar tal base, *do ponto de vista do Estado já existente*[17]. Na realidade, no entanto, foram os "trabalhadores" mesmo que tiveram de ser distribuídos com "força de trabalho": não apenas por distâncias geográficas imensas – como todos os problemas e deslocamentos

---

[13] Id., ibid., vol. 30, p. 422.
[14] Id., ibid., vol. 23, p. 325 (grifos de Lenin).
[15] Id., ibid., vol. 30, pp. 108-9.
[16] Id., ibid., pp. 108-9.
[17] A extensão pela qual os recém-constituídos órgãos do Estado eram estruturalmente condicionados pelo velho Estado não é subestimada. A análise de Lenin sobre este problema no seu discurso sobre a NEP é altamente reveladora:

> Nós tomamos a velha máquina do Estado e este foi o nosso infortúnio, pois, com frequência, esta máquina trabalhou contra nós. Em 1917, depois que tomamos o poder, os funcionários do governo nos sabotaram. Isto nos amedrontou muito e então suplicamos: "Voltem, por favor". Todos eles voltaram e esse foi o nosso azar. Agora temos um vasto exército de funcionários de governo, mas nos faltam quadros suficientemente educados para exercer controle real sobre eles. Na prática, acontece com frequência que, aqui do alto onde nós exercemos o poder político, a máquina funciona de alguma maneira; mas, embaixo, funcionários públicos são dotados de poderes arbitrários e eles geralmente os usam de forma a contra-atacar nossas medidas. No alto, não estou bem certo mas, em todo caso, eu acho que temos não mais que alguns milhares e, lá fora, algumas dezenas de milhares da nossa própria gente. No entanto, embaixo há centenas de milhares de velhos funcionários que tomamos do Czar e da sociedade burguesa que, parte deliberada e parte inconscientemente, trabalham contra nós.

Collected Works, vol. 33, pp. 428-9.

inevitavelmente envolvidos em tal sistema de distribuição centralmente imposto –, mas também "verticalmente" em toda e cada localidade, de acordo com os ditames políticos inerentes aos princípios e órgãos de controle recentemente constituídos.

22.4 A solução de Lukács

Não vindo ao caso quão problemáticas foram as suas conclusões, Lukács teve o grande mérito intelectual de ter enfatizado este dilema de forma mais perspicaz, em um de seus relativamente pouco conhecidos ensaios, escrito na primavera de 1919. A questão é importante o suficiente para justificar a longa citação, necessária para reproduzir fielmente a linha de seus pensamentos.

> É claro que os fenômenos mais opressivos do poder proletário – ou seja, a escassez de produtos e os altos preços, de cuja consequência imediata todo proletariado tem experiência pessoal – são resultados diretos do relaxamento da disciplina do trabalho e do declínio da produção. A criação de soluções para isto e a consequente melhoria dos padrões de vida do indivíduo somente podem ocorrer quando as causas desses fenômenos forem removidas. O que se pode fazer de duas maneiras: ou os indivíduos que constituem o proletariado *compreendem* que eles podem ajudar-se apenas pelo fortalecimento voluntário da disciplina do trabalho e, consequentemente, do aumento da produção; ou, se eles não forem capazes disto, *pela criação de instituições que sejam capazes de gerar este estado de coisas*. Neste último caso, cria-se um sistema legal por meio do qual o proletariado compele os seus próprios membros individuais, os proletários, a agir de um modo que corresponda a seus interesses de classe: *o proletariado volta sua ditadura contra si mesmo*. Esta medida é necessária para a autopreservação do proletariado quando não existem o reconhecimento correto dos interesses de classe e a ação voluntária em conformidade com estes interesses. Mas não se pode escamotear o fato de que este método contém em si *grandes perigos para o futuro*.
>
> Quando o próprio proletariado é o criador da disciplina do trabalho, quando o sistema de trabalho do Estado proletário é constituído sobre uma base *moral*, aí então a compulsoriedade externa da lei cessa *automaticamente* com a abolição da divisão de classes – isto é, o Estado se desfaz – e esta liquidação da divisão de classes produz, por si mesma, o começo da verdadeira história da humanidade, que Marx profetizava e almejava. Mas, se o proletariado seguir outro caminho, deverá criar um sistema legal que não poderá ser abolido automaticamente pelo desenvolvimento histórico. Desenvolvimento, portanto, que procederia em uma direção *que colocaria em risco a emergência e a realização do objetivo último*. Uma vez que o sistema legal que o proletariado é obrigado a criar desta forma deve ser *derrubado*, quem sabe

---

O novo poder do Estado foi construído e consolidado por meio de tais tensões e contradições, que afetaram profundamente sua articulação estrutural em todos os níveis. A velha herança, com sua enorme inércia, foi fator de muito peso nos sucessivos estágios do desenvolvimento soviético. Não apenas porque os "burocratas do Estado colocados acima do povo" pudessem anular as "boas medidas" tomadas no alto, onde o poder político estava sendo exercido, mas, principalmente, porque esse tipo de tomada de decisões – longe de representar as alternativas propostas originalmente em *O Estado e a Revolução* com referência aos princípios da Comuna de Paris – tornou-se um ideal. Daí em diante, o mal foi identificado como uma consciente obstrução da autoridade do Estado por funcionários locais e seus aliados e o remédio como a forma mais rígida possível de controle sobre todas as esferas da vida social.

que convulsões e que traumas serão causados por sua transição que leva do reino da necessidade ao reino da liberdade por este *atalho?*... Depende do proletariado o começo real da história da humanidade – isto é, o *poder da moralidade sobre as instituições e a economia.*[18]

Esta citação mostra o grande poder de percepção de Lukács da dialética objetiva de um certo tipo de desenvolvimento, formulado de um ponto de vista bastante abstrato. Lenin, em comparação, preferindo "ações" a "palavras", estava demasiado ocupado tentando espremer a última gota de possibilidade socialista prática do aparato instrumental objetivo de sua situação para permitir-se antecipações teóricas desse tipo em 1919. Quando Lenin começou a concentrar-se nos terríveis perigos de uma crescente dominação dos ideais do socialismo pelas "instituições da necessidade", já era muito tarde – não só para ele, pessoalmente, mas historicamente também muito tarde – para reverter o curso dos acontecimentos. O ideal da ação autônoma da classe trabalhadora foi substituído pela defesa da "maior centralização possível"[19]. Segundo as palavras de Lenin:

requer e pressupõe *a maior centralização possível* de produção em larga escala através do país. Ao comando central de toda a Rússia, portanto, deveria ser dado definitivamente o *controle direto de todas* as empresas de dado ramo da indústria. Os centros regionais definem sua funções na dependência das condições locais de vida etc., de acordo com as diretrizes gerais de produção e com as *decisões do centro.*

Qualquer outra ideia aquém dessa centralização era condenada como "anarcossindicalismo" regional.

Tanto os sovietes como os conselhos de fábrica foram destituídos de qualquer poder efetivo e, no decorrer do debate sindical, qualquer tentativa de assegurar mesmo um grau bem limitado de autodeterminação para a base da classe trabalhadora era descartada como "tolice sindicalista"[20] ou como "um desvio em direção ao sindicalismo e ao anarquismo"[21], vista como uma ameaça direta à ditadura do proletariado.

A ironia cruel de tudo isso é que o próprio Lenin, totalmente dedicado à causa da revolução socialista, contribuiu para paralisar as mesmíssimas forças da base da classe trabalhadora às quais, mais tarde, voltaria pedindo ajuda, uma vez percebidos por ele os perigos dos desenvolvimentos que, na Rússia, iriam culminar no stalinismo. Contra este cenário, é patético ver Lenin, um gênio da estratégia realista, comportar-se como um utópico desesperado, de 1923 até o momento de sua morte: propondo insistentemente esquemas impossíveis – como a sugestão de criar uma maioria no Comitê central com quadros da classe trabalhadora, a fim de neutralizar os burocratas do Partido – na esperança de reverter esta tendência perigosa, então já muito avançada. A grande tragédia de Lenin foi que a sua incomparável,

---

[18] "As erkoles ezerepe a komunista termelesben" ("O papel da moral na produção comunista"). A tradução aqui é minha, mas ver Georg Lukács, *Political Writings 1919-1929,* Londres, NBL, 1968, pp. 51-2.

[19] Lenin, *Collected Works,* vol. 42, p. 96.

[20] "Toda essa bagagem sindicalista sobre nomeações obrigatórias dos produtores deve ir ao lixo. Proceder assim representaria deixar o Partido de lado e *tornar a ditadura do proletariado impossível na Rússia",* id., ibid., vol. 32, p. 62.

[21] Id., ibid., p. 246. E, outra vez: "A doença sindicalista deve ser e será curada" (p. 107).

instrumentalmente concreta e intensamente prática estratégia o derrotou no final. No último ano de vida, então já não havia mais saída para seu isolamento total. Os desenvolvimentos que ele mesmo, mais que qualquer outro, ajudou a dinamizar fizeram-no historicamente supérfluo. A forma específica como ele viveu a unidade de teoria e prática acabou por ser o limite de sua grandeza.

Extremamente problemática no discurso de Lukács era a sugestão de que a aceitação da necessidade de maior produtividade e mais disciplina de trabalho – como resultado do apelo moral direto do filósofo à consciência dos proletários individuais – poderiam evitar o perigo tão vividamente descrito e tornar supérflua a criação das instituições necessárias. Que grau de disciplina é suficientemente elevado nas condições de extrema urgência das necessárias "bases materiais"? É "o reconhecimento correto dos interesses de classe", *ipso facto*, o fim de toda possível contradição objetiva entre indivíduo e interesse de classe? Estas e outras questões similares não aparecem no horizonte de Lukács, que permaneceu idealisticamente enevoado ao postular uma base moral *individualista e também uniforme* de prática social como uma *alternativa* à necessidade coletiva. Ainda assim, ele indicou claramente não só a possibilidade de o proletariado voltar a sua ditadura contra si mesmo como também as angustiantes implicações deste estado de coisas para o futuro, quando "o sistema legal que o proletariado é obrigado a criar desta forma *deve ser derrubado*".

Seria talvez esta a ideia de seu período juvenil que Lukács tentaria ampliar mais detalhadamente, à luz de desenvolvimentos posteriores, em um "testamento político" inédito escrito em 1968, após a sua amarga condenação da intervenção militar na Tcheco-Eslováquia? Seja como for, o dilema permanece tão grave quanto antes. Quais eram essas determinações objetivas e subjetivas que produziram a submissão do proletariado à forma política pela qual assumiu o poder? É possível superá-las? Como é possível evitar as *convulsões potenciais* associadas à necessidade imperativa de transformar profundamente as formas vigentes de exercício do poder político? Que condições são necessárias para transformar as rígidas "instituições da necessidade" existentes, através das quais a *discordância é reprimida e a compulsoriedade é imposta*, em instituições mais flexíveis de mobilização social, prenunciando aquele "livre desenvolvimento das individualidades" que continua a nos escapar?

22.5 Indivíduo e classe

Este é o momento em que devemos salientar a importância, para o nosso problema, das considerações de Marx sobre a relação entre indivíduo e classe, já que, na ausência de uma adequada compreensão desta relação, a transformação da forma política transitória em uma ditadura exercida também contra o proletariado (apesar da intenção democrática original) permanece profundamente envolvida em mistério.

Como é possível que esta transformação ocorra? As ideias de "degeneração", "burocratização", "substitucionismo" e similares não só evitam o problema como também derivam numa solução ilusória, explícita ou implícita; ou seja, que a simples derrubada dessa forma política e a substituição de burocratas do partido por revolucionários dedicados reverterá o processo, esquecendo que os acusados de burocratas do partido foram também, no seu tempo, dedicados revolucionários. Hipóteses desse tipo transferem idealisticamente o problema do plano das contradições objetivas para o da psicologia individual, que pode, no melhor dos casos, explicar a questão de por que certo tipo de pessoa é mais adequado para mediar as estruturas objetivas de dada forma política, mas não a natureza dessas próprias estruturas.

Igualmente, seria muito ingênuo aceitar que as novas estruturas de dominação política, repentina e automaticamente – misteriosamente também –, viessem à existência após os proletários terem se negado a aceitar uma intensificação da disciplina do trabalho e um autossacrifício que lhes foi imposto. Ao contrário, o próprio fato de a questão poder ser levantada desta forma já é evidência de que as estruturas de dominação existem antes mesmo que a questão seja pensada.

Recriminações e ameaças são palavras vazias se não provêm de um poder sustentado por uma base material. Mas, tendo esta origem, é uma reversão idealista do real estado de coisas representar *ditames materiais como imperativos morais* que, caso não observados, seriam seguidos de ditames materiais e sanções. Na verdade, ditames materiais são internalizados como imperativos morais apenas nas circunstâncias excepcionais de um *estado de emergência*, quando a própria realidade anula a possibilidade de cursos alternativos de ação. Igualar os dois – isto é, tratar ditames materiais como imperativos morais – significa encerrar o processo da vida social nos limites insuportavelmente estreitos de um permanente estado de emergência.

Quais são as estruturas de dominação sobre cuja base se ergue a nova forma política e que esta deve descartar, para que não se tornem obstáculo permanente para a realização do socialismo? Nas discussões da crítica do Estado de Marx, o que é frequentemente esquecido é que ela não está preocupada apenas com a determinação de uma forma específica de dominação de classe – a capitalista –, mas com uma questão muito mais fundamental: a total emancipação do indivíduo social. A seguinte citação é bastante clara:

> Os proletários, caso venham a se impor como *indivíduos*, terão que abolir a condição de existência que tem prevalecido até o momento (que tem sido, ademais, a das sociedades conhecidas, especificamente, o *trabalho*. Assim, eles se encontram diretamente opostos à forma na qual, até hoje, os *indivíduos*, nos quais consiste a sociedade, se deram *expressão coletiva*, isto é, o Estado. Portanto, *para que se imponham como indivíduos, eles devem pôr abaixo o Estado*".[22]

Tente-se remover o conceito de indivíduo deste raciocínio e ele se torna sem sentido, uma vez que a necessidade de abolir o Estado surge porque os indivíduos não podem "se impor como indivíduos" e não simplesmente porque uma classe é dominada pela outra.

---

[22] Marx, Engels, *The German Ideology*, in MCEW, vol. 5, p. 80.

As mesmas considerações se aplicam à relação entre indivíduo e classe. Mais uma vez, as discussões sobre a teoria de Marx geralmente negligenciam este aspecto e se concentram naquilo que ele afirma sobre a emancipação do proletariado do controle da burguesia. Mas qual seria o sentido desta emancipação se os indivíduos que constituem o proletariado permanecessem dominados pelo proletariado como uma classe? E é precisamente esta relação de dominação que *precede* o estabelecimento da ditadura do proletariado. Não há necessidade de restabelecer a dominação dos proletários pelo proletariado, uma vez que esta dominação já existe, embora de forma diferente, bem antes que a questão da tomada do poder surja historicamente:

> A classe, por sua vez, assume uma *existência independente em relação aos indivíduos*, de modo que estes últimos encontram sua condição vital *predeterminada*, assim como sua posição na vida e seu desenvolvimento pessoal *destinados a eles por sua classe*, tornando-se assim *subordinados a ela*. Este é o mesmo fenômeno da *sujeição* de cada indivíduo à divisão do trabalho e só pode ser eliminado através da abolição da propriedade privada e do *próprio trabalho*.[23]

Este aspecto da dominação de classe, naturalmente, se aplica a todas as formas de sociedade de classe, independentemente das suas superestruturas políticas específicas. Nem poderia ser diferente, dada a existência de irreconciliáveis antagonismos interclasses; na verdade, a submissão dos indivíduos à sua classe é uma decorrência necessária destes últimos.

Outrossim, esta condição se aplica tanto aos países capitalistas avançados como aos mais ou menos desenvolvidos. Seria, portanto, ilusório esperar que as consequências políticas desta contradição estrutural objetiva pudessem ser evitadas simplesmente em virtude de algumas inegáveis diferenças no nível da superestrutura político-legal. Porque a contradição em jogo é um antagonismo objetivo da *base socioeconômica*, estruturada de acordo com uma *divisão social do trabalho* hierarquizada, embora, é certo, também se manifeste no plano político. Sob qualquer (assim chamada) "ditadura eleita de ministros"[24] (ou, do mesmo modo, sob qualquer outra forma de democracia liberal) se encontra a "ditadura não eleita" da divisão hierárquico-social do trabalho, que estruturalmente subordina uma classe a outra e, ao mesmo tempo, também subjuga os indivíduos da própria classe, destinando-os a uma posição e a um papel estreitamente definidos na sociedade, de acordo com os ditames materiais do sistema socioeconômico prevalecente. Ela assegura também, pouco cerimoniosamente, que, entrem ou saiam os ministros conforme a vontade dos eleitores, a estrutura de dominação em si permanece intacta.

---

[23] Id., ibid., p. 77.
[24] Para citar o próprio Lord Hailsham – antigo ministro *tory* e autoridade legal – que deveria saber o que falava.

Paradoxalmente, este dilema da dominação estrutural dos indivíduos por sua própria classe torna-se mais, em vez de menos, aguda após a revolução. Na forma precedente de sociedade, a seriedade do antagonismo interclasses dá um caráter aparentemente – e, até certo ponto, também objetivamente – benévolo à sujeição dos indivíduos a sua própria classe, na medida em que esta não defende apenas seus interesses enquanto classe mas, simultaneamente, defende também os interesses de seus membros individuais contra as outras classes. Indivíduos proletários aceitam a subordinação à sua própria classe – isto mesmo com conflitos em relação a interesses setoriais específicos –, uma vez que a solidariedade de classe é *um pré-requisito necessário* da sua emancipação do jogo da classe capitalista. No entanto, isto está muitíssimo longe de ser a condição suficiente de sua emancipação como *indivíduos sociais*. Portanto, uma vez vencida e expropriada a classe capitalista, a contradição estrutural objetiva entre classe e indivíduo é ativada na sua máxima intensidade, sempre que o fator dos antagonismos interclasses é efetivamente removido ou, pelo menos, transferido para o plano internacional.

Esta contradição entre classe e indivíduo se intensifica num momento posterior ao da revolução, a ponto de, na ausência de forças e medidas corretivas, colocar em risco a própria sobrevivência da ditadura do proletariado e de reverter a sociedade a seu *status quo ante*. O que se presencia, no entanto, no nível da ideologia e da prática políticas, é uma falsa representação: o necessário pré-requisito da emancipação da classe é apresentado como a condição suficiente de sua total emancipação, a qual se diz estar impedida apenas pelas "sobrevivências do passado" ou pela "sobrevivência do inimigo de classe". Assim, o intangível "inimigo interno" torna-se uma força mítica cuja contrapartida empírica deve ser inventada para encher com milhões de pessoas comuns os emergentes campos de concentração.

Nunca é demais enfatizar que a mistificação político-ideológica não se alimenta de si mesma (se assim fosse, seria relativamente fácil suplantá-la), mas de uma contradição objetiva da base socioeconômica. É porque "a condição de existência dos indivíduos proletários, especificamente, o trabalho"[25], não é abolida como Marx defendia – é porque, em outras palavras, a divisão hierárquica do trabalho social permanece a força reguladora fundamental do sociometabolismo –, que o antagonismo, esvaziado de sua justificativa pela expropriação da classe oposta, se intensifica, criando uma nova forma de alienação entre o indivíduo que constitui a sociedade e o poder político que controla os seus intercâmbios.

É porque a ditadura do proletariado não pode remover as "contradições da sociedade civil" abolindo ambos os lados do antagonismo social, incluindo o trabalho – ao contrário, tem que visar o apropriamento deste último em função da absolutamente necessária "base material" –, que "o proletariado volta sua ditadura contra si mesmo"[26]. Ou, para ser mais preciso: para manter seu predomínio sobre a sociedade como uma classe, o proletariado volta a sua ditadura contra *todos* os indivíduos que constituem a sociedade, inclusive os proletários. (Na verdade, incluindo também os funcionários do partido ou do Estado, que têm mandato para desempenhar apenas

---

[25] MECW, vol. 5, p. 80.
[26] Como Lukács afirma na passagem citada anteriormente.

algumas funções e não outras, de acordo com os imperativos do sistema existente e não apenas de acordo com seus próprios interesses setoriais, mesmo que eles estejam, por virtude da sua localização privilegiada junto à máquina do poder, em posição de se apropriar de uma maior parcela do produto social do que outros grupos de indivíduos, quer de fato se apropriem ou não.)

Uma vez que um polo da antítese de que fala Marx – o trabalho – não pode ser mantido por si só, uma nova forma de manifestação deve ser também produzida para o outro polo, nas novas condições da sociedade pós-revolucionária. A expropriação da classe capitalista e a interferência e alteração das condições normais de mercado que caracterizam a sociedade capitalista impõem radicalmente novas funções ao Estado proletário. Este é chamado a regular, *in toto* e em detalhe, o processo de produção e distribuição, determinando diretamente a alocação de recursos sociais, as condições e a intensidade do trabalho, a taxa de extração do excedente e da acumulação, além da participação de cada indivíduo naquela parcela do produto social disponível para o consumo. A partir daí, confrontamo-nos com um sistema de produção no qual a *extração do trabalho excedente é determinada politicamente* da forma mais sumária, utilizando-se critérios extraeconômicos (em última instância, a própria sobrevivência do Estado), o que, sob determinadas condições, pode de fato perturbar ou até atrasar cronicamente o desenvolvimento das forças produtivas.

Esta extração politicamente determinada do trabalho excedente – a qual, em condições de penúria e na ausência de forças e mecanismos regulatórios estritamente econômicos, pode efetivamente alcançar níveis perigosos, a partir dos quais se torna contraproducente – aguça inevitavelmente as contradições entre o produtor individual e o Estado, com as mais graves implicações para a possibilidade de *dissidência*. Nestas circunstâncias, a dissidência pode diretamente pôr em risco a extração do trabalho excedente (e de tudo o que se constrói sobre esta base), retirando, assim, potencialmente, a base material da ditadura do proletariado e ameaçando a sua própria sobrevivência.

Em contraste, em condições normais, ao Estado liberal não é necessário regular *diretamente* a extração da mais-valia, já que os complexos mecanismos da produção de mercadorias se encarregam disso. Tudo o que ele tem a fazer é assegurar indiretamente as salvaguardas do próprio sistema econômico. Não precisa, portanto, preocupar-se com as manifestações de dissidência política sempre que os mecanismos impessoais da produção de mercadorias desempenhem sua função tranquilamente.

Naturalmente, a situação se modifica significativamente em épocas de grandes crises, nos países desenvolvidos, quando as forças da oposição não podem mais se limitar a contestar apenas a *taxa* de extração da mais-valia, mas têm que questionar o próprio modo de produção e expropriação da mais-valia. Se isto se faz com êxito, então o Estado capitalista pode ser levado a assumir formas bastante diferentes daquelas consideradas "liberais".

Da mesma maneira, nas presentes condições de desenvolvimento, quando é possível testemunhar como tendência que todo o sistema do capitalismo global se torna extremamente "disfuncional", o Estado é obrigado a assumir cada vez maiores funções regulatórias diretas, com implicações potencialmente sérias para a dissidência e a oposição.

Mas, mesmo nestas circunstâncias, as respectivas estruturas são fundamentalmente diferentes, já que o envolvimento político do Estado capitalista se aplica indiretamente a um sistema de produção de mercadorias dominante e o objetivo de fundo é a reconstituição da função autorregulatória deste último, seja isto viável ou não.

Em contraste, o Estado pós-revolucionário combina, como *norma*, a função do controle do processo político geral com a do controle do processo de vida material da sociedade. É a interação íntima entre os dois processos que produz dificuldades aparentemente insuplantáveis para a dissidência e a oposição.

22.6 Rompendo o domínio do capital

Tudo isto coloca claramente em relevo o dilema que se tem de enfrentar quando se tenta conceber uma solução socialista para os problemas em discussão. De um lado, as práticas liberais/capitalistas da "tolerância repressiva" operam com base na premissa de que a dissidência e o protesto podem ser permitidos até se tornarem tão barulhentos quanto queiram, desde que não alterem coisa alguma. De outro lado, nos países do Leste europeu a dissidência e o protesto têm ressonância no corpo social e potencial no sentido de contribuir para mudanças reais, mas não têm permissão de dar voz a suas discordâncias.

Haverá saída para este doloroso dilema? Se houver, deverá ser pelo amadurecimento das condições objetivas de desenvolvimento a que possam estar relacionados movimentos políticos, acelerando ou frustrando o seu desenvolvimento. Sobre este aspecto, importa muito saber se as sociedades pós-revolucionárias representam ou não alguma nova forma de capitalismo ("capitalismo de Estado", por exemplo). Se representam, na realidade nada teria mudado com o advento da revolução: nenhum passo real teria sido dado em direção à emancipação, e o supostamente monolítico poder do capitalismo, que prevalece em todas as suas formas, faz com que o futuro pareça ser extremamente inquietante.

Marx escreveu *O capital* a serviço do rompimento do domínio do *capital*, não apenas do capitalismo. No entanto, estranhamente, é sobre a avaliação desta mais íntima natureza do seu projeto que os desentendimentos são maiores e mais danosos. O título do livro I de *O capital* foi traduzido pela primeira vez para o inglês, sob a supervisão de Engels, como "Uma análise crítica da produção capitalista", enquanto o original é "O processo de produção do capital" (*Der Produktionsprozess des Kapitals*), o que é algo radicalmente diferente. O projeto de Marx se ocupa das condições de produção e reprodução do *capital em si* – de sua gênese e sua expansão, assim como das contradições inerentes que prenunciam a sua supressão por meio de um "longo e doloroso processo de desenvolvimento" –, enquanto a mal traduzida versão fala apenas de uma dada *fase* da produção do capital, confundindo problematicamente os conceitos de "produção capitalista" e "produção do capital".

Na verdade, o conceito de capital é muito mais fundamental que o de capitalismo. O último está limitado a um período histórico relativamente curto, enquanto o primeiro abarca bastante mais que isto: ocupa-se, além do modo de funcionamento da sociedade capitalista, das condições de origem e desenvolvimento da produção do capital, incluindo as fases em que a produção de mercadorias não é abrangente e dominante como no capitalismo. Ao lado da radical linha de demarcação traçada pela derrocada do capitalismo, o projeto de Marx ocupa-se igualmente das formas e modalidades nas quais a necessidade de produção de capital está fadada a sobreviver nas sociedades pós-capitalistas por um longo e doloroso período histórico – isto é, até que a própria divisão social hierárquica do trabalho seja satisfatoriamente superada e que a sociedade seja completamente reestruturada de acordo com a livre associação dos indivíduos sociais, que conscientemente regulam suas próprias atividades.

O domínio do capital, fundado no atual sistema da divisão do trabalho (que não pode ser abolido apenas por um ato político, mesmo que radical e livre de "degeneração"), prevalece assim durante uma parte significativa do período de transição, embora deva exibir características de uma tendência decrescente, para que a transição possa ter qualquer êxito. Mas isso não significa que as sociedades pós-revolucionárias continuem "capitalistas", da mesma forma que a sociedade feudal e as anteriores não podem ser corretamente caracterizadas como capitalistas em função do maior ou menor uso de capital monetário e da mais ou menos desenvolvida parcela nelas ocupada, como elemento subordinado, pela produção de mercadorias.

Capitalismo é aquela particular fase da produção de capital na qual:

1. a *produção para a troca* (e assim a mediação e dominação do valor de uso pelo valor de troca) é *dominante*;
2. a *força de trabalho* em si, tanto quanto qualquer outra coisa, é tratada como *mercadoria*;
3. a motivação do *lucro* é a força reguladora fundamental da produção;
4. o mecanismo vital de extração *da mais-valia*, a separação radical entre meios de produção e produtores assume uma *forma inerentemente econômica*;
5. a mais-valia economicamente extraída é *apropriada privadamente* pelos membros da classe capitalista; e
6. de acordo com seus *imperativos econômicos* de crescimento e expansão, a produção do capital tende à *integração global*, por intermédio do mercado internacional, como um sistema totalmente interdependente de dominação e subordinação econômica.

Falar de capitalismo nas sociedades pós-revolucionárias, quando apenas uma destas essenciais características definitórias – a de número quatro – é mantida e, até mesmo esta, de forma radicalmente alterada, já que a extração de trabalho excedente é regulada política e não economicamente, implica o desprezo ou a confusão das condições objetivas do desenvolvimento, com sérias consequências para a possibilidade de penetrar-se na natureza real dos problemas em questão.

O capital mantém o seu – de forma alguma restrito – domínio nas sociedades pós-revolucionárias principalmente através:
1. dos imperativos materiais que circunscrevem as possibilidades da totalidade do processo vital;
2. da divisão social do trabalho herdada que, apesar das suas significativas modificações, contradiz "o desenvolvimento das livres individualidades";
3. da estrutura objetiva do aparato produtivo disponível (incluindo instalações e maquinaria) e da forma historicamente limitada ou desenvolvida do conhecimento científico, ambas condições da divisão social do trabalho; e
4. dos vínculos e interconexões das sociedades pós-revolucionárias com o sistema global do capitalismo, quer estes assumam a forma de "competição pacífica" (intercâmbio comercial e cultural), quer assumam a forma de oposição potencialmente mortal (desde corrida armamentista até maiores ou menores confrontações reais em áreas sujeitas a disputa).

Portanto, o problema é incomparavelmente mais complexo e abrangente do que sua convencional caracterização como meramente o imperativo da acumulação de capital que, agora, surgiria como "acumulação socialista".

O capital constitui um sistema mundial altamente contraditório, com os países capitalistas "avançados" e as principais sociedades pós-revolucionárias como seus polos que, por sua vez, se relacionam com uma multiplicidade de gradações e estágios de desenvolvimento variado. É esta totalidade dinâmica e contraditória que torna as possibilidades de dissidência e oposição muito mais viáveis do que a monolítica concepção de poder capitalista gostaria de sugerir. Sociedades pós-revolucionárias são também sociedades pós-capitalistas, no sentido de que suas estruturas objetivas efetivamente impedem a restauração do capitalismo.

Certamente, suas contradições internas, mais complicadas e intensificadas pela sua interação com os países capitalistas, podem produzir alterações e ajustes dentro de suas estruturas *em favor das relações de tipo mercantil*. No entanto, a possibilidade de tais alterações e ajustes é bastante limitada. Está estritamente circunscrita pelo fato de *a extração política do trabalho excedente não poder ser radicalmente alterada sem que afete profundamente (na verdade, sem que ponha em risco) o poder político existente*. A frustração sistemática e a prevenção da dissidência têm sua contrapartida no sucesso extremamente limitado das recentes tentativas de introdução de mecanismos estritamente econômicos na estrutura geral da produção. As sociedades pós-revolucionárias ainda não têm os mecanismos de autorregulação que lhes assegurem que dissidentes possam "*dizer o que lhes agrade sem que se altere coisa alguma*". Decerto, seria uma vitória pirrônica se a dissensão só se desenvolvesse nas sociedades pós-revolucionárias paralelamente à reintrodução de poderosos mecanismos e instituições capitalistas.

Desenvolvimentos positivos, sob este aspecto, podem ser prenunciados apenas se o sistema encontrar alguma maneira de conseguir uma efetiva, e institucionalmente sancionada, *distribuição de poder político* (mesmo que seja, em princípio, muito limitada), o que não representaria *perigo para o atual modo de* extração do trabalho excedente enquanto tal – apesar de que, necessariamente, colocaria em questão suas manifestações e seus excessos particulares. Em outras palavras, "descentralização", "autonomia" e similares devem ser postos em prática nas sociedades pós-revolucionárias – em primeiro lugar – como princípios *políticos*, para que possam ter algum significado.

A totalidade dinâmica e contraditória mencionada acima é também uma totalidade *interdependente* do princípio ao fim. O que acontece em um lugar tem importantes consequências para as possibilidades de desenvolvimento de outras partes. As demandas por uma maior efetividade de dissidência e oposição no Ocidente surgem agora que o sistema capitalista exibe sintomas de crise severa, com consequências potenciais de longo alcance.

O enfraquecimento de essenciais mecanismos de controle da sociedade de mercado – que, no seu funcionamento normal, anulam satisfatoriamente a dissensão e a oposição sem que haja necessidade de coerção – oferece maior amplitude para o desenvolvimento de alternativas reais, devendo o debate sobre o "pluralismo" ser situado dentro desta problemática. Ao mesmo tempo, não é sem profundo significado que virtualmente todas as forças de esquerda se tenham afastado totalmente de uma primeira atitude crítica acerca da avaliação de desenvolvimentos pós-revolucionários. Esta atitude, no passado, refletia um estado de *imobilidade* imposta e não poderia aspirar mais que à reiteração repetitiva de seu ideal como uma "declaração de intenções" sobre o futuro, por mais remoto que pareça, em vez de proceder a uma avaliação realista de um experimento histórico com base nas suas próprias realizações concretas.

Em um mundo de total interdependência, se resultados efetivos surgirem desta análise crítica – que é também uma autocrítica –, eles não poderão deixar de ter implicações positivas para o desenvolvimento da dissensão e da oposição consequentes nas sociedades pós-revolucionárias.

Capítulo 23

DIVISÃO DO TRABALHO E ESTADO PÓS-CAPITALISTA

Sendo *a ideologia a consciência prática inevitável das sociedades de classe*, articulada de modo que os membros das forças sociais opostas possam se tornar conscientes de seus conflitos materialmente fundados e resolvê-los pela luta, a questão realmente importante é a seguinte: *os indivíduos, equipados com a ideologia da classe a que pertencem, estarão ao lado da causa da emancipação, que se desdobra na história, ou se alinharão contra ela? A ideologia pode (e de fato o faz) servir a ambos os lados com seus meios e métodos de mobilização dos indivíduos que, por menos que o compreendam com clareza, necessariamente participam da luta que se desenrola.*

Para provar sua continuada viabilidade, a ordem socioeconômica estabelecida deve constantemente se adaptar às condições mutáveis de dominação. Através de toda a história por nós conhecida, a ideologia desempenhou papel importante nesse processo de readaptações estruturais. A reprodução bem-sucedida das condições de domínio não poderia ocorrer sem a intervenção ativa de poderosos fatores ideológicos em prol da manutenção da ordem existente.

Naturalmente, a ideologia dominante tem forte interesse em preservar o *status quo*, em que até as desigualdades mais patentes já estão *estruturalmente* entrincheiradas e salvaguardadas. *Por isso, pode se permitir proclamar as virtudes dos arranjos "consensuais", de "unidade orgânica" e "participação", reivindicando para si, desse modo, também a racionalidade evidente da "moderação" (dominante). Mas, na realidade, a ordem social que ela defende é necessariamente dilacerada por contradições e antagonismos internos, por mais bem-sucedida que possa ser, através dos tempos, a reprodução do arcabouço estrutural hierárquico de domínio e subordinação e a aparência de "comunidade orgânica" e "interesses mútuos e comuns".*

O mito da "unidade orgânica" vem dominando o discurso ideológico desde que o relacionamento social teve de se conformar aos imperativos materiais de garantia da continuidade da produção no interior da estrutura potencialmente explosiva da divisão social hierárquica do trabalho, que repetidamente mudou suas formas no curso da história, mas não sua substância exploradora.

Esta correlação entre ideologia pacificadora e estrutura social hierárquica é perfeitamente compreensível. Por mais que todas as sociedades de classe sejam profundamente divididas e dilaceradas em seus relacionamentos estruturais básicos, elas devem ser capazes de operar, em circunstâncias normais, como *conjuntos integrados* (e, neste sentido, "sistemas orgânicos"); com exceção daqueles períodos de explosão que tendem a traçar a linha de demarcação histórica entre uma e outra formação social.

A plausibilidade e a influência espontânea do discurso ideológico dominante, influência essa que vai muito além das fileiras de seus verdadeiros beneficiários, advêm precisamente de seu apelo tranquilizador à "unidade" e às preocupações a ela associadas, desde "a observação das regras da objetividade" até a descoberta do "equilíbrio" correto nas "adaptações recíprocas" necessárias – mas, devido à relação de forças desigual normalmente prevalecente, absolutamente injustas – entre as forças sociais conflitantes. A necessária função consolidadora da ideologia dominante de variantes mais agressivas – do chauvinismo e do nazismo até as ideologias mais recentes da "direita radical" – precisa afirmar que representa a esmagadora maioria da população contra o "inimigo" externo, as minorias "racialmente inferiores", o dito "mero punhado de desordeiros" que se supõe serem a causa das greves e da inquietação social ("o inimigo interno", na linguagem da sra. Thatcher) etc.

Do ponto de vista da ideologia dominante, o conflito hegemônico em andamento nunca será descrito como um conflito entre potenciais iguais. Isto colocaria em aberto, *ipso facto*, a questão da legitimidade, e conferiria nacionalidade histórica ao adversário. Por isso, é uma questão de determinação estrutural insuperável que a ideologia dominante – em vista de suas aspirações legitimadoras aprioristicas – não possa absolutamente operar sem apresentar seus próprios interesses, por mais estreitos que sejam, como o "interesse geral" da sociedade. Mas, precisamente pela mesma razão, o discurso ideológico da ordem dominante deve manter seu culto da "unidade" e do "equilíbrio adequado", mesmo que – particularmente em épocas de crises importantes – isso não represente mais que retórica vazia quando contraposto ao princípio operativo real de dividir para reinar.

Naturalmente, restrições muito diferentes se aplicam às ideologias críticas. *Todos aqueles que tentam articular os interesses das classes subordinadas têm de assumir – mais uma vez como uma questão de determinação estrutural insuperável – uma postura negativa, não apenas com respeito à suposta "organicidade" da ordem estabelecida, mas também quanto às suas determinações objetivas e às instituições de controle socioeconômico e político-cultural.*

Entretanto, deve-se reconhecer também que a história não pode terminar no ponto do simples negativismo. *Nenhuma força social pode apresentar suas reivindicações como uma alternativa hegemônica sem também indicar, pelo menos em linhas gerais, a dimensão positivo-afirmativa de sua negação radical. Isto é verdadeiro para milhares de anos de história, não apenas para os últimos séculos. Via de regra, as ideologias que se esgotam na negação pura e simples fracassam logo e não conseguem fazer valer qualquer reivindicação real de constituírem uma alternativa viável.*

Além disso, um pouco paradoxalmente, é um aspecto característico apenas das ideologias dominantes que, uma vez atingida a fase de declínio das forças sociais cujos interesses expressam, sejam incapazes de apresentar outra coisa que não uma estrutura conceitual completamente negativa, apesar de seu "positivismo acrítico", ou seja, de sua identificação "positiva" com o *status quo*. Na verdade, sua dimensão afirmativa é absolutamente *mecânico-determinista* – como bem exemplifica o ditado frequentemente repetido de que "não há alternativa", e que, contraditoriamente, afirma ser a defesa da "liberdade", da "soberania do indivíduo" etc. – e toda sua preocupação ativa se dirige para a rejeição de seu adversário com uma negatividade *apriorística*, permanecendo assim inteiramente dependente (isto é, intelectualmente parasitária) dos argumentos que rejeitam a partir de seu preconceito mecânico do "não há alternativa".

O projeto socialista, ao contrário, parte da premissa de que há uma *alternativa*. Define as condições de implementação dessa alternativa – as condições práticas de emancipação – como uma forma de ação em que o momento de negação adquire seu significado através dos objetivos positivos que acarreta. *Por isso, o projeto socialista não pode se contentar com a negatividade da revolução política, embora ela seja necessária, mas deve lutar pela revolução social intrinsecamente positiva, no decorrer da qual os indivíduos associados podem "mudar de cabo a rabo as condições de sua existência industrial e política e, consequentemente, toda a sua maneira de ser"* (Marx). E é por isso que deve insistir, com Rosa Luxemburgo, que *"o socialismo não será e não pode ser inaugurado por decreto; não pode ser estabelecido por qualquer governo, ainda que admiravelmente socialista. O socialismo deve ser criado pelas massas, deve ser realizado por todo o proletário".*

É evidente que tais objetivos não podem ser alcançados sem o trabalho da ideologia emancipatória, através da qual a estrutura de motivação necessária para a transformação de "toda a maneira de ser" dos indivíduos sociais é definida e constantemente redefinida. Não de cima, mas como uma questão de atividade própria conscientemente buscada.

Certamente, essa perspectiva não deixa de ter seus problemas. A consideração do tipo de transformação social prevista pela visão marxista tem de avaliar não apenas as dificuldades inerentes à própria magnitude das tarefas a serem realizadas, mas, igualmente, deve ser capaz de enfrentar as complicações que inevitavelmente surgem das contingências sócio-históricas mutáveis, à luz das quais as proposições básicas da teoria original devem ser reexaminadas e, se necessário, adaptadas às novas circunstâncias. É disto que vamos tratar nas páginas seguintes.

23.1 A base estrutural das determinações de classe

Segundo Marx, a classe – inclusive a *"classe-para-si"* – só pode existir na *"pré-história"*. Consequentemente, enquanto houver determinações de classe objetivas, a ideia da "totalização coletiva consciente" (*isto é, o controle consciente e pleno de suas condições de existência por parte da totalidade dos indivíduos autônomos e mutuamente interagentes que formam a "classe universal"*) é e será um conceito paradoxal, apesar das *diferenças qualitativas* entre o capital e o trabalho como alternativas sociais hegemônicas. Na tentativa de avaliar a natureza até da classe mais avançada e de seu relacionamento com o que Marx chama de "verdadeira história" (em oposição à "pré-história"), *confrontamos o difícil problema de que a classe como tal é o agente de emancipação necessário mas também inerentemente problemático. Isto ocorre por duas razões principais:*

1. Por mais amplas que sejam suas bases a classe é, por definição, uma força social exclusiva, pois não pode abarcar outros indivíduos além de seus próprios membros.
2. *O relacionamento entre os indivíduos e sua classe é em si mesmo sujeito a fortes restrições críticas, pois sua articulação prática necessariamente suscita a questão da representação, da hierarquia e da dominação.*

É por essas razões que mesmo a "classe-para-si", na opinião de Marx, só pode existir na pré-história. Ele sempre insiste na necessidade de transcender todas as classes como condição fundamental para se fazer a "verdadeira história". A "totalização coletiva" – ainda que centralizada em torno dos interesses da classe historicamente mais avançada –, sob as determinações da pré-história, envolve necessariamente um componente incontrolável. Isto se deve ao fato de que as contradições antagônicas da sociedade capitalista "devem ser combatidas" por todos os meios e formas de confrontação disponíveis, inclusive aqueles que são mais ou menos diretamente determinados pelos movimentos do adversário. Naturalmente, o papel da ideologia é crucial nesse processo.

A ideia de uma totalização coletiva plenamente consciente, através da atuação da classe e sem a participação autodeterminada de seus membros individuais, *é uma proposição dúbia*. Do mesmo modo, as limitações objetivas que surgem das circunstâncias sócio-históricas dadas (com respeito à autodefinição institucional da própria classe de acordo com seus próprios objetivos básicos, assim como em resposta às estratégias e às realidades institucionais das forças contestadas) suscitam sérias interrogações quanto ao *grau possível de interação coletiva consciente* baseada na participação individual autônoma em qualquer sociedade de classes, inclusive as várias sociedades de transição para o socialismo. Por isso, a classe como tal deve ser criticamente avaliada sob os seguintes aspectos:

23.1.1 Classe versus *indivíduo*

Como é dolorosamente óbvio, a classe necessariamente subordina a si mesma todos os seus componentes individuais. Em consequência disso, os indivíduos só podem definir sua própria posição na sociedade partindo de certos pressupostos que lhes são inevitavelmente impostos pelo simples fato de pertencerem a uma classe social em luta. Marx é enfaticamente claro e firme neste ponto, vinculando a questão da emancipação à necessidade de superar também a dominação dos indivíduos por sua própria classe, juntamente com sua libertação das restrições paralisadoras da divisão social do trabalho historicamente estabelecida, da qual a classe em si é a articulação estrutural necessária. Ele escreve em *A ideologia alemã*: "a classe por sua vez assume uma existência independente em contraposição aos indivíduos, de forma que estes últimos encontram suas condições de vida predeterminadas e têm sua posição na vida e seu desenvolvimento pessoal condicionados por sua classe, tornando-se assim subordinados a ela. É o mesmo fenômeno da sujeição de indivíduos isolados à divisão do trabalho e só pode ser eliminado pela abolição da propriedade privada e do próprio trabalho[1].

---

[1] MECW, vol. 5, p. 77.

Por isso a classe é, *paradoxalmente*, tanto o veículo necessário quanto o *agente ativo* da tarefa histórica da emancipação socialista e, ao mesmo tempo, *também um obstáculo fundamental* à sua realização.

23.1.2 *Classe* versus *classe*

A confrontação entre as classes importa inevitavelmente em *determinações recíprocas* para todas as partes envolvidas. A luta pela hegemonia requer a mobilização coordenada e disciplinada dos recursos totais das classes rivais, impondo sobre seus membros uma *estrutura de comando* mais ou menos rígida de acordo com a intensidade dos conflitos e as implicações práticas gerais das questões em jogo.

Além disso, os meios e métodos à disposição de um lado inevitavelmente implicam a adoção, pelo outro lado, de movimentos e contramedidas estratégicas apropriadas, com todas as suas consequências institucionais. Tais movimentos e correspondentes complexos institucionais são concebidos, em grande parte, de modo a possibilitar o enfrentamento do adversário em seu próprio terreno. Isto deve ocorrer ainda que acarrete um desvio, por tempo considerável, em relação aos objetivos positivos inerentes à classe em questão. Naturalmente, tais determinações recíprocas têm implicações sérias para a autonomia e a margem de iniciativa disponível para os membros individuais das classes opostas.

23.1.3 *Estratificação e unidade*

As classes modernas não são, de maneira alguma, entidades homogêneas; nem o processo de desenvolvimento industrial global – com suas interdeterminações complexas e múltiplas divisões de interesse – jamais poderia transformá-la em forças sociais homogêneas. Mas as condições da luta pela hegemonia suscitam a questão da unidade, particularmente em ocasiões de confronto agudo: trata-se de uma exigência muito mais fácil de ser postulada do que alcançada na prática, no que diz respeito à classe subordinada.

Lamentavelmente, *os problemas da estratificação pertencem à parte menos desenvolvida da teoria de classes marxiana*. Ainda que Marx corretamente sublinhe que "o agrupamento dos indivíduos sob classes definidas não pode ser abolido até que se tenha desenvolvido uma classe que não tenha mais qualquer interesse de classe a defender contra uma classe dominante"[2], isto em si não constitui de modo algum a solução das penosas questões em jogo, ao contrário do que frequentemente se supõe. A frase apenas define as condições gerais sob as quais pode ser vislumbrada uma solução para as contradições subjacentes. Assim, a definição marxiana da linha de ação necessária não insinua nem de leve que os problemas e as dificuldades práticas da estratégia da classe proletária desapareçam, automaticamente, com o desenvolvimento intrincado – com todas as suas "inadequações, debilidades e vilezas"(Marx) resultando em "interrupções" e recaídas – de um desafio histórico objetivo que em princípio seja capaz de superar os antagonismos internos do capital.

Apresentar a caracterização marxiana de *uma pré-condição* histórica como sendo uma *solução pronta* não é senão uma caricatura de Marx, que geralmente visa a atribuir

---

[2] Id., ibid.

uma teoria primitiva de "pauperização do proletariado", negligenciando todas as provas em contrário contidas em seus escritos. *A estratificação é um aspecto vital da realidade da classe.* Não se pode lidar com os problemas dela oriundos tratando-os em termos unilateralmente negativos e assim procurando provar teoricamente sua inexistência. Ao contrário, a abordagem adequada da estratificação envolve a elaboração e a implementação prática de estratégias que reconheçam plenamente que as complexidades dinâmicas da totalização coletiva se baseiam na atividade própria de forças sociais multifacetadas, com interesses objetivos próprios. O denominador comum socialista de tais interesses diversos só pode ser articulado através desta própria atividade, e não através da imposição arbitrária de um postulado "unitário" abstrato. As exigências e postulados de "unidade" são com frequência quiméricos, mas não só; também tendem a ser formulados a partir da perspectiva da corrente reformista-oportunista do movimento trabalhista e contra a *esquerda*, sempre acusada de "afundar o barco" do sucesso eleitoral com suas exigências radicais.

Obviamente, com respeito à questão da unidade, não se pode falar de uma *simetria* entre as duas classes fundamentais que lutam pela hegemonia na sociedade capitalista. A classe dominante tem de defender interesses reais, muito grandes e evidentes por si mesmos, que agem como uma força de unificação poderosa entre suas várias camadas. Em completo contraste, a estratificação interna das classes subordinadas tende a intensificar a contradição entre os interesses imediatos e os de longo prazo, definindo estes últimos como meramente potenciais (previstos, hipotéticos etc.), cujas condições de realização necessariamente escapam da situação imediata. Surge daí a necessidade de uma atitude inerentemente crítica em relação à exigência de unidade na classe subordinada, implicando a articulação prática de modos e meios de ação para mobilizar e coordenar positivamente as diversas forças de suas numerosas camadas, sem superpor a elas uma estrutura burocrática de "unificação" vinda de cima, que tende a derrubar seu propósito original.

23.1.4 *Interesse de classe e inércia institucional*
Compreensivelmente, a avaliação efetiva do interesse de classe (qualquer que seja a classe que tomemos como exemplo) é impensável sem seus próprios meios instrumentais e sua própria estrutura institucional. É igualmente claro que a natureza dos complexos institucionais necessários não pode estar isolada dos riscos e das condições da luta em andamento.

No entanto, o problema é que as instituições típicas que têm por objetivo afirmar o interesse de classe tendem, devido a sua característica dual – isto é, a necessária capacidade de, por um lado, *confrontar* o antagonista e, por outro, controlar (ou "subordinar") seus próprios membros sob determinações objetivamente estipuladas –, a fortalecer sua própria estrutura material-institucional até à custa de seus partidários. Assim, o "perigo da ossificação" (observado por Lukács em *História e consciência de classe*) passa a ser um problema estrutural intrínseco – uma função da *necessária dualidade* da própria natureza e da determinação interna de qualquer instituição de classe como tal – e só pode ser afastado por contramedidas conscientes e contínuas, associadas a garantias institucionais realmente democráticas que envolvam positivamente os membros individuais da classe.

23.1.5 Hierarquia, dominação e representação participativa

Evidentemente, as questões espinhosas da hierarquia social são inerentes a todos os quatro aspectos do relacionamento entre indivíduo e classe até agora mencionados. Considerados em conjunto, eles salientam o caráter ambivalente da classe enquanto agente inevitável de emancipação. Mas, bem além das contingências mais ou menos penosas de todas essas relações, a hierarquia – assim como a dominação e a repressão que acompanham a hierarquia imposta – constitui uma determinação *estrutural* fundamental da existência da classe como tal, quaisquer que sejam as pessoas diretamente envolvidas na dominação de classe em qualquer período da história.

Isto significa que a questão da dominação e da subordinação de classe não surge simplesmente com respeito ao relacionamento entre as duas classes (isto é, afetando a multiplicidade de indivíduos que constituem os lados opostos das referidas relações antagônicas de classe), mas, mais significativamente, em virtude da posição objetiva das principais classes da sociedade na estrutura de produção historicamente estabelecida.

Em outras palavras, as classes são dominadas não apenas pelas pessoas da outra classe, mas também pelos imperativos estruturais objetivos do sistema de produção e da divisão do trabalho historicamente dados.

Com efeito, neste relacionamento, o *übergreifendes Moment* é, sem dúvida, a obstinada persistência do imperativo estrutural que objetivamente sustenta as pessoas que exercem uma determinada dominação de classe ou, inversamente, seu desaparecimento com a mudança das circunstâncias históricas. É por isso que a aristocracia, classe dominante do sistema feudal, torna-se uma "classe supérflua" – na verdade, uma força parasitária e obstrutiva – do ponto de vista da reprodução social no decurso da reestruturação objetiva que caracteriza o processo socioeconômico do "antigo regime" em sua última fase de desenvolvimento, antes da Revolução Francesa.

A transição da dominação do capital para uma ordem socialista da sociedade, ao contrário, traz consigo algumas diferenças estruturais importantes quanto a este aspecto, na medida em que a própria noção de *hierarquia estrutural* está sendo radicalmente desafiada pela "nova forma histórica" da sociedade sem classes. Tais diferenças devem ser avaliadas com realismo – do ponto de vista do metabolismo social como um todo – também em termos do complexo relacionamento dialético entre os indivíduos incumbidos de realizar determinadas funções sociais e o imperativo estrutural objetivo das próprias funções requeridas.

As inevitáveis implicações negativas dos imperativos estruturais objetivos acima mencionados vêm à tona com rapidez brutal e profundas consequências em uma circunstância histórica em que a classe dominante é politicamente deposta enquanto a estrutura geral da produção e da divisão estrutural-funcional – hierárquica – do trabalho permanece fundamentalmente intacta, como deve ocorrer nas fases iniciais do desenvolvimento de uma formação social de transição. As agudas contradições entre as teorias originais da ditadura do proletariado elaboradas por Marx e Lenin e a realização histórica de tal ditadura no século XX têm muito a ver com o descaso por esta dimensão crucial do problema.

Originalmente, previu-se que a "destruição do aparelho estatal burguês", por um lado, e a instituição em seu lugar de um sistema de *delegação direta* – tendo o "mandato compulsório" e a "revogabilidade do mandato" como princípios regulamentadores – proporcionariam tanto as salvaguardas necessárias contra a hierarquia quanto, ao mesmo tempo, em termos positivos, constituiriam um instrumental plenamente adequado para a emancipação social desejada. A questão concernente ao relacionamento entre o mandato e as pressões objetivas – os *pesados imperativos estruturais* – da antiga estrutura de produção não foi alvo de um exame sério, seja no contexto da Comuna de Paris, seja em relação a acontecimentos posteriores. Quando Lenin (em novembro de 1917, no "posfácio à primeira edição" de seu *O Estado e a Revolução*) explicou o caráter inacabado de sua obra, é compreensível que ainda pudesse declarar, com um ânimo otimista, que "é mais agradável e proveitoso passar pela 'experiência da revolução' do que escrever sobre ela"[3]. Mais tarde, entretanto, ele se queixou de dificuldades imprevistas de insuperável gravidade e complexidade em todos os níveis da vida política e social, para as quais a revolução do proletariado não estava teórica ou praticamente preparada.

Podemos também recordar neste contexto uma carta de Marx a Joseph Weydemeyer[4] em que falava sobre a necessidade da ditadura do proletariado enquanto fase de transição rumo à transcendência (ou superação, não "abolição") das classes *(Aufhebung der Klassen)*. Na mesma carta, vinculava intimamente estas proposições a sua base teórica, ou seja, que a existência das próprias classes está limitada a "determinadas fases históricas do desenvolvimento da produção" (*bestimmte Entwicklungsphasen der Produktion*)[5].

Assim, deduz-se que a preocupação fundamental de Marx era o sistema de produção em suas determinações socioeconômicas objetivas, que se manifestam diretamente pela existência da prevalecente divisão social do trabalho sob a forma das classes (ou, pelo menos, de imperativos estruturais geradores de uma hierarquia semelhante à das classes). Quanto a esta divisão, a questão das formas político-organizacionais só pode constituir uma parte específica que, por sua vez, deve ser sempre avaliada em termos das transformações dinamicamente desenvolvidas do sistema de produção do próprio capital global. Entretanto, é necessário enfatizar que neste contexto – teórica e praticamente vital – a teoria marxista só oferece indicações e implicações indiretas. *Lamentavelmente, Marx jamais atingiu o ponto de seu projeto original em que teria começado a traçar as linhas gerais de sua teoria do Estado e do relacionamento do Estado com a "relação de produção internacional; a divisão internacional do trabalho; o comércio internacional; o mercado mundial e as crises"*[6], embora tudo isso constituísse parte inalienável de sua estrutura teórica geral.

As realidades da existência de classes são inseparáveis das poderosíssimas determinações materiais do próprio metabolismo social. Estas determinações não são radicalmente alteradas pela remoção dos indivíduos que dominavam, enquanto a

---

[3] Lenin, *Collected Works*, v. 25, p. 492.
[4] Marx, *Letter to Joseph Weydemeyer*, 5 de março de 1852.
[5] Ver MECW, v. 28, p. 108.
[6] Marx, *Grundrisse*, p. 108.

estrutura da produção (por qualquer razão que seja) continuar essencialmente a mesma de antes. Ao contrário, o vazio criado pela destituição da classe dominante e de suas instituições deve, mais cedo ou mais tarde, ser preenchido pelo que se costuma chamar (superficialmente) de "burocratização", para reconstituir o funcionamento "normal" (isto é, herdado do metabolismo social não-reestruturado, de acordo com a divisão social do trabalho prevalecente. Esta última, seguindo a "linha de menor resistência" logo após uma crise importante, continua a suprir as exigências elementares (assim respondendo com êxito aos imperativos estruturais objetivos) deste metabolismo.

Em sua constituição original, a classe subordinada é, necessariamente, estruturada de modo hierárquico, não só devido à sua confrontação com a classe dominante, mas sobretudo às funções metabólicas vitais que ela deve desempenhar no sistema de reprodução social historicamente dado. A remoção dos indivíduos dominantes e a derrubada das formas institucionais específicas que tais indivíduos usavam para impor seu modo de controle sobre a sociedade como um todo não eliminam a necessidade de controle da estrutura de produção dada, material e objetivamente hierárquica. Muito menos afastam a necessidade de continuar realizando, da maneira mais tranquila possível, as funções metabólicas vitais – engastadas de forma reificada nas próprias estruturas de produção herdadas –, das quais depende a sobrevivência dos homens e a continuidade da reprodução social.

Assim, a hierarquia e a dominação são imperativos materiais e estruturais evidentes de determinadas formas da divisão do trabalho, a partir das quais também se articulam de maneira semelhante no plano político. Por isso, o proletariado pode – e sob certas condições deve – "dirigir sua ditadura contra si mesmo"[7]. Consequentemente, postular que a "democracia direta" é a solução imediata contra a hierarquia e a dominação é algo altamente problemático, não somente devido a sua factibilidade duvidosa – como afirmou, de modo muito convincente, Norberto Bobbio[8] –, mas também tendo em vista o fato de que uma tal abordagem se refere ao problema em questão só em termos fundamentalmente *políticos*, em oposição à "democracia formal" capitalista e suas práticas dúbias de "representação". Também não é possível buscar uma solução na forma de algum *postulado moral*, como Lukács tentou defender em um ensaio[9] escrito pouco antes de *História e consciência de classe*.

---

[7] Lukács, "Az erkölcs szerepe a kommunista termelésben" (O papel da moral na produção comunista), publicado pela primeira vez na Hungria em *Szociafista Termelés*, em 1919.

[8] Ver uma série de artigos de Norberto Bobbio (escritos entre 1973-76 e coligidos em um volume sob o título *Quale socialismo? Discussione di un'alternativa*, Turim, Einaudi, 1976) que geraram uma ampla discussão na Itália sobre o relacionamento entre socialismo e democracia em uma época em que estes problemas reapareciam dramaticamente na agenda política devido a alguns graves acontecimentos internacionais (como o golpe no Chile) e à crise interna cada vez mais séria da própria sociedade italiana. Como Bobbio corretamente observou, com um toque de ironia, depois de ter sido apresentado com entusiástica aprovação pelo líder do Partido Socialista Italiano, Pietro Nenni: "Há 30 anos venho escrevendo estudos sobre teoria política, mas não tenho conhecimento de sequer uma única palavra deles ter sido citada por um político de tão alta autoridade em um congresso de partido! *O tempora o mores!*" (Ib., p. 68).

[9] Ver "The role of morality in Communist production", em Georg Lukács, *Political Writings 1919-1929*, Londres, NLB, 1968, pp. 48-52.

Visto que o problema em questão diz respeito aos imperativos estruturais objetivos do metabolismo social, inerentes à estrutura produtiva e à divisão do trabalho estabelecidas, uma solução realista é inconcebível sem uma recomposição radical de toda a estrutura social, com todas as suas determinações materiais e manifestações institucionais vitais. Naturalmente, os princípios reguladores de *representação socialmente fundamentada* e *controlada* (em contraste com a representação meramente parlamentar) e *participação direta* – que vêm a ser preocupações não apenas legítimas, mas também instrumentalmente vitais de qualquer estratégia socialista genuína – só podem encontrar seu papel adequado e campo para intervenção ativa no decorrer do mesmo processo de transformações estruturais radicais.

23.2 A importância da contingência histórica[10]

23.2.1
Como pudemos ver na última seção, Marx estava bem consciente do peso das determinações de classe, que tendem a subordinar à sua própria lógica os indivíduos que constituem a sociedade. Com efeito, desde seus primeiros escritos até os *Grundrisse* e *O capital*, ele nunca cessou de definir a tarefa da emancipação como pertencente ao indivíduo social. Insistiu igualmente na necessidade da formação de uma consciência de *massa* socialista, como exigência *sine qua non* para envolver a grande maioria dos indivíduos em seu empreendimento coletivo de autoemancipação.

Visto que Marx sempre afirmou a primazia da prática social como o "*übergreifendes Moment*" da dialética entre teoria e prática, não via vantagem alguma em utilizar princípios filosóficos abstratos – como a "*identidade do Sujeito e do Objeto*" hegeliana – para realizar o trabalho da história real de modo apriorístico. Na verdade, sempre deu ênfase à maturação de algumas condições objetivas, sem as quais o "canto solo da revolução do proletariado", por mais consciente que fosse, se tornaria inevitavelmente "um canto do cisne em todas as sociedades camponesas"[11] – ou seja, na maior parte do mundo.

Assim, as duas importantíssimas pré-condições de uma transformação socialista genuína, acima mencionadas – que giram em torno da necessária emancipação dos indivíduos sociais das restrições de sua *própria classe* como pré-requisito para a construção da "nova forma histórica" em escala realmente maciça –, foram desde o início claramente identificadas por Marx. Tampouco imaginava ele que somente medidas políticas, embora radicais, pudessem resolver os imensos problemas que se opunham à "revolução social do século XIX"[12]. Ao contrário, insistia na necessidade de uma transformação estrutural fundamental da sociedade em seu conjunto.

---

[10] As seções 2-7 deste capítulo foram publicadas pela primeira vez em *Praxis y Filosofia: Ensayos en homenaje a Adolfo Sánchez Vásquez* (org. Juliana González, Carlos Pereyra e Gabriel Vargas Lozano, México/Barcelona/Buenos Aires, Grijalbo, 1985, pp. 57-94), e subsequentemente em *Radical Philosophy* (nº 44, outono de 1986, pp. 14-32), em *Monthly Review* (julho-agosto de 1987, pp. 80-108) e em *Meenyaya Epitheorese* (dezembro de 1987, pp. 3-38).

[11] Marx, "The eighteenth brumaire of Louis Bonaparte", Marx e Engels, *Selected Works*, Moscou, Foreign Languages Publishing House, 1958, Vol. 1, p. 340.

[12] Termo usado por Marx para caracterizar as tarefas da revolução socialista de 1843 em diante, contrastando agudamente a "revolução social" com os horizontes estreitamente *políticos* das revoluções do passado.

Do mesmo modo, já em *A ideologia alemã*[13],definiu as condições da revolução social em termos essencialmente internacionais; e as revoluções de 1848-49, com suas dolorosas consequências, só fizeram reforçar sua crença de que "a Europa assumiu uma forma que faz com que cada nova revolta do proletariado na França coincida diretamente com uma *guerra mundial*. A nova revolução francesa é forçada a deixar imediatamente seu solo nacional e a *conquistar o terreno europeu*, o único em que a revolução social do século XIX pode ser realizada"[14].

Segundo esta perspectiva, não poderia haver "socialismo em um só país", quanto mais em uma sociedade camponesa isolada e cercada, em que a revolução do proletariado teve de enfrentar o dilema marxista do "canto solo" que é transformado pelas restrições sócio-históricas em um "canto do cisne".

23.2.2

Marx formulou seus princípios básicos em relação às condições de uma transformação socialista muito antes de o peso da experiência histórica ter afetado profundamente o movimento político do proletariado, primeiro pelas acomodações da social-democracia alemã e depois com a formação do partido de vanguarda leninista, após a morte de Marx. Compreensivelmente, por isso, as amplas implicações de tais desenvolvimentos permaneceram além do horizonte de Marx, embora o ceticismo radical de seu *"dixi et salvavi animam meam"*, no final da *Crítica ao Programa de Gotha*, testemunhe a preocupação com que encarava as tendências emergentes do envolvimento da classe trabalhadora na arena política.

Sob outro aspecto, até o fim de sua vida – em uma cuidadosa correspondência com Vera Zassulitch – Marx especulou sobre os problemas específicos das sociedades camponesas, no que diz respeito às suas potencialidades para o desenvolvimento socialista. Entretanto, não expôs muito detalhadamente suas conclusões nem modificou seus pontos de vista estratégicos anteriores em relação ao mandato histórico da revolução do proletariado e à formação do Estado transicional: a ditadura do proletariado.

A possibilidade de que o desenvolvimento fosse muito mais prolongado surgiu à margem do pensamento de Marx, formulada como um grande dilema – implicando muitos fatores desconhecidos, com todas as consequências teóricas necessárias – em uma carta a Engels:

A tarefa histórica da sociedade burguesa é o estabelecimento do *mercado mundial*, pelo menos em seus contornos básicos, e de um modo de produção que se apoie em suas bases. Como o mundo é redondo, parece que isso foi realizado com a colonização da Califórnia e da Austrália e com a anexação da China e do Japão.

Para nós, a *questão difícil* é a seguinte: A revolução no continente é iminente e seu caráter será imediatamente socialista; *não será ela necessariamente esmagada neste pequeno canto do mundo*, visto que em um terreno muito maior o desenvolvimento da sociedade burguesa ainda está em ascendência?[15]

---

[13] "Empiricamente, o comunismo só é possível como o ato dos povos dominantes 'conjunta' e simultaneamente, o que pressupõe o desenvolvimento universal das forças produtivas e o relacionamento mundial a elas vinculado." (MECW, vol. 5, p. 49.)

[14] Marx, "The class struggle in France – 1848-1850", *Selected Works*, vol. 1, p. 163. Os itálicos são de Marx.

[15] Marx, *Letter to Engels*, 8 de outubro de 1858, MECW, Vol. 29, p. 360.

Na mesma carta, Marx também deixou claro que o colapso da sociedade burguesa no futuro previsível era apenas uma esperança, de modo algum uma certeza: "Não se pode negar que a sociedade burguesa vive seu segundo século XVI que, espero eu, a levará para o túmulo, assim como o primeiro deu-lhe a vida". A situação mundial tinha de ser caracterizada desta forma em virtude daquilo que Marx indicava como a inegável ascendência do capital naquele "terreno muito maior" que necessariamente relativizava o "pequeno canto do mundo" que era a Europa.

Como podemos constatar, certos elementos fundamentais de uma avaliação muito diferente da revolução socialista vindoura apareceram no pensamento de Marx após as revoltas de 1848-49 e continuaram a surgir em vários contextos até o fim de sua vida. Tais elementos não questionavam a necessidade da revolução socialista, mas tinham muito o que dizer sobre sua escala temporal e a *modalidade* potencial de seu desenvolvimento. As formas sociopolíticas de transição podem variar muito, dependendo de onde e sob que tipo de *relações de classe* a revolução socialista irrompe e tem de tentar reestruturar radicalmente o sociometabolismo, sob o grau de desenvolvimento (ou subdesenvolvimento) mais ou menos restritivo das forças de produção herdadas. E as formas de transição, por sua vez, necessariamente afetarão a possibilidade de uma integração verdadeiramente autodeterminada dos indivíduos na estrutura da ação coletiva consciente e, logo, sua emancipação em relação às cegas determinações de classe, como prefigurava a perspectiva marxista da nova *consciência de massa comunista*.

Nesse sentido, o fato de a revolução socialista não ter se realizado no "pequeno canto do mundo" que é a Europa – ao passo que seu sucesso potencial significaria bloquear o desenvolvimento da ordem burguesa no terreno incomparavelmente maior do resto do mundo – teve importantes consequências para a maturação das contradições internas do capital. Uma vez que, supostamente, o estabelecimento da nova ordem prevista só seria possível como a "ação 'conjunta' e simultânea dos povos dominantes", a partir do "desenvolvimento universal das forças produtivas e do relacionamento mundial a elas vinculado", a possibilidade de desenvolvimento das saídas produtivas do capital naqueles lugares onde a sociedade burguesa ainda estava em ascendência equivalia à possibilidade de *deslocar* as contradições internas do capital por todo o período de ascendência histórica. Isto é, até que o "relacionamento mundial" como um todo se tornasse saturado pela dinâmica da inexorável autoexpansão do capital, de modo a fazer estagnar todo o processo através de uma crise estrutural sempre mais profunda das "forças produtivas universalmente desenvolvidas", em uma escala verdadeiramente global.

Naturalmente, Marx não poderia se preocupar em deduzir as múltiplas implicações dessa perspectiva a longo prazo, quando esperava – e o disse explicitamente – que "o segundo século XVI da sociedade burguesa" levasse a ordem capitalista para o túmulo como resultado das bem-sucedidas revoluções socialistas do proletariado nos países europeus avançados. Assim, os elementos sumários de tal perspectiva, que ele identificou, foram deixados à margem de sua concepção, surgindo de tempos em tempos como vislumbres um tanto isolados, mas jamais plenamente integrados à sua teoria como um todo. Não obstante, o simples fato de tais elementos vitais da perspectiva alternativa terem surgido à margem do pensamento de Marx, na fase inicial do avanço imperial europeu que deu nova vida ao capital, indica que os desenvolvimentos subsequentes não representaram um afastamento radical – ou, como declaram seus adversários, uma refutação – da teoria marxiana, mas a realização de algumas potencialidades objetivas do desenvolvimento, inerentes aos complexos fatores sócio-históricos da época e já visíveis, pelo menos em certa medida, durante a vida de Marx.

23.3 As lacunas em Marx

Como todos sabemos hoje, a sociedade burguesa não foi levada ao túmulo por seu segundo século XVI nem pelas revoluções sociais do século XX, que dirá por aquelas do XIX. A bem-sucedida exploração capitalista das gigantescas saídas potenciais para sua ascendência global nas sociedades camponesas e subdesenvolvidas apresentou um novo desafio às forças que aspiram a uma revolução socialista. Enquanto os "povos dominantes" – os principais beneficiários da expansão renovada e da dominação imperialista do capital – eram impedidos, por seus interesses, de prosseguir caminhando em direção a uma transformação socialista, novos tipos de contradição apareciam na "periferia" e nos "elos débeis" do sistema global, cada vez mais interdependente e saturado. Ao mesmo tempo, a irrupção de revoluções na periferia subdesenvolvida e a bem-sucedida consolidação de seus resultados (por mais limitados e problemáticos que tenham sido)[16] suscitou a questão da *transição para o socialismo* em um contexto global *hostil*; isto é, sob condições em que até as primeiras medidas experimentais em direção à perspectiva originalmente vislumbrada da "*dissolução*" do Estado não podiam ser sequer cogitadas, uma vez que a relação de forças prevalecente se inclinava decididamente para o lado dos "povos dominantes" capitalistas[17].

Também levando em conta a "visão retrospectiva", as lacunas na própria abordagem de Marx ao problema em questão são discutidas nas próximas seções.

23.3.1
Os problemas da *transição para o socialismo* nunca foram discutidos por Marx em detalhe, com exceção de algumas breves referências gerais ao contraste fundamental

---

[16] Devemos nos recordar das repetidas queixas de Lenin sobre o impacto paralisante do "atraso asiático" sobre os desenvolvimentos pós-revolucionários.

[17] Eis como Lenin tentou reinserir a revolução da "Rússia atrasada" – contrastada com as potencialidades dos "*países avançados da Europa ocidental*" – nas perspectivas originais: "Seria errôneo esquecer que, logo após a vitória da revolução do proletariado em pelo menos um dos países avançados, uma acentuada mudança provavelmente ocorrerá: *A Rússia deixará de ser o modelo e mais uma vez se tornará um país atrasado* (no sentido 'soviético' e socialista)", (Lenin, *Collected Works*, Londres, Lawrence & Wishart, 1960ss, Vol. 31, p. 21.) Certamente, a relação de forças mudou significativamente desde que Lenin escreveu estas linhas. Não obstante, o fato de a revolução do proletariado ainda não ter sido realizada "em pelo menos um dos países avançados" continua a sustar o "deslocamento histórico" com respeito à transformação radical e ao "definhamento" final do Estado, assim como às potencialidades de "totalização coletiva consciente" – isto é, a integração abrangente autodeterminada e a ação coletiva consciente dos indivíduos sociais – implícitas nos desenvolvimentos previstos por Marx.

entre as fases "alta" e "baixa" da vislumbrada sociedade futura, que apareceram na *Crítica ao Programa de Gotha* impostas pelo contexto polêmico dessa obra.

É verdade que essa questão, com todas as suas dimensões práticas desconcertantes, não foi um desafio histórico premente durante a vida de Marx, dada a nova vitalidade que o capital adquiriu com sua expansão imperialista. Não obstante, na medida em que Marx contemplava a possibilidade de que os "povos dominantes" pudessem não se movimentar "conjunta e simultaneamente" rumo a uma transformação socialista, tal consideração acarretava certas implicações importantes para os desenvolvimentos futuros, especialmente com respeito às prováveis mudanças na superestrutura jurídica e política e seu necessário impacto sobre os processos materiais da sociedade em geral. As exigências fundamentais do sociometabolismo se impõem de maneiras muito diversas em circunstâncias políticas substancialmente diferentes, não obstante a primazia da base material – "em última análise" – na estrutura geral de determinações e intercâmbios. Por isso, a avaliação do real significado e da inércia material da divisão internacional do trabalho em sua relação com as sociedades de transição é inseparável da confrontação dos problemas do Estado em seu cenário global. (Sem dúvida, o livro originalmente planejado por Marx, sobre o Estado reciprocamente integrado com as relações internacionais de produção e troca, identifica uma dimensão crucial que se acha ausente de sua obra.)

Este fator é tanto mais importante, uma vez que os parâmetros políticos internos e internacionais do sociometabolismo (vitais até sob as circunstâncias mais favoráveis) aparecem historicamente articulados como um conjunto de *relações interestatais antagônicas* após uma revolução socialista no "elo débil" da cadeia imperialista. Dadas tais condições, a força inercial da política – definida como uma reação aos movimentos de um mundo externo *hostil* sob a bandeira de um Estado sitiado, e por isso muito *fortalecido*, e não um Estado que começa a mostrar os primeiros sinais de "dissolução" – torna-se esmagadora.

23.3.2

O desenvolvimento histórico das contradições entre *produção social* e *apropriação privada* se prestava a uma leitura alternativa: uma leitura muito diferente da leitura de Marx. Como corretamente enfatizou Paul Mattick, "para Marx, o capitalismo era o capitalismo da propriedade privada, e onde parecia perder sua natureza estrita de empresa privada, como em indústrias estatais e até em empresas de sociedade anônima, ele o considerava uma abolição parcial do modo de produção capitalista dentro do modo de produção capitalista; um sinal da decadência do sistema capitalista"[18].

Na realidade, entretanto, uma grande variedade de combinações "híbridas" – todas as permutações possíveis da ilusória "economia mista" – são absolutamente compatíveis com a sobrevivência (e até a revitalização temporária) do capitalismo

---

[18] Paul Mattick, *Critique of Marcuse: One-Dimensional Man in Class Society*, Londres, Merlin Press, 1972, p. 61. Embora não se possa negar o valor da perspectiva genuinamente marxista da obra de Mattick – sustentada por um período de muitos anos, com franca determinação e coerência, nas condições de um isolamento quase completo nos Estados Unidos –, é necessário discordar dele quando caracteriza sumariamente as várias sociedades *pós-capitalistas* como formações "capitalistas de Estado".

privado, sem falar nos limites máximos do capital em si. Na verdade, a extensa "nacionalização" de indústrias falidas que verificamos nos países capitalistas após a Segunda Guerra Mundial – frequentemente seguida pela prática lucrativa da desnacionalização no devido tempo: após a imposição das necessárias mudanças político-econômicas que seriam irrealizáveis pelo capital privado fragmentado (em relação ao poder dos sindicatos, por exemplo) – representa um modo muito bem-vindo de ampliar a racionalidade manipuladora do sistema capitalista.

Em todos os desenvolvimentos desse tipo, não se avança um único passo rumo à realização da atividade coletiva consciente dos indivíduos, pois o controle dos processos socioeconômicos fundamentais permanece radicalmente separado dos produtores e a eles oposto. A integração transindustrial e até transnacional do processo de produção não torna os produtores mais "associados" do que eram nos empreendimentos industriais capitalistas de escala mais limitada. O que decide a questão é a transferência – do capital para os produtores – *do controle efetivo* das várias unidades de produção, seja qual for sua dimensão. E isto equivale a uma genuína *socialização* do processo de *produção* em todas as suas características essenciais, o que vai muito além do problema imediato da *propriedade*; socialização que se opõe à administração hierárquica remota através da "*estatização*" e da "*nacionalização*" – ou, de resto, através da crescente integração transnacional. Em outras palavras, a questão é antes de tudo político-social, exigindo em primeiro lugar uma mudança política qualitativa para sua realização. E esta última não é necessariamente auxiliada – podendo, ao contrário, ser prejudicada – pelo desenvolvimento da centralização e da concentração do capital, enquanto necessidade econômica vista por Marx com tanta esperança. Diante do enorme poder da crescente concentração e centralização do capital, a força política compensatória do trabalho deve ser igualmente grande para ter qualquer chance de sucesso contra seu adversário.

23.3.3
A avaliação otimista que Marx fez da Comuna de Paris como "uma revolução, não contra esta ou aquela ... forma de poder de Estado, [mas] uma revolução contra o próprio Estado"[19] estava associada a uma caracterização igualmente otimista do Segundo Império bonapartista como "a última expressão daquele poder de Estado", a "última forma possível de domínio de classe [burguês]" e o "último triunfo de um Estado separado e independente da sociedade"[20].

Esta visão contrastava de modo marcante com o modo pelo qual ele vinculava, na mesma obra[21], as "*superestruturas políticas*" a determinados "*corpos sociais*" que as sustentam, referindo-se à "dissolução" de certos corpos sociais que tornam a continuidade da existência de suas superestruturas políticas um anacronismo histórico. Em outra passagem[22], também enfatizou que a base social que corresponde à "supe-

---

[19] Marx, *The Civil War in France*, Pequim, Foreign Languages Press, 1966, p. 166.
[20] Ib., ibid., p. 167.
[21] Ib., ibid., p. 237.
[22] Ib., ibid., p. 227.

restrutura de um poder estatal centralizado" é a "divisão sistemática e hierárquica do trabalho", indicando assim a determinação recíproca e o apoio mútuo essenciais existentes entre as duas coisas.

Entretanto, o problema é que as implicações óbvias e altamente perturbadoras de tais observações minam as expectativas esperançosas de Marx quanto à "última forma possível" de um poder de Estado separado e independente da sociedade. Enquanto existir a base social da divisão sistemática e hierárquica do trabalho – e enquanto ela puder se renovar e fortalecer em conjunto com a transformação dos corpos sociais da "sociedade civil", em escala sempre maior, rumo a uma integração global –, uma reestruturação correspondente das formas de Estado, em prol da continuação do domínio de classe (tanto internamente quanto no plano das relações interestatais), não pode ser negada ao sistema estabelecido. Por isso, ainda hoje estamos muito distantes da "última forma" do Estado capitalista e de seu domínio de classe; quanto mais na época em que Marx escreveu as linhas citadas de sua defesa da Comuna.

23.3.4
O outro lado da permanência do domínio da sociedade pelo Estado e da recusa deste em "dissolver-se" diz respeito ao proletariado. Uma revolução da classe trabalhadora – como Marx via a Comuna[23] – só em uma escala histórica de longo prazo é também, *ipso facto*, uma revolução "contra o próprio Estado" (isto é, contra o *Estado como tal*). Mas não o é em termos do impacto realmente praticável de seus objetivos imediatos inevitáveis.

Tal limitação não é simplesmente a consequência de uma revolução isolada e de seu subsequente "cerco", embora, é claro, este último tenha muito a ver com ela, na medida em que "a coordenação nacional e internacional harmoniosa"[24] do relacionamento social prevista por Marx é algo com que não se pode sequer sonhar em tais circunstâncias. Não obstante, o óbvio atraso histórico do ataque às bases do Estado como tal advém antes de tudo da própria natureza da tarefa: "elaborar a emancipação econômica do trabalho" mediante a "*forma política* finalmente descoberta"[25], de modo que o "*trabalho livre e associado*" assuma a forma de "*sociedades cooperativas unidas*" a fim de "regulamentar a produção nacional segundo um plano comum"[26].

Assim, na concepção de Marx, as exigências objetivas e subjetivas de uma transformação socialista – a plena emancipação do trabalho em relação à divisão social do trabalho prevalecente – estipulam uma *forma política* (o Estado proletário) sob a qual a transição da velha para a nova sociedade deve ser realizada, enquanto este próprio Estado transicional é chamado a atuar simultaneamente

---

[23] A Comuna "foi essencialmente um governo da *classe trabalhadora*". Ib., ibid., p. 72.
[24] Ib., ibid., p. 172.
[25] Ib., ibid., p. 72.
[26] Ib., ibid., p. 73.

como senhor e escravo do longo processo de emancipação[27]. Tal Estado não teria interesses próprios a defender, apesar de sua função inquestionavelmente estratégica – como *forma política específica* da necessária "coordenação nacional" da vida social – em relação à divisão do trabalho, cuja continuação é inevitável (mesmo que progressivamente menor) para todo o período de reestruturação radical. Parece não haver contradição em solicitar que a nova *forma política* elabore a *emancipação econômica* do trabalho, pois a classe trabalhadora teria completo controle sobre o processo político em uma estrutura social onde os interesses daqueles que controlam diretamente a máquina do Estado transicional e os interesses da sociedade como um todo coincidiriam plenamente.

Certamente, Marx está bem consciente de que as mudanças necessárias para a superação da divisão do trabalho só podem resultar de um processo histórico de transformação altamente complexo. Com efeito, insiste em que a classe trabalhadora "terá de enfrentar *prolongadas lutas*, através de uma série de processos históricos, transformando *circunstâncias* e *homens*"[28]. Mas precisa recorrer a um equívoco para resolver a contradição entre o fato de a tarefa de "transformar circunstâncias e homens" estar longe de ser realizada e a suposição de que a consciência comunista da classe trabalhadora *já estaria determinada*.

A consciência comunista foi definida em *A ideologia alemã* como "a consciência da necessidade de uma revolução fundamental"[29]. Ao mesmo tempo, declarava: "Tanto para a produção em uma escala maciça desta consciência comunista quanto para o sucesso da própria causa, é *necessária a alteração dos homens em escala maciça*"[30].

As mesmas ideias aparecem na avaliação da Comuna, mas desta vez atribuindo à classe trabalhadora, no *presente*, "*a plena consciência de sua missão histórica*"[31]. Além disso, declara-se também que a classe trabalhadora possui a determinação prática de agir de acordo com essa consciência – bem como a capacidade de o fazer sem a interferência do Estado, "em comunas auto-operantes e autogovernadas"[32]. Por isso, começando cada frase com: "a classe trabalhadora sabe", ou "eles sabem"[33], Marx é capaz de transformar certos *imperativos* históricos vitais (cuja realização depende da plena formação da "consciência comunista em escala maciça") na *afirmação* de forças sociais já desenvolvidas e efetivamente autodeterminadas.

---

[27] "[...] para servir como uma alavanca para extirpar as bases econômicas sobre as quais se apoia a existência de classes" (id., ibid., p. 72) e "para tornar a *propriedade individual* uma verdade, transformando os meios de produção, terra e capital, agora primordialmente meios de escravização e exploração do trabalho, em meros instrumentos de *trabalho livre e associado*" (id., ibid., p. 73).

[28] Id., ibid.,

[29] MECW, vol. 5, p. 52.

[30] Ib., pp. 52-3.

[31] The Civil War in France, p. 73.

[32] Id., ibid., p. 171.

[33] "A classe trabalhadora sabe que tem de superar fases diferentes de luta de classes. Sabe que a substituição das condições econômicas da escravidão do trabalho pelas condições de trabalho livre e associado só podem ser obra progressiva do tempo. ... que elas requerem não apenas uma mudança de distribuição, mas uma nova organização da produção, ou melhor, a libertação das formas sociais de produção, no

Do mesmo modo, em *A ideologia alemã*, Marx declarou que "o comunismo não é para nós [...] um ideal ao qual a realidade terá de se adaptar"[34]. Agora, a mesma ideia é apresentada de forma significativamente modificada: "Eles [a classe trabalhadora] não têm ideais a realizar, senão libertar os elementos da nova sociedade que a própria sociedade burguesa falida traz dentro de si"[35]. O problema não é saber se o empreendimento de "libertar os elementos da nova sociedade" deve ser considerado um "ideal a ser realizado". O que importa no presente contexto é a mudança de "para nós" – ou de "para os comunistas", em outros escritos[36] – para a *classe trabalhadora como um todo*, afirmando-se, ainda que de forma ambígua, a plena *realização* daquela consciência de massa comunista cuja produção foi apresentada em *A ideologia alemã* como uma tarefa histórica desafiadora para o futuro.

Esta maneira de tratar o assunto da consciência da classe trabalhadora está inextricavelmente ligada às reflexões de Marx sobre o poder político do proletariado. Com efeito, encontramos um equívoco semelhante na recusa em chamar o estado do proletariado de Estado, denominando-o em vez disso de "a forma política de emancipação social"[37] e "a forma comunal de organização política"[38]. Enaltecendo o fato de que, na Comuna, "as funções do Estado [eram] reduzidas a poucas funções para propósitos nacionais gerais"[39], esquece-se que um Estado de *emergência* extremo – como a Comuna de Paris necessariamente foi – não pode ser o modelo do desenvolvimento futuro do Estado do proletariado e de suas complexas funções internas e internacionais em circunstâncias normais. Se a classe trabalhadora tem a missão histórica de elaborar, através da "nova forma política", a plena emancipação do trabalho, e assim a emancipação da sociedade como um todo contra a tirania social da divisão do trabalho herdada, como uma tarefa de tal magnitude, complexidade e longa escala de tempo poderia ser realizada com base na redução das funções do Estado a um mínimo absoluto simplificado, quando, ao mesmo tempo, seria preciso conseguir também aquela "coordenação harmoniosa nacional e internacional" da produção e da distribuição – obviamente representando um problema da mais alta complexidade – de que falava Marx?

Decerto, a "dissolução" final do Estado é inconcebível sem uma redução e simplificação progressivas de suas tarefas e sua transferência para o corpo social "auto-operante e autogovernado". Entretanto, supor que este processo de redução

---

trabalho organizado atual (engendrado pela indústria atual), dos grilhões da escravidão, de seu atual caráter de classe e de sua coordenação nacional e internacional harmoniosa. Sabe que esta obra de regeneração será muitas vezes oposta e prejudicada pela resistência de interesses investidos e pelo egoísmo de classe. Sabe que a atual 'ação espontânea das leis naturais do capital e dos bens de raiz' só pode ser superada pela 'ação espontânea das leis de economia social do trabalho livre e associado', através de um longo processo de desenvolvimento de novas condições [...]. Mas sabe ao mesmo tempo que podem ser dados imediatamente grandes passos através da forma comunal da organização política, e que chegou o momento de iniciar esse movimento em benefício de si mesma e da humanidade." (Id., ibid., pp. 172-3.)

[34] MECW, Vol. 5, p. 49.
[35] Marx, *The Civil War in France*, p. 73.
[36] No *Manifesto Comunista*, por exemplo.
[37] Marx, *The Civil War in France*, p. 171.
[38] Id., ibid., p. 173.
[39] Ib., ibid., p. 171.

e simplificação no plano político possa ser realizado substituindo-se imediatamente o Estado como tal por uma "nova forma política" não-problemática, após o que só permanecem as dificuldades relacionadas à emancipação econômica da sociedade em relação à divisão do trabalho, equivale a tomar um atalho ideal em direção ao futuro. Isto é tanto mais problemático na medida em que a base social da "divisão sistemática e hierárquica do trabalho" é inseparável da "superestrutura de um poder estatal centralizado", ainda que não do tipo capitalista. Na realidade, o Estado só pode ser "desmantelado" (no processo da "desalienação" política e "comunalização" da sociedade) na mesma proporção em que a própria divisão social do trabalho herdada seja correspondentemente modificada e, desse modo, o sociometabolismo como um todo seja eficazmente reestruturado.

A perspectiva de tal atalho – compreensível no contexto da defesa da Comuna de Paris – traz consigo também a caracterização "prescritiva" da consciência da classe trabalhadora, que acabamos de examinar. Reconhecendo-se que a mudança social necessária se estende por um longo processo histórico de confrontações e lutas, o poder da "consciência comunista em escala maciça" adquire particular importância na concepção marxiana. Em virtude de sua determinação como *consciência de massa*, protege as forças socialistas envolvidas na luta contra as divisões internas e o estabelecimento de novas hierarquias, em contraste com a visão elitista de Bakunin, para quem a sociedade após a conquista do poder seria dominada pelos poucos eleitos que reivindicam saber mais.

Por isso, se houver uma identidade de propósitos na grande maioria da população – identidade esta que, nas circunstâncias prevalecentes, somente a "plena consciência [da classe trabalhadora] de sua missão histórica e heroica resolução de agir de acordo com ela"[40] pode produzir –, o *Estado* imediatamente se torna uma "forma política" transicional plenamente controlada e um simples meio para a ação emancipatória, pois a diferença entre os governantes e os governados desaparece por definição. Por isso, Marx pode retrucar à pergunta de Bakunin – "Os alemães são quase quarenta milhões. Todos os quarenta milhões serão, por exemplo, membros do governo?" – com um enfático "*Certamente*, pois a coisa se *inicia* com o *autogoverno da comuna*"[41].

Outro aspecto importante da consciência de massa comunista nesta perspectiva é que ela pode *superar a lacuna* que separa as condições atuais de miséria da "nova forma histórica" visada. Através de sua força orientadora, ela pode assegurar a direção geral do desenvolvimento, que deve ser mantida, e minimizar o perigo de recaídas e retrocessos sob a pressão das dificuldades encontradas. Na verdade, nas condições inevitavelmente *prematuras* da defendida "revolução social" – quando o capitalismo é reconhecido por Marx como estando em *ascendência* na maior parte

---

[40] Id., ibid., p. 73.
[41] Marx, "Conspectus of Bakunin's book: State and Anarchy", em Marx, Engels, Lenin *Anarchism and Anarcho-Syndicalism*, Moscou, Progress Publishers, 1972, p. 151. Em relação ao caloroso debate entre Marx e Bakunin, ver o esclarecedor artigo de Maurício Tragtenberg: "Marx/Bakunin", *Nova Escrita Ensaio*, Ano V, nº 11/12, 1983, pp. 279-300.

do planeta –, somente a consciência de massa comunista prescrita pode superar esta grande lacuna histórica e promover a garantia desejada para manter o ímpeto da luta necessária.

A última e mais complexa questão a ser considerada aqui diz respeito à avaliação de Marx da posição da classe trabalhadora na *divisão do trabalho* existente. Tal avaliação está intimamente associada a suas opiniões sobre a "forma política" pós-revolucionária, com implicações importantes para o desenvolvimento da consciência de classe e para a articulação das estratégias políticas socialistas.

Antecipando o ponto principal: na perspectiva marxiana, a *fragmentação* da classe trabalhadora é muito subestimada e as consequências políticas necessárias de tal fragmentação (e concomitante estratificação) permanecem em grande medida inexploradas. A ênfase está no proletariado, que constitui a *"classe universal"*, caracterização eminentemente adequada para destacar a mudança qualitativa da velha para a "nova forma histórica", mas repleta de ambiguidades e interrogações em relação às restrições práticas do futuro imediato.

Isto é absolutamente notável, pois Marx, em *A ideologia alemã*, insistiu em que

A divisão do trabalho implica desde o início a divisão das condições de trabalho, de instrumentos e materiais, e, consequentemente, a fragmentação do capital acumulado entre diferentes proprietários, e, por isso, também a fragmentação entre capital e trabalho e as diferentes formas da própria propriedade. Quanto mais se desenvolve a divisão do trabalho e aumenta a acumulação, mais se desenvolve a fragmentação. *O próprio trabalho só pode existir tendo como premissa esta fragmentação*.[42]

Entretanto, Marx não diz quais poderiam ser as consequências do fato de o trabalho existir "tendo como premissa a fragmentação" engendrada pela divisão capitalista do trabalho. Ao contrário, estipula a progressão natural de um sindicalismo ocasional e parcial até um sindicalismo permanente e abrangente, de acordo com o desenvolvimento da produção em escala mundial: "o sindicalismo nem por um instante deixou de progredir e se ampliar com o desenvolvimento e crescimento da indústria moderna. Agora atingiu um estágio tal *que o grau em que o sindicalismo se desenvolveu em qualquer país determina claramente a posição que tal país ocupa na hierarquia do mercado mundial*. A Inglaterra, cuja indústria atingiu o mais alto grau de desenvolvimento, possui os maiores e mais bem organizados sindicatos"[43].

Ao mesmo tempo, aventa-se a existência de um movimento irresistível que, partindo da defesa de interesses econômicos limitados, chega à afirmação politicamente consciente dos interesses da emancipação universal[44], realizada pela "classe-para-si" do proletariado unido através da abolição de todas as classes e de sua autoabolição[45].

---

[42] MECW, vol. 5. p. 86.
[43] Id., ibid., p. 210.
[44] Ver Marx, *The Poverty of Philosophy*, MECW, vol. 6, pp. 206-212.
[45] Id., ibid., pp. 211-2.

É significativo que a ideia inicial de Marx de que o proletariado "só é vitorioso abolindo a si mesmo e a seu oponente"[46] tenha sido reiteradamente exposta durante toda sua vida. Por exemplo, eis como Marx, em 1874, responde à pergunta de Bakunin – "O que vem a ser o proletariado transformado em classe dominante?": "Significa que o proletariado, em vez de lutar individualmente contra as classes economicamente privilegiadas, ganhou bastante força e está suficientemente bem organizado para empregar meios gerais de compulsão em sua luta contra essas classes. Entretanto, só pode usar meios econômicos destinados a abolir sua própria característica distintiva de ser assalariado e, logo, *abolir-se enquanto classe*. Sua *vitória* completa é, consequentemente, também o *fim de seu domínio*, pois seu caráter de classe desapareceu"[47].

Em Marx não há a menor alusão ao fato de que, além da fragmentação "entre capital e trabalho" etc., deve-se também enfrentar a fragmentação *dentro do próprio trabalho* como um problema importante para o proletariado, tanto antes quanto depois da conquista do poder político. O processo de emancipação em seguida à revolução é concebido como um problema essencialmente econômico (como vimos em várias ocasiões, inclusive na última passagem citada). A capacidade do proletariado de agir como uma força unida é considerada um fato natural, em extremo contraste com o campesinato: "Os pequenos proprietárias camponeses constituem uma grande massa cujos membros vivem em condições similares, mas sem entrar em relações múltiplas uns com os outros. Seu modo de produção os isola uns dos outros, em vez de os reunir em um relacionamento mútuo [...] . Na medida em que milhões de famílias vivem sob condições econômicas de existência que separam seu modo de vida, seus interesses e sua cultura daqueles das outras classes, e as colocam em oposição hostil a estas últimas, elas formam uma classe. Na medida em que há apenas uma interconexão local entre estes pequenos proprietários camponeses, e a identidade de seus interesses não gera entre eles uma comunidade, vínculo nacional e organização política, eles não formam uma classe. São, por isso, incapazes de impor seus interesses de classe em seu próprio nome, mesmo através de um parlamento ou de uma convenção. Não podem representar-se, devem ser representados. Seu representante deve ao mesmo tempo aparecer [...] como uma autoridade sobre eles, como um poder governamental ilimitado que os *protege contra as outras classes* [...]. Por isso, a influência política dos pequenos proprietários camponeses encontra sua expressão final no poder executivo que subordina a sociedade a si mesmo"[48].

Entretanto, o problema é que grande parte do que Marx diz aqui sobre o campesinato é igualmente válida para a própria classe trabalhadora. Na verdade, a ação unida e o domínio desta última não podem ser tacitamente postulados sem primeiro enfrentar-se a difícil "premissa da fragmentação" no interior da prevalecente divisão do trabalho. Embora o proletariado tenha a *potencialidade*

---

[46] MECW, vol. 4, p. 36.
[47] Marx, "Conspectus of Bakunin's book: *State and Anarchy*", op. cit., p. 150.
[48] Marx, "The eighteenth brumaire of Louis Bonaparte", op. cit., p. 334.

de superar sua própria fragmentação e sua posição subordinada na divisão existente do trabalho, a *realização* desta potencialidade depende da maturação de várias condições objetivas, inclusive certos desenvolvimentos importantes na organização política e na autodeterminação coletiva consciente dos indivíduos que constituem a classe dos "produtores livremente associados". Assim, afirmar que o "grau de sindicalização" de qualquer país corresponde diretamente à "posição que ele ocupa na hierarquia do mercado mundial"[49] equivale a transformar uma exigência histórica em uma realização necessária. Do mesmo modo, prever a sindicalização global e a articulação política da classe trabalhadora unida, enquanto a divisão capitalista do trabalho – e a fragmentação do trabalho necessariamente imposta por tal divisão do trabalho – permanece intacta, é o mesmo que reafirmar o potencial a longo prazo da "classe universal" para emancipar a sociedade contra a dominação de classe, sem indicar, no entanto, os obstáculos subjetivos e objetivos, assim como os internos e os internacionais, que devem ser superados no curso da transição para o objetivo proposto.

Não se pode discordar da proposição de que o proletariado "só é vitorioso abolindo a si mesmo". Além disso, considerando a posição do trabalho na manutenção do funcionamento normal do sociometabolismo, é impossível discordar de Marx quando ele diz que o proletariado, por um lado, "não pode se emancipar sem abolir suas condições de vida" e, por outro, "não pode abolir suas próprias condições de vida sem abolir todas as condições desumanas da vida da sociedade atual, resumidas em sua própria situação"[50]. Entretanto, ao dizer isso definimos apenas as condições necessárias de uma "revolução social" bem-sucedida, mas não a maneira específica pela qual este círculo aparentemente vicioso (a vitória do empreendimento particular depende da solução bem-sucedida dos problemas do todo, e vice-versa) pode ser e será rompido.

O círculo vicioso em questão não é *conceitual*. Antes, é a circularidade prática sufocante da prevalecente divisão social do trabalho. Esta última atribui ao próprio trabalho o papel-chave na sustentação do sociometabolismo e, assim, restringe estruturalmente o trabalho no que diz respeito a sua margem possível de ação emancipatória e autoemancipatória. Por isso, a conclusão marxiana é inevitável: o proletariado "só é vitorioso abolindo a si mesmo e ao seu oponente", e a autoemancipação do trabalho só pode ser realizada na medida em que a sociedade como um todo for emancipada. Por isso, a questão em jogo diz respeito simultaneamente à divisão do trabalho como tal e à posição do proletariado (ou do trabalho) dentro dela. Em

---

[49] Para nós, com a vantagem da visão retrospectiva, é suficiente pensar nos Estados Unidos para ver como é problemática a generalização de Marx. O "desenvolvimento e crescimento da indústria moderna" e o avanço da divisão internacional do trabalho que, segundo a fórmula marxiana, deveriam implicar o mais alto grau de "sindicalização" e um nível correspondentemente alto de militância política organizada e plenamente consciente, não produziram os resultados previstos. Para se explicar a tendência atual dos acontecimentos nos EUA – frequentemente descrita como a "integração da classe trabalhadora" – juntamente com a possibilidade de sua reversão, é obviamente necessário introduzir várias importantes condições restritivas que absolutamente não aparecem na estrutura original de avaliação de Marx.

[50] Marx, *The Holy Family*, MECW, vol. 4, p. 37.

outras palavras, a questão é como romper o estrangulamento que a divisão social do trabalho impõe ao trabalho, sem pôr em risco ao mesmo tempo as funções vitais do próprio sociometabolismo.

Inevitavelmente, em uma questão de tal magnitude e complexividade, os aspectos subjetivos e objetivos, assim como os políticos e os socioeconômicos, estão inextricavelmente interligados. *Subjetivamente*, só o próprio trabalho pode realizar "para si mesmo" a tarefa em questão, o que determina a necessidade de desenvolvimento da consciência da classe trabalhadora. Por outro lado, sem demonstrar as determinações objetivas que realmente impulsionam o desenvolvimento da consciência de classe totalizadora – em oposição à consciência de classe parcial e vinculada a interesses estreitos –, sua necessidade é apenas postulada, em vez de provar que se trata de uma força social adequada a sua "tarefa histórica". Além disso, embora a confrontação política do trabalho com a formação do Estado capitalista seja o ponto de partida necessário (para o qual deve ser encontrada a forma institucional adequada), ela não pode ser mais que um ponto de partida. A questão fundamental é a superação da divisão tradicional do trabalho, só concebível com base na reestruturação radical de toda a estrutura socioeconômica. Paradoxalmente, no entanto, esta reestruturação exige que o pleno controle político da sociedade permaneça por todo o tempo em que tal processo permaneça. Os vários componentes do todo social – inclusive o trabalho – devem se adaptar à margem disponível de ação, sob orientação da nova "forma política". Somente esta tem condições de supervisionar todo o processo, embora se suponha que ela constitua apenas o ponto de partida da transformação socialista em andamento.

Nesse ponto, podemos observar claramente aquela que talvez seja a mais aguda dificuldade teórica de Marx. Ele não pode reconhecer a fragmentação e a estratificação do trabalho, pois isso complicaria muito, minaria fundamentalmente sua concepção da "forma política" transicional. Se os interesses parciais objetivos dos vários grupos de trabalhadores – que surgem inevitavelmente da fragmentação estrutural do trabalho – se afirmarem sob a forma de reivindicações conflitantes, nesse caso o "*interesse comum*" defendido e imposto pela nova "forma política" não é tão evidente quanto poderia parecer a partir do pressuposto do trabalho unificado. Tal pressuposto, entretanto, injustificadamente põe de lado a inevitável "premissa da fragmentação do trabalho", anteriormente reconhecida.

Assim, dar plena ênfase à necessária fragmentação do trabalho sob as condições da divisão tradicional do trabalho equivale, ao mesmo tempo, a reconhecer o espaço deixado ao exercício das funções tradicionais do Estado durante todo um período histórico; quer dizer, enquanto a fragmentação do trabalho não for efetivamente superada – tanto em termos materiais quanto em termos ideológicos e políticos – através da "negação" real (*Aufhebung*/superação/reestruturação radical) da divisão social do trabalho há muito estabelecida.

Naturalmente, isso significa que, qualquer que seja a função do Estado proletário em suas relações externas, internamente ele não pode ser a mera defesa do proletariado contra a classe dominante anterior. Antes de tudo, a primeira função interna do Estado proletário – após um período relativamente curto – é a arbitragem de uma multiplicidade de interesses parciais complexos, e até contraditórios, que nascem da continuação da divisão social do trabalho. É por isso que o proletariado pode – e, sob tais condições, deve – "voltar sua ditadura contra si mesmo", e não por não conseguir estar à altura dos ditames ideais de um imperativo moral categórico, como Lukács opinou em seu ensaio sobre "O papel da moral na produção comunista".

As dificuldades teóricas de Marx se devem apenas em parte ao fato de ele ter vinculado a "classe universal" ao *imperativo categórico de destruir todas as relações em que o homem é um ser aviltado, escravizado, desamparado e desprezível*"[51].

Ele está, de fato, ansioso para provar e postular o papel histórico mundial e a tarefa que os "escritores socialistas *atribuem* ao ... proletariado plenamente formado"[52] com base em uma necessidade sócio-histórica objetiva. Por isso, insiste em que o problema "não é o que este ou aquele proletário, ou mesmo todo o proletariado, no momento, considera ser seu objetivo. A questão é o que o proletariado é, e, de acordo com este ser, do que será historicamente obrigado a fazer"[53].

Entretanto, postulando o desenvolvimento de uma consciência de classe proletária plenamente adequada, em face do caráter inevitavelmente prematuro da revolução social nas condições da *ascendência global* do capital, ele é forçado a declarar que "grande parte do proletariado inglês e francês já está consciente de sua tarefa histórica e trabalha com constância para desenvolver essa consciência com

---

51   Marx, *Contribution to Critique of Hegel's Philosophy of Law*, MECW, vol. 3, p. 182. (Os itálicos são de Marx.) Eis como Marx define o papel do proletariado no contexto do "imperativo categórico" aqui referido: "Na França, a emancipação parcial é a base da emancipação universal; na Alemanha, a emancipação universal é a *conditio sine qua non* de qualquer emancipação parcial. Na França, é a realidade da libertação gradual, e na Alemanha a impossibilidade da libertação gradual, que necessariamente darão origem à liberdade completa". Partindo de tal premissa, Marx prossegue: "Onde, então, está a possibilidade positiva de uma emancipação alemã?", e responde da seguinte maneira: "Na formação de uma classe *radicalmente agrilhoada*, uma classe da sociedade civil que não seja uma classe da sociedade civil, um Estado que seja a dissolução de todos os estamentos, uma esfera que tenha um caráter universal devido ao seu sofrimento universal e não reivindique nenhum direito particular porque nenhum mal particular é perpetrado contra ela, exceto o mal geral; que não possa mais invocar um título histórico, mas apenas um título humano; que não se situe em nenhuma antítese unilateral às consequências, mas em uma antítese total às premissas do Estado alemão; uma esfera, afinal, que não possa se emancipar sem se emancipar de todas as outras esferas da sociedade e assim emancipar todas as outras esferas da sociedade, esfera que, em resumo, é a completa perda do homem e por isso só pode ganhar a si mesma mediante a completa reconquista do homem. Esta dissolução da sociedade enquanto estamento particular é o proletariado". Assim sendo, o proletariado se ajusta perfeitamente bem ao "imperativo categórico de destruir todas as relações estabelecidas". Embora o caráter de "imperativo" desta linha de raciocínio tenha sido depois em grande parte eliminado, vários de seus aspectos vitais – desde a explicação do desenvolvimento da "classe universal" a partir da "dissolução drástica da sociedade, principalmente da classe média", até a definição do relacionamento entre a parcialidade e a universalidade em relação às condições de emancipação – permaneceram centrais no pensamento de Marx por toda a sua vida. (Citações de MECW, vol. 3, pp. 186-7.)

52   MECW, vol. 4, p. 36.

53   Id., ibid., p. 37. (Os itálicos são de Marx.) Aqui podemos ver o modelo lukácsiano de consciência de classe no contraste marxiano entre "o que o proletariado considera no momento o seu objetivo" e o que é "atribuído ao proletariado plenamente formado" pelos escritores socialistas (isto é, a "consciência de classe psicológica" em oposição à "consciência de classe atribuída", nos termos de Lukács). Entretanto, a diferença fundamental é que, enquanto Marx espera a realização de sua versão de "consciência atribuída" na classe como um todo, segundo a transformação de sua existência sob a compulsão da história, Lukács consigna ao partido a função de ser o verdadeiro "portador" e "encarnação" da consciência de classe "atribuída" do proletariado.

absoluta clareza"⁵⁴. Assim, tende a prever um curso muito menos problemático dos acontecimentos – como fez ao projetar a sindicalização global e a correspondente militância política – do que aquele que foi evidenciado pela história.

23.4 O futuro do trabalho

A consequência de tudo isso é que, por um lado, várias proposições paradoxais e muito ambíguas acabam por preencher a lacuna entre o presente estado de coisas e as previsões históricas a longo prazo; e, por outro lado, algumas características importantes da existência da classe trabalhadora não recebem a devida ênfase na perspectiva marxiana. Quanto à primeira categoria, basta pensar em declarações como "o proletariado só é vitorioso abolindo a si mesmo e a seu oponente", que é ao mesmo tempo incontestável em termos de suas implicações fundamentais e cheia de mistérios em relação aos passos necessários a serem dados rumo a sua realização pela parcialidade proletária potencialmente "universal e autossuperadora". Quanto à segunda categoria, o desenvolvimento histórico nos proporcionou exemplos demasiado abundantes, desde o "chauvinismo social" dos partidos da classe trabalhadora durante a Primeira Guerra Mundial até a "integração" da classe trabalhadora norte-americana e a atitude exploradora das classes trabalhadoras ocidentais em geral em relação ao "Terceiro Mundo".

Por isso, é muito problemático declarar que, "com o trabalho emancipado, todo homem se torna um trabalhador e o trabalho produtivo deixa de ser um atributo de classe"⁵⁵. Tal declaração estipula apenas que a emancipação implica a divisão universal do trabalho por todos os membros da sociedade, sem definir ao mesmo tempo o significado do "trabalho produtivo" e, talvez mais importante, ignorando uma questão da maior gravidade com respeito à fragmentação e à divisão interna do trabalho: a escassez das oportunidades de trabalho, necessária e precipitadamente crescente, na estrutura do desenvolvimento tecnológico capitalista.

Marx só se refere a este problema ao tratar da essencial incapacidade da contabilidade capitalista de encontrar saídas para a potencialidade produtiva irresistivelmente crescente do trabalho. Descreve um processo de desenvolvimento baseado na "indústria em grande escala" – tratando-a, de fato, muito ambiguamente, pois ela jamais poderia surgir antes de um rompimento radical com a estrutura restritiva do capital – em consequência da qual "O trabalho já não parece fazer parte do processo de produção; em vez disso, o ser humano passa a ter o papel de observador e regulador do próprio processo de produção [...]. [O trabalhador] passa a fazer parte do processo de produção, em vez de ser o seu ator principal. Nesta transformação, não é o trabalho humano direto que ele próprio realiza nem o tempo durante o qual ele trabalha, mas antes a apropriação de seu próprio poder produtivo geral, sua compreensão da natureza e seu domínio sobre ela em virtude de sua presença como um corpo social – é, em uma palavra, o desenvolvimento do indivíduo social – que surge como a grande pedra fundamental da produção e da riqueza"⁵⁶.

---

[54] Id., ibid.
[55] Mark, *The Civil War in France*, p. 72.
[56] Mark, *Grundrisse*, p. 705.

Neste ponto, Marx enfatiza mais uma vez as inconciliáveis contradições envolvidas nos desenvolvimentos com que está preocupado, e conclui sua linha de raciocínio com vários imperativos fortes: "O furto do tempo de trabalho alheio, em que se baseia a riqueza atual, parece uma base miserável diante desta nova, criada pela própria indústria em grande escala. Assim que o trabalho, sob forma direta, deixa de ser grande fonte de riqueza, o tempo de trabalho deixa e deve deixar de ser sua medida, e por isso o valor de troca deve deixar de ser a medida do valor de uso. O trabalho excedente da massa deixou de ser a condição para o desenvolvimento da riqueza geral, assim como o não trabalho de poucos deixou de sê-lo para o desenvolvimento das capacidades gerais do cérebro humano. Com isso, a produção baseada no valor de troca entra em colapso e o processo de produção direto, material, é despojado da forma de penúria e da antítese. [...] As forças de produção e as relações sociais – dois lados diferentes do desenvolvimento do indivíduo social – surgem para o capital como meros meios, e são apenas meios para que ele produza a partir de sua base limitada. Entretanto, elas são de fato as condições materiais que vão explodir essa base"[57].

A dificuldade é que, enquanto as determinações capitalistas permanecem controlando a sociedade, o trabalho – ainda que idealmente devesse fazê-lo – simplesmente não pode deixar de ser a fonte da riqueza, nem o tempo de trabalho a sua medida. Do mesmo modo, sob tais condições, o valor de troca não pode deixar de ser a medida do valor de uso, nem podemos simplesmente postular que, em virtude das implicações ideais destas relações – que transformam o sistema capitalista em um anacronismo histórico, mas de modo algum um anacronismo imediatamente visível e materialmente sentido –, o modo de produção baseado no valor de troca *realmente* entra em colapso. Por isso, enquanto o capital puder encontrar novas saídas para a expansão através do vasto terreno de sua ascendência global, a não possibilidade de realização do indivíduo social permanece apenas como uma contradição latente desta sociedade, em vez de "explodir" suas bases estreitas.

Consequentemente, se considerarmos o desenvolvimento historicamente identificável da essencial tendência capitalista à redução drástica do tempo de trabalho necessário, sem postular, *ipso facto*, o colapso do sistema capitalista (mesmo que tal colapso seja teoricamente uma consequência necessária da plena articulação a longo prazo desta tendência), fica patente a existência de uma importantíssima força *negativa* que sustenta o capital durante um tempo considerável, não oferecendo qualquer conforto ao trabalho no futuro previsível. A tendência em questão, em seu impacto imediato, só pode dividir e fragmentar ainda mais o trabalho, voltando seus vários setores um contra o outro, em vez de contribuir positivamente para a "unificação" global e para a homogeneização do trabalho previstas na perspectiva marxiana.

---

[57] Id., ibid., pp. 705-6.

23.5 A divisão do trabalho

Por isso, a fragmentação e a divisão hierárquica do trabalho aparece sob os seguintes aspectos principais, correspondentes a divisões objetivas de interesse significativamente diferentes:

1. Dentro de um grupo particular ou de um setor do trabalho.
2. Entre diferentes grupos de trabalhadores pertencentes à mesma comunidade nacional.
3. Entre corpos de trabalho de nações diferentes, opostos um ao outro no contexto da competição capitalista internacional, desde a escala mínima até a mais abrangente, inclusive a potencial colisão de interesses sob forma de guerras.
4. A força de trabalho dos países capitalistas avançados – os beneficiários relativos da divisão capitalista global do trabalho – em oposição à força de trabalho relativamente bem mais explorada do "Terceiro Mundo".
5. O trabalho no emprego, separado e oposto aos interesses objetivamente diferentes – e em geral político-organizacionalmente não-articulados – dos "não assalariados" e dos desempregados, inclusive as vítimas sempre muito numerosas da "segunda revolução industrial".

A razão por que tal fragmentação e divisão de interesses no *interior do próprio trabalho* importa tanto é que ela implica – tanto antes quanto depois da revolução – uma inevitável atuação do Estado, embora na teoria se suponha que este último seja o alvo imediato mais óbvio da revolução socialista. Com efeito, o Estado burguês encontra apoio entre os vários grupos do trabalho sobretudo em virtude da "proteção" que ele proporciona, sustentando juridicamente e salvaguardando a estrutura objetivamente estabelecida da divisão do trabalho. Basta lembrar a grande variedade de medidas adotadas pelo Estado com respeito a isso, desde o salário mínimo e a legislação do seguro social até a criação de tarifas protecionistas e outras barreiras nacionais, e desde a administração interna da relação de forças contra os "excessos" até a participação em empreendimentos internacionais que garantem maior vantagem à classe dominante nacional, oferecendo ao mesmo tempo alguma vantagem relativa à força de trabalho nacional.

Naturalmente, o Estado burguês só pode realizar sua função "protetora" em prol dos grupos de trabalho fragmentados e divididos até o ponto em que o exercício dessa função corresponda objetivamente aos interesses da classe dominante como um todo. Evidentemente, esta condição também é o princípio a partir do qual o Estado pode sujeitar vários interesses conflitantes que estão no seu próprio lado da confrontação social mais ou menos latente. Além disso, e nunca será demasiado insistir neste ponto, não estamos falando de um espectro estreito de interesses comuns, especialmente nos países capitalistas avançados. Precisamente em vista da divisão social do trabalho, que origina, reproduz e constantemente reforça a fragmentação e divisão internas do próprio trabalho, o trabalho em si tem forte interesse na contínua estabilidade social (daí a tendência para seguir a "linha de menor resistência"), como condição vital de sua própria autorreprodução.

Por isso, em circunstâncias normais, o trabalho internamente dividido e fragmentado está à mercê não apenas da classe dominante e de seu Estado, mas também das exigências objetivas da prevalecente divisão social do trabalho. Consequentemente, observamos manifestações paradoxais e problemáticas daqueles interesses que o trabalho compartilha com seu adversário dentro dos limites do sociometabolismo material e institucionalmente imposto (e, em grande extensão, autoimposto).

Somente em ocasiões de crise profunda – quando se questiona a continuidade do funcionamento do próprio sociometabolismo como resultado da desintegração dramática do Estado burguês, em seguida a uma guerra perdida etc. – pode o trabalho temporariamente se libertar destas restrições paralisadoras.

É nas circunstâncias de tais crises estruturais profundas que o trabalho pode fazer valer com sucesso sua reivindicação de ser a única alternativa hegemônica (factível) à ordem estabelecida em todas as suas dimensões, desde as condições materiais básicas de vida até os mais intrincados aspectos políticos e ideológicos do intercâmbio social. Também a questão importantíssima da sujeição do próprio Estado ao controle efetivo do trabalho só pode surgir nas mesmas circunstâncias de uma crise hegemônica (isto é, a crise da hegemonia burguesa).

Entretanto, embora o trabalho possa derrubar com êxito o Estado burguês e assumir o controle dos instrumentos políticos essenciais que regulam o sociometabolismo, iniciando assim o necessário processo de reestruturação radical, o "Estado dos trabalhadores" não pode jamais abolir a divisão social tradicional do trabalho, exceto no que diz respeito diretamente à propriedade dos meios de produção. A "nova forma política" também não pode simplesmente abolir a fragmentação e a divisão interna do trabalho vinculadas e incorporadas aos instrumentos e práticas produtivos tradicionais da sociedade. As mudanças em questão envolvem todo o processo da reestruturação, com todas as suas restrições objetivas e subjetivas que escapam, em grande medida, ao poder da intervenção política direta.

23.6 O Estado pós-revolucionário

É aí que podemos observar a desconcertante "nova circularidade" que existe entre a "sociedade civil" pós-revolucionária e sua divisão do trabalho, de um lado, e o Estado proletário, de outro. Os vários setores do trabalho fragmentado e internamente dividido necessitam da proteção do Estado por um longo tempo após a revolução, não apenas contra as classes dominantes anteriores, mas também uns contra os outros, no interior da estrutura da ainda prevalecente divisão social do trabalho.

Assim, paradoxalmente, eles criam e mantêm vivo, através de todo o processo de reestruturação radical, um executivo forte contra eles próprios. Esta situação não é de todo diferente daquela do campesinato francês em sua sujeição a sua própria forma estatal sob o governo de "Napoleão, o Pequeno", como resultado de sua fragmentação, pois esta última permitiu que o poder executivo bonapartista subordinasse a sociedade a si mesmo, como já vimos na análise de Marx.

Ao mesmo tempo, para completar o novo círculo vicioso entre a sociedade civil pós-revolucionária e seu Estado, este último não é meramente a manifestação da continuação da divisão do trabalho, mas também o apogeu hierárquico do seu sistema de tomada de decisões. Por isso, tem forte interesse em manter, indefinidamente, o domínio mais firme possível sobre todo o processo de transformação em andamento, assim estimulando, em vez de destruir, a divisão social estabelecida do trabalho, da qual o próprio Estado pós-revolucionário – em virtude de seu papel estratégico – vem a constituir a dimensão mais privilegiada. Aqui, uma vez mais, podemos observar que a controvertida questão dos "privilégios burocráticos" não é simplesmente uma questão do pessoal envolvido, mas, acima de tudo, da conservação pelo Estado de funções objetivamente "privilegiadas" – isto é, estrategicamente vitais – no sociometabolismo geral. O exercício destas funções estrategicamente privilegiadas por um órgão separado, por sua vez, tende a encontrar seu equivalente subjetivo no escalão dos "funcionários do Estado burocratizado", na ausência de uma forma alternativa de controle social baseada em um envolvimento de massa sempre crescente e verdadeiramente ativo.

Por isso, a subordinação da sociedade civil pós-revolucionária à "nova forma política" de um executivo poderoso nas fases iniciais da transição é, antes de tudo, a consequência da própria fragmentação e divisão interna do trabalho, "assinada e selada" pela divisão tradicional do trabalho. É claro que isto pode ser agravado por certas características específicas de subdesenvolvimento estrutural – inclusive o chamado "atraso asiático" – devidas a uma posição particularmente desfavorável da força de trabalho total de um país no contexto da divisão internacional do trabalho. Entretanto, o ponto a ser enfatizado é que – em vista das condições estruturais objetivas do referido sociometabolismo e das difíceis restrições materiais e institucionais de sua reestruturação – as condições politicamente "desequilibradas" de desenvolvimento se aplicam em toda parte, até nos países economicamente mais avançados, com a mais longa tradição histórica de democracia liberal. As circunstâncias de um desenvolvimento econômico mais favorável e de tradições democráticas liberais, por mais que sejam vantajosas sob alguns aspectos, não eliminam o determinante negativo opressivo da fragmentação e da divisão interna do trabalho. Consequentemente, por si mesmas elas não sancionam absolutamente as previsões de alguns teóricos da Nova Esquerda, bem como de certos políticos importantes da Esquerda Trabalhista, que veem nelas uma espécie de garantia histórica apriorística em relação às perspectivas de uma transformação socialista democrática nos países capitalistas avançados.

Além disso, de acordo com as necessidades inerentes às transformações estruturais, que não podem deixar de atacar as bases da economia de mercado capitalista, as medidas democrático-liberais que paradoxalmente surgem da absoluta tirania material do mercado devem ser substituídas, sem apelação, por novos tipos de instrumentos reguladores político-administrativos, que se impõem também a áreas anteriormente "não regulamentadas" da interação social. E, quanto a isto, não basta lembrar que a estrutura democrático-liberal de regulamentação relativamente "não regulamentada" só é factível em virtude do imenso poder material discriminatório do mercado capitalista, que em circunstâncias normais minimiza a necessidade de interferência (política) direta na vida cotidiana dos indivíduos. Permanece o fato de que a eliminação socialmente necessária dos instrumentos autorreguladores – por mais cegos e anárquicos que sejam – da "democracia de mercado" liberal cria um vazio institucional no nível político. Consequentemente, também sob este aspecto, quanto menos êxito a sociedade civil pós-revolucionária tiver em articular e salvaguardar institucionalmente os interesses objetivos de seus vários grupos de modo verdadeiramente cooperativo, tanto mais o poder executivo do Estado terá força e espaço para impor uma "autonomia política" do tipo stalinista.

Por isso, é compreensível – embora não deixe de ser, sob certo aspecto, uma "ironia da história" – que, após o abuso stalinista do poder, surjam teorias de "socialismo de mercado", afirmando ilusoriamente a possibilidade de assegurar a democracia socialista pelo restabelecimento dos mecanismos autorreguladores de um mercado capitalista modificado sob a "supervisão do Estado". Mesmo sem considerar as incompatibilidades necessariamente envolvidas neste curso de ação – por um lado, as tendências para a inadmissível restauração por atacado do capitalismo e, por outro, a reafirmação de contramedidas políticas autoritárias para evitar a consumação bem-sucedida dessas tendências –, o problema destas teorias é que nada se resolve realmente através da criação de tais "mercados parcialmente controlados". Estratégias deste tipo podem, no máximo, adiar a questão essencial da reestruturação radical, que está longe de ser apenas, ou mesmo primordialmente, um problema "econômico" que poderia ser resolvido dentro dos parâmetros estreitamente "orientados para a eficiência" do mercado idealizado. Curiosamente, os defensores do "socialismo de mercado" parecem esquecer que a própria necessidade da transformação socialista surge em primeiro lugar da inevitável crise da ordem socioeconômica que aperfeiçoa e concede predomínio universal a uma estrutura de "contradições vivas": o mercado autorregulador que agora querem resgatar e propõem como base segura para os desenvolvimentos socialistas democráticos, negligenciando (em prol de uma esperança muito ingênua) a certeza do desemprego em massa que acompanha tal estrutura reguladora.

23.7 Consciência socialista

Por isso, a maior dificuldade para a teoria socialista talvez seja a seguinte: como vislumbrar a superação da fragmentação e da divisão interna do trabalho sem reduzir os problemas em jogo a um apelo direto a uma consciência de classe idealizada, defendendo a "unidade" como a solução desejável mas negligenciando a base material objetiva da fragmentação existente, inerente à continuada da divisão do trabalho.

Como já vimos, Marx não fez apelo direto a uma consciência idealizada da classe proletária, exceto no contexto polêmico a ele imposto pela necessidade de defender a Comuna de Paris contra uma imprensa hostil. Não obstante, aguardava com firme esperança o surgimento do que chamava de "consciência comunista de massa" – associada a uma articulação institucional plenamente adequada na forma do sindicalismo global e da correspondente militância política – pelo desenvolvimento histórico da ordem social capitalista, sob o impacto do desenvolvimento inexorável dos potenciais produtivos, assim como das contradições daquela ordem social. Mas não é apenas graças à possibilidade de visão retrospectiva que podemos perceber, atualmente, que tal esperança era muito problemática. Aliás, certas ambiguidades das próprias análises de Marx já apontavam na mesma direção, como pudemos verificar nas últimas páginas.

Para concluir: dado o auxílio que o capital global recebe da fragmentação e do impacto divisivo do "desenvolvimento desigual" e da divisão internacional do trabalho, inseparáveis do índice diferencial de exploração do trabalho – todos fatores que colaboram para deslocar as contradições do próprio capital –, é improvável que certas condições para a socialização da produção e para a posterior unificação do trabalho previstas por Marx se realizem no quadro dos limites e das restrições da própria ordem social capitalista.

Naturalmente, isso não diminui a importância de uma consciência de massa socialista. Ao contrário, destaca ainda mais a função sócio-histórica vital de tal consciência. A plena realização do projeto socialista é inconcebível sem um bem-sucedido tratamento consciente, integrado e "totalizante" (embora, é claro, mediado) de seus problemas pelos produtores associados, em um ambiente globalmente interligado que é "inconscientemente"[58] criado, antes de tudo, pelo próprio desenvolvimento do capitalismo.

Mas, precisamente por esta última razão, só se pode apelar com realismo para a importância crescente de uma consciência social totalizante evocando-se ao mesmo tempo as mediações materiais necessárias – que visam à superação da dada fragmentação do trabalho – pelas quais se torna inicialmente possível o desenvolvimento desta consciência.

A fragmentação do trabalho não pode ser eliminada pela "socialização da produção" capitalista. Nem pode ser superada – em vista das estruturas materiais, profundamente arraigadas, da divisão global tradicional do trabalho – durante um longo tempo após a revolução política socialista. É por isso que as mediações materiais necessárias em questão, caracterizadas por uma capacidade vital para promover a redução progressiva do papel restritivo das determinações materiais herdadas, devem ser a estrutura reguladora da vida social durante todo o período histórico de transição.

---

[58] Inconscientemente, no sentido de operar através de totalizações atomistas – isto é, sob a forma de previsões e expectativas parciais mais ou menos impiedosamente anuladas por uma realimentação reificadora provinda das consequências indesejadas das interações individuais agregadoras *post festum* – implementadas através do mercado e de outros veículos e intermediários institucionais semelhantes.

Capítulo 24

POLÍTICA RADICAL E TRANSIÇÃO PARA O SOCIALISMO

Marx escreveu *O capital* com o propósito de contribuir para o rompimento, em condições favoráveis, do domínio do capital. Ou seja, quando – em seu rumo implacável de tudo subsumir, em escala global, a si – o "capital social total" não pode mais deslocar as suas contradições e é empurrado a seus limites intransponíveis, evidenciando, assim, o surgimento do "reino da nova forma histórica".

Hoje, cem anos após a morte de Marx, estamos, em grande medida, mais próximos das condições para a derrocada do capital e da real possibilidade desta transformação fundamental, que a sua obra pretendeu identificar com rigor científico e paixão socialista. Todavia, é claro que seria um tanto ingênuo sugerir que daqui para a frente não haveria mais saída para a expansão capitalista e para o deslocamento manipulatório de muitos de seus problemas. Da mesma forma, não pode haver dúvidas de que estamos em meio a uma crise nunca dantes experimentada e numa escala incomparável.

Deste modo, não somente os riscos estão aumentando e as confrontações se agudizando, mas também as possibilidades para um resultado positivo estão postas numa nova perspectiva histórica. Precisamente porque os riscos estão crescendo e tornando-se potencialmente mais explosivos, o repositório de compromissos, que formalmente tem servido tão bem às forças do "consenso político", está cada vez mais vazio, bloqueando certos caminhos e abrindo outros, enquanto demanda a adoção de novas estratégias.

Contra este pano de fundo da crise estrutural do capital e a concomitância das novas potencialidades históricas, é necessário reexaminar os requisitos e as condições objetivas da ida *PARA ALÉM DO CAPITAL*, no espírito do projeto socialista original. A transição para o socialismo em escala global, visualizada por Marx, adquiriu uma atualidade histórica nova e mais urgente, em vista da intensidade e da severidade da crise.

Aqui, só posso voltar-me para alguns poucos problemas, estreitamente vinculados. Primeiro, o que realmente significa ir para "além do capital", como objetivo necessário e perspectiva orientadora de uma estratégia socialista viável. Porque a meta escolhida necessariamente condiciona as etapas que a ela conduzem e, assim, a identificação equivocada do alvo apropriado da transformação socialista trazem consigo, inevitavelmente, sérias consequências para o movimento socialista, como é dolorosamente bem conhecido da história passada.

Em segundo lugar, a necessidade de uma ofensiva socialista sob as condições da nova atualidade histórica, e o desafio de ter que corresponder a tal ofensiva, com as instituições existentes do movimento operário, que foram constituídas para a defensiva, sob condições históricas muito diferentes, no passado.

Nem é preciso dizer: ambos, ir para além do capital e visualizar uma ofensiva socialista são objetivos paradigmáticos da transição para o socialismo. O que nos leva ao terceiro problema, que sumariamente pretendo discutir: a necessidade de um teoria geral da transição, em conexão com as condições atuais, quando o assunto emergiu objetivamente na agenda histórica.

E, *finalmente* – em contraste com as discussões que tendem a responder à presente crise simplesmente advogando reestruturações limitadas da economia –, gostaria de considerar o papel que a política radical é chamada a jogar nesta reestruturação fundamental da sociedade como um todo, necessária em qualquer transição para o socialismo.

24.1 O significado de *Para além do capital*

Como ponto de partida, é necessário focalizar o significado de PARA ALÉM DO CAPITAL. Trata-se de um problema importante, tanto do ponto de vista teórico, quanto prático, com vários aspectos claramente distintos:

1. Marx chamou seu trabalho "CAPITAL", e não "Capitalismo", na verdade por uma boa razão, como veremos num instante. Similarmente, ele definiu o objeto do volume primeiro como "der Produktionsprozess des Kapitals", isto é, "O processo de produção do capital", e não como o processo da "Capitalist Production" (da "produção capitalista") – como foi erroneamente traduzido para o inglês, sob a supervisão de Engels –, que é um assunto radicalmente diferente.

2. "Capital" é uma categoria histórica dinâmica e a força social a ela correspondente aparece – na forma de capital "monetário", "mercantil" etc. – vários séculos antes de a formação social do CAPITALISMO enquanto tal emergir e se consolidar. De fato, Marx estava muito interessado em apreender as especificidades históricas das várias formas do capital e suas transições de uma a outra, até que finalmente o CAPITAL INDUSTRIAL se torne a força dominante do metabolismo socioeconômico e objetivamente defina a fase clássica da formação capitalista.

3. O mesmo é verdadeiro para "a produção de mercadorias", que não pode ser identificada como a produção capitalista de mercadorias. A primeira precede a última, novamente de muitos séculos, requerendo, assim, uma definição precisa das especificidades históricas do modo capitalista de produção de mercadorias porque, como insiste Marx, "a produção de mercadorias, necessariamente, transforma-se em produção capitalista de mercadorias, num momento dado" (Marx, "Marginal Notes on Wagner", p. 228, de *Value Studies by Marx*, London, New Park Publications, 1976).

4. A importância de (2) e (3) não é meramente teórica, mas cada vez mais diretamente *prática*. A dimensão histórica do capital e da produção de mercadorias não está confinada ao passado, esclarecendo a transição dinâmica das formações pré-capitalistas para o capitalismo, mas manifesta suas necessárias implicações práticas para o presente e para o futuro, preconfigurando os objetivos compulsórios e as determinantes estruturais inevitáveis da fase *pós-capitalista* de desenvolvimento. Da mesma forma que o próprio capitalismo não é inteligível sem esta dimensão histórica de suas características estruturais fundamentais, remetendo a um passado mais ou menos distante, os problemas reais da transformação socialista não podem ser apreendidos sem o completo conhecimento de que o capital e a produção de mercadorias não só precedem, mas também necessariamente sobrevivem ao capitalismo; e assim é não apenas em razão do "atraso asiático" (que se torna um complicador adicional, sob circunstâncias sócio-históricas e políticas determinadas), mas como questão da profundidade das determinações estruturais.
5. Tudo isso tem implicações a longo prazo para a estratégia socialista: para seus objetivos necessários e realizáveis no cenário das determinações estruturais e históricas prevalecentes. Dados tais parâmetros, o projeto socialista, paradoxalmente, só pode definir-se a si mesmo, em primeiro lugar, como uma disjunção radical entre seus objetivos históricos fundamentais e seus objetivos imediatamente realizáveis. Os primeiros se voltam para o estabelecimento da sociedade socialista, que representa qualitativamente uma "nova forma histórica" (Marx), que implica avançar para além do próprio capital, superando assim, efetivamente, o mundo do capital propriamente dito, enquanto os últimos são forçados a definir seu alvo apenas como o ataque e a superação das forças dominantes do capitalismo, permanecendo, necessariamente, num sentido vitalmente importante, no interior dos parâmetros estruturais do capital. Em contraste, sem a reestruturação radical do arcabouço estrutural do capital, inerente não apenas a um dado mecanismo econômico, mas ao sociometabolismo herdado em geral – realizável somente como um processo histórico complexo, com todas as suas contradições e potenciais retrocessos e perturbações –, é inconcebível levar o projeto socialista à sua efetivação apropriada.

Confundir (não importa quão urgente e candente seja a razão político-histórica) o objetivo estratégico fundamental do socialismo – avançar *PARA ALÉM DO CAPITAL* – com o objetivo imediatamente realizável, necessariamente limitado, de negação do capitalismo, e consequentemente pretenderem em nome deste último ter realizado o primeiro, leva à desorientação, à perda de toda medida objetiva e finalmente "a girar em círculos", na melhor das hipóteses, na falta de direção e de uma medida viáveis.

O objetivo estratégico real de toda transformação socialista é, e continua sendo, a radical transcendência do próprio capital, em sua complexidade global, e na totalidade de suas configurações históricas dadas e potenciais, e não meramente dessa ou daquela forma particular de capitalismo mais ou menos desenvolvida (subdesenvolvida). É possível visualizar a negação e a superação do capitalismo numa estrutura sócio-histórica particular, dado que as próprias condições específicas favorecem tal intervenção histórica. Ao mesmo tempo, a estratégia muito debatida do "socialismo num só país" é efetivável apenas como um projeto pós-capitalista limitado – isto é, ainda não inerentemente socialista. Em outras palavras, é realizável apenas como um passo na direção de uma transformação sócio-histórica global, cujo objetivo não pode ser outro senão ir para além do capital em sua totalidade.

Além disso, o fato inevitável é que a fase pós-capitalista como um todo permanece – mesmo se em grau potencialmente diminuído – no interior dos limites e dos parâmetros estruturais objetivos das determinações últimas do capital, os quais, contrariamente às práticas stalinistas, não podem ser concebidos como se fossem nada mais do que a subjetiva manipulação conspirativa do "inimigo". Consequentemente, o verdadeiro processo de reestruturação radical – condição crucial para o sucesso do projeto socialista – só pode progredir se os objetivos estratégicos para a supressão radical do capital, enquanto tal, reduzirem consciente e persistentemente o poder de regulação do capital sobre o próprio sociometabolismo em vez de proclamar como realização do socialismo a algumas limitadas conquistas pós-capitalistas. Isso pode ser conseguido pela alocação de mecanismos e processos neutralizadores e transformadores, que favoreçam a requerida transformação complexa, em contraste com o simples disparar "de tiros no escuro", pela adoção de medidas mais ou menos fortuitas, devido à falsa identificação entre o objetivo estratégico fundamental do socialismo com alguns objetivos imediatamente realizáveis, mas necessariamente restritos.

Numa colocação ainda mais forte, dado o caráter inerente ao processo envolvido: enquanto várias formas do empreendimento pós-capitalista são indubitavelmente realizáveis, não importa quão limitado seja o cenário, precisamente pelo mesmo motivo – a necessária limitação deste cenário – elas também continuam sob uma ameaça permanente. E prosseguem sob tal ameaça enquanto o objetivo fundamental de avançar *PARA ALÉM DO CAPITAL* não for resolvido. Posto de outra maneira, esta ou aquela forma particular de capitalismo pode, na verdade, ser "abolida" numa estruturação limitada, mas tal "abolição" não pode oferecer nenhuma garantia contra a sua revitalização ou "restauração" potencial, dependendo da configuração total de circunstâncias sociais e históricas definidas pelo papel mais ou menos importante do capital na totalidade do sociometabolismo em escala global.

24.2 Condições históricas da ofensiva socialista

A necessidade e a atualidade histórica da ofensiva socialista não significam a defesa de uma perspectiva agitadora imediatista, fácil e ingenuamente otimista. Longe disto. Em primeiro lugar, a atualidade histórica do processo de transformação – como inerente à multiplicidade de determinações de diversos níveis conflitivos de uma tendência histórica objetiva – refere-se à fase histórica na sua inteireza, com todas as suas complicações e retrocessos, e não a algum evento repentino que produz um desenvolvimento linear não problemático.

Consequentemente, "atualidade histórica" significa, precisamente, a emergência e a atualização de uma tendência em toda a sua complexidade histórica, abarcando toda uma época histórica e delimitando seus parâmetros estratégicos – para melhor ou para pior, conforme possa estar o caso sob as circunstâncias mutáveis – e finalmente afirmando a tendência fundamental da época em questão, apesar de todas as flutuações, os reflexos e as irregularidades.

Além disso, nunca é demais acentuar que, no meio da crise estrutural do capital que se aprofunda, só podemos falar sobre a atualidade histórica da ofensiva socialista se também falamos no sentido de que grandes mudanças institucionais são necessárias para que possa ser trazida à efetivação a tendência histórica em questão. Isso decorre do fato ruim e constrangedor de que instrumentos e instituições da luta socialista existentes foram constituídos numa conjuntura histórica qualitativamente diferente, tendo eles se definido: a) em oposição ao capitalismo (não ao capital enquanto tal) e b) de um modo fundamentalmente defensivo, de acordo com sua função e potencial original, essencialmente negativo-defensivo.

Assim, a atualidade histórica da ofensiva socialista, sob a nova fase histórica da crise estrutural do capital, afirma-se como:

1. Crescente dificuldade e, por fim, impossibilidade de obter ganhos defensivos – ao molde do passado –, através das instituições defensivas existentes (e, em consequência, o fim do consenso político, trazendo com isto uma notória postura mais agressiva das forças dominantes do capital *vis-à-vis* ao trabalho).
2. A pressão objetiva pela reestruturação radical das instituições de luta socialista existente, para se ser capaz de ir ao encontro do novo desafio histórico, numa base organizacional que se evidencie adequada à necessidade crescente de uma estratégia ofensiva.

O que está em jogo, então, é a constituição de uma estrutura organizativa capaz não só de negar a ordem dominante, mas também, simultaneamente, de exercer as funções vitais positivas de controle, na nova forma de autoatividade e autogestão, se, realmente, as forças socialistas estão para romper o círculo vicioso do controle social do capital e a sua própria dependência negativa e defensiva em relação a ele.

A novidade histórica desta nova situação se manifesta na redefinição qualitativa das condições de sucesso mesmo dos mais limitados objetivos socioeconômicos. Pois, no passado, não somente era possível obter do capital ganhos parciais significativos, através das instituições defensivas existentes – tanto que, de fato, hoje as classes operárias dos países capitalistas dominantes têm incomparavelmente mais a perder do que a seus grilhões –, mas tais ganhos, na verdade, eram uma constituinte necessária e positiva da dinâmica interna da autoexpansão do capital (o que significa, é claro, que o capital nunca teve de pagar um único níquel por esses ganhos).

Em agudo contraste, sob as novas condições históricas da crise estrutural do capital, até a pura manutenção do padrão de vida conquistado, para não mencionar a aquisição de ganhos adicionais significativos, requer uma grande mudança na estratégia, de acordo com a atualidade histórica da ofensiva socialista.

24.3 A necessidade de uma teoria da transição

Na época em que Marx explicitou sua concepção original, a acentuação tinha que recair sobre a demonstração das contradições internas do capital, ficando indicado apenas o contorno esquemático daquilo que Marx chamou de "a nova forma histórica".

A questão de como passar do mundo negado do capital ao reino da meramente "aludida" (expressão de Marx) nova forma histórica não poderia ocupar nenhuma parte no projeto teórico de Marx (de fato, ele menosprezou aqueles que se engajaram em tais "especulações sobre o futuro").

Nem para Lenin, o problema da transição foi relevante antes da Revolução de Outubro, uma vez que estava engajado na elaboração de uma estratégica para "quebrar o elo mais débil da cadeia", na esperança de iniciar uma reação em série que resultaria numa problemática muito diferente daquela que, realmente, se apresenta através dos constrangimentos históricos de uma revolução soviética isolada.

Assim, a necessidade de uma teoria da transição apareceu com urgência candente, "nem mais nem menos", como fruto da Revolução de Outubro e, consequentemente, mesclou-se com as determinações específicas e os interesses da sociedade soviética. A controvérsia sobre o "socialismo num só país" foi, ela mesma, desde logo, um complexo desconcertante, um assunto, em realidade, que confunde, no qual é suposto que um país subdesenvolvido e devastado, em situação de isolamento e cerco, daria, por si próprio, o grande salto à frente por toda a humanidade. Mas o pior estava por vir. Com a história do stalinismo no movimento operário internacional, esse ponto se tornou ainda mais confuso, na medida em que o "caminho soviético para o socialismo" veio a ser proclamado como modelo compulsório para toda transformação socialista possível, e acriticamente adotado como tal pelos integrantes do Comintern, inclusive pelos maiores partidos comunistas ocidentais, cujas circunstâncias socioeconômicas objetivas careciam da relativa justificativa histórica do "atraso asiático" e do cerco para advogar aquela estratégia.

Como resultado, a teoria da transição infelizmente descambou logo após sua primeira aparição, desembocando, de um lado, no beco sem saída do voluntarismo stalinista, e, de outro, nas suas várias negações abstratas. Houve, é claro, alguns esforços individuais que buscaram um caminho alternativo a esse beco sem saída – as heroicas contribuições, tanto humanas como teóricas, de Antônio Gramsci representam seu ápice incomparável, mas foram condenadas a permanecer, nas circunstâncias, tragicamente isoladas.

Nem a intenção abertamente anunciada de "desestalinização" produziu uma mudança fundamental a esse respeito. Enquanto, indubitavelmente, reabriu as possibilidades de autocrítica (especialmente no movimento comunista do Ocidente), a sufocação da crítica no Leste, depois de um curto período de "degelo" –, conduziu aos levantes e às explosões na Alemanha, Polônia, Hungria, Tcheco-Eslováquia e novamente na Polônia – sublinhando a seriedade da crise. Tornou-se cada vez mais óbvio que o que estava realmente em jogo não era meramente um fator ideológico – conceitualizado em categorias iludidas subjetivas que aludiram a isto, mas sem nunca explicar realmente nem mesmo a possibilidade do "culto à personalidade", nem propiciar uma garantia para a sua efetiva supressão –, mas o poder persistente da inércia de enormes estruturas e forças objetivas que não poderiam ser efetivamente desalojadas, exceto no esquema estratégico global de desenvolvimento socialista e de transformação estrutural.

Se a experiência histórica dos países do Leste europeu não pôde propiciar o terreno suficiente para o desenvolvimento de uma teoria crítica e autocrítica da transição, isto não foi simplesmente devido a pressões e tabus ideológicos e políticos – embora, é claro, estes também tenham desempenhado seu papel –, mas primordialmente às limitações sociais e históricas da própria experiência.

A urgente necessidade de tal teoria apareceu na agenda histórica com a Revolução de Outubro, mas ela se afirmou numa forma inevitavelmente parcial. Assim teve de ser, primeiramente, por causa do peso dos constrangimentos e contradições locais, sob os quais a revolução teve de ser empreendida como uma *holding operation* (Lenin) para que pudesse sobreviver. Mas, além disso, a parcialidade em questão foi consequência das determinações históricas essencialmente defensivas a que as forças combatentes socialistas do período estavam sujeitas, na sua confrontação desigual com o capital. Estas determinações defensivas representaram um condicionamento esmagadoramente negativo, que Stalin, apologeticamente, transformou em virtude e modelo, frustrando e paralisando, assim, por décadas até mesmo a limitada dinâmica potencial do movimento socialista internacional.

Hoje, a situação é qualitativamente diferente. Nela, a "transição" não pode mais ser conceitualizada num sentido histórico-social limitado, desde que sua necessidade emerge da relação com o aprofundamento da crise estrutural do capital como um fenômeno global.

É sempre difícil estabelecer com precisão as grandes linhas de demarcação histórica e o início de uma nova fase histórica, porque as raízes das novas tendências fundamentais inevitavelmente remetem às profundezas de determinações passadas e porque leva muito tempo antes de elas se desdobrarem em todas as suas dimensões e se afirmarem inteiramente em todos os níveis da vida social. Mesmo terremotos históricos gigantescos como os de 1789 e 1917 – a partir dos quais agora contamos a origem de algumas das maiores mudanças históricas subsequentes – somente são inteligíveis em termos de que suas raízes no passado e sua longa e dramática resultante tiveram de superar resistências formidavelmente fortes no propósito de sustentar a afirmação de seu significado como eventos históricos seminais.

Mas, ainda que não se possa localizar o começo da nova fase histórica da necessária ofensiva socialista em torno de alguma data ou evento precisos, podemos, no entanto, identificar três grandes confrontações sociais que assinalaram dramaticamente a erupção da crise estrutural do capital em torno dos fins da década de 1960:

1. a Guerra do Vietnã e o colapso da forma mais abertamente agressiva do intervencionismo americano;

2. maio de 1968, na França (e, aqui e ali, mais ou menos ao mesmo tempo, em situações sociais similares), demonstrando clamorosamente no coração do capitalismo "avançado" a doença da sociedade, a fragilidade e o vazio de suas ruidosamente anunciadas realizações, e a impressionante alienação de um vasto número de pessoas do "sistema", denunciada com palavras de amargo desprezo; e
3. a repressão às tentativas de reforma na Tcheco-Eslováquia e Polônia, sublinhando o crescimento das contradições nas sociedades do "socialismo real", como parte integrante da crise estrutural geral.

Significativamente, tudo o que aconteceu, desde então, recai nas mesmas três categorias, as quais encerram:
1. as relações de exploração dos países capitalistas "metropolitanos" com os subdesenvolvidos, nas suas determinações recíprocas;
2. os problemas e contradições dos "países capitalistas avançados" tomados em si e na conjunção de uns com os outros; e
3. os vários países pós-capitalistas ou sociedades do "socialismo real" como relacionados e, às vezes, confrontando-se, mesmo militarmente, uns aos outros.

Desenvolvimentos das últimas duas décadas sublinham, com respeito a todas as três dimensões, a ação de algumas forças e tendências poderosas que, na sua inter-relação, definem a crise estrutural do capital que se aprofunda. Listemos meramente uns poucos grandes eventos e alguns traços indicativos desses desenvolvimentos, tal como manifestos nas três áreas que nos ocupam:
1. O fim do regime colonial em Moçambique e Angola; a derrota do racismo branco e a transferência do poder à zanu no Zimbabwe; o colapso do regime tutelado pelos EUA administrado pelos coronéis na Grécia e a vitória subsequente das forças de Papandreou; a desintegração do governo vitalício de Somoza – bancado pelos EUA na Nicarágua – e a admirável vitória da Frente Sandinista; a luta armada de libertação em El Salvador e em outras partes na América Central e o fim do até então fácil controle da região pelo imperialismo norte-americano; a total bancarrota – não só figurativamente, mas também em sentido literal – das "estratégias de desenvolvimento" inspiradas e dominadas pela "metrópole" em todo o "Terceiro Mundo" e a erupção de maciças contradições estruturais nas três principais forças industriais da América Latina: Argentina, Brasil e mesmo no México, rico em petróleo; a total e dramática desintegração do regime do Xá no Irã e, com isto, a grande falência da estratégia de há muito estabelecida pelos EUA, na região, impelindo desesperadamente à existência de estratégias substitutivas perigosas – desde então – a serem implementadas diretamente ou por procuração.
2. A crescente crise da dominação econômica dos EUA e suas consequências se propagando por todo o mundo; a permanente intensificação dos conflitos com o sucesso industrial do Japão e os sinais ampliados de uma guerra comercial potencialmente mais devastadora; a erupção de grandes contradições no interior da Comunidade Econômica Europeia, ameaçando-a de colapso; o fracasso catastrófico do keynesianismo do pós-guerra e sua substituição ainda

mais catastrófica pelas estratégias "monetaristas", voltadas à revitalização do capital em crise; o maciço e ainda crescente "desemprego estrutural" e a correspondente erupção de grandes distúrbios sociais sobre as ruínas do *welfare state* e da estratégia do pós-guerra que presunçosamente anunciou a realização do "pleno emprego numa sociedade livre"; o fracasso das estratégias "neocolonialistas" do pós-guerra – ligadas à expansão do "neocapitalismo", com sua ideologia da "modernização" e sua egoísta "transferência de tecnologia" – e o controle disfarçado dos países capitalistas avançados sobre o "Terceiro Mundo", potencialmente com consequências de longo alcance.

3. O colapso da Revolução Cultural Chinesa e a reaproximação entre a China e o Ocidente, trazendo com isso, por vezes, consequências devastadoras para as aspirações socialistas; a indescritível tragédia do Camboja; a confrontação armada entre a China e o Vietnã, e entre o Vietnã e o Camboja; a ocupação soviética do Afeganistão e o consequente conflito armado; as crises renovadas na Tcheco-Eslováquia; o aumento da dívida de vários países do Leste europeu para com banqueiros ocidentais, até ao ponto da bancarrota, polidamente rebatizada em termos capitalistas de "reescalonamento da dívida"; a crise econômica maciça na Polônia e a emergência, bem como da repressão militar, da base do movimento "Solidariedade".

Considerado contra este pano de fundo de disseminadas contradições, que se multiplicam perigosamente, resultando numa verdadeira crise estrutural, é impossível levantar o problema da transição como algo de significado apenas parcial, e, assim, aplicável a não mais que às circunstâncias específicas de uma conjuntura historicamente limitada Não é mais possível conceber o objetivo das estratégias pós-capitalistas como um tipo de operação de manutenção com sentido estritamente defensivo, na expectativa de um crescimento significativo de todas as condições históricas e da relação de forças que favoreçam as chances de uma genuína transformação socialista.

A "força das circunstâncias" que tragicamente constrangeu e determinou o caráter do esforço de transição como uma operação de manutenção é uma coisa, a necessidade de uma transformação social radical em escala global é bem outra. Nesse sentido, a necessidade, hoje, de uma teoria compreensiva da transição aparece na agenda histórica da perspectiva de uma ofensiva socialista, baseada em sua atualidade histórica geral, em resposta à crescente crise estrutural do capital que ameaça a verdadeira sobrevivência da humanidade.

24.4 A "reestruturação da economia" e suas precondições políticas

Há hoje, não sem razão, um interesse crescente a respeito da necessidade de uma "reestruturação da economia". Durante certo tempo, os anos do pós-guerra – por cerca de duas décadas – assistiram a uma expansão e revitalização sem precedentes do capital pela inclusão à sua órbita, pela primeira vez na história, da totalidade das forças produtivas globais, bem como uma bem-sucedida reestruturação da economia para atender às exigências insaciáveis do complexo militar-industrial; agora toda dinâmica estancou e o sistema não pode mais "distribuir os bens", de que depende necessariamente a tranquilidade de seu desenvolvimento.

Contudo, o objetivo de "reestruturar a economia" aparece como problemático por mais de uma razão, não importando quão justificável seja o interesse que está por trás dele. Do ponto de vista de que o presente estado de coisas é o resultado direto da dramática reestruturação, no período do pós-guerra, das saídas produtivas do capital, não é óbvio, de modo algum, que a transferência dos recursos, atualmente, de algumas áreas para outras, produziria os resultados econômicos esperados, para não mencionar o peso das complicações políticas envolvidas em tal empreendimento.

Considerado sob todos os seus aspectos principais, qualquer esforço no sentido da "reestruturação da economia" está fadado a enfrentar imensa resistência, enquanto a alavanca de poder com a qual opera permanecer confinada às determinações objetivas e aos mecanismos de controle do capital que favorecem apenas a ele e a nada mais. Destacando três dimensões principais, não é muito difícil perceber as irreconciliáveis contradições inerentes:
1. no problema da própria produtividade (isto é, a produtividade, em última instância, autodestruidora do capital, que consideraremos em seguida);
2. nas demandas crescentes do complexo militar-industrial em confronto com o restante da economia; e
3. na emergência de áreas industrializadas do "Terceiro Mundo" – sob a irrefreável dinâmica da autoexpansão do capital – como competidores diretos do capital "metropolitano".

Analisemos, rapidamente, estes pontos, um a um.
1. O período de desenvolvimento do pós-guerra foi, indubitavelmente, preenchido, antes de mais nada, pela habilidade do capital em ativar imensos recursos humanos e materiais, anteriormente reprimidos ou latentes, em seus propósitos de autoexpansão, ampliando significativamente e intensificando as áreas de atividade econômica produtiva em todo o mundo, tanto pelo incremento da grandeza absoluta da força de trabalho quanto pela sua produtividade relativa. Enquanto tal processo de autoexpansão produtiva pudesse avançar sem impedimentos, não haveria problema que o capital não pudesse, em princípio, superar.

As coisas tiveram que mudar dramaticamente, contudo, quando a própria "produtividade" crescente principiou a conflitar com a exigência de ampliação (ou mesmo apenas de manter estacionária) a força de trabalho. Sob tais condições de "desemprego estrutural", o modo de funcionamento necessário e a verdadeira *raison d'être* do capital são questionados como tema de um imperativo histórico objetivo, mesmo se não são imediatamente concebidos dessa forma pelos agentes envolvidos.

É impossível visualizar uma solução para tal problema estrutural pela simples "criação de mais empregos", pela "reestruturação da economia". O que está em jogo não é realmente a eficiência do capital, que pode ser aperfeiçoada pela maior ou menor realocação drástica dos recursos econômicos, mas, ao contrário, a verdadeira natureza da sua produtividade: uma produtividade que necessariamente define a si mesma através do imperativo da sua implacável autoexpansão alienada como produtividade destrutiva, que sem cerimônia destrói tudo que esteja em seu caminho.

Mais ainda – devido à natureza inerentemente contraditória do capital –, nos períodos de recessão, a pesada superprodução (e ao mesmo tempo a sua brutal subutilização) da quantidade de capital se autoapresenta, absurdamente, como uma extrema escassez de capital, constrangendo, assim, todo avanço produtivo posterior e agregando uma dimensão financeira aventureira (e a sua contrapartida quixotesca, na forma do monetarismo) a todos os outros problemas. É, assim, impossível ver como os recursos maciços necessários para a configuração da "reestruturação da economia" poderiam ser encontrados dentro dos limites das determinações internas do capital, tal como se manifestam, tanto na sua "produtividade" devastadora quanto na "escassez" crônica nos tempos de perturbação econômica.

2. O segundo grande fator na dinâmica da expansão do capital no pós-guerra: o desenvolvimento cambaleante do complexo militar-industrial que se tornou igualmente inoportuno, apesar de determinados esforços do Estado dirigidos a estender seu poder, ou no mínimo a mantê-lo intacto, sob as circunstâncias das "dificuldades" e cortes.

Ironicamente, o fato mesmo de que hoje o problema possa ser formulado desse modo – literalmente: como uma grita pelo aumento ou manutenção dos gastos militares, a expensas de serviços sociais e da atividade econômica que os sustenta – indica que estamos, aqui, diante de uma contradição estrutural fundamental. No passado, o muito propalado "resíduo tecnológico" do desenvolvimento militar e seus alardeados benefícios sobre a indústria de consumo serviu como uma evidente justificação ideológico-econômica dos gastos militares, em adição à habilidade do complexo militar-industrial em estimular o desenvolvimento econômico em vários setores pela sua enorme demanda no uso – a princípio aparentemente ilimitada – de recursos materiais e humanos, que ajudou a multiplicar.

Que pudesse vir um tempo no qual a multiplicação de tal demanda dissipadora não fosse mais sustentável e que, então, opções teriam de ser feitas entre os gastos militares e os de "consumo", nunca passou pela cabeça dos estrategistas da expansão do capital no pós-guerra. Dadas certas leis e contradições internas ao capital "avançado", era preciso seguir o caminho aberto pelo complexo militar-industrial, à prova de saturação e autoconsumidor, independente das complicações potenciais que, de fato, pareciam não existir, enquanto a autoexpansão desimpedida do capital pôde ser tomada como garantia.

As mudanças que ocorreram nestas circunstâncias equivaleram, sem qualquer dúvida, a uma "reestruturação da economia" muito poderosa, profundamente assentada, muito influente, que a tudo incorporava, de modo que sua intensidade e impacto não encontram paralelo na história do capital desde a própria Revolução Industrial. Visualizar, assim, uma nova "reestruturação econômica" pela simples reversão dessa tendência, transferindo recursos do complexo militar-industrial para o uso socialmente produtivo, parece ser uma grande subestimação das dificuldades do problema, mesmo em termos estritamente econômicos. Sem mencionar as complicações político-militares inerentes ao objetivo de restringir, na forma drástica necessária, bem como de manter sob controle, mesmo depois, a força de tão poderoso adversário.

3. A industrialização do "Terceiro Mundo", apesar da sua óbvia subordinação às exigências e aos interesses do capital ocidental, alcançou proporções significativas na configuração global do capital durante os anos do pós-guerra, especialmente nas últimas duas décadas.

Com certeza, nunca teve o sentido de satisfazer as necessidades da população faminta e socialmente carente dos países envolvidos, mas a de prover escoadouros irrestritos para a exportação de capital e gerar nos primeiros tempos níveis inimagináveis de superlucro, sob a ideologia da "modernização" e a eliminação do "subdesenvolvimento". Entretanto, devido à magnitude dos recursos humanos e materiais ativados pelo capital, o impacto geral de tal desenvolvimento não poderia ter sido outro do que pura e simplesmente extraordinário, tanto quanto o da produção total de lucro na referida estrutura global do capital. Apesar de todo um discurso unilateral sobre "dependência", para não mencionar o discurso obscenamente hipócrita da "ajuda para o desenvolvimento", o capital ocidental tornou-se muito mais dependente no "Terceiro Mundo" – de matérias-primas, energia, mercados de capital e superlucros avidamente repatriados – do que o contrário.

Naturalmente, neste contexto, não menos do que em qualquer outro, o processo sublinhado só pode ser caracterizado como o deslocamento do capital de uma contradição para outra, guardando a contraditoriedade insolúvel de sua natureza interna: como um movimento que deriva sua dinâmica original da necessidade de deslocar algumas grandes contradições, apenas para concluir pela restauração delas com um acréscimo, numa escala incomparavelmente maior que aquela que trouxe à existência, pela primeira vez, o processo de deslocamento em questão.

Consequentemente, não importa quão abastardada e cinicamente manipulada teve de ser a industrialização neocapitalista do "Terceiro Mundo", na sua origem e execução, inevitavelmente ela também adquiriu sua própria dinâmica e impulso local, levando ao extremo uma contradição irreconciliável entre a dinâmica local e os objetivos "metropolitanos" originais. Isto toma a forma do estabelecimento de poderosas unidades produtivas, cuja existência efetiva intensifica as expectativas de uma incontrolável guerra comercial, além de causar a bancarrota estrutural e a quebra de setores inteiros das indústrias de trabalho intensivo nos "países-mãe" avançados, no interesse geral, explosivamente contraditório – gerador de desemprego – do capital metropolitano expatriado.

Aqui não é o lugar para entrar em detalhes sobre tal desenvolvimento. No entanto, é preciso enfatizar, no presente contexto, que as complicações competitivas emergentes dessa dinâmica, com suas repercussões potencialmente mais destrutivas no âmago do "capital avançado", não representam, em nenhum sentido, a soma total das dificuldades e contradições desses conjuntos de relações. Devemos acrescentar a elas as crescentes contradições internas das próprias "economias em desenvolvimento": atualmente é mais do que óbvio o colapso das muito alardeadas "estratégias de desenvolvimento" e a consequente freada da originária espetacular taxa local de expansão.

Tudo isso junto só faz acentuar as dificuldades insuperáveis que qualquer esforço dirigido à "reestruturação da economia" enfrentará, tal como se apresentam sob esta dimensão crucial do capital global. Pois o problema da reestruturação não pode ser considerado a não ser de forma compreensiva, em todos os sentidos da palavra, desde que nos confrontamos, em realidade, com uma rede imensamente complexa e contraditória de *dependências recíprocas* em escala global, com problemas e demandas multiplicadores e intensificadores em cada área particular, que atualmente estão muito além do controle de qualquer "centro" singular, não importa quão poderoso e avançado seja.

Assim – vista em relação com suas principais dimensões nacionais e internacionais –, a questão da "reestruturação da economia" define-se como:

1. A necessidade de gerar um novo tipo de produtividade, sobre as ruínas da destrutiva e dispendiosa subordinação das energias e forças produtivas da sociedade ao capital, em função de suas perversas necessidades de autoexpansão. No mesmo contexto, essa necessidade implica também a produção de uma oferta adequadamente expandível de fundos e recursos, em harmonia com o novo tipo de produtividade, em lugar de uma que o restrinja e potencialmente paralise, já que a absurda superprodução/escassez de capital atualmente tolhe necessariamente o modo de produtividade vigente.

2. O desafio de estabelecer uma alternativa viável ao complexo militar-industrial. Isto se apresenta: a) como a necessidade de encontrar uma solução econômica para a mais destrutiva lei do capital, que de início o trouxe à existência: a taxa de utilização decrescente, que está tendendo a zero e b) a criação de condições políticas de segurança coletiva e desarmamento mundial, paralelamente ao estabelecimento de um novo esquema institucional de relações entre Estados, sob o qual o complexo militar-industrial perde sua justificativa e legitimação.

3. A instituição de uma relação igualitária radicalmente nova e verdadeira com o "Terceiro Mundo", na base de um positivo reconhecimento das dependências recíprocas e necessárias interdeterminações, num mundo cujos constituintes socioeconômicos não podem mais permanecer nem isolados, nem estruturalmente subordinados um ao outro, caso queiramos ver um desenvolvimento global sustentável. Problema que, não surpreendentemente, esforços como o "Relatório da Comissão Brandt" nem sequer arranham (sem mencionar a derrisão com que são saudados e postos de

lado pelo *establishment*). Eis um problema da maior importância, para o qual, infeliz e, ainda mais, incompreensivelmente, os socialistas ocidentais dedicam demasiado pouco de sua atenção.

Considerada nestes termos, a tarefa de "reestruturar a economia" torna-se primariamente *político-social* e não *econômica*.

Para ser preciso, todos os objetivos sócio-políticos têm suas necessárias implicações econômicas: regra para a qual a execução da meta de "reestruturar a economia", sem uma maior intervenção econômica no nível apropriado, representaria, na verdade, uma exceção muito estranha. Entretanto definitivamente as coisas não são conversíveis – ou seja, não estamos diante de um desafio originalmente econômico, com implicações políticas mais ou menos sérias como frequentemente é concebido – quando o objetivo é a maneira de romper o círculo vicioso das "determinações férreas" do capital para o qual nenhum mecanismo econômico conhecido pode oferecer resposta.

Se, então, "reestruturar a economia" significa igualmente "reestruturar a sociedade" como um todo – "de cima a baixo", como Marx uma vez sugeriu – não pode haver nenhum desacordo com esse propósito. Mas é sempre bom acentuar que as resistências e os obstáculos a serem superados, no curso da realização de tal objetivo, estão limitados a permanecerem primariamente político-sociais por todo o período histórico de transição, cujo objetivo é ir para além do capital a fim de criar as estruturas socioeconômicas da "nova forma histórica".

Tempos de grande crise econômica abrem sempre uma brecha razoável na ordem estabelecida, que não mais tem êxito na distribuição de bens e que servirá como sua inquestionável justificativa. Tais brechas podem ser alargadas a serviço da reestruturação social, ou de fato fechada por um prazo maior ou menor, no interesse da continuada sobrevivência do capital, dependendo das circunstâncias históricas gerais e da relação de forças na arena política e social. Dada a dimensão temporal do problema – isto é, a escala de tempo relativamente longa para a produção de resultados econômicos significativos durante o enfrentamento de urgência da crise –, somente uma iniciativa política pode influir na brecha: fato que muito enfatiza o poder da ação política sob tais condições. (Teorias que exageram a "autonomia" do político – ao ponto de irrealisticamente afirmar ou sugerir a sua efetiva independência – tendem a generalizar as características válidas para a fase inicial de uma grande crise, mas não sob circunstâncias normais.)

Entretanto, desde que as manifestações imediatas da crise são econômicas – da inflação ao desemprego, e da bancarrota de empresas industriais e comerciais locais à guerra comercial em geral e ao colapso potencial do sistema financeiro internacional – a pressão que emana da referida base social inevitavelmente tende a definir a tarefa imediata em termos de encontrar respostas econômicas urgentes ao nível das manifestações da crise, enquanto são deixadas intactas as suas causas sociais.

Assim, a definição econômica do que necessita ser feito, bem como do que pode ser feito sob as circunstâncias da reconhecida "emergência econômica" – de "apertar os cintos" e "aceitar os sacrifícios necessários" para "criar empregos reais", "injetar novos fundos de investimento", "aumentar a produtividade e a competitividade" etc. –, impõe premissas sociais da ordem estabelecida (em nome de imperativos puramente econômicos) sobre a iniciativa política socialista, potencialmente favorecida pela crise antes de sua readoção inconsciente do horizonte socioeconômico do capital. Como resultado, o potencial reestruturador da política revolucionária é anulado ao dissipar-se no curso do enfrentamento com tarefas econômicas estreitamente definidas – invariavelmente a expensas de suas próprias bases – dentro do marco das velhas premissas sociais e determinações estruturais, terminando, desse modo, contra a intenção original, por ajudar a revitalização do capital.

A dificuldade é que o "momento" da política radical é limitado estritamente pela natureza da crise em questão e pelas determinações temporais de seu desdobramento. A brecha aberta em tempos de crise não pode ser deixada assim para sempre, e as medidas adotadas para fechá-la, desde os primeiros passos em diante, têm sua própria lógica e impacto cumulativo nas intervenções subsequentes. Além disso, tanto a estrutura socioeconômica existente quanto seu correspondente conjunto de instituições políticas tendem a agir contra as iniciativas radicais através da sua própria inércia, tão logo tenha passado o pior momento da crise e assim se tornando possível contemplar novamente "a linha de menor resistência". E ninguém pode considerar "reestruturação radical" a linha de menor resistência, já que pela sua verdadeira natureza envolve necessariamente superação e reversão prospectiva do desconhecido.

Nenhuma conquista econômica imediata pode oferecer uma saída para este dilema, prolongando o espaço vital da política revolucionária, já que tais conquistas – feitas nos limites das velhas premissas – atuam em direção oposta, aliviando os sintomas da crise que mais pressionam, reforçando, assim, o velho mecanismo reprodutivo abalado pela crise.

Como a história mostra exaustivamente, ao primeiro sinal de "recuperação" a política é empurrada para seu papel tradicional de sustentar e reforçar as determinações socioeconômicas dominantes – a própria alardeada "recuperação", alcançada na base das "motivações econômicas bem-intencionadas", atua como justificativa ideológica autoevidente para reverter à subserviência o papel rotineiro da política, em harmonia com a estrutura institucional dominante – e, por consequência, a política radical só pode acelerar sua própria renúncia (encurtando, ao invés de estender como poderia, o "momento" favorável de maior intervenção política), consentindo em definir o seu próprio escopo em termos de alvos econômicos determinados, os quais, de fato, são necessariamente ditados pela estrutura socioeconômica estabelecida em crise.

Por mais paradoxal que possa soar, somente uma autodeterminação radical da política pode prolongar o momento da política radical. Se não se deseja que este "momento" seja dissipado sob o peso da pressão econômica imediata, tem de ser encontrada uma maneira para estender sua influência para muito além do pico da própria crise (quando a política radical tende a afirmar sua efetividade como uma lei). E, desde que a duração temporal da crise como tal não pode ser prolongada à vontade – nem poderia ser, desde que uma política voluntarista, com seu "estado de emergência" artificialmente manipulado, só poderia tentar fazê-lo em seu próprio risco, através do despojamento das massas em vez de assegurar o seu sustento –, a solução só pode surgir de uma bem-sucedida conversão de um "tempo transitório" a um "espaço permanente" por meio da reestruturação dos poderes de tomada de decisão.

Posta de outro modo, a política radical só é favorecida temporariamente pela crise que, além de certo ponto, muito facilmente pode se voltar contra ela, isto é, passado o momento em que seu sucesso econômico revitaliza o capital, ou seu fracasso em gerar a melhoria econômica desejada solapa dramaticamente seu próprio mandato e sua pretensão de legitimidade. Assim, para ter êxito em seu objetivo, precisa transmitir, no auge da crise, suas aspirações – na forma de efetivos poderes de tomada de decisão – ao próprio corpo social, do qual as demandas materiais e políticas subsequentes podem emanar e, assim, sustentar sua própria linha estratégica, em lugar de militar contra ela.

Tal transferência do poder político, juntamente com a sua íntima ligação com a própria estrutura socioeconômica, só é possível em tempos de grandes crises estruturais: quando, eis o ponto, as premissas tradicionais do metabolismo socioeconômico dominante não só podem, mas precisam ser questionadas.

Dada a atual divisão social do trabalho, este questionamento, de início, não pode surgir em qualquer outro lugar que não na "arena política propriamente dita". Se, todavia, o questionamento permanecer preso aos limites das formas estritamente institucionais da ação política, ele está destinado a ser derrotado pela necessária reemergência do passado econômico e da inércia político-institucional. A alternativa, ao ardil deste caminho, é utilizar os potenciais crítico-liberadores inerentes ao momento historicamente favorável à política socialista, bem como tornar suas metas radicais uma dimensão permanente do corpo social como um todo, defendendo e difundindo seu próprio poder transitório através de uma efetiva transferência de poder para a esfera da autoatividade da massa.

O fracasso em perseguir conscientemente tal linha de ação só pode transformar a derrota, de uma possibilidade mais ou menos real, numa certeza autoimposta. Essa é a razão pela qual a meta de "reestruturar a economia" precisa tanto de qualificações. Para o nosso contexto atual, a verdade interna revela-se como a necessidade de reestruturação radical da própria política, através da qual a realização dos objetivos econômicos socialistas tornam-se pela primeira vez factíveis como um todo. (Eis a urgência de complementar a política parlamentar-institucionalizada pela ampliação de áreas e formas de ação extraparlamentar.)

A ofensiva socialista não pode ser levada à sua conclusão positiva, a menos que a política radical tenha êxito em prolongar seu momento, e seja capaz de implementar as políticas requeridas pela magnitude de suas tarefas. O único caminho, entretanto, no qual o momento histórico da política radical pode ser prolongado e estendido – sem, eis o ponto, recorrer a soluções ditatoriais, contra as intenções originais – é fundir o poder de tomada de decisão política com a base social da qual ele foi alienado durante tanto tempo, criando, por esse meio, um novo modo de ação política e uma nova estrutura – determinada genuinamente pela massa – de intercâmbios socioeconômicos e políticos. É por isso que uma "reestruturação da economia" socialista só pode processar-se na mais estreita conjugação com uma reestruturação política, orientada pela massa, como sua necessária precondição.

Capítulo 25

A CRISE ATUAL*

25.1 Surpreendentes admissões

Vejamos, como ponto de partida, três declarações recentes, bastante surpreendentes, feitas por algumas bem conhecidas personalidades públicas britânicas.

A primeira delas afirmava:

Estamos à beira da crise econômica – uma crise cujas consequências sociais e políticas mal começamos a vislumbrar.

Estamos diante de um declínio contínuo – e em seu rastro teremos a decadência social e política, e talvez mesmo a própria democracia lutando para sobreviver.[1]

A segunda alertava que a soma imensa de dinheiro que os EUA dispendem anualmente com a defesa "criava sérios problemas", acrescentando:

Tais gastos são efetuados em grande medida em um só mercado, que é talvez o mais protegido da aliança – por regulamentos sobre transferência de tecnologia, leis protecionistas norte-americanas, controles extraterritoriais... coordenados pelo Pentágono e protegidos pelo Congresso. São canalizados para as maiores e mais ricas empresas do mundo.

São irresistíveis e, se não forem contidos, abrirão caminho num setor após outro das tecnologias avançadas do mundo... A forma como a reconstrução da Westland PLC foi efetivada levantou problemas sérios quanto às compras na área militar e quanto ao futuro da Grã-Bretanha como país tecnologicamente avançado.[2]

A terceira não era menos dramática. Referia-se à chamada "Iniciativa de Defesa Estratégica" (SDI), do presidente Reagan, e protestava contra as suas implicações negativas para a indústria britânica:

Somos atraídos com migalhas. A Europa deve se cuidar para que a participação no programa de pesquisa norte-americano "Guerra nas Estrelas" não signifique receber um cavalo de Troia.[3]

---

* *In the Present Crises*. Trad. de J. Roberto Martins Filho; rev. técnica de Ester Vaisman.
[1] In *Computer Weekly*, 19 de dez. de 1985.
[2] Declarações da renúncia de Michael Heseltine, em 9 de janeiro de 1986.
[3] In *Computer Weekly*, 13 de jun. de 1985.

O espantoso nisso tudo não é que as declarações tenham sido feitas, mas o vínculo político e social das pessoas que as fizeram. A primeira advertência veio de Sir Edwin Nixon, presidente da IBM no Reino Unido. O segundo alerta tampouco foi expresso por um "ardente revolucionário", ou mesmo por algum defensor da causa da "esquerda macia". Ao contrário, foi feito por ninguém menos do que o ex-secretário de Estado para a Defesa da Grã-Bretanha, o *tory* Michael Heseltine, que, na tentativa de justificar sua renúncia, acabou criando uma razoável confusão política, por conta da pretensa neutralidade (e efetivo apoio) do governo às corporações transnacionais norte-americanas contra o Consórcio Europeu. Finalmente, a terceira declaração é de Paddy Ashdown, deputado do Partido Liberal por Yeovil: o mesmo que defendeu clamorosamente o bem-sucedido lance norte-americano pelo controle da empresa de helicópteros Westland, alvo do protesto de Heseltine. A questão é que o capitalismo está experimentando hoje uma profunda crise, impossível de ser negada por mais tempo, mesmo por seus porta-vozes e beneficiários. Nem se deve imaginar que o capital dos EUA seja menos afetado por ela que o da Grã-Bretanha e da Europa. O vice-presidente para pesquisa da IBM afirmava recentemente, com um claro toque de ironia, que o tão profetizado efeito de "irrigação tecnológica" – em nome do qual os acordos de defesa – proibitivamente dispendiosos e onerados pela corrupção, foram entusiasticamente defendidos por muitos e aprovados por parlamentos e governos no passado – revelou-se não mais que um mero "pinga-pinga"[4]. De fato, a situação global é na realidade muito mais séria do que a não materialização dos prometidos benefícios paralelos dos gastos militares poderia, por si só, sugerir. Há quase duas décadas, eu defendia que o resultado necessário das intervenções estatais a serviço da expansão do capital – não importa o grau de sua generosidade – estava destinado a ser

> não apenas o crescimento canceroso de setores não produtivos da indústria no interior da estrutura global da produção do capital, mas – igualmente importante – a grave distorção da estrutura capitalista de custos sob o impacto de contratos realizados sob a justificativa ideológica de que eram "vitais para o interesse nacional". E uma vez que o capitalismo atual constitui um sistema fortemente independente, as consequências devastadoras dessa distorção estrutural emergem em numerosos setores e ramos da indústria, e não apenas naqueles diretamente envolvidos na execução dos contratos militares. O fato notório de que os custos originais previstos nestes contratos "inflam" descontroladamente, e que as comissões designadas pelos governos para "investigar" o problema não produzem resultados (isto é, outros resultados que não o encobrimento de operações passadas, conjugado com generosas justificativas para futuros dispêndios), encontram sua explicação nas necessidades imanentes dessa estrutura distorcida de produção e contabilidade capitalistas, com as mais graves implicações para o futuro.[5]

Relatórios recentes confirmam amplamente que, em vez da tão propagada bonança comercial gerada por via tecnológica, uma significativa deterioração da competi-

---

[4] Citado em Kaldor, Mary. "Towards a High-Tech Europe?", *New Socialist*, n. 35, fev. 1986, p. 10.
[5] Mészaros, István. "A necessidade do controle social", *Cadernos Ensaio II*, São Paulo, Ensaio, 1988, pp. 45-46.

tividade resultou da distorção da estrutura de custos ocasionada pelos gastos militares, tanto na Europa como nos Estados Unidos. Pois, "à medida que a tecnologia militar torna-se mais e mais complexa, dispendiosa, ágil e misteriosa, ela se afasta cada vez mais de possíveis aplicações civis"[6].

Dessa maneira, entre as mais importantes desvantagens salientadas por um recente relatório sobre Pesquisa e Desenvolvimento em Informática (emitido pelo Departamento para Tributação Tecnológica do Congresso dos EUA), encontramos: "classificações de segurança que tendem a retardar o avanço em tecnologia, rígidas especificações técnicas para aquisições militares com utilidade limitada em aplicações comerciais; e o 'consumo' de limitados e valiosos recursos científicos e de engenharia para propósitos militares, que podem inibir desenvolvimentos comerciais"[7].

Em outros termos, a intervenção estatal direta no processo de reprodução capitalista fracassa, em última instância, em todos os sentidos, constrangendo o curso do desenvolvimento econômico civil – e não apenas com suas regras políticas/administrativas secretas. Ela também produz sérios problemas palpáveis, em termos econômicos, ao gerar especificações técnicas absurdas (por exemplo, o assento sanitário à prova de explosão nuclear, que sobrevive à incineração de seu ocupante) e as práticas produtivas de engenharia comercialmente inúteis a elas correspondentes. Ao mesmo tempo, além disso, defrontamo-nos também com a extrema *tecnologização da ciência* que coloca numa camisa-de-força suas potencialidades produtivas, mesmo em termos econômicos de consumo estritamente capitalistas, beneficiando propósitos militares completamente desperdiçadores.

25.2 Declaração da hegemonia dos Estados Unidos

As consequências negativas de tal deterioração da competitividade são inevitáveis. Elas já são visíveis na intensificação das contradições das relações de comércio internacionais e nas medidas adotadas pelo mais poderoso país capitalista, no sentido

---

[6] Kaldor, Mary. Ibid., p. 11. A autora oferece alguns exemplos reveladores em seu artigo: "As indústrias elétricas são um caso interessante porque esse setor tem mercados tanto militares quanto comerciais. É possível, por exemplo, comparar a parcela da Pesquisa e Desenvolvimento (P&D), financiada pelo governo (predominantemente vinculada à defesa, exceto na Alemanha Ocidental), no conjunto das indústrias elétricas, e a competitividade em maquinário para escritórios e computadores, componentes eletrônicos e maquinário elétrico. Com exceção de maquinário para escritório e computadores, onde o amplo mercado militar torna os EUA competitivo, a relação inversa entre a P&D em defesa e competitividade é bastante nítida. Outro caso significativo são os produtos químicos. O único setor de alta tecnologia em que o Reino Unido é competitivo, na definição da OCDE – Organização para a Cooperação e Desenvolvimento Econômico – é o da indústria farmacêutica. Trata-se de uma área onde a P&D militar – e sua influência – tem pouca importância.

A preocupação com a declinante competitividade na indústria estimulou uma série de relatórios oficiais, tanto na Grã-Bretanha quanto nos EUA. Na Grã-Bretanha, dois relatórios – um do Comitê Especial para Ciência e Tecnologia da Câmara dos Lordes, o outro de autoria de Sir Ieuan Massocks, em nome do Conselho Nacional de Desenvolvimento Econômico – argumentaram que o alto nível de P&D em defesa é a razão maior para o fracasso da Grã-Bretanha na exploração da ciência e da tecnologia de forma suficiente para incrementar a competitividade da indústria britânica.

[7] Id., ibid.

de reafirmar, de uma forma abertamente agressiva, o seu longo e incontestado predomínio no interior da aliança ocidental. Para dar alguns exemplos de fundamental importância:

25.2.1 "Extraterritorialidade"

Este tema veio à luz nos debates parlamentares no verão de 1985. Uma vez que afetava negativamente vários setores do capital britânico, podia ser assumido por todos os matizes de opinião do espectro parlamentar.

O parlamentar liberal, Paddy Ashdown, reclamou que "as tentativas dos EUA de controlar a exportação de sistemas de alta tecnologia podiam destruir a indústria de computação do Reino Unido". Ele alegou também que o Regulamento de Controle da Exportação de Bens dos EUA introduziria "uma série de limitações de exportação potencialmente fatais, impostas sob injunção do Pentágono e sem a adequada consulta a qualquer uma das indústrias afetadas no Reino Unido". Além disso, Ashdown afirmou que os EUA estavam modificando a lei em questão, pensando em seu benefício comercial, para esmagar a competição das empresas do Reino Unido, alegando que 500 mil empregos já tinham sido perdidos na Europa em decorrência disso.

Em resposta às declarações de Ashdown, o procurador-geral britânico, Sir Michaels Havers (conservador), descreveu as tentativas de controle dos EUA como uma "intromissão injustificada na jurisdição do Reino Unido, *contrária ao direito internacional*"[8]. Ironicamente, no entanto, no início de 1987, o governo britânico capitulou de forma humilhante na questão, aceitando a "intromissão injustificada na jurisdição do Reino Unido", antes retoricamente condenada. Conferiu aos inspetores de comércio dos EUA o direito de examinar os livros das companhias industriais britânicas que usavam componentes norte-americanos de alta tecnologia, apesar dos protestos das empresas do Reino Unido, que temiam que a informação assim obtida de seus registros pudesse prejudicá-las.

O diretor de planejamento estratégico da Plessey, John Saunders, comentou que os livros da empresa continham informações que podiam ser úteis a seus concorrentes nos EUA. Ao mesmo tempo, o parlamentar liberal, Michael Meadowcroft, protestava que a soberania inglesa era violada por essa ação. "É uma interferência monstruosa", disse ele[9].

Naturalmente, o Partido Trabalhista também entrou nos debates. O parlamentar trabalhista Michael Meacher reclamou que o governo sacrificava os interesses do Reino Unido, "em sua total incapacidade para proteger as companhias britânicas que se viam vítimas da dominação e interferência injustas dos EUA". Ele sugeriu que o tema da soberania fosse um ponto-chave na eleição geral de 1987[10].

---

[8] In *Computer Weekly*, 18 de jul. de 1985.
[9] Ibid., 19 de fev. de 1987.
[10] Ver o editorial de *Computer Weekly*, intitulado "Culpem Reagan, não o comércio norte-americano". As ilusões congênitas da posição liberal são bem ilustradas pelo próprio título desse editorial. Como se a administração dos EUA pudesse estar divorciada ou em oposição aos interesses do comércio dos EUA.

25.2.2 Vantagem industrial do sigilo militar

Duas questões se destacam a esse respeito.

A primeira, sob a organização da Cocom* – arquitetada pelo "falcão" do Pentágono, Richard Pearl –, está relacionada com a imposição de severas restrições de exportação aos países europeus ocidentais, com nítida vantagem para as empresas norte-americanas.

A segunda foi focalizada mais recentemente, junto com a chamada Iniciativa de Defesa Estratégica (SDI). Muitos cientistas e especialistas britânicos em computação protestaram contra o conjunto dessa iniciativa e a maneira como foi tratada pelo governo. Richard Ennals, do Imperial College, ex-diretor de pesquisa do projeto Alvey (denominado a partir do nome do autor de um relatório patrocinado pelo governo), foi o primeiro cientista do Reino Unido a se demitir em razão do problema.

Ele comentou energicamente: "A SDI está sugando tecnologia britânica para exploração industrial nos EUA"[11]. Desse modo, não foi surpreendente que seu livro – no qual desenvolvia suas críticas mais extensamente – tenha tido sua edição sustada poucos dias antes da publicação por seus próprios editores. (É fácil imaginar de que áreas veio a pressão que impediu a edição do livro.)

Além disso, a atitude para com a SDI foi matéria de séria preocupação, ainda em certos círculos governamentais europeus. Noticiou-se que:

A Comissão Europeia está alertando os governos do Mercado Comum de que a participação europeia no programa norte-americano "Guerra nas Estrelas" poderia prejudicar a integridade dos programas de pesquisa pan-europeus, como o Esprit e projetos domésticos, como o Alvey. A comissão enviou uma carta confidencial aos dez governos-membros, antes da reunião de cúpula do Mercado Comum em Milão, advertindo que a participação na iniciativa de defesa espacial pode ser muito prejudicial à indústria de alta tecnologia. A carta alerta que a participação europeia na pesquisa do projeto "Guerra nas Estrelas" dispersaria os esforços de pesquisa europeus. Além de ameaçar o Alvey e o Esprit, poderia diminuir seriamente a pesquisa global europeia, reforçando as limitações que já estão sendo unilateralmente impostas pelos Estados Unidos à pesquisa de alta tecnologia na Europa.[12]

Independentemente do que eventualmente poderia ou não ser feito na atualidade com relação a tais preocupações, por parte dos governos europeus particulares, é impossível ignorar a severidade das contradições subjacentes.

25.2.3 Pressões comerciais diretas, exercidas pelo legislativo e pelo executivo dos EUA

Alguns exemplos recentes incluem a ameaça da *guerra de tarifas agrícolas* pela Administração Reagan – frente à qual os governos da Comunidade Econômica Europeia ao final capitularam – e o projeto do ônibus espacial europeu, em relação ao qual se recusaram a capitular, até esta data. O conflito com o Japão também se intensificou, como recentemente ficou salientado pelo voto unânime do Senado norte-americano, que exigiu medidas protecionistas mais fortes contra o Japão, devidamente acompanhadas pela aplicação de algumas tarifas punitivas.

---

*   Comitê de Coordenação para o Contole das Exportações Multilaterais.
[11]   Ibid., 16 de jan. de 1986
[12]   Ibid., 13 de jun. de 1985.

Mas, para muito além desses confrontos particulares (que por si próprios são bastante significativos), há a perspectiva de abandono completo do quadro de referência do GATT como regulador institucional de acordos tarifários entre os EUA e a Europa. Podemos perceber, hoje, nos EUA, uma pressão crescente no sentido de escapar desses reguladores multilaterais de intercâmbio comercial pela adoção de acordos de comércio estritamente *bilaterais*, através dos quais o lado norte-americano, incomparavelmente mais poderoso, poderia ditar as condições aos concorrentes europeus, muito menores e mais frágeis, se tomados separadamente. Com efeito, as relações de comércio bilaterais – por sua própria natureza – sempre favorecem a parte consideravelmente mais forte envolvida em tais contratos, acentuando sua vantagem relativa de várias formas.

Saber se as pressões crescentes no sentido de minar ou abandonar o GATT – bem como de ações similares voltadas a outros mecanismos de regulação – acabarão ou não por prevalecer num futuro não muito distante, é até aqui uma questão em aberto. O que, no entanto, é altamente significativo, é que a necessidade de uma drástica reestruturação das relações comerciais norte-americanas com o resto do mundo, em bases bilaterais, não está sendo observada com a devida seriedade.

25.2.4 O problema real da dívida

Há uma enorme discussão a respeito do grave, e hoje obviamente inadministrável, endividamento dos países latino-americanos, bem como em relação às perigosas implicações de tal dívida para o sistema financeiro mundial como um todo. Embora não se possa negar a importância desse tema, deve-se enfatizar que é bastante surpreendente a pouca atenção dada à necessidade de pô-lo em perspectiva. Com efeito, o conjunto da dívida latino-americana, que monta a menos de 350 bilhões de dólares (acumulados coletivamente pelos países em questão, através de um período de várias décadas), declina em total insignificância se confrontado com o endividamento dos EUA – tanto interno quanto externo –, que deve ser contado em trilhões de dólares; isto é, em magnitudes que simplesmente desafiam a imaginação.

O característico, contudo, é que esse tema é na maior parte do tempo mantido fora de cena, graças à conspiração do silêncio das partes interessadas. Como se essas dívidas astronômicas pudessem ser "anotadas no interior da lareira, para que a fuligem cuidasse delas", como diz um provérbio húngaro (referindo-se a pequenas dívidas, contraídas entre amigos íntimos que podem aguentar facilmente tais "calotes"). Todavia, imaginar que essa prática de administração da dívida "pelo método da lareira", quando estão envolvidos trilhões de dólares, possa continuar indefinidamente, ultrapassa os limites de toda credulidade.

Os países europeus parceiros dessas práticas – não menos que o Japão – admitem que estão presos a um sistema de aguda dependência dos mercados norte-americanos e à concomitante "liquidez" gerada pela dívida. Assim, eles se acham em posição muito precária quando se trata de delinear medidas efetivas para controlar o problema real da dívida. Na verdade, são sugados cada vez mais profundamente no sorvedouro dessas determinações contraditórias, através das quais "voluntariamente" aumentam sua própria dependência com relação à escalada da dívida norte-americana, com todos os riscos para si próprios, enquanto ajudam a promovê-la e a financiá-la.

Contudo, a partir da existência desse círculo vicioso, não se deve inferir que o sistema capitalista global possa escapar das perigosas implicações dos trilhões dos EUA que se acumulam no lado errado do balancete. De fato, os limites de tempo nos quais tais práticas podem ser mantidas não seriam difíceis de identificar.

Por certo, os países capitalistas ocidentais – em parte devido às contradições internas de suas próprias economias e em parte devido a sua forte dependência dos mercados financeiros e de bens norte-americanos – continuarão a participar com seus recursos financeiros na salvaguarda da relativa estabilidade da economia dos EUA e, portanto, do sistema global. Pois o domínio aventureiro do capital financeiro em geral é muito mais a *manifestação* de crises econômicas de raízes profundas do que a sua causa, ainda que, por sua vez, também contribua fortemente para seu subsequente agravamento. Assim, a tendência de destruir certas indústrias e de transferir boa parte dos recursos financeiros assim gerados para os EUA de forma alguma é acidental. (Embora, evidentemente, seja bastante grotesco que a Grã-Bretanha, por exemplo, que lidera o mundo capitalista em tal processo de "desindustrialização", figure também hoje como um dos principais países credores.) Tampouco deve surpreender que, uma vez deslocados os recursos de um país dessa maneira, a pressão para protegê-los do risco de uma desastrosa reação financeira em cadeia e de um colapso último – através da transferência de fundos adicionais, da sustentação do dólar por meio da intervenção manipuladora dos bancos centrais etc. – passe a ser praticamente irresistível.

Não obstante, só tolos e cegos apologistas poderiam negar que a prática norte-americana vigente de administração da dívida é fundada em terreno muito movediço. Ela se tornará totalmente insustentável quando o resto do mundo (incluindo o "Terceiro Mundo", do qual transferências maciças ainda são extraídas com sucesso, de uma forma ou de outra, todos os anos) não mais estiver em condições de *produzir* os recursos que a economia norte-americana requer, a fim de manter sua própria existência como o "motor" da economia capitalista mundial – perfil sob o qual ainda hoje é idealizada.

25.2.5 O antagonismo político resultante da penetração econômica dos EUA

Em meio a um recente escândalo político, que se seguiu à revelação de negociações secretas do governo com empresas gigantescas dos EUA, o líder do Partido Trabalhista britânico referia-se a "*mais um ato de colonização* na economia britânica"[13]. Ele conseguiu pleno apoio da imprensa liberal. Um editorial do *The Guardian* protestava:

> Inicialmente foi a United Technologies, negociando para controlar a Westland (e sendo bem-sucedida com o auxílio da manipulação governamental e de transações suspeitas sob o manto do sigilo). Em seguida a General Motors com a Lotus; depois a ameaça de retirar o radar aerotransportado da GEC (que também se tornou depois um fato consumado) e transferi-lo para as mãos da Boeing. Agora a Ford pode comprar a BL, tudo o que resta da indústria automotiva de propriedade britânica. Uma ou duas dessas negociações talvez pudessem ser desculpáveis. Mas tantas, e

---

[13] *Debates Parlamentares*, 4 de fev. de 1986.

tão próximas umas das outras, deixam a impressão de que a Sra.Thatcher tem tão pouca fé nos fabricantes do Reino Unido, que deseja converter o país num sorvedor terceiro-mundista de produtos multinacionais.[14]

Ironicamente não foi a liderança trabalhista, mas o mesmo editorial do *The Guardian*, que apontou as graves implicações de tais alterações no controle econômico para o âmbito do trabalho. Lembrou a seus leitores a ameaça direta do crescente desemprego como questão de política industrial transnacional – cinicamente exposta pela administração de uma das principais empresas norte-americanas –, acrescentando também a sua preocupação crítica uma advertência sobre as consequências da penetração dos EUA na economia britânica, no que tange ao balanço de pagamentos e ao futuro da indústria em geral:

O Sr. Bob Lutz, presidente da Ford europeia, afirmou recentemente ao *Financial Times*: "Se acharmos que temos instalações de montagem importantes, mas que, independentemente do país em questão, por uma razão ou por outra – talvez por ações governamentais impróprias *(feriados mais longos, semanas de trabalho mais curtas)*, ou por *intransigência sindical – não podem ser competitivas, não nos recusaremos a tomar a decisão de fechá-las*".

A Ford do Reino Unido representa também um sacrifício substancial para a balança de pagamentos, somando 1,3 bilhão de libras em 1983, decorrente (de forma adequada a seus interesses) de importações mais baratas.

O governo alega não ter uma estratégia industrial. Na prática, por certo, ele a tem. Privatize tudo o que se mova e venda o que puder a compradores estrangeiros. Não é preciso ser um *Little Englander* (opositor) para perceber que isso é uma abdicação de responsabilidade, que pode tornar o declínio terminal da indústria neste país uma profecia que se realiza por si mesma.[15]

Mas, por certo, a ironia mais pesada provém da circunstância peculiar de que tudo isso ocorre contra o pano de fundo do maciço endividamento norte-americano.

O senador McGovern, à época de sua campanha pela presidência, assinalou que os EUA faziam a Guerra do Vietnã com cartão de crédito. Desde então, o capital dos EUA capacitou-se a perseguir alvos muito maiores em termos financeiros. Sua profunda penetração, não apenas no "Terceiro Mundo", mas também no coração do "capitalismo avançado" do Ocidente, por meio da implacável consecução de seu *imperialismo de cartão de crédito*, aponta para uma importante contradição, que não pode ser encoberta indefinidamente mesmo pelos mais servis "governos amigos" (como o governo conservador da Sra. Thatcher, atualmente de plantão na Grã-Bretanha). O número crescente de protestos provenientes dos círculos capitalistas adversamente afetados o testemunha.

A dimensão mais importante e potencialmente mais danosa dessa penetração econômica é que ela está sendo efetuada – com a plena cumplicidade dos mais poderosos setores do capital nos países ocidentais envolvidos – com base num já astronômico e inexoravelmente crescente endividamento dos EUA, que prenuncia um calote final de magnitude completamente inimaginável.

---

[14] "Selling off, and shrugging yet again", *The Guardian*, 5 de fev. de 1986.
[15] Ibid.

Porém, mesmo com relação à modalidade das operações financeiras envolvidas, é bastante revelador que as mais importantes passagens de companhias estrangeiras para o controle norte-americano sejam amiúde financiadas por créditos levantados internamente, nos próprios países afetados, desviando muitos recursos necessários a investimentos alternativos para financiar o neoimperialismo americano de cartão de crédito.

Além disso, existe amiúde uma conexão direta com os interesses do complexo militar-industrial e com contratos militares lucrativos – constituindo com frequência a motivação oculta por trás dos negócios relativos ao controle –, que acaba por ser vital para a manutenção da lucratividade das corporações capitalistas dominantes.

Um exemplo característico veio à tona nos debates sobre a negociação secreta entre o governo britânico e a General Motors – que ganhou destaque em razão do escândalo político que se seguiu a sua revelação – referente à British Leyland (divisão de caminhões), bem como à Land-Rover.

No debate parlamentar sobre esse caso, o deputado Alan Williams, um porta-voz trabalhista da indústria, afirmou que as implicações para a defesa, advindas de um controle dos EUA sobre a Land-Rover, não tinham sido consideradas. Uma subsidiária da Land-Rover, denominada Self Change Gear, fornecia componentes para o tanque de combate de fabricação britânica e participava da concorrência por um *contrato de 200 milhões* de libras para o tanque de batalha norte-americano. Sua maior competidora era a General Motors, a quem agora o governo considerava a possibilidade de a vender.[16]

A questão aqui é que se as negociações secretas tivessem se materializado – isto é, apresentadas ao público e ao Parlamento pelo governo britânico simplesmente no momento oportuno, da forma usual, como um fato consumado frente ao qual "não há alternativa" –, a General Motors não apenas teria adquirido *por absolutamente nada* a divisão de caminhões da British Leyland, além de (e mais importante) sua divisão Land-Rover, como, ao mesmo tempo, teria embolsado um belo lucro no ápice de suas aquisições gratuitas, como uma vantagem extra.

Tais práticas, no entanto, só podem gerar conflitos, mesmo em áreas antes insuspeitas, intensificando a pressão por medidas protecionistas. Pressão essa que não faz muito tempo – à época da fase expansionista do pós-guerra e de seu concomitante consenso –, até onde ela existia, podia ser seguramente ignorada em vista de sua limitada extensão e de seu caráter apenas subterrâneo. Ameaçadoramente, entretanto, no quadro atual, a pressão protecionista tende a irromper a céu aberto, em todas as áreas importantes das relações interestatais e econômicas capitalistas globais, agravando assim as várias contradições do sistema sobre as quais tenha influência direta ou indireta.

25.3 Falsas ilusões acerca do "declínio dos Estados Unidos como potência hegemônica"

Seria tentador superestimar a gravidade e imediatez da crise atual, saltando para o tipo de conclusão precipitada oferecida cinco anos atrás em um livro escrito em

---

[16] Ibid., 5 de fev. de 1986.

coautoria por quatro intelectuais de esquerda altamente respeitados, que prematuramente anunciaram "o declínio dos Estados Unidos como potência hegemônica"[17].

Tal visão contradizia diretamente a caracterização de Baran sobre as relações internacionais de poder, radicalmente alteradas no mundo capitalista do pós-guerra, que dizia da "permanente rivalidade entre os países imperialistas, bem como da crescente incapacidade das antigas nações imperialistas para manter seu domínio frente à investida americana, em busca de maior influência e poder"[18]. Além disso, Baran insistia que "a afirmação da supremacia norte-americana no mundo e 'livre' implica reduzir a Grã-Bretanha e a França (sem falar na Bélgica, Holanda e Portugal) à condição de parceiros minoritários do imperialismo norte-americano"[19].

Na realidade, é o diagnóstico de Baran, velho de mais de três décadas, que suportou o teste do tempo, no confronto com os outros, inclusive aquele muito mais recente acima citado. Com efeito, não há como antes nenhum indício sério do ansiosamente antecipado "declínio dos Estados Unidos como potência hegemônica", não obstante o aparecimento de numerosos sintomas de crise no sistema global. As contradições que pudemos identificar dizem respeito ao *conjunto* interdependente do sistema do capital global no qual o capital norte-americano ocupa, mantém e, na verdade, continua a fortalecer sua posição dominante de todos os modos, paradoxalmente até mesmo por meio de suas práticas de imperialismo de cartão de crédito – à primeira vista bastante vulneráveis, embora, até o presente momento, implantadas com sucesso e sem muita oposição.

Aqueles que se referem ao alegado declínio dos EUA como potência hegemônica, atribuindo a isso muito significado, parecem esquecer que tais possibilidades – isto é, as várias formas de impor a astronômica insolvência dos EUA ao restante do mundo, desconsiderando suas inevitáveis implicações negativas para as outras sociedades capitalistas avançadas – estão disponíveis apenas para um único país, em virtude de seu poder hegemônico praticamente incontestado (e incontestável, exceto no caso de um grande terremoto socioeconômico) no seio do mundo capitalista.

Um conjunto de regras de "boa administração doméstica" é reservado para um único membro do clube do "capitalismo avançado", e um conjunto bastante diferente é imposto a todos os outros, inclusive o Japão e a Alemanha Ocidental. O que é isso, senão a evidência da persistente supremacia hegemônica dos Estados Unidos? Além disso, mesmo no terreno da *ideologia* podemos observar, no período do pós-guerra e particularmente na última década, um notável *fortalecimento* da hegemonia norte-americana, ao invés de seu *debilitamento*, como postula a tese do "fim da hegemonia dos EUA". E o fato de que essa dominação ideológica seja – numa extensão impossível de negligenciar – materialmente sustentada pela

---

[17] Ver o volume coletivo de Samir Amin, Giovanni Arrighi, Andre Gunder Frank e Immanuel Wallerstein, *Dynamics of Global Crisis*, Londres, Macmillan, 1982.

[18] Baran, Paul. *The Political Economy of Growth*, Nova York, Monthly Review Press, 1957, p. 7 (Edição brasileira: *A economia política do desenvolvimento econômico*, São Paulo, Zahar Editores, 1960, p. 7.)

[19] Ibid. (Baran cita na mesma página uma outra passagem das palavras amargamente realistas do *Economist*, Londres, 17 de nov. de 1957: "precisamos aprender que não somos iguais aos americanos, hoje, e não o podemos ser. Temos o direito de afirmar nossos interesses nacionais mínimos e esperar que eles os respeitem. Mas, feito isso, precisamos buscar sua liderança".)

"*drenagem de cérebros*", financiada por cartão de crédito, em que os "intelectuais do *jet-set* socialista" europeu participam de forma permanente ou em tempo parcial (não menos que seus colegas pesquisadores da área das ciências naturais no domínio da tecnologia), e como *feed-back* de tal participação, ajudem ativamente a difundir deste lado do Atlântico, não apenas em círculos acadêmicos, mas também entre a liderança dos partidos e sindicatos operários ocidentais, o dominante discurso liberal-burguês americano sobre o assim chamado "socialismo viável", tudo isso apenas acentua a sóbria verdade de que a supremacia econômica é capaz de produzir as formas mais inesperadas de mistificação ideológica.

25.4 A visão oficial da "expansão sã"

Apesar de tudo, dificilmente seria possível negar que algo de significativamente novo está ocorrendo no sistema em seu conjunto. Sua natureza não pode ser explicada, como foi tentado de início, apenas em termos de uma crise *cíclica* tradicional, uma vez que tanto o âmbito como a duração da crise, a que fomos submetidos nas últimas duas décadas, superam hoje os limites historicamente conhecidos das crises cíclicas. Tampouco parece plausível atribuir os sintomas identificáveis da crise à assim chamada "*onda longa*": uma ideia que, como hipótese explicativa um tanto misteriosa, foi apologeticamente injetada em debates mais recentes.

À medida que os sintomas de crise se multiplicam e sua severidade é agravada, parece muito mais plausível que o conjunto do sistema esteja se aproximando de certos *limites estruturais* do capital, ainda que seja excessivamente otimista sugerir que o modo de produção capitalista já atingiu seu ponto de não retorno a caminho do colapso. Não obstante, precisamos encarar a perspectiva de complicações muito sérias, quando o calote dos EUA reverberar na economia global com toda sua força num futuro não muito distante. Afinal, não devemos esquecer que o governo dos EUA já descumpriu – sob a presidência de Richard Nixon – seu compromisso solene relativo à convertibilidade do dólar ao ouro, sem a menor atenção para com o interesse daqueles diretamente atingidos por tal decisão e, de fato, sem a mínima preocupação com as severas implicações de sua ação unilateral para o futuro do sistema monetário internacional. Recentemente, aproximamo-nos significativamente do calote norte-americano com o déficit comercial recorde de abril-junho de 1987 no montante de 39,53 bilhões de dólares, dos quais 15,71 bilhões representam apenas o mês de junho: outro recorde inigualado. Pois a mera cifra de abril-junho (configurando um total anual de quase 160 bilhões) suplanta a dívida total acumulada da Argentina e do Brasil juntos. Isso para não falar do déficit comercial anual de 188,52 bilhões de dólares para o qual rumamos com base nos dados de junho de 1987. Ao mesmo tempo, como se pretendesse sublinhar o total irrealismo das medidas saneadoras adotadas, o

> Sr. Robert Heller, diretor da Reserva Federal, disse ontem que a economia dos EUA está se tornando mais equilibrada, observando que "o que presenciamos é um saudável prosseguimento da expansão econômica em curso".[20]

Se 188,52 bilhões de dólares de déficit comercial anual, ao lado de astronômicos déficits orçamentários, podem ser considerados como "saudável prosseguimento

---

[20] "U.S. trade deficit hits quarterly record", *Financial Times*, 27 de ago. de 1987.

da expansão econômica", é arrepiante imaginar como serão as condições *doentias* da economia quando as atingirmos.

Postscript 1995: o que significam as segundas-feiras (e as quartas-feiras) negras

Algumas semanas depois de terminado este artigo – para ser exato: segunda-feira, 21 de outubro de 1987 – observamos o espetáculo da queda estrondosa das bolsas mundiais. Esse fenômeno deve ter sido parte da "continuação da expansão econômica saudável", pois ocorreu logo depois das declarações tranquilizadoras do Governador da Reserva Federal do Estados Unidos. O resultado desse acontecimento foi também muito interessante, e para o mundo dos negócios foi com certeza tranquilizador. Pois os governos dos países capitalistas avançados instituíram algumas regulamentações disciplinadoras e os mecanismos correspondentes de controle por computador com vistas a impor uma interrupção temporária a toda atividade de mercado no caso de haver "excesso de transações especulativas", e prevenir a repetição da segunda-feira negra, nome dado ao dia 21 de outubro de 1987.

Estranhamente, entretanto, tudo isso teve efeito reduzido na "*quarta-feira negra*" de 1993, e o "abandono forçado" (fingido) pelo governo britânico do "Mecanismo Europeu de Câmbio". Pois o Banco da Inglaterra sempre teve recursos para engolir dúzias de gestores de fundos especulativos, como George Soros, ao café da manhã; nessa ocasião, entretanto, decidiu-se recompensar com US$ 1 bilhão esse empresário em troca da desculpa conveniente de que a Inglaterra se viu forçada a sair do Sistema Europeu de Regulação Monetária, e ficou, portanto, sem condições de evitar a quebra de suas obrigações diplomáticas internacionais. Naturalmente, o resultado foi uma desvalorização de 30% da libra esterlina e com ela a aquisição de uma significativa vantagem competitiva contra os parceiros europeus – exatamente o que se pretendia evitar com o mecanismo de câmbio – e a "recuperação induzida pelas exportações" que tem sido comemorada desde então pelo governo britânico. Pois a vantagem competitiva propiciada pela grande desvalorização da moeda é de grande ajuda – ainda que não para sempre – no campo das exportações, embora se recuse teimosamente a garantir, para o conjunto da economia, a "recuperação total" e a "expansão saudável" sempre anunciadas.

Três anos antes da *segunda-feira negra*, chegou às manchetes a história triste, ainda que para o mundo financeiro ela tenha tido um final feliz, do *domingo negro*. Naquela ocasião,

> o Banco da Inglaterra foi chamado a agir para salvar uma importante instituição quando Johnson Matthey Bankers (JMB), negociante de metais, quebrou e teve de ser resgatado por um salva-vidas organizado pelo banco. A crise estourou num domingo, e depois de uma reunião do conselho de anciãos da City, o banco assumiu a *propriedade pública* do JMB.[21]

Infelizmente para outra importante força financeira, o "Barings Securities" – uma das mais antigas instituições bancárias da Inglaterra, fundada em 1772, certa vez descrita como a sexta grande potência da Europa, atrás apenas da Inglaterra, França, Áustria, Rússia e Prússia –, seu desastroso colapso financeiro se deu em fevereiro de 1995, um *sábado negro*, seguido de mais um *domingo negro*.

---

[21] Andrew Lorenz e Frank Iane, "Barings seeks rescue buyer", *The Sunday Times*, 26 de fevereiro de 1995.

A crise assustou figuras importantes da City. Sir Michael Richardson, um dos banqueiros mais respeitados da milha quadrada (a City de Londres), afirmou ontem à noite: "Esta foi a notícia mais devastadora que recebi em muitas décadas".[22]

Barings, ai, que dó, não pôde ser salvo. Pois o meio usual de tratar as falências de grande porte – assumindo-se a "propriedade pública" (tão desprezada pelos defensores da "privatização" e da idolatria do mercado), nacionalizando-se assim a falência do capitalista privado sempre que atenda à conveniência do sistema – nem sempre resolve o problema, já que a bolsa pública não é sem fundo. No caso do colapso do Barings houve mais que um toque de ironia, pois antes que o seu destino fosse selado na bolsa de valores de Singapura, "ele já havia se debilitado por pesados prejuízos nos seus negócios na América Latina resultantes da derrocada do peso mexicano".[23] Assim, o que se acreditava ser um dos grandes avanços do capitalismo moderno – "a globalização modernizadora" – já havia azedado não somente no México, com as consequências mais dolorosas para seu povo, mas também contribuiu simultaneamente com a vergonhosa liquidação de uma das mais veneráveis e azuis das instituições azuis da City.

A *terça-feira negra*, por sua vez, aconteceu num dos locais mais inesperados, ainda que estivesse em perfeita sintonia com a lógica do capital. O dramático dia em questão, universalmente descrito como a *terça-feira negra*, foi o dia em que, depois de poucos anos gozando as bênçãos da "marketização" e da "convertibilidade" monetária, a economia russa sofreu um choque violento – no dia 11 de outubro de 1994 – com a queda catastrófica do já absurdamente desvalorizado rublo em relação ao dólar. Assim, estamos agora testemunhando não somente a erupção do mesmo tipo de crises, com frequência desconcertante, mesmo nos cantos financeiramente mais abrigados do mundo, mas também começando a sentir falta de dias a serem enegrecidos de acordo com o sistema.

No dia seguinte à *segunda-feira negra* um grupo de poderosos banqueiros e economistas respeitados se reuniu para discutir a crise na BBC TV. Um deles afirmou que a causa do desastre era a dívida americana e a incapacidade de se tentar resolvê-la. Mesmo assim, um dos banqueiros mais cínicos da City acertou na mosca ao retrucar que a única coisa mais desastrosa do que não tentar uma solução para a dívida americana seria tentar resolvê-la.

É simplesmente correto e justo que um sistema econômico carregado de contradições fosse buscar princípios orientadores nas águas turvas da sabedoria econômica apologética. Num mundo de enorme *insegurança* financeira, nada se ajusta melhor

---

[22] Ibid.
[23] Ibid.

à prática de apostar quantias astronômicas e criminosamente sem garantias nas bolsas de valores do mundo – fazendo prever um terremoto de magnitude 9 ou 10 na escala Richter financeira – do que dar o nome de "gerência de valores (securities)" às empresas que se aplicam a esse jogo; fato cuja importância foi marcada pela morte do Barings Securities. Na mesma linha em que se vende o jogo irresponsável sob o disfarce de "garantias", uma das descobertas mais recentes da ciência econômica recebeu o nome de *"coeficiente de confiança"*, que deve medir e representar num "gráfico científico" – com base em boatos imaginosos e sonhos dourados – a saúde e perspectivas futuras da economia capitalista. Uma invenção mais recente, dotada do mesmo poder explicativo, é o comentado *"fator de bem estar"*, que deve demonstrar, por não se confirmar, que tudo vai bem com a economia, mesmo quando está claro para qualquer pessoa normal que tudo vai dolorosamente mal. Algumas categorias econômicas pomposas e aparentemente respeitáveis se adaptam perfeitamente aos objetivos apologéticos. E assim somos enganados por noções como *"crescimento negativo"* – novo nome da *recessão* – e *"crescimento negativo sustentado"*, equivalente a *depressão*. De acordo com esses conceitos, mesmo nas condições mais precárias, não existem razões de preocupação. Enquanto isso, o índice Nikkei, que caiu do máximo de cerca de 40.000 para o nível perigosamente baixo de 14.000 de hoje – não num único dia negro, mas ao longo de cinco longos anos de "crescimento negativo sustentado" –, está a ponto de precipitar uma crise financeira global. Pois abaixo de 14.000 "muitas das ações possuídas por bancos e seguradoras japonesas vão valer menos do que aquelas instituições pagaram por elas"[24]. E é aí que se espera a ajuda de mais uma "categoria econômica", chamada "patrimônio líquido negativo", que se pode traduzir em linguagem humana por falência iminente. Em todo o mundo, milhões de possuidores de hipotecas participam do privilégio do "patrimônio líquido negativo" dos bancos japoneses; mas não se sentem tranquilos por tão importante condição financeira. Pois centenas de milhares deles já perderam seus lares, e muitos mais estão a ponto de perder os seus – mal para o qual não existe alívio em nenhuma categoria da "ciência econômica" contemporânea – e se recusam a sentir-se bem em tal situação. Quanto ao próprio Japão, o valor astronômico do "patrimônio líquido negativo" de suas instituições financeiras tem consequências potencialmente desastrosas em razão da necessidade de retirar volumes enormes de capital no exterior, principalmente dos Estados Unidos. As repercussões desse ato afetariam todo o mercado financeiro mundial.

A hegemonia americana discutida neste artigo também foi clamorosamente enfatizada pela debacle do sistema soviético e, ainda que longe de incontestada, permanece como importante fator determinante do desenvolvimento econômico mundial em futuro previsível. Exatamente quando, e em que forma – pois muitas são as formas, todas mais ou menos diretamente brutais –, os Estados Unidos irão inadimplir sua dívida astronômica, hoje ainda não é possível prever. Há somente duas certezas: a primeira é a de que a inevitabilidade da inadimplência americana vai afetar a vida de todos neste planeta; a segunda, que a posição hegemônica dos

---

[24] "Where a slump might start", *The Economist*, 17 de junho de 1995.

Estados Unidos continuará a ser afirmada de todas as formas possíveis, forçando o mundo todo a pagar a dívida americana enquanto tiver condições de fazê-lo.

Duas passagens ilustram a contínua afirmação da hegemonia americana. A primeira se refere aos Países Recém-Industrializados (PRI).

> Por não estarem enfrentando uma crise da dívida, os PRI's têm conseguido evitar os Programas de Ajuste Estrutural [duramente impostos pelos Estados Unidos aos países em desenvolvimento endividados]. Mas não puderam evitar a pressão do recuo dos preços. *Dark Victory*[25] mostra como o governo dos Estados Unidos usou repetidamente a ameaça de guerra comercial para forçar os PRI's a reduzirem sua atividade econômica e abrir suas economias para as importações e investimentos dos Estados Unidos. O novo acordo do GATT é parte importante da ofensiva americana. Apesar de ser anunciado como um acordo geral de livre comércio, ele se destina primariamente a restringir a direção da atividade econômica pelo Estado.[26]

A segunda citação nos lembra a pressão constante aplicada pelos Estados Unidos até sobre um dos gigantes do capitalismo avançado, a Alemanha, bem como sobre o Japão. Como ficamos sabendo pela leitura do *The Financial Times*:

> os insistentes pedidos americanos de redução dos déficits fiscais devem soar intensamente irritantes para os alemães. Afinal os americanos solicitaram o aumento da receita fiscal da Alemanha em quase todos os anos desde que se formou o G7. Ainda mais irritante, os Estados Unidos têm adotado a política fiscal mais irresponsável das três principais economias mundiais. Se se espera a queda da taxa internacional de juros – como é realmente necessário – os Estados Unidos terão de colocar sua casa fiscal em ordem.

Entretanto, para tudo há limite, até para o esbanjamento dos Estados Unidos. O limite nesse caso é que a dívida pública bruta média das economias da OCDE aumentou em apenas duas décadas – entre 1974 e 1994 – de *31* para *75%*. Mantida a mesma tendência de crescimento, não se passarão muitas décadas antes que se torne inevitável tomar medidas concretas contra esses problemas insolúveis, em que pese as opiniões dos banqueiros da City e de outros interesses privilegiados.

---

[25] Walter Bello, Shea Cunningham e Bill Rau, *Dark Victory: The United States, Structural Adjustment, and Global Poverty*, Institute for Food and Development Policy, Oakland, 1994.

[26] Martin-Hart-Landsberg, "Dark Victory: Capitalism Unchecked", *Monthly Review*, março 1995, p. 55.

ÍNDICE ONOMÁSTICO

A
Abalkin, Leonid 782
Abendroth, Wolfgang 504
Aczél, György 502, 503
Adamson, Sir Campbell 851
Adler, Friedrich 390
Adorno, Theodor Wiesengrund 75, 363, 406, 512
Ady, Endre 78
Aganbegyan, Abel 765, 936
Agrippa, Menenius 308
Akhromeyev, Sergei 783, 784, 785
Alexandre, o Grande 61
Allen-Mills, Tony 323
Allende, Salvador 121
Althusser, Louis 376, 421, 422
Amin, Samir 1088
Anderson, Martin J. 728, 729, 909
Andreotti, Giulio 784
Andropov, Yuri 784
Annenkov, P. V. 528
Antonov, O. I. 756, 757
Aquino, Tomás de 193
Arbatov, Georgi 784, 785
Aristóteles 59, 193, 195, 473, 499, 716
Armey, Richard 729
Arnott, Teresa 273
Aron, Raymond 236
Arrighi, Giovanni 1088
Ashdown, Paddy 1080, 1082

B
Babbage, Charles 634, 635, 636, 637, 638, 639, 640, 667, 672, 677
Babeuf, François 278, 282, 286, 306, 307, 949
Bahro, Rudolf 94
Bakunin, Michael 572, 573, 574, 577, 593, 812, 1050, 1052
Balladur, Edouard 324
Balzac, Honoré de 76, 77, 78
Bandaranaike, Sirimavo 292
Baran, Paul A. 161, 239, 273, 274, 335, 336, 471, 616, 654, 1088
Barnave, Pierre 569
Bassett, Philip 851, 913
Basso, Lelio 471
Bauer, Otto 390
Baxandall, Rosalyn 627
Bebel, August 264, 265, 530, 531, 533, 811
Behrens, William 221
Belkin, David 964
Bell, Daniel 764
Bello, Walter 1093
Benjamin, Walter 406, 512
Benseler, Frank 365, 369, 496, 501
Bentham, Jeremy 154, 155
Berle, A. A. Jr. 157, 161, 163
Berlusconi, Silvio 329, 858
Bernstein, Edward 54, 55, 149, 283, 288, 391, 393, 395, 396, 452, 455, 546, 630, 955, 963, 970, 971
Bessmertnykh, Alexander A. 765
Bevan, Aneurin 852
Beveridge, Lord William 170, 560

Binyon, Michael 782
Bismarck, Otto von 142, 148, 149, 531, 550, 551, 553
Blair, Tony 329, 824, 833, 850, 851
Blanc, Louis 567
Blitz, James 774, 779
Bloch, Ernst 361, 362, 363, 369
Bobbio, Norberto 831, 832, 1040
Bogomolov, Oleg 764
Bonaparte, Louis 400, 584, 599, 706, 1041, 1052
Bonaparte, Napoleão 57, 511, 583
Born, Max 193
Bottomore, Tom 108, 398, 959, 990
Bougainville, Louis Antoine de 182
Bracke, Wilhelm 530, 536, 811
Brandt, Willie 669, 809, 810, 815, 1075
Braun, Werner von 987
Braverman, Harry 173, 627
Bray, J. F. 720
Brecht, Bertolt 363
Brezhnev, Leonid 347, 754, 773, 774, 784, 863
Bridges, Amy 627
Bromlei, Julian 765, 766
Brus, Wlodimierz 959, 960, 963, 966
Buchanan, James 729
Bukharin, Nicolai 383, 398, 475
Buonarroti, Philippe 307
Burnham, James 135, 159
Burrell, Ian 325
Bush, George 223, 765, 901
Butler, Rab 335

C
Câmara, Dom Helder 195
Carey, Henry Charles 705
Carillo, Santiago 727
Castle, Barbara 153, 1000
Cerutti, Furio 388
Chávez Frias, Hugo 829, 830
Chomsky, Noam 846
Churchill, Lord Randolph 210, 237, 334, 532, 804, 837
Clausewitz, Karl Marie von 227, 766
Clinton, Bill 230, 326
Cohen, Peter 328
Cole, H. S. D. 250
Collison Black, R. D. 146

Colvil, Marie 299
Comte, Auguste 193, 618
Condorcet, Marquis de 310
Constantino, Renato 231, 246
Craxi, Bettino 852
Crosland, Anthony 546
Cunningham, Shea 1093

D
Daiches, David 990
Danielson, N. F. 794
Daumer, Georg Friedrich 185
Davidson, James Dale 841
De Gaulle, Charles 419
Debray, Régis 727, 911, 912
Denman, Sir Roy 816, 817
Descartes, René 193, 396
Deutscher, Isaac 94, 471, 744, 983, 1011
Diderot, Denis 181, 182, 189, 282
Dilthey, Wilhlm 406
Dobb, Maurice 471, 960
Dorfman, Joseph 142
Drummond, Victor A. Wellington 536, 537, 538
Dubcek, Alexander 754
Duncan, Alan 644
Durie, John 45
Dutschke, Rudi 998

E
Edgeworth, F. Y. 143, 144, 145, 146, 152, 154, 279
Ehrenreich, Barbara 627
Ehrenreich, John 627
Einstein, Albert 193, 195, 724
Eisner, Kurt 417
Engels, Friedrich 54, 58, 78, 90, 91, 148, 218, 239, 240, 261, 270, 277, 400, 418, 441, 443, 467, 529, 530, 531, 532, 533, 535, 536, 542, 543, 547, 548, 551, 556, 565, 573, 585, 586, 590, 595, 717, 718, 726, 727, 811, 813, 833, 844, 893, 967, 1012, 1024, 1028, 1041, 1042, 1050, 1064
Ennals, Richard 1083
Enzensberger, Hans Magnus 994
Espinoza, Baruch 499
Ewen, Elizabeth 627

F

Fagan, Gus 745
Fedorenko, N. 758
Ferguson, Adam 643, 644
Feuerbach, Ludwig 424, 542, 543, 578, 585, 988, 989
Fichte, J. G. 115, 116, 358, 367
Flew, A. G. N. 196
Foà, Lisa 755
Foot, Michael 841
Forbes, Duncan 644
Ford, Henry 171, 190, 243
Forrester, Jay 222
Forster, E. M. 193
Foster, John Bellamy 627
Fourier, François-Charles 77
France, Anatole 530, 688
Franklin, Bruce 748
Freeman, Christopher 250
Freud, Sigmund 193
Friedman, Milton 198, 199, 728, 729, 771, 900, 915
Friedrich, Carl J. 228, 274, 280, 390, 400
Fyodorov, Boris 130

G

Gaitskell, Hugh 335
Galbraith, John Kenneth 135, 159, 160, 164, 165, 166, 167, 168, 169, 170, 171, 172, 173, 174, 231, 322, 729, 988
Gallagher, Paul 237
Gallo, Max 727
Gandhi, Indira 291
Gandhi, Mahatma 292
Gapper, John 161
Garrett, Edward 956
Gerasimov, Gennadi 198
Gerth, H. H. 108, 410
Gilmore, Inigo 852
Godwin, William 311
Goethe, Johann Wofgang von 76, 77, 78, 107, 369, 473, 493, 500, 515, 599, 879
Goldmann, Lucien 696, 990
Goldsmith, Sir James 339
Goldwater, Barry 728
González, Juliana 1041
Gorbachev, Mikhail 124, 129, 130, 132, 172, 178, 181, 198, 199, 211, 345, 710, 718, 736, 754, 756, 759, 760, 761, 762, 763, 764, 765, 766, 767, 768, 769, 770, 772, 773, 774, 781, 782, 783, 784, 785, 790, 851, 897, 906, 915, 930, 931, 936, 974, 975, 978
Gordon, David M. 627, 729
Graham, Robert 329
Gramsci, Antonio 75, 475, 592, 381, 858, 991, 1068
Gray, John 338, 339, 720
Greenbaum, Joan 627
Grice, Andrew 327
Grylls, Michael 956
Gunder Frank, André 1088

H

Haig, Alexander 810
Hailsham, Lord 1025
Hanson, Lord 851, 913
Harding, Sir Christopher 851
Hart, Philip 645
Hart-Landsberg, Martin 1093
Hatterlsey, Roy 824
Hauser, Arnold 990
Havers, Sir Michaels 1082
Hayek, Friedrich August von 58, 117, 136, 138, 139, 190, 191, 192, 193, 194, 195, 196, 197, 198, 199, 206, 209, 210, 211, 216, 228, 229, 268, 280, 281, 282, 283, 284, 285, 292, 299, 300, 341, 703, 852, 909, 910, 912, 913, 914, 915, 921, 922, 923, 924, 925, 926, 927, 929, 933, 944, 965, 966, 968, 975
Heath, Sir Edward 153, 810, 815, 965, 992, 1000
Hegel, Georg Wilhelm Friedrich 53, 54, 55, 56, 57, 58, 59, 60, 61, 62, 63, 64, 65, 66, 67, 68, 69, 70, 71, 72, 76, 77, 78, 79, 80, 82, 83, 84, 85, 86, 87, 99, 111, 115, 116, 120, 140, 145, 154, 183, 184, 186, 193, 199, 200, 206, 215, 227, 232, 233, 234, 235, 240, 241, 242, 244, 245, 248, 268, 276, 327, 354, 358, 365, 368, 374, 375, 377, 396, 398, 405, 421, 422, 425, 429, 430, 431, 433, 435, 439, 440, 441, 442, 443, 445, 473, 476, 488, 493, 497, 499, 510, 511, 523, 525, 532, 540, 541, 542, 543, 563, 564, 568, 569, 570, 571, 577, 578, 579, 580, 581, 582, 583, 584, 588, 589, 593, 932, 946

Heidegger, Martin 375, 381
Heilbroner, Robert 964
Heller, Robert 1089
Hemsterhuys, Tiberius 365
Henrique VIII 652, 714
Hersey, David 165
Heseltine, Michael 1079, 1080
Hess, Moses 398, 405
Higgs, Henry 143
Hills, Carla 901
Hitler, Adolf 106, 121, 132, 150, 270, 318, 325, 334, 471, 491, 685, 730, 908, 927
Hobbes, Thomas 109, 122, 499, 543, 375, 378, 831, 978
Hobsbawn, E. J. 990
Hobson, Dominic 729
Holz, Hans Heinz 474, 504
Horkheimer, Max 75
Hume, David 311
Huntington, Samuel 237
Husserl, Edmund 406
Huxley, Julian 196

I
Ingrao, Pietro 471
Illarionov, Andrei 97

J
Jahoda, Marie 250
Jakubowski, Franz 380
Jánossy, Ferenc 371
Jevons, Herbert 142, 143, 144, 145, 146, 152, 155, 158, 165, 191, 192
Jevons, W. Stanley 142, 143, 144, 145, 146, 182, 191, 192
Jones, Daniel 328, 864
Jowell, Tessa 298
József, Attila 827
Júlio César 61

K
Kádár, János 502, 503
Kaldor, Mary 1080, 1081
Kallenbach, Michael 324
Kant, Immanuel 57, 60, 61, 62, 63, 115, 116, 117, 127, 206, 227, 247, 268, 274, 275, 276, 277, 278, 279, 281, 282, 289, 332, 358, 373, 375, 376, 381, 396, 430, 435, 438, 499, 932
Kantor, Mickey 901
Kaufman, Gerald 956
Kautsky, Karl 390, 481, 529, 530, 533, 551, 955
Kellner, Peter 833
Kempner, Thomas 639
Kennan, George 474, 475
Kennedy, John F. 165, 254, 474, 504, 984, 985
Keynes, John Maynard 138, 143, 144, 145, 155, 156, 157, 170, 193, 199, 238, 326, 327, 334, 335, 559, 729, 730, 731, 732, 793, 953, 962
Khruschev, Nikita 348, 477, 495, 750
Kierkegaard, Sören 53, 365
Kinnock, Neil 841
Klaus, Vaclav 900
Knox, T. M. 65, 66
Kofler, Leo 504
Kolko, Gabriel 273, 778
Kolko, Joyce 273
Korsch, Karl 75, 475
Krahl, H-J. 388
Krestinsky, Nikolai 744
Krupskaya, Nadezhda 478, 479
Kugushev, Sergei 771, 783
Kuhn, Anthony 331
Kún, Béla 381

L
Lane, David 344
Landler, Jenö (Eugene) 348, 474
Lapper, Richard 161
Lask, Emil 406, 433
Laski, Kazimierz 963
Lassalle, Ferdinand 148, 149, 551, 572
Lauderdale, Earl of (James Maitland) 652
Layard, Richard 97, 851
Lee Kuan Yew 275
Lenin, V. I. 79, 349, 366, 370, 389, 390, 391, 409, 424, 454, 460, 474, 475, 478, 479, 480, 481, 482, 486, 497, 523, 534, 549, 594, 600, 735, 736, 738, 739, 740, 741, 742, 743, 744, 747, 778, 789, 790, 792, 795, 833, 893, 894, 1018, 1019, 1020, 1022, 1038, 1039, 1044, 1050, 1068, 1069

Leppard, David 325
Levy, Adrian 299
Lewin, Moshe 756
Liberman, Evsei 755, 758, 768, 975
Lichtheim, George 406
Liebknecht, Wilhelm 572, 811
Lightfoot, Liz 327
Linguet, S. N. H. 185
Locke, John 378, 396, 688, 690
Lorenz, Andrew 243, 256, 1090
Ludz, Peter 472, 475
Lukács, Georg 73, 74, 75, 76, 77, 78, 79, 80, 81, 82, 83, 84, 347, 348, 349, 350, 351, 352, 353, 354, 355, 356, 357, 358, 359, 360, 361, 362, 363, 364, 365, 366, 367, 368, 369, 370, 371, 372, 379, 380, 381, 382, 383, 384, 385, 386, 387, 388, 389, 390, 391, 392, 393, 394, 395, 396, 397, 398, 399, 400, 401, 402, 403, 404, 405, 406, 407, 409, 412, 413, 415, 416, 417, 418, 419, 420, 421, 422, 423, 424, 425, 426, 427, 429, 430, 432, 433, 434, 435, 436, 437, 438, 439, 440, 441, 442, 443, 445, 446, 447, 448, 449, 450, 451, 452, 453, 454, 455, 456, 457, 458, 459, 460, 461, 462, 463, 464, 465, 467, 468, 469, 470, 471, 472, 473, 474, 475, 476, 477, 478, 479, 480, 481, 482, 483, 484, 485, 486, 487, 488, 489, 490, 491, 492, 493, 494, 495, 496, 497, 498, 499, 500, 501, 502, 503, 504, 505, 506, 507, 508, 509, 510, 511, 512, 521, 549, 600, 601, 631, 813, 861, 862, 863, 864, 865, 866, 867, 868, 870, 871, 872, 873, 874, 875, 877, 878, 879, 887, 895, 1021, 1022, 1023, 1026, 1037, 1040, 1055
Lukács, Gertrud 503
Lutero, Martinho 61
Lutz, Bob 623, 1086
Luxemburgo, Rosa 350, 390, 391, 395, 396, 397, 409, 425, 436, 437, 455, 456, 486, 521, 558, 603, 679, 684, 685, 698, 775, 857
Lynd, Staughton 326, 328
Lynn, Matthew 327

M
MacDonald, Ramsay 852
Macmillan, Sir Harold 143, 145, 157, 196, 339, 840, 841, 1088
Macpherson, C. B. 378
Magdoff, Harry 112, 229, 230, 336, 558, 559, 964, 965
Major, John 92
Malenkov, Grigorii 546, 896
Malthus, T. R. 310, 311, 312, 313, 314, 315, 316, 317, 318, 319, 339, 526, 652
Mandel, David 759, 762, 764
Mandeville, Bernard 644, 645, 646, 647, 648, 649, 650, 651, 652, 656, 657, 658, 667, 689, 700
Mann, Thomas 75, 76, 78, 473
Mannheim, Karl 338, 581
Marcos, Ferdinand 231
Márkus, György 365
Marcus, Martin 165, 166
Marcuse, Herbert 494, 512, 388, 406, 696, 1045
Marlowe, Christopher 107
Marshall, Alfred 142, 143, 144, 145, 147, 148, 149, 153, 154, 155, 159, 160, 163
Marx, Karl 53, 54, 55, 57, 58, 59, 68, 75, 79, 84, 85, 86, 87, 88, 89, 90, 91, 92, 93, 94, 101, 102, 103, 115, 119, 120, 139, 140, 144, 145, 147, 148, 149, 150, 158, 182, 184, 185, 189, 195, 199, 200, 202, 203, 204, 205, 206, 208, 218, 219, 239, 240, 248, 251, 257, 263, 264, 265, 268, 281, 287, 288, 289, 303, 310, 322, 326, 327, 339, 354, 374, 375, 388, 396, 397, 399, 400, 401, 405, 413, 414, 415, 416, 420, 421, 422, 424, 426, 427, 428, 429, 430, 431, 439, 443, 445, 446, 448, 450, 453, 466, 467, 472, 473, 474, 492, 514, 518, 519, 520, 521, 522, 523, 524, 525, 526, 527, 528, 529, 530, 531, 532, 533, 534, 535, 536, 537, 538, 541, 542, 543, 544, 545, 546, 547, 548, 549, 550, 551, 556, 557, 562, 563, 564, 565, 566, 567, 568, 569, 570, 571, 572, 573, 574, 575, 576, 577, 578, 579, 580, 581, 582, 583, 584, 585, 586, 587, 588, 589, 590, 591, 592, 593, 594, 595, 596, 597, 598, 599, 600, 603, 606, 607, 608, 609, 610, 613, 614, 615, 616, 617, 618, 619, 620, 627, 630, 657, 660, 662, 675, 676, 677, 678, 680, 681, 683, 684, 687, 692, 693, 695, 698, 699, 701, 702, 703, 704, 706, 707, 708, 709, 710, 712, 717, 718, 719, 721,

723, 725, 726, 727, 728, 747, 748, 762,
763, 764, 771, 775, 776, 777, 781, 789,
791, 792, 794, 795, 798, 799, 800, 804,
811, 812, 813, 814, 817, 820, 826, 827,
831, 833, 844, 846, 854, 855, 859, 863,
866, 867, 868, 869, 870, 871, 872, 873,
874, 875, 877, 880, 881, 886, 887, 888,
889, 891, 892, 893, 894, 895, 905, 908,
916, 917, 918, 919, 920, 922, 923, 924,
925, 928, 935, 941, 942, 943, 944, 946,
947, 951, 952, 956, 958, 959, 960, 963,
966, 967, 968, 971, 972, 983, 984, 985,
988, 990, 997, 998, 999, 1008, 1009,
1010, 1012, 1013, 1014, 1015, 1016,
1017, 1018, 1021, 1023, 1024, 1025,
1026, 1027, 1028, 1029, 1034, 1035,
1036, 1038, 1039, 1041, 1042, 1043,
1044, 1045, 1046, 1047, 1048, 1049,
1050, 1051, 1052, 1053, 1054, 1055,
1056, 1057, 1059, 1061, 1062, 1063,
1064, 1065, 1068, 1076
Mattick, Paul 1045
Maxwell, Robert 772
McCulloch, J. R. 134
McGovern, George 1086
Meacher, Michael 1082
Meadowcroft, Michael 1082
Meadows, Dennis L. 221
Meadows, Donella H. 221
Means, G. C. 157, 161, 163
Medvedev, Roy 784
Medvedev, Vadim 765, 767, 936
Mehring, Franz 397
Meiksins, Peter 627
Merleau-Ponty, Maurice 75, 159, 406,
 419, 420, 421, 422, 423, 426
Mezei, György Iván 369
Miliband, Ralph 990
Milken, Michael 67, 68
Mill, John Stuart 123, 132, 150, 193,
 279, 526, 721, 722, 814
Mills, C. Wright 108, 323, 410
Mishan, E. J. 995
Mitchell, Wesley C. 142, 144
Mitterrand, François 72, 898
Monod, Jacques 193
Moore, G. E. 193
Morgan, Lewis 261
Moynihan, Daniel Patrick 228, 229, 232,
 241

Mozart, W. A. 295
Mulkay, Michael 108
Münzer, Thomas 361
Murphy, Phil 325
Mussolini, Benito 150, 730

N
Nagy, Imre 474, 502, 503, 372
Negt, Oskar 388
Nemchinov, V. 755, 758, 975
Netto, José Paulo 381
Newling, Tim 555
Nieuwenhuis, Domela 592, 792
Nisbet, H. B. 65, 66
Nissen, Bruce 627
Nixon, Richard 992, 1089
Nixon, Sir Edwin 1080
Norris, Peggy 298
Novalis, Friedrich von Hardenberg 510,
 440, 442
Nove, Alec 729, 919, 920, 926, 928,
 954, 956, 957, 958, 959
Nyers, Rezső 348

O
Olins, Rufus 166
Oliver, Sidney 148
Ollman, Bertell 769
Omar, Abba 852
Ország, Peter 97
Outhwaite, William 108
Ovári, Miklós 502
Ovcharenko, Georgi 785

P
Paine, Thomas 311, 312
Panitch, Leo 912
Pao, Sir Y. K. 300
Papandreou, Andreas 1070
Parkinson, G. H. R. 475
Parsons, Talcott 117, 135, 159, 161,
 162, 163, 164, 581, 882
Pavitt, K. I. R. 250
Pearl, Richard 1083
Pereyra, Carlos 1041
Petőfi, Sándor 78, 348
Piaget, Jean 193
Pigou, A. C. 143
Pinkus, Theo 504
Pinochet, Augusto 106, 121, 771, 773

Platão 193, 373
Polányi, Karl 193
Polányi Levitt, Kari 903, 911
Polonius 744, 762
Popov, Gavril 761, 762, 773, 785
Popper, Karl 192, 292, 929, 963
Potter-Webb, Beatrice 970
Proudhon, Pierre-Joseph 572, 574, 593, 427

R
Rakovsky, Christian 745, 746, 747
Ramos, Fidel 231
Randall, Jeff 166, 243
Randall, Margaret 290
Randers, Jorgen 221
Ranke, Leopold von 654
Rau, Bill 1093
Reading, Briam 422
Reagan, Ronald 132, 558, 728, 729, 765, 852, 1079, 1082, 1083
Rees-Mogg, William 841
Reich, Robert B. 230, 231, 326
Rettie, John 770
Révai, Jozsef 475, 476, 348
Rheinhold, Conrad 997
Ricardo, David 65, 77, 652, 695, 907
Richardson, Sir Michael 1091
Rickert, Heinrich 433
Robespierre, Maximilien 564
Robinson, Joan 150, 151
Rohatyn, Felix 559
Roosevelt, Frank 964
Roosevelt, Franklin D. 334, 335, 344, 728, 730, 804, 805, 809
Rosenberg, Nathan 627
Rostow, Walt 165, 322, 327, 985, 987
Roszak, Theodore 846
Rothschild, Nathan 841
Rousseau, Jean Jacques 182, 193, 276, 499, 570, 827, 828, 829, 928
Rudas, László 476
Russell, Bertrand 193, 195

S
Sainsbury, David 851
São Francisco de Assis 978
Santo Agostinho 60
Sartre, Jean-Paul 75, 375, 376, 377, 378, 396, 420
Saunders, John 1082
Savvateyeva, I. 772, 783
Schapper, Karl 567, 571, 572, 573, 574
Scheler, Max 338, 406, 581,
Schelling, Friedrich 53
Schiller, Friedrich 493, 433, 435
Schilpp, P. A. 192
Schirmer, Daniel B. 231
Schlegel, August Wilhelm von 365
Schlesinger, Rudolf 471, 990
Schmidt, A. 388
Schmidt, Helmut 815
Schumpeter, J. A. 157, 160, 162, 163
Sculley, John 161
Seghers, Anna 454
Seldon, Arthur 728
Sêneca 652
Seybold, Peter 627
Shaftesbury, Lord 645, 646
Shah, Eddy 555
Shatalin, Stanislav 774, 779
Shaw, G. B. 294, 295
Sherman, Jill 283
Simmel, Georg 406
Singer, Daniel 68, 323, 338, 897, 911, 912
Sismondi, J. C. L. Sismond de 695
Siuda, Petr 759, 764
Slynn, Lord 827
Smelser, Neal J. 161, 162
Smith, Adam 55, 61, 62, 65, 77, 98, 113, 115, 117, 118, 120, 134, 135, 136, 137, 138, 139, 140, 141, 143, 146, 150, 159, 187, 193, 206, 230, 237, 247, 279, 296, 332, 526, 627, 851
Smith, John 647, 873, 907, 932
Sócrates 279
Solzhenitsyn, Aleksande Isayevich 478, 479
Sorge, F. A. 529, 531, 533
Soros, George 1090
Sosnovsky, L. 747
Stalin, J. V. 55, 72, 73, 76, 78, 178, 185, 294, 295, 337, 348, 381, 383, 456, 461, 470, 471, 472, 475, 477, 478, 479, 487, 491, 495, 498, 505, 551, 552, 565, 599, 727, 741, 743, 744, 746, 747, 748, 750,

751, 752, 753, 754, 756, 762, 763, 764,
766, 767, 779, 780, 790, 799, 868, 885,
896, 897, 899, 906, 915, 930, 932, 956,
959, 960, 963, 968, 971, 972
Stankevich, Sergei 771
Stevenson, Gelvin 627, 729
Stirling, James Hutchison 327
Stirner, Max 572, 574
Sweezy, Paul M. 112, 157, 161, 164,
165, 239, 273, 274, 335, 336, 471, 558,
559, 654, 686
Szántó, Zoltán 503
Sziklai, István 501, 503

T
Taylor, Frederic 119, 637, 639
Taylor, Robert 827
Thatcher, Mark 299, 300
Thatcher, Margaret 132, 136, 178, 190,
192, 194, 198, 280, 291, 292, 299, 300,
335, 342, 343, 345, 555
Thompson, Alice 329
Thorlby, Anthony 990
Ticktin, Hillel 769
Tillett, Anthony 639
Tito, Josif Broz 372
Touradjev, V. 758
Trapeznikov 755
Trotman, Alex 243, 258, 263
Trotsky, Leon 471, 743, 744, 745, 762
Tucker, Robert 764
Tullock, Goldon 729

U
Ujhelyi, Szilárd 503
Urbán, Károly 502
Ure, Andrew 616

V
Varennikov, Valentin 790
Varga, Eugene 744, 762, 932
Vargas Lozano, Gabriel 1041
Vásárhelyi, Miklós 503
Vernière, Paul 182
Vico, Giambattista 60, 61, 62, 435
Voltaire, François M. Arourt de 56

W
Wagner, Adolf 422, 1064

Walesa, Lech 555
Wallace, William 488
Wallerstein, Immanuel 673, 1088
Watts, William 221
Weber, Max 75, 108, 117, 138, 149, 163,
216, 229, 256, 581, 353, 357, 405, 406,
407, 408, 409, 410, 411, 412, 416, 417,
418, 419, 422, 423, 435, 643, 703,
838, 866, 882, 905, 906, 939, 944,
968, 1013
Weinbaum, Batya 627
Weiss, Donald D. 627
Wells, H. G. 307, 308, 309
Werth, Alexander 471
Whitmore, Sir Clive 299
Whitting, Kenneth 275
Williams, Alan 1087
Willich, August 572
Wills, Gordon 639
Wilson, Harold 153, 825, 834, 851,
890, 956, 992, 993
Windelband, Wilhelm 433
Wolfe, Bertram D. 775, 857
Wood, Ken 298
Wood, Peter 161

X
Xá da Pérsia 992

Y
Yakovlev, Alexander 769
Yeltsin, Boris 129, 130, 211, 759, 783,
784, 785, 851

Z
Zaslavskaya, Tatyana 770
Zassulitch, Vera 548, 1042
Zhdanov, A. A. 76
Zinoviev, Grigorii Y. 475, 476, 383, 460
Zola, Emile 472

NOTA BIOGRÁFICA

István Mészáros nasceu em Budapeste, na Hungria, em 1930, e morreu em Ramsgate, na Inglaterra, em 2017. Graduou-se em filosofia na Universidade de Budapeste, onde foi assistente de György Lukács no Instituto de Estética. Deixou o país após o levante de outubro de 1956 e exilou-se na Itália, onde trabalhou na Universidade de Turim. Posteriormente, ministrou aulas nas universidades de Londres (Inglaterra), St. Andrews (Escócia) e Sussex (Inglaterra). Também lecionou na Universidade Nacional Autônoma do México e na Universidade de York (Canadá). Em 1977, retornou à Universidade de Sussex, onde recebeu, catorze anos depois, o título de Professor Emérito de Filosofia. Permaneceu nessa universidade até 1995, quando se afastou das atividades docentes – mesmo ano em que foi eleito membro da Academia Húngara de Ciências. Reconhecido como um dos principais intelectuais marxistas contemporâneos, recebeu, entre outras distinções, o Premio Libertador al Pensamiento Crítico, em 2008, concedido pelo Ministério da Cultura da Venezuela, por sua obra *O desafio e o fardo do tempo histórico*; o título de Pesquisador Emérito da Academia de Ciências Cubana, em 2006; e o Deutscher Memorial Prize, em 1970, por *A teoria da alienação em Marx*.

Sobre a obra do filósofo húngaro, a Boitempo publicou: *István Mészáros e os desafios do tempo histórico* (2011), organizado por Ivana Jinkings e Rodrigo Nobile, com ensaios de diversos autores. Do autor, foram publicados: *O século XXI: socialismo ou barbárie?* (2003), *O poder da ideologia* (2004), *A educação para além do capital* (2005), *O desafio e o fardo do tempo histórico: o socialismo no século XXI* (2007), *Filosofia, ideologia e ciência social* (2008), *A crise estrutural do capital* (2009), *Estrutura social e formas de consciência*, v. I e II (2009 e 2011), *Atualidade histórica da ofensiva socialista: uma alternativa radical ao sistema parlamentar* (2010), *A obra de Sartre* (2012), *O conceito de dialética em Lukács* (2013), *A montanha que devemos conquistar* (2015), *A teoria da alienação em Marx* (nova edição, 2016) e *A revolta dos intelectuais na Hungria: dos debates sobre Lukács e Tibor Déry ao Círculo Petöfi* (2018).

Este livro foi composto em AGaramond, corpo 10,5, e reimpresso em papel Avena 70 g/m² pela gráfica Eskenazi para a Boitempo, em outubro de 2021, com tiragem de 2.000 exemplares.